创建文明城市

广州市

珠江美景

滨江路林阴大道

人民公园

抗震纪念碑广场

青岛市

美丽的青岛

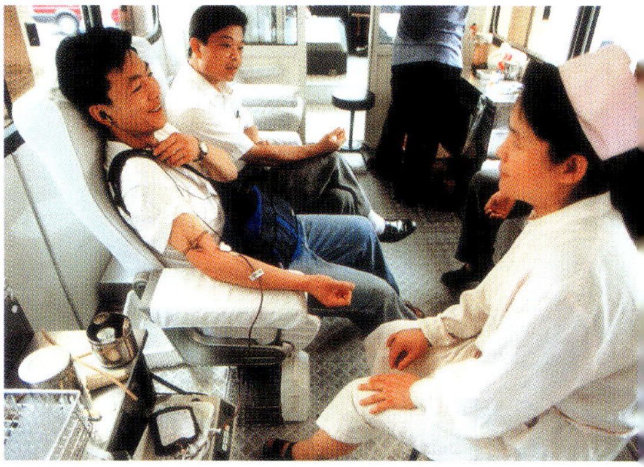

全国无偿献血先进组织城市

香港中路

全国物业管理示范小区

石河子市

工人文化宫

穿越石河子市的乌鲁木齐至奎屯高速公路

绿树成荫的游憩广场

包头市

钢铁大街

鹿趣

银河广场

新型住宅小区

天津市社区广场花园（天津市文明办供稿）

天津大港社区市民学校（天津市文明办供稿）

北京——新疆列车组热情接待旅客（新疆维吾尔自治区文明办供稿）

科教、文体、法律、卫生“四进社区”活动（中组部文明办供稿）

陕西省劳模、宝鸡市公交公司职工施前搀扶老人上车（陕西省文明办供稿）

“西部开发助学工程”新疆大学受助学生汇报会（中央文明办供稿）

爱岗敬业的广东省邮政 185 职工（广东省文明办供稿）

重庆市渝北区文化下乡活动深受群众欢迎（重庆市文明办供稿）

四川省资阳市新华书店开展“三下乡”科技图书展销（四川省文明办供稿）

安徽省金寨县公安局交警大队开展“创人民满意交警中队，做人民满意交警”活动（安徽省文明办供稿）

海关系统组织体育活动（海关总署政工办供稿）

中宣部、中央文明办、教育部联合召开“西部开发助学工程”在京受助学生座谈会
(中央文明办供稿)

河北省平山县温塘镇宣传文化站
(中央文明办供稿)

浙江省温州市龙湾区永兴街道祠南村妇女精心打扮，参加街道举办的“迎接党的十六大”文艺汇演（浙江省文明办供稿）

广西壮族自治区柳州市五菱社区活动综合楼（广西壮族自治区文明办供稿）

浙江省杭州市青年志愿者服务队（浙江省文明办供稿）

四川省乐山国际旅游节的民俗活动丰富了市民的文化生活（四川省文明办供稿）

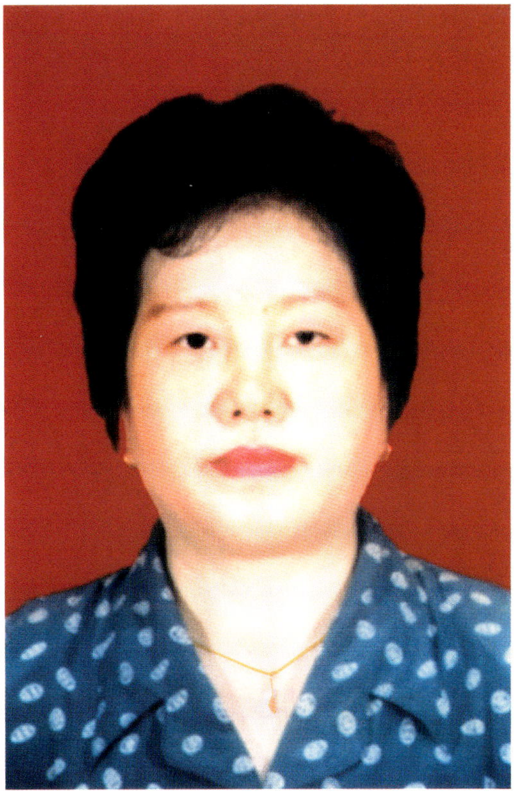

“以工代赈”工程的典范龙清秀（湖南省文明办供稿）

“太行赤子”张荣锁（河南省文明办供稿）

烛耀山乡的农经员汪根林（浙江省文明办供稿）

基层干部的榜样刘清华（铁道部文明办供稿）

心里装着老百姓的陈开枝（广东省文明办供稿）

默默实践“三个代表”的
朱缀绒（浙江省文明办供稿）

德艺双馨的人民艺术家叶景林（辽宁省文明办供稿）

新时代的草原英雄廷·巴特尔（内蒙古自治区文明办供稿）

带领乡亲奔小康的韩行通
（辽宁省文明办供稿）

挑战飞行极限的勇士孙凤阳（首都文明办供稿）

人民的好公仆郑培民（湖南省文明办供稿）

开拓创新的军转干部刘坤洲（山东省文明办供稿）

治沙英雄石光银（陕西省文明办供稿）

公正执法的楷模方工（首都文明办供稿）

见义勇为舍己救人的周光裕（江西省文明办供稿）

北京天坛公园祈年殿

北京天坛公园双环亭

吉林松花湖风景名胜区——水漫金沙

景色如画的松花湖

江苏花果山风景名胜区——屏竹桥

江西三清山之夏—— 紫气氤氲

江西三清山风景名胜区冰玉洞瀑布

海南三亚南山吉祥如意园

海南三亚南山文化旅游区

四川九寨沟之冬

九寨沟树正瀑布

云南中国科学院西双版纳热带植物园——棕榈植物区

山西大同云冈石窟5－20窟外景

云冈石窟七佛像

湖南岳麓山风景名胜区——爱晚亭

河南开封市龙亭湖风景旅游区——中国翰园碑林主体碑廊

中国精神文明建设年鉴

（2003）

中国精神文明建设年鉴编辑委员会　编

学习出版社

中国精神文明建设年鉴(2003)

ZHONGGUO JINGSHEN WENMING JIANSHE NIANJIAN

中国精神文明建设年鉴编辑委员会 编

主管:中央精神文明建设指导委员会办公室
主办:中央文明办秘书组　学习出版社
出版发行:学习出版社
地址:北京市西长安街 5 号
电话:010 - 66065654
邮政编码:100806

彩色印刷:北京恒智彩印有限公司
正文印刷:新世纪印务有限公司
新华书店经销
2004 年 11 月出版

国际标准刊号: ISSN 1009—9891
国内统一刊号: CN 11—4620/D
定价:280.00 元(含光盘)
海外定价:860.00 元

《中国精神文明建设年鉴》编辑委员会

窦熙照　卫生部直属机关党委副书记、纪委书记、文明办副主任
席小平　国家人口计生委宣教司司长
张华民　海关总署思想政治工作办公室副主任
董志林　税务总局人事司司长
蔡贤武　环保总局机关党委常务副书记
徐　立　民航总局党委办公室副主任
朱　虹　广播影视总局办公厅主任、文明委第一副主任
刘光春　国家体育总局直属机关党委常务副书记
刘士国　国家工商总局人事教育司副司长
袁良喜　新闻出版总署机关党委书记
刘铁森　国家旅游局直属机关党委常务副书记、纪委书记、办公室副主任
游有源　中国气象局直属机关党委副书记、文明办副主任
孟国强　国家内贸局行业司副司长
张安乐　国家电力公司政工办副主任、机关党委副书记
谷常生　全国总工会宣传教育部部长
刘可为　团中央宣传部部长
王乃坤　全国妇联宣传部部长
张慧光　首都文明办主任
沈志建　天津市文明办副主任
白　石　河北省委宣传部副部长、文明办主任
张明亮　山西省文明办主任
李　冰　内蒙古自治区党委宣传部副部长
张仁地　辽宁省文明办主任
马　竞　吉林省文明办主任
陈永芳　黑龙江省委宣传部部务委员、文明办副主任
朱匡宇　上海市委宣传部副部长、文明办主任
谭　跃　江苏省委宣传部副部长、文明办主任
张仕英　浙江省文明办副主任
庄保斌　安徽省文明办主任
卓家瑞　福建省委宣传部副部长、文明办主任
杨六华　江西省文明办主任
李凤梧　山东省委宣传部副部长、文明办主任
权红军　河南省文明办专职副主任
李子林　湖北省委宣传部副部长
罗志丹　湖南省委宣传部副部长、文明办主任
胡中梅　广东省委宣传部副部长、文明办主任
李　涛　广西壮族自治区党委宣传部副部长、文明办主任
周洪晋　海南省文明办主任
李继才　重庆市文明办副主任
张亚平　四川省文明办副主任

李从彬　贵州省文明办专职副主任

刘开华　云南省委宣传部助理巡视员

刘盛福　西藏自治区党委宣传部副部长、文明办主任

白阿莹　陕西省委宣传部副部长、文明办主任

周文武　甘肃省文明办主任

王致义　青海省文明办专职副主任

徐永富　宁夏回族自治区党委宣传部副部长、文明办主任

孙新刚　新疆维吾尔自治区文明办主任

王运华　新疆生产建设兵团党委宣传部副部长、文明办主任

《中国精神文明建设年鉴》编辑部

出版说明

《中国精神文明建设年鉴》（以下简称《文明年鉴》）是系统汇集我国精神文明建设重要文献和基本情况的资料性年刊。

《文明年鉴》的编辑宗旨是，宣传中国特色社会主义精神文明建设指导理论和方针政策，全面反映群众性精神文明创建活动进展情况，总结经验，提供信息，积累成果，为精神文明建设工作服务。

编撰《文明年鉴》是精神文明建设的一项基础性工程。中央文明办、中央有关部委和系统文明办、各省（区、市）文明办的负责同志组成《文明年鉴》编委会。编委会下设编辑部，由上述单位和学习出版社参加编辑工作的人员组成。年鉴编辑部力求做到收入年鉴的信息资料具有系统性、可靠性和实用性，使年鉴能够起到了解中央精神，借鉴先进经验，指导现实工作，保存历史资料的作用。

2002 年精神文明建设工作以邓小平理论和“三个代表”重要思想为指导，围绕中心，服务大局，各项工作深入开展，整体推进。坚持用“三个代表”重要思想武装全党，教育人民，兴起学习宣传贯彻“三个代表”重要思想的热潮；以迎接宣传贯彻党的十六大为主线，组织形式多样的主题教育活动，为党的十六大营造良好氛围；广泛深入贯彻落实《公民道德建设实施纲要》，切实加大思想道德建设力度；隆重表彰第二批全国精神文明创建工作先进单位，展示群众性精神文明创建活动新成果；纪念毛泽东在延安文艺座谈会上的讲话发表 60 周年，广泛开展基层群众文化活动；扩大西部开发助学工程资助范围，开办高中宏志班，为欠发达地区和贫困群众多办好事实事。精神文明建设与物质文明和政治文明建设协调同步，对于促进改革发展，维护社会稳定，提高城乡文明程度和公民文明素质起到重要作用。《文明年鉴》内容侧重于思想道德建设，特别是群众性精神文明创建活动。2003 年卷设 9 个专栏：文献·讲话；法规·文件；概况综述；创建活动；先进典型；经验交流；理论成果；大事记；附录（组织机构、表彰名单）。这 9 个专栏的内容综合起来，基本涵盖了全国精神文明建设的各个方面，比较系统地反映了 2002 年我国精神文明建设的实际进展情况。

《文明年鉴》的稿件由中央文明办、各部门、各系统、各省（区、市）文明办和年鉴编辑部撰写或选编。其中文献·讲话、大事记专栏的内容来源于权威媒体；法规·文件专栏中，中央和部委级的资料均在权威媒体公布过，省（区、市）的资料由各单位文明办提供；创建活动、先进典型、经验交流、理论成果专栏的内容大部分由相关的文明办提供，其余选自权威媒体。编辑部组织特约编辑对与本单位本地区相关的稿件内容进行审核，保证了信息的准确性。

《文明年鉴》的编辑出版工作，得到了中央文明委、中央文明办领导同志的关心和指导，得到了各部委、各系统、各省（区、市）文明委和文明办的大力支持，在此一并表示诚挚的感谢！

中国精神文明建设年鉴编辑部

2004 年 9 月

总 目

目　　录

文献·讲话

法规·文件

概况综述

创建活动

"讲文明树新风"活动

创建文明城市

创建文明村镇

创建文明行业

先进典型

先进个人

先进单位

经验交流

理论成果

理论文章

图书简介

大事记

附 录

组织机构

表彰与获奖者名单

文献·讲话

LITERATURE AND SPEECHES

胡锦涛在全国宣传部长会议上发表讲话

（2002 年 1 月 11 日）

胡锦涛强调，今年是我们党和国家历史上非常重要的一年。宣传思想战线一定要认真贯彻党的十五届五中、六中全会和中央经济工作会议精神，围绕中心，服务大局，高度重视并切实做好统一思想的工作，努力把全党同志和全国人民的思想统一到邓小平理论和“三个代表”重要思想上来，统一到中央应对复杂国际局势作出的重要判断和重大决策上来，统一到中央关于今年工作的总体要求和部署上来，为完成今年改革开放和现代化建设的各项任务，为十六大的胜利召开提供强有力的思想和舆论保证。

胡锦涛指出，在刚刚过去的一年里，宣传思想战线认真贯彻江泽民同志去年在全国宣传部长会议上的重要讲话精神，按照“三个代表”的要求，紧紧围绕全党全国工作大局，做了大量富有成效的工作，为推动党的路线方针政策和中央各项决策部署的贯彻落实，促进改革发展稳定发挥了重要作用。

胡锦涛强调，统一思想是统一行动的前提，是凝聚人心，凝聚力量，调动一切积极因素，为实现共同目标而奋斗的重要保证。我们党历来重视并善于做好统一思想的工作，这是我们党的一大政治优势。面对国内外形势的新变化，面对改革开放和现代化建设的新任务，必须充分发挥党的这一政治优势，努力保持全党全国人民的思想统一，以确保党的路线方针政策的贯彻执行，确保我国在新世纪宏伟目标的实现。

胡锦涛强调，学习宣传贯彻江泽民同志“七一”重要讲话和“三个代表”重要思想，是宣传思想战线的一项根本任务，也是推动全党和全国上下统一思想的重要保证。要继续把学习宣传贯彻的热潮向深度和广度推进。一是要准确把握“七一”重要讲话体现的与时俱进的理论品质，引导广大干部群众深刻理解“七一”重要讲话提出的一系列新思想、新观点、新论断，积极倡导求真务实、勇于创新的精神，在解放思想中统一思想。二是要深刻认识“三个代表”重要思想是马列主义、毛泽东思想、邓小平理论的继承和发展，真正懂得在新的历史条件下坚持“三个代表”重要思想就是坚持马列主义、毛泽东思想、邓小平理论。三是要大力弘扬理论联系实际、学以致用的学风，注重在人民群众的实践创造中汲取理论营养，进行理论概括，深入研究和正确回答重大理论和实践问题，努力拿出有深度、有分量、有说服力的理论成果。

胡锦涛指出，做好统一思想的工作，必须进一步唱响主旋律、打好主动仗，充分发挥舆论宣传的重要导向作用。我们的新闻媒体是党和人民的喉舌，一定要坚持新闻工作的党性原则，坚持团结稳定鼓劲、正面宣传为主的方针，牢牢把握正确的舆论导向，努力营造昂扬向上、团结奋进、开拓创新的良好氛围。要深入宣传党的基本理论、基本路线、基本纲领，宣传爱国主义、集体主义、社会主义和艰苦创业精神，宣传改革开放和现代化建设的巨大成就，宣传各条战线的先进典型和先进经验，宣传和弘扬一切有利于国家统一、民族团结、经济发展、社会进步的思想和精神。尤其要紧紧围绕经济建设这个中心，牢牢把握发展这个主题，大力宣传抓住机遇、加快发展的思想，最大限度地调动和发挥广大人民群众的积极性、主动性、创造性。要尊重舆论宣传的规律，讲究舆论宣传的艺术，不断提高舆论引导的水平和效果。要严格宣传纪律，加强对舆论宣传阵地的管理。

胡锦涛说，当前，我国社会正处在深刻变革之中，干部群众的思想问题和实际问题明显增多。紧密联系改革发展稳定的实际，有针对性地做好思想政治工作，是摆在全党面前的一项重大而紧迫的任务。宣传思想战线要根据形势发展的要求，帮助干部群众认清深化改革、推进经济结构调整的重要性和必要性，了解党和政府解决困难和问题的有关政策措施，正确对待改革中利益关系的调整，更加自觉地支持改革、投身建设。要大力宣传稳定压倒一切的思想，进一步增强干部群众的民主法制观念，努力维护安定团结的政治局面。要注重把解决思想问题同解决实际问题结合起来，多做深入细致的思想政治工作，多为群众办实事、办好事，真正把党和政府的温暖送到广大群众的心坎上。

胡锦涛说，中央提出要把今年作为转变作风年、调查研究年。宣传思想战线要按照“八个坚持、八个反对”的要求，紧密结合自身实际，着力解决作风上存在的突出问题。要牢固树立党的群众观点，努力把马克思主义理论和社会主义思想道德观念的宣传教育的一致性，与社会不同群体的特点和要求的多样性统一起来；努力把理想信念和道德观念的宣传教育的理论性，与人民群众日常工作和生活的实践性统一起来，使宣传教育工作做到形式多样，生动活泼，为群众所乐于接受，能够回答群众中存在的思想认识问题。要自觉深入改革开放和现代化建设的实践，努力创作出反映时代精神、为广大群众喜闻乐见的精品力作。要坚持讲真话、报实情，实事求是地反映情况，坚决反对弄虚作假。要切实改进文风，写文章、搞报道都要言之有物、生动鲜活、言简意赅，切忌八股习气。要密切关注国内外大事，善于捕捉信息，进一步增强宣传报道的敏锐性和时效性。要大力倡导敬业奉献、艰苦奋斗、严守纪律、清正廉洁的良好风气，坚决纠正行业不正之风。

胡锦涛希望宣传思想战线从新的发展阶段的实际出发，深入研究新形势下宣传思想工作的特点和规律，积极探索开展宣传思想工作的新途径、新办法，大力推进新闻出版广播影视业的改革，在新的实践中努力开创宣传思想工作的新局面。

（摘自 2002 年 1 月 12 日《人民日报》）

胡锦涛在中央党校2002年春季开学典礼上发表讲话

（2002 年 3 月 1 日）

胡锦涛指出，认真落实“三个代表”重要思想，始终站在时代前列，不断推进中国先进生产力和先进文化的发展，不断满足最广大人民群众日益增长的物质文化需求，团结和带领全国各族人民把建设有中国特色社会主义事业不断推向前进，这是我们党保持先进性的根本要求，既要贯彻和体现到党的建设的各个方面，又要贯彻和体现到我国社会主义现代化建设的各个领域。

胡锦涛说，在新的形势和任务面前，能否抓住机遇，应对挑战，努力开创各项工作的新局面，无疑对领导干部的素质、能力和水平提出了很高的要求。各级领导干部都要加强学习，努力培养自己的世界眼光，正确把握世界和中国的发展大势，增强分析复杂形势的战略思维能力。无论判断、把握国际形势还是国内形势，都要坚持辩证唯物主义和历史唯物主义的观点，认清事物的本质和现象、主流与支流。越是形势好，越要居安思危，看到存在的和潜在的问题，认真加以解决。

胡锦涛指出，“三个代表”重要思想，集中反映了当今世界和当代中国的发展变化对中国共产党人的新要求，充分体现了我们党与时俱进的精神状态和思想理论上的先进性。先进性问题，从来就是马克思主义政党存在和发展的根本前提，是党得到最广大人民群众信任和拥护的根本条件。党的先进性来自和体现在多个方面，首先是在思想理论方面。“三个代表”重要思想，正是立足于国内外形势的新变化，主动顺应时代发展的潮流，在总结我们党和世界社会主义正反两方面经验的基础上，从我们事业进一步发展的高度作出的战略思考和理论概括。它从根本上回答了在新的国内外条件下，在充满挑战和希望的21世纪，把我们党建设成为一个什么样的党和怎样建设党的问题，是马克思主义理论创新的最新成果，是新世纪中国共产党继往开来、与时俱进的新的理论武器。

胡锦涛指出，当今世界和我们所处的时代已经和正在发生巨大而深刻的变化，无论是从国际还是从国内看，都面临许多新情况、新问题。这就要求我们以马克思主义为指导，以改革开放、现代化建设和我们正在做的事情为中心，站在时代前列和实践前沿，深入研究和回答现实生活中提出的重大理论和实际问题，不断深化对共产党执政规律、对社会主义建设规律、对人类社会发展规律的认识，努力开拓马克思主义理论发展的新境界。

胡锦涛指出，江泽民同志在中央纪委第七次全体会议上的重要讲话，深刻阐述了领导干部牢固树立正确的权力观问题，对于我们加强党的建设和政权建设具有重要的指导意义，各级领导干部都要深入学习领会、坚决贯彻落实。胡锦涛强调，领导干部树立正确的权力观，必须加强党性锻炼，坚持立党为公、执政为民，始终保持同人民群众的血肉联系。领导干部手中的权力是人民赋予的，只能用来为国家和人民谋利益，而绝不允许以权谋私。在新的历史条件下，领导干部遇到的诱惑和考验很多，无论什么情况下都要自重、自省、自警、自励，都要把握住自己，洁身自好，清廉自守，为人民掌好权、用好权。要摆正同人民群众的关系，增强公仆意识，时刻把群众的安危冷暖放在心上，真正把群众呼声当作第一信号，把群众需要当作第一选择，把群众利益当作第一考虑，把群众满意当作第一标准，自觉地把精力最大限度地用来为人民幸福和国家富强勤奋工作，努力成为人民群众爱戴的好干部。

胡锦涛说，领导干部要坚持正确的权力观，要抵御各种腐朽思想的侵袭和各种物欲的诱惑，既需要加强自身党性修养，不断提高精神境界，又需要党组织的严格要求、严格教育、严格管理、严格监督。各级党组织要经常注意掌握和分析干部的状况，对他们可能出现的问题要及时打招呼、提要求；一旦发现有不良苗头，要及时提醒，严肃批评，加以制止。还要积极探索对领导干部实施有效监督的途径和办法，建立健全权力制约机制。这样才是对干部最好的爱护，才有利于干部的成长和进步。

（摘自2002年3月2日《人民日报》）

胡锦涛在全国农村"三个代表"重要思想学习教育活动总结表彰会议上发表讲话

（2002年6月24日）

胡锦涛指出，全国农村“三个代表”重要思想学习教育活动是把“三个代表”重要思想贯彻落实到农村基层的一次成功实践，要以这次学习教育活动为新起点，乘势而上，再接再厉，进一步推进农村基层组织建设，为农村改革、发展、稳定提供更加坚强的政治和组织保证。

胡锦涛说，经过各级党委的共同努力和广大农村基层干部的积极参与，学习教育活动取得了明显的成效，基本达到了中央关于“让干部受教育、使农民得实惠”的要求，促进了农村的改革、发展和稳定。实践证明，中央关于在农村开展“三个代表”重要思想学习教育活动的决策和制定的指导思想、目标要求、方针原则、方法步骤是完全正确的。

胡锦涛指出，这次学习教育活动，是在改革开放和发展社会主义市场经济条件下加强和改进党对农村工作的领导、推动农村基层组织建设与时俱进的有益探索，为今后工作的开展提供了许多有益的启示和经验。主要是：（一）把“三个代表”重要思想落实到农村基层，一定要体现执政为民的要求，把干部受教育与农民得实惠紧密结合起来。（二）提高农村基层干部素质特别是思想政治素质，一定要坚持把理论武装放在首位，坚持学与用、知与行的统一。（三）妥善解决农村基层干部思想和工作作风中存在的突出问题，一定要坚持正面教育、自我教育为主，同时要充分听取群众意见，自觉接受群众监督。（四）全面提高农村基层组织建设水平，一定要把思想建设、组织建设、作风建设有机结合起来，把制度建设贯穿其中，做到整体推进。（五）把加强和改进农村基层组织建设的任务落到实处，一定要坚持上下结合，齐抓共管，建立严格的领导责任制，切实加强督促检查。（六）坚持农村党建工作的正确方向，一定要密切联系农村的新形势，紧紧围绕党在农村的中心任务，服从服务于农村改革、发展、稳定的大局。胡锦涛强调，这次学习教育活动的宝贵经验，是贯彻“三个代表”重要思想的丰硕成果，是千百万农村基层干部在实践中的伟大创造，要很好地运用到农村基层组织建设的经常性工作中去。

胡锦涛强调，学习和实践“三个代表”重要思想是一项长期的任务。无论是农村基层干部转变作风、提高素质的问题，还是农村存在的其他突出问题，都不可能通过一次集中学习教育活动全部得到解决。我们要实事求是地认识和估计这次学习教育活动，巩固和扩大已有的成果，正视和解决存在的问题，按照中央的要求把农村基层组织建设工作做得更好。

胡锦涛指出，在新世纪新阶段，加强和改进农村基层组织建设，必须始终坚持以“三个代表”重要思想为指导，紧紧围绕深化农村改革、调整经济结构、增加农民收入、维护社会稳定、推进农村两个文明建设来进行；必须坚持与时俱进，开拓创新，以改革的精神研究新情况、解决新问题，不断进行新探索，总结新经验；必须坚持把领导班子建设放在突出位置，尤其要选好配强乡（镇）党委书记和村党支部书记，增强农村基层组织解决自身矛盾的能力；必须坚持党要管党原则和从严治党方针，建立健全抓好农村基层组织建设的领导责任制，坚持上下结合，标本兼治，既立足于经常性工作，又及时发现、解决存在的突出问题。总之，要通过扎实的工作和不懈努力，把农村基层组织建设成为用“三个代表”重要思想武装起来，密切联系群众、宣传群众、组织群众、团结和带领群众建设社会主义新农村的坚强战斗堡垒。

胡锦涛强调，江泽民同志“5·31”重要讲话，是继去年“七一”讲话后的又一篇马克思主义重要文献，深入学习和贯彻这个重要讲话，是当前全党一项十分重要的政治任务，各级党委一定要高度重视，切实抓好。学习要牢牢把握“三个代表”的根本要求，充分认识讲话的重大意义，深刻领会讲话的科学内涵，全面把握讲话的精神实质，把广大党员、干部的思想统一到讲话精神上来。要坚持学以致用，把讲话精神贯彻落实到建设坚强的农村基层党组织和高素质的农村基层干部队伍的实践中去，贯彻落实到推进农村改革、发展、稳定的各项工作中去。

胡锦涛指出，要适应新形势、新任务的要求，切实加强对农村基层干部的教育培训，进一步完善培训工作分级负责制，建立健全基层干部学习培训的激励机制，不断提高基层干部的整体素质。要加大工作力度，逐步建立一支数量充足、素质优良的村级后备人才队伍。要继续推动农村基层干部转变作风，尤其要把领导干部建立联系点、基层干部驻村蹲点、基层干部进村入户征求意见、党员干部结对帮扶困难户、部门包村以及方便群众办事等做法制度化、经常化。胡锦涛指出，要在农村党员中进行自觉实践“三个代表”、做合格共产党员的教育，坚持和健全党组织活动制度，加强对农村中流动党员的管理，积极做好发展农村党员、特别是在优秀青年农民中发展党员的工作，在农村两个文明建设中发挥共产党员的先锋模范作用。

胡锦涛强调，推进农村基层民主政治建设，一定要把加强党的领导、充分发扬民主、严格依法办事有机地统一起来。要依照法律和条例，明确村党支部和村委会的职责，规范村级重大事务决策和管理程序，建立健全党支部领导下的村民自治运行机制。要进一步改进农村基层干部选拔任用方式，选配好村党支部和村委会领导班子。

胡锦涛指出，各级党委要狠抓农村基层党建工作责任制的落实，真正做到认识到位，责任到位，措施到位，工作到位。要继续开展以创建“五个好”村党支部、“六个好”乡镇党委和农村基层组织建设先进县为载体的“三级联创”活动，建立健全农村基层组织建设常抓不懈的工作机制。

（摘自2002年6月25日《人民日报》）

胡锦涛：以扎实的工作迎接十六大召开

（2002年9月8日）

我们党即将召开十六大。这是我们党在新世纪召开的第一次全国代表大会，也是在我国进入全面建设小康社会、加快推进社会主义现代化的新的发展阶段召开的一次十分重要的代表大会，对于新世纪新阶段全面开创建设有中国特色社会主义事业的新局面具有重大而深刻的意义。全党同志要继续高举邓小平理论伟大旗帜，全面贯彻“三个代表”重要思想，努力做好改革、发展、稳定各项工作，以优异成绩迎接党的十六大的召开。

今年5月31日，江泽民同志在中央党校省部级干部进修班毕业典礼上发表了重要讲话。这个讲话，是继去年“七一”讲话后又一篇马克思主义重要文献。讲话站在全局和战略的高度，科学总结了我们党带领人民建设有中国特色社会主义的基本经验，全面阐述了贯彻“三个代表”的根本要求，深刻回答了新世纪党和国家事业发展的一系列重大理论和实践问题，为召开党的十六大作了重要的政治、思想和理论准备，对于更好地团结和动员全党肩负起历史和时代赋予我们的庄严使命具有十分重要的意义。学习“5·31”重要讲话，最重要的是加深对贯穿讲话全篇的“三个代表”重要思想的理解。“三个代表”重要思想，既坚持了马克思主义的基本原理，坚持了辩证唯物主义和历史唯物主义的世界观和方法论，同马克思列宁主义、毛泽东思想和邓小平理论一脉相承，又反映了当代世界和中国的发展变化对党和国家工作的新要求，以新的思想、观点、论断丰富和发展了马克思列宁主义、毛泽东思想和邓小平理论，是我们党理论创新的最新成果。“三个代表”是我们党的立党之本、执政之基、力量之源，是加强和改进党的建设、推进我国社会主义制度自我完善和发展的强大理论武器。贯彻“三个代表”重要思想，关键在坚持与时俱进，核心在保持党的先进性，本质在坚持执政为民。要把学习“七一”讲话和“5·31”讲话作为重要任务切实搞好，不断增强贯彻“三个代表”重要思想的自觉性和坚定性，为下一步全面落实十六大提出的各项任务打下坚实的思想基础。

一、充分认识国内外形势的新变化和我们党面临的新任务，始终保持与时俱进的精神状态，不断推进理论创新

历史和现实都告诉我们，马克思主义具有与时俱进的理论品质，坚持马克思主义就必须坚持与时俱进的精神；与时俱进又是我们对待马克思主义的正确态度，坚持与时俱进就要在实践中不断丰富和发展马克思主义。我们党是执政党，坚持解放思想、实事求是的思想路线，弘扬与时俱进的精神，不断开拓马克思主义理论发展的新境界，这是党在长期执政条件下保持先进性和创造力的决定性因素。我们党能否始终做到这一点，决定着中国的前途和命运。

坚持与时俱进，推进理论创新，前提在于正确认识时代特征，把握社会前进脉搏，洞察历史发展大势。在新世纪新阶段，我们要贯彻“三个代表”要求，不断推进马克思主义理论的丰富和发展，始终保持党在思想理论上的先进性，就必须坚持用马克思主义的宽广眼界来观察当今世界和当代中国，准确把握世界发展的潮流，把握中国社会前进的方向，把握党自身状况发生的变化。

首先，要科学认识和把握世界形势的新变化。进入新世纪，和平与发展仍然是世界面临的两大课题。国际局势总体趋向缓和，但天下并不太平。当前国际局势呈现许多新的特点。世界多极化趋势在曲折中发展。经济全球化进程加快。科技进步日新月异，越来越成为经济社会发展的重要决定性因素。非传统安全因素影响上升，国际安全形势更加复杂。发达国家与发展中国家之间的发展差距进一步扩大，“南北矛盾”更加突出。总的看，当今国际形势错综复杂，各种矛盾相互交织，但新的世界大战在可预见的未来还打不起来，争取较长时期的国际和平环境是可以实现的。面对日趋激烈的综合国力竞争，面对西方敌对势力对我实施“西化”、“分化”的图谋，我们必须增强忧患意识，抓住机遇，迎接挑战，归根到底还是要集中精力把国内的事情办好，尤其要把经济建设搞上去。同时，我们要坚持独立自主的和平外交政策，坚决反对霸权主义和强权政治，坚决反对一切形式的恐怖主义。要积极改善和发展同各大国的关系，继续加强与周边国家的睦邻友好关系，大力推进同第三世界国家的团结合作，为我国改革开放和现代化建设创造一个良好的国际环境和周边环境。

其次，要科学认识和把握国内形势发生的新变化。经过全党和全国各族人民20多年的艰苦努力，我们胜利实现了现代化建设“三步走”战略的第一、第二步目标。一个12亿多人口的发展中大国，人民生活总体上达到小康水平，这是改革开放和现代化建设的丰硕成果，是中华民族发展史上一个新的里程碑，也为我国在新世纪的发展奠定了坚实基础。现在，我国进入了全面建设小康社会、加快推进社会主义现代化的新的发展阶段。我们要抓住机遇，加快发展，继续推进现代化建设，具有许多有利条件，也面临不少矛盾和问题。人民群众日益增长的物质文化需要同落后的社会生产之间的矛盾仍然是我国社会的主要矛盾。我国生产力和科技教育的整体水平还比较低，仍然面临着发达国家在经济科技等方面占优势的压力。我们在建设社会主义物质文明、精神文明、政治文明方面积累了许多成功经验，但改革发展稳定中还有许多深层次的问题有待我们去解决，有许多规律性的东西需要我们去认识和把握。我国加入世贸组织后面临着新的机遇和挑战，既需要我们遵守世贸规则，又要求我们善于利用规则来发展自己，化解风险。随着改革开放的深入，我国社会经济成分、组织形式、就业方式、利益关系和分配方式日益多样化，正确处理各种利益矛盾，理顺收入分配关系，需要我们继续作出努力。总之，在未来的征途上，改革发展的任务会十分艰巨，新情况新问题会层出不穷，来自各方面的挑战和风险会不时出现。对此，我们要始终保持清醒的头脑。

第三，要科学认识和把握党自身状况发生的新变化。经过80多年的发展，我们党的自身状况发生了重大变化。一是我们党已经从一个领导人民为夺取全国政权而奋斗的党，成为一个领导人民掌握着全国政权并长期执政的党。党的地位的这种变化，使我们有了更好地为人民服务的条件，同时也增加了脱离群众的危险。二是我们党已经从一个在受到外部封锁和实行计划经济条件下领导国家建设的党，成为在对外开放和发展社会主义市场经济条件下领导国家建设的党。党所处的外部环境的变化，有利于我们的党员、干部开阔眼界，学习国外的先进科学技术和管理经验，同时也增加了受资本主义腐朽思想和生活方式腐蚀的危险。随着经济体制、政治体制、文化体制改革的推进和社会主义市场经济、社会主义民主政治、社会主义精神文明的发展，给党的建设带来了新动力，同时也提出了许多新课题。三是我们党已经有6600多万名党员，50多万名县处级以上领导干部。新党员的数量大幅度增加，干部队伍新老交替不断进行，一大批年轻干部走上领导岗位。这种新变化给党的发展带来了新活力，也提出了许多新挑战。

总之，当今世界、当代中国和我们党的自身状况已经和正在发生重大变化。我们要在不断发展变化的形势下迎接新挑战，完成新任务，实现新发展，把我们党和国家的事业不断推向前进，首先就要求我们坚持与时俱进，以马克思主义的政治勇气和理论勇气不断推进理论创新。马克思主义的基本原理任何时候都要坚持，否则我们的事业就会因为没有正确的理论基础和思想灵魂而迷失方向。但坚持马克思主义必须同时代特征结合起来，同不断发展变化的客观实际结合起来。要自觉地把思想认识从那些不合时宜的观念、做法和体制中解放出来，从对马克思主义的错误的和教条式的理解中解放出来，从主观主义和形而上学的桎梏中解放出来，坚持科学态度，大胆进行探索，加强对现实生活中的重大理论问题和实际问题的研究，不断深化对共产党执政规律、对社会主义建设规律、对人类社会发展规律的认识，在实践中推进马克思主义的发展，用发展着的马克思主义指导新的实践。

二、把发展作为我们党执政兴国的第一要务，推动国民经济持续快速健康发展和社会全面进步

江泽民同志在“5·31”重要讲话中，提出了“把发展作为党执政兴国的第一要务”的重要论断。这既是对我们党执政经验的科学总结，也是对我们党新时期根本任务的高度概括。发展是硬道理，解决中国所有问题的关键在于发展。我们党要承担起推动中国社会发展的历史使命，必须始终紧紧抓住发展这个主题不放松，把保持党的先进性和发挥社会主义制度的优越性，落实到发展先进生产力、发展先进文化、维护和实现最广大人民的根本利益上来。把握住这一点，就从根本上把握了人民的愿望，把握了社会主义现代化建设的本质。这里所说的发展，是以经济建设为中心、经济政治文化相协调的发展，是立足于实现中国的现代化又顺应世界发展潮流、具有时代特征的发展，是促进人与自然相和谐的可持续发展。纵观全局，今后一二十年，对我国来说是可以大有作为的重要战略机遇期。我们要按照江泽民同志提出的“发展要有新思路，改革要有新突破，开放要有新局面”的要求，进一步增强抓住机遇、加快发展的使命感和紧迫感，用发展的办法解决前进中的矛盾和问题，坚定不移地实现我们的发展目标。

加快发展，关键是促进经济发展。当前，我国经济形势总的是好的。今年以来，各地区、各部门以“三个代表”重要思想为指导，认真贯彻落实中央的部署，努力做好各方面工作，取得了明显成效。国民经济在平稳中保持较快增长，国内需求进一步扩大，外贸出口和外商直接投资增长明显加快，结构调整取得新进展，各项改革稳步推进。在看到我国经济发展取得的成绩和具有许多有利条件的同时，也要清醒地认识到面临的新矛盾、新问题。从国际经济环境看，世界经济走向稳定复苏的前景还有很多不确定因素。从国内经济运行的情况看，主要问题是，上半年财政收入增长明显放缓，收支矛盾比较突出；下岗失业问题十分严峻，就业矛盾有所加剧。此外，一些地方安全生产基础薄弱，重大特大安全事故时有发生，市场经济秩序混乱等问题也不容忽视。

今年是我国经济发展和政治生活中非常重要的一年。要保持经济平稳发展的势头，实现全年7%的预期增长目标，必须抓紧解决面临的突出矛盾和问题，扎扎实实地做好工作。

要坚定不移地贯彻执行扩大内需的方针和积极的财政政策、稳健的货币政策。加快国债项目建设进度，抓紧在建项目的收尾工作，并适当新开工一批经济发展和社会稳定所急需的项目。同时，要继续加大对农村投资省、见效快的中小型基础设施项目的投入力度，改善农村生产生活条件，促进农民增收。

要千方百计增收节支。进一步加强税收征管，堵塞各种“跑冒滴漏”，把该收的税款都收上来。与此同时，要严格控制各种开支，大力提倡艰苦奋斗、勤俭节约的作风，坚决刹住铺张浪费之风。

要从维护改革发展稳定大局和实现国家长治久安的高度，将就业和再就业工作作为一项长期的战略任务，坚持不懈地抓好。要建立健全就业和再就业的责任制度，把控制失业率和增加就业岗位作为宏观调控的重要指标。要广开就业门路，加强就业服务和职业培训，加大对下岗职工再就业的扶持力度。对特殊就业困难群体，通过开发公益性岗位等办法提供就业援助。

要加快农业结构调整，促进农民增收减负。继续推进农业产业化经营，加大对“公司加农户”等农产品加工和流通企业的信贷支持。加快退耕还林进度，确保退耕还林质量。认真抓好农村税费改革试点。积极引导农村富余劳动力合理转移和有序流动。继续开展涉农价格收费的专项治理，减免受灾地区农业税费，增加对灾民的救济，切实减轻农民负担。

要努力扩大外贸进出口，积极有效地吸引外商直接投资。要认真实施“走出去”的战略，加大对境外投资的金融支持，重点鼓励优势国有企业和有实力、有信誉的民营企业到境外投资办厂。要继续改善投资环境，抓住国际资本流动出现的新机遇，采用多种方式，引进一批技术水平高、有利于促进国内结构调整的外资项目。

要稳步推进以国有企业改革为中心的各项改革，以建立现代企业制度为目标，继续推进规范的股份制改造。加快推进投融资体制改革，扩大企业投资决策权。进一步放开民间投资领域，创造公平竞争的市场环境。

此外，还要认真抓好安全生产，严格执行安全生产责任制，强化日常监督管理，及时查找并排除安全隐患，防止重特大事故的发生。

三、充分调动一切积极因素，紧紧依靠广大人民群众，共同推进有中国特色社会主义伟大事业

在建设有中国特色社会主义道路上实现中华民族的伟大复兴，是一项极其伟大又十分艰难的事业，必须最广泛、最充分地调动一切积极因素，依靠全国各族人民齐心协力、团结奋斗。调动一切积极因素，需要从多方面努力，需要做大量艰苦细致的工作。尤其要在以下三个方面下功夫。

第一，要妥善处理各种利益关系。经过20多年的改革开放和现代化建设，我国的经济和社会发展取得了举世瞩目的伟大成就，广大人民群众普遍得到了实惠。同时，改革作为一场深刻的革命，又必然带来利益格局和利益关系的调整。特别是随着“四个多样化”的出现，在人民群众根本利益一致的同时，也产生了社会不同阶层、不同方面群众之间的利益差异，而且不少利益关系和矛盾交织在一起，错综复杂。我们只有把各种利益关系调整好、处理好，才能巩固和扩大党执政的群众基础，才能使改革开放和现代化建设获得最广泛最可靠的力量源泉。改革越深化，越要正确认识和处理各种利益关系，把个人利益与集体利益、局部利益与整体利益、眼前利益与长远利益、少数人利益与多数人利益正确地统一和结合起来，把社会各个阶层、各个方面群众的切身利益实现好、维护好、发展好，把他们的积极性引导好、保护好、发挥好。我们的各项政策措施，都要正确反映和兼顾不同阶层、不同方面群众的利益，使全体人民朝着共同富裕的方向稳步前进。

第二，要正确处理新形势下的人民内部矛盾。在新的历史条件下，人民内部矛盾明显增多，近年来各地发生的群体性事件绝大多数是由人民内部矛盾引起的。我们要从调动一切积极因素，巩固党执政的群众基础，实现国家长治久安的战略高度，充分认识正确处理人民内部矛盾的极端重要性，扎扎实实地做好工作。要坚持运用民主协商、说服教育的方法，依据有关政策和法律规定，及时妥善地处理人民内部矛盾。一是要开展经常性的矛盾纠纷排查调处工作，善于见微知著，及时发现问题，真正把工作做在前头，及早消除隐患，尽可能把矛盾解决在萌芽状态。二是要及时妥善处置群体性事件。一旦发生群体性事件，各级领导干部要敢于负责，靠前指挥，尽快控制局面。决不能回避矛盾，推诿拖延。以防因处理不当造成矛盾激化而影响社会稳定和人民团结。三是要加强有针对性的教育，引导群众正确对待改革中的利益调整。特别是出台涉及群众切身利益的政策措施时，更要耐心细致地做好释疑解惑、理顺情绪、统一认识、凝聚人心的工作，防止因思想政治工作不到位而引发矛盾。四是要切实转变领导作风和工作作风，坚决克服官僚主义。领导干部要经常深入基层、深入群众，了解群众的愿望，听取群众的呼声，时刻把群众的安危冷暖放在心上，为群众多办实事、好事。对群众提出的要求，能解决的一定要及时解决；一时解决不了的，要向群众说清楚，并积极创造条件加以解决；对不符合政策规定的要求，也要依据有关法规、政策，耐心细致地做好解释说服工作。

第三，要积极做好维护社会稳定的工作。保持社会稳定，是全国各族人民根本利益之所在。特别是在深化改革、调整经济结构、各方面利益关系变动较大的时期，维护稳定更具有重大的现实意义。我们要按照中央确定的方针处理好改革、发展、稳定的关系，切实加强社会治安综合治理，努力消除各种不安定因素，为人民群众创造和谐、稳定的社会秩序和环境。要继续深入开展“严打”整治斗争，严厉打击各种刑事犯罪和破坏社会主义市场经济秩序的犯罪活动，依法打击“黄、赌、毒”等各种危害社会治安的违法活动和丑恶现象，铲除黑恶势力，切实增强人民群众的安全感。要进一步加强基层基础工作，增强基层组织对社会的管理和控制能力，完善群防群治工作机制，尽可能把各种矛盾和隐患化解在基层。要全面执行党的民族、宗教政策，切实做好新形势下的民族、宗教工作。同时，对境内外敌对势力的各种渗透、破坏活动，要高度警惕，严加防范，进行有效的斗争。

四、按照“三个代表”的要求，以改革的精神全面推进党的建设新的伟大工程

开创有中国特色社会主义事业新局面，必须毫不动摇地坚持和改善党的领导，全面推进党的建设新的伟大工程。江泽民同志在“5·31”

讲话中深刻指出："在新的历史条件下，加强和改进党的建设，一定要高举邓小平理论伟大旗帜，认真贯彻'三个代表'要求，保证党的路线方针政策全面反映人民的利益和时代发展的要求；一定要坚持党要管党、从严治党方针，进一步解决提高党的领导水平和执政水平、提高拒腐防变和抵御风险能力这两大历史性课题，始终保持党同人民群众的血肉联系；一定要准确地把握当代中国社会前进的脉搏，改革和完善党的领导方式和执政方式、领导体制和工作制度，使党的工作充满活力；一定要把思想建设、组织建设、作风建设有机结合起来，把制度建设贯穿其中，既立足于经常性工作，又抓紧解决存在的突出问题。"这四个"一定要"，是对党的建设经验特别是改革开放以来党建工作经验的科学总结，为我们在新世纪新阶段加强和改进党的建设提供了重要的指导方针，指明了前进方向。我们要坚持以"三个代表"重要思想为指导，按照"四个一定要"的要求，不断提高党的建设水平。

应该看到，在我国改革开放的新时期，在世界社会主义运动遇到挫折、霸权主义和强权政治依然存在并有所发展的国际背景下，在发展社会主义市场经济和实行对外开放、经济全球化和信息网络化不断发展的条件下，党的建设面临着许多前所未遇的新问题。解决这些新问题，需要运用我们党在加强自身建设中长期积累的成功经验，但仅靠老办法已经远远不够了，必须在实践中探索新路子，寻找新办法，总结新经验。党的建设不创新，就不能前进，就不能适应新形势新任务的需要。我们必须坚持解放思想、实事求是，与时俱进、开拓创新，以改革的精神研究党的建设面临的新问题，从理论与实践的结合上给予科学的回答。

比如，要深入研究发展党内民主，改革和完善党的领导方式和执政方式问题。我们党处于执政地位，党内民主的发展对于社会主义民主政治建设具有根本性全局性的影响。发展党内民主，改革和完善党的领导方式和执政方式，是我们党保持先进性和增强活力，进一步实现党和国家政治生活制度化、规范化的需要。这方面，有许多重要问题需要我们去研究、去解决。如何把坚决维护中央权威，保持全党统一意志、统一行动，与充分发扬党内民主、最大限度地调动各级党组织的积极性和创造性统一起来，增强党的生机和活力；如何进一步保障和落实党员的民主权利，建立和完善党内情况通报、党内情况反映和党内重大决策征求意见等制度，使党内民主渠道畅通，保证广大党员能够更多地参与党内事务；如何把坚持党的领导同发扬人民民主、严格依法办事有机地统一起来，使党的领导更充分地体现组织和支持人民当家作主的本质，体现依法治国的原则；如何按照总揽全局、协调各方的原则，规范党委同人大、政府、政协和人民团体的关系，既保证党委在同级各种组织中发挥领导核心作用，又保证各方独立负责、协调一致地进行工作。所有这些，都需要认真研究。把这些问题研究透了、解决好了，我们党领导改革开放和社会主义现代化建设的能力和水平就会进一步提高。

又比如，要深入研究干部队伍建设和选人用人问题。按照干部队伍"四化"方针和德才兼备的原则，努力建设一支高素质的、能够担当重任、经得起风浪考验的干部队伍，特别是培养造就一大批讲政治、懂全局、善于治党治国的优秀领导人才，关系到建设有中国特色社会主义事业的成败。改革开放以来，我们党在干部队伍建设和干部制度改革方面取得了很大的成绩。但是，把人选准用好，有效防止选人用人上的不正之风，还有大量的工作要做。如何把坚持党管干部原则同扩大干部工作中的民主有机结合起来，全面落实好群众对干部选拔任用的知情权、参与权、选择权和监督权；如何把对干部的培养、使用、教育、管理、监督等环节有机结合起来，促进干部奋发工作、能上能下；如何改进培养年轻干部工作的方式方法，保证优秀年轻干部脱颖而出、健康成长；如何适应党和国家事业发展的需要，实施好人才强国战略，做好培养、吸引和用好各方面人才的工作，等等，都需要认真研究。前不久，中央颁布了《党政领导干部选拔任用工作条例》，各地各部门正在贯彻执行。需要指出的是，《条例》对干部选拔任用中的有些改革措施虽作了原则规定，但仍需要我们从理论上进一步研究，在实践中进一步探索，积累经验，逐步完善。

还比如，要深入研究城市社区和非公有制经济组织中党的建设问题。社区建设是新形势下的城市工作的重要基础。随着各项改革的深入，加强社区党的建设越来越重要。如何加强以党组织为核心的社区组织建设；如何建立健全社区党组织与社区内其他基层党组织及群众性自治组织之间的协调机制，发掘资源、形成合力；如何吸引、选拔优秀年轻干部到社区工作，把社区建设成为锻炼干部、培养人才的场所等等，都需要深入探索。加强非公有制经济组织党的建设，是增强党的阶级基础、扩大党的群众基础、提高党的社会影响力的需要，也是保护非公有制经济组织中广大职工合法权益和引导非公有制经济健康发展的需要。如何在非公有制企业尽快建立健全党的组织，并发挥它们的政治核心作用和党员的先锋模范作用，如何从这类企业党组织的实际出发，探索党组织的活动方式和发挥作用的有效途径等等，都需要我们认真研究。

再比如，要深入研究从源头上预防和治理腐败问题。我们党历来旗帜鲜明地反对腐败。改革开放以来，针对体制转换时期腐败现象易发、多发的特点，加大了反腐败斗争的力度，取得了明显成效。当前，反腐败斗争的形势依然严峻，不能有丝毫的放松。反腐败斗争必须坚持标本兼治。要在继续下大气力抓好大要案查处的同时，加强从源头上预防和治理腐败的工作。当前，要深入研究如何进一步深化行政审批制度、财政制度、干部人事制度等方面的改革，从根本上铲除腐败滋生的土壤。反腐败斗争的实践告诉我们，不受监督的权力容易导致腐败，而我们的监督制度和机制还很不完善。如何健全和完善监督制度，如何切实加强对领导机关、领导干部特别是“一把手”的监督，如何建立领导干部的权力行使到哪里、领导活动延伸到哪里，党组织的监督就实行到哪里的监督机制，等等，都需要认真研究。治理腐败，教育是基础。古人说：“道德当身，故不以物惑”，讲的就是这个道理。如何使党内思想教育更加切实有效，特别是如何引导领导干部将他律与自律有机结合起来，也需要认真研究、深入探索。

适应新形势、新任务的要求，以改革的精神推进党的建设，是一篇大文章，需要研究和解决的问题很多。以上我只是列举了其中几个问题。解决党的建设面临的新问题，既需要实践探索，也需要理论研究。要以“三个代表”重要思想为指导，结合本地区、本部门的工作实际，认真思考、深入研究党的建设的重大理论和实践问题，力求取得丰硕的成果。

（这是胡锦涛同志在中央党校2002年秋季开学典礼上讲话的摘要）

（2002年9月9日《学习时报》）

胡锦涛在西柏坡学习考察时发表讲话

（2002年12月6日）

胡锦涛指出，刚刚闭幕的党的十六大，把“三个代表”重要思想确立为我们党必须长期坚持的指导思想，提出全面建设小康社会的奋斗目标和推进各方面工作的方针政策。要实现这一宏伟目标，需要全党同志和全国各族人民团结一致，艰苦奋斗。在这样的时刻，重温毛泽东同志在党的七届二中全会上的重要讲话，重温邓小平同志、江泽民同志关于全党和全国人民要长期艰苦奋斗的一系列论述，具有十分重要的意义。

胡锦涛指出，新中国成立50多年来，我们党对坚持艰苦奋斗的问题一直是高度重视的，总是反复地、经常地向全党同志特别是领导干部加以强调。毛泽东同志、邓小平同志一再告诫全党要始终坚持艰苦奋斗。党的十三届四中全会以后，江泽民同志多次强调全党特别是领导干部要永远艰苦奋斗，要结合新的实际在全体党员干部中广泛开展坚持"两个务必"的教育，使全党同志在日益复杂的国内外环境中始终保持清醒的头脑，扎扎实实地为国家和人民工作。党的三代领导核心关于坚持艰苦奋斗的论述，语重心长、寓意深刻，我们要认真领会，切实贯彻。

胡锦涛指出，我国已进入全面建设小康社会、加快推进社会主义现代化的新的发展阶段。经过20多年特别是13年来的艰苦奋斗，我国的改革开放和社会主义现代化建设取得了举世瞩目的伟大成就。我们完全有理由为此感到自豪，但我们决不能自满，决不能懈怠，决不能停滞。而且，必须看到，我们取得的成就只是在伟大征途上迈出的坚实一步，要实现十六大提出的全面建设小康社会的奋斗目标，要完成基本实现现代化、把我国建设成为富强民主文明的社会主义国家的历史任务，要不断开创中国特色社会主义事业新局面，我们要走的路还很长，我们肩负的任务还很艰巨，我们可能遇到的困难和挑战还会很多，我们必须始终谦虚谨慎、艰苦奋斗。

胡锦涛指出，历史和现实都表明，一个没有艰苦奋斗精神作支撑的民族，是难以自立自强的；一个没有艰苦奋斗精神作支撑的国家，是难以发展进步的；一个没有艰苦奋斗精神作支撑的政党，是难以兴旺发达的。在我们党80多年的历程中，艰苦奋斗的精神始终激励着我们顽强进取、百折不挠，在各种困难和考验面前巍然屹立、敢于胜利。我们党是靠艰苦奋斗起家的，也是靠艰苦奋斗发展壮大、成就伟业的。艰苦奋斗作为我们党的优良传统和作风，作为我们马克思主义政党的政治本色，是凝聚党心民心、激励全党和全体人民为实现国家富强、民族振兴共同奋斗的强大精神力量，是我们党保持同人民群众血肉联系的一个重要法宝。越是改革开放和发展社会主义市场经济，越要弘扬艰苦奋斗的精神。即使将来我们的国家发达了，人民的生活富裕了，艰苦奋斗的精神也不能丢。

胡锦涛强调，全党同志特别是领导干部都要牢记我国正处于并将长期处于社会主义初级阶段的基本国情和我们党的庄严使命，清醒地看到激烈的国际竞争给我们带来的严峻挑战，清醒地看到我们肩负的任务的艰巨性和复杂性，增强忧患意识，居安思危，牢固树立为党和人民的事业长期艰苦奋斗的思想。

胡锦涛强调，全党同志特别是领导干部都要牢记全心全意为人民服务的宗旨，始终不渝地为最广大人民谋利益。坚持艰苦奋斗的根本目的，就是要为最广大人民的根本利益而不懈努力，不断把人民群众的利益维护好、实现好、发展好。这是我们坚持执政为民、始终成为中国特色社会主义事业领导核心的必然要求，也是我们贯彻"三个代表"重要思想的必然要求。只有坚持艰苦奋斗，心中装着人民群众，始终同人民群众同呼吸、共命运、心连心，才能保持我们党同人民群众的血肉联系，才能增强抵御腐朽思想侵蚀的能力，才能不断与时俱进、开拓创新。各级领导干部要坚持深入基层、深入群众，倾听群众呼声，关心群众疾苦，做到权为民所用，情为民所系，利为民所谋，带领群众创造自己的幸福生活。

胡锦涛强调，发扬艰苦奋斗的作风，要同贯彻落实党的基本理论、基本路线、基本纲领和基本经验紧密结合起来，同全面贯彻落实"三个代表"重要思想紧密结合起来。各级领导干部都要保持昂扬向上的精神状态，发扬百折不挠的斗志，坚定不移地在工作中贯彻落实党的理论、路线和方针政策，扎扎实实地做好各项工作。

胡锦涛强调，大力弘扬艰苦奋斗的精神，

关键是领导干部要以身作则，首先是高级干部要率先垂范。各级领导干部特别是年轻干部，要自觉地发扬脚踏实地、真抓实干的作风，弘扬艰苦朴素、勤俭建国的精神，在实践中不断加强自身修养，牢固树立艰苦奋斗的思想，磨炼艰苦奋斗的意志，不断为党和人民建立新的业绩。全党同志特别是领导干部要牢记党和人民的重托和肩负的历史责任，自觉在艰苦奋斗的实践中加强党性锻炼，在全面建设小康社会、开创中国特色社会主义事业新局面的征程中经受新的考验，努力交出优异的答卷。

（摘自2002年12月8日《人民日报》）

胡锦涛在同中央宣讲团成员座谈时发表讲话

（2002年12月15日）

胡锦涛强调，当前，全党和全国学习贯彻十六大精神的热潮已经兴起，各级党委要进一步加强组织引导，按照中央的部署，围绕主题，把握灵魂，狠抓落实，不断把学习贯彻十六大精神的工作引向深入。

胡锦涛强调，学习贯彻十六大精神，是当前和今后一个时期全党的首要政治任务。切实学习好、领会好十六大精神，对于统一全党和全国各族人民的思想和行动，万众一心地为实现十六大提出的宏伟目标和各项任务而奋斗，具有十分重大的意义。

胡锦涛说，组织宣讲团赴各省区市宣讲，是党中央为推动全党和全国形成学习贯彻十六大精神的热潮而采取的一项重大举措。中央宣讲团成员分别在中央国家机关和全国31个省区市进行宣讲，历时10多天，宣讲70多场，直接听众50多万人。各地对中央宣讲团成员前去宣讲高度重视，精心组织，党政主要领导亲自抓，为宣讲活动的成功提供了有力保证。大家按照中央的要求，着力把十六大精神讲透彻讲明白，突出了重点，讲出了亮点，讲出了水平。宣讲受到了广大干部群众和大学生们的热烈欢迎，对兴起学习贯彻十六大精神的热潮起到了很好的推动作用。实践证明，组织宣讲团，围绕中央作出的重大决策和重大部署，统一准备，分头宣讲，是一个很好的形式，是一个成功的创新。

胡锦涛强调，把学习贯彻十六大精神的工作引向深入，要在深入人心上下功夫。实现十六大提出的奋斗目标和各项任务，关键是要把十六大精神化为全党6600多万党员和全国亿万人民的自觉行动，形成全党和全国上下同心同德贯彻落实十六大精神的巨大合力。下一步要组织引导广大干部群众把十六大精神学深学透，使十六大精神真正深入党心民心。要采取各种有效措施，帮助广大干部群众深刻领会十六大的主题，深刻领会“三个代表”重要思想的科学内涵和精神实质，深刻领会党领导人民建设中国特色社会主义的基本经验，深刻领会全面建设小康社会的奋斗目标和战略部署。要引导广大干部群众把思想和行动统一到十六大精神上来，把智慧和力量凝聚到完成十六大确定的各项任务上来，不断增强贯彻十六大精神的自觉性和坚定性，增强贯彻“三个代表”重要思想的自觉性和坚定性。

胡锦涛强调，把学习贯彻十六大精神的工作引向深入，要在开拓创新上下功夫。坚持党的思想路线，解放思想、实事求是、与时俱进，是十六大报告的精髓。学习贯彻十六大精神，要紧紧把握这个精髓。要使广大干部群众深深懂得，当今世界和当代中国在不断发展变化，我们必须善于研究新情况、解决新问题、总结新经验，坚持与时俱进、开拓创新。要使广大干部群众深深懂得，把宏伟蓝图变成美好现实，必须脚踏实地，艰苦奋斗，不断解决前进中面临的矛盾和问题。要使广大干部群众深深懂得，只有用发展着的马克思主义指导新的实践，我们党和国家的事业才能永葆蓬勃的生机和活力。要通过学习贯彻十六大精神，使全党同志保持昂扬向上的精神状态，弘扬共产党人的蓬勃朝气、昂扬锐气和浩然正气，更加坚强有力地团结带领人民开创改革开放和现代化建设的新局面。

胡锦涛强调，把学习贯彻十六大精神的工作引向深入，要在力求实效上下功夫。学习贯彻十六大精神，最重要的是联系实际，用十六大精神指导实践。要把指导实践、解决问题、推动工作，作为学习贯彻十六大精神的出发点和落脚点，作为衡量学习成效的重要标准。力求实效，就是要坚持以十六大精神为指导，紧密联系改革开放和现代化建设的实际，联系本地区本部门的工作实际，联系广大干部群众的思想实际，更好地回答人民群众关心的难点和热点问题，更好地解决推进改革发展稳定各项工作所面临的实际问题。力求实效，就是要把十六大精神落到实处，落实到经济、政治、文化建设和改革的各个方面，落实到加强和改进党的建设的各项工作中去，不断发展先进生产力和先进文化，不断实现和发展最广大人民的根本利益。力求实效，要求各级领导干部务必继续地保持谦虚谨慎、不骄不躁的作风，务必继续地保持艰苦奋斗的作风，把开拓进取的精神和求真务实的态度结合起来，坚持从实际出发，深入基层、深入群众，既引导群众深入学习领会十六大精神，又带领群众全面贯彻落实十六大精神。要倾听群众呼声，体察群众情绪，关心群众疾苦，切实解决群众在生产和生活中遇到的实际困难，创造性地做好各项工作。

（摘自2002年12月16日《人民日报》）

胡锦涛在中共中央政治局集体学习时发表讲话

（2002年12月26日）

胡锦涛强调，我们党要团结带领全国各族人民抓住机遇、迎接挑战，与时俱进、开拓创新，实现全面建设小康社会的宏伟目标，不断开创中国特色社会主义事业新局面，必须坚持把学习作为全党一项十分重要的任务，不断加强，不断推进，努力使全党的马克思主义理论水平和科学文化水平不断有新的提高。

胡锦涛指出，实现十六大提出的宏伟目标和各项任务，要求我们更好地把坚持党的领导、人民当家作主和依法治国有机统一起来，进一步发展社会主义民主，健全社会主义法制，建设社会主义政治文明，以充分调动全国各族人民的积极性、主动性、创造性，同心同德地推进改革开放和社会主义现代化建设。要做到这一点，必须坚持实施依法治国的基本方略，在全社会进一步树立宪法意识和宪法权威，切实保证宪法的贯彻实施，充分发挥宪法对我国社会主义物质文明、政治文明、精神文明协调发展的促进和保障作用。

胡锦涛指出，第一，要深入学习宣传宪法，不断提高全党全国人民对宪法的重要地位和重要作用、宪法的基本知识和基本内容、贯彻落实宪法的重大意义的认识，在全社会形成崇尚宪法、遵守宪法、维护宪法的良好氛围。要把学习贯彻十六大精神和学习宣传宪法紧密结合起来，把贯彻实施宪法落实到全面实现十六大提出的宏伟目标和各项任务上来。第二，要切实加强法律监督，保证宪法和其他法律得到贯彻实施。这是我们实施依法治国的基本方略、建设社会主义法治国家的根本要求。要加强立法监督和执法监督，坚决纠正各种违宪现象，坚决维护国家法制的统一和尊严。第三，要坚持依法执政，不断加强和改善党的领导。我们党是执政党，应该在贯彻实施宪法上为全社会作出表率。十六大提出党要坚持依法执政，这是我们为加强党的执政能力建设，提高党的领导水平和执政水平，改革和完善党的领导方式和执政方式而提出的一个具有重大政治意义的要求。党的各级组织和全体党员都要做遵守宪法的模范，严格依法办事，带动全社会严格贯彻实施宪法。

胡锦涛强调，我们党历来高度重视学习问题，始终把学习作为一项关系党的事业兴旺发达的战略任务来抓。毛泽东同志、邓小平同志、江泽民同志都反复强调全党同志特别是领导干部要坚持和加强学习。领导干部加强学习，首先要学习马克思列宁主义、毛泽东思想和邓小平理论，学习“三个代表”重要思想。学习马克思主义理论，关键是要掌握马克思主义的基本原理，领会马克思主义的精髓和本质，学会运用马克思主义的立场、观点、方法来分析和解决改革开放和现代化建设中的实际问题。同时，要学习经济、政治、文化、法律、科技、管理、历史、军事等方面的知识，并把这方面的学习同加深领会和灵活运用马克思主义理论紧密结合起来。各级领导干部必须明白，现在社会各个方面的发展日新月异，人民群众的实践创造丰富多彩，不学习、不坚持学习、不刻苦学习，势必会落伍，势必难以胜任我们所肩负的重大职责，要做合格的领导者和管理者，必须大力加强学习，努力用人类社会创造的丰富知识来充实自己。

胡锦涛强调，领导干部加强学习，必须坚持理论联系实际的优良学风。中央要求领导干部加强学习，根本目的是要提高我们党执政兴国的本领，提高为人民服务的本领，提高不断开创中国特色社会主义事业新局面的本领。加强学习，一定要紧密联系党和国家事业的发展要求来进行，一定要紧密联系认识和解决改革和发展中出现的新情况新问题来进行，一定要紧密联系自身世界观和人生观的改造来进行，一定要紧密联系更好地为最广大人民谋利益来进行。这样才能学得生动、学得深入、学得有效。各级党组织一定要把加强学习作为一项重大而又紧迫的任务来抓，切实抓出成效。只要全党坚持加强学习、加强实践，我们的领导水平和执政水平就能不断提高起来，我们的事业就能不断向前发展。

（摘自2002年12月27日《人民日报》）

江泽民在中纪委第七次全体会议上发表讲话

（2002年1月25日）

江泽民强调指出，加强干部队伍建设要坚持教育在先，特别要努力使各级领导干部牢固树立正确的权力观。这要作为党的一项长期的重大任务坚持不懈地抓下去。

江泽民指出，干部队伍建设的基础是教育。只有通过全面的经常的教育，真正打牢思想政治基础、筑严思想政治防线，干部队伍的建设才能越搞越好。对领导干部来说，打牢思想政治基础，筑严思想政治防线，最根本的就是要牢固树立马克思主义的世界观、人生观、价值观，牢固树立正确的权力观、地位观、利益观。

江泽民指出，树立正确的权力观，最根本的是要解决好始终保持党同人民群众的血肉联系的问题。马克思主义政党执政以后，能否正确地看待和行使人民赋予的权力，始终保持同人民群众的血肉联系，是一个必须长期经受的根本性考验，也是一个关系社会主义事业前途命运的长期的根本性课题。如果长期执政以后我们的干部丧失了当年夺取政权和建设初期那样一种蓬勃朝气，那样一种昂扬锐气，那样一种浩然正气，而变得明哲保身，事不关己、高高挂起，官僚主义、形式主义严重，以至滥用权力使党和人民的利益受到损害，那么最后必然失去最广大人民的拥护和支持。这是历史兴亡的规律，古今中外，概莫能外。对这个问题，各级领导干部一定要警醒。

江泽民指出，领导干部树立正确的权力观，必须加强学习，提高思想境界和道德修养，掌握辩证唯物主义和历史唯物主义的基本原理，在思想上、行动上、作风上做到立党为公、执政为民，增强公仆意识，自觉摆正同人民群众的关系。各级领导干部必须明白，我们是共产党人，要立志做大事，不要立志当大官，要把心思用在工作上，用在为人民群众谋利益上。

江泽民强调，树立正确的权力观也是一个加强党性修养的问题。领导干部必须树立强烈的党的意识。党员干部要与党同心同德，一言一行都要维护党的形象和威信，既要对党的事业充满信心，又要对前进道路上的困难和风险有充分的思想准备，以奋发有为的精神状态、脚踏实地的工作作风，积极推进本地区、本单位的各项工作，以自己的实际行动，把广大人民群众紧紧团结在党的周围。

（摘自 2002 年 1 月 26 日《人民日报》）

江泽民考察“西新工程”建设情况时发表讲话

（2002 年 2 月 1 日）

江泽民强调，加强西藏、新疆等边远地区的广播电视覆盖，对于促进这些地区的经济发展、社会进步、民族团结、社会稳定，具有十分重要的意义。要坚持不懈地抓好西部地区广播电视覆盖工作，巩固已有成果，进一步让党和国家的声音传入千家万户，让中国的声音传向世界各地。

江泽民指出，国家广电总局和全国广电系统的同志们，认真贯彻落实中央部署，在有关部门和地方党委、政府的支持下，周密部署，精心施工，克服种种困难，在西藏、新疆等边远地区成功实施了大规模的广播覆盖工程。经过一年多努力，这些地方广播覆盖的局面发生根本改变，实现了把党和国家的声音传入千家万户的目标。

江泽民指出，西藏、新疆等边远地区广播电视覆盖工程，是顺民心、得民心、暖民心、稳民心的工程，深受这些地区广大群众特别是少数民族群众的欢迎。这项工程的胜利实施，充分说明社会主义具有集中力量办大事的优势，也充分说明只要我们讲政治、抓落实，一切从人民的利益出发，我们的工作就能做出成绩，就能得到人民的拥护。

江泽民强调，在新的形势下，要高度重视广播影视工作，充分利用广播影视等现代传媒手段进行思想政治工作和宣传教育工作。要适应形势发展的要求，深化改革，积极创新，努力从思想内容、表现形式、宣传方法等方面增强广播影视的影响力，用更多更好的广播影视作品，凝聚人心，鼓舞干劲，促进改革开放和现代化建设。

（摘自2002年2月2日《人民日报》）

江泽民在陕西考察工作时发表讲话

（2002年3月26日—4月2日）

江泽民强调，在新的历史条件下，在充满新的希望、也充满新的挑战的征途上，我们始终要大力弘扬延安精神。延安精神，体现了我们党马克思主义政党的性质，体现了我们党与时俱进的思想风范，体现了我们党与人民同呼吸、共命运的优良作风，体现了中国共产党人一往无前的奋斗精神。无论过去、现在和将来，延安精神都不能丢。全党同志，一定要结合新的实际，大力弘扬延安精神，使延安精神成为我们党在新世纪团结和带领人民不断开创有中国特色社会主义事业新局面的强大精神动力，使延安精神永放光芒。

江泽民指出，我们党在延安时期的活动，在党的历史和中国革命的历史上都占有极为重要的地位。在延安时期，我们党的思想建设、组织建设、作风建设取得巨大的成就。特别是在中国革命面临新的重大转变的关键时刻召开的党的七大，为我们党的事业的发展指明了方向，为争取抗日战争的胜利和新民主主义革命在全国的胜利提供了政治和思想基础。今年下半年，我们党将召开十六大。我们一定要坚持以马列主义、毛泽东思想、邓小平理论和党的基本路线为指导，认真总结我们在贯彻党的基本理论、基本路线和基本纲领的实践中取得的基本经验，认真研究贯彻落实“三个代表”需要明确的基本要求，认真研究继续推进改革开放和现代化建设需要解决的重大课题，认真研究进一步改善人民生活需要采取的重大政策措施，认真研究加强和改进党的建设需要从理论和实践上回答的突出问题。全党同志要同心同德，开拓进取，以党的建设的优异成绩迎接十六大的召开。

江泽民指出，要认真贯彻发展是硬道理的思想，在西部大开发中加快经济发展。解决西部问题的根本途径在于加快发展。中央作出实施西部大开发的战略决策，就是为了支持西部地区加快发展，帮助西部地区群众脱贫致富，缩小东西部地区的发展差距，保证全国现代化的成功实现。西部大开发是一项世纪伟业，需要我们进行长期艰苦努力，必须始终坚持以发展为主题、以改善人民生活为目标，紧紧抓住经济建设这个中心，并全面推进两个文明建设，坚持用发展的办法，解决社会前进中的困难和问题。要高度重视并切实抓好基础设施建设和生态环境建设，为经济和社会的长远发展打下坚实的基础。要注意从实际出发，发扬优势，扬长避短，发展特色经济。要始终高度重视农业、农村和农民问题，加快农业产业化经营，千方百计增加农民收入。要认真搞好天然林保护、防沙治沙和退耕还林等重点生态工程。要正确处理经济发展与人口资源环境的关系，实现可持续发展。

江泽民说，中央将继续加大对西部地区的扶持力度，已经制定并将继续制定支持西部地区加快发展的政策措施。西部地区的广大干部群众要运用好这些政策措施，同时要坚持自力更生、艰苦奋斗，树立长期作战的思想，保持奋发有为的精神状态，充分发挥主观能动性，坚韧不拔地做好西部大开发的各项工作。

江泽民强调，解放思想、实事求是，与时俱进、开拓创新，是马克思主义活的灵魂，也是我们认识新事物、适应新形势、完成新任务的根本思想武器。全党同志特别是领导干部都要勤于思考，深入实际，继续研究和努力回答推进改革开放和现代化建设面临的重大理论和实际问题，对新的实践、新的发展及时作出新的理论概括和理论指导。实践西部大开发战略、推进改革开放，必须进一步解放思想，努力破除过去实行计划经济体制时形成的那些已经过时的思想观念和传统做法的束缚，克服因循守旧、不思进取、小富即安、封闭保守等观念，使我们的思想观念适应新形势新任务的发展要求，使我们的思维方式、工作方式以及生活方式能随着时代的发展而发展。要把树立开放意识、市场意识和创新意识作为解放思想的一个重要任务，努力扩大视野，开阔胸襟，敏锐观察世界大势，正确把握时代要求，谋求经济的跨越式发展。

江泽民说，维护好、实现好、发展好广大人民群众的利益，是我们党一切工作的出发点和落脚点，也是正确处理改革、发展、稳定关系的结合点。我们必须从全局和战略的高度，充分认识解决好城乡困难群众生产和生活问题的重要性。要把增加农民收入特别是贫困地区群众的收入作为保持农村稳定的重要任务。现在，一些地方老区群众的生活条件仍然比较差，要加大对贫困和受灾地方的扶持力度，把革命老区建设好，使老区群众的生活不断得到改善。要高度重视和认真做好维护社会稳定的工作，认真解决人民群众反映的热点难点问题，努力把各种不稳定因素解决在基层、解决在萌芽状态。

江泽民指出，伟大的延安精神是我们党的优良传统和宝贵财富，过去是、今天仍然是我们战胜困难、取得胜利的法宝。坚定正确的政治方向，解放思想、实事求是的思想路线，全心全意为人民服务的根本宗旨，自力更生、艰苦奋斗的创业精神，是延安精神的主要内容。在新的历史条件下，我们巩固党的执政地位，提高党的执政水平，必须大力发扬延安精神，始终保持同人民群众的血肉联系。各级党委要全面落实党的十五届六中全会精神，以党的建设的新成绩推动改革开放和现代化建设不断前进。

（摘自2002年4月3日《人民日报》）

江泽民:全国干部培训教材《序言》

（2001年7月15日）

中央组织部组织有关部门编写的干部培训教材陆续出版了。这是推动广大干部深入学习、提高干部队伍素质的一项基础性工作，很有意义。

我们党历来重视全党的学习。在革命、建设、改革的重大转折关头，在面临新形势新任务的重要时刻，党总是把加强学习和教育干部的问题突出地提到全党面前。实践证明，党的事业的发展，党的建设的进步，党的干部队伍素质的提高，都同我们党重视学习、善于学习密不可分。这是我们党在八十年奋斗历程中取得的一条重要经验，必须始终加以坚持。

当前，国际局势正在发生深刻变化，政治多极化和经济全球化在曲折中发展，科技进步突飞猛进，综合国力竞争日趋激烈。我国已经进入全面建设小康社会、加快推进社会主义现代化的新的发展阶段，各方面的任务繁重而艰巨。面对国内外的新形势，我们党要始终代表中国先进生产力的发展要求，代表中国先进文化的前进方向，代表中国最广大人民的根本利益，带领全国各族人民实现继续推进现代化建设、完成祖国统一大业、维护世界和平与促进共同发展的历史任务，就必须全面提高各级领导干部的理论素养、知识水平、业务本领和领导能力。因此，切实抓好全党特别是领导干部的学习，比以往任何时候都更为重要、更为迫切了。全党同志必须自觉地坚持学习，加强学习，改善学习，做到学习、学习、再学习，实践、实践、再实践。

我曾经多次讲过，学习是全面的、系统的。最根本的是学习马克思列宁主义、毛泽东思想、邓小平理论。马克思主义的理论素养是领导干部素质的核心。学习马克思主义理论，要从总体上领会基本理论、基本观点和基本方法，并紧密结合实际进行钻研和理解，以增强工作的原则性、系统性、预见性、创造性，更好地贯彻党的理论路线和方针政策。同时，要努力学习哲学、政治学、经济学、法学、历史学、文学艺术和科学技术，学习反映当代世界的新知识，使我们的思想水平和知识水平适应时代前进的需要。学习的目的全在于应用。学习要紧密联系国际局势的新变化、我国改革开放和现代化建设的新进展以及党的建设面临的新情况，特别要注重研究那些带有全局性、战略性、前瞻性的重大问题，不断提高解决实际问题、做好本职工作的能力。

领导干部要努力成为勤于学习、善于学习的典范。学习非一朝一夕之事，不可能毕其功于一役。要树立终身学习的观念，养成勤读书、勤思考的习惯。领导干部还要努力成为勇于创新、善于创新的典范。创新，是一个国家不断发展、在国际竞争中取得主动地位的重要决定因素。我们必须树立强烈的创新精神，在学习前人创造的优秀文明成果的基础上，扬弃旧义，探求新知，不断推动理论创新、制度创新和科技创新。这样，学习就能收到更好的成效。

编写好的学习教材，对于推动干部的学习非常重要。我们要适应新形势新任务的要求，针对干部学习和工作的实际需要，统一规划，总结经验，加以完善，努力把教材的编写工作做得更好。

（2002年4月22日《人民日报》）

江泽民考察中国人民大学时发表讲话

（2002年4月28日）

江泽民强调，我们要始终高度重视哲学社会科学在治党治国和建设有中国特色社会主义事业中的巨大作用，高度重视哲学社会科学领域高等教育的改革和发展，高度重视改善哲学社会科学研究和人才培养的条件，高度重视哲学社会科学研究领域重大课题的攻关，高度重视为哲学社会科学发展作出杰出贡献的学者的成就和作用。

江泽民说，哲学社会科学与自然科学同样重要，培养高水平的哲学社会科学家与培养高水平的自然科学家同样重要，提高全民族的哲学社会科学素质与提高全民族的自然科学素质同样重要，任用好哲学社会科学人才并充分发挥他们的作用与任用好自然科学人才并充分发挥他们的作用同样重要。对这“四个同样重要”，大家都很认同，现在的关键在于落实。

江泽民说，哲学社会科学，主要是帮助人

们解决世界观、人生观、价值观，解决理论认识和科学思维，解决对社会发展、社会管理规律的认识和运用的科学。掌握必备的哲学社会科学知识，对于人们正确认识纷繁复杂的社会现象，提高道德素养和精神境界是十分重要的，对于领导干部特别是高级干部学会讲政治、懂全局，驾驭复杂形势、研究战略策略、提高领导水平更是十分重要的。各级党委和政府要关心哲学社会科学的发展，积极创造支持科学探索、鼓励学术创新的社会环境和学术氛围。

江泽民对我国广大哲学社会科学工作者提出五点希望：

希望大家增强创新意识，在推动理论创新、制度创新、科技创新方面不断取得新的成绩。与时俱进是马克思主义的理论品质，也是我国哲学社会科学保持蓬勃活力的重要保证。哲学社会科学工作者应适应变化着的时代条件，积极进行创造性的理论探索，努力为推动理论和实践的发展作出自己的贡献。

希望大家深入改革开放和现代化建设的实践，努力对全局性、战略性、前瞻性的重大课题作出科学的理论回答。尤其要注重对人民群众创造的新鲜经验进行科学总结和理论概括，不断深化对当代中国经济社会发展规律的认识，为党和政府的决策服务，为改革开放和现代化建设服务。

希望大家既立足中国又面向世界，努力继承和弘扬中华民族的优秀文化，积极学习借鉴各国人民创造的有益文化成果。中华文化博大精深，为人类文明进步作出了不朽的贡献，我们应结合时代精神加以继承和发展。同时，我们要拓展眼光，积极吸取人类文明的一切优秀成果。只有这样，我们才能更好地建设有中国特色社会主义文化。

希望大家坚持严谨治学、实事求是、民主求实的学风。要甘于寂寞，淡泊名利，力戒浮躁，潜心钻研；要认真读书，多思慎思，关注现实世界，注重学术积累；要厚积薄发，出精品，出上品；要加强团结，和谐合作，在学术研究中相互切磋，共同进步。要不断研究和提高教学质量，特别要加强基础课程和重点学科的建设。古人说："经师易遇，人师难遭。"大学的老师要做传授知识的"经师"，更要做善于育人的"人师"，以自己良好的思想和道德风范去影响和培养学生。

希望大家坚持用马克思主义的立场、观点和方法来指导哲学社会科学的发展。是否体现了中国先进生产力的发展要求、中国先进文化的前进方向和中国最广大人民的根本利益，是衡量我国哲学社会科学性质、方向和水平的根本尺度。广大哲学社会科学工作者要不断增强贯彻"三个代表"要求的自觉性和坚定性。

（摘自2002年4月29日《光明日报》）

江泽民：在纪念中国共产主义青年团成立八十周年大会上的讲话（摘要）

（2002年5月15日）

八十年前，在中国革命汹涌澎湃的伟大洪流中，在中国共产党的直接关怀和领导下，中国共产主义青年团宣告成立。这是二十世纪中国革命史和青年运动史上的一件大事，也是中国人民革命不断深入和中国青年运动蓬勃发展的必然结果。

八十年来，在中国共产党的领导下，一代又一代青年站在时代的前列，不屈不挠地奋斗，历尽艰辛地求索，创造了令世人赞叹的业绩，涌现了一大批可歌可泣的先进模范人物和先进模范群体。

八十年来，中国共青团始终围绕党在各个历史时期的中心任务，团结和带领广大团员青年在革命、建设、改革的广阔舞台上为祖国和人民积极贡献力量；始终按照党的要求培养和教育青年，使一代又一代青年在人民群众奋斗的洪流中锻炼成长；始终把最广大青年紧密团结在党的周围，使我们不断发展的事业有了强大的有生力量。历史充分证明，中国共青团不愧为党的忠实助手和后备军，不愧为党联系青年的牢固桥梁和纽带。

中国青年运动八十年的生动实践告诉我们，一切有理想有抱负的中国青年，只有在中国共产党的领导下，同人民紧密结合，为祖国奉献青春，才能大有作为。这是总结中国青年运动得出的必然结论，也是当代中国青年运动必须坚持的正确方向。

爱国主义，始终是中国青年运动的旗帜。五四运动以来，中国青年运动奏响的主旋律，就是鲜明强烈的爱国主义。中国青年在自己的探索和实践中，努力学习和继承中华民族的优良传统，努力吸取和传播人类社会的优秀文明成果，从而不断丰富和发展了爱国主义精神的内涵。这种爱国主义，坚持马克思主义科学理论的指导，融入了体现时代进步的民主精神和科学精神，使中华民族的发展有了正确的思想指引。这种爱国主义，与社会主义紧密结合，推动中华民族伟大复兴的事业走上了正确的道路。这种爱国主义，把中国的前途和命运放在世界格局中观察，把中国社会的发展与整个人类社会的进步紧紧联系在一起。有了这样的爱国主义精神，中国青年运动就有了正确的前进方向和强大的精神动力。当代中国青年，一定要高举爱国主义旗帜，沿着党指引的道路继续奋勇前进。

现在，我国进入了全面建设小康社会，加快推进社会主义现代化的新的发展阶段，全国各族人民正在为实现现代化建设的第三步战略目标而努力奋斗。到本世纪中叶，基本实现现代化，把我国建设成为富强民主文明的社会主义国家，实现中华民族的伟大复兴，这是全国各族人民的奋斗目标，也是当代青年的历史使命和当代青年运动的主题。

社会主义现代化需要青年去建设，中华民族的伟大复兴需要青年去奋斗。青年一代要承担起这个历史责任，就要坚持学习科学文化与加强思想修养的统一，坚持学习书本知识与投身社会实践的统一，坚持实现自身价值与服务祖国人民的统一，坚持树立远大理想与进行艰苦奋斗的统一，努力成长为有理想、有道德、有文化、有纪律的人，成长为对党和国家、对人民有所建树的人。

希望青年们树立远大理想。青年富有理想，而真正远大的理想，必须与祖国的命运和人民的意愿紧密结合。当代青年应该具有的远大理想，就是把我国建设成为富强民主文明的社会主义现代化国家，实现中华民族伟大复兴。只有在为远大理想的奋斗中，青年的人生抱负才能真正实现。人的一生只能享受一次青春，当一个人在年轻时就把自己的人生与人民的事业紧密相连，他所创造的就是永恒的青春。一个人在青年时代就应树立远大志向，并且要为实现这个志向而顽强努力，不论遇到什么困难和挫折，都不改初衷，矢志不渝。

希望青年们坚持发奋学习。当今时代，信息交流日益广泛，知识更新大大加快。形势逼人自强、催人奋进。青年要跟上时代和社会前进的步伐，就必须学习学习再学习，打下坚实的知识功底。学习应该是全面的广泛的，既要认真学习掌握与做好本职工作紧密相关的知识，又要努力学习理论知识、文化知识、科学知识、社会知识、历史知识等等，特别要善于学习各种新知识，以求知识的常新。知识只有付诸实践，才能焕发出无穷的威力。青年要善于创新，善于实践，善于把所学的知识运用到改造客观世界和主观世界的活动中去，在实践中继续求得真知，增长才干。

希望青年们注重锤炼品德。优良品德的养

成对人的一生至关重要。青年时期可塑性大，是人生的起步阶段，是品德养成的关键时期。青年要树立正确的世界观、人生观、价值观，树立正确的名利观，努力培养良好的品德，提高自身素质，完善人格品质，做有益于祖国和人民的人。青年应该成为引领社会风气之先的力量，尤其要在推动我国先进生产力和先进文化的发展中发挥积极作用，从自己做起，努力做中华民族传统美德的传承者，做体现时代进步要求的新道德规范的实践者，做新型人际关系和良好社会风尚的倡导者。

希望青年们不断开阔视野。当今世界发展很快，变化很大。青年要承担起建设现代化的历史使命，为人类社会进步作出贡献，必须了解世界发展变化的大势。要把目光投向世界、投向未来，而不能闭目塞听、坐井观天。只有全面了解中国和世界发展的历史、现状和趋势，才能更好地把握现在和未来。只有用人类创造的一切文明成果努力充实自己，才能具备与世界上任何一个民族的青年相媲美的素质。海纳百川，所以成其大。二十一世纪的中国青年，应以放眼全球的宽广视野，以赶超先进的雄心壮志，以中华民族自尊自强的豪迈气概，昂首阔步地走向世界。

希望青年们勇于进取创新。创新是推动人类历史前进的必然要求。长江后浪推前浪，世上新人换旧人。这是历史发展的规律。只有后人超过前人，一代胜过一代，事业才能发展，社会才能进步。青年最少保守思想，最具有创新的潜能。许多杰出人物都是在风华正茂的青年时代就创造出一番了不起的业绩。要实现我国经济和技术的跨越式发展，实现我国社会的全面进步，建设我国富有生机的各个方面的制度和体制，就必须努力创新。发展的希望在创新，创新的希望在青年。青年要立足岗位，锐意创新，敢于超越前人。千百万青年的创新实践，必将汇聚成推动我国先进生产力和先进文化发展的奔涌洪流。

希望青年们始终艰苦奋斗。彻底改变我国历史上遗留下来的贫穷落后的面貌，巩固和发展社会主义制度，需要几代人、十几代人甚至几十代人进行艰苦的努力。只有长期艰苦奋斗，民族复兴的伟大目标才能实现。艰苦能磨炼人，创业能造就人。青年只有顺应社会发展的潮流，把个人的前途和命运与国家、民族的前途和命运紧紧地联系在一起，并为之奋斗不息，才能创造无悔的青春和取得毕生的成功。畏惧劳苦，贪图安逸，坐享其成，最终只能虚度年华。青年要时刻铭记最广大人民的根本利益，大力发扬甘于奉献和自我牺牲的崇高精神，自觉到祖国和人民最需要的地方去，到艰苦的环境中去，经历风雨，经受锻炼，努力为祖国和人民建功立业。

中国共产党总结八十年的奋斗历程和基本经验，展望新世纪的艰巨任务和光明前途，提出了“三个代表”要求，这是中国共产党的立党之本、执政之基、力量之源，也是我们党和国家一切工作的根本指针。广大青年要坚持以马克思列宁主义、毛泽东思想、邓小平理论为指导，认真学习“三个代表”要求，充分认识中国共产党是代表中国先进生产力的发展要求、中国先进文化的前进方向和中国最广大人民的根本利益的马克思主义政党，是与时俱进、开拓创新的党，坚定不移地跟党走。广大团员青年要在各行各业的本职工作中，在共青团组织开展的具有自身特点的各项活动中，努力为我国先进生产力和先进文化的发展作出自己的贡献，努力为最广大人民谋利益。

马克思主义的政党只有赢得青年，才能赢得未来。党的事业离不开青年，青年的成长更离不开党。我们党要赢得青年，就必须用先进的理论引导青年，用光辉的事业凝聚青年，用良好的作风吸引青年。各级党委和政府都要从党和国家事业兴旺发达的战略高度，认真实施科教兴国战略，加强对青少年的教育培养，相信和重视青年，关心和爱护青年，推动大批青年人才不断脱颖而出。各级领导干部要学会用新观念、新视角去看待青年，善于发现青年人才，大力培养青年人才，放手使用青年人才，使他们各显其能、竞展才华。

青年兴则国家兴，青年强则国家强。青年的茁壮成长决定着我们民族和国家的未来。当代中国青年是值得信赖、大有希望的一代。为了青年一代的健康成长，必须在全社会形成爱护青年、关心青年、支持青年的良好氛围。各地各部门都要认真研究在改革开放条件下成长起来新一代青年的特点，把握新的历史条件下做好青年工作的规律。要尊重青年的思想和性格特点，尊重青年个性的健康发挥，促进青年思想和身心的健康发展。全社会都来关心青年，祖国的年轻一代不断健康成长，我们的民族和国家就能永葆前进的生机和活力。

实现中华民族的伟大复兴，需要你们去奋斗。希望你们珍惜大好年华，牢记党和人民的厚望，矢志奋斗，不懈进取，在建设有中国特色社会主义事业的伟大征程中谱写出更加壮美的青春之歌！向着祖国更加美好的明天，前进！

（摘自2002年5月16日《光明日报》）

江泽民在重庆调研时发表讲话

（2002年5月21—24日）

江泽民指出，实现我们改革和发展的目标，做好各项工作，必须抓住党的建设这个关键，从思想上组织上作风上全面推进党的建设，把各级领导班子建设得更加朝气蓬勃，把各级党组织建设得更加富有创造力凝聚力战斗力，把党员干部队伍建设得更加团结统一。

江泽民强调，共产党员特别是领导干部，必须始终树立坚定的理想信念和崇高的思想境界，始终发扬不畏困苦和勇往直前的革命精神。特别是在既面临发展机遇又面临严峻挑战的时刻，在发展形势很好而任务又很繁重的时刻，广大党员干部更要保持和发扬昂扬向上的革命斗志和奋发有为的工作精神，增强共产党人的使命感和责任感，始终保持共产党人应有的蓬勃朝气、昂扬锐气和浩然正气，始终为党和人民的事业坚忍不拔地奋斗，扎扎实实地落实“三个代表”要求，创造性做好各项工作。

江泽民指出，经济社会协调发展，两个文明共同进步，是社会主义现代化建设的本质要求。在新的历史时期，必须始终坚持“两手抓，两手都要硬”的方针，促进经济建设和文化建设良性互动。越是在改革和发展的重要时期，越是要大力加强社会主义精神文明建设，努力实现经济社会协调发展和两个文明共同进步，不断满足群众的物质文化需求。要坚持不懈地用邓小平理论武装和教育广大干部群众，加强党的基本路线和“三个代表”要求的学习教育，努力在广大干部群众中形成建设有中国特色社会主义的共同理想和精神支柱，努力塑造爱国奉献、自信自尊、艰苦奋斗、与时俱进、勇于创新的时代精神。

江泽民指出，新世纪新形势，给我们加快发展带来了新机遇，也对我们做好工作提出了新挑战，必须全面推进党的建设新的伟大工程，不断提高领导水平和执政水平。要以创新的精神研究和解决党和国家各方面工作面临的重大理论和现实问题，作出符合实际情况和时代要求的科学回答，从而更好地指导实践。我们必须适应实践和时代的发展，坚持解放思想、实事求是的思想路线，全面贯彻“三个代表”要求，用新的思想观念、新的思维方式和新的行为方式，不断推进理论创新、制度创新和科技创新。始终坚持与时俱进，在实践中努力积累经验，以利不断创新，在创新中获得新的动力，求得不断发展。

江泽民指出，风雨如磐的革命斗争岁月，培育和形成了伟大的红岩精神。红岩精神充分体现了老一辈无产阶级革命家、共产党人和革命志士的崇高思想境界、坚定理想理念、巨大人格力量和浩然革命正气。红岩精神同井冈山精神、长征精神、延安精神一样，都是中国共产党人和中华民族的宝贵精神财富。在新的历史条件下，全党全社会要大力弘扬红岩精神，使之成为我们在新世纪继续推进建设有中国特色社会主义事业的强大精神力量。

江泽民强调，艰苦奋斗是我们党的光荣传统和政治本色。在任何时候和任何情况下，艰苦奋斗的作风都不能丢。要坚持勤俭办一切事业，以共产党人的高风亮节和人格力量影响和带动广大人民群众，实现我们确定的奋斗目标。

（摘自 2002 年 5 月 26 日《人民日报》）

江泽民：在中国科学院第十一次院士大会和中国工程院第六次院士大会上的讲话（摘要）

（2002 年 5 月 28 日）

面对新世纪新发展，我国科技界的使命是：全面贯彻“三个代表”要求，坚持实施科教兴国战略，大力推进科技创新，努力为我国先进生产力和先进文化的发展，为维护和实现我国最广大人民的根本利益不断贡献智慧和力量。

科技进步的历程表明，科技工作的出发点和落脚点是在认识自然和社会的基础上，推动经济和社会的发展，促进物质文明和精神文明的进步，提高人民的生活水平和质量。近代以来人类文明进步取得的丰硕成果，主要得益于科学发现、技术创新和工程技术的不断进步，得益于科学技术应用于生产实践中形成的先进生产力。当今世界，科学技术日益渗透到经济发展、社会进步和人类生活的各个领域，成为生产力中最活跃的因素。未来科学技术的发展，必将对人类社会的发展产生更加深刻的影响。我们必须把发挥我国社会主义制度的优越性同推进改革开放和发展先进的科学技术结合起来，这是实现我国生产力快速发展和社会全面进步的必然要求。

在新世纪的征程上，我们一定要深刻认识科学技术是第一生产力的基本事实，深刻认识创新对推动我国科技事业发展的重大意义，深刻认识科学技术对推动经济发展和社会进步的巨大作用，充分发挥科学技术对发展我国先进生产力和先进文化、对维护和发展我国最广大人民根本利益的重要作用。

第一，要树立雄心壮志，弘扬创造精神。推动我国的科技进步和创新，必须紧跟世界科技发展的潮流，紧密结合我国现代化建设的现实需要，勇于开拓创新、与时俱进。中华民族和中国人民是富有创造精神的伟大民族和人民，是勇于和善于进行创新的，是能够通过自己的不懈努力赶上世界先进水平的。在激烈的国际科技竞争面前，我们只有坚持创新才能不断前进，只有不断前进才能始终掌握主动。一切怯懦的观点，无所作为的观点，都是没有根据的。我们一定要弘扬我国科技工作者敢于创新、善于创新的优良传统，树立雄心壮志，勇攀科技高峰，奋力追赶世界科技的先进水平。要坚定不移地实施科教兴国战略和可持续发展战略，抓紧国家创新体系建设，大力推进科技创新和知识创新。要敢于通过自己的努力达到世界先进水平，更要敢于做别人没有做过的事情，实现我国科学技术的跨越式发展。

第二，要根据国家发展需求，大力推动科技进步。要从我国的国情出发，紧紧围绕国家经济、文化、国防和社会发展具有战略性、基础性、前瞻性的重大课题，加强科技研究和创新，力争取得突破性的进展。在加强基础科学研究的同时，要面向国家现代化建设、面向市场经济发展、面向广大人民需求，确定科技攻关的方向和重点项目，加速科技进步和创新，加快技术成果向现实生产力的转化。要实现这个目标，关键是要深化科技体制改革，把推动我国先进生产力和先进文化的发展、满足人民群众不断增长的物质文化需求，作为深化科技体制改革的基准和方向，进一步建立和完善能够有利于促进科技创新、有力推动科技成果向现实生产力转化的充满活力的体制和机制。要适应发展社会主义市场经济的要求，转变观念，改革体制，充分发挥市场导向和市场机制的作用，加强科技与经济发展和社会进步的联系，努力使科技成果能及时转化为现实生产力，更好地为促进我国先进生产力和先进文化的发展服务，为实现国家的繁荣富强和人民的共同富裕服务。

第三，要努力传播科学知识，积极弘扬先进文化。实现物质文明和精神文明的协调发展，实现社会主义社会人的全面发展，是社会主义现代化建设的本质要求。大力普及科学知识，在全社会弘扬科学精神，不断提高全民族的科学文化素质，是我国科技工作者肩负的庄严使命。科学的发展不断揭示了自然和社会的发展规律，使人类得以科学地解释自然现象和社会现象，能动地驾驭自然和社会，创造出日益丰富的物质文明和精神文明。一切自然科学和社会科学的进步成果，都是先进文化的重要组成部分。科技工作者应该成为传播先进科学文化的先锋队。知识就是力量。科学技术是战胜愚昧落后的强大力量，是反对迷信和邪教的锐利武器。在科学技术快速发展的今天，一个国家科技知识的普及程度，从根本上决定着这个国家生产力和文化的发展水平和这个民族的创造能力。科技的贫困会导致物质的贫困，也会导致精神的贫困。精神的贫困是一切愚昧和迷信产生的重要原因。我们必须大力加强科学教育和科学普及工作，努力传播科学知识、科学精神、科学思想、科学方法，提高群众的科学素养，引导群众形成健康文明的生活方式，增强自觉抵制各种愚昧、迷信和歪理邪说的能力。要通过坚持不懈的努力，使我国人民的科学文化素质不断提高起来。科学精神的精髓是实事求是。科技工作者应该率先垂范，坚持实事求是的科学精神，加强科学道德建设，克服急于事功的浮躁心态，反对一切弄虚作假行为，努力成为先进文化的实践者。

第四，要全面创造条件，大力培养科技人才。人才竞争，是我国面临的一个十分严峻的挑战。人是生产力中最活跃的因素，人力资源是第一资源。

建设有中国特色社会主义是一项长期的事业，需要一代又一代人坚持不懈地为之奋斗献身才能成功。我国科技事业的发展，也需要一代又一代人持续奋斗。推动科学发现和科技创新，最需要青年人的朝气和锐气，最需要为青年人发挥聪明才智创造有利的社会氛围。各级党委和政府都要着眼于党和国家事业的长远发展和人才的总体需要，紧紧抓住培养人才、吸引人才、用好人才三个环节，大力实施人才战略，特别要重点培养和造就优秀的学科带头人和工程技术的帅才，全面提高专业技术人才的科学素质和创新能力，为改革开放和现代化建设提供强大的人才保证。

各位院士为祖国的科技事业发展作出了重要贡献。大家不仅要继续在科研领域中拼搏，而且更要承担起培养年轻科技人才的历史性任务。希望你们把自己的宝贵知识传授给他们，把创新精神和敢为天下先的雄心壮志传授给他们，把实事求是、脚踏实地的科学精神传授给他们，把热爱祖国、热爱人民的高尚精神传授给他们。

科技工作者从事的事业是崇高的事业。崇高的事业需要崇高的精神。广大科技工作者要团结奋斗，顽强拼搏，奋力登攀，勇于创新，为把我们伟大的祖国建设成为一个富强民主文明的社会主义现代化国家，为实现中华民族的伟大复兴，不断作出新的贡献！

（摘自 2002 年 5 月 29 日《人民日报》）

江泽民在中央党校省部级干部进修班毕业典礼上发表讲话

（2002年5月31日）

江泽民强调指出，在我国进入全面建设小康社会，加快推进社会主义现代化的新的发展阶段，全党同志和全国上下一定要高举邓小平理论伟大旗帜，全面贯彻“三个代表”要求，努力开创建设有中国特色社会主义事业新局面。

江泽民指出，进入新世纪，我国进入了全面建设小康社会，加快推进社会主义现代化的新的发展阶段。国际局势正在发生深刻的变化。世界多极化和经济全球化的趋势在曲折中发展，科技进步日新月异，综合国力竞争日趋激烈。形势逼人，不进则退。我们党要坚定地站在时代潮流的前头，团结和带领全国各族人民，实现推进现代化建设、完成祖国统一、维护世界和平与促进共同发展的历史任务，在建设有中国特色社会主义的道路上实现中华民族的伟大复兴。这是历史和时代赋予我们党的庄严使命。

江泽民指出，开创建设有中国特色社会主义事业新局面，必须高举邓小平理论伟大旗帜，全面贯彻“三个代表”要求。“三个代表”同马克思列宁主义、毛泽东思想和邓小平理论一脉相承，反映了当代世界和中国的发展变化对党和国家工作的新要求。“三个代表”是我们党的立党之本、执政之基、力量之源，是加强和改进党的建设、推进我国社会主义制度自我完善和发展的强大理论武器。联系党成立以来的全部历史经验，总结我们党带领人民建设有中国特色社会主义事业必须坚持的基本经验，归结起来就是，我们党必须始终代表中国先进生产力的发展要求，代表中国先进文化的前进方向，代表中国最广大人民的根本利益。

江泽民强调，贯彻“三个代表”要求，关键在坚持与时俱进，核心在保持党的先进性，本质在坚持执政为民。全党同志要牢牢把握这个根本要求，不断增强贯彻“三个代表”要求的自觉性和坚定性。贯彻好“三个代表”要求，必须使全党始终保持与时俱进的精神状态，不断开拓马克思主义理论发展的新境界；必须把发展作为党执政兴国的第一要务，不断开创现代化建设的新局面；必须最广泛最充分地调动一切积极因素，不断为中华民族伟大复兴增添新力量；必须以改革的精神推进党的建设，不断为党的肌体注入新活力。

江泽民强调，坚持解放思想、实事求是的思想路线，弘扬与时俱进的精神，是党在长期执政条件下保持先进性和创造力的决定性因素。我们党能否始终做到这一点，决定着中国的发展前途和命运。坚持与时俱进，就一定要看到《共产党宣言》发表150多年来世界政治、经济、文化、科技等发生的重大变化，一定要看到我国社会主义建设发生的重大变化，一定要看到广大党员干部和人民群众工作、生活条件和社会环境发生的重大变化，一定要充分估计这些变化对我们党执政提出的严峻挑战和崭新课题。要使党和国家的事业不停顿，首先理论上不能停顿。否认马克思主义的科学性，丢掉老祖宗，是错误的、有害的；教条式地对待马克思主义，也是错误的、有害的。我们一定要适应实践的发展，以实践来检验一切，用发展着的马克思主义指导新的实践。

江泽民强调，马克思主义执政党必须高度重视解放和发展生产力。党的先进性是具体的历史的，必须放到推动当代中国先进生产力和先进文化的发展中去考察，放到维护和实现最广大人民的根本利益的奋斗中去考察，归根到底要看党在推动历史前进中的实际作用。我们党要承担起推动中国社会发展的历史使命，必须始终紧紧抓住发展这个执政兴国的第一要务，把保持党的先进性和发挥社会主义制度的优越性，落实到发展先进生产力、发展先进文化、维护和实现最广大人民的根本利益上来。把握住这一点，就从根本上把握了人民的愿望，把握了社会主义现代化建设的本质。

江泽民说，经过全党和全国各族人民20多年的艰苦努力，我们胜利实现了现代化建设“三步走”战略的第一、第二步目标。一个12亿多人口的发展中大国，人民生活总体上达到小康水平，这是改革开放和现代化建设的丰硕成果，是中华民族发展史上一个新的里程碑。纵观全局，21世纪头一二十年，对我国来说，是必须紧紧抓住并且可以大有作为的重要战略机遇期。党的十五届五中全会提出，从新世纪开始，我国进入了全面建设小康社会，加快推进社会主义现代化的新的发展阶段。全党和全国上下要抓住机遇，坚持深化改革、扩大开放、促进发展、保持稳定，团结和带领全国各族人民坚定不移地实现我们的奋斗目标。

江泽民指出，在新世纪新阶段，发展要有新思路，改革要有新突破，开放要有新局面。要集中力量解决好关系经济建设和改革全局的重大问题，使经济总量、综合国力和人民生活再上一个新台阶。要以完善社会主义市场经济体制为目标，继续推进市场取向的改革，从根本上消除束缚生产力发展的体制性障碍，为经济发展注入新的活力。要从根本上改变粗放型经济发展方式，以提高经济效益为中心，注重依靠科技进步和加强管理，提高经济增长质量；注重实施可持续发展战略，节约和合理使用资源，加强环境生态保护和建设；注重地区、城乡协调发展和社会全面进步。要适应经济全球化和我国加入世贸组织的新形势，在更大范围、更广领域、更高层次上参与国际经济技术合作和竞争，拓展经济发展空间，全面提高对外开放水平。

江泽民强调，公有制为主体、多种所有制经济共同发展，是我国社会主义初级阶段的一项基本经济制度。通过实行这个基本经济制度，逐步消除由于所有制结构不合理对生产力发展造成的羁绊，大大解放和发展了生产力。实行这样的基本经济制度，是我们党对建设社会主义的长期实践的总结，必须坚定不移地加以坚持。要根据解放和发展生产力的要求，进一步深化对公有制为主体、多种所有制经济共同发展这一基本经济制度含义的认识，在实践中不断完善这一制度。

江泽民指出，发展社会主义民主政治，建设社会主义政治文明，是社会主义现代化建设的重要目标。必须适应经济发展和社会全面进步的要求，在坚持四项基本原则的前提下，继续积极稳妥地推进政治体制改革，发展有中国特色社会主义民主政治，巩固民主团结、生动活泼、安定和谐的政治局面。党的领导、人民当家作主和依法治国的统一性，是社会主义民主政治的重要优势。发展社会主义民主政治，最根本的是要坚持党的领导、人民当家作主和依法治国的有机结合和辩证统一。推进政治体制改革，要从我国国情出发，坚定不移地走自己的政治发展道路，坚持社会主义政治制度的自我完善和发展。我们要发展的是有中国特色社会主义民主政治，决不照搬西方政治制度模式。要着重加强社会主义民主政治制度建设，实现社会主义民主政治的制度化、规范化、程序化。

江泽民指出，我们必须在发展社会主义经济、政治的同时，加强社会主义精神文明建设，大力发展面向现代化、面向世界、面向未来的，民族的科学的大众的社会主义文化，不断丰富人们的精神世界，不断增强人们的精神力量。要坚持先进文化的前进方向，全面建设和繁荣我国的文化事业。要坚持和巩固马克思列宁主义、毛泽东思想、邓小平理论在意识形态领域的指导地位，用“三个代表”要求统领社会主义文化建设。要立足于改革开放和现代化建设实践，着眼于世界科学文化发展前沿，积极进行文化创新，不断增强有中国特色社会主义文化的吸引力和感召力。要把培育和弘扬民族精神作为文化建设的一个极为重要的任务，使广大人民在建设有中国特色社会主义的征途上，始终保持奋发有为、昂扬向上的精神状态。

江泽民强调，努力开创建设有中国特色社会主义事业新局面，必须毫不动摇地坚持和改善党的领导，全面推进党的建设新的伟大工程。在新的历史条件下，加强和改进党的建设，一定要高举邓小平理论伟大旗帜，认真贯彻“三个代表”要求，保证党的路线方针政策全面反映人民的利益和时代发展的要求；一定要坚持党要管党、从严治党方针，进一步解决提高党的领导水平和执政水平、提高拒腐防变和抵御风险能力这两大历史性课题，始终保持党同人民群众的血肉联系；一定要准确地把握当代中国社会前进的脉搏，改革和完善党的领导方式和执政方式、领导体制和工作制度，使党的工作充满活力；一定要把思想建设、组织建设、作风建设有机结合起来，把制度建设贯穿其中，既立足于经常性工作，又抓紧解决存在的突出问题。通过锲而不舍的努力，保证我们党始终是中国工人阶级的先锋队，同时是中国人民和中华民族的先锋队，始终是中国先进生产力的发展要求、中国先进文化的前进方向和中国最广大人民根本利益的忠实代表，始终是建设有中国特色社会主义事业的领导核心。

江泽民指出，加强和改进新形势下党的群众工作，对于巩固党的执政基础具有决定性的意义。我们党的最大政治优势是善于组织群众、宣传群众、联系群众，党执政后的最大危险是脱离群众。在任何时候任何情况下，都必须坚持党的群众工作路线，把实现人民群众的利益作为我们一切工作的出发点和归宿。共产党员首先是党的干部都要学习和掌握新形势下做好群众工作的本领和方法，团结和带领群众不断前进。全党同志始终保持共产党人的蓬勃朝气、昂扬锐气、浩然正气，永远与人民群众心连心，我们党的执政基础就坚如磐石。

最后，江泽民特别强调要维护和增强团结。他号召全党同志坚持讲大局、讲团结、讲稳定，紧密团结在党中央周围，切实做好改革发展稳定各方面的工作，以优异的成绩迎接党的十六大召开。

（摘自 2002 年 6 月 1 日《人民日报》）

江泽民考察中国社会科学院发表讲话

（2002 年 7 月 16 日）

江泽民强调，建设有中国特色社会主义，需要在实践和理论上不懈进行探索，不断在实践的基础上提出创新的理论，用发展着的理论指导实践。在这个实践和理论的双重探索中，哲学社会科学具有不可替代的重要作用，哲学社会科学工作者是一支不可替代的重要力量。我们必须始终重视哲学社会科学，加快发展哲学社会科学。

江泽民强调，建设有中国特色社会主义，应是我国经济、政治、文化全面发展的进程，是我国物质文明、政治文明、精神文明全面建设的进程。哲学社会科学建设，是社会主义精神文明建设的重要组成部分，又是为推进社会主义社会的物质文明、政治文明、精神文明建设服务的。我们不仅要大力发展自然科学，而且要大力发展哲学社会科学，并用这些方面的知识来全面提高全体人民的思想道德素质和科学文化素质。

江泽民强调，建设有中国特色社会主义这项前无古人的伟大事业，要求我们必须建设一支强大的哲学社会科学队伍，中央也需要掌握一支从事哲学社会科学研究的专门队伍。中国社会科学院是中央直接领导的国家哲学社会科学研究机构，在哲学社会科学研究方面肩负着重要职责。面对新世纪的新形势和新任务，我们一定要办好中国社会科学院。

江泽民指出，要推进改革开放和现代化建设，要把建设有中国特色社会主义事业不断推向前进，就必须深入了解社会，不仅要深入了解中国社会，还要全面了解世界这个大社会；不仅要了解社会发展的历史，而且更重要的是要研究当今社会发展的现实问题。这就需要我们加强理论研究和理论创新，加强哲学、经济学、政治学、国际政治和经济、法学、历史学、民族学、新闻学、人口学、社会学、文学、语言学、考古学等各学科的研究。要大力加强对各门传统学科的研究，大力加强对各门新兴学科和交叉学科的研究，大力加强各门学科的理论和体系的建设，大力加强各门学科的方法和手段的建设。在科学技术迅速发展的今天，哲学社会科学尤其要加强对信息技术等先进手段的运用。要努力使我国哲学社会科学的发展成为我们正确认识世界和改造世界，推动理论创新和先进文化发展，促进党和国家决策的科学化民主化，推进改革开放和现代化建设的重要力量。我国哲学社会科学界要努力担负起认识世界、传承文明、创新理论、咨政育人、服务社会的职责。

江泽民对加强哲学社会科学建设提出了五点要求。第一，要坚持以马克思主义为指导。这是我国哲学社会科学沿着正确方向健康发展的根本保证。坚持以马克思主义为指导，最重要的是要善于把马克思主义的基本原理同中国的实际相结合，不断推进马克思主义的中国化，在实践中丰富和发展马克思主义。第二，要坚持解放思想、实事求是。只有坚持解放思想，实事求是，与时俱进，我国哲学社会科学才能蓬勃发展、充满活力。要加强对全局性、前瞻性、战略性重大理论和实践问题的研究，在研究和解决重大课题的过程中推动哲学社会科学各学科的发展。要深入实践，深入群众，既立足中国实际，又放眼世界大势，努力从人民群众广阔而丰富的实践中提炼研究题材，汲取思想养分，提出真知灼见，创造学术精品，为国家发展和民族振兴服务。第三，要坚持“二为”方向和“双百”方针。哲学社会科学研究应坚持为人民服务、为社会主义服务的方向，坚持“百花齐放，百家争鸣”的方针，提倡理论创新和知识创新，鼓励大胆探索，在实践中不断认识真理、服从真理、发展真理，努力建设具有中国特色、中国风格、中国气派的哲学社会科学。第四，要坚持优良的学风。要坚持严谨而不保守，活跃而不轻浮，锐意创新而不哗众取宠，追求真理而不追逐名利。做人、做事、做学问相统一，是中华民族的优良传统。只有坚持老老实实地做人，踏踏实实地做事，扎扎实实地做学问，才能成为一名对祖国和人民有贡献的学问家。第五，要坚持和改善党对哲学社会科学事业的领导。各级党委和政府都要加强对哲学社会科学研究工作的领导，加大支持力度，同时要认真研究和把握哲学社会科学研究工作的规律，改进领导方式，不断提高领导水平。要全面落实党的知识分子政策，尊重知识、尊重人才，充分调动广大哲学社会科学工作者的积极性、主动性和创造性，认真听取他们的意见和建议，重视他们的研究成果，关心他们的学习、工作和生活，做他们的知心朋友，为加快发展哲学社会科学多办实事。

江泽民强调，当今世界的人才竞争是全方位的，不仅包括领导人才、科技人才、管理人才的竞争，也包括文化人才的竞争，当然也就包括哲学社会科学人才的竞争。各级党委和政府，各组织人事部门、宣传部门、教育部门和各哲学社会科学研究机构、高等院校、党校等等，要共同努力，进一步形成哲学社会科学人才培养、激励、选拔和任用的良好机制，促进哲学社会科学优秀人才茁壮成长。各级领导干部尤其是主要负责同志，既要具有比较丰富的自然科学知识，又要具有比较丰富的社会科学知识，这样才能够善于讲政治，善于驾驭复杂局势，从宏观上把握社会主义现代化建设的规律，不断提高决策和领导水平。

江泽民最后指出，在推进社会主义现代化建设和实现中华民族的伟大复兴的历史进程中，我国哲学社会科学任重道远，大有可为。希望全国哲学社会科学界的同志们团结奋斗，开拓创新，为加快发展我国的哲学社会科学，为建设有中国特色社会主义事业不断作出新的贡献。

（摘自2002年7月17日《人民日报》）

江泽民接见全国体育工作会议代表时发表讲话

（2002年8月23日）

江泽民强调，体育是关系人民健康的大事，体育水平是一个民族文明进步的重要标志。必须从维护最广大人民的根本利益和提高全民族的整体素质出发，进一步规划和加快发展我国的体育事业。全国上下要同心协力，开拓创新，做好2008年奥运会筹备工作，进一步推动我国体育事业的全面发展，为改革开放和现代化建设作出更大贡献。

江泽民指出，我国已进入了全面建设小康社会、加快推进社会主义现代化的新的发展阶段，经济发展和社会进步对我国体育工作提出了更高的要求。最近下发了《中共中央、国务院关于进一步加强和改进新时期体育工作的意见》，希望各级党委和政府认真贯彻文件精神，落实中央对体育工作的各项要求和部署，不断加强和改进体育工作。

江泽民强调，第一，要贯彻全心全意为人民服务的宗旨。体育是关系人民健康的大事，体育水平是一个民族文明进步的重要标志。保证和提高广大人民群众的健康水平和体能素质，始终是体育工作的立足点和归宿。体育工作要为群众多办实事、办好事，努力建立亲民、便民、利民的体育服务体系。

第二，要坚持社会主义先进文化的前进方向。体育对群众的思想和生活影响很大。广大体育工作者要努力成为社会主义先进文化的建设者和传播者。无论是群众体育还是竞技体育，都要坚持正确的政治方向，促进人们形成健康、科学、文明的生活方式，培养高尚的情趣，提高生活质量。体育队伍要大力弘扬爱国主义、集体主义精神，发扬中华体育精神，努力创造优异的成绩，为祖国和人民争光。

第三，要精心组织和科学筹备奥运会。举办2008年奥运会，不仅关系到我们对国际社会的承诺，也关系到祖国的荣誉。希望各有关部门大力协作，开拓创新，充分调动各方面的积极因素，切实把奥运会办好。要通过筹备和举办奥运会，进一步推动我国体育事业的全面发展，出成果，出人才，为改革开放和现代化建设作出更大的贡献。

（摘自2002年8月24日《人民日报》）

江泽民会见出席全国宣传部长会议全国组织工作座谈会全体同志时发表讲话

（2002 年 8 月 28 日）

江泽民指出，强有力的宣传思想工作和组织工作，历来是我们党的工作的重要特色，也是我们党的重要政治优势。党中央对宣传思想工作和组织工作始终是高度重视的。今年以来，全国宣传思想战线和组织战线按照中央的部署，紧紧围绕贯彻“三个代表”要求和迎接党的十六大，做了大量工作。宣传思想领域总体态势积极主动，舆论氛围健康向上，在推动解放思想的进程中保持思想上的统一，与时俱进的观念和奋发有为的风貌成为当今我国社会精神的主流，广大人民群众爱国热情高涨，民族自豪感增强。组织战线的工作做得积极主动，全面加强党的基层组织建设、领导班子建设和干部队伍建设。农村“三个代表”学习教育活动取得了重要成果。干部人事制度改革积极稳步推进，各地各部门正在努力贯彻落实《党政领导干部选拔任用工作条例》。省级党委换届工作圆满完成。总之，同志们工作都很努力、很辛苦、很有成效。

江泽民强调，为党的十六大营造良好氛围，意义十分重大，是当前宣传思想工作的头等大事。要紧紧围绕党的十六大，唱响共产党好、社会主义好、改革开放好的主旋律，用生动的充分的事实来说明，中国共产党是伟大、光荣、正确的党，是始终代表中国先进生产力的发展要求、中国先进文化的前进方向和中国最广大人民的根本利益的马克思主义政党。要大力宣传改革开放和现代化建设、党的建设取得的辉煌成就，大力宣传广大党员和干部解放思想、实事求是、与时俱进、开拓创新的时代风采，大力宣传我国经济社会发展的美好前景，充分反映全党和全国各族人民以优异成绩迎接党的十六大的实际行动，以利全党和全国人民进一步统一思想、凝聚力量、振奋精神、坚定信心，不断在改革和建设中开拓前进。

（摘自 2002 年 8 月 29 日《人民日报》）

江泽民：在庆祝北京师范大学建校一百周年大会上的讲话（摘要）

（2002 年 9 月 8 日）

当今时代，科技进步日新月异，国际竞争日趋激烈。各国之间的竞争，说到底，是人才的竞争，是民族创新能力的竞争。教育是培养人才和增强民族创新能力的基础，必须放在现代化建设的全局性战略性重要位置。我们要继续坚定不移地实施科教兴国战略，不断培养大批合格的有中国特色社会主义的建设者，不断造就大批具有丰富创新能力的高素质人才，不断提高全民族的思想道德素质和科学文化素质。这是实现中华民族伟大复兴的必然要求，也是我国社会主义教育事业的历史任务。要完成这一历史任务，必须不断推进教育创新。只有按照“三个代表”要求，大力推进教育创新，不断发展有中国特色社会主义教育事业，才能不断为我国经济和社会发展培养高素质的劳动者、建设者、管理者和领导者。

进行教育创新，要坚持和发展适应国家和社会发展要求的教育思想。要坚持党的教育方针，坚持教育为社会主义事业服务，坚持教育与社会实践相结合，同时要十分注意研究和解决教育面临的新情况新问题，深入探索新形势下教育发展的规律，更新教育观念，确立与二十一世纪我国经济和社会发展需要相适应的教育观和人才观。要通过深化改革不断健全和完善与社会主义现代化建设要求相适应的教育体制；推进素质教育，全面提高教育质量；充分利用现代科学技术手段，大力提高教育的现代化水平；面向现代化、面向世界、面向未来，加大教育对外开放的力度。在继承中华民族优秀教育传统的基础上，积极借鉴世界上先进的办学经验和管理经验，提高我国教育的国际竞争力。

贯彻党的教育方针，推进教育创新，培养大批高素质人才，离不开教师的辛勤工作。我国广大教师，要率先垂范，做先进生产力和先进文化发展的弘扬者和推动者，做青少年学生健康成长的指导者和引路人，努力成为无愧于党和人民的人类灵魂的工程师。要进一步建立和完善适应我国教育发展需要的、开放灵活的教师教育体系，努力造就一支献身教育事业的高水平的教师队伍。全国各级各类师范院校，都要适应新形势新任务的要求，深化改革，锐意进取，为建设有中国特色教师教育体系作出新的贡献。

希望我们的教师志存高远、爱国敬业，为人师表、教书育人，严谨笃学、与时俱进。百年大计，教育为本。教育大计，教师为本。中华民族素有尊师重教的优良传统。长期以来，我国广大教师，特别是广大农村和边远贫困地区的教师，在艰苦清贫的条件下恪尽职守，默默耕耘，为祖国的教育事业无私奉献，涌现出了许多可歌可泣的先进人物，充分体现了陶行知先生当年倡导的“捧着一颗心来，不带半根草去”的崇高精神。这种平凡而又伟大的精神，永远值得我们学习和发扬！

全党、全社会都要满腔热情地关心和支持教育工作。各级党委和政府要关心教师的工作和生活，千方百计地为广大教师办实事、办好事，尊重教师的劳动，进一步提高教师的社会地位，使中华民族尊师重教的优良传统不断发扬光大。

（摘自2002年9月9日《光明日报》）

江泽民在中国共产党第十六次全国代表大会上的报告(节选)

（2002年11月8日）

六、文化建设和文化体制改革

全面建设小康社会，必须大力发展社会主义文化，建设社会主义精神文明。当今世界，文化与经济和政治相互交融，在综合国力竞争中的地位和作用越来越突出。文化的力量，深深熔铸在民族的生命力、创造力和凝聚力之中。全党同志要深刻认识文化建设的战略意义，推动社会主义文化的发展繁荣。

（一）牢牢把握先进文化的前进方向。在当代中国，发展先进文化，就是发展面向现代化、面向世界、面向未来的，民族的科学的大众的社会主义文化，以不断丰富人们的精神世界，增强人们的精神力量。必须坚持马克思列宁主义、毛泽东思想和邓小平理论在意识形态领域的指导地位，用“三个代表”重要思想统领社会主义文化建设。坚持为人民服务、为社会主义服务的方向和百花齐放、百家争鸣的方针，弘扬主旋律，提倡多样化。坚持以科学的理论武装人，以正确的舆论引导人，以高尚的精神塑造人，以优秀的作品鼓舞人。大力发展先进文化，支持健康有益文化，努力改造落后文化，坚决抵制腐朽文化。文艺工作者要深入群众、深入生活，为人民奉献更多无愧于时代的作品。新闻出版和广播影视必须坚持正确导向，互联网站要成为传播先进文化的重要阵地。立足于改革开放和现代化建设的实践，着眼于世界文化发展的前沿，发扬民族文化的优秀传统，汲取世界各民族的长处，在内容和形式上积极创新，不断增强中国特色社会主义文化的吸引力和感召力。

（二）坚持弘扬和培育民族精神。民族精神是一个民族赖以生存和发展的精神支撑。一个民族，没有振奋的精神和高尚的品格，不可能自立于世界民族之林。在五千多年的发展中，中华民族形成了以爱国主义为核心的团结统一、爱好和平、勤劳勇敢、自强不息的伟大民族精神。我们党领导人民在长期实践中不断结合时代和社会的发展要求，丰富着这个民族精神。面对世界范围各种思想文化的相互激荡，必须把弘扬和培育民族精神作为文化建设极为重要的任务，纳入国民教育全过程，纳入精神文明建设全过程，使全体人民始终保持昂扬向上的精神状态。

（三）切实加强思想道德建设。依法治国和以德治国相辅相成。要建立与社会主义市场经济相适应、与社会主义法律规范相协调、与中华民族传统美德相承接的社会主义思想道德体系。深入进行党的基本理论、基本路线、基本纲领和“三个代表”重要思想的宣传教育，引导人们树立中国特色社会主义共同理想，树立正确的世界观、人生观和价值观。认真贯彻公民道德建设实施纲要，弘扬爱国主义精神，以为人民服务为核心、以集体主义为原则、以诚实守信为重点，加强社会公德、职业道德和家庭美德教育，特别要加强青少年的思想道德建设，引导人们在遵守基本行为准则的基础上，追求更高的思想道德目标。加强和改进思想政治工作，广泛开展群众性精神文明创建活动。

（四）大力发展教育和科学事业。教育是发展科学技术和培养人才的基础，在现代化建设中具有先导性全局性作用，必须摆在优先发展的战略地位。全面贯彻党的教育方针，坚持教育为社会主义现代化建设服务，为人民服务，与生产劳动和社会实践相结合，培养德智体美全面发展的社会主义建设者和接班人。坚持教育创新，深化教育改革，优化教育结构，合理配置教育资源，提高教育质量和管理水平，全面推进素质教育，造就数以亿计的高素质劳动者、数以千万计的专门人才和一大批拔尖创新人才。加强教师队伍建设，提高教师的师德和业务水平。继续普及九年义务教育。加强职业教育和培训，发展继续教育，构建终身教育体系。加大对教育的投入和对农村教育的支持，鼓励社会力量办学。完善国家资助贫困学生的政策和制度。制定科学和技术长远发展规划。加强科学基础设施建设。普及科学知识，弘扬科学精神。坚持社会科学和自然科学并重，充分发挥哲学社会科学在经济和社会发展中的重要作用。在全社会形成崇尚科学、鼓励创新、反对迷信和伪科学的良好氛围。

（五）积极发展文化事业和文化产业。发展各类文化事业和文化产业都要贯彻发展先进文化的要求，始终把社会效益放在首位。国家支持和保障文化公益事业，并鼓励它们增强自身发展活力。坚持和完善支持文化公益事业发展的政策措施，扶持党和国家重要的新闻媒体和社会科学研究机构，扶持体现民族特色和国家水准的重大文化项目和艺术院团，扶持对重要文化遗产和优秀民间艺术的保护工作，扶持老少边穷地区和中西部地区的文化发展。加强文化基础设施建设，发展各类群众文化。积极推进卫生体育事业的改革和发展，开展全民健身运动，提高全民健康水平。努力办好二〇〇八年奥运会。发展文化产业是市场经济条件下繁荣社会主义文化、满足人民群众精神文化需求的重要途径。完善文化产业政策，支持文化产业发展，增强我国文化产业的整体实力和竞争力。

（六）继续深化文化体制改革。根据社会主义精神文明建设的特点和规律，适应社会主义市场经济发展的要求，推进文化体制改革。抓紧制定文化体制改革的总体方案。把深化改革同调整结构和促进发展结合起来，理顺政府和文化企事业单位的关系，加强文化法制建设，加强宏观管理，深化文化企事业单位内部改革，逐步建立有利于调动文化工作者积极性，推动文化创新，多出精品、多出人才的文化管理体制和运行机制。按照一手抓繁荣、一手抓管理的方针，健全文化市场体系，完善文化市场管理机制，为繁荣社会主义文化创造良好的社会环境。

中华文明博大精深、源远流长，为人类文明进步作出了巨大贡献。在当代中国人民的伟大奋斗中，必将迎来社会主义文化建设的新高潮，创造出更加灿烂的先进文化。

（节选自2002年11月18日《人民日报》）

李长春在同中央宣讲团座谈时发表讲话

（2002年11月29日）

李长春在座谈时指出，深入学习贯彻十六大精神，是全党当前和今后一个时期的首要政治任务。组成宣讲团开展宣讲活动，是中央推动全党迅速兴起学习贯彻十六大精神热潮的一个重大举措。我们一定要遵照中央围绕主题、把握灵魂、狠抓落实的要求，积极、全面、准确、深入地宣讲好十六大精神，把思想和认识统一到十六大精神上来，把智慧和力量凝聚到实现十六大确定的各项任务上来。

李长春强调，宣讲要紧紧围绕十六大的主题，紧紧抓住“三个代表”重要思想这个灵魂，紧紧把握解放思想、实事求是、与时俱进这个精髓，原原本本宣讲十六大精神，着重把历史和时代赋予我们党的庄严使命讲透彻讲明白，把党领导人民建设中国特色社会主义的基本经验讲透彻讲明白，把“三个代表”重要思想的历史地位和贯彻“三个代表”重要思想的根本要求讲透彻讲明白，把全面建设小康社会的奋斗目标讲透彻讲明白，把改革开放和现代化建设、推进党的建设新的伟大工程的战略部署讲透彻讲明白，把江泽民同志运用马克思主义的立场、观点和方法，研究新情况、解决新问题的科学态度和创新精神讲透彻讲明白。

李长春要求，宣讲要联系实际，务求实效，紧密联系13年来我们党领导人民艰辛奋斗、破浪前进的光辉历程，联系改革开放和现代化建设的实际，联系各地区各部门实际，联系广大干部群众的思想实际，努力回答干部群众关心的问题。要讲究艺术，注重方法，增强感染力、吸引力。要突出重点，讲出特色，突出亮点，讲出水平。在虚与实的结合中讲清道理，在情与理的交融中达成共识，振奋人们的精神，激发人们的热情，坚定人们的信心，努力营造解放思想、实事求是、与时俱进的浓厚氛围，营造聚精会神搞建设、一心一意谋发展的浓厚氛围，营造倍加顾全大局、倍加珍视团结、倍加维护稳定的浓厚氛围，激励广大干部群众为共同创造我们的幸福生活和美好未来而奋斗。

（摘自2002年11月30日《人民日报》）

李长春在中央文明委全体会议上发表讲话

（2002年12月30日）

李长春指出，十六大提出了全面建设小康社会新阶段精神文明建设的目标、任务，为进一步加强精神文明建设指明了方向。要通过学习十六大精神，使我们对精神文明建设重要性的认识有一个新的飞跃，坚持“两手抓、两手硬”的自觉性有一个新的提高。要保持清醒头脑，增强忧患意识，始终保持谦虚谨慎、不骄不躁的作风，始终保持艰苦奋斗的作风，扎扎实实地做好工作。

李长春要求，做好明年精神文明建设工作，要抓好重中之重，把学习宣传贯彻十六大精神和“三个代表”重要思想的热潮引向深入，在深入人心上下功夫，在开拓创新上下功夫，在力求实效上下功夫，使十六大主要精神家喻户晓、人人明白，真正深入党心民心，化为全党全国人民的自觉行动。要以贯彻《公民道德建设实施纲要》为重点，提高人们的思想道德素质，弘扬和培育民族精神，丰富人们的精神世界，增强人们的精神力量。要以诚信建设为重点，认真纠正行业不正之风，找准不同领域的突出问题，采取有效措施进行综合整治。要以帮助困难群众和贫困地区为重点，多办好事实事，多做化解矛盾、维护稳定的工作。要以创建文明城市为重点，提高城乡文明程度，努力创造有利于扩大开放加快发展的政务环境、法治环境、市场环境、人文环境、生活环境、生态环境。

李长春强调，必须始终坚持用“三个代表”重要思想统领社会主义精神文明建设。要坚持以“三个代表”重要思想作为指导思想，坚持为发展先进生产力服务，坚持大力发展社会主义先进文化，坚持全面地充分地体现人民的利益。要坚持与时俱进，研究新情况，解决新问题，总结新经验，形成新思路，提出新举措。

要坚持加强党对精神文明建设的领导，形成党委统一领导、党政齐抓共管、部门各负其责、文明委协调指导、群众积极参与的领导体制和工作机制。要始终把当前干部群众普遍关心的制止消极腐败现象、纠正行业不正之风、扫除黄赌毒等社会丑恶现象、禁止制造和传播文化垃圾、治理社会治安和环境脏乱差，作为加强精神文明建设的重点，切实抓出成效。要注重实效，严防形式主义。

李长春强调，我们要紧密团结在以胡锦涛同志为总书记的党中央周围，高举邓小平理论伟大旗帜不动摇，全面贯彻“三个代表”重要思想，认真贯彻落实十六大精神，开拓进取，扎实工作，努力开创精神文明建设新局面。

（摘自2002年12月31日《人民日报》）

刘云山：高举邓小平理论旗帜，以“三个代表”重要思想为指导，为改革发展、为党的十六大提供强有力的思想和舆论保证（节选）

二、认清形势，把握大局，努力为党的十六大营造良好氛围，为改革开放和现代化建设提供有力的思想保证

2002年，是我们党和国家历史上具有重要意义的一年，也是我们在严峻国际形势下把改革开放和现代化建设继续推向前进的重要一年。做好今年的宣传思想工作至关重要。我们要充分认识国际局势的新变化，充分认识国内形势的新特点，充分认识我们面临的有利条件和不利因素，抓住机遇，迎接挑战，未雨绸缪，掌握主动。

分析今年的形势，宣传思想工作统一思想的任务很重，改革发展的任务很重，维护稳定的任务很重。我们既面临着难得的机遇，又面临着严峻的挑战，总体上还是希望大于困难，有利条件大于不利因素。邓小平理论和“三个代表”重要思想，为我们做好工作提供了强大的思想武器；党中央对宣传思想工作的高度重视和坚强领导，为我们做好工作提供了根本保证；我国经济持续快速健康发展，为我们做好工作提供了良好的物质基础；这些年来宣传思想工作形成的一系列正确方针原则和行之有效的工作思路、工作机制和规章制度，为我们做好工作打下了坚实基础；党的十六大，将为我们进一步做好宣传思想工作指明方向，提出新的任务。我们要树立必胜的信心，做好打硬仗的思想准备，团结一致，扎实努力，圆满完成今年宣传思想工作的各项任务。

按照中央“统一思想、坚定信心，沉着应对、趋利避害，转变作风、扎实工作”的要求，今年宣传思想工作的指导思想是：高举邓小平理论伟大旗帜，以“三个代表”重要思想为指导，坚持党的基本路线不动摇，坚持同以江泽民同志为核心的党中央保持一致，深入学习贯彻“七一”重要讲话和十五届六中全会精神，围绕中心，服务大局，以科学的理论武装人，以正确的舆论引导人，以高尚的精神塑造人，以优秀的作品鼓舞人，为改革开放和现代化建设提供有力的思想保证，为党的十六大营造昂扬向上、团结奋进、开拓创新的良好氛围。

做好今年的工作，宣传思想战线要坚持唱响主旋律、打好主动仗，团结稳定鼓劲、正面宣传为主，在深入中创新、在创新中前进的方针。牢牢把握解放思想，实事求是，与时俱进，开拓创新，唱响共产党好、社会主义好、改革开放好，统一思想，凝聚力量，振奋精神，坚定信心，促进改革发展，维护社会稳定的工作基调。要坚持把抓导向、抓改革、抓阵地、抓管理、抓作风作为工作的着力点。

今年工作的总体布局是：贯穿“一条主线”，分为“两个阶段”，兴起“三个热潮”。“一条主线”，就是迎接、宣传、贯彻十六大，认真学习、深入宣传、身体力行“三个代表”。“两个阶段”，就是以十六大召开为标志，把全年工作分为两个阶段。“三个热潮”，就是在全年工作中兴起学习宣传贯彻“三个代表”的热潮，兴起宣传改革开放和党的建设辉煌成就的热潮，兴起学习宣传贯彻十六大精神的热潮。要通过我们卓有成效的工作，把广大干部群众的思想统一到邓小平理论和“三个代表”重要思想上来，统一到中央应对复杂的国际形势作出的重要判断和重大决策上来，统一到中央关于今年工作的总体要求和部署上来。

三、明确任务，突出重点，全面推进宣传思想工作

1. 切实加强“三个代表”重要思想的学习宣传，进一步回答重大理论和实际问题，努力增强理论工作的说服力、战斗力。

第一，深入学习宣传贯彻“三个代表”重要思想。要把学习宣传贯彻“三个代表”重要思想作为宣传思想工作的重中之重，在系统上下功夫，在深入上下功夫，引导广大党员干部深刻认识“三个代表”重要思想的重大意义和科学内涵，不断提高实践“三个代表”要求的自觉性和坚定性。组织广大党员干部特别是县处级以上领导干部认真学习“七一”重要讲话和十五届六中全会精神，真正做到深刻领会、吃透精神、把握实质。

党的十六大召开后，要认真学习宣传贯彻十六大精神。及时组织宣讲团，举行报告会、座谈会，制作播出电视理论专题片，推出重点理论文章，充分发挥党报党刊、广播电视和讲师团的作用，在全国兴起一个学习宣传贯彻十六大精神的热潮。

第二，深入开展马克思主义发展史的教育。认真组织学习马克思、恩格斯、列宁关于发展马克思主义的论述，学习毛泽东、邓小平、江泽民同志关于解放思想、实事求是、与时俱进、开拓创新的论述，用我们党不断推进理论创新的实践教育广大党员干部，进一步在全党形成解放思想、实事求是的生动局面，求真务实，锐意进取，不断推进马克思主义的中国化，努力开拓马克思主义理论发展的新境界。

第三，要着力把重大理论和实际问题说清楚、说充分。认真贯彻中央领导同志的指示精神，对阶级和阶层、劳动和劳动价值理论、党的工人阶级先锋队和工人阶级先进性等重大问题，组织力量，集体攻关，力求作出符合实际的正确回答和科学结论，推动理论创新，增强马克思主义的说服力、战斗力。研究重大理论和实际问题，必须大力弘扬马克思主义学风，立足新的实践，分析新的情况，回答新的问题。

2. 紧紧围绕党和国家的工作大局，进一步提高舆论引导水平，努力营造抓住机遇、加快发展、团结奋斗的良好氛围。

第一，要加大经济建设的宣传力度。积极全面准确地宣传中央确定的经济工作的总体要求，宣传改革发展的主要任务和重点工作，宣传经济工作的具体部署和政策措施。要大力宣传我国经济在复杂多变的国际环境中持续快速健康发展的大好形势，及时报道现代化建设取得的巨大成就。要积极推广各条战线抓住机遇、沉着应对、趋利避害、加快发展的典型事例和成功经验，全面介绍改革建设事业取得的新进展。要按照中央确定的方针原则，继续做好我国加入世贸组织的宣传。

第二，要加大党的建设的宣传力度。以召开党的十六大为契机，大力宣传我们党 80 多年的光荣历史，宣传我们党实践“三个代表”的新成绩，进一步坚定广大干部群众对党和政府的信任。大力宣传全面推进党的建设新的伟大工程取得的新进展，宣传各地各部门贯彻落实十五届六中全会精神取得的新成效，宣传“三个代表”学习教育活动取得的新经验，努力营造加强党的建设的浓厚氛围。集中宣传一批努力实践“三个代表”的优秀共产党员和先进基层党组织，充分展示我们党全心全意服务人民的光辉形象，激励广大党员干部更好地发挥先锋模范作用。

第三，要加强对社会热点难点问题的引导。加强对涉及群众切身利益的有关政策的宣传，讲清政策出台的背景、目的和具体实施措施，使广大群众加深对政策的理解，关心和支持改革。对突发性事件，要沉着应对，及时制定工作方案，严格遵守有关规定，努力掌握舆论引导的主动权。要立足于改进工作，加强舆论监督，弘扬社会正气。要严格按照中央的方针政策，切实做好民族和宗教问题的宣传，进一步促进民族团结。

3. 认真贯彻落实《公民道德建设实施纲要》，以爱国主义教育为重点，大力加强社会主义思想道德建设。

第一，大力倡导公民基本道德规范。贯彻《纲要》，首先是要落实好“爱国守法、明礼诚信、团结友善、勤俭自强、敬业奉献”20字基本道德规范。要着重抓好以下四个环节：一是做好基本道德规范的普及工作；二是制定具体的道德规范；三是广泛开展公民道德实践活动；四是动员社会各方面积极参与道德建设。为推动《纲要》的贯彻落实，准备在适当时候，组织力量对各地的情况进行一次检查。

第二，突出抓好爱国主义教育。要不断拓展教育内容，改进教育方式，引导人们激发爱国热情，弘扬民族精神。要切实加强爱国主义教育基地建设，进一步健全升挂国旗、唱奏国歌制度，努力增进人们的爱国情感。要注意引导人们立足本职，爱岗敬业，把爱国热情转化为做好工作的强大动力。

第三，坚持不懈地开展思想政治工作。要大力加强理想信念教育，进一步坚定广大干部群众的共同理想，巩固全国人民团结奋斗的思想基础。要通过举办成就展览、举行形势报告会等形式，大力加强形势政策教育，让广大干部群众及时了解面临的形势和党的路线方针政策。要坚持做好经常性的思想政治工作，及时化解矛盾，解开思想疙瘩，平衡群众心理。要继续深入揭批“法轮功”的邪教本质，切实做好“法轮功”痴迷者的教育转化工作。

4. 坚持面向基层、服务群众，推动群众性精神文明创建活动向深度和广度发展。

第一，广泛开展创建文明城市、文明村镇、文明行业活动。要按照拓展领域、充实内容、改进方法、提高水平的思路，不断加大工作力度，创建出更多的文明城市、文明村镇、文明行业和文明单位。创建文明城市，要以创建文明社区为基础，以大中城市为重点。创建文明村镇，要以创建文明村、文明户为基础，以小城镇为重点。创建文明行业，要以优质服务为基础，以窗口单位和执法部门为重点。

第二，继续抓好精神文明创建活动的“名牌”项目。要在认真总结经验的基础上，不断丰富思想内涵，充分发挥示范作用，努力扩大社会影响。百城万店无假货活动，要向中小城市和广大农村延伸；文化科技卫生“三下乡”活动，要坚持常下乡、求实效；创建文明风景旅游区活动，要在规范旅游市场、整顿景区环境、优化服务质量上着力；做人民满意公务员活动，要促进党政机关进一步转变工作作风。

第三，热情关心贫困地区和困难人群。要通过开展希望工程、志愿者、送温暖、手拉手、幸福工程、春蕾计划、扶残助残等活动，动员广大群众积极关心和帮助困难群众，把党和政府的温暖送到群众的心坎上。进一步抓好“百县千乡宣传文化工程”和“西部开发助学工程”，把好事办到最需要的地方，把温暖送到困难的人群。从今年开始，“西部开发助学金”的资助范围将从西部延伸到一些中部省份的贫困地区，年度资助名额将由1100人增加到2000人，今年还将在西部各省（区、市）选择若干重点高中资助开办“宏志班”，与有关部门开展“残疾人助学工程”。

5. 按照代表先进文化前进方向的要求，加大优秀作品创作和生产力度，努力丰富人民群众的精神文化生活。

第一，认真实施精品战略，促进文艺出版事业的繁荣。繁荣是文艺出版工作的中心环节。进一步树立精品意识，加大精品战略的实施力度，努力创作出弘扬中华民族的民族精神和我们时代的进步精神的优秀作品。组织创作生产出一批讴歌党的丰功伟绩的优秀作品，向党的十六大献礼。

第二，加强对创作思想的引导。认真学习江泽民在全国第七次文代会和第六次作代会上的重要讲话精神，牢固树立正确的创作思想。组织和鼓励文艺工作者深入实际，深入生活，虚心向人民群众学习，从现代化建设的伟大实践和人民群众的火热生活中汲取营养。要适应时代特点，结合实践要求，努力加强文艺理论建设，积极开展评论工作，大胆进行文艺理论和文艺评论的创新。

第三，广泛开展群众性文化活动。要坚持重心下移，以“三下乡”、“心连心”等活动为载体，多组织一些小型文艺团体，下基层、到农村演出。要进一步加强社区文化、村镇文化、企业文化、校园文化建设，充分利用革命纪念日、重大节日和民间传统节日，广泛开展群众喜闻乐见的文化活动。要鼓励文艺工作者对群众性活动进行指导和帮助，并努力创作出有利于活动开展的优秀作品。

6. 认真贯彻中办 17 号文件精神，进一步深化新闻出版广播影视业改革，不断增强宣传文化事业的实力和活力。

第一，积极推进集团化建设。要按照专业分工和规模经营的要求，运用联合、重组、兼并等形式，组建一批大型报业集团、出版集团、发行集团、广电集团、电影集团。条件成熟的，还可以组建跨地区、多媒体的大型新闻集团，推动结构调整，促进跨地区经营和多媒体经营。组建集团，不是规模的简单扩张，必须加强内部整合，进一步形成整体运营的新体制、新机制，增强集团的活力和竞争力。

第二，加强市场整合。要以集团为龙头，积极组建书报刊音像制品的连锁营销系统和物流配送系统，逐步形成互联互通的书报刊影视音像发行网络。

第三，深化内部改革。要在认真总结试点经验的基础上，积极推进人事制度、劳动制度、分配制度的改革，最大限度地调动积极性，增强自身活力。要加强财务和成本管理，提高资金周转率和资本利用率，转换经营机制，提高工作效率，努力实现社会效益与经济效益的统一。

7. 切实加强宣传文化事业的宏观管理，进一步提高宏观调控水平，确保宣传舆论阵地牢牢掌握在党的手中。

第一，进一步建立健全宏观调控机制。要加强预报机制、引导机制、奖惩机制、调节机制、责任机制、监督机制、保障机制和应对机制建设，把管理工作纳入经常化和制度化的轨道，做到守土有责，把好每一道关口。要坚持和完善阅评制度、通气会制度、违纪违规警告制度和内部通报制度，加强沟通，加强引导，发现问题，及时处理。

第二，抓好专项治理工作。对小报小刊小台、买卖书号、印刷业市场、散滥现象，要进行专项治理，集中整治。要继续深入开展“扫黄打非”斗争，净化出版物市场，营造健康向上的文化氛围。要在抓好集中行动、专项治理工作的同时，注重经常性的监管。

第三，进一步加强法规建设。要严格执行行之有效的法规，依法加强对宣传文化事业的管理。要适应加入世贸组织的新形势，从我国的实际出发，积极推动出台新的相关法律法规，修改和废止不相适应的法规，进一步建立和完善体现宣传文化特点、适应法制建设总体要求的法律体系，为管理工作提供强有力的法制保障。

8. 按照“八个坚持、八个反对”的要求，切实加强和改进干部队伍作风建设，努力提高宣传思想工作干部队伍的政治和业务素质。

第一，切实加强和改进作风建设。宣传思想战线的全体同志要讲学习、讲政治、讲正气，全面提高思想政治素质。认真贯彻六中全会精神，着力解决在思想作风、学风、工作作风、领导作风和生活作风等方面存在的突出问题，使宣传思想战线的作风有新的明显进步。大力加强马克思主义新闻观教育和职业道德建设，坚决禁止各种违纪违规行为。

第二，进一步加强干部培训工作。要认真贯彻落实宣传文化干部培训计划，加强培训工作，帮助宣传干部特别是近年来新到任的宣传干部尽快熟悉宣传思想工作。要通过各种形式，帮助大家了解和熟悉世贸组织的基本原则和有关规则。继续做好对西部地区宣传干部的培训工作。

第三，广交深交朋友。要加强同理论、新闻、文艺、出版等宣传思想文化界的代表人士的联系，尽力帮助他们解决实际问题，积极引导他们更好地把握时代精神和人民的要求，热情支持他们施展自己的聪明才智。

四、开拓创新，务求实效，努力提高宣传思想工作的水平

做好今年的宣传思想工作，意义重大，要求很高。要注意把握好这样几点。

第一，既要在新的实践中解放思想，又要在解放思想中统一思想。解放思想是事业前进的内在动力，统一思想是做好工作的重要前提。没有思想的大解放，就没有思想的真正统一；离开统一思想，思想解放就不能形成巨大的力量。解放思想要经历一个过程，统一思想也要经历一个过程。要形成勤奋学习的良好风气，坚持理论联系实际，努力运用马克思主义的立场、观点、方法，研究新情况，解决新问题，总结新经验，探索新规律。要自觉地把思想认识从那些不合时宜的观念、做法和体制的束缚中解放出来，从对马克思主义的错误的和教条式的理解中解放出来，从主观主义和形而上学的桎梏中解放出来，使我们的思想和行动更加符合客观实际。同时，要在解放思想中统一思想，大力宣传马克思主义与时俱进的理论品质，大力宣传我们党倡导的科学思想方法，抓紧研究干部群众关心的重大理论和实际问题，把道理说清楚说充分，把全党的认识统一到邓小平理论和“三个代表”重要思想上来，统一到中央的方针政策和工作部署上来。

第二，既要加强思想教育，又要切实解决群众关心的实际问题。我们党的最大优势是密切联系群众，最大危险是脱离群众。面向群众，服务群众，就能获得前进的不竭动力；脱离群众，漠视群众，就会丧失根本。思想教育要取得成效，必须把解决思想问题同解决实际问题相结合，把宣传教育群众同热情服务群众相结合，在办实事中贯穿思想教育，通过解决现实问题引导群众提高思想认识和精神境界。我们的舆论宣传、思想教育、精神文明建设等，都要坚持反映群众意愿，关心群众疾苦，解决群众遇到的“急、难、愁”问题，多做得人心、暖人心、稳人心的工作。要特别关心困难群众的工作和生活，雪中送炭，排忧解难，化解矛盾。要把那些社会反映热烈、群众真心欢迎的好事情好做法坚持下去，巩固提高，扩大影响。

第三，既要深化改革、增强活力，又要把握导向、加强管理。改革是动力，管理是保证，发展是目的。不改革就没有出路，不加强管理，改革就不能健康有序进行。各级宣传文化部门要增强深化改革的责任感和紧迫感，认真贯彻好中办 17 号文件。要积极主动，大胆探索，知难而进，敢于走前人没有走过的路，创造前人没有实践的模式，在我们的手中成就一番事业，开创一片天地，走出一条有中国特色社会主义的新闻出版广播影视业繁荣发展的新路来。同时，必须充分认识到，新闻出版广播影视单位是重要的宣传思想阵地，事关国家安全和政治稳定，负有重大社会责任，稍有不慎，就会造成严重后果。要把改革热情与科学精神结合起来，把大胆实践与扎实工作结合起来，周密部署，稳步推进。对改革中涉及的重大事项，必须严格按程序报批；对涉及的一些复杂敏感问题，要依据有关法规政策妥善处理，绝不能自行其是。无论什么情况下，都要牢牢把握正确的舆论导向，确保党对新闻出版广播影视业的领导，确保宏观控制力。要加大管理力度，对各种违纪行为，敢抓敢管，违法必究，执法必严。

第四，既要认真办好大事喜事，又要沉着应对、妥善处理突发事件。集中力量办好大事喜事，集中力量营造良好氛围，是宣传思想战线的重要职责。今年，我们党要召开十六大，这是举世瞩目的一件大事。我们要举全战线之力，发挥优势，千方百计为十六大创造良好氛围。我们还要看到，国际国内不可预测的因素很多，突发事件出现的可能性增大。我们在办好大事喜事的同时，要未雨绸缪，统筹兼顾，保持高度警惕，制定周密预案，做好应对突发事件的准备。发生突发事件并不可怕，关键是沉着冷静，及时应对，正确引导。引导得好，坏事也可以变成好事。

第五，既要精心策划、周密部署、形成声势，又要狠抓落实、务求实效、反对形式主义。没有事前的深思熟虑和充分准备，就不可能打好战役，取得预期的工作效果。对于重大部署，对于重大活动，需要宣传思想战线各方面包括新闻、理论、文艺、出版、精神文明创建等，形成合力，形成声势；需要加强督促检查，精心部署安排，抓紧抓实，抓出明显成效。宣传思想工作营造声势并不难，难的是如何避免形式主义。要做到目标切实、措施扎实、作风务实，坚决反对只顾发号召、不愿出实招、不愿下苦功的现象。要注意节约，少花钱多办事，反对铺张浪费。

第六，既要保持工作的连续性、稳定性，又要与时俱进、开拓创新。十四大以来，在以江泽民同志为核心的党中央领导下，宣传思想工作取得了显著成绩，积累了丰富经验，开创了新的局面，形成了良好的工作基础。这与我们不断探索规律、改进工作方法、提高工作水平分不开，也与我们始终保持工作的稳定性和连续性分不开。对这些年形成的一整套工作思路、工作机制、工作方法和规章制度，我们要倍加珍惜，坚持下去。同时，面对新形势、新任务、新挑战，我们一定要从新的实际出发，深入研究人们思想活动的新变化新特点，研究宣传思想工作的新规律新办法，积极进行管理体制、管理方式的创新，进行宣传方法、宣传手段的创新，进行引导内容、引导艺术的创新，树立新观念，寻找新载体，增添新亮点，不断增强工作的战斗力、说服力和吸引力。

以上六条，既是我们做好今年工作的重要要求，也是贯彻十五届六中全会精神、加强队伍作风建设的基本要求。工作作风影响工作成效，工作成效反映工作作风。要把加强作风建设与抓好实际工作紧密结合起来，在改进作风中不断推进工作，在推进工作中不断改进作风。只有这样，我们才能更好地完成今年的工作任务，进一步发展积极健康向上的工作态势，进一步巩固宣传思想工作的良好基础。

（本文系中宣部常务副部长刘云山同志在2002年全国宣传部长会议上的讲话，原载《党建》2002年第2期，本年鉴节选）

刘云山：搞好社会科学规划工作 繁荣发展哲学社会科学

充分认识社科规划工作对繁荣哲学社会科学的重要作用

哲学社会科学是指导人们认识世界、改造世界和完善自身的强大思想武器，是推动历史发展、社会进步和人类文明的巨大精神力量。

去年8月7日，江泽民同志在北戴河亲切会见部分国防科技和社会科学专家，作了十分重要的讲话。他在谈到哲学社会科学与自然科学的关系时，用了“四个同样重要”，并站在时代发展的高度指出：“哲学社会科学的研究能力和成果，也是综合国力的重要组成部分”，深刻揭示了哲学社会科学的极端重要性。今年4月28日，江泽民同志在考察中国人民大学时，又一次就我国哲学社会科学的发展发表了重要讲话，用“五个高度重视”对各级党委和政府及全社会提出了明确要求，用“五点希望”指明了广大哲学社会科学工作者的努力方向。江泽民同志和党中央的高度重视、殷切关怀，极大地增强了我国广大哲学社会科学工作者的自豪感和责任感。

搞好社会科学规划工作，进一步明确社会科学研究的指导思想、方针原则和主要任务，明确各学科研究的重点课题，对于进一步调动广大哲学社会科学工作者的积极性和创造性，繁荣发展我国哲学社会科学，更好地为党和政府决策服务，为两个文明建设服务，具有重要意义。国家社会科学基金项目在我国哲学社会科学研究中具有重要导向作用。把国家社会科学基金项目规划好，评审好，管理好，多出优秀成果，多出优秀人才，就可以有力地带动整个社会科学研究的深入和事业的发展。

用“三个代表”重要思想统领社科规划和研究工作

社会科学规划和社会科学研究工作总的要求是：坚持马列主义、毛泽东思想、邓小平理论和“三个代表”重要思想，坚持党的基本路线和基本纲领，解放思想，实事求是，推动理论创新，以我国改革开放和现代化建设的重大理论和实践问题为主攻方向，积极探索有中国特色社会主义经济、政治、文化的发展规律，为党和政府决策服务，为两个文明建设服务。要加强基础研究和学科建设，注重新兴边缘交叉学科和跨学科综合研究，进一步繁荣和发展哲学社会科学。

贯彻好这个总的要求，要把握好以下两点。

一是要用“三个代表”重要思想统领整个社科研究和规划工作。“三个代表”重要思想，全面体现了党的基本理论、基本路线、基本纲领，是我们党运用马克思主义解决我国改革开放和现代化建设实际问题的新创造、新发展，是我们适应新形势、认识新事物、完成新任务的重要思想武器。全面贯彻落实“三个代表”的重要思想和要求，是我们正确把握社科研究方向、推动社科研究繁荣发展的根本保证。我们说的统领，就是要把“三个代表”重要思想贯彻到全部哲学社会科学工作中去。其一要深化对“三个代表”重要思想的认识，深刻领会“三个代表”重要思想的科学内涵和精神实质，深刻理解“三个代表”重要思想与马列主义、毛泽东思想、邓小平理论一脉相承的统一关系，即坚持“三个代表”的重要思想，就是坚持马列主义、毛泽东思想和邓小平理论。其二要学习和掌握贯穿“三个代表”之中的正确世界观、方法论，用以分析问题，研究问题。其三要用“三个代表”重要思想衡量社会科学研究的成果。是否体现了中国先进生产力的发展要求、中国先进文化的前进方向和中国最广大人民的根本利益，是衡量我国哲学社会科学性质、方向和水平的根本尺度。

二是要坚持解放思想，实事求是，与时俱进，开拓创新。当前，世界政治、经济、文化、科技正在发生着重大而深刻的变化，我国社会经济成分、组织形式、就业方式、利益关系和分配方式日益多样化，特别是加入世贸组织后，我国与世界各国尤其是西方发达国家在经济、政治、文化等方面的关系和联系更为密切。在这种情况下，一些深层次的矛盾和问题大量出现，层出不穷。这些都需要我们以“三个代表”重要思想为指导，顺应时代进步潮流，立足现实国情，进一步从理论与实践的结合上给予科学回答。我们必须以宽广的眼界，敏锐的目光，深入研究全局性、战略性、前瞻性问题，以改革的精神、创新的思路提出解决问题的对策和建议，使我们的社科研究紧扣改革开放和现代化建设的实际，使我们的理论不断有所创新、有所前进。

哲学社会科学的研究要与时俱进、开拓创新，根本在于坚持解放思想、实事求是的思想路线，用发展的观点对待马克思主义。马克思主义是我们立党执政的根本指导思想。我们一直说老祖宗不能丢，就是马克思主义的基本原理不能丢，马克思主义的立场、观点、方法不能丢，任何时候都必须坚持。如果丢了，就会丧失根本，导致思想混乱、迷失方向。马克思主义又是随着时代、实践和科学的发展而不断发展的理论。坚持马克思主义，决不能采取教条主义、本本主义的态度，而应该采取实事求是、与时俱进的态度，要坚持一切从发展变化的实际出发，自觉地把思想认识从那些不合时宜的观念、做法和体制中解放出来，从对马克思主义的错误的和教条式的理解中解放出来，从主观主义和形而上学的桎梏中解放出来。要防止和克服因循守旧、墨守成规的思维方式，防止和克服不思进取、无所作为的思想作风，防止和克服照搬照抄、按图索骥的研究方法。

实现哲学社会科学在新世纪的繁荣和发展，关键在创新，出路在创新，希望也在创新。要努力在创造性地运用和发展马克思主义理论上，开拓新视野，进入新境界；在改革开放和现代化建设战略性、全局性、前瞻性重大问题的研究上，创造新成果，得出新结论；在基础研究和学科建设上，取得新进展，实现新突破。

社科规划和研究工作要把重大理论和实际问题作为主攻方向

哲学社会科学最深厚的源泉是社会实践。马克思指出，理论在一个国家实现的程度，决定于理论满足于这个国家需要的程度。现在我国的改革进入攻坚阶段，发展处于关键时期，对理论的需求大为增强，空前迫切。因此我们必须以我国改革开放和社会主义现代化建设的全局性、战略性、前瞻性的重大问题为主攻方向，开展深入研究，作出科学回答。也只有如此，才能有力地推进马克思主义和社会主义理论的创新，才能真正繁荣和发展整个哲学社会科学事业。

1. 围绕“三个代表”重要思想，把重大理论和实际问题说清楚、说充分。要围绕学习宣传贯彻“三个代表”重要思想和江泽民同志“七一”重要讲话精神，进行深入研究，努力增强理论工作的说服力和战斗力。

一要深入研究党的先进性、党的阶级基础和群众基础问题。在新的历史条件下，如何正确理解工人阶级队伍发生的新变化；如何正确认识新的社会阶层中的广大人员是有中国特色社会主义事业的建设者；如何正确把握新的社会阶层中先进分子入党的标准和条件；如何正确认识党的最高纲领与最低纲领的统一关系等。这都需要我们结合我国社会正在发生的深刻变化，结合时代的发展，形成新的认识，作出新的回答。

二要深入探索研究“三个规律”。要在认真总结国际共运150多年、中国共产党成立80多年和新中国成立50多年经验的基础上，不断深化对共产党执政规律、对社会主义建设规律、对人类社会发展规律的认识。这对于我们党更好地为人民掌好权，全面推进建设有中国特色社会主义事业，为人类文明发展作出更大贡献，具有十分重要的意义。

三要深入研究劳动和劳动价值论问题，阶级、阶层和剥削问题，收入分配差距问题，人的全面发展等问题。这些也是我国新的历史条件下生产力和生产关系、经济基础和上层建筑之间矛盾运动产生的新问题。这些问题有些原来就存在，随着实践的发展有了新变化；有些是新出现的问题，需要进一步深入研究。

2. 深入研究我国改革开放和经济社会发展面临的重大问题。当前，深化改革、扩大开放、促进发展、保持稳定的任务繁重而艰巨，有许多重大战略问题需要及时作出科学回答。

一是扩大和培育内需问题。在当前复杂的国际经济形势下，扩大国内需求是实现国民经济较快增长的根本之策。如何增加城乡居民特别是低收入群体的收入，提高居民的购买力；如何保持国债投资的必要规模，带动固定资产投资的较快增长等。

二是“三农”问题。加快农业和农村经济发展，努力增加农民收入，关系到国民经济发展和社会稳定的全局。在新的历史条件下，如何加快农业结构调整，积极推动传统农业向现代农业转变；如何加快农村剩余劳动力向非农产业转移，推动城镇化进程；如何加快农业布局的调整和优化，扩大退耕还林规模；如何深化农村税费改革和粮棉流通体制改革；如何切实减轻农民负担，增加农民收入；加入世贸组织后，农业如何应对严峻挑战等。

三是加入世贸组织后，外部因素对我国经济社会发展的影响将会明显增大，既有机遇，又有挑战。在这种情况下，如何做到抓住机遇，趋利避害，把有利条件用足，把不利影响和风险减少到最低限度，保证我国的国家利益和经济安全，更好地发展壮大自己，这也是必须加以研究的重大课题。

四是整顿和规范市场经济秩序问题。大力整顿和规范市场经济秩序，是扩大内需、促进经济良性发展的迫切要求，是扩大对外开放的必然选择，是完善社会主义市场经济体制的重大举措。在这个过程中，如何真正做到标本兼治，重在治本；如何加强法治，健全规则；如何切实强化社会信用，形成诚信为本、操守为重的良好风尚等问题，要深入研究。

五是经济结构调整问题，国企改革问题，西部大开发问题，地区经济和地区文化问题，扩大就业问题，科教兴国战略和可持续发展战略问题，社会主义精神文明建设和民主法制建设问题，新形势下的人民内部矛盾问题，宗教和民族问题，都需要我们认真加以研究。

3. 深入研究国际问题。当前，国际局势发生着复杂而深刻的变化，和平与发展仍是时代的主题，世界多极化在曲折中发展，经济全球化不可逆转，科技进步日新月异，综合国力竞争日趋激烈。我们要以马克思主义为指导，对当今世界的基本特征及其发展趋势、国际格局和国际关系的新特点做进一步深入研究。比如，如何坚持独立自主的和平外交政策，反对霸权主义和强权政治；如何有力推动世界多极化进程，维护世界的和平、稳定和发展；如何为我国的社会经济发展争取更为有利的国际环境和良好的周边环境；如何建立公正合理的国际经济政治新秩序；如何利用我国的后发优势，努力抢占高新科技制高点；如何回应西方意识形态霸权的挑战；如何在国际反恐斗争中发挥更大作用等。把这些问题研究清楚了，对于我们正确把握天下大势，科学制定大政方针，十分重要。

4. 重视基础研究，促进学科建设。社科研究和规划工作要从战略高度重视基础研究，充分发挥国家社科基金在支持基础研究方面的重要作用。要引导基础研究整体水平的提高，拓展新的研究领域，促进学科布局调整和结构优化，鼓励新兴边缘交叉学科和跨学科研究。首先，要加强马克思主义基础理论研究。我们都说“老祖宗不能丢”。但“老祖宗”究竟是怎么样的，我们并没有完全搞清楚，因此需要加强对马克思主义经典作家的重要思想和重要著作的研究，加强马克思主义基本原理的研究，并注意将这种研究与当代中国实际和时代特征结合起来。其次，对于我国文化建设中的基础性工程，也要予以充分重视。这一类项目可能要“十年磨一剑”，但如能做成精品力作，其历史影响将是深远的。

总之，要通过国家社科基金和课题立项这个有力的杠杆，进一步落实以研究当代中国重大理论和实际问题为主攻方向的要求，并合理配置基础研究、应用研究、对策研究以及不同类型国家社科项目的结构和比例，使其协调发展，更好地为党和政府决策服务，为两个文明建设服务，更好地繁荣和发展我国哲学社会科学事业。

（2002 年 5 月 27 日《光明日报》）

刘云山：深入贯彻落实《纲要》积极推进公民道德建设

去年9月，党中央印发了《公民道德建设实施纲要》（以下简称《纲要》）。《纲要》以“三个代表”重要思想为指导，系统阐述了公民道德建设的指导思想、方针原则、主要内容和方式方法，很好地体现了江泽民总书记依法治国与以德治国紧密结合的重要思想，很好地反映了公民道德建设的内在规律，很好地总结了人民群众在道德实践中创造的新鲜经验，是我们党新时期指导社会主义道德建设的纲领性文件。贯彻落实《纲要》，进一步加强公民道德建设，对提高公民道德素质和社会文明程度，具有极为重要的意义。

加强公民道德建设要坚持从基础性工作做起

落实《纲要》、加强公民道德建设，是贯彻“三个代表”重要思想、发展先进文化的重大举措，是提高公民道德素质和社会文明程度的迫切要求，是宣传思想战线的一项长期任务。当前，要按照巩固成果、拓展领域、突出重点、打牢基础的要求，紧紧抓住倡导基本道德规范、开展道德实践活动、完善道德监督机制等基础性环节，进一步加大工作力度，努力在全社会形成团结互助、平等友爱、共同前进的人际关系，为社会保持良好的秩序和风尚营造高尚的思想道德基础。

1. 按照《纲要》的要求，大力倡导公民基本道德规范。《纲要》提出的“爱国守法、明礼诚信、团结友善、勤俭自强、敬业奉献”20字公民基本道德规范，既包含了传统美德、革命道德的内容，又弘扬了时代精神，体现了时代特色，涵盖了社会生活的各个领域，适用于所有社会人群，是每一个公民都应该遵守的基本行为准则。贯彻落实《纲要》，关键是要普及公民基本道德规范，使之家喻户晓、人人皆知、人人皆信、人人皆行。一是通过多种方式的宣传，让人们记住这20个字。要通过报刊、广播、电视、互联网等新闻传媒，利用板报、灯箱、电子显示牌等宣传阵地，运用歌曲、漫画、快板、评书、故事会、公益广告等艺术形式，广泛深入持久地宣传20字基本道德规范，使人们耳濡目染，潜移默化。二是通过深入浅出的阐释，让人们理解这20个字。要采用专题讲座、座谈研讨、征文比赛等多种形式，向人们讲清提出20字基本道德规范的背景、意义和思想内涵，使人们对基本道德规范有更深刻的认识。通过对一系列典型事件、具体案例和社会现象作入情入理的分析，引导人们树立正确的道德观念。三是通过生动具体的引导，让人们自觉实践这20个字。要通过积极引导，让大家认识到20字基本道德规范与我们的生产生活密切相关，进而把基本规范的要求与自身的言行对照起来，深刻体会、自觉遵守、努力实践。

2. 按照《纲要》的要求，进一步完善具体行为准则。《纲要》在制定过程中注意了规范性、操作性，但作为全国性文件，毕竟还是宏观的、提纲挈领的。各地各部门要按照《纲要》的要求，制定具体行为准则，企业、农村、学校、社区基层单位要结合自身实际，进一步完善有关规章、乡规民约、学生守则和市民公约。一要符合《纲要》总的精神。《纲要》提出的指导思想、方针原则、主要内容等，特别是20字基本道德规范，是制定具体行为准则的重要依据，应很好地坚持和充分体现。要对照《纲要》，对已有的规章、乡规民约、学生守则、市民公约等进行修订，把不完善的地方完善起来，把缺乏的内容补充进去。二要得到群众的普遍认同。从大处着眼、小处入手，既充分体现相关的道德要求，又符合生产生活实际，符合群众根本利益，为广大干部群众所接受。要注意发动群众参与，征求群众意见，集中群众智慧，让人们在参与制定和讨论的过程中受到教育。三要简单明了、便于操作。善于运用群众的语言，使这些行为准则通俗易懂，朗朗上口，易于传诵。要增强针对性和操作性，让人们在实际工作、学习和生活中能够对照执行，也便于监督检查。

3. 按照《纲要》的要求，广泛深入地开展群众性道德实践活动。公民道德建设的过程，是教育和实践相结合的过程。以活动为载体，吸引群众参与，是新形势下加强道德建设的成功经验，是把《纲要》精神落实到城乡基层的有效途径。要认真总结借鉴过去好的经验和做法，把道德实践活动向深度推进，向广度拓展，为广大群众提供实践道德规范的广阔舞台和参与机会。一是与现有的各项创建活动紧密结合起来。近些年广泛开展的创建文明城市、文明村镇、文明行业，以及“三下乡”、“四进社区”等活动，社会影响较大，群众普遍欢迎。开展这些活动要进一步突出思想内涵，强化道德要求，把道德建设的成效，作为考核各项创建工作的重要标准。二是与各项业务工作紧密结合起来。每一项具体业务工作，都包含着相关的道德要求。道德规范的落实，又需要在具体业务工作中得到体现。各行业各部门要从自己的实际出发，把道德建设与行业管理结合起来，把提高道德素质与提高业务水平结合起来，开展具有针对性和自身特色的道德实践活动，使这些活动与各项业务工作真正融为一体。三是与解决群众关心的热点难点问题结合起来。要从群众反映强烈的不讲诚信、市场秩序混乱、安全生产存在隐患等热点问题入手，组织开展相关的道德实践活动，促使这些问题尽快得到解决。要围绕下岗职工再就业、困难家庭基本生活保障等问题，组织开展送温暖、献爱心等活动，大力弘扬团结友善、扶危济困的良好道德风尚，使受助者得到关爱和温暖，使参与者受到教育和启迪。

4. 按照《纲要》的要求，充分发挥先进典型的示范带动作用。先进典型是时代的先锋，社会的脊梁，群众的楷模。运用典型力量，抓好示范引导，是我们党的优良传统，也是新时期加强道德建设的重要途径。实践证明，运用先进典型，发挥示范带动作用，符合道德建设规律，符合人们接受心理，有利于《纲要》的贯彻落实，今后要继续坚持。一要注重典型的多样性，发挥各方面、各层次先进典型的示范作用。既要推出全国性的重大典型，也要积极树立地方、行业和基层的先进典型；既要推出社会公德、职业道德方面的典型，也要注意宣传家庭美德方面的典型；既要推出表现高尚道德情操的个人典型，也要宣传在加强道德建设方面创造出新鲜经验的工作典型。二要注意以小见大，通过平凡的事迹反映不平凡的精神内涵。要把视野投向最基层，善于发现、总结和宣传群众身边的先进典型，通过他们的平凡小事、具体细节，从细微处见精神，让人们感到先进典型可亲、可敬、可信、可学。三要善于运用典型引导群众，积极开展学习典型活动。运用先进典型推动道德建设，既要进行集中宣传报道，也要注意采用巡回报告、图片展示、影视艺术等多种手段，把先进典型的高尚情操和优秀品质，形象直观、生动具体地展现在人们面前，并通过组织座谈、讨论，引起人们进一步思考，从中受到教育，得到启迪，见贤思齐，在社会上形成崇尚先进、学习先进的良好风尚。

5. 按照《纲要》的要求，努力建立健全道德监督机制。道德是自律与他律的有机统一。如果只讲自律，不讲他律，只讲自觉，不讲监督，缺乏有效的监督机制作保证，道德教育的成效就会大打折扣，已经取得的成果也难以持久巩固。事实证明，重视道德监督，加强监督机制建设，是实现道德自律与他律相统一的客观要求，是促使人们养成良好道德行为的必要条件。要把道德监督机制的建立健全，作为贯彻落实《纲要》的一个重要环节来抓，促使人们养成良好道德行为，不断提高自身道德素质。一是发挥新闻媒体的舆论监督作用。报刊、广播、电视和互联网等传媒要加强对社会普遍关注的道德热点问题的引导，敢于批评背离社会主义道德的错误言行和丑恶现象。要利用名牌栏目，对具有典型意义的人和事展开讨论，弘扬真善美，鞭挞假恶丑。舆论监督要坚持摆事实、讲道理，与人为善、以理服人，着眼于增进团结、维护稳定。二是发挥社会各方面的监督作用。要综合运用组织纪律、行政规章、法律法规等，对公民的不道德行为，给予适当的处罚。要通过制定信誉公约、进行信用考核、建立不良行为档案等手段，多管齐下，形成合力，共同营造扶正祛邪、扬善惩恶的社会风气。三是发挥群众自我监督作用。要借鉴一些地方在社区中建立“道德法庭”，在农村建立“道德评议会”等做法，通过多种行之有效的方式，吸引群众参与道德监督，引导人们见微知著，防微杜渐，培养道德习惯，养成文明行为。

遵循道德建设规律 努力提高公民道德建设水平

道德建设有其自身的特殊性和规律性。加强公民道德建设，必须坚持以“三个代表”重要思想为指导，体现发展先进文化的要求。要遵循道德建设的内在规律，从我国的基本国情出发，立足现实、面向未来，与时俱进、开拓创新，把《纲要》提出的方针原则和基本规范贯穿于道德建设的各个方面，落实到工作的各个环节，努力把公民道德建设提高到一个新水平。

1. 要充分认识公民道德建设的重要性，切实加强领导。道德素质是民族精神的重要内容，道德水平是社会文明程度的重要标志，高尚道德是凝聚和激励全国各族人民的重要力量。振奋民族精神、增强综合国力，离不开道德建设；发展市场经济、参与国际竞争，离不开道德建设；促进改革发展、维护社会稳定，离不开道德建设。我们要充分认识加强社会主义道德建设的重要性、艰巨性、长期性和紧迫性，把道德建设作为发展社会主义先进文化的重要内容和中心环节，把贯彻落实《纲要》作为提高民族素质和社会文明程度的基础性工作，放在突出位置，摆上重要日程。要建立健全工作体制，充分调动党政各部门、社会各方面的积极性，发挥各自的职能和优势，明确责任，相互配合，努力形成全社会共同关心、支持和参与道德建设的良好格局。各级党委宣传部和文明办在道德建设中担负着重要职责，要多听取各方面的意见和建议，认真做好指导、协调和组织工作。

2. 要积极反映公民道德建设的时代性，不断改进创新。道德建设是一个历史过程，每一种社会形态的道德风尚都深深打上了时代的烙印。我们这个时代，正处于深刻的社会变革和激烈的国际竞争中，是改革的时代、开放的时代、发展的时代。站在时代前列，反映时代特点，体现时代要求，公民道德建设必须与时俱进，不断创新。创新是进步的灵魂，创新带来生机，创新意味着活力，创新孕育着发展和希望。要创新道德建设内容，坚持与社会主义制度根本性质相统一、与社会主义市场经济发展规律相吻合、与社会主义法律体系相配套的原则，积极鼓励和支持一切有利于解放生产力、有利于发展社会主义市场经济的新的道德观念和道德规范，增强人们的自立意识、竞争意识、效率意识、信用意识、民主法制意识和开拓创新精神。要创新道德建设方式，坚持加强道德教育与开展实践活动相结合、大众传媒引导与文学艺术感化相结合、运用经济手段与提供法律支持相结合，认真探索新形势下加强公民道德建设的新途径、新手段。

3. 要注意体现公民道德建设的广泛性，吸引群众参与。人民群众是道德建设成果的受益者，也是道德建设实践的参与者。要紧紧依靠群众，尊重群众的首创精神，最大限度地发挥他们的聪明才智，注意调动和保护群众参与公民道德建设的积极性、创造性，对基层创造的新鲜经验和好的做法要及时总结推广。要努力扩大道德建设的覆盖面，采取切实有效的措施，把贯彻落实《纲要》、推动道德建设的工作，做到机关、社区，做到车站、码头，做到车间、班组，做到田间、地头，做到每一个公民。

4. 要正确理解公民道德建设的长期性，突出工作重点。建立与社会主义市场经济相适应的道德体系是一项长期的任务，形成良好的道德风尚也是一个逐渐积累的过程。加强公民道德建设，既要看到工作的难度，树立长期作战的思想准备，又要看到阶段性的成果，树立必胜的信心；既要注意整体推进，又要区分轻重缓急，找准关键部位，在重点领域取得突破。要着力抓好党员干部的道德建设，发挥表率作用。广大党员特别是各级领导干部要身体力行社会主义、共产主义道德，自重、自省、自警、自励，努力改造主观世界，立言、立行、立德，以身作则，率先垂范，为广大群众树立好的榜样。要着力抓好青少年的道德建设，夯实工作基础。按照培养社会主义事业建设者和接班人的要求，遵循青少年身心发展的特点和规律，把道德教育作为素质教育的重要内容，使青少年从小养成良好的道德习惯、道德行为和道德品质。要着力抓好窗口行业的道德建设，树立社会新风。引导各类经营单位强化信用意识，依法从事经营活动，维护正常的经济秩序；引导行政执法部门强化法治意识，依法行政，热情服务，为树立良好社会道德风尚创造有利环境。

5. 要努力增强公民道德建设的操作性，务求工作实效。道德建设是要培养一种观念、塑造一种精神、树立一种风尚。因此，必须在“实”字上多下功夫。要有实实在在的工作项目，既要有工作力度，又要使群众能够接受。要有实实在在的工作作风，部署每一项工作、开展每一项活动，都要制定实施方案，有要求、有载体、有办法，任务量化分解，责任明确到人，避免一般号召。要有实实在在的工作效果，努力为群众办实事、办好事，在办实事中贯穿道德教育，在解决实际问题中引导群众。对群众认可的事情，要锲而不舍，一抓到底，抓出成效，让群众得到实惠。

（2002 年 9 月 24 日《光明日报》）

朱镕基：政府工作报告（节选）

（2002 年 3 月 5 日）

六、实施科教兴国战略和可持续发展战略，加强精神文明建设

推动科技进步和创新。加快国家创新体系建设。加强基础研究和具有战略意义的高新技术研究，增强自主创新能力。围绕产业升级和提高竞争力，加强关键技术和共性技术的研究开发，加快科技成果产业化和推广应用。建立健全风险投资机制和科技创新激励机制。进一步改革科技体制，深化应用型科研机构和社会公益型科研机构改革。破除条块分割，合理配置社会科研资源，形成部门、地方、高校和企业相结合的科技管理体系。加强大中型企业技术开发中心的建设。繁荣发展哲学社会科学，注重研究全局性、前瞻性、战略性的重大课题。强化知识产权保护和管理。加强学术道德建设。

坚持教育优先发展。大力推进素质教育，加强学校思想政治工作，促进学生德智体美全面发展。加强基础教育，巩固扩大农村地区“两基”成果，特别是加快贫困地区和少数民族地区普及九年义务教育步伐。推进农村义务教育以县为主的管理体制改革，保证教师工资按时足额发放。积极发展高中阶段教育。稳步发展普通高等教育，适应新形势，调整学科结构。

大力发展中等和高等职业教育。改革课程教材，更新教学内容，提高教育质量。继续推进高校内部管理体制改革和后勤社会化。全面提高教师思想和业务素质。加快教育信息化建设，积极发展现代远程教育。加大政府对教育的投入。鼓励、支持和规范社会力量办学、中外合作办学。

认真实施人才政策。坚持“四化”方针和德才兼备的原则，加快培养和选拔适应改革开放和现代化建设新形势需要的各类人才，特别是高科技人才，精通国际金融、财会、贸易、法律和现代管理的专业人才。深化干部人事制度改革，完善对各类人才的选拔任用、考核评价、激励监督的制度。善于发现和大胆起用年轻优秀的科技人才。充分发挥工程师以及技师和熟练技术工人的作用。落实技术、管理等生产要素参与分配的政策，落实对有突出贡献的科技人员和高层管理人员进行奖励的规定。进一步采取有效措施，吸引和聘用境外高级人才，鼓励留学人员回国创业。

走可持续发展之路。坚持计划生育的基本国策，贯彻《人口与计划生育法》。特别要加强农村和流动人口计划生育工作，稳定低生育水平，促进优生优育。认真落实妇女、儿童发展纲要，保护妇女和未成年人合法权益。加强老龄人口工作。关心和支持残疾人事业。依法保护和合理利用土地、矿产、淡水、海洋、森林、草原和气候资源，实行严格的耕地、林地管理制度，注重节水节能。提高资源综合利用率，健全资源有偿使用制度。继续加大环保投入，加强生态环境保护和污染防治。加快重点治理工程建设，改善重点流域、区域、城市、海域的环境质量，有效控制和降低污染物排放。推行清洁生产，发展环保产业。加强生态示范区建设。大力植树种草。加强湿地保护。建立环境保护和防灾减灾保障体系。发展卫生事业，高度重视公共卫生和农村医疗卫生工作，增加资金投入，积极探索多种形式的农村医疗保障办法，改善农村卫生院医疗条件。大力防治传染病、职业病和地方病等危害人民健康的重大疾病。广泛开展全民健身活动，提高竞技运动水平。认真做好2008年北京奥运会前期准备，把举办奥运会工作与推进首都改革开放和现代化建设结合起来。

加强精神文明建设。坚持不懈地用马列主义、毛泽东思想、邓小平理论和“三个代表”重要思想教育广大干部群众。坚持把依法治国和以德治国结合起来。贯彻落实《公民道德建设实施纲要》，在全社会倡导“爱国守法、明礼诚信、团结友善、勤俭自强、敬业奉献”的基本道德规范。突出抓好爱国主义教育，弘扬振兴中华的民族精神。加强科学知识普及工作，破除愚昧迷信，倡导科学精神和文明健康的生活方式。深入开展群众性精神文明创建活动。加快发展社会科学、文学艺术、新闻出版、广播影视等各项事业，坚持为人民服务、为社会主义服务，坚持正确舆论导向，创作出更多反映时代风貌和人民愿望的优秀作品。加大新闻出版、广播影视业改革的力度。高度重视互联网的作用和管理。加强图书馆、博物馆、文化馆、科技馆、档案馆等公共文化和体育设施建设，做好文物保护工作。完善文化产业政策，鼓励社会力量参与文化事业建设。深入持久地开展“扫黄”、“打非”斗争，严厉打击盗版盗印和光盘走私活动。加强国际文化交流。

七、进一步转变政府职能，加强政风建设

这是适应改革开放的新形势，建设廉洁、勤政、务实、高效政府的要求。要全面贯彻党的十五届六中全会精神，着力抓好三个方面。

加快政府职能转变。政府机构改革和职能转变，取得了很大进展，但还存在不少问题。必须进一步解放思想，彻底摆脱传统计划经济的羁绊，切实把政府职能转到经济调节、市场监管、社会管理和公共服务上来。继续理顺政府部门职能分工，防止有些事情互相推诿和无人负责。认真贯彻依法治国方略，坚持依法行政，从严治政。进一步改革和减少行政审批，必须审批的也要规范操作，简化程序，公开透明，明确责任。对此，国务院已作出了部署，各地区各部门要认真贯彻落实。加快政府管理

信息化建设，推广电子政务，提高工作效率和监管有效性。

切实加强政风建设。深入开展反腐败斗争，加强廉政建设。廉洁从政，执政为民，是我们党和政府根本宗旨的要求，也是政府机关每个工作人员必须恪守的基本准则。各级政府和所有干部都必须做到清正廉明，奉公守法。对那些违法乱纪、以权谋私、贪污腐化的人，必须彻底查处。加大治本力度，从源头上预防和治理腐败。要认真落实党中央关于把今年作为转变作风年的要求。坚决克服误国害民的形式主义、官僚主义。要大力精简会议和文件，切实解决当前严重存在的“文山会海”问题。大兴调查研究之风，深入实际，深入基层，了解真实情况。要倾听群众呼声，关心群众疾苦，抓紧解决人民群众反映强烈和不满意的问题。坚决纠正虚报浮夸、欺上瞒下、滥用民力、强迫命令的恶劣作风，做到讲真话、办实事、求实效。

坚决反对奢侈浪费。当前，无论是生产、建设、流通还是消费领域，都存在严重铺张浪费的现象。有的地方热衷于搞华而不实的“形象工程”、“政绩工程”，市政建设盲目追求高档次、高标准；有的地方连工资都不能按时发放，还在乱上建设项目，违反规定兴建楼堂馆所。还有名目繁多的办节、庆典活动，比阔气、讲排场；用公款大吃大喝、进行高档消费娱乐，公费出国旅游。凡此种种，耗费巨额资财，必须坚决刹住这种奢侈浪费之风。一要大张旗鼓地倡导艰苦创业、勤俭建国、勤俭办一切事业。坚决制止各种不切实际、不计效果的错误做法。二要努力节省开支。生产、建设、流通等领域都要大力降低成本和费用。所有机关、企业、事业单位，都要精打细算，禁止各种不必要的开支。今年，各地区、各部门、各单位都要提出杜绝浪费、节省开支的具体目标和措施。三要严肃财经纪律。推行国库集中收付制度，强化各级财政预算、审计监督、财政专户管理。完善超预算收入的管理。严厉查处设立小金库和各种违反规定乱花钱的行为。

各级政府要自觉接受同级人民代表大会及其常委会的监督，主动加强与人民政协的联系，认真听取民主党派、工商联、无党派人士和人民团体的意见。进一步健全民主决策制度，鼓励人民群众对政府机构及其工作人员进行监督，拓宽及时反映社情民意的渠道，使政府工作能够真正体现人民的意愿和利益。

（节选自2002年3月17日《人民日报》）

李瑞环在京剧音配像总结会上的讲话(摘要)

（2002年9月5日）

京剧音配像是大团结大协作的产物，17年来参与此事的单位多达数十个、人次近2万，感人的事迹数不胜数，难以一一尽述。我们要向为音配像作出贡献的所有单位和各界人士表示崇高的敬意和衷心的感谢！

录制京剧音配像，主要目的就是为了京剧艺术的抢救、传留和振兴。音配像的起因是针对“文化大革命”后出现的京剧剧目、演员、观众三断档的局面，希望抓住一些老艺术家还健在的时机，通过音配像复原、重现前辈名家的舞台形象，抢救濒临失传的优秀剧目，使京剧经典艺术得以保留、传承，为京剧的发展、创新提供必要的依据和示范。实践证明，当初的想法是正确的。现在录制的355出戏，基本上囊括了上个世纪40年代以来京剧名家的主要剧目。总观这些京剧音配像，绝大多数都达到或近似当年的演出原貌，有些音配像剧目，不仅形象逼真，而且把握了流派艺术的神韵，堪称声情并茂、形神兼备，被京剧票友誉为美轮美奂、完美无缺。音配像的录音带，都经过精心选择、制作加工，都是同人同戏的最佳录音。我们希望有关图书馆、博物馆等单位，对这套音配像高度重视，为后世子孙保管好这份珍贵的文化遗产。把音配像、把京剧艺术传留下去，最重要的是，各京剧院团、戏校以音配像为范本，认真学习，对照音配像找差距，根据音配像多排戏，力争多演戏、多出人才，使京剧艺术繁荣起来、振兴起来。毫无疑问，京剧像其他任何事物一样，必须重视发展、重视创新，没有发展、没有创新，不能与时俱进，就没有生命力。京剧像其他任何事物一样，必须以继承为基础。没有继承就是空中楼阁，就失去了依据。事实上，京剧从诞生到现在，一直是在继承前人的基础上不断演化和发展的，所有的京剧大师都有发展，所有的京剧大师都在继承前人方面花费了巨大精力。可以说，继承前人的成就，借鉴别人的经验，结合时代的特征，这本身就是发展。京剧艺术是“角儿”的艺术，“艺在人身，艺随人走”，京剧音配像恰是把“角儿”的音像传留下来。我们希望今后能演出更多的戏、能涌现更多的“角儿”。京剧音配像表现为对前人成果的忠实继承，但最终的结果应该是促进京剧的繁荣、创新和发展。

（摘自2002年9月6日《光明日报》）

尉健行：在中华全国总工会实施送温暖工程十周年座谈会上的讲话（摘要）

（2002年1月18日）

党中央、国务院高度重视、十分关心这项工作。江泽民同志早在全总党组的报告上就明确批示：“送温暖是我们党的好传统，要发扬”；今天又亲笔为送温暖工程题词。这既是对这项工作的充分肯定和高度评价，更是对我们的极大鼓舞和殷切期望。10年来，在各级党政领导的关心重视、各级工会组织的积极努力和社会各界的广泛参与下，这项工作不断深入发展，取得了显著成绩，基本实现了经常化、制度化、社会化，受到广大职工的欢迎和社会各界的赞誉，为推进改革、促进发展、维护稳定发挥了积极作用。

从1992年开始，全国总工会根据中央的指示精神，组织各级工会与党政部门一道，于元旦、春节期间在全国范围内开展了“进万家门、知万家情、解万家难、暖万家心”的送温暖活动。1994年，根据形势的发展和职工群众的意愿，将一年一度元旦、春节期间的送温暖活动拓展为送温暖工程，使之不断向经常化、制度化、社会化的方向发展。到1998年，为适应国有企业改革攻坚和实现三年脱困目标的需要，又提出要在积极协助党政妥善安排好下岗职工基本生活、帮助下岗职工实现再就业的同时，对帮扶特困职工承担起“第一责任人”（第一知情人、第一报告人、第一帮助人）的职责。现在，送温暖工程的重点已从帮扶特困职工向维护困难职工群体合法权益延伸，并努力推动其与完善社会保障制度相结合。据不完全统计，从1992年到2001年，各级工会同党政一起，通过各种渠道，累计筹集送温暖慰问款104亿多元，走访慰问了48万多户次困难企业和3975万多户次困难职工家庭；全国有447个地市工会、大多数县（市、区）工会及18万个基层工会建立了特困职工档案；有80多万名党政和工会领导干部，与近百万户困难职工家庭建立了包户帮困联系；工会举办的培训机构累计培训下岗职工300多万人次，职业介绍机构累计介绍下岗职工再就业达到200多万人次，参加职工互助补充保险的职工达到2400多万人。

回顾送温暖工程10年来的发展历程，这项工作之所以能够取得重大进展并产生广泛的社会影响，我们深深体会到：一是党中央、国务院高度重视，始终把它作为保持党与人民群众血肉联系的重大问题来抓，这是这项工作深入开展的根本保证。二是形成各级党政重视支持、各级工会积极努力、全社会广泛参与的工作格局，这是这项工作取得成效的关键。三是推动送温暖活动向送温暖工程发展，逐步与建立完善各项社会保障制度紧密结合起来，这是实现这项工作经常化、制度化、社会化的发展方向。四是实施送温暖工程由帮扶特困职工向维护困难职工群体合法权益扩展，这是当前推进这项工作的重点。五是从生活救济向生产自救发展，由送钱送物向送技术、送信息、送政策拓展，这是使困难职工脱贫带根本性的帮扶措施。实践充分证明，开展送温暖活动，实施送温暖工程，是贯彻落实“三个代表”重要思想的重要体现，是坚持党的全心全意为人民服务宗旨和全心全意依靠工人阶级根本指导方针的重要载体，是工会依法履行维护职工合法权益基本职责的重要途径，是进一步密切党与职工群众血肉联系、维护职工队伍和社会政治稳定的重要措施，是发扬工人阶级团结友爱、互助互济优良传统的重要内容。

当前，随着我国进一步推进经济结构的战略性调整和国有企业的战略性改组，特别是加入世界贸易组织、参与激烈的国际竞争，社会利益关系和劳动关系调整的力度将进一步加大，大量涉及职工切身利益的就业、分配、保障等方面的矛盾会不断出现，有些职工不可避免地会遇到一些实际困难。因此，继续深入实施送温暖工程，与党政和社会有关方面一起，更好地关心职工的生活，更多地为困难职工办实事，保护、调动和发挥好广大职工投身改革和建设的积极性、创造性，保持职工队伍和社会政治的稳定，是当前工会面临的一项繁重而紧迫的任务，也是工会服务服从于党和国家工作大局的紧要工作。做好这项工作，必须坚持做到：一要从思想上进一步提高对深入实施送温暖工程重要性、紧迫性的认识。二要把送温暖工程的工作重点进一步扩展到困难职工群体上来。三要努力推动实施送温暖工程与完善社会保障制度紧密结合。四要大力发展职工劳动福利事业。五要把帮扶困难职工与做好职工思想政治工作结合起来。

（摘自2002年1月21日《工人日报》）

尉健行在中共中央纪委第七次全体会议上作工作报告(摘要)

（2002年1月23日）

尉健行指出，2001年是党风廉政建设和反腐败工作继续向实现党的十五大确定的工作目标胜利推进的重要一年。江泽民同志在庆祝中国共产党成立80周年大会上的重要讲话中强调指出，贯彻“三个代表”要求，必须坚持党要管党的原则和从严治党的方针，坚决克服党内存在的消极腐败现象，以党风廉政建设的实际成果取信于人民。党的十五届六中全会通过了《中共中央关于加强和改进党的作风建设的决定》，党中央制定并颁发了《公民道德建设实施纲要》，党中央、国务院相继作出了一系列深化改革、加大反腐败治本力度的重大部署，这些重大决策和部署有力地推动了反腐倡廉工作的深入发展。尉健行强调，经过全党和全社会的共同努力，党风廉政建设和反腐败斗争持续深入，取得了新的明显成效，党政机关和干部队伍中腐败现象蔓延的势头继续得到遏制，一些诱发腐败的深层次问题正在逐步解决。不少地方的民意调查表明，人民群众对反腐败工作的满意程度又有提高。

尉健行指出，2002 年党风廉政建设和反腐败工作的总体要求是：高举邓小平理论伟大旗帜，坚持以江泽民同志“七一”重要讲话和“三个代表”重要思想为指导，深入学习贯彻党的十五届六中全会精神以及中央经济工作会议精神，加强反腐败三项工作，坚持标本兼治，注重制度创新，从源头上预防和解决腐败问题，狠抓工作落实，努力取得党风廉政建设和反腐败斗争新的实际成果，实现党的十五大确定的反腐败工作目标，迎接党的第十六次全国代表大会召开。

尉健行指出，2002 年要着重抓好以下工作：一是进一步规范领导干部从政行为，加强监督检查，强化领导干部廉洁自律工作。二是继续加大办案力度，提高办案能力和政策水平，集中力量突破一批大案要案。三是着眼于体制机制的改革，巩固和扩大纠正部门和行业不正之风的成果。同时，要加快推进行政审批制度改革，深化财政制度改革，继续推进干部人事制度改革。

尉健行强调，在整体推进党风廉政建设和反腐败工作的进程中，要突出抓好四项工作。一是加强监督检查，保证六中全会《决定》的落实；二是严明党的政治纪律，坚决维护以江泽民同志为核心的党中央的权威，保证中央政令畅通；三是继续贯彻党风廉政建设责任制；四是加强和改进纪检监察机关的作风建设。他要求纪检监察干部首先是领导干部，要以与时俱进的思想观念、奋发有为的精神状态和真抓实干的工作作风，高标准高质量地完成中央交给的各项工作任务。

（摘自 2002 年 1 月 24 日《人民日报》）

李岚清在全国基层文化工作会议上发表讲话

（2002 年 4 月 23 日）

李岚清强调，要从实践江泽民同志“三个代表”重要思想、提高全民族整体素质、维护改革发展稳定大局的高度，充分认识加强基层文化建设的重要性和紧迫性，统一思想，真抓实干，努力开创基层文化工作的新局面。

李岚清指出，基层工作是党和政府一切工作的基础。江泽民总书记用“基础不牢，地动山摇”深刻阐述了基层工作的重要性。党中央、国务院历来把加强基层文化建设放在突出位置，特别是党的十五大提出建设有中国特色社会主义经济、政治、文化的基本纲领以来，各地区、各有关部门大力加强基层文化工作，城乡基础文化设施有了较大改善，群众文化生活进一步丰富，有力地促进了基层两个文明建设的协调发展。但是，目前我国基层文化建设，特别是农村文化建设，总体上仍是个薄弱环节，严重滞后于经济和社会发展。切实加强基层文化建设已经成为当前一项重要而紧迫的任务。

李岚清强调，加强基层文化建设，是实践“三个代表”重要思想的内在要求，是落实“科教兴国”战略和“依法治国”、“以德治国”方略的基础工程，是维护改革、发展、稳定大局的重要举措。基层文化阵地是社会主义精神文明建设的重要阵地，必须加强，不能削弱。在发展社会主义市场经济的新形势下，基层文化建设的根本任务是，以邓小平理论和江泽民同志“三个代表”重要思想为指导，以城市社区和农村乡镇为重点，以培养一代又一代有理想、有道德、有文化、有纪律的公民为目标，大力发展有中国特色社会主义文化，不断满足人民群众日益增长的文化需求，努力提高全民族的文化素质，促进我国的经济发展和社会全面进步。

李岚清指出，加强基层文化建设要注意坚持以下基本原则：第一，坚持正确方向，确保基层文化建设健康发展。方向问题是文化工作的首要问题。坚持正确方向就要按照“三个代表”重要思想要求，一手抓繁荣与发展有中国特色社会主义文化，唱响主旋律，以健康向上、丰富多彩的社会主义文化占领基层文化阵地；一手抓抵制和打击腐朽文化对人们的侵蚀。第二，坚持重在落实，切实加快基层文化建设发展。加强基层文化建设要扎扎实实做工作，真抓实干求发展，实实在在为群众办几件实事。政府要加大对基层文化设施的投入，加快基层文化设施建设，力争到2005年实现全国县县有文化馆、图书馆，每个社区和乡镇都有宣传文化活动站的目标。要通过深化改革、加强管理、改善服务，完善现有公共文化设施的功能，提高利用率。第三，坚持与时俱进，推动基层文化建设不断创新。要改变基层文化工作单纯搞文娱活动的做法，注意把先进性和广泛性、知识性和趣味性、教育性和娱乐性有机地结合起来，把广播影视宣传、思想道德教育、科技知识普及、卫生知识、开展体育活动等有机地融入基层文化工作中。科技、文化、卫生“三下乡”活动要经常化、制度化，坚持为农民群众送戏、送书、送电影、送科技文化知识。要采用卫星通讯、互联网等现代科技手段，整合现有文化资源，传播先进文化和现代科技知识。广大文化工作者要深入基层，汲取艺术营养，努力创作出反映人民群众生活、为群众喜闻乐见的文化产品。第四，坚持以政府为主导，鼓励社会力量参与基层文化建设。各级政府要认真解决基层文化设施、场所、设备、网络、编制、经费等方面的问题，把公益性文化事业建设作为公共财政支出的重要方面，予以重点扶持。同时，完善文化产业政策，积极吸引社会投资，逐步形成以政府为主导、社会各方面力量广泛参与的基层文化建设新格局。第五，坚持依法管理，大力整顿和规范文化市场秩序。要加强对演出、音像、娱乐、电子游戏、网吧等文化市场的管理，保证基层文化的健康发展。加强文化执法队伍建设，努力提高执法水平。改进文化产品的经营管理方法，积极推行集中配送、连锁经营等现代流通方式，严厉打击盗版盗印和光盘走私活动，为正版音像制品营造公平的竞争环境。

李岚清强调，各级党委和政府要在抓好经济建设的同时，切实重视和加强基层文化工作。一是把基层文化建设纳入当地经济和社会发展规划，研究制定切实可行的政策措施，有计划、分步骤地加以推进；二是加大对贫困地区、民族地区转移支付力度，保证基层文化建设项目经费和工作经费；三是抓组织落实，健全基层文化机构，要有编制和必要的干部；四是进一步完善和落实文化经济政策；五是切实转变作风，深入基层，调查研究，注意听取基层干部群众意见，帮助解决困难和问题；六是广泛动员和组织群众参与基层文化建设，把群众的积极性保护好，发挥好，使广大群众成为基层文化建设的主力军。

（摘自2002年4月24日《人民日报》）

李岚清在纪念毛泽东同志题词“发展体育运动，增强人民体质”发表五十周年座谈会上发表讲话(摘要)

（2002年6月10日）

李岚清强调，要深入领会毛泽东同志的题词精神，全面贯彻“三个代表”重要思想，与时俱进、开拓创新，大力发展体育事业，不断提高广大人民群众的身体素质，促进我国先进生产力和先进文化发展，满足人民群众日益增长的精神文化需求。

李岚清指出，体育是关系人民健康和国家富强的重要事业。新中国成立50多年来，我国体育事业取得了举世瞩目的成就。群众体育活动蓬勃开展，人民体质不断增强，竞技体育确立了在亚洲体坛的领先地位，我国已跻身于世界体育强国之列。中国人民以强健的体魄和崭新的形象屹立在世界东方。我国体育事业的巨大成就，得益于党的三代领导集体对体育工作始终如一的重视和关怀，得益于全国人民和社会各界的广泛参与和支持，是一代又一代体育工作者特别是教练员、运动员辛勤工作、顽强拼搏的结果。

李岚清指出，从新世纪开始，我国进入了全面建设小康社会，加快推进社会主义现代化的新的发展阶段。我们要全面贯彻“三个代表”重要思想，面向世界，面向未来，推动我国体育事业不断前进。一是要大力开展全民健身活动，努力提高人民群众的健康水平。1995年，党中央、国务院决定实施“全民健身计划”。各级人民政府要把开展全民健身活动作为提高人民群众生活质量的一个重要方面，以学校、城市社区、农村乡镇为重点，切实加强组织领导，加大财政对体育的投入，研究制定相应的产业政策，鼓励社会投资体育健身领域，大力支持全民健身计划的实施。体育部门和有关方面要认真部署，周密规划，分步实施，进一步加大宣传工作力度，增强公民的健康意识，切实保障公民参与体育活动的基本权利。要做好国民体质监测工作。二是要进一步提高竞技体育水平，努力在世界体坛上创造新的成绩。要认真做好2008年北京奥运会的各项筹备工作。要积极筹办好在我国举办的重大国际单项体育比赛，为承办奥运会积累经验，努力把北京奥运会办成一届最出色的奥运会。三是要大力弘扬中华体育精神，推动社会主义精神文明建设。体育工作要着眼于改革开放和现代化建设的全局，充分发挥体育在社会主义精神文明建设中的独特作用，大力弘扬爱国主义、集体主义、社会主义的精神，在全社会树立顽强拼搏、公平竞争、团结合作的风尚，为推动经济发展和社会进步提供强大的精神动力。要加强教练员、裁判员、运动员的思想道德建设，提倡公平竞争，反对弄虚作假，确保我国体育事业健康发展。

（摘自2002年6月11日《人民日报》）

李岚清在爱国卫生运动五十周年总结表彰会上发表讲话

（2002年12月16日）

李岚清强调，新时期的爱国卫生运动，要在胡锦涛为总书记的党中央领导下，以“三个代表”重要思想为指导，认真贯彻党的十六大精神，把不断提高人民群众的健康素质，作为全面建设小康社会的重要内容，真抓实干，不断开创新时期爱国卫生工作新局面。

李岚清指出，在新时期大力开展爱国卫生运动，动员和组织群众自己动手改造环境、同疾病作斗争、同不卫生的习惯作斗争，是全面建设小康社会的内在要求，是社会主义物质文明和精神文明建设的重要内容，是各级党委和政府为民造福办实事、密切同人民群众联系的重要形式。我们要按照“三个代表”的要求，始终坚持“预防为主”的方针，以改善广大人民群众的生产生活环境、提高全民族的健康素质为目标，以农村卫生工作为重点，以创建卫生城市和文明村镇为载体，以解决社会重大公共卫生问题为突破口，与时俱进，开拓创新，更好地为经济建设服务，为全面建设小康社会服务。

李岚清强调，新时期的爱国卫生工作要注意把握以下几点：一是要与时俱进，不断拓展爱国卫生运动的新领域，协调解决好社会重大公共卫生问题，抓好重大疾病防治和重大自然灾害中的疫情控制。特别要加强对艾滋病的防治工作，认真落实预防为主、标本兼治、综合治理的防治策略，普及艾滋病防治知识，加强血液管理，堵塞艾滋病的传播渠道。二是要适应社会主义市场经济体制的要求，积极探索开展爱国卫生运动的新机制，充分发挥城镇社区和农村支部的作用，综合采用经济、行政的办法，通过专业卫生队伍和广大群众相结合，加强公共卫生环境的整治和管理。三是要充分发挥科学技术在爱国卫生运动中的重要作用，组织防疫、医疗、科研机构、高等院校等部门和单位的科研人员，针对垃圾处理、污染防治、改厕改水、街道清扫等问题，加强应用技术和标准的研究、推广、应用。四是要大力普及卫生科学知识，引导广大群众增强健康意识，提高自我保健能力，养成科学、文明、健康的生活方式，把全民健康教育提高到新水平。特别要加强学校卫生常识教育，使学生从小养成讲卫生、爱卫生的良好习惯，促进他们健康成长。

李岚清要求，各级政府要把爱国卫生工作列入当地国民经济和社会发展总体规划，切实加强领导。各级爱卫会要充分发挥议事协调职能，各成员单位要按照职责分工，主动承担起所负责的工作任务。广大卫生人员要提高自身的政治、业务素质，增强做好爱国卫生工作的光荣感和使命感。新闻媒体要广泛宣传爱国卫生运动的典型事迹和先进经验，营造讲究卫生、增进健康的社会氛围，推动爱国卫生运动深入持久健康地开展下去。

（摘自2002年12月17日《光明日报》）

李岚清在第三次全国科普工作会议上发表讲话

（2002年12月18日）

李岚清强调，广大科普工作者要在胡锦涛同志为总书记的党中央领导下，以“三个代表”重要思想为指导，认真学习贯彻党的十六大精神，大力实施《中华人民共和国科学技术普及法》，积极探索科普事业发展的新思路和科普工作的新举措，努力开创科普事业新局面。

李岚清指出，科学技术的普及在经济和社会发展中有着独特的重要作用。在科学技术快速发展的今天，一个国家科学技术的普及程度，从根本上决定着这个国家生产力和文化的发展水平，决定着这个民族的创造能力。加强科普工作，是发展先进生产力的客观要求，是发展先进文化、培育和弘扬民族精神的有效手段，是提高全民族科学文化素质、促进人民全面发展的重要途径。我们必须从全面贯彻“三个代表”重要思想的高度，从全面建设小康社会，开创中国特色社会主义事业新局面的全局出发，与时俱进，开拓创新，加快新时期科普事业的发展。

李岚清强调，今年6月科普法颁布施行，是我国科普事业发展史上的里程碑，标志着科普工作走上了法制化的轨道。当前和今后一个时期，科普工作要以科普法的颁布实施为契机，全面推进科普事业的发展，着重抓好以下几点：一是要把弘扬科学精神作为首要任务，把弘扬科学精神与普及科学知识统一起来，通过扎实有效的工作，使科学精神在全党全社会进一步发扬光大，渗透到生产、工作和社会生活的各个方面，融入广大人民群众的头脑中去。二是要通过举办科普讲座、科普咨询和科技文化卫生“三下乡”等多种形式的活动，发挥报刊、广播、电影、电视、互联网等传播媒体的作用，将最新的科技成果、科技常识和适用技术教给群众，进一步增强科普活动的针对性和有效性。三是要切实做好重点群体和重点地区的科普工作，加强对干部、农民、教师和中小学生的科普教育，加强西部地区科普工作，不断提高劳动者素质。四是要组织和引导科学家、文学家、美术家、影视导演、编辑记者联手进行创作，推出质量高、受欢迎、影响广的科普精品，繁荣科普创作。五是要加强科普人才的培养力度，调动社会各方面的力量，发挥离退休老科技工作者、在校大学生等科普志愿者的作用，逐步建立起由科普专家、科技工作者和科普志愿者组成的专群结合、专兼结合的科普工作队伍。六是要加快科普设施建设，鼓励境内外的社会组织和个人投资建设科普场馆，通过完善机制、加强管理，进一步提高科普资源的利用率。

李岚清强调，科普是全社会的共同任务，做好科普工作是各级党委、政府义不容辞的责任，要切实加强对科普工作的领导，将科普工作纳入国民经济和社会发展计划，将科普经费列入同级财政预算，逐步提高科普投入水平，保证科普法落到实处。要充分发挥科学技术协会作为科普工作主要社会力量的作用，调动工会、共青团、妇联等社会团体的积极性和创造性，大力开展群众性、社会性、经常性的科普活动。新闻媒体要加大科普宣传力度，在全社会大力传播科学知识、科学精神、科学思想和科学方法，努力营造学科学、信科学、讲科学、用科学的良好风气。

（摘自2002年12月19日《人民日报》）

丁关根在全国宣传部长会议上发表讲话

（2002年1月13日）

丁关根强调，2002年宣传思想战线第一位的任务，就是迎接十六大、宣传十六大、贯彻十六大，认真学习“三个代表”、深入宣传“三个代表”、身体力行“三个代表”，兴起学习宣传贯彻江泽民“七一”重要讲话和“三个代表”重要思想的热潮，兴起宣传改革开放和党的建设辉煌成就的热潮，兴起学习宣传贯彻十六大精神的热潮，把思想统一到邓小平理论和“三个代表”重要思想上来，统一到中央应对复杂国际局势作出的重要判断和重大决策上来，统一到中央关于今年工作的总体要求和部署上来，为党的十六大营造昂扬向上、团结奋进、开拓创新的良好氛围。

丁关根指出，今年是我们党和国家历史上具有重要意义的一年。宣传思想战线统一思想的任务很重，改革发展的任务很重，维护稳定的任务很重。所有工作都要紧紧围绕十六大，唱响主旋律、打好主动仗，在深入中创新、在创新中前进；所有工作都要着力于统一思想，凝聚力量，振奋精神，坚定信心，促进改革发展，维护社会稳定。

丁关根强调，宣传思想战线要全面深入领会中央精神，始终坚持以马克思主义为指导，高举邓小平理论伟大旗帜，认真学习贯彻“七一”重要讲话和“三个代表”重要思想，同以江泽民同志为核心的党中央保持一致；始终坚持解放思想、实事求是、与时俱进、开拓创新，在解放思想中统一思想，在统一思想中形成强大的精神力量；始终坚持以经济建设为中心，抓住机遇、加快发展，集中精力把经济搞上去；始终坚持正确处理改革、发展、稳定的关系，十分珍惜来之不易的大好局面，切实维护社会政治稳定；始终坚持两手抓、两手都要硬，进一步加强精神文明建设，宣传科学理论，传播先进文化，弘扬社会正气，塑造美好心灵，倡导科学精神；始终坚持大力加强党的建设，改进党的作风，全心全意为人民服务，把群众呼声作为第一信号，把群众需要作为第一选择，把群众利益作为第一考虑，把群众满意作为第一标准。

丁关根最后指出，我们一定要紧密团结在以江泽民同志为核心的党中央周围，高举邓小平理论伟大旗帜，以“三个代表”重要思想为指导，增强事业心、责任感和紧迫感，增强政治意识 、大局意识和责任意识，努力完成党和人民交给我们的任务。

（摘自2002年1月14日《人民日报》）

丁关根在党委宣传部长座谈会上发表讲话

（2002年4月7日）

丁关根强调，宣传思想战线的首要任务，就是要把学习宣传贯彻“三个代表”向深度和广度推进，增强说服力，提高影响力，为党的十六大营造团结奋进、昂扬向上、开拓创新的良好氛围。

丁关根指出，宣传思想战线要高举邓小平理论伟大旗帜，以“三个代表”重要思想为指导，坚定自觉地同以江泽民同志为核心的党中央保持一致。所有工作都要按照“三个代表”的要求，紧紧围绕党的十六大，唱响主旋律、打好主动仗，统一思想、凝聚力量、振奋精神、坚定信心，促进改革发展，维护社会稳定。

丁关根要求，宣传思想战线要增强政治意识、大局意识、责任意识，改进作风，提高素质。要坚持党的基本路线，坚持团结稳定鼓劲、正面宣传为主的方针，牢牢把握正确导向。要提高分析形势、着眼全局的水平，提高与时俱进、开拓创新的水平，提高加强引导、把握好度的水平，提高宏观调控、健全机制的水平，提高总结经验、探索规律的水平。要牢记全心全意为人民服务的宗旨，树立正确的世界观、人生观、价值观，增强事业心和责任感，多学习少应酬，多实干少空谈，多奉献少计较，廉洁奉公，艰苦奋斗，淡泊名利，甘当苦力。饱含对党和人民的忠诚，饱含对宣传思想工作的热爱，一切从群众出发，一切为群众着想，千方百计为群众办实事办好事，坚决防止官僚主义和形式主义。要以共产党人的蓬勃朝气、昂扬锐气、浩然正气，尽心尽力尽责，真干苦干实干，更好地为人民服务，为社会主义服务，为全党全国工作大局服务。

（摘自2002年4月8日《人民日报》）

丁关根在同国家社科基金项目学科组组长座谈时发表讲话

（2002年4月26日）

丁关根强调，哲学社会科学界要深入学习宣传贯彻“三个代表”重要思想，认真研究回答重大理论和实际问题，增强说服力战斗力，增强针对性实效性，多做统一思想、凝聚力量的工作，多做促进改革发展、维护社会稳定的工作，为党的十六大营造团结奋进、昂扬向上、开拓创新的良好氛围。

丁关根指出，哲学社会科学是人类认识世界、改造世界的重要工具，是推动历史发展、社会进步的重要力量。社会主义现代化应该有发达的经济，先进的科技，也应该有繁荣的哲学社会科学。党的十四大以来，广大哲学社会科学工作者，以马克思主义为指导，继承丰富发展毛泽东思想，学习宣传贯彻邓小平理论，学习宣传贯彻“三个代表”重要思想，努力研究回答干部群众关心的重大理论和实际问题，推出了一批有深度、有分量、有说服力的理论成果，为党和政府决策服务，为两个文明建设服务，发挥了重要作用，做出了积极贡献。

丁关根说，研究重大理论和实际问题，关系全国人民团结奋斗的共同思想基础。哲学社会科学工作者要深入群众，联系实际，研究思考，认真回答。社科规划要精心设计一批选题，把主要力量集中到重大问题研究上来。理论研究基地要围绕重大课题，组织专家学者深入调查研究，集中力量攻关。

丁关根强调，研究重大理论和实际问题，要坚持以马克思主义为指导，高举邓小平理论伟大旗帜，贯彻“三个代表”重要思想，坚定自觉地同以江泽民同志为核心的党中央保持一致。始终坚持正确的世界观、方法论，始终坚持正确的理论方向。增强政治意识、大局意识、责任意识，增强政治敏锐性和政治鉴别力。善于从政治上思考问题，善于从大局上研究问题，着力于统一思想、凝聚力量、坚定信心、振奋精神，着力于促进改革发展、维护社会稳定。

丁关根要求，研究重大理论和实际问题，要坚持解放思想、实事求是，与时俱进、开拓创新，发扬理论联系实际的优良学风。坚持为人民服务、为社会主义服务的方向和百花齐放、百家争鸣的方针。尊重理论研究规律，尊重理论工作者创造性劳动，相互切磋，积极探索，促进学术研究的活跃和深入，促进哲学社会科学繁荣健康发展。

丁关根指出，研究重大理论和实际问题，要树立精品意识，提高研究质量，多出优秀成果，多出优秀人才。站在时代高度，立足理论前沿，针对群众的思想特点，着眼群众的理论需要，从改革开放伟大实践中汲取营养，从人民群众伟大创造中进行理论提炼。改进学风，改进文风，语言简洁，内涵深刻，结论明确，说理透彻。要在推出精品力作的过程中，努力造就一批政治坚定、功底扎实、学风严谨、勇于开拓、年富力强的学科带头人和理论骨干。要尊重知识，尊重人才，真心实意帮助理论工作者解决实际问题，为他们创造良好的工作和生活条件。

丁关根最后说，我们所处的时代，是国家走向富强、民族走向复兴的伟大时代。伟大的时代需要与时俱进的理论，与时俱进的理论推动时代的前进。新的世纪、新的起点、新的任务，为广大哲学社会科学工作者提供了施展才华的广阔舞台，任重道远，大有可为。我们要进一步增强责任感和使命感，把自己的全部智慧和心血，献给人民，献给祖国，献给我们的党。

（摘自2002年4月27日《人民日报》）

丁关根：在纪念毛泽东同志《在延安文艺座谈会上的讲话》发表六十周年座谈会上的讲话（摘要）

（2002 年 5 月 22 日）

六十年来，《讲话》精神与时俱进，丰富发展。在社会主义建设时期，毛泽东同志提出了百花齐放、百家争鸣，倡导洋为中用、古为今用。在改革开放之初，邓小平同志发表了《在中国文学艺术工作者第四次代表大会上的祝词》，指出了文艺工作在社会主义现代化建设事业中的重要责任和文艺发展的根本道路，强调人民是文艺工作者的母亲，人民需要艺术，艺术更需要人民，社会主义文艺要为培养“四有”新人作出贡献，把最好的精神食粮奉献给人民。在改革开放的新阶段，江泽民总书记发表了《在中国文联第六次全国代表大会、中国作协第五次全国代表大会上的讲话》和《在中国文联第七次全国代表大会、中国作协第六次全国代表大会上的讲话》，强调了当代文艺工作和文艺工作者的历史使命和崇高职责，提出了繁荣发展文艺的指导思想和基本原则，要求作家艺术家在人民的历史创造中进行艺术的创造，在人民的进步中造就艺术的进步，创作出更多无愧于伟大时代、无愧于伟大人民的优秀作品。党的三代领导核心的光辉篇章，集中体现了我们党的文艺思想、文艺路线、文艺方针，是我们党对马克思主义文艺理论的独特贡献。今天，我们隆重纪念《讲话》发表六十周年，重温三代领导人关于文艺工作的重要指示精神，对于进一步促进社会主义文艺事业繁荣健康发展，具有十分重要的意义。

《讲话》发表的六十年，是党的文艺队伍不断壮大的六十年，是当代中国文艺事业不断繁荣发展的六十年。一代又一代文艺工作者与人民同心、与时代同行，一批又一批高扬民族精神、极富艺术感染力的优秀作品相继涌现、催人奋进。文艺繁荣发展，已经成为我国改革开放生机勃勃、社会生活健康向上的一个重要标志。面对新的世纪、新的任务，我们要继续学习毛泽东同志《在延安文艺座谈会上的讲话》精神，坚持以马克思主义为指导，高举邓小平理论伟大旗帜，贯彻“三个代表”重要思想，坚持为人民服务、为社会主义服务的方向和百花齐放、百家争鸣的方针。工作中，要弘扬主旋律、提倡多样化，多出优秀作品；要深入生活、深入实际，贴近时代、贴近群众，增强自身素养，增强社会责任感；要继承民族优秀文化传统和革命文化传统，吸收世界文化优秀成果，与时俱进，发展创新；要尊重知识、尊重人才，尊重文艺规律、尊重作家艺术家的创造性劳动；要一手抓繁荣、一手抓管理，把社会效益放在首位，努力实现社会效益和经济效益的统一。

纪念《讲话》六十周年，首先要坚持先进文化的前进方向。坚持先进文化的前进方向，就是要按照“三个代表”要求，努力发展面向现代化、面向世界、面向未来的，民族的科学的大众的社会主义文化，促进全民族思想道德素质和科学文化素质的不断提高，为我国经济发展和社会进步提供精神动力和智力支持。文艺是民族精神的火炬，人民奋进的号角。我们的文艺应该使人民团结，使他们进步，使他们同心同德，向前奋斗。在新世纪社会前进的历史洪流中，文艺要以自己的独特形式和艺术魅力，反映社会发展的本质和主流，展现改革开放和现代化建设的生活现实，讴歌人民群众创造历史的奋发精神，塑造社会主义的新人形象。文艺工作者应该努力提高思想道德修养和科学文化素养，树立正确的世界观、人生观、价值观，树立远大抱负和崇高追求，自觉体现先进文化的根本要求，自觉投身改革开放的伟大实践，宣传科学理论，传播先进文化，弘扬社会正气，倡导科学精神，塑造美好心灵，用更多更好的精神食粮丰富人民群众的文化生活，为繁荣文艺，为培养有理想、有道德、有文化、有纪律的社会主义新人作出贡献。

纪念《讲话》六十周年，一定要深入群众、深入生活。每个时代进步的文学艺术总是同人民和民族休戚与共。“一切革命的文学家艺术家只有联系群众，表现群众，把自己当作群众的忠实代言人，他们的工作才有意义。”社会生活是文艺创作的唯一源泉，社会实践存在着文学艺术最生动、最丰富、最基本的原料矿藏。如火如荼的改革开放，正热情呼唤着文艺的发展与进步。我们的文艺工作者应该到人民群众中去，到火热生活中去，与人民群众的思想感情打成一片，从人民群众丰富的实践中汲取营养，深刻生动地表现波澜壮阔的社会生活，深刻生动地表现人民群众深邃博大的精神世界，以更多的优秀作品不断满足群众的文化需求。

纪念《讲话》六十周年，一定要尊重文艺规律、尊重作家艺术家的创造性劳动。文艺创作是一种富有个性的创造活动，是一种复杂的精神劳动。尊重文艺规律、尊重作家艺术家的创造性劳动，是我们党领导文艺的一条重要原则，也是促进文艺繁荣发展的重要前提。倡导“两个尊重”，必须充分发扬艺术民主，鼓励文艺工作者焕发激情、施展才华，保证有个人创造性和个人爱好的广阔天地。同时应该强调，一个有追求有成就的文艺家总是有着高尚的情操，饱含着强烈的社会责任感。文艺工作者应该以人类灵魂工程师的标准要求自己，严肃对待自己所从事的崇高职业，认真考虑作品的社会效果，自觉承担以优秀作品鼓舞人的光荣职责。

纪念《讲话》六十周年，一定要多出优秀作品、多出优秀人才。优秀文艺作品是一个国家、一个时代文艺发展水平的标志，代表文艺繁荣的方向。质量高、精品多，才能赢得群众赞赏、赢得社会支持。文艺工作者应该把精品意识落实到创作和生产的全过程，精心策划、精益求精，创作更多思想性、艺术性、观赏性统一，具有强烈吸引力感染力，经得住历史检验的优秀作品。文艺精品离不开创新，创新推动着文艺前进。我们要努力继承民族优秀文化传统，积极借鉴世界文明先进成果，造就一批坚持马克思主义文艺观、文化素养好、富有创造才华、德艺双馨的文学艺术家，实现文艺形式、风格、流派的充分发展，实现题材、体裁、主题的极大丰富。紧跟时代，把握趋势，用坚实的创新成果，弘扬光大中华民族优秀文化，以鲜明的中国风格和中国气派，堂堂正正、气宇轩昂地走向世界。

纪念《讲话》六十周年，一定要重视文艺理论、重视文艺评论。文艺理论体现着一个国家和民族对于文艺规律的认识水平。我们要高度重视文艺理论建设，认真研究文艺创作新情况，让马克思主义的文艺理论在与时俱进中保持旺盛的生机和活力。要大力倡导积极健康的文艺评论，以对文艺事业的负责态度，以对人生和社会的深切体验，着力撰写准确鲜明、见解深刻、有说服力、有感染力的评论文章，探索文艺规律，交流创作经验，推荐优秀作品，批评错误倾向。文艺评论要实事求是，团结鼓劲，与人为善，以理服人，把鲜明的原则性和严谨的科学态度结合起来，为繁荣文艺事业营造良好氛围。

（摘自 2002 年 5 月 23 日《人民日报》）

丁关根在中央文明委全体会议上发表讲话

（2002年7月4日）

丁关根强调，当前，精神文明建设的首要任务，就是把思想统一到江泽民“5·31”重要讲话精神上来。在思想上工作中牢牢记住：要高举邓小平理论伟大旗帜，全面贯彻“三个代表”重要思想，坚定自觉地同以江泽民同志为核心的党中央保持一致，解放思想、实事求是、与时俱进、开拓创新，肩负起历史和时代赋予我们党的庄严使命，努力开创建设有中国特色社会主义事业的新局面。要紧紧抓住发展这个执政兴国的第一要务，集中精力把经济搞上去。要坚持讲大局、讲团结、讲稳定，正确处理改革发展稳定的关系，十分珍惜来之不易的大好形势，切实维护社会政治稳定。要发展社会主义民主政治、建设社会主义政治文明，坚持先进文化前进方向、建设社会主义精神文明。要毫不动摇地坚持和改善党的领导，全面推进党的建设新的伟大工程，牢记党的宗旨，全心全意为人民服务，永远与人民群众心连心。

丁关根指出，下半年精神文明建设工作，要遵照江泽民“七一”讲话和“5·31”讲话精神，紧紧围绕迎接十六大、宣传十六大、贯彻十六大，学习“三个代表”、宣传“三个代表”、实践“三个代表”，唱响主旋律、打好主动仗，大力宣传中国共产党实践“三个代表”的丰功伟绩，大力宣传中国共产党实行改革开放的伟大成果，大力宣传中国共产党人与时俱进的时代风采，进一步激发广大干部群众爱党爱国热情，为党的十六大营造昂扬向上、团结奋进、开拓创新的良好氛围。

丁关根说，要深入贯彻《公民道德建设实施纲要》，使“爱国守法、明礼诚信、团结友善、勤俭自强、敬业奉献”20字基本道德规范成为人们自觉行动。要切实加强诚信建设，充分认识诚信是社会关系的基本准则，是整顿和规范市场经济秩序的迫切需要，关系到社会风气的改善，关系到人民群众的切身利益，必须大树诚信形象，大兴诚信之风。要提高创建活动的文化内涵，大力弘扬良好的社会风气，大力丰富健康的群众文化生活，使创建活动成为提高群众文化素养的过程，成为陶冶群众文化情趣的过程。要全心全意为人民服务，一切从群众出发，一切为群众着想，把群众呼声作为第一信号，让群众得到实实在在的利益，特别要满腔热忱地关心和帮助困难群众，多为他们解决实际问题。要加强精神文明建设规划工作，有目标，有部署，有检查，狠狠地抓，一天不放松地抓，从具体事情抓起，尽力而为，量力而行，务求实效，坚决反对形式主义，脱离实际，脱离群众，华而不实，劳民伤财。

（摘自2002年7月5日《人民日报》）

丁关根在全国宣传部长会议上发表讲话

（2002年8月28日）

丁关根强调，党的十六大举国关注、举世瞩目，为党的十六大营造团结奋进、昂扬向上、开拓创新的良好氛围，是当前宣传思想工作的头等大事。一定要高举邓小平理论伟大旗帜，全面贯彻“三个代表”重要思想，以江泽民同志“5·31”重要讲话精神为指导，认真学习贯彻江泽民在会见全国宣传部长会议和全国组织工作座谈会与会同志时的重要讲话，唱响主旋律、打好主动仗，兴起学习宣传贯彻“三个代表”重要思想的热潮，兴起宣传改革开放和党的建设辉煌成就的热潮，统一思想，凝聚力量，坚定信心，振奋精神，促进改革发展，维护社会稳定，以优异成绩迎接党的十六大。

丁关根指出，党的十六大是我们党在新世纪召开的第一次全国代表大会，是在我国进入全面建设小康社会、加快推进社会主义现代化的新的发展阶段召开的一次十分重要的代表大会。做好迎接十六大的宣传工作，要高举邓小平理论伟大旗帜，全面贯彻“三个代表”重要思想，坚定自觉地同以江泽民同志为核心的党中央保持一致，把思想和行动统一到江泽民同志“七一”讲话和“5·31”讲话精神上来，统一到中央的重大决策、重大部署上来，解放思想、实事求是、与时俱进、开拓创新。要唱响主旋律、打好主动仗，牢牢把握正确导向，宣传科学理论、传播先进文化、弘扬社会正气、塑造美好心灵、倡导科学精神，不断丰富人们的精神世界，不断增强人们的精神力量。要牢记发展是执政兴国的第一要务，着力为抓住机遇、加快发展提供有力的舆论支持，引导广大干部群众增强加快发展的紧迫感、振兴中华的使命感、做好工作的责任感，集中精力把经济搞上去，不断增强我国的经济实力、国防实力和民族凝聚力。要讲大局、讲团结、讲稳定，把维护稳定放在十分重要的位置，多做统一思想、凝聚力量的工作，多做振奋精神、鼓舞士气的工作，多做得人心、暖人心、稳人心的工作，特别要满腔热忱关心困难群众，帮助他们解决实际问题。要改进作风，改进文风，贴近实际，贴近群众，多反映群众的切身感受，多开展群众欢迎的活动，让事实说话，让典型说话，增强宣传思想工作的吸引力、凝聚力。

丁关根最后强调，为党的十六大营造良好氛围，是宣传思想战线担负的重大政治任务。我们一定要牢固树立政治意识、大局意识、责任意识，极端认真、极端负责，以饱满的热情、深厚的感情、澎湃的激情，清醒坚定，与时俱进，奋发有为，敬业奉献，创造优异的工作成绩，迎接党的十六大胜利召开。

（摘自2002年8月29日《人民日报》）

丁关根：在全国精神文明创建工作先进单位表彰会上的讲话

（2002年10月29日）

在全党全国人民深入学习实践“三个代表”重要思想，以优异成绩喜迎党的十六大的欢庆日子里，中央文明委召开会议，隆重表彰在全国精神文明创建工作中取得突出成绩的先进单位。这是一次精神文明建设丰硕成果的充分展示，是一次亿万人民与时俱进、奋发有为精神风貌的生动展现。受表彰的563个先进单位，都是精神文明建设伟大实践中的亮点。他们表现了两个文明一起抓、全心全意为人民服务的责任意识，开拓创新、奋发向上的进取精神，常抓不懈、务求实效的良好作风。我代表中央文明委向受表彰的先进单位表示热烈祝贺，向辛勤从事精神文明建设的同志们表示诚挚问候，向所有关心支持精神文明建设的同志们表示衷心感谢。

党的十三届四中全会以来，以江泽民同志为核心的党中央坚持两手抓、两手都要硬，把精神文明建设摆在更加突出的位置，从多方面加强精神文明建设，年年都有新举措，岁岁都有新进展。讲文明、树新风，创建文明城市、文明村镇、文明行业活动在全国蓬勃兴起，“三下乡”、送温暖、心连心、手拉手、志愿者、青年文明号、五好家庭、星级文明户、人民满意的公务员、军警民共建、百城万店无假货等活动，深受广大群众欢迎。精神文明建设在促进改革发展、维护社会稳定中的作用日益突出，在提高城乡文明程度和公民素质中的作用日益突出，在服务人民群众、密切党群关系中的作用日益突出。

现在，我国精神文明建设正处在一个极好的发展时期。中央十分重视，各级党委支持，群众热情参与，经济条件允许，天时地利人和，发展态势很好。我们要抓住极好机遇，乘势而上，巩固和发展大好形势。总的要求是：高举邓小平理论伟大旗帜，全面贯彻“三个代表”重要思想，坚定自觉地同以江泽民同志为核心的党中央保持一致。解放思想、实事求是、与时俱进、开拓创新，以科学理论武装人，以正确舆论引导人，以高尚精神塑造人，以优秀作品鼓舞人，不断提高全民族的思想道德素质和科学文化素质，不断满足人们群众日益增长的精神文化需求，努力培养有理想、有道德、有文化、有纪律的社会主义公民，为改革开放和现代化建设提供强有力的思想保证和精神动力。在工作中，牢牢记住这样几点。

一定要牢牢记住发展是执政兴国的第一要务，始终坚持围绕中心、服务大局。发展是硬道理，发展是解决中国所有问题的关键，发展在政治上经济上文化上都很紧要。发展是改革、发展、稳定相协调的发展，是物质文明和精神文明相协调的发展。精神文明建设要坚持以经济建设为中心，促进改革发展、维护社会稳定，一切从大局出发，一切围绕大局，走全面发展之路、文明发展之路、可持续发展之路。

一定要牢牢记住加强思想道德建设是发展先进文化的中心环节，始终坚持以人为本，提高素质。要宣传科学理论，传播先进文化，弘扬社会正气，塑造美好心灵，倡导科学精神，使“爱国守法、明礼诚信、团结友善、勤俭自强、敬业奉献”这20字基本道德规范家喻户晓、深入人心。要把先进性要求与广泛性要求结合起来，把解决思想问题同解决实际问题结合起来，把加强教育同加强管理结合起来，增强创建活动的思想道德文化内涵，不断丰富人们的精神世界，提高公民的道德水平。

一定要牢牢记住全心全意为人民服务的宗旨，始终坚持服务群众、依靠群众。要一切从群众出发，一切为群众着想，吸引群众广泛参与，把群众呼声作为第一信号，多为群众办实事办好事，让群众得到实实在在的利益。特别要满腔热忱地关心和帮助困难群众，帮助他们解决工作和生活中的实际问题，把党和政府的温暖送到群众的心坎上，把共同富裕思想贯彻到精神文明建设的实践中，鼓舞群众为创造自己的美好生活而努力奋斗。

一定要牢牢记住精神文明建设是全社会的共同任务，始终坚持齐抓共管、形成合力。要充分发挥社会各方面参与精神文明建设的积极性、创造性，各展所长、相互促进。各地各部门既要按照统一部署分工负责，又要注意加强联系，互相支持。创建文明城市和文明村镇，要把创建文明行业作为内在要求；创建文明行业，要自觉融入创建文明城市和文明村镇之中。创建文明城市、文明村镇、文明行业相辅相成，有机统一，密切配合，整体推进。

一定要牢牢记住狠狠地抓、一天不放松地抓、从具体事情抓起，始终坚持重在建设，狠抓落实。精神文明建设贵在务实，抓与不抓大不一样，认真抓与一般抓大不一样。要有规划、有目标、有部署、有检查，一个城市一个城市地推进，一个乡镇一个乡镇地拓展，一个行业一个行业地深入，一年一个台阶地提高。要从本地本部门的实际出发，尽力而为，量力而行，不图虚名，务求实效，坚决反对形式主义。

同志们，举世瞩目、举国关注的党的十六大即将召开，这是我们党在新世纪召开的第一次全国代表大会，是在我国进入全面建设小康社会、加快推进社会主义现代化新的发展阶段召开的一次十分重要的代表大会。我们一定要极端认真、极端负责，尽心尽力做好工作，在学习贯彻“三个代表”重要思想的浓厚氛围中，在共产党好、社会主义好、改革开放好响亮的主旋律中，在创造优美环境、优良秩序、优质服务的精神文明建设热潮中，迎接党的十六大胜利召开。

（2002年11月2日《人民日报》）

李铁映在中国社科院工作会议上发表讲话

（2002年1月14日）

李铁映强调，中国社会科学院不是自由撰稿人的联合体，每一个社会科学工作者也不是自由职业者，而是要为中国的现实问题开出良方的研究者，因此首先要自觉维护稳定的大局，在政治上与党中央保持一致。而在学术研究方面，社会科学研究则要进一步解放思想，鼓励争鸣而且保护争鸣，用“双百”方针来营造宽松的学术氛围。在新的一年中广大社科工作者要深入实际，大兴调查研究之风，切实转变学风和文风，用新鲜活泼、生动有力的文风代替本本主义、教条主义，创建有中国特色、中国气派的理论、范畴与话语体系，推进马克思主义的中国化与当代化。

李铁映指出，要更新人才观念，人才的流动和输送也是社科院对社会的重大贡献。留住人才，单纯依靠物质条件的改善是办不到的，只有认真改善软环境，增强科研工作的凝聚力，使人尽其才、才尽其用才能保持队伍的常青。在新的一年中，社科院将继续实施“后备人才工程”，加强科研骨干梯队建设，切实改变部分重点学科后备人才青黄不接的局面，并通过设立青年科研启动基金、设立青年优秀科研成果出版基金等手段加大对优秀青年人才的支持力度，努力造就一大批知名的专家学者。

（摘自2002年1月15日《人民日报》）

李铁映与当代中国研究所干部职工座谈时发表讲话

（2002年2月4日）

李铁映指出，当代史研究者要代表中国人民的根本利益，坚持和发展马克思主义唯物史观，深入研究当代中国历史，为建设有中国特色社会主义、为中华民族的振兴贡献力量。

李铁映指出，国史研究是一门特殊的学科，非常重要，不可没有，也不可偏废。世界上没有哪个国家、哪个民族是不研究自己的历史、不总结自己的经验教训就能够成功地走向未来的。党史、国史是总结我们党和国家自己的实践经验的最直接、最现实的方式。

李铁映说，一个国家的历史，可以凝聚人民的力量。历史学家手中的笔重若千斤。可是，我们有些人却忘记了这一点。一些别有用心的人时刻不忘给我们的历史抹黑，时刻不忘搞乱中国。我们不警惕不行。

李铁映说，一个国家、一个民族最可宝贵的东西是自己的实践经验。这个经验要由自己来总结。撰写当代中国的历史，就是要坚持和发展马克思主义唯物史观，努力探索一切有利于中国发展、有利于振兴中华民族的社会主义道路。当代史学工作者是中国人民进行探索的历史见证人和经验总结者，要写出中国人民的探索史、进步史，真实反映中国人民建设有中国特色社会主义的伟大实践。

李铁映强调，研究当代中国史要以“三个代表”重要思想为指导，真正体现和代表中国人民的根本利益，为建设有中国特色的社会主义，为中华民族振兴贡献力量。

（摘自2002年2月6日《人民日报》）

姜春云在《生态道德教育读本》出版座谈会上发表讲话

（2002年10月21日）

姜春云强调，对一个国家而言，生态环境是全民族的共同财富。全社会都要重视和优化生存环境。要调动一切力量为普及和提高全体国民的生态道德素质而努力，保护人类共有的家园。

姜春云说，《生态道德教育读本》的正式出版是我国加强生态安全保障体系建设，顺应可持续发展战略实施的具有重要意义的实际行动，对于在广大青少年中开展生态道德教育和爱国主义教育具有积极的促进作用。

姜春云指出，生态环境恶化是全球性的重大问题，对人类生存和发展构成了严重威胁，在一定程度上阻碍了社会和经济的发展。我国是生态恶化最严重的国家之一。新中国成立后，党中央、国务院高度重视环境保护工作，党的三代领导集体采取一系列重大措施，加大环保投入，改善生态环境，使生态环境建设取得了明显的成效，特别是近些年来，江泽民同志发出“再造秀美山川”的号召，国家实施西部大开发战略等，全国的生态环境建设掀起了新的高潮，进入了新的阶段。

姜春云说，虽然我国的生态环境保护取得了很大成绩，但生态环境建设恶化的趋势尚未根本扭转，形势仍然相当严峻。生态的保护和治理任重道远，需要全社会高度重视并持之不懈地作出巨大的努力。生态环境建设应当以防为主，防治结合，综合治理。在采取法律、行政、经济、技术等措施的同时，还需要大力加强生态道德建设，提高全体公民，特别是广大青少年的生态道德素质，教育人们善待自然、爱护生态，切实纠正掠夺性的生产方式，走可持续发展的路子，实现人口、经济、社会与自然生态的协调发展。

姜春云强调，生态道德的建构，是新时代人类处理环境问题的新视角、新思想，是人类在自然界领域里思想道德的升华和文明进步达到了新的境界。生态建设，也要坚持依法治理和以德治理相结合。可以说，此时适时推出生态道德教育的小学读本、中学读本乃至大学及全体公民读本，对于人们在环境保护中自觉地调整人与自然的关系具有积极的意义。希望全社会都来保护我们共有的家园，使祖国大好河山永葆青春，世代相传。

（摘自2002年10月22日《人民日报》）

中央精神文明建设指导委员会第十一次全体会议纪要

（文明委〔2002〕1号）

2001年12月26日下午，中央精神文明建设指导委员会召开第十一次全体会议，总结2001年工作，部署2002年工作。中央政治局委员、书记处书记、中央文明委主任丁关根同志主持会议并讲话，中央政治局委员、中央文明委副主任李铁映同志出席会议并讲话。

会议讨论并同意《中央精神文明建设指导委员会2001年工作情况和2002年工作安排》。会议议定，由中央文明办根据会议提出的意见进行修改，并在2002年初召开的全国文明办主任会议上征求意见，报中央批准后印发各地各部门参照执行。

会议认为，2001年精神文明建设工作以“三个代表”重要思想为指导，按照中央部署，围绕中心、围绕大局，服务基层、服务人民，抓教育、抓活动、抓示范，有力度、有创新、有提高，形势是好的。在肯定成绩的同时，一定要始终保持清醒的头脑，看到工作中的薄弱环节。我们做了大量工作，还有大量工作要做，丝毫松懈不得。要按照小平同志的要求，狠狠地抓，一天不放松地抓，从具体事件抓起。

会议指出，2002年我们党将召开十六大。2002年工作中，统一思想的任务很重，改革发展的任务很重，维护稳定的任务很重。我们要按照中央关于“统一思想、坚定信心，沉着应对、趋利避害，转变作风、扎实工作”的要求，增强工作责任感、紧迫感和使命感，进一步开创精神文明建设新局面。

会议提出，2002年精神文明建设工作要以迎接十六大、宣传十六大、贯彻十六大和认真学习“三个代表”，深入宣传“三个代表”，身体力行“三个代表”为主线，兴起学习宣传贯彻“三个代表”重要思想的热潮，兴起宣传改革开放和党的建设辉煌成就的热潮，兴起学习宣传贯彻十六大精神的热潮，把广大干部群众的思想统一到邓小平理论和“三个代表”要求上来，统一到中央关于2002年工作的总体要求和部署上来。

会议强调，做好2002年工作，要坚持解放思想、实事求是，与时俱进、开拓创新，把“三个代表”的重要思想贯彻到精神文明建设的各项工作中；坚持一切从群众的需要出发，把解决群众思想问题与解决实际问题结合起来，特别要关心那些最困难最需要帮助的群众，切实把他们的生活、工作安排好；坚持在巩固中提高，在探索中前进，在继承中创新，使精神文明建设持续深入发展；坚持改进作风、真抓实干，在狠抓落实上下功夫，进一步增强工作的针对性和实效性。

会议强调，各地各部门要根据形势发展要求，加强调查研究工作，认真总结十四届六中全会以来精神文明建设的工作经验，深入了解小康社会人民群众日益增长的文化需求，科学分析国际国内形势的深刻变化给精神文明建设带来的新情况新问题，有针对性地提出解决问题的措施，不断提高工作水平。

会议强调，从现在起到党的十六大是一个十分重要的时期，我们要紧密团结在以江泽民同志为核心的党中央周围，高举邓小平理论伟大旗帜，以“三个代表”重要思想为指导，以与时俱进的思想观念，奋发有为的精神状态，真抓实干的工作作风，多做统一思想、凝聚力量的工作，多做振奋精神、团结鼓劲的工作，多做得人心、暖人心的工作，促进改革发展、维护社会稳定，为党的十六大营造昂扬向上、团结奋进、开拓创新的良好氛围。

（2001年12月26日）

中央精神文明建设指导委员会 2001年工作情况和2002年工作安排

（文明委〔2002〕2号）

一、关于2001年的工作情况

2001年是新世纪的第一年，是全面实施“十五”计划的起步之年。一年来，精神文明建设工作高举邓小平理论伟大旗帜，以江泽民总书记“三个代表”重要思想为指导，认真贯彻落实十五届五中、六中全会精神，按照中央文明委《2001年工作安排》，唱响主旋律，打好主动仗，在服务大局中前进，在深入创新中发展。各级党政领导坚持“两手抓、两手都要硬”的自觉性明显提高，全社会促进两个文明协调发展的共识大为增强，广大群众参与精神文明建设的热情空前高涨。精神文明建设在促进改革发展、维护社会稳定中的作用日益突出，在提高公民素质、改善生活质量中的作用日益突出。

1. 认真学习宣传“三个代表”重要思想，宣传贯彻“七一”讲话和十五届六中全会精神，理论武装工作不断深入

把学习“三个代表”重要思想同学习邓小平理论紧密结合起来。召开学习“三个代表”重要思想理论研讨会，连续推出重点文章，出版系列图书，推出一批研究成果。积极全面准确深入地宣传“七一”讲话的重大意义、精神实质和丰富内涵，组织学习“七一”讲话宣讲团赴全国各地宣讲。围绕加强和改进党的作风建设，深入宣传十五届六中全会精神，宣传广大党员干部认真学习、身体力行“三个代表”的生动实践。理论武装工作有力地推动了全党思想的进一步解放，促进了全国人民认识上的统一。

2. 精心组织庆祝建党80周年宣传教育活动，唱响了共产党好、社会主义好、改革开放好的主旋律

按照中央统一部署，做好关于纪念中国共产党成立80周年各项活动的宣传报道工作，大张旗鼓、理直气壮地宣传我们党80年的光辉历史，宣传党的三代领导核心带领人民进行革命、建设和改革取得的丰功伟绩，宣传基层党组织和共产党员全心全意为人民服务的良好形象。精心组织大型文艺晚会《红旗颂》，推出一批优秀电影、电视剧和理论文献电视专题片，一批优秀舞台艺术和音乐节目，一批优秀文学作品，一批优秀出版物。举办“肩负人民的希望”图片展，社会各界反响强烈。各地各部门结合实际，通过读书征文、文艺汇演、歌咏比赛、演讲大赛、书画展览等多种形式，开展丰富多彩的群众性思想教育活动，没有共产党就没有新中国，没有共产党的领导就没有中国的现代化的观念深入人心，党的凝聚力、影响力大大增强，民族自豪感、自尊心大大增强，人民群众在党的领导下推进现代化建设的信心大大增强。

3. 积极贯彻落实《公民道德建设实施纲要》，推动思想道德建设深入发展

积极宣传贯彻江泽民总书记依法治国与以德治国紧密结合的重要思想，召开座谈会，推出一批重要文章。积极宣传贯彻中央印发的《公民道德建设实施纲要》，重点宣传“爱国守法、明礼诚信、团结友善、勤俭自强、敬业奉献”20字基本道德规范。指导城乡基层广泛开展各种形式的道德实践活动。组织征集、创作优秀思想道德电视公益广告。结合重大活动加大爱国主义教育力度，公布第二批全国爱国主义教育示范基地。推出了冉绍之、郭秀明、李济生、王伟、范匡夫、汪洋湖等一批体现时代精神的模范人物，推动全社会形成崇尚先进、学习先进的良好风气。

4. 深入开展揭批“法轮功”邪教组织的斗争，大力倡导反对邪教、崇尚文明的社会风尚

广泛进行马克思主义唯物论和无神论教育，大力弘扬科学精神，宣传科学思想，传播科学方法，普及科学知识。紧紧抓住“法轮功”痴迷者在天安门广场自焚等典型案例，深入揭批“法轮功”反人类、反科学、反社会的邪教本质。召开全国同“法轮功”邪教组织斗争先进集体、先进个人表彰大会，组织报告团到各地巡回报告。举办《反对邪教　崇尚文明》大型展览。各省、自治区、直辖市复制展览在当地展出，数千万干部群众参观。展览改版后，在香港、澳门成功展出，并译成多种文字到国外展出。

5. 扎实推进群众性精神文明创建活动，城乡文明程度、公民综合素质、群众生活质量明显提高

以社区为重点，加大创建文明城市工作力度，推出首批全国创建文明社区示范点。集中宣传江苏苏州、浙江宁波创建文明城市的经验，宣传河南郑汴洛“三点一线”创建文明景区和文明城市的经验。召开创建文明小城镇工作座谈会，推出首批全国创建文明小城镇示范点，推出广西百色创建右江百里文明河谷经验，推动农村精神文明建设深入发展。继续深入开展文化科技卫生“三下乡”，精心组织大中专学生暑期“三下乡”社会实践活动。积极配合中央关于整顿和规范市场经济秩序的部署，深入开展创建文明行业活动，继续推进创建文明风景旅游区活动，公布第四批文明风景旅游区示范

点，表彰了一批文明导游员。深入开展“百城万店无假货”活动，公布第四批“百城万店无假货”活动示范街。

创建文明单位、文明机关、军（警）民共建、青年志愿者、青年文明号、巾帼文明示范岗、希望工程、送温暖工程、文明班组、文明职工、职业道德标兵、五好文明家庭、安全文明小区、畅通工程、婚育新风进万家等活动蓬勃开展，形成协调配合、齐抓共建的强大合力，呈现出群众参与、社会欢迎的生动局面。

6. 继续实施支持西部开发精神文明建设工程，促进贫困地区和困难群众精神文化生活的改善

配合扶贫工作和西部大开发，精心实施“西部开发助学工程”，工程实施两年来，已有2300多名贫困学生得到资助，在全社会产生重要影响。继续推进“百县千乡宣传文化工程”，加大支持西部地区文化事业建设的力度。向西部地区赠送农业实用技术录像带、电影放映设备、万村书库，全面推进电影“2131”工程，帮助西部地区改善文化设施落后状况。组织“院士西部行”活动，推动科技扶贫。继续开展东西部地区干部对口培训工作。实施东西部学校对口支援工程和城市学校对口支援乡村贫困学校工程，加大教育对口支援力度，促进贫困地区和少数民族地区义务教育的发展。“情系西部，共享母爱”活动，为西部部分困难家庭水窖建设提供了资助。

在充分肯定成绩的同时，也要清醒地看到，随着我国进入全面建设小康社会、加快推进社会主义现代化的新阶段，随着我国加入世贸组织、对外开放进入新阶段，精神文明建设面临极好的机遇和有利条件，也面临更严峻的挑战。我们将长期面临西方敌对势力对我进行意识形态渗透的压力，面临西方文化产品、文化资本和文化价值观的冲击，面临各种腐朽文化利用互联网等传播渠道对人们思想的侵蚀。国内深刻的社会变革将给人们的思想观念、价值取向带来新的变化。这些都对精神文明建设提出了新的更高的要求。我们的工作中还存在一些薄弱环节。如地区之间、行业之间、城乡之间创建工作发展不平衡；一些群众反映强烈的问题还没有得到很好的解决；有些行业的创建工作与业务工作还没有很好地结合起来；有些地方的创建工作与当地经济发展水平和群众实际需要还不相适应等等。我们要保持清醒头脑，进一步增强做好工作的责任感、紧迫感、使命感，抓住机遇、应对挑战，振奋精神、知难而进，做好工作、加强引导，推动精神文明建设的更大发展，为改革开放和现代化建设提供强大的精神动力和思想保证。

二、关于2002年工作安排

2002年，是党和国家发展历史上具有重大意义的一年。我们党将召开第十六次全国代表大会，这是我们党在新世纪召开的第一次全国代表大会，是全党全国各族人民政治生活中的一件大事。做好今年的精神文明建设工作，意义十分重大。精神文明建设工作要高举邓小平理论伟大旗帜，以“三个代表”重要思想为指导，坚持党的基本路线不动摇，坚持同以江泽民同志为核心的党中央保持高度一致，深入学习贯彻“七一”重要讲话和党的十五届六中全会精神，围绕中心，服务大局，以科学理论武装人，以正确舆论引导人，以高尚精神塑造人，以优秀作品鼓舞人，为改革开放和现代化建设提供有力的思想保证，为党的十六大营造昂扬向上、团结奋进、开拓创新的良好氛围。

做好今年工作，要按照中央总的要求，坚持唱响主旋律、打好主动仗，团结稳定鼓劲、正面宣传为主，在深入中创新、在创新中前进的方针，解放思想，实事求是，与时俱进，开拓创新，唱响共产党好、社会主义好、改革开放好，统一思想，凝聚力量，振奋精神，坚定信心，促进改革发展，维护社会稳定。思想道德建设要重实践、重实效，群众性精神文明创建活动要办实事、办好事，宣传先进典型要讲质量、讲效果，队伍建设要抓作风、抓素质，各项工作整体推进，努力形成健康向上的精神风貌、文明和谐的社会氛围、丰富多彩的文化生活，促进经济社会协调进步和人的全面发展。

2002年要重点抓好以下工作。

1. 深入学习研究宣传“三个代表”重要思想，着力把重大理论和实际问题说充分说清楚

“三个代表”重要思想，是对我们党的奋斗业绩和历史经验的新概括，是运用马克思主义解决我国改革开放和现代化建设实际问题的新创造、新成果。要坚持不懈地用马列主义、毛泽东思想、邓小平理论和“三个代表”重要思想武装全党，教育干部群众。

继续推进“三个代表”重要思想的学习，引导广大党员干部深刻认识“三个代表”重要思想的重大意义和科学内涵，进一步提高实践“三个代表”要求的自觉性和坚定性。认真学习宣传“七一”重要讲话和党的十五届六中全会精神，在深入上下功夫，在落实上下功夫。深入进行马克思主义发展史和解放思想、实事求是思想路线的教育，用我们党不断推进理论创新的实践教育广大党员干部，发扬理论联系实际的学风，促进理论创新，在解放思想中统一思想。党的十六大召开以后，通过组织宣讲团、报告会等多种形式，推动十六大精神的学习宣传贯彻。重点抓好县（处）级以上领导干部的理论学习，坚持和完善党委中心组学习制度、领导干部在职自学制度和干部理论学习考核制度。开展党的十五大以来县（处）级以上领导干部理论学习情况的调研。认真总结高校开展邓小平理论“三进”工作的经验，积极推动“三个代表”重要思想进课堂、进教材、进学生头脑工作。

加强理论研究和宣传工作，对干部群众关心、现实生活提出的一些重大理论和实际问题作出进一步回答，增强理论工作的说服力战斗力。确定一批重点课题，列入社会科学研究规划，组织力量，集体攻关，推出一批有深度、有分量、说服力强的理论成果。组织一批优秀理论电视片和重点理论文章，编写出版深入浅出、通俗易懂的理论读本，发挥党报党刊、广播电视和讲师团在理论宣传中的作用。及时掌握思想理论领域出现的新情况，加强对社会思潮的分析研究和正确引导。

2. 切实加强思想政治工作，积极推进社会主义道德建设

积极探索新形势下加强和改进思想政治工作的规律和办法，把解决思想问题同解决实际问题结合起来，不断增强工作的针对性和实效性，释疑解惑，化解矛盾，引导人们振奋精神，开拓前进。全面贯彻落实《公民道德建设实施纲要》，积极建立与社会主义市场经济相适应的思想道德体系。

深入开展党的基本理论、基本路线、基本纲领教育，进一步坚定广大干部群众的理想信念。通过举办成就展览，回顾十三届四中全会以来我国改革开放和现代化建设巨大成就，展望新世纪我国社会主义建设事业光辉前景。通过举办形势报告会，进行时事政策教育，引导人们正确认识国内外形势，团结一致，坚定信心，抵御和克服前进道路上的各种风险和困难。积极推进实施科教兴国战略，广泛开展科学知识、科学思想、科学方法、科学精神普及教育，大力提高全民族科学文化素质。深入揭批“法轮功”的邪教本质，帮助人们增强抵制封建迷信和各种歪理邪说的能力，积极开展经常性的思想政治工作，解疑释惑，化解矛盾，引导人们振奋精神，开拓前进。继续加强高校思想政治教育进网络工作，占领校园网络思想文化阵地。

大力倡导“爱国守法、明礼诚信、团结友善、勤俭自强、敬业奉献”的基本道德规范，使之家喻户晓，人人皆知。指导各地各部门制定与《纲要》相配套的实施细则，修订完善符合实际、简明易行的市民公约、村规民约、服务规范。以领导干部为重点，从青少年抓起，提高全体公民的基本道德素质。加强国家公务员队伍行政道德建设，发挥党政机关在道德建设中的示范带动作用。表彰思想道德优秀电视公益广告，继续制作播出公民道德建设专题片和公益广告。突出抓好爱国主义教育，激发人们的爱国热情，鼓舞人们振兴中华的斗志。进一步加强爱国主义教育示范基地建设，充分发挥基地教育作用。坚持健全升挂国旗、唱奏国歌制度，增进人们的爱国情感。广泛组织开展经常性社会捐助、无偿献血、希望工程、手拉手、心连心、送温暖、幸福工程、尊老爱幼、春蕾计划、保护环境、扶残助残等多种形式的

道德实践活动。组织评选道德实践活动创新奖，鼓励各地各行业创造性地开展工作。加强对《纲要》贯彻落实情况的检查。增加见义勇为奖励基金，加大对见义勇为先进分子奖励力度，扶正祛邪，弘扬正气。

3. 大力开展群众性精神文明创建活动，在办好事、办实事上下功夫

群众性精神文明创建活动是对群众进行思想教育、提高全社会文明程度的有效途径，是新形势下加强党的群众工作的有效方式。要把着眼点放在提高群众的思想道德和科学文化素质上，坚持办好作用大、效果好的实事，把各项创建工作做深入、做扎实。

要按照“拓展领域、充实内容、改进方法、提高水平”的思路，以“讲文明、树新风”为主题，大力推进创建文明城市、文明村镇、文明行业等各种形式的创建活动。总结经验，表彰先进，集中展示近年来精神文明创建成果，迎接党的十六大召开。

以社区为基础，以大中城市为重点，深入扎实地开展创建文明城市活动。认真贯彻落实中央文明委《关于在城市深入开展创建文明社区工作的若干意见》和中办、国办转发的《关于在全国推进城市社区建设的意见》，进一步推动社区精神文明创建工作深入发展。广泛组织开展科教、文体、法律、卫生“四进社区”活动。以举办科普报告会、注册科普志愿者、赠送科普挂图等活动为载体，推进科普进社区；举办社区文化艺术节和社区趣味体育赛，推进文体活动进社区；结合“四五”普法，普及与社区居民生活密切相关的法律知识，推进法律进社区；配合医疗卫生体制改革，完善社区卫生服务体系，做好社区计划生育工作，推进卫生进社区。编制全国2001—2030年创建文明城市发展规划。

以农户为基础，以小城镇为重点，深入扎实地开展创建文明村镇活动。认真落实创建文明小城镇工作座谈会精神，制定《关于深入开展创建文明小城镇活动的若干意见》，把创建文明小城镇工作切实抓紧抓好。继续推进“十星级文明户”等多种形式的创评活动，把党的方针政策、实用科技知识、良好道德风尚、健康文明的生活方式送到千家万户。积极推进以城带乡、城乡共建精神文明活动。继续开展文化科技卫生“三下乡”活动。要高度重视农村环境保护工作。

以规范优质服务为基础，以窗口行业和执法部门为重点，深入扎实开展创建文明行业活动。紧紧围绕贯彻中央关于整顿和规范市场经济秩序的决策部署，大力加强遵纪守法、诚实守信和爱岗敬业教育，进一步推广社会服务承诺制和行政执法公示制，规范经营单位的行业行为和执法部门的行政行为，切实纠正行业不正之风。大力倡导艰苦奋斗、厉行节约、勤俭办事的良好风尚。制定《关于深入开展创建文明行业工作的若干意见》，推出第三批创建文明行业活动示范点。继续开展创建文明风景旅游区活动，再推出一批创建文明风景旅游区示范点。扩大“百城万店无假货”活动的覆盖面，把活动向个体私营商店和专业批发市场拓展，组织引导个体工商户和私营企业参与创建无假货示范单位活动。坚决打击制售假冒伪劣产品等不法行为。加强对非公有制经济领域精神文明创建工作的指导。深入开展创建文明机关、当好人民公仆活动，表彰人民满意的公务员和公务员集体。

继续开展创建文明单位、军民共建、警民共建等活动，广泛开展创建绿色社区、婚育新风进万家、青年文明号、希望工程、五好文明家庭、春蕾计划、畅通工程、创建平安大道等活动，不断扩大群众参与面。积极探索区域性精神文明共建活动的新路子，促进文明城市、文明村镇、文明行业等多种创建活动有机结合，大面积整体提高城乡文明程度。

4. 广泛宣传先进典型，努力形成崇尚先进、学习先进、争当先进的良好风尚

宣传学习先进典型对弘扬时代精神、形成良好风尚具有十分重要的意义。要加大典型宣传的力度，集中宣传一批自觉实践“三个代表”的优秀共产党员和先进基层党组织，一批代表时代前进方向的两个文明建设协调发展的先进经验，用先进事迹和思想教育人民，用先进经

验和做法推动工作。组织中央主要新闻单位，对近年来集中宣传和表彰过的先进典型进行回顾性采访报道，宣传他们的新进展、新经验。同时，有计划、有步骤地推出一批创建工作的新典型。组织广大干部群众开展向先进典型学习活动。

要认真总结经验，改进方式方法，进一步提高典型宣传水平。把集中宣传与经常性宣传结合起来，把形成合力与发挥媒体各自特色结合起来，注意进行多形式、多角度的宣传，防止一般化、模式化。坚持实事求是，使先进典型可信、可学。

5. 繁荣发展社会主义文化，不断满足人民群众日益增长的精神文化需求

按照始终代表中国先进文化前进方向的要求，坚持为人民服务、为社会主义服务，坚持百花齐放、百家争鸣，弘扬优秀文化传统，借鉴世界文明成果，体现时代精神和创新精神，繁荣社会主义文化事业，以更多优秀作品，满足人民群众日益增长的精神文化需求。

加大精品战略实施力度。围绕迎接党的十六大，推出一批讴歌党的丰功伟绩，反映改革开放和现代化建设成就，体现中国先进文化前进方向的优秀作品，组织好展映、展播、展演工作，促进社会主义文化事业更加繁荣。

活跃基层群众文化生活。加强公共文化设施和基层文化工作队伍建设，广泛开展群众性文化活动，推动社区文化、村镇文化、企业文化、校园文化、广场文化、家庭文化建设，用健康有益、丰富多彩的群众文化占领基层思想文化阵地。积极组织、支持“心连心”艺术团等各种文艺团体送演出到革命老区、田间地头、工厂矿区，精选“五个一工程”作品送到城乡基层。精心组织好节庆日的群众文化活动。广泛开展“亿万人群健身活动”，大力推进全民健身运动。

强化阵地意识，坚持守土有责，把社会效益放在第一位，努力做到社会效益与经济效益的正确结合，使一切宣传文化阵地、一切精神文化产品，都成为宣传科学理论、传播先进文化、塑造美好心灵、弘扬社会正气、倡导科学精神的重要载体，积极倡导先进文化，努力改造落后文化，坚决抵制腐朽文化，绝不给错误和有害的东西提供传播渠道。要切实加强对小报小刊的整顿和管理，高度重视和加强网络文明建设，努力清除各种有害信息。加强文化市场管理，进一步加大“扫黄打非”工作力度，营造健康向上的文化氛围。

认真贯彻落实中央关于文化经济政策的有关规定。完善各地文化事业建设费的征收和使用管理办法，提高资金使用效益。从实际出发，采取可行措施，多渠道增加对精神文明建设的投入。

6. 加大对中西部精神文明建设支持力度，促进欠发达地区两个文明建设协调发展

要紧密配合中央实施西部大开发和支持贫困地区加快发展的战略部署，切实加大对中西部欠发达地区精神文明建设的支持力度。

继续推进“西部开发助学工程”，增加受助学生名额，将资助范围扩大至中部省份贫困地区和革命老区，并在中西部各省（区、市）选择重点高中开设资助贫困学生的“宏志班”。组织好受助学生暑期社会实践活动，建立受助学生基本情况数据库。继续推进“百县千乡宣传文化工程”、体育健身设施“雪炭工程”，切实加强对工程实施的指导、督促和检查，建立完善相关的责任制度，确保工程建设质量，确保充分发挥作用。支持贫困地区公共图书馆建设，为部分贫困县图书馆配送一批图书。组织“科普大篷车”下乡和“科普列车西部行”。关心帮助社会困难人群，实施残疾人助学工程。继续推进青年志愿者扶贫接力计划。鼓励东部宣传文化科技教育卫生等部门对西部地区实行对口支援。

加强精神文明建设是全党的重要工作，各级党委要始终坚持“两手抓，两手都要硬”的方针，切实加强对精神文明建设工作的领导。建立健全党委统一领导、党政主要领导亲自抓、各方面分工负责的领导体制和规范科学的工作机制。要充分发挥各级文明委的协调指导作用、政府部门的行政管理作用和人民团体的组织群众作用，形成齐抓共管的工作合力。要按照政

治强、业务精、纪律严、作风正的要求，加强精神文明工作队伍建设。要加强调查研究，认真总结经验，深入思考战略性、全局性、前瞻性问题，提出应对措施。组织力量对党的十四届六中全会以来的精神文明建设情况进行集中调研，对今后10年的精神文明建设进行科学规划，进一步明确工作目标，不断开创精神文明建设的新局面。

（2002年2月1日）

中央精神文明建设指导委员会第十二次全体会议纪要

（文明委〔2002〕3号）

2002年7月4日下午，中央精神文明建设指导委员会召开第十二次全体会议，总结上半年工作，部署下半年任务。中共中央政治局委员、书记处书记、中央精神文明建设指导委员会主任丁关根同志主持会议并讲话，中共中央政治局委员、中央精神文明建设指导委员会副主任李铁映同志出席会议并讲话。

会议认真学习了江泽民总书记“5·31”重要讲话。大家一致认为，《讲话》科学分析了当前我们面临的新形势、新任务，深刻回答了党和国家发展的一系列重大理论和实践问题，进一步丰富了“三个代表”重要思想，进一步总结了建设有中国特色社会主义规律，有很强的政治性、理论性、战略性、针对性。对于进一步统一思想、凝聚力量，对于团结和动员全党高举邓小平理论伟大旗帜，全面贯彻“三个代表”重要思想，对于胜利召开党的十六大，具有十分重要的意义。我们一定要认真学习，深刻领会，切实贯彻。

会议认为，上半年精神文明建设工作以“三个代表”重要思想为指导，围绕中心，服务大局，在巩固中提高，在探索中前进，在继承中创新，取得很好效果。“三个代表”宣传有声势，有特色，有亮点，组织“‘三个代表’在基层”采访团，集中推出了一批实践“三个代表”的典型。《公民道德建设实施纲要》深入人心。科教、文体、法律、卫生“四进社区”普遍启动。“西部开发助学工程”和“百县千乡宣传文化工程”成效明显。送温暖、献爱心、“三下乡”、“百城万店无假货”等名牌项目影响广泛，受到社会赞扬。

会议指出，党的十三届四中全会以来，以江泽民同志为核心的党中央坚持两手抓、两手都要硬，从多方面加强精神文明建设。精神文明建设年年都有新举措，年年都有新进展，在促进改革发展、维护社会稳定中的作用日益突出，在提高城乡文明程度和公民素质中的作用日益突出，在服务人民群众、密切党群关系中的作用日益突出。精神文明创建活动正处在一个极好的发展时期。中央十分重视，各级党委支持，群众热情参与，经济条件允许，天时地利人和，发展态势很好。要积极主动，开拓进取，把精神文明建设持续扎实地向前推进。

会议强调，当前精神文明建设的首要任务，就是把思想统一到江泽民“5·31”重要讲话精神上来。在思想上和工作中要牢牢记住：要高举邓小平理论伟大旗帜，全面贯彻“三个代表”重要思想，坚定自觉地同以江泽民同志为核心的党中央保持一致，解放思想、实事求是、与时俱进、开拓创新，肩负起历史和时代赋予我们党的庄严使命，努力开创建设有中国特色社会主义事业的新局面。要紧紧抓住发展这个执政兴国的第一要务，集中精力把经济搞上去。要坚持讲大局、讲团结、讲稳定，正确处理改革发展稳定的关系，十分珍惜来之不易的大好形势，切实维护社会政治稳定。要发展社会主义民主政治、建设社会主义政治文明，坚持先进文化前进方向、建设社会主义精神文明。要毫不动摇地坚持和改善党的领导，全面推进党的建设新的伟大工程，牢记党的宗旨，全心全意为人民服务，永远与人民群众心连心。

会议强调，下半年精神文明建设工作，要遵照江泽民“七一”讲话和“5·31”讲话精神，紧紧围绕迎接十六大、宣传十六大、贯彻十六大，学习“三个代表”、宣传“三个代表”、实践“三个代表”，唱响主旋律、打好主动仗，大力宣传中国共产党实践“三个代表”的丰功伟绩，大力宣传中国共产党实行改革开放的伟大成果，大力宣传中国共产党人与时俱进的时代风采，进一步激发广大干部群众爱党爱国热情，促进改革发展，维护社会稳定，为党的十六大营造昂扬向上、团结奋进、开拓创新的良好氛围。党的十六大召开后，按照中央部署，兴起学习宣传贯彻党的十六大精神的热潮。

会议要求，要深入贯彻《公民道德建设实施纲要》，使“爱国守法、明礼诚信、团结友善、勤俭自强、敬业奉献”20字基本道德规范成为人们的自觉行动。要加大社会公德、职业道德和家庭美德教育力度，大力倡导助人为乐、见义勇为，爱岗敬业、诚实守信，尊老爱幼、邻里团结的良好社会风气。要切实加强诚信建设，充分认识诚信是社会关系的基本准则，是整顿和规范市场经济秩序的迫切需要，关系到社会风气的改善，关系到人民群众的切身利益，必须大树诚信形象，大兴诚信之风。要提高创建活动的文化内涵，大力弘扬良好的社会风气，大力丰富健康的群众文化生活，使创建活动成为提高群众文化素养的过程，成为陶冶群众文化情趣的过程。要全心全意为人民服务，一切从群众出发，一切为群众着想，把群众呼声作为第一信号，让群众得到实实在在的利益，特别要满腔热忱地关心和帮助残疾人、老年人、优抚对象等困难群体，积极关心下岗职工的思想和生活，帮助他们解决实际困难，努力创造再就业机会。要加强精神文明建设规划工作，有目标，有部署，有检查，狠狠地抓，一天不放松地抓，从具体事情抓起，尽力而为，量力而行，务求实效，坚决反对形式主义、脱离实际、脱离群众、华而不实、劳民伤财。

会议提出，要按照“三个代表”的要求，全面总结各地各部门的精神文明建设工作。认真研究精神文明建设面临的新情况新问题，深入思考和科学回答重大理论课题，善于发现和总结人民群众创造的新事物新经验，不断创新工作方式方法，推动精神文明建设制度化、法制化、规范化，努力开创精神文明建设新局面。

会议讨论并同意《中央精神文明建设指导委员会2002年上半年工作情况和下半年工作安排》和《各省、自治区、直辖市2003—2030年创建文明城市工作进度安排》。

（2002年7月4日）

中央精神文明建设指导委员会2002年上半年工作情况和下半年工作安排

（文明委〔2002〕4号）

一、关于上半年工作情况

2002年，是党和国家发展历史上具有重大意义的一年。上半年，精神文明建设工作高举邓小平理论伟大旗帜，以“三个代表”重要思想为指导，深入贯彻落实江泽民总书记“七一”重要讲话和“5·31”重要讲话精神，按照中央文明委《2002年工作安排》，围绕中心，服务大局，唱响主旋律，打好主动仗，努力为改革开放和现代化建设提供有力的思想保证，为党的十六大营造昂扬向上、团结奋进、开拓创新的良好氛围，各项工作持续扎实地向广度深度推进，取得了新的进展。

1.“三个代表”重要思想的学习宣传贯彻不断深入，理论武装工作的说服力、战斗力不断增强

用“三个代表”重要思想武装全党、教育人民，兴起了学习宣传贯彻“三个代表”重要思想的热潮。各级党组织和广大党员干部认真学习“三个代表”重要思想，进一步加深了对“三个代表”重要思想的理解，提高了运用“三个代表”重要思想解决实际问题的能力和水平。农村“三个代表”学习教育活动取得丰硕成果，增强了农村基层干部和广大党员贯彻实践“三个代表”重要思想的自觉性和坚定性。分别召开理论工作者、领导干部、基层干部、先进党组织和优秀共产党员学习“三个代表”重要思想座谈会，推动学习贯彻“三个代表”重要思想的不断深入。

大力宣传“三个代表”重要思想。中央主要新闻媒体开设一批重点栏目，推出一批重点文章，系统阐述“三个代表”重要思想。组成中央主要新闻单位百名记者“‘三个代表’在基层”采访团，深入基层进行系列采访报道，通过生动实在、鲜活感人的具体事例，充分反映基层党组织和党员干部学习实践“三个代表”的经验和成果，得到社会各界的好评。集中宣传张荣锁、龙清秀、叶景林、廷·巴特尔等一批优秀党员干部实践“三个代表”的先进事迹。围绕干部群众关心、现实生活提出的一些重大理论和实际问题，确定一批重点课题，组织专家学者撰写文章，推出一批有分量、有说服力的理论成果。

认真学习江泽民总书记5月31日在中央党校省部级干部进修班毕业典礼上的重要讲话，召开学习讲话精神座谈会，组织新闻媒体及时准确地宣传讲话精神，宣传各地各部门学习讲话的反映和体会，引导党员干部充分认识讲话的重大意义，深刻领会讲话的科学内涵，全面把握讲话的精神实质，把思想认识统一到讲话精神上来，落实到具体工作中去，更加自觉坚定地同以江泽民同志为核心的党中央保持一致，高举邓小平理论伟大旗帜，以求真务实的作风和奋发有为的工作实践“三个代表”。

2.认真贯彻落实《公民道德建设实施纲要》，加大思想道德建设的力度

各地各部门高度重视《公民道德建设实施纲要》的贯彻落实，普遍制定贯彻意见和实施细则，把贯彻《纲要》纳入到本地区本部门精神文明建设总体规划中，明确责任，狠抓落实。召开深入贯彻《公民道德建设实施纲要》座谈会，总结交流各地贯彻《纲要》的经验。运用多种形式，加大《纲要》基本精神和20字公民

基本道德规范的宣传教育力度。在新闻媒体组织公民道德建设知识竞赛和道德建设大讨论，在车站、码头、机场、公园、广场等公共场所普遍设立20字公民道德规范宣传标牌，使公民基本道德规范广为传播。广泛开展各具特色的道德实践活动，引导广大群众在参与活动中提高思想道德素质。加强对少年儿童的道德教育，实施“中国小公民道德建设计划”，江泽民总书记为活动题词，极大鼓舞了广大少年儿童争做“合格小公民”的积极性。开展争当“人民满意好公仆”活动，发挥党员干部在道德建设中的表率作用。

把爱国主义教育作为贯彻落实《纲要》的重点，大力宣传建设有中国特色社会主义的辉煌成就，增强干部群众的民族自豪感和自信心。加强爱国主义教育基地建设，改进展出手段，充分发挥基地教育作用。摄制播出系列电视片《爱我中华》，宣传介绍第二批全国爱国主义教育基地。升挂国旗、唱奏国歌等制度进一步健全，引导人们更加自觉地从日常具体事情做起，不断增进爱国情感。

深入开展形势政策教育。举办系列形势报告会，帮助人们及时了解国内外形势和党的路线方针政策，引导广大干部群众把思想和行动统一到中央应对复杂国际局势作出的重要判断和重大决策上来，统一到中央关于今年工作的总体要求和部署上来。加强马克思主义唯物论、无神论宣传教育。运用典型案例，深刻剖析“法轮功”邪教本质，帮助人们增强抵制愚昧迷信和歪理邪说的能力，反对邪教、崇尚文明的思想观念日益深入人心。

3. 群众性精神文明创建活动蓬勃开展，城乡文明程度和公民文明素质进一步提高

创建文明城市工作向纵深发展。大中城市特别是省会城市、沿海、沿江、沿交通干线中心城市的创建热情进一步高涨，城市面貌明显改观，社会风气进一步好转。推出首批创建文明社区示范点，产生了积极的辐射带动作用。科教、文体、法律、卫生“四进社区”活动在全国大中城市普遍启动，第一阶段以科普进社区为重点的各项活动稳步推进，受到社区居民的热烈欢迎。宣传推广广州、唐山、青岛等地创建文明城市的先进经验。创建文明村镇工作取得新的进展。创评“十星级文明农户”活动继续向前推进，创建文明小城镇活动广泛开展。创建文明行业活动不断深化。召开全国创建文明行业工作座谈会，部署以诚信建设为重点，深入开展创建文明行业活动。组织新闻媒体集中宣传了一批诚信建设的先进典型。推出第三批创建文明行业活动示范点。

4. 继续实施支持西部开发的精神文明建设工程，为贫困地区和困难群众办好事、办实事

继续组织实施“西部开发助学工程”，扩大资助范围，加大资助力度。从今年起，将资助范围由西部扩大到中部贫困面较大的省份，受助地区从12个省（区、市）扩大到20个省（区、市），受助大学生名额由每年1200名增加到2080名。同时，将助学工程由大学向高中阶段延伸，在受资助的20个省（区、市）各开办两个高中“宏志班”，每年资助学生2000人。召开“西部开发助学工程”工作座谈会，对下一步工作作出部署。继续推进“百县千乡宣传文化工程”，资助西部12个省（区、市）建设了105个县级宣传文化中心和301个乡镇宣传文化站。组织力量对工程建设和使用情况进行检查，确保工程顺利进行。组织“科普列车老区行”活动，深入河北、河南、湖北、江西四省老区，举办科普报告、技术培训、医疗服务等活动200多场，受到老区人民的欢迎。继续推进体育设施“雪炭工程”、青年志愿者扶贫接力计划。

5. 积极发展社会主义文化事业，丰富人民群众的精神文化生活

隆重纪念毛泽东《在延安文艺座谈会上的讲话》发表60周年。举办《毛泽东与文艺》大型展览，江泽民总书记参观展览，给予充分肯定。召开纪念座谈会，举行群众歌咏大会，组织广大文艺工作者重温《讲话》精神，激励他们积极投身改革开放和现代化建设的火热生活，创作出更多更好的优秀作品。围绕迎接党的十六大，组织规划创作生产一批反映时代精神、体现先进文化前进方向的精品力作。召开“五

个一工程”文艺创作座谈会，总结文艺创作经验。加强公共文化设施和基层文化工作队伍建设，支持“心连心”艺术团、乌兰牧骑、文艺“大篷车”、演出小分队等各种文艺团体，到广大城乡基层演出。精选历届“五个一工程”入选作品，送到基层和群众中去。纪念毛泽东同志“发展体育运动，增强人民体质”题词发表50周年，大力推进全民健身运动。

二、关于下半年的工作安排

下半年，我们党将召开第十六次全国代表大会，这是我们党在新世纪召开的第一次全国代表大会，是全党全国各族人民政治生活中的一件大事。做好下半年的精神文明建设工作，意义重大。精神文明建设工作要高举邓小平理论伟大旗帜，以“三个代表”重要思想为指导，坚持党的基本路线不动摇，坚持同以江泽民同志为核心的党中央保持高度一致。要深入学习宣传贯彻江泽民“5·31”重要讲话，用讲话精神统一思想，指导工作，为改革开放和现代化建设提供有力的思想保证，为党的十六大营造昂扬向上、团结奋进、开拓创新的良好氛围。

做好下半年工作，要继续按照年初确定的工作要求，以迎接、宣传、贯彻党的十六大，学习、宣传、实践“三个代表”为主线，兴起学习宣传贯彻“三个代表”重要思想的热潮，兴起宣传改革开放和党的建设辉煌成就的热潮，兴起学习宣传贯彻党的十六大精神的热潮。唱响共产党好、社会主义好、改革开放好，统一思想，凝聚力量，振奋精神，坚定信心，促进改革发展，维护社会稳定。着力培育和弘扬民族精神，不断丰富人们的精神世界，不断增强人们的精神力量，激励广大人民在建设有中国特色社会主义的征途上，始终保持奋发有为、昂扬向上的精神状态。

下半年要重点抓好以下工作。

1. 认真学习宣传贯彻江泽民“5·31”重要讲话，兴起学习宣传贯彻“三个代表”重要思想、迎接党的十六大的热潮

江泽民“5·31”重要讲话全面阐述了贯彻“三个代表”重要思想的根本要求，深刻回答了党和国家未来发展的一系列重大理论和实践问题，是一篇马克思主义的重要文献。讲话为党的十六大召开作了重要的政治、思想和理论准备，对于更好地团结和动员全党为实现历史和时代赋予我们党的庄严使命而不懈奋斗，具有重大而深远的意义。要把学习贯彻江泽民总书记“5·31”重要讲话精神作为当前的一项重要政治任务，切实抓紧抓好。要运用多种形式组织广大干部群众认真学习“5·31”重要讲话，把学习讲话精神与学习邓小平理论结合起来，与学习江泽民“七一”重要讲话和关于“三个代表”的一系列重要论述结合起来，牢牢把握贯彻“三个代表”的根本要求，深入领会精神实质，切实做到融会贯通，真正把广大党员干部的思想认识统一到中央的决策和部署上来。要大力发扬理论联系实际的马克思主义学风，深入研究关系全局的重大现实问题，坚持学以致用，努力把讲话精神贯彻到改革开放和现代化建设的实践中去。大力宣传实践“三个代表”的先进典型和成功经验。按照讲话精神，组织理论文章，进一步宣传和阐述“三个代表”重要思想。

继续深入进行马克思主义发展史和解放思想、实事求是思想路线的教育，弘扬与时俱进、开拓创新的精神，引导广大干部群众看到《共产党宣言》发表150多年来世界政治、经济、文化、科技等发生的重大变化，看到我国社会主义建设发生的重大变化，看到广大党员干部和人民群众工作、生活条件和社会环境发生的重大变化，适应实践的发展，以实践来检验一切，用发展着的马克思主义指导新的实践。重点抓好县（处）级以上领导干部的理论学习，坚持和完善党委中心组学习制度、领导干部在职自学制度和干部理论学习考核制度。积极推动“三个代表”重要思想进课堂、进教材、进学生头脑工作。

加强理论研究和宣传工作。编辑出版回答干部群众关心、现实生活提出的重大理论和实际问题的通俗理论读本。摄制播出电视政论片，形象生动地阐述“三个代表”重要思想。充分发挥党报党刊、广播电视、教育科研单位和讲师团在理论宣传中的作用。及时掌握思想理论

领域出现的新情况，加强对社会思潮的研究和引导。

党的十六大召开后，按照中央的统一部署，兴起学习宣传贯彻十六大精神的热潮。精心组织十六大精神的新闻宣传，组织十六大精神宣讲团、报告会，采取多种方式全面准确深入地学习宣传十六大精神，把广大党员和干部群众的思想统一到十六大精神上来，力量凝聚到实现十六大提出的各项任务上来。

2. 积极推进思想道德建设，加强和改进思想政治工作

全面贯彻落实《公民道德建设实施纲要》，积极建立与社会主义市场经济相适应的思想道德体系。要加大力度，持之以恒地宣传和倡导“爱国守法、明礼诚信、团结友善、勤俭自强、敬业奉献”的基本道德规范，使之在人们心中扎根，变为人们的自觉行动。要把党员领导干部和青少年作为道德教育的重点。继续制作播出公民道德建设系列电视专题片，办好电视公益广告大赛，推出一批主题鲜明、创意新颖、富有感染力和吸引力的思想道德电视公益广告精品。把道德教育与群众性精神文明创建活动紧密结合起来，把道德建设的要求融入创建文明城市、文明村镇、文明行业等各种形式的创建活动之中，大力倡导和广泛开展经常性社会捐助、无偿献血、希望工程、志愿者、手拉手、心连心、送温暖、幸福工程、尊老爱幼、春蕾计划、安康计划、保护环境、扶残助残、见义勇为、学生素质拓展计划等多种形式的道德实践活动。加强对《公民道德建设实施纲要》贯彻落实情况的检查，及时总结推广思想道德建设的先进经验。把道德建设与法制建设紧密结合起来，建立健全体现社会主义道德规范要求的各项规章制度，为道德建设提供有力的保证。

积极探索新形势下加强和改进思想政治工作的规律和办法，不断增强思想政治工作的针对性和实效性。紧密联系改革开放以来的实际，深入进行党的基本理论、基本路线、基本纲领教育，大力宣传改革开放以来特别是党的十三届四中全会以来我国改革开放的丰硕成果，社会主义政治、经济、文化建设的辉煌成就，党的建设的巨大成绩，展望新世纪建设有中国特色社会主义事业的光辉前景，进一步坚定广大干部群众的理想信念。坚持开展时事政策教育，通过报告会等多种形式，引导人们正确认识国内外形势。加强维护社会稳定的宣传教育，积极开展深入细致的思想政治工作，解疑释惑，化解矛盾。继续推进“四五”普法工作，增强人们的法制观念。探索高校学生思想政治教育的规律和办法，推动学生思想政治教育进网络、进社团、进学生公寓。坚持把解决思想问题同解决实际问题结合起来，把宣传教育群众同热情服务群众结合起来，满腔热情关心和帮助下岗失业人员、农村贫困人口等社会困难群体，开展多种形式的帮扶活动，把党和政府的关心和温暖送到他们的心坎上。广泛开展科学知识、科学思想、科学方法、科学精神普及教育。继续深入揭批“法轮功”邪教本质，做好“法轮功”痴迷者的思想转化工作。

3. 大力开展群众性精神文明创建活动，努力提高群众的思想道德和科学文化素质

要按照“拓展领域、充实内容、改进方法、提高水平”的思路，以“讲文明、树新风”为主题，坚持办好作用大、效果好的实事，丰富和提高创建活动的思想道德文化内涵，大力推进创建文明城市、文明村镇、文明行业等各种形式的创建活动。

创建文明城市活动要以社区为基础，以大中城市为重点。认真贯彻落实中央文明委《关于在城市深入开展创建文明社区工作的若干意见》和中办、国办转发的《关于在全国推进城市社区建设的意见》，充分发挥创建文明社区示范点的带动作用，进一步推动社区精神文明创建工作深入发展。继续抓好科教、文体、法律、卫生“四进社区”活动。举办科普报告会、注册科普志愿者、赠送科普挂图等，推进科普进社区；举办社区文化艺术周和社区趣味体育赛等，推进文体活动进社区；普及与社区居民生活密切相关的法律知识，引导居民学会运用法律手段解决问题、维护权益，推进法律进社区；配合城镇医疗卫生体制改革，完善社区卫生服务体系，努力提供医疗、保健等基本卫生服务，

做好社区计划生育工作，推进卫生进社区。组织力量，抓紧研究制定全国创建文明城市测评指标体系，认真落实创建文明城市规划，探索建立创建文明城市工作的长效机制。

创建文明村镇活动要以农户为基础，以小城镇为重点。继续推进“十星级文明户”等多种形式的创评活动，把党的方针政策、实用科技知识、良好道德风尚、健康文明的生活方式送到千家万户。认真落实创建文明小城镇工作座谈会精神，把创建文明小城镇工作抓紧抓好。积极推进以城带乡、城乡共建精神文明活动。继续开展文化科技卫生“三下乡”活动。高度重视农村人口控制和环境保护工作。

创建文明行业活动要以规范优质服务为基础，以加强诚信建设为重点。认真贯彻全国创建文明行业工作座谈会精神，在各行各业特别是在行政管理与执法部门、生产流通与社会服务、私营企业与中介组织等行业和领域，切实加大诚信建设力度，积极探索建立诚信机制，大力倡导诚实为本、操守为重的社会风尚。进一步推广社会服务承诺制、行政执法公示制、生产经营信誉制，加强优质规范服务，切实纠正各种行业不正之风。努力促进各行各业安全生产。制定下发《关于深入开展创建文明行业工作的若干意见》。加强对各级各类创建文明行业活动示范点的工作指导。继续开展创建文明风景旅游区活动，推出第五批全国创建文明风景旅游区示范点。扩大“百城万店无假货”活动的覆盖面，把活动向农村和中小城市延伸，向个体私营商店和专业批发市场拓展，组织引导个体工商户和私营企业参与创建无假货示范单位活动。在深入调研的基础上，抓紧制定加强非公有制经济领域精神文明创建工作的文件。深入开展创建文明机关、当好人民公仆活动，表彰人民满意的公务员和公务员集体。

继续开展创建文明单位、军民共建、警民共建等活动，广泛开展创建绿色社区、婚育新风进万家、青年文明号、五好文明家庭、环境警示教育、畅通工程、安全小区、安全校园、创建平安大道等活动，不断扩大群众参与面。积极探索区域性精神文明共建活动的新路子，促进文明城市、文明村镇、文明行业等多种创建活动有机结合，促进城乡文明程度的整体提高。各项工作都要狠抓落实，讲求实效，力戒形式主义。

做好第二批精神文明创建工作先进单位的推荐表彰工作，集中宣传一批精神文明创建工作先进典型，展示精神文明创建工作成果。同时，对1999年首批表彰过的先进单位进行全面复查。组织力量对党的十四届六中全会以来的精神文明创建工作情况进行调研，认真总结经验，明确目标任务，提出做好工作的措施。

4. 坚持先进文化前进方向，全面建设和繁荣我国的文化事业

要以“三个代表”要求统领社会主义文化建设，坚持为人民服务、为社会主义服务，坚持百花齐放、百家争鸣，弘扬优秀文化传统，立足改革开放和现代化建设的实际，着眼于世界科学文化发展前沿，积极进行文化创新，不断增强有中国特色社会主义文化的吸引力和感召力，以更多优秀作品，满足人民群众日益增长的精神文化需求。

加大精品战略实施力度。围绕迎接党的十六大，推出一批讴歌党的丰功伟绩，反映改革开放和现代化建设成就，体现中国先进文化前进方向的优秀作品，组织好展映、展播、展演工作。

活跃基层群众文化生活。加强公共文化设施和基层文化工作队伍建设，广泛开展群众性文化活动，推动社区文化、村镇文化、企业文化、军营文化、校园文化、广场文化、家庭文化建设，用健康有益、丰富多彩的群众文化占领基层思想文化阵地。积极支持“心连心”艺术团等各种文艺团体送演出到革命老区、田间地头、工厂矿区。精心组织好节庆日的群众文化活动。广泛开展“亿万人群健身活动”，推进全民健身运动。

强化阵地意识，坚持守土有责。一切宣传文化阵地、一切精神文化产品，都要成为宣传科学理论、传播先进文化、塑造美好心灵、弘扬社会正气、倡导科学精神的重要载体，绝不给错误和有害的东西提供传播渠道。要切实管

好小报小刊，高度重视和加强网络文明建设，努力清除各种有害信息。要加强文化市场的整顿管理，进一步加大“扫黄打非”工作力度，营造健康向上的文化氛围。

5. 加大对中西部地区精神文明建设支持力度，促进欠发达地区两个文明建设协调发展

精心实施“西部开发助学工程”，以高度负责的精神，认真做好受助学生的推荐、审核工作，确保资助款尽快送到受助学生手中。组织好受助学生暑期社会实践活动。动员各方力量，关心扶助贫困学生，努力解决因贫失学问题。进一步完善“百县千乡宣传文化工程”，切实加强对工程实施的指导、督促和检查，建立完善相关的责任制度，确保工程建设质量，确保充分发挥作用。对“百县千乡宣传文化工程”实施五年来的情况进行调查，总结经验，研究问题，提出对策。扎实推进广播电视的“西新工程”，进一步加强西部地区的广播电视覆盖，让党和国家的声音传入千家万户。支持贫困地区公共图书馆建设，为部分贫困县图书馆配送一批图书。文化科技卫生“三下乡”的重点要放在老区和贫困地区。组织“科普列车西部行”活动。实施残疾人助学工程。鼓励东部宣传文化科技教育卫生等部门对西部地区实行对口支援。所有资助款项，都必须严格管理，保证专款专用。

（2002 年 7 月 10 日）

胡振民：在创建文明行业工作座谈会上的讲话（节选）

（2002 年 5 月 13 日）

一、正确认识和估价创建文明行业的形势

以 1992 年邓小平同志南方谈话和党的十四大为标志，我国改革开放和现代化建设进入了一个新阶段，社会主义精神文明建设也进入了一个新阶段。以江泽民同志为核心的第三代中央领导集体，认真吸取过去由于“一手硬、一手软”，导致资产阶级自由化思潮泛滥，以至酿成大祸的教训，始终坚持“两手抓、两手都要硬”的方针，采取一系列重大举措，从多方面加强精神文明建设，取得了有目共睹的显著成绩。特别是党的十四届六中全会以来，从中央到地方普遍加大精神文明建设工作力度，群众性精神文明创建工作，每年都有新举措，每年都有新进展，呈现出蓬勃的推进、全面拓展的可喜局面。精神文明创建工作得到了各级党政领导的普遍重视和广大群众的热烈欢迎，为促进改革发展、维护社会稳定、密切党群关系发挥了积极作用，日益呈现出蓬勃的生机和旺盛的活力。

创建文明行业是群众性精神文明创建活动的重要组成部分，是把行业两个文明建设任务紧密结合、落实到基层的有效载体，是促进行业经济效益和社会效益共同提高的有效途径。党的十四届六中全会《决议》明确提出要以“服务人民、奉献社会”为宗旨，开展创建文明行业活动。几年来，各地各部门认真贯彻十四届六中全会精神，创建文明行业工作稳步推进，热潮迭起。1995 年，中宣部联合有关部委在全国开展了“百城万店无假货”活动，进行诚信教育，打击假冒伪劣，在全社会引起强烈反响，得到中央领导同志的充分肯定，社会效果很好。1996 年，中宣部和国务院纠风办在“窗口”行业联合组织开展了“为人民服务、树行业新风”主题活动，同时会同国家有关行业主管部门，

在铁道、邮电、卫生、民航、公安、金融、内贸、电力、交通、建设、民政、水利、司法、供销、税务、医药、海关、旅游、工商、气象等20个行业中推出了两批共500个创建文明行业活动示范点。1997年中央文明委成立后，按照江泽民同志关于开展“讲文明、树新风”活动的指示，在突出解决的四个重点问题中，把服务质量摆在了重要位置，促进了行业作风的好转。1998年和1999年，中央文明办和国务院纠风办会同有关部门开展行业规范化服务活动，在全国推出两批共12个行业（包括报警服务、车辆管理、电话安装、邮政营业、供水维修、物业管理、工商银行营业网点、铁路站车、城市供电营业、气象信息社会服务、民航空中服务）的规范化服务标准。去年，中央文明办和国务院纠风办为配合中央整顿和规范市场经济秩序的战略部署，召开电视电话会议，下发文件，要求深入开展创建文明行业活动。近年来，我们还组织中央新闻单位，集中宣传了烟台社会服务承诺制、石家庄出租车、济南交警和工商银行、漳州110、乌鲁木齐铁路局、国航飞行大队、徐州下水道四班、148全国法律服务热线、青岛公用事业98111服务热线、诸城市为民服务联动等一批先进集体，以及徐虎、李素丽、邱娥国等一批先进个人，很好地推动了创建文明行业工作。各地各部门也结合实际，开展了丰富多彩的创建活动，涌现出一批先进典型，创造了一批先进经验。去年中央颁布《公民道德建设实施纲要》以来，各地各部门又以此为契机，大力推广公民基本道德规范，加大职业道德建设力度，有效地提高了干部职工的素质，推动创建文明行业活动取得新的进展。

从总体上看，现在，各级党委政府和行业系统主管部门，对创建文明行业工作越来越重视。创建文明行业活动已经从部分行业发展到各行各业，从窗口单位延伸到整个行业系统。通过开展创建活动，过去一些行业和单位“冷、硬、拖、卡”，“门难进、脸难看、话难听、事难办”的状况已有很大改变，一些地方和行业假冒伪劣严重、欺诈活动盛行的状况也已有很大改变，不少地方人民群众正在越来越多地享受着文明服务、满意服务、规范服务、优质服务，日益感受到创建文明行业活动带来的新气象。创建文明行业活动在加强道德建设、规范行业行为，提高服务水平、树立行业新风，塑造良好形象、增强发展后劲等方面，都发挥了重要作用。

在充分肯定成绩的同时，也要清醒地看到，创建文明行业工作与形势发展和群众要求还有不少差距，特别是诚信缺失问题日益成为影响经济发展和社会稳定的一个热点难点问题。一些地方和领域严重存在的坑蒙拐骗、欺诈勒索、贪污贿赂、不讲信用、违纪违法等现象，引起广大群众与社会各界的强烈不满。在前不久召开的全国人大、全国政协会议上，诚信问题是“两会”代表、委员讨论和提案的集中话题之一。许多代表、委员谈到，不论是个人失信、企业失信还是政府失信，都会增加交易成本，导致经济运行效率下降，如果任其发展，必然造成人人自危，人人害怕上当，败坏社会风气，危害社会稳定。因此，加强诚信建设的问题，必须引起我们的高度重视，切实加大工作力度，把创建文明行业的工作引向深入。

二、充分认识加强诚信建设、深入开展创建文明行业活动的重要意义

江泽民同志在今年2月召开的全国金融工作会议上讲话时指出，信用在中文的基本解释就是，遵守诺言，实践成约，取信于他人。信用既属于道德范畴，又属于经济范畴。良好的社会信用是建立规范社会主义市场经济秩序的重要保证。江泽民同志特别强调，“全党全社会必须从改革发展稳定的大局出发，增强信用观念，建立和维护良好的社会信用。”朱镕基、胡锦涛、李岚清同志近年来也多次强调，要加强公民诚信道德建设、打击假冒伪劣商品、纠正行业不正之风。江泽民等中央领导同志的一系列重要指示，为我们把创建文明行业活动进一步引向深入指明了方向。我们一定要认真学习领会，从政治的高度、全局的高度、战略的高度，充分认识当前以加强诚信建设为重点，深入开展创建文明行业活动的重要现实意义。

1.加强诚信建设，深入开展创建文明行业

活动，是整顿和规范市场经济秩序，促进先进生产力发展的根本要求。信用制度是现代市场经济的基石。诚实守信是发展社会主义市场经济的信用基础。信用缺失，就会破坏正常的市场经济秩序，影响社会主义市场经济体制的建立和完善。如果任凭经济秩序混乱的状况发展蔓延，社会主义经济基础就会变质，实现社会主义现代化就没有希望。去年党中央作出了大力整顿和规范市场经济秩序的重大决策，这既是一项重要的经济工作，又是一项重大的政治任务。紧密配合整顿和规范市场经济秩序的需要，充分发挥创建工作在倡导诚信、弘扬正气、动员群众参与、形成社会氛围等方面的重要载体作用，可以有效地约束行业行为的随意性，限制市场经济的负面影响，为整顿和规范市场经济秩序，建立和完善社会主义市场经济体制夯实社会基础。

2. 加强诚信建设，深入开展创建文明行业活动，是适应进一步扩大对外开放的新形势，提高国民经济整体素质和竞争力的有效载体。诚信程度是衡量一个国家投资环境优劣的重要指标，也是国际形象的重要组成部分。去年我国正式加入了世贸组织，这标志着我国的对外开放进入了一个新的阶段。加入世贸组织，有利于我国社会主义市场经济体制的建立和完善，有利于我国国际地位的提高，有利于我国对外经济贸易环境的改善，同时也对加强信用建设，完善我国市场机制，提出了更高的标准和更严的要求。如果整个国家的信用环境建设存在较大问题，就会增加吸引外资、技术和人才的困难，加大我国参与国际竞争的成本。如果一个企业没有良好的信用，就会削弱企业竞争力，制约企业走向国际市场。种种失信行为，不仅直接影响消费者的利益，造成经济关系的混乱，而且直接影响整个中华民族在世界上的形象，影响整个国家在国际竞争中的利益。因此，在加入世贸组织的新形势下，信用问题已经不仅是局部问题，而且是全局问题；不仅是经济问题，而且是政治问题。以加强诚信建设为重点，深入开展创建文明行业活动，不仅是促进企业提高产品和服务质量，获得进入国际市场的通行证的迫切需要，而且是形成符合国际规范的良好市场环境，使我国在应对加入世贸组织带来的挑战中赢得主动的迫切需要。

3. 加强诚信建设，深入开展创建文明行业活动，是维护人民群众根本利益，为群众多办好事实事的具体体现。江泽民同志在中央文明委第一次全体会议上指出："精神文明建设工作的着眼点，一定要放在与群众利益密切相关、为群众所欢迎的事情上。每年要办几件作用大、影响大的实事。这样才能动员广大人民群众积极参与，也会有利于密切党和政府同人民群众的关系，增强人民群众对党和政府的信任和拥护。"各行各业的工作直接面向群众，直接关系到群众的衣食住行和安居乐业，直接影响到社会的人际关系和安定团结。能不能把群众的切身利益保护好，把群众关心的问题解决好，更直接影响到党和政府在人民群众中的威信。坚持以江泽民同志的重要指示为座右铭，在创建文明行业活动中，紧紧围绕加强诚信建设，集中力量办几件作用大影响大的好事实事，切实解决群众关心的热点难点问题，使群众不断获得切实的利益，不仅是更好地满足人民群众日益增长的物质文化需求，提高群众生活水平、改善生活质量的迫切需要，而且是密切党和政府同人民群众的血肉联系，提高党和政府在群众中威信的迫切需要。

4. 加强诚信建设，深入开展创建文明行业活动，是提高公民文明素质和社会文明程度，把用先进思想武装和提高人民群众的任务落到实处的重要环节。去年9月中央印发了《公民道德建设实施纲要》，这是党中央在新形势下加强思想道德建设的重大战略举措。《纲要》颁布以来，在全国已经兴起了学习、宣传、贯彻《纲要》的热潮。全面地深入地贯彻落实《纲要》精神，需要全党全社会相互配合，共同参与。一切行业部门和基层单位，尤其是与广大群众关系密切的窗口行业和执法部门，都要把道德建设与业务工作紧密结合起来；一切精神文明创建活动，社会公益活动，学习先进典型活动，重要节日和纪念日庆祝纪念活动，必要的礼仪、礼节、礼貌活动，都要突出思想内涵强化道德要求；一切共产党员、党政领导机关和党员领导干部，都要带头在实践社会主义道德方面做出表率；一切大众传媒、文化场所、精神文化产品，都要为推进公民道德建设创造良好的舆论文化氛围。这“四个一切”，应当说都与创建文明行业工作紧密相连。以全面贯彻《纲要》为契机，以加强诚信建设为重点，深入开展创建文明行业活动，普遍推广“爱国守法、明礼诚信、团结友善、勤俭自强、敬业奉献”的公民基本道德规范，大力倡导爱岗敬业、诚实守信、办事公道、服务群众、奉献社会的良好职业道德，不仅可以推动行业新风的形成，提高行业的文明程度，而且可以通过各行各业加强职业道德建设的广泛影响带动社会公德和家庭美德建设，促进全社会文明程度的提高和社会全面进步。

5. 加强诚信建设，深入开展创建文明行业活动，是促进各行各业服务人民奉献社会，为党的十六大召开营造良好社会环境的迫切需要。丁关根同志在去年底召开的中央文明委第十一次全体会议上指出，从现在起到党的十六大是一个非常重要的时期。今年统一思想的任务很重，改革发展的任务很重，维护稳定的任务很重。要多做统一思想、凝聚力量的工作，多做振奋精神、团结鼓劲的工作，多做得人心、暖人心的工作。以加强诚信建设为重点，深入开展创建文明行业工作，与经济建设和社会稳定紧密相关，与中央今年的工作部署和国家的发展目标紧密相关，应当说就是这“三个多做”的具体体现。做好这项工作，有助于把广大干部群众的思想进一步统一到邓小平理论和“三个代表”重要思想上来，统一到中央应对复杂国际局势作出的重要判断和重大决策上来，统一到中央关于今年工作的总体要求和部署上来；有助于启动国内市场，满足群众需求，化解社会矛盾，维护社会稳定；有助于推动各行各业的工作再上新台阶，促进各行各业两个文明建设的更大发展。这对于为党的十六大营造昂扬向上、团结奋进、开拓创新的良好氛围，具有十分重要的意义。

三、着力抓好加强诚信建设、创建文明行业的工作重点

当前和今后一段时间，深入开展创建文明行业活动总的要求是，坚持以江泽民同志“三个代表”重要思想为指导，贯彻落实“依法治国与以德治国紧密结合”的治国方略，全面实践“服务人民、奉献社会”的活动宗旨，着眼长远，立足当前，以加强诚信建设为重点，提高职业道德水平，集中解决那些直接关系群众切身利益、社会反映强烈的突出问题，带动各行各业的精神文明创建工作深入发展，为改革发展稳定的大局服务，为维护最广大人民群众的根本利益服务，为党的十六大营造良好的社会环境和舆论氛围。

按照中央文明委的部署，中央文明办从去年开始已经在全国组织了创建文明行业工作专项调研，并在汇总调研成果的基础上，起草了中央文明委《关于深入开展创建文明行业工作的若干意见》。这个文件去年底已在中央文明委各成员单位中征求过意见，这次会上又听取了大家的意见。会后中央文明办将对文件作进一步修改，上报审定后下发。文件中对创建文明行业工作的主要内容作了全面部署，对立足当前抓好重点提出了明确要求。各地各部门可以根据这个文件的原则精神和中央文明办、国务院纠风办去年联合下发的《关于认真贯彻中央整顿和规范市场经济秩序精神，深入开展创建文明行业活动的意见》，结合本地本部门实际，对下一步的创建工作做出具体安排。这里，我想着重强调以下五个工作重点。

1. 继续推进生产和流通领域的诚信建设，从根本上遏制假冒伪劣商品的泛滥。加强诚信建设，打击制售假冒伪劣商品等违法犯罪行为，是整顿和规范市场经济秩序的重要内容。中央最近强调，要在去年取得阶段性成果的基础上，以更大的决心和更有力的措施，把整顿和规范市场经济秩序的工作深入持久地开展下去。我们要认真落实中央工作部署，加大生产和流通领域的创建工作力度，为整顿和规范市场经济秩序做出新贡献。生产企业要把创建工作的着力点放在严格生产标准，确保产品质量上。流通行业要在继续改进服务态度、完善售后服务的基础上，着力解决好杜绝假冒伪劣商品的问题。要继续深入开展“百城万店无假货”活动，不断增加示范街、示范店的数量，同时把活动向批发市场、私营企业和个体劳动者延伸，进一步扩大活动覆盖面。各地各部门要从本地本部门实际出发，针对影响恶劣、危害严重的制假售假的重点商品、重点市场、重点地区和重点案件，把企业打假、商业打假与社会打假结合起来，加大整治力度，促进问题解决。

2. 不断深化服务行业的诚信建设，努力做到规范服务、优质服务。服务行业、服务“窗口”是我们近些年来一直抓的重点之一，创建活动力度比较大，规范化服务试点得到群众好评。随着国民经济的发展和人民生活水平的提高，群众对行业服务质量的要求在不断提高，我们的工作也要不断深入。以诚信建设为重点深入开展创建文明行业活动，要在服务行业全面推开规范服务工作。各行业各部门都要根据诚信建设的要求，制定出适合自身工作特点、简明具体、易于操作、便于考核的规范化服务标准和保证措施，落实到每个服务企业、每个服务人员，真正做到诚信经营、文明服务。对群众意见比较大的餐饮卫生、医疗卫生、物业管理、家政服务等方面的问题，有关部门要认真对待群众投诉，做好调查处理、调解纠纷、化解矛盾的工作；同时要从提高从业人员素质、完善管理制度入手，增加服务透明度，减少问题的产生。

3. 认真抓好中介组织的诚信建设，促进守法经营和公平竞争。律师事务所、会计师事务所、证券交易所、职业中介、租赁中介、出国中介、婚姻中介等中介组织，与市场经济发展和群众工作生活密切相关。由于近年来这些中介组织发展较快、管理跟不上，经营和服务中存在的问题不少。深入开展创建文明行业活动，要切实加强这方面工作中的薄弱环节，注意抓好各级各类中介机构的诚信建设。要把发挥政府部门的管理作用同发挥行业协会、职业联合会等行业组织的自律作用结合起来，积极探索有效形式，加强对从业人员的思想政治教育和职业道德教育，引导他们自觉按照国家有关法律法规开展经营和服务活动。要逐步推进执业公示制度，将中介收费、职业道德、执业规程、纠纷处置等内容，向社会公开，堵住信息误导、合同违约、价格欺诈、伪造凭证等不正当竞争行为和不法行为产生的漏洞，保证中介行业健康有序地发展。

4. 高度重视科教文化战线的诚信建设，为促进科技创新、教育发展、文化繁荣营造良好环境。科技、教育、文化，是社会主义精神文明建设的重要组成部分，在推动全社会的诚信建设中具有重要作用。目前，抄袭剽窃、弄虚作假、侵权盗版等现象的存在，不仅玷污了科教文化工作者的社会形象，而且对整个国家的科技创新、文化创新和整个民族创新能力的培养都产生了严重危害。最近，科技界、教育界、学术界针对引起社会普遍关注的学术腐败、知识产权问题，积极推动重建诚信的工作，社会反响很好。这是深入开展创建文明行业活动的一个重要切入点和结合点，要继续深入进行下去。加强科学界、教育界、学术界的诚信建设，要以加强学术道德建设为基础，大力倡导实事求是的科学精神和严谨的治学态度，加强学界自律。要针对存在的问题，采取切实措施，健全学术规范，强化学术监管，坚决反对和严肃处理各种沽名钓誉、投机取巧的学术道德失范行为，为形成良好的学术风气提供保障。加强文化行业的诚信建设，要重点加大尊重知识产权、保护知识产权的宣传教育力度，加大打击盗版侵权、制假售假的综合整治力度，维护文化市场的正常秩序，维护我国文化产业在国际竞争中的信誉。

5. 切实加强行政管理和执法部门的诚信建设，以树立行业新风的实际行动取信于民。行政管理部门和执法部门，是执行国家法规政策，保护人民群众根本利益，维护正常的社会秩序和经济秩序的专门力量。在老百姓心目中，这些部门就代表着党和政府。如果这些部门的诚信建设存在问题，哪怕只是个别部门、少数人员的问题，都会直接影响到党和政府在群众中的形象与威信。近些年来广泛开展的创文明机关、做人民满意公务员等创建活动，对促进行政管理部门和执法部门作风转变起到了积极作用。但是必须看到，目前广大群众对一些部门一些人员存在的言而无信、朝令夕改、有法不依、执法不严、以权谋私等问题，反映仍很强烈。大力加强行政管理和执法部门的诚信建设，进一步转变行政管理和执法部门的工作作风，加强廉政建设、密切党群关系，仍是创建文明行业工作的当务之急。要坚持不懈地加强管理队伍和执法队伍的理想信念和宗旨教育，加强纪律作风和职业道德建设，继续深入开展创文明机关、做人民满意公务员等活动，不断提高国家公务员和执法人员的政治水平和业务能力，以良好的作风为全社会加强诚信建设作出表率。直接面向社会、服务群众的行政管理部门和执法部门，凡工作性质允许的，都应当推广公示制、首问负责制等工作制度，增加工作透明度。在容易产生不正之风和违法乱纪行为的工作岗位和工作环节，要把明确权限、强化监督作为诚信建设的重点，认真解决以权谋私、徇私枉法、执法不严等群众反映强烈的问题，以实际行动取信于民。各级行政管理部门和执法部门都应当通过设立热线电话等方式，建立畅通的渠道，认真受理群众和企业的举报投诉，广泛听取群众的意见建议，自觉接受社会监督，更好地为人民服务。

四、努力提高加强诚信建设、创建文明行业的工作水平

在新形势下深入开展创建文明行业工作，一定要坚持解放思想、实事求是的思想路线和思想作风，创造性地开展工作，在实践中不断探索和创新，在发展中逐步改进和完善，不断地把工作做得更深、更细、更实、更好。

1. 深入进行以诚信为本的宣传教育活动，努力做到家喻户晓、人人皆知。提高认识、统一思想是做好工作的基础。加强诚信建设，深入开展创建文明行业活动，一定要做好宣传动员工作，把加强思想道德教育贯穿整个活动始终。要结合行业实际和干部群众的思想实际，广泛深入地开展“诚信为本、操守为重”，“诚信兴业、文明服务”的宣传教育。通过电视、广播、报刊、网络等大众媒体的正确引导，形成倡导诚实守信、有序竞争、守法经营、优质服务的良好社会氛围。同时要充分利用行业系统内的职工学校、党校团校等各类教育阵地，板报、内部刊物、闭路电视、有线广播等各种宣传工具，职工活动中心、图书室、俱乐部等各类文化活动场所，大力开展深入浅出、生动形象的信用道德和职业道德教育，做好解惑释疑、提高认识的工作，使信用观念真正深入每个干部职工心中，引导干部群众自觉遵守经济社会生活规范，抵制各种不讲信用、不符合职业道德的做法，以实际行动维护行业和单位的良好信誉。

2. 大力开展以诚信建设为主题的多种实践活动，切实解决群众反映强烈的突出问题。要把做好宣传教育与组织多种形式的道德实践活动结合起来，引导各行各业从与业务工作关系密切的具体事情抓起，从人民群众普遍关心的事情做起，多为群众办实事好事，使诚实守信的思想道德风尚在实践中不断发扬光大，使广大群众切实感受到行业作风的转变和服务质量的提高。要按照主题不变、充实内容、一抓到底、务求实效的要求，继续在各行各业的基层单位中广泛开展争创文明单位、文明窗口、文明班组、文明柜台、文明科室，争当文明职工、文明标兵、先进工作者等系列活动，使争先创优蔚然成风。要大力支持和积极引导各地各部门各人民团体认真抓好深受群众欢迎、具有广泛社会影响的“名牌项目”，并纳入创建文明行业的统一部署。要围绕加强诚信建设，把创建文明行业与创建文明社区、文明城市、文明村镇结合起来，积极探索区域性精神文明共建的新路子，更广泛地调动群众参与精神文明建设的积极性主动性创造性，大面积提高城乡文明程度。

3. 认真抓好行业创建活动示范点建设，努力形成以点带面的工作格局。从1996年到现在，我们在全国已经推出了三批共600个创建文明行业活动示范点，两批共12个规范化服务试点行业，四批共66条“百城万店无假货”活动示范街、200个示范店，四批共40个创建文明风景旅游区示范点，表彰了共1003个全国创建文明行业、文明单位工作先进单位。加上各地各行业自己推出的各类示范点，可以说已经形成了一个覆盖广泛的示范网络。这是创建工作的重要成果，也是继续推进创建工作的得力抓手。要抓好这些示范点的巩固提高，帮助他们不断总结经验，奋发进取，在诚信建设方面做出新成绩、新贡献。要按照分级管理的原则，对示范点组织经常性的检查和年度集中检查。根据检查情况，符合条件的继续认定，不符合条件的取消称号。要把典型示范与普遍提高结合起来，认真宣传和推广示范点的工作经验，带动更多的单位、行业进入先进行列。要注意随着形势发展的需要，树立新的示范点。当前特别要努力建设和大力宣传一批信用道德优良、信用行为过硬、信用制度健全、信用效果显著的示范点。中央文明委将在今年适当时候表彰第二批全国精神文明创建工作先进集体，各地各部门要把诚信建设的成效作为推选先进集体的一项重要标准，进一步扩大加强诚信建设的社会影响。

4. 切实加强建章立制和监督检查工作，努力推动诚信建设的规范化和公开化。加强机制建设，是创建工作正常运转、长期坚持、不断深化、健康发展的重要保证。以诚信建设为重点深入开展创建文明行业活动，必须坚持德治与法治紧密结合，积极探索综合运用教育、经济、行政、法制等多种手段，从制度上、体制上、机制上，解决问题，堵塞漏洞，加强薄弱环节，切实做到江泽民在金融工作会议讲话中要求的那样，使守信用的人和单位得到好处和便利，让不守信用的人和单位受到不便和处罚。要标本兼治，把提高职工队伍的文明素质与完善行业管理的规章制度结合起来，把集中整治与长效管理结合起来，使教育和管理在内容上相互衔接，在效应上相互补充。要把建立健全创建文明行业的工作机制，与深化行业改革、完善行业管理制度结合起来，把诚信建设的目标要求融入科学有效的日常管理工作中去。要把行业主管部门的检查考核与社会各界的监督检查结合起来，把加强行业自律与完善社会监督机制结合起来。通过人大代表、政协委员定期视察、聘请专门的监督员、群众评议行风、企业评议管理部门、基层单位评议上级机关、消费者投诉举报等途径和方式，广泛动员社会力量，反映群众呼声，保护人民利益。要充分发挥新闻单位的舆论监督作用，把群众反映强烈的问题公之于众，公开批评，使不法分子无处藏身，使不讲诚信的单位名誉扫地，使人们引以为戒。各级文明办、纠风办在加强诚信建设、创建文明行业工作中担负着重要职责，要在党委政府的领导下，与行业主管部门密切合作，切实担负起指导、协调、督促、检查的责任。

5. 要始终坚持与时俱进、开拓创新，不断增强工作的实效性。近些年来，许多地方和行业部门积极探索，大胆实践，逐步形成了一套符合自身实际、具有自己特点的工作方式方法。深入开展创建文明行业活动，对那些经过实践检验、行之有效的做法要一以贯之。同时，面对社会的深刻变革和形势的迅速发展，我们要在继承党的思想政治工作的优良传统，认真总结成功经验的基础上，以改革创新的精神不断探索解决问题的新途径、新办法，使创建活动始终保持蓬勃生机。要深入调查研究，认真思考新形势带来的新情况、新问题，深入分析产生不诚信行为的社会根源和思想根源，找准本地本行业存在的突出问题和薄弱环节，明确创新工作方式方法的努力方向。要不断更新工作手段，积极运用计算机和网络技术建立单位行为档案和个人信用纪录，使有违法违规和严重违约纪录的单位和个人受到有效监督。要善于运用多媒体和电信等科技手段，提高规范管理和规范服务的水平。许多国家的市场经济发展比我国早，市场机制比我国成熟，在规范市场竞争行为等方面有不少成功做法，也有失败的教训。我们要面向世界，博采众长，大胆吸收和借鉴一切体现现代化发展要求的管理方法，增强工作的科学性和时代感。要发扬脚踏实地、埋头苦干的工作作风，坚持虚功实做，力戒虚饰漂浮。凡是实践证明给群众带来实际利益的，就毫不动摇地坚持；凡是关系群众切身利益而又有条件做到的，就要抓紧去做；凡是不能给群众带来实际利益的，不管表面上多么热闹、多么好看，都必须坚决废止。

同志们，通过这次会议，我们已经进一步明确了下一步创建文明行业工作的任务要求。希望各地各部门认真学习领会中央领导同志加强诚信建设的一系列重要指示精神，按照中央文明委今年的工作部署和这次会议的要求，狠抓落实，以物质文明建设和精神文明建设的优异成绩向党的十六大献礼！

胡振民：在“西部开发助学工程”工作座谈会上的讲话(摘要)

（2002年6月11日）

中央宣传部、中央文明办、教育部在这里联合召开“西部开发助学工程”工作座谈会。来自20个省（区、市）和新疆生产建设兵团党委宣传部、文明办、教育厅（教委）和42所确定承办高中“宏志班”的学校领导聚集一堂，共商西部开发助学大计。这次会议的主要任务是：以“三个代表”重要思想为指导，贯彻落实江泽民总书记在西部大开发工作座谈会上的讲话精神，根据中央文明委关于加大“西部开发助学工程”资助力度的要求，研究工作，交流经验，通报情况，重点部署今年资助大学生和开办高中“宏志班”的有关工作。

一、正确估价“西部开发助学工程”实施两年来的工作成效

实施“西部开发助学工程”是中央文明委为贯彻落实中央西部大开发战略决策，帮助西部地区培养人才而采取的一项重要举措。这项工作是由中央领导同志亲自倡导并经中央同意，在中央文明委统一指导下，由中央宣传部、中央文明办、教育部从2000年开始组织实施的。“西部开发助学工程”实施以来，一直得到了中央领导的亲切关怀。胡锦涛、李岚清和丁关根同志都作出具体批示，为实施好这项工程指明了方向。根据中央领导同志的重要批示精神，按照中央文明委的统一部署，两年来，各级党委宣传部、文明办、教育行政部门，受助学生就读的高等院校，以及其他有关部门，对“西部开发助学工程”高度重视，积极配合，做了大量深入细致的工作，使“西部开发助学工程”取得了明显的成效。概括起来，主要表现在这样几个方面：

1. 中央有关部门切实加强组织协调工作，推动“西部开发助学工程”逐步走向正规。中央宣传部、中央文明办、教育部按照中央领导同志的指示精神，把“西部开发助学工程”工作列入重要议事日程。两年来，已经专门发了5个文件，开了4次工作会议。为了做好具体工作，中央宣传部和中央文明办组成了“西部开发助学工程”工作小组，会同教育部有关部门，多次深入基层调查研究，广泛听取各方面意见；拟订具体实施方案，安排受助学生推荐审核工作，编录受助学生管理数据库；加强与受助学生的联系，协调组织开展暑期活动，等等。经过两年的努力，目前“西部开发助学工程”已逐步走向规范化、制度化。

2. 有关省（区、市）精心组织实施工作，保证“西部开发助学”工作真正落到实处。两年来，西部12省（区、市）和新疆生产建设兵团、河北省、山西省对“西部开发助学工程”非常重视，各地都组成了由有关领导同志负责的专门小组，明确责任，狠抓落实，保证了“西部开发助学工程”的顺利实施。各地不断总结工作经验，修订实施细则，落实部门职责，完善审批制度，切实做到把品学兼优、有培养前途的优秀学生确定为资助对象。许多负责具体工作的同志不顾疲劳，长途跋涉，深入贫困山区核实情况。各有关地方还设立了举报电话，加强社会监督，经过层层把关、严格审核、新闻媒体公示，最后确定受助学生名单。2001年暑假期间，西部12省（区、市）和新疆生产建设兵团党委宣传部、文明办、教育厅（教委），还受中央宣传部、中央文明办、教育部委托，组织2000级受助学生开展了主题鲜明、内容充实、形式多样的暑期活动，起到了很好的教育作用，受到受助学生的热烈欢迎。

3.有关教育部门和高等院校高度重视受助学生的培养教育工作，保证了受助学生的健康成长。“西部开发助学工程”涉及到31个省（区、市）和新疆生产建设兵团243所高等院校。各省（区、市）、新疆生产建设兵团的教育部门和有受助学生的高等院校，都把“西部开发助学工程”列入重要议事日程，制定出具体措施，确定专人与受助学生保持联系，及时了解他们的思想、学习和生活情况，帮助他们解决实际困难，组织他们开展各种活动，取得了良好的成效。

4.新闻单位积极做好宣传工作，扩大了“西部开发助学工程”的社会影响。中央各有关新闻单位和有关省（区、市）的新闻单位都对“西部开发助学工程”给予了极大关注，配合这项工作做了大量的宣传报道。其中，中央电视台的《焦点访谈》，《人民日报》的长篇通讯，新华社、中国青年报的系列报道等，产生了广泛的社会影响。许多地方新闻媒体也对实施“西部开发助学工程”进行了广泛宣传，提高了“西部开发助学工程”的知名度，在全社会形成了良好的舆论氛围。

从总体上看，“西部开发助学工程”实施两年来，进展顺利、发展健康、成效明显，两年已经资助了2300名品学兼优的特困本科生。据了解，大多数受助学生能严格要求自己，在思想上进取，学习上争优，生活上节俭，纪律上从严，在同学中发挥了表率作用。各地陆续收到大量受助学生和家长的来信来电，表达他们对党和政府的感激之情。许多受助学生纷纷表示，一定要珍惜来之不易的机会，刻苦学习，打好基础，掌握本领，毕业后为建设家乡、报效祖国多做贡献，决不辜负党和政府的关怀和期望。“西部开发助学工程”在西部乃至全国都产生了强烈的社会反响，得到了广大人民群众广泛赞誉。这是中央领导同志高度重视的结果，也是宣传思想战线和教育战线有关同志共同努力的结果。在这里，我代表中央宣传部、中央文明办，向为实施这一工程不懈努力、辛勤工作的同志们表示衷心的感谢。

在充分肯定成绩的同时，也要看到，“西部开发助学工程”线长面广，情况复杂，实施时间不长，工作经验不足，还存在一些薄弱环节和不尽如人意之处。特别是，“西部开发助学工程”是在一个深刻变革、飞速发展、全面开放的社会环境中进行的，面临着许多新情况新问题，需要不断改进、不断完善。对此，我们一定要有足够的认识，工作越是顺利越要保持清醒的头脑，越要坚持不懈地扎实工作。

二、深刻认识“西部开发助学工程”的重要意义

实施“西部开发助学工程”是一项重要的政治任务，也是一项长期、艰苦的日常工作，任重道远。随着工作任务不断增加，社会影响逐渐扩大，我们肩负的责任也越来越重。要做到常抓不懈、加大力度、扩大成果，必须进一步做好统一思想、提高认识的工作。各有关地区的宣传部门、文明办、教育部门、高等学校，要从贯彻落实“三个代表”重要思想的高度，从服务改革发展稳定全局的高度，从为国家、民族培养更多合格接班人的高度，进一步加深对实施“西部开发助学工程”重要意义的认识。

1.“西部开发助学工程”是贯彻党中央西部大开发战略，促进经济欠发达地区经济和社会发展的基础工程。实施西部大开发，加快中西部地区发展，是党中央总揽全局，在分析国内外形势发展变化的基础上，为进一步推进我国现代化建设而作出的重大战略决策。实施西部大开发，教育是基础，人才资源是第一资源。

历史和自然条件等因素导致的教育落后、科技滞后、人才短缺，是西部地区经济社会欠发达的根本原因。而经济社会欠发达带来的家庭生活困难，又使西部一些通过中考、高考，本应升入高中、大学的优秀青年不能继续深造，使本已短缺的人才资源被浪费掉。如果这种相互制约的情况不能得到很好地解决，就会导致一种恶性循环。因此，“科教兴国”，教育先行，是振兴西部、繁荣西部的根本希望所在。今后若干年内，能否在西部地区建设一支宏大的高素质的人才队伍，直接关系到西部大开发战略的成败。组织实施“西部开发助学工程”，培养一批植根西部、心系西部的本土有用之才、栋梁之材，激发起他们心系桑梓、建设故乡、回报祖国的热忱和豪情，使他们成为开发西部、建设西部的生力军，既是推动西部经济社会发展的一项根本大计，也是尽快改变西部贫困落后面貌的当务之急。

2.“西部开发助学工程”是贯彻落实“三个代表”重要思想，为经济欠发达地区人民群众办实事的民心工程。江泽民同志在“5·31”重要讲话中强调指出，“贯彻‘三个代表’要求，关键在坚持与时俱进，核心在保持党的先进性，本质在坚持执政为民。”“在任何时候任何情况下，都必须坚持党的群众工作路线，把实现人民群众的利益作为我们一切工作的出发点和归宿。”由于我国经济社会发展不平衡，目前经济欠发达地区还存在相当数量的贫困家庭。在全面建设小康社会、加快推进社会主义现代化的进程中，把扶持困难群众的工作放在突出的位置，作为一项关系全局的重要工作来做，是党中央确定的当前党和政府工作的一个重点。中央文明委直接牵头组织实施“西部开发助学工程”，为特困大、中学生排忧解难、雪中送炭，其意义不仅限于帮助一批贫困家庭解决困难，资助一批贫困学生完成学业，而且还是认真落实江泽民同志关于“精神文明建设工作的着眼点，一定要放在与群众利益密切相关、为群众所欢迎的事情上。每年要办几件作用大、影响大的实事”的重要指示的具体体现，是精神文明建设工作为改革发展稳定大局服务的重要举措，是在加强精神文明建设的实践中不断实现好发展好维护好最广大人民的根本利益的必然要求。

3.“西部开发助学工程”是带动社会各界支持教育，推动西部地区精神文明建设的示范工程。尊师重教、扶贫济困，是中华民族的传统美德。尊重知识、爱护人才，是社会主义精神文明的重要内容，是社会进步的重要体现。近些年来，我们已经有了一些社会助学的成功做法，如希望工程、春蕾计划、宏志班等，这些都是精神文明建设的名牌项目。两年前，江泽民同志在谈到西部大开发时就强调，“在实施西部大开发的整个过程中，都要始终既重视物质文明建设又重视精神文明建设，既重视经济发展又重视社会发展，使物质文明建设和精神文明建设相得益彰，相互促进。”实施“西部开发助学工程”，不仅为西部一批贫困学子铺设了一条成才之路，更重要的是，弘扬了一种重视教育、尊重知识、鼓励成才的社会风气，发挥了带动全社会都来关心西部、支持西部的示范作用，调动了各部门和社会各界关心、支持和参与经济欠发达地区教育发展的积极性。两年来，不少地方政府和社会各界向贫困学生伸出了越来越多的援助之手。我们欣喜地看到，各方面关心、支持和参与经济欠发达地区教育事业发展和精神文明建设的热潮正在形成。

4.实施“西部开发助学工程”是密切党同青年的联系，为国家和民族培养合格接班人的希望工程。今年5月15日，江泽民同志在纪念共青团成立80周年大会上的讲话中指出：“马克思主义的政党只有赢得青年，才能赢得未来。中国共产党从诞生之日起，就同广大青年紧密联系。党的事业离不开青年，青年的成长更离不开党。”从烽火岁月到和平年代，从新中国建立之初到改革开放和现代化建设的新时期，我们党的三代领导核心始终把青年、青年学生看作祖国未来和民族的希望，从关心国家和民族前途命运的战略高度，高度重视青年和青年学生工作。按照党的三代领导的谆谆教诲，切实搞好“西部开发助学工程”，有助于进一步增强广大青年学生对马克思主义的信仰，增强他们对有中国特色社会主义的信念，增强他们对党和政府的信任，把他们培养成为有理想、有道德、有文化、有纪律的社会主义事业合格接班人。

三、切实加大“西部开发助学工程”的工作力度

根据中央领导同志的指示精神，中央文明委决定从今年开始，加大“西部开发助学工程”的工作力度。今年3月份，中央宣传部、中央文明办、教育部已经联合下发了《关于进一步做好“西部开发助学工程”实施工作的通知》，对今年有关扩大资助范围，增加受助大学生名额，开办高中“宏志班”，组织开展暑期活动等工作，作出了部署，提出了具体要求。主要包括4个方面：第一，扩大大学生的资助范围。由西部12省（区、市）和新疆生产建设兵团扩大到贫困面较大的河北、山西、黑龙江、安徽、江西、河南、湖北、湖南等省。第二，增加受资助大学生名额。资助大学生名额总数由每年的1200名增加到2080名，每人每学年的资助标准不变。所需经费从中央文化事业建设费和教育部管理的教育经费中支出。第三，开办高中“宏志班”。在上述资助范围的省（区、市）和新疆生产建设兵团选择若干省级示范性普通高中，开办“宏志班”，每年资助2100人，每人资助6000元（每学年2000元，分3个学年陆续拨付）。第四，加大资助力度。受助大学生和中学生，由所在学校免掉全部学费。

有关省、区、市特别是今年新增加的黑龙江、安徽、江西、河南、湖北、湖南等省委宣传部、文明办、教育厅（教委）和开办“宏志班”的学校，都要认真学习三部门有关文件精神，参照已经开展“西部开发助学工程”地区的成功经验，高度重视“西部开发助学工程”工作，把它列入重要议事日程，加强有关部门之间的配合协作，结合本身实际，分步骤、按程序认真做好各项具体工作。

1. 要规范操作程序，夯实工程基础。2002年“西部开发助学工程”将资助2080名大学生、2100名高中“宏志班”学生，涉及到千家万户，在某种意义上可以说是广大人民群众关注的焦点之一。在遴选受助学生时务必抓住推荐审核环节，规范申报程序，做好相关工作，为工程的顺利实施打下坚实的基础。要坚持“公开、公正、公平”的原则，坚持学生本人自愿申请、逐级审核报批的程序，真正把好事办实，实事办好。特别是，开办高中“宏志班”是“西部开发助学工程”向高中阶段的延伸，是一项新的工作，会遇到一些新问题，工作中一定要认真领会和正确贯彻三部门有关文件精神。为充分体现“西部开发助学工程”的带动、示范作用，在最大限度上发挥其社会影响力，“宏志班”应当坚持面向全省（区、市）招生。要充分依靠地方党委、政府及学生所在学校对学生是否具备品学兼优的标准作出判断。办班学校应保持相对稳定，以利于积累经验，不断提高办班质量，但同时也要实行动态管理，建立学校间的激励、竞争机制。要选配那些政治强、业务精、作风正、师德好，有丰富教学经验，善于做思想政治工作，有强烈的事业心和责任感的骨干教师，担任“宏志班”的班主任。对做出突出成绩的要予以表彰。

2. 要加强资金管理，确保专款专用。实施“西部开发助学工程”是精神文明创建工作的一项重要内容，也是一个“文明工程”，在资助款项的管理和使用上决不能出现疏漏，更不能出现不正之风。否则将给精神文明建设工作造成恶劣影响。所有参与此项工作的同志要充分认识这个问题的严肃性。各地、各部门都要认真制定有关“西部开发助学工程”资助资金使用、管理的具体规定，切实加强资助资金的使用管理。我们建议，可以推广与银行合作的做法，由文明办把资助款存入某一可全国通存通取的银行，为每个受助学生设立一个账户，由银行按月将资助款划入受助学生账户。开办“宏志班”所需的资金，除了中央三部门每人每学年资助2000元以外，不足部分应由学校和地方共同解决。“宏志班”资助款的使用，应由办班学校作出符合财务制度的具体规定，逐月发到受助学生手中。每人每学年2000元的资助款应全部发给受助学生，任何人、任何部门不得克扣、挪用。如果发生腐败现象，要坚决查处，决不姑息。

3. 要组织暑期活动，加强实践教育。组织受助大学生开展暑期活动是遵照中央领导同志指示，加强对受助学生跟踪培养的重要措施之一。对于跨入大学校门的学生来说，社会实践是他们开阔眼界、增长见识、感受社会、认清使命的必修课，是引导他们增强投身西部开发的历史责任感和刻苦学习、早日成才的紧迫感，树立起学成后为家乡建功立业的雄心壮志的有效途径。今年有关省（区、市）还要根据中央三部门的统一部署，围绕“受教育、长才干、做贡献”的主题，继续组织好这方面的活动：一是组织2001级受助大学生回本省（区、市）开展暑期活动；二是要求2000级受助学生利用暑假积极参加所在学校组织开展的各类社会实践活动。

4. 要加大宣传力度，营造良好氛围。对“西部开发助学工程”要继续搞好宣传报道。要通过新闻报道扩大社会影响，让人民群众了解这项“工程”，给品学兼优的贫困学子以希望，激励他们求学上进、立志成才，在全社会营造尊重知识、尊重人才的浓厚氛围。同时，通过宣传报道，充分反映党中央对贫困地区、对广大人民群众的亲切关怀，反映党和政府与群众心连心的深情厚谊。随着招生工作的展开，各地各部门应提前做好宣传报道的准备工作。有关新闻宣传单位要注意做好以下几个环节的报道：一是对推荐审核受助学生有关情况的报道；二是对受助学生入学情况的报道；三是对受助学生的日常培养教育的报道；四是对受助学生暑期社会活动的报道。

四、不断提高“西部开发助学工程”的工作水平

实施“西部开发助学工程”，意义深远、责任重大。要坚持解放思想、实事求是，坚持脚踏实地、埋头苦干，坚持与时俱进、开拓创新。要把从长计议与只争朝夕统一起来，把整体推进与突出重点协调起来，把统筹规划与分步实施结合起来。

1. 抓好协调，形成工作合力。“西部开发助学工程”由中央宣传部、中央文明办、教育部3个部门联合组织实施，政治性和政策性强，涉及面广，工作量大。各级党委宣传部、文明办、教育行政部门和各有关高校、高中、新闻单位，在实施过程中务必做到认识到位、责任到位，工作到位、配合到位。既要认真履行各自的职责，完成好自己承担的各项具体工作任务，同时又要互相配合，协调运作，优势互补，齐心协力，增强工作的整体效应。

受助学生就读学校分布在全国31个省（区、市），各地在资助款发放、加强与受助学生的联系及管理等方面的确存在一些实际困难，这是要加强协调的重点环节。各有关省（区、市）党委宣传部、文明办、教育部门要加强与高校的合作，及时沟通，密切联系，充分了解和及时掌握受助学生在校期间的思想、心理、学习和生活情况，共同做好受助学生的工作。

2. 抓好管理，建立运行机制。保证“西部开发助学工程”顺利实施，关键是要建立科学、有效的运行机制。各级党委宣传部、文明办、教育部门要根据中央三部门的统一部署，立足本地实际，充分调查研究，不断探索，就助学工程的组织实施、资助范围、名额分配、推荐条件、审批程序、管理监督、情况通报等有关事项，制定工作细则，提出明确要求，建立起相应的审核机制、监督机制、学生资金发放管理机制、学生动态管理机制、情况通报机制等有效的运行机制。

各地各部门要按照中央三部门文件的要求，对受助大学生实行动态管理。对这个问题一定要从“西部开发助学工程”整体工作角度出发，既要慎重处理，又不能姑息迁就，影响整个工程的社会形象。

3. 抓好培养，造就合格人才。实施“西部开发助学工程”的出发点和落脚点，是把受助学生培养成合格的社会主义事业建设者和接班人。实施这项工程的社会效果和评价标准，最终也取决于受助学生成才的数量和质量。在“西部开发助学”工作中，要高度重视对受助学生的教育、培养和锻炼，不仅解决好他们经济上和生活中的困难，更要关心他们的全面健康成长。要加强与受助学生的联系，把资助与教育紧密结合起来，引导受助学生努力做到江泽民要求的“四个坚持”，即坚持学习科学文化与加强思想修养的统一；坚持学习书本知识与投身社会实践的统一；坚持实现自身价值与服务祖国人民的统一；坚持树立远大理想与进行艰苦奋斗的统一。

各地各有关部门在实施“西部开发助学工程”过程中，要始终坚持以培养德才兼备、全面发展的高素质人才为工作目标，重点抓好以下几方面教育工作：一是在政治上，要高标准严要求。要积极组织受助学生学习马列主义、毛泽东思想、邓小平理论和“三个代表”重要思想，着力加强爱国主义、集体主义、社会主义教育，培养他们树立正确的世界观、人生观、价值观，使受助学生做到在政治上要求进步，坚定地拥护共产党和社会主义，愿意为西部大开发贡献自己的青春和才华。二是在专业学习上，要注重培养严谨的学风、刻苦的精神，要求他们珍惜学习机会，努力掌握现代科学文化知识，积极参加各类社会实践，发奋向上，立志成才。三是在生活上，不要特殊照顾，要和普通学生一视同仁，要求他们不慕奢华，不事攀比，自觉抵制一切不良生活方式的影响，保持艰苦朴素的本色。

4. 抓好监督，防止不正之风。两年来的实践证明，充分发挥社会监督的作用，是“西部开发助学工程”得到人民群众广泛赞誉，没有出现不正之风的有效措施。在今后的工作中，要一如既往地坚持“公开、公平、公正”的根本原则，坚持充分细致的调查摸底工作，坚持学校和乡镇、县、地市、省层层把关的严格审核程序，坚持在学校和当地主要新闻媒体上公示的制度，有条件的还要公布举报电话，建立有效的社会监督机制。对群众举报的问题，要认真核查，坚决纠正。一定要把“西部开发助学工程”办成“阳光工程”，把每一个环节和程序都置于人民群众的监督之下，坚决杜绝不正之风。

同志们，西部大开发是一项开创性的伟大事业，实施“西部开发助学工程”也是一项开创性的光荣事业。希望各地、各有关部门、有关单位以对党的事业高度负责的政治态度，以为群众排忧解难的深厚感情，以奋发有为的工作精神，切实把这项利国利民的好事办实、办好。

翟卫华：在“西部开发助学工程”开办高中“宏志班”新闻发布会上的讲话

（2002年9月18日）

“西部开发助学工程”实施三年来，进展顺利，发展健康，成效明显，反响很好。特别是今年此项工程扩大资助范围，加大资助力度，开办面向特困生的高中“宏志班”，更引起多方面的关注。今天，中央宣传部、中央文明办、教育部专门就开办高中“宏志班”召开新闻发布会。我代表三家主办单位，向大家介绍在“西部开发助学工程”中开办“宏志班”的有关情况。

一、开办高中“宏志班”是“西部开发助学工程”的延伸和发展，是帮助中西部地区发展的一项新举措，是为困难群众办的一件实事

“西部开发助学工程”是经中央领导同志亲自倡导并经中央同意，在中央文明委统一指导下，由中央宣传部、中央文明办、教育部从2000年开始组织实施的。三年来，“西部开发助学工程”取得明显成效，引起良好反响。随着“西部开发助学工程”社会影响的不断扩大，贫困家庭对“西部开发助学工程”寄予更多希望。根据广大群众的呼声，根据中央领导同志的指示精神，中央文明委决定从今年开始，加大“西部开发助学工程”的工作力度，在西部12省（区、市）和河北、山西、黑龙江、安徽、江西、河南、湖北、湖南等省以及新疆生产建设兵团选择若干省级示范性普通高中，开办42个“宏志班”，每年资助2100人，每人每学年资助2000元，并由所在学校免掉全部学费。

开办高中“宏志班”，有三个方面的重要意义：一是更好地实践“三个代表”的要求，为困难群众排忧解难，体现党和国家对困难群众的关怀。“西部开发助学工程”资助开办高中“宏志班”，不仅可以直接帮助品学兼优的特困学生继续高中学业，而且可以通过示范作用引起全社会对这个问题的广泛关注，开辟多种渠道资助特困高中生。二是使“西部开发助学工程”扩展延伸，更好地培养西部大开发和社会主义现代化建设的优秀人才。中央领导同志曾明确指出，我们要舍得花力气、拿本钱，下决心为建设有中国特色社会主义事业培养造就一批栋梁之材。资助开办“宏志班”，作为一项培养人才、培养社会主义接班人的战略性举措，将“西部开发助学工程”资助范围延伸到高中，并且对将来考入重点大学的“宏志班”毕业生，凡符合“西部开发助学工程”资助大学生条件的，在履行规定的程序后，作为候选资助对象予以重点考虑。此举不仅可以通过资助时间的延长，进一步增强贫困学子对党和政府的深厚感情，而且可以使我们对品学兼优的特困学生的重点关注时间向前延伸，通过在更长的时间里做更多的工作，培养出更多高质量的人才和接班人。三是有助于更好地完善高中“宏志班”助学形式。这次“西部开发助学工程”在中西部地区和贫困面较大的省同时资助开办“宏志班”，可以促进“宏志班”形成规模，明确规范，更好地总结办学经验，提高办学质量，使之健康发展。

二、“西部开发助学工程”高中“宏志班”开办工作进展顺利，受到社会好评

遵照中央文明委的工作安排，从今年初开始，开办“宏志班”的筹备工作就着手进行，在充分调研的基础上，中宣部、中央文明办、教育部发出《关于进一步做好“西部开发助学工程”实施工作的通知》，专门召开会议进行工作部署，对办“宏志班”的原则、程序、办法、资金等有关事项提出了明确要求。经过紧张工作，在2002年新学年，首届西部开发助学工程“宏志班”已经正式开办。

“宏志班”所在学校的确定，经过了严格考评、筛选。这些学校基本上都在地（市）级政府所在地的城市，其师资力量、教学设施、住宿条件等方面能基本保证“宏志班”的教学质量，升学率较高（近三年的高考升学率平均达到了92%），各种费用相对较低。

“宏志班”学生的招收，本着“雪中送炭”的原则，招收品学兼优、家庭贫困、无力完成高中学业的学生。有关省（区、市）教育厅（教委）根据“西部开发助学工程”的有关要求就高中“宏志班”的招生范围、录取程序、学籍管理等，作出了具体规定。中考成绩公布后，在学生本人自愿申请的基础上，采取自下而上、逐级审核、学校参与的办法确定受资助学生名单。坚持“公开、公平、公正”的原则，“宏志班”学生的资助条件、申报程序等事项以及受资助学生候选名单在本地主要新闻媒体和学生所在初中公布，接受社会监督。到目前为止，我们没有发现在推荐审核过程中出现任何不正之风现象。

今年确定资助的2100名高中“宏志班”学生主要具有两个特点：一是受助学生范围广，基本涵盖了所在省（区、市）和新疆生产建设兵团各个市（区、地、州、盟）；二是受助学生综合素质较高，中考成绩均超过户籍所在地的重点高中录取分数线。据不完全统计，团员约占95%，在初中阶段被评为优秀团员、优秀学生干部、三好学生的约占50%，获得过各级各类数学、物理、化学等竞赛名次的约占40%。

各开办高中“宏志班”的学校对此项工作非常重视，均成立了由校主要领导为组长的专

门小组，积极开展工作：一是对学生进行了入学教育，通过组织资助款发放仪式或开班典礼，教育辅助学生以实际行动实现“宏图寄党恩，志远为国兴”的誓言。二是生活上关心，有的学校为“宏志班”学生购置了基本住宿用品，有的免费进行常规体检和注射预防疫苗等等；三是经济上予以照顾，有不少学校通过党员、教师捐款、企业赞助等多种方式筹措，设立了助学基金或奖学金。四是加强管理，普遍选配懂中学生心理的骨干教师担任“宏志班”的班主任，配备了优秀教师、教学能手担任教师，及时建立了学生档案。

“西部开发助学工程”开办高中“宏志班”，普遍受到广大干部群众的拥护和好评，被群众称为西部助学的“绿色通道”、“阳光之路”。新疆维吾尔自治区教育厅一位负责同志说，开办高中“宏志班”对少数民族地区和贫困地区尤其有重要意义，有利于发展本地区的教育事业，有利于增进民族团结。招生过程中，发生了许多感人的事情。有的基层干部，不顾疲劳，长途跋涉，翻山越岭，深入到贫困地区、贫困家庭核实情况，群众热情迎送。黑龙江省林甸县贫困学生马秋玲被列入资助对象后，邻居一位80多岁的老大娘激动地要向工作人员下跪，她说：“过去只看过政府给贫困群众送米送面送饺子，可从没听说过政府送贫困孩子上学，这才是真正给孩子出路呀。”今年陕西省陕南地区遭受特大洪灾，佛坪县初中毕业生李远杰一夜之间父母在洪灾中双亡，只剩下一个读中专的姐姐。在各级领导关怀和有关部门的努力下，李远杰被列入“宏志班”资助对象，招入西安市83中学“宏志班”就读。李远杰在班会发言中说：我虽然在洪灾中失去了亲人，失去了家，但在社会主义大家庭里处处是亲人，党和政府是我的家，“宏志班”是我的家，83中学的老师和同学们是我的亲人，我一点也不孤单。今年9月6日，湖南省怀化市首届“宏志班”全体学生给中央文明委写了一封信，上边有50个孩子的签名。他们的父母有农民、有双下岗职工、有残疾人，有的甚至失去了双亲。走进“宏志班”，他们感受到党和政府的关怀、社会的关爱，决心刻苦学习、立志成才、回报社会、报效祖国。这封信使我们深受感动，也是对我们的激励，更加感到这项工作的意义。

三、以“三个代表”重要思想为指导，努力把“西部开发助学工程”“宏志班”办成为西部大开发培养优秀人才、为我国现代化建设培养合格建设者、为有中国特色社会主义事业培养可靠接班人的一个重要阵地

首届“宏志班”的开办十分成功，这是一个良好的开端，我们有了一块培养合格接班人的新阵地。我们也看到，如何巩固和发展这块阵地，更好地发挥它的作用，面临很多新情况、新问题，需要我们认真探索，付出更加艰苦的努力，把实事办好，好事办实。下一步，我们要在以下几方面加大工作力度。

一是进一步做好统一思想、提高认识的工作。要从贯彻落实“三个代表”重要思想的高度，从服务改革、发展、稳定大局的高度，从为国家、民族培养合格人才的高度，加深对这项工作的认识，带着对群众的深厚感情，做好这项工作，增强自觉性、主动性。

二是把物质资助与教育培养结合起来。通过资助，帮助困难学生解决生活困难，提供必不可少的生活学习条件是十分重要的。但更重要的是加强对受助学生的教育、培养和锻炼。要根据他们思想的特点和发展变化的规律加强思想道德教育，帮助他们树立正确的世界观、人生观、价值观，树立自立自强精神，形成勇于克服困难、迎接挑战、奋发有为的坚强品格，保持艰苦朴素的本色。帮助他们掌握科学方法和现代科学文化知识。总之是要使他们成为德、智、体、美全面发展的有理想、有道德、有文化、有纪律的社会主义事业合格建设者和可靠接班人。

三是加强管理，完善机制。要在今年工作的基础上，加强调查研究，探索规律，总结经验，完善“宏志班”招生和资助的各项制度，形成工作细则，提出明确要求，建立相应机制。对已经开办的“宏志班”，要及时了解情况，研究问题，科学管理。

四是进一步形成工作合力。“宏志班”工作

涉及许多部门、许多单位，大家既要认真履行各自的职责，完成好自己承担的任务，又要加强配合，优势互补，齐心协力，形成整体效应。

四、加强对“西部开发助学工程”及“宏志班”的宣传，努力为党的十六大营造良好氛围

当前，全党和全国各族人民正满怀豪情，以实际行动迎接党的十六大。江泽民同志在会见出席全国宣传部长会议和全国组织工作座谈会全体同志时指出：“为党的十六大营造良好氛围，意义十分重大，是当前宣传思想工作的头等大事。”西部开发助学工程及其宏志班从一个方面生动反映了我们党认真实践“三个代表”，全心全意为广大群众谋利益，生动反映了共产党好、社会主义好、改革开放好。我们要把“西部开发助学工程”及其“宏志班”的宣传，纳入迎接十六大宣传的总体布局中，切实抓紧抓好。要大力宣传“西部开发助学工程”取得积极进展和明显成效，宣传工程的重要作用和良好反响，宣传各地各学校的各具特色的做法和成功经验。要深入基层，深入学校，抓住典型事例，深入挖掘。要通过我们的宣传报道，进一步扩大“西部开发助学工程”的影响，动员各界都来关心和支持这项工作，动员全社会都为帮助困难群体贡献力量，进一步形成扶贫济困的良好社会风气。要通过我们的宣传，使广大群众看到党和政府为解决贫困家庭子女上学问题采取的措施，感受到党的关怀、社会的温暖，从而增强对党和政府的信任，增强对走有中国特色社会主义道路的信心，努力为党的十六大营造团结奋进、昂扬向上、开拓创新的良好氛围。

法规·文件

LAWS AND DOCUMENTS

中华人民共和国科学技术普及法

（2002年6月29日第九届全国人民代表大会常务委员会第二十八次会议通过）

第一章 总 则

第一条 为了实施科教兴国战略和可持续发展战略，加强科学技术普及工作，提高公民的科学文化素质，推动经济发展和社会进步，根据宪法和有关法律，制定本法。

第二条 本法适用于国家和社会普及科学技术知识、倡导科学方法、传播科学思想、弘扬科学精神的活动。

开展科学技术普及（以下称科普），应当采取公众易于理解、接受、参与的方式。

第三条 国家机关、武装力量、社会团体、企业事业单位、农村基层组织及其他组织应当开展科普工作。

公民有参与科普活动的权利。

第四条 科普是公益事业，是社会主义物质文明和精神文明建设的重要内容。发展科普事业是国家的长期任务。

国家扶持少数民族地区、边远贫困地区的科普工作。

第五条 国家保护科普组织和科普工作者的合法权益，鼓励科普组织和科普工作者自主开展科普活动，依法兴办科普事业。

第六条 国家支持社会力量兴办科普事业。社会力量兴办科普事业可以按照市场机制运行。

第七条 科普工作应当坚持群众性、社会性和经常性，结合实际，因地制宜，采取多种形式。

第八条 科普工作应当坚持科学精神，反对和抵制伪科学。任何单位和个人不得以科普为名从事有损社会公共利益的活动。

第九条 国家支持和促进科普工作对外合作与交流。

第二章 组织管理

第十条 各级人民政府领导科普工作，应将科普工作纳入国民经济和社会发展计划，为开展科普工作创造良好的环境和条件。

县级以上人民政府应当建立科普工作协调制度。

第十一条 国务院科学技术行政部门负责制定全国科普工作规划，实行政策引导，进行督促检查，推动科普工作发展。

国务院其他行政部门按照各自的职责范围，负责有关的科普工作。

县级以上地方人民政府科学技术行政部门及其他行政部门在同级人民政府领导下按照各自的职责范围，负责本地区有关的科普工作。

第十二条 科学技术协会是科普工作的主要社会力量。科学技术协会组织开展群众性、社会性、经常性的科普活动，支持有关社会组织和企业事业单位开展科普活动，协助政府制定科普工作规划，为政府科普工作决策提供建议。

第三章 社会责任

第十三条 科普是全社会的共同任务。社会各界都应当组织参加各类科普活动。

第十四条 各类学校及其他教育机构，应当把科普作为素质教育的重要内容，组织学生开展多种形式的科普活动。

科技馆（站）、科技活动中心和其他科普教育基地，应当组织开展青少年校外科普教育活动。

第十五条 科学研究和技术开发机构、高等院校、自然科学和社会科学类社会团体，应当组织和支持科学技术工作者和教师开展科普活动，鼓励其结合本职工作进行科普宣传；有条件的，应当向公众开放实验室、陈列室和其他场地、设施，举办讲座和提供咨询。

科学技术工作者和教师应当发挥自身优势和专长，积极参与和支持科普活动。

第十六条 新闻出版、广播影视、文化等机构和团体应当发挥各自优势做好科普宣传工作。

综合类报纸、期刊应当开设科普专栏、专版；广播电台、电视台应当开设科普栏目或者转播科普节目；影视生产、发行和放映机构应当加强科普影视作品的制作、发行和放映；书刊出版、发行机构应当扶持科普书刊的出版、发行；综合性互联网站应当开设科普网页；科技馆（站）、图书馆、博物馆、文化馆等文化场所应当发挥科普教育的作用。

第十七条 医疗卫生、计划生育、环境保护、国土资源、体育、气象、地震、文物、旅游等国家机关、事业单位，应当结合各自的工作开展科普活动。

第十八条 工会、共产主义青年团、妇女联合会等社会团体应当结合各自工作对象的特点组织开展科普活动。

第十九条 企业应当结合技术创新和职工技能培训开展科普活动，有条件的可以设立向公众开放的科普场馆和设施。

第二十条 国家加强农村的科普工作。农村基层组织应当根据当地经济与社会发展的需要，围绕科学生产、文明生活，发挥乡镇科普组织、农村学校的作用，开展科普工作。

各类农村经济组织、农业技术推广机构和农村专业技术协会，应当结合推广先进适用技术向农民普及科学技术知识。

第二十一条 城镇基层组织及社区应当利用所在地的科技、教育、文化、卫生、旅游等资源，结合居民的生活、学习、健康娱乐等需要开展科普活动。

第二十二条 公园、商场、机场、车站、码头等各类公共场所的经营管理单位，应当在所辖范围内加强科普宣传。

第四章 保障措施

第二十三条 各级人民政府应当将科普经费列入同级财政预算，逐步提高科普投入水平，保障科普工作顺利开展。

各级人民政府有关部门应当安排一定的经费用于科普工作。

第二十四条 省、自治区、直辖市人民政府和其他有条件的地方人民政府，应当将科普场馆、设施建设纳入城乡建设规划和基本建设计划；对现有科普场馆、设施应当加强利用、维修和改造。

以政府财政投资建设的科普场馆，应当配备必要的专职人员，常年向公众开放，对青少年实行优惠，并不得擅自改作他用；经费困难的，同级财政应当予以补贴，使其正常运行。

尚无条件建立科普场馆的地方，可以利用现有的科技、教育、文化等设施开展科普活动，并设立科普画廊、橱窗等。

第二十五条 国家支持科普工作，依法对科普事业实行税收优惠。

科普组织开展科普活动、兴办科普事业，可以依法获得资助和捐赠。

第二十六条 国家鼓励境内外的社会组织和个人设立科普基金，用于资助科普事业。

第二十七条 国家鼓励境内外的社会组织和个人捐赠财产资助科普事业；对捐赠财产用于科普事业或者投资建设科普场馆、设施的，依法给予优惠。

第二十八条 科普经费和社会组织、个人资助科普事业的财产，必须用于科普事业，任何单位或者个人不得克扣、截留、挪用。

第二十九条 各级人民政府、科学技术协会和有关单位都应当支持科普工作者开展科普工作，对在科普工作中做出重要贡献的组织和个人，予以表彰和奖励。

第五章 法律责任

第三十条 以科普为名进行有损社会公共利

益的活动，扰乱社会秩序或者骗取财物，由有关主管部门给予批评教育，并予以制止；违反治安管理规定的，由公安机关依法给予治安管理处罚；构成犯罪的，依法追究刑事责任。

第三十一条 违反本法规定，克扣、截留、挪用科普财政经费或者贪污、挪用捐赠款物的，由有关主管部门责令限期归还；对负有责任的主管人员和其他直接责任人员依法给予行政处分；构成犯罪的，依法追究刑事责任。

第三十二条 擅自将政府财政投资建设的科普场馆改为他用的，由有关主管部门责令限期改正；情节严重的，对负有责任的主管人员和其他直接责任人员依法给予行政处分。

扰乱科普场馆秩序或者毁损科普场馆、设施的，依法责令其停止侵害、恢复原状或者赔偿损失；构成犯罪的，依法追究刑事责任。

第三十三条 国家工作人员在科普工作中滥用职权、玩忽职守、徇私舞弊的，依法给予行政处分；构成犯罪的，依法追究刑事责任。

第六章 附 则

第三十四条 本法自公布之日起施行。

中共中央
关于认真学习贯彻党的十六大精神的通知

为深入学习贯彻党的十六大精神，把全党和全国各族人民的思想统一到十六大精神上来，同心同德地完成十六大确定的各项任务，确保党和国家在新世纪新阶段奋斗目标的胜利实现，现就有关问题通知如下。

一、充分认识学习贯彻十六大精神的重大意义

党的十六大是我们党在新世纪召开的第一次代表大会，也是我们党在开始实施社会主义现代化建设第三步战略部署的新形势下召开的一次十分重要的代表大会。大会把“三个代表”重要思想同马克思列宁主义、毛泽东思想、邓小平理论一道确立为党的指导思想，提出了新世纪新阶段党和国家的奋斗目标和行动纲领。大会批准了江泽民同志代表十五届中央委员会所作的《全面建设小康社会，开创中国特色社会主义事业新局面》的报告，批准了中央纪律检查委员会的工作报告，审议通过了《中国共产党章程（修正案）》，选举产生了新一届中央领导集体。这次大会是一次团结的大会、胜利的大会、奋进的大会，极大地振奋了全党和全国各族人民的精神，进一步展示了我们党坚持改革开放、维护世界和平与促进共同发展的良好形象，对我们党和国家事业的发展具有重大的历史意义。

江泽民同志的报告，坚持以马克思列宁主义、毛泽东思想和邓小平理论为指导，从历史和时代的高度，全面分析了我们党面临的国际国内形势，科学总结了改革开放以来特别是十三届四中全会以来党领导人民建设中国特色社会主义的基本经验，进一步阐述了“三个代表”重要思想的历史地位和贯彻“三个代表”重要思想的根本要求，明确提出了全面建设小康社会的奋斗目标和推进各方面工作的方针政策，深刻回答了关系党和国家未来发展的一系列重大理论和实际问题，对建设中国特色社会主义经济、政治、文化和加强党的建设等各项工作做出了全面部署。报告主题鲜明、内涵丰富、思想深刻、论述精辟，体现了解放思想与实事求是的高度统一，理论创新与实践创新的高度统一，总结过去与规划未来的高度统一，立足国情与面向世界的高度统一，具有很强的理论性、思想性、前瞻性和指导性，是一篇马克思主义的纲领性文献，是我们党在新世纪新阶段的政治宣言，是全面建设小康社会、加快推进社会主义现代化的行动纲领。

认真学习贯彻十六大精神，是全党当前和今后一个时期的首要政治任务。用十六大精神统一全党和全国各族人民的思想，激励全党和全国各族人民继续艰苦奋斗，奋力开创中国特色社会主义事业新局面，对于确保社会主义中国在风云变幻的国际局势中始终保持安定团结和强大生机，确保我们党始终走在时代前列和不断增强创造力、凝聚力、战斗力，确保我们胜利实现全面建设小康社会的奋斗目标，具有重大的现实意义和深远的历史意义。

二、全面准确地把握十六大的基本精神

高举邓小平理论伟大旗帜，全面贯彻“三个代表”重要思想，继往开来，与时俱进，全面建设小康社会，加快推进社会主义现代化，为开创中国特色社会主义事业新局面而奋斗，这是十六大的主题。要紧紧围绕这个主题，认真学习江泽民同志的报告，全面把握十六大精神。

“三个代表”重要思想是十六大的灵魂。确立“三个代表”重要思想在全党的指导地位，把“三个代表”重要思想写入党章，是十六大的一个历史性贡献。学习贯彻十六大精神，首先要抓住学习贯彻“三个代表”重要思想这个中心环节。要全面深入地领会“三个代表”重要思想的科学内涵和精神实质，牢牢把握贯彻“三个代表”重要思想的根本要求，在全党兴起一个学习贯彻“三个代表”重要思想的新高潮。充分认识“三个代表”重要思想是对马克思列宁主义、毛泽东思想和邓小平理论的继承和发展，反映了当代世界和中国的发展变化对党和国家工作的新要求，是加强和改进党的建设、推进我国社会主义自我完善和发展的强大理论武器，是党必须长期坚持的指导思想；充分认识始终做到“三个代表”，是我们党的立党之本、执政之基、力量之源；充分认识贯彻“三个代表”重要思想，关键在坚持与时俱进，核心在坚持党的先进性，本质在坚持执政为民。要通过学习，引导广大党员干部进一步提高对“三个代表”重要思想历史地位和重大意义的认识，进一步增强贯彻落实“三个代表”重要思想的自觉性和坚定性。

要深刻理解坚定地站在时代潮流的前头，团结和带领全国各族人民，实现推进现代化建设、完成祖国统一、维护世界和平与促进共同发展这三大历史任务，在中国特色社会主义道路上实现中华民族的伟大复兴，是历史和时代赋予我们党的庄严使命。深刻理解十三届四中全会以来以江泽民同志为核心的第三代中央领导集体带领全党和全国各族人民在改革、发展、稳定等各方面取得的巨大成就，对团结全党、振奋民心，鼓舞斗志、开创未来，具有重大而深远的意义。深刻理解党领导人民建设中国特色社会主义的基本经验是党长期探索和实践的结晶，是全党的宝贵财富，必须认真坚持并在实践中不断丰富发展。深刻理解全面建设小康社会是党在新世纪新阶段的奋斗目标，必须最广泛地动员全党和全国各族人民为实现这一目标而努力奋斗。深刻理解必须把发展作为党执政兴国的第一要务，坚持以经济建设为中心，坚定不移地深化改革和扩大开放，不断解放和发展社会生产力。深刻理解必须把坚持党的领导、人民当家作主和依法治国有机统一起来，发展社会主义民主政治，建设社会主义政治文明。深刻理解必须牢牢把握先进文化的前进方向，大力培育和弘扬民族精神，发展中国特色社会主义文化，建设社会主义精神文明。深刻理解全面建设小康社会、开创中国特色社会主义事业新局面，就是要发展社会主义市场经济、社会主义民主政治和社会主义先进文化，不断促进社会主义物质文明、政治文明和精神文明的协调发展。深刻理解必须始终不渝地奉行独立自主的和平外交政策，促进世界多极化，提倡国际关系民主化，同各国人民共同推进世界和平与发展的崇高事业。深刻理解完成十六大提出的各项任务，必须毫不放松地加强和改善党的领导，全面推进党的建设新的伟大工程。深刻理解面对很不安宁的世界和艰巨繁重的任务，全党必须增强忧患意识，居安思危，倍加顾全大局，倍加珍视团结，倍加维护稳定。

坚持党的思想路线，解放思想、实事求是、与时俱进，是我们党坚持先进性和增强创造力的决定性因素，也是十六大报告的精髓。学习贯彻十六大精神要紧紧把握这个精髓，使全党同志深刻懂得，世界在变化，我国改革开放和现代化建设在前进，人民群众的伟大实践在发展，迫切要求我们认真总结实践的新经验，在理论上不断扩展新视野，做出新概括；使全党同志深刻懂得，通过理论创新推动制度创新、科技创新、文化创新以及其他各方面的创新，不断在实践中探索前进，永不自满、永不懈怠，这是我们要长期坚持的治党治国之道。要引导党员干部自觉地把思想认识从那些不合时宜的观念、做法和体制的束缚中解放出来，从对马克思主义的错误的和教条式的理解中解放出来，从主观主义和形而上学的桎梏中解放出来，善于在解放思想中统一思想，用发展着的马克思主义指导新的实践。

三、大力发扬理论联系实际的学风

坚持理论联系实际的马克思主义学风，是学习贯彻好十六大精神的根本保证。只有学以致用，坚持用十六大精神指导实践，同时在实践中不断加深对十六大精神的理解，才能真正把十六大精神落到实处。要把运用十六大精神指导实践、推动工作，作为学习的出发点和落脚点，作为衡量学习成效的重要标准。要通过扎实有效的工作，把学习贯彻十六大精神，落实到发展先进生产力、发展先进文化、实现最广大人民的根本利益上来。

要紧密联系本地区、本部门的工作实际，着眼于进一步做好改革、发展、稳定的各项工作。要根据十六大的战略部署，深入研究涉及本地区、本部门工作的重大战略性问题，明确奋斗目标，理清发展思路，推动经济社会协调发展。要适应经济全球化发展趋势和加入世界贸易组织的新形势，研究新情况，解决新问题，制定深化改革、扩大开放的具体措施，创造性地开展工作。要坚持立党为公、执政为民，认真解决当前经济社会生活中的突出矛盾和人民群众在生产、生活中遇到的突出问题，努力提高人民群众的物质文化生活水平。

要紧密联系本地区、本部门党员干部的思想实际，着眼于全面推进党的建设新的伟大工程。要按照十六大的部署，深入开展以“三个代表”重要思想为主要内容的保持党的先进性的教育，既做好经常性工作，又抓紧解决存在的突出问题，努力提高党的领导水平和执政水平，提高拒腐防变和抵御风险的能力。各级党组织和广大党员干部要通过学习贯彻十六大精神，保持奋发向上的精神状态，更好地全心全意为人民服务，永远同人民群众心连心，始终保持共产党人的蓬勃朝气、昂扬锐气和浩然正气。

四、领导干部要带头学习贯彻十六大精神

执行党的路线方针政策，领导干部具有决定性作用。学习贯彻十六大精神，完成十六大确定的各项任务，实现十六大确定的宏伟目标，关键在各级领导干部。要坚持以县（处）级以上领导干部为重点，推动全党学习的深入开展。广大干部特别是高中级干部要带头学习贯彻十六大精神，努力成为勤奋学习、善于思考的模范，解放思想、与时俱进的模范，勇于实践、锐意创新的模范。

各级领导干部都要认真学习江泽民同志的报告，学习党章，在掌握基本观点和领会精神实质上下功夫，努力提高理论素养和领导水平。要把学习贯彻十六大精神同学习党的基本理论、基本路线、基本纲领和基本经验结合起来，同学习马克思主义发展史结合起来。通过学习，不断深化对共产党执政规律、社会主义建设规律和人类社会发展规律的认识，不断提高科学判断形势的能力、驾驭市场经济的能力、应对复杂局面的能力、依法执政的能力和总揽全局的能力，更好地担负起团结和带领广大人民开创中国特色社会主义事业新局面的历史重任。

要采取多种形式组织好县（处）级以上领导干部的学习，切实把十六大精神学习好、领会好、掌握好、贯彻好。党委（党组）中心组要把学习十六大精神作为当前和今后一个时期的重点工作，把集中学习与个人自学、通读文件与专题研讨结合起来，力求多学一点、学深一点。党校、行政学院要有计划地对领导干部进行培训和轮训。中央将举办省部级主要领导干部学习十六大精神研讨班。各地也要参照中央的做法，做出相应安排。

五、切实加强对学习贯彻十六大精神工作的领导

各级党委要增强政治意识、大局意识、责任意识，围绕主题，把握灵魂，狠抓落实，切实抓好学习贯彻十六大精神的工作。要按照中央的部署，结合本地实际，提出具体要求，迅速兴起学习十六大精神的热潮。要全面了解学习情况，切实加强指导，总结推广经验。中央将于12月初组织学习十六大精神宣讲团赴各地宣讲。各地也可参照这一做法，组织宣讲团开展宣讲活动，把学习贯彻十六大精神不断引向深入。

各级组织部门要把学习贯彻十六大精神与干部教育培训工作、加强领导班子建设和基层党组织建设有机结合起来，认真做好组织协调和督促检查工作。各级宣传部门要把宣传学习贯彻十六大精神作为当前和今后一个时期工作的重中之重，充分发挥新闻媒体的宣传主导作用，牢牢把握正确导向，在全社会形成学习贯彻十六大精神的良好氛围。工会、共青团和妇联等人民团体要充分发挥广泛联系各界群众的优势，开展各具特色的学习教育活动。党校、社会科学院、高校等单位，要围绕十六大报告中提出的重大理论和实际问题，集中力量，加强研究，推出一批有深度、有分量的研究成果。

企业、农村、机关、学校、部队和社区的基层党组织，要通过举办讨论会、报告会等形式，发挥基层党校、职工学校、市民学校等各类基层宣传文化阵地的作用，组织广大党员干部和群众深入学习十六大精神，引导人们胸怀全局、立足本职，为全面建设小康社会、加快推进社会主义现代化而勤奋工作。各类大中专院校要把学习十六大精神作为思想政治教育、教学和党团组织活动的重要内容，引导青年学生牢固树立中国特色社会主义的理想，坚定跟党走的信念，发奋学习、早日成才、报效祖国。

各地区、各部门要及时将学习贯彻十六大精神的情况报告中央。

中共中央

2002年11月17日

（2002年11月26日《人民日报》）

中共中央　国务院

关于进一步加强农村卫生工作的决定

农村卫生工作是我国卫生工作的重点，关系到保护农村生产力、振兴农村经济、维护农村社会发展和稳定的大局，对提高全民族素质具有重大意义。改革开放以来，党和政府为加强农村卫生工作采取了一系列措施，农村缺医少药的状况得到较大改善，农民健康水平和平均期望寿命有了很大提高。但是，从总体上看，农村卫生工作仍比较薄弱，体制改革滞后，资金投入不足，卫生人才匮乏，基础设施落后，农村合作医疗面临很多困难，一些地区传染病、地方病危害严重，农民因病致贫、返贫问题突出，必须引起各级党委和政府的高度重视。为进一步加强农村卫生工作，现做出如下决定。

一、农村卫生工作的指导思想和目标

1. 农村卫生工作的指导思想。贯彻落实江泽民同志“三个代表”重要思想，坚持以农村为重点的卫生工作方针，从农村经济社会发展实际出发，深化农村卫生体制改革，加大农村卫生投入，发挥市场机制作用，加强宏观调控，优化卫生资源配置，逐步缩小城乡卫生差距，坚持因地制宜，分类指导，全面落实初级卫生保健发展纲要，满足农民不同层次的医疗卫生需求，从整体上提高农民的健康水平和生活质量。

2. 农村卫生工作的目标。根据全面建设小康社会和社会主义现代化建设第三步战略目标的总体要求，到2010年，在全国农村基本建立起适应社会主义市场经济体制要求和农村经济社会发展水平的农村卫生服务体系和农村合作医疗制度。主要包括：建立基本设施齐全的农村卫生服务网络，建立具有较高专业素质的农村卫生服务队伍，建立精干高效的农村卫生管理体制，建立以大病统筹为主的新型合作医疗制度和医疗救助制度，

使农民人人享有初级卫生保健，主要健康指标达到发展中国家的先进水平。沿海经济发达地区要率先实现上述目标。

二、加强农村公共卫生工作

3. 明确农村公共卫生责任。各级政府按照分级管理，以县（市）为主的农村卫生管理体制，对农村公共卫生工作承担全面责任。国家针对现阶段影响农民健康的主要公共卫生问题，制定农村公共卫生基本项目和规划，各省、自治区、直辖市制定实施方案，市（地）、县（市）具体组织实施，全面落实农村公共卫生各项任务。

4. 加强农村疾病预防控制。坚持预防为主的方针，提高处理农村重大疫情和公共卫生突发事件的能力，重点控制严重危害农民身体健康的传染病、地方病、职业病和寄生虫病等重大疾病。到2010年，农村地区儿童计划免疫接种率达到90%以上；95%以上的县（市、区）实施现代结核病控制策略；75%的乡（镇）能够为艾滋病病毒感染者和艾滋病患者提供预防保健咨询服务；95%以上的县（市、区）实现消除碘缺乏病目标；地方病重病区根据本地区情况，采取改水、改灶、换粮、移民、退耕还林还草等综合性措施，有效预防和控制地方病。积极开展慢性非传染性疾病的防治工作。

5. 做好农村妇幼保健工作。制定有效措施，加强农村孕产妇和儿童保健工作，提高住院分娩率，改善儿童营养状况。要保证乡（镇）卫生院具备处理孕产妇顺产的能力；县级医疗机构及中心乡（镇）卫生院具备处理孕产妇难产的能力。到2010年，全国孕产妇死亡率、婴儿死亡率要比2000年分别下降25%和20%。采取重点干预措施，有效降低出生缺陷发生率，提高出生人口素质。

6. 大力开展爱国卫生运动。以改水改厕为重点，加强农村卫生环境整治，促进文明村镇建设。根据各地不同情况，制定农村自来水普及率和卫生厕所普及率目标，并逐年提高。推进"亿万农民健康促进行动"，采取多种形式普及疾病预防和卫生保健知识，引导和帮助农民建立良好的卫生习惯，破除迷信，倡导科学、文明、健康的生活方式。

三、推进农村卫生服务体系建设

7. 建设社会化农村卫生服务网络。农村卫生服务网络由政府、集体、社会、个人举办的医疗卫生机构组成。打破部门和所有制界限，统筹规划、合理配置、综合利用农村卫生资源，建立起以公有制为主导、多种所有制形式共同发展的农村卫生服务网络。发挥市场机制的作用，多渠道吸引社会资金，发展民办医疗机构，支持城市医疗机构和人员到农村办医或向下延伸服务，对符合条件的民办医疗机构，应一视同仁，并按机构性质给予税收减免等鼓励政策。农村预防保健等公共卫生服务可由政府举办的卫生机构提供，也可由政府向符合条件的其他医疗机构购买。省级人民政府要根据县、乡、村卫生机构功能，制定基本设施配置标准。到2010年，基本完成县级医院、预防保健机构和乡（镇）卫生院房屋设备的改造和建设任务，已有的卫生院以改造为主，保证开展公共卫生和基本医疗服务所需的基础设施和条件。

8. 发挥农村卫生网络的整体功能。政府举办的县级卫生机构是农村预防保健和医疗服务的业务指导中心，承担农村预防保健、基本医疗、基层转诊、急救以及基层卫生人员的培训及业务指导职责。乡（镇）卫生院以公共卫生服务为主，综合提供预防、保健和基本医疗等服务，受县级卫生行政部门委托承担公共卫生管理职能。乡（镇）卫生院要改进服务模式，深入农村社区、家庭、学校，提供预防保健和基本医疗服务，一般不得向医院模式发展。村卫生室承担卫生行政部门赋予的预防保健任务，提供常见伤、病的初级诊治。要注重发挥社会、个人举办的医疗机构的作用。进一步完善乡村卫生服务管理一体化，鼓励县、乡、村卫生机构开展纵向业务合作，提高农村卫生服务网络整体功能。计划生育技术服务机构是农村卫生资源的组成部分。医疗卫生机构和计划生育技术服务机构要按照有关法律法规的规定，明确职能，发挥各自在农村卫生工作中的应有作用，实现优势互补、资源共享。

9. 推进乡（镇）卫生院改革。调整现有乡（镇）卫生院布局，在乡（镇）行政区划调整后，原则上每个乡（镇）应有一所卫生院。调整后的乡（镇）卫生院由政府举办，要严格控制规模，按服务人口、工作项目等因素核定人员，卫生院的人员、业务、经费等划归县级卫生行政部门按职责管理。对其余的乡（镇）卫生院可以进行资源重组或改制。要在全县（市）或更大范围内公开招聘乡（镇）卫生院院长，竞争上岗，实行院长任期目标责任制，保证其相应待遇，并将其工资和医疗保险单位缴费部分列入财政预算。要积极推进乡（镇）卫生院运行机制改革，探索搞活卫生院的多种运营形式，实行全员聘用制，形成有生机活力的用人机制和分配激励机制，提高乡（镇）卫生院效率。在改制过程中要规范资产评估、转让等操作程序，妥善安置人员，变现资金应继续用于农村卫生投入。

10. 提高农村卫生人员素质。高等医学院校要针对我国农村卫生实际需要，通过改革培养模式，调整专业设置和教学内容，强化面向农村需要的全科医学教育，可采取初中毕业后学习5年或高中毕业后学习3年的高等专科教育等方式，定向为农村培养适用的卫生人才。鼓励医学院校毕业生和城市卫生机构的在职或离退休卫生技术人员到农村服务。建立健全继续教育制度，加强农村卫生技术人员业务知识和技能培训，鼓励有条件的乡村医生接受医学学历教育。对卫生技术岗位上的非卫生技术人员要有计划清退，对达不到执业标准的人员要逐步分流。到2005年，全国乡（镇）卫生院临床医疗服务人员要具备执业助理医师及以上执业资格，其他卫生技术人员要具备初级及以上专业技术资格；到2010年，全国大多数乡村医生要具备执业助理医师及以上执业资格。

11. 发挥中医药在农村卫生服务中的优势与作用。合理配置卫生资源，加强县级中医医院和乡（镇）卫生院中医科建设，为农村中医药发展提供必要的物质条件，逐步形成中医特色和优势。加强乡村医生的中医药知识和技能培训，培养一批具有中医执业助理医师以上资格的农村中医骨干。鼓励农村临床医疗服务人员兼学中医并应用中医药诊疗技术为农民服务。要筛选推广农村中医药适宜技术，扩大中医药服务领域，在规范农村中医药管理和服务的基础上，允许乡村中医药技术人员自种、自采、自用中草药。要认真发掘、整理和推广民族医药技术。

12. 促进农村药品供应网络建设。支持鼓励大型药品经营企业通过兼并和改造县（市、区）药品批发企业，建立基层药品配送中心，鼓励药品零售连锁经营向农村延伸，方便农民就近购药。逐步推行农村卫生机构药品集中采购，也可由乡（镇）卫生院为村级卫生机构统一代购药品，但代购方不得以谋利为目的。有条件的地区可试行药品集中招标采购。制定乡村医生基本用药目录，规范用药行为。

四、加大农村卫生投入力度

13. 政府卫生投入要重点向农村倾斜。各级人民政府要逐年增加卫生投入，增长幅度不低于同期财政经常性支出的增长幅度。从2003年起到2010年，中央及省、市（地）、县级人民政府每年增加的卫生事业经费主要用于发展农村卫生事业，包括卫生监督、疾病控制、妇幼保健和健康教育等公共卫生经费、农村卫生服务网络建设资金等。要研究制定具体补助办法，规范政府对农村卫生事业补助的范围和方式。

14. 合理安排农村公共卫生经费。县级财政要根据国家确定的农村公共卫生基本项目，安排人员经费和业务经费。省、市（地）级财政要对县、乡开展公共卫生工作给予必要的业务经费补助。此外，省级财政还要承担购买全省计划免疫疫苗和相关的运输费用。中央财政通过专项转移支付对困难地区的重大传染病、地方病和职业病的预防控制等公共卫生项目给予补助。

15. 合理安排农村卫生机构经费和建设资金。县级人民政府负责安排政府举办的农村卫生机构开展公共卫生和必要的医疗服务经费、离退休人员费用和发展建设资金。中央和省级财政对贫困地区农村卫生机构基础设施建设和设备购置给予补助。

16. 加强农村卫生经费管理。按照规定的项目、标准和服务量将农村卫生经费纳入各级财政预算。地方各级人民政府要认真做好农村卫生专项资金使用的管理和监督，严禁各种挪用和浪费行为，充分发挥资金使用效益。

17. 加大卫生支农和扶贫力度。建立对口支援和巡回医疗制度。组织城市和军队的大中型医疗机构开展“一帮一”活动，采取援赠医疗设备、人员培训、技术指导、巡回医疗、双向转诊、学科建设、合作管理等方式，对口重点支援县级医疗卫生机构和乡（镇）卫生院建设。县级医疗机构要建立下乡巡回医疗服务制度，各地要为每个县配备一辆巡回医疗车，中央对贫困、民族地区购置巡回医疗车及其附属医疗设备给予资金补助，巡回医疗车的日常运行费用由地方财政负责。大力支持开展视觉“光明行动”等巡回医疗活动。严格执行城市医生在晋升主治医师或副主任医师职称前到农村累计服务一年的制度。政府组织的卫生支农所需经费由派出机构的同级财政给予补助。中央和省级人民政府要把卫生扶贫纳入扶贫计划，作为政府扶贫工作的一项重要内容，并在国家扶贫资金总量中逐步加大对卫生扶贫的投入，帮助贫困地区重点解决基础卫生设施建设，改善饮水条件，加强妇幼卫生和防治传染病、地方病等方面的困难。

五、建立和完善农村合作医疗制度和医疗救助制度

18. 逐步建立新型农村合作医疗制度。各级政府要积极组织引导农民建立以大病统筹为主的新型农村合作医疗制度，重点解决农民因患传染病、地方病等大病而出现的因病致贫、返贫问题。农村合作医疗制度应与当地经济社会发展水平、农民经济承受能力和医疗费用需要相适应，坚持自愿原则，反对强迫命令，实行农民个人缴费、集体扶持和政府资助相结合的筹资机制。农民为参加合作医疗、抵御疾病风险而履行缴费义务不能视为增加农民负担。有条件的地方要为参加合作医疗的农民每年进行一次常规性体检。要建立有效的农民合作医疗管理体制和社会监督机制。各地要先行试点，取得经验，逐步推广。到2010年，新型农村合作医疗制度要基本覆盖农村居民。经济发达的农村可以鼓励农民参加商业医疗保险。

19. 对农村贫困家庭实行医疗救助。医疗救助对象主要是农村五保户和贫困农民家庭。医疗救助形式可以是对救助对象患大病给予一定的医疗费用补助，也可以是资助其参加当地合作医疗。医疗救助资金通过政府投入和社会各界自愿捐助等多渠道筹集。要建立独立的医疗救助基金，实行个人申请，村民代表会议评议，民政部门审核批准，医疗机构提供服务的管理体制。

20. 政府对农村合作医疗和医疗救助给予支持。省级人民政府负责制定农村合作医疗和医疗救助补助资金统筹管理办法。省、市（地）、县级财政都要根据实际需要和财力情况安排资金，对农村贫困家庭给予医疗救助资金支持，对实施合作医疗按实际参加人数和补助定额给予资助。中央财政通过专项转移支付对贫困地区农民贫困家庭医疗救助给予适当支持。从2003年起，中央财政对中西部地区除市区以外的参加新型合作医疗的农民每年按人均10元安排合作医疗补助资金，地方财政对参加新型合作医疗的农民补助每年不低于人均10元，具体补助标准由省级人民政府确定。

六、依法加强农村医药卫生监管

21. 强化农村卫生监督管理。卫生行政部门要加强行业管理，强化农村卫生机构、从业人员、卫生技术应用等方面的准入管理。加强农村卫生服务质量的评估、管理与监督，重点对乡、村卫生机构医疗操作规程、合理用药和一次性医疗用品、医疗器械消毒进行监督检查，规范农村卫生服务行为，保证农民就医安全。政府价格主管部门要加强对农村医疗服务价格及收费行为的监督管理。县级人民政府要充实力量，加大对乡、村巡回卫生监督的力度，加强对职业病防治、食品安全和生产销售健康相关产品的卫生监督工作，严禁危害农民身体健康的生产经营活动。严厉打击非法行医和其他危害公共卫生的违法行为。

22. 加强农村药品监管。药品监管部门要定期组织对县及县以下药品批发企业、零售企业、农村卫生机构的药品采购渠道和药品质量的检查，开展对制售假劣药品、过期失效药品、兽药人用等违法行为的专项治理，严肃查处无证无照经营药品行为，取缔各种非法药品集贸市场，大力整顿和规范中药材专业市场。要充实县级药品监管力量，积极为基层培养药品监管人员，改善药品监管装备条件，扩大农村用药监督检查和抽验的覆盖面，保证农民用上合格药品。政府价格主管部门要加强对农村医疗机构、药店销售药品的价格监督，严厉查处价格违法违规行为。

23. 加强高毒农药及剧毒杀鼠剂管理。政府主管部门要加强对农药特别是高毒农药的管理，严格实行农药生产经营许可制度。要认真做好杀鼠剂的登记审批工作，对申请登记的杀鼠剂进行严格审查，今后不再批准杀鼠剂的分装登记。要大力开展对制售高毒农药和杀鼠剂的专项整治活动，依法严厉打击非法生产、销售国家明令禁止的剧毒药品行为，对其制售窝点要坚决予以查封和取缔。要加强宣传教育工作，增强农民拒绝使用剧毒鼠药的意识。针对可能发生的农药生产和使用中毒，要制定应急预案。

七、加强对农村卫生工作的领导

24. 高度重视农村卫生工作。做好农村卫生工作，保护和增进农民健康，是各级党委和政府义不容辞的责任。我们要从实践“三个代表”重要思想的高度，充分认识加强农村卫生工作的重大意义，以对人民高度负责的精神，加强对农村卫生工作的领导。各级人民政府要定期研究农村卫生改革与发展工作。省、自治区、直辖市人民政府要全面贯彻中央的农村卫生工作方针政策，把初级卫生保健纳入国民经济和社会发展规划，制定本地区农村初级卫生保健发展规划，落实人力、物力、财力等各项保障措施，保证各项规划目标的实现。市（地）、县人民政府要全面落实农村初级卫生保健发展规划，把改善农村基本卫生条件、组织建立新型农村合作医疗制度、提高农民健康水平、减少本地区因病致贫和因病返贫人数、保证农村卫生支出经费等目标作为领导干部政绩考核的重要内容。经济发达地区，在完成中央提出的各项发展目标和任务的基础上，要根据本地经济发展水平和农民需要，加快农村卫生事业发展，提高农民医疗和健康水平。

25. 落实有关部门责任。中央和国家机关有关部门要对农村卫生的全局性问题制定切实可行的方针政策，并运用转移支付、西部开发、卫生扶贫等方式帮助经济欠发达地区发展农村卫生事业。各级党委和政府要组织协调有关部门，动员全社会力量共同做好农村卫生工作。卫生行政部门要充分发挥主管部门职能作用，宣传、计划、经贸、教育、科技、民政、财政、人事、农业、计划生育、环保、药监、体改、中医药、扶贫等有关部门要明确在农村卫生工作中的职责和任务，群众团体要在农村卫生工作中发挥积极作用。国务院和省、自治区、直辖市人民政府每年要对农村卫生工作情况进行专项督察，确保农村卫生各项工作的完成。

（2002 年 10 月 30 日《人民日报》）

互联网上网服务营业场所管理条例

（2002 年 9 月 29 日中华人民共和国国务院令第 363 号公布）

第一章　总　　则

第一条　为了加强对互联网上网服务营业场所的管理，规范经营者的经营行为，维护公众和经营者的合法权益，保障互联网上网服务经营活动健康发展，促进社会主义精神文明建设，制定本条例。

第二条　本条例所称互联网上网服务营业场所，是指通过计算机等装置向公众提供互联网上网服务的网吧、电脑休闲室等营业性场所。

学校、图书馆等单位内部附设的为特定对象获取资料、信息提供上网服务的场所，应当遵守有关法律、法规，不适用本条例。

第三条　互联网上网服务营业场所经营单位应当遵守有关法律、法规的规定，加强行业自律，自觉接受政府有关部门依法实施的监督管理，为上网消费者提供良好的服务。

互联网上网服务营业场所的上网消费者，应当遵守有关法律、法规的规定，遵守社会公德，开展文明、健康的上网活动。

第四条 县级以上人民政府文化行政部门负责互联网上网服务营业场所经营单位的设立审批，并负责对依法设立的互联网上网服务营业场所经营单位经营活动的监督管理；公安机关负责对互联网上网服务营业场所经营单位的信息网络安全、治安及消防安全的监督管理；工商行政管理部门负责对互联网上网服务营业场所经营单位登记注册和营业执照的管理，并依法查处无照经营活动；电信管理等其他有关部门在各自职责范围内，依照本条例和有关法律、行政法规的规定，对互联网上网服务营业场所经营单位分别实施有关监督管理。

第五条 文化行政部门、公安机关、工商行政管理部门和其他有关部门及其工作人员不得从事或者变相从事互联网上网服务经营活动，也不得参与或者变相参与互联网上网服务营业场所经营单位的经营活动。

第六条 国家鼓励公民、法人和其他组织对互联网上网服务营业场所经营单位的经营活动进行监督，并对有突出贡献的给予奖励。

第二章 设　立

第七条 国家对互联网上网服务营业场所经营单位的经营活动实行许可制度。未经许可，任何组织和个人不得设立互联网上网服务营业场所，不得从事互联网上网服务经营活动。

第八条 设立互联网上网服务营业场所经营单位，应当采用企业的组织形式，并具备下列条件：

（一）有企业的名称、住所、组织机构和章程；

（二）有与其经营活动相适应的资金；

（三）有与其经营活动相适应并符合国家规定的消防安全条件的营业场所；

（四）有健全、完善的信息网络安全管理制度和安全技术措施；

（五）有固定的网络地址和与其经营活动相适应的计算机等装置及附属设备；

（六）有与其经营活动相适应并取得从业资格的安全管理人员、经营管理人员、专业技术人员；

（七）法律、行政法规和国务院有关部门规定的其他条件。

互联网上网服务营业场所的最低营业面积、计算机等装置及附属设备数量、单机面积的标准，由国务院文化行政部门规定。

审批设立互联网上网服务营业场所经营单位，除依照本条第一款、第二款规定的条件外，还应当符合国务院文化行政部门和省、自治区、直辖市人民政府文化行政部门规定的互联网上网服务营业场所经营单位的总量和布局要求。

第九条 中学、小学校园周围200米范围内和居民住宅楼（院）内不得设立互联网上网服务营业场所。

第十条 设立互联网上网服务营业场所经营单位，应当向县级以上地方人民政府文化行政部门提出申请，并提交下列文件：

（一）名称预先核准通知书和章程；

（二）法定代表人或者主要负责人的身份证明材料；

（三）资金信用证明；

（四）营业场所产权证明或者租赁意向书；

（五）依法需要提交的其他文件。

第十一条 文化行政部门应当自收到设立申请之日起20个工作日内做出决定；经审查，符合条件的，发给同意筹建的批准文件。

申请人完成筹建后，持同意筹建的批准文件到同级公安机关申请信息网络安全和消防安全审核。公安机关应当自收到申请之日起20个工作日内做出决定；经实地检查并审核合格的，发给批准文件。

申请人持公安机关批准文件向文化行政部门申请最终审核。文化行政部门应当自收到申请之日起15个工作日内依据本条例第八条的规定做出决定；经实地检查并审核合格的，发给《网络文化经营许可证》。

对申请人的申请，文化行政部门经审查不符合条件的，或者公安机关经审核不合格的，应当分别向申请人书面说明理由。

申请人持《网络文化经营许可证》到工商行政管理部门申请登记注册，依法领取营业执照后，方可开业。

第十二条 互联网上网服务营业场所经营单位不得涂改、出租、出借或者以其他方式转让《网络文化经营许可证》。

第十三条 互联网上网服务营业场所经营单位变更营业场所地址或者对营业场所进行改建、扩建，变更计算机数量或者其他重要事项的，应当经原审核机关同意。

互联网上网服务营业场所经营单位变更名称、住所、法定代表人或者主要负责人、注册资本、网络地址或者终止经营活动的，应当依法到工商行政管理部门办理变更登记或者注销登记，并到文化行政部门、公安机关办理有关手续或者备案。

第三章 经 营

第十四条 互联网上网服务营业场所经营单位和上网消费者不得利用互联网上网服务营业场所制作、下载、复制、查阅、发布、传播或者以其他方式使用含有下列内容的信息：

（一）反对宪法确定的基本原则的；

（二）危害国家统一、主权和领土完整的；

（三）泄露国家秘密，危害国家安全或者损害国家荣誉和利益的；

（四）煽动民族仇恨、民族歧视，破坏民族团结，或者侵害民族风俗、习惯的；

（五）破坏国家宗教政策，宣扬邪教、迷信的；

（六）散布谣言，扰乱社会秩序，破坏社会稳定的；

（七）宣传淫秽、赌博、暴力或者教唆犯罪的；

（八）侮辱或者诽谤他人，侵害他人合法权益的；

（九）危害社会公德或者民族优秀文化传统的；

（十）含有法律、行政法规禁止的其他内容的。

第十五条 互联网上网服务营业场所经营单位和上网消费者不得进行下列危害信息网络安全的活动：

（一）故意制作或者传播计算机病毒以及其他破坏性程序的；

（二）非法侵入计算机信息系统或者破坏计算机信息系统功能、数据和应用程序的；

（三）进行法律、行政法规禁止的其他活动的。

第十六条 互联网上网服务营业场所经营单位应当通过依法取得经营许可证的互联网接入服务提供者接入互联网，不得采取其他方式接入互联网。

互联网上网服务营业场所经营单位提供上网消费者使用的计算机必须通过局域网的方式接入互联网，不得直接接入互联网。

第十七条 互联网上网服务营业场所经营单位不得经营非网络游戏。

第十八条 互联网上网服务营业场所经营单位和上网消费者不得利用网络游戏或者其他方式进行赌博或者变相赌博活动。

第十九条 互联网上网服务营业场所经营单位应当实施经营管理技术措施，建立场内巡查制度，发现上网消费者有本条例第十四条、第十五条、第十八条所列行为或者有其他违法行为的，应当立即予以制止并向文化行政部门、公安机关举报。

第二十条 互联网上网服务营业场所经营单位应当在营业场所的显著位置悬挂《网络文化经营许可证》和营业执照。

第二十一条 互联网上网服务营业场所经营单位不得接纳未成年人进入营业场所。

互联网上网服务营业场所经营单位应当在营业场所入口处的显著位置悬挂未成年人禁入标志。

第二十二条 互联网上网服务营业场所每日营业时间限于8时至24时。

第二十三条 互联网上网服务营业场所经营单位应当对上网消费者的身份证等有效证件进行核对、登记，并记录有关上网信息。登记内容和记录备份保存时间不得少于60日，并在文化行政部门、公安机关依法查询时予以提供。登记内容和记录备份在保存期内不得修改或者删除。

第二十四条 互联网上网服务营业场所经营单位应当依法履行信息网络安全、治安和消防安全职责，并遵守下列规定：

（一）禁止明火照明和吸烟并悬挂禁止吸烟标志；

（二）禁止带入和存放易燃、易爆物品；

（三）不得安装固定的封闭门窗栅栏；

（四）营业期间禁止封堵或者锁闭门窗、安全疏散通道和安全出口；

（五）不得擅自停止实施安全技术措施。

第四章 罚 则

第二十五条 文化行政部门、公安机关、工商行政管理部门或者其他有关部门及其工作人员，利用职务上的便利收受他人财物或者其他好处，违法批准不符合法定设立条件的互联网上网服务营业场所经营单位，或者不依法履行监督职责，或者发现违法行为不予依法查处，触犯刑律的，对直接负责的主管人员和其他直接责任人员依照刑法关于受贿罪、滥用职权罪、玩忽职守罪或者其他罪的规定，依法追究刑事责任；尚不够刑事处罚的，依法给予降级、撤职或者开除的行政处分。

第二十六条 文化行政部门、公安机关、工商行政管理部门或者其他有关部门的工作人员，从事或者变相从事互联网上网服务经营活动的，参与或者变相参与互联网上网服务营业场所经营单位的经营活动的，依法给予降级、撤职或者开除的行政处分。

文化行政部门、公安机关、工商行政管理部门或者其他有关部门有前款所列行为的，对直接负责的主管人员和其他直接责任人员依照前款规定依法给予行政处分。

第二十七条 违反本条例的规定，擅自设立互联网上网服务营业场所，或者擅自从事互联网上网服务经营活动的，由工商行政管理部门或者由工商行政管理部门会同公安机关依法予以取缔，查封其从事违法经营活动的场所，扣押从事违法经营活动的专用工具、设备；触犯刑律的，依照刑法关于非法经营罪的规定，依法追究刑事责任；尚不够刑事处罚的，由工商行政管理部门没收违法所得及其从事违法经营活动的专用工具、设备；违法经营额1万元以上的，并处违法经营额5倍以上10倍以下的罚款；违法经营额不足1万元的，并处1万元以上5万元以下的罚款。

第二十八条 互联网上网服务营业场所经营单位违反本条例的规定，涂改、出租、出借或者以其他方式转让《网络文化经营许可证》，触犯刑律的，依照刑法关于伪造、变造、买卖国家机关公文、证件、印章罪的规定，依法追究刑事责任；尚不够刑事处罚的，由文化行政部门吊销《网络文化经营许可证》，没收违法所得；违法经营额5000元以上的，并处违法经营额2倍以上5倍以下的罚款；违法经营额不足5000元的，并处5000元以上1万元以下的罚款。

第二十九条 互联网上网服务营业场所经营单位违反本条例的规定，利用营业场所制作、下载、复制、查阅、发布、传播或者以其他方式使用含有本条例第十四条规定禁止含有的内容的信息，触犯刑律的，依法追究刑事责任；尚不够刑事处罚的，由公安机关给予警告，没收违法所得；违法经营额1万元以上的，并处违法经营额2倍以上5倍以下的罚款；违法经营额不足1万元的，并处1万元以上2万元以下的罚款；情节严重的，责令停业整顿，直至由文化行政部门吊销《网络文化经营许可证》。

上网消费者有前款违法行为，触犯刑律的，依法追究刑事责任；尚不够刑事处罚的，由公安机关依照治安管理处罚条例的规定给予处罚。

第三十条 互联网上网服务营业场所经营单位违反本条例的规定，有下列行为之一的，由文化行政部门给予警告，可以并处15000元以下的罚款；情节严重的，责令停业整顿，直至吊销《网络文化经营许可证》：

（一）在规定的营业时间以外营业的；

（二）接纳未成年人进入营业场所的；

（三）经营非网络游戏的；

（四）擅自停止实施经营管理技术措施的；

（五）未悬挂《网络文化经营许可证》或者未成年人禁入标志的。

第三十一条 互联网上网服务营业场所经营单位违反本条例的规定，有下列行为之一的，由文化行政部门、公安机关依据各自职权给予警告，可以并处15000元以下的罚款；情节严重的，责令停业整顿，直至由文化行政部门吊销《网络文化经营许可证》：

（一）向上网消费者提供的计算机未通过局域网的方式接入互联网的；

（二）未建立场内巡查制度，或者发现上网消费者的违法行为未予制止并向文化行政部门、公安机关举报的；

（三）未按规定核对、登记上网消费者的有效身份证件或者记录有关上网信息的；

（四）未按规定时间保存登记内容、记录备份，或者在保存期内修改、删除登记内容、记录备份的；

（五）变更名称、住所、法定代表人或者主要负责人、注册资本、网络地址或者终止经营活动，未向文化行政部门、公安机关办理有关手续或者备案的。

第三十二条 互联网上网服务营业场所经营单位违反本条例的规定，有下列行为之一的，由公安机关给予警告，可以并处15000元以下的罚款；情节严重的，责令停业整顿，直至由文化行政部门吊销《网络文化经营许可证》：

（一）利用明火照明或者发现吸烟不予制止，或者未悬挂禁止吸烟标志的；

（二）允许带入或者存放易燃、易爆物品的；

（三）在营业场所安装固定的封闭门窗栅栏的；

（四）营业期间封堵或者锁闭门窗、安全疏散通道或者安全出口的；

（五）擅自停止实施安全技术措施的。

第三十三条 违反国家有关信息网络安全、治安管理、消防管理、工商行政管理、电信管理等规定，触犯刑律的，依法追究刑事责任；尚不够刑事处罚的，由公安机关、工商行政管理部门、电信管理机构依法给予处罚；情节严重的，由原发证机关吊销许可证件。

第三十四条 互联网上网服务营业场所经营单位违反本条例的规定，被处以吊销《网络文化经营许可证》行政处罚的，应当依法到工商行政管理部门办理变更登记或者注销登记；逾期未办理的，由工商行政管理部门吊销营业执照。

第三十五条 互联网上网服务营业场所经营单位违反本条例的规定，被吊销《网络文化经营许可证》的，自被吊销《网络文化经营许可证》之日起5年内，其法定代表人或者主要负责人不得担任互联网上网服务营业场所经营单位的法定代表人或者主要负责人。

擅自设立的互联网上网服务营业场所经营单位被依法取缔的，自被取缔之日起5年内，其主要负责人不得担任互联网上网服务营业场所经营单位的法定代表人或者主要负责人。

第三十六条 依照本条例的规定实施罚款的行政处罚，应当依照有关法律、行政法规的规定，实行罚款决定与罚款收缴分离；收缴的罚款和违法所得必须全部上缴国库。

第五章 附 则

第三十七条 本条例自2002年11月15日起施行。2001年4月3日信息产业部、公安部、文化部、国家工商行政管理局发布的《互联网上网服务营业场所管理办法》同时废止。

（2002年10月23日《人民日报》）

禁止使用童工规定

（2002年10月15日中华人民共和国国务院令第364号公布）

第一条 为保护未成年人的身心健康，促进义务教育制度的实施，维护未成年人的合法权益，根据宪法和劳动法、未成年人保护法，制定本规定。

第二条 国家机关、社会团体、企业事业单位、民办非企业单位或者个体工商户（以下统称用人单位）均不得招用不满16周岁的未成年人（招用不满16周岁的未成年人，以下统称使用童工）。

禁止任何单位或者个人为不满16周岁的未成

年人介绍就业。

禁止不满16周岁的未成年人开业从事个体经营活动。

第三条 不满16周岁的未成年人的父母或者其他监护人应当保护其身心健康，保障其接受义务教育的权利，不得允许其被用人单位非法招用。

不满16周岁的未成年人的父母或者其他监护人允许其被用人单位非法招用的，所在地的乡(镇)人民政府、城市街道办事处以及村民委员会、居民委员会应当给予批评教育。

第四条 用人单位招用人员时，必须核查被招用人员的身份证；对不满16周岁的未成年人，一律不得录用。用人单位录用人员的录用登记、核查材料应当妥善保管。

第五条 县级以上各级人民政府劳动保障行政部门负责本规定执行情况的监督检查。

县级以上各级人民政府公安、工商行政管理、教育、卫生等行政部门在各自职责范围内对本规定的执行情况进行监督检查，并对劳动保障行政部门的监督检查给予配合。

工会、共青团、妇联等群众组织应当依法维护未成年人的合法权益。

任何单位或者个人发现使用童工的，均有权向县级以上人民政府劳动保障行政部门举报。

第六条 用人单位使用童工的，由劳动保障行政部门按照每使用一名童工每月处5000元罚款的标准给予处罚；在使用有毒物品的作业场所使用童工的，按照《使用有毒物品作业场所劳动保护条例》规定的罚款幅度，或者按照每使用一名童工每月处5000元罚款的标准，从重处罚。劳动保障行政部门并应当责令用人单位限期将童工送回原居住地交其父母或者其他监护人，所需交通和食宿费用全部由用人单位承担。

用人单位经劳动保障行政部门依照前款规定责令限期改正，逾期仍不将童工送交其父母或者其他监护人的，从责令限期改正之日起，由劳动保障行政部门按照每使用一名童工每月处1万元罚款的标准处罚，并由工商行政管理部门吊销其营业执照或者由民政部门撤销民办非企业单位登记；用人单位是国家机关、事业单位的，由有关单位依法对直接负责的主管人员和其他直接责任人员给予降级或者撤职的行政处分或者纪律处分。

第七条 单位或者个人为不满16周岁的未成年人介绍就业的，由劳动保障行政部门按照每介绍一人处5000元罚款的标准给予处罚；职业中介机构为不满16周岁的未成年人介绍就业的，并由劳动保障行政部门吊销其职业介绍许可证。

第八条 用人单位未按照本规定第四条的规定保存录用登记材料，或者伪造录用登记材料的，由劳动保障行政部门处1万元的罚款。

第九条 无营业执照、被依法吊销营业执照的单位以及未依法登记、备案的单位使用童工或者介绍童工就业的，依照本规定第六条、第七条、第八条规定的标准加一倍罚款，该非法单位由有关的行政主管部门予以取缔。

第十条 童工患病或者受伤的，用人单位应当负责送到医疗机构治疗，并负担治疗期间的全部医疗和生活费用。

童工伤残或者死亡的，用人单位由工商行政管理部门吊销营业执照或者由民政部门撤销民办非企业单位登记；用人单位是国家机关、事业单位的，由有关单位依法对直接负责的主管人员和其他直接责任人员给予降级或者撤职的行政处分或者纪律处分；用人单位还应当一次性地对伤残的童工、死亡童工的直系亲属给予赔偿，赔偿金额按照国家工伤保险的有关规定计算。

第十一条 拐骗童工，强迫童工劳动，使用童工从事高空、井下、放射性、高毒、易燃易爆以及国家规定的第四级体力劳动强度的劳动，使用不满14周岁的童工，或者造成童工死亡或者严重伤残的，依照刑法关于拐卖儿童罪、强迫劳动罪或者其他罪的规定，依法追究刑事责任。

第十二条 国家行政机关工作人员有下列行为之一的，依法给予记大过或者降级的行政处分；情节严重的，依法给予撤职或者开除的行政处分；构成犯罪的，依照刑法关于滥用职权罪、玩忽职守罪或者其他罪的规定，依法追究刑事责任：

（一）劳动保障等有关部门工作人员在禁止使用童工的监督检查工作中发现使用童工的情况，不予制止、纠正、查处的；

（二）公安机关的人民警察违反规定发放身份证或者在身份证上登录虚假出生年月的；

（三）工商行政管理部门工作人员发现申请人是不满16周岁的未成年人，仍然为其从事个体经营发放营业执照的。

第十三条 文艺、体育单位经未成年人的父母或者其他监护人同意，可以招用不满16周岁的专业文艺工作者、运动员。用人单位应当保障被招用的不满16周岁的未成年人的身心健康，保障其接受义务教育的权利。文艺、体育单位招用不满16周岁的专业文艺工作者、运动员的办法，由国务院劳动保障行政部门会同国务院文化、体育行政部门制定。

学校、其他教育机构以及职业培训机构按照国家有关规定组织不满16周岁的未成年人进行不影响其人身安全和身心健康的教育实践劳动、职业技能培训劳动，不属于使用童工。

第十四条 本规定自2002年12月1日起施行。1991年4月15日国务院发布的《禁止使用童工规定》同时废止。

（2002年10月23日《人民日报》）

国　务　院
关于深化改革加快发展民族教育的决定

国务院决定指出，新中国成立50多年来，特别是改革开放以来，我国民族教育取得了巨大成就，目前，还面临着一些特殊的困难和问题。为落实中央民族工作会议、第三次全国教育工作会议和全国基础教育工作会议精神，深化改革，加快发展民族教育，国务院做出如下决定：

一、民族教育工作的指导思想和目标任务。要高举邓小平理论伟大旗帜，以江泽民同志“三个代表”重要思想为指导，全面贯彻党的教育方针和民族政策，解放思想，转变观念，发挥教育在西部大开发和民族地区经济社会发展、增强民族团结、维护国家统一中的作用；根据“因地制宜，分区规划，分类指导，突出重点”的原则，确定民族教育改革发展的目标和政策措施；确立基本普及九年义务教育、基本扫除青壮年文盲（以下简称“两基”）在整个民族教育中“重中之重”的地位，促进各类教育健康、协调发展；坚持以地方自力更生为主，国家大力扶持，发达地区和有关高等学校大力支援相结合；坚持规模、结构、质量和效益相统一。“十五”期间，民族自治地方要在巩固“两基”基础上，把实现“两基”的县级行政区划单位从2001年的51%提高到70%以上，在95%的地区基本普及小学阶段义务教育；确保少数民族散杂居地区民族教育优先或与当地教育同步发展；确保高中阶段在校生有显著增长。到2010年，民族地区全面实现“两基”，办学条件进一步改善，形成具有中国特色、适应21世纪信息化和现代化建设需要、充满生机活力、较为完善的民族教育体系。

二、新时期民族教育工作的基本方针和原则。民族教育的改革与发展要坚持实事求是、从实际出发，在发展规划、改革步骤、目标要求、办学形式、教学用语、课程设置、学制安排等方面因民族、因地区制宜；要坚持观念创新、体制创新和机制创新，不断扩大民族间和地区间的开放和交流，大胆吸收和借鉴不同民族、不同地区和人类社会的优秀文明成果，使我国民族教育既保持自身特色，又具有鲜明的时代特点。要坚持宗教与国民教育相分离的原则。任何组织和个人不得利用宗教干预国民教育，不得以任何形式在学校宣扬宗教。对各族师生进一步加强无神论和唯物主义的教育，弘扬科学精神、传播科学思想、倡导科学方法、普及科学知识、树立科学世界观，不断增强各族师生自觉抵御封建迷信和邪教影响的能力。要以民族地区自力更生为主，与国家扶持及发达地区、有关高等学校开展教育对口支援相结合，共同推进民族地区教育事业的发展。要统筹兼顾，突出重点。要把中央财政扶持教育的重点向民族工作的重点地区、边远农牧区、高寒山区、边境地区以及发展落后的人口较少民族聚居地区倾斜。大力支持少数民族和西部地区发展现代远程教育，提高这些地区对优质教育资源的共享能力，实现民族教育的跨越式发展。

三、深化改革，加快发展民族教育的政策措施。要进一步深化办学体制改革，鼓励和支持社会力量办学，支持东、中部地区社会力量在少数民族和西部地区办学，或者面向少数民族和西部地区在东、中部地区办学；鼓励和引导民族地区群众自费送子女到东、中部地区求学就读。合理调整各级各类教育的布局结构，促进教育资源的优化配置，不断提高教育投入的规模效益；加快校内管理体制改革步伐，提高学校管理水平。

认真实行“在国务院领导下，由地方政府负责、分级管理、以县为主”的农村义务教育管理体制。加快推进“两基”进程，力争实现“十五”期间的奋斗目标。要特别重视人口较少民族教育事业的发展。努力改善寄宿制中小学办学和生活条件。扶持少数民族和西部地区办好示范高中，发展高中教育。要努力办好民族地区高等学校和民族高等学校，加快民族地区高等学校布局结构调整、专业结构调整、人事制度改革和后勤社会化改革步伐。要重视和加强幼儿教育、职业教育、成人教育、特殊教育，使各类教育协调发展。

进一步增强对民族教育的扶持力度。做好高校民族班和民族预科班的招生工作，以上学年招生规模为基数，并按上学年全国普通高等学校本科招生平均增长比例，确定当年国家部委及东中部地区所属高等学校民族班和民族预科班的招生规模；预科生的经费按本科生标准和当年实际招生数，分别由中央和地方财政核拨；加强民族预科教育基地建设，深化预科教学改革，提高教育质量。实施培养少数民族高层次骨干人才计划。资助西部各省（自治区、直辖市）重点建设一所起骨干示范作用的高等学校，重点支持办好中央民族大学。

“十五”期间及至2010年，“国家贫困地区义务教育工程”、“国家扶贫教育工程”、“西部职业教育开发工程”、“高等职业技术教育工程”、“教育信息化工程”、“全国中小学危房改造工程”、中小学贫困学生助学金专款、青少年校外活动场所建设项目等要向少数民族和西部地区倾斜；对未普及初等义务教育的国家扶贫开发工作重点县，向农牧区中小学生免费提供教科书，推广使用经济适用型教材；采取减免杂费、书本费、寄宿费、生活费等特殊措施确保家庭困难学生就学；中央财政通过综合转移支付对农牧区、山区和边疆地区寄宿制中小学校学生生活费给予一定资助；少数民族和西部地区各级财政也要相应设立寄宿制中小学校学生生活补助专项资金。在同等条件下，高等学校少数民族贫困生优先享受国家资助政策，确保每一个大学生不因经济困难而停止学业。国际组织教育贷款、海外和港澳台教育捐款的分配，重点向少数民族和西部地区倾斜；鼓励社会力量办学。

认真组织实施“东部地区学校对口支援西部贫困地区学校工程”和“西部地区大中城市学校对口支援本省（自治区、直辖市）贫困地区学校工程”，使少数民族和西部贫困地区在资金、设备、师资、教学经验等方面得到帮助。教育对口支援实行目标责任制，确保目标如期实现，提高对口支援的效益。

要把教师队伍建设作为民族教育发展的重点，教育投入要保证教师队伍建设的需要。少数民族和西部地区教师队伍建设要把培养、培训“双语”教师作为重点，建设一支合格的“双语型”教师队伍。进一步深化教师教育制度改革，提高师范院校教师队伍的教学和科研水平，加强县级教师培训基地的建设。加强校长培训，提高民族地区学校的管理水平。拓宽教师来源渠道，鼓励非师范院校毕业生和东、中部地区高校毕业生到少数民族和西部地区任教。

在民族中小学逐步形成少数民族语和汉语教学的课程体系，有条件的地区应开设一门外语课。国家对“双语”教学的研究、教材开发和出版给予重点扶持。

要尊重和保障少数民族使用本民族语文接受教育的权利，加强民族文字教材建设；编译具有当地特色的民族文字教材，不断提高教材的编译质量。要把民族文字教材建设所需经费列入教育经费预算，资助民族文字教材的编译、审定和出版，确保民族文字教材的足额供应。

要重点支持现代远程教育网络建设，建立县级远程教育教学点和乡级电视、数据收视点，有条件的地区和学校启动校园网络或局域网建设，培养培训教师和管理人员。

要高举民族团结进步的伟大旗帜，在各级各类学校教育中，有重点、分层次、有针对性地加强民族团结教育。进一步增强各族师生“三个离不开”（汉族离不开少数民族；少数民族离不开汉族；少数民族之间也互相离不开）的观念，牢固树立自觉维护国家统一、反对民族分裂的思想意识，增强学生的社会主义法制观念、道德观念，提高科学、文化素质，为确保我国各民族的团结进步和国家的长治久安作出贡献。

四、加强对民族教育工作的领导。各级人民政府要切实加强对民族教育工作的领导。把民族教育列入政府工作的重要议事日程。要加快民族教育立法工作，把民族教育工作纳入法制化轨道。要把重视民族教育，确保民族教育投入，为民族教育办实事等，列入各级领导干部的任期目标责任制和考核政绩的重要内容。教育行政部门要指定专门机构和人员具体负责民族教育工作。在各级民族教育行政部门中，要重视选拔和使用少数民族干部。对在民族教育的改革发展、科学研究、教育对口支援、培养少数民族人才以及捐资助学等方面成绩显著、贡献突出的机构、高等学校、社会团体和个人要给予大力表彰和宣传。

（2002 年 8 月 20 日《光明日报》）

中央文明委
关于深入开展创建文明行业工作的若干意见
（文明委〔2002〕5 号）

为深入贯彻江泽民同志“三个代表”重要思想，认真落实《公民道德建设实施纲要》，切实加强行业精神文明建设，充分发挥各行各业在深化改革、扩大开放、加快发展、维护稳定方面的重要作用，现就深入开展创建文明行业工作，提出如下意见。

一、充分认识创建文明行业工作的重要意义

（1）创建文明行业是群众性精神文明创建活动的重要组成部分，是把行业两个文明建设任务紧密结合落实到基层的重要载体，是提高行业整体素质和文明程度的有效途径。改革开放以来，特别是党的十四届六中全会以来，创建文明行业活动不断深入，呈现出健康向上、稳步推进、持续发展的良好工作态势，在促进各行各业加强道德建设、规范行业行为，提高服务水平、树立行业新风，塑造良好形象、增强发展后劲方面发挥了重要作用。同时，面对国内外形势的深刻变化，创建文明行业工作也遇到许多新情况、新问题，特别是某些领域诚信缺失严重，已经成为社会关注、群众关心的一个热点问题，必须高度重视，切实解决。

（2）我国已进入全面建设小康社会、加快推进社会主义现代化的新的发展阶段。深入开展创建文明行业工作，特别是以诚信建设为重点，全面提高职工队伍素质和行业文明程度，是整顿和规范市场经济秩序，促进先进生产力发展的迫切需要；是适应进一步扩大对外开放的新形势，提高国民经济整体素质和竞争力的迫切需要；是维护人民群众的根本利益，密切党和政府同人民群众关系的迫切需要。一定要从贯彻落实“三个代表”重要思想的高度，从维护改革发展稳定大局的高度，从促进经济社会全面进步的高度，充分认识深入开展创建文明行业工作的重要性，进一步增强责任感和紧迫感，切实把这项工作抓紧抓好。

二、正确把握创建文明行业工作的方针原则

(3) 深入开展创建文明行业活动，要坚持以邓小平理论和江泽民同志“三个代表”重要思想为指导，以“服务人民、奉献社会”为宗旨，以加强职业道德建设、规范行业行为、提高服务质量、树立行业新风为主要任务，以诚信建设为重点，整体推进各行各业的精神文明创建工作，努力促进行业两个文明建设的协调发展。

(4) 坚持围绕经济建设中心，为改革发展稳定大局服务。创建文明行业工作要与加强行业建设紧密结合，与行业经济活动和业务工作相互融合，努力把干部职工的思想和行动统一到深化行业改革、加快行业发展的各项任务上来，实现社会效益、经济效益和环境效益的共同提高。

(5) 坚持服务群众，依靠群众。要以最广大人民的根本利益为最高标准，把工作着力点放到与群众工作生活息息相关的事情上，切实解决群众反映强烈的问题，多做得人心、暖人心、稳人心的工作。要努力提高广大干部职工的思想道德素质和科学文化素质，不断提高他们的劳动技能和创造才能，充分发挥他们参与精神文明创建工作的积极性、主动性和创造性。

(6) 坚持德治与法治结合，教育与管理并重。要把提高职工队伍的文明素质与完善行业管理的规章制度结合起来，把加强行业自律和完善社会监督结合起来，综合运用教育、行政、经济、法律、舆论等多种手段，加强行业作风建设，纠正行业不正之风，促进行业新风形成。

(7) 坚持解放思想、实事求是，与时俱进、开拓创新。要立足于社会主义市场经济发展的实际，适应形势发展的要求，不断充实内容、拓宽领域、改进方法、创新载体。要从本行业本系统的实际出发，适应干部职工的思想实际和承受能力，明确创建目标，确定工作重点，设计活动项目，加强和改进思想政治工作，形成具有行业特色的创建工作格局，增强工作的针对性和实效性，防止和克服官僚主义、形式主义。

三、认真落实创建文明行业的主要任务

(8) 加强思想道德教育，着力提高职工素质。要把加强思想道德教育放在创建工作的首位并贯穿始终。紧密结合行业、单位特点和职工的思想、工作实际，深入进行党的基本理论、基本路线、基本纲领教育和形势政策教育，引导干部职工树立正确的世界观、人生观和价值观。大力开展爱国主义、集体主义、社会主义教育和社会公德、职业道德、家庭美德教育，倡导公民基本道德规范，组织多种形式的道德实践活动，引导干部职工逐步树立与经济社会发展相适应的思想道德观念。要深入进行职业理想、职业责任、职业技能、职业纪律教育，引导干部职工树立社会主义职业观，形成爱岗敬业、诚实守信、办事公道、服务群众、奉献社会的职业道德风尚。加强社会主义市场经济知识教育，加强民主法制教育，引导干部职工增强自立意识、竞争意识、效率意识、民主法制意识、权利义务意识、信用意识、环境意识和开拓创新精神，不断丰富干部职工的精神世界，不断增强干部职工的精神力量，形成奋发有为、昂扬向上的精神状态。

(9) 完善行业科学管理，全面规范行业行为。要按照行业特点、职业职责和创建要求，制定具体可行的岗位行为规范，建立健全各项规章制度，完善管理考核机制，逐步实现全行业生产、服务和管理的科学化、制度化、规范化。凡工作性质允许的行业，都应当推广承诺制、公示制、信誉制、首问负责制等工作制度，向社会公布岗位职责、办事程序、服务规范、收费标准、工作纪律、查询办法、赔偿规定等，开通热线电话，自觉接受社会监督。

(10) 深化基层单位创建，树立行业文明新风。要围绕实现优美环境、优良秩序、优质服务，广泛开展创建文明单位活动，为创建文明行业打牢基础。要在单位内部深入开展争创文明单位、文明窗口、文明班组、文明柜台、文明科室等活动，开展争当文明职工、文明标兵、先进工作者、职业道德建设“双十佳”、青年文明号、巾帼建功等活动，使争先创优蔚然成风。积极参加当地开展的创建文明城市、文明社区、文明村镇和志愿者、送温暖、社会捐助、扶残助残等活动，为地方改革发展和社会公益事业多作贡献，树立良好的社会形象。

(11) 加强企业文化建设，努力培育行业精神。要继承和发扬各行各业在长期社会主义建设和改革开放实践中形成的优良传统，学习和借鉴国内外一切有益经验，大力发展健康向上、丰富多彩、各具特色的企业文化和行业精神。办好行业的各类宣传教育文化阵地，经常开展形式多样、健康有益的文体活动，丰富干部职工的精神文化生活，宣传科学理论，传播先进文化，陶冶高尚情操，塑造美好心灵，弘扬社会正气。引导干部职工学习科学知识，树立科学思想，增强科学精神，掌握科学方法，自觉抵制各种歪理邪说及黄赌毒等丑恶现象。

(12) 改善工作基础设施，优化行业服务手段。保证对服务场所和工作单位环境改造和基础设施建设的投入，做到环境整洁卫生、净化美化，设施完好齐全、方便实用。特别是直接为群众服务的基层站、所、店、场，要不断改善条件，拓展服务功能，建设方便残疾人、老年人的无障碍设施，做到实用方便。认真落实单位门前“三包”责任制，完善治理污染、保障职工健康、保护生态环境的设施和措施，促进行业发展与自然环境改善的协调同步。采用现代管理方法和技术成果，改进服务手段，方便群众办事，提高工作效率。

四、着力抓好各行各业的诚信建设

(13) 加强诚信建设是当前和今后一个时期创建文明行业工作的重点。诚信是社会关系的基本准则，大力加强诚信建设，建立和维护良好的社会信用，是贯彻落实《公民道德建设实施纲要》，提高行业文明程度的内在要求，也是建立规范的社会主义市场经济秩序，应对加入世界贸易组织的迫切需要。要引导干部职工牢固树立诚信为本的思想观念。要从解决群众反映强烈、社会危害严重的突出问题抓起，建立行业行为守则，纠正行业不正之风，以重点问题的突破带动诚信建设的整体推进。

(14) 加强生产和流通领域的诚信建设，坚决反对制售假冒伪劣商品等行为。生产企业要把创建工作的着力点放在严格生产标准、讲究环境道德、确保安全生产和产品质量上。流通行业要在继续改进服务态度、完善售后服务的基础上，着力解决好杜绝假冒伪劣商品进入流通领域的问题。要继续深入开展“百城万店无假货”活动，逐步增加示范街、示范店的数量，同时把活动向批发市场、私营企业和个体劳动者延伸，不断扩大活动覆盖面。要加大尊重和保护知识产权的宣传教育力度，加大对盗版侵权、非法出版活动的打击力度，维护文化市场的正常秩序和我国文化产业在国际竞争中的信誉。要从本地本部门实际出发，针对影响恶劣、危害严重的制假售假的重点商品、重点市场、重点行业、重点地区和重点案件，把企业打假、商业打假与社会打假结合起来，进行综合整治，促进问题解决。

(15) 加强服务行业和中介组织的诚信建设，大力促进规范服务、守法经营。各行业各部门要根据诚信建设的要求，全面推广服务行业规范化服务，制定出适合自身工作特点、简明具体、易于操作、便于考核的规范化服务标准和保证措施，落实到每个服务企业、事业单位及每个服务人员。要积极探索在各类中介组织中加强诚信建设、开展创建工作的有效形式，引导从业人员提高素质、加强自律，自觉按照国家有关法律法规开展经营和服务活动。逐步推进中介组织执业公示制度，将中介收费、职业道德、执业规程、纠纷处置等内容向社会公开，增加服务透明度，堵住违法违规行为产生的漏洞。有关部门要认真对待群众投诉，作好调查处理、强化监管，调解纠纷、化解矛盾的工作。

(16) 加强党政机关、执法部门、科教文等事业单位的诚信建设，以反腐倡廉的实际行动取信于民。要继续深入开展创文明机关、做人民满意公务员等活动，不断提高工作人员实践“三个代表”要求的自觉性和坚定性，提高工作人员的政治水平和业务能力，以良好的作风为全社会加强诚信建设做出表率。要坚持不懈地加强行政管理队伍和执法队伍的理想信念和宗旨教育，加强纪律作风和职业道德建设，做到文明管理、公正执法。在容易出现问题的工作岗位和工作环节，要把明确权限、强化监督作为诚信建设的重点，认真解决以权谋私、办事不公等群众反映强烈的问题。科学界、教育界、学术界的诚信建设要以加强学术道德建设为基础，大力倡导实事求是的科学精神和严谨的治学态度，加强学界自律，健全学术规范，强化学术监管，坚决反对和严肃处理各种沽名钓誉、投机取巧的学术道德失范行为，为促进科技创新、教育发展、文化繁荣营造良好环境。

五、切实加强对创建文明行业工作的领导

(17) 创建文明行业活动要在各级党委、政府的统一领导下进行，充分发挥地方和行业两个积极性。各地党政领导要把创建文明行业活动列入议事日程，纳入领导责任制和领导干部的政绩考核，制定和完善创建文明行业的标准和规划，加强工作指导。各有关主管部门要切实担负起对行业创建工作的组织和管理职能。可以通过召开行业的联席会议或成立创建工作领导机构，加强对创建工作的统筹协调。要充分发挥基层党组织和工会、共青团、妇联等人民团体在创建工作中的重要作用，明确工商业联合会、各种行业协会、消费者协会、个体劳动者协会、私营企业协会等组织在创建工作中的职责，形成齐抓共管、同创共建的工作局面。各级文明办要在党委、政府的领导下，与各有关主管部门密切合作，加强调查研究，切实担负起协调、督促、检查的责任。

(18) 继续抓好典型示范工作。要进一步加强对先进典型和示范点的动态管理，发现问题及时帮助解决。先进典型和示范点要经常自查自纠，做好巩固提高工作。要不断发现和培养新的先进典型，不断推出新的示范点，形成分布合理的典型示范网络。要重视发挥先进典型的示范辐射作用，把学习重大典型与学习身边的先进经验结合起来，把典型示范与普遍提高结合起来，带动更多的单位、行业进入先进行列。

(19) 逐步完善创建工作机制。要深入研究创建工作面临的新情况、新问题，认真总结近年来工作机制建设的成功经验，不断创新工作机制。要结合深化行业改革和完善行业管理制度，抓紧建立健全组织领导、投入保障、检查考核、激励约束等创建工作机制。通过邀请人大代表和政协委员视察工作、群众评议行风、消费者投诉举报、新闻媒体舆论监督等途径和方式，实现对创建文明行业社会监督的制度化。

(20) 努力增强创建工作的整体效应。要围绕“讲文明树新风”的主题，把创建文明行业与创建文明城市、文明村镇结合起来，与各地各行业各人民团体组织的各种创建活动结合起来，使各方面工作展其所长、相互促进、形成合力。

2002年7月30日

中 央 文 明 委

关于表彰全国精神文明创建工作先进单位的决定

党的十三届四中全会以来，在以江泽民同志为核心的党中央领导下，社会主义精神文明建设取得了巨大进展和明显成效，对提高城乡文明程度和公民文明素质，促进物质文明和精神文明建设协调发展发挥了重要作用。自1999年中央文明委表彰第一批全国精神文明创建工作先进单位以来，各地各部门全面贯彻江泽民同志“三个代表”重要思想，围绕经济建设中心，服务全党全国工作大局，深入开展创建文明城市、文明村镇、文明行业活动，又涌现出一批成绩突出的先进单位。为迎接党的十六大，充分展示精神文明创建工作的成果，充分展示全国城乡面貌的巨大变化，充分展示广大干部群众奋发进取、昂扬向上的精神风貌，进一步推动精神文明建设深入发展，中央文明委决定，对在精神文明创建工作中做出突出成绩的创建文明城市工作先进城市和城区，创建文明村镇工作先进县（市）、镇、村，予以表彰。

希望受表彰的单位谦虚谨慎，戒骄戒躁，发扬成绩，再接再厉，在两个文明建设中更好地发挥示范带头作用。各地各部门要认真学习受表彰单位的先进经验，团结奋斗，锐意进取，大力推进精神文明创建工作。各地各部门各单位要坚定自觉地同以江泽民同志为核心的党中央保持一致，高举邓小平理论伟大旗帜，全面贯彻“三个代表”重要思想，解放思想，实事求是，与时俱进，开拓创新，更加广泛、深入、扎实地开展群众性精神文明创建活动，为促进两个文明建设更大发展做出新贡献。

中央精神文明建设指导委员会
2002 年 10 月 29 日

（2002 年 11 月 2 日《人民日报》）

中央办公厅
转发《中央组织部、中央宣传部关于学习〈江泽民论有中国特色社会主义〉（专题摘编）的通知》

中央办公厅 8 月 27 日转发《中共中央组织部、中共中央宣传部关于学习〈江泽民论有中国特色社会主义〉（专题摘编）的通知》。《通知》全文如下：

为了把全党对建设有中国特色社会主义理论和“三个代表”重要思想的学习不断引向深入，迎接党的十六大胜利召开，由中共中央文献研究室编辑的《江泽民论有中国特色社会主义》（专题摘编）一书，近日已出版发行。各级党委组织、宣传部门要采取多种形式，组织好广大党员干部的学习活动。

《江泽民论有中国特色社会主义》（专题摘编）一书的内容，摘自 1989 年 6 月至 2002 年 6 月间江泽民同志所作的报告、讲话、文章、书信、批示等 370 多篇重要文献，分为 25 个专题、119 个小题，汇集了江泽民同志关于建设有中国特色社会主义的一系列重要论述。这些重要论述，集中反映了江泽民同志科学分析国际国内形势发生的重大变化，深刻总结我国改革开放和社会主义现代化建设丰富经验，提出并阐明的新思想、新观点、新论断。

党的十三届四中全会以来，以江泽民同志为核心的第三代中央领导集体，高举邓小平理论伟大旗帜，坚持解放思想、实事求是的思想路线，弘扬与时俱进、开拓创新的精神，坚持党的基本路线和基本纲领，团结和带领全国各族人民，在实现推进现代化建设、完成祖国统一、维护世界和平与促进共同发展的历史任务过程中，正确应对前进道路上遇到的困难和挑战，妥善处理国际国内的复杂问题，把建设有中国特色社会主义的伟大事业全面推向前进。在这期间，江泽民同志发表的一系列重要论述，运用马克思主义立场、观点、方法，结合当今中国实际和时代特征，集中全党全国人民的智慧，正确回答建设有中国特色社会主义实践中迫切需要解决的重大问题，形成了新的理论成果。这些理论成果，特别是“三个代表”重要思想，是同马克思列宁主义、毛泽东思想、邓小平理论一脉相承的，是对建设有中国特色社会主义理论的丰富和发展，对于我国在新世纪全面建设小康社会、加快推进现代化事业，在建设有中国特色社会主义道路上实现中华民族的伟大复兴，具有十分重要的指导意义。

《江泽民论有中国特色社会主义》（专题摘编）内容十分丰富，涉及经济、政治、文化、军事、外交和党的建设等各个方面，为广大干部群众全面系统地学习江泽民同志关于建设有中国特色社会主义的一系列重要论述，提供了一部重要教材。广大党员特别是各级领导干部要紧密结合我国改革开放和现代化建设的实践，紧密结合国内外形势发生的深刻变化和进入新世纪我们面临的三大历史任务，着重学习江泽民同志关于高举邓小平理论伟大旗帜，解放思想、实事求是，与时俱进、开拓创新的论述；关于正确认识我国基本国情，坚持党的基本路线和基本纲领不动摇，建设有中国特色社会主义经济、政治、文化的论述；关于不断推进改革开放，建立和完善适应生产力发展要求的经济制度和社会主义市场经济体制的论述；关于把发展作为执政兴国的第一要务，正确处理改革、发展、稳定的关系，保持国民经济持续快速健康发展，全面建设小康社会、加快推进社会主义现代化的论述；关于实施科教兴国战略，充分发挥科学技术对发展我国先进生产力和先进文化、对维护和发展我国最广大人民根本利益的重要作用的论述；关于发展社会主义民主政治，坚持依法治国和以德治国相结合，建设社会主义政治文明，建设社会主义法治国家的论述；关于执政为民，把实现人民群众的利益作为我们一切工作出发点和归宿的论述；关于把物质文明建设和精神文明建设作为统一的奋斗目标，提高全民族的思想道德和科学文化素质，弘扬民族精神、增强民族凝聚力的论述；关于巩固和发展平等、团结、互助的社会主义民族关系，推动各民族发展进步和共同繁荣，积极引导宗教与社会主义社会相适应的论述；关于坚持党对军队的绝对领导，立足于打赢现代技术特别是高技术条件下的局部战争，全面加强军队和国防建设的论述；关于坚持“一国两制”方针，保持香港、澳门繁荣稳定，发展两岸关系，实现祖国完全统一的论述；关于正确把握世界多极化和经济全球化的发展趋势，坚持独立自主的和平外交政策，维护我国的独立、主权和安全，促进世界和平与发展的论述；关于治国必先治党，治党务必从严，全面推进党的建设新的伟大工程的论述，等等。特别是要着重学习和深刻领会江泽民同志“三个代表”重要思想，把“三个代表”重要思想作为加强和改进党的建设，推进我国社会主义制度自我完善和发展，不断夺取建设有中国特色社会主义事业新胜利的强大理论武器。

各级党委的组织、宣传部门，要组织广大党员干部特别是县（处）以上领导干部认真研读《江泽民论有中国特色社会主义》（专题摘编），以提高认识，统一思想，改进工作，更加坚定地高举邓小平理论伟大旗帜，全面贯彻“三个代表”要求，与时俱进，努力开创建设有中国特色社会主义事业新局面。

（2002年9月5日《人民日报》）

中共中央办公厅　国务院办公厅
转发教育部等12部门《关于“十五”期间扫除文盲工作的意见》

教育部、中央宣传部、国家民族事务委员会、财政部、农业部、文化部、国家广播电影电视总局、国家林业局、军委总政治部、共青团中央、全国妇联、中国科协《关于“十五”期间扫除文盲工作的意见》已经党中央、国务院同意。中共中央办公厅、国务院办公厅近日发出通知转发这一意见，要求各地区、各部门结合实际情况，认真贯彻执行。《意见》全文如下：

扫除文盲是宪法规定的基本政策，进一步做好这项工作，对于提高我国全民文化素质，促进社会主义物质文明和精神文明建设，具有重要作用。为推动“十五”期间我国的扫盲工作，巩固提高扫盲成果，根据党中央、国务院有关文件精神，现提出以下意见。

一、指导思想

深入贯彻落实《国务院关于基础教育改革与发展的决定》(国发〔2001〕21号）和《扫除文盲工作条例》，把普及九年义务教育和扫除青壮年文盲作为教育工作的“重中之重”，坚持杜绝新生文盲、扫除现有文盲与使脱盲人员接受继续教育相结合的方针，巩固和扩大扫盲工作成果，重点推进贫困地区、少数民族和妇女的扫盲教育。大力开展扫盲课程和教学改革，建立以满足扫盲对象基本学习需求为导向的扫盲教育机制，提高扫盲工作的质量和效益。

二、工作目标

扫盲工作的主要对象为15—50周岁的青壮年文盲。鼓励50周岁以上的文盲接受扫盲教育。

各省、自治区、直辖市要按照积极进取、实事求是、分类指导、全面推进的原则，结合本地区实际，制定和实施“十五”期间扫盲和扫盲后继续教育工作规划。

西部地区尚未实现基本扫除青壮年文盲目标的县（市、区），特别是已经普及初等义务教育的县（市、区），要在普及初等义务教育后的5年内，基本扫除青壮年文盲，将青壮年非文盲率提高到95%以上。内蒙古、贵州、云南、甘肃、宁夏、青海等省（自治区）要将青壮年非文盲率提高到90%以上。西藏自治区要大力推进普及义务教育工作，减少新生文盲，积极扫除青壮年文盲。

已经实现基本扫除青壮年文盲的县（市、区)，要以乡（镇）为单位，全面扫除有学习能力的青年（15—24周岁）文盲，使青壮年脱盲人员普遍接受继续教育。控制复盲现象，在巩固扫除文盲成果的基础上将青壮年非文盲率保持或提高到95%以上。

城市和经济发达地区要巩固提高扫盲工作成果，全面扫除有学习能力的青年文盲，积极探索功能性扫盲教育和多种形式的继续教育的途径和方法，使青壮年脱盲人员普遍接受继续教育，把扫盲教育与建立学习型社区工作结合起来。

三、主要任务

(一）核清底数，健全档案。各地要根据全国第五次人口普查的有关数据，以行政村或居委会为单位，核清文盲底数。对新生文盲、复盲、迁移性文盲等要加强监测，完善扫盲工作档案，建立扫盲工作动态管理机制，为制订扫盲工作规划奠定基础。

(二）广泛开展杜绝新生文盲和扫盲后的巩固提高工作。采取特殊政策和措施，控制义务教育阶段在校生辍学，杜绝新生文盲。对15周岁以下的文盲，由当地中小学校负责进行补偿教育，使其接受国家规定的义务教育，或达到个人脱盲标准；对15—24周岁有学习能力的青年文盲，要保证有一个脱盲一个。要使脱盲人员普遍接受继续教育，充分发挥农村中小学校和成人学校的作用，制订具体措施，在青壮年脱盲学员中开展各种形式的阅读训练、适用技术培训及各类专项教育活动，定期进行检查督促，切实巩固、扩大扫盲工作成果。

（三）重点推进贫困地区、少数民族和妇女的扫盲教育。尚未实现基本扫除青壮年文盲的省（自治区）需设立贫困地区扫盲项目；在22个人口较少民族中，要设立民族扫盲项目；已经实现基本扫除青壮年文盲目标的省（自治区、直辖市）要设立妇女扫盲项目，重点扫除妇女文盲。

（四）大力开展扫盲课程与教学改革。要转变扫盲教育观念，建立以满足扫盲对象基本学习需求为导向的扫盲教育机制，提高扫盲教育的质量和效益。改革扫盲教育的评估方法，重视扫盲教育的过程评估。将以识字量为主的结果评估方法，逐步转变为考核学员实际能力的过程评估。探索多种形式的功能性扫盲的途径和方法，适应经济发展、社会进步和群众生活的需要。

（五）农村中小学校和成人学校要积极承担扫盲工作。有扫盲任务的地方，农村中小学校和成人学校要把设置扫盲课程和承担扫盲教学工作作为一项重要任务和职责，建立和完善扫盲教学网络。教师参加扫盲工作要记人工作量，对超过工作量的给予课时补贴。要把教师参加扫盲工作的成绩作为职称评定、考核晋级、评选先进的依据，把在校学生参加扫盲活动作为学生的社会实践活动之一，纳入学校计划。各地要制定有关政策，为农村中小学校和成人学校承担扫盲教学工作提供支持。

四、加强领导，保障扫盲工作的顺利实施

（一）各级党委、政府要进一步加强对扫盲工作的领导。扫除文盲是各级党委、政府的职责和任务，是实践“三个代表”要求的重要体现。要按照《扫除文盲工作条例》的要求，把扫盲工作作为衡量本地区社会和经济发展的重要指标，列入社会和经济发展规划。要制订和完善扫盲与扫盲后巩固提高工作的规划、政策和措施，切实加以推进。要继续实行地方人民政府、教育行政部门“双线”承包责任制，把扫盲任务列为县、乡两级人民政府和企业、事业单位行政负责人的职责，作为考核工作成绩的一项重要内容。要充分发挥村民委员会的作用，把扫盲任务落实到人。

（二）建立健全各级党委、政府扫盲工作领导协调机构，动员社会各方面力量参与扫盲，指导、推动这项工作健康深入地发展。各级教育行政部门要明确扫盲工作的机构和人员。扫盲任务重的地方，要有专门人员负责扫盲教育工作，并加强对管理人员和教师的培训，不断提高工作的质量和水平。各级农业、林业行政部门负责组织动员本系统的干部和专业技术人员参与扫盲和继续教育活动，并为结合扫盲开办的农业、林业适用技术培训提供师资和教材；各级新闻宣传部门要积极做好扫除文盲的舆论宣传工作，搞好对扫盲工作成效和经验的报道；出版部门要积极配合，加大普及读物的出版力度；文化管理部门要充分利用基层文化设施，为扫盲工作提供场所和各种图书、报刊、读物；共青团、妇联要充分发挥基层组织的作用，积极动员青壮年文盲，特别是妇女文盲参加学习，凡有扫盲任务的地方，青年、妇女组织都要积极参与举办扫盲班（组）或开展包教保学活动；各级科协及所属学会、协会、研究会等，要结合当地青壮年文盲的特点，举办各种适用技术培训，为脱盲学员提供各种科普读物；人民解放军和武警部队要配合当地政府，将扫盲工作纳入军民共建活动中，促进驻地精神文明建设。

（三）多渠道解决扫盲工作经费。继续按照《扫除文盲工作条例》的规定保证扫盲工作经费。中央财政继续安排扫盲工作奖励专项经费，并根据各地扫盲项目的进展情况给予奖励。地方各级人民政府视自身财力状况设立扫盲工作专项经费，用于扫盲项目及其表彰奖励。二期“国家贫困地区义务教育工程”师资培训经费也可用于培训扫盲教师。

（四）各级教育科研机构要重视和加强扫盲教育理论与实践的研究工作。特别是加强对新形势下扫盲工作的组织动员方法、以满足扫盲对象基本学习需求为导向的扫盲教育机制、扫盲教材编写模式及贫困地区、少数民族和妇女扫盲工作的有效途径等方面的研究与探索。以科学的理论指导扫盲教育，以科学的方法提高扫盲工作的针对性和实用性。

（五）坚持对扫盲工作的督导评估制度。地方各级教育督导机构要加强对扫盲工作的督导评估。坚持未普及初等义务教育，不能验收扫盲工作；未基本扫除青壮年文盲，不能验收普及九年义务教育工作。各地要建立扫盲工作复查制度，以全国第五次人口普查数据为依据，对已验收的县（市、区）进行复查。复查中发现主要指标下滑的，要采取切实措施限期整改。国家教育督导团要继续加强对扫盲工作的过程性督导，对由省（自治区）人民政府申报实现基本扫除青壮年文盲任务的县（市、区），经抽查后予以认定。

（六）建立扫盲工作的报告与通报制度。各省、自治区、直辖市人民政府每年年初要向教育部报送扫盲工作的进展情况及年度计划。教育部对各地扫盲工作进行不定期的调查研究和检查，并对各地的情况进行通报。

（2002年9月9日《人民日报》）

国务院办公厅
关于完善农村义务教育管理体制的通知

完善农村义务教育管理体制，是实践江泽民同志“三个代表”重要思想，实施科教兴国战略的重要内容；是进一步落实地方政府举办义务教育的责任，加强农村义务教育管理，保证经费投入，减轻农民负担，促进农村义务教育持续健康发展的治本之策；是提高农村人口素质，推动我国农村经济和社会长远发展的重大举措。党中央、国务院高度重视农村义务教育发展和完善农村义务教育管理体制问题，《国务院关于基础教育改革与发展的决定》（国发〔2001〕21号）明确提出，加强农村义务教育是涉及农村经济社会发展全局的一项战略任务，各级人民政府要牢固树立实施科教兴国战略必须首先落实到义务教育上来的思想，完善管理体制，保障经费投入，推进农村义务教育持续健康发展。各级人民政府要进一步增强责任感和紧迫感，严格执行《中华人民共和国教育法》、《中华人民共和国义务教育法》等有关法律法规，认真贯彻落实《国务院关于基础教育改革与发展的决定》，确保新的农村义务教育管理体制在2002年全面运行。为此，经国务院批准，现就完善农村义务教育管理体制有关问题通知如下：

一、明确各级政府责任，加强对农村义务教育的领导和管理

1. 农村义务教育实行“在国务院领导下，由地方政府负责、分级管理、以县为主”的体制。县级人民政府对农村义务教育负有主要责任，省、地（市）、乡等地方各级人民政府承担相应责任，中央政府给予必要的支持。

2. 省级人民政府负责统筹制定本省、自治区、直辖市农村义务教育发展规划；根据国家中小学教职工编制标准，制定具体实施办法，核批各县（市、区、旗，以下统称县）农村中小学教职工编制；逐县核实财力水平，统筹安排财力，对财力不足、发放财政供养人员工资确已达到合理比例仍有困难的县，通过调整财政体制和财政支出结构、增加省级财政转移支付资金、合理安排中央财政转移支付资金等办法，帮助并督促县级人民政府确保农村中小学教职工工资按时足额发放；核定本地区农村中小学公用经费的标准和定额，确定农村中小学收费项目和标准；增加危房改造专项资金投入，建立消除农村中小学危房的工作机制；组织实施教育对口支援工作，推动建立助学制度；加强对下级政府教育工作的督导检查，组织开展督导评估工作。

3. 地（市）级人民政府负责制定本地区农村义务教育发展规划，组织协调农村义务教育发展；根据国家中小学教职工编制标准和省级人民政府的实施办法，审核上报本地区各县农村中小学教职工编制；根据省级人民政府的要求，对财力不足、发放财政供养人员工资确有困难的县，给予转移支付，对农村中小学危房改造给予补助；组织实施助学活动；加强教育督导检查。

4. 县级人民政府负责制定本地区农村义务教育发展规划，组织实施农村义务教育；从实际出发，因地制宜，逐步调整农村中小学布局；根据国家中小学教职工编制标准和省级人民政府的实施办法，提出农村中小学教职工编制方案，并根据省级人民政府核批的农村中小学教职工编制，核定学校的教职工编制；负责农村中小学校长、教职工的管理；调整本级财政支出结构，增加教育经费预算，合理安排使用上级转移支付资金，确保按时足额统一发放教职工工资；统筹安排农村中小学公用经费，安排使用校舍建设和危房改造资金，组织实施农村中小学危房改造和校舍建设，改善办学条件；指导农村中小学的教育教学工作；维护学校的治安、安全和正常教学秩序；开展助学活动；对乡（镇）人民政府有关教育工作和农村中小学进行督导评估。

5. 乡（镇）人民政府负责组织适龄儿童少年入学，严格控制义务教育阶段学生辍学；维护学校的治安、安全和正常教学秩序，治理校园周边环境；按有关规定划拨新建、扩建校舍所必需的土地。经济条件较好的乡（镇）要积极筹措经费，改善农村中小学办学条件，支持农村义务教育发展。

继续发挥村民自治组织在实施农村义务教育中的作用。

未实行农村税费改革试点的地方，地（市）、县、乡（镇）人民政府，要继续严格按照国家有关规定组织做好农村教育费附加的征收、管理，用于农村中小学的校舍建设、维修、危房改造和学校布局调整；继续严格按照国家有关规定组织做好农村中小学危房改造的教育集资工作。

二、建立义务教育经费保障机制，保证农村义务教育投入

6. 地方各级人民政府要按照“一要吃饭，二要建设”的原则，调整财政支出结构，确保农村中小学教职工工资按时足额发放。农村中小学教职工工资要上收到县集中管理，按2001年国家统一规定的工资项目和标准将农村中小学教职工工资总额上划到县（实际发放数低于国家标准工资的，按实际发放数上划），并相应调整县、乡财政体制，由县按照国家统一规定的工资项目和标准，统一发放农村中小学教职工工资。

县级人民政府按照省级人民政府核定的教职工编制和国家统一规定的工资项目和标准，结合本级财力和上级给予的转移支付资金，将农村中小学教职工工资全额纳入本级财政预算，通过银行按时足额直接拨到在银行开设的教职工个人工资账户中，保证教职工工资按时足额发放。同时，按照《中华人民共和国教师法》的规定，保证教师工资不低于当地国家公务员的平均水平。安排使用上级的工资性转移支付资金、农村税费改革转移支付资金和一般性转移支付资金，首先要用于保证农村中小学教职工工资。

在合理确定农村中小学教职工编制的基础上，省级人民政府要统筹安排解决财力困难县农村中小学教职工工资的发放问题，并实行省长（主席、市长）负责制。通过调整财政体制和财政支出结构，逐县核实财力并建立确保农村中小学教职工工资发放的运行机制。根据各县财力状况和保障力度，增加工资性转移支付资金。安排使用中央下达的一般性转移支付和工资性转移支付资金，省、地（市）级不留用，全部补助到县，对所属各县也不能平均分配，主要补助财力困难而自身保障力度大的县用于工资发放，并在年初将转移支付资金指标下达到县。财力较好的地（市）级人民政府也要安排相应的工资性转移支付资金。通过上述资金统筹安排，确保国家统一规定的农村中小学教职工工资按时足额发放，不再发生新的拖欠。

县级人民政府负责清理历年拖欠的农村中小学教职工工资，并制定计划，限期补发。

7. 保证农村中小学公用经费。县级人民政府要按照省级人民政府核定的农村中小学公用经费标准和定额，统筹安排，予以保证。经济和财力较好的县，标准和定额可以适当提高。农村中小学公用经费资金来源除学校按规定向学生收取的杂费外，其余部分由县、乡两级人民政府预算安排。

农村中小学按省级人民政府规定向学生收取的杂费，全部用于公用经费开支，不得用于教职工工资、津贴、福利、基建等开支，不得用于平衡财政预算，不得从中提取任何性质的调节基金；代收的书本费，由学校直接用于购买书本，不得以任何理由挤占挪用。国家扶贫开发工作重点县的农村中小学按国家有关规定实行“一费制”，并严格按标准收取，不得超标。对实行“一费制”后形成的农村中小学公用经费缺口，应按省级人民政府核定的农村中小学公用经费标准和定额，在上级人民政府的转移支付资金中安排。

8. 保障农村中小学危房改造和学校建设的必要投入。各地要建立定期的危房勘查、鉴定工作制度和危房改造经费保障机制。县级人民政府要将新增危房的改造列入本级事业发展计划，多渠道筹措经费，确保及时消除新增危房。省、地（市）级和财力较好的县级人民政府要设立农村中小学危房改造专项资金，中央政府通过专项补助重点扶持困难地区的农村中小学危房改造，力争在较短的时期内基本消除现有农村中小学危房。实行农村税费改革试点的地区，可以通过村民自愿提供劳务等方式，支持农村中小学校舍的维护和修缮。

农村中小学进一步发展所需的校舍建设项目，由县级人民政府列入基础设施建设统一规划，经省级人民政府审批后，由省、地（市）、县级人民政府多渠道筹措建设资金。农村中小学购置教学仪器设备和图书资料所需经费，由县级人民政府安排。

中央和省级人民政府设立的专项资金，今后将继续扶持贫困地区、少数民族地区的农村中小学学校建设，改善办学条件。

9. 实行农村税费改革试点的地区，安排使用上级转移支付资金，要明确保障农村义务教育正常经费和危房改造资金投入，并纳入财政预算。改革后农村中小学要有稳定的经费来源，确保农村义务教育投入不低于改革前的水平并力争有所提高。对因取消农村教育费附加和经批准的教育集资而形成的教育经费缺口，要从增加的农业税收入和上级转移支付资金中予以安排，保证农村义务教育经费的正常需要。

10. 加强农村义务教育经费和资产管理。各级人民政府预算安排的各项教育经费要按时足额拨付到位，不得挤占、截留、挪用。学校要严格按规定范围和标准安排使用经费，定期公布收支情况，严禁挪作他用。对挪用农村义务教育经费的问题，要严肃查处，遏制腐败问题发生。要节约开支，切实提高资金使用效益。要严格执行省级人民政府规定的收费项目和收费标准，农村中小学不得以任何理由和名义向学生收取规定项目以外的费用或擅自提高收费标准。

农村中小学不得举债建设。县级人民政府要采取有效措施，清理核实农村中小学“普及九年义务教育”欠债，摸清债务来源和使用情况，并尽力偿还。债权单位和个人不得因追索债务影响学校正常教学秩序。对强迫学校停课、将师生逐出校园及其他影响学校正常教学秩序和社会稳定的行为，要坚决制止。农村中小学实行校长负责制，由校长全面负责校舍等国有资产的管理。

11. 认真组织实施学校对口支援工作，开展经常性全国助学活动。要继续组织好“东部地区学校对口支援西部贫困地区学校工程”和“大中城市学校对口支援本地贫困地区学校工程”（以下简称“两个工程”）的实施工作，各地要建立一套包括检查、评比、表彰、奖励在内的行之有效的机制，要有专人负责，确保“两个工程”的开展制度化。大中城市要普遍建立对口支援捐赠中心，接收社会各界对教育的经常性捐助。开展经常性全国助学活动，把筹集的社会资金用于资助家庭经济困难的学生就学。

三、完善人事编制管理制度，加强农村中小学教师队伍建设

12. 严格管理农村中小学编制。省级机构编制部门要根据国家下达的编制标准，会同同级教育、财政部门，尽快研究下达本省、自治区、直辖市农村中小学编制核定和管理的具体实施办法。县级人民政府根据实施办法提出农村中小学教职工编制方案，报省级人民政府核批。各地要在2002年上半年将核编结果报中央编办、教育部、财政部。农村中小学编制总量应当根据教育事业发展规划、生源变化和学校布局调整等情况定期调整，实行动态管理。

县级机构编制部门要会同同级教育、财政部门严格控制农村中小学领导职数、内设机构和教职工编制总量。县级教育行政部门要在核定的编制总额内，按照班额、生源等情况具体分配农村中小学教职工编制，并报同级机构编制部门备案；分配农村中小学教职工编制时，要合理调控农村中小学班额和班级数，科学确定教师工作量，按规定比例确定职员、教学辅助人员、工勤人员的数量。

任何部门和单位不得以任何理由占用或变相占用农村中小学教职工编制。对占用学校编制而不在学校工作的人员，要限期与学校脱离关系，教育行政部门和学校不得为其支付工资。农村中小学不得超编聘用人员，不得使用编外人员顶编在岗工作。要积极稳妥地做好农村中小学教职工分流工作，农村中小学在编教职工分流参照行政机关工作人员的分流政策执行。

13. 加强农村中小学人事管理。县级教育行政部门依法履行对农村中小学教师的资格认定、招聘录用、职务评聘、培养培训、调配交流和考核等管理职能，乡（镇）、村无权聘任农村中小学教职工。农村中小学校长的选拔、任用、培训、考核、交流由县级教育行政部门归口管理；要按照干部人事制度改革要求，积极创造条件，逐步实行农村中小学校长公开选拔，竞争上岗。

乡（镇）人民政府不设专门的教育管理机构，乡（镇）有关教育工作由乡（镇）长直接负责，乡（镇）可在核定的行政编制内确定一至二名助理或干事协助乡（镇）长管理具体教育事务，并接受县级教育行政部门指导。教育教学业务管理由乡（镇）中心学校校长负责。

全面实行教师资格制度。农村中小学任教人员必须具备相应的教师资格，对不具备教师资格的人员要及时调整出教师队伍，积极吸引高校毕业生到农村中小学任教。积极推行教师聘任制度，实行按需设岗、公开招聘、平等竞争、择优聘任、严格考核、合同管理。限期清退农村中小学代课人员。

四、建立健全监督机制，保证农村义务教育健康发展

14. 建立健全监督检查制度。省、地（市）、县级人民政府要按照本通知，制订具体落实措施，明确目标、责任，保证各项要求落实到位。地方各级人民政府每年向上一级人民政府专题报告一次农村义务教育工作情况，国务院有关部门负责督促检查各省、自治区、直辖市落实情况并予以综合通报。省级人民政府定期向社会公布各县农村中小学教职工工资发放情况。财政部、教育部每年年底向社会公布各省、自治区、直辖市农村中小学教职工工资发放情况。省、地（市）、县级人民政府有关部门要设立并公布举报电话，接受社会各界对拖欠农村中小学教职工工资、农村中小学违规收费等情况的举报，并及时调查处理。各级人民政府教育督导机构要把督导农村义务教育作为工作重点。

15. 建立表彰奖励和责任追究制度。县级人民政府主要负责人是农村义务教育工作的第一责任人，省、地（市）级人民政府主要负责人对农村义务教育工作、保证发放农村中小学教职工工资负有领导责任。对积极完善农村义务教育管理体制，推进农村义务教育工作卓有成效的，上级人民政府要予以表彰。

要逐级建立责任追究制度。凡是拖欠农村中小学教职工工资的县，不得用财政性资金上新的建设项目，不准机关盖办公楼、买轿车，不准领导干部出国，违者要追究领导责任。对挤占挪用农村中小学教育经费、拖欠农村中小学教职工工资、不及时修缮危房或管理不善造成重大安全事故，以及违反编制管理规定、超编制招聘人员的，要追究领导和直接管理者的责任。具体办法由省级人民政府制定。

（2002年5月17日《人民日报》）

国务院办公厅转发文化部等3部委《关于进一步加强基层文化建设的指导意见》

文化部、国家计委、财政部《关于进一步加强基层文化建设的指导意见》已经国务院同意。国务院办公厅近日发出通知转发这一意见，要求各省、自治区、直辖市人民政府，国务院各部委、各直属机构，认真贯彻执行。

《关于进一步加强基层文化建设的指导意见》全文如下：

党的十五大以来，各地区、各有关部门高度重视社会主义精神文明建设，大力加强文化工作，城乡基层文化设施状况得到较大改善，文化生活进一步丰富，有力地促进了经济和社会的发展。但也要看到，目前基层文化建设仍比较薄弱。在部分农村，特别是一些经济欠发达地区，文化生活还很贫乏；一些地方愚昧迷信活动抬头，腐朽思想蔓延，“黄、赌、毒”等社会丑恶现象沉渣泛起；少数地方非法宗教活动猖獗，影响了社会稳定和基层政权建设。为进一步加强基层文化建设，用先进文化占领城乡阵地，现提出以下意见。

一、认真学习实践江泽民同志“三个代表”重要思想，高度重视基层文化建设

（一）基层文化建设是中国先进文化建设的重要方面，是推动先进生产力发展的重要因素，也是实现广大人民群众根本利益的重要方面。搞好基层文化工作，对于宣传党和国家的方针政策，加强党和政府与人民群众之间的血肉联系，在全社会培养健康、文明的生活方式，提高广大人民群众的思想道德和科学文化素质，具有重要作用。地方各级人民政府、各有关部门要认真学习实践江泽民同志“三个代表”重要思想，高度重视并大力推进基层文化建设。

（二）基层文化建设总体要求是：始终坚持中国先进文化的前进方向，大力弘扬民族优秀文化，摒弃落后文化，抵制腐朽文化。“十五”期间，以社区和乡镇为重点，全面加强文化阵地、文化队伍、文化活动内容和方式的建设，努力满足广大人民群众日益增长的精神文化需求。

二、加快推进基层文化设施建设

（三）文化设施是开展群众文化活动、传播先进文化的重要阵地，中央和地方各级人民政府要加大投资力度，加快文化设施建设，满足广大人民群众就近、经常和有选择地参加文化活动的需要。城市要在搞好群艺馆、文化馆、图书馆建设的同时，加强社区和居民小区配套文化设施建设，发展文化广场等公共文化活动场所。要在现有公共服务设施中开辟老年、少儿和残疾人文化活动场所，建设老年文化活动中心、老年大学（学校）、青少年校外文化活动设施和场所。要努力实现“县县有文化馆、图书馆”的目标。经济条件较好、人口规模较大的县可分设文化馆、图书馆；经济欠发达、人口规模较小的县可将文化馆、图书馆合二为一建设。农村要因地制宜建设乡镇文化站和村文化室；地广人稀、人口分散的少数民族地区、边疆地区、边远山区和农牧区要积极发展流动文化车、汽车图书馆和流动剧场等。全国万里边疆文化长廊建设要落实文化设施建设任务。民政部门实施的“星光计划”，要将资金落实到社区老年活动设施建设上，促进社区老年活动的开展。

（四）把文化设施建设纳入城乡建设整体规划，把群艺馆、文化馆、图书馆、文化站作为重点列入建设规划。各级城乡规划部门要会同文化部门，按照《中华人民共和国城市规划法》、《中华人民共和国土地管理法》规定和有关要求，在城镇建设中，统筹规划城镇文化设施建设。城市新建居民小区和经济开发区必须规划和配套建设相应文化设施。新建符合当地经济发展水平的非经营性文化设施所需用地，可以划拨供地的，地方人民政府应优先划拨；采用有偿方式供地的，应在地价上适当给予优惠。城镇建设确需征用文化设施用地，必须做到先建后拆，或建拆同时进行，要保证重建的文化设施规模不低于原有的规模。

（五）切实加强文化设施的管理和利用。完善群艺馆、文化馆、图书馆必要的设备和装备，加强对设备的日常维护保养。通过建立健全岗位责任制和工作目标管理责任制，完善综合服务功能，不断提高文化设施利用率。要防止文化设施被挤占、挪用，要坚决收回被挤占、挪用的文化设施。机关、学校、部队、企业的内部文化设施，凡有条件对社会开放的，要采取多种方式开放内部文化设施，为群众开展文化活动提供方便。要加强对城镇大型露天文化活动场所的管理和使用，各级文化部门要搞好活动的组织和安排。

三、努力建立一支稳定的专兼结合的文化队伍

（六）建立健全群艺馆、文化馆、图书馆和乡镇（街道）文化机构的工作岗位规范，逐步实行工作人员从业资格制度。充分发挥中央文化单位和省（自治区、直辖市）、地（市）、县（市）文化机构的积极性，尽快建立基层文化骨干培训网络，不断提高基层文化工作者的思想水平和业务素质。要改善队伍结构，以适应新形势下基层文化工作的需要。各地区、各有关部门要切实关心和帮助基层文化工作者解决工作、生活中的实际困难，保证工资的按时发放，提供必要的工作条件。

（七）积极推进基层文化机构人事制度改革。要逐步建立和完善能上能下、能进能出的用人机制和科学合理的人事管理制度。要采取有效措施，鼓励和吸引优秀人才到基层文化机构工作。在市县乡机构改革中，各地区、各有关部门要认真贯彻执行《中共中央办公厅　国务院办公厅关于市县乡人员编制精简的意见》（中办发〔2000〕30号）精神，结合当地实际情况，在乡镇设置集文化、宣传、广电、体育、科技培训等功能为一体的综合性宣传文化机构。同时，要积极解决农村电影放映队伍的编制问题。

（八）大力培养和发展民间文化队伍。积极鼓励民办社会文化团体、民办文化类非企业单位和文化经营户的发展，支持他们采取多种方式拓宽文化服务渠道，引导他们开展健康的文化活动。注意发挥民间艺人在活跃基层文化生活中的作用。逐步完善城市社区文化指导员制度，鼓励社区有文艺专长和组织才能的居民担任社区文化指导员，辅导和组织社区居民开展文化活动。建立和完善民间文艺团体注册登记和监督检查制度。在各类文化比赛和交流方面，民间文艺团体和民间艺人享有与公办文化事业单位及其人员的同等权利。

四、积极开展丰富多彩的文化活动

（九）利用现代科技推动先进文化传播。要建立和完善文化信息网络服务体系，加快网络服务平台建设，提高资源共享水平。要有计划有步骤地整合和开发现有图书、音像、信息等文化资源，以发展数字文化网络为突破口，为广大人民群众提供快捷、丰富的经济信息和文化服务。特别要从提高农民的阅读水平和质量入手，发展网络终端，普及网络应用知识，帮助农民脱贫治愚，使经济欠发达地区农村实现跨越式发展。

（十）积极繁荣社区文化。要充分利用街道文化站、社区服务活动室、文化广场等现有设施，组织开展丰富多彩、健康有益的文化活动，营造良好的文化氛围。积极发挥社区内的各种专栏、板报的宣传教育作用。因地制宜地搞好群众性歌咏活动。要高度重视并积极引导社会举办和群众自发组织的各种文化活动。

（十一）推进农村文化活动方式的创新。继续发展民间艺术之乡、特色艺术之乡和民族民间文化生态保护区，继承和发展民族民间传统特色艺术。充分利用农闲时间、集市和民族民间传统节日，开展生动活泼的文化活动。努力搞好农村电影发行放映工作，力争实现每村每月放映一场电影的目标。鼓励发展庭院文化。艺术表演团体、群艺馆、文化馆、图书馆、电影公司等要在文化、科技、卫生“三下乡”活动中发挥作用，深入基层为群众送戏、送书、送电影、送文化科技知识。要充分发挥流动文化车、文化小分队的作用，积极探索灵活多样、行之有效的文化下乡新方法和新形式。

（十二）加强对文化市场的培育和管理。各地区要根据经济、社会和文化发展的实际，制定文化市场建设、发展和管理规划，逐步建立与当地经济和社会发展水平相适应的内容丰富、健康规范的文化市场。积极引导群众的文化消费，扶持健康有益的文化活动。加强对娱乐、音像、演出等文化市场的管理，整顿和规范文化市场秩序，坚决制止传播各种色情、暴力、愚昧迷信等内容的违法活动。地方各级人民政府要加强文化市场的管理机构和稽查队伍建设，落实人员编制和日常工作所需经费，采取培训等方式，不断提高执法队伍的业务素质和执法水平。

五、切实加强领导并落实各项保障措施

（十三）地方各级人民政府要把基层文化建设纳入重要议事日程，切实加强领导。要把文化建设纳入当地国民经济和社会发展总体规划，所需经费列入地方财政预算。加强基层文化建设的主要责任在县（市）、区级人民政府。要继续开展创建文化先进县（市）活动，实施少儿文艺“蒲公英计划”和知识工程，落实《全国万里边疆文化长廊2001年至2010年建设规划》。

（十四）切实加大对基层文化建设的投入。要确保文化事业经费的增长不低于当年财政收入的增长幅度；文化事业建设费的安排应向基层文化建设项目倾斜；保证有影响的重大群众文化活动的经费投入；对于群艺馆、文化馆、图书馆等公益文化事业单位的日常工作给予必要的经费保障；保证各级公共图书馆有一定数量的购书经费。要加大对基层文化基础设施建设、配套设备及其维修、流动文化车购置、文化信息网络建设、文化队伍教育培训、老年教育等经费的投入，特别要对西部地区文化事业发展予以重点扶持。要适当增加全国万里边疆文化长廊专项补助经费，加强对具体项目的论证和实施，最大限度地发挥资金的使用效益。要切实加强民族民间文化遗产保护，扶持有代表性和有影响的农村区域性民间民俗艺术活动、艺术项目，资助民族民间艺术的传承及其资料的抢救和整理等。保证每年为贫困地区、革命老区、少数民族地区、边疆地区乡镇文化机构集中配送一定数量的图书。

（十五）各地区、各有关部门要认真落实《国务院关于支持文化事业发展若干经济政策的通知》（国发〔2000〕41号）精神，切实搞好文化事业建设费的征收、管理和使用；建立健全有关专项资金制度；鼓励对社会公益性活动、项目和文化设施等方面的捐赠。有关部门要对现行文化经济政策的落实情况进行督促和检查。新闻媒体要加强对现行文化经济政策和法律法规的宣传。要研究制定新的政策措施，鼓励社会力量投资文化建设，逐步形成政府投入为主、社会多渠道筹资为辅的文化建设投入格局。切实加强民族民间文化遗产的抢救保护和开发利用，抓紧制定民族民间文化保护的政策法规。

（2002年3月27日《人民日报》）

中央宣传部　中央文明办　教育部

关于进一步做好“西部开发助学工程”实施工作的通知

（文明办〔2002〕3号）

各省、自治区、直辖市和新疆生产建设兵团党委宣传部、文明办、教育厅（教委）：

“西部开发助学工程”自2000年实施以来，得到了西部广大干部群众的热烈欢迎，在全国引起强烈的社会反响。为认真贯彻落实中央领导同志关于“把好事办实，实事办好”的批示精神，进一步做好“西部开发助学工程”实施工作，中央精神文明建设指导委员会决定，自2002年起，扩大“西部开发助学工程”资助范围，加大资助力度。现就有关问题通知如下：

一、扩大资助范围，增加受助大学生名额

从2002年开始，“西部开发助学工程”资助范围由西部12省（区、市）和新疆生产建设兵团扩大到贫困面较大的河北、山西、黑龙江、安徽、江西、河南、湖北、湖南等省。资助大学生名额总数由每年1200名增加到2080名，资助标准不变。(具体名额分配见附件)

1. 各有关省（区、市）特别是今年才开始实施这项工程的黑龙江、安徽、江西、河南、湖北、湖南省委宣传部、文明办、教育厅（教委）要根据《关于实施“西部开发助学工程”的通知》（文明办〔2000〕8号）和《关于认真做好2001年“西部开发助学工程”实施工作的通知》（文明办〔2001〕6号）文件精神，制订本省（区、市）实施细则，周密部署，狠抓落实，切实做好组织实施工作。

2. 各地实施细则和工作调整情况请于5月底前报中央宣传部、中央文明办、教育部。

二、开办高中“宏志班”

开办高中“宏志班”是“西部开发助学工程”由大学向高中阶段的延伸，其基本原则、程序和办法参照中央宣传部、中央文明办、教育部《关于实施“西部开发助学工程”的通知》（文明办〔2000〕8号）和《关于认真做好2001年“西部开发助学工程”实施工作的通知》（文明办〔2001〕6号）的有关规定执行。

1. 从2002年起，在河北、山西、内蒙古、黑龙江、安徽、江西、河南、湖北、湖南、广西、重庆、四川、贵州、云南、西藏、陕西、甘肃、宁夏、新疆、青海省（区、市）和新疆生产建设兵团各确定两所省级示范性普通高中，每所高中在招生计划内开办一个“宏志班”，每班50人，每人资助6000元（每学年2000元，分三个学年陆续拨付）。所需经费从中央文化事业建设费中支出。

2. 资助对象：达到本地区当年中考录取标准，符合省级示范性普通高中招生条件，品学兼优、家庭贫困、无力完成高中学业的优秀学生。

3. 招生范围：原则上要面向全省（区、市）招生，有关省（区、市）教育厅（教委）要对承办高中“宏志班”的中学在招生范围、学籍管理等方面做出具体规定。

4. 工作程序：在学生本人自愿申请的基础上，采取自下而上、逐级审核、学校参与的办法，坚持“公开、公平、公正”的原则，建立有效的社会监督机制，在本地主要新闻媒体和学生所在初中公布资助条件、申报程序及受资助学生候选名单，接受社会监督，严防不正之风。

5. “宏志班”办班指标由中央宣传部、中央文明办、教育部按年度下达，有关各省（区、市）和新疆生产建设兵团文明办会同党委宣传部、教育厅（教委）组织实施。开办“宏志班”所需经费由中央文明办按年度做出预算，经财政部同意，按有关规定程序分年度拨付到有关省（区、市）和新疆生产建设兵团文明办，由文明办下拨到承办高中“宏志班”的中学。由所在中学按规定逐月发给受助学生。资助经费要专款专用，任何人不得克扣或挪作他用。所在学校要定期向受资助学生及家长公布使用情况，同时报本省（区、市）和新疆生产建设兵团党委宣传部、文明办、教育厅（教委）。

6. 确定开办“宏志班”的学校：开办高中“宏志班”的学校一般可在地、市（州、盟）政府所在地的省级示范性普通高中中选择。请有关各省（区、市）和新疆生产建设兵团在2002年3月底前将确定的示范性普通高中及其基本情况报中央宣传部、中央文明办、教育部。

7. 民族自治地区开办高中“宏志班”的办班方式可根据当地现行的高中教学体制，以教学授课语言分成两个班，即一个汉语班、一个民族语言班。也可采取适合本地实际的其他方式。

8. 有关各省（区、市）和新疆生产建设兵团党委宣传部、文明办、教育厅（教委）要根据本通知精神结合本地实际，制定开办高中“宏志班”的实施细则，于5月底前报中央宣传部、中央文明办、教育部备案后实施。受资助学生的基本情况要报中央宣传部、中央文明办、教育部。

三、组织开展暑期活动

1. 请有关各省（区、市）和新疆生产建设兵团党委宣传部、文明办、教育厅（教委）按照《关于组织“西部开发助学工程”受助学生开展暑期活动的通知》（文明办〔2001〕7号）文件精神，继续组织2001级受助大学生回本省（区、市）开展暑期活动。组织开展暑期活动的实施方案请于6月底前报中央宣传部、中央文明办、教育部。

2. 请有关各省（区、市）和新疆生产建设兵团文明办分别通知2000级受助学生，要求他们利用暑假积极参加所在学校组织开展的各类社会实践活动。通过参加社会实践活动，开阔眼界，了解社会，坚定信念，增强使命感和责任感，利用自己所学知识力所能及地参加社会公益活动，回报社会。开学前，每位受助学生要写出参加社会实践活动的心得体会，交本省（区、市）和新疆生产建设兵团文明办及受助学生所在学校有关部门。

3. 受助学生暑期活动的经费由中央文化事业建设费给予适当补助。

四、工作要求

1. “西部开发助学工程”政治性、政策性强，涉及面广，组织协调工作量大，各地、各有关部门要从讲政治的高度，从贯彻落实“三个代表”重要思想的高度，从改革开放和现代化建设全局的高度，充分认识实施“西部开发助学工程”包括开办高中“宏志班”的重大意义，以对党和人民高度负责的态度，怀着对人民群众的深厚感情，周密安排，狠抓落实，切实把这件受到广大人民群众特别是贫困群众热烈欢迎的实事办实办好。

2. 各有关省（区、市）和新疆生产建设兵团文明办要会同党委宣传部、教育厅（教委）指定专人同有关学校建立联系，及时掌握和了解受资助学生及学校的基本情况。有关学校要选配得力的骨干教师负责“西部开发助学工程”包括“宏志班”的各项工作。

3. 各有关省（区、市）和新疆生产建设兵团党委宣传部、文明办、教育厅（教委），有关高校、省级示范性普通高中要加强联系，密切配合，切实做好受助学生的培养教育工作。要有针对性地做好思想政治工作，加强对他们的爱国主义、集体主义、社会主义教育，培养他们树立正确的世界观、人生观、价值观，提高他们珍惜学习机会，克服困难，发奋努力，立志报效祖国和人民的自觉性，建设家乡、振兴中华的使命感、责任感。

4. 对受资助学生要实行动态管理。如受助学生在校期间出现严重违纪违规行为甚至违法犯罪现象，应取消资助；受助学生在校学习两年仍有2门（含2门）必修课不及格，应取消资助；受助学生家庭经济情况发生变化或学生本人情况发生变化，不再符合资助条件，可中止资助。取消、中止资助资格的情况，应及时报中央宣传部、中央文明办、教育部备案。取消、中止资助后所余资助款应用于同年级同等条件的特困生。

5. 各地要加强新闻宣传。及时向新闻单位通报“西部开发助学工程”包括“宏志班”的有关情况。各级新闻单位要加大对“西部开发助学工程”包括“宏志班”的宣传力度，及时报道受助学生刻苦学习、立志报国的情况，宣传党和政府对中西部地区、对人民群众的亲切关怀，体现各级党委、政府为民分忧，为人民群众办实事所做的各项工作，反映贫困群众对党和政府的感激之情，为中央实施西部大开发战略、推进改革开放和现代化建设营造良好的舆论氛围。

2002年3月11日

中央文明办　中央综治办　文化部　卫生部
体育总局　中国科协　共青团中央　全国妇联

关于开展科教、文体、法律、卫生“四进社区”活动的通知

（文明办〔2002〕2号）

各省、自治区、直辖市文明办、综治办、文化厅（局）、卫生厅（局）、体育局、科协、团委、妇联：

创建文明社区是创建文明城市活动中蓬勃兴起的新生事物，是人民群众在党的领导下创造美好生活的生动实践，是把精神文明建设落实到基层的有效载体。自2000年9月中央文明委召开全国创建文明社区工作座谈会以后，全国各地创建文明社区活动深入开展，呈现扎实推进、持续发展的良好态势，对于促进城市经济社会协调发展、提高群众生活质量、加强思想政治工作、维护社会稳定发挥了积极作用，受到了广大人民群众的拥护和欢迎。

为进一步丰富社区文化生活，宣传普及科学知识，增强居民法律意识，提高居民生活质量，满足人民群众不断增长的精神文化需求，根据中央文明委2002年工作安排，中央文明办、中央综治办、文化部、卫生部、国家体育总局、中国科协、共青团中央、全国妇联决定联合在全国开展科教、文体、法律、卫生“四进社区”活动。现将具体安排通知如下：

一、总体要求

以江泽民总书记“三个代表”重要思想和“七一”重要讲话为指导，认真贯彻落实《公民道德建设实施纲要》、中央文明委《关于在城市深入开展创建文明社区工作的若干意见》和中央办公厅、国务院办公厅转发的《关于加强社区建设的意见》，通过开展科教、文体、法律、卫生“四进社区”活动，宣传科学知识、科学思想、科学精神和科学方法，传播先进文化，普及法律知识，完善社区服务，提高市民素质和群众生活质量，引导社区居民“关心小家爱大家，共育社区文明花”，通过相认、相识、相知、相助，身体力行社会主义思想道德，形成平等友爱、良好和谐的社会风尚，邻里互助、团结进步的人际关系，传播健康、文明、科学的生活观念，满足居民增长知识、崇尚文明、学习法律、健身强体、娱乐身心等方面的需求，促进人的全面发展和社会文明进步，为党的十六大创造昂扬向上、团结奋进的良好氛围。

二、活动内容

科教、文体、法律、卫生“四进社区”系列活动要覆盖全年，一个时期突出一两个重点。

1. 科教进社区。围绕“讲科学生活、建文明社区”的主题，组织有关方面的专家、学者、科普工作者和科普志愿者在社区与居民共同举办科普读书、科普讲座、科普报告、科普咨询、科普培训、科普竞赛、科普讲演、科普文艺和科普影视巡演等各种活动；办好社区科普画廊、科普宣传栏、制作科普公益广告等；在4、5月份，结合“全国科技活动周”，组织“万种科普书刊”、“万套科普挂图”进社区，举办“万场科普报告会”、“万场科普咨询服务”、“万场科普影视放映”等活动，形成科教进社区的高潮。通过开展生动活泼、形式多样的科普教育活动，宣传科学生活观念，普及科学生活知识，引导社区居民增强科学意识

和鉴别能力，破除愚昧思想和落后习俗，建立科学文明的生活方式，提高社区居民的生活质量，让科学思想在社区广泛传播，科学精神在群众心中深深扎根。此项活动由中国科协制定方案并组织实施。

2. 文体进社区。努力建设和开辟更多面向广大群众、便于居民参与的公益性文化体育场所，充分利用社区各类文体活动中心、图书室、影剧院、文化宫、俱乐部、体育场（馆）、健身站（点）等文体设施，经常组织有社区特色、丰富多彩的群众性文体活动，如歌咏、摄影、书画、演讲、曲艺、体操、舞蹈、健身等表演和展示。各地文体部门可采取多种形式组织开展社区文体表演和展示活动。为集中展示社区文体活动的成果，适当时候举行全国性社区文化汇演和趣味体育赛表演展示活动。此项活动在9、10月份形成高潮。2002年春节前后，要配合各地广泛开展的送温暖、献爱心等活动，组织开展形式多样、群众喜闻乐见的文艺演出和体育健身活动，把文体活动与公益救助紧密结合起来，弘扬传统美德，促进邻里互助，倡导扶危济困，活跃群众生活，着力营造欢乐、喜庆、祥和的节日气氛。具体由文化部、国家体育总局、团中央、全国妇联制订方案并组织实施。

3. 法律进社区。配合“四五”普法，深入社区开展法制宣传教育工作，举办社区法制讲座、法律知识竞赛、法律咨询、法制园地等多种形式的活动，向社区居民赠送法律知识读物和宣传资料，宣传普及与社区居民日常生活密切相关的法律常识。同时，建立健全市民行为规范，引导社区居民增强遵纪守法意识、安全防范意识，自觉同违法犯罪行为做斗争。落实各项防范和管理措施，切实保障社区居民的人身和财产安全。青少年是一个特殊群体，各地可依托社区青少年服务中心、社区法律学校等阵地，对青少年开展有针对性的法律知识普及教育。建立社区社会治安综合治理网络，及时排查和调处各类矛盾纠纷，严厉打击各种违法犯罪行为，坚决扫除黄、赌、毒等社会丑恶现象。结合“法制宣传日”的活动，在12月掀起法律进社区的高潮，具体由各地综治办会同宣传、司法行政等部门共同制订方案并组织实施。

4. 卫生进社区。结合城镇医药卫生体制改革和发展健全社区卫生服务站，依靠社区卫生服务站，动员各级各类卫生机构、卫生人员和志愿者，为社区居民进行健康检查和常见病治疗，开展卫生常识宣传咨询，普及医疗卫生知识，为残疾人、孤寡老人、下岗职工和困难家庭等弱势群体送医送药上门。此项活动由卫生部制订方案并组织实施。

三、工作要求

开展科教、文体、法律、卫生“四进社区”活动，是贯彻落实江泽民总书记“三个代表”重要思想和关于加强社区建设指示精神的重要举措，是贯彻《公民道德建设实施纲要》的重要途径，是创建文明社区、服务人民大众的有效载体，各地各部门务必高度重视，切实加强领导，认真作好工作。

1. 精心设计，广泛动员。各地各部门要按照本通知精神和中央综治办、文化部、体育总局、卫生部、中国科协等部门制定的工作方案和部署，从实际出发，因地制宜，精心设计本地区“四进社区”活动的具体方案，落实具体措施。要充分依靠群众，广泛动员各有关部门和社会各方面的力量，共同搞好“四进社区”活动。要把“四进社区”活动当作转变工作作风、增进干群感情、为群众办实事的大事来抓，倾听群众呼声，关心百姓冷暖，扎扎实实为社区居民解决实际困难和问题，增强“四进社区”活动的针对性和实效性，力戒形式主义。

2. 培养骨干，常抓不懈。为确保“四进社区”活动深入开展并取得实效，要注意发现和培养一批思想品质好、组织能力强、善于联系群众、热爱社区工作的骨干，逐步形成专业工作者和志愿者结合、有各方面人士组成的社区活动骨干队伍。要逐步建立以专业群众文化工作者、群众体育工作者和群众中涌现出来的文体活动积极分子为主体的社区文体活动辅导员队伍；以专兼职科普工作者、离退休科技教育工作者、大中专学生为主体的社区科普宣传员队伍；以社区治安执法人员、律师、法律爱好者、离退休公检法干部为主体的社区普法和社会治安群防群治队伍；以社区卫生工作者和卫生志愿者为主体的社区卫生服务队伍。要特别注意发挥社区居民中老党员、老干部、老教师、老专家、老职工在“四进社区”活动中的重要作用，为他们奉献社会、发挥余热提供舞台，创造条件。要有计划地组织好骨干人员的培训工作，注意在政治上、思想上、生活上对他们给予关心帮助。

3. 加强协调，形成合力。科教、文体、法律、卫生“四进社区”活动规模大、时间长、要求高、涉及面广，需要各有关部门协调行动，齐抓共管，形成合力。各地文化、综治、卫生、体育、科协等部门要发挥各自的职能，做好本部门应该承担的工作。共青团、妇联等群众团体要发挥各自优势，组织动员青少年和社区各个家庭积极参加活动。共青团组织要注意充分发挥青年志愿者在“四进社区”活动中的重要作用。各地文明办要认真做好组织协调工作。为推动工作，2002年底，主办单位将颁发“科教文体法律卫生四进社区”优秀组织奖。

4. 搞好宣传，扩大影响。各级文明办要组织新闻单位及时报道好“四进社区”活动。各新闻媒体充分重视“四进社区”活动的宣传，摆上日程，列入计划，组织力量深入社区采访报道，大力宣传“科教、文体、法律、卫生四进社区”活动的广泛影响和先进事迹，为“四进社区”活动创造良好的舆论氛围。各地开展活动的情况，请及时报中央文明办和其他主办单位。

2002年1月29日

人　事　部

国家公务员行为规范

一、政治坚定。努力学习马克思列宁主义、毛泽东思想、邓小平理论和江泽民同志“三个代表”重要思想，树立共产主义理想信念，坚持党的基本理论、基本路线和基本纲领，坚定地走建设有中国特色的社会主义道路，坚定不移地贯彻执行党和国家的路线、方针、政策，在思想上、政治上和行动上与党中央保持高度一致。

二、忠于国家。热爱祖国，忠于宪法，维护国家安全、荣誉和利益，维护国家统一和民族的团结，维护政府形象和权威、保证政令畅通。遵守外事纪律，维护国格、人格尊严，严守国家秘密，同一切危害国家利益的言行做斗争。

三、勤政为民。忠于职守，爱岗敬业，勤奋工作，钻研业务，甘于奉献。一切从人民利益出发，热爱人民，忠于人民，全心全意为人民服务，密切联系群众，关心群众疾苦，维护群众合法权益，体察民情，了解民意，集中民智，珍惜民力，力戒形式主义、官僚主义，改进工作作风，讲求工作方法，注重工作效率，提高工作质量。自觉做人民公仆，让人民满意。

四、依法行政。遵守国家法律、法规和规章，按照规定的职责权限和工作程序履行职责、执行公务，依法办事，严格执法，公正执法，文明执法，不滥用权力，不以权代法，做学法、守法、用法和维护法律、法规尊严的模范。

五、务实创新。解放思想，实事求是，理论联系实际，说实话，报实情，办实事，求实效，踏实肯干。勤于思考，勇于创新，与时俱进，锐意进取，大胆开拓，创造性地开展工作。

六、清正廉洁。克己奉公，秉公办事，遵守纪律，不徇私情，不以权谋私，不贪赃枉法。淡泊名利，艰苦奋斗，勤俭节约，爱惜国家资财，反对拜金主义、享乐主义。

七、团结协作。坚持民主集中制，不独断专行，不搞自由主义。认真执行上级的决定和命令，服从大局，相互配合，相互支持，团结一致，勇于批评与自我批评，齐心协力做好工作。

八、品行端正。坚持真理，修正错误，崇尚科学，破除迷信。学习先进，助人为乐，谦虚谨慎，言行一致，忠诚守信，健康向上。模范遵守社会公德，举止端庄，仪表整洁，语言文明，讲普通话。

（2002年2月28日《光明日报》）

中国互联网行业自律公约

第一章　总　　则

第一条　遵照“积极发展、加强管理、趋利避害、为我所用”的基本方针，为建立我国互联网行业自律机制，规范行业从业者行为，依法促进和保障互联网行业健康发展，制定本公约。

第二条　本公约所称互联网行业是指从事互联网运行服务、应用服务、信息服务、网络产品和网络信息资源的开发、生产以及其他与互联网有关的科研、教育、服务等活动的行业的总称。

第三条　互联网行业自律的基本原则是爱国、守法、公平、诚信。

第四条　倡议全行业从业者加入本公约，从维护国家和全行业整体利益的高度出发，积极推进行业自律，创造良好的行业发展环境。

第五条　中国互联网协会作为本公约的执行机构，负责组织实施本公约。

第二章　自　律　条　款

第六条　自觉遵守国家有关互联网发展和管理的法律、法规和政策，大力弘扬中华民族优秀文化传统和社会主义精神文明的道德准则，积极推动互联网行业的职业道德建设。

第七条　鼓励、支持开展合法、公平、有序的行业竞争，反对采用不正当手段进行行业内竞争。

第八条　自觉维护消费者的合法权益，保守用户信息秘密；不利用用户提供的信息从事任何与向用户作出的承诺无关的活动，不利用技术或其他优势侵犯消费者或用户的合法权益。

第九条　互联网信息服务者应自觉遵守国家有关互联网信息服务管理的规定，自觉履行互联网信息服务的自律义务：

（一）不制作、发布或传播危害国家安全、危害社会稳定、违反法律法规以及迷信、淫秽等有害信息，依法对用户在本网站上发布的信息进行监督，及时清除有害信息；

（二）不链接含有有害信息的网站，确保网络信息内容的合法、健康；

（三）制作、发布或传播网络信息，要遵守有关保护知识产权的法律、法规；

（四）引导广大用户文明使用网络，增强网络道德意识，自觉抵制有害信息的传播。

第十条　互联网接入服务提供者应对接入的境内外网站信息进行检查监督，拒绝接入发布有害信息的网站，消除有害信息对我国网络用户的不良影响。

第十一条　互联网上网场所经营者要采取有效措施，营造健康文明的上网环境，引导上网人员特别是青少年健康上网。

第十二条　互联网信息网络产品制作者要尊重他人的知识产权，反对制作含有有害信息和侵犯他人知识产权的产品。

第十三条　全行业从业者共同防范计算机恶意代码或破坏性程序在互联网上的传播，反对制作和传播对计算机网络及他人计算机信息系统具有恶意攻击能力的计算机程序，反对非法侵入或破坏他人计算机信息系统。

第十四条　加强沟通协作，研究、探讨我国互联网行业发展战略，对我国互联网行业的建设、发展和管理提出政策和立法建议。

第十五条　支持采取各种有效方式，开展互联网行业科研、生产及服务等领域的协作，共同创造良好的行业发展环境。

第十六条 鼓励企业、科研、教育机构等单位和个人大力开发具有自主知识产权的计算机软件、硬件和各类网络产品等，为我国互联网行业的进一步发展提供有力支持。

第十七条 积极参与国际合作和交流，参与同行业国际规则的制定，自觉遵守我国签署的国际规则。

第十八条 自觉接受社会各界对本行业的监督和批评，共同抵制和纠正行业不正之风。

第三章 公约的执行

第十九条 中国互联网协会负责组织实施本公约，负责向公约成员单位传递互联网行业管理的法规、政策及行业自律信息，及时向政府主管部门反映成员单位的意愿和要求，维护成员单位的正当利益，组织实施互联网行业自律，并对成员单位遵守本公约的情况进行督促检查。

第二十条 本公约成员单位应充分尊重并自觉履行本公约的各项自律原则。

第二十一条 公约成员之间发生争议时，争议各方应本着互谅互让的原则争取以协商的方式解决争议，也可以请求公约执行机构进行调解，自觉维护行业团结，维护行业整体利益。

第二十二条 本公约成员单位违反本公约的，任何其他成员单位均有权及时向公约执行机构进行检举，要求公约执行机构进行调查；公约执行机构也可以直接进行调查，并将调查结果向全体成员单位公布。

第二十三条 公约成员单位违反本公约，造成不良影响，经查证属实的，由公约执行机构视不同情况给予在公约成员单位内部通报或取消公约成员资格的处理。

第二十四条 本公约所有成员单位均有权对公约执行机构执行本公约的合法性和公正性进行监督，有权向执行机构的主管部门检举公约执行机构或其工作人员违反本公约的行为。

第二十五条 本公约执行机构及成员单位在实施和履行本公约过程中必须遵守国家有关法律、法规。

第四章 附　　则

第二十六条 本公约经公约发起单位法定代表人或其委托的代表签字后生效，并在生效后的30日内由中国互联网协会向社会公布。

第二十七条 本公约生效期间，经公约执行机构或本公约十分之一以上成员单位提议，并经三分之二以上成员单位同意，可以对本公约进行修改。

第二十八条 我国互联网行业从业者接受本公约的自律规则，均可以申请加入本公约；本公约成员单位也可以退出本公约，并通知公约执行机构；公约执行机构定期公布加入及退出本公约的单位名单。

第二十九条 本公约成员单位可以在本公约之下发起制订各分支行业的自律协议，经公约成员单位同意后，作为本公约的附件公布实施。

第三十条 本公约由中国互联网协会负责解释。

第三十一条 本公约自公布之日起施行。

（2002年3月27日《光明日报》）

金融系统精神文明建设工作管理办法

第一章 总 则

第一条 为进一步贯彻落实党中央国务院关于精神文明建设一系列方针、政策，深入开展金融系统精神文明建设，提高创建水平和管理水平，促进金融改革和发展，根据中央金融工委关于切实加强金融系统精神文明建设的要求，特制定本办法。

第二条 精神文明建设是金融系统党的工作、宣传思想工作的重要组成部分，是组织、引导和激励广大群众积极参与现代化建设、不断提高队伍素质的重要措施和有效途径，在整个金融事业中具有重要的地位和作用。

第三条 中央金融工委设立精神文明建设委员会（简称中央金融工委文明委）作为中央金融工委指导金融系统精神文明建设的议事机构。主要职责是：制定金融系统精神文明建设规划，对创建工作进行指导管理、督促检查和协调，表彰全国金融系统文明建设先进单位，总结推广交流先进经验。

中央金融工委文明委办公室设在宣传部。

第四条 各金融机构党委要把本系统、本单位精神文明建设工作列入议事日程，建立机构，制定规划，定期研究，纳入领导班子、干部考核范围和单位的综合目标管理，并从思想、组织、财力、物力等方面给予保证和支持。

各金融机构精神文明建设委员会（领导小组）在同级党委领导下具体负责精神文明建设工作，并在党委宣传部门设立办公室。

第二章 任 务

第五条 金融系统精神文明建设的任务是培养和造就同现代金融制度、体系相适应的，具有较高社会主义思想道德修养、科学文化水平和民主法制观念的金融人才，提高员工队伍的整体素质，为金融改革和发展提供精神动力、智力支持和思想保证。

第六条 深入开展群众性创建活动是金融系统精神文明建设的有效途径。要结合各金融机构实际，坚持以人为本，以文明规范服务为重点，以思想道德建设为主要内容，紧紧围绕金融中心工作，扎实有效地开展群众性精神文明创建活动。

第七条 金融系统精神文明建设以系统管理为主，以参与属地文明创建活动为辅，努力树立金融行业在社会上的良好形象。金融系统各级党委要在抓好本单位、本部门精神文明建设工作的同时，加强与地方党委、政府及精神文明建设职能部门的联系，积极参与地方文明创建活动，做到条块结合、形成合力、互办实事、共同受益、共同提高，努力为地方精神文明建设做出贡献。

第八条 金融系统精神文明建设要坚持先进性要求和广泛性要求相结合。各金融机构要从实际出发，区分层次，着眼多数，鼓励先进，循序渐进。金融系统各级党组织和领导干部要带头实践中央关于精神文明建设的一系列方针、政策，引导金融员工不断追求更高层次的思想道德和精神文明境界。

第三章 先进单位评选和表彰

第九条 “金融系统文明建设先进单位”的标准和条件

（一）政治合格。领导班子一贯坚持用邓小平理论和江泽民同志“三个代表”重要思想教育干部群众，坚定不移地贯彻执行党的基本路线和金融工作的方针政策；围绕金融改革和发展创造性地开展工作；坚持民主集中制，团结合作，发挥整体功能；密切联系群众，倾听群众呼声，为群众办实事，接受群众监督；廉洁自律，自觉遵守党纪国法，为干部职工树立榜样。自觉坚持“两手抓，两手都要硬”的方针，重视加强党的建设和精神文明建设。全体员工在政治上、思想上同党中央保持一致。

（二）业务过硬。依法合规经营，努力支持经济发展，开拓创新能力强，工作效率高，经营业绩好，经营理念和产品积极和国际接轨，主要业务指标达到金融系统同类型单位先进水平。

（三）服务优质。服务意识强，服务环境好。能够按照金融行业文明规范服务的要求，有创新，有特点，服务质量达到金融系统同类型单位先进水平。社会信誉高，群众反映好。基层一线人员普通话水平达到国家三级以上标准，涉外业务的员工能熟练运用外语。

（四）管理严格。坚持严格的要求，建立严格的制度，实施严格的管理，进行严格的监督，实行严格的奖惩。遵纪守法，令行禁止。无重大责任事故，无违法违规事件，无经济、刑事案件，并通过全国普法教育验收。

（五）素质优良。员工队伍思想稳定，积极向上，爱岗敬业，崇尚科学，作风清正，纪律严明。具有良好的职业道德、社会公德和家庭美德，刻苦钻研业务蔚然成风，精神状态好。

“全国创建文明行业工作先进单位”、“全国精神文明建设先进单位”适用中央文明委有关标准，并参照执行第九条。

第十条 评选和命名

（一）先进单位应逐级推荐、评选、命名、表彰。原则上，只有获得本系统先进称号的单位才能申报参加全国金融系统和全国文明建设先进单位的评选。

（二）“全国创建文明行业工作先进单位”、“全国精神文明建设先进单位”根据中央文明委确定的时间评选命名；“全国金融系统文明建设先进单位”每两年评选命名一次。

（三）“全国创建文明行业工作先进单位”、“全国精神文明建设先进单位”由各金融机构推荐，中央金融工委文明委审核，报中央文明委批准命名；“全国金融系统文明建设先进单位”由各金融机构推荐，中央金融工委文明委批准命名。

（四）评选工作要坚持面向基层。“全国创建文明行业工作先进单位”、“全国精神文明建设先进单位”的推荐范围以县（市）以下分支机构及基层营业网点为主；“全国金融系统文明建设先进单位”的评选范围以地（市）以下金融分支机构及基层网点为主。成绩特别突出的其他级别的金融机构也可以推荐。

（五）各金融机构文明办根据中央金融工委文明办分配的名额，提出“全国创建文明行业工作先进单位”、“全国精神文明建设先进单位”和“全国金融系统文明建设先进单位”的推荐名单，经所属机构党委、文明委批准后，向中央金融工委文明办提出书面报告，并附先进事迹材料一式三份。

（六）各金融机构在提交推荐报告之前，要向被推荐单位群众通报推荐条件和推荐情况，接受群众监督和社会评议。各级金融机构文明委要对被推荐单位的事迹严格核实，防止一切形式主义和弄虚作假。

第十一条 表彰和奖励

（一）对“全国创建文明行业工作先进单位”、“全国精神文明建设先进单位”和“全国金融系统文明建设先进单位”要进行奖励。各金融机构要结合实际，按照精神鼓励和物质奖励相结合的原则，制定物质奖励办法，在奖励基金、福利待遇、晋级晋职等方面具体体现。

（二）“全国创建文明行业工作先进单位”、“全国精神文明建设先进单位”和“全国金融系统文明建设先进单位”都要正式挂牌并颁发荣誉证书。“全国创建文明行业工作先进单位”、“全国精神文明建设先进单位”的标牌和证书由中央文明办统一设计制作；“全国金融系统文明建设先进单位”的标牌和荣誉证书由中央金融工委文明办统一设计制作。

第四章 管 理

第十二条 各金融机构党委、精神文明建设委员会要加强对精神文明建设工作和先进单位的管理。

（一）坚持高标准、严要求，有针对性地分类进行指导。

（二）建立档案制度。创建工作档案内容包括：各机构的文明创建年度计划和总结、机构设置和建设情况、创建活动管理制度和执行情况、重大创建活动概述等。先进单位档案包括：概况、主要事迹、申报考核报表，年度检查记录、群众及社会反映等。

（三）坚持调查研究，加强督促检查。要切实转变作风，深入了解基层精神文明建设情况，解决职工关心的问题，不断推进群众性精神文明创建活动的深入开展。适时开展先进评选，每年要对先进单位复查一次，发现问题要及时整改，始终保持其先进性。

（四）建立学习交流制度。注意总结经验，加强行业内外的借鉴、交流，取长补短、共同提高。要重视和发挥先进单位对精神文明建设的示范、引导和带头作用，不断提高精神文明创建水平。交流形式包括：建立文明建设试点、联系点和示范点，创办文明建设简报和信息网络，分地区定时召开文明建设工作经验座谈会，组织适当的参观、培训活动。

第十三条 先进单位发生下列问题的取消荣誉称号，并收回标牌和证书：

（一）由于本单位工作失误，引发金融风险、产生不良社会影响的；

（二）发生重大经济案件，造成重大损失的；

（三）领导班子成员发生重大问题受到党纪、政纪处分，干部、员工受到刑事处罚的；

（四）因经营管理不善造成经济效益持续大幅下降、服务质量严重滑坡的；

（五）没有达到社会治安综合治理目标的；

（六）申报先进单位时弄虚作假、与实际情况不符的；

（七）发生其他重大问题的。

第十四条 取消“全国创建文明行业工作先进单位”、“全国精神文明建设先进单位”荣誉称号，经中央金融工委文明委审核后，报中央文明委批准；取消“全国金融系统文明建设先进单位”荣誉称号，由中央金融工委文明委批准。

第五章 附 则

第十五条 本办法由中央金融工委文明办负责解释。

第十六条 各金融机构可根据本办法，结合本系统、本单位的实际情况制定具体实施细则。

中央金融工委精神文明建设委员会

2002年2月20日

教 育 部
关于加强学术道德建设的若干意见

（教人〔2002〕4号）

为了贯彻“三个代表”重要思想和《公民道德建设实施纲要》精神，在高等学校建设一支热爱祖国、具有强烈使命感、学术作风严谨、理论功底扎实、富有创新精神的高素质学术队伍，营造良好的学术氛围和制度环境，促进学术进步和科技创新，现就端正学术风气，加强学术道德建设的有关问题提出如下意见：

一、充分认识端正学术风气，加强学术道德建设的必要性和紧迫性

随着科教兴国战略的实施和我国社会主义现代化建设事业的推进，教育的改革发展进入了一个新的阶段。教育战线教学科研队伍不断壮大，高等学校学术气氛空前活跃，学术研究成果丰硕，一个百花齐放、百家争鸣、新人辈出、学术繁荣的良好局面正在形成。高等学校为培养人才和发展科学技术做出了重要贡献。在促进学术进步的事业中，广大教育工作者献身科学、殚精竭虑、无私奉献，付出了艰辛的劳动，同时也为维护和发扬教育界良好的学风和学术道德传统做出了不懈努力，取得了可喜成绩，体现了良好的师德风范。

但是，我们也必须清醒地看到，当前在学术研究工作中存在着不容忽视、某些方面还比较严重的学术风气不正、学术道德失范的问题，主要表现为：研究工作中少数人违背基本学术道德，侵占他人劳动成果，或抄袭剽窃，或请他人代写文章，或署名不实；粗制滥造论文，个别人甚至篡改、伪造研究数据；受不良风气的影响，在研究成果鉴定、项目评审以及学校评估、学位授权审核等工作中也出现了一些弄虚作假，或试图以不正当手段影响评审结果的现象；有的人还利用权力为自己谋取学位、文凭，有些学校在利益驱动下降低标准乱发文凭。这些行为和现象严重损害了教育工作者和学校的形象，给教育事业带来了不良影响。如果听任其发展下去，将会严重污染学术环境，影响学术声誉，阻碍学术进步，进而影响社会发展和民族创新能力，应当引起我们的高度重视。

高等学校是人才培养和科技创新的重要基地。在高等学校倡导并形成崇尚诚实劳动、鼓励科研创新、遵循学术道德、保护知识产权的良好氛围，对于保护教学科研人员的积极性、主动性、创造性，保持高等学校的创新能力和科技竞争力，应对加入世界贸易组织之后国际竞争的挑战，具有重要意义。为此，端正学术风气，加强学术道德建设成为当前我国高等学校一项刻不容缓的重要任务。各级教育行政部门和高等学校要站在依法治国、以德治国，贯彻落实“三个代表”重要思想，实现中华民族伟大复兴的战略高度，充分认识当前端正学术风气，加强学术道德建设的必要性和紧迫性，提高工作的主动性、针对性和实效性，采取切实措施，规范学术行为，树立良好学术风气，促进和保障学术事业的健康发展。

二、端正学术风气，加强学术道德建设的基本要求

加强学术道德建设要以邓小平理论和党的十五届六中全会精神为指导，以国家有关法律法规为依据，针对学术工作中存在的不良现象和行为，建立和完善学术规范，形成有效的学术管理体制和工作机制，端正学术风气，营造良好的学术环境。当前要通过扎实有效的工作，加强对广大教师、教育工作者和学生的学术道德教育，培养求真务实、勇于创新、坚忍不拔、严谨自律的治学态度和学术精神，努力使他们成为良好学术风气的维护者，严谨治学的力行者，优良学术道德的传承者。

——增强献身科教、服务社会的历史使命感和社会责任感。广大教师和教育工作者要置身于科教兴国和中华民族伟大复兴的宏图伟业之中，以培养人才、繁荣学术、发展先进文化、推进社会进步为己任，努力攀登科学高峰。要增强事业心、责任感，正确对待学术研究中的名和利，将个人的事业发展与国家、民族的发展需要结合起来，反对沽名钓誉、急功近利、自私自利、损人利己等不良风气。

——坚持实事求是的科学精神和严谨的治学态度。要忠于真理、探求真知，自觉维护学术尊严和学者的声誉。要模范遵守学术研究的基本规范，以知识创新和技术创新，作为科学研究的直接目标和动力，把学术价值和创新性作为衡量学术水平的标准。在学术研究工作中要坚持严肃认真、严谨细致、一丝不苟的科学态度，不得虚报教育教学和科研成果，反对投机取巧、粗制滥造、盲目追求数量不顾质量的浮躁作风和行为。

——树立法制观念，保护知识产权，尊重他人劳动和权益。要严于律己，依照学术规范，按照有关规定引用和应用他人的研究成果，不得剽窃、抄袭他人成果，不得在未参与工作的研究成果中署名，反对以任何不正当手段谋取利益的行为。

——认真履行职责，维护学术评价的客观公正。认真负责地参与学术评价，正确运用学术权利，公正地发表评审意见是评审专家的职责。在参与各种推荐、评审、鉴定、答辩和评奖等活动中，要坚持客观公正的评价标准，坚持按章办事，不徇私情，自觉抵制不良社会风气的影响和干扰。

——为人师表、言传身教，加强对青年学生进行学术道德教育。要向青年学生积极倡导求真务实的学术作风，传播科学方法。要以德修身、率先垂范，用自己高尚的品德和人格力量教育和感染学生，引导学生树立良好的学术道德，帮助学生养成恪守学术规范的习惯。

三、采取切实措施端正学术风气，加强学术道德建设

（一）各级教育行政部门、高等学校和有关单位要高度重视学术道德建设工作。高等学校校长要亲自抓学术道德建设，形成全面动员，齐抓共管，标本兼治的工作格局，要将端正学术风气，加强学术道德建设纳入学校校风建设的整体工作之中，进行统筹规划和实施，使这项工作真正落到实处。要充分发挥学校学术委员会、学位评定委员会等学术管理机构在端正学术风气、加强学术道德建设中的作用，明确其在学术管理和监督方面的职责，完善工作机制，保证学术管理机构的权威性、公正性。

（二）广泛深入地开展端正学术风气、加强学术道德建设教育。严守学术规范是师德的基本要求。必须加强对青年教师和青年教育工作者的自律和道德养成教育。当前，各级教育行政部门和高等学校要认真组织广大教师和教育工作者学习领会《公民道德建设实施纲要》提出的“爱国守法、明礼诚信、团结友善、勤俭自强、敬业奉献”的道德规范要求以及《著作权法》《专利法》等相关法律法规，广泛深入地开展学术道德宣传教育活动。要将教师职业道德、学术规范和知识产权等方面的法律法规及相关知识作为青年教师岗前培训的重要内容。并纳入学生思想品德课教学内容。要大力宣传严谨治学的典型事例和学术道德建设成绩卓著的单位。鼓励开展健康的学术批评，努力营造良好的学术风气。

（三）加大人事制度改革力度，完善人事考核制度。积极推行教育职员制度，建立强化高校党政管理人员管理职责的考核评价体系。改革职称评审，全面推进教师职务聘任制度，强化岗位、强化聘任。在实施教师职务聘任制和岗位责任制的改革中，积极探索研究制定科学合理的人才评价方法和指标体系，形成有利于端正学术风气、加强学术道德建设的制度环境和良好氛围。将教师职业道德作为一项重要内容纳入教师年度考核。考核结果作为其职务聘任、晋级晋职和评比先进的重要依据。学校领导对学术道德建设工作的重视程度和实际效果，应作为年度述职报告和群众民主测评的重要内容。

（四）建立和完善科学的学术发展与评价机制，鼓励学术创新。高等学校要根据国家有关法律法规，结合实际，认真研究制定规范学术研究行为的规章制度。同时要遵循学术发展的特点和规律，采取有效措施，鼓励创新，多出精品成果。在学位论文答辩、学术论文发表、学术著作出版、科研项目立项与评审、学术奖项评定等方面要体现正确的政策导向，防止重数量轻质量、形式主义，甚至弄虚作假等不良倾向，建立健全公开、公平、公正的学术评价制度。为促进学术研究水准的提高和学术的长远发展，高校出版社、学术期刊要积极探索建立一套专业的、稿件作者和审稿人双向匿名的外部人审稿制度。

（五）建立学术惩戒处罚制度。对违反学术道德的行为，各级教育行政部门和相关机构一经查实要视具体情况给予批评教育，撤销项目，行政处分，取消资格、学位、称号，直至解聘等相应的处理和处罚。根据需要，可聘请相关学科的校内外专家组成学术规范专家界定小组，具体负责对违反学术规范的不道德现象和行为进行界定。对严重违反学术道德、影响极其恶劣的行为，在充分了解事实真相的基础上，通过媒体进行客观公正的批评。触犯法律的，依法追究有关当事人的法律责任。

对学术活动中各种不良行为的调查处理要严格掌握政策尺度，既要坚持原则、严肃认真，又要科学公正、实事求是。要以防微杜渐、教育帮助为主，处罚为辅。要注意分清政策界限，弄清事实真相，保护科研探索的积极性，保护有发展潜力的青年学者。对经查证核实，没有不良行为、受到不正当指控的单位和个人要及时予以保护，采取适当措施加以澄清、正名，使有关调查处理工作真正起到扶正压邪的作用。

（六）加强学历文凭、学位证书的管理工作。高等教育学历文凭、学位证书是受教育者的学业凭证。学历文凭、学位证书的颁发是一项极为严肃的工作。各高等教育管理部门、高等学校要本着对国家和人民负责的态度，进一步完备管理措施，严格按照教育教学要求，规范文凭、证书的颁发工作。各级教育行政部门要采取有力措施，对乱办班、降低标准滥发学历文凭和学位证书，甚至用文凭和证书换取“赞助”、“捐资”等败坏学风和校风的行为，要严肃查处、决不姑息。对那些违反有关规定滥发学历、学位证书的学校、单位，要进行整顿，对有关责任人要严肃处理。对不具有学历教育资格的教育、培训单位举办的所谓学历班等，要坚决予以取缔。

教育部

2002年2月27日

公证员职业道德基本准则

（中国公证员协会三届三次理事会通过）

序　　言

为规范公证员职业道德行为，提高公证员的职业道德水平，维护公证员的职业形象，根据《中华人民共和国公证暂行条例》制定本准则。

一、忠于事实　忠于法律

第一条　公证员应当忠于宪法和法律，坚持以事实为根据，以法律为准绳，按照真实合法的原则和法定的程序办理公证事务。

第二条　公证员在履行职责时，应当恪守独立、客观、公正的原则，不受非客观事实和法律之外因素的影响。

第三条　公证员应当忠实地维护法律的尊严，切实保障法律的正确实施和公众权利的平等实现。

第四条　公证员应当自觉履行保密的法定义务。不得利用知悉的秘密为自己或他人谋取利益。

第五条　公证员在履行职责时，对发现的违法、违规或违反社会公德的行为，应当按照法律规定的权限，积极采取措施予以纠正、制止。

二、爱岗敬业　规范服务

第六条　公证员应当珍爱公证事业，努力做到勤勉敬业、恪尽职守，为当事人提供优质的法律服务。

第七条　公证员应当依法履行职责，不得超越法律规定的权限办理公证事务。

第八条　公证员在履行职责时，应当告知当事人、代理人和参加人的权利和义务，并就权利和义务的真实意思做出明确解释，避免形式上的简单告知。

第九条　公证员在执行职务时，应当平等、热情地对待当事人、代理人和参加人，并要充分注意到其民族、种族、国籍、宗教信仰、性别、年龄、健康状况、职业的差别，避免言行不慎使对方产生歧义。

第十条　公证员应当按规定的程序和期限办理公证事务，及时受理、审查、出证，不得因个人原因和其他主观因素拖延推诿。

第十一条　公证员应当不断提高工作效率和工作质量，杜绝疏忽大意、敷衍塞责和其他贻误工作的行为。

第十二条　公证员应当注重礼仪，做到着装规范、举止文明，维护公证员的职业形象。

现场宣读公证词时，应当语言规范、吐字清晰，避免使用可能引起他人反感的语言表达方式。

第十三条　如果发现其他公证员有违法行为或已生效的公证文书存在问题，应当及时向有关机关或部门反映。

第十四条　公证员在执业过程中，应当独立思考、自主判断、敢于坚持正确的意见。

三、加强修养　提高素质

第十五条　公证员应当道德高尚、诚实信用、谦虚谨慎，具有良好的个人修养和品行。

第十六条　公证员应当具有忠于职守、不徇私情的理念和维护平等、弘扬正义的良知，自觉维护社会正义和社会秩序。

第十七条 公证员应当不断提高自身的道德素养和业务素质，保证自己的执业品质和专业技能能够满足正确履行职责的需要。

第十八条 公证员有权利并有义务接受教育培训，应当勤勉进取，努力钻研，不断提高执业素质和执业水平。

第十九条 公证员应当具有开拓创新意识，有研究和探索前沿性学科、掌握和运用先进科学技术的积极性和自觉性。

第二十条 公证员不得通过非正常程序或不恰当场合，对其他公证员正在办理的公证事项或处理结果发表不同意见。

第二十一条 公证员不得在公众场合或新闻媒体上，发表泄私愤、不负责任的有损公证严肃性和权威性的言论。

第二十二条 公证员在日常生活中，应当严格自律，自觉约束自己的行为，成为遵守社会公德和倡导良好社会风尚的楷模。

四、清正廉洁 同业互助

第二十三条 公证员不得经商和从事与公证员职务、身份不相符的活动。

第二十四条 公证员应当妥善处理个人事务，不得利用公证员的身份和职务为自己、家属或他人谋取私人利益。

第二十五条 公证员不得接受当事人及其代理人、利害关系人的答谢款待、馈赠财物和其他利益。

第二十六条 公证员应当与同行保持良好的合作关系，尊重同行，公平竞争，同业互助，共谋发展。

公证员应当相互尊重，不得在任何场合损害其他同事的威信和名誉。

第二十七条 公证员不得从事以下不正当竞争行为：

（一）不得利用新闻媒体或其他手段炫耀自己，贬损他人，排斥同行，为自己招揽业务；

（二）不得利用与行政机关、社会团体、经济组织的特殊关系进行业务垄断；

（三）其他不正当手段的竞争。

附 则

第二十八条 各级司法行政机关和行业协会组织监督公证员遵守本准则。

第二十九条 公证员助理和公证机构其他从业人员，参照执行本准则的有关规定。

第三十条 本准则由中国公证员协会负责解释。

第三十一条 本准则自发布之日起施行。

2002 年 3 月 1 日

律师职业道德和执业纪律规范

第一章 总 则

第一条 为维护律师的职业声誉，全面提高律师队伍的道德水准，规范律师的执业行为，保障律师切实履行对社会和公众所承担的使命和责任，依据《中华人民共和国律师法》，制定本规范。

第二条 律师在执业活动中应当遵守本规范。

第三条 律师执业应当接受司法行政机关、律师协会和社会公众的监督。

第二章 律师职业道德基本准则

第四条 律师应当忠于宪法和法律，坚持以事实为根据，以法律为准绳，严格依法执业。

律师应当忠于职守，坚持原则，维护国家法

律与社会正义。

第五条 律师应当诚实守信，勤勉尽责，尽职尽责地维护委托人的合法利益。

第六条 律师应当敬业勤业，努力钻研业务，掌握执业所应具备的法律知识和服务技能，不断提高执业水平。

第七条 律师应当珍视和维护律师职业声誉，模范遵守社会公德，注重陶冶品行和职业道德修养。

第八条 律师应当严守国家机密，保守委托人的商业秘密及委托人的隐私。

第九条 律师应当尊重同行，同业互助，公平竞争，共同提高执业水平。

第十条 律师应当自觉履行法律援助义务，为受援人提供法律帮助。

第十一条 律师应当遵守律师协会章程，切实履行会员义务。

第十二条 律师应当积极参加社会公益活动。

第三章 律师在执业机构中的纪律

第十三条 律师事务所是律师的执业机构，律师的执业活动必须接受律师事务所的监督和管理。

第十四条 律师不得同时在两个或两个以上律师事务所执业。

同时在一个律师事务所和一个法律服务所执业的视同在两个律师事务所执业。

第十五条 律师不得以个人名义私自接受委托，不得私自收取费用。

第十六条 律师不得违反律师事务所收费制度和财务纪律，挪用、私分、侵占业务收费。

第十七条 律师因执业过错给律师事务所造成损失的，应当承担相应责任。

第四章 律师在诉讼、仲裁活动中的纪律

第十八条 律师应当遵守法庭和仲裁庭纪律，尊重法官、仲裁员，按时提交法律文件、按时出庭。

第十九条 律师出庭时按规定着装，举止文明礼貌，不得使用侮辱、谩骂或诽谤性语言。

第二十条 律师不得以影响案件的审理和裁决为目的，与本案审判人员、检察人员、仲裁员在非办公场所接触，不得向上述人员馈赠钱物，也不得以许诺、回报或提供其他便利等方式与承办案件的执法人员进行交易。

第二十一条 律师不得向委托人宣传自己与有管辖权的执法人员及有关人员有亲朋关系，不能利用这种关系招揽业务。

第二十二条 律师应依法取证，不得伪造证据，不得怂恿委托人伪造证据、提供虚假证词，不得暗示、诱导、威胁他人提供虚假证据。

第二十三条 律师不得与犯罪嫌疑人、被告人的亲属或者其他人会见在押犯罪嫌疑人、被告人，或者借职务之便违反规定为被告人传递信件、钱物或与案情有关的信息。

第五章 律师与委托人、对方当事人的纪律

第二十四条 律师应当充分运用自己的专业知识和技能，尽心尽职地根据法律的规定完成委托事项，最大限度地维护委托人的合法利益。

第二十五条 律师不应接受自己不能办理的法律事务。

第二十六条 律师应当遵循诚实守信的原则，客观地告知委托人所委托事项可能出现的法律风险，不得故意对可能出现的风险做不恰当的表述或做虚假承诺。

第二十七条 为维护委托人的合法权益，律师有权根据法律的要求和道德的标准，选择完成或实现委托目的的方法。

对委托人拟委托的事项或者要求属于法律或律师执业规范所禁止的，律师应告知委托人，并提出修改建议或予以拒绝。

第二十八条 律师不得在同一案件中为双方当事人担任代理人。

同一律师事务所不得代理诉讼案件的双方当事人，偏远地区只有一律师事务所的除外。

第二十九条 律师应当合理开支办案费用，注意节约。

第三十条 律师应当严格按照法律规定的期限、时效以及与委托人约定的时间，及时办理委

托的事务。

第三十一条 律师应及时告知委托人有关代理工作的情况，对委托人了解委托事项情况的正当要求，应当尽快给予答复。

第三十二条 律师应当在委托授权范围内从事代理活动，如需特别授权，应当事先取得委托人的书面确认。

律师不得超越委托人委托的代理权限，不得利用委托关系从事与委托代理的法律事务无关的活动。

第三十三条 律师接受委托后无正当理由不得拒绝为委托人代理。

第三十四条 律师接受委托后未经委托人同意，不得擅自转委托他人代理。

第三十五条 律师应当谨慎保管委托人提供的证据和其他法律文件，保证其不丢失或毁损。

律师不得挪用或者侵占代委托人保管的财物。

第三十六条 律师不得从对方当事人处接受利益或向其要求或约定利益。

第三十七条 律师不得与对方当事人或第三人恶意串通，侵害委托人的权益。

第三十八条 律师不得非法阻止和干预对方当事人及其代理人进行的活动。

第三十九条 律师对与委托事项有关的保密信息，委托代理关系结束后仍有保密义务。

第四十条 律师应当恪守独立履行职责的原则，不因迎合委托人或满足委托人的不当要求，丧失客观、公正的立场，不得协助委托人实施非法的或具有欺诈性的行为。

第六章 律师与同行之间的纪律

第四十一条 律师应当遵守行业竞争规范，公平竞争，自觉维护执业秩序，维护律师行业的荣誉和社会形象。

第四十二条 律师应当尊重同行，相互学习，相互帮助，共同提高执业水平，不应诋毁、损害其他律师的威信和声誉。

第四十三条 律师、律师事务所可以通过以下方式介绍自己的业务领域和专业特长：

1. 可以通过文字作品、研讨会、简介等方式以普及法律，宣传自己的专业领域，推荐自己的专业特长；

2. 提倡、鼓励律师、律师事务所参加社会公益活动。

第四十四条 律师不得以下列方式进行不正当竞争：

1. 不得以贬低同行的专业能力和水平等方式，招揽业务；

2. 不得以提供或承诺提供回扣等方式承揽业务；

3. 不得利用新闻媒介或其他手段向其提供虚假信息或夸大自己的专业能力；

4. 不得在名片上印有各种学术、学历、非律师业职称、社会职务以及所获荣誉等；

5. 不得以明显低于同业的收费水平竞争某项法律事务。

第七章 附 则

第四十五条 对于违反本规范的律师、律师事务所，由律师协会依照会员处分办法给予处分，情节严重的，由司法行政机关予以处罚。

第四十六条 实习律师、律师助理参照本规范执行。

第四十七条 本规范由中华全国律师协会负责解释。

第四十八条 各地可以根据本准则制订实施细则。

第四十九条 本规范自发布之日起实施。

中华全国律师协会

2002 年 2 月 26 日

水利部
贯彻落实《公民道德建设实施纲要》的意见(摘要)

(水机党〔2002〕225号)

根据中央要求，结合水利行业实际，现就贯彻落实《纲要》精神，提出如下意见。

一、充分认识加强公民道德建设的重要意义

《纲要》的颁布和实施，是我国公民思想道德建设的一件大事，也是宣传思想工作和群众性精神文明建设的一件大事。

水利是国民经济的基础设施，是社会性、公益性、服务性、信誉性很强的行业，职工道德水平的高低，行业文明程度如何，至关重要。当前，在水利系统大力加强道德建设，对于建立健全与社会主义市场经济体制相适应的行业道德体系，形成“献身、负责、求实”的行业精神，提高水利系统干部职工思想道德素质，推动水利工作从传统水利向现代水利、可持续发展水利转变，促进水利事业发展具有十分重要的意义。

二、水利行业道德建设的指导思想和目标任务

当前和今后一个时期，水利行业公民道德建设总的指导思想和目标任务是：以马克思列宁主义、毛泽东思想、邓小平理论和江泽民同志“三个代表”重要思想为指导，全面贯彻党的基本路线、基本纲领，紧紧抓住公民道德建设的主要内容，以人为本，重在建设，力争3—5年内，使“爱国守法、明礼诚信、团结友善、勤俭自强、敬业奉献”的基本道德规范和“献身、负责、求实”的行业精神成为水利行业职工自觉遵守的行为准则，基本实现职工道德素质明显增强，行业道德风尚明显好转，系统文明程度明显提高，水利整体形象明显改善。

三、大力开展《纲要》的学习、宣传、教育活动

（一）准确把握《纲要》的主要内容和特点。

（二）抓好学习培训。各级党委（党组）中心组要把《纲要》作为重要专题，进行学习和讨论。要通过学习和培训，把建设有中国特色社会主义的思想观念和道德要求，灌输到广大党员和干部群众的思想中，使人们懂得什么是真善美，什么是假恶丑，什么是对的，什么是错的；什么是可以做的，什么是不应该做的；什么是必须提倡的，什么是应该反对的。部文明办要及时给基层提供《公民道德建设知识读本》，为学习提供必要的参考材料。

（三）加大宣传、教育力度。要充分发挥水利系统各类报刊、网站和杂志等媒体在《纲要》宣传中的主导作用。中国水利报、《水利水电政工研究》要有计划地开辟专栏或专题，深入浅出地阐释《纲要》的主要内容和要求。各单位要利用图书、文艺表演队、流动宣传车、标语牌、黑板报、网络等群众喜闻乐见的形式，大张旗鼓地进行宣传。各新闻媒体要注意发现、总结和宣传学习实践中涌现出来的先进典型和先进经验，批评社会反映强烈的不道德言行，使水利职工人人关心道德建设，人人争做道德建设的模范，为全系统学习贯彻《纲要》创造良好的舆论氛围。要加大教育力度，紧密结合公民道德建设的阶段性目标，以丰富的教育内容和多样的教育形式，把建设有中国特色社会主义的共同理想、对社会主义的信念、对党和政府的信任，把20字基本道德行为规范和社会公德、职业道德、家庭美德的基本要求，渗透到干部职工教育当中，吸引群众参与，扩大社会影响，增强教育实效。

（四）要发挥政研会的作用。各级政研会要针对干部群众普遍关心的热点问题和学习中的难点问题，针对《纲要》提出的一些重点问题组织专题研讨，尤其要探索具有水利特点的道德建设的方式、方法和途径，与时俱进，创造性地从理论深度回答、解释和说明一些问题，力求搞清搞懂，从而增强《纲要》的说服力，提高人们对贯彻落实《纲要》的自觉性。

四、积极开展职工道德实践活动

（一）从自身做起，遵守社会公德。

（二）树立形象，大力加强行业职业道德建设。“献身、负责、求实”是水利职业道德的集中体现，它从职业理想、职业责任、职业作风等三个方面反映出水利职业道德的特定本质和规律，同时又相互配合，形成一个严谨的职业道德规范模式，是社会主义道德体制的一个有机组成部分，是水利行业的社会形象，各单位要在弘扬江泽民总书记倡导的抗洪精神的同时大力弘扬行业精神。各单位要以公民基本道德规范为依据，抓紧修订、完善本地区系统、本单位以及各个方面的具体规范；各窗口行业要根据新形势、新任务对从业人员职业观念、职业态度、职业技能、职业纪律和职业作风等方面提出新要求，落实到职工的日常工作、学习和生活中，做到人人皆知、人人皆信、人人皆行。各级党组织要把制定具体道德、行为规范，作为加强职业道德建设和基层民主建设的重要内容和措施，给予指导和支持。部文明办要在广泛听取意见的基础上，完成全国水利行业职业道德规范的制定工作。

（三）修身养性，搞好家庭美德建设。

（四）依托载体，积极开展公民道德实践。继续开展以“讲文明树新风”为主题的创建文明单位、文明机关、文明工地、文明灌区、文明站所、文明之家等群众性精神文明创建活动，认真组织开展“公民道德建设实施纲要知识竞赛”和“道德规范进万家”活动。要在活动中突出思想内涵，强化道德要求，明确具体标准、制定具体措施，力求取得实效。在群众性精神文明创建活动中，要把公民道德建设作为重点，把道德教育和道德实践有机结合起来，使人们在自觉参与中使思想感情得到熏陶，精神生活得到充实，道德境界得到升华。部文明办要定期举办公民道德建设培训班或座谈会，指导公民道德建设的开展，交流道德建设的经验。

（五）率先垂范，推进机关道德建设。要加强领导干部道德规范建设，在领导干部中广泛深入地开展好“立党为公、执政为民”教育活动和“创文明机关、争当人民满意公务员”活动，不断提高机关工作人员的道德修养，全心全意为人民服务，以良好的党风政风影响和带动行业风气的根本好转。

（六）典型引路，充分发挥先进典型的示范作用。有计划、有步骤地推出一批可信、可亲、可敬、可学的职业道德建设的先进典型，营造学先进、赶先进的氛围，形成见贤思齐的行业风气。大力开展评选“文明职工”、“模范夫妻”等活动，通过表彰、报告、座谈等形式，让广大水利职工从先进典型的感人事迹和优秀品质中受到鼓舞、汲取力量，使先进典型的高尚道德情操成为社会的共同财富。要在认真总结实践经验的基础上，积极探索加强公民道德建设的新思路，建立水利系统公民道德建设示范点，发挥引导表率作用。

2002年6月7日

国家体育总局
关于加强体育道德建设的意见(摘要)

(体办字〔2002〕248号)

为贯彻落实《中共中央国务院关于加强和改进新时期体育工作的意见》,进一步发挥体育在社会主义精神文明建设中的促进作用,保证我国体育事业的持续健康发展,现就加强体育道德建设提出如下意见。

一、加强体育道德建设的重要性和紧迫性

加强体育道德建设是发展先进文化和社会主义思想道德建设的必然要求。

加强体育道德建设是保证体育事业健康发展的客观需要。新中国成立以来,体育工作取得了举世瞩目的成就,伴随着体育事业的发展,逐步形成了中华体育精神和优良的体育道德风尚,体育所创造和体现的精神价值已经成为宝贵的社会财富。但是,近些年来,在体育道德方面也暴露出不少问题,拜金主义、享乐主义和极端个人主义有所滋长,弄虚作假、违规违纪的体育道德失范事件时有发生,严重地损害了体育的形象和声誉。这些问题如果得不到及时有效地遏制和解决,势必影响体育事业的健康发展,甚至影响社会稳定和社会主义精神文明建设大局。解决这些问题,需要综合治理,但依靠道德的力量来规范、引导是重要手段之一。

二、体育道德建设的指导思想和原则

体育道德建设要以马列主义、毛泽东思想、邓小平理论和江泽民同志“三个代表”重要思想为指导,以《公民道德建设实施纲要》为依据,突出体育行业道德建设这个重点,抓住赛场赛风、赛纪这个薄弱环节,大力弘扬中华体育精神,全面培育新的体育道德风尚,为开创新世纪体育工作新局面提供强大的精神动力和思想保证。

加强体育道德建设必须从我国的国情和体育工作的实际出发,坚持以人为本、重在建设的原则,坚持正面倡导,正面教育;坚持继承与创新相统一的原则,树立与时俱进的观念,把继承优良传统与弘扬时代精神紧密结合起来;坚持与社会主义市场经济相适应的原则,正确处理国家、集体和个人的利益关系,反对个人利益至上、金钱至上的错误思想;坚持突出重点、全面建设的原则,重点抓好体育行业道德建设;坚持依法治体与以德治体相结合的原则,做到教育与管理相一致,自律与他律相补充。

三、体育道德建设的基本任务和内容

大力弘扬中华体育精神。“为国争光、无私奉献、科学求实、遵纪守法、团结协作、顽强拼搏”的中华体育精神是我国体育工作者继承中华民族传统美德、融合奥林匹克精神、弘扬时代主题的结晶,蕴涵着爱国主义、集体主义、社会主义和革命英雄主义的基本内容,贯穿了为人民服务这条主线,反映了体育道德建设的本质。在体育道德建设中,要唱响中华体育精神的主旋律,贯彻于体育道德建设的全过程。

积极倡导体育职业道德规范。在体育职业道德建设中,体育工作者要树立正确的职业观念,端正职业态度,提高职业技能,严格职业纪律,为建设体育行业优良作风发挥重要的作用。

从业于竞技体育工作的人员,要严守公平、公正、公开的竞赛准则和道德要求。在运动员中要大力倡导献身体育、为国争光;勤学苦练、勇攀高峰;团结互助、顽强拼搏;尊重对手、尊重教练;严守规则、公平竞争;恪守礼仪、服从裁判；胜不骄傲、败不气馁等道德规范。在教练员中要大力倡导科学训练、勇于创新；严格要求、传技育人；爱岗敬业，为人师表等道德规范。在裁判员中要大力倡导严肃认真、忠于职守；精通业务、公正准确；秉公执法、不徇私情等道德规范。

体育管理者要以勤政廉洁为重点，体育科技工作者要以求实创新为重点，体育教育工作者要以教书育人为重点，自觉履行具有本行业特点属性的职业道德规范。

突出解决体育行业不正之风。加强体育道德建设，要把纠正行业不正之风，消除违法违规行为作为突破口。针对体育比赛中存在的使用违禁药物、裁判不公、弄虚作假等不正之风，在加大教育力度的同时，要有的放矢地进行作风纪律整顿，纯洁队伍，整肃风气，净化心灵，切实维护体育竞赛的公平性、公正性、公开性和纯洁性，牢固构筑抵御不正之风的思想道德防线。

努力营造健康文明的社会体育道德氛围。社会体育道德建设应围绕追求文明生活，科学参与健身的主题，大力倡导科学健身、反对迷信；爱护设施、维护环境；文明礼貌、互相尊重；遵纪守法、维持秩序等道德规范。决不允许利用体育宣扬愚昧迷信，散布歪理邪说，进行各种伪科学、反科学的活动；决不允许打着体育竞赛的旗号进行赌博等违反体育道德的行为。要在体育观众中大力提倡遵守赛场纪律，维护赛场秩序；文明观赏赛事，理智对待输赢；讲究公共卫生，爱护赛场公物；尊重运动员、裁判员等体育赛场道德。各种体育赛事的组织者、管理者，各体育社团、球迷组织要采取积极有效措施，培养和提高体育观众的道德素质和法纪观念，教育引导他们恪守道德规范和赛场纪律，做文明观众。

四、加强体育道德建设的主要途径和措施

强基固本，加强思想教育。要把思想道德教育内容纳入优秀运动队文化教育和职业教育中，制定体育道德教育教学计划，编写体育道德教材，开设专门课程。

严格管理，充分发挥法规制度的作用。加强体育道德建设，要坚持搞好依法治体与以德治体的有机结合，要把道德教育与严格管理、严格执法执纪、自律与他律结合起来。凡体育道德坚持和倡导的行为，应当从体育法规制度上予以支持、鼓励和保证；凡是违背体育道德的行为，要善于运用体育法规制度进行约束。要把遵守职业道德的情况作为考核、奖惩的重要指标，使从业人员养成良好的职业习惯，树立行业新风。

依托载体，坚持正确舆论导向。

注重实践，积极开展多种形式的创建活动。在继续开展已有的“体育道德风尚奖”、“文明赛区”、“文明运动队”、“文明运动员”、“文明裁判员”等体育道德建设创建活动的同时，要不断拓宽创建活动的领域。

运动队要积极创造条件，有目的、有计划地组织运动员进行社会考察、访问，参加必要的社会公益活动，使其体育道德素质在社会实践中得到熏陶和升华。

社会体育道德建设活动要与体育进社区紧密结合起来，积极参与创建文明城市、文明区县、文明社区、文明村镇、文明行业、文明单位等活动，不断强化公民体育道德意识。

狠抓落实，切实加强对体育道德建设工作的领导。体育道德建设是一项系统工程，需要各级领导齐抓共管，综合治理。各级体育部门要紧密结合本单位的实际，认真研究制定具体措施，加大投入，明确责任，积极创造有利条件，抓住群众所关注的难点和热点问题，率先取得突破，从而使体育道德建设工作取信于民，确保体育道德建设的各项工作落到实处。

2002 年 11 月 18 日

国家税务总局
关于在全国税务系统进一步推行岗位责任制的意见(节选)

(国税发〔2002〕18号)

一、指导思想和原则

以党的十五大精神和江泽民总书记“三个代表”重要思想为指导，坚持依法治税，从严治队的治税思想，进一步推行和完善岗位责任制，把各级税务机关和基层建设成为办事高效、运转协调、行为规范、执法严明、服务优质、廉洁勤政、秩序优良的战斗集体。

推行岗位责任制要遵循以下基本原则：

(一)坚持“两手抓”的原则。各级税务机关要牢固树立“两手抓，两手都要硬”的思想，坚持“一岗两责”，坚持抓好收入工作和加强精神文明建设的有机统一，坚持标本兼治，使政治工作和业务工作互相渗透，互相促进，共同提高，确保推行岗位责任制工作的正确方向。

(二)坚持依法行政的原则。各级税务机关和各类税务人员必须牢固树立依法行政的观念，在税收行政和税收征收工作中以法制、公平、文明、效率为准则，做到按法律法规办事，按制度办事，按程序办事，杜绝随意性和盲目性。

(三)坚持以人为本的原则。税务干部是搞好税收工作的决定力量。各级税务机关要从实际出发，加强思想教育，强化业务培训，不断提高干部队伍政治业务素质。在加强干部队伍建设中，既要严格管理，从严治队，又要关心爱护干部职工，切实帮助解决他们在工作、生活中的实际问题，充分调动广大税务干部的工作积极性。

(四)坚持分级管理的原则。推行岗位责任制要按照分级管理的原则，一级抓一级，一级考一级，一级对一级负责。各级税务机关和人员要各司其职，各负其责，严禁越权，违规办事，养成令行禁止，政令畅通，上下协调，秩序良好的工作作风。

(五)坚持以考促管的原则。考核是促进岗位责任制落实，加强干部队伍管理的重要手段。各级税务机关要结合实际，采取科学有效的考核形式和奖惩办法，认真实施考核和奖惩。考核要考出实绩，奖惩要拉开档次，不搞平均主义。通过考核和奖惩，全面落实岗位责任制，进一步加强干部队伍管理。

(六)坚持实事求是的原则。各级税务机关要从本地区、本部门的实际出发，加强调查研究，积极探索推行岗位责任制的有效途径。在推行岗位责任制的过程中，要注重内容和形式的统一，做到简便易行，注重实效，力戒形式主义。

二、基本内容

推行岗位责任制，就是通过明确职责范围、落实岗位责任，建立良好工作秩序，提高办事效率。其基本内容是：

(一)科学设置岗位。要严格按照税务机构设置与编制方案的要求，本着精干、高效、协调的原则，根据实际工作需要，合理设置岗位，明确各个岗位的工作范围和主要任务，使每个岗位的工作量饱满，岗位与岗位之间的工作任务互相衔接，促进征管改革的深入，彻底解决疏于管理的问题。

(二)明确岗位职责。要按照单位、部门、岗位的工作范围，结合各个岗位的工作量和工作难度，具体制定各岗位工作人员的职责，明确工作权限，做到不重不漏，职责清晰，责权分明，确保每个岗位的税务干部能够顺利履行职责。岗位职责包括共同职责和工作职责。共同职责是指社会公德、职业道德、廉洁勤政、税容风纪等每个岗位的工作人员都必须履行的职责。工作职责是指完成本岗位工作任务所必须履行的职责。各级税务机关要按照上述要求制定职责规范和科学严密、简便易行、责任明确的工作程序，使各个岗位、岗位之间工作规范、运转协调。

（三）确定工作目标。要根据各岗位的工作范围和职责，从德、能、勤、绩等方面确定每个岗位的工作目标。德是指立场坚定，政治过硬；能是指业务熟练，胜任工作；勤是指工作态度和精神面貌；绩是指工作质量和工作效率。制定的目标要具有先进性、可行性，既有利于各项税收任务的圆满完成，又有利于发挥税务干部的潜能，创造性地开展工作。制定岗位工作目标要充分考虑本地区、本部门税收管理的实际水平，做到符合实际，切实可行。各项目标要易于监控、考核，能够比较真实、客观地反映税务干部的工作成效。要根据工作任务的变化，及时对工作目标进行修订、补充和完善，使每个岗位的工作人员在不同时期都有其明确的工作标准和奋斗方向。

（四）实行竞争上岗。要根据各个岗位的职责和目标，分别制定不同岗位的任职条件，推行全员竞争上岗制度。对领导岗位，要大力推行竞聘上岗。通过民主推荐、考试考核、公开答辩、组织任命等程序，把年富力强、德才兼备的税务干部选拔到领导岗位；对各岗位工作人员实行考试上岗，对考试合格、技能达标的人员，根据其考试成绩和业务特长安排岗位，对考试不合格、技能不达标的实行待岗培训，经培训考试合格后才能上岗。要积极推行双向选择和末位淘汰制度，逐步建立能上能下、优胜劣汰，充满生机和活力的激励竞争机制。

（五）严格责任追究。要建立岗位责任追究和连带责任追究制度，对违反岗位责任制的行为分别做出明确、具体的处理规定。要定期检查各岗位工作人员履行职责、完成责任工作目标的情况，对不能履行职责、失职、渎职或出现严重违法违纪问题的，除按规定追究直接责任人的责任外，还要追究主管领导的连带责任。

三、保障措施

（一）健全制度，规范管理。规章制度是规范管理、确保税务干部认真履行职责的重要措施。各级税务机关要紧紧围绕推行岗位责任制，建立健全岗位职责、政治建设、业务建设、执法执纪、征收管理、工作流程、检查监督、责任追究等规章制度。规章制度的建立和完善要坚持效能的原则，不求多，但求精，确保制定的制度科学有效，使其真正成为各级税务机关和广大干部职工的行为规范，形成制度管人、制度管事的良好环境，把推行岗位责任制作为实施规范化管理的制度保障。

（二）加强监督，强化指导。各级税务机关要按照检查、反馈、追究三个环节实施监督。通过明察暗访、自查自纠、民主评议、聘请义务监督员、设立举报箱和举报电话、召开纳税业户座谈会、发放征求意见书等措施，对税务干部履行职责情况进行检查监督。在实施监督的过程中发现问题要及时进行反馈，并责成存在问题的单位和个人认真查找原因，限期纠正；对存在问题严重的单位和个人要严格按照上级和本单位的有关规定进行处理，不能姑息迁就。

（三）严格考核，兑现奖惩。各级税务机关要按照推行岗位责任制的基本内容和要求，制定百分制或千分制考核标准，其中包括共同职责考核标准和工作职责考核标准，并对共同职责和工作职责的具体内容分别量化确定分值。要积极探索科学有效的考核办法，坚持日常考核与定期考核相结合，定量考核与定性考核相结合，人工考核与计算机考核相结合，领导考评与群众测评相结合，实行以责定分，按分计奖。要建立健全考核奖惩机制，定期组织考核，并作为干部晋升、评先创优、立功受奖的主要依据；对不愿学习、不思进取、不负责任的要进行批评教育、警示诫免；对不胜任本职工作的要待岗培训或调离岗位；对失职、渎职的要按有关规定给予党纪、政纪处分，并实行廉政一票否决。通过考核和奖惩，真正做到奖勤罚懒，奖优罚劣，充分调动各级税务机关和广大干部职工落实岗位责任制的积极性。

国家税务总局

2002年3月4日

中国出版工作者职业道德准则

（2002年第六次重新修订）

根据党的十六大提出的“依法治国和以德治国相辅相成。要建立与社会主义市场经济相适应、与社会主义法律规范相协调、与中华民族传统美德相承接的社会主义思想道德体系”的要求，为了加强出版全行业职业道德建设及其从业人员的职业道德修养，强化行业自律，坚持以毛泽东思想、邓小平理论和“三个代表”重要思想为指导，繁荣和发展社会主义出版业，出版工作者必须信守如下准则。

一、贯彻“两为”方针，坚持正确方向

全心全意为人民服务、为社会主义服务，以发展社会先进生产力和先进文化为己任。增强政治意识、大局意识、责任意识，守土有责，坚守阵地。

二、遵循“双效”原则，坚持社会效益第一

坚持以社会效益为最高准则，力争实现社会效益与经济效益最佳结合。自觉抵制“拜金主义”、“以稿谋私”等不正之风。

三、增强精品意识，提高出版质量

精编精印出版物，努力打造优秀品牌。反对粗制滥造，杜绝伪劣书稿。

四、遵纪守法、廉洁自律

模范遵守政策法规，自觉执行管理规定。坚决抵制买卖书号、刊号、版号。维护作者、读者权益。

五、爱岗敬业，忠于职守

热爱出版工作，忠于本职岗位。工作认真负责，倡导德业双馨。

六、诚实守信，公平竞争

诚实守信，以信济业。公平竞争，团结协作，反对利用不正当手段损害他人利益。

七、创新图强，勤俭创业

开拓创新、勇于探索，励精图治、自强不息。勤俭节约，求真务实。反对铺张浪费，弄虚作假。

八、维护国家尊严，保守国家机密

遵守外事纪律，维护国格人格。保守国家机密，确保国家利益。

中国出版工作者协会

印刷行业公约

（2002年12月13日试行）

印刷业是我国国民经济的重要产业，又是文化产业的一部分。为了依法治业，以德兴业，适应我国经济、文化和社会发展的需要，加强行业管理和行业自律，规范市场秩序，维护印刷行业的合法权益和社会公共利益，推动印刷行业健康、持续发展，提高社会效益和经济效益，为社会主义物质文明和精神文明建设服务，特制定本公约。

第一条　严格遵守国家法律和行政法规，自党执行国家政策，维护国家利益和尊严。

第二条 认真贯彻《印刷业管理条例》，遵守印刷法规，严格按照批准的经营范围合法经营，自觉接受有关行政部门的管理和监督。

第三条 严格执行出版物印刷、包装装潢印刷品的印刷和其他印刷品的印刷之规定，不承印非法、盗版和不健康的出版物；不承印假冒、伪造的注册商标标识以及容易对消费者严重误导的广告宣传品和作为产品包装装潢的印刷品；不承印其他假冒、伪劣印刷品，依法经营，照章纳税。

第四条 严格企业生产管理，积极贯彻相关技术标准，提高企业科学管理水平和社会、经济效益。

第五条 坚持技术进步，保证质量、服务到位，培育企业精神，创建名牌企业。

第六条 在生产经营活动中诚实守信，切实履行合同、契约，牢固树立用户至上的理念，杜绝各种虚假欺诈行为，决不损害客户利益。

第七条 打破部门和地区封闭、封锁、分割，坚持公平竞争，自觉维护市场秩序，规范营销行为，反对无序竞争和不正当竞争，不侵害其他企业的利益。

第八条 企业之间要在尊重知识产权的前提下加强联系，互通信息，交流经验，扩大合作，形成团结协作、共同提高的行业氛围。

第九条 坚持以人为本，充分发挥和保护职工的生产积极性，鼓励职工技术创新和提出各种合理化建议，重视各类人才培养，积极开展技术培训、技术交流、职工教育，不断提高企业员工综合素质。

第十条 积极参与和支持行业协会工作。

第十一条 本公约由各地印刷协会和印刷企事业单位发起，中国印刷技术协会组织制订，业内各类经济成分的印刷企业应自觉遵守，严格自律。

第十二条 中国印刷技术协会和各地印刷协会要经常检查公约执行情况，协调公约执行中行业内部与企业之间的有关事宜，对执行好的要及时表彰，广泛宣传。对违反公约的会员单位，根据情节轻重给予批评教育、警告，直至除名。对违反公约的非会员单位，向有关方面提出建议酌情处理。违反法律的，由国家执法部门依法处理。

第十三条 本公约所称印刷业包括从事出版、包装装潢和其他印刷品的生产、科研、教育、经营、物资流通的企事业单位。

第十四条 本公约在执行中如遇有和国家政策法规不符的，以国家政策法规为准。

第十五条 本公约由中国印刷技术协会负责解释。

中国印刷技术协会

中国气象局
关于进一步加强和改进气象部门作风建设的意见(摘要)

(中气党发〔2002〕11号)

根据党的十五届六中全会精神，为进一步加强和改进气象部门作风建设，特提出以下实施意见：

一、充分认识加强和改进作风建设的重要意义

党的十五届六中全会审议通过的《中共中央

关于加强和改进党的作风建设的决定》（以下简称《决定》），是全面加强党风建设的纲领性文件。贯彻落实好《决定》精神，加强和改进气象部门的作风建设，抓住机遇，迎接挑战，对于促进气象部门的持续、快速、健康发展，具有十分紧迫的意义。

当前，气象部门的作风建设总体上是好的，但同时必须看到，中央《决定》指出的党的作风方面存在的问题，在气象部门也都不同程度地存在。主要是：党的组织、领导机关、党员干部中，有的思想解放不够，创新意识不强，缺少与时俱进的思想观念和开创新局面的思路、魄力和勇气；有的民主风气不浓，批评与自我批评的良好作风没有真正树立起来；有的工作不深入、不扎实，深入基层不够，调查研究“走马观花”；有的忙于事务，陷入文山会海以及繁杂应酬中，工作方式、方法与新形势不相适应，工作质量和效率不高；有的群众观念淡漠，主动了解群众、关心群众、为群众解决实际问题不够。这些问题如不尽快解决，势必影响气象事业的快速发展和气象部门在社会上的形象，必须引起高度重视。

二、加强和改进气象部门作风建设的总体要求

深入学习贯彻党的十五届六中全会精神，全面落实《决定》提出的“八个坚持、八个反对”，把思想作风建设放在第一位，抓住密切联系群众这个核心，切实加强和改进领导干部和机关作风建设，团结和带领广大干部职工为实现气象部门改革、发展、稳定的各项任务而不懈奋斗，以优异成绩迎接党的十六大召开。

三、加强和改进气象部门作风建设的主要措施

（一）加强学习，全面提高气象队伍理论和科技文化素质。

加强思想作风建设，首先要抓好政治理论学习。要坚持解放思想、实事求是，反对因循守旧、不思进取，树立与时俱进、开拓创新的思想作风。要弘扬理论联系实际的学风，特别要联系气象部门改革和发展的实际，认真查找在思想作风方面存在的问题，牢固树立正确的世界观、人生观和价值观，努力开创气象事业全面发展的新局面。

在加强理论学习的同时，必须加强新知识、新技术、新业务的学习，学习当代经济、科技、文化、历史、法律、市场经济和外语等，进一步提高气象科技干部队伍的理论素养和知识水平、打牢马克思主义理论功底，正确运用马克思主义的科学立场、观点、方法，创造性地开展工作。

（二）切实转变职能，积极推进行政审批改革工作。

切实加强和履行气象部门的政府管理职能，加强依法行政，加强气象执法，真正站在国家的高度，把政府赋予的职能履行好，管好整个国家和全社会的气象工作。

改革行政审批制度。要进一步深化行政审批制度，精简审批事项，改进审批方式，不断探索新型行政管理模式和权力运行机制，以强化资金监督、提高资金使用率为重点，加强经费预算审批管理和审计监督，积极推进干部任期经济责任审计工作。

要进一步划清中国气象局与直属单位和省（区、市）局的管理权限，理顺管理关系，提高机关工作效率。要按照分级、分层、分类管理办法，宏观管好，微观放活，进一步下放和简化对事业单位的管理职能。

（三）加强调查研究，改进领导方式，努力克服官僚主义和形式主义。

要继续精简会议，严格控制召开全国性会议特别是专业会议。提倡开电话电视会议。要控制会议规模，压缩会期，减少领导同志出席会议，积极改进会风。各类会议事先要做好充分准备，提高会议质量，不能议而不决。

要继续精简文件，大力改进文风。要严格按制度办文，减少发文，讲求办文质量和效率。文件力求简明扼要，重点突出，管用。

要加强督察督办工作，努力提高工作效率。中国气象局和省（区、市）局机关各部门对下级请示的文件及事项要限时批复，及时办理。急件、急事要急办，坚决克服扯皮推诿现象。对重要文件的贯彻、会议做出的决议和上级的重要决定、指示、批示，都要联系实际层层抓落实，在解决问题上下功夫，不能照转照发，敷衍了事。要抓紧健全机关督察督办工作机制，指定督察督办机构和人员，建立严格的规章制度。对办理结果及时反馈，做到件件有结果，事事有回音。

要建立健全调查研究制度，做好调查研究工作。各级领导都要重视调查研究，掌握部门和单位的实际情况。调查研究事先要有计划，带着问题从实践中找答案，防止“走马看花”。各级领导干部到基层调查研究，要轻车简从，减少迎来送往，保证调研时间，提交有见解、有新意的调研报告。每年底中国气象局和各省（区、市）气象局要对撰写调研报告的情况进行一次通报。

（四）进一步密切联系群众，为基层解决实际问题。

要建立健全密切联系群众的固定渠道和制度。按照《决定》的要求，中国气象局和各省（区、市）局机关要建立和完善群众接待日制度，建立领导干部亲自处理人民来信来访制度。对于群众提出的比较重要的意见，处理结果要及时向群众反馈。

要积极推进决策科学化、民主化。要加强民主集中制建设，重大决策特别是涉及大多数群众利益的事项，事先充分发扬民主，广泛听取各方面意见，使决策符合广大职工的意愿，决策实施后，也要经常听取意见，在实施中不断完善，以取得最佳效果。

要面向基层，面向群众，为群众办实事，帮助基层解决实际问题。各级领导要把职工群众的工作和生活，特别是基层和艰苦地区台站职工群众的安危冷暖时刻放在心上，主动及时为群众排忧解难。中国气象局和各省（区、市）气象局每年将定期研究群众生活中存在的主要困难和问题，并提出解决措施。

要积极推进政务公开。重要和重大的决策事项，只要不违反保密规定，都应向广大群众公开，使群众了解情况，支持和监督决策的实施。要继续加强党风廉政建设和反腐败斗争，狠抓廉洁从政准则的落实，严格执行党风廉政建设责任制。从2002年起，在全国气象部门推行县（市）局务公开制度。

（五）坚持用好的作风选人、选作风好的人。

要重点抓好以下四项工作：一是严格按照“四化”方针和德才兼备的标准选配干部，积极贯彻中国气象局“选青”工作会议精神，大胆培养选拔优秀年轻干部；二是坚持走群众路线，进一步扩大民主，增加选人用人的透明度，落实群众对干部选拔任用的知情权、参与权、选择权和监督权；三是要全面深入地考察干部，既要看工作实绩，也要看品德作风；既要了解在本单位的表现，也要了解社会生活方面的情况。四是克服重使用、轻教育管理的现象，切实加强对年轻干部思想政治素质的培养锻炼，建立健全年轻干部挂职锻炼和交流制度，有计划地每年安排一定数量的年轻干部到基层和艰苦地区锻炼。

（六）以建立和健全执行制度的监督保证机制为重点，切实加强制度建设。

要抓紧建立和健全执行制度的监督保证机制。要增强依法行政意识，提高按规章制度办事的自觉性。要建立检查监督机制。有关部门每年对制度的执行情况要进行检查，发现问题及时纠正。各单位执行制度的情况要纳入年终目标进行考核，兑现奖惩，并对考核情况进行通报。

中共中国气象局党组

2002年2月25日

共青团中央

关于加强青少年道德教育全面提高青少年道德素质的意见(摘要)

(中青发〔2002〕8号)

按照《公民道德建设实施纲要》的要求，结合共青团和青少年工作的实际，就进一步加强青少年道德教育，特提出如下意见。

一、充分认识青少年道德教育的重要性

党的十一届三中全会特别是十四大以来，广大青少年踊跃投身社会主义物质文明和精神文明建设，呈现出奋发向上的精神面貌。当代青少年普遍具有强烈的爱国热情和振兴中华的使命感，他们接受与社会主义市场经济发展相适应的道德要求和价值观念，自立意识、竞争意识、效率意识、民主法制意识和开拓创新精神不断增强，崇尚先进、学习先进蔚然成风，追求科学、文明、健康生活方式成为广大青少年的自觉行动，是社会主义道德建设中一支生机勃勃的力量。

在充分看到青少年成长进步主流的同时，要清醒地认识到青少年道德状况中存在的问题。社会的一些领域和一些地方道德失范，是非、善恶、美丑界限混淆，拜金主义、享乐主义、极端个人主义有所滋长，见利忘义、损公肥私行为时有发生，不讲信用、欺骗欺诈成为社会公害，以权谋私、腐化堕落现象严重存在，这些问题必然会反映到青少年道德状况中来，有的还非常突出。我们要高度重视青少年道德中存在的问题，采取切实的措施，努力解决这些问题，提高青少年的道德素质，促进青少年健康成长。

加强青少年道德教育是一项长期而紧迫的任务。改革开放和社会主义市场经济建设是一场深刻的变革，随着我国加入世界贸易组织，面对社会经济成分、组织形式、就业方式、利益关系和分配方式多样化的趋势，面对世界范围各种思想文化的相互激荡，面对青少年精神文化需求的日益增长，面对青少年道德教育中不断出现的新情况、新问题，我们必须更加重视青少年道德教育，在全面提高青少年道德素质上付出长期的、艰巨的努力。各级团组织要充分认识加强青少年道德教育的重要性、艰巨性、长期性和紧迫性，把加强青少年道德教育放在突出的位置来抓，针对实际，遵循规律，适应形势，探索创新，努力把青少年道德教育提高到一个新的水平。

二、加强青少年道德教育的指导思想和原则要求

加强青少年道德教育，必须坚持以马列主义、毛泽东思想、邓小平理论为指导，全面贯彻江泽民同志“三个代表”重要思想，坚持党的基本路线、基本纲领，认真贯彻落实《公民道德建设实施纲要》，坚持重在建设、以人为本，坚持以为人民服务为核心，以集体主义为原则，以爱祖国、爱人民、爱劳动、爱科学、爱社会主义为基本要求，以社会公德、职业道德、家庭美德为着力点，帮助青少年牢固树立建设有中国特色社会主义的共同理想和正确的世界观、人生观、价值观，把青少年培养成为有理想、有道德、有文化、有纪律的社会主义公民。

突出道德实践。共青团是青年在实践中学习共产主义的学校，开展实践活动是共青团的优势所在。针对青少年的实际，开展丰富多彩的道德实践活动，让青少年在道德实践中进行自我教育，强化教育的效果，既符合青少年的特点，又体现了道德教育的“知”、“行”统一。各级团组织要发扬实践育人的传统，牢牢抓住道德教育的实践环节，努力为青少年提供道德实践的途径，广泛开展道德实践活动。

遵循青少年身心发展规律，注重养成教育。针对青少年的不同成长阶段，道德教育应循序渐进，各具特色，统筹规划，系统安排；针对不同的青少年群体，道德教育应分类指导，各有侧重；要重视养成教育，注意培养青少年良好的道德习惯；要采取适应青少年特点的教育形式，寓教于乐，使道德教育潜移默化，要坚持德智体美全面发展，互相促进，把道德教育与青少年成长成才紧密结合起来；要发挥青少年作为道德主体的作用，强化自我教育、自我激励、自我约束。要进一步研究青少年身心发展规律，遵循规律开展青少年道德教育，使道德教育更加符合青少年的实际，取得扎实效果。

从社会关注的热点问题抓起，从具体事情抓起。要善于捕捉社会热点，围绕这些热点对青少年开展生动的道德教育，引发青少年的思考，启发他们的自觉，并落实到提高道德素质的行动上。道德教育是具体的。要注意从具体的事情抓起，引导青少年从日常行为做起，从我做起，从小事做起，从现在做起，结合自身成长的实际提高道德素质，增强道德教育的针对性。

三、抓住青少年道德教育的重点

各级团组织要围绕贯彻落实《纲要》，发挥共青团组织的优势，结合实际，抓住重点，把建设有中国特色社会主义的思想观念和道德要求，不断灌输到青少年的头脑中，使他们明辨是非、美丑、善恶，懂得什么是对的，什么是错的，什么是可以做的，什么是不应该做的，什么是必须提倡的，什么是坚决反对的。

大力加强公民基本道德规范教育。要在青少年中大力宣传和倡导“爱国守法、明礼诚信、团结友善、勤俭自强、敬业奉献”20字公民基本道德规范，大力倡导文明礼貌、助人为乐、爱护公物、保护环境、遵纪守法的社会公德，大力倡导爱岗敬业、诚实守信、办事公道、服务群众、奉献社会的职业道德，大力倡导尊老爱幼、男女平等、夫妻和睦、勤俭持家、邻里团结的家庭美德。要结合实际，通过制定文明公约、行为守则等方式，把道德要求具体化、规范化。

大力加强爱国主义教育。要广泛开展升国旗、唱国歌活动，开展国旗下宣誓、向国旗献词等活动，使每个青少年都学会唱国歌，并懂得国旗、国歌、国徽的涵义，激发对祖国的热爱。要把爱国主义教育渗透到青少年教育的各个方面，抓住有利契机，采取有效的形式，依托各类阵地，结合青少年的成长，开展生动活泼的爱国主义教育，引导青少年弘扬爱国主义精神，提高民族自尊心、自信心和自豪感，以爱祖国，报效人民为最大光荣，以损害祖国利益、民族尊严为最大耻辱，把爱国之情转化为报效祖国的实际行动，在改革开放和现代化建设的伟大实践中建功立业。

大力加强集体主义教育。针对独生子女的特点，要在青少年中深入开展集体主义教育，把集体主义精神融入到青少年的学习、工作和生活的各个方面，引导他们正确认识和把握国家、集体、个人的利益关系，把个人的理想与奋斗融入广大人民的共同理想和奋斗之中。要培养青少年的团结协作意识和团队精神，切实增强他们的责任感，自觉承担和履行对他人、对社会的责任和义务。

大力加强基层青少年道德教育。加强青少年道德教育，基层是关键。学校、企业、社区、农村的各级团组织，要结合各自的特点，开展丰富多彩的道德教育活动，使道德教育落到实处，见到实效。学校团组织要积极配合推进素质教育，把道德教育渗透到学校教育的各个环节，引导学生遵守校规校纪，陶冶高尚情操，增强社会责任感。企业团组织要在青年工人中大力开展诚信教育和岗位培训，培养青年职工的职业观念、职业态度、职业技能、职业纪律和职业作风，倡导良好的职业道德。社区团组织要以宣传公民基本道德规范为核心，以社会公德、家庭美德为重点，大力开展“青年文明社区道德示范行动”，引导青少年养成自觉遵守道德规范、履行社会义务、实践文明言行的良好习惯。农村团组织要针对农村的实际，带领农村青年学科学、用科学，破除迷信，开展健康有益的文化活动，追求文明的生活方式。要努力使家庭教育、学校教育、单位教育和社会教育相互配合，相互促进，共同为提高青少年道德素质服务。

大力加强少年时期的道德教育。少先队组织要积极引导少年儿童从日常生活和身边的事情做起，在实践中明白做人做事的道理，养成良好的行为习惯。要通过大力开展“新世纪我能行”体验教育活动，深化手拉手、中国少年雏鹰行动等，从小培养少年儿童爱祖国、爱人民、爱劳动，爱科学，爱社会主义的思想感情，增强他们自学、自理、自护、自强、自律的能力。各级团组织要发扬全团带队的传统，指导少先队组织开展道德教育，同时，搞好团队衔接，使青少年道德教育一以贯之，循序渐进地开展。

四、扎实推进群众性的道德实践活动

近些年来，共青团在实践中形成了一些开展群众性道德实践的有效载体，要认真总结经验，进一步深化活动内容，突出思想内涵，强化道德要求，推动这些实践活动深入发展。要适应新形势和公民道德建设的要求，进一步探索行之有效的公民道德实践活动形式，充分发挥道德实践在青少年道德教育中的作用。群众性道德实践活动同时也是传播文明新风的载体，在开展群众性道德实践活动中，要引导青少年践行与建立社会主义市场经济相适应的道德规范，勇开风气之先，弘扬时代新风正气，充分发挥他们在公民道德建设中的生力军作用。

进一步深化青年志愿者、青年文明号、青年岗位能手、希望工程、保护母亲河、青年文明社区等活动。要不断拓宽这些活动的覆盖面和参与面，努力把各行各业、社会各界的青少年吸引到这些活动中来，使他们普遍受到公民道德教育。在青年志愿者行动中要进一步突出公民道德教育的内容，加强对青少年的传统美德和时代精神教育，引导青年在志愿服务实践中提高道德素质。在青年文明号、青年岗位能手活动中要进一步突出职业道德教育的内容，提倡文明从业，优质服务，树立行业新风。要继续深化希望工程，充分发挥希望工程在社会主义精神文明建设中的积极作用。在青年文明社区活动中要进一步突出社会公德和家庭美德教育，通过开展“大家乐”、制定社区文明公约等形式，引导青少年陶冶高尚的道德情操。要在保护母亲河行动中强化青少年的生态环境道德意识，引导青少年从爱护身边的环境做起，进一步帮助他们树立绿色文明意识和可持续发展意识。

广泛开展必要的礼仪、礼节、礼貌活动。开展18岁成人仪式教育活动，通过公民意识教育、成人预备期志愿服务和18岁成人宣誓仪式，增强青少年对国家、社会和家庭的责任感。抓住青少年各个成长阶段的重要标志，如入学、入队、入团、颁发身份证、就业以及结婚等，开展相应的礼仪活动，倡导和推广公民道德要求，探索行之有效的礼仪教育形式，充分发挥礼仪教育在青少年道德教育中的作用。开展生动活泼的讲文明、讲礼貌活动，倡导文明言行，推广文明礼节，使重礼节、讲礼貌融入青少年的日常工作、学习、生活之中。

树立道德榜样，开展向先进模范学习的活动。要充分运用中国历史上著名爱国者、民族英雄、杰出人物特别是改革开放以来涌现的英雄模范人物的先进事迹进行道德教育。要树立一批可亲、可敬、可信、可学的青少年身边的道德楷模，开展扎实深入的向先进模范学习的活动，让广大青少年学有榜样、赶有目标、见贤思齐，从先进典型的感人事迹和优秀道德品质中受到鼓舞，汲取力量。要在“中国青年五四奖章”、“中国十大杰出青年”等评选表彰工作中，进一步突出道德内容的考核考察，发挥评先创优在青少年道德教育中的作用。

五、努力营造有利于青少年道德教育的氛围

要充分发挥团属思想文化阵地的作用，宣传科学理论，传播先进文化，塑造美好心灵，弘扬社会正气，倡导科学精神，坚持不懈地宣传体现时代精神的道德行为和高尚品质，激励广大青少年积极向上，使他们明辨是非，追求真善美，抵制假恶丑。

以重大节假日、纪念日为契机，营造良好的青少年道德教育氛围。

团属新闻出版阵地要坚持团结稳定鼓劲、正面宣传为主，牢牢把握正确的舆论导向，广泛深入地宣传在两个文明建设中涌现出来的、反映新时期道德要求的新事物、新典型。要加强对社会普遍关注的道德热点问题的引导，特别要注意加强对社会上出现的青年现象的引导，满腔热情地肯定青年的进步，旗帜鲜明地反对与时代要求、与公民道德建设的要求相违背的倾向。要组织青少年积极参与对具有典型意义的道德问题的讨论和交流，提高青少年的道德认识和判断能力。要不断推出适应青少年特点的优秀精神食粮，加强对青少年审美观念和审美情趣的引导，在潜移默化之中开展青少年道德教育。要发挥“五四”新闻奖、团的“五个一工程”奖在引导舆论，推动优秀精神产品生产中的作用。互联网对开展青少年道德教育具有重要影响。要重视互联网在青少年道德教育中的作用，切实加强团属互联网站的建设和管理，加强网上正面宣传的力度，防止有害信息的传播，充分运用网络的资源和形式开展对青少年的道德教育。要引导青少年增强网络道德意识，推广青少年网络文明公约。

充分发挥青少年活动阵地在道德教育中的作用。要把青少年道德教育纳入青少年宫、青少年活动中心、青少年之家、社区青少年服务中心、青年文化大院、青年科技图书站等各级各类青少年活动阵地的工作中，依托阵地广泛开展道德教育活动，帮助青少年努力提高道德修养，陶冶高尚情操。各级各类青少年教育基地、爱国主义教育基地蕴藏着丰富的道德教育资源，要引导青少年在教育基地参观考察、开展活动的过程中，接受生动、形象的道德教育。

共青团中央

2002年3月8日

共青团中央　全国少工委

关于加强少年儿童思想道德教育深入开展体验教育的意见

（中青联发〔2002〕11号）

为认真贯彻执行党中央颁布的《公民道德建设实施纲要》，适应国内外形势的新变化、教育改革与发展的新任务和少年儿童思想道德教育的新要求，进一步加强少年儿童思想道德教育，把体验教育引向深入，特提出如下意见。

一、指导思想

以邓小平理论和江泽民同志“三个代表”的重要思想为指导，贯彻江泽民同志把依法治国和以德治国结合起来的重要思想及党中央关于少年儿童教育工作的一系列重要指示，按照中国少年先锋队章程的要求，把思想道德教育放在首位。

要按照建设有中国特色社会主义事业对未来人才的要求，以竭诚为少年儿童健康成长服务为出发点和落脚点，教育和引导少年儿童德智体美全面发展，为推进祖国新世纪大业做好全面准备，长大以后肩负起实现中华民族伟大复兴的重任。

要明确少年儿童思想道德教育在全社会思想道德建设中的基础地位，与公民道德建设相衔接，按照少年儿童身心发展的规律，努力把广大少年儿童培养成为家庭中的好孩子、学校中的好学生、社会上的好少年、大自然的好朋友，为把他们培养成为对祖国、对社会、对自身有责任感的好公民，成为有理想、有道德、有文化、有纪律的社会主义新人奠定坚实的基础。

要坚持以体验教育为主要方式，组织和引导少年儿童在家庭生活中体验、在学校生活中体验、在社会生活中体验、在大自然中体验，使他们在亲身实践的体验中把做人做事的道理内化为健康的心理品格，转化为良好的行为习惯。

二、实施目标

要体现时代要求和少先队教育特色，使少先队员听党的话，爱祖国，爱人民，爱劳动，爱科学，爱社会主义，逐步树立正确的世界观、人生观、价值观；使少先队员具有诚实、勇敢、活泼、团结的优良作风和胸怀祖国、放眼世界、拥抱未来的宽广胸怀，逐步培养志存高远、眼光远大、积极进取、健康向上的人格；使少先队员继承和发扬中华民族的优秀传统和革命传统，具有社会主义民主法制意识，遵守法纪和社会公德，逐步形成良好的行为习惯。

根据6至14岁接受少先队入队教育的少年儿童和少先队员的生理、心理发育特征以及接受教育的程度，分为三个阶段（小学一至三年级、小学四至六年级、初中阶段），分别在思想道德的知识、态度、能力、习惯等四个方面提出明确的要求，使少年儿童通过自主的体验来感知道德知识，通过真实的感受形成正确的道德判断，通过深刻的理解掌握道德规范，并在实践中培养道德能力，最后形成并表现为良好的行为习惯。

三、实施原则

少先队开展的少年儿童思想道德教育，是基础教育德育工作的组成部分，既要符合少年儿童德育的一般规律，又要突出少先队教育的特色。为使少先队开展的思想道德教育与思想品德课有机地衔接起来，与教育部门和学校的德育工作有机地结合起来，发挥少先队组织不可替代的重要作用，应遵循以下原则：

基础性原则。少年儿童正处在人生的起步阶段，处在道德的重要养成期，对他们的思想道德教育主要是养成教育。要遵循少年儿童身心成长规律，重视基础性行为习惯的养成，引导少年儿童学习和掌握基本的规范要求，逐步把这些规范变为行为习惯。

主体性原则。少先队员是少先队的主人，他们在少先队开展的思想道德教育中具有主体地位。要使教育内容和方式为少年儿童所接受、所喜爱，充分发挥他们在教育过程中的积极性、主动性和创造性，引导他们自我教育。

实践性原则。实践育人是少先队教育的基本途径和优势所在。要开展丰富多彩的实践活动，引导少年儿童体验社会生活，体验生产劳动，体验现代科技，体验大自然，使他们在全身心地参与的一次次实践中不断体会、不断感悟、不断积累，把思想道德的要求内化为自身的素质。

针对性原则。不同年龄阶段少年儿童的生理、心理发育特征和接受教育的程度存在着差异，不同地区、不同环境、不同生活经历的少年儿童也存在着差异，同样生活条件下的少年儿童个体之间也存在着差异。要充分考虑到这些差异，从实际出发，增强思想道德教育的实效。

社会性原则。少年儿童的成长离不开社会环境，社会环境对少年儿童成长的影响也越来越大。要引导少年儿童走出学校，走出家庭，走进社区，走向社会，把思想道德教育置于广阔的社会生活背景中来进行。要广泛动员、运用和整合社会多种资源和手段，争取广泛的支持，为少年儿童的成长营造良好的社会环境。

四、实施的内容

少先队开展的思想道德教育，应以四个方面的关系为体验内容，即人与人的关系、人与社会的关系、人与自然的关系、人与自我的关系，分别以形成人对人、对社会、对自然、对自我的态度为核心，以感知人对人、对社会、对自然、对自我的最基本的知识和培养相关能力为基础，以通过反复体验养成良好的行为习惯为外在标志和落脚点。

少先队通过体验教育进行思想道德教育，按人与人、人与社会、人与自然、人与自我的关系，分别以知识、态度、能力、习惯提出相应内容和要求。其中知识不是一般性的关于人类、社会、自然、自我等方面的知识（这些知识主要从课堂上和书本上学习），而是少年儿童作为主体“我”，通过体验能够感知到的，与他的学习、生活密切联系的，有关“我”与他人、“我”与社会、“我”与自然、“我”与自身的“关系”方面的知识。在此基础上，引导他们通过体验，产生“我”的感受，形成“我”的态度。在“我”感知到的知识和“我”的感受、“我”的态度的体验中，锻炼少年儿童掌握“我”的能力。有了“我”感知到的知识，形成了“我”的态度，锻炼了“我”的能力，最后通过反复的实践体验养成“我”的习惯。

以下所列的具体内容和要求中，以对小学一

至三年级的内容和要求为基础；小学三至六年级在这个基础上，增加进一步的内容和要求；初中阶段在前两个阶段内容和要求的基础上，再提出进一步的内容和要求。

（一）人与人的关系

人与人的关系，要以形成人与人平等友爱、团结互助、共同进步的观念为核心，以对父母亲人、老师同学、伙伴朋友、相识与不相识的人、同龄人与长辈等的正确认识以及掌握和他们相处的能力为基础，以养成孝敬父母、尊敬师长、尊老爱幼、尊重他人、诚实守信、文明礼貌、助人为乐的行为习惯为外在标志和落脚点。

通过体验感知“四个知道”：

知道我家庭主要成员的角色、权利和责任。

知道我学习过程中的老师、同学与我的关系。

认识伙伴、街坊邻里和日常生活中所接触到的人。

了解工人、农民、战士、科技工作者、文艺工作者等各行各业的劳动者对我的生活所做的贡献。

在此基础上，高年级和初中阶段的少年儿童还可以知道家庭成员、社会成员以及不同行业、不同职业的劳动者所创造的主要价值，以及以课堂上学过的有关社会文化生活的知识为基础。

在此基础上，通过“四种感受”形成“四种态度”：

感受父母含辛茹苦的养育，形成孝敬父母的态度。

感受老师呕心沥血的培养，形成应该尊敬老师的态度。

感受同学伙伴、街坊邻里的友情和帮助，形成同学伙伴要相互尊重，对比自己年龄小的要谦让，街坊邻里要友好相处的态度。

感受普通劳动者为自己生活付出的默默无闻的劳动，形成崇敬普通劳动者的态度。

高年级的少年儿童还可以通过丰富的活动和真切的感受，逐步形成礼貌是有教养的表现，友谊可贵、友情难得、劳动光荣的态度。初中阶段的少年儿童还可以逐步形成和谐的人际关系是美好的和己所不欲、勿施于人以及爱情需要准备的态度。

在“四个知道”、“四种感受”的体验中，还要锻炼少年儿童掌握“五种能力”：

学会与师长沟通。

学会与他人交往与合作。

学会原谅别人的过失。

学会结交朋友。

能够感觉别人的存在。

高年级和初中阶段的少年儿童还要锻炼与人平等交往、和谐相处和尊重不同意见、原谅伤害过自己的人、宽容的能力。

有了“四个知道”，形成了“四种态度”，锻炼了“五种能力”，最后就可以通过反复的实践体验养成“五种习惯”：

说话有礼貌，对师长用尊称。

说了就要做，对朋友要真诚。

不给别人添麻烦，对别人的请求给予力所能及的帮助，及时感谢别人的帮助。

不做破坏别人劳动成果的事。

做事情想到与别人合作。

高年级的少年儿童还可以养成扶助弱小，帮助残疾人的习惯。初中阶段的少年儿童还可以养成时刻准备帮助别人的习惯。

（二）人与社会的关系

人与社会的关系，要以形成人不能脱离群体而应努力为公共利益服务的观念为核心，以对班集体、少先队组织、学校、社区、社会团体、民族、国家、政党等的正确认识以及掌握如何在社会生活中生存与发展的能力为基础，以养成热爱集体、爱护公物、遵纪守法、服务公众的行为习惯为外在标志和落脚点。

通过体验感知“六个知道”：

知道我生活在班集体中，是（将要是）少先队组织的一员。

知道我的家居住在社区中。

知道集体有纪律，国家有法律。

知道我是中国人，56个民族组成一个大家庭。

知道中国共产党是领导我们的党。

知道世界是由多民族、多种族、多国家组成的。

在此基础上，高年级的少年儿童还可以知道我国的根本制度和政治制度、经济制度。初中阶段的少年儿童还可以知道企事业单位和各种服务性组织、机构等在经济生活中的地位和作用，知道阶层、团体、政党在国家政治生活中的地位和作用，知道经济类、政治类国际性组织在国际事务中的地位和作用，知道少年儿童权利和与自己生活有关的基本法律法规，以及以课堂上学过的有关法律、历史、政治、社会常识等知识为基础。

通过“五种感受”形成“五种态度”：

感受班级、少先队的温暖，形成爱集体、爱少先队组织的态度。

感受社区为我们生活提供方便，形成爱护公共财物的态度。

感受纪律和法律、法规对集体和社会生活的重要性，形成大家都要自觉遵纪守法的态度。

感受作为中国人的自豪，形成热爱家乡、热爱祖国的态度。

感受今天幸福的生活，形成热爱中国共产党的态度。

有条件的和高年级的少年儿童还可以感受与世界各国少年儿童相处，形成世界各民族、种族、国家应相互尊重，和平共处，共同发展的态度。初中阶段的少年儿童还可以通过丰富的活动和真切的感受，逐步形成以开放的姿态、过硬的本领、顽强的意志面对世界政治格局多极化、经济全球化的趋势和各种思想文化的相互激荡的态度。

在“六个知道”、“五种感受”的体验中，还要锻炼少年儿童掌握“四个能力”：

学会参与班级和少先队集体事务。

学会通过力所能及的方式为社区服务。

学会获知国内外大事的方法。

学会受纪律约束。

高年级和初中阶段的少年儿童还要锻炼自觉遵守法律和用法律的武器保护自己、与不同国家和地区的少年儿童进行交流的能力。

有了“六个知道”，形成了“五种态度”，锻炼了“四个能力”，最后就可以通过反复的实践体验养成“四种习惯”：

在班集体和少先队组织中以小主人的身份发表意见、提出建议，对大家决定的事情努力去做。

在社区里多做好事。

每天注意阅读、收听、收看新闻。

按规则行动。

高年级的少年儿童还可以养成力所能及地参与社会生活的习惯。初中阶段的少年儿童还可以养成力所能及地参加公益服务的习惯。

（三）人与自然的关系

人与自然的关系，要以形成人与自然和谐相处的观念为核心，以对植物、动物、自然资源、生态环境等的正确认识以及掌握与自然界相处的能力为基础，以养成爱护动植物、保护自然资源和生态环境的行为习惯为外在标志和落脚点。

通过体验感知“三个知道”：

知道我呼吸的空气、站立的土地、沐浴的阳光、看到的山水、身边的草木就是自然环境的一部分。

知道提供给我衣食住行的物质来自自然资源。

知道我身边哪些行为是对自然环境和资源的破坏。

高年级和初中阶段的少年儿童还可以知道大气、河流、海洋、土地、矿藏、森林、草原和各种生物构成了我们生存的自然环境；知道人类的一些活动使有害物质进入环境后对生物的正常生存和发展产生不利的影响，形成环境污染；知道人类社会发展与环境密不可分，人类要永葆生机，就要把保护环境和合理利用资源有机结合起来，使人类社会可持续发展；以及课堂上学过的有关环境和资源的知识为基础。

通过“两种感受”形成“两种态度”：

感受地球养育了我们，地球只有一个，形成要保护地球的态度。

感受清新的环境和可爱的动植物带来的美好舒畅，形成喜爱蓝天、青山碧水、洁净的空气、喜爱小动物，爱护小植物的态度。

高年级的少年儿童还可以通过丰富的活动和真切的感受，逐步形成为了人类的进步，树立人与自然和谐与协调发展的意识的态度。初中阶段的少年儿童还可以通过丰富的活动和真切的感受，逐步形成为了人类的未来，树立可持续发展的意识，努力建立保护地球环境的绿色文明的态度。

在“三个知道”、“两种感受”的体验中，还要锻炼少年儿童掌握“三个能力”：

学会分辨对环境有利、有害的事。

能为改善身边的环境做好事。

劝说别人不破坏环境、不浪费。

高年级的少年儿童还要锻炼宣传环境保护知识的能力。初中阶段的少年儿童还要锻炼参与环境保护的调查、提出建议的能力。

有了“三个知道”，形成了“两种态度”，锻炼了“三个能力”，最后就可以通过反复的实践体验养成“三种习惯”：

自己不做随地吐痰、乱扔垃圾、伤害小动物等对环境有害的事。

节约不浪费。

保护环境卫生。

高年级的少年儿童还可以养成植绿护绿、爱鸟护鸟的习惯。初中阶段的少年儿童还可以养成亲近自然的习惯。

（四）人与自我的关系

人与自我的关系，要以形成珍爱生命、健康生活、追求美好、乐观向上的观念为核心，以对生命、时间、意志、价值取向、理想信念等的正确认识以及掌握如何认识自己、如何把握自己的能力为基础，以养成乐观开朗、珍惜时间、勇敢顽强、自尊自信、乐于创造、健康向上的行为习惯为外在标志和落脚点。

通过体验感知“四个知道”：

知道自己所处的年龄阶段。

知道身体健康、心情愉快有利于自己的成长。

知道时间过去就不会再来。

知道有目标就有力量。

高年级的少年儿童还可以知道心理调节的功能。初中阶段的少年儿童还可以知道青春期的有关知识，以及课堂上学过的常识课有关人的知识为基础。

通过“三种感受”形成“三种态度”：

感受成功的快乐，形成对自己有信心，热爱生活的态度。

感受生命的可贵，形成珍爱生命、珍惜时间的态度。

感受努力实现目标的过程，形成对未来有希望，不怕困难的态度。

高年级的少年儿童还可以通过丰富的活动和真切的感受，逐步形成对自己的言行负责、给予比索取更快乐的态度。初中阶段的少年儿童还可以通过丰富的活动和真切的感受，逐步形成不满足已有成绩、积极进取和人生的价值在于奉献、在于创造的态度。

在“四个知道”、“三种感受”的体验中，还要锻炼少年儿童掌握“六个能力”：

能够意识到自己的长处和不足。

能把坏心情变为好心情。

遇事能问为什么，敢想别人没想过的事。

遇到难事能想办法解决。

有多种生活情趣。

能自学、自理、自护。

高年级的少年儿童还要锻炼宣传环境保护知识的能力和自强、自律的能力。初中阶段的少年儿童还要锻炼参与环境保护的调查、提出建议的能力以及确立努力的目标和要实现的理想、初步确立人生信念的能力。

有了“四个知道”，形成了“三种态度”，锻炼了“六个能力”，最后就可以通过反复的实践体验养成“五种习惯”：

做人讲道理，做事有计划。

不向困难低头。

不迁就自己的毛病。

天天锻炼身体，干干净净迎接每一天。

爱动脑筋，以创造为快乐。

高年级的少年儿童还可以养成做事专注，不三心二意的习惯。初中阶段的少年儿童还可以养成对美好的新事物感兴趣的习惯。

以上述四个基本关系为基本框架，通过从真实的感受到深刻的理解由浅入深、由近及远、由表及里、由形象到抽象循序渐进的思想道德教育，使少年儿童掌握与其生活密切联系的道德知识，感受道德形成过程，加深对道德影响人类生活和社会发展的认识，提高他们参与道德实践的浓厚兴趣，培养他们积极、严谨、求实、活泼的生活态度和良好的行为习惯。

五、实施的方式

体验教育是少先队适应新形势、进一步加强少年儿童思想道德教育的主要方式。要从少年儿童日常所能接触到的家庭生活、学校生活、社会生活的具体情景和遇到的问题入手，也可设置现实生活和未来生活中可能出现的许多场景，使他们感知和强化思想道德方面的知识，感受讲道德的快乐和高尚、不讲道德的痛苦和耻辱，接纳正确的道德观念，启迪他们的道德觉悟，激励他们的道德情感，强化他们的道德意志，增强他们的荣辱观念和道德责任感，提高他们的道德推理能力、选择能力和践行能力，从而最终形成良好的行为习惯。

少先队是体验教育的倡导者和组织者，让少年儿童在少先队集体生活中体验，以少先队的组织形式到社会实践中去体验，是体验教育的重要形式。在少先队的组织和引导下，让少年儿童以自己的身份、自己的视角去参与体验，以他人的身份、他人的视角去参与体验，进入设定的事件和设定的环境的情景中去体验等，都是进行体验教育的方式。

根据不同年龄阶段少年儿童生理、心理的特征，少先队开展思想道德教育分三个年龄阶段实施。

一至三年级是小学的初始阶段，该年龄阶段的儿童对直观形象的事物容易引起注意，好奇好问好动手，是引起他们对道德问题产生兴趣，体验道德生活的重要时期。少先队组织要通过加入少先队组织前的启蒙和加入少先队组织后的教育，引导他们对生活中的道德现象进行观察，形成一些正确的道德印象，关注他们个人行为习惯的培养，注意他们方法和能力的训练。

四至六年级是小学的高年级阶段，经过三年的学生生活，该年龄阶段的少年已经适应学校生活，掌握了读写、说的基础知识和基本技能。少先队组织要通过少先队的组织生活和丰富多彩的活动，增加一些道德知识的深度，除了讲“本然”以外，再讲一点“所以然”；在进行实践活动的同时，增加一些讨论，强化对道德态度的体验，初步养成小学生应该具备的良好行为习惯。

初中阶段的少年儿童身心发展进入了青春初期，思维的主要方式开始从形象思维为主，发展到形象思维与抽象思维并重；自我意识发展迅速，自我控制与评价能力日趋成熟；已经能够认识自己在社会和集体中的地位和作用，形成初步的社会责任感。少先队组织要通过进行组织教育和团前教育，充分利用在课堂上、书本里所学到的相关知识，通过丰富的实践活动和探究性、研究性学习，让他们获得参与道德研究和践行过程的体验，逐步坚定道德信念，增强道德判断能力，形成良好的行为习惯。

共青团中央　全国少工委

2002年3月6日

共青团中央　教育部　全国学联

关于实施“大学生素质拓展计划”的意见

（中青联发〔2002〕14号）

为进一步贯彻落实《中共中央国务院关于深化教育改革全面推进素质教育的决定》精神，适应经济社会发展对人力资源开发尤其是青年人力资源开发的迫切需要，服务高校素质教育的全面实施，适应广大青年学生成长成才、就业创业的迫切需要，共青团中央、教育部、全国学联决定在部分高校联合开展“大学生素质拓展计划”试点工作。

一、试点工作的目的和意义

“大学生素质拓展计划”旨在全面贯彻党的教育方针，按照江泽民总书记“四个统一”的要求，坚持面向现代化、面向世界、面向未来，以培养大学生的思想政治素质为核心，以培养创新精神和实践能力为重点，普遍提高大学生的人文素养和科学素质，造就“有理想、有道德、有文化、有纪律”，德智体美等全面发展的社会主义事业建设者和接班人。

实施“大学生素质拓展计划”，有利于形成大学生自觉参与素质教育的积极导向，有利于动员社会资源服务大学生素质教育，有利于增强大学生自主创业就业的意识和能力。

二、试点工作的基本内容

“大学生素质拓展计划”的基本内容是以开发大学生人力资源为着力点，进一步整合深化教学主渠道外有助于学生提高综合素质的各种活动和工作项目，在思想政治与道德素养、社会实践与志愿服务、科技学术与创新创业、文体艺术与身心发展、社团活动与社会工作、技能培训等六个方面引导和帮助广大学生完善智能结构，全面成长成才。

“大学生素质拓展计划”的实施要注重三个结合，即课内外相结合、第一课堂与第二课堂相结合、学习与实践相结合。实施工作主要围绕职业设计指导、素质拓展训练、建立评价体系、强化社会认同四个环节，通过教学、课堂、讲座、活动等丰富多彩的方式展开。尤其要突出一些具有特色的传统工作项目，如“挑战杯”、“三下乡”等，全面带动和促进“大学生素质拓展计划”的实施。

职业设计指导。根据学生个人的特点、爱好和能力，对他们将来可能从事的职业进行设计指导，并就学生完善素质的具体方法和途径提出合理化建议，帮助学生建立成才目标，引导他们有意识、有选择地参加各种素质拓展活动。

素质拓展训练。根据不同阶段和层次的学生不同的成才需求，广泛开展校园科技文化活动、社会实践以及其他有益于学生素质提高的第二课堂活动，为学生的全面发展提供必要的训练和帮助。

建立评价体系。建立客观记录学生素质发展变化情况的青年学生人力资源能力评价体系，重点实施《大学生素质拓展证书》，量化评价指标，引导和激励学生更好地进行素质拓展。

强化社会认同　争取劳动、人事等部门对大学生素质拓展的政策支持，完善大学生就业准入机制，畅通用人单位的信息反馈渠道，推动社会对大学生素质拓展及其评价体系的认同。以适当方式吸纳社会力量参与计划的实施。

三、有关要求

开展“大学生素质拓展计划”试点工作是新形势下加强和改进高校德育工作，全面推进素质教育，促进大学生全面发展的一项重要举措，各地和有关高校一定要高度重视，把这项工作列入重要日程。要加强对“大学生素质拓展计划”的领导。各地应由省级共青团组织、教育行政部门、学联组织联合成立省级“大学生素质拓展计划”领导小组，协调本省的实施工作，办公室设在省级团委学校部。《大学生素质拓展证书》是推进“大学生素质拓展计划”的重要载体，要以此为切入点，推动大学生素质拓展的各项工作。各有关高校要制订长远规划和具体落实措施，由校领导牵头组织团委、学工部（处）、教务处等有关部门成立“大学生素质拓展认证中心”，负责计划的实施工作，办公室设在校团委。要做好“大学生素质拓展计划”与学校已有工作项目尤其是学生综合测评等评估办法的衔接，应就计划实施在评优创先、求学深造、就业推荐等方面制订配套的政策。共青团、学生会、社团组织以及关心下一代工作委员会在教学主渠道以外的学生素质拓展方面具有传统的优势，高校党政要高度重视、积极支持他们在“大学生素质拓展计划”实施中发挥应有作用，学校各相关部门要密切配合，共同推进这项工作顺利开展。

实施“大学生素质拓展计划”要注意统一品牌、协调行动、形成合力；要因地、因时制宜，兼顾地区、学校专业和学生之间的差异性；要与时俱进，不断适应形势发展的需要，大胆探索新的工作内容和工作方法；要注重机制建设，通过建立健全操作机制、评价机制和对学生的激励机制确保这项工作取得扎实成效。

在总结试点工作经验基础上，拟在全国普通高校（包括社会力量举办的高校）逐步实施“大学生素质拓展计划”。

附件：开展“大学生素质拓展证书”试点工作高校名单

共青团中央　教育部　全国学联

2002年3月25日

天津市
贯彻《公民道德建设实施纲要》的意见(节选)

(津党发〔2002〕10号)

三、突出重点，全面落实公民道德建设各项任务

7.大力倡导爱国守法。要以爱国主义教育为主线，以遵纪守法教育为基础，以理想信念教育为核心，以重大节日、纪念日为契机，充分发挥我市在近现代史方面的资源优势，展示改革开放以来我市所取得的巨大成就，开展党的基本理论、基本路线、基本纲领教育，开展爱祖国、爱家乡教育，开展国情、市情教育，开展近现代史和革命传统教育，开展“学法、知法、守法、用法”的普法教育，引导广大党员干部群众坚定信心跟党走，坚定信心搞社会主义，坚定信心搞改革开放，坚定信心实现跨越式发展，增强天津人的自豪感和建设天津的使命感。

8.大力倡导明礼诚信。要大力加强社会信用建设，在全社会积极倡导守信用、讲信誉、重信义。把明礼诚信作为人与人之间相互关系应遵循的基本道德规范，引导公民养成文明礼貌、诚实守信的良好行为习惯。在各行各业，特别是在与群众生活密切相关的窗口单位，深入开展优质服务、尽职践诺的活动，把明礼诚信的要求融入具体的职业道德和行为规范之中。

9.大力倡导团结友善。要教育和引导全市公民，自觉把维护我市安定团结的大好局面放在首位，坚持与人为善、助人为乐和尊重人、理解人、关心人的基本道德取向；弘扬集体主义精神，顾大局，识大体；正确对待和处理个人与家庭、单位、社会的关系。不同民族、不同信仰、不同职业、不同年龄的人，要互相尊重，互相理解，互相宽容，建立起文明和谐的人际关系。

10.大力倡导勤俭自强。要在全社会宣传和弘扬江泽民同志倡导的新时期创业精神。引导各级干部继承发扬党的优良传统和作风，努力实现群众的根本利益；引导各行各业的从业人员勤俭节约、艰苦奋斗；引导下岗职工和身处困境的人自强不息、奋发进取，勇敢面对生活的挑战；引导全社会成员爱护公共财物，珍惜建设成果，保护生态环境，形成勤俭自强的社会风尚。

11.大力倡导敬业奉献。要在党员领导干部和公务员中开展“做人民好公仆”和“人民满意公务员”活动，按照“人民利益高于一切、造福百姓重于一切、实现群众愿望先于一切”的要求，立党为公，勤政为民，不断增强为人民服务的自觉性。以“岗位做贡献、行业树新风”以及“十五”立功活动为载体，引导广大职工群众充分认识工人阶级的历史使命和发展天津肩负的重要责任，正确对待改革发展中的问题，正确处理国家、集体、个人三者利益关系，立足本职，以崭新的思想观念、良好的精神状态、忘我的劳动热情、优良的工作业绩，为天津跨越式发展做贡献。

12.加强社会公德、职业道德、家庭美德建设。要在全市倡导文明礼貌、助人为乐、爱护公物、保护环境、遵纪守法，积极开展“争做文明市民”等活动，引导和鼓励人们做一个好公民。要在全市倡导爱岗敬业、诚实守信、办事公道、服务群众、奉献社会，积极开展创建文明行业、文明机关、文明单位等活动，引导和鼓励各行各业干部职工在工作中做一个好工作者、建设者。要在全市倡导尊老爱幼、男女平等、夫妻和睦、勤俭持家、邻里团结，积极开展创建“文明家庭”、“文明户”等活动，引导和鼓励每个公民在家庭里都做一个好成员。

13.抓好重点人群、重点行业的道德建设。抓好党政机关道德建设是关键性环节。要按照“三个代表”的要求，在全市各级党政机关大力开展树立正确权力观教育和道德实践活动。各级领导干部都要树立正确的权力观，保证权力干净运行。广大党员干部都要率先垂范，讲道德、讲修养，廉洁奉公，勤政为民。抓好青少年道德建设是基础性工作。要遵循青少年身心发育及认知规律，在全市大中小学积极推行《德育规程》。学校要把教书与育人紧密结合起来，科学规划不同年龄学生及各学习阶段道德教育的具体内容，坚持贯彻学生日常行为规范，加强校纪校风建设。要发挥教师为人师表的作用，把道德教育渗透到学校教育的各个环节，培养学生做有理想、有道德、有文化、有纪律的一代新人。窗口行业和行政执法部门是道德建设的重点部位。各企事业单位特别是窗口行业要以诚实守信为核心，加强职业道德教育，搞好行业自律，依法经营，以德兴业，公平竞争；行政执法部门要深入开展以公正执法、文明执法、廉洁从政为主要内容的道德教育，引导行政执法人员严格执法，热情服务，做到公平、公正、公开，努力维护正常的社会、经济和法律秩序。

14. 发挥创建文明社区、文明城镇“五个一”活动在道德建设中的载体作用。要坚持不懈地开展以创建文明社区、文明城镇“五个一”活动为重点的多种形式的精神文明创建活动，把公民道德建设的内容融入创建活动的要求和标准之中，把创建的过程作为加强公民道德建设的过程。要充分发挥市民学校、服务中心、文体活动中心、广场花园、规范化农贸市场、文明示范路等“五个一”阵地的教育、服务、娱乐、健身等功能和作用，引导广大群众在社会生活各方面实践社会主义道德。深入开展科教、文化、体育、卫生、环保、法律“六进社区”和文化科技卫生“三下乡”活动，加强对外来人口的教育、管理和服务，发挥群众自治组织“自我管理、自我教育、自我服务、自我监督”的职能作用，引导群众养成科学、文明、健康的生活方式。

四、与时俱进，积极探索加强公民道德建设的有效途径

15. 以“讲文明树新风”为主题，大力推进道德实践活动。公民道德建设的过程，是教育和实践相结合的过程。要精心设计活动载体，吸引群众广泛参与，围绕市委、市政府提出的创建国家环境保护模范城市的目标，积极开展“热爱家园，保护环境”、“随手做环保，天津更美好”等活动；按照市委、市政府“人人为困难群众做奉献”的号召，深入发展“送温暖，献爱心”、“志愿者服务”、“希望工程”、“幸福工程”、“扶孤助残”等活动；围绕提高社区文化品位，推广普及社区体育节、社区文化节等活动；围绕培育社会文明新风，大力开展拒绝邪教、破除封建迷信、改革陈规陋习等教育活动。通过开展各种形式的道德实践活动，使人们在自觉参与中思想感情得到熏陶，精神生活得到充实，道德境界得到升华。

16. 把精神文明创建活动与道德实践紧密结合。精神文明创建活动是提高社会文明程度，加强公民道德建设的重要途径。要按照巩固、提高、延伸、辐射的思路，广泛开展文明社区、文明村镇、文明行业、文明机关、文明单位、文明学校、文明家庭、文明风景旅游区、文明示范路、军（警）民共建等“十大系列”精神文明创建活动和“百佳”标兵评比活动。在创建活动中，要突出思想道德教育内涵，体现基本道德规范。通过深化创建活动，凝聚人心，陶冶情操，提高素质。

17. 发挥人民群众在道德实践中的主体作用。要因势利导，激发人民群众投身道德建设的积极性和创造性；要充分发挥基层组织和群众团体的骨干作用，依靠群众，相信群众，从群众最关心的具体事情做起；要贴近基层、贴近群众、贴近生产、贴近生活，把道德的普遍要求和群众的自我教育结合起来，把提倡高尚精神和创造美好生活结合起来，通过多种形式的载体活动，吸引群众广泛参与，把群众的积极性引导好、保护好、发挥好，使道德建设不断取得新进展。

18. 发挥先进典型在公民道德建设中的示范引导作用。要积极培养和选树各种类型、各个层次的先进典型，体现时代特点，适应形势要求，得到群众公认，让群众感到可亲、可敬、可信、可学；要大力宣传先进典型，努力营造学先进、赶先进的氛围，形成见贤思齐的社会风气；要通过深入开展“赞身边楷模”和“学先进、找差距、见行动”等活动，弘扬社会正气，让广大公民从先进典型的感人事迹和优秀品德中受到鼓舞、汲取力量。我市在新时期涌现的范玉恕、陈钟槐、王绍源、顾月海、邱汝舜和子牙河救助落水儿童英雄群体等一批楷模，是加强思想道德建设的宝贵财富，要以这些榜样的力量影响和带动良好社会风尚的形成。

19. 从办实事入手，努力解决群众普遍关心的热点难点问题。要以群众是否满意、是否受益为出发点和落脚点，围绕市委、市政府确定的增加群众收入、改善生活环境、提高文化品位三件事，坚持每年为群众办好精神文明建设方面的实事。各级党委和政府也要坚持每年集中抓几件作用大、影响广、效果好、得民心的实事，特别要着眼于中低收入大多数群众，针对下岗职工、老年人、残疾人等弱势群体，通过广开就业渠道，完善社会保障体系，积极开展“扶贫帮困”、“社区服务”等社会公益活动，把党和政府的关怀和温暖送到千家万户。

20. 积极营造公民道德建设的良好社会氛围。

21. 努力为公民道德建设提供法律支持和政策保障。

中共天津市委

2002年7月30日

河　北　省
创建文明社区实施意见(节选)

(冀文明〔2002〕6号)

二、创建文明社区的方针原则

坚持以邓小平理论和江泽民同志“三个代表”重要思想为指导，认真贯彻落实《公民道德建设实施纲要》。要以思想道德建设为中心环节，以提高城市居民素质和社区文明程度为主要目标，按照巩固、提高、延伸、辐射的工作思路，努力建设环境优美、秩序优良、服务优质、管理优化的文明社区，促进城市两个文明建设的协调发展。

要把为社区群众服务作为全部工作的出发点和落脚点，以群众欢迎不欢迎、赞成不赞成、满意不满意作为评价创建工作的根本标准。从解决群众最关心、反映最强烈的问题入手，多做得人心、暖人心、顺人心的好事、实事，使社区群众得到实实在在的利益。通过主题鲜明、内容丰富、群众喜闻乐见的活动形式，吸引居民广泛参与，调动和保护好人们的积极性。

坚持教育与管理相结合。综合运用教育、舆论、行政、法律等多种手段，把德治与法制、教育与管理、内在约束与外在约束有机结合起来，提高人们的文明素质，增强人们自律意识，形成扶正祛邪、扬善惩恶的良好社会环境。

要因地制宜、点面结合、分步推进、务求实效。对省辖市与县级市、新城区与老城区、新建居民区与老旧居民区提出不同的目标和要求，使创建工作适应城市发展水平，适应社区建设要求，适应群众承受能力。既要积极进取，又要量力而行，坚决防止脱离实际、脱离群众，坚决反对官僚主义、形式主义。

三、创建文明社区的任务目标

社区教育深入持久，居民思想道德素质不断提高。

社区文化生活丰富，居民精神需求得到满足。加强文化阵地建设，建立社区文化站、体育活动场所、市民文明学校，为活跃居民文体活动创造条件。充分开发社会文化、体育资源，本着自愿互惠原则，开放驻区单位文化体育活动场所，实行资源共享。发展广场文化、楼院文化、家庭文化，开展群众喜闻乐见、自娱自乐、健康向上的文体活动，遏制不良文化在社区的传播。

社区服务体系健全，居民生活方便有保障。建立社区服务中心或服务站，发展方便居民的供水、供电、供气、购物、邮电、清洁等公共服务，发展面向老年人、儿童、残疾人、社会贫困户、优抚对象的社会救助和福利服务，发展面向下岗职工的再就业服务。建立社区医疗卫生所站，发展预防、医疗、保健、康复、健康教育和计划生育等社区卫生服务。建立社区志愿者组织，发动社区居民发挥各自特长和优势，开展群众性的互帮互助活动。不断推动社区服务向社会化、网络化、产业化的方向发展。

社区治安状况良好，居民安居乐业。建立社区社会治安综合治理工作网络，完善群防群治体系，发动群众共同维护社会稳定。严厉打击各种违法犯罪活动，扫除黄赌毒等各种社会丑恶现象，净化社区环境。加强矛盾纠纷排查调处工作，积极疏导和化解各类矛盾纠纷，把矛盾纠纷解决在社区，解决在萌芽状态。积极落实各种社会治安防范和管理措施，做好防火、防盗、防自然灾害、防破坏“四防”工作，保障居民人身和财产安全。加强对流动人口、刑释解教人员和有不良行为青少年的教育管理，预防和减少违法犯罪。积极开展法制宣传教育，建立健全规范居民行为的各项规章制度，引导社区居民增强法律意识，自觉遵纪守法，并积极同各种违法犯罪行为做斗争。

社区环境整洁优美，居民具有良好生活空间。搞好社区绿化，公共绿地植物种类丰富多样，以植树为主，乔、灌、花、草搭配合理，实现社区绿阴覆盖。搞好社区净化，有健全的保洁队伍、保洁制度，实行垃圾袋装化、密闭中转、日产日清，无废气、废水、废渣、噪音污染，无非法广告，无蚊蝇孳生地。搞好环境基础设施建设，社区内交通、环卫、照明等设施齐备完好。组织居民积极参与社区环境建设，认领、认种、认养树木、绿地，自觉打扫并维护楼道卫生，不乱停乱放、不乱贴乱画、不乱堆乱扔、不乱搭乱建、不随地吐痰，爱护花草树木和公共设施。

社区管理体制健全，居民享有优质规范服务。建立健全社区党组织，充分发挥党组织的核心作用和党员的先锋模范作用，团结和带领居民关心社区建设、参加社区公益活动、维护社区稳定，共建美好家园。建立健全包括社区居民代表会议、社区居民委员会、社区协商议事委员会在内的社区居民自治组织，宣传国家的法律、法规、政策，维护居民的合法权益，组织居民自我管理、自我教育、自我服务，引导居民依法履行义务，组织居民参与精神文明建设创建活动。建立健全社区物业管理部门，讲究职业道德，履行委托合同，自觉接受群众监督，为居民提供全面、方便、优质的经营性服务。

河北省精神文明建设委员会

2002 年 6 月 29 日

河　北　省
广泛开展“诚信河北”活动的通知(节选)

（冀文明〔2002〕7 号）

二、总体目标

着力解决政务工作、生产流通、中介活动、学术科研、人际关系中存在的缺信、失信问题，大力培育信用道德、规范信用行为、发展信用服务，努力构建社会管理公平公正、经济交往履约践诺、人与人之间真诚相待的“诚信河北”。

三、重点内容

在行政、执法部门中：重点解决执法不公、弄虚作假、吃拿卡要、蛮横粗暴等失信于民的问题。进一步增强政务透明度、严格依法行政、强化服务意识，取信于民。

在厂矿企业中：重点解决违法经营、不守合同、假冒伪劣等失信于用户的问题。进一步做到依法经营、信守合同、确保产品质量，取信于用户。

在服务行业中：重点解决态度生硬、虚假承诺、以次充好、价格欺诈等失信于顾客的问题。进一步提高服务质量、践行承诺、公平竞争，取信于顾客。

在中介组织中：重点解决信息误导、违规收费、违背程序、提供伪证等失信于服务对象的问题。进一步规范信息发布、中介收费、纠纷处置、执业程序，取信于服务对象。

在科教文化单位中：重点解决抄袭剽窃、侵权盗版、有偿新闻、艺风不正等失信于社会的问题。进一步提倡严谨治学、尊重知识产权、为人师表、德艺双馨，取信于社会。

在广大公民中：重点解决信义淡漠、以邻为壑、见难不助等失信于人的问题。进一步倡导以诚相待、与人为善、童叟无欺、助人为乐，取信于人。

四、运作方式

组织开展诚信教育。开展“诚实守信大家谈”活动：以征文、演讲、知识竞答为主要形式，运用墙报、板报、有线广播、闭路电视，组织机关干部、单位职工、城乡社区居民联系工作、生活实际展开讨论，形成处处议诚信，人人讲诚信的生动局面。开展“专家学者谈诚信”活动：通过召开研讨会、座谈会、报告会，广泛深入阐述诚信与参与国际竞争、发展市场经济、促进经济效益的关系，提高人们的认识，使“以德取信、以诚招商、以信留商”成为各级政府优化投资环境的重要准则，使“以德经营、诚信立业、文明生财”成为企业的经营理念。开展“诚信河北千里行”活动：组织报刊、广播、电视等大众媒体，对行政执法部门、厂矿企业、服务行业、中介组织、科教文化单位的信用情况分别进行巡回采访、广泛报道各行各业诚实守信先进事迹，鞭挞缺信、失信行为，营造浓厚的舆论氛围。

建立健全信用规范。各地、各行业根据现有法律法规，从实际出发，制定履约践诺诚信守则，确保所签合同、所做承诺得到落实；健全失信行为惩戒措施，使不讲信誉的行为得到有效遏制；完善信用管理行政规章，逐步实现信用行为管理的制度化、法制化。

大力强化信用监督。各行政管理部门、执法部门、服务行业、中介组织、科教文化单位，分别向社会公开诚信守则，公布举报电话，自觉接受群众和社会监督；各级报刊、电台、电视台，开辟社会信用监督台，对不讲诚信并造成重大损失的单位和个人进行曝光；各市探索设立政府信用网站，建立对行政、执法部门、社会服务行业、生产流通企业的信用档案，定期公布信用记录，让守信者光荣、让失信者耻辱并在经济利益上受到损失。

河北省精神文明建设委员会

2002年7月31日

山　西　省

贯彻落实《公民道德建设实施纲要》方案(节选)

（晋发〔2002〕8号）

二、重点活动

以“新世纪、新山西、新风尚”为主线，广泛深入地开展形式多样的群众性道德实践活动。抓好以“三大创新、六大主题活动、九件实事”为重点的公民道德建设“369”创新工程。

（一）大力开展公民道德建设的三大创新。

大力开展知识创新。动员、号召广大公民认真学习新的科技、经济、法律、文化等方面的知识，更新知识结构，开阔视野，与世界发展趋势接轨，为观念更新打好知识基础。

大力开展观念创新。运用新知识、新理论指导实践，建立能够适应时代要求的新的思想观念。特别是在道德实践中，要树立能够代表先进文化前进方向的新的社会主义道德观。要根据历史发展的要求，继承传统美德，赋予传统美德以新的时代精神。

大力开展文化创新。加强社会主义思想道德建设，是发展先进文化的重要内容和中心环节。要充分认识文化建设对社会主义现代化建设的重要性，建设能够体现时代精神和创造精神，具有世界眼光和较强感召力的文化。精神文化产品要体现新的社会主义道德观。要推动文化产业的发展，不断增强文化自身发展的后劲，增强文化对整个经济社会发展的影响力。

（二）广泛开展公民道德建设六大主题活动。

在党员干部中开展“人民满意好公仆”主题活动，在青少年中开展“实践五爱要求，争做四有新人”主题活动，在经营单位和“窗口”单位开展“爱岗敬业，文明服务”主题活动，在政法部门开展“公平公正，文明执法”主题活动，在农村开展“树文明新风，做新型农民”主题活动，在城镇社区开展“创文明社区，做文明市民”主题活动。

（三）切实抓好公民道德建设的九件实事。

确定每年3月5日为“公民道德日”，组织动员公民开展义务便民服务活动，以增强公民的道德意识。

创作生产一批反映公民道德建设实践活动，宣传《纲要》的文学、影视、戏剧、曲艺、书画、音乐、图书、文章等文化产品，形成良好的宣传教育氛围。

抓好100个爱国主义教育基地的建设和使用，进一步增强广大公民的爱国主义、集体主义、社会主义思想。

抓好100个县乡文化站和1000个农村文化大院的建设，向广大基层群众送文化、送科技，努力提高基层群众的科学文化水平。

抓好100个文明网站（吧）的建设，强化网络管理，增强网络机构和广大网民的网络道德意识。

抓好一年一度的“新世纪、新山西、新风尚”青少年读书活动，在全社会提倡爱读书、爱科技、勤思考、多奉献的道德风尚。

搞好公民道德建设的评比表彰活动，即每两年命名表彰一次全省“十大学雷锋标兵”。

抓好公民道德建设的队伍建设工作，主要是以各级各类党政宣传干部为主的专职队伍建设；以乡镇理论报告员为主的基层队伍建设；以社区和居民委员会工作人员为主的群众队伍建设。

唱好一首公民道德歌。通过组织征歌活动，对公民道德建设基本规范“20字”进行谱曲、教唱，演唱，使之广为流传。

中共山西省委

2002年3月25日

山　西　省
创建文明城市十年(2001—2010年)计划纲要(节选)

（晋文明委〔2002〕2号）

二、总体目标

今后5—10年，全省22个城市要分别建成国家级、省级和地市级文明城市：

2003年，太原、大同、长治、阳泉、晋城、朔州市建成省级文明城市，2005年进入创建国家级文明城市行列；

2005年，晋中市、临汾市、运城市和古交、介休、孝义、潞城、侯马、永济、高平7个县级市建成省级文明城市，2010年进入创建国家文明城市行列；

2010年，忻州市和离石、原平、汾阳、霍州、河津等5个县级市建成省级文明城市。

——形成文明城市创建新格局。要以进一步提高广大市民的思想道德和科学文化素质为核心，形成以教育、科技、文化、文物、卫生、计生、体育、旅游、环保为主体的、多力点支撑的文明城市创建格局；积极推进以优化生态环境、优化生活环境、优化社会环境为主要内容的达标活动，力争“十五”期间全省城市面貌初具文明城市标准；提高城市管理水平，创新城市管理体制，建立起符合山西实际、具有山西特色的规范、合理、科学的城市管理运行机制；党政机关树立廉洁、高效、务实的社会形象，形成各级党委和政府主导、各社会团体（组织）积极配合、人民群众广泛参与的社会主义精神文明建设新局面。

——积极推进城市经济快速发展和社会全面进步。全省城市国内生产总值年均增长要保持10%的速度，至2005年，人均GDP达到8000元；充分发挥城市的辐射和带动作用，带动全省GDP年均增长达到70%—80%，城乡居民收入年均增长5%以上；社会保障制度和医疗保健制度基本健全，人民生活质量普遍提高，使人民群众真正感受到创建文明城市的好处，为全省创建文明城市提供持续的动力。

——进一步优化城市布局。认真实施《山西省国民经济和社会发展第十个五年计划纲要》，经济结构战略性调整取得明显成效，城镇空间布局和功能结构进一步优化，合理的城镇体系基本形成；以公有制为主体、多种所有制经济共同发展的基本经济制度进一步完善，社会主义市场经济管理体制和运行机制进一步健全，城市社会生产力布局更趋合理，经济国际化水平按照国际规则和开放政策的要求进一步提高，塑造走向全国、走向世界的新型城市的崭新形象。

三、基本标准

文明城市在国内生产总值、财政收入、城镇职工人均工资、城镇居民人均居住面积、城镇居民基本生活保障制度等5项经济发展和人民生活指标方面，居全省前列；在精神文明建设方面，应达到市民言行文明、环境整洁优美、社会秩序良好、各类服务优质、科教文卫发达、基础设施完备等6个方面的基本标准。其主要内容为：

市民言行文明。文明市民教育普遍开展，社会风气良好；积极实施普法规划，市民民主法制意识不断增强；文明用语大力推广，规范文字工作积极推进；改革陈规陋习，破除封建迷信，科学、文明、健康的生活方式基本形成。

环境整洁优美。城市环境卫生实施长效管理；大力推进城市绿化、美化、亮化工作，城市绿化覆盖率和人均公共绿地面积有较大幅度提高；城市环境污染得到明显改善。

社会秩序良好。坚持依法治市，组织网络健全；社会治安秩序良好，防范和管理措施落实，公共场所和社会生活管理有序；黄、赌、毒等社会丑恶现象得到有效遏制；路政设施齐全，交通秩序良好；安全生产工作达标，城市消防措施落实。

各类服务优质。各级党政机关以身作则，服务高效优质；行业服务规范文明，社会监督制约机制完善；社会保障事业健康发展，社会服务网络健全；社会保障体系建立健全，再就业工作富有成效。

科教文卫发达。继续实施“科教兴市”战略，政策完善，措施落实，各类教育协调发展，教育水平不断提高；科技工作效益显著，科普宣传形成制度；文化事业健康发展，文化市场繁荣有序；体育工作切实加强，全民健身活动普遍开展；医疗事业不断进步，卫生服务体系和保健网络健全；计划生育工作达标；新闻出版事业稳步发展，广播电视覆盖率和质量不断提高。

基础设施完备。城市规划编制完善，城市建设科学合理，社会公用设施基本完备；城市交通设施建设达标；精神文明建设标志性工程落实，宣传、文化、体育设施（场所）、青少年活动阵地整体水平居全省前列。

山西省精神文明建设指导委员会

2002年1月7日

山　西　省
开展创建文明行业活动的实施办法(节选)

（晋文明委〔2002〕3号）

第二章　文明行业的基本标准

第七条　创建文明行业要以人民群众满意为最高标准，具体应符合下列条件：

1. 领导重视，常抓不懈。

2. 教育深入，活动扎实。紧密结合业务工作，切实加强思想政治教育，不断提高干部职工的思想道德和科学文化素质。坚持开展创建文明单位、文明科室、文明班组等各种形式的精神文明创建活动，群众参与面广，活动效果好。省、市、县级文明单位要分别达到20%、60%和80%。

3. 制度健全，管理规范。

4. 业务优良，实绩突出。坚持开展优质规范服务活动，工作效率高，服务质量好，各项主要业务工作指标达到本省乃至全国同类系统先进水平。

5. 廉洁自律，行风端正。廉洁自律，自觉接受群众监督，坚决抵制和纠正行业不正之风。社会信誉高，群众反映好，群众满意率在90%以上。

6. 关心社会，热心公益事业。每年都能推出一些便民利民的服务举措。积极参与和支持社会公益性活动。

第八条　文明行业示范单位除达到上述6条标准之外，还应具备下列条件：

一、为本行业两个文明建设提供先进经验，为本行业同类单位提供发展模式；

二、以良好的职业道德风尚和优质服务影响群众、教育群众，群众满意率达95%以上，百分值稳定在两年以上；

三、具有一定社会影响力和知名度，三年连续获得省（部）级文明单位，下属单位80%以上为市级文明单位。

凡发生下列情况之一，实行一票否决：

(1) 行业内各级领导班子主要成员受到党纪或行政撤职以上处分或法律上追究刑事责任的；

(2) 发生重大责任事故，对国家、集体和人民群众利益造成重大损害的；

(3) 行业内发生大案要案，严重影响行业形象的；

(4) 行业内存在违反计划生育问题的；

(5) 隐瞒情况、弄虚作假、骗取荣誉称号的。

第四章　文明行业的考核办法

第十二条　文明行业考评、考核采取条块结合、以块为主的方法。其基本步骤是：

一、制定规则。参评行业要结合本行业的实际，制定出创建工作实施细则和考核细则，同时与省、市（地）签订年度创建工作责任制，并报同级文明办备案，作为本行业开展创建文明行业活动的具体依据。

二、行业自评。参评行业的省级主管部门对所属系统和单位创建活动进行自查自评，形成文字材料。参评行业的市（地）主管部门也要根据上述要求开展自评，形成简介材料，分别报省文明办和所在市（地）文明办。

三、群众评议。1. 省和市（地）文明办通过新闻媒体或其他形式向社会公布参评行业的自评情况和简介材料；2. 在公示基础上组织社会各界进行群众评议，群众评议主要采取问卷调查形式，群众评议结果将作为文明行业评选的重要依据；3. 以参评行业的服务对象为主体，并邀请人大代表、政协委员、民主党派人士、纪检监察机关干部和其他社会各界人士组成评议机构，采取无记名投票方式进行评议。

省、市（地）评议工作相应地由省、市（地）文明办统一组织、协调，参评行业主管部门配合、协助。

四、媒体评议。省文明办将根据创建活动的进展情况，适时地组织新闻单位对参评行业进行阶段性评议或专项察访，评议结果作为综合考评阶段的依据之一。

五、综合评议。省文明办汇总市（地）群众对参评行业评议满意率情况，参考新闻单位的评议情况和抽查考核情况，对参评行业满意率情况进行综合评议，按满意率从高到低排出参评行业的名次，公布结果。

山西省精神文明建设指导委员会

2002 年 1 月 7 日

山　西　省
深入开展创建文明社区工作的实施意见(节选)

（晋文明委〔2002〕4 号）

三、创建文明社区工作的基本目标

创建文明社区工作的基本目标是：今后 5—10 年，要建立健全规范的社区管理和工作机制，建立以党组织为核心的新型社区组织；形成区、街道、社区三级服务网络，强化社区服务功能；开展群众创建，基本形成安全、舒适、文明、和谐、双文明协调发展的新型社区。适应 2050 年基本实现现代化战略目标的要求，对创建文明社区要做出总体规划，制订阶段性目标和实施步骤。要分阶段、有重点地推进。要坚持标准，保证质量，力争到 2005 年太原市的社区基本建成文明社区，2010 年全省所有城市的社区基本达到文明社区的标准。

太原、大同、朔州、忻州、阳泉、长治、晋城、晋中、临汾、运城10个地级市按以下目标推进：2002年，全面完成社区改制，普遍建立以党组织为核心的新型社区组织，基本形成区、街道、社区三级服务网络，有30%的社区达到安全社区标准。2003年，进一步理顺社区管理体制，完善社区组织体系，强化社区服务功能，60%的社区建成安全社区。2004年，基本实现社区工作规范化、民主化、社会化，80%以上的社区成为安全、舒适、文明、和谐的新型社区。2005年基本建成市级文明社区，其中有20%的社区达到省级文明社区标准。

离石、孝义、汾阳、古交、原平、介休、霍州、侯马、河津、永济、高平、潞城先从试点抓起，2003年每个城区要有1—2个文明社区创建示范点，2004—2005年要有三分之一的社区建成安全社区，2006—2008年要有五分之三的社区建成安全文明社区，2009年要有五分之四的社区建成文明社区，2010年所有社区基本达到市级文明社区标准。

县人民政府驻地镇和省政府确定的“十五”期间重点建设的中心镇，要在2015年前把所有社区建成文明社区。

五、创建文明社区的标准

要大张旗鼓地宣传创建文明社区的重要意义和基本内容，营造全社会争创文明社区的良好舆论氛围。要广泛深入地开展文明社区创建活动，发现、培养和推广一批文明社区先进典型，形成一批有一定示范带动作用的文明社区示范点。

凡是县级和县级以上城市的社区，都要参与全省性的创建文明社区活动。省文明委每两年命名表彰一次省级文明社区。市（地）和县（区）可根据各自实际情况确定命名表彰工作。

省级文明社区标准是：

1.领导重视，组织健全。认真按照中办发〔2000〕23号文件精神，科学合理划分社区，完成社区体制改革。社区党组织和社区居民委员会组织机构健全，领导班子坚强有力，坚持“两手抓，两手都要硬”，真正把创建文明社区工作摆上重要议事日程，常抓不懈。创建文明社区规划科学，目标明确，措施具体。社区志愿者、老年人、残疾人等社团组织和各类服务机构健全，工作制度完善，骨干队伍稳定，活动经费落实，积极发挥作用。

2.教育深入，风气良好。从实际出发，积极开展有针对性的理想信念教育、形势政策教育、民主法制教育、“双思”教育以及各种有益的教育活动。加强居民的社会公德、职业道德和家庭美德教育，树立良好的社会道德风尚，家庭成员、邻里之间形成团结互助、平等友爱、共同前进的新型人际关系。宣传普及科学知识、科学思想、科学精神和科学方法，形成崇尚科学、破除迷信、抵制邪教的良好氛围。社区居民的整体文明素质较高，对社区的认同感强，积极参与社区建设。

3.秩序优良，社会安定。积极协助有关部门认真落实社会治安综合治理的各项防范和管理措施，社区治安综合治理网络和群防群治体系完善。社区治安状况良好，无重大刑事案件、重大安全事故和群体上访事件，无“黄赌毒”等社会丑恶现象和封建迷信活动。社区管理规范，社会秩序稳定，群众安居乐业。

4.服务优质，生活便利。社区各类服务组织积极开展工作，面向老年人、少年儿童、残疾人、经济困难户、优抚对象的社会救助和福利服务周到细致，面向社区居民和驻区单位的便民利民服务及时方便，面向下岗职工的再就业服务和社会保障服务扎实深入；以疾病预防、医疗保健和计划生育为主要内容的社区卫生服务齐全配套，驻地居民无计划外生育，上级下达的主要指标达到全省先进水平；以社区物业管理水平和服务质量不断提高，各项服务工作态度热情，项目丰富，程序规范，质量优良，居民普遍满意。“双拥”工作走在前列，军政军民关系密切。社区志愿者活动形成正常运行机制。

5.环境优美，设施完备。社区设施建设布局合理，环卫、服务、交通、通讯等基础设施比较完善，社区功能健全。环境综合整治和净化绿化美化工作成效显著，主要考核指标达到全国或全省先进水平，社区环境整洁优美。交通管理井然有序，主要道路交通顺畅。社区成员单位资源共享、事务共办、文明共建的机制初步形成。

6. 阵地牢固，文化繁荣。广场文化、企业文化、楼院文化和家庭文化建设发展较快。能够充分运用社区各类文体活动中心、图书馆、影剧院、文化站、俱乐部等文化娱乐场所，经常开展健康向上、具有社区特色的群众性文体活动，丰富居民的精神文化生活，形成科学文明健康的生活方式。

山西省精神文明建设指导委员会
2002年1月7日

山 西 省
文明单位创建管理办法(节选)

（晋文明委〔2002〕5号）

第二章 文 明 单 位

第六条 文明单位主要有以下两类四级：

一、由省精神文明建设指导委员会推荐，经中央精神文明建设指导委员会批准命名的文明示范单位为国家级；

二、由省、市（地）、县精神文明建设指导委员会批准命名的文明单位分别为：省级、市（地）级、县（市、区）级。

省直机关工委、省高校工委（只评选高等院校和直属中专学校）、省国防科工办党委、省企业工委批准命名的文明单位为市（地）级。

第七条 具备下列基本条件，可申报文明单位。

一、指导思想明确。高举马列主义、毛泽东思想、邓小平理论伟大旗帜；认真贯彻执行党的基本路线和各项方针政策；坚持“两手抓，两手都要硬”，把精神文明创建活动融于实际工作的全过程，做到两个文明有机结合，统一运行，物质文明建设和精神文明建设均取得显著成绩。

二、工作机制健全。建立精神文明创建领导小组，并有具体办事机构；领导小组定期研究创建工作，提出切实可行的创建目标和具体措施；建立创建文明单位相关的规章制度，开展持之以恒的具有本单位特色的创建活动，并取得明显成绩；文明职工、科室、班组，要达到60%的比例。干部、群众有较强的创建意识。

三、领导作风优良。领导班子成员能坚持全心全意为人民服务的宗旨，坚持民主集中制原则，自觉开展批评与自我批评；决策科学民主，实事求是；能密切联系群众，关心群众疾苦，在群众中有较高威望；具有务实高效，廉洁自律，勇于创新的工作作风。

四、精神风貌良好。全体工作人员具有良好的精神风貌，有较高的政治素质、业务素质和科学文化素质；能较好地遵守职业道德和社会公德、家庭美德；建立了平等、友爱、团结、互助的新型人际关系；能圆满完成各项工作任务，并在某些方面取得突出成绩；个人和集体有良好的社会形象。

五、工作成绩优秀。能出色完成本单位的工作任务，在工作中有创新，并取得了明显成效，两个文明建设实绩综合考核在本地区和同行业处于领先水平。

六、综合治理达标。严格执行国家、省及地方制定的各项法律、法规；人口与计划生育工作坚持经常，无违纪超生；无超过国家规定的人身伤亡、经济损失等问题；无重大刑事案件；无超标排污破坏环境以及其他违法乱纪和重大责任事故。

七、环境建设突出。工作环境干净整洁，做到美化、净化、绿化；文化教育设施和劳动保护措施完善；运用现代化手段实施科学管理。

八、生活方式文明。建立文明、健康、科学的生活方式；移风易俗，树文明新风；坚决扫除黄、赌、毒等社会丑恶现象；有效制止婚丧事大操大办和封建迷信活动；开展丰富多彩的业余文体活动，寓教于乐，通过积极、健康的活动陶冶人们的情操。

山西省精神文明建设指导委员会

2002年1月7日

山　西　省
创建文明小城镇的实施办法(节选)

（晋文明委〔2002〕6号）

第二章　标　　准

第六条　文明小城镇的基本标准

（一）领导班子坚强有力。党政一班人坚持高举马列主义、毛泽东思想、邓小平理论伟大旗帜，认真实践江泽民同志“三个代表”重要思想，自觉贯彻执行党的路线方针政策，班子成员团结务实、廉洁勤政，善于带领群众勤劳致富，党组织的战斗堡垒作用和党员干部的先锋模范作用突出。

（二）创建制度健全规范。党委、政府坚持“两手抓，两手都要硬”的方针，把创建文明小城镇工作纳入经济与社会发展的总体规划，摆上重要议事日程。精神文明建设工作建立了有效的领导体制和工作机制，有短期规划和长远目标，有专人负责，并做到了制度完善、经费落实。

（三）经济社会协调发展。基本经济制度稳定，产业结构合理、协调，乡镇企业发展势头良好，农业产业化稳步推进，集体经济连年增长，人民生活不断改善，工农业总产值、农民人均纯收入、财政收入等主要经济指标在当地处于领先地位，基础设施健全，社会保障和社会服务有较高的质量。

（四）法制严明社会安定。社会治安综合治理组织健全、责任落实，法制教育广泛深入，成效明显，无重大刑事案件和责任事故，无集体上访及聚众滋事，治安案件逐年减少，各类刑事案件发生率低于国家规定标准，人民群众安全感普遍提高，民事纠纷不断下降。“黄、赌、毒”等社会丑恶现象得到严厉打击，邪教、封建迷信活动等得到有效遏制。

（五）科技教育稳步发展。积极实施科教兴国战略，教科文卫事业投入逐年增加。科普工作扎实开展，九年制义务教育普及，小学阶段入学率达99%以上，初中阶段达90%以上；在校生年辍学率为：小学阶段控制在1%以下，初中阶段控制在3%以下；青壮年文盲率控制在5%以下，除丧失学习能力之外，基本不产生新文盲。宣传文化体育设施逐步配套，群众文化生活文明健康、丰富多彩。医疗卫生机构及计划生育技术服务机构健全，计划生育、优生优育及生殖保健服务普遍开展，无计划外生育现象。积极开展爱国卫生运动，加大改水改厕力度，饮用水和食品卫生达到国家规定标准。

（六）环境优良规划合理。城镇建设规划科学，水、电、交通、通讯等基础设施逐步改善，镇区道路铺装率达到80%以上，自来水普及率达到90%以上。镇容镇貌优美整洁，无违章建筑，无乱堆乱放现象，无重大环境污染和生态破坏事故发生。

山西省精神文明建设指导委员会

2002年1月7日

山西省
关于“环太行、吕梁革命老区宣传文化工程”的建设规划(节选)

(晋文明委〔2002〕15号)

在中国革命的历史上,晋冀鲁豫、晋察冀、晋绥三大革命根据地的总部都驻扎在太行山、吕梁山腹地。老区人民在抗日战争和解放战争中付出了巨大牺牲、做出了巨大贡献。但时至今日,由于老区自然条件差,经济相对落后,文化设施严重不足,群众的物质生活仍比较困难,文化生活更是贫乏。为了更好地回报老区人民,更好地宣传党的路线、方针、政策,帮助老区群众提高科学文化素质,加快脱贫致富的步伐,改善文化生活条件,加强精神文明建设,促进山区的经济发展,省精神文明建设指导委员会决定,组织实施“环太行、吕梁革命老区宣传文化工程”。

二、建设目标

从2002年10月至2005年10月,三年内在环太行、吕梁山区,即东线从大同市阳高县沿太行山脉由北向南至运城市平陆县,西线从运城市平陆县由南向北至阳高县,建成25个县级宣传文化中心,100个乡镇宣传文化站,1000个农村文化大院,逐步形成县级宣传文化中心、乡镇宣传文化站、农村文化大院三级连线成片的宣传文化阵地,从根本上改变革命老区宣传文化设施严重不足的状况,促进当地两个文明建设。

四、建设标准

县城宣传文化中心、乡镇宣传文化站的建筑,在外型设计和内部使用功能等方面都要具有一定的前瞻性,要代表当地的先进文化,要能够成为当地及周边环境中的亮点。具体要求:

设施标准:县级宣传文化中心应设有图书馆、阅览室、多功能教室、展览室、文化活动室、宣传橱窗,并配有相应设备,建筑面积不低于2000平方米;乡镇宣传文化站应设有图书室、多功能教室、展览室、文化活动室、室外宣传橱窗,并配有必要的活动设备,建筑面积不低于300平方米;农村文化大院应设有图书室、广播室、多功能活动室,建筑面积不低于100平方米。

投资标准:每座县级文化活动中心投资总规模为200万元。每座乡镇宣传文化站投资总规模为25万元。农村文化大院投资规模由所在市、县自行确定。

六、工作要求

“环太行、吕梁革命老区宣传文化工程”涉及全省11个市(地),81个县,1100多个乡镇,覆盖面积10万平方公里,覆盖人口近2000万。省委、省政府非常重视,老区人民热切盼望,一定要尽最大努力,把这一工程组织好、实施好。

要立足方便群众,确保建设标准。文化设施建设位置的选择,要充分为群众着想。县宣传文化中心要建在人口比较集中、交通便利的县城城区,并注意与周围环境相协调;乡镇宣传文化站不要建在乡镇机关院内、办公楼上,也不要建在远离公路、群众不便到达的地方。内部设施的标准,要按照中央“百县千乡宣传文化工程”的有关规定,做到设施齐全、器材配套,确保能够提供图书阅览、教育培训、科技推广、文化娱乐等多种服务。在建设规模上一定要从实际出发,建设面积要适应开展活动的需要,既不得低于省里规定的标准，又要防止因摊子铺得过大而成为“半截子工程”。

要管好用好资金，确保专款专用。专项资金是财政资金，要按照有关财政法规的要求，健全制度，加强管理，接受上级财政和审计部门的监督检查。接受的捐赠资金要专门用于宣传文化阵地建设，不得挤占、挪用甚至私分，也不得以捐赠为名搞乱摊派、乱集资，对出现的各种违法乱纪行为，要追究责任，严肃查处。

要强化项目管理，确保施工质量。各有关市(地)、县要切实加强对项目的管理，做到高标准、严要求。要对工程建设精心设计，突出当地文化内涵，力争建成当地的标志性建筑；要加强项目管理，严格实行项目法人责任制、工程监理制、招投标制，对项目建设进行全程管理，把每个环节的工作做细、做扎实；要把好工程建设质量关，要指定懂业务的专人负责，加强监管，在建设过程中发现问题要及时予以纠正，坚决防止和杜绝“豆腐渣”工程。

要加强领导，确保工程进度。实施“环太行、吕梁革命老区宣传文化工程”，是实践“三个代表”，为老区人民谋利益，进一步密切党与人民群众血肉联系的德政工程。各有关市（地）、县党委、政府要加强对这项工程的领导，真正抓在手上，列入重要议程。各级宣传部、文明办要及时掌握和了解工程进展情况，加强协调、检查和督导，帮助解决各种实际问题，确保如期完成。

要加强管理，确保发挥作用。要按照“百县千乡宣传文化工程”的有关规定，县级宣传文化中心、乡镇宣传文化站要配备专人管理，要建立健全各项规章制度。严禁出租、严禁从事非法经营、严禁传播不健康文化。要运用好这一阵地，宣传党的路线、方针、政策，开展思想政治工作，活跃群众精神文化生活，提供科技致富信息，在文明一方、致富一方、稳定一方、发展一方中发挥积极有效作用，促进太行、吕梁革命老区两个文明建设的全面发展。

山西省精神文明建设指导委员会

2002 年 10 月 25 日

吉　林　省
创建文明城镇活动方案(节选)

（吉文明委发〔2002〕14 号）

二、主要任务

提高城镇居民的思想道德素质。要紧密结合城镇居民的思想和生活实际，切实加强思想道德建设。要面向广大城镇居民，大力开展党的基本理论、基本路线、基本纲领教育，开展爱国主义、集体主义、社会主义和艰苦奋斗教育，开展世界观、人生观、价值观教育，引导他们树立正确的理想和信念。要大力开展公民基本道德规范的教育，特别是当前和今后一个时期，要把公民基本道德规范教育作为重点，通过采取多种有效形式，广泛宣传，使之家喻户晓，深入人心，并成为每一个城镇居民的自觉行动，进而为在全省城镇形成良好的社会秩序和社会风尚奠定坚实的思想基础。要适应社会不断发展的新要求，有针对性地加强对城镇居民的改革开放意识、自立意识、竞争意识、效率意识、民主法制意识和开拓创新精神的教育和培养，为城镇的经济发展和社会进步提供强大的精神动力。

丰富城镇居民的文化生活。要切实加强城镇文化建设，努力满足城镇居民日益增长的精神文化需求。要把文化基础设施建设纳入城镇建设的总体规划，经过努力，使全省城镇逐步实现广播电视网、文化站（馆）、科普基地、体育场（馆）、公共园林等基础文化设施的配套。要依托各种有形的阵地，广泛开展形式多样、喜闻乐见、健康有益的群众性文化活动，活跃城镇居民的业余文化生活。要在城镇居民中大力宣传科学知识、科学思想、科学精神、科学方法，反对封建迷信，抵制“法轮功”邪教的侵袭和渗透。

优化美化镇容镇貌。要切实加强城镇环境建设，塑造城镇的良好形象。要从解决城镇居民反映最强烈的问题入手，采取有效措施，治理整顿城镇环境面貌。要重点解决好乱倒垃圾、乱贴广告、乱建房屋、乱停车辆、乱设摊点等问题。在治理整顿的基础上，要通过建章建制，强化常态管理，彻底改变城镇环境脏乱差的现状。要加大对城镇环境建设的投入，不断完善城镇的基础设施建设，加快城镇硬化、净化、美化、绿化、亮化的进程。要加大环境保护工作的力度，有效地控制城镇经济发展中的工业污染，保护自然资源，维护生态平衡。

保持城镇社会秩序的稳定。要切实加强依法治镇和综合治理工作，维护城镇经济秩序、公共秩序和生活秩序的稳定。要广泛深入地开展创建文明小区（社区）活动，积极开展普法教育，建立健全城镇居民行为规范。要通过组建城镇综合管理专职队伍，加强行政执法管理队伍建设，不断提高城镇规范化管理水平。要大力开展城镇专项整治执法活动，严厉打击各种违法犯罪活动，坚决扫除黄、赌、毒等社会丑恶现象，反对封建迷信活动，制止文化垃圾的传播，依法打击“法轮功”邪教的各种非法活动，以保证经济建设和人民生活的正常进行。

促进城镇居民生活质量的提高。要切实加强优质规范化服务，提高公共服务水平。要在城镇的党政机关中广泛开展创建文明机关、转变服务作风活动，积极推进基层政务公开、民主管理。要在城镇的窗口行业中广泛开展创建文明行业活动，以优质规范化服务为城镇居民提供生活便利。在城镇中，要大力发展和健全社区服务体系，为社区居民排忧解难。要广泛开展志愿者服务活动，充分发挥广大居民的优势和特长，实行互助服务，通过逐步完善城镇服务网络，促进城镇居民生活质量的不断改善和提高。

吉林省精神文明建设指导委员会

2002 年 8 月 30 日

上　海　市

交通文明建设“十五”(2001—2005 年)规划(节选)

（沪委办〔2002〕6 号）

二、实施目标

在构筑现代化国际大都市一体化交通的同时，全面提高上海市民交通文明素养，做到各级领导高度重视、交通法规家喻户晓、交通文明深入人心、市民素养不断提高、管理队伍精干高效、整体水平全国领先。

具体目标是：抓好教育，全面提高市民交通法制教育普及率、交通安全知识知晓率、行车走路遵章率；强化宣传，增强市民交通法制观念，提高市民文明素养，鼓励市民热情参与城市交通文明建设；抓好队伍，完善由交巡警、交通协管员及交通文明志愿者三支队伍组成的管理体系，促进管理队伍的正规化和现代化；加大投入，使交通文明建设的各项活动有充分的资金保证。通过实施本规划，使市民交通遵章率逐年提高，交通事故万车死亡率逐年降低，确保上海交通文明程度居全国领先水平。

三、具体措施

（一）注重教育。

交通文明教育是一项国民终身教育，是交通文明建设的重要基础。要构筑一个完善的教育体系，建设一支高素质的师资队伍，形成一套具有上海特点、适合不同社会群体的专题教育材料。交通文明教育体系包括家庭教育、学校教育、单位教育和社会教育。要重点抓好交通安全教育学校的教育工作，提高机动车驾驶员的职业道德水平；充分发挥社区学校的作用，使交通文明建设的各项内容深入社区、深入家庭；加强对大、中、小学生和学龄前儿童的交通安全常识教育，使他们养成良好的交通文明习惯；重视对外来人员的交通文明教育，使他们尽快适应城市交通环境。通过以上各类教育，到2005年，力争使市民交通法规和交通安全知识教育普及率达到90%（其中机动车驾驶员、学生、公务员等重点人群达到95%，其他人群达到85%）。到2005年，力争使本市交通事故万车死亡率从2000年的万分之十五下降到万分之十。

（二）深入宣传。

要通过广泛持久的宣传，在市民中形成“遵章光荣、违章可耻”的荣辱意识，在全社会形成良好的交通文明氛围，为交通管理和执法提供有力的舆论支持。到2005年，市民对交通法律法规的知晓率要达到95%（郊区为90%）；从2001年起，市民的交通遵章率要在79%的基础上每年递增3%。

要充分发挥新闻媒体的舆论导向作用。

要抓好交通文明建设的社会宣传。在全市各社区和交通干道，要有宣传交通安全的公益广告。交通安全管理部门要深入基层，把交通法律法规和交通文明建设的宣传资料送到工厂、农村、社区、学校、部队等单位。

要组织好交通文明宣传中的各项大型活动。每年5月25日是上海法定的交通安全宣传日，9月上旬是全国统一的交通安全宣传周。要以这两项活动为契机，组织全市各地区、各部门、各单位开展主题鲜明、形式多样、群众广泛参与的宣传活动。

要建立群众广泛参与交通文明建设的机制，拓宽社会舆论渠道，鼓励市民积极发表对城市交通建设和管理的意见和建议；加强市民意见和建议的反馈工作，设立专门部门处理市民的来信来访，积极采纳市民的合理化建议，对提出具有重大价值建议的市民要予以表彰和奖励；畅通“总队长电子信箱”和公安热线等联系渠道，充分发挥交通管理信息员队伍的作用，使市民在充分享用城市现代化交通设施的同时，行使参与交通管理的权利，履行交通管理的义务；扩大交通管理信息员队伍，到2005年，全市的交通管理信息员人数要达到1万名。

（三）抓好队伍。

要着眼于上海交通文明建设的长期目标，抓好三支队伍的建设，抓出一支勤政高效的交巡警队伍、一支统一规范的交通协管员队伍和一支乐于奉献的交通文明志愿者队伍。

（四）加强领导。

从2002年起，建立并完善由党委领导、政府主管部门实施、社会监督、交通安全管理部门具体组织、全社会广泛参与的工作机制。政府各部门要把规范市民交通行为列入年度工作计划和考核指标；各单位有分管领导负责交通文明建设，把交通安全纳入安全生产计划，认真部署，严格检查和考核。要进一步抓好交通文明建设的立法工作，根据上海特大型城市的特点，制定地方性交通文明法规，加大执法管理力度，并探索把参加社会公益劳动作为教育交通违章者的手段。

各级文明办和公安交通管理部门要在各级党委、政府领导和支持下，认真履行各自职责，加强对各地区、各行业交通文明建设的组织、指导、协调和监督。各有关部门和单位要建立健全各项工作制度，把交通文明建设纳入科学化、规范化、制度化轨道。

各级政府、各部门和单位要重视对交通文明建设的资金投入。动员社会各方共同参与交通文明建设，形成多方筹资、严格管理、专项使用、长期稳定的投入格局。

要把交通文明建设作为创建文明标志示范区的重要内容。各地区要确定创建范围、建立创建组织、组建管理队伍、明确执法主体、落实创建经费。到2005年，全市要建成100个文明标志示范区。要把交通文明建设列入文明社区、文明城区、文明单位、文明行业评选的基本条件。

要落实交通安全责任制。建立交通文明建设成员单位分工负责制。各单位要从实际出发，制定相应的实施意见，承担交通文明建设的各项任务，保证这项工作的落实。市、区（县）、街道（乡镇）以及各部门、各单位要建立健全各级联席会议制度，每季度至少召开一次会议，研究情况，发现问题，及时整改。各级文明办和公安交通管理部门要强化检查、监督、考核和奖惩制度，组织检查考核，落实奖惩措施。

中共上海市委办公厅
上海市人民政府办公厅
2002年5月13日

江　苏　省
贯彻《公民道德建设实施纲要》的意见(节选)

（苏发〔2002〕7号）

二、结合我省实际，采取切实措施，努力推进新时期公民道德建设

根据党在社会主义初级阶段的历史任务和新形势下我省实际，当前和今后一段时期我省公民道德建设的指导思想是：以马克思列宁主义、毛泽东思想、邓小平理论为指导，全面贯彻落实江泽民同志“三个代表”重要思想，坚定不移地实施“依法治国”和“以德治国”的基本方略，在全省公民中牢固树立建设有中国特色社会主义的共同理想和正确的世界观、人生观、价值观，大力倡导爱国守法、明礼诚信、团结友善、勤俭自强、敬业奉献的基本道德规范，全面提高我省公民的思想道德素质和科学文化素质，为实现省第十次党代表大会提出的富民强省、率先基本实现现代化的宏伟目标而努力奋斗。

根据这一指导思想，我省公民道德建设的主要思路是：以为人民服务为核心，以集体主义为原则，以努力实现公民道德素质与经济水平的同步提高为主题，以文明城市创建等群众性精神文明创建和各类道德实践活动为载体，以解决人民群众关心的热点难点问题为突破口，在教育与管理、教育与服务、教育与实践的结合中，探索道德建设的新思路、新方法，形成创建工作和公民道德建设的新高潮。

深入学习，准确把握《纲要》实质。要深入认真地学习《纲要》，重点围绕《纲要》提出的方针原则，准确把握其基本内容、主要特点和精神实质，结合总结近年来我省开展道德建设的基本经验，分析研究新形势下道德建设所面临的任务和困难，着力提高针对性和实效性。要把《纲要》的学习纳入各级党委（党组）中心组学习，“三个代表”学教活动和群众性文明创建活动之中。各级党委和宣传部门要精心组织，安排时间集中学习，并组织专题研讨活动。基层单位的学习活动要层层发动，领导带头，人人参与，在全省城乡形成学习《纲要》的热潮 。

广泛宣传，形成良好的舆论氛围。各新闻单位要把宣传贯彻《纲要》作为宣传思想工作和精神文明建设的重点来抓。要组织有声势、有深度的报道活动，充分宣传《纲要》的重大意义和基本内容，充分宣传近年来我省社会公德、职业道德、家庭美德方面的先进典型，充分宣传我省各地区、各系统、各单位在道德建设方面创造的好经验、好方法，特别是要充分宣传和阐释好20字基本道德规范，做到家喻户晓，人人皆知。

制定规划，落实贯彻措施。制定规划要因地而异，不能照抄照搬。我省苏南、苏中、苏北经济发展水平不同，社情各异，工作的侧重点也应不同。具体的贯彻措施要切实可行，既紧密结合日常工作，又贴近人民群众，起到引导基层单位通过制定和完善行业道德规范、乡规民约、市民守则、学生行为规范等，把《纲要》的内容和所提出的要求，落实到人们日常生活中。

突出重点，力求取得实效。道德建设涉及不同的领域、不同的人群，要注意抓重点人群、重点行业，抓关键部位、薄弱环节，抓难点热点问题。在抓重点人群方面，要切实加强党员干部特别是党员领导干部的道德教育，为群众做出榜样。要着重抓好青少年的道德教育，努力培养符合时代要求的社会主义事业建设者和接班人。在抓重点行业方面，要以经营单位和行政执法部门为重点，分别开展以诚实守信、文明服务和公平公正原则为主要内容的道德教育。要发扬党的优良传统和作风，在“实”字上下功夫，集中力量抓好道德建设方面一些社会影响大、示范作用强、群众欢迎的事情，促进一些难点问题的解决。

开展活动，引导全社会进行道德实践。道德建设的过程是教育与实践相结合的过程。各级党政机关要始终把勤政为民、公正执法、优质高效、服务群众作为全体公务人员最基本的道德要求，加强为人民服务的宗旨教育，使他们牢固树立公仆意识，树立正确的行政伦理观念，在社会生活中做道德建设的表率。要高度重视青少年的道德教育，各级各类学校要按照《纲要》的要求，积极组织青少年参加社会道德实践活动。各类企事业单位要从自己的实际出发，采用多种形式加大学习和实践的力度，把道德特别是职业道德作为岗位培训和考核奖惩的重要内容，促使从业人员养成良好的职业习惯，树立行业新风。城市社区居民委员会要始终把道德建设作为提高居民素质的头等大事来抓，充分发挥市民学校、老年大学、社区信息网络的作用，使基本道德知识、道德规范和必要礼节家喻户晓，人人皆知。农村要以实现宽裕的小康社会，培养“四有”新型农民为目标，以勤劳致富、移风易俗、遵纪守法、家庭美德为主要内容，有效利用乡镇文化站、农民夜校、文化集市等宣传教育途径，不断加强农村道德建设，努力形成良好的家风村风民风。要大力推动“文化、科技、卫生三下乡”、“百城万店无假货”、“现代农民教育工程”、“青年志愿者”、“手拉手”等社会道德实践活动，积极引导广大群众创造性地开展道德实践活动，及时总结推广道德评议会等经验，把群众性精神文明创建活动作为道德建设的重要载体，继续向纵深推进。

中共江苏省委

2002年5月13日

浙　江　省
创建文明行业试行办法(节选)

（浙文明〔2002〕5号）

第二章　文明行业的基本标准

第五条　省级文明行业的基本标准为：

（一）组织领导坚强有力。领导班子认真贯彻“三个代表”重要思想，自觉坚持“两手抓，两手都要硬”的方针，把创建文明行业工作摆上重要日程，建立健全创建工作的领导体制和工作机制，坚持精神文明创建工作与业务工作一起部署，一起落实，一起考核。创建主体党政班子成员团结协作，开拓进取，清正廉洁，艰苦奋斗，在群众中威信高，党组织战斗堡垒作用强，党员先锋模范作用好。

（二）教育活动深入扎实。认真贯彻落实中央《公民道德建设实施纲要》和《浙江省公民道德规范》，切实制定和完善本行业职业道德规范，加强以职业道德教育为重点的思想道德建设，大力开展有行业特色的道德实践活动；加强基层思想政治工作，坚持开展爱国主义、集体主义、社会主义思想教育，积极探索新形势下思想政治工作的新方法和新途径；扎实开展以塑造行业形象为核心的文化建设活动，群众性文体活动丰富多彩。努力培养有理想、有道德、有文化、有纪律的职工队伍，干部职工的思想道德和科学文化素质不断提高。

（三）创建工作规范有序。创建工作制度健全，规划明确，计划具体，措施有力，安排得当。有严格科学的规章制度和具体明确、便于操作、易于考核的创建工作规范；有保证各个工作环节有序、高效运行的现代科学管理手段；有职责明确、纪律严明、奖惩分明的监督保障措施。坚持开展创建文明单位等各种形式的精神文明创建活动，热心支持社会公益事业，组织广大干部职工积极参与所在地区的精神文明创建活动，群众参与面广，活动效果好。省级行业主管部门自身的精神文明建设和思想政治工作先进，行业内县（市、区）级以上文明单位建成率达到80%以上，下属市级行业文明行业建成率达到60%以上。

（四）业务工作成绩突出。适应社会主义市场经济发展的要求，发挥行业的特点和优势，锐意改革，积极进取，勇于创新。深入开展优质规范服务，制定和完善服务标准，健全服务制度，提高规范化服务水平。依法行政，文明执法，规范办事程序，工作效率高，服务质量好。各项主要业务工作指标达到本省乃至全国同类系统先进水平。

（五）行风建设卓有成效。坚持标本兼治、纠建并举，针对突出问题，开展经常性的行业作风整顿。严格遵守国家法律法规和行业规章制度，创建主体在评选年限内无严重影响行业形象的大案要案和重大责任事故。全面开展打造“信用浙江”活动，积极参与整顿和规范市场经济秩序，自觉抵制假冒伪劣，全行业信用意识普遍提高。行风建设监督机制健全，主动接受社会监督，坚决抵制和纠正行业不正之风，群众对创建主体总体情况满意和基本满意率达到80%以上，形成爱岗敬业、诚实守信、办事公道、服务群众、奉献社会的良好风尚。

各市、县（市、区）可依据上述基本标准，结合本地实际，制订相应的基本标准。

第四章　文明行业的管理

第九条　创建文明行业坚持条块结合，分级管理的原则。各级精神文明建设委员会负责文明行业的管理，切实做好组织、指导、协调、检查、评比、监督等工作。

第十条　各级文明行业的重大创建工作，要主动及时报告同级精神文明建设委员会，各级精神文明建设委员会要认真掌握情况，及时进行指导。

第十一条　文明行业实行动态管理，如出现创建水平下降、社会影响较差、群众意见较多等问题，可根据情节轻重，给予警告、限期整改、撤销荣誉称号等处分。省级文明行业的下属市级全行业文明行业荣誉称号撤销后，市级文明行业建成率低于60%，不符合省级文明行业基本标准的，其荣誉称号即行撤销。

第十二条　省精神文明建设委员会对各级文明行业进行检查监督，发现有不合格的情况，可及时进行通报批评直至建议给予处分。

浙江省精神文明建设委员会

2002年4月22日

浙　江　省

创建文明镇试行办法(节选)

(浙文明〔2002〕10号)

第二章　文明镇的基本标准

第五条　省级文明镇的基本标准为：

(一) 领导班子坚强有力。党政领导班子坚持学习邓小平理论和江泽民总书记“三个代表”重要思想，积极发挥领导班子的核心作用，领导干部以身作则，廉洁奉公，勤政为民，依法行政，在群众中威信高。坚持以经济建设为中心，坚持“两手抓，两手都要硬”的方针，做到两个文明一起部署，一起检查，一起落实。重视创建工作，做到主要领导负总责，分管领导具体抓，其他领导协同抓，形成党政领导班子齐抓共管的领导体制。创建工作协调部门明确，各部门、单位的创建责任落实，形成齐抓共创的工作机制。镇内各居民社区县（市、区）级以上文明社区建成率在60%以上，镇所辖行政村县（市、区）级以上文明村建成率在60%以上。

(二) 经济健康持续发展。坚持围绕中心，积极为城镇经济可持续发展提供良好的软硬环境。第一、二、三产业结构合理，综合实力增强，各项经济指标居本县（市、区）平均水平以上。乡镇企业发展符合国家产业政策和环保要求，布局合理，科技含量高，社会效益好。优化农业结构，积极发展有本地特色的效益农业和生态农业，推进农业产业化经营，促进农业专业化、市场化、集约化。

(三) 居民素质普遍提高。紧密结合城镇居民的思想和生活实际，积极开展党的基本理论、基本路线、基本纲领教育，世界观、人生观、价值观教育和爱国主义、集体主义、社会主义教育，马克思主义的信仰、社会主义的信念、改革开放和现代化建设信心普遍增强；认真贯彻中央《公民道德建设实施纲要》和《浙江省公民道德规范》，积极开展思想道德教育和公民道德建设实践活动，努力使“爱国守法、明礼诚信、团结友善、勤俭自强、敬业奉献”的基本道德规范和《浙江省公民道德规范》人人皆知、人人皆信、人人皆行；认真制订和完善镇民文明守则和日常行为规范，引导人们在经济发展的基础上，追求更高层次的道德标准；努力按照社会主义市场经济要求，致富思源，富而思进，切实增强城镇居民的自立意识、竞争意识、效率意识、民主法制意识和开拓创新精神，为经济发展和社会进步提供强大的精神动力。

(四) 城镇环境明显改善。根据经济和社会发展要求，合理确定城镇发展规模，科学制订和实施城镇总体规划，重点突出，布局合理，充分发挥城镇区位优势、资源优势和产业优势，促进城镇的持续健康发展。加大投入，完善城镇基础设施建设。建成区的绿化覆盖率达30%以上，人均公共绿地面积在7平方米以上，排水管道普及率达90%以上，地面水、大气环境质量和区域环境噪声控制分别达到Ⅲ类、二级和二类标准。建有符合环保标准的垃圾处理设施，垃圾无害化处理率达70%以上，工业80%以上集中到镇工业园区，“三废”得到有效治理，达标排放，生活污水集中处理率达到70%以上，镇所在地水厂水质符合《国家饮用水卫生标准》，自来水普及率达95%以上，卫生厕所普及率达70%以上，粪便无害化处理率达35%以上。建立健全城镇环卫管理制度，积极推行居民生活区垃圾袋装化，保持镇容镇貌整洁。

（五）文化生活丰富多彩。加强城镇文化建设，建有一级以上文化站和广播电视站、藏书1万册以上的图书馆以及影剧院和书店，建有符合国家标准的体育场所，人均体育活动场地在0.65平方米以上，经常参加体育锻炼的人数占总人口比例达到80%，电话入户率达到60%，实现县——镇——行政村的光缆联网，广播覆盖率达到90%、电视覆盖率达到95%以上，有线电视终端入户率达到80%以上。镇村文化、广场文化、企业文化、校园文化、家庭文化等群众性文体活动经常开展，丰富多彩。文化和体育经营单位市场管理抽查合格率在85%以上。

（六）教育卫生事业进步。重视教育事业，改善各类学校的办学条件，师资素质普遍提高。高标准普及九年义务教育，高中段教育普及率在75%以上。重视改善医疗保健，全面实现国家规定的农村初级卫生保健要求。坚持计划生育基本国策，严格控制人口增长。广泛推进火葬，公益性墓地管理严格，依法制止滥建坟墓、滥建寺观教堂现象。

（七）社会治安秩序良好。广泛开展普法教育，群众民主法制观念增强。建立健全社会治安目标管理责任制，基层防范能力不断提高。严厉打击各种违法犯罪行为，各类重大刑事案件占现住总人口的发生率稳中有降，流氓恶势力、非法宗教势力、非法民间组织、各种多发性违法犯罪活动和“黄、赌、毒”等丑恶现象得到有效遏止。外来人口管理制度化、规范化。经常开展社会治安专项整治活动，打击歪风邪气，维护正常的社会秩序和社会稳定，人民群众安全感普遍增强。

（八）服务工作成效显著。坚持以服务人民，奉献社会为宗旨，广泛开展优质规范服务活动。窗口服务行业和执法部门积极开展创建文明行业活动，规范服务，文明执法，群众满意率和基本满意率达80%以上。完善城镇服务体系，社会服务网点设置合理，居民生活质量得到明显改善。服务场所管理有序，卫生、消防等制度健全，内外环境整洁。

各市、县（市、区）可根据本地实际，参照本标准制订具体考核办法或细则。

第五章　文明镇的管理

第十一条　各级精神文明建设委员会负责文明镇的管理，做好组织、指导、检查、评比等工作。省级文明镇（包括全国文明小城镇示范点）由省精神文明建设委员会主管，各地精神文明建设委员会协助管理。

第十二条　各级文明镇的重大创建工作要主动及时报告同级精神文明建设委员会，各级精神文明建设委员会要认真掌握情况，及时进行指导。

第十三条　文明镇实行动态管理，如出现创建工作水平明显退步、社会影响较差、群众意见较多等问题的，可根据情节轻重，给予警告、限期整改、撤销荣誉称号等处分。

第十四条　实行提档升格原则，省级文明镇为当然的市级文明镇和县（市、区）级文明镇。要撤销省级文明镇的市、县（市、区）级文明镇称号时，必须事先报告省精神文明建设委员会。

第十五条　省精神文明建设委员会对各级文明镇进行检查监督，发现有不合格情况的，可及时给予通报批评，直至建议给予处分。

浙江省精神文明建设委员会

2002年7月30日

安　徽　省

精神文明建设指导委员会成员单位责任制度(节选)

(皖文明发〔2002〕5号)

各成员单位的职责任务

1. 省委办公厅、省政府办公厅：发挥办公厅在机关精神文明建设中的综合服务与窗口作用，继续深入开展“讲文明树新风”和“三优一做”活动，切实做好为领导、为机关、为基层的服务工作，树立良好公仆形象。

2. 省委组织部：加强领导班子和干部队伍的思想政治建设，坚决防止和纠正干部工作中的不正之风；把精神文明建设的政绩纳入领导班子和领导干部的考核内容，与干部的使用和奖惩挂钩。

3. 省委宣传部：组织开展党的基本理论、基本路线教育，抓好用邓小平理论和“三个代表”重要思想武装党员、教育干部群众的工作；会同有关部门抓好形势教育、公民道德教育、法制教育、国防教育等；贯彻团结稳定鼓劲、正面宣传为主的方针，协调组织有关新闻单位搞好宣传，把握正确导向；以“五个一工程”为龙头抓好精品生产，繁荣理论、文艺、出版事业；督促、协调有关部门落实宣传文化重点建设项目，改善基础设施；会同有关部门完善文化经济政策，管好用好各项基金和资金；协调有关部门开展“扫黄打非”斗争，制止文化垃圾的传播；抓好宣传思想干部队伍的思想政治建设和业务知识培训；抓好公民道德建设的宣传和实践活动。

4. 省委政法委员会：制定和落实社会治安综合治理的各项措施，组织开展安全文明小区评比和社区安全检查活动；协调有关部门开展“四五”普法宣传教育和法律进社区活动，提高人民群众知法用法水平；指导、督促建立多层次的治安、民调防范网络；加强政法队伍建设，提高广大干警的政治业务素质，尤其是执法的文明程度。

5. 省军区政治部、武警安徽省总队：认真组织协调好驻皖军警部队之间的关系，搞好部队自身精神文明建设，切实走在全社会精神文明建设前列；协调驻皖军警部队积极参加地方的精神文明建设和物质文明建设，组织所属部队和民兵积极参加军民共建精神文明活动，办好少年军校、预备役学校。

6. 省纪委办公厅：推动纠风工作责任的落实。

7. 省直机关工委：制定省直机关精神文明建设规划和计划，组织开展以“优美环境、优良秩序、优质服务，做人民优秀公仆”为主要载体的各项创建活动。

8. 省发展计划委：牵头组织制定省文化基础设施建设规划；积极研究多渠道筹集文化设施建设资金的政策和措施。

9. 省经贸委：抓好企业和商贸职工队伍的职业道德建设，建立职工职业道德规范；积极开展“文明单位”、“文明行业”创建活动和优质服务承诺活动，提高全行业服务质量。

10. 省委企业工委：负责省属企业精神文明建设规划的制定和实施；组织省属企业开展公民道德教育和实践活动，切实提高企业职工的思想道德素质和科学文化素质；及时了解、掌握省属企业精神文明建设的情况，总结经验，交流推广。

11. 省公安厅：打击、查禁和取缔各种危害社会治安的违法犯罪活动和社会丑恶现象；加强文化市场管理，严厉打击制作、销售和传播淫书、淫画、淫秽录像或者其他淫秽物品的违法犯罪活动；积极参与社会治安综合治理，指导群防群治工作，推进各种治安防范措施的落实；积极开展创建安全村镇、安全文明小区活动；加强公安系统的精神文明建设和党风廉政建设。

12. 省教育厅：切实加强和改进学校思想道德和文化建设，认真推进邓小平理论和江泽民“三个代表”思想进课堂、进教材、进头脑，把《公民道德歌》作为思想品德课教材纳入中小学教学内容，培养德智体等方面全面发展的社会主义新人；加强教师职业道德教育，实施教师职业道德规范；实施中小学生日常行为规范和高等学校学生行为准则，培养学生良好的行为习惯；开展多种形式的爱国主义、集体主义、社会主义教育，指导各级各类学校开展“看优秀影片、读优秀图书、唱优秀歌曲”活动；加强校园文化建设，抓好校园的环境卫生和绿化、美化，创造良好的育人环境；以创建文明校园为目标，结合教育系统行风建设，抓好各级各类学校及全系统的群众性精神文明创建活动；配合有关部门认真实施“西部助学工程”。

13. 省科技厅、省科协：宣传普及科学知识，宣传文明健康的生产生活方式，破除封建迷信和陈规陋习；组织实施素质工程，开展科普大行动，提高全省人民的科学文化素质；组织好科技下乡、进社区和科技扶贫工作。

14. 省民政厅：组织开展拥军优属活动，指导和协调有关部门开展“双拥模范城（县）”创建工作；倡导移风易俗，婚事新办，丧事简办；协调开展创建文明社区活动；抓好本系统的文明行业和“窗口”服务单位建设。

15. 省财政厅：合理安排省级精神文明建设活动经费；研究落实宣传文化经济政策，支持宣传文化事业的发展。

16. 省人事厅：做好精神文明建设工作；先进典型表彰奖励的有关工作；提高自身的文明素质和服务水平；努力做好基层精神文明机构建设工作。

17. 省建设厅：继续开展创建省级“园林城市”活动；会同有关部门加强对城市市容环境卫生的管理；会同有关部门建立和完善城市住宅小区管理体制，强化社区服务，创建更多的优秀物业管理小区；指导村镇规划和建设，提高村镇建设水平；抓好本系统文明行业和文明服务示范窗口建设。

18. 省交通厅：配合有关部门搞好交通法规宣传教育，提倡文明交通；抓好交通系统的文明行业和文明示范窗口单位建设，树立交通系统执法人员的文明形象；配合有关部门认真治理公路、水路“三乱”，整顿车站、码头、渡口的交通秩序；配合有关部门打击车匪路霸的犯罪活动。

19. 省农委：配合有关部门开展创建文明村镇活动；配合有关部门落实好农村“三改”规划，制定好文明集镇和文明村、户标准，并对实施情况进行监督检查。

20. 省文化厅、省文联：实施精品战略、抓好文艺创作，为人民群众提供更多的、优秀的文艺作品；组织开展具有时代特色的大型群众性节庆文化活动，丰富人民群众文化生活；组织开展文化建设先进县（市）、乡（镇）活动，健全和完善县、乡、村三级文化网络和农村文化体系，建设稳固的农村文化阵地；会同有关部门加强对文化市场的整顿、管理和监督，打击各种非法制品的传播和非法经营活动；积极发展文化产业，增强文化事业发展活力；会同有关部门组织好文化下乡、进社区和文化扶贫工作。

21. 省卫生厅：加强职业道德建设，提高工作人员的职业道德素质和卫生服务水平；大力开展健康教育活动，普及和宣传卫生防病及保健知识，促进人民群众卫生习惯的养成和保健意识的增强；会同有关部门抓好卫生下乡、进社区工作，抓好乡村一体化建设，巩固和发展初级卫生保健；加强本系统的精神文明建设和廉政建设，对违背职业道德的行为进行处理。

22. 省计生委：引导人民群众树立科学、进步、文明的婚育观，扎实开展“婚育新风进万家”活动。

23. 省环保局：加强环境保护的宣传与教育，提高全民的环保意识；制定并完善保护环境的制度与措施，将其纳入到文明城市、文明行业、文明村镇创建的评比内容中。

24. 省广电局：组织采访、拍摄、报道精神文明建设方面的先进典型，及时宣传报道精神文明建设重大活动；电视台、电台都要开辟“公民道德建设”专题节目，加强公民道德建设的舆论宣传，充分发挥舆论监督在“三大创建”中的作用；

加强广告播出管理，制作并播放公益广告，严禁播出虚假广告和内容不健康的广告；完善广播影视职业道德规范，制止行业不正之风。

25.省体育局：以“新体育、新生活”为主题，认真实施全民健身计划，推动体育进社区、进乡镇，不断增强国民体质、提高群众生活质量、优化社会发展环境；提高职工的思想道德和科学文化素质，全面开展争创文明行业和文明单位活动。

26.省工商局：加强市场监管，积极开展文明市场、文明工商户创建活动；加强广告监管，净化广告市场，广泛开展公益广告宣传活动；规范服务秩序，完善服务功能，搞好服务承诺；加强对个体劳动者和私营企业者的法制和职业道德宣传教育，开展文明执法活动。

27.省新闻出版局：抓好精品生产，促进新闻出版事业的繁荣；会同有关部门开展“扫黄打非”斗争，严厉打击制黄、贩黄、盗版、盗印等违法犯罪活动，查禁反动淫秽书刊、音像制品、电子出版物等，维护市场秩序；加强廉政建设和职业道德教育，严厉禁止有偿新闻和买卖书号、刊号行为。

28.省旅游局：加强全省旅游行业管理，保护和合理开发利用旅游资源；规范旅游市场行为，维护旅游者和旅游经营者的合法权益；继续深入开展创建“中国优秀旅游城市”和“青年文明号”活动；继续开展文明风景旅游区创建和文明导游员评选工作。

29.省气象局:着力建设“四有”职工队伍,提供优质规范的气象服务，不断提高全省气象部门文明单位的质量和职工的科学文化、思想道德素质。

30.省外办：着力加强自身的精神文明建设，树立我省在对外交往中的良好形象。

31.省总工会：动员和组织职工积极参加经济建设和改革，指导基层工会实施开展群众性的“十五经济技术创新工程”；与有关部门共同做好劳模和先进生产（工作）者的评选、表彰、培养和管理工作；切实加强职工文化阵地建设，指导基层组织开展积极健康向上的、寓教于乐的职工文体活动；动员和组织广大职工积极参与精神文明创建活动，加强职业道德建设，宣传和弘扬“社会公德、职业道德、家庭美德”，组织全省女职工开展创“建功立业”和“文明家庭”活动。

32.团省委：动员和组织广大团员青年踊跃参与创建文明城市、文明村镇、文明行业、文明社区和军民共建等群众性精神文明创建活动，组织开展“青年文明号”、“青年志愿者”、“手拉手”等活动；开展以为人民服务为核心、集体主义为原则的社会主义教育，加强民主法制教育和纪律教育，引导青年树立正确的世界观、人生观、价值观；在青年中弘扬爱国主义、集体主义、社会主义精神，提倡共产主义思想道德，发挥艰苦奋斗精神；切实加强青少年文化建设，建设青少年宫、青年活动中心、青年之家、青年文化站、青年图书室等文化阵地。

33.省妇联：宣传和弘扬尊老爱幼、男女平等、夫妻和睦、勤俭持家、邻里团结的家庭美德；引导妇女移风易俗，抵制买卖婚姻、婚丧事大操大办等不良风气；维护妇女儿童合法权益，会同有关部门严厉打击拐卖妇女儿童犯罪活动，积极参与查禁和取缔卖淫嫖娼、吸毒、封建迷信等专项斗争；指导“妇女禁赌协会”、“红白理事会”等农村群众组织经常开展活动；组织妇女开展“五好文明家庭”、“巾帼文明示范岗”等多种形式的精神文明创建活动。

34.安徽日报社：正确把握舆论导向；倡导文明健康的社会生活方式，批评和鞭挞不文明的社会现象；开辟“公民道德建设”专页，加大公民道德建设的宣传力度；宣传精神文明建设工作的先进典型和重大活动，为精神文明建设创造良好的舆论氛围。

35.省文明办：拟订全省精神文明建设规划和年度工作安排；组织全省公民道德建设宣传、教育与实践活动；组织指导开展文明城市、文明行业、文明村镇、文明单位和军警民共建等各种创建活动；抓好文明城市、文明行业、文明村镇和文明单位的评比、命名考核和管理工作；抓好全省精神文明建设“十佳人物”的评选表彰工作，不断开展月评精神文明“十佳事迹”活动；组织实施好“百县千乡宣传文化工程”和“西部助学工程”；调查了解、综合汇总、及时反馈全省精神文明建设的新情况、新经验、新问题，有针对性地组织理论研究，为省文明委决策提供依据；协调解决精神文明建设工作中出现的问题。

安徽省精神文明建设指导委员会

2002年5月20日

福建省
“十五”期间社会主义精神文明建设规划(节选)

（闽委发〔2002〕7号）

二、奋斗目标

5.“十五”目标

坚持以经济建设为中心，促进物质文明建设和精神文明建设协调发展，防止和克服一手硬、一手软；坚持深化改革，发展社会主义市场经济体制，形成有利于社会主义现代化建设的共同理想、价值观念和道德规范，防止和遏制腐朽思想和丑恶现象的滋长蔓延；坚持扩大开放，迎接加入世界贸易组织和全球范围的新的科技革命挑战，吸收国外优秀文明成果，弘扬祖国传统文化精华，防止和消除文化垃圾的传播，抵御敌对势力对我“西化”、“分化”的图谋。初步建立起与社会主义市场经济相适应的思想道德建设体系、与发展知识经济相统一的科学文化建设体系、与提高人民生活水平相协调的现代社会事业发展体系、与实施依法治省方略相适应的法律知识普及体系、与推进可持续发展战略相衔接的生态环境保护体系、与经济社会繁荣发展相配套的社会安全保障体系、与建设良好基础设施相促进的群众性精神文明创建活动体系。进一步发挥福州和厦门两个全国文明城市的作用，推动泉州、漳州向更高层次迈进，带动莆田、宁德加快发展，形成沿海全线推进之势，同时以三明全国文明城市为重点向龙岩、南平辐射，形成一点向两翼延伸局面，努力建设具有海峡西岸特色的闽东南精神文明带和闽西北精神文明走廊。切实增进实效，提高思想道德、科学文化、环境建设、创建活动工作水平，实现公民文明素质、文化生活质量和城乡文明程度的明显提高，不断推进两个文明建设向前发展。

三、任务要求

6. 推进思想道德建设，牢固树立精神支柱

突出抓好邓小平理论和“三个代表”重要思想的学习、研究和宣传。

切实加强和改进思想政治工作。

不断深化城乡公民的道德建设。贯彻中共中央《公民道德建设实施纲要》和我省的实施意见，推进以德治省步伐，积极建立与社会主义市场经济发展要求相适应的道德体系。认真做好基本道德的普及工作。联系实际制定具体的道德规范，把家庭教育、学校教育、单位教育和社会教育紧密结合起来。广泛开展群众性公民道德实践活动，重点抓好全社会的诚实守信教育和青少年的道德行为规范的养成。下大力气抓好党政干部特别是领导干部的从政道德建设，规范从政行为，促进廉洁从政，带动整个社会风气好转。深入开展机关效能建设和干部队伍作风建设，坚持依法行政，强化监督机制，提高为人民服务质量，自觉履行公仆职责，端正机关工作作风。积极推广先进典型，继续评选职业道德建设“十佳集体”和“十佳个人”。以创建“五好文明家庭”为载体，把道德教育深入到千家万户。

7. 推进民主法制教育，营造依法治省氛围

认真实施第四个五年普法规划。做到全省70%公民接受比较规范的法制教育。

着力增强广大干部特别是各级领导干部的法制观念。各级领导干部要在学法、用法、守法、护法，依法行政和依法办事方面起表率作用。

加强依法治理工作。提高各层次、各行业依法治理水平，在全省建立和推广一批依法治理示

范县、示范乡、示范村、示范行业（厅、局）和企业，健全完善城乡基层民主管理制度。

8. 推进科教兴省步伐，实现社会全面进步

繁荣文化事业。坚持为人民服务、为社会主义服务的方向和百花齐放、百家争鸣的方针，弘扬主旋律，提倡多样化，全面推动文学艺术事业的繁荣。树立精品意识，引导文艺工作者培育正确的创作思想，不断推出高扬时代精神、思想内涵深刻、富有艺术魅力、深受群众喜爱的优秀作品，满足人民群众多层次多方面的精神文化需求。继续实行支持文化事业发展的有关政策，增加对公益文化事业的投入。完善文化产业政策，加强文化市场建设和管理，形成有八闽特色的文化产业优势。建设一批现代化、标志性大中型文化基础设施。

发展新闻出版、广播电视事业。坚持正确的舆论导向，办好各级党报党刊，发挥党报党刊在新闻舆论中的主导作用。调整和优化广播电视系统资源配置，努力提高节目质量；建设广播电视高速互联专用网，加快实现县乡村广播电视光缆联网，基本实现省、市级广播电视播出系统数字化网络化，广播电视人口覆盖率98%左右。严格新闻出版行政管理，清理整顿报刊市场，依法保护版权，持续开展“扫黄打非”专项工作。

加强互联网新闻宣传。把握互联网新闻宣传的正确舆论导向，树立福建对外良好形象，把重点新闻网站办成有权威、有特色的思想政治工作新阵地。

组织完善省哲学社会科学规划。立足福建21世纪战略性、全局性、前瞻性重大实际问题，着力研究关于健全与社会主义市场经济相适应的思想道德体系等课题。

促进卫生、体育事业发展。巩固“123健康工程”建设成果，全面落实初级卫生保健。深化卫生医疗体制改革，加强医德医风建设，提高医疗技术水平和服务质量。大力开展全民健身活动，发展竞技体育。建设一批全民健身中心。基本形成以体育主体产业为基础，多业并举，多种所有制并存，结构合理，共同发展的体育产业发展格局。

9. 推进城乡环境建设，不断提升生活质量

强化环境卫生整治、环境美化和环境保护。环境建设与经济建设协调发展、与环境保护同步实施。搞好城乡环境综合整治，防治环境污染，各城市、县城环境质量和环境污染控制指标达到国家标准。在农村开展环境保护宣传教育活动，增强农民环境意识，进一步控制和减少环境污染。持续开展群众性爱国卫生运动，努力创建更多的卫生城市、卫生县城、卫生村镇。大力开展城市绿化美化工作，提高城市绿化水平。继续开展创建园林城市活动。加强自然保护区的建设和管理，建成各具特色的风景名胜区体系。国家重点风景名胜区和省级风景名胜区，要做好特殊生态功能区的保护工作。

强化社会稳定工作。正确处理人民内部矛盾。认真做好群众来信来访工作，妥善调处各种矛盾纠纷，及时消除和化解不稳定因素。大力加强市场经济秩序的整顿和规范工作，深入开展“严打”整治斗争。坚决打击走私贩私、偷私渡。坚持扫除黄赌毒。依法打击“法轮功”邪教组织，制止宗教地下势力的滋生蔓延，坚持打击境内外敌对势力的渗透和破坏活动。落实社会治安综合治理措施，维护校园秩序，净化周边环境，县级以上城市普遍建立常设性青少年法制教育基地，预防和减少青少年犯罪。加强对进城务工流动人口的教育管理。做好刑满释放、解除劳教人员的帮教、安置工作。扎实推进安全小区创建活动，健全社区治安防范网络与群防群治机制。

10. 推进群众创建活动，提高社会文明程度

深入开展“讲文明树新风”活动。围绕建立团结互助、平等友爱的社会主义新型人际关系，营造文明健康、规范有序的生活环境，每年办几件社会影响大、群众满意率高的实事。解决文明言行、环境卫生、服务质量、交通秩序方面存在的问题。继续抓好青年志愿者、青年文明号、巾帼志愿者、巾帼文明示范岗、希望工程、少年“手拉手”、幸福工程、春蕾计划、扶残助残和文化、卫生、科技三下乡活动。

深入开展创建文明城市活动。贯彻《福建省城市社区建设纲要》，以优美环境、优质服务、优良秩序、优化管理为目标，以创建文明小区、文明社区为重点，规范物业管理，着力抓好市民行为规范教育、公共设施建设、环境秩序管理、社区服务和社区文化等工作，广泛组织开展科教、

文体、法律、卫生“四进社区”活动。加大综合管理力度，明显提高环境卫生、交通秩序、集市贸易、建筑工地、娱乐场所等方面的管理水平和文明程度。建成一批高质量文明社区、文明小区。

深入开展创建文明村镇活动。贯彻《福建省乡镇工作纲要》，以提高农民素质、改善农民生活质量、全面推进宽裕型小康建设为目标，着力抓好农村“三个代表”重要思想学习教育、环境建设、计划生育、社会治安、群众文化和便民服务等各项工作，并与农村经济工作、基层党的建设、基层民主政治建设和发展农村教育事业结合起来。创建文明小城镇，突出抓好创建文明县城工作，完善服务功能，引进城市管理机制，增强居民市民意识，提高社会文明程度，对广大农村起带动作用。推广评选“十星级文明户”活动，全面深化“五好文明家庭”创建工作。每两年评选表彰一批省级“五好文明家庭”和标兵户。坚持“六提倡、六反对”，完善乡规民约，破除封建迷信和陈规陋习，遏制乱建坟墓，推进殡葬改革，15万以上人口的城市要开设殡仪馆，全省火葬率力争达到80%。

深入开展创建文明行业活动。以服务人民、奉献社会为宗旨，职业道德建设为重点，群众满意为标准，纠正行业不正之风，不断提高行业优质服务水平。围绕服务程序、服务标准、服务承诺、服务言行等内容，制定各行各业规范化服务措施。加强党和国家机关精神文明建设，积极开展创文明机关、当人民公仆、做人民满意公务员活动。重点在服务行业和执法、司法部门，开展“创文明行业、建满意窗口”竞赛，提高示范点质量，促进全员服务达标。从实际出发，建立政府便民服务中心，健全“110”社会服务联动网络，促进行业服务质量提高，及时解决群众生活中的“急、难、愁”问题。深入开展“百城万店无假货”活动，推出一批省级“示范街”、“放心店”。突出抓好风景名胜区、旅游度假区、旅游景点优质服务，全面开展创建文明风景旅游区活动。坚持明察暗访，群众测评，建立行业服务监督考核体系。

深入开展创建文明单位活动。以生产业务为中心，以提高干部职工素质、培养“四有”新人、提高单位文明程度为目标，按照领导班子坚强、业务成效显著、思想教育深入、道德风尚良好、科教文体发展、内部管理有序、环境整洁优美的要求，推动各个基层单位两个文明建设。加强分类指导，逐步规范文明单位的创建和管理工作。组织引导个体劳动者和私营企业者积极参与文明单位创建活动。把创建文明单位活动纳入干部任期目标责任制，作为考核党政主要领导和领导班子政绩的重要内容和依据。文明单位申报实行届期制，实施动态管理。

深入开展军警民共建活动。坚持就近共建，把思想政治建设摆到首位，相互学习、共同提高。继续抓好结对子共建工作，总结新鲜经验，推动军地基层思想文化阵地建设，使文明社区、文明街道、文明单位、文明村镇建设进一步向区域共建拓展。结合“双拥”活动，广泛开展智力拥军、科技拥军，丰富共建内容，实现共建互益、共创互惠、增进团结，发展新时期军政、军民、警民的新型关系，推进“双拥模范城（县）”建设。完善规划，健全制度，加强组织协调工作，不断提高共建质量，建立示范点网络，形成以点带面、连线成片的共建格局。

中共福建省委

2002年3月21日

福　建　省
贯彻《公民道德建设实施纲要》的意见(节选)

（闽委发〔2002〕9号）

二、加强学习宣传教育，把握《纲要》的主要内容与要求，积极营造公民道德建设的社会氛围

学习宣传要坚持正面宣传，典型引路，积极营造公民道德建设的良好舆论氛围。省属主要新闻媒体要及时报道各市、县（区）和各系统、单位学习贯彻《纲要》的有关措施和活动，通过访谈栏目、热线电话等多种形式组织开展积极的理论引导，充分反映全省人民对加强公民道德建设的意见、建议，反映广大群众参与道德教育实践活动的巨大热情和新鲜经验，努力形成良好的社会舆论声势。要注意发挥教育的潜移默化作用，紧紧抓住影响人们道德观念形成和发展的重要环节，从家庭、学校、机关和企事业单位、社会这“四个教育环节”入手，编印通俗易懂的图片、画册在城市、农村广为宣传。以丰富的教育内容和多样的教育形式，引导广大党员、干部和群众加深理解公民道德建设的主要内容、基本要求。要通过分层次、分群类，有计划、有步骤的宣传教育，使传统美德得到继承，时代精神得到弘扬，道德规范得到普遍认同，并逐步化为广大公民的自觉行为。

三、在增进实效上下功夫，深入开展道德建设实践活动，把《纲要》的各项要求落到实处

要把先进性标准与广泛性要求结合起来，把道德实践活动与各项业务工作结合起来，区分层次、着眼多数，贴近基层、贴近生活，鼓励先进、循序渐进，防止和克服形式主义，引导人们普遍遵守基本道德规范，大力倡导共产党员和各级干部带头实践社会主义、共产主义道德，做社会的楷模、群众的榜样，促进公民道德建设稳步向前发展。

要依托覆盖面大、参与面广，群众喜闻乐见、行之有效、健康向上的各类活动，作为促进公民道德建设的载体，引导人们在自觉参与中，陶冶思想情操，充实精神生活，提升道德境界。《纲要》提出的“五类实践活动”，对公民道德建设具有深刻的影响，是开展公民道德建设各项活动的重要载体。要把一系列推动道德教育、道德实践的载体组织起来，与思想政治工作和精神文明创建活动紧密结合，突出思想内涵，赋予时代精神，体现基本道德规范和社会公德、职业道德、家庭美德内容，使之成为宝贵的道德教育资源，在武装人、引导人、鼓舞人、塑造人方面发挥出积极的作用。

要重在落实，贵在坚持，注重养成，真抓实干，把《纲要》的各项要求落到实处。要善于从大处着眼，小处着手，结合各地各行业各单位的实际情况，把公民道德建设的各项内容要求进一步具体化，引导企业、农村、社区、机关、学校、科研院所等基层单位，制定和完善行业道德、乡规民约、市民守则、学生行为等规范，从具体行为规范抓起，从“举手投足”的“小事”抓起，从少年儿童抓起。要把《纲要》提出的原则要求和主要内容，落实到人们的日常工作、学习和生活中去，引导广大公民增强礼仪、礼节、礼貌意识，增强对祖国、对家乡、对自然、对生活的热爱，规范言行举止，陶冶道德情操，学有榜样，赶有目标，受到鼓舞，见贤思齐，不断提高自身道德修养，促进社会公德、职业道德和家庭美德蔚然成风。

党政机关、各行各业要努力走在公民道德建设实践活动的前列。各级机关和各行各业是面向全社会示范公民道德教育的重要“窗口”，要求全体公民要做到的，党政机关、各行各业和全体党员干部要首先做到；要求下级做到的，上级要首先做到，一级带一级，一级抓一级。要从“现在”做起，从“我”做起，广泛开展以“廉洁奉公，勤政为民”、“创文明行业、建满意窗口”等为主要载体的职业道德实践活动，不断深化道德教育，把道德规范融入管理和服务行为之中，切实担负起推动全省公民道德建设的重要社会责任。各级党政机关、各行各业和社会各界，要从有利于公民道德建设出发，处理好全面部署与突出重点、经常性工作与集中整治的关系，把人民群众的呼声作为聚焦点，每年集中抓几件影响大、效果好、得民心的关系道德建设的实事，解决群众普遍关心的难点热点问题，推动全社会的文明经商、文明生产、文明执法、文明服务。

中共福建省委

2002年3月27日

江西省

深入开展创建文明行业工作的意见(节选)

(赣文明委〔2002〕7号)

三、进一步明确创建文明行业的主要任务

(8) 加强思想道德教育，不断提高职工素质。要把加强思想道德教育放在创建工作的首位并贯穿始终。紧密结合行业特点和职工工作、生活实际，深入进行党的基本理论、基本路线、基本纲领教育和形势政策教育，引导干部职工树立正确的世界观、人生观和价值观。大力开展爱国主义、集体主义、社会主义教育和社会公德、职业道德、家庭美德教育，倡导公民基本道德规范，组织多种形式的道德实践活动，引导干部职工树立与经济社会发展相适应的思想道德观念。要深入进行职业理想、职业责任、职业纪律、职业技能教育，引导人们树立社会主义职业观，形成爱岗敬业、诚实守信、办事公道、服务群众、奉献社会的职业道德风尚。加强社会主义市场经济知识教育，加强民主法制教育，增强广大干部职工的自立意识、竞争意识、效率意识、民主法制意识、信用意识、环境意识和开拓创新精神，不断丰富干部职工的精神世界，不断增强干部职工的精神力量，形成奋发有为、昂扬向上的精神状态。

(9) 开展优质规范服务，着力提高管理水平。要按照行业特点、工作职责和创建要求，制定具体可行的岗位行为规范，建立健全各项规章制度，完善管理考核机制，逐步实现全行业生产、服务和管理的科学化、制度化和规范化。凡工作性质允许的行业，都应当推广承诺制、公示制、信誉制、首问负责制等工作制度，向社会公布岗位职责、办事程序、服务规范、收费标准、工作纪律、查询办法、赔偿规定等，开通热线电话，自觉接受社会监督。

(10) 深化基层单位创建，树立行业文明新风。要围绕实现优美环境、优良秩序、优质服务，广泛开展创建文明单位活动，为创建文明行业打牢基础。要在单位内部深入开展争创文明单位、文明窗口、文明班组、文明柜台、文明科室等活动，开展争当文明职工、文明标兵、先进工作者、职业道德建设“双十佳”、青年文明号、巾帼建功等活动，使争先创优蔚然成风。

（11）加强企业文化建设，精心培育行业精神。要继承和发扬各行各业在长期社会主义建设和改革开放实践中形成的优良传统，学习和借鉴国内外一切有益经验，大力发展健康向上、丰富多彩、各具特色的企业文化和行业精神。办好行业的各类宣传教育文化阵地，经常开展形式多样、健康有益的文体活动，丰富干部职工的精神文化生活，自觉抵制各种歪理邪说及黄赌毒等丑恶现象。

（12）改善工作基础设施，不断优化服务手段。保证对服务场所和工作单位环境改造和基础设施建设的投入，做到环境整洁卫生、净化美化，设施完好齐全、方便实用。认真落实单位门前“三包”责任制，完善治理污染、保障职工健康、保护生态环境的设施和措施，促进行业发展与自然环境改善的协调同步。

四、突出抓好各行各业的诚信建设

（13）加强诚信建设是当前和今后一个时期创建文明行业工作的重点。要引导干部职工牢固树立诚信为本的思想观念。要从解决群众反映强烈、社会危害严重的突出问题抓起，建立行业行为守则，纠正行业不正之风，以重点问题的突破带动诚信建设的整体推进。

（14）加强生产和流通领域的诚信建设，坚决反对制售假冒伪劣商品等行为。生产企业要把创建工作的着力点放在严格生产标准、讲究环境道德、确保安全生产和产品质量上。流通行业要在继续改进服务态度、完善售后服务的基础上，着力解决好杜绝假冒伪劣商品进入流通领域的问题。要继续深入开展“百城万店无假货”活动，逐步增加示范街、示范店的数量，同时把活动向批发市场、私营企业和个体劳动者延伸，不断扩大活动覆盖面。要加大尊重和保护知识产权的宣传教育力度，加大对盗版侵权、非法出版活动的打击力度，维护文化市场的正常秩序和我国文化产业在国际竞争中的信誉。

（15）加强服务行业和中介组织的诚信建设，大力促进规范服务、守法经营。各行业各部门要根据诚信建设的要求，全面推广服务行业规范化服务，制定出适合自身工作特点、简明具体、易于操作、便于考核的规范化服务标准和保证措施，落实到每个服务企业、事业单位及每个服务人员。要积极探索在各类中介组织中加强诚信建设、开展创建工作的有效形式，引导从业人员提高素质、加强自律，自觉按照国家有关法律法规开展经营和服务活动。逐步推进中介组织执业公示制度，将中介收费、职业道德、执业规程、纠纷处置等内容向社会公开，增加服务透明度，堵住违法违规行为产生的漏洞。

（16）加强党政机关、执法部门、科教文等事业单位的诚信建设，以反腐倡廉的实际行动取信于民。要继续深入开展创文明机关、做人民满意公务员等活动，不断提高工作人员实践“三个代表”要求的自觉性和坚定性，提高工作人员的政治水平和业务能力，以良好的作风为全社会加强诚信建设做出表率。要坚持不懈地加强行政管理队伍和执法队伍的理想信念和宗旨教育，加强纪律作风和职业道德建设，做到文明管理、公正执法。科学界、教育界、学术界的诚信建设要以加强学术道德建设为基础，大力倡导实事求是的科学精神和严谨的治学态度，加强学界自律，健全学术规范，强化学术监管，坚决反对和严肃处理各种沽名钓誉、投机取巧的学术道德失范行为，为促进科技创新、教育发展、文化繁荣营造良好环境。

江西省精神文明建设指导委员会

2002年8月20日

江西省
文明行业创建管理办法(节选)

(赣文明委〔2002〕8号)

第二章 文明行业的标准

第六条 文明行业要符合下列标准:

(一)组织领导好

1. 领导班子和领导成员在思想上、政治上同党中央保持高度一致,模范执行党和国家的方针政策;坚持两个文明一起抓,开拓进取,团结一致,求实创新,廉洁自律,以身作则;努力完成党委、政府交付的各项任务,工作成绩处于当地同行业的前列。

2. 精神文明建设纳入本部门本行业发展整体规划,做到两个文明建设同部署、同落实、同检查、同考核、同奖罚。

3. 措施得力。本部门本行业精神文明建设领导小组及其办事机构,有经费、有制度、有目标、有规划、有活动。

(二)道德建设好

1. 坚持用邓小平理论和江泽民"三个代表"重要思想武装干部职工,坚持不懈地开展各种思想教育活动,弘扬爱国主义、集体主义和社会主义精神,调动干部职工的工作积极性。

2. 职业道德教育有规划、有阵地、有教材、有专人抓,做到经常化、制度化,全行业基本形成爱岗敬业、诚实守信、办事公道、服务群众、奉献社会的职业道德风尚。

3. 有健全的职业道德行为规范和规章制度,有良好的生产、经营、工作、生活秩序。

(三)创建活动好

1. 积极开展文明行业创建活动,创建工作有计划、有安排、有措施、有实效。组织健全、制度完善、经费落实。

2. 广泛开展创建文明机关、文明单位、文明"窗口"、文明处(科)室、文明班组、文明小区、文明家庭和争做人民好公仆、文明职工等活动,取得明显成效。

3. 在创建文明城、卫生城、双拥模范城等活动中发挥了行业作用,得到地方党委、政府的肯定,树立了良好的行业形象。

(四)优质服务好

1. 服务思想正确,服务态度端正,服务用语文明,服务程序规范,服务技能过硬,服务纪律严明。

2. 服务规章齐全,服务设施完善,服务环境优美,便民措施得力。

3. 服务人员挂牌上岗,热情周到。

4. 办事程序公开、监督保障措施完善,纪律严格,奖罚分明。

5. 行业内部监督和社会监督机制健全,措施得力,监督效果明显,群众满意和基本满意率达到80%以上。

(五)综合治理好

1. 法制教育形成制度,教育活动形式多样,完成上级规定的普法任务,职工的法律意识和法制观念不断增强,知法、懂法、守法形成风气。

2. 社会治安综合治理组织落实、措施落实、制度落实、工作落实。社会治安秩序良好。

3. 执行国家法律、法规和规章,无重大刑事案件、治安案件。

4. 工作纪律严明、安全生产落实,无重大安全责任事故。

（六）文化生活好

1. 文化活动阵地、设施建设得到加强，85%以上的基层单位文化活动设施基本齐全，并充分发挥作用。

2. 有计划地组织干部职工参加各种形式的文化、技术、管理业务学习，职工的服务技能和服务水平不断提高。

3. 群众性文体活动经常开展，职工业余文化生活丰富多彩，健康向上。

（七）环境卫生好

1. 建立健全卫生管理制度，经常开展爱国卫生运动，门内达标，门前“三包”（包卫生、包绿化、包秩序）责任制落实。

2. 基层单位营业、服务、办公场所布局合理，整洁美观。

3. 积极搞好绿化、美化，环境保护符合国家规定要求。

（八）经济效益好

第七条 凡发生下列情况之一的，实行一票否决：

（一）领导班子主要成员受到党内和行政撤职以上处分或追究刑事责任的；

（二）发生重大责任事故，给国家、集体和人民群众造成重大损害和损失的；

（三）行业内发生大案要案，严重影响行业形象的。

江西省精神文明建设指导委员会

2002 年 8 月 20 日

湖　北　省

贯彻落实党的十六大精神加强公民道德建设的实施意见(节选)

（鄂文〔2002〕52 号）

二、坚持从实际出发，开展生动活泼、行之有效的公民道德教育和实践活动

4. 切实抓好民族精神教育。要把弘扬和培育民族精神作为文化建设极为重要的任务，纳入国民教育的全过程，纳入思想道德教育的全过程，使全省人民始终保持昂扬向上的精神状态。要普及历史知识，进行革命传统教育，增强公民的爱国热情和民族自尊心、自豪感。要进行党的基本路线和社会主义现代化建设成就的教育，使全省人民进一步坚定社会主义信念，坚持党的基本路线不动摇。要进行中国国情和湖北省情教育，帮助人们系统了解我国和我省经济、社会、文化、人口、资源等方面的历史与现状，了解我国和我省现代化建设的目标、步骤和宏伟前景，以增强使命感和社会责任感。要利用各种重要节日、纪念日，包括具有民族特色的传统节日，举行形式多样、丰富多彩的群众性庆祝、纪念活动，使人们在亲人团聚、凭吊先贤、集体欢庆的同时，增强对祖国、对家乡、对亲人、对自然、对生活的热爱，陶冶道德情操，塑造美好心灵。要进一步加强我省“爱国主义教育基地”的建设，把爱国主义教育深入到家庭、学校、机关、企事业单位、农村，深入到人们的日常生活和工作岗位中去，把爱祖国与爱湖北、爱家乡、爱家庭、爱岗位有机结合起来，把人们的爱国热情转化为报效祖国、服务人民的实际行动。

5. 广泛开展社会公德教育。要在全体公民中开展“践行社会公德，树立文明形象”的教育实践活动，从公民文明言行抓起，重点开展推广普通话、使用文明礼貌用语、遵守交通规则、维护公共秩序、爱护市容环境、当好文明观众等方面的教育实践活动。继续组织实施“送温暖工程”、“希望工程”、“雏鹰行动”、“青年志愿者”、“手拉手”、“幸福工程”、“春蕾计划”、“帮困助残”、“吴天祥小组在行动”等社会公益活动。在全省上下大力倡导以文明礼貌、助人为乐、爱护公物、保护环境、遵纪守法为主要内容的社会公德，鼓励人们在社会上做一个好公民。

6. 深入进行职业道德教育。要采取切实有效的措施，引导从业人员树立正确的职业观，爱岗敬业、踏实认真、勤于实践、努力钻研，不断提高业务水平。要紧密结合各部门、各系统、各行业的职业特点，制定严格而科学的职业道德准则，加强职业道德教育，严格职业管理，严肃处理违规违纪行为。要大力开展“创文明行业、建文明窗口”、“公平竞争、信誉第一”等文明创建活动，逐步完善服务承诺制、社会公示制、信誉登记制等有效制度，把职业道德要求融入服务规范之中。在全省上下大力倡导以爱岗敬业、诚实守信、办事公道、服务群众、奉献社会为主要内容的职业道德，鼓励人们在工作中做一个好建设者。

7. 着力抓好家庭美德教育。要运用“以科明理、以教育人、以文怡情、以卫健体、以体健身”等多种形式，通过开展争创“五好家庭”、“十星级文明农户”等活动，丰富家庭文化生活，提高家庭成员的素质。要运用多种手段，对内融洽家庭氛围，倡导做好父母、好子女、好儿媳、好公婆、好姑嫂、好妯娌；对外培育互助、互让、互敬、互谅的邻里关系，形成良好的人际氛围。在全省上下大力倡导以尊老爱幼、男女平等、夫妻和睦、勤俭持家、邻里团结为主要内容的家庭美德，鼓励人们在家庭里做一个好成员。

8. 大力推进机关道德建设。领导干部要勤政为民、清正廉洁，始终保持一种蓬勃朝气、昂扬锐气、浩然正气。要把机关道德教育与党的路线方针政策教育、党风廉政教育、艰苦奋斗精神教育和科学精神的教育有机结合起来，使广大干部牢固树立全心全意为人民服务的宗旨观念和当好人民公仆的意识。机关道德建设要从领导机关抓起，一级抓一级，一级带一级，不断提高全省各级机关工作人员、执法人员的道德修养，以良好的党风政风影响和带动整个社会。

9. 进一步加强青少年道德建设。全省各级各类学校，要紧紧围绕培养社会主义“四有”公民的根本任务，切实把教书和育人结合起来。要狠抓师德教育，不断增强为人师表的人格影响力。要遵循由浅入深、循序渐进的原则，确定大中小学生不同教育阶段道德教育的重点内容和要求。小学道德教育主要是通过生动活泼的校内外教育教学活动，对学生进行以“爱祖国、爱人民、爱劳动、爱科学、爱社会主义”为基本内容的社会主义公德教育、社会常识教育和文明行为习惯的养成教育。中学道德教育的基本任务是把学生培养成为热爱社会主义祖国的具有社会公德、法制意识、文明行为习惯的遵纪守法的公民，引导他们逐步树立正确的世界观、人生观和价值观，不断提高爱国主义、集体主义和社会主义思想觉悟。大学道德教育的主要任务是使大学生了解中国的历史和国情，继承和发扬中华民族优秀文化传统和中国共产党领导下的革命斗争传统；正确理解和坚持党的“一个中心、两个基本点”的基本路线；树立社会主义民主法制观念；努力学习马克思列宁主义、毛泽东思想、邓小平理论和“三个代表”重要思想；树立以社会主义、集体主义为核心的人生观和价值观；养成高尚的社会主义道德品质和文明行为习惯；努力学习新知识，树立与改革开放、社会主义市场经济相适应和社会全面进步的新观念；具备健康、高雅的审美情趣和正确的审美观点；具备良好的个性心理品质和自尊、自爱、自律、自强的优良品格。

10. 充分发挥先进典型的示范和表率作用。

11. 继续加大文明城市创建活动的力度。充分发挥武汉在全省文明城市创建中的龙头作用，不断推进全省文明城市创建工作。社区是城市工作的基础，也是社会公德、职业道德、家庭美德的教育和培养阵地。有效利用市民文明学校、老年大学、家长学校、社区信息网络等宣传教育阵地，不断提高公民的文化素质和道德素养。通过开展“创建文明社区、争当文明市民”和“绿色社区”、“社区志愿者”等活动，积极引导社区居民从我做起，从具体事做起，自觉遵守社会公德，共建美好家园。

12. 积极拓展文明村镇创建活动。全省农村基层组织要以农民素质教育为核心，以建设现代化新农村、培育“四有”新型农民为目标，以勤劳致富、移风易俗、遵纪守法为主要内容，通过开展文明户、文明村镇创建活动，切实把农村道德教育引向深入。要充分发挥农村思想道德建设协会、思想道德教育评议会和家庭道德评议会的作用，采用农民群众易于接受的教育方式，将传统美德与现代文明、科普知识的普及有机结合起来。

13. 不断深化文明行业创建活动。创建文明行业要突出服务人民、奉献社会这个主题，强化职业道德建设这个基础，抓住优质规范服务这个关键，以规范化服务为目标，从群众最需要的地方做起，从群众最不满意的地方改起，把为人民服务具体化、规范化。要加强行业协会的建设，制定行业协会的有关规章制度要围绕解决文明言行、环境卫生、服务质量、交通秩序等方面的问题，每年选择一两个群众迫切要求解决的突出问题作为创建文明行业的突破口，精心组织，扎实推进。把优质规范服务贯穿到社会承诺、满意服务、“百城万店无假货”、“青年文明号”、“巾帼文明示范岗”等活动之中，渗透到行业开展的文明单位、文明窗口、文明班组、文明柜台、文明职工等系列创建活动之中，使优质规范服务落实到各行各业，落实到具体岗位。

三、把握正确导向，营造有利于公民道德建设的社会环境

14. 大众传媒要成为弘扬社会主义道德的重要阵地。报刊、广播、电视等大众传媒，要坚持团结稳定鼓劲、正面宣传为主的方针，坚持以正确的舆论引导人，积极为公民道德建设营造良好氛围。各级各类新闻媒体要开设公民道德宣传教育专题、专栏、专版，满腔热情地宣传社会主义现代化建设中涌现出来的、反映新时期道德要求的新事物、新典型，热情讴歌人民群众在道德实践中的伟大创造。公益广告的制作，要突出道德建设的内容，加强正面引导。互联网作为开放式信息传播和交流工具，应成为思想道德建设的新载体和新阵地。坚决禁止反动、迷信、淫秽、庸俗等不良内容的传播，引导网络机构和广大网民增强网络道德意识，共同建设网络文明。

15. 文学艺术要充分发挥公民道德的教育功能。文学艺术对公民道德建设起着潜移默化的作用。各文艺团体和广大文艺工作者要结合实际，发展面向现代化、面向世界、面向未来的，民族的科学的大众的社会主义文化，以不断丰富人们的精神世界，增强人们的精神力量。要坚持“二为”方向和“双百”方针，电影、电视剧、戏曲、音乐、舞蹈、美术、摄影、小说、诗歌、散文、故事、报告文学要积极反映改革开放和现代化建设的火热生活，热情讴歌人民群众的拼搏奉献精神和良好道德风貌。要切实加强对文化市场和娱乐服务场所的监督管理，坚决制止出版、播映、演出格调低下的作品和节目，严厉打击卖淫嫖娼、赌博、吸毒等社会丑恶行为，确保文化市场和娱乐服务场所的健康发展。

16. 营造有利于公民道德建设的法制环境、信用环境和服务环境。加强社会主义法制，是公民道德建设健康发展的重要保证。必须把加强社会主义市场经济道德教育、建立健全社会信用制度放在重要位置。要逐步建立企业、中介机构和个人信用档案，积极开展信用制度信用评级活动，建立比较完善的信用体系和法规体系，促使所有市场主体诚实守信，形成“守信者荣，欺诈者耻”的社会氛围。各级党政机关、人民团体和有关职能部门都要增强服务意识，提高办事效率，进一步强化“人人都是投资环境，个个关系湖北形象”的意识，以自己良好的职业道德规范和文明素养，服务基层，服务群众。

17. 为公民道德建设提供政策和制度保障。公民道德建设是一项复杂的社会系统工程，既要依靠教育，也要依靠法律、政策和规章制度。要高度重视各项经济、社会政策对公民价值取向、道德行为和社会风尚的影响，保护和支持通过正当、合法手段获取个人和团体利益，倡导和鼓励多为他人和社会做贡献，积极为公民道德建设提供正确的政策导向。要制定和完善市民文明守则、农村乡规民约、职工守则、学生守则等，把公民必须遵守的道德规范用规章制度的形式确定下来，加强约束力和强制性。要建立表彰先进、扬善抑恶的机制，使道德建设实现“软约束”与“硬约束”的有机结合。

中共湖北省委

2002年12月5日

湖　南　省
开展创建文明小城镇活动的意见(节选)

(湘文明委〔2002〕3号)

二、创建文明小城镇的主要工作任务

1.搞好小城镇建设规划。从实际出发，制定科学合理的小城镇发展规划，加强整体规划修编，城镇的重要地段和区域要制定详细规划。规划的编制要严格执行有关法律法规，切实做好城镇总体规划与国民经济和社会发展规划、土地利用总体规划以及交通网络、环境保护等各方面规划的衔接和协调，注重经济社会和环境的全面发展。在县域城镇体系规划的指导下，合理确定人口规模与用地规模。城镇建设严格按规划实施，既要坚持建设标准，又要防止贪大求洋和乱铺摊子。注重特色，切忌千篇一律，特别要注意保护文物古迹以及具有民族和地方特色的文化自然景观。

2.加快小城镇经济发展。根据小城镇的特点，以市场为导向，以产业化为依托，大力发展特色经济，着力培育各类农业产业化经营的龙头企业，形成农副产品的生产、加工和销售基地。发挥小城镇连接城乡的区位优势，兴办各种服务行业，因地制宜发展各类综合性或专业性商品批发市场。以城镇为中心，促进农村经济的发展。充分利用风景名胜及人文景观，发展观光旅游业。城镇居民人均可支配收入增长率、经济发展速度和经济效益居于所在市、州前列。

3.抓好小城镇基础设施建设。高标准地建设好小城镇的道路、通讯、供水、供电、广播电视等基础设施。不断完善城镇功能，搞好城镇绿化、美化、亮化。城镇自来水普及率、广播电视覆盖率、人均住房面积、人均拥有道路面积等达到国家规定标准。实现镇容镇貌整洁优美，道路交通顺畅，公用设施基本完备，服务网点设置合理，为居民群众创造一个优美舒适的生活环境。城镇基础设施建设保持所在市、州领先水平。

4.加大小城镇环境建设力度。坚持经济建设与环境保护协调发展的方针，制定小城镇环境保护规划，完善配套小城镇污水处理、固体废弃物处理设施，保护小城镇生态环境。污水处理率、固体废物处理率、大气环境质量、噪声环境质量，绿化覆盖率、人均公共绿地面积等达到国家规定标准。加强对居民的环境意识教育，不断提高居民保护环境，热爱自然的自觉性。

5.加强法制建设搞好社会治安综合治理。经常性地开展对居民的普法教育和法制宣传，认真贯彻落实党在农村的各项方针政策。落实社会治安综合治理的各项措施，坚决打击“黄赌毒”等社会丑恶现象，预防突发性事件和控制群体上访，有效遏止邪教和封建迷信活动，依法严厉打击各种刑事犯罪行为，保证社会政治稳定，治安秩序良好，群众生活安全有序。刑事案件的发案率控制在最低水平。

6.加强思想道德建设。根据中央颁布的《公民道德建设实施纲要》要求，大力宣传和倡导“爱国守法、明礼诚信、团结友善、勤俭自强、敬业奉献”20字基本道德规范。在党政机关认真开展“三讲”、“三个代表”的学教活动，倡导廉洁勤政的作风，积极为群众排忧解难办实事，自觉接受群众监督。领导班子团结、务实、廉洁、高效。在窗口行业和执法部门树立良好的职业道德，自觉抵制和纠正各种行业不正之风。普及居民学校和村民学校，经常性地开展宣传教育活动，教育和引导农民移风易俗，破除迷信，革除陋习，逐步形成适应城镇要求的生活方式，用社会主义精神文明占领小城镇的思想文化阵地。

7.推进小城镇科教文卫事业建设。积极实施科教兴国和可持续发展战略，逐年增加教科文卫事业的投入，政府对科技、教育投入的增长要高于同期财政收入和固定资产投资的增长速度。切实抓好义务教育工作，扎实开展科普工作，健全和完善卫生服务网络，严格执行计划生育政策，计划生育工作进入所在市、州的先进行列，大力发展广播电视事业，广泛开展群众性文化体育活动，加强对文化市场的监管，确保文化市场繁荣、健康、有序。

湖南省精神文明建设指导委员会

2002年3月4日

广　东　省
开展创建文明小城镇活动的若干意见(节选)

(粤文明委〔2002〕3号)

二、明确目标，抓住重点，努力推进创建文明小城镇工作

文明小城镇的基本标准是：（1）经济繁荣。国民经济持续、健康稳定增长，产业、产品结构优化，经济效益良好，人民生活水平不断提高。(2) 规划科学。以人民群众生活舒适、方便和生态环境良性循环为原则，坚持统一规划、配套建设。城建规划要具有适度超前性、科学性、配套性和权威性。(3) 环境优美。按可持续发展战略的要求，加强环境、生态和资源保护，镇容镇貌整洁美观，总体环境质量达到国家规定的标准。(4) 风尚良好。干群关系密切，人际关系和谐；爱国爱乡，遵纪守法，敬业乐群，文明礼让，尊老爱幼，扶危济困；移风易俗，婚事新办，实行殡葬改革和计划生育；社会治安秩序良好，封建迷信和黄、赌、毒等社会丑恶现象得到有效遏制。(5) 科教领先。大力推进科技、教育事业的发展，形成尊师重教、尊重人才以及讲科学、学科学、用科学的良好风气。(6) 文化发达。形成富有地方特色的区域文化，居民文化支出占生活支出的比重不断提高；建起一批设施先进、功能完善、环境优美、管理水平较高的文化、体育设施，并经常开展健康有益的文化体育活动。

创建文明小城镇的总体目标是：到2010年，全省各地区的中心镇及珠江三角洲的小城镇要建成文明小城镇。东西两翼地区和广大山区的小城镇要大力创建“经济小康、规划合理、民风高尚、环境优美、管理到位”的文明小康镇。

当前，创建文明小城镇活动要重点抓好以下工作：

1.加强小城镇的科学规划、建设和管理，营造适宜创业和生活的环境。要认真制定创建文明小城镇的总体规划。要坚持适度超前和可持续发展的原则，按照“居住向小城镇集中、工业向工业园集中”的思路，体现长远性、整体性和科学性。小城镇的基础设施建设要坚持“先规划后建设，先设计后施工，先地下后地上”的原则，加强供排水、环保、交通、能源、信息、医疗卫生、防灾减灾等配套设施建设。要加强公共服务设施建设，要以卫生、整洁、文明、有序为核心搞好小城镇的科学管理。认真解决脏、乱、差问题，禁止乱丢、乱吐、乱摆、乱放；依法严厉打击各种刑事犯罪活动和黑恶势力的犯罪活动，大力扫除黄、赌、毒等社会丑恶现象；积极探索出租屋和流动人口管理的有效机制和手段，对出租屋、外来暂住人员实行电脑化管理。城镇公用事业和市政管理要积极探索市场化、专业化、企业化经营的路子。

2. 加强思想道德建设，提高农民的现代文明素质。要以提高城镇居民的市民意识为重点，切实加强思想道德建设，引导新进城的居民树立卫生意识、交通意识和法律意识。大力宣传和倡导“爱国守法、明礼诚信、团结友善、勤俭自强、敬业奉献”基本道德规范，从实际出发，制定具有小城镇特色的日常行为规范。当前，要以倡导文明新风、移风易俗为重点，开展“告别贫穷，走向富裕；告别愚昧，走向文明”活动。倡导建立“红白理事会”、“妇女禁赌会”等群众性自治组织，引导群众树立健康、科学、文明的生活方式。

3. 加强小城镇文化建设，满足人民群众日益增长的精神文化需求。要把文化设施建设纳入小城镇建设的总体规划。小城镇要因地制宜，逐步建设起文化广场、图书馆、文体活动中心、公园、新华书店等设施，使之成为传播先进思想、普及科学文化、弘扬社会正气、塑造美好心灵的思想文化阵地。要继续实施“南粤锦绣工程”，建设一批融科普教育、知识传授和文化娱乐等功能于一体的广播电视网、文化馆、影剧院、宣传栏、科普基地和体育场馆等文化设施。要以重大节日和民俗文化活动为契机，组织开展文艺汇演、歌咏、书画比赛和体育健身等健康向上的群众性文体活动。要开发当地的文化资源，大力加强小城镇特色文化建设，建设一批篮球之乡、足球之乡、舞狮之乡、音乐之乡。要继续实施“文化艺术上山下乡工程”，把图书报刊、广播电视、科技资料送到农村中去，送到农民手中，丰富农村的文化娱乐生活，不断满足农民的精神文化需求。

4. 加强小城镇生态环境保护，促进可持续发展。要走小城镇建设与生态建设相统一、小城镇发展与生态容量相协调的城市化道路，努力保护好生态环境。要把小城镇污染综合治理作为重要任务，重点整治脏乱差，严格整治废水、废气、废渣和噪音污染源，坚决关、停、并、转污染严重的印染厂、小炼油厂和小水泥厂，重点抓好公路、溪、河两侧建筑垃圾、生活垃圾、工业废料、农作物秸秆等废物的处置以及规模化的禽畜养殖业和第三产业的污染治理，提高小城镇建成区的绿化水平，努力建设生态型现代化小城镇。

广东省精神文明建设委员会

2002年4月5日

广西壮族自治区

关于开展区域性精神文明创建工作的意见(节选)

(桂文明〔2002〕25号)

三、区域性精神文明创建工作的主要任务

整合资源，形成合力，达到一定的规模效应。在确立区域性精神文明创建活动内容的定位上，要注意其覆盖的区域不宜过于狭小，市、地一级的一般以地级城市地区和所包含的地域为宜。自治区确定的创建内容的范围可以更广。涵盖的领域不宜过于单一，应以能够最大限度地调动社会力量，整合社会资源，实现规模化综合社会效益为目标。

打造品牌、形成特色。通过开展区域性精神文明创建活动，大力推进我区的创建文明城市、文明村镇、文明单位活动以及精神文明建设的深入开展，形成一批有内容、有特色、有效益、有影响的名牌创建项目，全面提高全区的精神文明建设水平，把我区城乡居民的文明素质和城乡整体文明程度提高到一个新的水平，为经济发展和社会进步创造良好的环境。

突出重点，周密部署。根据全区两个文明建设的发展规划，结合自治区“三大战略，六大突破”发展战略的要求，我区的区域性精神文明创建工作按照两个主导层次、两种类型实施：一是以市、地为主导实施的创建活动。即以百色地区“右江百里文明河谷”的创建工作模式为样板，各市、地结合当地经济社会整体发展战略和环境资源条件，通过科学合理筹划，确定创建活动的内容；二是自治区指导实施的创建活动。其创建内容为：

市、地的联片共建。这一创建活动立足于区位的紧密联系、经济社会发展水平和环境资源条件的相似特点，着眼于整体发展布局的一致性。主要是：

右江百里文明河谷：该区域以百色地区右江河谷沿线的平果、田东、田阳、百色四个县、市为中心，积极带动两翼山区的发展。继续以抓好宣传文化工程为依托，突出弘扬革命传统教育，大力发展具有高科技含量的现代农业体系，不断促进革命老区的两个文明建设的协调发展。

桂东文明绿洲：该区域以贺州市为中心，辐射所辖的钟山、昭平、富川3个县，以发展服务广东和港澳地区生态绿色产业为主，着力抓好细胞工程的庭院建设，大力推进绿色家园、绿色田园、绿色景区、绿色通道建设，树立绿、净、亮、美、畅的文明绿洲新形象。

桂西跨省区文明通道：该区域以河池地区所辖的沿桂、黔公路的天峨、南丹、河池、宜州四个县、市为重点，在实施“西南出海大通道河池地区示范带”的基础上拓展、深化，实施以扶贫发展为中心的创建工程，探索经济欠发达地区发展两个文明建设的路子，积极推进与贵州的跨省区区域共建。

环北部湾文明示范带：该区域包含南宁市、北海市、钦州市和防城港市。目标是围绕北部湾临海开放带，充分发挥其西南出海大通道龙头的辐射带动作用，力求在城镇化和发展软环境建设方面取得明显的成效。

沿边文化长廊：该区域包含南宁地区所辖的凭祥、龙州、宁明、大新4个边境县、市。主要配合自治区实施的“边境大会战”，在加强边境基层硬件基础设施建设，发展地方经济的同时，不断加强边境地区的精神文明建设，突出实施爱国主义教育工程，把边境地区建设成为安宁、富裕、文明的美好家园。

跨省区际共建。在抓好我区区域性精神文明创建活动的基础上，为配合国家西部大开发战略，自治区将逐步与周边的广东、湖南、贵州和云南省发展精神文明共建关系，积极为我区的区域性精神文明创建工作创造良好环境。

四、区域性精神文明创建工作的主要内容

区域性精神文明创建要在抓好基础设施等硬件建设的同时，根据不同的层次和不同特点，抓好思想道德建设，努力提高广大干部群众的综合素质。

党政机关要以勤政廉政、服务高效为重点，切实提高机关工作人员的思想道德素质。

企事业单位要以提高职业道德水平为重点，切实解决职工在诚实守信和规范化服务方面存在的突出问题。

城市社区要以维护社会公德为重点，切实解决市民在公共秩序、环境卫生以及处理人际关系等方面存在的突出问题。要针对一些地方公共秩序混乱、“脏、乱、差”和人际关系淡漠等问题，在广大市民中大力开展以遵纪守法、文明礼貌、助人为乐、爱护公物、保护环境为主要内容的社会公德教育，倡导建立和谐融洽、团结友善、互帮互助的人际关系，营造有一定文化品位、健康优雅的生活环境。要制定和完善《市民守则》，规范市民行为。办好文明市民学校、家政学校，充分发挥各类思想文化阵地在精神文明建设中的作用。广泛开展创建文明城市、文明社区和争当文明市民等活动，不断提高城市市民的思想道德水平。

农村要以弘扬集体主义精神和移风易俗为重点，切实解决农民在集体观念和风俗习惯等方面存在的突出问题。要针对少数农民存在的集体观念淡化和农村存在的封建迷信、宗族械斗、铺张浪费、打牌赌博、违反计划生育政策等现象，在广大农村大张旗鼓地开展集体主义、遵纪守法、计划生育、移风易俗、反对封建迷信、普及科学技术知识的教育，开展创建文明村镇、评选“星级农户”和丰富多彩的文体活动，开办农民夜校，制定和完善村规民约，充分发挥农村基层党组织和道德评议会、妇女禁赌会、计划生育协会等群众自治组织在公民道德建设中的作用，使集体主义精神和科学文明风尚成为广大农民的自觉追求。

学校要以理想信念教育为重点，切实解决师生在世界观、人生观和价值观等方面存在的问题。要针对少数师生信仰动摇、价值观念扭曲等问题，在各级各类学校中大力开展以共产主义理想、爱国主义、遵纪守法和文明礼貌为主要内容的思想道德教育，要把思想道德教育渗透到学校教育的各个环节。进一步完善师生行为规范。教师必须为人师表，模范实践公民道德规范。要科学规划不同年龄学生及各个学习阶段思想道德教育的具体内容。充分发挥学生会、班委会、党小组、团支部、少先队等学生组织在道德建设中的作用。积极开发优秀民族思想道德教育资源，充分利用各种纪念地、展览馆、博物馆等设施进行历史和革命传统教育。认真组织社会实践活动，把学校、社会和家庭教育紧密结合起来，帮助广大青少年养成良好的思想道德品质，树立振兴中华的远大理想，增强社会责任感和爱国主义情感。

家庭要以弘扬家庭美德为重点，切实解决人们在家庭生活方面存在的突出问题。要针对极少数的家庭暴力、虐待老人、买卖婚姻、包办婚姻等问题，在全社会大力开展以尊老爱幼、男女平等、夫妻和睦、勤俭持家、邻里团结为主要内容的家庭美德教育。开展创建“五好文明家庭”、争当“文明公民”、“妇女·家庭·道德”和“美在家庭”等活动，努力营造尊老爱幼、夫妻恩爱、邻里和睦的家庭生活氛围，大力弘扬中华民族的传统家庭美德。

广西壮族自治区精神文明建设委员会

2002年9月20日

重庆市
加强社区精神文明建设的意见(节选)

(渝文明委〔2002〕8号)

三、社区精神文明建设的主要任务

(8)各地要把社区精神文明建设的内容纳入城市经济社会发展的总体规划，统筹安排。根据中央文明委的要求，结合重庆的实际，从文明小区、文明社区抓起，循序渐进，持续发展，逐步实现创建文明城市的目标。

(9)深化社区教育，提高居民的思想道德素质和科学文化素质。要加强党的基本理论、基本路线、基本纲领教育，加强理想信念教育和“三个主义”教育，在全社会形成建设有中国特色社会主义的共同理想和精神支柱。

认真贯彻落实江泽民总书记关于依法治国与以德治国相结合的重要思想，全面推进《公民道德建设实施纲要》的贯彻落实。大力倡导20字公民道德基本规范，使之家喻户晓、人人皆知。要在居民中广泛开展社会公德、职业道德和家庭美德教育，加强社会主义法制教育，要切实开展科普推广活动，大力宣传马克思主义唯物论、无神论，宣传科学知识、科学方法，弘扬科学思想、科学精神，积极开展揭批“法轮功”斗争，进一步做好“法轮功”练习者的思想转化工作。引导社区居民崇尚科学，反对封建迷信，抵制歪理邪说，形成科学、文明、健康的生活观念和生活方式。

(10) 搞好环境综合治理，保障居民安居乐业。要坚持治标与治本结合，近期和长远兼顾，加强社区环境综合治理，不断改善环境质量。要建立社区治安综合治理网络，完善群防群治体系，切实保障社区居民的人身和财产安全。认真做好人民调解工作，积极疏导化解各种矛盾纠纷。要严厉打击各种违法犯罪行为，坚持扫除黄、赌、毒等各种社会丑恶现象。

(11) 发展社区服务，提高居民生活质量。要广泛开展科教、卫生、法律、文体“四进社区”活动，积极倡导社区志愿者服务。要大力发展面向社区群众的各项服务事业，建立社区服务网络，配合有关部门做好社会保障工作。

(12) 繁荣社区文化，满足居民的精神文化生活需要。要大力发展广场文化、企业文化、楼院文化、家庭文化，充分利用各类文体活动中心、图书室、影剧院、文化馆（站）、俱乐部等文化场馆，经常组织具有社区特色的群众性文体活动，丰富居民精神文化生活，增强社区文化的，凝聚力，形成科学文明健康的生活方式。

(13) 加强设施建设，完善社区功能。要结合城市新区建设、旧城改造，有计划有步骤地完善社区的环卫、服务、医疗、计划生育、通信、交通、文体、社会福利等设施，努力建设和开辟更多面向广大群众、便于群众参与的公益性文化体育场所，特别要设法多建设一些老年人和青少年学生的活动场所。同时要十分重视现有资源的开发利用，本着自愿互惠的原则，实现社区资源共享。提倡和鼓励驻区单位向社区居民开放文体设施和服务设施。

(14) 开展创建活动，努力建设文明社区。要紧密围绕“倡导文明新风、共建美好家园”，以创建文明社区为龙头，广泛开展文明市民、五好文明家庭、文明楼院，以及军民共建、警民共建、区域共建等群众性精神文明创建活动。引导居民在参与创建活动中自我教育、自我服务、自我管理、自我约束，不断提高自身素质。在评选文明行业、文明单位中，各地都要把参与创建文明社区活动情况作为一个重要条件。

重庆市精神文明建设委员会

2002年4月9日

重　庆　市
创建文明城区规划(节选)

(渝文明委〔2002〕9号)

三、创建目标

创建文明城区要着力提高为群众服务的水平和城市管理水平，提高居民素质和文明程度，努力建设环境优美、秩序优良、服务优质、管理优化的现代化城区，形成崇尚先进、团结互助、扶正祛邪、积极向上的社会道德风尚，促进两个文明建设协调健康发展，实现“礼仪重庆、诚信重庆、知识重庆、魅力重庆”的目标。

根据中央文明委的总体要求，结合重庆的实际，重庆市（指主城区）力争在2010年前建成文明城市，到2020年全市所有城区都建成文明城区。

四、工作措施

1. 加强创建规划，持续稳步推进。各区县（自治县、市）要把创建文明城区工作摆上重要日程，纳入城市和经济社会发展的总体规划，按照全市总的创建规划，认真制定各自创建文明城市的具体计划，从文明小区、文明社区抓起，统筹安排，循序渐进，持续发展。计划要有科学性，目标要有阶段性，措施要有操作性，把创建任务层层分解落实到责任部门和责任人，同经济工作和各项社会工作一起部署、一起检查、一起考核、一起奖惩。

2.加强组织建设，发挥基层作用。充分发挥基层党组织在创建文明城区工作中的领导核心作用。结合城市管理体制改革和党政机构改革，加强街道办事处和社区居委会的建设，着力抓好建立和健全街道、居委会的党组织建设，特别要注意加强辖区内各类经济组织、社会组织的党组织建设，进一步增强基层党组织在创建文明城区工作中的凝聚力和战斗力。要依靠和协调驻区机关、企事业单位和部队的党组织，发动和组织在职党员积极参与和支持地区精神文明建设工作，切实发挥先锋模范作用。

3.加强队伍建设，提高创建水平。努力建设一支高素质社区精神文明建设工作队伍。要根据创建文明城区的需要，推荐那些思想品质好、善于联系群众、热爱社区工作、热心公益事业的同志参加社区管理工作。同时，要根据社区工作特点，努力建设一支主要由志愿者组成的文体活动辅导员、科普宣传员、校外辅导员等骨干队伍。要依照国家有关规定，不断完善社区干部的民主选举和民主监督制度，密切社区党群、干群关系。

4.加强统筹协调，形成工作合力。各地文明办要加强与有关方面的联系合作，切实发挥好组织、协调、督促、检查的职责。积极发挥街道办事处、居委会在创建文明城区工作中的主导作用，驻区单位的配合作用，文明单位、文明行业的示范作用，调动各方力量，增强整体效应。组织、宣传、民政、人事、教育、科技、公安、建设、市政、规划、文化、卫生、环保、计划生育、体育、工商、商贸等有关部门和工会、共青团、妇联、科协等人民团体，要按照创建文明城市工作的统一部署，发挥各自优势，开展各具特色的活动，共同推进文明城市的创建。

5.广泛开展创建活动，两个文明协调发展。要紧密围绕建设“礼仪重庆、诚信重庆、知识重庆、魅力重庆”的目标，以创建文明小区、文明社区为载体，广泛开展文明市民、五好文明家庭、文明楼院，以及军民共建、警民共建、区域共建等群众性精神文明创建活动。在深化思想道德教育，提高市民综合素质；搞好环境综合治理，改善群众生活环境；发展社会服务网络，提高市民生活质量；繁荣文化体育活动，满足居民的精神文化生活需要；加强基础设施建设，完善城市服务功能；发展城市经济，提高生活水平等方面取得明显成效。

重庆市精神文明建设委员会

2002年4月17日

贵 州 省

关于贯彻落实《公民道德建设实施纲要》的意见(节选)

(黔党发〔2002〕3号)

一、认真学习、深刻领会、准确把握《纲要》精神，努力营造有利于公民道德建设的社会氛围

加大宣传教育力度，努力营造有利于公民道德建设的社会氛围。从2002年起，将每年的3月作为《纲要》集中宣传教育月。

各新闻单位要大力宣传《纲要》的主要内容，

及时报道各地、各部门贯彻落实《纲要》的情况和新鲜经验，广泛宣传体现新时期道德风尚的新事物、新典型，加强对公民道德建设热点问题的引导；要充分发挥舆论监督作用，有力抨击各种败坏道德风尚的不良现象；积极配合有关部门开展各种形式的读书、知识竞赛和征文活动。高度重视互联网的作用，加强网上管理，加大网上正面宣传力度，使互联网成为公民道德建设宣传的新渠道和新阵地。

各级文化部门和文艺团体要以公民道德建设为题材，组织和动员文艺工作者深入基层、深入群众，创作体现时代精神，富有思想性、艺术性，为群众喜闻乐见的文艺作品。加强对文化娱乐场所的管理，坚决制止出版、播映、演出格调低下的作品和节目，依法打击反动、淫秽书刊及各类非法出版物，让健康的文化产品占领思想文化阵地。

加强商业性广告管理，不得出现有损道德、有伤风化的内容，大力提倡各种形式的公益广告；开展各种类型的群众性体育活动，激发人们的集体主义精神和爱国热情。严厉打击卖淫嫖娼、赌博、吸毒等社会丑恶行为。

二、明确目标，注重落实，全面推进我省公民道德建设

确立我省公民道德建设近期奋斗目标。“十五”期间，我省推进公民道德建设的目标是全面提升城乡文明水平和全体公民的道德水准。

加强“爱祖国、爱人民、爱劳动、爱科学、爱社会主义”的宣传教育，尤其要引导公民发扬爱国主义精神，增强热爱祖国、报效人民的责任感，正确处理个人利益与集体利益、国家利益，眼前利益和长远利益的关系，树立大局意识。要紧紧围绕西部大开发和新阶段扶贫开发的实施，对全体公民进行勤俭办事业、开拓进取、奋发有为的教育，反对好逸恶劳，克服“等、靠、要”的思想，发扬“自力更生、艰苦奋斗、坚韧不拔、苦干实干”的“大关”精神。

各地要依托各类市民学校、职工学校、民工学校、农民夜校、家政学校等阵地，对公民进行基本道德规范和基本道德要求的教育，鼓励人们在家里做好成员，在学校做好学生，在单位做好职工，在社会做好公民。

在全社会广泛进行社会公德教育。各部门、各单位、城市社区、农村基层组织等都要结合各自的工作职能，着重进行以“文明礼貌、助人为乐、爱护公物、保护环境、遵纪守法”为主要内容的社会公德教育。运用多种形式，大力宣传基本道德知识、社会公德常识和必要的礼仪、礼貌和礼节知识。积极开发和利用民族优秀道德教育资源，利用各种爱国主义教育基地，进行历史和革命传统教育。倡导绿色文明，不断提高全民环境保护意识。街道办事处要加强对社区居民、流动人口的公民道德教育，配合工商管理等部门加强对个体工商户的管理和教育。

依托单位进行职业道德教育。以“爱岗敬业、诚实守信、办事公道、服务群众、奉献社会”为主要内容，有针对性地开展职业道德教育。各级党政机关和行政执法单位要进一步开展全心全意为人民服务的宗旨教育，严格遵守中央和国家的有关规定，结合各部门实际，制定具体的行为规范，以实际行动做出表率。各企事业单位特别是窗口服务行业，要坚持以“方便群众、服务群众”为准则，制定各自的职业道德行为规范，促使从业人员养成良好的职业习惯和敬业精神。各经营单位要广泛开展以诚实守信为主要内容的道德教育，强化“诚实立身，信誉兴业”的信用意识，依法经营、公平竞争，维护市场经济秩序。

依托家庭进行家庭美德教育。要以“尊老爱幼、男女平等、夫妻和睦、勤俭持家、邻里团结”为主要内容，形成积极、健康、科学的家教家规，养成良好的家庭风尚。品德教育必须从娃娃抓起，从父母做起。要大力发扬中华民族尊老爱幼的优良传统，加强尊老、敬老、爱老教育。积极开展倡导文明新风、共建美好家园和文明家庭活动，形成和睦相处、团结互助的邻里关系，建立方便家庭生活、服务居民的社区管理，形成有利于家庭美德建设的氛围。妇联要会同民政等有关部门，制定家庭美德的具体行为规范，充分发挥街道居委会、村民组的作用，加强对家庭美德教育的指导，形成科学、健康、文明的生活方式。

依托学校对青少年进行系统道德教育。把各级各类学校作为系统道德教育的重要阵地，必须认真贯彻党的教育方针，加强校纪校风建设，积极开展“尊师重教、尊师爱生”和“创文明学校、做文明师生”活动。充分发挥共青团和学生会组织的作用，组织学生参加适宜的生产劳动和社会实践活动，促使他们认识社会，了解国情、省情，增强道德自律意识。教育主管部门要建立健全教师道德行为规范，抓好师德教育这个关键环节，使全体教师真正做到为人师表。社会、学校、教师、家长要紧密配合，全面加强青少年的道德教育。

深入开展创建文明城市、文明村镇、文明行业、文明机关活动。要坚持从群众最关心的事情抓起，针对公民道德建设中存在的突出问题开展各项活动，发动广大群众积极参与，让群众在参与中受到教育，得到实惠。

要以“卫生与秩序”主题创建活动为载体，以创建文明社区和评选文明市民为基础，以加强思想道德教育、创造优美环境、维护优良秩序、提供优质服务、丰富文体生活为基本内容，以省会和市（州、地）所在地的城区为重点，通过示范带动，分步实施，整体推进文明城市创建活动。以评选“十星级文明户”为基础，以县城和小城镇为重点，以治脏变净、治穷变富为目标，以改水、改厕、改灶、改路、改善环境，倡导文明健康生活方式为主要内容，在经济条件和基础建设较好的地方创建一批文明县城和文明村镇，通过以城带乡、城乡共建等形式，不断深化文明创建活动。要以“服务人民、奉献社会”为宗旨，以窗口行业和执法部门为重点，以急群众之所需、提供优质服务为目标，以搞好行风建设、塑造行业新形象为主要内容，抓规范、抓管理、抓监督，积极倡导部门联动、责任联担，增强各行业全心全意为人民服务的整体效应，推动创建文明行业活动的深入开展。要以“三优一满意”（优质服务、优良作风、优美环境，做人民满意公务员）为目标，以省、市（州、地）两级党政机关为重点，以改进机关作风、提高工作效率、加强党风廉政建设为主要内容，深入开展创建文明机关活动。

积极开展社会公益活动。继续开展婚育新风进万家，珍爱生命、远离毒品，崇尚科学、反对邪教，殡葬改革等教育活动。

充分运用各种节庆活动促进道德建设。举行形式多样的群众性庆祝、纪念活动、体育文艺活动，陶冶人们的道德情操，增强对祖国、对家乡、对自然、对生活的热爱。

开展必要的礼仪活动，规范人们的言行举止。提倡在重要场所和重大活动中升国旗、唱国歌，推广爱国主义礼仪形式，增强爱国主义教育的感染力。举行入队、入团、入党宣誓、成人仪式，组织重礼节、讲礼貌、告别不文明言行等活动，广泛普及文明言行、礼貌举止，引导公民增强礼节、礼貌、礼仪意识，不断增强道德修养。

中共贵州省委
2002年2月22日

西藏自治区 深入开展创建文明乡村工作的意见(节选)

（藏文明委〔2002〕2号）

二、创建文明乡村工作的指导思想和奋斗目标

6. 创建文明乡村工作的奋斗目标：从西藏实际出发，按照巩固基础，以点带面，提高水平，整体推进的工作思路，不断提高农牧区干部群众文明素质和乡村文明程度。在“十五”期间，加快我区创建文明乡村的步伐，到2005年，全区文明乡村达到20%；到2010年，达到30%；到2050年，基本达到100%，实现中央文明委确定的把全国的乡村基本建成文明乡村的目标。

7. 创建文明乡村活动的组织管理。各级文明委及其办公室对创建文明乡村进行组织管理，乡党委、村党支部负责实施。文明乡村实行分级管理和属地管理相结合的原则。各级精神文明建设指导委员会办公室对本级区域内的创建文明乡村工作进行规划、协调、检查、指导，并向同级党委和上级文明办负责。对命名的文明乡村实行动态考核，不搞终身制；对其中工作落后、面貌倒退的，由命名单位责令整顿或决定取消称号。

8. 自治区、地（市）、县三级文明乡村的共同标准：第一，有一个坚决反对分裂、维护祖国统一和民族团结，自觉坚持马克思主义祖国观、民族观、宗教观、文化观和唯物论、无神论，解放思想，开拓创新，带领人民群众建设社会主义新农村的坚强有力的党委（党支部）。第二，干部群众政治立场坚定，在思想上行动上坚决与达赖集团彻底划清界限，积极维护祖国统一和民族团结。无党员信仰宗教问题。第三，适应市场经济发展，调整产业结构，发展乡镇企业和多种经营，农牧业生产创高效、优质成果，农牧民人均纯收入增长较快。第四，创建文明乡村工作制度完善，群众发动充分，成效显著。评选文明户、文明村、文明单位的标准具体，措施有力。第五，有精神文明活动场所。第六，基础设施建设较好。农区达到“五通”，即通路、通邮、通电、通广播、通电视；牧区达到“三通一有”，即通邮、通广播、通电视，有定居点。第七，发展教育。经常开展扫盲、科普、普法活动，80%以上的家庭有科技明白人。第八，移风易俗。宗教的消极影响不断淡化，陈规陋习不断破除，做到“三无”，即无乱建宗教活动场所的现象，无送适龄儿童入寺为僧尼的现象，无封建迷信活动。第九，环境整洁，村容村貌好。乡村道路整齐干净，绿化程度高，排水畅通；环境卫生责任到户，奖罚分明；家庭清洁，庭院美化，有厕所，人畜饮水分开，住房和棚圈分离。第十，社会风尚和秩序良好。

9. 三级文明乡村的不同标准。

三、创建文明乡村的主要任务

10. 以爱国主义为中心内容的思想政治教育，是贯穿创建文明乡村工作的主线。要紧密联系我区实现跨越式发展和长治久安的进程，结合农牧区干部群众的思想实际，采取各种生动活泼有效的形式，坚持不懈地进行爱国主义、社会主义、集体主义和艰苦创业精神教育，适时进行党的民族政策、宗教政策、时事政治、国防和法制等教育，引导广大干部群众坚定对社会主义制度的信念，对改革开放和现代化建设的信心，对党和政府的信任，高举爱国主义旗帜，营造维护祖国统一、反对分裂、加强民族团结的良好氛围和坚实基础。

11. 反对分裂，维护祖国统一，是创建文明乡村工作的首要政治任务。要坚持“旗帜鲜明，针锋相对，主动治理，强基固本”的方针，坚持标本兼治，重在治本，有针对性地开展反分裂斗争教育。在党员、干部中深入进行马克思主义祖国观、民族观、宗教观、文化观和唯物论、无神论教育。在人民群众中坚持开展爱国主义教育，不断深入地揭批达赖祸教乱藏的罪行和反动本质，引导广大干部群众不断增强政治辨别力，自觉从政治上与达赖集团划清界限，铲除达赖集团反动思想的影响，坚定西藏只有在中国共产党的领导下，在祖国大家庭里走有中国特色社会主义道路，才有幸福的今天和更加美好的明天的信念，为实现社会长治久安创造良好的政治环境。

12. 提高农牧民群众的物质文化生活水平，是创建文明乡村工作的根本目的。

13. 加强道德建设，形成文明进步的社会风尚，是创建文明乡村的中心环节。认真贯彻《公民道德建设实施纲要》，结合我区农村实际，坚持以为人民服务为核心，以集体主义为原则，以爱祖国、爱人民、爱劳动、爱科学、爱社会主义为基本要求，以社会公德、职业道德、家庭美德为着力点，大力加强道德建设。坚决破除那些阻碍西藏社会发展、危害人民根本利益的旧思想、旧道德、旧传统、旧习惯，鼓励和支持一切有利于解放和发展社会生产力，一切有利于国家统一、民族团结、社会进步，一切有利于追求真善美、抵制假恶丑、弘扬社会正气，一切有利于履行公民权利与义务、用诚实劳动争取美好生活的思想道德，努力把农牧民群众引向现代文明。

14. 治理“脏、乱、差”，保障安居乐业，是创建文明乡村的重要途径。有规划、有措施，加强乡村环境建设，搞好环境卫生、美化绿化、道路修筑、改水、改厕、改灶、人畜饮水分开、农家肥归田等工作。积极开展法制教育，建立健全规范村民行为的规章制度，引导村民增强法律意识，自觉遵纪守法，积极同各种违法犯罪行为做斗争。把创建文明乡村工作与基层安全创建活动结合起来，建立乡村治安综合治理网络，完善群防群治体系。做好人民调解工作，积极引导化解各种矛盾纠纷。依法打击邪恶势力、非法宗教势力和其他违法犯罪行为，取缔非法民间组织，扫除“黄、赌、毒”等社会丑恶现象，做到“发案少，治安好，群众满意”，确保农牧区社会稳定。

15. 普及科学知识，弘扬科学精神，是创建文明乡村的基本要求。针对我区农村封建迷信、愚昧落后的思想和旧观念、旧风俗、旧习惯还不同程度存在的实际，对广大群众进行“崇尚科学文明，反对迷信愚昧”教育，大力普及科学知识，宣传科学思想，传播科学方法，弘扬科学精神；从农牧民群众生产生活普遍存在的问题入手，做好科普和科技推广工作，帮助他们正确认识自然灾害、生老病死、社会进化等现象；掌握发展生产的先进适用技术，依靠科技和勤劳创造美好生活。大力提倡正确的婚恋观、家庭观和生育观，婚事新办，结婚依法登记，丧事简办，讲文明，讲卫生，革除陈规陋习，树立文明新风。

16. 发展教育事业，提高劳动者素质，是创建文明乡村的重要基础。必须把教育放在优先发展的战略地位，根据农牧区产业结构调整和市场经济的需要，以基础教育和扫除青壮年文盲为重点，在应用少数民族语言文字的同时推广使用国家通用语言文字，通过国家扶持、对口支援等多种形式，办好农村各类教育，千方百计地提高劳动者的科学文化素质和劳动技能，引导农牧区干部群众解放思想，转变观念，树立商品意识、市场意识、科技意识和改革开放、开拓进取的观念，增强适应市场经济的本领，为建设社会主义新农村培养合格的劳动者。

17. 加强文化基础设施建设，丰富群众的精神生活，是创建文明乡村的必要条件。抓紧实施广播电视“村村通工程”，建设好农村广播电视网、乡村文化站、图书室、阅报栏、电影放映点以及农牧民夜校等思想文化阵地。文化艺术部门要坚持“二为”方向和“双百”方针，鼓励以讴歌社会主义祖国、民族团结进步、艰苦创业、无私奉献等为主旋律的文艺作品。新闻出版部门要编译、出版适合农牧区需要的文化、法律、科普等读物和反映新生活、新成就的美术宣传品，为人民群众提供丰富的精神食粮。采取专业和业余相结合的办法，经常组织文化、科技、卫生“三下乡”活动，传播现代文明，发动群众开展丰富多彩的文体活动，不断丰富农牧民的精神生活。

西藏自治区精神文明建设指导委员会

陕　西　省
文明单位管理办法(节选)

(陕文明委〔2002〕4号)

第二章　文明单位条件

第六条　文明单位基本条件

1. 领导班子坚强团结，坚持高举马列主义、毛泽东思想、邓小平理论伟大旗帜，认真实践“三个代表”重要思想，积极贯彻执行党的路线、方针、政策和国家法律、法规，解放思想，实事求是，锐意改革，开拓创新，廉洁奉公，作风正派，联系群众，真抓实干。

2. 思想政治工作经常有效，能采取多种形式开展爱国主义、集体主义、社会主义和延安精神教育，进行职业道德、社会公德和家庭美德教育，努力培养有理想、有道德、有文化、有纪律的“四有”新人，广大干部群众具有较高的思想觉悟和良好的道德修养，单位形成安定团结、积极向上的良好风气。

3. 坚持以经济建设为中心，自觉服从改革、发展、稳定的大局，生产经营和各项业务工作成绩显著，主要经济（业务）指标达到同行业的先进水平。

4. 各类科技文化设施不断完善，积极组织干部群众学习文化、科技知识，促进科技成果转化为生产力，倡导文明、健康、科学的生活方式，开展丰富多彩、健康有益的群众性文体活动，大家的科学文化素质不断提高。

5. 民主与法制宣传教育扎实，综合治理及安全防范措施落实。单位内部的治安状况、工作秩序、组织纪律良好，杜绝了各种丑恶现象的发生。

6. 重视环境保护和绿化、美化、净化工作，积极发展公益事业，群众生产、生活条件明显改善。

7. 大力倡导晚婚晚育和优生优育，无违反计划生育行为。

第七条　各市、县（市、区）、各厅（局）、行业根据本地区、本单位实际情况，制定文明单位的具体标准。民营、混合所有制企业参照本标准，结合实际情况执行。

第六章　文明单位的管理

第十九条　各级党委和政府要加强对文明单位建设活动的领导。文明单位的管理实行“条块结合，以块为主”的原则，各级文明办负责文明单位创建的日常管理工作，各行业、系统主管部门配合抓好本行业文明单位的创建和指导工作。

第二十条　各级精神文明建设指导委员会要加强对文明单位先进经验的宣传和推广，充分发挥文明单位的示范、带头、辐射作用。

第二十一条　文明单位称号实行期限制。县级文明单位称号保留三年，市级文明单位称号保留四年，省级文明单位称号保留五年。期满应降一级重新申报，未申报或申报后未被批准的，不再享有文明单位的称号。

第二十二条　文明单位实行动态管理。在期限内文明单位出现质量下降问题，命名机关及其主管部门应视情况分别给予通报批评，限期整改或撤销称号、收回牌匾。文明单位出现下列问题之一者，应撤销其荣誉称号，收回牌匾，并予以通报。

（一）领导班子成员因以权谋私、贪污腐败等问题，受到纪检监察部门查处的；

（二）出现了严重的封建迷信、聚众赌博、铺张浪费、打架斗殴、吸食毒品、违法乱纪等不良现象的；

（三）违反法律、政策规定，偷税逃税骗税，生产销售伪劣商品，损害群众利益的；

（四）因管理不善发生重大责任事故，造成重大伤亡和重大经济损失的；

（五）社会治安综合治理措施不力，单位内部秩序混乱或出现重大刑事犯罪的；

（六）忽视环境整治和建设，“脏、乱、差”回潮严重，未完成绿化、美化任务，“三废”排放严重超标的；

（七）有违犯计划生育政策规定的；

（八）有其他问题命名机关认为应撤销文明单位称号的。

第二十三条 撤销文明单位荣誉称号的权力分别由相应的命名机关行使。如遇特殊情况，省精神文明建设指导委员会可直接做出撤销决定。被撤销称号的单位要采取得力措施，认真进行整改。

第二十四条 文明单位因机构撤销、分设、合并的，其荣誉称号相应消失。单位整建制改变名称的，文明单位称号须由命名机关重新确认。

第二十五条 文明单位管理要科学规范，严格把关，常抓不懈，确保质量，不能借审批、命名、撤销文明单位之机搞任何形式的不正之风。

第二十六条 各级都要注意不断总结经验，完善制度，创新机制，努力提高对文明单位的管理水平。

陕西省精神文明建设指导委员会
2002年3月12日

甘肃省
加快文化事业发展建设特色文化大省的意见(节选)

（省委发〔2002〕11号）

二、建设特色文化大省的指导思想、总体目标和工作重点

（一）建设特色文化大省的指导思想是：以江泽民同志“三个代表”重要思想为指导，牢牢把握先进文化的前进方向，努力提高人民群众的文化素质和文化生活质量，全面推进面向群众、面向基层、面向世界的，有甘肃特色的社会主义文化建设，使文化工作更好地为西部大开发服务，为甘肃经济社会发展和两个文明建设服务。

（二）建设特色文化大省的总体目标是：以加快发展为主题，以形成特色和强化优势为标志，以整体推进和服务中心为目的，建立和完善与我省经济社会发展要求相适应的文化发展格局，形成符合社会主义文化发展规律的文化管理运行机制，构筑与人民群众日益增长的文化需求相适应的文化生产服务体系，用先进文化全面占领城乡文化阵地。通过5到10年的艰苦实践，努力使我省拥有一批较先进的文化设施，较发达的文化产业，拥有更多优秀的文化艺术人才和文化艺术产品。使甘肃特色文化项目和优势文化品牌，在国内外更加具有竞争力和较高知名度，文化综合实力进一步明显增强。

（三）建设特色文化大省的工作重点是：努力培养代表先进文化前进方向的文化先进典型；努

力创作生产群众喜闻乐见，具有强烈时代气息和有市场前景的文艺精品；努力建设功能多样、设施齐备的文化基础设施；努力培养高素质的文化艺术人才；努力发展规模经营、效益显著、有地方特色的文化企业；努力建设高品位、示范性的文物景点。下功夫突出抓好敦煌文化品牌，使之走向全国，走向世界；因地制宜，走特色文化建设之路，充分发挥丝绸之路文化、多民族色彩文化、民间民俗文化、黄河伏羲文化、革命历史文化等地域文化优势，努力推进戏剧舞台艺术等各门类艺术的创新与发展。

三、认真落实建设特色文化大省的各项保障措施

（一）切实加强和改善党对文化工作的领导。

（二）进一步落实文化经济政策，加大对文化事业的投入力度。认真贯彻执行《国务院关于支持文化事业发展若干经济政策的通知》（国发〔2000〕41号）和《甘肃省人民政府关于支持文化事业发展有关问题的通知》（甘政发〔2002〕14号），为特色文化大省建设提供必要的政策支持和投入保障。

加大对公益型文化基础设施建设的投入力度。各级计划、财政、规划、建设等部门要对本地政府兴办的文化单位的基础设施建设，从立项、资金、拨地、规划等方面提供支持和保证。

要建立多渠道筹资，多种投入主体，多种所有制形式的文化发展机制。加强与中、东部地区的联合，探索合作、合资、合营和利用外资办文化事业的有效途径。

（三）深化文化体制改革，增强文化事业发展活力。

（四）重视人才培养，加强艺术教育，建设一支高素质的文化队伍。

中共甘肃省委
甘肃省人民政府
2002年2月22日

甘　肃　省
贯彻落实《公民道德建设实施纲要》的意见(节选)

（省委发〔2002〕19号）

三、突出重点，落实措施，扎扎实实推进公民道德建设

贯彻落实《纲要》，必须紧密联系我省经济社会发展的要求和广大干部群众的思想实际，既要着力解决在思想道德方面存在的突出问题，又要着眼于社会主义市场经济条件下道德体系的建立和完善；既要有明确的工作思路，又要有具体的措施；既要整体推进，又要重点突破。当前要按照坚持一条原则，抓住两个环节，完善三项保障措施，抓好四个重点，开展六个方面实践活动的基本思路，扎扎实实推进。

一条原则，就是要始终坚持以马克思主义为指导。

开展公民道德建设，必须毫不动摇地坚持以马列主义、毛泽东思想、邓小平理论和“三个代表”重要思想为指导，自觉运用马克思主义的立场、观点、方法，认识和解决道德建设中出现的各种新情况和新问题，保证道德建设的社会主义方向。

两个环节，就是要抓好道德教育和道德实践。

道德教育是提高公民道德素质的基础。要坚持不懈地在全体公民中进行道德教育，普及道德知识和道德规范，把建设有中国特色社会主义的思想观念和道德要求，不断灌输到广大干部群众的头脑中，在全省形成增强道德意识、重视道德修养的良好思想基础。

道德实践是提高公民道德素质的关键。要通过各种形式的道德实践活动，引导人们从自身做起，从现在做起，从小事做起，养成良好的道德习惯，不断加强道德修养，自觉履行公民的权利和义务，使道德规范在实践中得到落实。

三项保障措施，就是公民道德建设要依靠法律支持、政策保障和制度约束。

要按照依法治国与以德治国相结合的原则，把道德建设与法制建设紧密结合起来，在抓好全民法制教育工作的同时，严厉打击危害社会的各种违法犯罪活动，维护正常的经济秩序、公共秩序、生活秩序，切实为公民道德建设提供有力的法律支持。

要正确处理提倡先进道德与执行各项经济、社会政策的关系，高度重视经济、社会政策对人们价值取向、道德行为的影响。制定各项政策都要有利于保护和支持通过正当、合法手段获取个人和团体利益，倡导和鼓励多为他人和社会做贡献，为公民道德建设提供正确的政策导向，防止和避免因具体政策的不当或失误给公民道德建设带来消极影响。

要把公民道德建设融于科学有效的社会管理之中，通过加强各项管理制度的配套建设，完善岗位责任制、考评奖惩制等制度体系，把基本道德规范变成行业道德要求、乡规民约、市民守则、学生行为规范等，落实到人们的日常工作、学习和生活中去。

四个重点，就是抓好党员领导干部、青少年、经营人员、行政执法和司法人员的道德建设。

要以勤政廉政教育为重点，充分发挥领导干部在道德建设中的表率作用，通过深入开展为人民服务、艰苦奋斗、反腐倡廉教育，引导广大党员干部牢固树立正确的世界观、人生观、价值观，自重、自省、自警、自励，保持高尚道德情操，用良好的道德形象取信于民，带动全社会的道德建设。

要以养成教育为重点，充分发挥青少年德育教育在全民道德建设中的基础作用，通过有计划、有步骤地开展道德品质教育，从最基本的行为规范抓起，做到“德学并重”、“德学并修”，培养一代又一代“四有”新人。

要以职业道德教育为重点，充分发挥经营单位在道德建设中的窗口作用，通过深入开展诚实守信教育，帮助从业人员熟悉和了解与本职工作相关的道德规范，引导各类经济主体依法经营，公平竞争，强化信用意识，培养敬业精神，树立行业新风。

要以公平、公正教育为重点，充分发挥行政执法和司法人员在道德建设中的示范作用，通过开展公正执法、热情服务为主要内容教育活动，引导行政执法和司法人员把人民满意作为做好工作的根本出发点，强化服务意识，做到依法行政，自觉抵制和纠正不正之风。

六个方面的实践活动，就是在全社会广泛开展热爱祖国、建设甘肃的教育实践活动，以“讲文明树新风”为主题的群众性精神文明创建活动，讲信誉、重承诺实践活动，科学、文明、健康生活方式推广活动，社会公益活动，树楷模、学先进活动。

热爱祖国、建设甘肃教育实践活动。充分利用爱国主义教育基地和历史文化遗产尤其是革命历史文化遗产，深入持久地宣传我国改革开放以来经济社会发展所取得的辉煌成就，坚定对建设有中国特色社会主义的信念；推出一批在我省革命和建设事业中做出突出贡献的英雄人物和先进典型，激发全省人民为振兴甘肃而献身的精神；宣传中华民族发展历史上爱国仁人志士的英雄事迹，增强民族自尊心和自信心；大力宣传中国共产党为中华民族的独立、自由和富强建立的丰功伟绩，坚定对党的领导的信任；要充分利用重大节日和纪念日，举行形式多样的群众性庆祝纪念活动，必要的礼仪、礼节、礼貌活动，有针对性地开展革命传统教育、传统美德教育和爱国主义教育；要结合营造“三个环境”的大讨论，大力开展立足本职、敬业奉献教育，激励人们在平凡的岗位上创造非凡业绩，在全省广大干部群众中形成人人是环境、事事关系甘肃发展的良好局面。

以“讲文明树新风”为主题的群众性精神文明创建活动。要按照主题不变、充实内容、一抓到底、抓出成效的要求，广泛深入地开展群众性精神文明创建活动。城市要从社区抓起，广泛开展“环境优美、社会安定、服务完善、风尚良好”为主要内容的创建活动，使社区成为市民道德教育的课堂和道德实践的重要场所；农村要从村户抓起，通过制定和完善村规民约，开展“十星级文明户”评选活动等，促进文明村镇创建活动；行业要从单位抓起，通过“提高干部职工素质，塑造单位文明形象”为主要内容的创建活动，推动创建文明行业活动；学校要从班级抓起，通过开展“实践‘五爱’要求，争做‘四有’新人”主题活动，不断强化对青少年道德教育和实践引导；社会要从家庭抓起，通过开展争创“五好文明家庭”活动，引导每个公民、每个家庭共同培养和发展夫妻爱情、长幼亲情和邻里友情。

讲信誉、重承诺实践活动。要在全社会广泛深入地开展诚实守信教育实践活动。工商企业、服务行业要全面加强职业理想、职业技能、职业纪律和职业作风建设，规范服务行为，提高服务质量，促进良好经济关系和经济行为的形成；党政机关和事业单位要开展规范服务和服务公开承诺活动，提高服务水平；积极探索建立个人、企业信用档案，逐步构建覆盖全社会的信用体系；加强非公有制经济领域的道德教育和实践，不断强化信用意识，坚持依法经营，反对欺诈行为，促进社会主义市场经济健康发展。

科学、文明、健康生活方式推广活动。要在全体公民中大力普及科技知识，进一步培养和树立科学精神、科学思想、科学态度和科学方法；深入开展反对封建迷信、抵制邪教的斗争；大力弘扬勤俭持家的节俭意识和艰苦创业的进取意识；大力培养珍惜资源、保护环境的生态意识；继续深入开展晚婚晚育、优生优育教育；引导广大群众进一步破除陈规陋习，树立生活新风尚。

社会公益活动。继续组织好“希望工程”、“送温暖”、“志愿者”、“手拉手”、“幸福工程”、“春蕾计划”、“扶残助残”等各项公益活动，在全社会营造送温暖、献爱心的浓厚氛围。特别要针对我省实际，把帮助和扶持贫困地区人民脱贫致富作为道德建设的重要内容之一，积极倡导和组织广大干部群众以满腔的热情投身于扶贫攻坚之中。

树楷模、学先进活动。有计划、有步骤地推出一批可信、可亲、可敬、可学的公民道德建设的先进典型，大力营造学先进、赶先进的氛围，形成见贤思齐的社会风气。

中共甘肃省委

2002年4月3日

青　海　省

关于贯彻《公民道德建设实施纲要》的实施意见(节选)

（青发〔2002〕12号）

三、公民道德建设的重点

提高公民道德素质，教育是基础。要按照《纲要》确定的公民道德建设的主要内容，抓住影响人们道德形成和发展的关键环节和主要问题，通过各种渠道和方式、方法，持之以恒地开展道德教育，促进人们思想道德素质不断提高。

要切实抓好党员干部的道德建设。

要切实抓好青少年的道德教育。

要切实抓好行政执法部门和窗口行业的道德建设。

要切实抓好西宁、格尔木等城市以及各州、地、县所在城镇、建制镇、城乡结合部的道德建设。

要切实加强非公有制经济领域的道德建设。

四、积极开展公民道德建设实践活动

一是利用重要节日、纪念日进行道德教育和实践。

二是结合开展礼仪、礼节、礼貌活动进行道德教育和实践。

三是利用人文景观、自然环境进行道德教育和实践。

四是运用先进典型、道德楷模进行道德教育和实践。

五是依托群众性精神文明创建活动进行道德教育和实践。

六是通过开展群众性的文化娱乐体育活动进行道德教育和实践。

七是通过开展群众性的社会服务活动进行道德教育和实践。

八是通过大力弘扬青藏高原精神和树立青海人民改革开放新形象活动开展道德教育和实践。

五、积极营造浓厚的公民道德建设舆论文化氛围

加强公民道德建设必须大力优化舆论文化氛围，积极营造有利于公民道德建设的社会环境，为道德建设提供良好的社会条件。广播、电视、报刊等大众媒体对公民道德建设有着特殊的渗透力和影响力，要坚持实事求是、团结稳定鼓劲、正面宣传为主的方针，牢牢把握正确的舆论导向，紧紧围绕省委、省政府的中心工作，抓住群众关注的热点、难点问题，满腔热情地宣传反映体现新时期道德要求的新事物、新典型，弘扬社会美德、树立社会正气。同时，要加大道德监督的力度，把舆论监督和社会监督有机结合起来，在全社会形成抵御各种反动、腐朽、落后思想的侵蚀，约束和制止不文明，不道德行为。通过旗帜鲜明的褒扬表彰和有力的批评谴责，使社会正气得到上扬，歪风邪气得到遏制。

电视、戏剧、音乐、舞蹈、美术、摄影、小说、诗歌、散文、报告文学等各类文艺作品的创作要积极反映西部大开发、青海大发展中的良好道德风貌，以其民族特色和艺术魅力给人们以鼓舞、启迪和美的享受。广播电视要进一步增加我省优秀节目的数量，制止格调低下、内容不健康的节目播出。各种文艺评论、评介、评奖活动都要把是否符合社会主义道德作为一项重要标准，加强对人们审美观念的引导，提倡高雅、健康的审美情趣。出版工作要坚持标准，多出好作品，使我省出版作品的品种、质量、规模形成自己的特点和优势。要加强对新闻出版单位的管理，采取有效的措施，禁止有偿新闻，查处和打击买卖书号、刊号、版号等违法违规行为，切实解决报刊、影视中存在的粗制滥造、格调低下的问题。同时要切实加强对娱乐场所的监督和管理，严厉打击“黄赌毒”等社会丑恶现象。要提高各类商业性广告的文化品位，不得出现有损道德、有伤风化的内容。

要充分发挥“互联网”这个新阵地在思想道德建设中的作用。

六、努力为公民道德建设提供法律保障

加强社会主义法制是公民道德建设健康发展的重要保证。要按照建设社会主义法治国家的要求，把道德建设与法制建设紧密结合起来。要加强依法治省的工作，大力开展普法活动，深入进行遵守宪法和法律的教育，普及法律常识。通过教育，使广大干部群众增强民主法制观念，懂得公民的权利和义务，了解与自己工作和生活有关的法律常识，依法办事，依法律己，依法维护自身的合法权益，自觉运用法律武器同违法犯罪活动作斗争。要严格要求各级执法部门的执法人员带头守法，秉公执法，各地可从实际出发，依法制定有关道德建设的地方性法规和条例，加强对社会生活各个方面的管理和规范，综合运用教育、法律、行政、舆论等手段，使广大公民养成良好的行为习惯，约束和制止不文明行为，自觉维护正常的经济秩序、公共秩序和生活秩序。

中共青海省委

2002年9月22日

青　海　省

关于在全省开展“讲道德、树形象”活动的安排意见(节选)

（青文明委〔2002〕13 号）

二、活动内容

（一）抓教育，大力倡导公民基本道德规范。在活动中，要以中央印发的《纲要》为基本教材，按照省委《意见》的要求，认真组织广大党员、干部和群众进行学习。要按照“五进工程”的要求，抓住重点，区分层次，针对不同对象提出不同要求。城市要以社区为依托，以市民学校为阵地，结合“四进社区”活动，对社区居民进行教育，引导城市居民讲文明、讲礼貌、助人为乐、爱护公物、保护环境、遵纪守法，努力使道德规范进社区。引导家庭成员尊老爱幼、男女平等、夫妻和睦、勤俭持家、邻里团结，鼓励人们在社会上做一个好公民，在家庭做一个好成员，努力使道德规范进家庭。农村牧区要依托村组，以农牧民夜校、文化活动室为场所，对广大农牧民群众进行教育，引导他们相信科学，崇尚文明，移风易俗，弘扬传统美德，树立社会新风，反对封建迷信。党政机关和企事业单位要采取集中轮训和办班，以及每周学习日的形式，组织干部职工进行学习，引导他们爱岗敬业、遵法诚信、办事公道、服务群众、奉献社会，鼓励人们在工作中做一个好公仆和好建设者，努力使道德规范进单位、进行业。各级各类学校要围绕道德规范进校园、进课堂、进宿舍开展教育，引导在校学生贯彻日常行为规范，遵守校纪校规，培养好品行，形成好校风，努力使道德规范进学校。

（二）抓关键，认真解决道德领域的突出问题。在社会公德方面，要着力解决社会公德意识淡薄，不遵守社会秩序，不文明、不礼貌的问题，努力做到管住自己的口，不出污言秽语、不随地吐痰；管住自己的手，不乱涂乱画、乱扔杂物；管住自己的腿，不践踏草坪花圃、不违反交通规则。在职业道德建设方面，党政部门要着力解决理想信念不够坚定、群众观念不强、工作作风不实等问题；窗口单位要着力解决态度生硬、虚假承诺、以次充好、价格欺诈等失信顾客的问题；行政执法部门要着力解决执法不公、弄虚作假、吃拿卡要、蛮横粗暴等问题；在家庭美德建设方面，要着力解决尊重科学、尊老爱幼问题，反对封建迷信，反对邪教，养成科学、文明、健康的生活方式。各地区、各部门、各单位要密切联系各自的实际，对道德方面存在的问题，有针对性地提出改进措施，切实加以解决，对那些反映强烈又容易解决的问题，要立即着手解决，对已经开始着手解决的问题，要坚持不懈地抓下去，没有或正在着手解决的问题要抓紧落实，以增强活动的实效性。

（三）抓规范，进一步制定和完善各行各业的道德行为准则。各地、各部门要按照《纲要》和省委《意见》的精神和要求，结合实际，制定出既有具体目标，又有落实措施的具体的行为准则。企业、农村、社区、机关、学校和其他基层单位要根据公民基本道德规范，尽快制定、补充和完善行业道德规范、乡规民约、市民守则、学生行为规范等具体道德规范，把《纲要》提出的原则要求和主要内容，特别是 20 字基本道德规范具体化、制度化，并落实到人们的日常工作、学习和生活中去。制定具体的道德规范，要大处着眼，小处入手，既要体现相关的道德要求，又要符合树立新形象的要求和群众根本利益，要注意发动群众参与，征求群众意见，集中群众智慧，让人们在参与制定和讨论的过程中受到教育。要把思想引导与利益调节、精神鼓励与物质奖励统一起来，加强督促检查，严格考核奖惩，确保各种行政规章以及道德守则和公约在实践中得到落实，通过有效的制度约束，规范的遵守，使讲求道德、树立形象成为人们的自觉行动。

（四）抓重点，努力强化重点人群和重点行业的道德建设。要重点抓好各级领导干部和青少年的道德教育。党政机关是道德建设的龙头，要着力引导各级领导干部牢固树立正确的世界观、人生观、价值观，讲道德、讲修养，自重、自省、自警、自励，在“德政”上下功夫，使他们保持高尚的道德情操，在群众中树立勤政为民、清正廉洁、开拓创新、求真务实的公仆新形象；青少年是道德建设的希望，各级各类学校，要教育广大青少年从小做起，遵守最基本的日常道德准则和社会公德，养成文明礼貌的行为习惯，努力树立勤奋好学、诚实礼貌、助人为乐、有远大理想的社会主义事业接班人的新形象。行业是道德建设的关键，要重点抓好窗口行业和行政执法单位的道德教育，引导窗口行业强化服务意识，提高服务质量，增强信用观念，规范行业行为，端正行业风气，鼓励他们诚实守信，依法经营，公平竞争，维护正常的经济秩序，树立优质服务、践行承诺、公平竞争、诚实守信的新形象；引导行政执法部门严格执法、公正廉洁、热情服务、维护正常的法律秩序，树立依法行政、公正执法、廉洁执法的新形象。通过抓好重点人群、重点行业的道德和形象建设，进而带动和影响全社会良好道德风尚的形成。

（五）抓载体，广泛开展群众性的道德实践活动。开展“讲道德、树形象”活动，要认真总结借鉴过去好的经验和做法，把道德实践活动向深度推进，向广度拓展，为广大群众提供实践道德规范的广泛舞台和参与的机会。要把“讲道德、树新风”活动与全省正在开展的各项创建活动紧密结合起来，进一步突出思想内涵，强化道德要求，体现形象标准，把道德和形象建设的成效，作为考核各项创建工作的重要标准，着力树立我省城市、行业、村镇、单位的良好形象。要坚持解放思想，与时俱进。各地区、各行业、各部门都要从自己的实际出发，把道德建设与行业管理结合起来，把提高道德素质与提高业务水平结合起来，创造性地开展活动，按照“五进工程”的要求，坚持以先进个人带动集体，进而带动广大群众；以文明小城镇促进乡镇，进而促进广大农村；以文明窗口影响行业，进而影响整个社会，使道德实践活动纵到底、横到边，进家庭、进学校、进单位、进行业、进社区。要把道德实践活动与各自的业务工作紧密结合起来，开展具有针对性和自身特色的道德实践活动，使这些活动与各项业务工作真正融于一体。同时，要把活动与解决群众关心的热点、难点问题结合起来，坚持从具体事情做起，从群众最关心的事情抓起，使道德实践活动同群众的切身利益相结合，同群众追求美好生活的愿望相结合，让群众感受到道德实践的成果。当前，要围绕下岗职工再就业、困难家庭基本生活保障等问题，组织开展送温暖、献爱心等活动，大力弘扬团结友善、扶危济困的良好道德风尚，通过这些活动，引导广大干部群众身体力行道德规范，自觉树立良好形象。

青海省文明委

2002年4月12日

宁夏回族自治区
公民道德建设实施细则(节选)

(宁党发〔2002〕27号)

三、广泛深入地开展基层公民道德教育

7. 教育是提高公民道德素质的基础工程。

8. 抓好家庭美德教育。开展家庭美德教育，使家庭每个成员都要遵守“尊老爱幼、男女平等、夫妻和睦、勤俭持家、邻里团结”的道德规范，通过自己良好的言行举止，相互影响，共同提高，形成好的家风。培养高尚道德，必须从小培养，从娃娃抓起。要以平等民主的态度对待孩子，在孩子懂事的时候，深入浅出地进行道德启蒙教育；要在孩子成长过程中，循循善诱，以事明理，引导其分清是非、辨别善恶，鼓励他们自强自立、积极向上、谦虚谨慎，培养孩子爱祖国、爱人民、爱劳动、爱科学、爱社会主义的良好道德品质。要利用“家长学校”等场所和“五好文明家庭”等评选活动，开展形式多样的家庭美德教育。使每个家庭成员在参与中接受教育，增强家庭伦理观念，提高道德水平和道德觉悟，建立美满、幸福、文明的家庭。

9. 抓好职业道德教育。要下功夫解决职业道德方面存在的问题，坚决抵制和反对玩忽职守、假公济私、欺行霸市、强买强卖、吃拿卡要等不良倾向，要把遵守职业道德的情况作为考核、奖惩的重要指标，促使从业人员养成良好的职业习惯，树立行业新风。

10. 抓好公民社会公德教育。城市要制定体现社会公德要求的市民守则、行为规范等，利用市民学校、职业学校、职工之家等场所进行社会公德教育，提高市民文明素质和遵守社会公德的自觉性；农村要把社会公德规范渗透在乡规民约、村民守则中，利用农民夜校、村民活动室和乡镇宣传文化中心对农民进行教育，培养新时代的新型农民。要坚持各地开展社会公德教育的好做法、好形式，并根据公共生活的新变化和人们的追求与向往，不断充实、完善社会公德教育的内容，探索新的方式方法，使社会公德教育扎实有效地开展下去。

11. 在学校要抓好以爱国主义教育为主要内容的道德教育。全区各类学校要坚持党的教育方针，把爱国主义教育摆在突出位置，作为道德教育的重要内容来抓。教育行政部门要指导学校开展爱国主义教育，认真落实爱国主义教育进课堂、列入教学计划的要求。要切实发挥课堂教学在道德建设中的主阵地和主渠道作用，把道德教育的总体目标与不同阶段的爱国主义教育要求结合起来，增强课程的针对性和有效性。要加强学生社会实践教育环节，在社会实践中强化道德教育，使学生在实践活动中思想感情得到熏陶，精神生活得到充实，道德境界得到升华。每个学校都要联系一个爱国主义教育基地，每个班级每学期至少组织学生到基地开展一次活动。要组织中小学生看爱国主义教育影片，读爱国主义教育书籍，唱爱国主义教育歌曲，积极参加以爱国主义教育为主要内容的班会、主题演讲会、专题讲座、知识竞赛等活动，增强学生对祖国的深厚感情。凡被自治区党委确定为爱国主义教育基地的历史文物点、革命纪念地、烈士陵园、展现两个文明建设成果的单位，对学校有组织的参观活动要一律免费。学校共青团、少先队、学生会要充分发挥作用，积极配合学校搞好爱国主义教育。社会各界要大力支持对青少年的爱国主义教育，在全区形成学校、家庭、社会共同参与学生思想道德教育的新格局。

12. 在机关要抓好全心全意为人民服务根本宗旨教育。必须引导人们正确处理个人利益与集体利益、竞争与协作、先富与后富、经济效益与社会效益等关系，提倡尊重人、理解人、关心人，为人民为社会多做好事；提倡勤政廉洁、克己奉公、公道正派、忠于职守，把为人民服务的思想和行为贯穿到机关各项工作中，不断强化机关干部为人民服务的意识，提高为人民服务的自觉性，塑造机关新形象。

13. 继承和发扬延安精神，坚持不懈地开展宁夏精神教育。“负重拼搏，务实苦干，团结协作，开拓创新”的宁夏精神是党的优良传统在宁夏的继承和发展，是我区现代化建设事业中具有时代特征的精神财富，是我们克服困难、加快发展的巨大精神动力。宁夏精神和《纲要》所倡导的公民道德建设的指导思想、方针原则和基本规范是一致的，开展宁夏精神教育是公民道德教育的重要内容，因此，我们要在继承和发扬延安精神的基础上，把宁夏精神教育渗透在公民道德建设中。

四、大力开展群众性公民道德实践活动

14. 坚持教育和实践相结合，把公民基本道德规范落到实处。广泛开展以“讲文明树新风”为主题的全区“五个创建”活动和社会各界组织的“希望工程”、“扶贫帮困送温暖”、“手拉手”、“扶残助残”、“春蕾计划”、“青年文明号”、“青年志愿者”等活动，各项创建活动都要突出思想内涵，体现道德建设的要求，使创建的过程成为灌输正确思想、实践道德规范、弘扬时代新风的过程。

15. 创建文明城市要以社区为重点，突出抓好市民思想道德建设，努力提高市民素质和城市文明程度。要针对城市特点，结合市民的思想道德状况，广泛开展文明社区、文明单位、文明窗口、文明楼院、文明家庭等多种创建活动和志愿者服务，送温暖献爱心等多种道德实践活动，引导广大市民提高文明素质，养成良好的行为习惯，形成团结互助、平等友爱、共同前进的人际关系和良好的社会风气。

16. 创建文明村镇要把提高农民道德素质放在首位，培养新世纪新型农民。要继续广泛开展“十星级文明户”创建活动，结合《纲要》的贯彻实施，把基本道德规范细化到“十星级文明户”评选标准之中，大力倡导勤俭持家、邻里团结、家庭和睦、孝敬父母、助人为乐的道德风尚。引导农民自觉抛弃旧观念、旧习俗，创造科学、文明、健康的新生活。要加强农村宣传文化阵地建设，建立健全并管好、用好乡镇文化站、村文化活动室，发挥村民议事会等群众自律组织的作用。着力抓好倡导移风易俗、改善村镇环境卫生治理，把道德教育贯穿在农村生产生活全过程，逐步在农村形成科学文明健康的生活方式和良好的社会风尚。

17. 创建文明行业要以服务人民、奉献社会为宗旨，树立行业新风尚。继续以窗口行业、窗口单位和行政执法部门为重点，以解决群众关心的问题，提供优质服务、搞好行风建设为主要内容，制定规范服务标准，开展行业规范化服务，把优质规范服务的要求贯穿到社会承诺、满意服务、百城万店无假货等活动之中。引导职工在实践中自觉履行职业道德要求，摒弃不文明行为，树立良好的行业形象。要建立相应的行业道德奖励制度和监督制度，使职业道德和制度建设有机地结合起来。在抓重点行业方面，一是要以经营单位为重点，广泛深入开展以“诚实守信”为主要内容的教育和实践活动，强化行业的信用意识，促进经济主体依法经营、公平竞争，维护正常的经济秩序。二是要在行政执法单位，深入开展以公平公正原则为主要内容的教育和实践活动，强化法制意识，规范引导行政执法人员严格执法、公正廉洁、热情服务、维护正常的法律秩序。

18. 创建文明校园要把道德规范渗透到教育工作的各个层面，为现代化建设培育合格人才。全区大、中、小学校要结合实际，在以“优化育人环境，建设文明校园”为主要内容的创建活动中，激励教职员工特别是广大学生争创文明班级、文明宿舍、文明食堂、文明教室，使他们在参与中提高道德素质，养成良好的道德习惯。在学生中，要针对他们不同的认知水平和道德现状，制定和完善简明易懂、好记易行的《学生文明手册》和《日常行为规范手册》，引导学生从自身做起，从小事做起，文明修身，自我提高。在教师中，要以师德建设为重点，制定完善教师职业道德规范，充分发挥教师为人师表的作用。要组织广大学生参加各类有益的社会实践活动，增强社会责任感。要搞好校园文化建设，开展形式多样的文体活动，激励学生奋发向上，不断进取，提高道德修养。

19. 创建文明机关要把加强思想道德建设作为重要内容，塑造良好的机关形象。要把道德规范和要求融于文明处（室）、文明科（室）、文明办公室、文明岗位等创建活动中，要持之以恒地开展“做人民满意公务员”活动，做到淡泊名利、无私奉献、艰苦奋斗、勤政廉洁，保持高尚道德情操，为群众做出榜样，发挥党政机关在职业道德建设中的表率作用。

20. 培养先进典型，树立道德楷模。

21. 在重要节日、纪念日庆典活动中强化人们的道德意识。

22. 开展礼仪、礼节、礼貌活动，养成良好的道德习惯。加强道德实践应注意礼仪，使人们在“敬人、自律、适度、真诚”的原则上进行人际交往，告别不文明言行。要提倡在重要场所和重大活动中升国旗、唱国歌。要认真组织开展入队、入团、入党宣誓、成人仪式以及各种形式的重礼节、讲礼貌、告别不文明言行活动，引导全体公民增强礼仪、礼节、礼貌意识，养成良好的道德习惯。

五、积极营造有利于公民道德建设的法制政策环境和社会氛围

23. 公民道德建设是一个复杂的社会系统工程，既要靠教育，也要靠良好的法制政策环境和社会氛围。

24. 加强社会主义法制。要按照建设社会主义法治国家的要求，把道德建设与法制建设紧密结合起来。

25. 制定和执行正确的政策。既要保护和支持所有通过正当、合法手段获取个人和团体利益的行为，又要提倡和奖励多为他人和社会作奉献的行为，防止和避免因具体政策的不当或失误给社会带来消极后果，为公民道德建设提供正确的政策导向。在政策的具体执行中，要充分体现其包含的道德意义，展示其蕴藏的效率与公平，纠正各种不正之风，提倡和发扬奉献精神。

26. 建立健全规章制度。要从实际出发，结合业务工作、事业发展、队伍建设，建立健全规章制度，使之充分体现相关的道德规范和具体要求。要在城市制定市民文明公约，在农村制定乡规民约，在学校制定学生守则，在行业、部门、单位中制定职业道德规范，使职业道德的要求转化为具体可行的岗位职责和操作规程。要进一步完善道德建设，思想道德教育工作的规章制度，规范道德建设工作本身及工作人员，加快道德建设的制度化进程。要抓好制度的落实，加强督促检查，严格考核奖惩，确保各种行政规章以及道德守则和公约落到实处。

27. 努力创造良好的舆论文化氛围。

28. 大众传媒要成为加强公民道德建设的重要阵地。

29. 文学艺术要充分发挥对公民道德养成的教育功能。要加强文化市场的管理，坚决制止出版、播映、演出格调低下的作品和节目，依法打击反动、淫秽及各种非法出版物，让健康的文化产品占领思想文化阵地。切实加强对娱乐服务场所的监督管理，严厉打击卖淫嫖娼、赌博、吸毒等社会丑恶现象，净化文化市场。要加强广告管理，认真规范各种类型的商业性广告，注意提高广告的艺术品位，不得出现有损道德、有伤风化的内容。大力提倡各种形式的社会公益广告，感化人们心灵，优化人文环境。

30. 运用互联网开辟思想道德建设的新阵地。

31. 重视发挥体育在公民道德建设中的作用。无论是参加体育比赛，还是观看体育比赛，都要自觉遵守竞技和赛场的各项规定，尊重参赛选手，争做文明运动员和观众。

中共宁夏回族自治区委员会

2002年4月29日

宁夏回族自治区
精神文明建设"十五"规划(节选)
(宁党发〔2002〕47号)

二、主要任务和措施

(二)思想教育工程

实施措施:(1)各级党委要建立思想政治工作任期岗位责任制和任期目标责任制,建立领导干部思想政治工作联系制和督察制,自治区建立思想政治工作联席会议制度。(2)认真贯彻落实区党委关于加强和改进企业、社区、农村、大中专院校思想政治工作的意见,贯彻《爱国主义教育实施纲要》和《自治区爱国主义教育实施细则》,坚持在重大节日、重大活动升国旗、唱国歌制度。(3)建设高素质的思想政治工作队伍。各级党委要采取切实措施,选拔一批政治强、业务精、作风正的人充实思想政治工作队伍。加强街道、社区、村镇等基层思想政治工作队伍建设。加强对思想政治工作者的教育和培训。(4)定期召开思想政治工作研讨会。

(三)道德法治工程

1.道德建设。实施措施:(1)认真贯彻落实《公民道德建设纲要》和《自治区公民道德建设实施细则》。(2)加强公民道德建设的理论研究,成立宁夏伦理学会。组织编写"以德治国"学习教材,编辑出版道德建设普及读物。(3)广泛开展公民道德实践活动。

2.法治建设。实施措施:(1)制定"四五"普法宣传教育规划和具体的实施办法,认真抓好组织落实。(2)制定《民族区域自治区》的配套法规,进一步完善对司法部门、行政执法部门依法办事和依法行政的监督检查机制。(3)加强对领导干部、司法和行政执法人员、青少年、企业经营管理人员的法制教育,有计划、有步骤地组织培训有关人员。(4)加强对地方、行业、基层的依法治理和社会治安综合治理,各乡村、街道、社区要结合实际制定乡规民约、村规民约、社区公约。(5)各新闻媒体要把民族宗教政策和民族团结的宣传作为重要内容,开辟专栏、专版加大宣传力度。

(四)舆论引导工程

实施措施:(1)加强新闻舆论的宏观调控,建立和完善舆论宏观管理机制,在自治区党委领导下,宣传部要进一步加强新闻舆论的宏观指导和对外宣传的管理和协调。(2)建立引导、协调、保障、约束机制。建立信息联系点,及时收集和迅速传递有价值的信息,了解群众心理,掌握社会动态。建立和完善新闻阅评、新闻调研、新闻通气、形势报告会、新闻发布会等制度。(3)加强基础设施建设,到2005年,建成自治区彩电中心、宁夏出版大厦、宁夏互联网新闻中心,完成公共信息网、广播电视网、电信网三网融合。(4)深化新闻体制改革。

加强对外宣传。实施措施:(1)健全工作机构,完善工作机制,壮大外宣队伍,增加资金投入。(2)组织对外宣传战役,利用商贸机会和黄河文明、西夏文化、回族风情、宁夏风光等资源,突出特色,搞好专题宣传。(3)加强宁夏互联网新闻中心管理,制定和完善网络宣传的规章制度。

(五)文化建设工程

1.切实加强文化阵地建设。建设与社会主义市场经济相适应的,覆盖社会各层面的社会文化、休闲娱乐、互联网等文化阵地网络。改善现有文化馆场装备设施,兴建一批适应各层次居民学习、休闲、游乐、健身的现代化活动场所。积极筹建宁夏文化艺术中心、民族博物馆、宁夏图书馆新馆。到2005年，各县市都要建成一定规模、档次的图书馆、文化馆、影剧院和文化广场，文化重点县要建有博物馆；完成全区乡镇和城市社区宣传文化中心建设，川区所有的村和山区80%以上的村建起多功能文化活动室。

2. 积极组织开展文化活动。加强对西夏文化及贺兰山岩画等历史文化与文化遗存的研究。加强对回族文化的挖掘，组织专家学者搜集、整理、创作具有浓郁民族特色、地方特色的文化作品，推向全国。广泛开展文化交流活动。积极开展群众文化活动，用丰富多彩、健康向上的社会主义文化占领城乡文化阵地。

3. 深化文化体制改革。以宁夏人民出版社为基础，按照集团化、产业化的思路，组建出版集团，启动图书出版、发行、印刷等行业股份制改造。深化文化单位的内部改革，引入竞争机制，鼓励争先创优、多劳多得，增强文化单位的发展活力。

4. 加强文化市场管理。加大扫黄打非工作力度。加强对文化娱乐场所的管理，扫除丑恶现象，打击非法出版，保护知识产权，促进文化市场健康有序、繁荣兴旺。

（六）文艺繁荣工程

坚持先进文化的前进方向，每年确定一批自治区重点文艺项目。把推出文艺新人、文艺新品作为文艺繁荣工程的重要内容抓紧抓好。打好“西海固文学”、“三棵树”等文化品牌，保持我区短篇小说创作的优势，并将诗歌、散文、杂文等的创作纳入文学创作的整体规划之中。积极组织专业文艺团体继续开展送戏下乡、进厂活动，促进高品位文艺演出与普及性群众文艺活动相结合。建立健全文艺部门负责同志联席会议制度。加强文艺评论工作，建立文艺阅评制度。组织作家、文艺家深入基层，深入实际，进行文艺采风与创作活动。深化文艺团体改革。

（九）健康强体工程

1. 大力发展医疗卫生事业。完善医疗制度改革，建立卫生服务、医疗保障和卫生监督执法“三位一体”的卫生体系。到2005年，建成设施配套的农村乡镇医疗卫生所和村级卫生站。农村饮用水改水受益人口达到85%，饮用自来水的人口达到50%以上。认真抓好计划生育工作，全区年均出生率保持在18.24‰以内，年均自然增长率保持在12‰以内。

2. 积极发展体育事业。落实全民健身计划，使国民体质明显提高，竞技体育实力进一步增强。广泛开展全民健身运动，到2005年，参加体育锻炼的人数争取达到全区总人口的30%以上。70%的乡镇建起农民体育组织。加强公共体育设施建设。建设一批布局合理，规模适当，便于开展群众体育活动和可综合利用的体育场馆和设施。

（十）文明创建工程

广泛开展文明城市、文明村镇、文明行业的创建活动，开展“讲文明树新风”、文化科技卫生“三下乡”、“百城万店无假货”、“青年文明号”、“手拉手、献爱心”活动，开展军民共建、警民共建、城乡共建等活动，推动群众性精神文明创建活动深入发展，不断提高城乡人民的文明程度。到2005年，建成8—10个标志性、示范性的自治区级文明社区，建成200—300家自治区级文明单位，建设一批群众满意、有良好社会形象的文明行业和文明示范窗口，使各级文明村镇的总数达到全区村镇总数的20%以上，“十星级文明户”的比例占农村总户数的25%以上，自治区级文明行业的比例达到全区行业总数的50%以上，自治区级文明社区的总数达到全区城市社区的30%以上，有2—3个城市（区）进入国家级文明城市的行列，区直机关40%以上的单位成为自治区级的“文明机关”。推出一批体现时代精神，反映我区改革和发展的典型。实施宁夏“千里文明长廊”建设工程，沿国道省道、铁路干线建设千里平安大道、绿色走廊、文化长廊。实施精神文明创建“百千万”工程，5年内创建100个文明社区和文明村镇，1000家文明机关和文明单位，10000家“十星级文明户”，使全社会的文明程度大幅度提高。

中共宁夏回族自治区委员会

2002年7月4日

宁夏回族自治区
文明社区创建管理办法(节选)

(宁文明委〔2002〕2号)

第二章 文明社区标准

第三条 文明社区一般是指社区体制改革后作了规模调整的居民委员会辖区，能发动辖区内所有单位和居民共同参与辖区精神文明建设活动，形成资源共享，优势互补的整体合力，创造“美化、便利、安全、舒适”的工作和生活环境，文明程度在同类社区中处于先进水平。

第四条 文明社区要符合下列标准：

一、环境整洁。社区内道路畅通，路面平整，清扫干净。集贸市场划行就市，管理规范；绿化布局合理，达到规定要求（旧区25%，新区30%），管理养护好，成活率高，见缝插绿，层次分明；社区内噪声污染和大气污染得到有效控制，没有水污染、光污染，没有废气、烟尘、噪声扰民事件，居民清洁能源使用率达95%以上；居民住宅区整洁、美观、舒适，做到“六无”，即：无乱吐乱扔、无乱贴乱画、无乱搭乱建、无乱设摊点、无乱堆乱放、无乱牵乱挂；公共及环卫设施齐全、完好，公厕、垃圾箱房有专人管理，实行垃圾分装；清扫保洁，基本无蝇；社区单位环境整洁，卫生制度落实。

二、秩序安定。完善社区各项规章制度，社区管理规范化、制度化；按照“一区（社区）一警”模式调整民警责任区，设立社区警务室，健全社区社会治安综合治理网络，形成群防群治。开展经常性、群众性的法制宣传教育工作，居民知法守法、依法办事，自觉同违法犯罪行为做斗争。社区内帮教小组活跃，纠纷处理及时，民事调解有效，防火设施齐全，制度措施落实。社区做到无重大火灾，无聚众赌博，无吸毒贩毒，无重大刑事案件。社区居民特别是青少年、妇女、儿童和老年人的合法权益得到保护。社区内安全小区、治安模范单位达50%以上，居民对社会治安状况满意率达80%以上。

三、服务完善。社区服务网络完善，服务设施齐全，布局合理，社区群众生活方便。社区中介服务组织培育发展良好，有一支相对固定的社区志愿者服务队伍。服务活动经常开展，为居民排忧解难。社区内普遍开展面向老年人、青少年、残疾人、优扶对象和有特殊困难群体的福利性服务，居民满意率达到90%以上；社区卫生服务机构健全，能提供融预防、医疗、保健、康复、健康教育、计划生育技术服务等为一体的卫生服务。

四、教育落实。社区教育机构健全，制度完善，有文明市民学校、基层业余党校，建立学校、家庭、社会三位一体的青少年教育网络，有一支专兼职的社区教育骨干队伍。社区内有宣传栏、阅报栏、黑板报、科普画廊。积极宣传《公民道德建设实施纲要》，加强社会公德、职业道德、家庭美德教育；加强形势政策和民主法制教育；加强爱国主义、集体主义、社会主义和艰苦奋斗教育；积极开展丰富多彩的科普教育，引导社区居民崇尚科学，反对封建迷信，抵制歪理邪说；加强对社区外来务工人员的教育。

五、文化丰富。经常组织社区群众和驻社区单位职工开展丰富多彩的广场文化、企业文化、校园文化、家庭文化和各项体育健身活动。组建秧歌队、舞蹈队、健身队、武术队、业余剧团、书法美术小组和各种文化兴趣小组，经常开展活动，形成社区文化特色。积极参加市、区和街道办事处组织的文化活动。社区内有不少于200平方米的多功能活动中心和藏书2000册以上的图书室。社区内50%以上的企事业单位的文体活动场地能在双休日、节假日向社区居民开放。积极开展“扫黄打非”活动，抵制黄色、淫秽的文化制品，坚决扫除黄、赌、毒等社会丑恶现象。

第三章　文明社区创建

第五条　文明社区创建是一项涉及面广、综合性强的工作。各地党委政府要把文明社区创建工作摆上重要议事日程，要制定本地区文明社区创建规划。创建活动要坚持“条块结合、以块为主”的原则，充分体现“党委领导、政府主抓、部门支持、群众参与”的要求。

第六条　文明社区创建要形成上下结合，左右联动的有效机制。在党委和政府的统一领导下，街道党（工）委、办事处、居委会负责组织辖区机关、团体、部队、学校、企事业单位、物业公司等单位，开展共建文明社区活动。公安、卫生、文化、体育、城建、市政、规划、房管、民政、环卫、环保、绿化、工商等职能部门都要积极支持，承担各自的责任并密切配合。

第七条　社区创建要做到：

一、创建组织健全。

二、思政工作有效。以社区创建活动为载体，坚持把解决思想问题同解决实际问题结合起来，把教育群众同服务群众结合起来，通过民主选举、民主决策、民主管理、民主监督的自治活动，引导居民在参与文明社区创建中实现自我管理、自我教育，自我服务、自我约束，社区居民思想道德素质明显提高。

三、群众参与普遍。社区内机关、企事业单位有各种形式的联建活动，社区共建能多层次地普遍开展。共建单位和居民对社区有较强的认同感和归属感。

四、创建形式多样。结合社区实际，制定《居民守则》、《居民公约》，作为规范居民公共行为的道德准则。组织多种形式的道德实践活动，组建党员、青年、红领巾、科技、环保等各类志愿者队伍，经常开展各类社区公益活动，开展各种形式的“讲文明、树新风”、“送温暖、献爱心”、“捐资助学”和“扶贫帮困”等活动。积极开展创建“五好文明家庭”、“文明楼院”、“文明小区”活动。积极开展“四进社区”活动。

五、活动注重实效。社区居委会开展各项活动，要贯彻群众自愿参加的原则，注重实效。防止违背群众意愿的命令主义和运动群众行为。反对形式主义，不搞劳民伤财、没有实际内容和效果的活动。

宁夏回族自治区精神文明建设
指导委员会
2002年4月3日

新疆维吾尔自治区
深入开展创建文明行业工作的实施意见(节选)

（新文明字〔2002〕42号）

二、认真落实创建文明行业的工作任务

（8）加强思想道德教育，着力提高职工素质。要坚持把加强思想道德教育放在创建文明行业工作的首位并贯穿始终，着力倡导“爱国守法、明礼诚信、团结友善、勤俭自强、敬业奉献”20字公民基本道德规范，深入开展职业理想、职业责任、职业技能、职业纪律教育和社会主义市场经济知识教育、民主法制教育。引导干部职工树立正确的世界观、人生观和价值观，努力形成奋发有为、昂扬向上的精神状态。

(9) 完善行业科学管理，全面规范行业行为。要按照行业特点、工作职责和创建要求，制定具体可行的职业行为规范和岗位行为规范，全面规范行业系统每个岗位的生产行为、服务行为、经营行为、管理行为，实现安全生产、优质服务、守法经营、科学管理。建立健全各项规章制度，完善管理考核机制，逐步实现全行业服务和管理的科学化、制度化和规范化。直接面向社会、服务群众的窗口行业、执法部门、生产单位和社会服务组织，凡工作性质允许的，都要推广承诺制、公示制、信誉制、首问负责制等工作制度，向社会公布岗位职责、办事程序、服务规范、收费标准、工作纪律、查询办法、赔偿规定等，自觉接受群众监督。

(10) 深化基层单位创建，树立行业文明新风。围绕实现优美环境、优良秩序、优质服务、优化管理，在行业系统中广泛开展创建文明单位活动，为创建文明行业打牢基础。要在行业单位内部深入开展争创文明示范窗口、文明班组、文明柜台、文明科室、青年文明号、巾帼建功和争当文明职工、文明标兵、先进工作者、职业道德建设“双十佳”等活动，使争先创优蔚然成风。

(11) 加强企业文化建设，努力培育行业精神。办好行业的各类宣传教育文化阵地，经常开展形式多样、健康有益的文体活动，丰富干部职工的精神文化生活。积极引导干部职工学习科学知识，自觉抵制“法轮功”邪教及黄赌毒等丑恶现象。

(12) 改善基础设施建设，优化行业服务手段。要加大对行业单位环境改造和基础设施建设的投入力度，做到服务场所和工作单位环境整洁卫生，设施完好齐全、方便实用。特别是直接为群众服务的基层站、所、店、场，要不断改善条件，建设方便残疾人、老年人的无障碍设施，拓展服务功能。认真落实单位门前“三包”责任制，完善各项治理污染、保障职工健康、保护生态环境的设施和措施，促进行业发展与自然环境改善协调同步。采用科学管理方法，不断改进服务手段，推广“一条龙”、“一卡通”、“一厅式”等服务方式，方便群众办事，提高工作效率。

三、着力抓好各行各业的诚信建设

(13) 各地各行业要以诚信建设为主题，高举诚信品牌，使诚信建设落到实处、见到实效，成为天山南北精神文明建设的一个亮点，成为新疆营造优良投资环境的一个强项。积极引导干部职工牢固树立诚信为本的思想观念，从解决群众反映强烈、社会危害严重的突出问题抓起，建立行业行为守则，纠正行业不正之风，以重点问题的突破带动诚信建设的整体推进。

(14) 继续推进生产和流通领域的诚信建设，从根本上遏制假冒伪劣商品的泛滥。生产企业要把创建工作的着力点放在严格生产标准、讲究环境道德、确保安全生产和产品质量上。流通行业要着力解决好杜绝假冒伪劣商品进入流通领域各个环节的问题。文明行业、文明村镇、文明单位中凡出现制售假冒伪劣商品，造成不良影响的，一经查实，一律撤销荣誉称号，通报全疆。继续深入开展“百城万店无假货”、“无假货一条街”和“评诚信户，挂诚信牌，树诚信单位”等活动，不断增加示范街、示范店、示范单位、示范户的数量，使活动向批发市场、私营企业、个体劳动者和乡镇、农村延伸，进一步扩大活动覆盖面。把企业打假、商业打假与社会打假有机结合，进行综合整治，促进问题解决。

(15) 不断深化服务行业的诚信建设，努力做到规范服务、优质服务。要根据诚信建设的要求，制定出适合自身工作特点、简明具体、易于操作、便于考核的规范化服务标准和保证措施，落实到每个服务企业、事业单位及每个服务人员。特别是对群众比较关注的食品加工、餐饮卫生、医疗保健、物业管理、家政服务等方面，更要加强诚信建设，提高服务质量。

(16) 认真抓好中介组织的诚信建设，促进守法经营和公平竞争。要切实加强律师事务所、会计师事务所、证券交易所、职业中介、租赁中介、婚姻中介等中介组织的诚信建设，把发挥政府部门的管理作用同发挥行业协会、职业联合会等行业组织的自律作用结合起来，积极探索有效形式，加强对中介机构从业人员的思想政治教育和职业道德教育，引导他们自觉按照国家有关法律法规开展经营和服务活动。逐步推进执业公示制度。

（17）切实加强党政机关、执法部门、科教文等事业单位的诚信建设，以反腐倡廉的实际行动取信于民。要坚持不懈地加强党政机关和执法部门工作人员的理想信念和宗旨教育，加强纪律作风和职业道德建设，不断提高他们的政治水平、业务能力和实践“三个代表”的自觉性。继续深入开展楷模工程、创文明机关、做人民满意公务员等活动，实现党政机关和执法部门文明管理、依法行政、公正执法，以良好的作风为全社会加强诚信建设做出表率。科学界、教育界、学术界要以加强学术道德建设为基础，大力倡导实事求是的科学精神和严谨务实的治学态度，加强学界自律，健全学术规范，强化学术监管，坚决反对和严肃处理各种沽名钓誉、投机取巧、剽窃别人学术成果等学术道德失范行为，为促进科技创新、教育发展、文化繁荣营造良好的环境。

新疆维吾尔自治区精神文明建设
指导委员会
2002年9月2日

新疆维吾尔自治区
文明风景名胜旅游区建设标准及管理办法(节选)

（新文明字〔2002〕26号）

第二章　建设标准

第七条　文明风景名胜旅游区必须具备以下十条基本条件：

（一）资源保护完好。严格执行国家有关风景名胜旅游区的法规、规章，依法保护、建设、管理风景名胜旅游区，能正确处理旅游资源开发和保护的关系，风景名胜旅游区的开发建设必须做到坚持可持续发展战略，自觉探索旅游业经济效益、生态效益和社会效益统一。坚持“严格保护、统一管理、合理开发、永续利用”的原则，坚决杜绝破坏性开发，防止“建设性破坏”。做到景区内各项设施设备符合国家关于环保的要求，不造成环境污染和其他公害，不破坏旅游资源和游览气氛。景观、文物、古建筑保护措施先进、得力，能有效预防自然和人为破坏，保证文物古迹和自然景观的真实性和完整性。建筑布局合理，建筑物与景观格调协调。植物与景观配置得当，景观与环境协调，风景旅游资源品位突出。

（二）环境整洁优美。要建立健全清扫保洁队伍和保洁制度，保持景区景点清洁卫生。风景名胜旅游区的地面、水面、绿地干净、整洁，游览参观场所无垃圾粪便废物污水，无裸露地面，场地平整美观。建有能满足游客需要的高标准公共厕所，卫生达标，标识醒目。厕所具备冲水、通风、环保等要求。垃圾箱（桶）标识明显，满足需要、布局合理、造型美观、实用。垃圾及时清扫，做到日产日清。餐饮服务符合国家关于食品卫生的规定。

（三）基础设施齐全。景区要按照规划，建设较为方便的道路交通、住宿饮食、商业网点、文化娱乐等基础设施，满足广大游客的需要。

（四）服务热情周到。坚持对干部职工进行教育和培训，树立以游客为中心的意识，为游客提供热情、满意、细致、周到的服务。风景名胜旅游区的交通、卫生、环保、导游服务等各项规章制度健全。贯彻措施有力，定期监督检查。各个岗位都制定有规范服务的标准和措施（包括服务标准、服务程序、服务承诺、服务言行等各项服务规范），并能普及到每一个工作人员。导游人员和讲解员坚持持证上岗，人数及语种能满足需要，普通话率达100%。导游员讲政治、讲科学、讲解准确、生动、科学。禁止传播封建迷信的解说，禁止低级下流语言和要小费拿回扣的不文明现象。

（五）经营文明守法。景区市场管理有序，经营者挂牌服务，亮照经营，明码标价，无价格欺诈行为。市场管理规范，制止强买强卖、假冒伪劣、以次充好、坑蒙拐骗。无围追游客、无野蛮待客、无乱收费、乱罚款等群众深恶痛绝现象。

（六）安全保障得力。风景名胜旅游区认真执行旅游、公安、交通等部门安全保卫制度。安全巡查定期、定时，流动巡查工作落实，能有效维护治安秩序。消防、防盗、救护等设施齐全、完好、有效。交通、游览、娱乐等设备完好，运行正常，无安全隐患。危险地段防护设施齐备、有效，标志明显。建立紧急救援体系，

（七）治安秩序优良。规模较大的风景名胜旅游区建有派出所，小的应有治安分队。认真组织职工学法、懂法、守法、用法。景区无流氓团伙寻衅滋事，无民族分裂主义和非法宗教活动，社会治安秩序良好。

（八）管理严格规范。旅游质量、旅游安全、旅游统计等各项管理制度完备，有效。交通、卫生、环保、导游服务等各项规章制度健全，并落到实处。设立与风景名胜旅游区（点）接待规模、档次相适应的游客服务中心；管理人员文化素质高。交通、安全、保卫、卫生、环保等各项业务培训制度完善，并得到有效实施。旅游区景点、景观及设施标志、图形符号设置规范、醒目。设有档次相应的游客休息设施，位置合理、数量充足。所有岗位执行规范化管理，规范化作业。

（九）活动健康有益。文明风景名胜旅游区是传播社会主义精神文明的重要场所。要挖掘、增加景区点的文化含量，丰富文化内涵，提高文化品位，用健康向上、丰富多彩的文化生活占领阵地。风景名胜旅游区的文化娱乐场所，要坚持开展健康向上，富有民族特色的文化活动，杜绝“黄、赌、毒”现象。风景名胜旅游区的宣传品和解说词宣传民族优秀历史文化和伟大祖国壮美山河。能有效禁止散布封建迷信、低级庸俗的东西。风景名胜旅游区内清除设置的各种封建迷信场所，取消以看相、算命为骗取游人钱财的摊点。无乱建庙宇寺观等建筑的事件。

（十）创建工作扎实有效。风景名胜旅游区广泛深入开展精神文明创建活动。创建活动有组织领导，有长期规划和近期目标，有活动载体，有良好地运行机制，有明显的创建效果。

第三章　管 理 办 法

第八条　（一）建立领导机制。成立自治区创建文明风景名胜旅游区领导小组，由自治区文明办、自治区建设厅、自治区旅游局主要领导为领导小组成员，负责全区创建文明风景名胜旅游区工作。

（二）建立职工思想道德和科学文化教育管理机制。风景名胜旅游区要围绕“以人为本、服务第一”的原则，量化管理，强化职工的思想道德建设，全面提高员工队伍的整体素质。

（三）建立监督机制。在创建文明风景名胜旅游区过程中，建立健全内部监督和社会监督机制。认真实施政务公开和区务公开，向社会承诺服务，聘请一定数量的社会义务监督员，设立举报箱、意见簿、公开举报电话，使监督社会化、公开化。认真开展“自查、自评、自议、自纠”活动，采取综合检查与专项检查、经常性检查与不定期检查、明察与暗访相结合的办法，确保创建文明风景名胜旅游区的质量。

（四）建立激励机制。在行业内部大力开展比、学、赶、帮、超等各种竞赛活动，认真开展评选文明职工、文明导游员、文明科室、文明单位、文明示范窗口等活动。

（五）建立风景名胜资源保护机制。有效制止各种违章建设行为，保护风景区园林，古树木、植被群落、地质地貌和文物古迹等风景名胜资源完好无损，取得较好的生态环境效益。

（六）建立规划机制。各地文明办、建设、旅游部门要抓好创建文明风景名胜旅游区的规划工作，要把创建文明风景名胜旅游区列入当地精神文明建设的总体规划范围之中，明确目标，落实责任，分步实施。

新疆维吾尔自治区 文明办
建设厅
旅游局

概况综述

SURVEY

全国精神文明建设概述

2002年是党和国家发展历史上具有重大意义的一年。精神文明建设工作坚持以邓小平理论和“三个代表”重要思想为指导，以迎接、宣传、贯彻党的十六大，学习、宣传、实践“三个代表”重要思想为主线，围绕中心、服务大局，唱响主旋律，打好主动仗，各项工作深入开展，整体推进，为党的十六大营造了良好氛围，对于促进改革发展、维护社会稳定，对于提高城乡文明程度和公民素质，发挥了重要作用。

一、深入学习宣传实践“三个代表”重要思想，学习宣传贯彻党的十六大精神兴起热潮

围绕迎接党的十六大召开，各地各部门运用多种方式，深入学习、宣传、实践“三个代表”重要思想。全国农村“三个代表”重要思想学习教育活动取得丰硕成果，各地参加学习的基层干部1520多万人，干部受教育，农民得实惠，有力地促进了农村的改革发展稳定。中央有关部门编辑出版了《江泽民论“三个代表”》等重要著作，中央主要新闻单位开展了“三个代表在基层”等系列报道，广泛宣传干部群众学习贯彻“三个代表”重要思想的生动实践，集中宣传一批实践“三个代表”的优秀党员。中央和各地主要新闻单位都开辟了学习宣传贯彻“三个代表”重要思想专栏、专题节目，各级党报党刊发表重点理论文章4000多篇，各地各部门组织拍摄了100多部理论文献电视专题片。举办系列形势报告会，组织主题教育活动，兴起宣传改革开放和党的建设辉煌成就的热潮，进一步坚定广大干部群众走中国特色社会主义道路的信心，增强了对党和政府的信任，形成了全党全国人民以实际行动迎接十六大的浓厚氛围。党的十六大召开后，各地各部门认真贯彻中央《关于认真学习贯彻党的十六大精神的通知》，通过组织宣讲团、出版十六大文件学习辅导读物、广泛开展各具特色的宣传教育活动等方式，兴起学习宣传贯彻党的十六大精神的热潮。干部群众特别是各级领导干部深刻领会十六大的重大历史意义，全面准确地把握十六大的主题、灵魂和精髓，全党全国人民的思想和行动进一步统一到党的十六大精神上来。

二、认真贯彻落实《公民道德建设实施纲要》，推进与现代化建设相适应的思想观念和道德风尚的形成

各地各有关部门进一步加大宣传《公民道德建设实施纲要》基本精神和公民基本道德规范的工作力度，切实增强精神文明创建活动的思想道德教育内涵。各大新闻媒体推出的宣传公民基本道德规范的公益广告，以其鲜明的主题内容、生动的艺术形式、强烈的视觉效果，赢得群众好评。以宣传 公民基本道德规范为主题内容的歌曲，在企业、社区、学校广为传唱。全国上万个火车站、飞机场、长途汽车站及航运码头设立了公民基本道德规范宣传标牌，既强化了员工的职业道德意识，也对过往旅客产生了宣传教育作用。各地各部门开展了形式多样的道德实践活动。以做“小主人、小伙伴、小帮手、小标兵、小卫士”为主题的“小公民道德建设计划”的实施，吸引了全国上千万少年儿童的积极参与。建设“诚信浙江”、“诚信河北”、“信用海南”，及“建信用南京城、做诚信南京人”等以诚信为主题的道德实践活动，对形成“诚信为本、操守为重”的道德风尚起到了重要促进作用。各地注意加强爱国主义教育基地建设，改进展出手段，使这些基地更好地发挥教育作用。全国新闻媒体广泛宣传了龙清秀、廷·巴特尔、孙凤阳、郑培民、方工等一批体现时代精神的先进典型，展示了当代中国共产党人的风采，为广大人民群众树立了学习的榜样。有关部门召开第三次全国科普大会，建立一批科普教育示范基地。深入揭批“法轮功”的邪教本质和严重危害，大力倡导相信科学、崇尚文明的社会风尚。

三、广泛深入开展群众性精神文明创建活动，促进城乡文明程度和公民素质的提高

各地和各行各业以营造整洁清新、文明有序、安定祥和的社会环境，以实际行动迎接党的十六大召开为动力，充分发挥创建工作的优势，各项活动都有新的措施，取得新的成效。创建文明城市工作向纵深发展。大中城市环境面貌、公共秩序和社会风气有新的变化，市民素质和城市文明程度进一步提高。科教、文体、法律、卫生"四进社区"活动在大中城市普遍展开，万场科普进社区、全国社区文艺展演、家庭文化艺术节、"相约健康社区行"、"法律援助在社区"等活动受到群众欢迎。创建文明村镇工作取得新进展。争创文明农户、文明村、文明小城镇活动继续推进，立足城乡资源共享、优势互补的精神文明区域性连片共建活动产生了较好的社会反响。城乡共建、文化科技卫生"三下乡"、星火科技下千县、农民健康促进行动、婚育新风进万家等活动深入开展，为广大农民送去真心诚意的服务。创建文明行业活动不断深化。以诚信建设为主题，重点整治群众反响强烈的突出问题，促进了行业风气进一步好转和行业服务质量不断提高。积极推进"百城万店无假货"活动，对打击假冒伪劣商品、维护市场秩序起到了重要示范作用。继续开展创建文明风景旅游区活动，产生了良好的社会效益和明显的经济效益。努力扩大典型示范的影响面，在全国集中宣传了广州、唐山、青岛、石河子、包头等城市开展创建文明城市工作的先进经验和一批创建文明行业示范点、一批创建文明风景旅游区示范点的先进经验。10月份，在全党全国人民喜迎党的十六大之际，中央精神文明建设指导委员会隆重表彰了第二批63个创建文明城市工作先进城市、城区，500个创建文明村镇工作先进县（市）、镇、村，充分展示了精神文明建设的丰硕成果，进一步激发了各地干部群众参与精神文明建设工作的热情。

四、大力发展社会主义文化事业，人民群众的精神文化生活日益丰富

高扬社会主义文化的主旋律，进一步提高文化产品的质量，努力满足人民群众多方面的精神文化需求。围绕隆重纪念毛泽东《在延安文艺座谈会上的讲话》发表60周年，有关部门组织广大文艺工作者重温《讲话》精神，引导他们深入实践，深入生活，深入群众，创作更多优秀作品，同时举办了"毛泽东与文艺"大型展览，召开纪念座谈会，举行群众歌咏大会。推出一批讴歌党的丰功伟绩的优秀作品，受到人民群众的欢迎。在精品工程带动下，艺术创作蓬勃发展，舞台艺术日益繁荣，演出市场日趋活跃。党的十六大召开前后，有关部门组织了优秀戏剧、电影、电视剧集中展演、展映、展播活动，出版百种重点图书和百种重点音像制品、电子出版物，为党的十六大营造了良好的文化氛围。认真实施"十五"基层文化设施建设规划，精选历届"五个一工程"入选作品送到基层，通过"心连心"艺术团、文艺大篷车等多种形式，组织各种文艺团体到基层演出，广泛开展社区文化、企业文化、校园文化、军营文化等基层文化活动，进一步丰富了基层群众的文化生活，推动了基层文化建设。

五、关心帮助欠发达地区和贫困群众，扶贫帮困工作取得新成效

各地各部门各人民团体都把为群众办好事、办实事作为精神文明建设的出发点和落脚点，组织开展多种形式的送温暖、献爱心活动，在为千家万户排忧解难的同时，也激发了更多人投身改革与建设的积极性。各种形式的扶贫助困和社会捐助活动持续开展。坚持了10年的送温暖活动，已从最初的节日期间访贫问难、送钱赠物，逐步发展成为经常化制度化、帮助解决各种实际困难的工程。已兴起10年的中国志愿服务事业焕发出强大的生命力，越来越多的人基于信念、良知、同情心和责任感，无偿为社会和他人提供服务，贡献个人的时间和精力。中宣部、中央文明办、教育部组织实施的"西部开发助学工程"，进一步扩大资助范围，增加受助学生名额，新开办高中宏志班，在全国产生了积极的带动作用。中宣部、中央文明办、文化部组织实施的"百县千乡宣传文化工程"，推动了中西部地区宣传文化事业和精神文明建设的发展，有关部门和人民团体组织实施的"西新工程"和"村村通"工程、青年志愿者扶贫接力计划、"雪炭工程"、"母亲水窖工程"，以及在革命老区、西部地区普及推广科技知识的科普列车"老区行"、"西部行"活动等，进一步促进了贫困地区和困难群众精神文化生活的改善。

（中央文明办秘书组、调研组）

各系统精神文明建设概述

中 直 机 关

中直机关精神文明建设以迎接、宣传、贯彻党的十六大，学习 、实践“三个代表”重要思想为主线，围绕中心，服务大局，解放思想，开拓创新，全面贯彻落实《公民道德建设实施纲要》，深入开展“创建文明机关，当好人民公仆”活动，进一步提高了干部职工思想道德素质和科学文化素质，精神文明建设取得新的成绩。

一、认真抓好“三个代表”重要思想和十六大精神的学习贯彻，推进机关思想政治建设

年初，中直文明委召开第六次全体会议，对2002年中直机关精神文明建设作出全面部署。各单位文明委积极配合机关党委抓好邓小平理论和“三个代表”重要思想的学习，推动了中直机关精神文明建设和机关各项事业的发展，为十六大召开营造良好的社会氛围。十六大召开后，各单位举办学习研讨班、培训班等，深入学习领会十六大的主题、灵魂、精髓、奋斗目标、党的建设总体部署，在机关兴起了学习宣传贯彻十六大精神的热潮。

二、广泛开展《公民道德建设实施纲要》的学习实践活动，加强机关思想道德建设

中直文明委把贯彻落实《纲要》作为2002年重点工作，专门召开会议进行部署。在认真调研的基础上，结合中直机关实际，提出了《关于贯彻落实〈公民道德建设实施纲要〉的意见》。并对各单位贯彻落实《纲要》的情况进行了检查指导。

中直机关各单位把贯彻落实《纲要》纳入本单位的工作规划，进行研究部署，坚持高标准、抓落实、重实效，注意解决在道德建设方面存在的突出问题。有的单位把贯彻《纲要》与部机关开展的“迎十六大争先创优”活动结合起来；有的单位召开座谈会，积极探讨加强机关思想道德建设问题。各单位以落实《纲要》为抓手，切实加强职业道德建设，改进了机关作风。

3月至5月，中直文明委组织了“中直机关公民道德建设知识竞赛”活动。中直机关35个单位共有3.6万多名干部职工参加，其中局级以上领导干部400多人。13个单位获优秀组织奖，12个单位获组织奖。在干部职工贯彻落实《纲要》、实践公民基本道德规范过程中，各单位还积极参加社会捐献、“手拉手”、“结对子”、“送温暖”、“双拥共建”、清洁美化北京城等道德实践活动。

三、继续开展“创建文明机关，当好人民公仆”活动，把群众性精神文明创建工作引向深入

年初，中直文明委向各单位下发了《关于评选2002年度“中直机关文明单位”、“中直机关精神文明建设先进个人”的通知》、《关于在中直机关深入开展创建文明社区（楼院）活动的意见（试行）》和《关于在中直机关深入开展创建“五好文明家庭”活动的意见》。各单位积极行动，明确主题，依托载体，广泛开展了形式多样的创建活动。

按照中央文明办等8部委的部署，中直机关广泛开展了科教、文体、法律、卫生“四进社区”活动。中组部、中宣部、中联部、中央党校、广电总局、新华社、经济日报社、团中央等单位在本单位相对集中的居民小区普遍开展了各类科普讲座、科普展览、优惠售书、义务修车、电话维修、健康知识讲座等便民服务，还组织了医疗保健、网络、法律、花卉养护、家庭装饰等项目现场咨询，受到社区广大干部职工的欢迎。有的单位借助“四进社区”活动，加强了社区组织、社区党建、社区环境、社区服务、社区文体、社区安全等方面的建设，积极解决干部职工关心的热点、难点问题，努力为群众办实事办好事。

为发挥中直机关在京居民区的带动、示范作用，中直文明办还协同首都文明办，重点抓了万寿路甲15号院创建文明社区样板的工作，取得了阶段性成效。配合首都整治工作，抓了机关环境建设，以清洁优美的环境迎接国庆和十六大的召开。9、10月份，中直机关组织了两次大规模环境整治活动，集中对办公区、家属区、绿化地带和门前三包区域及马路责任区、护栏等进行了彻底清理。据不完全统计，中直机关有5万多人次参加了此次活动，其中副部级以上领导干部30多名。中联部文明办、中央台办文明办、共青团中央文明办被首都文明委授予“北京市整治市容市貌和纠正不文明行为工作”先进集体，中直文明办荣获这项工作的先进组织奖。

四、加大培训和经验交流力度，进一步提高精神文明建设干部队伍素质

8月，中直文明办在大连举办了中直机关宣传干部和文明办主任培训班，深入学习江泽民“七一”重要讲话，学习辽宁省和大连市加强和改进机关精神文明建设的经验，学习开展思想政治工作的科学方法，交流探讨加强机关党的宣传思想工作和精神文明创建工作的思路、措施，使大家提高了认识，增强了信心，增长了才干，为进一步做好本职工作奠定了基础。

10月，中直文明委组织召开了中直机关精神文明创建工作交流会。中组部组织局、新华社、广电总局介绍了他们以“迎十六大争先创优”活动为载体，围绕中心，服务大局，结合实际，开展各具特色的精神文明创建活动的经验。

（中直机关文明办）

中央国家机关

中央国家机关精神文明建设坚持以邓小平理论和“三个代表”重要思想为指导，认真贯彻落实党的十五届六中全会精神和《公民道德建设实施纲要》，积极开展群众性的精神文明创建活动，为贯彻落实党中央、国务院的重大战略部署，顺利完成部门中心任务发挥了重要的支持和保证作用。

一、深入学习“三个代表”重要思想，兴起学习宣传贯彻十六大精神的热潮

各部门以迎接党的十六大召开和学习宣传贯彻十六大精神为主线，坚持把学习“三个代表”重要思想放在各项工作的首位，组织广大党员干部深入学习“三个代表”重要思想，广泛宣传13年来我国改革开放和现代化建设所取得的辉煌成就，为十六大的召开奠定坚实的思想和理论基础。

结合纪念邓小平南巡讲话10周年，组织党员干部认真学习邓小平南方讲话精神和江泽民“七一”重要讲话、“5·31”重要讲话、《江泽民论有中国特色社会主义》（专题摘编），全面认识和理解“三个代表”重要思想的历史背景、精神实质和科学内涵，提高贯彻执行“三个代表”重要思想的自觉性和坚定性。

许多部门通过举办改革开放和现代化建设成就展、系列形势报告会，组织群众性的文艺演出、主题演讲、党建知识竞赛等活动，为十六大的召开营造了昂扬向上、团结奋进的良好社会氛围。

党的十六大闭幕后，中央国家机关工委即向各部门机关党委发出学习通知。各部门按照工委通知要求，结合部门实际对学习贯彻十六大精神做出周密部署，精心安排，兴起学习宣传贯彻十六大精神的热潮。

各部门党组中心组坚持先学一步，多学一些，学深一点。全面把握十六大精神，并注意理论联系实际，有力地促进了本部门、本行业重大工作部署和改革发展思路的形成。

通过组织学习班、培训班、宣讲团等多种形式，推动学习的不断深入。中央国家机关宣讲团围绕“三个代表”重要思想这条主线和十六大的主题，把握解放思想、实事求是、与时俱进这个精髓，联系国际形势的发展变化、国内改革发展的历史任务以及中央国家机关的工作和干部群众的思想实际，深入基层，宣讲十六大精神，受到干部职工的欢迎。在1个多月的时间里，宣讲团共宣讲92场，3万余名干部群众聆听了宣讲报告。

二、认真贯彻十五届六中全会精神，加强机关作风建设

各部门抓住与人民群众血肉联系这个核心，按照“八个坚持、八个反对”的要求，在机关党员干部中广泛进行权利观、利益观和地位观教育，抓住重点问题认真整改，有力地推动了机关作风建设。

深入基层开展调查研究，保证各项决策符合实际，符合广大人民群众的根本利益。动员和组织机关干部带着改革和发展中的问题，深入基层，深入群众，调查研究，了解和掌握第一手情况。各部门部级领导干部普遍完成了中央规定下基层1个月的要求，有的多达3—4个月。写出了一批高质量、高水平的调研报告，为决策提供了科学依据，帮助基层解决了实际问题。

大力精简会议、文件，转变工作方式，减少行政审批，积极推进政府职能转变。国家工商总局取消了各司局一年一度召开的全国性专业会议和以司局名义编发的简报。教育部把发展高等职业教育和大部分高等专科教育的权力以及责任交给了省级人民政府。全面清理行政审批项目，原有行政审批项目128项，经清理取消了83项，保留45项，提高了工作效率，促进了政府职能的转变。

加大源头预防和治理腐败的力度，加强党风廉政建设。海关总署把海关系统发生的重大腐败案件汇编成册，开展警示教育，教育党员牢固树立正确的世界观、人生观、价值观，过好权力关、金钱关、美色关，经受住市场经济条件下的种种考验。高法院、高检院、公安部、司法部等部门加强反腐倡廉教育，严明纪律，规范制度，努力建设忠于职守、公正执法的干部队伍。中央国家机关的良好形象得到了基层和群众的认同。

三、深入贯彻《公民道德建设实施纲要》，全面提高公务员思想道德素质

在深入贯彻落实《纲要》中，各部门着眼于长远，注重制度建设；着眼于教育，注重加强阵地建设；着眼于实践，注重开展道德实践活动，全面提高公务员的思想道德素质。

许多部门根据工作实际和队伍建设的要求，制订和完善贯彻实施《纲要》的意见和措施。建设部在《机关公务员工作行为规则》中，对公务员的公务行为做出严格具体的规定，明确了违规的处罚办法。国家机关事务管理局在《职工道德建设实施意见》中，强调要进一步建立和完善道德建设方面的规章制度，使干部职工的道德行为更具约束力。

加强阵地建设，建立中央国家机关思想教育基地。为了进一步加强和改进中央国家机关的思想政治工作，在北京及周边地区建立了20个对广大干部职工进行革命传统教育、改革开放教育和科技文化教育的基地。根据中央国家机关领导层次高、公务员队伍素质高，工作要求高的特点，积极协助各思想教育基地改进原有展览教育的内容和方法，组织开展丰富多彩的特色活动，提高活动的思想性和吸引力。许多部门的基层党群组织利用思想教育基地组织开展了各种形式的主题教育活动，有万余名干部群众参加。劳动和社会保障部、中国气象局等部门组织党员干部到西柏坡纪念馆、抗日战争纪念馆参观学习。许多同志参观后向党组织递交思想汇报，畅谈学习收获体会。国务院办公厅、外交部等部门，组织离退休老同志到首钢集团公司和北京经济技术开发区参观学习，体验改革开放的成果，加深了对党的基本路线和党的最新理论成果的理解和认识。

加强法制教育，开展道德实践活动。许多部门结合“四五”普法，有计划地开展法制宣传教育，提高公务员依法行政的能力和水平。帮助他们在制定和执行有关政策时，不仅重视经济和社会事业发展的需要，同时体现社会主义精神文明和公民道德建设的要求，为公民道德建设提供正确的政策导向。各部门积极开展道德实践活动。

文化部、卫生部、农业部等部门成立青年志愿者协会，围绕部门工作和社会需求，开展服务社会，服务群众的活动。在植树造林、绿化美化环境中，中央国家机关共植树木70余万株。在扶危济困活动中，各级党政领导带头，走访了近万名老红军、老劳模和生活困难的职工，募集投入资金1200多万元；还为“幸福工程”捐款248万元。通过道德实践活动，培养了广大干部职工助人为乐的高尚情操，提高了思想道德素质。

四、不断丰富延伸创建活动的内容和范围，精神文明建设取得丰硕成果

加强干部培训。许多部门制订了干部培训规划，通过集中脱产培训、鼓励自学成才、知识技能培训、挂职锻炼等方式，加强对干部的培养教育，满足干部职工成长进步的愿望和要求。民政部制定了“五个一”培训计划，要求青年干部每人每年写一篇高质量的政论文章或调研报告；每年交流一次工作学习心得体会；每人联系一个基层民政部门；每人设计或主持一次本单位的重要活动；每人联系一个特困或残疾人家庭，以此帮助和教育干部职工认真学习政治理论，钻研业务，提高思想政治素质和业务工作能力，增强为人民服务的自觉性和责任感。

紧密结合部门工作中心和干部职工的工作生活实际，不断丰富和拓展精神文明创建活动的内容和范围。国土资源部围绕党组关于“建制度、抓监督、树形象”的工作要求，在机关开展了国土资源管理部门形象建设大讨论，对公务员进行政德政风教育，促进了政令畅通、执法严格、服务优质、廉政勤政部门新风的形成。国家审计署针对机构改革后职工普遍反映工作紧张、身心疲惫等问题，把关心职工身心健康作为一件大事来抓，实施了职工休假计划、绿色食品计划和给困难职工送温暖计划，增强了干部职工的心理归属感，精神面貌发生了很大变化，为各项工作的顺利完成提供了精神动力和思想保证。

大力表彰先进。各部门通过举办报告会、文艺演出等形式，广泛宣传龙清秀、汪洋湖、黎昌和等各条战线涌现出的优秀公务员的先进事迹，为干部职工树立学习实践“三个代表”的楷模。通过开展争先创优、评选先进等活动，大力表彰和宣传在本职岗位做出突出贡献的个人和集体的先进事迹，弘扬学习先进、争当先进的蓬勃朝气，激发干部职工投身现代化建设事业的热情和干劲。

中央国家机关的精神文明建设取得了丰硕成果。国土资源部机关、税务总局机关、外交部钓鱼台国宾馆被中央文明委评为第二批全国精神文明建设先进单位。国务院办公厅等264个单位被评为中央国家机关精神文明建设先进集体、271名同志被评为先进工作者。

（中央国家机关文明办）

中央企业系统

中央企业系统各级党组织高举邓小平理论伟大旗帜，以“三个代表”重要思想为指导，围绕企业改革、发展、稳定的大局，坚持团结、稳定、鼓劲和正面宣传的方针，大力加强和改进企业党的建设和思想政治工作，广泛开展精神文明创建活动，树立和宣传先进典型，推进企业文化建设，为团结带领中央企业广大干部职工奋发工作，创造新的业绩提供强大的精神动力和思想保证。

一、深入学习贯彻“三个代表”重要思想，认真抓好党的十五届六中全会、十六大精神的学习宣传，进一步加强企业职工思想道德教育

中央企业各级党组织把深入学习“七一”和“5·31”重要讲话、“三个代表”重要思想、十五届六中全会和十六大精神作为重要的政治任务来抓。组织动员企业广大干部职工开展以实际行动向党的十六大献礼系列活动。中央企业系统单独组团参加党的十六大，在中央企业的历史上是第一次，对中央企业广大党员干部职工是一个巨大的鼓舞。党的十六大召开后，及时举办了中央企业党委（党组）书记学习贯彻十六大精神培训班、中央企业宣传部长培训班，召开了中央企业学习实践“三个代表”重要思想座谈会，编辑出版了《中央企业学习实践“三个代表”重要思想经验交流材料选编》，为企业的改革与发展提供强大的精神动力和思想保证。

按照《中央企业工委关于加强和改进党委（党组）中心组学习的实施意见》和十五届六中全会《中共中央关于加强和改进党的作风建设的决定》要求，坚持马克思主义学风，密切联系实际，有步骤、有计划、有重点地抓好企业党委（党组）中心组的理论学习。抓住党同人民群众的血肉联系的核心问题，坚持全心全意依靠工人阶级办企业的方针，认真执行“八个坚持、八个反对”，大力加强和改进企业党的作风建设和思想政治工作。围绕贯彻《公民道德建设实施纲要》，加强企业职工思想道德教育，教育职工爱岗敬业，艰苦创业，遵守职业道德。组织了《反对邪教　崇尚文明》挂图展览，在京中央企业有8000多名中层以上干部参观。组织引导职工结合岗位特点加强政治和业务学习，不断提高职工业务技能和科学文化素质。认真做好世贸组织知识的学习宣传，组织中央企业参加全国世贸组织知识大赛，中化总公司等3家企业获优胜集体奖。

二、坚持正确的舆论导向，树立和宣传先进典型

采取多种形式，协助做好中央企业重点工作和形象宣传工作。组织中央新闻单位对中国第一汽车集团公司、上海宝钢集团公司、神华集团有限公司、三九企业集团、中国新兴（集团）总公司等企业学习实践“三个代表”重要思想的做法进行了宣传报道。协助中宣部组织协调中央新闻单位记者团开展“三个代表”在基层的采访活动，联系协调记者团对12家中央企业进行采访。继续挖掘企业在党建、思想政治工作、企业结构调整、改制和经营发展等方面的先进典型，充分发挥典型的引导带动作用，为促进中央企业中心任务的完成营造良好的社会舆论氛围。重点做好对中国铁道建筑总公司刘清华、中国航空工业第二集团公司石屏等先进典型的宣传工作。3月22日，中央企业工委做出《关于开展向刘清华同志学习活动的决定》，并被中宣部确定为全国重要典型，各中央新闻媒体对“基层干部的榜样”刘清华同志的先进事迹作了集中宣传报道。3月29日，中央企业工委在人民大会堂隆重举行了刘清华先进事迹报告会。先后组织刘清华先进事迹巡回报告会51场，直接听众近4万人。在中宣部的支持下，将中国航空工业第二集团公司所属洪都航空集团公司K8飞机总设计师石屏作为全国第六批“爱岗敬业、无私奉献”的公民道德建设先进典型进行了重点宣传，9月20日，中央企业工委在北京举行石屏同志先进事迹报告会。各中央企业紧密结合实际，深入开展了向刘清华、石屏同志学习的活动，使干部职工的精神面貌有了明显改善，党组织的凝聚力和战斗力有了明显提高。

三、开展文明行业创建活动

9月，中央企业工委办公厅下发了《关于印发〈中央精神文明建设指导委员会关于深入开展创建文明行业工作的若干意见〉的通知》，把加强思想道德教育放在创建工作的首位并贯穿始终。各中央企业结合行业、党委特点和职工的思想、工作实际，深入开展创建文明行业活动，引导干部职工树立社会主义职业观，形成爱岗敬业、诚实守信、办事公道、服务群众、奉献社会的职业道德风尚。电信、电力、旅游等服务行业按照行业的特点、职业职责和创建要求，制定了具体可行的岗位行为规范，建立健全各项规章制度，完善管理考核机制。中国工艺美术集团公司把创建精神文明建设作为推动企业生产的原动力，作为企业可持续发展的保证。始终把精神文明建设工作作为党委的重要议题。紧密结合企业生产经营的特点，找准切入点，不断丰富、完善、扩充精神文明建设创建活动的内容、方法和形式，把培养“四有”职工与开展精神文明建设活动有机地结合起来，把搞好精神文明建设工作与考核激励机制挂钩，并向全集团系统内延伸。2002年顺利通过由中央文明办、中央国家机关工委文明办、中央企业工委宣传部、国务院管理局文明办有关领导组成的联合小组的复查，保持了全国精神文明建设工作先进单位的荣誉称号。中国海洋航空集团公司成立了思想政治工作指导委员会，先后出台了《关于加强和改进企业思想政治工作的措施》、《关于创建文明企业、文明员工的实施意见》等5

份规范性文件。普遍开展了知识竞赛、读书演讲、“我为企业改革发展献一计”、“当好企业主人”等“七个一”系列活动，收到了良好的效果，涌现出了15个文明企业和38名文明员工，增强了企业的凝聚力和战斗力。

四、中央企业各级团组织广泛开展形式多样的精神文明创建活动

各中央企业团组织以抓国家重点工程建设为突破口，继续把青年创新创效、服务青年岗位成才作为一项主要工作常抓不懈，加强行业的分类指导，推动活动向纵深发展。5月，中央企业团工委与团中央青工部在三峡工程中联合开展了以青年优质安全示范工程（岗）创建活动为目标的“创优质、保三期”活动，引导广大青年牢固树立安全意识、质量意识，查禁事故隐患，消除违章作业，确保大江截流的顺利实现。10月，与团中央青工部、全国铁道团委在青藏铁路建设工程中，开展创青年优质示范工程、青年安全示范工程和青年环保示范工程活动，在工程建设中涌现出来的一批青年岗位能手受到表彰。中国远洋运输集团公司等几家中央企业组织参加了全国青年创新创效大赛，在企业内部开展了诸如青年操作大赛、青工技能创新与计算机应用技能创新竞赛、创新成果评比等形式多样的活动。20多家中央企业参加了全国青年电工网上模拟创新创效大赛。团中央表彰的全国青年创新创效优秀组织单位和全国青年创新创效奖获奖个人中，中央企业各占了36%。各级团组织广泛建立了青年读书俱乐部、青年书屋，组织青年读书广场、青年读书工程，以开展青年读书活动，举办青年科技文化节等方式，营造了良好的学习气氛。

（中央企业工委宣传部）

金融系统

金融系统群众性精神文明创建活动活跃，文明规范服务向纵深发展，“十字”行风建设取得初步成效，金融企业文化在金融系统全面展开，职业道德建设逐步经常化，员工素质得到不断提高。

一、学习宣传“三个代表”重要思想，做好迎接十六大，学习、宣传、贯彻十六大的各项工作

十六大召开前，工委宣传部和文明办组织撰写并在金融时报发表了《中央金融系统全面贯彻“三个代表”，加强思想政治建设情况综述》、《大力发展社会主义文化，建设社会主义精神文明》、《中央金融系统全面贯彻“三个代表”，努力创建行业文明》等专题文章，全面反映十五大以来金融系统思想宣传和精神文明建设成就。配合中宣部组织了十五场“十三届四中全会以来改革开放和现代化建设成就系列形势报告会”，共组织金融系统近千名局处级领导干部参加。指导中国银行等单位组织“学习‘三个代表’、实践‘三个代表’”的征文活动，共收到100多篇文章，在杂志和报刊上陆续发表。

十六大召开后，为深入贯彻十六大精神，加强了对联系点的指导工作，专门下发了《深入学习贯彻十六大精神》的通知，要求各联系点要在当地金融机构中发挥好示范带头作用，紧密联系本单位业务发展、队伍建设、员工思想实际，把十六大精神贯彻到各项具体工作中去。还对各机构学习贯彻十六大情况进行了抽查，促进了各单位的深入学习和贯彻。

二、深入贯彻《公民道德建设实施纲要》，加强金融系统“十字”行风建设

为贯彻落实《公民道德建设实施纲要》和中共中央十五届六中全会精神，中央金融工委下发了《关于进一步加强金融行业作风建设的意见》，在金融系统开展以“严格、规范、谨慎、诚信、创新”为内容的“十字”行风建设。

根据金融工委统一部署，工委宣传部和文明

办组织开展了“十字”行风的创建活动。3月召开了金融系统宣传思想工作、精神文明建设联系点座谈会，对“十字”行风创建活动进行了动员。4月中旬，召开在京部分金融机构代表座谈会，就金融系统贯彻落实《公民道德建设实施纲要》、深入开展“十字”行风创建活动等问题进行了研讨。

各中央金融机构根据工委要求，结合各自特点，积极开展“十字”行风创建活动。中国保险监督管理委员会从4月1日起用5个月的时间在全系统开展集中教育活动。中国工商银行开展“世界贸易组织与工商银行经营理念”主题教育，强化“十字”行风建议。中国银行在创建活动中，制定周密计划，力求针对性、实效性和群众性，并将创建活动纳入目标管理综合考核项目中。

“十字”行风创建活动得到金融系统广大员工的热烈响应。各银行、证券、保险机构根据自身特点和员工构成等实际情况，确立“十字”行风创建活动的重点和具体工作部署。不同的工作部门和业务岗位，对行风建设确定了不同层次的要求。各机构领导干部率先垂范，以好的作风带动群众，以好的风气影响基层。员工积极开展道德操守和职业规范的教育和自我教育，增强爱岗敬业、遵纪守法的意识。中国人民银行太谷县支行突出监管特点，将创建活动寓班子建议、队伍建设、日常管理和职业道德建设之中。中国农业银行浙江南浔支行根据“十字”行风要求，全面完善和修订了管理程序、经营服务守则、产品开发和后勤保障等工作规章。中国光大银行长沙支行要求支行机关对基层行实行包括服务态度、服务质量、服务效率等58条承诺。各基层单位还自觉接受社会监督，开展行风评议，查找不足，改进工作。建立健全检查、督促、评比、激励机制，调动了员工参与行风建设的积极性、主动性、创造性，在社会上展现了金融员工和金融行业的良好形象。

三、健全精神文明建设管理体制，加强对精神文明建设的规范化管理

年初，根据新形势和新任务的要求，修改并下发了《金融系统精神文明建设工作管理办法》，对金融系统精神文明建设的目标、任务、途径、方法和领导管理机构设置、人员配备、先进单位评选表彰检查等都作了明确规定。

一是将文明行业创建活动纳入领导班子、领导干部考核，连同经营业绩实行综合目标管理。领导干部认真履行“一岗双责”，把本系统、本单位文明创建工作列入议事日程，制定规划、定期研究，做到年初有规划、年中有检查、年末有评比表彰。

二是加强对创建活动的指导，及时解决困难和问题。各金融机构党委根据工委关于文明建设工作的要求，坚持高标准、严要求，有针对性地加强分类指导。

三是建立督促检查制度。金融机构党委根据实际，加大对本单位本系统创建工作的管理检查力度，适时开展先进评选，每年对先进单位进行复查，并建立档案制度，发现问题及时整改，始终保持其先进性，使创建工作逐步实现科学化、制度化、经常化。

四是建立学习交流制度。各单位及时总结经验，加强行业内外的借鉴、交流，通过建立文明建设联系点、示范点、召开经验交流会、组织培训等形式，充分发挥先进单位的示范辐射作用，不断提高创建水平。

四、做好第二届全国创建文明行业工作先进单位评选申报和复查确认工作，推动文明创建向深度和广度发展

根据中央文明办《关于推荐、表彰全国精神文明创建工作先进单位的通知》要求，组织各机构按照《金融系统精神文明建设工作管理办法》规定的标准、条件、程序进行逐级推荐、评选。

6月6日下发了《关于做好“全国创建文明行业工作先进单位”评选表彰工作的通知》、《关于做好第一届“全国创建文明行业工作先进单位”、“全国精神文明建设先进单位”复查确认工作的通知》，要求各金融机构结合复查确认工作，做好本届先进单位的评选推荐。工委文明办综合各方面意见，经与各有关金融机构反复协商，选出40个金融系统“全国创建文明行业工作先进单位”推荐名单报请中央金融工委文明委全体会议讨论通过，在金融时报上公示一周后，以工委文明委名义上报中央文明办。

根据中央文明办的要求，组织力量对金融系统1999年度受表彰的65个全国文明建设先进单位进行了逐个复查。经复查确认，建议保留中国人民银行老河口市支行等56个单位荣誉称号，对在机构改革和调整中撤销、合并、更名的，建议保留中国农业银行河北省石家庄第二营业部等6个单位的荣誉称号，对工作严重滑坡和发生重大问题的中国工商银行北京市宣武支行范家胡同储蓄所等3个单位，建议撤销其荣誉称号。

五、集中宣传先进典型，加大精神文明的宣传教育力度

一方面，继续加大对王希、李向党等一大批先进个人和工行浙江分行、农行南浔支行等先进单位的宣传，另一方面，大力培育、发现和宣传新的典型。组织中央新闻媒体集中宣传了张建新等先进典型，先后在金融时报开辟了“十六大代表访谈录”、“基层党组织建设巡礼”等专栏，集中宣传了十六大代表、工行浙江省分行行长丁仲篪等一批先进个人，人行湖南益阳中支、中国银行浙江舟山市普陀山支行、建设银行北京分行电子银行服务中心、中国人民保险公司泸州分公司等一批先进单位。

（中央金融工委文明办）

教育系统

教育系统精神文明建设工作，高举邓小平理论伟大旗帜，以“三个代表”重要思想为指导，深入学习宣传贯彻十六大精神，全面贯彻《公民道德建设实施纲要》，围绕教育事业的改革、发展和稳定，扎实开展思想理论教育、思想道德建设和群众性精神文明创建活动，加强机关的作风建设，取得了良好的效果。

一、深入学习宣传贯彻十六大精神和“三个代表”重要思想

坚持用马列主义、毛泽东思想、邓小平理论和“三个代表”重要思想教育和武装广大师生员工。组织广大师生员工深入学习江泽民同志“七一”重要讲话，“5·31”重要讲话和在庆祝中国人民大学建校50周年、庆祝北京师范大学建校100周年大会上的重要讲话精神。发挥学校思想政治教育课在对学生进行“三个代表”重要思想教育中的主渠道、主阵地作用。高校借鉴邓小平理论“进课堂、进教材、进学生头脑”（简称“三进”）工作经验，积极推进“三个代表”重要思想“三进”工作。编写了“三个代表”重要思想学习辅导材料。启动高校“两课”各门课程教学基本要求和教材的修订工作。通过骨干教师培训及“两课”教师在职攻读硕士学位等方式，提高广大“两课”教师的理论素养和业务水平，不断增进“三个代表”重要思想“三进”工作的效果。通过开展丰富多彩的校园文化建设活动，发挥第二课堂的教育引导作用，切实推进“三个代表”重要思想武装师生员工工作。组织大学生“三个代表”重要思想宣讲团，深入农村、社区宣讲，深化大学生对“三个代表”重要思想的理解。教育部和共青团中央编写出版了《“三个代表”与大学生》一书，宣传和推广全国高校大学生学习实践“三个代表”重要思想的经验和成果。

围绕十六大召开，做好统一思想、振奋精神、营造良好氛围的工作。为迎接十六大召开，中组部、中宣部和教育部党组以加强和改进高校学生思想政治工作为主题召开第十一次全国高校党的建设工作会议。充分利用各类教育新闻媒体，集中宣传教育战线的成就，宣传当代大学生爱国爱党的思想情感、努力学习和实践“三个代表”重要思想的自觉行动以及积极进取的人生价值追求，展示了新世纪大学生积极健康向上的精神风貌。

十六大召开后，教育战线迅速兴起学习、宣传、贯彻十六大精神的热潮。教育部党组印发了《关于教育战线认真学习贯彻党的十六大精神的通知》，有重点、分层次地组织召开了教育战线学习宣传贯彻党的十六大精神座谈会及高校人文社会科学工作者、首都大学生学习宣传贯彻党的十六大精神座谈会。教育部编写印发了《高校“两课”贯彻十六大精神教学指导》，在“两课”的所有课程中全面贯穿十六大精神，特别是“三个代表”重要思想。教育部与中共北京市委联合举办首都大学生学习十六大精神报告会，请中央十六大精神宣讲团成员为大学生做专场报告。各地教育部门和各级各类学校，根据中央的要求和部党组的统一部署，认真安排学习贯彻十六大精神的各项工作。

二、以贯彻落实《公民道德建设实施纲要》为重点，加强和改进学校思想道德建设

继续贯彻落实《公民道德建设实施纲要》，探索新形势下学校思想道德建设的特点和规律。一是整体规划学校道德教育的科学体系，做到大、中、小学道德教育区分层次、整体衔接。二是充分发挥课堂教学在青少年道德建设中的主阵地和主渠道作用，把《纲要》提出的“爱国守法、明礼诚信、团结友善、勤俭自强、敬业奉献”的公民基本道德规范和有关要求融入到高校马克思主义理论课和思想品德课、职业学校职业道德与职业指导课、中学思想政治课以及小学思想品德课的教育教学之中。同时结合小学《品德与生活》、《品德与社会》和初中《思想品德》、高中《思想政治》等新课程标准的制定，把《纲要》对公民的有关要求分层次、有针对性地融入进去。三是突出抓好爱国主义教育，坚持升挂国旗、奏唱国歌制度，激发师生员工的爱国热情。四是以思想道德素质为重点，全面推进素质教育。广泛组织青少年学生参加社会公益劳动以及尊老爱幼、扶残助残、手拉手、扶贫支教、保护环境等丰富多彩的道德实践活动。与中宣部、全国妇联、共青团中央、环保总局、广电总局共同实施中国“小公民”道德建设计划。五是以师德建设为龙头，进一步加强学校教风、学风和校风建设。教育部印发《关于加强学术道德建设的若干意见》，进一步完善人事考核制度和科学的学术发展与评价机制，建立学术惩戒处罚制度，加强学风和学术道德建设。六是加强学校法制教育，配合有关部门做好校园周边环境治理和整顿。

以扩大覆盖面为重点，探索新形势下加强和改进学校思想政治工作和德育工作的新途径、新方法。一是贯彻落实《教育部关于加强高等学校思想政治教育进网络工作的若干意见》，召开高等学校思想政治教育进网络工作研讨会，总结推广典型经验，不断增强网上思想政治工作的影响力。二是规范大、中、小学生心理健康教育工作。制定《普通高等学校大学生心理健康教育工作实施纲要（试行）》；贯彻落实《教育部关于加强中小学心理健康教育的若干意见》精神，继续推进大中小学心理健康教育工作。三是推进校园文化建设的实践和理论研究工作。

三、全面深入地开展形势与政策教育

密切结合国内外形势的发展变化，开展了对师生进行形势与政策教育。一是请有关专家、领导作形势报告。二是编辑出版形势与政策教育音像资料。三是组织专家对师生关心的社会热点难点问题进行研究，将教育系统广大党员、干部和师生员工的思想统一到邓小平理论和江泽民同志“三个代表”重要思想上来，统一到中央应对复杂的国际形势做出的重大决策上来，统一到中央关于全年工作的总体要求和部署上来。

四、大力开展群众性精神文明创建活动

群众性精神文明创建活动在学校精神文明建设中发挥了载体作用。一是有计划地组织青少年学生参加社会实践活动以及社区服务等活动。继续组织实施大中专学生志愿者暑期文化、科技、卫生“三下乡”活动。在中小学生中广泛开展为2008年奥运会做贡献的志愿者活动。二是加强对高校学生社团组织的指导，吸引更多的学生参加各类健康有益活动，推动学校精神文明创建活动广泛开展。三是组织好对经济困难学生经常性的助学活动。四是加强校内青少年学生活动场所的建设，为青少年学生提供更多健康文明的活动场地。

紧密配合中央实施西部大开发和支持贫困地区加快发展的战略部署，推动西部地区精神文明建设。一是积极推进东部地区学校对口支援西部贫困地区学校工程。二是与中宣部、中央文明办共同推进“西部开发助学工程”，增加受助学生名额，全部免收受助生学费，将资助范围扩大至中部省份贫困地区和革命老区，并在中西部各省（区、市）选择重点高中开设资助贫困学生的“宏志班”。三是与共青团中央继续组织实施青年志愿者扶贫接力计划，扩大研究生支教团规模，增加受援范围，共同做好研究生支教工作。

五、加强教育系统党风廉政建设和行业作风建设

落实党的十五届六中全会精神，进一步落实教育系统党风廉政建设责任制，按照“八个坚持、八个反对”的要求，把党风廉政建设和行业作风建设摆在更加突出的位置，抓紧抓好。大力提倡艰苦奋斗的作风，弘扬克己奉公、甘于奉献、讲求实效的精神。抵御社会上不正之风对教育领域的影响。从影响面大、广大群众高度关注的普通高等学校招生工作做起，教育部印发《关于做好2002年普通高等学校招生考试管理和执法监察工作的通知》，对招生考试过程的各个环节提出“公平、公正、公开”的要求，确保2002年招生工作顺利进行。

（教育部社政司）

司法行政系统

司法行政系统以邓小平理论和“三个代表”重要思想为指导，认真贯彻党中央、国务院的工作部署，结合工作实际，充分发挥职能作用，广泛开展各项法制宣传活动，积极参加“严打”整治斗争和社会治安综合治理，认真进行各项创建活动，推动了全系统精神文明建设的深入开展，为司法行政工作改革和发展提供了有力保障。

一、广泛开展普法宣传，为精神文明建设提供法律支持

年初，司法部、全国普法办公室印发了《2002年普法依法治理工作要点》，按照“四五”普法规划提出的“两个转变、两个提高”的工作目标，加强了对地方、行业普法依法治理工作的指导。

通过召开全国普法依法治理工作会议等各种会议广泛动员，推动了法制宣传教育工作的开展。司法部与中组部、中宣部联合下发了《关于加强领导干部学法用法工作的若干意见》；与教育部、中央综治办、团中央联合下发了《关于加强青少年学生法制教育工作的若干意见》；与民政部联合下发了《关于加强农村基层民主法制建设的若干意见》。另外，还与有关部门规范了“法律进社区”活动，指导“法律进社区”活动的展开。省会城市社区普遍实现了“四个一”，即建立一个法制宣传栏、购买一套法制书籍、上一堂法制课、组建一支法律宣传志愿者队伍。有效地促进了社区的稳定和精神文明建设，提高了社区的法制化管理水平。

配合法制宣传教育工作的开展，与有关部门联合举办了“WTO与中国法治建设理论研讨会”、“共铸诚信——3·15晚会”、“加强社会治安暨整顿市场经济秩序知识竞赛”、“妇女维权周”等活动。各地结合实际组织了一系列法制讲座、法律咨询、法律知识竞赛、法制报告会、法制文艺演出，树立民主法制示范村，开展送法下乡、法律进农家活动，促进了法制宣传教育工作的深入开展。通过与有关部门联合组织开展的法律知识培训、法律讲座、法律考试和法律知识竞赛等，加强了对公务员学法用法的教育培训。

与有关部门联合监制和组织制作了国内首部预防青少年违法犯罪的法制教育电影《为了明天》以及大型系列电视剧《法律伴我同行》、电视专题片《创举——中国普法之路》。在中央电视台《金色天平》栏目播出近50期农村法制宣传节目；与《求是》杂志社联合举办了“普法论坛”专栏等。全国各地充分运用报刊、广播、电视、网络等传媒，有计划、有组织地开展了法制宣传活动，对全民法治意识的确立和全社会精神文明建设的开展起到了积极的推动作用。

二、结合实际、围绕中心，组织开展各项精神文明创建活动

全国监狱、劳教单位积极投入“严打”整治

斗争，在确保及时收容收押的同时，为进一步提高监狱、劳教场所的执法和管理水平，促进严格、公正、文明执法，各监狱劳教单位按照司法部的统一要求，健全和完善了各项规章制度。结合创建现代化文明监狱、文明劳教所工作，以提高教育改造质量为中心，在规范管理、文明执法上狠下工夫，开展了形式多样的岗位创建活动，涌现出一大批先进典型。尤其是在对“法轮功”犯罪人员、劳教人员的教育改造工作中，司法行政系统的广大干警旗帜鲜明，立场坚定，忠于职守，深入细致地做好教育转化工作，使“法轮功”犯罪人员、劳教人员的转化率有了较大幅度的提高。律师、公证工作以服务与诚信为主题，积极推进行业文明创建工作。先后制定并下发了《律师执业道德和执业纪律规范》、《关于加快建立律师诚信制度的通知》、《公证员职业道德基本准则》等规范性文件。在全行业开展以诚信教育为重点的职业道德建设活动，积极倡导建立诚信体系，形成忠于法律、维护正义、诚实守信、勤勉尽责、公平竞争、严格自律的职业道德风尚，使律师、公证行业精神文明创建工作融入了新的内容。

三、抓基层、打基础，发挥司法行政机关在促进精神文明建设中的作用

基层法律服务工作坚持服务宗旨，针对基层广大人民群众的需要，注重把社会效益放在第一位。进一步把为农业和农村工作服务作为重点，及时主动热情地开展法律服务，为农村各项工作的开展提供了法律保障，促进了农村两个文明建设的开展。城市的基层法律服务认真贯彻《司法部关于加强大中城市社区法律服务工作的意见》，坚持面向基层、面向社区、面向群众，坚持服务的公益性、便民性，为维护社区稳定、推进社区依法治理和加强社区精神文明建设做出了积极贡献。

2002年，我国的人民调解制度改革迈出了坚实的步伐，实现了历史性的发展。党中央、国务院对人民调解工作高度重视，为加强新时期的人民调解工作，使其在化解矛盾、维护社会稳定中发挥更大作用，中共中央办公厅、国务院办公厅转发了司法部、最高人民法院《关于加强新时期人民调解工作的意见》；最高人民法院下发了《关于审理涉及人民调解协议的民事案件的若干规定》；司法部下发了《人民调解工作若干规定》。这些文件对人民调解协议的法律性质做出了明确规定，确立了人民调解协议的法律地位，这为人民调解工作发挥其在新时期基层两个文明建设中的作用，注入了新的生机与活力。

根据中央有关指示精神，各地安置帮教机构加强对刑释解教人员的排查清理的衔接接管工作，着力解决刑释解教人员的就业安置和生活保障问题。在加强对刑释解教人员就业技能培训的同时，注重引导他们转变观念，依靠自身努力实现就业。经过各方面的积极努力，使刑释解教人员的安置率有明显提高。为了促进刑释解教人员安置帮教工作的深入开展，会同共青团、妇联组织积极开展志愿者活动，使之与青少年保护、创建文明家庭等工作结合起来，取得了明显成效。

各级司法行政机关把法律援助工作作为一项“民心工程”，解放思想、锐意进取，服务大局、扎实工作，各项工作取得了新进展。全年办理各类法律援助案件164908件，解答各类法律咨询事务123万人次，包括残疾人、老年人、未成年人、妇女及一般贫困者在内的受援人总数近29万人。

（司法部政治部）

公安系统

全国各级公安机关以邓小平理论为指导，认真学习贯彻党的十六大精神，努力实践“三个代表”重要思想，适应新形势、新任务，改进和加强思想政治工作，深入开展精神文明创建活动，大力宣传先进典型，开展形式多样、寓教于乐的文化活动，有效地调动了民警的积极性，增强了工作责任感和使命感，保证了各项公安保卫任务的顺利完成。

一、深入学习贯彻“三个代表”重要思想和十六大精神，努力提高全体公安民警的政治素质

各级公安机关紧密结合公安工作和队伍建设实际，把认真学习、深入贯彻“三个代表”重要思想和党的十六大精神作为队伍建设的首要任务来抓。把学习理论、武装头脑与整顿思想、改进作风紧密结合，采取集中办班、轮训、报告会、座谈会等形式，组织广大民警学习“三个代表”重要思想和党的十六大精神，在领会精神实质上下工夫，在推进各项工作上下工夫，不断增强广大民警贯彻“三个代表”重要思想和党的十六大精神的主动性、自觉性。党的十六大闭幕后，公安部党委立即向全国公安机关下发了关于学习贯彻十六大精神的通知。组织开展了学习十六大征文活动，各级公安机关的领导同志和广大民警，踊跃投稿，交流学习心得，有效地配合了十六大学习。为推动队伍作风建设，组织开展了“做合格民警，让母亲放心”大讨论活动，广大干警联系思想、工作和生活实际开展讨论，受到了一次深刻的思想作风、工作作风和纪律作风教育。

二、联系实际，强化治理，加强公安队伍作风建设

公安系统从实际出发，下大力气解决队伍中存在的突出问题，在全国公安机关和全体公安民警中开展了加强作风建设活动。公安部下发了队伍突出问题专项整治意见，并于4月中旬召开电视电话会，部署以治理刑讯逼供、滥用枪支警械和滥用强制措施为内容的“三项治理”工作。4月下旬，公安部召开座谈会，对建立县级公安机关年度工作综合考评制度和考核激励机制进行部署，把建立队伍管理长效机制作为推进作风建设的重要内容。7月下旬至8月上旬，公安部连续召开三个片会，推进公安机关作风建设。为保证作风建设各项措施落到实处，公安部党委成员分别联系一个基层派出所，并确定部机关局级单位分别联系指导一、两个省级公安机关。公安部“作风办”、警务督察局组成多个暗访组，部组成31个检查组分赴全国各地，深入基层公安机关全面检查指导。各地公安机关加大明察暗访的力度，切实加强对作风建设的监督。

三、大力开展精神文明创建活动，全面提高公安机关服务质量

为全面掌握公安机关精神文明建设情况，总结经验，分析不足，进一步将公安机关精神文明建设工作引向深入，3月，公安部组织力量对十四届六中全会以来公安机关的精神文明建设工作进行调研和实地考察。5月，在山东潍坊召开了全国公安系统精神文明建设座谈会，进一步了解掌握公安机关精神文明建设工作的基本情况，存在的突出问题，明确了今后工作重点和努力方向。

各地公安机关根据公安部党委的部署和要求，认真组织开展了2002年爱民实践月活动，查找自身存在的突出问题，体察人民群众疾苦，进一步深化“创满意”活动。全国各级公安机关共走访群众近千万人次和各级人大代表、政协委员26.7万人，特邀监督员19.8万人，征求各类意见、建议68.4万条。各地公安机关把民情调查与搜集案件线索、整治社会治安等业务工作有机结合起来，积极改进工作。取得良好社会效果。各级公安机关共处理积案10.8万件，清理公安机关暂扣款，偿还所欠人民群众及外单位款项2.73亿元。在体察民情、严厉打击各种违法犯罪的同时，各级公安机关严格内务管理，规范民警的言行举止和执法活动，以解决“冷硬横推”问题为重点，积极主动改进窗口服务。许多地方的公安机关把群众满意率作为对基层单位和领导干部评价的重要指标，列入考核规定。全国治安部门在派出所、巡警队、户籍室开展文明创建活动，狠抓了“群众办事一次成功、减少第二次、杜绝第三次”规定的落实。一些地方的公安机关推出“办理户籍只让群众跑一次”的服务承诺。同时，进一步深化110报警服务台建设，在原有接报警的基础上，增加了投诉功能。凡人民群众对某单位和某民警有意见，或发现民警违法办案均可向110投诉。

各地公安机关进一步巩固和完善创建平安大道成果，在抓好102、104、107、312国道工作的同时，继续以治理超载违章为重点，把创建平安大道与预防交通事故紧密结合起来，把减少交通死亡事故作为深化创建工作的具体目标，逐步建立长效管理工作机制，推动公路巡警队伍正规化建设，全面提高公路巡警整体素质和战斗力。2002年是公安部、建设部在全国组织实施畅通工程的第三年，各级公安机关在各地党委、政府的领导下，不断健全城市交通综合管理工作机制。以解决道路交通管理突出问题为突破口，以优化交通结构，提高交通管理水平为目标，周密部署，扎实工作，在加快城市交通基础设施建设，提高现代化交通管理水平，加强市民交通文明意识，完善道路路网通行能力等方面取得了明显效果。各级公安机关和安全生产监督管理部门根据公安部、国家安全生产监督管理局的要求，以创建“平安大道”沿线的行政村和实施“畅通工程”城市的居民社区为重点，认真指导各村民委员会、社区居民委员会共同开展“交通安全村”和“交通安全社区”建设活动，全国共建成“交通安全村”3万多个，“交通安全社区”1.5万多个，进一步提高了道路交通的管理水平。

四、广泛宣传先进典型，弘扬时代正气，促进公安队伍建设

各级公安机关把树立、宣传典型作为思想政治工作和精神文明建设的重要工作来抓，以学习上海市公安局民警、全国公安系统一级英雄模范肖玉泉为主线，大力宣传在各项公安业务工作中涌现出来的先进集体和先进个人。5月，中宣部、公安部、会同上海市委在京组织召开了肖玉泉同志先进事迹座谈会。上海市公安局聘请专家根据肖玉泉先进事迹编排的大型话剧《十一朵玫瑰》，先后在上海、北京等地演出，在公安机关内外产生了强烈的反响。各地公安机关借助本地在新闻媒体，大力开展宣传先进典型活动，有力地激发了广大民警工作积极性。2002年，全国共有67名民警被授予或追授为全国公安系统一、二级英雄模范称号，21个集体荣立集体一等功，10个地、市公安局被公安部授予“创人民满意派出所工作先进公安局”荣誉称号，229个单位被团中央、公安部授予全国公安系统青年文明号。

五、加强公安文化建设，丰富民警业余文化生活，陶冶民警思想情操

元旦、春节期间，为体现部党委对广大民警的关心，活跃和促进基层公安文化建设，公安部组织文艺小分队随部慰问团分赴全国15个地、市进行了24场慰问演出，2万多民警和家属以及当地群众观看了演出。除公安部外，全国部分省、自治区、市公安机关也组织文艺小分队到基层进行慰问演出。

为引导和推动公安基层文化活动的开展，11月18日至12月16日，公安部在京举行“激情飞跃——2002年全国公安系统文艺汇演”，来自全国公安系统的1000余名演职人员参加了9场演出。这次汇演是建国以来公安机关参演人数、参演节目最多的一次，首都公安院校、社区群众、国家机关干部、武警官兵、公安民警约1万余人观看了演出。

公安部根据中宣部、新闻出版署的要求，加强对公安报刊的管理工作力度，完成了整治小报小刊工作。为加强报刊的审读工作，公安部增加了审读人员，加强了审读力量，定期召开审读员会议，保证了公安报刊的质量。2002年，公安图书出版业蓬勃发展，中国人民公安大学出版社在一年内出版新书269种，群众出版社一年内出版新书300多种。2月，全国公安机关开展了《人民警察必读丛书》知识竞赛活动，共有78万公安民警参与了知识竞赛活动，接近全国公安民警总数的50%。4月，公安部政治部下发了《关于进一步加强基层公安机关“小阅览室”建设的通知》，确立3年时间内在全国公安机关建立1000个示范“小阅览室”。11月，为加强西部地区公安机关“小阅览室”的建设，公安部政治部下发了《关于支持西部基层公安机关“小阅览室”建设的通知》，拨出专款按照每个小阅览室6000元的标准援建316个西部地区的“小阅览室”。各地公安机关从完善投入机制入手，把“小阅览室”建设作为公安机关开展读书活动的重要阵地，以“一年试点、二年推动、三年见效”为方针，进行认真规划和部署，加大了对读书活动的投入，积极为民警创造良好的学习环境。

（公安部宣传局）

建设系统

建设部和各级建设行政主管部门始终坚持以邓小平理论和“三个代表”重要思想为指导，紧密结合建设系统改革与发展实际，以诚信建设为重点，以主题活动为载体，以创建文明行业为目标，全面推进建设系统精神文明建设，有力地促进了建设系统的改革与发展。

一、深入开展主题活动，进一步加强行风建设

建设部针对南京市“万人评议机关”活动暴露出的问题，引以为戒，举一反三，在全系统深入开展了“树行业新风，让人民满意”主题活动。主题活动分为三个阶段，一是深入学习，普遍教育阶段；二是征求意见，查找原因阶段；三是制定措施，落实整改阶段。各地建设行政主管部门按照部里总体要求，认真部署，精心安排，采取有力措施，推动主题活动深入健康开展。为深化主题活动，部采取了三项举措：一是抓好联系点，确定南京市建设部门为行风建设工作联系点，并制订了工作方案；二是抓好重点行业，即行政管理部门和执法单位的作风整改，发挥其“龙头”作用，并专门下发《通知》作出部署；三是抓好示范点，在继续抓好191个文明服务示范窗口的基础上，2002年又推出第四批73个文明服务示范窗口单位和31个职业道德建设示范点。在9月国务院纠风办召开的部门纠风和行业作风建设工作会议上，建设部介绍了行风建设的经验，受到中央纪委、国务院纠风办领导的肯定。

以诚信建设为重点，大力推进创建文明行业活动。部先后印发了《关于加快建立建筑市场有关企业和专业技术人员信用档案的通知》和《关于建立房地产企业及执（从）业人员信用档案系统的通知》。由建设部负责审批的工程勘察、设计、施工、监理、招标代理等企业，和注册建筑师、结构工程师、监理工程师以及施工企业的项目经理，已随资质就位和审批、注册等工作，建立起相应的数据库，并将其基本内容（包括业绩和不良记录）在中国工程建设信息网上公布。部已建立和开通全国一级房地产企业和房地产估价师信用档案系统。

二、组织实施建设系统“三下乡、五服务”工作方案

为贯彻落实“三个代表”重要思想，进一步推动城乡两个文明建设，充分发挥行业优势，部党组决定实施建设系统“三下乡、五服务”工作方案。“三下乡、五服务”即科技、规划、设计“三下乡”；为农民建房、修路、改水、改厕、改善居住环境提供“五服务”。为切实做好这项工作，部制订下发了《建设系统“三下乡、五服务”工作方案的通知》，并制定了具体的实施措施。

三、充分发挥先进典型的示范带头作用

认真做好先进典型的推荐工作。7月，中宣部把建设部树立的朱崇跃同志作为公民道德建设先进典型在全国进行了集中宣传。建设部与中央文明办、国家旅游局在地方推荐的基础上，评选确定了第五批10个文明风景旅游区示范点。9月，联合在四川峨眉山风景区召开了现场推进会。同时，对前四批40个文明风景旅游区示范点进行了复查。按照中央文明办的要求，认真做好全国创建文明行业工作先进单位10个名额的推荐工作，做到了层层推荐，优中选优。在2002年中央文明委表彰的全国创建文明行业工作和精神文明建设工作先进单位中，建设系统有60个单位榜上有名。在与团中央等八部委联合开展创建全国“青年文明社区”活动的基础上，2002年又联合开展了创建全国“青年文明社区”示范城区活动。

（建设部文明办）

信息产业系统

全国信息产业部门以邓小平理论和“三个代表”重要思想为指导，行业精神文明创建工作迈出了新步伐，使信息产业继续保持快速发展的态势，为我国的信息化、工业化和现代化建设作出了突出贡献。

一、继续深化“创优质通信服务　建文明通信行业”的精神文明创建活动

年初，信息产业部通信行业精神文明创建活动指导小组下发了《2002年精神文明创建活动指导意见》，出台了创建活动管理办法（试行），对创建活动的指导思想、目的、内容、形式、原则，先进典型的推荐、评选、命名、表彰以及日常管理等作了明确规定。电信服务监管部门相继颁布实施了《电信服务标准（试行）》、《电信服务质量监督管理暂行办法》和《电信用户申诉受理管理暂行办法》等规章，实行了“电信服务质量通告制度”、“电信服务质量报告制度”和“电信服务质量用户满意度指数评价制度”，并以“信息产业部服务质量通告”方式向社会公布了用户申诉受理情况、电信服务监督检查结果、用户满意度调查评价结果等。邮政实施了“邮政服务形象”工程，提出具体目标：推进规范化服务；实现特快邮件和畅销报刊全面提速；及时解决邮政服务的热点、难点问题。

11月，信息产业部通信行业精神文明创建活动指导小组办公室召开了全国通信行业精神文明创建活动先进典型经验交流会，总结了7条基本经验：一是坚持以十六大精神为指导，用“三个代表”重要思想统领创建活动；二是创建活动的要务原则，就是必须始终围绕通信发展这个中心开展工作；三是创建活动的根本，就是要紧紧抓住思想道德建设这个中心环节，不断提高职工队伍整体素质；四是创建活动的生命，就是动员群众广泛积极参与，以灵活多样、生动活泼的形式开展活动；五是创建活动的保证，就是要不断加强管理、健全制度、完善运行机制，使之向规范化、科学化轨道健康发展；六是创建活动的动力，就是要发扬与时俱进、改革创新的精神；七是创建活动的关键，就是各级组织要切实加强对精神文明创建活动的领导。

二、围绕中心，扎实工作，文明服务成效显著

电信抓住电信服务的热点、难点问题，利用技术手段和行政手段，以及创建活动这个载体，从网络质量和窗口服务等多个角度加以规范，引导企业制定高于部颁标准的《企业服务标准》并推行承诺服务，开展多种形式的服务质量监督检查，有效地解决了一些用户反映强烈的问题。用户满意度指数测评显示，用户对中国电信服务的满意度处于较高水平。电话普及率由1997年8.11%提高到2002年的33.74%。固定电话普及率达17.5%；移动电话普及率达16.2%；已通电话的行政村达85.3%；移动通信网、数据网及iP电话业务覆盖全国所有地（市）。固定电话装机平均时限在7天以内，平均障碍修复时限15小时以内。

为迎接党的十六大召开，中央文明委和全国城镇妇女“巾帼建功”活动领导小组表彰了一批全国创建文明行业工作先进单位、精神文明建设先进单位；全国三八红旗手、巾帼文明示范岗和巾帼建功标兵。经过评选向中央文明办推荐了30个符合条件的全国创建文明行业工作先进单位，并复查审定了25个1999年被表彰的全国创建文明行业工作先进单位。同时，向全国城镇妇女巾帼建功活动领导小组推荐了全国三八红旗手1名，巾帼建功标兵3名。此外，通信行业有7个单位被中央文明办和国务院纠风办确定为第三批全国创建文明行业活动示范点。

4月，中央国家机关精神文明建设委员会对创建活动突出的单位进行了表彰，部机关和在京直属12个单位被授予中央国家机关文明单位称号，6个单位被授予中央国家机关首都文明单位。

加强思想道德建设，提高职工队伍素质。邮电、电子思想政治工作研究会为迎接和宣传贯彻十六大，积极开展思想道德研究活动，邮电政研会组织中国邮政和各个通信集团公司评选出97篇三个不同等级的通信行业优秀研究成果；电子政研会成功地召开了第六届会员代表大会，交流了工作经验，表彰了46篇研究成果。

三、积极参加社会公益活动　大力扶持农村脱贫致富

按照党中央、国务院的统一部署，信息产业部认真贯彻落实定点扶贫工作，开展了一系列的扶贫活动，为当地经济和社会进步作出了积极贡献。仅在《国家八七扶贫攻坚计划》中，共派出7批40人，投入扶贫资金4378万元，捐赠物资价值近2000万元，捐款200余万元。经过几年努力，对口扶贫的四川4县（市、区）的贫困人口大幅度下降，从占总人口比例35.7%减至占总人口比例4.53%；山西大宁、永和两县人均收入也有一定的提高。一是促进了教育的发展。新建学校40多处，扩建20多处，维修校舍60余处，改善了农村中小学办学条件，救助失学儿童5000余名。二是农业生产条件和农田水利基础设施得到改善。投资250余万元兴修水利，投资380余万元用于农业结构的调整，投资420万元建设了一批具有高科技含量的项目。三是农民生活基础设施得到逐步改观。投资1200多万元，用于人畜饮水、偏僻山村通电和乡村公路修建等基础设施的改善。四是信息产业基础建设取得长足进展。几年来，向贫困地区的邮政、电信、移动通信、广播电视等部门投资1300余万元，既扭转了当地信息闭塞、思想僵化的局面，又为当地经济发展注入新的活力，为这些地区脱贫致富奠定了坚实的基础。

（信息产业部创建办）

水利系统

全国水利系统高举邓小平理论伟大旗帜，认真贯彻“三个代表”重要思想和十六大精神，以与时俱进的思想观念、奋发有为的精神状态、真抓实干的工作作风，围绕中央水利工作大政方针，以及水利部党组提出的治水新思路，大力加强水利系统精神文明建设，取得新的进展。

一、抓学习，用“三个代表”重要思想指导水利理论和实践创新

各级党组（党委）中心学习组连续举办十五届六中全会精神、世贸组织知识和十六大精神学习班，收效显著。各级水利部门发扬理论联系实际的学风，用“三个代表”重要思想指导水利理论和实践创新，边学习，边总结，边实践，按照社会经济发展对水利提出的新要求，结合实际探索并调整治水思路。水利系统各单位按照中央水利方针和部党组治水新思路，不断实践从传统水利向现代水利、可持续发展水利的转变。探索解决黄河断流、黑河水量实施统一调度、向塔里木河下游输水等全社会关注的问题。运用水权理论解决漳河水事纠纷，向扎龙湿地补水，引江济太等，开创了水利与生态建设结合的新领域。各地积极进行水资源优化配置，高度重视生态用水。许多地方的经济结构开始按照水资源承载能力和水环境承载能力进行调整，资源水利、生态水利思想在各地经济社会发展中得到体现。与此同时，水利建设取得了历史性的突破。长江堤防建设、南水北调、病险水库除险加固、解决人畜饮水困难等工程相继完成或着手实施；水资源配置和骨干水源工程、农村饮水、水土保持、生态环境、大型灌区的节水改造、小水电替代燃料等工程建设，取得了重大进展，引起社会广泛好评。在促进经济社会的发展和解决人民群众的实际困难中发挥了显著作用。水利工作以实际行动忠实实践了“三个代表”重要思想。

二、抓作风，行业作风建设出现新面貌

水利部党组制定了关于学习贯彻十五届六中全会《决定》的意见，水利系统许多单位也都制定了实践措施，大力加强作风建设。党风廉政建设逐步深化，从源头上预防和治理腐败，加强对掌权、管钱、管人等重点部门和重要环节的管理与监督。大力倡导深入基层，深入群众，搞好调查研究，进一步密切党群关系、干群关系。水利部专门成立了调查研究工作领导小组，指导和协调调查研究工作。年内确定了6个重大调研课题和46个司局级调研课题，以此带动面上的调查研究。水利部抽调100余名干部组成22个调查组，对病险水库除险加固工程、人畜饮水工程和水利建设各项工作进行调研和检查，取得较好效果。在思想政治工作和精神文明建设工作中加强调研，文明办与水利政研会联合开展了水利系统党的作风和道德建设情况问卷调查；十六大召开前对职工思想状况进行了调查。这些为加强党的建设和思想政治工作提供了决策依据。

水利行业作风建设不断深入。许多单位积极开展“三优一满意”活动，改善服务态度，提高办事效率，提高服务质量，促进行业作风的转变，树立了水利行业良好形象。

三、抓教育，干部职工思想道德素质明显提高

高度重视《公民道德建设实施纲要》的贯彻落实，把加强水利职工思想道德建设作为实践“三个代表”重要思想、发展先进文化的重要内容来抓。结合行业实际，水利部印发了《贯彻落实〈公民道德建设实施纲要〉的意见》，明确了水利行业思想道德建设的指导思想和目标任务，就《纲要》的学习、宣传、教育工作进行全面部署，对于如何开展职工道德实践活动及加强对公民道德建设的领导提出了具体要求。部文明委组织开展了较大规模的全国水利系统公民道德建设知识竞赛活动，历时4个多月，职工的参与覆盖了水利系统各个方面，并在北京举办了知识竞赛总结表彰大会。很多部直属单位和省市水利（水务）厅（局）也结合实际制定了贯彻纲要的实施意见，编写了职业道德规范，开展了水利职业道德教育。

四、学先进，大力弘扬伟大的抗洪精神和水利行业精神

水利系统继续深入开展了向汪洋湖、高安泽等先进人物的学习活动，发出了开展向何贵平同志学习活动的通知，10月，水利部和湖南省委、省政府联合召开了“何贵平同志先进事迹报告会”。编印下发了反映31位先进模范人物事迹的《水利英模风采》一书，一个学习、崇尚、争当先进的良好氛围在水利系统逐步形成，“献身、负责、求实”的水利行业精神得到弘扬和光大。

五、抓创建，水利行业形象增添新光彩

水利系统精神文明创建工作以争创部级文明单位活动为龙头，不断提高水平。年内，对1999年中央文明委命名表彰的水利系统20个全国创建文明行业工作先进单位的情况进行了复查，对其中19个单位向中央文明委提出了通过复审的建议。经过认真考察、评议、公示，对37个单位授予2000—2001年度全国水利系统文明单位。不少单位还获得省市级文明单位称号。部文明办与建管司联合开展了创建“文明工地”活动，与农水司联合开展了创建“文明灌区”活动，创建工作在全行业分层次、分类型逐步推开。积极开展争创文明单位、文明班组、文明科室、文明职工、文明家庭、文明小区的活动。

（水利部文明办）

科 协 系 统

中国科协各级组织及所属团体，高举邓小平理论伟大旗帜，努力实践“三个代表”重要思想，深入贯彻中国科协六大精神，动员广大科技工作者，以经济建设为中心，积极开展精神文明建设的各项工作，发挥了科协在两个文明建设中的桥梁和纽带作用。

一、面向企业，深入开展讲理想、比贡献活动

中国科协、国家经贸委和国家计委在企业科技人员中开展的“讲理想、比贡献”活动，在依靠科技进步提高企业经济效益，推动企业两个文明建设方面发挥了积极作用。以“讲理想、比贡献”竞赛活动开展15周年为契机，注入“讲爱岗敬业，比技术创新”的新内涵，引导这项活动进入新的阶段。科协咨询机构组织各类科技咨询项目12.5万个，同时加强科技咨询行业管理和从业规范。举办各类国内外技术贸易展览930多个。根据《全国“讲理想、比贡献”竞赛活动表彰奖励办法》，组织进行了“讲、比”活动评比表彰工作。为研究探索“讲、比”活动如何适应新的形势，与时俱进，有所创新，中国科协与国家经贸委深入企业联合开展了调研。

二、面向农村，积极开展各类科技兴农活动

围绕推进农业和农村经济结构的战略性调整，增加农民收入，积极开展各项科技兴农活动。与中央组织部联合制定下发了《2002—2005年全国农村党员基层干部适用技术和市场经济知识培训规划要点》，农村党员和基层干部实用技术培训工作不断加强。继续扶持和促进农村专业技术协会发展，开展了百强农技协创建工作，积极探索规模化、股份制的发展模式。四川省等地农技协把发展和巩固农村专业技术协会作为农村科普的重头戏来抓，农技协数量不断增加，运行质量不断提高，规模不断扩大，运作模式有所创新，积极开展面向农民的科技培训活动。

开展科技扶贫工作，确定了新的扶贫项目。继续在山西省吕梁地区开展对口扶贫。组织60多名科技专家组成专家咨询团到该地区开展培训和技术咨询。帮助当地引进资金和项目，抓好科普示范点，建立了2000多亩的示范园，推广实用技术，通过典型示范带动，引导群众脱贫致富。开展扶贫助教，组织优秀教师讲师团到当地进行教学示范，传播先进的教育理念和教学方法，促进教育事业发展。

贯彻中央有关精神，采取实际措施，加强西藏、新疆维吾尔自治区科普组织建设和能力建设。与联合国儿童基金会合作在120个贫困县开展“社区非正规教育项目”以12—18岁的女童为第一目标人群。目的是发展因地制宜的非正规教育，促进儿童和他们的家庭，特别是女童和妇女得到日常生活所需要的足够的知识和技能。以中西部地区为重点开展的“社区非正规教育项目”，更加侧重儿童综合能力发展，得到联合国儿童基金会的好评。

三、面向公众，广泛开展科普活动

2002年6月29日，全国人大制定的《中华人民共和国科学技术普及法》颁布实施，科普工作进入新阶段。在《科普法》的制定过程中，各级科协及所属学会积极参与讨论修改，广泛征求并反映科技工作者、科普工作者的意见和建议。《科普法》颁布实施后，各级科协及所属学会通过座谈会、宣讲会等多种方式，面向社会及时、广泛地开展了学习、宣传活动。全国科协系统举办科普讲座19万次，参与群众达3858万人次。举办各类科普展览92万多场。加强与社会各界的合作，全国已建立各级科普教育基地7000余个。12月18—19日，科技部、中宣部、中国科协共同召开了第三次全国科普工作会议，对科普工作进行了全面部署。

4月，中国科协与中央文明办联合举办了“科教进社区”活动。据不完全统计，活动期间全国共举办科普讲座、报告、咨询、竞赛、巡演、巡展、影视放映等各种活动30多万次，受益人数达到8000万人次。对第一批50个全国科普示范城区进行检查验收，创建了第二批56个全国科普示范城区，促进这项工作向规范化的方向发展。

农村科普工作取得新的进展。广泛开展了科技下乡活动，各级科协共组织23万名科技人员深入乡村，举办实用技术培训4.8万次。在百县万村集中开展了“崇尚科学，移风易俗”活动，推动形成群众性破除愚昧迷信和陈规陋习的局面。共有222个县（市）参与创建科普示范县，命名了98个全国农村科普示范基地，起到了良好的导向和辐射作用。积极推进全国科普示范工作，第一批命名了103个全国科普示范县，第二批有219个县（市）参与创建活动；命名了98个全国农村科普示范基地和201个全国科普教育基地，起到了很好的示范带动作用。

5月和10月，中国科协与中央文明办、铁道部开展了“科普列车老区行”和“科普列车西部行”活动，组织了200人的专家志愿服务团，深入到河北、河南、湖北、江西、内蒙古、宁夏、甘肃等7个省（自治区）的25个革命老区、西部贫困地区县（市）的农村、医院、机关、学校、工厂、车站、军营等开展科普活动，共举办各类科普活动467项，捐赠了价值600余万元的科普物资，帮助建立了25个科普图书室和5个小型科技馆，赠送计算机44台套，有45万干部、职工、农民、学生、部队官兵直接参加了活动，产生了很好的效果。

5月，与科技部、中宣部联合主办了第二届“科技活动周”，共组织14万名科技工作者参与，举办了丰富多彩的各类科普项目。围绕“科技创造未来”主题，举办了大型科技游园活动，分别以未来科技发展、生命与健康、青少年智力开发、农业生态环保、爱我家园为主题，开展科普宣传，共做科普报告37场，放映科技影视片68部，展示科普展板1100余块，发放科技资料73万余份，有2500位专家和科技人员参加活动，参与游园活动的群众共78400人次。

利用电视和网络等大众传播媒体，开展科普宣传。广泛加强与大众媒体的合作。8月，中国科协与中央电视台合办《公众与科学》栏目。中国科协与北京电视台和中国教育电视台分别合作《世纪之约》和《我想知道》科普电视栏目，其制作的节目曾获多项科普节目类奖项，在北京电视台和教育电视台的收视率名列前茅，深受公众欢迎。中国科协创办的中国公众科技网是我国最大的专业科普网，现已成为有较大影响的大型综合性科技普及和科技传播服务网。8个省、市科协也开通了专业性科普网站。

为了加强科普工作手段的创新，中国科协从2000年开始，陆续研制了多种型号的科普大篷车28辆，分别配备到各省、自治区、直辖市科协。据统计，科普大篷车运行以来，足迹已遍及安徽、云南、贵州、江西、黑龙江、甘肃、新疆等14个省的100多个地市（州）、300多个城镇及农村，行程约10万公里，受益公众达60万人次。2002年中国科协研制两种车型，其中I型车4辆，II型车11辆。分别为青海、西藏、新疆生产建设兵团等16个省区市配备了科普大篷车。科普大篷车在各地开展了丰富多彩的科普活动，受到广大人民群众的欢迎。

四、面向青少年，开展丰富多彩的科技教育活动

第十七届全国青少年科技创新大赛，于7月26—30日在河南省郑州市举办。大赛组委会共收到来自全国31个省、自治区、直辖市以及军队子女学校、新疆生产建设兵团、香港和澳门特别行政区中小学生的科技作品576项，科学实践活动成果238项，科学幻想绘画997幅。涉及数学、物理学、化学、微生物、环境科学、工程学、信息技术、动植物学、生命科学、地球与空间科学、社会科学共11个学科。

举办“明天小小科学家”奖励活动。“明天小小科学家”奖励活动由教育部、中国科协和香港周凯旋基金会联合主办。2002年是这项活动第3年在北京举办。参赛选手来自全国28个省、自治区、直辖市、新疆生产建设兵团和香港、澳门特别行政区。参展项目涉及了生命科学、环境科学、化学、物理学、工程学、数学、地球与空间科学以及信息技术等学科。

实施“大手拉小手”——青少年科技传播行动。“大手拉小手”青少年科技传播行动体现了科学家对青少年的引导、教育和帮助，突出了科协汇聚了一大批热心青少年科学素质培养的科技工作者的特色，已成为中国科协青少年科技教育活动的品牌项目和旗帜。2002年的“大手拉小手”青少年科技传播行动以“认识生命，了解自己”为主题。在5月的科技周期间，在北京人民大会堂举办了“大手拉小手，院士科普报告会”活动。4月和9月，分别在四川、贵州和内蒙古3省区进行“大手拉小手科普报告西部行”活动。报告团行程近万公里，为3省、区12万青少年、科技教师和部队官兵做了200场科普报告，取得了显著的社会效益。

（中国科协）

卫 生 系 统

卫生系统精神文明建设工作以邓小平理论和“三个代表”重要思想为指导，按照中央文明委的部署和卫生部党组的要求，围绕卫生改革与发展的中心工作，大力加强理论武装和新形势下的思想政治工作，积极开展群众性精神文明创建活动，推动了全行业各项工作的进展。

一、以迎接、庆祝、学习贯彻十六大精神为主线，深入学习“三个代表”重要思想，做好理论武装工作

上半年，以部党组中心学习组撰写的《坚持调查研究加快卫生改革与发展》的理论文章在《健康报》上发表为先导，卫生系统各级党组织开展了以深入学习“三个代表”重要思想为主要内容的理论武装工作。10月份，举办了卫生部直属机关迎接党的十六大宣传展板巡展活动，大力宣传改革开放特别是党的十三届四中全会和十五大以来现代化建设取得的伟大成就以及卫生改革与发展的大好形势，突出宣传各单位改革开放的巨大变化、广大党员干部迎接十六大的实际行动和精神风貌。党的十六大闭幕后，直属机关及时举办学习贯彻十六大精神学习班，对部机关处级以上干部和直属单位党政领导班子成员进行学习培训。各地和各直属单位也组织各种形式的报告会、学习会，积极学习宣传十六大精神。

二、对卫生系统精神文明建设情况进行调研

根据中央文明办《关于开展十四届六中全会以来精神文明建设工作情况调研的通知》，6月上旬，卫生部文明办先后召开部分省区市卫生厅（局）座谈会2个，直接听取19个省区市卫生厅（局）的调研汇报，了解卫生系统精神文明建设情况，挖掘新典型，总结新经验，收集新建议，并形成调研报告。通过调研，做到了心中有全局，手中有典型。

三、创新载体形式，积极推进行业精神文明创建活动

深入开展“卫生进社区”活动。4月21日，在全国“四进社区”活动启动仪式上，人民卫生出版社捐书200册，中国疾病预防控制中心和卫生部为启动仪式捐各种卫生宣传材料1万多份。7月，中央文明办、卫生部联合下发了《关于印发〈全国“卫生进社区”活动工作方案〉的通知》，各地按照通知要求和工作方案部署，结合本地实际，开展了形式多样、内容丰富的活动。9月30日，中央文明办、卫生部又联合下发了《关于开展相约健康社区行活动的通知》，推动卫生进社区活动的深入。

开展推荐全国精神文明创建工作先进单位工作。根据中央文明办《关于推荐、表彰全国精神文明创建工作先进单位的通知》精神，专门下发了《卫生部文明办关于推荐、复查全国创建文明行业工作先进单位的通知》。卫生部精神文明建设指导委员会在各地推荐的基础上，确定了10个候选单位，在《健康报》上进行了公示并征求了所在省区市文明委的意见后，上报中央文明办。同时，委托各有关省（区、市）卫生厅局文明办完成了对1999年被中央文明委命名表彰的全国创建文明行业工作先进单位进行了复查。

继续开展中国青年卫生志愿者扶贫接力活动。7月，团中央、卫生部共同组建了中国青年卫生志愿者扶贫接力计划第二届服务团。7—10月，从北京市卫生局、北京大学医学部、中国协和医科大学、中日友好医院等医院招募的18名卫生志愿者赴新疆、青海、甘肃、贵州开展为期3个月的支医扶贫工作，深受当地人民群众的欢迎，取得了很好的效果。

直属机关团委组织了以“迎绿色奥运，造良好环境”为主题的青年义务植树活动，举行了主题为“加入世界贸易组织与中国卫生事业发展”

的青年英语演讲比赛，开展了“寻革命史迹，倡老区精神”的社会实践活动。直属机关妇工委参加了全国妇联组织的对全国“巾帼建功文明示范岗”进行复查和调研工作以及全国城镇“巾帼建功文明示范岗”的评选活动。

（卫生部文明办）

海关系统

海关总署精神文明建设工作以“三个代表”重要思想为指导，以全面提高海关系统干部职工队伍素质，增强凝聚力为目标，围绕中心，服务大局，在求新、求实、求进上下功夫，促进了各项业务工作，实现了两个文明建设的协调发展。

一、深入学习贯彻党的十六大精神和“三个代表”重要思想，提高广大干部职工思想道德素质

总署党组认真学习贯彻党的十六大精神，坚持解放思想、实事求是、与时俱进，把“三个代表”重要思想贯穿于建设现代化海关的全过程。制定下发了《海关系统直属海关单位党组（党委）中心组理论学习暂行规定》，加强领导班子思想政治建设、提高领导干部理论素养和科学决策水平。总署对所有署管干部，分批进行了集中轮训。各级海关采取举办研讨班、培训班、专题讲座、宣讲团、知识竞赛、征文比赛等多种形式，抓好学习内容、时间、人员的落实，增强学习实效，使“三个代表”重要思想深入基层、深入人心。

二、以“三个代表”重要思想为指导，深入开展理想信念教育活动

总署政治部下发了《海关总署政治部关于开展理想信念教育活动的通知》，要求各海关以邓小平理论和“三个代表”重要思想为指导，围绕“三珍惜、三热爱”（珍惜热爱我们所处的伟大时代、珍惜热爱海关事业、珍惜热爱自己的工作岗位）这一中心内容，开展座谈讨论，引导广大干部职工树立正确的世界观、人生观和价值观，增强职业荣誉感和献身祖国海关事业的精神，爱岗敬业，圆满完成各项任务。通过教育，许多单位出现了“四多四少”现象，即扎实工作的多了，怨天尤人的少了；吃苦耐劳的多了，贪图享受的少了；无私奉献的多了，攀比待遇的少了；为海关争光的多了，碌碌无为混日子的少了。

三、加强和改进作风建设，增强队伍凝聚力和战斗力

总署党组根据实际和基层海关反映的问题，制定下发了《海关总署党组关于加强和改进总署机关作风建设的决定》，有针对性地提出“六个坚持，六个反对”，即：坚持密切联系群众，反对官僚主义；坚持求真务实，反对形式主义；坚持讲大局守纪律，反对自由主义；坚持抓大事议大事，反对事务主义；坚持艰苦奋斗，反对铺张浪费；坚持学习创新，反对不思进取。总署机关和各直属海关认真抓好机关建设，努力把“勤、实、严、廉、新”的要求落到实处。总署和直属海关党组领导班子进一步改进作风，带头开展调查研究，认真执行民主集中制，健全科学决策机制，把更多的精力和时间转到科学决策、督办指导和服务基层上来，并自觉接受群众的监督。进一步强化机关人员服务意识，做到讲工作效率、讲工作质量，狠抓工作落实。提倡勤俭、厉行节约，坚决防止和克服奢侈浪费现象。认真执行决策前调查研究、征求意见，决策时的会议、会签和决策后的试行、定期评估等各项制度，增强了队伍的凝聚力和战斗力。

总署组织了海关系统全国（杰出）优秀青年卫士先进事迹报告团到全国部分海关巡回演讲，通过宣传和学习先进典型，充分发挥其导向作用、标杆作用和辐射作用，使更多干部职工的心灵受到震撼、思想得到启迪。

四、强化执法为民意识，树立海关队伍的良好形象

各级海关认真贯彻“依法行政，为国把关，服务经济，促进发展”的海关工作方针，摒弃执法活动中存在的“重打击、轻保护”，“重管理、轻服务”，“重实体、轻程序”等旧观念，在思想认识上解决“为谁执法、为谁服务”的问题。巩固行风专项治理和教育整顿活动的成果，把“执法为民”思想落实到每一个执法环节中去。实行关务公开、警务公开，大力加强精神文明建设，开展创建文明行业、“文明窗口”和争创“青年文明号”活动，把改进工作作风、提高工作效率、加快通关速度的各项承诺落到实处。大力加强与商界、社会团体以及社会中介组织的对话和合作，在制定规章制度、推出业务改革、采取管理措施的时候，注意维护管理对象的合法权益。凡是国家法律、法规和海关规定明确应该为企业办的事情，都毫不犹豫地去做，凡是有损企业合法权益的问题，都雷厉风行去改，勤政务实，廉洁高效，努力树立海关队伍的良好形象。

五、加强海关文化事业和文化阵地建设，用海关文化凝聚海关人

总署加大对文化建设的投入，建设好海关文化设施，保护、继承海关文化遗产，满足海关人员日益增长的文化需求。努力发展具有鲜明特色的海关文化，不断提升海关文化建设的品位。系统总结近年来边疆文化长廊建设的经验，在巩固提高的基础上，对海岛海关和新设边关文化建设重点进行指导帮助。以现有的业余文体活动为基础，以建立多层次、多群体的文体活动网络为目标，贴近关员，塑造业余文体文化，营造良好的人文环境。举办了全国海关系统文艺调演和篮球赛，发挥海关文化在弘扬海关精神中的重要作用。办好海关《金钥匙》期刊和《精神文明建设》简报，发挥海关宣传精神文明建设主阵地作用，弘扬主旋律，以文学艺术的形式从更宽的视野和更广的角度反映海关人的思想情感和工作生活。

（海关总署政工办）

税务系统

各地税务部门在邓小平理论和“三个代表”重要思想指导下，围绕税收中心工作，认真落实总局《2002年全国税务系统精神文明建设和思想政治工作要点》，在全面提高税务干部思想政治素质，大力推进税务职业道德建设，积极宣传树立先进典型，继续深化精神文明创建等方面下工夫，工作扎实，成效明显，为圆满完成税收各项工作任务提供了服务和保证。

一、深入学习宣传“三个代表”重要思想，理论学习掀起新高潮

各地税务部门按照总局党组要求和地方党委部署，把学习江泽民同志“5·31”重要讲话精神作为加强干部队伍思想政治建设的一件大事来抓，在抓好党组理论中心组学习的同时，组织广大党员干部认真学习，深刻领会精神实质，把思想统一到“5·13”重要讲话精神上来，增强了实践“三个代表”重要思想的自觉性和坚定性。

党的十六大召开后，各地税务部门按照总局党组《关于全国税务系统认真学习贯彻党的第十六次全国代表大会精神的通知》要求，作出认真部署，提出明确要求，迅速兴起学习热潮。领导干部带头学习十六大报告和党章，在掌握基本观点和领会精神实质上下工夫。同时，深入基层了解学习进展情况，宣讲十六大精神，总结推广经验，组织广大干部以座谈讨论、辅导讲座、体会交流、学习园地、网络教育等形式深入学习。

各地税务部门围绕税收中心工作，联系本单位实际，把学习十六大精神与学习马克思主义发展史和邓小平理论紧密结合起来，与学习贯彻党的十五届六中全会精神，切实转变作风结合起来，引导广大干部特别是领导干部不断深化对共产党执政规律、社会主义建设规律和人类社会发展规律的认识，不断提高科学判断形势的能力、驾驭市场经济的能力、应对复杂局面的能力、依法执政的能力和总揽全局的能力，进一步增强了解放思想、实事求是，与时俱进、开拓创新的自觉性，推动了税收各项工作的开展。

二、贯彻落实全国税务系统思想政治工作会议精神，思想政治工作取得新成效

2002年，各地税务部门认真落实《全国税务系统思想政治工作条例》和全国税务系统思想政治工作会议关于"按照'三个代表'重要思想的要求，加强和改进税务思想政治工作"的部署，提高认识，加强领导，积极探索新形势下加强和改进税务思想政治工作的规律和方法，不断增强工作的针对性和实效性。

各级税务机关不断加强对思想政治工作的领导力度和工作力度，充实领导力量，完善领导机制，把思想政治工作纳入"一把手"工程。通过层层签订责任状，落实"一岗两责"制度等方法，形成一级抓一级，层层抓落实的责任体系，把思想政治工作与税收中心工作同部署、同检查、同考核。

围绕组织税收这一中心环节，针对部分干部职工在"金税工程"建设、CTAIS推广应用和税收征管、机构人事制度改革中，产生的各种思想问题和模糊认识，通过落实理论学习日，聘请专家辅导授课，举办形势报告会，组织演讲比赛、参观访问等方法，深入开展党的基本理论、基本路线、基本纲领、基本经验教育，解疑释惑，化解矛盾，努力实现学以立德、学以增智、学以致用，引导广大干部职工树立科学的世界观、人生观、价值观，进一步增强大局意识、责任意识，为税收和改革工作的顺利开展奠定了坚实的思想基础。

积极推进创建学习型组织，在广大干部职工中广泛开展科学知识、科学思想、科学方法、科学精神普及教育，提高干部队伍的文化素质，澄清思想上的模糊认识，把干部职工的注意力转移到依法治税，完成税收任务上来。各地税务部门注重加强税务文化阵地建设，结合深入揭批"法轮功"邪教本质，积极引导干部职工崇尚科学，破除迷信，增强抵制封建迷信和各种歪理邪说的能力。同时，各级领导干部坚持做好系统内"法轮功"练习者的教育转化和防范控制工作，从根本上消除不稳定因素。

认真贯彻党的十五届六中全会精神，切实转变工作作风，深入基层调查研究，把解决干部职工思想问题同解决实际困难结合起来。总局人事司结合修改《全国税务系统基层建设纲要（试行)》，深入黑龙江、湖北、河北、广东等省国、地税局，就税务思想政治工作、队伍建设、基层建设和精神文明创建活动进行调研。各地税务部门也结合本系统、本单位实际，深入基层一线开展调查研究，不断增强思想政治工作的针对性和实效性。

积极组织政工干部培训，加强思想政治工作干部队伍建设。为解决政工干部队伍中存在的"不愿做、不会做思想政治工作"的问题，各地税务部门在每年选派人员参加总局组织的全国税务系统思想政治工作干部培训班的同时，采取多种方式，对负责思想政治工作的各级领导干部和政工部门的同志进行培训，推动了税务系统思想政治工作的深入开展。

三、以贯彻《公民道德建设实施纲要》为重点，精神文明建设再上新台阶

2002年，各地税务部门将在总结本系统思想道德教育成功经验的基础上，采取多种形式，落实总局党组《关于认真贯彻执行中共中央〈公民道德建设实施纲要〉的通知》精神，大力倡导"爱国守法、明礼诚信、团结友善、勤俭自强、敬业奉献"的基本道德规范和税务职业道德规范，弘扬爱国主义和集体主义，引导干部职工树立正确的"三观"、"三德"，增强做好税收工作的责任感和使命感。一些基层单位以专题讲座、演讲比赛、知识竞赛、文艺晚会等形式，引导干部职工强化诚信观念，自觉做到诚信为本，有诺必践，恪尽职守。为解决部分干部职工中存在的"爱岗不敬业"现象，组织广大干部职工开展"进一次军营、入一次工厂、下一次农村、包一家贫困户、助一名失学儿童、开展一次警示教育"活动，使广大干部职工体会到"税收事业神圣光荣，税收工作责任重大，税收岗位来之不易"，振奋了精神，鼓舞了斗志。

以规范优质服务为切入点，深入开展创建文明单位、文明行业活动。各地税务部门按照中央和总局关于整顿和规范市场经济秩序的决策部署，开展遵纪守法、诚实守信和爱岗敬业教育。按照总局《关于在全国税务系统进一步实行文明办税“八公开”的意见》要求，结合评选推荐税务系统全国“青年文明号”、全国创建文明行业工作先进单位、全国精神文明建设先进单位，在创建活动中，强化领导，健全机制，细化标准，完善措施，在把握创建核心、明确创建重点、强化创建手段、夯实创建基础、提高创建质量、普及创建成果上做实功，办实事，提高了干部职工依法行政和优质服务的水平，改善了税收执法的环境，提升了依托科技手段强化税收征管的能力，构筑了廉洁从政的防线，展示了税务干部的良好形象。

大力宣传先进典型，努力营造学习先进、崇尚先进的良好氛围。2002年，国家税务总局与团中央联合评选表彰了99个全国“青年文明号”集体，重新认定了248个全国“青年文明号集体”；有17个单位被中央文明委、国务院纠风办授予为全国“创建文明行业示范点”。5月，国家税务总局与人事部、全国总工会和山东省委追授李玉国同志“模范公务员”、全国“五一劳动奖章”获得者和“模范共产党员”荣誉称号。国家税务总局下发了《关于开展向李玉国同志学习活动的通知》，并组织报告团分赴河北、安徽、福建、广东、广西、辽宁等六省（区）国、地税务局巡回报告，宣传李玉国同志的先进事迹。各地税务部门把向李玉国同志学习活动与宣传本系统、本单位先进典型结合起来，与广泛开展争先创优活动结合起来，收到了较好效果。

（国家税务总局文明办）

环保系统

各级环保部门以“三个代表”重要思想为指导，以学习、宣传、贯彻党的十六大精神为主线，以加强作风建设为切入点，围绕全党工作大局和环保工作中心，坚持“两手抓、两手都要硬”的方针，积极开展群众性精神文明创建活动，为环保事业的发展和2002年环保工作任务的完成提供了有力的思想保证。

一、深入学习、实践“三个代表”重要思想，全面学习、宣传、贯彻党的十六大精神

各级环保部门把学习、实践“三个代表”重要思想作为精神文明建设工作的主线，列入党组（党委）重要议事日程，采取培训班、专题讲座、辅导报告等多种形式，开展学习教育活动，掀起了学习、宣传、实践“三个代表”重要思想的热潮。

十六大召开前，各级环保部门围绕迎接、宣传十六大，以共产党好、社会主义好、改革开放好为主旋律，采取多种形式，认真组织干部、职工学习江泽民同志“5·31”重要讲话和《江泽民论有中国特色社会主义》（专题摘编）。不少单位设立了十五大以来改革开放和建设成就的图片专栏，组织系列报告会等，为迎接十六大营造了昂扬向上、团结奋进的良好氛围。

十六大后，总局党组向环保系统发出了《关于全国环保系统学习贯彻党的十六大精神的通知》，各级环保部门根据通知要求和当地党委的统一部署，把十六大精神的学习、贯彻与“三个代表”重要思想的学习、实践结合起来，与环保工作实际结合起来，把握十六大的主题、灵魂和精髓。运用报告会、讲座会、知识竞赛、撰写心得体会等多种形式，积极开展了学习教育活动。

二、紧密围绕环保中心工作，积极开展宣传教育活动

2002年初，党中央、国务院先后召开了全国第五次环保大会、人口资源环境座谈会，并颁布了“十五”环境保护规划，对今后一个时期，特别是2002年的环境保护工作做出了全面的部署、安排。为把大家的思想统一到党中央、国务院对环保工作的要求上来，把力量和智慧凝聚到实现“十五”环保目标和工作任务上来，各地充分利用新闻媒体和各种宣传阵地，大张旗鼓地开展了环境宣传教育活动。各地采取多种形式，开展了“6·5世界环境日”集中宣传活动。为巩固环境治理成果，打击环境违法行为，不少地方开展了环境专项打击行动、环境统一执法检查和环境警示教育活动。

2002年是中央确定的转变作风年。各级环保部门按照“八个坚持、八个反对”的要求，狠抓行业和队伍作风建设。各级领导干部深入基层，认真解决人民群众反映强烈的环境问题，机关面貌、工作作风、服务态度、办事效率都有了较大改善。针对总局机关和在京直属单位思想作风状况，在调查研究的基础上，围绕转变作风年的总体部署和要求，总局机关党委在机关和直属单位开展了“比思想，看谁学习好，思想认识高；比作风，看谁工作实，团结协作好；比奉献，看谁恪尽职守，贡献大；比廉政，看谁法纪观念强，清正廉洁”的“四比四看”活动。通过一年的努力，各单位团结协作，服务基层，争做贡献的氛围进一步形成。

各级环保部门把宣扬环保先进典型作为加强精神文明建设的有效措施来抓，不断总结、表彰工作中涌现出来的优秀群体和先进个人，学习先进、争当先进的氛围进一步形成。2002年，总局文明办、宣教办会同黑龙江、天津环保局，以原黑龙江省七台河市环保局长乔文国为原形，制作了《清水源头是热血》的电视连续剧，在中央电视台播放。该剧以为民办实事、一心一意为环保为主旋律，体现了当代环保工作者实践“三个代表”的高尚风格和情操，在社会上为环保系统树立了良好的行业形象。

三、认真学习贯彻《公民道德建设实施纲要》，加强思想道德建设

《纲要》下发后，各级环保部门及时组织干部、职工认真学习，不少单位结合实际，制定了贯彻意见和实施细则。中国环境监测总站为加强和推进监测系统的思想道德建设，制定下发了《全国环境监测系统职业道德规范》。

各级环保部门按照上级的统一部署，进一步加强对邪教组织、封建迷信的斗争。组织干部、职工收听收看中央广播、电视节目，揭露“法轮功”破坏通信卫星、干扰电视频道的罪行；观看《以科学的名义——揭批“法轮功”暨伪科学》、《反对邪教，崇尚文明》等大型图片展，深入揭批“法轮功”反人类、反科学、反社会的邪教本质；开展了“破除迷信、崇尚科学、传播文明”的教育。在同“法轮功”邪教组织的斗争中，逐步形成了责任明确、监控得力、反应迅速的工作机制，积极做好“法轮功”练习者的教育转化工作和摸底排查工作，确保了环保系统的稳定。

四、深化群众性精神文明创建活动，推动了环保系统行风建设

一年来，群众性精神文明创建活动求新、求实、求进，在创建文明机关、文明单位、文明科室的基础上，一些地方积极开展了创建文明行业活动。许多环保部门按照中央文明委提出的创建文明行业的要求，制定了创建规划，提出了工作目标和要求，创建工作开始深化。

在开展创建活动中，各地注重把创建活动与环保工作结合起来，向环保重点工作延伸，向社会拓展，收到良好效果。河北省唐山市环保局以开展为基层及群众服务，为改革、发展、稳定服务的“双为杯”活动作为重要载体，有效地促进了两个文明建设。该局先后被省委、省政府和国家人事部、国家环保总局评为全省和全国先进集体，荣立集体二等功，局长魏文娜荣获全国“中华环境奖”提名奖。天津市环保局在全系统开展ISO14001环境管理体系“绿色机关”、“绿色大院”的创建活动，提高了局机关的行政执法能力和环境管理水平。广西南宁市环保局从家庭入手，向社会拓展，连续三年开展遍及全市的“环保行动进家庭”活动，并统一纳入南宁市精神文明创建工作中，增强了全民环境意识，促进了环境保护工作。广东省环保局开展的创建“百佳文明示范窗口”竞赛、上海和黑龙江等省市环保局开展的创建绿色机关、绿色家园、绿色社区活动，都进一步拓展了创建工作的空间，丰富了创建活动的内涵，在社会上产生了较大影响。

总局文明委把评选表彰“五好文明家庭”作为全国环保系统精神文明创建活动的重要内容，

积极引导环保系统干部、职工在社会做好公民，在单位做好职工，在家庭做好成员，“五好文明家庭”创建工作开始深化。青岛市环保局以“争当贤内助、树立好家风”为主题，开展演讲活动。天津、湖南、山东、云南、河南等省环保局，在总局文明委表彰“五好文明家庭”的基础上，也在本系统内开展了评比表彰活动，有力地促进了当地“五好文明家庭”创建活动的开展。

（国家环保总局文明办）

民航系统

一、以学习、贯彻十六大精神为主线，切实加强理论武装工作

党的十六大召开后，民航各级党委以处以上领导干部和各级领导班子为重点，围绕主题，把握灵魂，抓住精髓，狠抓落实，在深入人心、开拓创新、力求实效上下功夫，把民航广大党员和干部职工的思想行动进一步统一到“三个代表”重要思想和十六大精神上来，凝聚到实现民航发展奋斗目标和各项任务上来，紧紧抓住发展这个第一要务，认真思考研究民航和本单位的重大问题，明确奋斗目标，理清发展思路，制定具体措施，抓好贯彻落实。

二、扎实做好改革中的思想政治工作，保证改革各项措施的顺利实施

2002 年是民航改革进入实施阶段的重要一年。民航总局专门组织调研小组，分赴各地区展开专题调研，在此基础上，编写印发了《民航体制改革宣传教育材料》，同时在《中国民航报》开辟专栏，加大改革的宣传力度，对统一员工的思想认识，确保队伍稳定和改革的顺利实施起到了积极作用。

三、从严要求，深入开展行业精神文明创建活动

对获得全国文明机场称号的单位实行动态管理，严格执行标准，对因安检漏查危及空防安全的深圳机场、大连机场采取措施，撤销其全国文明机场称号，在全民航起到了警示作用。对新搬迁的成都双流、沈阳桃仙、杭州萧山机场的创建工作进行了检查和复审，确认这 3 个机场继续保持全国文明机场称号。下发了加强行业文化建设的通知，组织媒体对东航山西分公司等单位行业文化建设的经验进行了宣传报道。按照中央文明委的要求，推荐了 20 个全国文明行业先进单位，并对 1999 年被中央文明委命名表彰的创建活动先进单位进行了复查。

四、围绕中心任务，扎实做好共青团工作

以“永远跟党走”为主题，广泛开展纪念建团 80 周年系列活动。全国民航团委召开座谈会，并与东航股份有限公司、中国民航报社联合在民航团员青年中开展了“东方航空杯”纪念建团 80 周年知识竞赛活动，推荐了 21 名先进集体和优秀个人代表参加共青团成立 80 周年纪念大会。以贯彻《安全生产法》为契机，在民航团员青年中广泛开展“安全教育五个一”活动。

（民航总局文明办）

广播影视系统

广播影视系统的精神文明建设工作，坚持以邓小平理论和“三个代表”重要思想为指导，按照中央文明委、中直文明委和总局党组的总体要求和部署，围绕广播影视的中心任务，服务大局、立足基层、面向群众，积极开展了一系列卓有成效的精神文明创建活动，促进了广播影视事业的改革与发展和干部职工文明素质的提高，推进了总局和各单位工作任务的完成。

一、学习贯彻实践“三个代表”重要思想，为广播影视改革发展，提供有力的思想保证和精神动力

广电总局把“三个代表”重要思想和党的十六大精神作为理论学习的重点，对各级领导干部和广大党员职工进行党的基本理论、基本路线和基本纲领的教育，牢固树立共同理想和信念，不断增强政治意识、大局意识和责任意识。举办“深入学习‘三个代表’重要思想，大力推进广播影视事业改革发展”系列党课教育活动，促进了领导干部的理论学习，帮助广大党员和干部职工加深了对国际国内形势特别是广播影视改革发展面临的新形势的认识，从而进一步加深了对“三个代表”重要思想的科学内涵和重大意义的理解，增强了对广播影视改革发展事业的使命感、紧迫感和责任感。通过举办主题演讲会、报告会和座谈会等活动，深化理论学习，形成了学习宣传贯彻实践“三个代表”的热潮。参观“反对邪教、崇尚文明”展览等活动，集中开展马克思主义唯物论无神论和弘扬科学精神、反对封建迷信的教育，进一步认清“法轮功”邪教组织的反动本质和严重危害。开展学习宣传弘扬“西新精神”专题系列教育活动，全方位展现“西新工程”建设者所创造的突出业绩和“西新精神”，大力倡导“特别能吃苦，特别能战斗，特别能团结，特别能忍耐，特别能奉献”的精神，进一步激发了广大干部职工的工作热情，为广播影视事业再立新功、再创佳绩。

二、贯彻落实《公民道德建设实施纲要》，不断提高职工群众的思想道德素质

广电总局文明委把贯彻落实《公民道德建设实施纲要》作为一项重要的任务来抓。首先召开专门会议进行动员，作出总体部署，提出明确要求。同时结合实际，明确提出以禁止有偿新闻为重点，大力加强职业道德教育；以公益活动为切入点，大力加强社会公德教育；以《婚育新风进万家》为结合点，加强家庭美德教育。其次，大力宣传，做到家喻户晓。中央电视台在《新闻联播》、《新闻30分》等栏目组织了八大主题系列报道，《焦点访谈》制作播出了《加强道德建设》系列节目，《东方时空》制作了10期关于道德教育的系列节目，在黄金时段播出了100多条公民思想道德公益广告和有关思想道德教育的专题片。总局组织广大职工参加了中直机关公民道德知识竞赛，并获优秀组织奖；各单位还通过内部刊物、墙报、板报、闭路电视和大屏幕等进行广泛宣传。第三，积极开展多种形式的群众性道德实践活动。积极开展科教、文体、法律、卫生“四进社区”活动，引导社区居民“关心小家爱大家，共育社区文明花”。所属各单位以“讲文明，树新风，争做文明广电人”为主题，开展了“做合格劳动者，为祖国添砖加瓦”、“温馨家园”、“一杯清茶、满腔热情暖人心”、“真情述说”、“建立爱心基金，帮助弱势群体”等形式多样的活动。大力倡导和广泛开展了社会捐助、无偿献血、“心连心”、“送温暖”、幸福工程、希望工程等多种形式的道德实践活动。同时还注意把道德建设与制度建设有机结合起来，为道德建设提供强有力的保证，总局制定并下发了《广播电视播出机构违反宣传纪律责任者纪律处分暂行规定》和《关于广播电视播出机构共产党员违反纪律党纪处分的暂行规定》，进一步强化了党的政治纪律和宣传纪律，强化了职业道德建设，推动了广播影视行业精神文明创建工作的深入开展，促进了职工整体素质的提高。

三、大力开展群众性创建活动，推动精神文明建设各项工作任务的落实

一是围绕重要节日、重大事件开展创建活动。为庆祝党的十六大胜利召开，总局举办了“党在我心中”合唱节。电影洗印厂联合周边兄弟单位举办了5场以迎接、庆祝十六大为主题的消夏娱乐晚会，丰富了职工精神文化生活。直属机关党委组织广播艺术团演员赴西藏、青海等“西新工程”台站进行了5场慰问演出，使全体演职员受到了一次深刻、生动的“西新精神”的教育。

二是按照中央文明委、中直文明委和总局重点工作的部署开展创建活动。总局各单位结合自身实际，积极开展了创建“文明单位”、“文明机关”、“创建文明社区”、“五好文明家庭”、“文明办公室”、“文明窗口”、“青年文明号”、“文明机房”、“文明台站”和“人民满意的公务员”等系列活动。举办了“千县万乡农村科教片汇映活动”，行程几十万公里，送片下乡，送科教电影兴农，较好地落实了电影“2131”工程和“文化、科技、卫生”三下乡活动。此外，还组织了广电总局少年儿童文艺汇演、夏令营等多种活动，使职工子女受到了生动的爱国主义、集体主义、社会主义教育。

在创建活动中，涌现出一批先进单位和先进个人。中央电视台荣获全国精神文明先进单位称号；总局办公厅、保卫司、中央电台技术管理中心、国际台亚洲地区广播中心、电视台新闻中心、无线局、设计院塔桅所、电视剧制作中心、物业管理中心西便门小区管理办公室、电影洗印厂荣获中直机关文明单位称号；吴朝晖、闫瑞桃、南玉敏、霍建起、郭湘娥、王效杰、梁小燕、穆清海、邹庆芳、史晓强等10人被评为中直机关精神文明建设先进个人。中直机关在总局召开了中直机关精神文明创建活动现场经验交流会，对广电总局的精神文明工作给予了充分肯定。

为适应精神文明创建活动的新形势、新要求，广电总局文明委召开了精神文明工作研讨会，就改进精神文明评比工作、提高精神文明工作水平进行了深入研讨，制定了《国家广电总局精神文明先进单位评比办法》，使精神文明建设活动更加规范有序。

四、努力搞好扶贫济困、双拥共建等社会公益活动，大力促进精神文明建设

根据有关部门要求，先后3次组织职工为贫困地区、受灾地区和弱势群体捐助的活动，共募集各类衣物2万多件、现金72万多元，受到有关部门的好评。响应中央文明委和教育部的号召，广电总局向甘肃省嘉峪关市捐赠了旧计算机50台，受到当地党委、政府的赞扬。在六一儿童节和教师节，总局文明委对周边一些中小学校进行慰问。其中西城区培智学校是一所残疾儿童学校，总局文明办的同志和学校师生一起欢度节日，以表示对他们所从事的特殊教育的支持。

根据国务院扶贫开发领导小组等6部委的部署，广电总局文明委派干部赴河北省涉县进行调研，开展定点扶贫工作。总局领导率慰问团赴涉县慰问，共送去扶贫救济款30万元，赠送旧电视机20台、空调12台、毛毯20条、电影拷贝10部，为500多贫困户送去了价值6万元的慰问品，受到当地党委、政府和人民群众的热烈欢迎。

双拥共建活动取得了明显的成效。广电总局为驻总局武警部队修建了新的营房，大大改善了驻总局武警官兵的生活设施。八一建军节和春节期间，总局文明委还慰问了驻总局和驻月坛地区武警部队，共叙军民鱼水情。

五、落实计划生育基本国策，积极开展无偿献血活动

围绕优质服务，拓展载体，加大投入，积极开展了“婚育新风进万家”活动，探索新形势下计划生育管理和服务的有效途径。加强队伍培训，提高计生队伍素质。举办了人口与计划生育学习班，进一步提高对计划生育工作重要性的认识。注重以人为本，解决职工后顾之忧，组织了假期职工子女托管班、“生存岛”夏令营等活动，为职工办好事、办实事。开展“男性健康日”宣传，参与组织为单身青年提供交友通路的《彩虹桥》大型联谊活动。2002年，广电总局被评为中直机关计划生育红旗单位，北京市计划生育红旗单位。

广电总局的无偿献血工作，一直得到总局各级领导的重视和广大干部职工的支持。总局献血办把认真宣传、学习、贯彻《中华人民共和国献血法》和《公民道德建设实施纲要》紧密结合起来，作为精神文明建设活动的一项重要内容来抓。2002年，广电总局被评为北京市献血先进单位。中央电视台第二次举办“关爱生命，救助血液病人”捐献造血干细胞大型公益活动，电视台领导及许多节目主持人带头捐献登记，共有职工280余人填写捐献登记表，采集血样230余例。

（国家广播电影电视总局文明办）

新闻出版系统

新闻出版系统高举邓小平理论伟大旗帜，坚持以“三个代表”重要思想统领全局，服从和服务于全党、全国工作大局，围绕迎接党的十六大召开和学习、宣传、贯彻、落实党的十六大精神这一头等大事，坚持抓导向、促繁荣，唱响主旋律，打好主动仗，深化改革，加强监管，新闻出版各项工作取得了新成绩，为大力推进物质文明、政治文明和精神文明建设作出了积极贡献。

一、抓好迎接十六大和学习、宣传、贯彻、落实十六大精神

按照中央的统一部署和要求，在党的十六大召开之前，一手抓繁荣、一手抓管理，为党的十六大召开营造昂扬向上、团结奋进、开拓创新的文化氛围和舆论环境。按期高质量地完成了迎接党的十六大重点选题——104种图书和100种“十五”国家出版规划重点图书（“双百图书”）、百种重点音像制品和电子出版物的出版工作。十六大召开前后在北京等20个城市统一举办了“迎接党的十六大重点出版物展示展销活动”，进一步扩大了迎接党的十六大重点出版物的社会影响。图书、报纸、期刊、音像等各类出版物围绕迎接党的十六大，抓住群众思想上关注的热点问题，解疑释惑，统一思想，凝聚力量，振奋精神，坚定信心。党的十六大召开之后，新闻出版系统，通过集中学习、举办报告会、召开座谈会、交流会等多种形式，认真研读原文、全面领会精神、着眼推动工作，迅速兴起学习贯彻十六大精神的热潮。与此同时，总署统一组织，各有关出版单位加班加点，各地高度重视、全力以赴，使十六大文件在全国及时发行了3000多万册，较好地满足了广大干部群众学习十六大精神的需要。总署和各省区市新闻出版局精心组织安排出版了一批有深度的学习、宣传、阐释“三个代表”重要思想和十六大精神的重点出版物。

二、按照“三个代表”要求，坚持正确导向，深化改革，推进新闻出版事业繁荣进步和出版产业快速发展

认真贯彻落实中央17号文件，总署制定下发了《关于贯彻落实〈关于深化新闻出版广播影视业改革的若干意见〉实施细则》及8个配套文件，明确了改革必须坚持的指导思想、方针原则和应把握的总体要求、基本格局，并就集团化建设、跨地区经营、拓宽融资渠道、中小学教材出版发行改革、实施“走出去”战略和出版单位内部改革等，提出了具体的指导意见。以组建集团为突破口，新闻出版业的结构调整工作稳步推进。截至2002年底，全国共组建集团55家。全国已建立规模较大的连锁经营总部17家，各种形式的连锁店2111个，大型物流配送中心8家。

扫黄打非工作坚持不懈，加大对各种非法出版活动和非法出版物，尤其是对政治性非法出版物的封堵、查处和打击力度。同时，加大了对小报小刊治理整顿的力度和对买卖书号（刊号、版号）的查处、打击力度。继续狠抓印刷业的治理整顿，严厉打击了印制假商标、假证件、假票据等非法印刷行为，使印刷市场秩序明显好转。

三、深入开展群众性创建活动，全系统精神文明建设呈现一派崭新面貌

认真落实“两手抓、两手都要硬”的方针，进一步加强新闻出版系统精神文明建设，促进新闻出版业“两个文明”协调发展，新闻出版总署，在原来精神文明建设协调领导小组的基础上，成立了新闻出版总署精神文明建设领导小组，进一步明确工作职责，加强对系统精神文明建设的领导。

根据总署党组审定下发的《新闻出版总署开展“三优一满意”活动文明处室考核办法》，总署机关把“三优一满意”活动与“三合格”教育活动（即：合格党员、合格公务员、合格宣传干部）有机结合起来，严格标准，加大考核力度，促进了机关转变职能，转变工作方式方法，转变工作作风，机关建设得到加强。署直单位的精神文明创建活动突出以职业道德建设为重点，以建设“职工之家”，做“文明职工”，创“五好文明家庭”等为有效载体，群众性精神文明创建活动不断深入。在加强思想道德建设的同时，全系统、全行业坚持把社会治安综合治理、绿化美化、计划生育、爱国卫生、交通安全，以及组织开展丰富多彩、健康向上的娱乐健身活动等作为精神文明建设的组成部分抓紧抓好，均收到明显效果。

加强制度建设，推动精神文明建设经常化、制度化、规范化。全系统、全行业结合本地区、本部门实际，制定了适合新闻出版行业特点的创建“文明单位”、“文明行业”等一系列标准和考核办法。中国出版工作者协会根据新形势新要求，对《中国出版工作者职业道德准则》进行了修订；中国印刷技术协会制定了《印刷行业公约》，中国书刊发行业协会制定了《全国书刊发行行业公约》，这些都对规范行业行为，有力地推进全系统、全行业的精神文明建设产生了积极影响。

（新闻出版总署文明办）

旅 游 系 统

旅游行业以“三个代表”重要思想为指导，认真贯彻党的十六大精神，进一步加大精神文明建设的力度，推动了旅游行业两个文明建设相互促进，协调发展。

一、加强理论学习，实践“三个代表”

加强政治理论学习，坚持与时俱进，认真学习、深刻领会“三个代表”重要思想，全面提高全行业从业人员的政治理论素质和职业道德水平，是国家旅游局开展精神文明建设工作的一项重要内容。

2002 年全国旅游工作会议把精神文明建设工作作为全行业重点抓好的六项工作之一，要求全行业深入开展职工道德教育，进一步加强党风廉政建设和旅游业精神文明建设。

党的十六大召开后，国家旅游局党组立即号召全行业深刻认识党的十六大精神对发展我国旅游业的指导意义，进一步领会“三个代表”重要思想的深刻内涵，把“三个代表”的具体要求体现在旅游工作的各个方面，坚持求实、求新、求进，为社会主义精神文明建设写出更新更美的时代华章。国家旅游局机关团委、工会以及各省、市旅游行政主管部门迅速响应号召，采取各种形式开展政治理论学习活动，在旅游行业内掀起了学习“三个代表”重要思想的热潮。

二、组织创建活动，提高行业素质

国家旅游局认真总结和发掘以往群众性精神文明创建活动中的好经验和作法，从行业特点出发，围绕提高行业综合素质这一目标，组织了一系列内容丰富、主题鲜明的创建活动，推选出了旅游行业一批新的优秀典型，在行业内部起到了率先垂范的引导作用，也在全社会进一步树立了旅游行业的正面形象。

一是继续与中央文明办、建设部联合公布北京天坛公园风景旅游区等 10 家单位为第五批全国文明风景旅游区示范点；二是与共青团中央联合，新命名北京民族饭店磨坊咖啡厅等 48 个青年集体、认定北京市丽都假日饭店泰国餐厅等 228 个青年集体为 2001 年度旅游行业全国青年文明号；三是继续把旅游行业精神文明建设纳入中国优秀旅游城市复核工作中，在全社会营造旅游城市文明氛围。2002 年底，国家旅游局对 137 个中国优秀旅游城市进行复核，把精神文明建设成果作为考察的一项重要内容。各参创城市积极营造“人人是文明使者，处处都是旅游形象”的良好氛围，普遍形成了旅游行业精神文明建设成果是城市文明程度重要标志的共识，旅游在精神文明建设中的正面效应得到了充分体现，旅游行业的精神文明建设工作得到社会各界的积极配合和支持。

三、开展行风评议，加强作风建设

国务院纠风办和国家旅游局在北京等 13 个省（市）进行了旅游行风民主评议，并在三亚等 11 个城市开展了“抓行风、树形象”试点工作。各地将行风民主评议与旅游市场专项整治紧密结合，与创建优秀旅游城市和优秀旅游城市复核工作相结合，与各地评行风、促规范、树形象的信誉工程相结合，有力地配合和支持了中心工作。

旅游行风民主评议，调动了旅游部门抓自身建设的热情和积极性，促进了旅游行政管理部门工作作风的转变和行业队伍素质的提高。

四、倡导诚信建设，研究治本之策

国家旅游局认真领会党中央和国务院领导关于大力整顿旅游市场秩序的有关指示，开展了声势浩大的整顿和规范旅游市场秩序工作，取得了良好的阶段性成果。

为了标本兼治，国家旅游局在依法打击旅游市场各种违法违规行为的同时，在制度建设上寻求突破，做出了有益的探索和尝试。

各级各类旅游协会和旅游企业全面开展以诚信服务为重点的章程、公约和制度建设，从深层次上解决旅游市场存在的各种问题。在全国优秀旅游城市中，绝大部分旅行社、旅游饭店、旅游餐饮企业、旅游景区（点）、旅游商店及其他旅游消费场所推出了“同业诚信公约”和社会承诺，为建立诚信经营环境开了好头。

作为社会主义精神文明建设中的一项重要工作，行业诚信建设进一步树立了我国旅游企业合法经营、诚信守约的良好风气，提高了旅游企业的自我规范意识，同时也促进了各类旅游经营单位进一步加强内部管理、合同管理和服务质量管理，为推动我国旅游市场秩序的根本好转产生了积极的作用。

（国家旅游局质量规范与管理司）

气 象 系 统

全国气象系统继续坚持“两手抓、两手都要硬”的方针，用邓小平理论和“三个代表”重要思想教育广大职工，学习贯彻党的十六大精神，深入开展规范化服务，创建文明气象行业取得明显成效。

一、以党的十六大召开为契机，深入开展理想信念教育

各级气象部门认真学习十六大精神，大力加强基层党组织建设，教育党员和党员领导干部以“三个代表”重要思想为指导，牢固树立党员意识，在各方面为群众做出表率。中国气象局举办 3 次十六大精神辅导报告会，举办多期学习班，召开各种类型的座谈会，在局机关网、中国气象局网和中央国家机关工委紫光阁网等媒体上进行系列宣传报导。各省气象局普遍开展了生动活泼的教育活动，如举办模范人物事迹报告会、演讲比赛、文艺演出、征文、书法、绘画展览等，宣传贯彻党的十六大精神。

二、加强气象部门思想政治工作和党风廉政建设

全国气象部门继续贯彻思想政治工作和党风廉政建设责任制，把加强思想道德建设和党风廉政建设列入全国气象部门目标管理项目。在组织各省气象局长进京述职时，把思想道德建设作为重要内容进行考察。还组织了各省局纪检组长进京述职。中国气象局党组决定从 2002 年起将每年的7月定为全国气象部门党风廉政建设宣传教育月，中国气象局机关和各直属单位、各省气象部门普遍开展了系列宣传教育活动，收到很好效果。各省气象局围绕改革做好思想工作，维护了团结稳定的大局，为党的十六大召开创造了团结、和谐的良好氛围。黑龙江、福建等省气象局制定了《职工道德建设实施意见》或贯彻《纲要》的意见。一些省气象局组织了《纲要》知识竞赛。吉林省气象局对学习活动组织得好的单位进行了表彰奖励。江苏、湖南等省气象局举办了公民道德建设演讲比赛。浙江省气象局连续15年开展职业道德教育月活动，持之以恒。河南省气象局在职工中开展了“三德三做”活动，教育广大干部职工讲社会公德做文明市民，讲职业道德做文明职工，讲家庭美德做文明成员。广东省气象局参加全省职业道德建设网上行风测评活动。

三、开展气象文化建设，深入创建文明行业

针对全国气象部门各省（区、市）气象部门绝大部分已建成文明系统的情况，中国气象局党组提出“加强中国气象文化建设”的要求，并举办了多次研讨会，对各省气象局文明办主任进行了培训，交流了经验，气象文化建设初步展开。同时，各省气象部门按照中国气象局年初在精神文明建设工作要点中提出的要求，继续加大创建力度，采取切实措施提高文明单位的档次和质量。北京市局以迎奥运为契机，制定了《北京市气象局精神文明建设奥运实施计划》。天津市局投资180万元用于3个区县局的花园式台站改造工程。陕西省气象部门被中国气象局和省文明委联合命名为“创建文明行业先进系统”，中国气象局命名贵州省气象部门为“文明系统”。至年底，全国气象部门已有30个省（区、市）气象部门和4个计划单列市局建成了文明系统。完成了对20个全国创建文明行业工作先进单位的推荐、公示工作，上报中央文明办。4月16日，中央文明办、国务院纠风办确定了119个第三批全国创建文明行业活动示范点，江西省九江市气象部门、新疆维吾尔自治区石河子市气象部门、湖北省十堰市气象部门和吉林省通化市气象局获此殊荣。1999年中央文明委表彰的气象部门20个全国创建文明行业工作先进单位全部通过复查验收，保持了原称号。北京、四川、青海3省（市）气象部门在获得中国气象局命名的“文明系统”称号后，2002年又被当地党委、政府或文明委命名为“文明行业”。山西省气象部门被省文明委命名为“省级文明行业”，同时被中国气象局命名为“文明系统”。河南、江苏、天津3省（市）气象部门经本省文明委复查，再次被确认为文明行业。

四、宣传先进典型，弘扬气象人精神

8月14日，中国气象局党组下发《中国气象局党组关于开展向杰出专业技术人才董立清同志学习的决定》。8月15日，召开了学习实践“三个代表”先进事迹报告会，宣传董立清、陈德辉、李希哲3位同志的先进事迹，并将报告会实况制成光盘发全国气象部门学习。各省气象局都组织了评选、宣传先进人物的活动。

（中国气象局文明办）

国家电力公司系统

国家电力公司系统各单位，以邓小平理论和“三个代表”重要思想为指导，紧密围绕公司改革发展稳定的中心任务，深入开展精神文明建设和思想政治工作，较好地完成了全年各项任务，为公司全面完成2002年工作目标任务，落实党中央、国务院关于深化电力体制改革的一系列部署提供了精神动力和智力保证。

一、深入学习“三个代表”重要思想，加强理论武装工作

一是精心部署，认真组织。公司党组先后下发了《关于公司党组中心组2002年理论学习计划安排》、《关于认真学习贯彻十六大精神的通知》

等文件，重点对学习“三个代表”重要思想和十六大精神进行部署。十六大召开后，对学习宣传贯彻十六大精神作了精心安排，提出明确要求。举办了党组中心组学习全国干部培训教材及WTO有关知识培训班，举办了两次学习十六大精神报告会。公司系统各单位按照公司党组的部署和要求，兴起了学习贯彻“三个代表”重要思想和十六大精神的热潮，推动了理论武装工作不断深入。

二是联系实际，搞好结合。在十六大精神的学习中，坚持“三个结合”，即：学习贯彻十六大精神与公司深化体制改革工作相结合；与研究工作创新相结合；与领导班子、干部队伍、基层组织建设相结合。公司系统广大党员干部密切联系工作实际，认真学习，深入思考，坚持学以致用。一些党员、干部理论联系实际撰写学习体会文章，对推动公司的各项工作发挥了积极的作用和影响。

三是健全制度，狠抓落实。公司以落实党组(党委)中心组学习制度为重点，加强了理论学习的规范化、制度化。建立了领导干部理论学习责任制，并纳入党风廉政建设责任制考核。认真抓好领导干部的脱产轮训制度、在职自学制度和学习检查考核制度的落实，进一步提高了理论学习的质量和效果。

二、以形势任务教育为重点，加强和改进思想政治工作

一是广泛开展形势任务教育，加强思想政治工作的针对性、实效性。紧密结合国内外形势的发展变化，围绕公司改革和发展的中心任务，重点开展了公司2002年工作目标任务、电力改革面临的形势、党的十三届四中全会以来取得的重大历史成就、加入世贸组织的宣传教育，引导职工群众树立正确的改革发展观，正确对待改革、积极支持改革和投身改革。开展了有针对性的思想政治工作，做好正面宣传工作、团结鼓劲工作和释疑解惑、理顺情绪、化解矛盾等工作，保证了公司改革发展的顺利进行。

二是评选精神文明建设创新奖，推动工作创新。组织了2001年度公司精神文明建设创新奖的申报、评定和表彰工作。通过评选活动，总结了一批好做法、新鲜经验。公司党组作出了《关于授予山东黄台火力发电厂等五家单位2001年度精神文明建设创新奖的决定》，召开了创新奖颁奖暨经验交流会，总结和推广了山东黄台火力发电厂、广西壮族自治区电力公司、元宝山发电厂等一批单位的创新经验。

三是树立先进典型，发挥示范作用。广泛开展了向优质服务的典型人物李庆长同志学习活动，组织了李庆长先进事迹巡回报告活动，先后赴14个省市进行了18场巡回报告。在学习李庆长同志活动的带动影响下，公司系统各单位纷纷推出了自己的典型，激发了广大职工投身电力改革发展的积极性。

四是开展研讨活动，推出研讨成果。电力政研会围绕新时期思想政治工作的中心任务，围绕热点、难点问题，开展研讨活动，推出了一批有较强应用价值的优秀研究成果，促进了公司系统思想政治工作水平不断提高。

三、贯彻落实“以德治国”的重要思想，推进思想道德建设

一是坚持“依法治国与以德治国相结合”的重要思想，加强道德建设。公司系统各单位坚持依法治企、以德育人，切实加强思想道德建设。认真落实《国家电力公司2001—2003年职业道德建设规划》，对电力职工职业道德规范进行了研讨，组织起草了《国家电力公司员工道德规范(讨论稿)》，编辑发行了《供电营业职工文明服务行为规范演示片》，促进了供电营业职工服务行为的标准化、制度化、规范化，促进了职工道德行为的养成。

二是坚持开展群众性的精神文明创建活动，积极推进双文明单位建设。根据《国家电力公司双文明单位建设管理办法》规定，组织评选表彰了2000—2001年度国家电力公司双文明单位。在各单位认真组织检查、考评、推荐工作的基础上，公司党组授予10个电力公司为双文明公司，593个单位为双文明单位，63个单位为双文明单位标兵。通过评选活动进一步推进了公司系统精神文明创建工作深入发展。

三是积极推进创建文明行业工作，树立良好的企业形象。根据中央文明委的部署和要求，与监察局共同配合，组织评选推荐出全国第三批创建文明行业工作先进单位27个，并对1999年中央文明委命名的25个全国创建文明行业工作先进单位进行了复查。召开了示范点单位座谈会，交流了经验，促进了文明行业创建工作。为了落实中央文明委《关于深入开展创建文明行业工作的若干意见》，召开了供电企业有关人员座谈会，深入讨论研究深化创建文明行业活动、提高创建质量的有关问题。至2002年底，公司系统各单位，荣获地市级以上文明单位称号的占82%，荣获省部级以上文明单位称号的占67%，有63%的省电力公司被地方政府评为文明行业，公司所属的地市级供电企业59%的单位被当地政府命名为文明行业，树立了良好的企业形象。

四是普及企业文化建设的基本知识，推进企业文化建设。公司组织编写和发行了《企业文化简明读本》，有计划地组织职工学习、掌握企业文化建设的基本知识。为了提高政工干部的企业文化建设水平，公司组织3批政工干部赴西欧考察企业文化建设。举办了“创建学习型组织培训班”，并推广了云南省电力公司《学习型组织创建方案》。

四、发挥党的政治优势，做好维护企业稳定工作

贯彻中央企业稳定工作会议精神，公司党组作出了《关于切实做好维护公司系统稳定工作的意见》。公司认真落实中央关于同“法轮功”邪教作斗争的一系列指示，组织全体党员、干部和职工深入开展同“法轮功”邪教斗争组织工作。重点抓好“法轮功”练习者的教育转化工作，取得了较好的效果。2002年，在京单位未出现“法轮功”人员滋事影响稳定的事件。

（国家电力公司文明办）

军队系统

全军和武警部队在精神文明建设上继续取得显著成绩。全军官兵高举邓小平理论伟大旗帜，牢固确立“三个代表”重要思想在军队各项工作中的指导地位，把弘扬爱国奉献精神作为精神文明建设的主旋律，不断坚定官兵共产主义理想信念，着力培养官兵高尚的道德情操，树立良好的文明之师形象。

（一）

用党的理论创新成果教育部队。江泽民“七一”重要讲话发表后，总政在国防大学举办了军以上干部理论学习班，进一步用“七一”讲话精神统一思想。总政先后召开了全军学习贯彻邓小平理论和“三个代表”重要思想理论研讨会、学习“七一”讲话精神座谈会。各大单位和院校广泛开展系列专题研讨，取得了一批较高质量的成果。各级结合学习召开研讨会、座谈会、学习体会交流会，军队新闻媒体开辟专栏、组织征文、宣传典型、推广经验，营造浓厚的学习氛围。

持续开展学习实践“三个代表”重要思想、保持共产党员先进性教育活动。根据总政《关于先进性教育活动经常化需要把握的几个问题》的指示精神，全军和武警部队结合实际对教育活动进行动员部署。空军党委常委和四大部领导到部队蹲点进行专题调研；成都军区派出联合工作组深入基层检查督促；沈阳、北京军区分别依托一个师级单位探索总结先进性教育活动经常化的经验；武警部队采取集中办班的形式，对基层党支部书记进行培训，为开展经常性活动打好组织基础。各单位注意把教育活动与部队工作有机融为一体，在结合渗透中求经常、求深化。军事科学院结合各项政治教育、结合各项组织活动、结合各项工作任务、结合表彰先进典型等“四个结合”，把先进性教育活动落到实处。济南军区积极搞好与理想信念教育、时事政策教育的结合。广州军区开展了以“重事业、讲奉献、爱本职、强素质”为主题的基层干部教育整顿和“尊干爱兵、兵兵友爱”教育活动，增强了针对性和有效性。海军继续开展“人民海军忠于党”教育活动。

迅速兴起学习贯彻十六大精神热潮。十六大召开后，总政从部分院校抽调6位专家学者，组成总政学习贯彻十六大精神宣讲团。宣讲团行程数万里，先后作报告46场，直接听众达12万人，军队各大单位和武警部队，先后组织了280个宣讲团和宣讲小组，深入基层宣讲党的十六大报告，直接听宣讲的官兵已超过100万人。分别举办了全军军职以上领导干部和全军院校政教室主任学习贯彻十六大精神培训班。总政治部组织印制了党的十六大文件、学习辅导读本和《学习贯彻十六大精神系列辅导讲座》光盘下发部队。

（二）

提高官兵的科学文化素质和军事技术素质，增强部队战斗力，是军队社会主义精神文明建设一项基础性工程。

组织广大青年官兵，围绕军事斗争准备，扎实开展学习成才活动，促进了部队各项任务的完成。各大单位党委机关普遍对所属部队开展学习成才活动的情况进行检查分析，制定和完善了学习成才活动的相关政策和措施。总参、总装、兰州军区、成都军区等单位从工作计划、检查落实等制度上进一步规范了学习成才活动的内容和形式。海军各级建立了学习成才活动指导小组，对学习成才活动实行统一规划、统一部署、统一检查。济南军区团以上领导和机关开展向基层官兵捐书赠言活动，每人捐书都在100册以上。总参投资数百万元，为基层单位统一建立了“青年书架”。全军多数旅团拨出专款，为基层官兵修缮学习场所，添置学习用品，改善学习条件。各单位把军事斗争准备的生动实践作为学习成才活动的主题和主阵地，采取多种形式，广泛开展“我为科技练兵献一技”、“以劣胜优三两招”和“小发明、小革新、小创造”活动，锻炼官兵的实践技能，提高官兵的综合素质。广州军区以“谋打赢、练精兵、作贡献”为主题，大力开展学习成才系列活动，有效地促进了各类军事专业人才的成长。济南军区、南京军区在部队广泛开展“学习新知识，掌握新装备”活动，广大青年官兵积极争当“陆上猛虎、海上蛟龙”，有力地促进了海训任务的完成。空军积极组织广大青年官兵学科技、搞革新、练战法。

许多部队开展了“在党旗下成长”主题读书活动。总政组织部、宣传部对整个活动进行了部署安排。还从全军15个出版社提供的上千册图书中，精选了210册图书推荐给官兵阅读。组织专家教授，编写了100道读书知识竞赛题。部队各级领导高度重视、周密部署，基层单位科学筹划、精心组织，基层官兵精心阅读推荐图书，踊跃参加读书知识竞赛。这次主题读书活动，体现了广泛的群众性，许多旅团部队常委带头，积极参与，形成了浓厚的读书氛围，基层官兵撰写体会文章近万篇。

着力提高依法治军水平，深入开展普法教育。各级党委和机关切实加强对普法工作的组织指导，各部队普遍调整了普法领导机构，充实了力量。建立健全了普法工作联席会议、法制教育日、领导干部定期讲课等制度。一年来，培训法律骨干8.5万多名，1万多名官兵经过考试或考核取得了由总政颁发的“基层法律服务工作者职业资格证书”。北京、兰州军区的许多部队与驻地司法机关建立协作关系，邀请法官、律师定期到部队作辅导。南京军区和武警部队的一些单位开展法律知识竞赛、文艺演出等活动。沈阳军区组织基层干部依法治军报告团到部队巡回宣传。空军、第二炮兵的许多部队组织“法制宣传大篷车”，开展送法下基层活动。

（三）

加强文化建设，满足官兵日益增长的精神文化需求，是加强军队精神文明建设的一个重要任务。

军队文艺工作出现了弘扬主旋律，齐心协力抓精品的局面。全国第十届文华奖部队夺得9个奖项，第八届中国电影华表奖由八一电影制片厂摄制的《冲出亚马逊》赢得6项桂冠，第十五届中国电视文艺“星光奖”部队又获两个大奖。在全国各项大型评比中，部队文艺工作者取得了文艺创作、综艺晚会、全国歌咏比赛、全国电视歌手大奖赛、电视剧、杂技、美术等各个领域的200余项集体或个人的重要奖项。

全军进一步掀起学唱组歌、践行军人道德规范的热潮。继两年前总政要求全军学唱《军人道德组歌》之后，八一电影制片厂摄制的宣教艺术片《军人道德组歌》下发全军和武警部队放映。各单位把影片作为部队思想政治教育的重要教材，积极做好发行、放映和组织部队观看的工作。许多单位还围绕影片的内容深入地搞好宣讲，广泛地开展群众性影评活动，帮助官兵加深对军人道德规范精神实质的理解，进一步树立正确人生观和价值观，自觉恪守革命军人的道德准则。

从4月开始，全军文化工作站系统组成1300多人次参加的150个服务队，深入到旅团、边防哨所，开展集送货、培训、维修、慰问和调研于一体的综合服务活动。将总部2002年度配发基层的价值5000多万元的文化器材，直接送到广大官兵手中，并为一些边海防部队安装卫星数字电视接收设备，为一些旅团部队建闭路电视系统，为一些部队音像库充实影视节目光盘。

积极主动地用健康向上、丰富多彩的精神产品占领军营思想文化阵地，出版了一大批弘扬时代主旋律，深受部队和社会欢迎的精品力作。《中国人民解放军大事聚焦》、《解放军元帅文学传记丛书》、《中国人民解放军长征纪实丛书》等100余种重点优秀军版图书受到欢迎。

（四）

全军部队既重视抓好自身建设的精神文明，又重视为全社会的精神文明建设做贡献，推动整个社会的精神文明建设不断深入发展。

采取多种形式广泛开展拥政爱民和军民共建活动。“群众工作模范团”、“南京路上好八连”、“深圳特区好六连”、“爱民模范”谢臣生前所在连等拥政爱民先进单位，模范团长李国安、扶贫司令彭楚政、全国扶贫状元王再生、中华扫盲奖获得者王永合等拥政爱民模范，扎扎实实做好拥政爱民工作，为加强军政军民团结做出了新贡献。全军和武警部队结合纪念延安双拥运动60周年，广泛开展扶贫济困送温暖活动，各部队共向贫困群众捐款达2000多万元。北京军区机关组织“向老区人民献爱心”，共捐款43万多元。于春节前送到平山革命老区生活困难的烈军属、老党员等优扶对象和特困群众手中。总后、总装、空军和兰州军区、成都军区所属医院派出上百个医疗小分队，深入边远贫困地区为群众看病治病。新疆、内蒙古等地的一些部队积极投入抗雪救灾，千方百计地保证人民群众生产生活，受到地方党委、政府的高度赞扬。

全军和武警部队青年官兵积极参加“保护母亲河行动”。按照总政统一部署，全军和武警部队组织广大团员青年，以交纳“特殊团费”用于植树造林等方式，积极参加这一功在当代、惠及千秋的大型社会公益事业，捐献“特殊团费”360多万元。不少军队党员干部、专家教授及离退休老同志也纷纷以“老团员”身份，主动为保护母亲河交纳“特殊团费”。许多单位每年都组织部队参加驻地“植树节”活动，宣传环保知识，植树造林。地处黄河、长江等江河流域的部队自觉采取各种措施治理水土流失，先后在甘肃省建起了2个“解放军青年林”，总面积达2万多亩，1.2万多名青年官兵和当地干部群众参加了义务植树活动。

积极参加抗洪救灾。2002年入夏后，我国部分地区相继发生洪涝灾害。驻灾区各部队坚决贯彻军委和总部的指示精神，把参加抗洪救灾作为“三个代表”重要思想，履行我军宗旨的实际行动，在加固堤防、封堵决口、转移群众、抢运物资等各种急难险重任务中当先锋、打头阵，奋力抗洪救灾，先后出动官兵2万余人，民兵预备役人员17万余人，车辆3000余台，抢救转移群众7万余人，抢运各种物资1万多吨。驻灾区部队配合地方政府，帮助群众恢复生产，重建家园。部队医疗卫生单位帮助灾区群众防病治病，协助地方做好防疫工作。许多部队主动捐款捐物，帮助受灾群众解决生产生活中遇到的实际困难。

全军各部队与贫困地区广泛开展了共建共育活动。全军各大单位和武警部队都研究制定了援教助学的规划和措施。从军委、总部领导到基层官兵，从离退休老干部到职工家属，踊跃为贫困地区教育事业捐款捐物，形成了“人人参与，争献爱心”的局面。各部队把帮助地方新建校舍作为援教助学的重点，采取部队自建、军地合建等方式，在贫困乡村建立希望学校。驻贫困地区部队的干部主动与贫困学生结成“1+1”助学对子。驻边疆少数民族地区的部队选派思想素质好、文化水平高的官兵，到师资力量不足的学校任教助教。

（军事科学院军队政治工作研究所）

工会系统

各级工会坚持以邓小平理论和“三个代表”重要思想为指导，以贯彻落实《公民道德建设实施纲要》为重点，从工会特点和职工群众的愿望要求出发，努力创新工作方式方法，不断拓展工作领域和活动内容，大力加强职工职业道德建设，积极推动群众性精神文明创建活动的深入开展。

为全面贯彻落实《公民道德建设实施纲要》，充分发挥激励机制的推动作用，中华全国总工会修改制定了《全国职工职业道德十佳单位、十佳标兵评选表彰办法》，对评选条件、评选办法等进行调整和改进，扩大了社会的参与面，增强了评选的权威性、科学性和透明度，更加有利于职工职业道德先进集体、先进个人的广泛宣传和典型示范作用的发挥。通过与中宣部教育局、全国妇联宣传部、团中央宣传部以及人民日报、光明日报等共同举办“公民道德知识竞赛”活动，在广大职工中兴起了学习《纲要》的热潮。各地工会组织遵照《纲要》的要求，以构建与市场经济相适应的职业道德体系为出发点，对职工职业道德建设的内容、形式、方法、途径等进行调整，进一步明确了新形势下职工职业道德建设的指导思想、原则和目标任务，确立了“爱岗敬业、诚实守信、办事公道、服务群众、奉献社会”的职业道德规范，把职工职业道德建设作为工会工作的重要载体，与已开展的创建文明单位、文明班组、文明岗位，争做文明职工活动和行风建设结合起来，与做好职工思想政治工作、提高职工队伍素质相结合，强化职工职业道德教育和爱岗敬业意识，把学习贯彻《纲要》落到了实处。

按照中央文明办的要求，中华全国总工会组织部分省市总工会、全国产业工会、全总有关部门及直属事业单位，对近年来工会系统贯彻党的十四届六中全会精神，推进社会主义精神文明建设的情况进行了为期2个多月的调查研究。通过调研，比较系统地掌握了党的十四届六中全会以来，工会系统开展精神文明建设的主要成绩和基本经验，分析了存在的问题，提出了工会系统在新时期进一步加强精神文明建设工作的对策和建议，为指导工会系统精神文明建设工作奠定了基础，提供了依据。

通过广泛开展各种丰富多彩、健康文明、寓教于乐的活动，以高尚的精神塑造人，以优秀的作品鼓舞人，教育和引导职工树立崇高的职业理想，培养高尚的情操，是工会组织开展精神文明建设工作的重要方式。为了更好地发挥作用，工会组织全力创立和打造群众性精神文明创建活动品牌。从2002年5月开始，中华全国总工会、中国文联、中央电视台联合主办了历时8个月的首届中国职工艺术节。职工艺术节积极弘扬先进文化，热情反映新世纪中国职工的新生活和新风貌，涵盖了音乐、舞蹈、曲艺、小品、戏剧、书法、美术、摄影和职业服装等9个艺术门类的内容，主要包括大型合唱音乐会，全国职工音乐、舞蹈、曲艺、小品展演，全国职工书法美术作品展览，京剧演唱比赛，摄影，职业服装设计大赛和闭幕式文艺晚会等活动形式。艺术节期间，直接参与各项全国性职工文艺活动的企业有上千个、职工数万名，观摩艺术节各项文艺演出和展览的职工群众达百万人次。2002年底，中华全国总工会建立并启动了“五一文化奖”，这一奖项包括新闻、图书、文学、歌曲、影视剧作、舞蹈曲艺小品、美术书法摄影等七大类别。通过评选“五一文化奖”，创作并推出更多具有鲜明时代气息和职工特色，讴歌工人阶级的文化作品，使广大职工在欣赏这些作品的过程中受到感染、激励和教育。同时，中华全国总工会还与国家体育总局共同主办了“红色之路”全国职工团队健身挑战赛，13个省、自治区、直辖市和全国产（行）业体协的16支基层代表队的160多名职工参加了健身挑战类、生存技能类、传统体育类共6个项目的赛事活动。

这些活动对繁荣职工文艺创作，丰富、活跃职工文化生活，培养职工集体主义、爱国主义和顽强拼搏、勇于进取的精神，促进新形势下精神文明创建活动的开展，起到积极作用。

（全国总工会宣传教育部）

共青团系统

共青团系统坚持以邓小平理论和“三个代表”重要思想为指导，以迎接、宣传、贯彻党的十六大为主线，利用建团80周年的契机，扎实推进青年理论武装工作，大力加强青少年道德建设，广泛开展群众性精神文明创建活动，进一步加强青少年活动阵地建设，精神文明建设工作取得显著成效。

一、抓住契机推动理论武装工作，在团员青年中兴起学习贯彻“三个代表”重要思想的热潮

年初，团中央分别在广州、上海、河南、浙江、重庆等地召开高新科技领域青年、农村青年、非公企业青年、青年博士服务团等群体学习“三个代表”重要思想的座谈会，针对不同青年群体的特点推进学习贯彻“三个代表”重要思想活动。2002年是中国共青团成立80周年，各级团组织以此为契机，以“永远跟党走”为主题，普遍开展读书征文、革命圣地寻访、网上展览、文艺演出等丰富多彩的学习活动，对青少年广泛进行爱党、爱国、爱社会主义教育。各地通过举行大型文艺晚会、主题团日、志愿服务和文体比赛等活动，在青少年中唱响了“永远跟党走”的主题。

通过举办“三个代表”重要思想研讨班、辅导讲座、集中轮训、巡回演讲以及成立青年理论学习社团等形式，将学习引向深入。以农村“三个代表”重要思想学习教育活动的开展为契机，通过建立联系点、派出调研指导组、入村驻户等形式，把学习教育活动与推动农村的共青团工作结合起来，与加强农村团干部的自我教育结合起来。通过举办青年科技文化大擂台、创建青年文明一条街、全国乡村青年歌手大赛等形式，在农村掀起学习宣传实践“三个代表”重要思想的热潮。中国青年报、《中国青年》、《中国共青团》、中青网等团属报刊和互联网站开设团员青年学习实践“三个代表”的专栏和专题，组织刊发重点文章和重点报道，及时反映学习情况，推广学习经验，交流学习心得。大力宣传一批团员青年学习实践“三个代表”重要思想的先进典型，积极推动学习实践活动的不断深入。

二、以创造新业绩为主题，在团员青年中兴起迎接、学习、贯彻党的十六大的热潮

党的十六大召开前，广泛开展“创造新业绩，迎接十六大”主题活动，引导广大团员青年立足本职，争创一流，用实际行动迎接党的十六大胜利召开。2002年，参加扶贫接力计划的志愿者人数达3523人，受援县211个；向西部贫困地区捐赠计算机2000台。希望工程共接受捐款4000多万元，为2800多名农村特困家庭的学生提供助学金，培训教师1050名。青年助学行动的实施，共帮助1000多名贫困青年接受免费或低费高等教育，动员30所加盟高校提供1060个助学名额，资助金额折合人民币800多万元，同时免费对10万多名城乡贫困青年进行技能培训。“进城务工青年发展计划”进一步开展了以送文化、送知识、送健康和助发展为主题的“三送一助”活动，帮助进城务工青年解决工作、生活、学习中的实际困难。广泛开展青年文明社区创建活动，扎实推进大中专学生志愿者科技、文化、法律、卫生“四进社区”活动。在全国建立2000多个社区青少年服务中心。广泛开展青年文明社区“大家乐”，各地共组织800多万青少年和社区居民参加1.5万余场群众性演出。全面深化大学生素质拓展计划。扎实开展大中专学生暑期“三下乡”活动，参加活动人数达410多万，培训农村青年技术骨干5万多名，为数十万群众免费义诊，文艺演出4080余场。成功举办第三届“挑战杯”中国大学生创业计划大赛，有10件作品共获1亿多元的风险投资。团属宣传舆论阵地大力宣传改革开放特别是党的十三届四中全会以来我国社会主义现代化建设取得的辉煌成就，宣传广大团员青年积极投身两个文明建设的时代风貌，为十六大的召开积极营造氛围。

十六大召开后，组织广大团员青年收看收听有关新闻报道，及时了解、学习十六大精神。团中央召开书记处扩大会议、常委会扩大会议、各界青年代表和高校学生代表座谈会，认真学习贯彻党的十六大精神。12月份，团中央与中央党校联合举办了学习十六大精神专题培训班，对近200名团干部进行集中培训。各地团组织结合实际，在团员青年中开展“贯彻十六大，创造新业绩”主题活动，引导团员青年把十六大精神贯彻落实到自己的学习和工作中，为全面建设小康社会建功立业。

三、以加强青少年道德建设为着力点，广泛开展群众性精神文明创建活动，弘扬社会新风正气

按照《公民道德建设实施纲要》要求，制定《共青团中央关于加强青少年道德教育，全面提高青少年道德素质的意见》。突出“诚实守信”的职业道德主题，广泛开展“青年文明号信用建设示范行动”，动员组织全国5万多个商贸行业的青年文明号集体和争创集体开展“百城万店青年文明号促销创效活动”，为广大消费者提供高质量的服务。大力深化青年志愿者的行动，2002年注册志愿者达到近300万人；327万青年志愿者为近40万老干部、老科技工作者、老教师、离退休老职工等提供医疗保健、生活照料、法律援助、文化娱乐等服务。启动“网络文明工程”，成立大学生网络文明协会、建立“绿色网络示范学校”，推动青年“文明上网、上网文明”，教育引导青少年自觉遵守《全国青年网络文明公约》，提高青少年的网络道德。举办中国青年人生格言创作大赛，推动青少年道德自律。与中央电视台共同举办全国青年“世纪风采”电视大赛，吸引了10多万人参加，展示了当代青年良好的思想道德和科学文化素质。组织开展“文明好青年”活动、百万农村青年道德规范承诺活动，进一步加强农村青年道德教育和道德实践。在少年儿童中广泛开展“养成道德好习惯”体验教育活动、各民族少年手拉手志愿接待家庭活动、城乡少年手拉手助学活动等。各地团组织还普遍开展了道德实践营、好习惯推广、寻找身边的榜样、升国旗、唱国歌等活动，积极促进青少年公民道德教育。

四、大力加强团属青少年阵地建设，服务于青少年日益增长的精神文化需求

针对青少年求知、求美、求乐、求健需求的日益增长，大力加强青少年文化活动阵地建设，努力提高服务青少年的能力。抓好青少年读书俱乐部、书屋建设，在全国共建成新世纪书屋6万多个，读书俱乐部5.6万个，读书协会1.5万多个，开展各种读书活动80多万次，参加青少年进千万人次。深入推进“千宫百万”行动，依托各级青少年宫青少年进行课外计算机、外语培训。截至2002年底共建成计算机培训站246个，外语培训站225个，25万青少年接受计算机知识技能培训，23万青少年接受外语教育。举行青少年计算机DIY方案大赛和网上英语大赛。广泛建立青少年素质训练基地，命名第三批全国青少年棋院，在武汉举办全国青少年三项棋类大赛。加强新闻出版管理和团属网站的新闻管理，牢牢把握正确的舆论导向。创办《知心姐姐》、《青年心理》期刊，《青年文摘》、《辽宁青年》等22个青年期刊进入中国期刊方阵，团属报刊规模进一步扩大。开展第八届五四新闻奖的评选，积极推动团属报刊提高质量。中国青年出版社、中国少年儿童出版社出版的一批图书获第十三届中国图书奖等多项全国奖项。集中力量抓好网上青少年思想教育阵地建设。实施“共青团县县上网工程”，初步形成县县上网、全团互联的格局。大力加强中青网建设，开通毛泽东、邓小平、彭真、李大钊等人物专题纪念网站和八一南昌起义、“一二·九”运动等以重大历史事件为主题的网上纪念馆。广泛开展创建“青少年安全放心网吧”等活动，积极创造青少年健康成长的良好环境。

五、大力表彰、宣传具有鲜明时代特征的青年典型

各级团组织注重树立、表彰、宣传青年先进典型，加强正面引导，在青少年中倡导崇尚先进、学习先进的良好风尚。共青团中央、全国青联评选颁发2002年度中国青年五四奖章，对在改革开放和社会主义现代化建设中作出优异成绩和突出贡献的铁道第一勘察设计院青藏指挥部副总指挥、青藏线项目设计总工程师李金城，中国航天科技集团第五研究院副院长、“神舟”号飞船系统总指挥袁家军等11名杰出青年典型进行隆重表彰，广泛宣传他们的成长历程和先进事迹，号召广大青少年向他们学习。举办第13届“中国十大杰出青年”评选活动，宣传表彰在各个领域中涌现出来的业绩突出、刻苦勤奋的优秀青年，为青少年树立时代感强、导向性强的青年楷模，激励更多的青少年刻苦锤炼，奋发成才。联合农业部、水利部、财政部和国家林业局对在推动农村经济和社会发展中作出突出成绩的优秀青年农民进行表彰，授予才层玛等10人“第七届中国杰出青年农民”称号，动员激励广大农村青年为推动农村经济和社会发展作贡献。广泛宣传上海市长宁区、沈阳市和平区鞋帽商城二商场等青少年道德教育典型，推动青少年公民道德教育。颁发第二届“母亲河”奖，动员更广泛的社会力量共同关注生态环保事业。深化“全国五四红旗团委”创建活动，开展“团建先进县（市）”和“五四红旗团支部”创建活动，通过表彰团建工作中的先进集体和个人，在基层形成积极导向，促进基层组织建设，活跃基层团的工作。

（共青团中央宣传部）

妇联系统

全国妇联精神文明建设工作坚持以邓小平理论和“三个代表”重要思想为指导，以贯彻落实《公民道德建设实施纲要》为主线，发挥妇联组织的优势和特长，围绕中心，服务大局，深化和丰富妇女宣传思想政治工作，大力宣传优秀妇女典型，推进家庭美德建设，动员和带领广大妇女群众广泛参与群众性精神文明创建活动，在社会主义精神文明建设中发挥积极作用。

一、以“三个代表”重要思想为指导，掀起学习贯彻党的十六大精神的热潮

妇联系统先后举办了十五届六中全会精神、“三个代表”重要思想、《江泽民论有中国特色社会主义》（专题摘编）等8次理论学习班、读书班。学习中，广大妇联干部紧密结合妇女工作和思想实际，学习马克思主义妇女观、妇女运动发展史，学习有关妇女儿童发展的政策法律法规以及妇女工作的基本知识，深刻理解“三个代表”重要思想的历史地位、科学内涵和精神实质，增强了全面贯彻“三个代表”重要思想的自觉性和坚定性。十六大闭幕后，全国妇联制定下发了关于学习贯彻十六大精神的通知和具体工作安排。广大党员干部通过座谈会、讨论会、交流会等多种形式的学习，迅速兴起了学习贯彻十六大精神的热潮。

二、加强妇女思想政治工作，强化思想教育的感染力和说服力

各级妇联组织结合重要节日、纪念日和重大政治活动，通过形势报告、群众歌咏、征文、知识竞赛、读书活动、杰出妇女表彰等形式，对妇女进行爱国主义、社会主义和形势政策教育，引导广大妇女增强对党的基本路线、方针、政策的理解，自觉地把个人的命运同党和国家的命运联系在一起。发挥先进妇女典型的示范带动作用，开展了中国十大女杰、全国三八红旗手和红旗集体、“巾帼建功”标兵、“双学双比”女能手、全国十大农民女状元、十大绿化女状元等各类表彰活动；与解放军总政治部宣传部联合举办“军旗·军嫂”征文表彰活动，吸引社会对军嫂这一特殊群体的广泛关注。形式多样的宣传教育活动，有效地激励和引导了广大妇女树立“四自”精神，以饱满的精神状态参加全面建设小康社会的伟大实践。

三、以贯彻落实《公民道德建设实施纲要》为重点，推进家庭美德建设

为探索新形势下家庭道德建设的特点和规律，了解五好文明家庭创建活动的新情况、新问题，全国妇联集中力量，开展专题调研，掌握了当前家庭在婚恋、家务、亲子、邻里、社区以及公共场所等方面的行为特征与道德水平。对五好文明家庭创建活动在群众中的影响和效果作了专题调查，掌握了真实情况。在充分调研的基础上，在南京市召开了全国家庭美德建设工作研讨会，总结了五好文明家庭创建活动经验，分析了家庭美德建设面临的形势及存在的问题，提出了今后一个时期推进家庭美德建设以及五好文明家庭创建活动创新和发展的新思路、新内容、新方法。

大力宣传《公民道德建设实施纲要》。各级妇联组织利用广播电视、印发宣传资料、召开座谈会、举办报告会、开展知识竞赛、演讲比赛、表演文艺节目、组建文明之星报告团，文明新风传播团巡回宣讲等形式广泛宣传《纲要》内容，使《纲要》精神深入人心。

倡导科学文明的生活方式。全国妇联坚持开展“家庭拒绝邪教，妇女倡导文明”活动，摄制了中国妇女拒绝邪教的专题片，组织三八红旗手与女“法轮功”练习者结对帮教；针对境外“法轮功”分子活动猖獗的情况，全国妇联开展“寄家书、邮乡音、唤真情、爱祖国”活动，发动广大家庭给在境外海外的亲人朋友发一封信、打一个电话，宣传党和国家的政策，叮嘱亲朋好友认清“法轮功”的反动本质，不参与“法轮功”邪教组织的活动，为维护社会稳定作出了积极贡献。

倡导尊老敬老的家庭美德。全国妇联宣传部与营口市政府联合举办了中国营口望儿山母亲节活动，各地妇联以“爱母亲、爱家乡、爱祖国”为主题，通过表彰好妈妈、举办优秀母亲报告会以及大型文艺晚会，进一步倡扬了母爱精神，以弘扬了中华民族敬母、爱母的传统美德。“爱心献老人”、“救助贫困母亲”、“尊老敬老活动月”、“回报母爱”春晖行动等活动的广泛开展，使尊老敬老成为当今社会的一种风尚。

开展优秀治家格言征集活动。以弘扬家庭美德，宣传社会主义道德风尚，倡导文明、健康、科学的生活方式为目标在全国开展了百万家庭千万治家格言活动。通过广泛征集治家格言，博采众家之长，广汇百家精粹，使来自于群众的治家格言，用之于群众的家庭治理，以家庭的文明进步促进了社会的文明进步。

开展不让毒品进我家活动。为了教育公众特别是青少年珍爱生命，远离毒品，增强全社会对毒品的防范意识，全国妇联与中国国际友谊促进会、共青团中央等9个单位联合下发了《关于开展“珍爱生命，拒绝毒品”禁毒宣传活动的通知》，发起了声势浩大的全民禁毒宣传活动，并在人民大会堂举办开幕式。与卫生部联合下发通知，要求各地妇联和卫生行政部门联合开展“预防艾滋病，健康全家人”活动，在四川省绵阳市召开活动启动仪式，动员社会力量开展大众健康教育，倡导健康文明的生活方式，引导妇女积极参与艾滋病防治工作。

启动“中国小公民道德建设计划”。为加强青少年的道德建设，全国妇联与中宣部、教育部、团中央等6部委联合启动了“中国小公民道德建设计划”，将20字基本道德规范具体化为“五小”（小帮手、小标兵、小伙伴、小卫士、小主人）行动。“六一”期间，全国一些大中城市的百万儿童踊跃参加了“小公民道德宣传周”活动。

四、创新活动载体，大力加强家庭文化建设

广泛开展青少年爱国主义读书活动。各级妇联组织以“崇尚科学，传播文明”为主题，配合贯彻实施《纲要》，开展读书征文比赛、中学生演讲比赛、小学生讲故事比赛、网上知识竞赛等活动。各地结合班会、队会，利用墙报、板报、宣传栏、广播站开展多种活动，组织了故事会、演讲会、知识竞赛、漫画比赛、小品比赛、小制作、小发明比赛，以及参观、访问、社会调查等实践活动，帮助广大青少年提高自身的素质，取得了良好的社会效益。

举办第二届中国家庭文化艺术节。联合文化部、中央电视台举办了第二届中国家庭文化艺术节，以家庭文化艺术展演的形式，展示近年来我国家庭文化建设的丰硕成果，营造文明科学、健康向上的家庭文化氛围。艺术节期间，各省围绕弘扬家庭美德、倡导科学文明的生活方式这一主题，举办以家庭成员为主角的家庭小制作、书法、绘画、摄影、园艺、根雕、烹饪、服装服饰表演等比赛、展演或展览，成千上万的家庭参与了艺术节活动。

五、充分利用新闻媒体，推进精神文明建设工作

中央电视台以丰富家庭文化生活，提高家庭成员的道德、文化和艺术修养为主要内容的“神州大舞台”栏目，已成为妇联向社会宣传和推动家庭美德建设的一个重要阵地和窗口。众多普通家庭走上荧屏，夫妻同台，祖孙同乐，讲述普通家庭的动人故事，为千家万户送去了欢乐，受到了群众的广泛欢迎。根据《纲要》的要求，节目组进一步丰富栏目内容，增加了知识含量、道德含量和科学含量，节目收视率在中央电视台名列前茅。

为纪念“三八”国际劳动妇女节，与新闻媒体合作，在中央电视台举办“新世纪 新女性”文艺晚会和“我们的三八国际妇女节”特别节目，充分展示了新时期我国妇女的崭新形象，产生了较大的社会反响。

六、关心帮助贫困妇女群众，为她们多做好事、实事

针对社会弱势群体的困难，继2000—2001年全国妇联开展“大地之爱·母亲水窖”工程后，结合《纲要》精神，全国妇联又推出了“安康计划西部行”、“6.22中国儿童慈善活动日”等活动，集资上亿元，推动社会力量助贫扶贫。

（全国妇联宣传部）

各地精神文明建设概述

北 京 市

首都精神文明建设以邓小平理论和“三个代表”重要思想为指导，紧紧抓住迎接党的十六大和2008年奥运会的契机，全面贯彻落实《公民道德建设实施纲要》，广泛开展群众性精神文明创建活动和军警民共建精神文明活动，各项工作整体推进，全面发展，取得了突出成果，为党的十六大营造了昂扬向上、团结奋进的良好氛围，为提高首都城市文明程度和市民文明素质发挥了积极作用。

一、学习宣传贯彻十六大精神，突出特点，形成特色

党的十六大召开后，按照中央部署，全市把宣传贯彻十六大精神作为当前和今后一个时期首要的政治任务和中心工作，迅速掀起学习宣传贯彻十六大精神的高潮。同时推出了“贯彻十六大精神，建设文明社区”——十六大精神进社区系列教育活动。编印了《这些大事我知道》市民普及读本；成立了万名大学生志愿者宣讲团，深入社区宣讲十六大精神，一个多月宣讲1000余场(次)，受众人数14万人（次）；组织了2000多所文明市民学校和4000多个大众读书会，开展“学习十六大精神”一堂课活动；基层单位开展了知识竞赛、演讲征文等，把群众性学习宣传十六大精神逐步推向高潮。

二、贯彻落实《公民道德建设实施纲要》，求真务实，取得实效

按照市委“一年有突破”的要求，广泛开展以公民道德20字基本规范为重点的宣传教育活动。编印了《公民道德建设学习材料》、《争做文明北京人》等市民学习读本、中小学生读本达百万册；开展“庄胜杯”公民道德建设知识竞赛和“电视选拔赛”活动；举办“五一”市民“公民道德知识大擂台”，50余万市民竞相参与。文明市民学校普遍开展公民道德教育，组织“做文明北京人”社会公德大讨论及征文、演讲等，使20字基本道德规范走入千家万户。全市举办了“公民道德公益广告大赛”，创作了影视、广播、平面广告作品2000多件，评选优秀作品224件。大力宣传“诚信为本”的北京同仁堂集团公司，宣传方工、孟宪锋、孙茂芳、李迎华等公民道德先进典型，营造了见贤思齐的良好社会风气。举办了第五届“首都精神文明建设最佳活动”评选，评出30项有创新和实效，参与面广，社会影响大的最佳活动。

针对影响首都形象和群众反映强烈的热点难点问题，重点开展文明出租车、文明乘车、文明赛场宣传教育活动，倡导良好社会道德风尚。在出租车行业开展教育整顿，评选“北京的士之星”，出租车司机的服务态度、服务水平和车容车貌有了很大改进。开展“文明乘车从我做起”活动，以城八区为主，在重点公交、地铁站台配备了1500名文明监督员维护乘车秩序，发动万名志愿者参与文明乘车活动，创建了长安街延长线等十几条文明乘车示范街。开展“文明赛场”活动，遏制赛场不文明行为初见成效。进行“公共场所不赤膊”宣传教育，产生了良好的社会反响。

扎实推进扶贫济困春风行动。资助特困家庭就学、就业、就医，弘扬扶贫济困、热心助人的社会风尚，受到全社会的广泛关注和积极响应。全市“春风行动”接受各类捐款、捐助累计1228万元，发放捐款280多万元，完成7000余个特困家庭“一对一”助学结对、医疗资助等工作，为近300个特困家庭眼病患者进行白内障减免费手术治疗，为1000多名远郊农民进行眼科义诊，为452名特困家庭重病患者发放了医疗补助金。组织了6次扶贫济困大型宣传活动和下岗职工专场招聘会，春风行动已成为首都精神文明建设品牌项目。为配合中央文明办开展的西部开发助学工程的实施，组织开展了“党在我心中”征文比赛，组织了27所高校336名西部在京学生参加“金秋时节逛京城”活动。

三、开展群众性精神文明创建活动，全面覆盖，形成高潮

创建文明区县活动蓬勃发展。继东城、西城、怀柔被命名为全国创建文明城市工作先进城区后，全市深入贯彻中央文明委关于省会城市、直辖市要认真落实创建文明城市规划，率先向全国文明城市目标迈进的要求，继续以创建文明区县工作为龙头，开展了全方位、丰富多彩的创建活动。宣武、朝阳、顺义等区县的领导高度重视，广泛动员社会各界和市民群众积极参与，进一步加大创建工作力度，取得了很好的成效，在获得首都文明区称号后不久，又被中央文明委命名为全国创建文明城市工作先进城区。密云县积极行动，争创为首都文明县。

创建文明社区活动全面覆盖。全市以文明社区建设为重点，狠抓绿色社区、学习型社区、军民共建社区、科技创安社区等特色创建活动，在社区形成了科学、健康、文明的良好风尚。以科教、文体、法律、卫生“四进社区”活动为抓手，坚持每月突出一个主题，开展丰富多彩的活动，满足了广大市民群众的精神文化需要和健康生活需求，受到普遍欢迎。着力抓了万寿路甲15号院的创建，带动创建文明社区样板地区活动，使这一地区发生了明显变化，形成了共住社区、共建社区、共创文明社区的良好局面，受到了中央文明办的高度评价和肯定。

创建文明行业活动扎实推进。年初，首都文明委批准供电、邮政、气象三个行业成为文明行业后，极大的推动了各行业创建文明行业的积极性。全市各行各业重点开展了以“诚信为本、规范服务”的诚实守信和爱岗敬业的教育。城建、宣卫、金融、市直、商贸等系统，积极动员，全员行动，服务质量和服务水平不断提高。全市出租汽车行业自觉实行行业自律，23家出租汽车企业组成“诚信服务联盟”。金融行业把中央和市属金融行业，纳入创建文明行业活动规范化服务考核之中，10个银行分行全部通过首都创建文明行业活动规范化服务考核。2002年，受到全国表彰的有9个行业、16个单位和1个旅游景区。

创建文明村镇活动不断深化。京郊农村认真贯彻全国创建文明小城镇工作座谈会和农村精神文明建设工作座谈会精神，以提高农民素质、全面建设小康为核心，以中心镇、城关镇和卫星城为重点，以环境综合整治为突破口，大力实施绿化、亮化、净化、美化工程，为农民群众创造了良好的生产、生活环境，极大地提升了农村整体文明程度。同时，全市加大对农民群众的教育和引导，下大力抓好农村阵地建设。推广了平谷区开展文明大院建设，发展农村服务网络、丰富农民精神文化生活的经验。大兴区在各村镇建立了服务农民需求工作室，帮助解决农民在生产、生活中遇到的各种困难。延庆县组织“致富报告团”，弘扬自强精神，传播脱贫经验，深受农民欢迎。京郊区县广泛开展创建和评选五好文明家庭、十星文明户、绿色家庭、文化家庭、科技家庭等活动，使创建文明村镇活动的覆盖面逐步扩大。至2002年底，有10个乡镇，12个村被评为全国先进，有51个乡镇，201个村被评为市级先进，3624个行政村开展了创建和评选文明户活动，五好文明家庭和十星文明户达48万户。

四、集中整治市容市貌，形成合力，取得突破

为迎接国庆和党的十六大召开，全市集中整治市容市貌，纠正不文明行为，明确提出彻底清除非法小广告、整治非法占路经营，治理环境脏乱等7项主要任务。市人大修订出台《北京市市容环境卫生条例》，加大环境管理力度。全市上下通力合作，整治工作取得明显成效，共清除、收缴非法小广告528万张，挖出各类非法窝点799个，收缴盗版、淫秽光盘56万件，收缴盗版、淫秽等非法出版物230万册，查处汽车维修市场中的违规经营者1365户，查处无照经营3.2万起，清除卫生死角2.4万处。天安门广场60万块口香糖污渍全部清除干净，一批群众反映强烈的环境脏乱差问题得到解决，非法破坏城市环境现象得到有效遏制，全市在精神文明建设与城市建设管理相结合方面也有了新的突破。

五、军民共建精神文明，把握契机，形成高潮

2002年是柳荫街和首都军（警）民共建活动20周年，全市以此为契机，重点抓了“五个一”活动：在人民大会堂隆重召开“北京市双拥模范区县命名暨纪念首都军（警）民共建精神文明活动开展20周年大会”，表彰首都军（警）民共建标兵单位41对，先进单位84对，先进个人123名；举办“首都军（警）民共建理论研讨会”；编辑出版《共建之路》——首都军（警）民共建活动文集，宣传先进典型；举办“首都军（警）民共建文艺联欢晚会”，展现首都军（警）民的良好风貌；制作军（警）民共建活动录像片，展示首都军（警）民共建活动20周年光辉历程。“五个一”纪念活动的开展，推进了首都军（警）民共建工作向广度和深度发展。

六、全力打造舆论宣传，氛围浓厚，影响广泛

配合全年精神文明创建活动，新闻宣传常抓不懈，高潮迭起。通过设立专题、专栏等多种形式，营造了浓厚的公民道德宣传舆论氛围。首都文明办和北京电视台联合摄制的100集道德教育电视系列短片《身边的故事》，深受群众欢迎。“首都文明热线”网站从全市文明城市建设着眼，紧紧围绕首都精神文明建设工作目标，围绕“三大突破口”、“四进社区”和各项创建活动，开展了网上公示、网上评选、网络论坛等，为全面及时地反映和宣传首都精神文明建设的动态及成果发挥了积极作用，被评为北京市政府优秀网站。

（首都文明办）

天 津 市

大津市精神文明创建工作以“三个代表”重要思想为指导，以十六大精神为动力，认真贯彻市委总体工作部署，坚持抓机遇争主动，抓创新增活力，抓重点带一般，抓典型上水平，抓特色显亮点，抓难点求突破，抓落实重实效，抓总结促升华，实现了新的发展。

一、贯彻《公民道德建设实施纲要》，公民道德建设取得新进展

中央颁布《纲要》后，市委宣传部、市文明办协调有关部门，结合天津实际，广泛深入地开展社会调查，研究制定加强公民道德建设具体措施。7月30日，以市委名义印发了《关于贯彻落实〈公民道德建设实施纲要〉的意见》。《意见》结合天津工作实际，从四个方面提出了24条具体措施，使全市公民道德建设增强了针对性和可操作性。各区县、各系统、各单位根据各自的实际，制订具体实施方案，掀起了公民道德建设新热潮。

市文明委及时召开公民道德建设工作推动会和经验交流会。市文明办和市社联围绕公民基本道德规范的宣传，联合举办了大型咨询普及活动。市委宣传部、市文明办组织全市新闻媒体，开辟专栏和专题节目进行系列报道，收到良好效果。全市各级各类培训中心发挥教育主阵地作用，组织干部群众系统学习《纲要》。市文明办对全市100多个“窗口”单位的骨干进行了培训，各区县3000余所市民学校、村民学校举办了公民道德建设培训班。各企事业单位、大中小学校、街道、居委会广泛开展“遵守道德规范、争做文明市民”签约承诺活动。各区县、各系统还组织了多种类型的公民道德知识演讲、竞赛等活动。

遵循公民基本道德规范要求，全市各个社区和村镇结合实际，普遍对居民守则、村规民约等进行了修订和完善。各企事业单位，特别是与群众联系密切的“窗口”单位和行政执法部门，普遍对原有的职业道德规范和服务公约进行了补充、完善。教育系统编发的《天津市普通高校德育规程》和《天津市中小学德育规程》，先后在全市各大中小学校普遍实施，使各类学校的德育工作进入了规范化运行轨道。这一创新性成果，得到中央有关领导和主管部门的肯定，《人民日报》、《光明日报》、《中国教育报》、《中国青年报》等新闻媒体分别进行了专题报道。

二、深入开展“五个一”和“六进社区”活动，创建文明社区工作取得新进展

创建文明社区“五个一”活动，是天津市近年来对创建文明城市工作的深入探索和创新。在创建活动中，各区县坚持在深化思想道德教育，促进市民素质的提高上下工夫；在加强社区基础设施建设，丰富群众精神文化生活上下工夫；在搞好社区服务，提高居民生活质量上下工夫；在综合整治环境秩序，改善社区面貌上下工夫。为把创建文明社区“五个一”活动不断引向深入，市文明委组织有关专家学者和基层工作者，就创建文明社区“五个一”活动进行了深入研讨；市文明办编辑出版了《实践“三个代表”建设精神文明——天津市创建文明社区、文明城镇“五个一”活动纪实》一书；市文明办与天津电视台合作拍摄了《“三个代表”在社区的成功实践》电视专题片。

红桥区最早开展的科教、文化、体育、卫生、环保、法律“六进社区”活动，引起中央文明办的重视。市文明委抓住这一契机，认真总结和推广红桥区的经验和做法，在全市形成了“六进社区”新热点。各区县的“六进社区”活动做到了有工作队伍、有责任目标、有资金投入、有检查考评机制。各级科技、教育、文化、体育、卫生、环保、司法、综合办以及工会、共青团、妇联等部门和群众团体充分发挥各自职能和优势，广泛组织和动员群众参与，调动社会各界为社区做贡献。在“六进社区”活动中，市委宣传部和市文明办协调有关部门组织专业文艺团体和业余文艺工作者，深入社区为群众演出，进一步活跃了广场文化，被群众称为天津的“心连心”。全市共有6万余名各类专业人员深入社区为民服务，使580余万社区居民受益。

三、以创建文明城镇为龙头，推动农村精神文明建设取得新进展

市文明委认真贯彻全国创建文明小城镇工作会议精神，把创建文明城镇作为农村精神文明建设工作的龙头，坚持因地制宜、立足长远、突出重点、科学规划、逐步提升。通过深入开展创建文明城镇“五个一”活动，带动了农村精神文明建设的全面发展。全市广大农村普遍开展了创建文明村、文明乡镇企业、“十星级”文明户等活动，实现了“广播村村响，电视村村通，每户都有读书声”的生动局面。许多农民还学会了通过互联网获取信息，走上了靠科技致富的道路。在精神文明创建活动中，农村各级党委和政府坚持在加强指导、加大投入上使劲，在健全机制、加强管理上使劲，在发挥阵地作用、调动群众积极性上使劲，在以点带面、延伸辐射上使劲，在改善农村环境、移风易俗上使劲。通过组织和动员广大群众参与创建活动，引发了农民群众移风易俗改造社会的巨大力量，促进了村政村风建设，改变了村容镇貌，推动了农村改革开放和经济发展。

四、以规范化服务为基础，创建文明行业工作取得新突破

中国加入世贸组织给各行各业带来新机遇、新挑战。天津市以规范化服务为基础，加大了创建文明行业活动的工作力度。一是开展遵纪守法、诚实守信、文明经营和爱岗敬业教育，加强了职业道德建设；二是修订完善各行各业的规范化服务标准，提高了服务质量；三是以“为人民服务，树行业新风”为主题，深化“百城万店无假货”、“文明经商示范街”、“文明风景旅游区”、“首问负责制”、“一站式服务”等一系列群众性创建活动；四是在“窗口”行业和行政执法部门建立行风评估体系和工作机制，在100个单位开展“市民评行风”活动，使行风建设规范化、制度化；五是结合经营生产，加强企业文化建设，促进了企业改革发展。全市各系统、各行业创造性地开展工作，使文明行业创建活动取得明显效果。如商业系统普及“亲情服务”、“技能服务”、“延伸服务”、“品牌服务”、“文明用语”等具体规范，开展“商品真、价格实、服务优、环境美、监督严”

达标服务，推出“天津商业十大服务名牌”，树立了天津商业的良好形象。

五、充分发挥典型示范引导作用，先进群体的规模和质量取得新进展

为进一步推动群众性创建活动深入开展，市文明委注重培养和推选树立各类先进典型。通过典型示范，以点带面，延伸拓展，全面提高。年初，通过评选，全市有40个创建文明社区、文明城镇工作先进单位受到了市委、市政府表彰。天津市的河西区、大港区被评为全国创建文明城市工作先进城区，西青区、武清区等10单位被评为全国创建文明村镇先进单位，还有30几个文明行业、文明单位受到了中央文明委表彰。年底，市文明委在全市普遍开展了两年一次的文明单位、文明行业、文明机关、文明学校、文明市民、文明家庭、文明小区、文明村、文明工商户、文明出租车司机等10大系列评选活动，还重点在“窗口”行业以“服务人民、奉献社会”为主题，以“群众满意、社会公认”为标准，以“提高服务质量、塑造良好形象”为目标，开展了“天津市十大服务名牌”的评选活动。各类先进典型的大量涌现，充分展示了精神文明建设成果，营造了昂扬向上的社会氛围，推动了各项工作上水平。

（天津市文明办）

河　北　省

河北省精神文明建设工作以迎接党的十六大为契机，与时俱进、开拓创新，唱响主旋律、打好主动仗，圆满完成了省文明委第十一次全体会议确定的各项工作任务，思想道德建设、文化建设、群众性精神文明创建活动深入推进，公民思想道德素质和城乡文明程度进一步提高，为促进全省改革发展、维护社会稳定发挥了重要作用。

一、学习宣传贯彻“三个代表”重要思想，迎接党的十六大，统一思想，鼓舞士气，凝聚力量

广大党员、干部特别是领导干部，联系实际深入学习江泽民同志“七一”重要讲话，运用“三个代表”重要思想指导工作的自觉性明显增强，解决实际问题的能力和水平进一步提高。围绕解决影响农村改革发展稳定的突出问题和群众关心的热点问题，广泛开展了农村“三个代表”重要思想学习教育活动。针对现实生活中提出的一些重大理论和实际问题，各级理论宣传和社科研究部门，推出一批理论研究文章、通俗理论读物和电视专题片，使“三个代表”重要思想更加深入人心。

党的十六大以后根据中央和省委的《通知》要求，广大党员干部特别是县以上领导干部认真学习江泽民同志的报告和新党章。省市领导带头，组成宣讲团，赴各地宣讲十六大的重大历史意义，引导人们全面准确地了解和把握十六大的主题、灵魂和精髓。把学习十六大精神、胡锦涛总书记在西柏坡的重要讲话与谋划河北发展紧密结合起来，引导广大党员、干部坚持“两个务必”，做到“四个牢记”，按照“四新”的要求，思考在新形势下河北怎么办、怎么干，在全省上下唱响树正气、讲团结、求发展的主旋律，形成聚精会神抓经济、一心一意谋发展的崭新精神状态和工作态势。

二、道德建设重点突破、群众性的道德实践活动广泛开展，促进公民基本道德规范的落实

开展构建“诚信河北”活动。活动主题是“社会管理公平公正、经济交往履约践诺、人际之间真诚相待”。确定行政执法、工矿企业、服务行业、中介组织、教育文化等行业为活动重点。实施了包括开展诚信教育、建立信用规范、强化社会监督等一系列措施，及时总结推广邯郸市开展诚信教育、石家庄新华区建立信用档案、新河县创建信用村和信用户的经验。诚信光荣、失信可耻的社会舆论环境逐步形成，“诚信才能立业、文明才能生财”正在成为各行各业的经营理念，诚信合作、诚信经营、诚信服务的意识明显增强。

倡导并积极开展了各种形式的“志愿者”活动。市一级志愿者活动协调组织相继建立，志愿者队伍已由青少年向广大妇女、离退休人员、国家公务员、社区居民扩展，志愿服务领域也由助残帮困向救灾赈灾、支教助学、科学普及、各类公益活动延伸。通过倡导志愿者精神，弘扬了团结友善、乐于奉献的社会主义道德风尚。

各地、各行业、各部门开展了形式多样、生动活泼的道德实践活动。承德市开展的“以德治市”活动，衡水市开展的“学《纲要》、讲文明、新树风”活动，搞得有声有色、扎实有效。石家庄市开展的“农村功德录”活动，邢台市开展的“两会一校”活动，在引导农民群众自我教育、自我提高上发挥了积极作用。各级共青团、妇联组织开展的“助老爱老”、“我做合格小公民”、“美德之家”风采展示等活动，把更多的群众特别是广大青少年引导到道德实践中来。各地利用春节、清明节、重阳节、母亲节等传统节日，围绕文明服务、移风易俗、尊老敬老，组织开展了各种形式的主题活动，使道德建设日趋融入人们社会生活的各个方面。

三、精神文明创建活动广泛深入、亮点纷呈，进一步改善了群众生活质量、社会公共秩序和城乡发展环境

创建文明城市活动形成新的高潮。以中宣部、中央文明办宣传推动唐山创建文明城市工作经验为契机，在全省深入开展了学习唐山活动：各市纷纷出台新的措施，引导广大居民热爱城市、建设城市、参与城市管理；引导政府部门、服务行业勤政为民、改善行风，为外商、为企业、为群众提供优质服务；动员社会力量改造市容市貌、治理脏乱差、绿化美化环境。形成了党政机关、各行各业、市民群众广泛参与，塑造城市形象，打造城市品牌，优化城市发展环境的积极态势。启动和开展“科技、文体、法律、卫生”四进社区活动：各市组织科技人员、文体工作者、法律工作者深入社区开展科普宣传、进行义诊、举办法律讲座，各级科协、文化、体育、卫生部门为一些社区建起了科普宣传栏，提供了一大批文化、体育、卫生设施。推广了保定市全面推进创建文明社区活动，让广大居民普遍受益的经验：着力解决一些地方只抓点、不抓面、做样子、搞形式主义的问题，推动了这一创建活动的进一步普及，使越来越多的居民享受到了创建活动带来的文明成果。

创建文明村镇活动取得新进展。创建十星级文明农户、文明村、文明小城镇活动继续推进。邯郸市的“八大员”活动，邢台市的“五个一”进家庭活动，保定市的百万农民培训活动，灵活多样、贴近群众，深受广大农民的欢迎。各级宣传、文化、卫生、科技、体育部门和群众团体积极开展各种形式的城乡共建、社会帮扶活动。文化科技卫生“三下乡”、“星火科技下百县”、“百万农民健康促进行动”、“婚育新风进万家”等活动为提高农民群众的思想道德素质和科学文化素质，创造了条件，提供了帮助，在促进广大农村精神文明建设中发挥了重要作用。又有28个县（市）乡（镇）、村的精神文明建设工作受到中央文明委的表彰，有11个县城、45个乡镇、106个村被省委省政府命名为文明县城、文明乡镇、文明村。

创建文明行业活动不断深化。着眼于推动职业道德教育、树立行业新风、改善社会服务，继续深入开展了创建文明行业竞赛和群众评行风活动。组织50多个行业进一步完善了文明服务、诚信服务标准，并向社会公开承诺；在各市普遍聘请了行风监督员、开办了行风热线，进一步强化了行业内部约束，加大了社会监督力度；通过各级精神文明建设工作部门，向城乡基层单位印制了50多万张群众评议卡，组织社会各界群众对各级执法部门和各类社会服务行业、垄断性行业的职业道德、行风状况和服务质量进行了评议，按群众的满意度对各行业创建工作情况进行了分类排队，并向全省通报了群众评议结果。与此同时，组织各行业主管部门，按照服务质量、环境面貌、效益效率、科学管理四个方面的标准，对各系统的“窗口”基层单位服务质量等级进行了年度评定，有533个基层“窗口”单位达到质量服务一级标准。又有一批单位被中央文明办、国务院纠风办确定为全国创建文明行业示范点。

四、社会主义文化建设开拓创新、扎实推进，进一步推动了各项文化事业繁荣发展

围绕迎接十六大和纪念《毛泽东在延安文艺

座谈会上的讲话》发表60周年，组织了百名作家、艺术家下乡采风活动，举办了《五月的阳光》大型文艺汇演、“我们跟党走”全省群众文艺汇演、第六届河北省戏剧节、第三届中国评剧艺术节、优秀影视剧展映展播、“群星灿烂向北斗”群众业余合唱晚会等活动。

以“五个一工程”为龙头，组织创作生产出了一批讴歌党的丰功伟绩，反映改革开放和现代化建设成就、体现先进文化前进方向的优秀作品。评剧《西柏坡》进京演出，引起中央有关部门高度重视，产生极好的社会反响。组织了河北省第七届“五个一工程”评选，83件作品入选。6种图书获中国图书奖，专业艺术领域有122个项目获国际性、全国性奖励，石家庄青年评剧团的《胡风汉月》获文化部文华大奖。

适应社会主义市场经济的要求，积极稳妥地推进新闻出版广播影视业改革。制发了《河北省新闻出版广播影视改革要点》，以集团化为重点的改革进入实质性操作阶段，河北日报报业集团正式挂牌成立。

进一步加强了基层文化阵地建设。继续推进“百县千乡宣传文化工程”，有6个县完成了宣传文化中心建设，20个乡镇建起了宣传文化站，乡镇宣传文化站总数已达到100个。积极争取中宣部、中央文明办支持，策划并启动了“太行山革命老区宣传文化工程”，第一期工程的10个县宣传文化中心和38个乡镇宣传文化站已开始施工。同时，投资1000万元，新建“宣传文化示范村”102个，使全省“宣传文化示范村”达到了303个。这些阵地的建设，为广大农民了解党的方针政策、学习科技法律常识、掌握致富本领创造了条件，对促进农村两个文明建设正在发挥出积极作用。

五、动员社会力量帮助困难群众，运用活动载体办好事实事，进一步密切了党和政府同人民群众的血肉联系

继续实施了西部开发助学工程。在中央的支持下，资助范围由张、承两市扩展到全省11个设区市，在全省引起了积极反响，带动了社会各界的支教助学活动。各级文明单位踊跃参与，仅石家庄、沧州市就有200多个省级文明单位志愿捐资60多万元，帮助538名贫困家庭学生入学。省共青团系统启动了“新世纪希望工程助学活动”，各级妇联组织开展了“春蕾计划”。与此同时，“公务员助学”、“联通助学”、“民营企业家助学”等各种形式的助学活动层出不穷，社会各界关心贫困学生的热情空前高涨，使贫困家庭子女得到了来自社会各方面越来越多的关爱和帮助。

广泛开展了扶助贫困农民和下岗职工活动。文明单位“双千扶贫”活动不断深入，与贫困农村结对帮困的省、市级文明单位已发展到1470多个，捐资1.2亿元，资助经济技术项目1000多个，修建和新建学校250多所，打机井900多眼，义务帮助1000多个贫困村脱贫致富。全省工会系统开展了“三个一”再就业援助行动，即在每个县建立一个职业介绍所、一个再就业培训中心、一个安置下岗职工的生产自救基地。全省妇联系统开展了“下岗女工再就业援助行动”，全省工商联系统开展了光彩事业活动，这些活动的开展，展示了时代的风尚，体现了社会主义大家庭的温暖，把党和政府的关怀传送到了千家万户。

大力推进了营造城市“森林”大型公益活动。这一活动顺应了市民群众要求改善城市生态的迫切愿望，得到了广大群众的热烈拥护和社会各方面的积极响应。活动开展3年来，11个地级的基层单位、社会团体、市民群众自愿捐款10478万元，参与义务植树活动群众将近2000万人次，在城市及其周边地区植树145502亩。人们在参与中受到教育、得到提高，促进了关心生态、保护环境良好社会风气的进一步形成；城市居民盼望的“城在林中、林在城中”目标，在一些活动搞得好的城市中正在逐步变为现实。

（河北省文明办）

山 西 省

山西省精神文明建设工作围绕贯彻十五届六中全会、十六大和省八次党代会精神，真抓实干，与时俱进，突出加强公民思想道德建设，着力推进文明创建工作升级上档，为全省经济和社会发展提供了精神动力和思想保证。

一、以“昂首新世纪，弘扬新风尚”为主题的文明之春系列活动受到群众欢迎

年初，省文明委制定、下发了全省文明之春系列活动意见。各市（地）、各工委都制订了实施方案，积极开展活动，营造出蓬勃向上、欢乐喜庆、文明健康、安定祥和的浓郁氛围，朔州市组织戏剧歌舞演出600余场，放电影1200余场，举办科技专题讲座200余场，培训农民4万余人次。运城市组织著名专家、艺术家分赴农村直接为村民服务。太原市组织文明单位为阳曲县老区人民送面粉、送书籍，并在现场设立15个文化、科技、卫生、农业、司法等方面的咨询服务点，参与群众1万余人，受到农民的热情欢迎。文明之春系列活动为传统佳节注入了一股清醇的文明新风。

二、精心组织，全面安排，《公民道德建设实施纲要》的学习、宣传、贯彻深入人心

《公民道德建设实施纲要》颁布之后，省委常委会专题进行学习讨论，并向全省印发了“中共山西省委关于贯彻落实《公民道德建设实施纲要》方案”。根据《方案》安排，省委宣传部、省文明办共同举办了全省“公民道德建设知识电视大赛”和“公民道德歌征歌活动及演唱比赛”。各市（地）宣传部、文明办除组织群众参加省里的活动外，还组织开展了各具特色的活动。长治市各县、区、单位的文明市民学校对市民进行了道德知识的系统教育培训。太原市共制作宣传《纲要》的版面1000余块，向社区发放宣传20字基本道德规范、修订后的文明太原人十条标准等宣传品。忻州市拟定了行业、系统、部门、社区、村镇道德规范达标体系，使20字基本道德规范有形化、具体化。老干部去中小学校进行专场宣讲。永济市四大班子成员组成公民道德教育宣讲团下基层宣讲。平遥县举办了首届公民道德建设广播电视家庭演唱会。浑源县把公民道德基本规范和《浑源公民公约》编成顺口溜和快板书，以老百姓喜闻乐见的形式宣传《纲要》。

省直机关开展了“人人都是软环境、公仆先是好公民”为主题的道德实践活动。太原市组织“双十标兵”报告团深入各文明单位、驻地部队巡回报告。大同市组织了“见义勇为先进事迹巡回报告团”，深入基层进行演讲，宣传英雄事迹，以身边的先进人物教育身边的人。

三、以提高城市综合文明程度和市民生活质量为目标，文明城市创建取得新突破

省文明委在广泛调查的基础上，2002年初制定出台了《山西省创建文明城市十年计划纲要》，全省各市（地）把创建文明城市作为精神文明创建工作的重中之重，加强领导，加大力度，全面推进。朔州市以建设“北方生态园林城市”为目标，完成了12项重点工程，“林在城中，城在林中”，描绘出北方园林城市的亮丽风景。大同市以云冈石窟列入世界遗产名录并被评为中国优秀旅游城市为契机，深入开展文明城市创建。全省不少县（市）、区在加大硬件建设力度的同时，增强人本意识、绿化意识、环保意识及文化内涵，一批高品位的文化广场和标志性建筑相继建成并开放使用。太原市、长治市以城市综合整治为主要内容的文明城市创建活动蓬勃开展，城市面貌发生了巨大变化，市民的思想道德素质普遍得以提高，两市被中央文明委授予全国创建文明城市工作先进城市称号。

四、以农民致富奔小康为目标，服务农村产业结构调整，全面提升文明村镇建设档次

全省农村围绕产业结构调整，着力开展文明

村镇创建，全面提升农村精神文明建设的水平。大同市重点开展了“科普文明乡（镇）”、“科普文明村”、“科普文明户”活动，建成一批科普文明村。农民在学科技中转变了观念，开阔了眼界，学到了本领。阳高县龙泉镇在投资2000万元建起占地330公顷科普示范基地的基础上，又新增投资1000万元建起千头奶牛养殖园区、科技温室大棚示范园区、100亩经济林示范园区，这些科普基地成为集展览、培训、服务为一体的现代化科普设施和活动场所。忻州市在全市80%以上的农村开展“十星级文明户”建设，将思想道德、法制教育、科学技术、医疗卫生、文化教育“五进家”活动引向深入。长治市大力推行“农村文化大院”活动，全市有60%以上的农村组织了图书、卫生、科技、电影、曲艺等文化大院，活跃了农民文化生活，增进了团结。黎城县黎侯镇、长治市霍家沟村等20个乡镇村进入了全国创建文明村镇先进行列。

五、以“服务人民、奉献社会”为主题的创建文明行业活动取得突破，为经济发展提供了良好的软环境

全省的文明行业创建活动，以加强职业道德建设、规范行业行为、提高服务质量为重点，努力为全省的社会经济发展营造良好的人文环境。大同市国税局从点滴抓起，从小事做起，突出为纳税人办实事、办好事，达到了让纳税人进门有亲切感、咨询有信任感、办税有高效感、出门有满意感的服务标准。太原市公交总公司“诚信公交、文明服务”的经验在全国创建文明行业工作座谈会上受到与会代表一致好评。《人民日报》、新华社等中央媒体分别进行了报道。太原市工交总公司、运城地税局等9个单位进入全国创建文明行业先进行列；中国网通山西通讯公司、晋中邮电局等15个单位建成国家级文明单位。

六、认真实施“西部开发助学工程”，广泛开展“爱心助学行动”，德政工程深得民心

中宣部、中央文明办、教育部从2002年起将山西省正式列入“西部开发助学工程”实施范围。为确保推荐工作做到公开、公平、公正，朔州市、晋中市在有资助名额的贫困县召开宣传部、文明办、教育局、招生办及有关学校和毕业班班主任参加的联席会议，由学校领导和班主任介绍学生学习情况、在校表现及家庭经济状况，参会人员共同研究，认真筛选，共同把关。在中央文明办开办首届高中“宏志班”的带动下，山大附中和太原十五中情注贫困家庭，挖掘优秀教育资源，增办三个高中“宏志班”，资助全省特困优秀高中生150名顺利入学。“爱心助学行动”广泛开展，全省省级文明单位一次性资助1080名特困生进入高校大门。

七、“新大运、新山西、新风貌”千里文明长廊建设全面启动，开局良好

大运高速公路纵贯山西南北，全长1300余里。沿线市（地）委宣传部、文明办积极开展工作，千里文明长廊所定的五项工程建设全局启动，亮点突出。

大同市城郊万亩生态园林；朔州市城南、城北两个万亩森林工程、七里河水系改造；忻府区、原平市的科技生态园；太原市的汾河生态公园；临汾市的滨河生态工程；尧都区的万亩苹果园相继建成，形成特色绿洲。省科协组织“万名村长学科技”活动，3000多名村干部已经得到系统培训；农业厅、司法厅、科技厅、省文联联手培训培养一批农村理论辅导员、农民法制宣传员、农民经济信息员、农民文化中心户、农民科技带头人、农民经纪人。千里文明长廊在巩固三大文化品牌的同时，着力挖掘具有地域特色的旅游文化资源，使群众性文化活动与旅游、经济、社会发展融为一体，“人文大运”增添了更多的文化内涵。

八、加强农村基层文化设施建设，“环太行、吕梁革命老区宣传文化工程”全面启动

省文明委制定和出台了《山西省环太行、吕梁革命老区宣传文化工程建设规划》、省文明办制定了《关于加强县、乡宣传文化阵地建设与管理的实施意见》，对今后5年全省基层宣传文化设施建设的任务和目标做出了明确安排。

（山西省文明办）

内蒙古自治区

内蒙古自治区精神文明建设工作以“三个代表”重要思想为指导，深入学习贯彻落实党的十六大精神，紧紧围绕经济建设这个中心，切实加强思想道德建设，广泛深入开展文明城市、文明村镇、文明行业等群众性精神文明创建活动，进一步提高了各族干部群众的文明素质和城乡文明水平，促进了自治区两个文明建设的协调发展。

一、以学习宣传实践“三个代表”重要思想为主线，掀起了学习宣传贯彻党的十六大精神的热潮

按照中央文明委和自治区党委的要求，把学习宣传实践“三个代表”重要思想作为全年工作主线，组织党员干部认真学习江泽民同志“七一”重要讲话和“5·13”重要讲话，在报刊、电台、电视台开辟了专栏和专题节目，积极宣传干部群众学习贯彻“三个代表”重要思想的生动实践，集中宣传了戴成钧、廷·巴特尔等一批实践“三个代表”的优秀党员干部。

围绕党的十六大，展示党的十五大以来内蒙古经济社会发展的辉煌成就，推出50集专栏节目《来自重点工程的报道》、15集成就报道《走过五年》、5集电视理论片《鄂尔多斯之路》，组织了迎接党的十六大献礼影视片展映展播。十六大召开后，自治区文明委下发了《关于全区精神文明战线掀起学习宣传贯彻十六大精神热潮的通知》，组织开展各具特色的宣传教育活动，推动学习向纵深发展。

二、以《公民道德建设实施纲要》为主线，切实加强思想道德建设

自治区党委制定下发了《关于贯彻〈公民道德建设实施纲要〉的意见》，将2002年确定为全区公民道德建设年，把每年的3月份确定为全区公民道德建设集中宣传教育活动月。全区公民道德建设紧紧围绕培育“四有”公民这条主线，突出重点人群、重点行业和重点区域，建立公民道德建设领导、工作、考核三个机制，抓住宣传、教育、实践、保障四个环节，借助创建文明城市、文明村镇、文明行业、文明单位和开展各类社会公益活动等五种载体，组织开展了“《内蒙古宣传》杯”《公民道德建设实施纲要》知识竞赛活动，举办了全区《公民道德建设实施纲要》学习培训班，在《实践》、《党的教育》杂志举办了“包头一电杯”公民道德建设有奖征文活动，编辑出版了《公民道德建设规范读本》、《民族地区思想道德建设概论》，征集优秀道德格言，评选表彰思想道德优秀电视公益广告，开展公民道德建设系列问卷调查，组织开展了“倡导文明新风、反对铺张浪费”主题教育活动。在全区宣传了一批实践公民道德基本规范的先进典型。

三、以“三大创建”活动为载体，不断深化群众性精神文明创建工作

继续在全区19个市辖区和12个盟辖市及二连浩特市、满洲里市组织开展十星级文明城市（区）竞赛活动。自治区文明办、科协、综治办、司法厅、文化厅、卫生厅、体育局、团委、妇联等有关部门联合制定了科教、文体、法律、卫生进社区活动方案，在呼和浩特市举行了“四进社区”活动启动仪式。中央文明办、铁道部、中国科协组织的“科普列车西部行”专家志愿服务团到我区准格尔旗、达拉特旗、凉城县举办科普展览和科技讲座，进行农牧业技术培训，开展医疗义诊等活动。在全国“四进社区”文艺展演活动中，包头市青山区选送的舞蹈《鹿鸣》和二人台对唱分获银奖和铜奖。

在创建文明村镇活动中，继续开展“十星级文明户”、“十星级文明村（嘎查）”、“十星级文明乡（苏木、镇）”等竞赛活动。同时，各地区按照自治区文明委制定下发的《关于在全区深入开展以城带乡，以乡促城，城乡共建精神文明活动的意见》，组织各级文明单位同文明村结成共建对子，帮助农牧民改善生产生活条件，使城乡共建活动见到了成效。

在创建文明行业活动中，重点在公安、建设、交通、铁路、民航、卫生、邮政、电信、移动通讯、国税、地税、工商、气象、电力、工商银行等15个行业继续开展了规范化服务达标竞赛活动。

四、以宣传典型为抓手，充分发挥先进典型的示范和带动作用

确定了全区十佳星级文明城市（区）、十佳星级文明旗县城关镇、十佳星级文明建制镇、十佳星级文明村（嘎查）等4个十佳和28个星级文明城市（区）、71个星级文明旗县城关镇、163个星级文明建制镇（苏木乡）、163个星级文明村（嘎查）；在全区15个行业中确定了165个创建文明行业活动示范点，2个自治区文明系统；命名了845个自治区级文明单位和100个自治区级文明单位标兵；确定了22个全区创建文明社区示范点和53个全区创建文明小区示范点；16个全区创建文明风景旅游区示范点，进一步加大了群众性精神文明创建活动典型示范网络的构建，形成了以点带线，以线带面，滚动发展，覆盖广泛，带动群众性精神文明创建活动深入开展的创建新格局。

按照自治区党委提出的“以会促创、典型示范”精神文明建设重点推进战略的要求，自治区党委、政府于8月20日至22日在满洲里市召开了全区城镇精神文明建设经验交流会，总结和推广满洲里市“创建边境口岸文明城市，促进两个文明协调发展”的经验。9月17日至24日，中央17家新闻媒体连续对包头市发扬艰苦奋斗传统，发挥创业精神创建文明城市的经验进行集中宣传，树立了良好的草原钢城形象。

五、以西部大开发为契机，积极实施扶持贫困地区发展的精神文明建设资助工程

认真贯彻落实全国“百县千乡宣传文化工程”工作座谈会和全国“西部开发助学工程”工作座谈会精神，自治区党委宣传部、文明办、文化厅在乌盟商都县召开了全区“百县千乡宣传文化工程”工作座谈会，宣传推广商都县西坊子乡宣传文化站的经验和做法。为了加强对“西部开发助学工程”受资助学生的教育管理，组织开展了高校教师与受助学生“结对子”活动和2001级受助学生暑期社会实践活动，召开了“学习十六大精神暨西部开发助学工程”座谈会。

（内蒙古自治区文明办）

辽 宁 省

辽宁省精神文明建设工作，以迎接、宣传党的十六大，学习、宣传、实践“三个代表”重要思想为主线，以贯彻《公民道德建设实施纲要》为重点，围绕中心，服务大局，整体推进，不断深入，对提高公民道德素质和城乡文明程度，促进改革发展，维护社会稳定，发挥了重要作用。创建工作成果显著，在中央文明委第二批表彰的全国精神文明工作先进单位中，鞍山市、锦州市和沈阳市和平区被评为全国创建文明城市工作先进城市（城区），开原市等15个单位被评为全国农村精神文明建设先进单位。沈阳市煤气总公司等48个单位被评为全国创建文明单位（文明行业）先进集体。辽宁省受表彰单位数量在全国位于前列。

一、学习贯彻《公民道德建设实施纲要》有新进展

广泛深入宣传《公民道德建设实施纲要》基本精神和公民基本道德规范。举办知识竞赛、编写《道德新歌》、设立宣传标牌、推出电视公益广告。大力开展以“自强敬业”为主题的系列道德实践活动，在职工中开展“敬业创优做贡献”活动，在下岗失业人员中开展“自强之路在脚下”

活动，在城市社区中开展“手拉手、共奋进”活动等。召开贯彻落实《公民道德建设实施纲要》经验交流会，推广鞍山市的经验。中宣部、中央文明办把鞍山市作为全国贯彻《纲要》的重大典型，8家中央新闻单位进行了宣传。在农村广泛开展“道德评议进万家”活动，促进农村道德建设。义县边门子村作为全国农村贯彻《纲要》典型，在中央电视台“焦点访谈”栏目进行了宣传。推出营口市盖州暖泉农场场长崔玉祥、沈阳市新城子区广播电视局局长张德山、锦州市老兵义务电影放映队等一批道德建设先进典型。

二、以“四进社区”活动为重点，创建文明城市活动取得新成果

广泛开展文体、科教、卫生、法律“四进社区”活动。全省共举办各类文化活动30余项，演出、展出、比赛800多场；帮助社区建立图书馆（室）212个，发放科普图书14万册；组织科普报告会、科普培训班870余场，普法讲座797场，科普影视放映、广场文艺晚会650余场，“反对邪教，崇尚文明”科普展览200余场。全省249个街道开展社区卫生服务，建立社区卫生服务中心122个，社区卫生服务站369个。培训技术人员2010人，建立健康档案102万份，服务人口达697万。在全国文体进社区展演活动中，获2个金奖。在辽阳宏伟区召开全省“四进社区”经验交流会，总结和推广了一批先进典型。

三、以城乡共建和星级系列为载体的农村精神文明创建活动向深度和广度推进

全省普遍开展城乡共建活动，省直29个文明单位也与村镇开展共建活动。抚顺市和铁岭市的共建活动由点向连片和区域化方向发展，呈现良好态势。“十星级文明户”活动又有新的发展，全省在大连召开创建“十星级文明户”工作座谈会，总结推广了一批典型经验。文化、科技、卫生“三下乡”活动向纵深发展。“婚育新风进万家”活动进村屯入农户，扎实开展。

四、以“三制”和规范服务为重点的创建文明行业活动蓬勃开展

建设、交通、电信、邮政、卫生、电业、铁路、税务、公安、工商、民政等11个全省创建文明行业示范点，以规范管理和规范服务为突破口，努力提高服务质量，推行生产经营信誉制、社会服务承诺制、行政执法公示制，加强诚信建设，提高服务质量，群众满意率有较大提高。省直有关部门开展“评选文明处室”、“争做人民满意警察”、“争创人民满意单位”、“人民满意的白衣天使”、“青年文明号”、“巾帼建功文明岗”等活动，促进了机关作风建设和行风建设。大连市出租汽车客运管理处在全国创建文明行业座谈会上作为典型介绍经验。大连市公安局巡警系统、锦州市房产公用事业局、沈阳地税局于洪分局被命名为全国创建文明行业活动示范点。

（辽宁省文明办）

吉　林　省

吉林省群众性精神文明创建活动，紧紧围绕中央和省委的工作部署，坚持服务于改革发展稳定大局，以贯彻落实《公民道德建设实施纲要》为主线，深化三大创建活动，保持了积极向上的发展态势，为吉林省八次党代会的召开和党的十六大的召开营造了良好氛围，为吉林省经济和社会跨越式发展提供了有力的精神动力和智力支持。

一、宣传贯彻落实《公民道德建设实施纲要》，思想道德建设深入发展

在全省集中组织开展了公民基本道德规范系列宣传活动。省文明办将20字公民基本道德规范的内容制作成宣传画，印发5万张，张贴在全省各市（州）府所在城市的车站、商店、宾馆、学校、医院、行业窗口单位等公共场所。制作了一部宣传公民基本道德规范的公益广告片，在吉林卫视和各市（州）电视台黄金时段播放。同时，各市（州）结合各自实际，采取多种形式开展丰富多彩的宣传活动。在全省各地掀起了公民基本道德规范的宣传热潮，使公民基本道德规范家喻户晓、深入人心。

组织开展道德实践活动。吉林市、四平市、白城市组织开展的“文明市民评选活动”、长春市组织开展的“道德传承、文明链接”活动、吉林市组织的“全民道德实践活动日”活动，桦甸市开展的公民道德评议活动，梨树县在中小学校中开展的“社会公德卡”活动，等等，都有声有色，效果明显。省文明办还组成调研组，对桦甸市开展市民道德评议活动的情况进行专题调研，总结他们开展道德实践活动的经验，在全省推广。

举办全省农村青年道德知识竞赛。9月20日至11月5日，省文明办在全省农村青年中举办道德知识竞赛，全省有10万多青年农民参加，此举对提高广大农民的思想道德素质起到积极作用。

二、深入扎实开展群众性创建活动，城乡文明程度和公民素质进一步提高

按照“拓展领域、充实内容、改进方法、提高水平”的思路，以“讲文明、树新风”为主题，省文明办着力抓了创建文明城市、文明村镇、文明行业活动。

稳步推进创建文明城市活动。4月份，省文明办与省综治办、省文化厅、省卫生厅、省环保局、省体育局、省科协、团省委、省妇联联合发出通知，在全省开展科教、文体、法律、环保、卫生“五进社区”活动。长春市的科技进社区活动、白城市的卫生进社区活动内容丰富，为群众解决了一些实际问题，反响很好。积极参与全国“四进社区”文化展演活动。吉林省选送的快板书——《说点大实话》和朝鲜族舞蹈等节目分别荣获组委会颁发的一项银奖和两项铜奖。

继续深化创建文明小城镇活动。4月份，省文明办下发《关于推荐省级创建文明小城镇示范点的通知》。8月底，在农安县召开全省创建文明城镇工作现场会，交流了长春市、公主岭市等地创建文明城镇工作的经验，并命名了全省创建文明城镇示范点，下发了《吉林省创建文明城镇活动方案》。

加大创建文明行业工作力度。6月份，省文明办组织各地对拟定的102个示范点进行认真考察，并在新闻媒体上进行公示，广泛征求社会各界的意见。同时，省文明办还在全省开展了“经营进诚信，保证你放心；执法讲公正，保证你舒心；服务讲优质，保证你欢心”活动，推动创建文明行业活动的深入发展。继续开展“百城万店无假货”活动。年初，省文明办下发了《关于继续深入开展“百城万店无假货”活动的通知》，认真组织各地深入开展活动，扩大了活动的覆盖面，向个体私营商店和专业批发市场拓展。活动中，各级文明办、工商等部门在当地党委、政府的统一领导下，协调行动，加大了打击假冒伪劣商品的力度，产生了强烈的反响。为进一步巩固活动成果，省文明办在全省确定了11条“百城万店无假货”活动示范街和98个示范店。

为总结、交流、推广近年来我省军（警）民共建工作中涌现出的新经验，促进全省军（警）民共建活动与时俱进、深入发展，12月中旬，召开了全省军（警）民共建工作经验交流会。各市、州有9个军（警）民共建先进典型介绍了经验，推动了军（警）民共建工作的深入发展。

为加强同“法轮功”邪教组织的斗争，维护社会稳定，为党的十六大召开营造良好的社会环境，6月份，省文明办下发了《关于在群众性精神文明创建活动中深入开展同“法轮功”斗争的工作意见》，各地按照省委的统一部署，把同“法轮功”斗争的各项工作纳入到群众性精神文明创建活动中，取得了良好成效。

三、注重营造良好氛围，精神文明建设宣传工作有所加强

为迎接省八次党代会的召开，在全省进一步营造精神文明建设工作的良好舆论氛围，省文明办组织拍摄大型电视专题片《文明新时代》，5月中旬在吉林卫视中播出，极大地激励了各地各部门深入开展群众性精神文明创建活动的积极性和创造性，全省的创建活动出现了蓬勃发展的喜人局面。省文明办还围绕吉林省近年来群众性精神文明创建工作、农村精神文明创建活动、农村区域性连片创建活动、市民道德教育、行业诚信建设等问题开展广泛深入的调研，并撰写了一批调研文章。

广大基层精神文明建设工作者积极深入基层

开展调查研究，了解掌握基层的第一手资料，撰写了大量的调研文章。省文明办对各地上报的近百篇调研报告进行了评选，并对部分调研报告进行表彰奖励。

（吉林省文明办）

黑 龙 江 省

黑龙江省精神文明建设工作，以深入学习实践《公民道德建设实施纲要》和树立新世纪黑龙江人形象为重点，按照中央文明委和省文明委的工作安排，围绕中心、服务大局、扎实工作，初步形成了城乡一体、相互促进、健康发展的良好态势，为迎接党的十六大营造了文明和谐、昂扬向上的良好氛围，为推进“二次创业、富民强省”提供了良好环境。

一、组织开展学习贯彻“5·31”重要讲话和迎接十六大系列活动

以学习贯彻“5·31”重要讲话，迎接党的十六大为主线，深入扎实地开展系列学习教育活动。一是深入开展理论教育活动。省委中心组带头学习，主要领导亲自深入基层宣讲“三个代表”重要思想。狠抓了以县以上领导干部为重点的各级党委中心组的学习教育活动，举办了中青年干部培训班。组织理论宣讲团深入基层巡回辅导，达到了“干部受教育，群众得实惠”的目的。二是深入开展展示改革开放和现代化建设辉煌成就活动。各级新闻媒体积极配合，集中时段、版面，大力宣传。三是深入开展实践“三个代表”先进典型宣传活动。宣传了一批先进基层党组织和付华廷、李庆长等一大批优秀共产党员、模范干部的先进事迹。四是深入开展“为人民做贡献、为党旗添光彩”主题活动。

十六大召开后，省委立即发出通知，举办骨干培训班，组织宣讲团。各级党政主要领导深入农村、学校、工厂、社区巡回宣讲。

二、组织开展学习贯彻《公民道德建设实施纲要》和“黑龙江形象年”建设活动

全省把学习贯彻《公民道德建设实施纲要》作为重点，贯穿精神文明创建活动的各个方面和全部过程。省委制定了《黑龙江省〈公民道德建设实施纲要〉实施细则》，组织编写了公民道德教育通俗读本《公民道德说要》，利用两万多所文明市民学校、社区乡镇宣传文化活动中心、农民夜校和遍及全省的900多个青少年思想道德教育基地，举办全民学《纲要》培训班，组织了《纲要》知识百题竞赛。各地各部门制定或重新修订了各种道德规范，开展了告别不文明、不道德行为活动。有的市（地）把宣传实践《纲要》同评选“十佳文明市民标兵”和“十佳文明新事”活动结合起来。

省委、省政府连续两年把树立“新世纪黑龙江形象”作为重点工作专题推进，开展了“黑龙江形象年”建设活动。在全省服务行业、执法部门组织了评选最佳最差单位的“双评”活动，形成了全社会人人讲形象，人人树形象的良好局面。

三、积极推进以“四进社区”为重点的文明城市创建活动

为了贯彻中央文明办等八部门《关于开展科教、文体、法律、卫生“四进社区”活动的通知》精神，省里印发了《关于科教、文体、法律、卫生“四进社区”活动工作方案》，成立了“四进社区”活动领导小组，各有关部门分别制定了实施方案，举行了活动启动仪式，召开了座谈会，总结推广了齐齐哈尔市龙沙区、省科协等单位的经验，确定了43个创建文明社区示范点。省科协科技大篷车行程4000多公里，深入十多个城市的社区进行科普宣传。全省各地共开展各类科普宣传教育活动2.5万多次，参加活动的市民达138万人次。各地各部门把专业文化团体送文化进社区和社区各种群众文化活动结合起来，初步形成了社区文化网络，活跃了广大居民群众的文化生活。

社区卫生服务试点工作在全省13个市（地）普遍展开，共建有社区卫生服务中心83个，社区卫生服务站297个，向居民提供方便、快捷、廉价、优质的医疗服务。各级文明办组织文明单位进社区，开展了“四建”活动（即帮助每个社区建一个社区服务站，建一所市民学校，建一个文体活动场所，建一处优美景观）。

四、大力开展以总结经验、宣传典型为重点的文明村镇创建活动

为了进一步提升全省文明村镇创建水平，加快小康建设步伐，召开了全省文明村镇创建宁安现场会，重点总结推广了宁安“四强化、四提高”(强化教育，在提高农民素质上下工夫；强化共建，在提高农村硬件建设水平上下工夫；强化机制，在提高村镇管理层次上下工夫；强化发展，在提高农民致富本领上下工夫）等20多个典型的经验。

五、推进以优质规范化服务承诺为重点的文明行业创建活动

省文明委召开了“深入开展规范化优质服务承诺，创建文明行业先进系统座谈会”，总结推广省出入境检验检疫局等5个单位承诺践诺的经验，向社会推出20家承诺单位，扩大了承诺范围。为了确保践诺，取信人民，组织省直新闻单位对承诺单位进行明察暗访，跟踪报道，邀请省人大代表、政协委员对实行规范化优质服务承诺的单位进行视察。在全省党政机关、行政执法机关、司法机关、经济管理部门、社会服务部门和窗口单位，全面推行“首问责任制、服务承诺制、限时办结制、失职追究制、否定报备制、无偿代办制”等六项制度。公示制、承诺制和“六项制度”的推行，加大了行业自我约束力和社会监督力，有效地促进了行业风气的好转，密切了党群干群关系，受到广大人民群众的欢迎。

六、组织实施“1+2”助学工程

西部开发助学工程首次把黑龙江省列入资助范围，决定资助80名品学兼优的贫困大学生，资助两个高中“宏志班”。为了扩大资助贫困大学生的范围，实施了“1+2”助学工程，即中央资助1名，省市县出资再增加资助2名。为此，制定了《黑龙江省“西部开发助学工程”资助经济困难学生实施办法》等文件，并将中央精神和这些文件汇编成册，印发各市地县和每位受资助的大学生，使这项工作有章可循。经过全省层层推荐，媒体公示，共确定资助253名大学生，招收100名高中“宏志班”学生。

七、组织实施“千里文明边防线”建设试点

为提高沿边地区文明程度、公民文明素质和群众生活质量，推动经济快速发展，形成“三大创建”整体推进、文明建设连片发展的新格局，对外展示中国形象，对内展示黑龙江形象，把全省3040公里中俄边防线建设成文明线、富裕线、旅游生态线，2001年，省文明委启动了“千里文明边防线”建设试点工作。2002年，省文明委组成两个调研组，深入到沿边各乡镇村屯进行调查研究，初步掌握了各地经济发展和精神文明建设的基本情况，掌握了革命老区、少数民族地区和经济贫困地区的分布状况，制订了《关于开展创建“千里文明边防线”活动的实施方案》。将这一活动纳入省第九次党代会工作报告和《黑龙江省建设边疆文化大省的若干意见》之中，得到了沿边18个市县和人民群众的热烈响应。各试点市地县把“千里文明边防线”和各项创建活动有机结合，取得了较好的效果。

八、组织宣传战役，营造良好的创建舆论环境

围绕“黑龙江形象年”建设等创建活动，省主要新闻单位都加大了精神文明创建活动的宣传力度。对省里组织的西部助学、“四进社区”、规范化优质服务承诺等重大活动进行了集中宣传。中央电视台等新闻单位专程来黑龙江省进行专题采访，宣传了一批重大典型。省和各市（地）新闻媒体开办专栏，组织连续报道。凡是推荐到中央文明委、国家有关部委和省、市表彰的先进单位和个人，都通过新闻媒体进行公示，所有部门、行业的承诺都在新闻媒体公布，接受社会群众的广泛监督。强有力的宣传态势和良好的舆论环境，扩大了精神文明创建活动的影响力，调动了群众参与创建活动的积极性。

（黑龙江省文明办）

上　海　市

在上海市委和市文明委的领导下，市文明办以邓小平理论和“三个代表”重要思想为指导，贯彻落实《2002年上海市精神文明创建工作要点》，按照上海市精神文明建设工作会议的部署，以迎接市第八次党代会和党的十六大胜利召开为动力，扎实推进各项精神文明创建工作。

在文明小区、文明社区创建工作中，积极改进工作方法，运用文明小区、文明社区测评体系，改进工作作风，防止和克服形式主义。一是成立由人大代表、政协委员、离退休干部、从事工、青、妇工作的同志以及社区工作者和教师、学生代表100人组成的上海市精神文明建设市民巡访团。组织市民巡访员进行暗查，发现问题及时提出整改意见。二是为了进一步了解广大居民群众对文明社区、文明小区创建的知晓率和满意率，发放问卷调查表，当场发放，当场回收，并进行汇总。三是现场审核创建资料。市民巡访团巡访后，对4个文明社区和一个文明示范标志区提出黄牌警告，引起较大震动，对创建工作的长效管理起到了积极的推动作用。全年建成浦东新区、徐汇区、长宁区等3个文明城区，80个市级文明社区，1559个市级文明小区。浦东新区、静安区被中央文明委命名为第二批全国创建文明城市工作先进城区。

在创建文明行业的工作中，注重加强行业创建监督，推进诚信体系建设。一是委托市城乡经济调查队经常对31个行业的规范服务达标情况进行测评，听取市人大、市政协、市纠风办、市信访办等有关部门意见，督促有关行业进行认真的整改。二是组织电力、自来水、民航等规范服务达标和文明创建经验交流活动，对出现的问题进行专题调研。三是召开“建设都市诚信，展示文明形象”，深入开展“申城万店无假货”活动工作会议。在各行各业中全面推进诚信体系建设，制定推行了《“申城万店无假货”活动示范街（城）管理办法》。

农村创建工作在充分调研、总结经验的基础上，积极培育郊区文明亮点，深入开展城乡结对共建活动。一是召开城乡结对共建精神文明工作推进会，组织开展了第二批“上海市城乡结对共建文明村镇”活动。郊区7个镇7个村与市区21个单位，结成共建对子。二是不间断进行村镇创建工作调研和指导，积极培育郊区精神文明建设新亮点。帮助青浦区赵巷镇、南汇区大团镇等村镇规划设计文化体育活动中心等标志性文体设施，为农民提供现代化的文化活动和思想教育阵地。全年建成35个市级文明镇、218个市级文明村。闵行区梅龙镇等10个村镇被中央文明委命名为全国创建文明村镇工作先进单位。

为进一步加强交通文明建设，增强市民交通文明意识，年初制定发布了《上海市交通文明建设“十五”规划》。与市公安局等部门开展“与文明同行”主题活动，取得了阶段性的成效。在13个文明示范标志区域，行人乱穿马路、出租车上下客乱停车、自行车闯红灯等现象明显减少；地铁站上下客秩序良好；公交车上为“老、弱、病、残、孕”让座的乘客越来越多；淮海路和世纪大道率先通过评审，成为上海首批公交文明“示范路段”。据统计，市民交通文明意识明显增强，交通事故高发势头得到遏制，行人因道路交通死亡人数与去年相比下降明显。

志愿者活动深入展开，弘扬了社会新风。一是为进一步总结志愿者工作经验，召开了上海市志愿者工作座谈会。全市评出志愿者优秀集体100个、优秀组织者80名、优秀志愿者110名。二是在对全市“老弱残疾”家庭情况进行全面调查摸底的基础上，会同市残联于3月18日启动了上海志愿者“7259”养老助残工程。三是先后组织志愿者为亚行年会、国际艺术节、亚洲音乐节、全国“四进社区”文艺展演等活动提供服务。四是组织志愿者参加“世纪林”植树活动和上海科技馆志愿者招募、培训、服务。开展了开业指导专家志愿者、健康促进志愿者、计划生育志愿者和心理咨询志愿者活动。

为进一步满足群众精神文化生活的需要，认真贯彻中央文明办等八部门关于科教、文体、卫生、法律四进社区的通知精神，与市体育局开展了第五届社区健身大会；组织东方电视台新闻娱乐频道、文艺频道到郊区开展“走到一起来”文艺展演活动；与市文联一起开展文化指导员下社区辅导活动；与文广局和文广集团举办第三届社区电影节活动；向社区、小区赠送一批音像制品和图书。一系列活动丰富了基层精神文化生活，受到了社区居民的热烈欢迎。组织协调上海市文化、医疗、教育赴西宁“三下乡”活动，受到当地干部群众的热烈欢迎和广泛赞誉。承办了全国的“四进社区”文艺展演活动。进一步加强社区文化中心、新民茶室等社区文化设施建设。花木社区文化中心、曹扬社区文化中心先后落成，受到了中央文明办的好评。

按照《公民道德建设实施纲要》的要求，在全市广泛推广卢湾区居民公约等公民道德实践活动。编写出版了一批道德教育普及教材：《中华美德——传统道德故事100例》，《道德实践活动100例》和《图说公民基本道德规范》（少年儿童版）。与《新民晚报》联合开展了“公民道德大家谈”讨论活动。

（上海市文明办）

江 苏 省

江苏省群众性精神文明创建工作以“三个代表”重要思想为指导，以迎接十六大、学习十六大、宣传十六大、贯彻十六大为主线，紧紧围绕富民强省、率先基本实现现代化的目标，服务中心，服务大局，服务群众，以人为本，以城带乡，以评促创，取得了明显成效和积极进展。

一、以贯彻《公民道德建设实施纲要》为重点，思想道德建设兴起了新热潮

各地围绕普及20字基本道德规范，广泛开展形式多样的宣传教育活动，13个市、30余个行业（系统）共64万人参与了“全省公民道德知识竞赛”。全省拍摄、展播、评选优秀电视公益广告，增强了道德教育的感染力和实效性。各地各部门坚持在各类群众性精神文明创建活动中突出思想内涵、强化道德要求，普遍制订了与《纲要》相配套的市民公约、村规民约、服务规范，注重从具体事情做起、从群众关心的事情做起，开展道德实践，解决难点热点问题。省文明办、省公安厅、省交通厅、省建设厅、团省委在全省各地实施了“文明交通工程”，大力倡导文明行车、文明乘车、文明行路，进一步增强了全社会的交通文明意识。

二、以新一轮文明城市评选为契机，文明城市创建实现了新突破

4月下旬，省文明委在常州、镇江、扬州3市召开全省文明城市创建工作会议，明确提出新的发展阶段深化文明城市创建工作的指导思想和奋斗目标，确立了从进一步加强思想道德建设、文明社区创建、城市环境建设、城市服务功能、城市综合治理和城市文化建设等6个方面入手，全面推进文明城市创建的总体工作思路。各地认真贯彻会议精神，不断加大创建力度，出现了苏南巩固提高、苏中快速崛起、苏北奋起直追的工作格局，并逐步形成了苏州、无锡、南通、徐州争创文明城市群的良好态势。在各地广泛开展创建工作的基础上，经过申报公示、部门复核、现场检查和综合评定，省委省政府命名常州、镇江、南通、扬州、泰州、江都、溧阳、金坛、海安、扬中、泰兴、仪征、东台、句容、邳州、新沂、丰县等17个城市为第二批江苏省文明城市，确认苏州等16个城市继续保持江苏省文明城市荣誉称号；省文明委授予徐州、连云港、盐城、阜宁、盱眙、沭阳等6个市（县）江苏省创建文明城市工作先进城市荣誉称号。常州、镇江、南通、扬州、常熟、吴江、太仓等7市被中央文明委命名为全国创建文明城市工作先进城市。

三、以“四进社区”活动为抓手，文明社区创建取得了新进展

各地广泛开展科教、文体、法律、卫生“四进社区”活动，通过举办科普报告会、注册科普志愿者、赠送科普挂图等活动，推进科普进社区；通过组织群众性文化体育活动，推进文体进社区；结合“四五”普法，普及与社区居民生活密切相关的法律知识，推进法律进社区；配合医疗卫生体制改革，完善社区卫生服务体系，推进卫生进社区。“四进社区”活动的开展，活跃了居民文化生活，改善了社区居住环境，提高了群众生活质量，使文明社区创建得到了深化和发展。在各地文明社区创建取得阶段性成效的基础上，省文明委命名南京市玄武区锁金村街道锁金四村社区等53个社区为首批“江苏省文明社区”。

四、以诚信建设为主题，文明行业创建拓展了新领域

各行业（系统）紧紧围绕中央关于整顿和规范市场经济秩序的决策部署，围绕贯彻《纲要》，重点在执法部门和窗口单位大力加强诚实守信、遵纪守法、爱岗敬业教育，进一步提升了队伍素质和行业形象。较早参与文明行业创建的20个行业（系统）自觉地将文明行业创建向社区延伸、向村镇延伸，使更多的群众享受到了文明创建的成果。司法、环保、水利、国土资源、物价、药监、烟草、人保、寿保等9个行业（系统）新参与到省文明委统一组织的创建工作中来，进一步扩大了创建工作的覆盖面。南京市公安局交通管理局、无锡市卫生局、沭阳县法院、徐州市市政公用局、南通海关被中央文明办、国务院纠风办确定为第三批“全国创建文明行业”活动示范点。连云港花果山景区被中央文明办、建设部和国家旅游局确定为第五批“全国创建文明风景旅游区”活动示范点。

五、以村户为基础，以集镇为龙头，文明村镇创建探索了新经验

“现代农民教育工程”在各地农村普遍实施，有效地促进了广大农民思想道德和科学文化素质的提高。许多地方在广泛开展创建“文明户”、“新风户”、“十星级农户”活动的基础上，适应新形势的要求，积极探索“科技示范户”、“学习中心户”等新的创建形式。6个“全国文明小城镇示范点”创建电视片在中央电视台播出，苏南地区加强农村社区创建、推进城乡一体文明的做法和经验得到总结、推广，这些都有力带动了全省农村精神文明创建的深入发展。

六、以展示新成就、迎接十六大为主线，精神文明创建先进经验和先进典型宣传形成了新亮点

组织中央驻宁新闻单位和省主要新闻媒体对6个首批全国创建文明城市工作先进城市、16个首批江苏省文明城市、3个江苏省创建文明城市工作先进城市在创建中的新成就、新经验、新进展进行了系列报道，省直新闻媒体开办了“全省文明城市创建巡礼”、“迎接十六大，创建文明城市”等专题专栏，共刊发（播）通讯、消息、评论100多篇，为推动创建营造了良好的社会氛围。同时，成功举办了第六届江苏省精神文明建设新人新事评选活动，崇尚先进、学习先进、争当先进在全社会蔚然成风。

（江苏省文明办）

浙 江 省

浙江省精神文明建设紧紧围绕迎接、宣传、贯彻十六大这条主线，大力加强思想道德建设，进一步拓展创建范围，优化创建载体，加强对群众性精神文明建设的指导，各项创建工作深入发展，呈现出整体推进、全面提高的良好态势。

一、深入贯彻“三个代表”重要思想，兴起学习宣传贯彻党的十六大精神的热潮

党的十六大召开前，全省各级党委重点学习江泽民“七一”讲话、“5·31”讲话，着力引导广大干部群众深化对“三个代表”重要思想的科学内涵和精神实质的认识，提高运用科学理论解决实际问题的能力。十六大召开后，各地各部门积极举办培训班、研讨会、讲座、报告会等，推动十六大精神的学习宣传。据初步统计，县（处）级以上领导干部下基层宣讲达4200多场（次），直接听众约13万人。发挥媒体优势，开设学习贯彻“三个代表”重要思想和十六大精神的理论专栏。省里组织了“十月的阳光——浙江儿女喜迎十六大”以及省第九届戏剧节等文化活动。文化、报业、出版、广电等部门精心组织制作了一批图书、戏剧、电影、电视剧等优秀作品，为学习宣传贯彻十六大精神营造了良好的氛围。

二、全面落实《公民道德建设实施纲要》，强化思想道德建设

根据中央关于加强思想道德教育的要求，省委制定颁发了《浙江省公民道德规范》。各地抓住领导干部、职工、青少年等重点群体，分层次开展思想道德主题教育。

着眼于树立正确的权力观，开展领导干部从政道德教育。省级有关部门编写了《以德从政，执政为民》、《范匡夫之路》等从政道德教育书籍，为各地开展教育提供了基本教材。在各地继续宣传范匡夫的基础上，省委推出了朱缀绒、汪根林、张祖安等一批先进人物典型，起到了很好的示范引导作用。各地、各部门把从政道德教育作为“机关作风建设年、调查研究年”等活动的重要内容，促进德治与法治的结合，教育与自我教育的结合，推动全省党政干部勤政、廉政、优政。

着眼于打造“信用浙江”，开展“诚实立身、信誉兴业”教育。全省开展了“信用浙江千里行”、“百万企业信用工程”等活动。省委宣传部等部门组织了苏、浙、沪“百名专家学者话诚信”理论研讨会。各地开展形式多样的公民道德教育活动。台州市围绕椒江发生的“1·11”抢劫事件，组织开展以“遵纪守法讲道德、争做文明台州人”为主题的公德建设大讨论。金华市组织开展“千家万户承诺遵守公民道德规范”活动，十万多户市民参加了签名承诺。

着眼于“五爱”“四有”主题，开展青少年美德教育。为配合做好《纲要》、《规范》进学校、进社区、进家庭工作，省文明办印发了《浙江省公民道德规范》中小学生钢笔字帖，寓道德教育于书法练习之中，以增强道德教育的趣味性和有效性。各地通过加强爱国主义教育基地建设，开展爱国主义教育读书活动，组织年满18周岁的公民进行成人宣誓仪式，强化青少年的爱国意识。组织开展大学生道德辩论赛、社团文化节和中小学生“美德在身边”演讲比赛、青少年“道德网上行”等活动，强化青少年的道德意识。高校的思想道德教育也取得了新的进展，全省50余所高校建立了主题网站或网页，为大学生健康上网、上健康网提供了渠道。全省县以上城市都在显眼处设置了公益广告，为思想道德教育营造了良好氛围。

三、深入基层调研指导，努力提升文明城市创建品位

适应城市化进程，省文明委重点抓好11个地级市和29个重点县（市）的文明城市创建活动，以点带面，整体推进。省文明办深入基层，实地调研了40个城市，对市、县（市）文明城市创建工作进行具体指导，有效推进了文明城市创建工作的深入开展。省文明委在义乌市召开了创建文明县城工作现场会，推广典型，交流经验，促进了县一级创建活动的开展。省委宣传部、省文明办建立了省级文明城市创建活动宣传报道机制，组织浙江日报、浙江电台、浙江电视台，对温州、嘉兴、台州、湖州、金华等5个地级市和绍兴、慈溪、义乌、萧山等4个县（市、区）的创建工作分别进行了集中宣传报道，起到了很好的示范带动作用。新华社、人民日报、中央电台、中央电视台等中央媒体对温州、绍兴文明城市创建工作进行了专题报道，有力地推动了全省文明城市创建工作。宁波、温州、绍兴、嘉兴等4市被中央文明委命名为全国创建文明城市工作先进城市。温州、湖州、金华、台州等4个地级市和临安等13个县（市）成为浙江省文明城市；宁海等11个县（市）成为浙江省创建文明城市工作先进县（市）。

四、注重规范化建设，深化文明社区、文明村镇创建

省文明办采取授课和现场参观学习相结合的办法，对11个地级市的400多个社区负责人，分4期在杭州、宁波两地进行培训，指导社区负责人提高工作水平，规范社区服务。实地调研了200多个市、县两级城市社区，了解文明社区创建情况，进行现场指导。各地根据中宣部、中央文明办等8部委统一部署，开展了“科普与百姓生活”、“公民道德建设百场文艺宣传进社区”、“法律调处站”、“弱势群体维权岗”等形式多样的“四进社区”活动，提高了社区生活质量，受到社区居民的普遍赞扬。舟山市积极探索社区义工制度，得到市民广泛欢迎。杭州、宁波、义乌、诸暨、江山等11个城区被国家民政部命名为全国社区建设示范市（区）。

制定了《浙江省文明镇创建试行办法》。对100个中心镇创建工作进行重点指导。5月份，省委宣传部、省文明办、省建设厅、省农业厅、省环保局联合召开了由100个中心镇分管领导参加的为期4天的创建文明镇工作培训会，交流创建经验，专题辅导创建方法，参观先进典型，明确创建目标要求，帮助各镇理清创建思路。省文明办发动100个中心镇的党委书记，结合文明镇创建情况，撰写体会文章，编印了《浙江文明百镇通览》。适应农村精神文明建设实际，省文明委在“双整治”（整治居住环境和社会风气）活动基础上，开展了“双建设”（思想道德建设和文化阵地建设）工作，在绍兴县召开了全省“双建设”现场经验交流会，指导各地农村开展“双建设”活动。通过现场会推动、典型带动、媒体促动，形成了声势，取得了实效。余姚市、绍兴县被命名为全国创建文明村镇工作先进县（市），全省25个村镇被中央文明委命名为全国创建文明村镇工作先进村镇。

五、拓展创建范围，推动文明行业创建向深度和广度发展

结合“信用浙江”建设，各地、各部门开展文明行业创建活动。省文明委制定了《浙江省创建文明行业试行办法》，指导和规范全省各行业的创建工作。3月份，省文明委召开全省创建文明行业工作会议，总结近年来文明行业创建工作情况，交流经验，围绕打造信用浙江，引导行业主管部门开展职业道德教育和职业技能培训，提高职工素质；重视示范点建设，实施以点带面，推动全行业的文明创建活动。省电力公司、工商银行浙江省分行、省气象局、省电信公司、省供水行业和金温铁道开发有限公司等6个行业被省委、省政府命名为首批浙江省文明行业。

（浙江省文明办）

安 徽 省

安徽省精神文明创建工作在巩固中提高，在深化中创新。全省高举邓小平理论伟大旗帜，贯彻“三个代表”重要思想，围绕“加快发展，富民强省”主题，以优化经济发展环境、提高城乡文明程度和公民文明素质为目标，以落实《公民道德建设实施纲要》和省委《贯彻意见》为主线，以推进创建工作体制和机制创新为动力，面向基层、狠抓基础，群众性精神文明创建活动扎实推进，社会主义思想道德建设和社会主义文化建设不断加强，为全省经济发展和社会进步创造了良好的发展环境。

一、以宣传贯彻《纲要》和省委《贯彻意见》为重点，公民道德教育和实践活动掀起新高潮

安徽省把公民道德建设作为全年工作的重头戏，省委下发了《中共安徽省委关于贯彻〈公民道德建设实施纲要〉的意见》，召开了全省精神文明建设工作会议，就落实《纲要》、加强公民道德建设作出部署。组织开展了“全省公民道德建设知识电视大赛”、“全省公民道德建设文艺调演”、“全省中学生公民道德建设知识竞赛”等，把思想道德教育贯穿到创建文明城市、文明村镇和文明行业等活动的全过程。

重点做好20字公民基本道德规范的宣传普及工作。制定和完善了行业道德规范、乡规民约、市民守则、学生行为规范等具体道德规范。各级新闻媒体营造了浓厚的舆论氛围，大力宣传道德实践的典型。部分窗口单位和文明单位制作了基本道德规范公益广告牌。各地宣传学习省文明办编印的《公民道德歌》，使公民基本道德规范家喻户晓，人人皆知。

安徽省注意从人们日常生活中的小事入手，将日常行为规范的要求融入到广泛的道德实践活动之中。持之以恒地抓了“三管好”、道德评议活动，推动了“希望工程”、“扶残助残”、“送温暖工程”等社会公益活动的开展。各级文明单位争做表率，带头开展“在社会上做一个好公民，在单位做一个好职工，在家庭做一个好成员”的“三做”活动；全省月评精神文明“十佳事迹”活动不断创新，并改进了评选办法，加大了宣传力度。《安徽日报》不仅及时刊登“十佳事迹”，还就典型事迹进行深入报道，省电视台就“十佳事迹”共做了65期《新闻观察》。

二、努力攻克“两薄”，创建文明城市和创建文明县城工作迈上新台阶

总结推广了合肥、芜湖、淮北市攻克创建工作中的“薄弱环节和薄弱时段”的试点经验以及淮北、宿州两市实行摊群点自治管理的成功做法，推动了“三个覆盖”的进一步落实。督促合肥市开展“实现市长承诺”促进活动，继续在全省发挥龙头作用。各地针对“两薄”、城市“牛皮癣”和违法建筑等群众反映强烈的问题，开展了集中整治；成立了创建文明社区工作指导组，调整了社区规划，建立了社区组织机构，制定了社区自治章程和《文明社区评选办法》，开展了科教、文体、法律、卫生“四进社区”和文明社区创建活动。创建工作优秀城市和先进城市，瞄准提高城市管理水平，率先解决创建工作中的“薄弱环节和薄弱时段”，在基本环节上狠抓落实，做到六个到位（教育到位、约法到位、督察到位、处置到位、职能部门配合到位、良性管理关系建立到位）。各地进一步建立和完善市、区、街三级市容管理机构、执法队伍和清扫保洁队伍。省里于4月初在合肥市、芜湖市召开了现场经验交流会，总结推广体制和机制创新方面的先进经验。淮北、芜湖、阜阳市分别成立了市容管理局，与文明办合署办公，其他绝大多数市也成立了市容局或城管局，专司城市管理职能。

全省加大了创建工作日常督察力度。进一步完善了创建城市工作的日常考核制度，对一些长期解决不了的问题追根究底，严查严办。省新闻媒体对违反社会公德的行为进行公开曝光。创建文明县城工作在抓好一批先进县城的同时，加大了对创建工作落后县（市）的督察，省文明办还组织市县之间开展互查，增强他们的创建意识。

根据“十五”创建规划，把抓好皖江沿线创建资源的整合和重组作为一项重要工作，启动了创建“八百里皖江文明长廊”工程。

三、以提高农民素质、建设社会主义新农村为目标，农村“三改”力度进一步加大

围绕提高农民的思想道德素质和科学文化素质，继续开展了“三反对、三下乡、一提倡”活动。扎实做好“五好文明家庭”、“十星级文明户”的评比活动，并把两者有机结合起来，把党的方针政策送到千家万户。

农村“三改”工作在原有基础上扩大成果，咬住目标，因地制宜，分类推进。全省重点抓了6条省级示范线、全省农村改厕工作先进县、200个重点乡镇和农村中小学的改厕工作，卫生厕所普及率在现有的基础上增长了4.6个百分点。“改厕”工作在提高技术、降低成本、扩大面上取得新进展。

广泛开展了创建文明小城镇竞赛活动。配合全省重点小城镇建设规划的实施，首先从建制镇抓起，加强对集镇的规划、垃圾、车辆、摊（门）点、公厕、市场的管理。各集镇还开展了“六个一示范工程”：创建一个花园式集镇大院（以不增加农民负担为前提）、一个文明单位、一个文明村、一个文明集贸市场、一条文明街道、一个精神文明活动中心。省文明办会同省建设厅等部门制定了创建新文明小城镇竞赛标准。

四、以服务人民、奉献社会为宗旨，创建文明行业工作出现新气象

全省组织开展了第二次“万人评行风”活动，50个行业和部门制定了优质规范服务标准，在《安徽日报》、《安徽工人日报》陆续公布，向社会作出公开承诺，自觉接受群众和社会各界监督。组织省人大代表、政协委员对部分窗口行业和执法部门的行业创建工作进行明察暗访。围绕优化发展环境、结合政风评议，协同有关部门开展了“创建人民满意的基层站所”活动。继续在全省开展“百城万店无假货”活动，在商业企业中开展“以德经商、共筑诚信”的行业自律活动。

五、努力办实事办好事，满足人民群众日益增长的需求

全省启动了基层宣传文化工作“双百工程”，建立了一批城市文明社区和农村乡镇“宣传文化活动中心”示范点。对中央资助建立的30个“乡镇宣传文化站”运行情况进行了检查验收。组织实施了“西部开发助学工程”：资助家境贫困、品学兼优的100名高中生、80名大学生完成学业。

各地普遍开展了“创三优文明机关、做人民优秀公仆”活动和文明单位、文明校园、青年志愿者、文明导游员、安全文明小区、创建平安大道、军警民共建等多种形式的创建活动。省文明委隆重表彰了安徽省第三届文明单位标兵和第五届文明单位，同时，出台了省级文明风景旅游区示范点标准，开展了第二届文明风景旅游区示范点评比表彰活动。

铜陵、淮北、芜湖三市继合肥、马鞍山市之后，荣获了“全国创建文明城市工作先进城市”称号，霍山县等21个县、镇、村荣获“全国创建文明村镇工作先进单位”称号，蚌埠供电局等9个单位荣获“全国创建文明行业工作先进单位”称号。安徽省气象局等18家单位荣获“全国精神文明建设工作先进单位”称号。省文明办组织编印的《公民道德歌》荣获“中国图书奖”。在中央文明办、文化部组织的全国“四进社区”文艺展演中，安徽省推荐的《红旗颂》、《志愿者之歌》获银奖。

（安徽省文明办）

福 建 省

福建省的精神文明建设以迎接、贯彻党的十六大，学习、宣传、实践“三个代表”为主线，唱响主旋律、打好主动仗，各项工作深入发展，整体推进，对促进改革发展、维护社会稳定，提高城乡文明程度和公民文明素质，发挥了重要作用。

一、学习宣传实践“三个代表”重要思想和十六大精神，理论武装和舆论引导工作呈现新特色

大力实施“十百千万”工程，在全省宣传系统开展了以“三个代表”为主题的十个重点课题调研活动，组织全省理论工作者和业务部门同志撰写百篇以上体现“三个代表”重要思想的理论文章，由千余名新闻、宣传、文艺、理论工作者深入基层调研采风，举办了万余场“三个代表”重要思想演讲会、报告会。省级主要新闻单位、新闻网站及各地主要新闻媒体，均在重要版面和时段设置宣传“三个代表”重要思想的专题、专栏。各地立足实际、面向群众，通过广播站、黑板报、班组会、宣传橱窗、公益广告以及基层各种宣传阵地，以多种形式进行广泛的社会宣传，使“三个代表”重要思想深入人心。集中宣传了全心全意为党增辉、为民谋利的优秀基层党组织和优秀共产党员的典型事迹，推出了福建机关效能建设、厦门海沧大桥建设群体、宁德三都镇渔排新经济组织党建工作、泉州市洛阳镇屿头村学教活动、南平市科技特派员到基层实行“高位嫁接、重心下移”、好公仆陈欠水等一批实践“三个代表”的先进典型，用身边人、身边事，用共产党人与时俱进的时代风采，把“三个代表”重要思想的学习实践活动引向深入。

各地各部门围绕迎接党的十六大，精心组织以“看成就、谈体会”为主题的宣传教育活动，精心制作高质量的反映福建变化的专题片、图片、画册等，大力宣传各条战线取得的新成效。省文明委编辑出版了《八闽新风——福建省精神文明建设巡礼》大型画册，举办了福建省精神文明建设成就图片展。组织拍摄了8集创建文明行业专题片在省电视台播出，宣传全省精神文明建设的先进典型。开通了“文明风”网站，引导人们胸怀全局、立足本职，为全面建设小康社会勤奋工作。

党的十六大召开后，省委召开了七届四次全会，对学习宣传贯彻十六大作了全面部署。召开了新闻界、文艺界、教育界、企业界学习贯彻十六大精神报告会、座谈会。党报、党刊、广播电视开辟了“学习宣传贯彻十六大精神”、“十六大精神在福建”等新闻专题、专栏，制作了《伟大的创新》等电视理论专题系列片，主要领导带头在重点党报党刊上发表理论文章，推动十六大精神的学习。省委组织十六大精神宣讲团赴各地宣讲，兴起了学习宣传贯彻十六大精神的新热潮。

二、深入贯彻《公民道德建设实施纲要》，思想道德建设收到新成效

全省各地把加强思想道德建设摆上突出位置，贯穿精神文明创建活动的全过程。出台了《中共福建省委关于贯彻〈公民道德建设实施纲要〉的意见》。出版发行了《福建省百集爱国主义教育电视系列片》光盘；对全省46个爱国主义教育基地进行全面检查和规范要求；编撰出版了《〈公民道德建设实施纲要〉邮票图解》，制订了《关于实施“信用文化”工程的工作方案》，“诚信建设”工程全面展开，诚信教育得到加强。全省各级新闻媒体把深入宣传《纲要》作为一件大事常抓不懈，开辟专栏、专题；省文明办从2月份起与有关设区市文明办和省直有关部门联合制作了22条思想道德电视公益广告，在电视台滚动播出；各地在社区、车站、公园、广场等公共场所设立20字公民道德规范宣传标牌；乡镇、街道、村居、企业、学校利用板墙报等阵地，广泛宣传《纲要》的内容；各地普遍编印了《纲要》通俗读本，并根据《纲要》内容进一步充实完善了《市民守则》、《乡规民约》、《行业规范》。各地还充分发挥先进典型的示范带动作用，建立健全道德监督机制，推动了社会公德、职业道德和家庭美德建设。

三、以实施“五百二片”工程为载体，精神文明区域共建开创新局面

根据省第七次党代会提出的构建山海协作、对内连接、对外开放“三条战略通道”以及9个设区市的发展按三个层面同时推进的要求，省文明委制订了《关于实施精神文明创建活动“五百二片”工程的工作方案》。确定在全省范围内选择创建工作基础较好、水平较高的文明社区100个、文明小城镇100个、文明新村100个、文明窗口100个、军民共建对子100对，各级予以重点指导扶持，力争到2005年建成高质量的示范点，使之成为名副其实的精神文明样板。根据经济、历史、地理条件和精神文明发展基础，按沿海、山区二片，分三个层面推进区域共建，逐步形成与“三条战略通道”要求相适应、相配套、相渗透、相融合的精神文明建设良好局面。在沿海片发挥福州、厦门两个城市的作用，推动泉州、漳州向更高层次迈进，带动莆田、宁德加快发展，形成沿海全线推进之势，努力在2010年形成具有海峡西岸特色的闽东南精神文明带；在山区片以三明为重点，向龙岩、南平辐射，形成一点向两翼延伸局面，努力在2010年建成闽西北精神文明走廊。同时，沿海、山区二片互相协作，紧密互动，努力形成两个区域特色鲜明，优势互补，共同发展的崭新局面。2月初召开的全省文明办主任会议，对精神文明区域建设作了初步的安排。7月初召开的全省精神文明建设工作会议，对精神文明区域建设作出了全面部署。10月，泉州市、漳州市、邵武市被中央文明委命名为全国创建文明城市工作先进城市。

四、以文明社区建设为重点，创建文明城市活动跃上新台阶

省委、省政府召开了全省社区建设工作会议，对社区精神文明建设提出新的要求。各地认真贯彻中央文明委《关于在城市深入开展创建文明社区工作的若干意见》以及《福建省城市社区建设纲要》，抓住整合社区的有利时机，扎实开展创建文明社区工作。认真组织科教、文体、法律、卫生“四进社区”活动，通过举办科普报告会、开展文体活动、进行法制宣传教育、完善卫生保健制度、组建志愿者队伍等形式，给居民提供更多增长知识、陶冶情操、强身健体的机会。同时，加强社区管理，整治环境卫生、交通秩序、集贸市场、建筑工地和娱乐场所，突出解决群众反映强烈的社会治安、餐桌污染、卫生死角、噪音扰人等突出问题，使社区的环境得到改善，居民的文明程度得到提高，促进了城市经济社会协调发展。省文明办与省科协联合召开了全省社区科普工作会议；与省台办联合下发了《关于在全省开展涉台教育进社区活动的工作意见》，并在省第二电力建设公司社区进行了试点，得到了国务院台办的好评；与省邮政局、省集邮协会联合下发了《关于把集邮融入社区精神文明建设活动的通知》；与省公安厅、省安全生产监督管理局联合开展创建“交通安全社区”活动；与省文化厅联合向中央文明办、文化部推荐了3个社区文艺节目，其中厦门市的小品《今天我休息》参加了全国“四进社区”文艺展演；与省委组织部、省民政厅、省综治办联合命名表彰了5个全省社区建设示范区、18个社区建设示范街道。福州市台江区鳌峰街道亚峰社区、厦门市湖里区禾山镇吕岭社区、泉州市鲤城区海滨街道金山社区、邵武市通泰街道熙春社区等4个社区被确定为全国创建文明社区示范点。

五、以文明乡镇建设为龙头，创建文明村镇活动进入新阶段

各地按照全国创建文明小城镇工作座谈会以及《福建省乡镇工作纲要》的精神，把乡镇作为农村精神文明建设的关键部位来抓，广泛开展创建文明乡镇竞赛活动。从提高农民的生活质量入手，突出思想道德、科技文化、生活环境建设，为农民群众提供优质规范服务。加强农村的社会治安综合治理工作，为广大农民群众创造安居乐业的社会环境。科学制定新村建设规划，加快旧村改造步伐，加强基础设施建设，建立健全农村管理制度，改变公共环境“脏乱差”状况，解决群众行路难、吃水难、上学难、看病难、办事难等问题，深入开展移风易俗教育活动，破除农村陈规陋习，提倡婚丧喜庆简办，狠刹聚众赌博、求神问卜等不良风气，加大殡葬改革力度，乱造坟墓之风得到有效控制。各地还积极教育引导干部群众不参与、不购买“六合彩”，依法严厉打击“六合彩”非法活动。积极推广宁德建设农村宣传文化中心（站）、南平发展“文化中心户”以及派机关、事业单位优秀干部、科技骨干到村镇担任党支部书记、党委书记、科技特派员、乡镇长助理的经验，使文化、科技、卫生“三下乡”活动逐步变为“常下乡”。福清市、永春县、厦门市同安区新民镇禾山村、龙海市港尾镇等12个单位被评为全国创建文明村镇工作先进县（市）、镇、村。

六、以解决社会关注的问题为突破口，创建文明行业活动取得新进展

创建文明行业工作继续在五个领域狠下工夫，即：党政机关、执法部门的廉政建设与效能建设，涉台涉外涉侨部门的办事效率，医疗卫生单位推行院务公开，旅游商贸业推行诚信经营、文明管理，涉农部门为减轻农民负担办实事。进一步强化行业、机关的便民利民服务措施，健全“110”、“120”、“12315”等社会服务的网络建设与联动机制，建立和发展行政机关、执法部门的便民服务中心。把创建文明行业活动与整顿和规范市场经济秩序有机结合起来，推广规范化服务，推动行业自律，打击制售假冒伪劣产品等不法行为，解决群众反映强烈的问题，纠正行业不正之风。6月份，召开了全省创建文明行业工作座谈会，对深入开展创建文明行业活动作了全面部署。各行各业认真贯彻这次会议精神，以争创文明示范单位为载体，发挥先进典型的带动作用，促进创建工作先进面从示范窗口向所有窗口、从一线窗口向全行业、从城市向农村集镇延伸，南平市公安交警系统、龙岩市公路管理系统、漳州市出入境检验检疫局、建行泉州市分行营业部储蓄专柜等4个单位被确定为第三批全国创建文明行业活动示范点，厦门鼓浪屿在全国创建文明风景旅游区经验交流会上介绍了经验。各地还加强了对非公有制经济领域精神文明创建工作的指导，进一步扩大“百城万店无假货”活动的覆盖面，把活动向个体私营商店和专业批发市场拓展，组织引导个体工商户和私营企业参与创建无假货示范单位活动。继续开展创文明机关、当人民公仆活动，进一步加强机关效能建设，把勤政建设和廉政建设、讲效率与能力建设、“有限”政府和有效服务结合起来。全面推进、逐步规范政务公开，为老百姓到政府部门办事提供方便，使政府机关更好地接受群众监督。

七、以服务人民为宗旨，扶贫济困工作迈出新步伐

省委宣传部、省文明办联合向各级文明单位发出了与特困家庭结对济困的倡议，得到了文明单位的积极响应。2002年全省有8551个文明单位与2万多个特困家庭结为济困对子，文明单位共为特困家庭捐款1903万元，捐物31万件，解决就业岗位7127个，解决其他实际问题4000多个。这项工作得到了社会各界的广泛好评，《人民日报》对此作了报道。省文明办还与省委宣传部、省残联等16个部门、团体联合开展了助残活动；与省民政厅、省老龄委联合开展了创建敬老模范村（居）活动，联合表彰了99个“敬老模范村（居）”，使城市敬老服务设施不断完善，农村家庭养老地位得到巩固，全社会对老年人和老龄工作更加重视，尊老敬老的风气日趋浓厚，老年人的合法权益进一步得到保障。各级党政机关、企事业单位继续深入地开展同革命老区、贫困山区挂钩扶贫活动，帮助经济欠发达地区的群众跟上全面建设小康社会的步伐。大力开展经常性社会捐助、无偿献血、“希望工程”、“送温暖”、“志愿者”、“手拉手、心连心”、“幸福工程”、“春蕾计划”、“扶残助残”、“金秋扶困助学”等社会公益活动，扶持和发展社会性互助服务组织，引导群众互帮互助，弘扬了社会主义互助友爱精神，增强了精神文明建设的凝聚力、吸引力和感召力。

八、以增进精神文明建设实效为目的，调研工作取得新成果

省政协牵头开展了关于认真实施《公民道德建设实施纲要》、关于加强诚信社会环境建设以及关于加快社会事业和文化产业发展的调研，省文明办也与有关部门联合开展了8个课题的调研，即：关于十四届六中全会以来全省精神文明建设工作情况、关于加强非公有制经济领域精神文明建设、关于全省社区精神文明建设和思想政治工作情况、关于实施“信用文化”工程和提高我省精神文明创建活动水平、关于树立企业诚信形象以及建设“生态省”、关于加快福建社会信用体系建设的调研等。在调研的基础上，对精神文明创建活动考评方案以及文明城市、文明县城（区）、文明村镇、文明单位、文明学校创建管理办法进行了修订，起草了创建文明行业、文明社区以及军民共建管理办法，推动精神文明创建工作进一步走上科学化、制度化、规范化的轨道。省文明委对第七届省级文明单位、文明村、文明乡镇和文明学校进行了复查，取消了46个单位申报第八届省级文明单位的资格，对34个单位进行通报批评，并限期整改，有力地促进了创建活动深入开展。

（福建省文明办）

江　西　省

江西省精神文明建设牢牢把握迎接、宣传、贯彻党的十六大，学习、宣传、实践“三个代表”重要思想这条主线，围绕中心，服务大局，唱响主旋律，打好主动仗，各项工作在深入中创新，在创新中发展，为实现江西的崛起提供精神动力和思想保证，为党的十六大营造了昂扬向上、团结奋进、开拓创新的良好氛围。

一、坚持在解放思想中统一思想，兴起学习宣传贯彻“三个代表”重要思想和党的十六大精神热潮

十六大召开前，全省各级党组织围绕学习江泽民“七一”讲话和“5·31”讲话精神，把学习宣传贯彻“三个代表”重要思想与贯彻落实省第十一次党代会精神相结合，以中心组学习为龙头，采取座谈会、报告会等多种形式，组织广大干部群众认真学习“三个代表”重要思想，认真领会省党代会精神。十六大召开后，省委召开全省领导干部会议，传达学习贯彻十六大精神。在精心组织好中央宣讲团来赣宣讲的同时，省委常委等领导干部分别到各自分管的系统和挂点基层单位进行宣讲，在全省兴起了学习贯彻十六大精神的热潮。省委宣讲团分赴11个设区市和部分企业、学校作了14场辅导报告。组织省直主要新闻单位开办专栏专题，组织一系列理论、言论、评论员文章和报道，形成了强大的舆论声势，在社会上引起较大反响。

二、广泛开展“塑造江西人新形象”主题教育活动，增强全省人民的自信心和江西的影响力吸引力

省委对塑造江西人新形象教育活动十分重视。全省各级党组织精心组织，广大干部群众积极参与，促进了全省人民思想观念、精神面貌和工作作风的转变。

在这次主题教育活动中，各地各部门把学习贯彻“三个代表”重要思想与大力弘扬井冈山精神有机结合起来。省委组织部、省委宣传部在全省开展了“新形象楷模”评选活动，推出了一批自觉弘扬井冈山精神、具有时代特点的先进典型，并组织事迹报告团，赴各地巡回报告。

各地各部门按照省委要求，把开展塑造江西人新形象教育活动作为解放思想学习教育活动的延续和深化，采取座谈会、研讨会、报告会等多种形式，开展塑造江西人新形象大讨论活动，着力推进全省思想再解放和观念再更新。

三、全面贯彻《公民道德建设实施纲要》，加大思想道德建设力度

一是大力宣传公民基本道德规范。通过新闻媒体刊播文章、言论、消息、公益广告，举办知识竞赛、出版通俗读本、制作思想道德广告牌、开展“公民道德规范”公益广告宣传及优秀作品评选活动加大《纲要》基本精神和20字公民基本道德规范的宣传教育，使公民基本道德规范家喻户晓、人人皆知。把爱国主义作为贯彻落实《纲要》的重点，大力宣传改革开放和现代化建设取得的辉煌成就，使广大干部群众“爱我中华，兴我江西”的热情不断高涨。

二是切实加强思想道德教育。以开展“塑造江西人新形象”教育活动为契机，以领导干部为重点，在党员干部中广泛开展勤政为民、清正廉洁、开拓创新、求真务实为主要内容的教育，切实加强国家公务员（机关工作人员）队伍行政道德和素质建设，发挥党政机关在道德建设中的示范带动作用；以经营单位、窗口行业和执法部门为重点，深入开展以遵纪守法、诚实守信、爱岗敬业、服务群众、奉献社会和公正高效廉洁为主要内容的教育，推动各行各业的职业道德建设；以“五爱”、“四有”为主题，在广大青少年中广泛开展“小手牵大手”、公民道德知识竞赛和“弘扬井冈山精神，提高思想道德素质”读书活动，加强了青少年美德教育和理想信念教育；以举办“江西电信宽带杯”第二届家庭文化艺术节为载体，召开全省家庭道德建设理论研讨会，推进了全省家庭美德建设。

三是充分发挥先进典型的示范带动作用。广泛开展“十大道德标兵”评选活动，推出丁晓君、廖长春等一批先进典型，并在《纲要》印发一周年之际，以省委省政府名义命名表彰，为广大人民群众树立了一批可亲、可敬、可信、可学的榜样，在全社会营造了崇尚先进、学习先进、争当先进的浓厚氛围。

四是广泛开展道德实践行动。启动“助听、助行、助明”爱心工程，深入开展了“献爱心、送温暖”、春蕾计划、青年志愿者、“慈善一日捐”等各具特色的道德实践活动，唤起全社会对残疾人事业和困难群众的支持，使广大群众在参与活动中受到了教育，提高了素质。

四、深入推进群众性精神文明创建活动，提高群众生活质量和城乡文明程度

5月份，召开了全省精神文明建设表彰会及省文明委第五次全委会，以省委、省政府名义隆重表彰20个第二届创建文明城市工作先进城市、900个省级文明单位，展示省精神文明创建工作的新亮点。

创建文明城市工作势头强劲。南昌市紧紧围绕建设花园城市的目标，力度不减，管理不松，城市面貌日新月异，人气指数不断上升。十六大召开前夕，南昌市被中央文明委授予全国创建文明城市工作先进城市称号。

创建文明社区工作成效显著。认真贯彻中央文明办等七部委《关于开展“科教、文体、法律、卫生进社区”活动的通知》精神，在全省广泛开展了以“讲科学生活，建文明社区”为主题的科教进社区，以“提高居民法律素质，推进社区依法治理”为主题的法律进社区，以“发展社区卫生服务，增进社区居民健康”为主题的卫生进社区，以“传播先进文化，丰富群众生活”为主题的文化进社区，以“让更多的人运动起来，把建设搞得更扎实”为主题的体育进社区活动，受到了社区居民的热烈欢迎。10月份，在上海举行的全国“四进社区”文艺展演活动中，我省获得一金两银、一个优秀组织奖的好成绩。

创建文明村镇工作逐步深入。围绕提高农民素质、建设社会主义新农村的目标，深入开展创建文明村镇和“十星级文明户”创评活动，农民的思想道德素质和生活质量有了显著提高，村容镇貌有了明显改观。万年县等15个县、镇、村被中央文明委授予全国创建文明村镇工作先进县、镇、村称号。

创建文明行业工作全面推进。制定下发《关于深入开展创建文明行业工作的意见》和《江西省文明行业创建管理办法》，创建文明行业活动走上规范化、制度化的轨道。九江市城区公路运管所等18个单位和南昌卷烟厂等15个单位分别被中央文明委授予全国创建文明行业工作先进单位和全国精神文明建设工作先进单位称号。

多种形式的创建活动蓬勃开展。一是以庐山、滕王阁等全国风景旅游区示范点为龙头，以省级风景旅游区示范点为重点，深入开展了创建文明风景旅游区活动。继庐山、滕王阁后，三清山又被命名为“全国创建文明风景旅游区示范点”。二是深入开展“百城万店无假货”活动。三是会同省工商局深入开展创建文明市场活动，推动了我省商品交易市场逐步走上规范化发展的轨道。四是继续在全省国道、省道沿线乡村开展创建交通安全村活动。

五、精心组织“三大民心工程”，努力为群众办实事办好事

一是认真组织实施“西部开发助学工程”。会同有关部门及时制定下发了《江西省“西部开发助学工程”实施细则》和《江西省开办高中“宏志班”实施细则》，按照要求，把握原则，坚持标准，严格审批，确定并资助了100名家庭生活困难、品学兼优的本科生和80名应届初中毕业生入学。

二是继续推进“百县千乡宣传文化工程”。对全省农村精神文明活动中心进行了一次全面检查，掌握建设、使用情况，加大督促力度，确保已建成的农村精神文明活动中心充分发挥作用；未建成的能按时按质按量顺利实施，以尽快投入使用。

三是深入开展“三下乡”活动。把开展“三下乡”活动作为贯彻落实“三个代表”重要思想，加强农村两个文明建设的重要举措来抓，坚持集中活动与经常性活动相结合、送与建相结合，有力地推动了农村文化科技卫生的发展，取得了实实在在的效果。

（江西省文明办）

山 东 省

山东省精神文明建设以邓小平理论和“三个代表”重要思想为指导，以迎接十六大、宣传十六大、贯彻十六大为主线，切实加强思想道德建设，深入开展以三大创建活动为主体的一系列群众性精神文明创建活动，方向正确，主题明确，思路清晰，措施得力，效果明显，促进了干部群众素质和城乡文明程度的提高，在推动三个文明协调发展中发挥了重要作用。

认真学习贯彻“三个代表”重要思想，为迎接、宣传、贯彻十六大营造良好的社会氛围。7月份，省委召开了全省精神文明建设工作会议，对学习、实践“三个代表”重要思想，深入开展群众性精神文明创建活动，以实际行动迎接十六大进行了再动员。大力宣传13年来全省精神文明建设取得的成就，营造迎接十六大的舆论氛围。十六大召开后，省文明办举办了全省文明单位负责人学习十六大精神专题培训班，120多个省级以上文明单位的负责人参加了培训，加深了对十六大精神的理解。

继续贯彻《公民道德建设实施纲要》，深入开展思想道德教育和道德实践活动。在广泛开展爱国主义、集体主义和社会主义教育的同时，采取各种形式，在全社会大力倡导“20字”基本道德规范。省文明办汇集全省道德教育先进单位的经验，组织编写了《实践社会主义道德的榜样》一书，为公民道德教育和实践活动提供了活生生的教材。各地普遍开展了学唱道德组歌、普及道德规范演唱、演讲比赛等活动，增强了道德建设的渗透力和感染力。

深入开展创建文明城市、文明社区活动，推进城市精神文明建设。组织开展了创建全国和全省文明城市（城区）工作先进城市（城区）活动，市民素质和文明程度有了很大提高。1999年被评为全国创建文明城市（城区）先进城市（城区）的青岛、烟台、威海、济南市历下区全部复查合格，济南市市中区、淄博市张店区2002年又被中央文明委命名为全国创建文明城市（城区）工作先进城区。广泛深入地开展“科技、文化、卫生、法律”四进社区活动。在中央文明办和文化部举办的“四进社区”文艺展演活动中，山东省获两个组织奖、两个金奖、一个银奖，居全国之首。认真总结青岛市创建文明城市的经验，把青岛市作为重大典型于6月份在全国推出，中央16家媒体进行了集中宣传报道，产生了很好的社会影响。

以小城镇建设为重点，推动农村精神文明建设向纵深发展。积极筹备全省农村精神文明建设工作会议，认真总结济宁、临沂等地开展的农村文明一条街建设和泰安市开展创建文明片区活动的经验。曲阜市、寿光市等30个单位被中央文明委命名为全国创建文明村镇工作先进单位。

以诚信建设为主要内容，深化文明行业创建工作。5月，中央文明办、国务院纠风办在威海市召开了全国创建文明行业工作座谈会，威海市等9个单位被命名为第三批全国创建文明行业示范点。认真贯彻全国创建文明行业工作座谈会精神，在全省推广诸城市为民服务联动经验，不断加强行业的诚信建设。加强同有关部门的协调与合作，调动各行各业创建工作的积极性。省文明办与省交通厅联合开展创建文明行业活动，与省建设厅联合开展创建文明公交线评选活动，与省通信管理局联合开展通信系统文明单位评选活动，与省工商局联合开展规范化文明市场评选和公益广告评比推荐工作，与省总工会联合开展职工职业道德建设“双十佳”评选活动。这些共联共建活动，综合性、系统性、辐射性强，效果也更加明显。

加强理论研究，积极探索新时期精神文明建设的规律性问题。根据新形势、新任务的要求，认真调查研究，总结经验教训，不断深化对新时期精神文明建设重大理论问题和实践问题的认识，组织省内有关专家举行了三次理论研讨会，编写了《社会主义精神文明论》一书。根据中央文明办的安排，对13年精神文明建设成果进行了专题调研，形成了有一定深度的专题调研报告。组织有关人员赴广州、深圳、厦门、海口等城市进行参观考察，在全省城市中进行了争创文明城市的调查，在此基础上，起草了《山东省关于创建文明城市工作的意见（讨论稿）》、《山东省文明城市标准》、《山东省文明城市评比办法》。

（山东省文明办）

河 南 省

河南省精神文明建设工作以迎接、宣传、贯彻十六大，学习、宣传、实践“三个代表”重要思想为主线，思想道德建设不断加强，群众性创建活动更加深入，公民素质有了新提高，文明城市和文明景区创建上了新水平，城乡的环境面貌有了新变化，为群众办实事办好事有了新进展，对于促进全省改革发展稳定发挥了重要作用。

一、切实加强思想道德建设，公民素质进一步提高

全省广泛开展了“道德规范进万家”活动。编写《公民道德建设知识》手册，免费发放，供广大群众学习。同时，在全省组织开展了公民道德建设知识竞赛活动，举办比赛200多场，直接受众60万人次，促进了全省道德教育活动的开展。省文明办会同劳动和社会保障厅、团省委，组织开展了“在京豫籍优秀外出务工人员”评选表彰活动，推出了30名“在京豫籍优秀外出务工人员”，并在北京隆重召开表彰大会。新华社、人民日报、中央电视台等13家新闻媒体进行了宣传报道。

各地纷纷出台贯彻《纲要》的意见，制订开展“道德规范进万家”活动的具体实施方案，召开动员大会，开展集中宣传活动。许昌市举办了“公民道德建设成果展”，10多万名干部群众参观了展览；焦作市实施播发万条新闻、发放万张倡议、组织万人签名、发送10万份传单的“四万工程”；安阳市排练出300多个反映道德规范内容的文艺节目，演出76场次，观众达60多万人次。各地以各类市民文明学校为主要阵地，加强对公民的基本道德规范教育和培训；开展评选文明市民等先进典型活动，把人民群众吸引到道德实践活动中来。漯河市新创办了60所文明职工学校；周口市开展了100名孝顺儿子、100名孝顺媳妇的“双百”评选活动，取得了明显的社会效果。

二、文明城市文明景区“双创”活动进一步拓展

为了巩固和扩大“三点一线”双创成果，进一步提高城市和景区的文明程度，按照“提高三市（郑汴洛）、延伸一线（沿黄河旅游线城市）、辐射‘一路’（沿京广铁路城市）、带动全省”的工作思路，狠抓双创活动的巩固、提高、延伸、辐射，使全省的城市创建和景区创建在深度和广度上有了很大发展。年初，省文明委制订下发了《全省创建文明景区文明城市工作实施方案》。4月，召开全省创建文明景区、文明城市工作会议，实地考察郑州、开封、洛阳三市创建工作情况，并对全年创建工作进行了全面部署。省领导多次深入各地进行调研和督导。组织由建设、旅游、文化、建筑、园林等方面专家组成的指导组，到13个省辖市，从技术层面进行点评指导。

各省辖市把“双创”作为改善城市形象、促进经济发展、提高群众生活质量的重要抓手，成立了创建工作领导机构，制订和细化了创建方案，实行严格的创建责任制。全省形成了相互学习、相互促进、多地联动、共同发展的创建局面。

双创工作的深入开展，有力促进了全省创建水平的提高和旅游经济的发展。开封市龙亭湖风景旅游区被命名为第五批全国创建文明风景旅游区示范点；全省4A级景区数量达到16个。

三、扎实开展文明村镇、文明行业、文明单位创建活动，创建工作基础进一步牢固

按照全国创建文明小城镇工作座谈会议要求，省文明办会同省建设厅、农业厅、环保局在固始县召开了全省创建文明小城镇工作座谈会，总结交流了全省创建文明小城镇工作经验，对创建文明小城镇工作进行了全面安排。各地围绕农民致富奔小康，深入开展“三户一村”、“十星级文明农户”、“五好文明家庭”、“家庭文明示范村”等活动，进一步夯实文明村镇创建的基础。

各地深入开展以承诺制、公示制和优质规范服务为主要内容的文明行业创建活动，使全省经济发展环境进一步优化，服务水平进一步提高。省司法厅、审计厅、河务局、气象局等单位召开了系统精神文明建设工作会议。省工商系统开展“正行风、树形象”集中教育活动，全面建设服务型工商。

为了确保文明单位的创建质量，各地把对文明单位的经常性指导与年度考核结合起来，实行动态管理，推广公示制度，发现问题及时处理，保证了创建文明单位活动的健康深入开展。为充分展示全省各级文明单位创建的丰硕成果，组织举办了迎十六大全省文明单位文艺展演活动。创作和演出了一批思想性、艺术性、观赏性俱佳，贴近时代、贴近生活的优秀文艺节目，为十六大的召开营造了欢乐喜庆、昂扬向上的良好氛围。

按照中央文明委的要求，积极做好“四个一批”推荐上报工作。郑州、开封、洛阳3城市被命名为全国创建文明城市工作先进城市，中牟县城关镇等27个村镇被命名为全国创建文明村镇工作先进村镇，郑州市送变电公司等22个单位被评为全国精神文明建设工作先进单位，金水区法院等9个单位被评为全国创建文明行业工作先进行业。

四、努力办实事好事，精神文明建设的社会影响进一步扩大

年初，省文明办会同省建设厅、交通厅、工商局、郑州铁路局联合制订下发了“三件实事”实施方案，即建设城市景观路，治理城市户外广告，整治城市过境道路。各省辖市对实施“三件实事”高度重视，加大力度，加大投入，精心组织，认真实施。许多城市投入资金，进行道路拓宽、改造、延伸，高标准亮化、绿化、美化。

省文明办会同有关部门制定下发了“四进社区”的实施意见，举行了全省暨郑州市“四进社区”启动仪式。推出了郑州市“五进社区”和济源市搞好“三个结合”的经验，组织了全省“社区文化活动月”和体育进社区系列活动。在中央文明办、文化部联合在上海举办的“四进社区”文艺展演中，河南省推荐的《楼上楼下》和《产房内外》，分别获得金奖和银奖。

认真实施乡镇宣传文化工程和西部开发助学工程。制定了《河南省宣传文化站（中心）建设使用管理办法》。在虞城县召开宣传文化站（中心）建设管理经验交流会。制定下发《河南省关于做好2002年度“西部开发助学工程”实施工作的通知》及《河南省关于开办2002年高中“宏志班”的实施意见》，会同省教育厅认真做好助学工程的宣传、选拔、公示、推荐等工作，得到了人民群众的广泛赞誉，带动了社会各界捐资助学的积极性。

（河南省文明办）

湖 北 省

湖北省精神文明建设工作，按照中央的部署和省委、省政府的要求，紧紧围绕迎接贯彻十六大、宣传实践“三个代表”这条主线，坚持服务中心和发展大局，深入开展群众性精神文明三大创建活动，创建载体不断拓展丰富，工作重心注重贴近群众，整个精神文明创建出现了重点突破、整体推进的良好局面。回顾一年的工作，有以下几个方面的特点：

全年工作主线突出。始终把迎接、宣传、贯彻党的十六大，学习、宣传、实践“三个代表”重要思想作为创建工作的主线，贯穿到创建工作全过程，周密组织、精心策划。在党的十六大召开前，组织全省干部群众深入学习江泽民“七·一”讲话、“5·31”讲话和《江泽民论有中国特色社会主义》（专题摘编）等重要文献；大力宣传中国共产党的历史功绩和改革开放以来的巨大成就；举行形势报告会和组织“荆楚放歌”大型文艺晚会，喜迎党的十六大召开。十六大召开后，充分发挥报纸期刊、广播电视和互联网的优势，全面准确深入地宣传十六大精神；组织十六个宣讲团，深入到企业、机关、社区和村镇，向广大干部群众宣讲，兴起了学习贯彻十六大精神的热潮。

思想道德内涵增强。在各类文明创建活动中，始终把增强思想内涵、增强城市文化品位作为重要内容来抓。3月，在全省组织“公民文明素质养成教育月”活动，深入贯彻《公民道德建设实施纲要》，加强思想道德建设，提高公民文明素质。省委印发了《湖北省关于加强思想道德建设的实施意见》，组织评选出了第一届湖北省十大杰出公民，推出了曾令钊、吴明、夏雨田等一批具有时代特色的先进典型。各地采取广告标牌、板报墙报、宣传标语等多种形式，宣传20字公民道德基本规范，组织以“普德、立德、行德、评德、颂德”为主要内容的“五德”教育活动。行业、系统和单位完善职业道德规范、行业文明准则，社区、小区和村镇修订文明公约、村规民约。

环境建设力度加大。省委十分重视改善发展软环境。精神文明建设工作围绕中心，服务大局，带动和促进环境的改善。在文明城市创建工作中，各城市以“人人都是投资形象，处处都是发展环境”为主题，开展市民素质教育活动，培养市民的文明习惯，树立城市文明形象。宜昌、仙桃等市深入开展了“诚信宜昌”、“诚信仙桃”等主题教育活动，形成以信立人，以信立市的氛围。全省各地继续开展“百城万店无假货”活动，加大市场整治力度，维护市场经济的正常经营秩序。通过实施“洁绿亮美”工程，改善城市环境面貌，增强城市的经济吸引力。在文明单位、行业创建中，窗口行业和执法单位从加强业务管理和服务入手，采取党员示范岗、文明服务示范岗等措施，试行和完善首问负责制、服务承诺制、一门式服务制、过错赔偿制度等制度，规范服务程序，公开服务项目，提高服务效率。党政机关实行政务公开，简化审批程序，改革审批制度，提高办事效率。公共事业部门，强化职业道德建设，改变垄断经营形象，着力解决人民群众用水、用电、用气难的问题。“围绕发展抓创建，抓好创建促发展”成为各地党政领导的普遍共识。

民心工程办好办实。省文明办继续精心组织实施“百县千乡宣传文化工程”、农村精神文明建设扶助工程、西部开发助学工程，组织“城乡手拉手、工农心连心”城乡文明共建活动。宣传文化工程确保施工质量，确保发挥功能作用。经过几年的扶助建设，一些地方初步形成县有宣传文化中心、乡镇有宣传文化站、村有文化室、组有文化中心户的农村精神文明基础设施网络。全省各级文明单位与贫困村和贫困农民、下岗职工结对共建，为广大被帮扶对象修路架桥、兴修水利设施、开拓产品市场、寻找致富奔小康的新路子，办了大量实事好事。

领域创新载体拓宽。精神文明创建工作适应新形势、新情况的要求，积极探索新办法、新载体，在区域上力求连片、在领域上力求拓展、在工作上力求深入，取得初步成效。为了形成精神文明建设的整体效应，启动了长江、汉十双千里文明走廊创建活动，进行连片创建。加大了非公有制经济组织创建的力度，总结推广了仙桃市民营企业“理想教育立魂、人文感化立德、科技创新立业”等方面的经验，提出了非公有制经济组织文明创建的思路和办法，在全省非公有制经济组织中逐步开展创建活动。科教、文体、法律、卫生“四进社区”在思路和出发点上强调突出一个“进”字，引导、组织主管部门和专业工作者主动下到社区，为群众服务，给群众提供科普、教育、法律、医疗等方面的帮助，受到社区居民的欢迎。选送参加全国“文艺进社区”调演的节目，获得了两金两银一铜的好成绩。

创建典型效应扩大。充分发挥典型的示范带动作用，推进精神文明创建活动深入开展。省委、省政府命名表彰33个省级文明城市。特别是武汉市跨入全国创建文明城市工作先进城市行列，整体提升了湖北的文明形象和创建水平。中央文明办对武汉市“环境、素质、载体三创新”创建经验给予充分肯定。至去年底，全省“吴天祥小组”已达万个，成员10万人，在荆楚大地掀起了“奉献、友爱、互助、进步”的时代新风。在创建文明社区活动中，百步亭社区“以民为本、以德为魂”的经验和模式，受到中央十多个部委和新闻单位的高度赞誉，中央十多个部委联合举办“百步亭文明社区创建理论研讨会”向全国推广。恩施市“五改三建两提高”的经验，被中央文明办誉为“探索了现阶段欠发达地区农村精神文明建设的新路子”。

（湖北省文明办）

湖　南　省

湖南省文明委以“三个代表”重要思想为指针，以迎接十六大，学习、宣传十六大精神为主线，认真贯彻落实中央关于精神文明建设的一系列指示精神，围绕中心，服务大局，积极主动，开拓创新，依靠群众，真抓实干，大力加强思想道德建设，扎实开展群众性精神文明创建活动，认真实施文化扶贫工程，促进了城乡文明程度和公民文明素质的提高，促进了全省经济和社会全面发展。

一、以学习宣传十六大精神和实践《公民道德建设实施纲要》为重点，加强思想道德建设

十六大召开之前，认真学习江泽民“七一”重要讲话和“5·31”重要讲话，深刻领会“三个代表”重要思想的科学内涵和精神实质，增强党员干部践行“三个代表”的自觉性和坚定性。十六大召开后，省文明委下发了《关于在全省精神文明创建工作先进单位中开展学习宣传贯彻十六大精神活动的通知》。组织了十六大精神宣讲团，到长沙、邵阳等地宣讲。各地区、各部门通过宣讲、举办培训班、知识竞赛、文艺汇演等形式，掀起了学习、宣传、贯彻十六大精神的热潮。

认真贯彻落实《公民道德建设实施纲要》。各级各部门制定、完善贯彻的意见、实施细则、市民公约、村规民约和服务规范。省委宣传部、省文明办组织专家学者编写、出版了《湖南省公民道德建设实施纲要宣传挂图》、《公民道德宣传画》和《公民道德建设系列读本》（共4册）。在全省城乡广泛开展读书和征文活动。各市、县、省直工作部门也编辑出版了一大批各类道德读物。省、市（州）文明办与省、市电视台分别制作一批思想道德建设电视专题片和公益广告，第二季度开始在“湖南卫视”、“湖南经视”等电视媒体播放。在广场、公园、车站、码头等公共场所制作和悬挂一批永久性、高规格的公民道德宣传牌，在机关、学校、厂矿、村组、社区等基层单位都开办了宣传橱窗和学习专栏。11月，省文明办与《湖南日报》社联合公布全省十佳道德标兵和十佳道德实践候选名单，发动全省干部群众投票评选，由省文明委进行表彰奖励。组织各地各部门广泛开展公益捐助、无偿献血、扶残助残、五好文明家庭、红领巾护绿、护路、青年志愿者活动、春蕾计划、送温暖工程、希望工程、幸福工程等道德实践活动，评选和报送道德实践活动创新奖。

二、以群众性精神文明创建活动为重点，大力提升城乡文明程度

全面启动“四进社区”活动。省文明办、省综治办、省文化厅、省卫生厅、省体育局、省科协、团省委、省妇联等部门联合制订下发了“科教文体卫生法律进社区”活动方案。4月份，先后在长沙、株洲、衡阳、湘潭、怀化等市举行了“四进社区”启动式。在全国首届社区文艺调演活动中，邵阳市、常德市、湘潭市选送了节目并获奖。

扎实推进创建星级农户和文明村镇工作。在多年广泛开展的基础上，2002年创星级农户活动着重抓规范和深化，严格评选条件、评选程序和星级户的管理，推动活动持续深入地发展。益阳、长沙、娄底、张家界、湘西等市、州制订、完善创星级农户实施方案，严格评选标准和评选程序，确保评选公正公平。永州市采取抽查、暗访、座谈、问卷调查等多种形式，调查总结多年来开展创星级户活动的经验，制定下发了关于创评星级农户活动需要注意的几个原则问题，引导全市创星级农户活动健康发展。

各地按照省文明委《关于开展创建文明小城镇活动的意见》的要求，把创建文明小城镇摆上重要议事日程，加强组织领导，加大工作力度。省文明办特别关注和重视革命老区县、历史文化名村镇、经济富裕村镇、乡镇政府所在村的精神文明建设，总结和宣传了浏阳市建设现代文明的经验。继续组织厂村结对、校村结对、先富村与贫困村结对、文明单位与文明村镇结对的“四结对”活动，广泛深入地开展创文明村镇、文明屋场、文明墟场以及“五下乡”等活动，加强农村精神文明“五个一”阵地建设，多层面提升农村精神文明建设的水平。

创建文明行业工作呈现新的特点。创文明行业工作在巩固中发展，在继承中创新，呈现出良好的发展态势。一是创文明窗口单位和创城市文明风景线活动步步深入。各市州、各行业结合《纲要》的贯彻落实和应对入世的需要，深入开展“树诚信风尚，创文明行业”活动，积极推动社会信用制度的建立，打造“诚信湖南”新形象。岳麓山风景名胜区被中央文明办、建设部、国家旅游局联合命名为全国文明风景旅游区示范点。二是创文明行业活动不断延伸拓展。省文明委一方面指导省电力、国税、地税、城市供水、气象、长途电信线路、交通规费征稽系统等文明建设先进系统（行业）探索、创新、提升创建水平和层次；另一方面加强与其他行业的联系，指导一些起步较晚的行业开展创建活动。省计生、水利、环保、烟草、质量技术监督等系统（行业）都制定了创建规划，提出了创建文明行业的目标。

三、以“两助工程”为重点，促进文化扶贫事业

认真落实全国“百县千乡宣传文化工程”座谈会精神，制定了《湖南省宣传文化站管理办法》，加强对中央资助我省的三批共30个乡镇宣传文化站的建设、使用情况的监管。组织有关市、州对已建成的部分宣传文化站经费使用情况进行了审计。

认真实施“西部开发助学工程”。2002年，中宣部、中央文明办、教育部首次将湖南省列为“西部开发助学工程”资助范围，省委宣传部、省文明办、省教育厅高度重视，进行了精心部署：一是成立了省助学工程领导小组及其办公室，确定了专门人员具体负责此项工作。二是制定并颁发了助学工程的两个实施办法，分别就大学生和“宏志班”资助有关事项作出具体规定。三是下发了《关于认真做好湖南省2002年“西部开发助学工程”推荐工作的通知》，就如何搞好助学工程提出了明确要求。四是召开了全省助学工程工作会。

（湖南省委文明办）

广　东　省

在中央文明委的具体指导下，在省委、省政府的领导下，广东省精神文明建设工作以迎接党的十六大为主线，以贯彻落实《公民道德建设实施纲要》为重点，以三大创建活动为载体，整体推进群众性精神文明创建活动，使全省群众性精神文明创建活动继续保持和发展了积极、健康、向上的良好态势，取得了新的进展。

一、重点突出

围绕贯彻落实《公民道德建设实施纲要》这一重点，加强社会公德、职业道德和家庭美德建设。

一是确立规范。省委印发了《广东省贯彻〈公民道德建设实施纲要〉的意见》，根据广东的实际，在20字基本道德规范的基础上，增加了"开放兼容"、"科学理性"、"环保惜物"三方面的内容，形成了有广东特色的32字公民道德规范。各地、各部门也结合各自的实际，针对不同的社会群体，将公民道德规范进一步细化，形成了具有行业特色，操作性、规范性强的行为规范，完善了具有广东特色的公民基本道德规范体系和行为规范体系。

二是扩大宣传。在《南方日报》举办"公民道德规范大家谈"征文活动，在《羊城晚报》策划"做文明广东人"系列宣传报道，出版《公民道德格言》、《美德美谣美言美文》等读物，开展知识竞赛，制作公益广告，设立宣传牌，公民道德规范广为传播，深入人心。

三是开展形式多样的实践活动。在全省开展各项主题教育活动，如"诚实立身、信誉兴业"大型承诺签名活动、"春风伴我行"主题活动、"美德在我家"系列活动、"热爱我们的家园"活动等。全省各地也开展了各具特色、生动活泼的群众性宣传教育活动，如广州市开展"公德公益百星评选"；深圳市组织开展"深圳精神如何与时俱进"大讨论；汕头市颁布《汕头市市民信用公约》，开展信用体系建设活动；东莞市开展"四立"（立德、立规、立志、立业）系列宣传教育活动；阳江市启动公民道德建设"五认工程"（认养绿地、认助困难学生、认帮困难户、认建文明路、认知道德规范）等，都收到了较好的效果。

二、整体推进

以创建文明城市为龙头，文明村镇、文明行业、文明社区等群众性精神文明创建活动呈现出整体推进的良好态势，城乡文明程度进一步提高。

创建文明城市掀起新高潮。协助组织中央、省新闻采访团集中宣传广州创建文明城市"一年一小变"、"三年一中变"的成功经验，进一步激发了全省各市创建文明城市的热情。全省创建文明城市工作呈现出你追我赶、不甘人后的可喜局面，城市的规划、建设、管理和整治工作取得了显著的成效。广州市、茂名市、佛山市南海区被评为第二批全国创建文明城市工作先进城市（区）。

创建文明社区工作探索出新路子。在深圳市宝安区新安街道开展了创建"特色社区"的试点，探索和积累了创建文明社区工作的新经验。中山、清远等市召开了创建文明社区工作经验交流会，深化了创建工作。全省广泛开展的"科教、文体、法律、卫生四进社区"活动，也取得了初步的效果。

创建文明村镇工作取得新突破。召开全省创建文明小城镇工作座谈会，下发了《关于在全省广泛开展创建文明小城镇活动的若干意见》，推动了创建文明村镇工作。珠江三角洲地区积极开展创建"五高"文明村镇，经济欠发达地区开展了以"四通五改六进村"为主要内容的创建文明小康村镇活动。为推进创建工作，重点是在粤北、粤东、粤西农村开展了"卫生进村居、健康在家园"活动，着力解决农村环境脏乱等突出问题，收到了初步成效。

创建文明行业工作打开新局面。召开全省创建文明行业工作会议，转发了《中央精神文明建设指导委员会关于深入开展创建文明行业工作的若干意见》，进一步明确了以诚信建设为重点，大力加强创建文明行业工作的新思路。全省创建文明行业活动从过去的十大重点行业扩展到30多个行业。开展创评“百佳文明示范窗口”和第三届广东省职业道德建设“春风行动”，组织省新闻采访团对全省创建文明行业先进单位的先进经验进行集中宣传报道，进一步激发了创建文明行业的热情。广东省中医院、深圳书城、珠海市公共汽车公司3个单位被确定为全国创建文明行业示范点。

三、特色鲜明

以省文明委的名义下发《创建珠江三角洲精神文明示范工程指导意见》，以创建珠江三角洲文明城市群、珠江文化带、生态文明圈、文明创建示范网为主要内容，实施创建珠江三角洲精神文明示范工程，打造广东精神文明建设的品牌。这一活动受到中宣部、中央文明办领导的高度重视，省文明办在全国农村精神文明建设工作座谈会上作了经验介绍。全省精神文明建设逐步形成了分类指导，打造“两大板块”（即珠江三角洲精神文明建设示范工程和经济欠发达地区的精神文明建设基础工程）的整体工作格局。

四、领域拓宽

逐步把精神文明建设工作拓展到非公有制经济领域。各市以省文明委《关于在非公有制企业中开展群众性精神文明创建活动的意见》为指导，积极探索在非公有制企业中开展精神文明创建工作，深圳市、潮州市、佛山市南海区在这方面做了开拓性的工作，取得了一定的成效和经验。

（广东省文明办）

广西壮族自治区

广西精神文明建设以开展“道德建设年”活动为切入点，全面推进全区的思想道德建设；以“精品、名牌、特色”为主题，深入扎实地开展文明城市、文明县城创建活动；贯彻“联片开发、联动发展，整合力量、整体推进”思路，加强农村精神文明建设工作；以“加强管理、开展活动”为内容，搞好县、乡镇宣传文化阵地建设；组织实施“西部开发助学工程”，推进富民兴桂新跨越，为党的十六大胜利召开营造了良好氛围。

一、贯彻落实《公民道德建设实施纲要》，全面推进思想道德建设

思想道德建设坚持唱响主旋律，打好主动仗。组织广大干部群众以“三个代表”重要思想为指导，贯彻落实《公民道德建设实施纲要》，收到较好的效果。一是抓好理论学习，更新观念。举办理论骨干学习班，组织特聘教授和理论骨干深入基层，到群众中去作辅导报告。二是组织实施“国旗工程”。自治区党委宣传部在边防一线农村小学资助修建升国旗杆台，在边境地区8个县（市、区）的161个行政村实施“国旗工程”。这一工程的实施，使五星红旗在边境上空高高飘扬，增强了边民特别是青少年的爱国主义热忱。三是进一步抓好《公民道德建设实施纲要》的贯彻落实。自治区文明委、自治区党委宣传部把2002年定为“道德建设年”，开展一系列活动。在全区开展学习《纲要》知识竞赛活动，参加竞赛的达38万多人。主办了“八桂美德锦言”征文活动。组织了学习《纲要》宣讲团到各市、地巡回宣讲。

二、以特色主题为重点，深入开展精神文明创建活动

一是以“创精品、创名牌、创特色”为重点，以创建文明社区为突破口开展创建文明城市活动，涌现了一批环境优美、秩序优良、服务优质、文化优秀、管理规范的文明社区。南宁市新竹社区和柳州市五菱社区被确定为全国创建文明社区活动示范点。南宁市以创建“中国绿城”为载体，文明城市创建由“三个一”（摊前一个桶，街头一个岗，路上一辆车）向“五个进”（文明新风进社区，优质服务进网络，群众文化进广场，园林绿化进街道，环保行动进家庭）发展，着重在为市民办好事、办实事上下工夫。桂林市围绕完善旅游环境下工夫，倡导“让心灵与山水同美”，把文明城市创建活动提高到一个新水平。柳州市把2002年定为“城市建设管理年”，城市环境、交通、功能和居民素质都有所提高，被中央文明委授予第二批全国创建文明城市工作先进城市。

二是以诚信建设为重点，切实加强行业精神文明建设。召开了全区“创建文明行业·诚信建设年”电视电话会议，对创建文明行业提出了新的要求。各地结合实际，开展以“服务人民，奉献社会”为宗旨，以树立行业新风、倡导优质服务为主要内容，以窗口行业和执法部门为重点的创建文明行业活动，取得较好效果。玉林市注重抓好旅游行业服务规范。对导游人员进行业务培训，以“树道德新风，塑玉林形象”为主题开展文明行业创建活动，强化了全体员工的诚信意识，规范了服务秩序、服务标准，服务承诺、服务言行。中国建设银行广西分行南宁市朝阳支行等16个单位被中央文明委授予全国创建文明行业工作先进单位，广西疾病预防控制中心等15个单位被中央文明委授予全国精神文明建设工作先进单位称号。

三是以“关注农村，支持农业，关心农民”，为“三农”服务为重点开展文明村镇创建活动。玉林市从解决农民群众生产、生活上的困难入手，开展文明村镇创建活动。干部与农民“心连心”，结对子，交朋友，进村入户，帮助农民制定增收计划，送致富信息、科技书籍、优良品种，深受农民群众欢迎，为创建小康文明村打下了良好的基础。北流市、邕宁县、恭城瑶族自治县等县（市）以“生态文明”为突破口，开展文明村创建活动，收到较好效果。龙胜各族自治县、北流市民乐镇、武鸣县双桥镇下渌村等12个单位被中央文明委授予全国创建文明村镇工作先进单位。

四是以百色市“右江百里文明河谷”为代表，以“联片开发、联动发展，整合力量、整体推进”为特色模式的区域性连片创建取得初步成效，开创了全区精神文明建设工作的新局面。8月，自治区党委宣传部、自治区文明办在贺州市召开全区区域性精神文明创建工作现场会，确定了广西区域性精神文明创建工作规划，即百色市“右江百里文明河谷”、河池市“桂西跨省文明大通道”、贺州市“桂东文明绿洲”、南宁地区“沿边文化长廊”和南宁市、北海市、钦州市、防城港市“环北部湾文明示范带”五大重点区域。中央宣传部、中央文明办于12月13日至16日在百色市召开了全国农村精神文明建设工作座谈会，推广“右江百里文明河谷”的创建经验。

五是以“手拉手，心连心”为主题，开展军（警）民共建精神文明活动。驻桂部队积极与地方结对子，参与文明单位、文明村镇、文明行业建设。

三、深入开展“三下乡”活动，进一步加强农村文化阵地建设

年内为农民送图书392万册，建村级文化室3681个，送戏下乡3.27万场，送电影下乡11.5万场，送科技资料2626万份，送药品、器械346.94万元，建农村医疗卫生室16000个。从5月份开始，由区文化厅组织开展了“农村（村级）文艺演出年活动”。全区共有2000多个农村业余演出队参加，节目形式多样，受到广大农民群众热烈欢迎。加大乡镇宣传文化阵地建设力度。2002年自治区投入了6000多万元，新建了460个乡镇宣传文化站，为农村思想道德建设提供了良好的阵地。

（广西壮族自治区文明办）

海　南　省

海南省精神文明建设工作以迎接、宣传、贯彻党的十六大、省第四次党代会精神和学习、宣传、实践“三个代表”重要思想为主线，突出思想道德建设这个中心环节，抓住“诚信”这个重点，深入开展文明生态村、文明诚信企业、文明城市等多种形式的精神文明创建活动，为提高城乡文明程度和公民素质，促进全省经济社会协调发展，发挥了重要的作用。

一、公民道德教育广泛深入

围绕贯彻落实《公民道德建设实施纲要》，组织开展了“遵守公民道德，争做文明市民”、“敬业先爱岗，做事先做人”、“关心他人，助人为乐”等道德理念和道德风尚的教育活动。举办公民道德建设知识竞赛、职工职业道德知识竞赛、“爱国与爱家”、“洁净椰城，爱我家园”演讲比赛、爱我中华歌咏比赛，组织开展《美丽的海南，我们共同的家园》读书教育活动和举办“雷锋精神永恒”大型展览，引导人们自觉贯彻《纲要》，使公民基本道德规范逐步深入人心。

各市县、省直有关部门以社会公德、职业道德、家庭美德建设为着力点，开展公民道德实践活动。海口、三亚、琼海等市在社区广泛开展了讲社会公德，做个好公民；讲职业道德，做个好职工；讲家庭美德，做个好成员的“三德三做”活动。琼海市以办事难、收费乱、服务水平低等群众反映突出的问题为切入点，以诚实守信树形象，优质服务促发展为内容，以落实办事公开制、服务承诺制、首问负责制、社会监督制为目标，深入开展“讲职业道德 、建诚信窗口、创文明行业”实践活动，全市12个重点行业全面制定了《职业道德规范》和《岗位规范》，使从业人员思想道德在实践中得到提高。省纪委按照《纲要》的要求，制定了《海南省纪检监察干部道德行为基本准则》。省高级人民法院提出“忠于法律、维护正义、刚正不阿、廉洁自律、言行谨慎、德化操守、服务人民”的28字法官职业道德规范。民政部门大力推行“光明行动”计划，为白内障患者服务。公安部门把贯彻《纲要》同一年一度的“爱民月”活动结合起来，组织数千民警走上街头为群众办实事和提供咨询服务。省总工会、团省委、省妇联等单位组织开展“三下乡”、“志愿者”、“希望工程”、“送温暖”、“巾帼志愿者”、“扶残助残”、“婚育新风进万家”等多种形式的道德实践活动，都取得了良好的实效。

二、文明生态村建设成效显著

以解决广大农村环境脏乱差，文化娱乐活动少，群众观念陈旧，风气落后，生活质量不高等为切入点，以建设生态环境，发展生态经济，建立生态文化为主要内容，以改善提高群众生活质量为目标，在全省广泛深入开展了文明生态村创建活动。

省委省政府始终高度重视文明生态创建工作。省委书记、省长亲自抓文明生态村建设。省和各市县把文明生态村建设作为“一把手”工程，并成立了由文明办、农业、财政、计划、卫生、建设、司法、文化等有关部门组成的文明生态村建设领导小组，由主要领导任组长。省组织人事部门把文明生态村建设工作列入市县领导班子考核内容，形成了齐抓共管的组织领导机制。机关干部积极参加文明生态村创建，家家有“包点”，人人有责任，有的干部利用节假日或特别工作日，到所包的创建点投工投劳，和群众一块整治村容村貌，从而保证创建工作顺利进行。

制定规划，促进文明生态村建设健康发展。省文明办组织力量到19个市县进行调研，制定了《海南省文明生态村建设基本要求》、《海南省文明生态村建设总体规划》。各市县普遍制定了《文明生态村建设规划和实施方案》，量化创建标准和工作目标。各乡镇结合实际，制定具体实施细则。许多村请专家设计文明生态村建设规划图，有的制作了沙盘，努力使文明生态村建设健康发展。

广泛发动群众，增强农民创建文明生态村的积极性和主动性。各市县召开了干部群众动员大会，并对创建的目标、责任等提出具体要求，各包点机关单位组织宣讲小分队进村入户，向农民群众宣讲建设文明生态村的重要意义，组织乡镇、村委会干部和骨干群众到先进地区的文明生态村学习，扩大视野，更新观念，激发农民群众自觉参与文明生态村建设的积极性、主动性。

动员社会力量，开展多种形式的共建活动。各地在开展文明生态村活动中，普遍开展形式多样的城乡共建、工农共建、军民共建。创建的模式多样化，如“生态旅游观光林园”模式，“文明生态村+科技村”模式，“文明生态村+专业村”模式，“沼气+养猪+经济作物”的“小庭院、大产业”模式，“生态观光农业园”模式，都体现了发挥当地优势，以农业产业化经营和发展特色旅游业为特点，使文明生态村建设与发展热带高效农业、民族风情休闲旅游相结合，为农民奔小康开拓了新路子。省委、省政府把涉农的扶贫、民房改造、改水改厕等资金统一投入到文明生态村建设。许多华侨得知家乡建设文明生态村，纷纷慷慨相助。许多在外工作的干部和企业家积极出资，帮助家乡建设文明生态村。

到年底，全省已建成文明生态村1867个，占自然村总数的8%。已建成的文明生态村，基本做到了有文化室、宣传栏、篮（排）球场等文化设施，有的村还建了露天剧场。“村村通”广播电视全部普及，80%以上的农户装上了电话。各地以文明生态村的文化室和活动中心为阵地，举办骨干培训班，培养传播科学文化知识带头人。有的组织农民学习种养业实用技术，提高农民致富本领。有的组织球类比赛、文艺演出、科普讲座和农产品集贸交流。农民饭后茶余能去文化室看电视、读书报，了解天下大事，改变了过去“日出而作、日落而息”的封闭落后生活方式，提升了农民的文明素质。

三、诚信教育活动扎实有效

为增强企业诚信意识，转换企业经营思路，增强企业爱国守法观念，提高企业整体素质和竞争力，在全省组织开展创建文明诚信企业活动。各企业在省报和电视台向社会公开承诺“诚实守信，不制假售假；热爱祖国，不偷税漏税；文明经商，不短斤少两；诚信相待，不逃废债务；遵纪守法，不违法经营”五项创建标准，接受社会监督。

以办事公开制、服务承诺制、首问负责制、社会监督制为主要内容，在全省组织开展诚实守信的教育和创建活动。在政府机关中首先把信用建立在信用秩序和诚信风尚上，把诚信原则贯穿于政府机关履行管理、监督和服务职能上。在工作时限、工作程序、工作内容、工作质量等方面做到讲信誉、重实效，从而简化了办事程序，提高了办事效率，得到社会各界群众的称赞。在生产企业中把诚信建设着力点放在严格生产标准上，确保生产质量。在流通行业中重点抓改进服务态度、完善售后服务，坚决禁止假冒伪劣商品。在服务行业中，抓好兑现社会服务承诺，诚信经营，文明服务。在中介组织中推进执业公示制度，杜绝信息误导、合同违约、价格欺诈、伪造凭证等不正当行为。在执法部门中狠抓依法办事，维护法律尊严，彻底改变有法不依、执法不严、以权谋私等问题，以实际行动取信于民。

四、机关作风明显改善

以克服形式主义、官僚主义为重点，以建设“廉洁、勤政、务实、高效”机关为目标，紧紧围绕“八个坚持、八个反对”的基本任务和省委省政府关于改进作风的30条措施，广泛深入开展推动机关作风转变和“我为企业做什么”、“企业评议政府”等教育和创建活动。各单位运用正反两方面典型，通过报告会、专题民主生活会、观看典型案例等形式，向广大干部进行示范教育和警示教育，提高了党员干部反腐倡廉的能力。各单位还以机关处室、支部为单位，围绕服务企业、服务投资者的主题，广泛发动机关党员干部职工，开展“谈、摆、查、想”活动，努力做到为投资者和群众解难题、清障碍、做好事。政府机关把职能转到了“经济调节、市场监督、社会管理、公共服务”上来。削减审批事项，下乡扶贫帮困、访农户和下岗职工。机关干部与1万多户特困职工家庭建立了包户帮困联系，为他们排忧解难，得到了广大人民群众的称赞。

五、“四进社区”活动有声有色

省成立了“四进社区”领导小组，组织有关专家及专业工作者、志愿者，深入社区开展科教、文体、法律、卫生等知识的宣传教育活动。利用科技周，在社区开展“科普小先生”演讲比赛，组织“科技志愿者进社区送科技”活动，进行各类科普培训800余场，举行科普报告会50余场，发放科普资料20多万册，放映科教片、录像片273场（次），科技咨询357次。利用“6·26”国际禁毒日，开展“无毒社区”创建活动，举办“珍爱生命、远离毒品”图片展，举办法律讲座和法律咨询，提高市民知法守法的自觉性。按照“普及健康知识、共建文明社区”的要求，开展“卫生进社区义诊”，举办健康知识专题讲座，培训基层医务人员，免费赠送药品价值2.57万元。围绕丰富社区文化生活，制订了《海南省文化进社区活动方案》，积极发挥各类社区文化设施作用，组织具有社区特色，群众喜闻乐见的歌咏、中老年健身舞、琼剧、书法、八音、演讲、画展、读书等文化艺术活动。海口、三亚、琼海等市举办了“爱我中华”“电影进社区”活动周。海口市积极扶持和辅导“海口市火电厂合唱团”、“海口市十一小民乐队”、“高坡八音队”、“龙昆上村腰鼓队”、“滨濂秧歌队”等近20支业余社区文艺队伍。全省开展社区广场文化活动200多场次。积极组织全省“四进社区”文艺演出暨全国文艺展演活动。参展节目歌伴舞《永恒的诺言》，锣鼓说唱《四进社区》和舞蹈《红旗颂》分别获得全国“四进社区”文艺展演金奖和铜奖。

六、充分发挥先进典型示范带动作用

以“诚实守信”教育为重点，大力宣传了海口美兰机场有限责任公司等186家“诚信经营，文明服务”的“文明诚信企业”和全国第五批旅游景区示范点“三亚南山文化旅游区”。集中宣传了16年如一日在基层养老院护理18位孤寡黎族老人，在平凡的岗位上做出不平凡成绩的党的十六大代表、昌江县十月田镇敬老院护理员豹爱芳；长期热心捐助困难儿童重返校园的保亭县六弓乡人民好警察陈德乔；全国第二批公民道德建设先进典型、全国劳动模范琼海市民政局长陈徽娥；奉献一生，清贫一生，不幸累死在工作岗位上的党员干部模范琼中县长征镇委书记王国雄。这些先进典型的模范事迹，在全省引起强烈反响。

（海南省文明办）

重 庆 市

重庆市精神文明建设工作以“三个代表”重要思想为指导，以公民道德建设为主要内容，以“建设文明新重庆，促进西部大开发”为主题，以“礼仪重庆、诚信重庆、知识重庆、魅力重庆”为目标，以建设“长江三峡文明长廊”为主要载体，唱响主旋律，打好主动仗，为党的十六大召开、重庆市第二次党代会召开营造昂扬向上、团结奋进、开拓创新的良好氛围，为重庆改革和发展进入新阶段提供了思想保证和精神动力。

一、突出特色，争创品牌，形成具有西部特色、重庆特点的工作路子

“长江三峡文明长廊”工作整体推进。确定渝中区行政服务中心等175个单位（社区、街镇、景区）为2002年长江三峡文明长廊建设示范点，重点实施的八大工程进展良好，涌现出一批创建工作先进单位，塑造了长江三峡文明长廊的整体形象。

创建“礼仪重庆、诚信重庆、知识重庆、魅力重庆”逐步深入人心。“礼仪重庆”旨在全面提升重庆人的思想道德素质，树立文明、开放、进步的新重庆形象，展示新时代重庆人的风采。“诚信重庆”以深入开展文明行业创建工作为重点，强化规范服务教育，倡导诚实守信，优化发展环境。“知识重庆”旨在紧跟知识经济时代，切实提高全市人民的科学文化素质和创新能力，用知识来提升素质。“魅力重庆”则继承灿烂的巴渝文化、三峡文化、抗战文化，弘扬“红岩精神”，积极吸取各国先进文化，建设繁荣、富裕、文明、进步的新重庆。

形成了“三个一”的精神文明建设载体网络。即一个协会、一本杂志、一档电视栏目的载体网络。一个协会，即重庆市精神文明建设协会。协会大力促进精神文明建设工作者之间的协作和交流，充分发挥精神文明在促进全市经济建设和社会各项事业发展中的作用。一档电视栏目，即《道德观察》栏目。市文明办和重庆电视台教育频道联合开办的《道德观察》栏目，反映道德建设，确立道德规范，表扬先进典型，弘扬高尚美德，抨击不道德行为。一本杂志，即《文明时尚》杂志，得到社会各界特别是文明单位的认可和喜爱。

二、以人为本，强化德治，提高广大市民的文明素质

进一步加强红岩精神的教育。开展“弘扬红岩精神，塑造当代重庆人”活动，激发群众爱国爱家乡的奉献热情。

认真宣传贯彻《公民道德建设实施纲要》，强化思想道德教育，着力培育适应新重庆发展需要的有理想、有道德、有文化、有纪律的社会主义公民，广泛开展以遵守《市民公约》和“七不”行为规范、争当文明市民为主要内容的基础道德教育。各地区各部门重点抓好道德规范、道德实践、道德监督三个环节，把道德要求融入人们的日常工作、学习、生活当中，融入社会、行业管理当中。各地充分发挥市民学校、村民学校、业余党（团）校等教育阵地的基础教育功能、科技教育功能、政治教育功能和信息传播功能，有组织、有计划地开展丰富多彩的教育活动。市委宣传部、市文明办组织编印了《重庆市公民基本道德规范手册》、《重庆市民文明知识读本》、《文明礼仪》等读本发放给市民，掀起了“学文明、讲礼貌、做文明市民”的高潮。

三、与时俱进，开拓创新，推动“三大创建活动”的蓬勃开展

创建文明城市活动取得新成效。市容市貌发生较大变化，各行业的服务质量有较大改善，市民的公德水平和文明意识有新的提高，社会秩序稳定，社会风气日趋良好。年初，市文明委下发了《关于加强社区精神文明建设的意见》，印发了《〈重庆市创建文明城区规划〉的通知》。以建设便民服务亭为阵地，着力打造社区服务新景观。配合中央文明办组织的《文明城市测评体系》课题组开展调研工作，促进创建文明城市活动更加广泛深入地开展。渝北区被评为全国创建文明城市工作先进城区，江北区石油社区、沙坪坝区勤居村社区、渝北区龙湖社区被列为全国创建文明社区示范点。

以“阳光普照社区，文明引导生活”为主题的科教、文体、法律、卫生“四进社区”活动蓬勃开展。全市建科普画廊280多处，总长度1500米；街道社区建科普站514个，科普图书室197个。8月18日至24日，开展了“社区文化周”活动，全市共开展文化活动近300场（次）。参加全国“四进社区”文艺展演的舞蹈《中华功夫扇》获金奖，小品《清白人家》和重唱《黄杨扁担》获铜奖。重庆市被中央文明办、文化部列为全国开展“文化进社区”活动典型城市。

文明村镇创建取得长足进步。着力抓好“三村”、“三户”、“十星级农户”评选和“城乡联动，同创共建文明村镇”等创建活动，充分发挥“三下乡”活动的作用，推动农民素质的提高和农村经济的发展。以中央资助的“百县千乡宣传文化工程”为契机，实施了“三峡库区宣传文化工程”和“少数民族地区宣传文化工程”。农村“五改”（改水、改路、改厨、改厕、改圈）活动广泛开展，引导和激发了农民建设社会主义新农村的热情。九龙坡区含谷镇等15个村镇成为全国创建文明村镇工作先进镇（村），铜梁县巴川镇、荣昌县广顺镇被命名为全国小城镇示范点。

文明行业创建不断深化。市文明办与有关部门和行业密切配合，积极推进文明行业创建。建立制度化、经常化、规范化的活动机制，把提高从业人员的素质，树立行业形象贯穿在创建文明行业的全过程。7月24日，在市地税局召开了全市文明行业创建工作会议，总结交流文明行业创建活动经验，进一步推动了行业精神文明建设工作。结合迎接十六大召开和学习宣传贯彻十六大精神，开展了“文明先锋‘四进’行动”，即进社区、进行业、进单位、进村镇，充分展示文明行业、文明单位的新风貌。重庆市燃气公司、重庆自来水公司、重庆市地税局今年被确定为全国文明行业示范点。

（重庆市文明办）

四 川 省

四川省精神文明建设工作以迎接、宣传、贯彻党的十六大，学习、宣传、实践“三个代表”重要思想为主线，以贯彻落实《公民道德建设实施纲要》为重点，围绕中心、服务大局，唱响主旋律、打好主动仗，群众性精神文明创建活动广泛开展，各项工作整体推进，取得明显成效，为党的十六大营造了良好氛围，为推进四川发展起了积极的促进作用。

一、深入学习实践“三个代表”重要思想，做好宣传贯彻党的十六大精神的工作

一是兴起学习“三个代表”重要思想的热潮。组织全省党员干部学习江泽民“七一”重要讲话和“5·31”重要讲话，在充分阐释“三个代表”重要思想的重大意义和科学内涵上下功夫，在重大理论和实际问题的说充分、说清楚上下功夫，增强了全省广大党员干部实践“三个代表”重要思想的自觉性和坚定性。二是广泛开展“三个代表”在基层系列宣传活动。召开学习“三个代表”专题座谈会，开设专栏、增加板面、组织专版，加强对“三个代表”重要思想的宣传，搞好各地各行业建设和发展成就的宣传，为党的十六大召开做好舆论准备。三是遵照中央《关于认真学习贯彻党的十六大精神的通知》精神，兴起学习宣传贯彻党的十六大精神的热潮。组织全省广大党员特别是领导干部深刻领会十六大的重大历史意义，全面准确地把握十六大的主题、灵魂和精髓，用十六大精神指导实践。并组织省委宣讲团赴各地宣讲，广泛开展各具特色的宣传教育活动，推动学习深入开展。

二、贯彻落实《公民道德建设实施纲要》，开展道德实践活动

省委下发了《中共四川省委关于认真学习宣传贯彻〈公民道德建设实施纲要〉的通知》，道德实践活动在全省普遍开展，特别是在3月份“宣传教育月”中形成了高潮。通过广泛深入地学习宣传《公民道德建设实施纲要》的基本精神和公民基本道德规范，通过开展各种形式的道德实践活动，引导人们自觉贯彻《纲要》，提高道德素质。

三、大力开展群众性精神文明创建活动，提高群众生活质量和社会文明程度

一是以社区为基础，抓好文明城市创建。认真组织开展科教、文体、法律、卫生“四进社区”活动，在满足社区居民物质、文化需求方面起到了积极的促进作用，也为文明城市的创建夯实了基础。圆满完成第七届“三优一学”创建文明城市竞赛活动总评工作，对下一届活动进行了部署。二是以窗口为重点，抓好文明行业创建。召开创建文明行业工作座谈会，推广国税、电力、气象、人保、地税等重点行业的创建经验。省委、省政府正式命名这两个系统为省级文明行业。举行了首届省级文明单位文艺会演。三是继续学习推广“巴中经验”，在农村掀起以“三建五改”和“六通一有”为内容的文明新村建设热潮。召开全省农村精神文明建设示范点工作座谈会，抓好农村精神文明建设“5515”工程示范点建设。切实加强文明小城镇建设，授予荥经县等5个县城为四川省创建文明县城工作先进城称号，推动文明小城镇创建活动的深入开展。四是以城乡共建为切入点，广泛开展各类共建活动。各级文明单位与村镇互帮互建，积极开展“以城带乡、城乡共建”活动，各级文明单位与村镇结成的共建对子已达500多对。做好广安市“邓小平家乡精神文明建设示范带”建设的联系协调工作。全省农行系统与武警开展的警民共建活动、交通厅与省军区、省公安厅的军警民共建文明路活动和其他各类共建活动都呈现出健康发展的良好态势。

四、认真组织实施精神文明建设工程，切实改善贫困地区和困难群众的精神文化生活

继续扎实稳妥地推进“西部开发助学工程”。

组织受助学生暑期社会实践活动。办好高中“宏志班”。继续抓好“百县千乡宣传文化工程”、广播电视“村村通工程”、体育设施“雪炭工程”。积极开展光彩事业。组织科普列车“老区行”活动。认真开展扶贫帮困工作，组织送温暖、献爱心和社会捐助活动。继续实施“希望工程”、“春蕾计划”、“扶残助学工程”。推进青年志愿者扶贫接力计划。

（四川省文明办）

贵 州 省

贵州省精神文明建设工作高举邓小平理论伟大旗帜，以“三个代表”重要思想为指导，以迎接、宣传、贯彻党的十六大为主线，认真抓好《公民道德建设实施纲要》的宣传教育和贯彻落实，大力推进精神文明创建活动，突出重点，以点带面，整体推进精神文明建设上台阶，为实施“西部大开发战略”、促进全省改革发展稳定提供强有力的思想保证和精神动力。

一、学习、宣传、贯彻党的十六大

十六大召开前后，组织优秀剧（节）目11台，国产优秀影视剧（节）目400余部（集）进行集中展演、展播，在全省农村放电影2000多场。还组织开展了迎接、庆祝十六大大型广场文艺演出和大型音乐舞蹈等文艺活动。全省各地社区文化、村镇文化、企业文化、校园文化等丰富多彩、高潮迭起，为迎接、学习、宣传、贯彻十六大营造了良好的氛围。十六大召开后，省委及时对宣传贯彻十六大精神作出部署，编印下发8万册十六大报告《学习宣传提纲》。举办学习十六大精神文明办主任培训班。

二、贯彻落实《公民道德建设实施纲要》

省委制定下发《关于贯彻落实〈公民道德建设实施纲要〉的意见》，决定从2002年起，将每年的3月作为《纲要》集中宣传教育月。3月5日，在纪念毛泽东同志“向雷锋同志学习”题词39周年之际，结合青年志愿者服务日活动，开展了省市共创文明林城暨《公民道德建设实施纲要》第一个宣传教育月启动仪式。并结合3·8国际妇女节、3·12植树节、3·15消费者权益保护日、3·22世界水日等纪念日集中宣传《纲要》基本精神、方针原则和主要内容，大力倡导公民基本道德规范，广泛动员社会各方面积极参与道德建设。在宣传教育月活动中，全省共发放《纲要》宣传挂图9万份，制作悬挂《纲要》大型公益广告牌22块，安排《纲要》广场文艺演出10余场，动员10万青年志愿者上街开展《纲要》宣传咨询与便民服务，举办全省学习《纲要》知识竞赛与征文活动。10月中旬，以“树立诚信意识、倡导诚信言行”为主题，开展了“诚实守信宣传教育周”活动，省文明委38家成员单位向全省各行各业发出倡议，大力改善投资环境，切实抓好法制环境、服务环境、信用环境的建设，建设诚信贵州，加快经济发展。

三、扎实推进科教、文体、法律、卫生“四进社区”

根据中央文明办、中央综治办、文化部、卫生部、国家体育总局、中国科协、共青团中央、全国妇联《关于开展科教、文体、法律、卫生“四进社区”活动的通知》要求，省文明办及时制订活动方案并组织全省广泛开展“四进社区”活动。为了增强示范效果，扩大活动影响，省直11个厅局每两个月轮流牵头组织开展一次大型集中示范活动，厅局领导亲自挂帅，基层单位密切配合，省市领导多次参加活动并指导工作。5月份后，先后以“道德新风进万家、共育社区文明花”、“青年文明社区大家乐”、“开展社区服务、提高居民素质”、“讲科学生活、建文明社区”、“歌唱新生活、喜迎十六大，弘扬民族文化、促进全民健身”为主题，在贵阳市、遵义市、凯里市等地共开展了6次集中示范活动。活动的主要方式是为社区居民群众举行丰富多彩的文艺演出，开展科教、文体、法律、卫生咨询和服务，慰问贫困户，发放慰问金，为困难群众送医送药上门等。在省直机关单位的带动下，全省各地结合实际组织开展了各具特色的“四进社区”活动，受到广大社区居民群众的欢迎和好评。

四、深入开展“卫生与秩序”、“文明大道”主题创建活动

继续开展以“卫生与秩序”为主题的创建文明城市、文明县城活动，各市、州、地所在城区和县城面貌发生了明显变化。贵阳市着重开展“省市共创文明林城”活动，集中打好交通秩序整顿、环境卫生治理、窗口形象建设、绿色生态建设等8个战役，使创建文明城市工作逐步跃上新台阶。黔东南州凯里市开展“做文明人、建文明城、建设美好家园”为主题的集中整治活动，短短几个月时间就使市区面貌发生深刻变化，受到市民和外地客人的好评，创造了新的经验。经过检查评比，遵义市、贵阳市获创建文明城市工作先进奖，都匀市、六盘水市、凯里市、铜仁市获“卫生与秩序”创建工作先进奖，遵义县、赤水市等11个县城获“卫生与秩序”进步奖。

以南下出海通道为重点的创建“文明大道”活动在贵遵、贵新、贵黄等公路全面铺开。各责任单位和地区按照省文明委制订的工作方案，完成了阶段性目标任务，取得初步成效。主要成绩有：营造浓郁的创建氛围，在主要进出口处、收费站、立交桥等处设立了大型广告牌、宣传标语；道路路政管理和文明执法进一步加强，沿线三分之一以上的收费站和交警大队建成了文明单位；加大公路两侧村容镇貌的整治和精神文明创建工作力度，每条公路沿线均建了一批“卫生与秩序”创建工作先进县城、文明村镇示范点、文明村和十星级文明户；加强公路沿线的环保建设，对大气污染源进行跟踪管理；加强绿色通道建设，实施植树造林和退耕还林，对可视范围的墓地坟场和采石场进行绿化治理；增加对沿线阵地建设的投入，新建一批农村精神文明活动中心，使沿线90%以上的乡镇均建有宣传文化设施；积极推动跨省区联手创建工作。省文明委对在创建工作中成绩突出的86个单位进行了表彰。

五、充分发挥先进典型示范带动作用

组织评选由省委省政府表彰的“1999—2002年度文明单位”，充分展示了党的十五大以来贵州省精神文明建设方面所取得的丰硕成果，为党的十六大营造开拓进取、奋发向上的良好社会氛围。在党的十六大召开前夕，省委、省政府组织召开了全省第五届文明单位表彰电视电话会，对85个红旗文明单位、628个文明单位、100个精神文明创建工作先进单位、200个精神文明建设先进工作者进行了表彰，有效地起到示范、辐射和带动作用。

表彰会前后集中宣传一批近几年涌现出来的精神文明建设先进典型，推广他们的新经验。继续开展了“宣传贵州精神文明建设好新闻奖”活动，推动新闻媒体对精神文明建设的宣传报道。邀请人大代表、政协委员视察精神文明建设先进单位、爱国主义教育基地和文明风景旅游区。

六、坚持为基层办实事、办好事

从文化事业建设费中先后拨出400万元专款，为基层文化单位购置了11辆“三下乡”专用车，为各市、州、地党委宣传部（文明办）及省文联共配置了10辆“四进社区”宣传车。为进一步丰富农村、社区文化生活，宣传普及科学知识，增强群众法律意识，提高群众生活质量，满足人民群众不断增长的精神文化需求提供了可靠的保障。

精心实施“西部开发助学工程”。对西部助学工程资助的学生按照公开、公正、公平的原则，按照“三审三公示”的审批程序严格挑选、逐级申报、层层把关，切实把助学工程办成“文明工程”。

（贵州省文明办）

云 南 省

云南省精神文明建设以“三个代表”重要思想为指导，以迎接、宣传、贯彻党的十六大，学习宣传“三个代表”重要思想为主线，按照中央文明委和省第七次党代会的部署要求，围绕中心，服务大局，精神文明建设各项工作扎实推进，全省精神文明建设取得了新进展、新成效。

一、学习宣传贯彻“三个代表”重要思想，理论教育取得成效

全省精神文明建设工作按照总体部署，贯彻一条主线，分两个阶段，兴起三个热潮，营造四个氛围。党的十六大前，兴起学习宣传贯彻“三个代表”重要思想的热潮。组织广大党员干部学习江泽民“七一”、“5·31”重要讲话。农村“三个代表”学习教育活动取得丰硕成果。“团结干事”教育活动初见成效。围绕教育活动主题，全省集中推出一批党员干部实践“三个代表”重要思想的先进典型，推出一批在平凡岗位上为国分忧、为民服务、无私奉献的先进典型。

兴起宣传改革开放和党的建设辉煌成就的热潮，广泛开展“看成就，谈体会”教育活动。各地各部门深入开展形势政策教育，举办系列形势报告会，开展丰富多彩的文艺活动，帮助各族群众及时了解国内外形势和党的路线、方针、政策，了解云南改革开放和现代化建设成就，增强广大干部群众走中国特色社会主义道路的信念，为党的十六大营造昂扬向上、团结奋进、开拓创新的良好氛围。党的十六大后，兴起学习宣传贯彻十六大精神的热潮。组织党员干部认真学习十六大精神，结合云南实际，围绕全面建设小康社会，加快云南发展这一主题，召开座谈会、报告会，组织宣讲团赴各地州市宣讲。把党员干部和各族群众的思想统一到十六大精神上来，统一到同心同德完成十六大确定的宏伟目标和各项任务上来。

二、贯彻落实《公民道德建设实施纲要》，思想道德建设全面加强

云南省把2002年定为公民道德规范普及教育年。省里成立了公民道德教育领导组织。宣传部、文明委下发了《关于在全省开展公民道德规范普及教育工作的通知》，组织专家学者编写出版了《公民道德规范读本》，作为全省统一教材下发。各地各部门高度重视《纲要》的贯彻落实，普遍制定了贯彻《纲要》的意见和实施细则，并把《纲要》纳入本地区本部门精神文明建设的总体规划，全面推进以社会公德、职业道德、家庭美德为重点的道德教育和道德实践，积极探索建立以《纲要》为依据，与地方性、行业性道德规范相配套的，与社会主义市场经济相适应的思想道德体系，取得初步成效。

根据省文明委贯彻《纲要》的部署安排，重点抓好公民道德基本规范的宣传和普及教育工作。有计划、有重点地在新闻媒体上开展全省公民道德建设知识竞赛和道德建设大讨论，在车站、机场、公园、广场等公共场所普遍设立20字公民道德规范宣传牌，在城镇、社区、学校和窗口单位开展公民道德建设故事会、演讲比赛、歌曲演唱会、文艺演出等多种形式的文艺宣传教育活动。开展制作、展播、评选公民道德建设优秀公益广告活动，为公民道德建设营造良好氛围。编写出版《公民道德规范读本》，部署和安排公民道德规范普及教育工作，采取自学、集体讨论、集中培训相结合的方法，在全省广大干部群众中开展公民道德规范普及教育。全省举办公民基本道德规范骨干培训班2560期，培训骨干30多万人。利用基层文明学校等阵地，举办各种长短培训班5800期。举办知识竞赛、演讲比赛、报告会、综艺晚会5300多场。组织召开贯彻《纲要》座谈会、研讨会、经验交流会百余场，组织思想道德建设理论工作者和实际工作者深入基层宣讲公民道德规范百余场，组织全省公民思想道德建设先进典型事迹赴各地巡回演讲40多场，收到明显效果。

在做好普及教育工作的同时，加大道德实践力度，倡导和广泛开展经常性的社会捐助、无偿献血、志愿者、手拉手、送温暖、环境保护、扶残助残以及希望工程、幸福工程、春蕾计划、安康计划等多种形式的道德实践活动。进行互联网有害信息专项清理整治。

三、广泛开展群众性精神文明创建活动，公民素质和城乡文明程度不断提高

坚持“讲文明、树新风”为主题，按照“点、线、面”相结合的发展战略和“抓龙头、创特色，抓重点、带全面，抓达标、争一流，抓基层、重实效”的工作思路，把公民思想道德建设贯穿于创建活动的全过程，把为群众办实事、办好事贯穿于创建活动的各个环节，推动“三大创建”工作向纵深发展。

全面启动“四进社区”活动，组织优秀剧目《竹》参加全国社区文艺展演，获二等奖。深入推进农村精神文明建设，广泛开展“十星级文明户”创评活动，到今年为止，全省“十星级文明户”参评达600万户，占全省农户的74%，农村发生了可喜变化。深入开展民主评议行风和整顿规范市场经济秩序为主要内容的文明行业创建活动，重点抓了旅游行业的行风建设，取得明显成效。中科院西双版纳热带植物园为全国第五批文明风景旅游区示范点。

坚持开展军（警）民共建、青年文明号、春蕾计划、五好家庭、希望工程、畅通工程、婚育新风进万家、创文明机关、当人民公仆、做人民满意公务员等活动，开展“三下乡”、“百城万店无假货”活动，真心实意为广大各族群众服务。全省各地结合本地实际，创造性地开展群众性精神文明创建活动，城乡面貌明显改观，社会风气进一步好转。

四、积极推进民族文化大省建设，促进文化繁荣发展

坚持以“三个代表”重要思想统领民族文化大省建设，全面繁荣社会主义文化。以“五个一工程”为龙头，组织实施文化基础设施、民族文化精品和文化队伍建设“三大文化工程”，加快新闻出版、广播影视、文学艺术、哲学社会科学、卫生体育等各项事业的改革和发展步伐，做大做强文化产业。充分发挥云南民族文化丰富多样的优势，在继承、交流和借鉴的基础上，大力推进文化创新。组织实施建设“千里边疆文化长廊”、“万村书库”、“村村通工程”，以及中央文明委资助建设的14个县级文化中心、115个乡镇宣传文化站和“西部开发助学工程”。抓好这些社会影响大、示范作用强、群众欢迎的“民心工程”，加强和巩固了贫困地区基层宣传文化阵地，丰富了群众精神文化生活，得到了各族干部群众的热烈拥护和广泛参与，产生了积极的社会影响。

广泛开展普及科学知识，倡导科学方法、宣传科学思想、弘扬科学精神教育活动，广泛开展群众性文体活动，丰富和活跃群众文化生活。组织动员文化工作者深入基层体验火热生活，创作反映“西部大开发、云南大发展”的优秀文化作品，组织优秀文化精品到基层展演、展映、展播。积极推进全民健身活动。大力推进社区文化、村镇文化、企业文化、校园文化、广场文化和家庭文化的发展。依法加强文化市场管理，深入开展“扫黄打非”，打击走私、盗版侵权活动，整顿和规范文化市场秩序，为广大群众创造健康文明的文化生活环境。

（云南省文明办）

西藏自治区

西藏自治区的精神文明建设工作，以“三个代表”重要思想为指导，认真贯彻党的十五届六中全会和中央第四次西藏工作座谈会精神，贯彻自治区第六次党代会精神，以迎接学习、宣传、贯彻十六大为主线，围绕“一加强、两促进”三大历史任务，深入开展群众性精神文明创建活动，各项工作扎实推进，呈现出积极、健康、向上的良好态势。

一、创建文明城市工作迈出新步伐

以贯彻《公民道德建设实施纲要》和提高城镇居民思想道德素质、科学文化素质、美化城镇环境、提高文明程度为主要内容，开展创建活动。年初，自治区文明办下发了《关于进一步做好我区国家级、自治区级创建文明城市工作示范点创建活动的通知》。各地、市文明办根据自治区的统一部署，在创建文明社区工作的基础上，进一步深化创建文明城市工作，涌现出了一批先进典型。当巴居委会、泽当镇、昌都镇被中央文明委授予全国创建文明城镇工作示范点称号。在十六大召开前夕，拉萨市被中央文明委授予全国创建文明城市工作先进城市称号。以拉萨市文明委召开创建文明社区工作经验交流现场会为契机，在全区推广当巴居委会创建文明社区的经验。各地市对照先进找差距，联系实际搞活动，创建文明城市工作迈出了新步伐。

“科教、文体、法律、卫生”四进社区活动开局良好。根据中央文明办的要求，对整个活动进行安排部署，下发了通知。各部门立即行动起来，组织小分队深入社区，开展科普讲座，提供法律咨询，组织社区文艺活动，开办社区医疗站，将文明之风带进社区。自治区气象局创编的舞蹈《艺人情》在全国“四进社区”文艺展演中获得银奖。

二、创建文明行业工作取得新进展

认真贯彻全国创建文明行业工作座谈会精神，以诚信建设为主要内容，扎实做好创建工作。各行各业根据自治区文明委的统一部署，以解决突出问题为重点，在深入上狠下工夫。政府部门开展“一站式”服务，将服务内容、收费标准、办事程序等全部公开，接受社会监督，做到“公正、公开、透明”，提高了办事效率和服务质量，深受群众欢迎。流通服务部门开展了“诚信服务，明白消费”活动，采取措施，维护消费者利益。工商行政管理部门加大对假冒伪劣商品的查处力度，做好批发市场的管理。自治区文明办于10月25日至26日召开了区直、中直单位创建文明行业工作座谈会，对促进行业精神文明建设产生了推动作用。拉萨市公安局城关分局被中央文明办授予全国创建文明行业示范点称号。

以“窗口”行业为重点，大力推动“讲文明树新风”活动向深度发展。文明委联合自治区公安厅、交通厅、拉萨市政府在拉萨市出租车行业开展了“做文明使者，创优质服务”月活动。在出租车行业从业人员中开展公民道德教育，大力推广优质规范服务，切实解决存在的突出问题，树立首府城市出租车行业的良好形象。

三、创建文明乡村工作取得新突破

创建文明乡村的工作重点为巩固提高。年初制定了文明乡村的9条标准，要求各地、市认真对照检查，总结创建经验，找出存在的问题，提出改进的措施。在认真总结党的十四届六中全会以来创建文明乡村工作经验的基础上，3月份，起草印发《西藏自治区精神文明建设指导委员会关于深入开展创建文明乡村工作的意见》，对全区创建文明乡村工作起到了良好的规范指导作用。各地、市结合实际，加强对创建工作领导，把创建文明乡村工作纳入年度工作目标责任书，与农牧区经济工作一同部署，一同落实，一同检查。有的地方针对“脏、乱、差”问题，由村委会与村民签订卫生、治安责任书，由村委会监督落实。有的针对群众市场经济观念不强的问题，由乡镇政府牵头，组织剩余劳动力外出务工，增加了群众收入，转变了群众观念。有的针对部分群众道德意识淡薄的问题，将公民基本道德规范写进村规民约，组织群众开展道德评议活动，树立社会主义道德风尚。有的针对活动场所不足的问题，由党员带头，发动群众投工投劳，修建村文化室，组织群众开展活动，传播现代文明。扎实有效的措施，调动了农牧民群众参与精神文明建设的积极性，创建成果不断巩固。推广典型的力度进一步加大。针对西藏农牧区地广人稀、创建文明乡村工作发展不平衡的实际，狠抓先进典型的树立和推广工作。在各级典型的示范带动上，创建文明乡村工作在基层开花结果。日喀则市、堆龙德庆县东嘎镇、洛扎县等七个单位被中央文明委授予全国创建文明乡镇工作先进单位。

四、示范点建设扎实推进

根据中央文明办的要求，于4月份下发了《关于认真做好我区国家、自治区两级示范点复查工作的通知》，各地（市）成立了复查领导小组，对6个国家级、104个自治区级示范点和19个全国创建工作先进单位进行认真复查，并有针对性地提出了加强管理措施。各示范点的创建制度进一步健全，创建标准更加符合实际，调动群众开展创建活动的方式方法更加得力，创建效果更加显著。在检查验收的基础上，对1997年以来确定的示范点重新命名，对不符合标准的示范点提出了加强和改进的措施，鞭策了后进，激励了先进，促进了示范点创建工作的进一步深化。与此同时，着力培养一批新的示范点，树立宣传了扎木镇、洞嘎镇、自治区移动通信公司等先进典型，初步形成了覆盖全区城乡的各级精神文明建设示范点网络。

五、为贫困农牧民办好实事

认真落实“西部开发助学工程”的各项任务。制定下发了《西藏自治区高中“宏志班”实施细则》、《西藏自治区2002年“西部开发助学工程”实施办法》；组织了为期10天的全区2001级受助学生暑期社会实践活动；对10名受助学生的事迹进行宣传。由于这项工作制度健全，公正、公平、公开，监督有力，杜绝了各种不正之风，深受社会各界特别是受助学生家长的好评。

按照“百县千乡宣传文化工程”规定，认真建设全区五个“宣传文化中心”，制定下发了工程管理办法，工程建设进展顺利。

“三下乡”工作成效显著。制订了“三下乡”活动方案，协调区直相关单位成立了8个“三下乡”工作分团，深入五地（市）农牧区开展“三下乡”活动。送图书下乡28万册，送戏下乡412场，送电影下乡12万场，送科技资料58万余份，送科技录像带300盘，送医疗器械价值15万余元，下乡人员近4千人，培训农村文化骨干150人，农牧民2万7千多人，义务诊治农牧民2万多人。

六、调研工作得到加强

一是在深入调查研究的基础上，把各行业、各方面的先进典型挑选出来，完成了西藏22个全国精神文明创建工作先进单位的申报工作。二是回顾历史，总结经验，完成了《党的十五大以来西藏的精神文明建设工作成就》一文，向党的十六大献礼。三是根据中央文明办的要求，在对7个地、市近年来精神文明建设工作调研的基础上，完成了《西藏自治区精神文明建设调研报告》，对西藏精神文明建设的现状、成绩、经验、工作规律及存在的问题进行了比较全面系统的研究，为进一步做好工作奠定了基础。四是开展专题调研，完成了《精神文明建设与农牧民增收》的调研报告，为提高农牧区精神文明建设的针对性提供了依据。

（西藏自治区文明办）

陕 西 省

陕西省精神文明建设工作以迎接、宣传、贯彻十六大为主线，紧紧围绕全国全省工作大局，深入学习宣传“三个代表”重要思想，认真贯彻《公民道德建设实施纲要》，扎实推进群众性精神文明创建活动，为党的十六大营造了良好社会氛围，在促进改革发展、维护社会稳定、提高公民素质中发挥了重要作用，做出了积极贡献。

一、突出主线，迎接、宣传、贯彻十六大活动热潮迭起

按照“一条主线，两个阶段，三个热潮”的总体布局，认真组织迎接、宣传、贯彻十六大活动，深入开展“三个代表”重要思想学习教育。十六大召开前，各地各行业采取报告会、专题辅导、理论培训、基层宣讲等方式，组织干部群众学习江泽民“5·31”重要讲话，深刻理解“三个代表”重要思想的重大意义和科学内涵，增强了各级干部和广大党员实践“三个代表”重要思想的自觉性。举办改革开放和党的建设辉煌成就系列报告会、座谈会、文艺演出、歌咏比赛等丰富多彩的活动，唱响共产党好、社会主义好、改革开放好的主旋律，为十六大的召开营造良好的社会氛围。十六大召开后，省文明办召开座谈会，引导和推进十六大精神的学习宣传。各地各行业普遍举办学习班，为宣传十六大精神培训宣讲骨干。各新闻媒体发挥优势，开辟专栏、开办专题节目，宣传十六大精神。全省以“百人宣讲团”、“千人理论骨干”、“万人宣传队伍”的强大阵势，兴起学习宣传贯彻十六大精神的热潮。

二、狠抓根本，公民道德建设活动广泛深入

省文明委召开全省电视电话会，就开展“公民道德建设年”活动进行动员部署。省文明办制订并印发《公民道德建设年活动方案》，对各项活动逐月安排，使全年活动主线突出、目标明确、要求具体、措施得力。各地各单位编印宣讲材料，开展知识竞赛，悬挂标牌、挂图，组织座谈讨论，兴起学习宣传《公民道德建设实施纲要》的热潮，较好地普及了20字基本道德规范。各部门单位结合各自实际，修订、完善行业规范、市民公约、乡规民约、学生守则等，使基本道德规范落实到人们的日常工作、学习和生活中。组织“贯彻《纲要》见行动，克服陋习讲文明”签名活动，积极推行优质规范服务，把职业道德的要求贯穿到具体服务之中。组织行风评议，开展服务质量调查，加强道德监督。评选、宣传一批道德实践先进典型，带动道德实践活动深入发展。部分地区发生洪灾后，抗洪救灾成为生动的道德实践大课堂，涌现出一批公而忘私、奋力救灾、舍己救人、关爱他人的先进人物。

三、服务大局，“塑造陕西人新形象”活动求真务实

结合贯彻省第十次党代会精神，服从服务于加快陕西发展的大局，开展了“塑造陕西人新形象”活动。围绕建成西部经济强省的目标，普遍开展了“解放思想、更新观念”“抓住机遇、加快发展”及“团结奋进、开拓创新”的宣传教育。狠抓文明礼貌、诚信友善、遵规守则、勤奋工作良好行为的养成，打好塑造陕西人新形象的基础。“窗口”行业和执法单位以解决热点难点问题为突破口，在重点示范、规范服务、强化监督三个环节上下工夫，促进了服务质量的提高。深入开展投资环境整治工作，对破坏投资环境、影响陕西人形象的行为认真查处，强化了人人都是投资环境的意识。

四、充实内容，精神文明“五大创建”活动巩固提高

“五大创建”活动进一步充实内容，突出创建重点，注重在巩固提高上下功夫、求实效。文明城市创建重点抓了科技、文体、法律、卫生“四进社区”活动，全省各大中城市纷纷组织活动，逐步形成“四进社区”热潮。创建文明村镇重点抓了改善环境卫生、提倡健康文明生活方式工作，进一步深化“十星级文明户”评选活动。创建文明行业继续以“创佳评差”竞赛活动为载体，重点抓了优质规范服务，推动这一活动深入开展。创建文明校园重点抓了师生的思想道德建设，促进素质教育各项措施的落实。创建文明机关重点抓了学习、宣传、践行“三个代表”重要思想活动，促进机关干部的思想解放和机关工作作风的改进。

五、精心实施，两项文化扶贫工程稳步推进

“西部开发助学工程”加大力度、扩大范围。省文明办与省教育厅密切合作，各方面认真组织实施，使资助特困学生从大学延伸到中学，开办了首批高中“宏志班”，产生了良好的社会影响。“西部开发助学工程”受助学生暑期活动主题突出、内容丰富，不仅使受助学生得到锻炼提高，而且进一步宣传了助学工程。“百县千乡宣传文化站工程”稳步实施。部分地区发生洪灾后，及时将灾情向中央文明办汇报，争取追加了资助数目，为灾区人民办了实事。

六、加大力度，精神文明建设调研活动取得新成果

按照“调查研究年、改进作风年”的总体部署，省文明办对十四届六中全会以来全省精神文明建设情况进行了调研，形成了《陕西省精神文明建设工作调研报告》和五个专题报告。按照省文明委道德建设年活动的安排部署，省文明办组织开展了“实践‘三个代表’重要思想，大力加强公民道德建设”征文活动，并召开研讨会，交流情况、展示成果、探索规律、研究措施，以促进群众性精神文明创建水平的提高。

七、示范带动，树立宣传先进典型活动再创佳绩

抓住十六大前评选表彰全国先进典型的机遇，推出了一批精神文明建设先进集体：全国创建文明城市工作先进城市2个，全国创建文明村镇工作先进村镇21个，全国创建文明行业工作先进单位9个，全国精神文明建设先进单位15个。广泛宣传了“优秀居委会主任”邓菊梅、“治沙英雄”石光银、“人民满意的好警察”雷通等一批先进个人。命名表彰一批新的省级文明单位、文明机关、文明校园、文明村镇、最佳厅局及先进个人。通过树立宣传先进典型，发挥其辐射带动作用，促进精神文明建设向更高水平发展。

（陕西省文明办）

甘 肃 省

甘肃省的精神文明建设工作重点抓了在全省影响较大、反响较好的9件实事，取得了显著成果。

一、河西精神文明模范走廊成果丰厚

创建河西精神文明模范走廊工作经过3年奋斗，成果丰厚。河西的经济实力不断增强，城乡面貌发生了深刻变化，人民的生活水平迅速提高。

在“四城”建设方面，5个地级市已有两个建成了国家级文明城市，20个县（市、区）已有9个建成全国科技先进县（市、区），7个建成全国教育先进县（市、区），6个获全国文化先进县称号，8个获全国卫生城市称号。

在“四线”建设方面，公路、铁路、航空已建成了文明线，旅游文明线的创建任务完成过半。国道312线甘肃段建成了国家级文明样板路，成为河西最亮的文明窗口。

在加快“四村”建设的同时，河西各地加大了文明小城镇建设的力度，一批资源开发型、交通枢纽型、乡镇企业型、商品流通型、风景旅游型、城郊卫星型以及农工贸结合的新型小城镇和新农村正在崛起，涌现出了一批先进典型。

二、群众性道德实践活动深入开展

围绕提高公民素质这个主题，全省广泛开展“热爱祖国、建设甘肃”教育实践活动；以“讲文明树新风”为主题的群众性精神文明创建活动；“讲信誉、重承诺”实践活动；科学、文明、健康生活方式推广活动，社会公益活动；树楷模、学先进活动等和以勤政廉政教育、养成教育、职业道德教育、公平公正教育为重点，抓好党员领导干部、青少年、经营人员、行政执法人员和司法人员的道德建设，引导人们从自身做起，从现在做起，从小事做起，养成良好的道德习惯，不断加强道德修养，使20字公民基本道德规范在实践中得到落实。

围绕宣传贯彻《公民道德建设实施纲要》，全省掀起“爱在家庭，奉献社会”的热潮。一些地、县开展万家互助、万家洁净、万家敬老、万家帮困、万家学法、万家优教等“美在万家”系列活动，使广大家庭成为先进文化的倡导者和实践者。各地普遍把开展家庭读书活动作为提高家庭成员思想道德和科学文化素质、加强思想政治工作的有效载体，采取读书竞赛、优秀家庭读书评比、建立城镇妇女社区文化建设示范点、文化社区、读书一条街、农村妇女文化中心户、读书读报小组等多种形式，调动了广大家庭参与读报的积极性。酒泉地区深化家庭读书竞赛活动，使读书活动走进了千家万户。

三、创建天兰铁路文明线全面启动

天兰铁路文明线自2001年开始实施以来，由于兰州铁路局、有关市（地）和有关部门的高度重视，工作进展比较顺利，沿线二市一地党政部门和铁路部门做了大量工作，为实现创建目标奠定了一定基础。由于各级领导重视，宣传发动广泛，相关政策优惠，勘察摸底细致，资金逐步到位，具体工作落实，创建势头良好。2002年底，已进入签订合同、兑现政策、打桩垒埂、平田整地、统一规划、全线植树的关键阶段。

四、西部开发助学工程深得民心

省文明办会同省教育厅，制定了“西部开发助学工程”管理办法，经过逐级严格筛选，已将品学兼优的贫困大学生送入了大学校园。分配给甘肃省的两个高中“宏志班”，已在会宁一中、民勤一中建成。首批100名“宏志班”学生全部入学。这项工程的实施，得到了广大干部群众的热烈欢迎，引起强烈的社会反响。

五、军民共建兰郎文明线进展顺利

以“三个代表”为统揽，加快军民共建兰郎文明线的工作思路明确，共建美好家园的氛围已经形成，35个重点建设项目得到落实，共投入资金5900多美元。合作市文化中心大楼已经建成，临夏市文化中心正在建设，2002年兰郎公路沿线建设14个宣传文化站的任务已经落实。合作市驻军“千亩国防林”提灌工程等一批项目已分别完成立项。5000吨干法变性淀粉新产品开发等已经落实了项目扶持资金。沿线9县（市、区）220万亩森林管护的国家投资已经落实。

六、标准化报刊亭试点先行

为加强城市精神文明建设，规范城区报刊销售市场秩序，推动下岗再就业工作，省委决定在全省大中城市主要街道、社区、大中专院校设置标准化报刊亭，使其成为“奉献精神食粮，传承精神文明”的阵地和窗口，为创建全国、全省文明城市奠定基础。2002年至2003年在兰州建设10个标准化邮政报刊亭，取得经验后，再向全省推开，最终建成全省邮政报刊连锁经营网络体系。至2002年底，第一批31个标准化报刊亭已全部建成并投入试营业。

七、百县千乡宣传文化工程遍布陇原

省文明委制定了《甘肃省乡镇精神文明示范中心（宣传文化站）建设管理办法》，狠抓布点选点、方案审核、配套资金、工程监理、工程验收、资金管理、活动开展等重要环节，确保建站工程顺利进行。截至2002年，中央资助建设的109个乡镇宣传文化站、13个县级宣传文化中心绝大多数已建成投入使用。中央文明办和省文明办为乡镇宣传文化站配备了家庭影院、VCD光碟机、《新中国舞台影视艺术精品》系列光盘、16毫米电影放映机、“万村书库”等设备和图书，使之成为传播科技文化、破除封建迷信的窗口，成为开展文体活动、陶冶群众情操的中心，在农村精神文明建设中发挥重要的作用。

八、环境脏乱差治理成效显著

围绕解决群众反映强烈的环境脏乱差问题，继续在全省开展“治理脏乱差、改善城镇环境面貌”活动。省文明办会同兰州市在全市范围开展了一次全方位、大规模的市容整治“百日会战”活动。以治理脏乱差、整顿市场秩序和交通秩序、规范市民行为为重点。开展8项专项整治行动。共拆除或规范各类户外广告牌、招牌、布幅广告2000余块，清理取缔各类违章占道经营摊点6万处（次），清退马路市场30余条，城市面貌得到很大改观。白银市出动8万人次、150多台次车辆，清理垃圾2000余吨。天水市启动绿化美化工程，开展了城区环境秩序整治。武威市通过集中整治，有效遏制了人车不分道、车辆乱停靠的现象。

九、培育典型推广典型力度加大

2002年全省又有2个文明城市、1个文明县、14个文明村镇、7个文明行业、12个文明单位受到中央文明委的命名表彰。为了做好全省第六批精神文明建设先进单位和先进工作者的表彰工作，省文明办对所有推荐的各类文明单位和先进工作者进行严格的检查验收。经过验收并提交省文明委讨论，确定了200个先进名单。其中文明城市1个，精神文明建设先进县4个，文明行业32个，文明单位71个，文明社区12个，文明街道、居委会13个，文明乡镇21个，文明村6个，支援地方建设先进单位11个，文明样板路7条，先进工作者22名。这些先进典型，都陆续被省级新闻媒体和《甘肃文明》宣传推广。

（甘肃省文明办）

青 海 省

青海省精神文明建设工作坚持以邓小平理论和“三个代表”重要思想为指导，以迎接十六大为主线，从省情实际出发，突出工作重点，按照省文明委《2002年工作安排》和全国文明办主任会议精神，狠抓《青海省“十五”期间精神文明建设规划》提出的各项任务和《公民道德建设实施纲要》的贯彻落实，坚持在深入中创新，在创新中前进，抓教育、抓活动、抓阵地、抓品牌、求实效，努力提高公民的思想道德素质、科学文化素质和城乡文明水平，为党的十六大胜利召开，营造了昂扬向上、团结奋进、开拓创新的良好社会环境。

一、联系实际，统一思想，兴起学习宣传贯彻十六大精神的热潮

各地各单位按照省文明委的统一部署和要求，把迎接、宣传、贯彻党的十六大，学习、宣传、践行“三个代表”重要思想，作为2002年精神文明建设工作的首要任务。先后组织广大党员干部和各族群众认真学习江泽民“七一”和“5·31”重要讲话，学习党的十五届六中全会和省第十次党代会精神，不断把学习引向深入。在全省积极开展新一轮解放思想大讨论活动，全省广大干部群众紧密联系本地区、本部门、本单位实际，对在西部大开发和加入世贸组织后如何进一步解放思想，转变观念，理清思路，抢抓机遇，加快发展进行了深入思考、研讨，在解放思想中统一思想，在谋求发展上解放思想。

在全省各地各行业各单位广泛开展了“迎接十六大、喜看新成果”的宣传教育活动，通过宣传栏、黑板报，召开座谈会、报告会，举办成就展，组织报刊广播电视专题报道等多种形式，歌颂党的丰功伟绩，展示13年来改革开放、现代化建设伟大成就，为迎接十六大营造了良好的氛围。十六大召开后，在全省普遍学习的基础上，从省委主要领导到各地区各部门党政负责同志带头深入农村牧区、机关学校、工矿企业和街道社区宣讲十六大精神，迅速在全省兴起了学习宣传贯彻十六大精神的热潮。

二、周密安排、注重实效，全面贯彻落实《公民道德建设实施纲要》

9月22日，省委制定下发了《关于贯彻〈公民道德建设实施纲要〉的实施意见》。省文明委制定下发了《关于在全省开展“讲道德，树形象”活动的安排意见》。10月15日，举行了全省“讲道德，树形象”活动的启动仪式，使道德建设进家庭、进学校、进单位、进行业、进社区活动扎实推进。各地、各部门、各单位把贯彻落实《纲要》纳入到具体工作规划中，开展道德实践活动。西宁地区党政机关开展了“人民满意公务员”活动、行政执法部门和服务行业开展了“讲职业道德、建诚信行业”活动、中小学开展了“道德建设我先行”活动。互助、平安、乐都等县以知识竞赛、文艺节目等群众喜闻乐见的形式把道德规范编成节目到乡镇演出。海北、海西州开展“公民道德进万家”活动，形式多样、内容丰富，使群众在娱乐中受到教育，得到提高。在全省广泛开展的“婚育新风进万家”、“美在家庭”、送温暖、献爱心、手拉手、希望工程、捐资助学、助残济困等各具特色的道德实践活动，促进了公民道德素质的进一步提高。

三、创新载体，拓展内容，大力开展群众性精神文明创建活动

在群众性精神文明创建活动中，坚持抓重点、抓项目、抓品牌、抓实事，呈现出亮点不断，整体推进的良好态势。传统“三大创建”活动持续深入，不断注入新的内容。各地区和有关部门把科教、文体、法律、卫生“四进社区”活动作为创建文明城市的基础性工作和为群众办实事的有效载体来抓，从实际出发，加强领导，精心设计，精心组织，广泛动员社会各方面的力量积极参与，促进了创建文明社区活动的深入开展。在中央文明办举办的全国“四进社区”文艺展演中，青海推荐参加的两个节目分别获得银奖和铜奖。

认真落实创建文明小城镇工作座谈会精神，积极推进以城带乡，城乡共建文明县城、文明村镇的精神文明创建活动。“十星级文明户”、“评三户”，小康文明村等多种形式的创建活动水平得到提升，群众参与程度提高。

认真贯彻全国创建文明行业工作座谈会精神，切实加强诚信建设，进一步推广社会服务承诺制，行政执法公示制，生产经营信誉跟踪制，加强优质规范服务，行业不正之风得到有效遏制。持续打造“高原千里文明线”创建品牌，制定下发《关于进一步开展军民共建高原千里文明线活动的意见》，安排部署了今后5年军民共建高原千里文明线活动的主要任务，推动了这项活动进一步健康发展。省文明办、省计生委、省科协联合举行了“婚育新风进万家”、“反对封建迷信，崇尚科学文明”调演、展览等主题教育活动，使科学、文明、健康的社会风气得到弘扬。

畅通工程、创建安全文明小区、文明校园、平安大道、“百城万店无假货”、“消费者满意”、“五好文明家庭”创评都有新进展。群众的参与面不断扩大，内容拓展，成效明显。

四、总结经验，树立典型，召开第六次精神文明建设工作会议

11月份，以省委、省政府的名义组织召开了全省第六次精神文明建设工作会议，对近两年来全省精神文明建设工作进行了认真的回顾和总结，对今后的精神文明建设工作进行了全面安排部署。命名表彰了56个“文明单位标兵”、273个“文明单位”和4个“创建文明行业工作先进行业”，省文明委表彰了一批创建文明城市工作先进集体、创建文明村镇工作先进县镇、创建文明行业工作先进单位和精神文明建设先进工作者。全省有28个单位和集体被中央文明委授予全国精神文明创建工作先进单位。

五、繁荣文艺，增强设施，加大文化扶贫工作力度

全省的文艺工作继续坚持“二为”方向和“双百”方针，以“五个一工程”为龙头，坚持先进文化的前进方向，努力推进艺术生产不断繁荣和发展。围绕“五个一工程”各项产品的生产，召开了重点题材规划会和创作座谈会，确定了一批重点选题，推出了一批基础较好的优秀作品。开展了优秀电影、电视剧（片）、剧（节）目、广播剧和歌曲、书法、绘画、摄影作品的展演、展播、展览活动。举办了“颂歌献给党”和“青海省庆祝十六大胜利召开交响音乐会”、党政慰问团赴青藏铁路慰问演出等活动。以“迎接十六大，赞颂新成就”为主题，以企业文化、校园文化、广场文化、村镇文化、军营文化为主要形式的群众性文化活动蓬勃开展，唱响了共产党好、社会主义好、改革开放好的主旋律。

广播电视“西新工程”、“村村通工程”，农牧区电影放映“2121工程”、“两馆工程”（即县级图书馆、文化馆）等惠及高原牧区千家万户的宣传文化基础工程建设稳步推进，健康发展。全省科技、文化、卫生“三下乡”活动，注重实效，贴近群众，进一步丰富了人民群众的精神文化生活，受到了各族群众的好评。

中央资助建设的青海“百县千乡宣传文化工程”40个乡镇宣传文化站全部建成并发挥作用。6个县宣传文化中心的建设按目标责任管理要求进展顺利。推出了“高原千里文明线”沿线乡镇宣传文化站工程项目。在中央文明办的支持下落实了首批32个乡镇宣传文化站的建设任务。省青少年读书教育基地、新闻长廊等阵地建成，为全省宣传文化建设发展起到了示范作用。

六、狠抓落实，多方筹资，助学工程效果明显

“西部开发助学工程”范围扩大，人数增加，社会反映强烈。按照“公开、公平、公正”原则，严格把关，审核确定受助学生，保证了他们及时入学。同时组织2001年度的50名受助学生进行暑期培训，对他们进行爱国主义、集体主义教育，引导他们自强、自立，奋发向上，努力学习，树立正确的人生观、价值观。在此项工程的基础上，乐都县也开办了一个资助35名特困学生的高中“宏志班”，受到了当地群众的赞扬。为使青海高校特困大学生顺利完成学业，省文明委特向中央文明办申请专项资金200万元，对省属8所高校的1887名特困大学生进行了资助。这是青海高校历史上资助金额最大，资助人数最多的一次资助行动，覆盖面大，社会反响强烈。

（青海省文明办）

宁夏回族自治区

按照中央文明办和自治区党委的总体工作部署，宁夏回族自治区精神文明建设工作以迎接宣传贯彻党的十六大、学习宣传实践“三个代表”重要思想为主线，围绕中心、服务大局，面向群众、注重实际，坚持以精神文明创建活动为载体，唱响主旋律，打好主动仗，为促进城乡文明程度和公民道德素质的提高，为宁夏的改革发展、社会稳定，起到了积极的作用。

一、突出“三个代表”重要思想和十六大精神的学习宣传贯彻，理论武装工作进一步增强

各地各部门把理论武装工作作为精神文明建设的首要任务来抓。从6月份开始，通过组织精神文明建设系列活动和两个文明建设成果展，在全区广泛宣传党的十五大以来宁夏经济建设和社会进步所取得的辉煌成就，激发广大干部群众热爱党、热爱社会主义的热情，为党的十六大胜利召开营造良好的环境。党的十六大召开以后，自治区党委制定下发了学习贯彻十六大精神的通知和中心组理论学习安排意见，在全区广泛开展学习宣传活动。举办理论骨干培训班，组成自治区党委宣讲团，赴各地宣讲。全区共举办理论培训班80余期，组织宣讲1180多场。在主要新闻媒体和理论刊物开设十六大精神和“三个代表”重要思想学习专栏。加强中心组理论学习，对市、县（区）党委（党组）中心组的学习情况进行全面检查和通报，进一步完善党委中心组学习制度。

二、加强思想道德建设，创建工作的思想道德内涵进一步丰富

围绕自治区经济社会发展的总体目标，在广泛深入调查研究的基础上，制定下发了《宁夏回族自治区精神文明建设“十五”规划》。中央《公民道德建设实施纲要》印发后，又制定下发了《宁夏回族自治区公民道德建设实施细则》。加大道德建设的宣传力度，坚持不懈地对广大干部群众进行爱国主义、集体主义、社会主义和艰苦奋斗精神教育，社会公德、职业道德、家庭美德教育和马克思主义唯物论、无神论教育。广泛开展了以弘扬伟大民族精神、全面建设小康社会为主题的形式多样的公民道德教育和实践活动。在方法上，精心设计活动载体，注重增强各类创建活动的思想道德教育含量，注重环境熏陶、服务质量、群众参与、活动内容、可操作性和实效性。增强道德建设的渗透力和感染力，使群众在参与中受到教育。

三、注重办实事办好事，贴近群众，服务基层，城乡面貌进一步发生变化

以社区为重点，组织开展“四进社区”活动，带动文明城市的创建。以窗口行业和行政执法部门为重点，开展文明行业创建活动，推出35个文明行业创建工作示范点和5个自治区级文明风景旅游区。以小城镇建设为重点，组织开展评选文明村镇、十星级文明户活动，推动农村创建活动向以城带乡、以乡促城、联片共建的方向发展。以“百县千乡宣传文化工程”和“千里文明长廊”工程建设为重点，加强对中央资助的盐池、同心、彭阳、隆德、海原、泾源、吴忠县宣传文化中心和部分乡镇宣传文化站的建设。坚持办实事、办好事，扩大“西部开发助学工程”资助范围，在全社会产生了强烈反响。

四、发展繁荣文化事业，弘扬主旋律，群众文化生活进一步丰富

认真组织“五个一工程”建设。20集电视连续剧《撑起生命的蓝天》被国家广电总局确定为十六大献礼片。以活跃群众文化生活为内容，开展多种形式的群众文化活动，全区共举办各种文艺演出2000多场，广场文化活动620场。加强文化基础建设，各地积极筹集资金，加强农村和社区文化设施建设，对部分基层文化设施进行了改扩建。

五、适应新形势，积极探索精神文明创建活

动的新方式

各地坚持把各种创建活动与繁荣地方经济、调整产业结构、加快城镇化建设、改善投资环境结合起来，从实际出发，因地制宜，抓重点，抓特色，以点带面，形成了跨地区、跨行业、上下联动、纵横贯通的创建活动新格局。加强对各种评优选先活动的改革，在“三大创建”工作的评选活动中，实行末尾淘汰制，取消了6家自治区级文明单位的荣誉称号。一批新的城市社区、农村乡镇和单位进入国家和自治区级文明单位的行列，全区共评出国家级文明社区、乡镇、单位34家，自治区级文明社区、乡镇、单位46家。

（宁夏回族自治区文明办）

新疆维吾尔自治区

新疆精神文明建设以“三个代表”重要思想为指导，按照中央文明委和自治区文明委《2002年工作重点》的安排，围绕自治区改革发展稳定大局和党委中心工作，以提高各族人民群众的文明素质、改善城乡环境面貌、推进西部大开发战略、促进社会各项事业全面发展为目标，做了大量的工作，取得了长足发展。

一、坚持用“三个代表”重要思想武装头脑，指导行动，全社会更加牢固地树立了共同的理想信念

各地、各部门把理论学习、思想政治工作和用“三个代表”统一思想的任务贯穿到创建工作的全过程。深入开展了学习宣传贯彻“三个代表”重要思想和党的十五届六中全会以及自治区第六次党代会精神系列活动。通过中心组学习、干部理论学习、写心得体会、办墙报板报、举办知识竞赛和演讲比赛等多种形式，回顾党的十五大以来我国现代化建设所取得的巨大成就，展望新世纪我国社会主义建设事业的光辉前景。培养、树立和宣传实践“三个代表”重要思想的先进典型，把干部群众的思想统一到学习贯彻邓小平理论和“三个代表”重要思想上来。配合自治区开展反分裂斗争再教育活动，加强爱国主义教育。坚持把维护祖国统一、民族团结和社会稳定作为三大创建活动的重要内容，列入目标管理和检查考核，进一步坚定了各族干部群众热爱祖国、热爱社会主义、热爱中国共产党，维护祖国统一民族团结和社会稳定的责任感和使命感，推动了全区“三个代表”学习教育活动逐步深入。

二、贯彻落实《公民道德建设实施纲要》，努力培育“四有”新人，进一步深化公民思想道德建设

3月份，以自治区第一个“公民道德建设月”为契机，开展《公民道德建设实施纲要》的宣传教育。全区15个地州市、87个县市相继召开动员会。有些县市把动员会开到各乡镇，延伸到农牧区，形成了声势空前的大动员，掀起了自治区第一个“公民道德建设月”活动的高潮。6个自治区级文明行业和14个自治区文明单位向全疆文明单位发出了学习宣传贯彻《纲要》的倡议书。各地以党员干部和青少年作为道德教育的重点，广泛组织公民道德宣传教育进党政机关、进管理执法部门、进学校课堂、进社区军营、进市民家庭、进农村牧区。组织短期学习班，规定学习日，举行座谈会、报告会、知识竞赛等多种形式的学习教育活动。以“爱国”、“诚信”为重点，组织开展“百万家庭承诺，争做公民道德模范”活动，积极引导干部群众参与多层次、大范围的捐资助学、无偿献血、希望工程、青年志愿者、扶穷帮贫结对子、送温暖、献爱心等多种形式的道德实践活动，培养、树立了一批公民道德建设的先进典型。

三、努力推进精神文明“三大创建”活动，群众性精神文明创建工作的规模、质量和水平有了稳步提高

按照中央文明委的要求，进一步强化创建文

明城市工作。制定了《新疆维吾尔自治区19个城市创建全国文明城市规划》等文件，对创建文明城市工作提出要求，明确任务，进行规范。组织开展了科教、文体、法律、卫生“四进社区”活动，夯实了创建文明城市工作的基础。进一步强化创建文明村镇工作。以城镇建设为龙头，以全面开展创建文明乡镇和文明村为目标，广泛开展评选十星级文明户活动，大力推广裕民精神和沙湾经验，命名了一批自治区级文明示范乡镇。进一步强化创建文明行业工作。召开自治区创建文明行业工作座谈会，贯彻全国创建文明行业工作座谈会精神。制定下发了自治区《关于深入开展创建文明行业工作的若干意见》，命名了一批自治区级文明示范窗口。以全面提高文明单位质量为目标，加大了对各级文明单位的社会监督和舆论监督。深入落实《新疆维吾尔自治区文明单位建设管理办法》，着力强化内部“细胞”建设，落实届时制，规范管理运作，着眼于创建文明处（科）室、文明车间（班组）等基础性工作，提高了文明单位质量。

四、坚决开展反邪教斗争，把处理法轮功问题纳入精神文明建设工作

2002年，新疆维吾尔自治区文明委按照中央和自治区党委有关处理法轮功问题的文件精神和要求，把处理法轮功问题纳入精神文明创建工作中，采取有效措施，加大考核验收力度，引导广大干部群众自觉抵制邪教，弘扬正气新风，取得了良好成效。

自治区文明办对申报、创建的自治区级文明单位进行检查验收时，其中重要的标准是创建单位有无法轮功问题，是怎样处理法轮功问题的。

举办了“崇尚科学文明、反对迷信愚昧”的大型科普展览活动，巡回各地州市展览，数以百万计的干部、职工、学生观看了展览，受到了教育，抵制邪教、崇尚科学蔚然成风。

五、抓好“西部开发助学工程”，把实事办好、好事办实，进一步得到广大干部群众的拥护和欢迎

调动和发挥各地文明办、教育局和各学校的积极性，在继续做好“西部开发助学工程”“考前预选”的同时，制定了9个规定程序，明确操作时间，进行检查考核。举办了年度“西部开发助学工程”资助金发放仪式，认真组织“西部开发助学工程”受助学生暑假夏令营活动。受中央文明办的委托，自治区文明委筹备承办了由中宣部、中央文明办、教育部联合召开的“西部开发助学工程”工作座谈会。

六、组织协调有关部门，形成合力，齐抓共管，共同做好精神文明建设创建工作

推出两个全国创建文明城市工作先进城市，10个全国创建文明村镇工作先进县、镇、村，7个全国创建文明行业工作先进单位，12个全国精神文明建设先进单位，受到中央文明委的表彰。组织自治区新闻单位对全国创建文明城市工作先进城市石河子市、克拉玛依市进行集中宣传报道，并配合中央新闻单位记者采访团对石河子市进行全面采访和宣传。协调自治区公安厅、交通厅、建设厅大力实施全国创建“平安大道”工程。组织实施交通文明创建工程。指导民航、铁路、公交系统全面启动创建工作。学习借鉴上海东方书报亭建设经验，协调自治区邮政、城建、工商、文化、新闻出版等部门，组织实施了文明书报亭建设工程。参加中央文明办、文化部在上海联合举办的全国“四进社区”文艺展演，自治区文明办和文化厅选送的三件作品全部获奖。对“百县千乡宣传文化工程”建设情况进行检查、指导。组织实施文明书库工程，大力开展“文明单位帮文明”活动。切实抓好献爱心助学工程，组织全疆各单位资助了一批贫困学生完成大学学业。

七、以务实的精神抓好精神文明建设检查评比，一级抓一级、层层抓落实的精神文明建设格局得到巩固加强

组织检查组对2001—2002年度自治区级文明城市（区、县、县城），自治区精神文明建设先进城市（区、县）进行检查验收评比，先后共检查18个城市、9个城区和28个县。这次检查，采取小规模、随机性的方法，坚持务实原则，尽量减轻基层负担，受到各地普遍欢迎。根据检查的结果和各地的实际情况，对2001—2002年度自治区精神文明建设先进地市州5个、文明城市10个、文明城区8个、文明县4个、文明县城4个、精神文明建设先进城市（区）9个、精神文明建设先进县21个进行了表彰。

（新疆维吾尔自治区文明办）

新疆生产建设兵团

新疆生产建设兵团精神文明建设工作按照中央文明委和兵团文明委部署，以"三个代表"重要思想为指导，围绕迎接、宣传、贯彻十六大，面向群众，注重实效，开展各项创建活动，巩固和发展了兵团精神文明建设的大好形势。

一、坚持把理论武装工作放在精神文明建设首位

以学习宣传贯彻"三个代表"重要思想和党的十六大精神为主线，着眼于提高各级领导干部的素质，精心组织了一系列理论学习活动。一是以各级领导干部为重点，加强兵团、师、团三级党委中心组的经常性理论学习。各级党委把《江泽民论有中国特色社会主义》作为主要学习材料，结合兵团改革开放、经济建设、社会稳定和党建工作的实际进行学习，推动了干部理论学习的深入。二是抓好各级干部的培训工作。兵团、师、团先后举办了"三个代表"重要思想、十六大精神学习班和理论宣传骨干培训班672期，参加人数5.59万人次。编辑出版了《"三个代表"重要思想与屯垦戍边实践》一书，集中反映了各单位学习"三个代表"重要思想的理论思考和实践体会。三是认真组织十六大精神的宣讲活动。十六大召开后，兵团宣讲团赴14个师和两所大学，集中宣讲20场。各师、团（场）组织宣讲团深入基层进行宣讲。四是深入开展意识形态领域反分裂斗争再教育活动。兵团宣传思想战线和教育系统分期分批举办培训班，组织各族干部职工学习中央关于新疆稳定工作的指示和中央领导同志关于兵团地位、作用的重要讲话，用马克思主义的国家观、民族观、宗教观教育武装各族干部职工，使广大干部职工进一步加深了对反分裂斗争的长期性、复杂性和艰巨性的认识，加深了对兵团屯垦戍边内涵及重要性的认识，提高了维护祖国统一、反对民族分裂的自觉性。

二、思想道德教育重点突出，形式多样

一是开展了兵团第6个"三德"教育月活动。以贯彻落实《公民道德建设实施纲要》为主题，开展了读书、知识竞赛、观看优秀影视剧等多种形式的道德教育和争当"种田状元"、"做人民满意的公务员"、"岗位技术标兵"、"青年文明号"等道德实践活动。兵团文明办组织开展的学习《纲要》知识竞赛，收到23.4万份答卷，取得了较好的效果。二是开展了第20个"民族团结教育月"活动。在广大群众中进行党的民族政策教育，表彰民族团结和兵地团结的先进典型，促进兵地融合发展，共同繁荣。"教育月"期间，兵团有关部门收到"扶贫济困送温暖"捐款146万元、衣物25万件。三是树立、宣传了赵机农、张建新、李梦桃、卜宪运等一批体现时代精神，努力实践"三个代表"重要思想的先进典型，产生了积极影响。四是在宣传系统广大党员干部中开展了"心系基层，为基层办实事"活动，进一步加强了与群众的联系，增强了实践"三个代表"的自觉性。

三、群众性精神文明创建活动蓬勃开展，成效显著

一是大力开展以"讲文明、树新风"为主题的群众性精神文明创建活动，在各级机关开展了"做人民满意的公务员"和"创文明部局"活动，在服务行业开展了"创建文明行业先进单位"活动，在师机关、农牧团（场）部所在地开展创建"文明城市"、"文明小城镇"活动。在各企事业单位开展创建文明单位活动，在生产连队开展小康连队创建活动，与地方、军队开展了"共建千里文明铁路线、边防线"活动。兵团有4个创建文明村镇先进单位、5个创建文明行业先进单位和3个创建精神文明建设先进单位，受到中央文明委表彰。石河子市被授予全国创建文明城市先进单位的称号。二是认真组织实施宣传文化工程和西部开发助学工程，为基层办实事。在中央的资助下，2002年兵团有11个宣传文化中心和25个宣传文化站已基本建成并投入使用。三是深入基层，调查研究，努力为基层服务。兵团先后两次组织调研组分赴14个师的180个农牧团（场）、工矿企业和134个连队进行调研。各宣传部门还组织力量广泛开展精神文明建设工作调研活动，写出了调研报告。

四、开展群众性文化活动，努力满足人民群众日益增长的精神文化需求

喜迎十六大的群众性文化活动丰富多彩。兵团举办了“颂歌献给党——中国作品音乐会”，各师、院校、团场举办了专场文艺晚会，并组织了一批优秀戏剧、电影、电视剧、广播剧、歌曲集中展演、展映和展播。兵团3个业余合唱团在全国获奖，兵团业余合唱团还应邀晋京参加演出，受到广泛好评。兵团“心连心”艺术团及各专业艺术团体赴基层演出，受到热烈欢迎。成功举办了兵团获奖剧（节）目展演和兵团新剧（节）目调演，涌现出了一批新戏、好戏。特别是豫剧《赵机农》在各师巡回演出，反响强烈。

（新疆生产建设兵团文明办）

创建活动

ACTION PROGRESS

“讲文明树新风”活动

2002年，以深入贯彻落实《公民道德建设实施纲要》为主线，“讲文明树新风”活动蓬勃开展，成效显著。群众性道德实践活动贴近实际、贴近生活，特色鲜明，内容丰富；20字公民基本道德规范家喻户晓、深入人心；铸造诚信正成为社会各界的共识和自觉行动……

以“三个代表”重要思想为指导 积极推进公民道德建设

——各地各部门贯彻《公民道德建设实施纲要》情况综述

2001年9月，党中央印发《公民道德建设实施纲要》。

各地各部门党委、党组高度重视，专门召开党委会和党组会，认真学习领会中央通知精神，对贯彻《纲要》进行研究部署。许多地方和部门主要负责同志发表讲话、撰写文章，深入基层调查研究、指导工作。

北京、天津、上海、河北、山东、陕西、宁夏等省、自治区、直辖市，以及国家计委、财政部、国土资源部等部门在研究部署贯彻《纲要》时提出，加强公民道德建设，必须始终坚持以“三个代表”重要思想为指导，按照发展先进文化的要求，把《纲要》提出的方针原则和基本规范贯穿于道德建设的各个方面，落实到工作的各个环节，努力把公民道德建设提高到一个新水平。

广东、河南、湖南、四川等地把《纲要》的贯彻落实列进党委工作要点、写进政府工作报告、纳入当地经济和社会发展的长期规划。辽宁、广西、新疆把2002年作为贯彻《纲要》年，集中宣传贯彻《纲要》。

各地各部门组织专门力量，进行深入调研，制定出适合本地本部门实际情况的贯彻意见和实施细则。内蒙古、黑龙江、福建、江西等25个省、自治区、直辖市下发了意见。教育部、建设部、铁道部等主管部门结合业务特点，制定有针对性的措施，加强对行业从业人员的职业道德教育。高法、高检、公安部等依据《纲要》，修改本部门工作人员的职业道德规范。有领导、有部署、有措施、有检查，成为各地各部门贯彻落实《纲要》工作的鲜明特点。

北京市积极探索具有首都特色的道德建设思路，明确提出以“建首善、创一流”为目标，以“建设新北京、办好新奥运”为主题，以“讲文明、树新风，争做文明北京人”为主线，大力倡导20字基本道德规范，努力实现“一年有突破、三年见成效、五年大变样、七年创一流”的奋斗目标。

重庆市针对城市发展过程中亟待解决的文化内涵定位、市民素质提高、发展环境改善等问题，提出了“礼仪重庆、诚信重庆、知识重庆、魅力重庆”的创建目标，尽快改变重庆的综合城市形象和公民思想道德建设整体水平与直辖市地位不相称的现状。

各地各部门在贯彻落实《纲要》过程中，紧紧抓住普及公民基本道德规范这一关键，通过各种群众喜闻乐见的形式，广泛宣传，大力提倡，贴近基层、贴近生活、贴近群众，使之家喻户晓，人人皆知，人人皆信，最终变成人们的自觉行动。

各级新闻媒体大力宣传江泽民同志依法治国和以德治国相结合的重要思想，大力宣传20字基本道德规范，大力宣传实践中涌现出来的先进典型和先进经验，倡导传统美德，弘扬时代精神，坚持正确导向，为学习贯彻《纲要》、加强公民道德建设营造了浓厚的舆论氛围。

张贴宣传标语、设置公益广告牌、开出流动宣传车、确立集中宣传日、赠送道德年画、下乡文艺演出……这些生动活泼、喜闻乐见的道德宣传教育形式，在全国各地随处可见。据统计，全国5000多个火车站、7000多个汽车站、69个港口、140多个机场都设立了道德规范标语或标牌。在全社会不断升温的学习、宣传热潮中，20字基本道德规范走进千家万户，走入普通百姓的心里，逐渐成为亿万人民的自觉行动。

以活动为载体，吸引群众参与，是新形势下加强和改进道德建设工作，把《纲要》精神落实到城乡基层的成功经验和做法。

教育部、全国妇联等部门实施“小公民”道德建设计划，通过多种形式进一步加强少年儿童的道德教育。中宣部、团中央组织开展农村青年道德实践活动，激励广大农村青年争当道德楷模。中央文明办、文化部、卫生部、中国科协等部门组织开展科教、文体、法律、卫生“四进社区”活动，引导社区居民“关心小家爱大家，共育社区文明花”。

各地坚持以勤政、优政、廉政为主要内容，切实加强党员干部的道德教育，引导他们树立良好的公仆形象，为群众做出榜样。

中央文明办和国务院纠风办召开创建文明行业工作座谈会，提出以加强诚信建设为重点，提高职业道德水平，集中解决那些直接关系群众切身利益、社会反映强烈的突出问题，推动各行各业的精神文明创建工作深入开展。

浙江省认真总结改革开放20多年的经验教训，针对一些领域和地方思想行为失范、信用意识淡薄、坑蒙拐骗时有发生、假冒伪劣产品屡禁不止等问题，开展了一场以“诚实立身、信誉兴业”为主题的教育活动，重新打造“信用浙江”。他们通过组织开展“百城万店无假货”和“信用浙江千里行”活动，推出了一批守信用、讲信誉的企业单位，对不守信用、不讲信誉的生产企业和经营单位进行曝光查处，在全社会努力营造人人讲信用、个个讲道德的良好氛围。

从群众的需要出发，从社会关注的事情入手，从群众身边的事情抓起……各地各部门在贯彻《纲要》过程中，按照“三个代表”重要思想的要求，努力为群众办实事、办好事，特别是为社会困难群体、下岗职工等切实解决实际困难，在办实事中贯穿道德教育，在解决实际问题中引导群众。

在南京市社区互助组织“夕阳红温暖港湾”里，以老党员、老干部、老教师为骨干的结对帮教志愿者，主动与刑满释放的帮教对象签订联系卡，实行一帮一，思想上鼓励指导，生活中关心帮助，有效保障了社区的稳定。

解决人民群众反映强烈、有损城市文明形象的问题，是各地在贯彻落实《纲要》中着力解决的一个重点。北京市通过开展“的士之星”评比活动，深化对出租车司机的教育整顿，首都出租车的文明形象和职业道德素质、服务水平明显提高。全市加强了文明乘车监督员队伍建设，使他们成为“站台秩序疏导员”、“精神文明宣传员”、“群众困难排解员”。全市还以治理足球赛场“京骂”为重点，深入开展文明赛场的宣传教育，通过宣传标语、电视专题片、印发播放《观众文明守则》、组织文明拉拉队等方法，有效遏制了少数球迷的不文明行为。

2002年3月，由中宣部宣教局、中华全国总工会宣教部、团中央宣传部、全国妇联宣传部等部门组织开展的公民道德建设知识竞赛，得到了社会各界和广大干部群众的积极响应。试题公布后，企业、农村、机关、学校、社区的广大干部、群众和部队官兵踊跃参与，收到答题卡大大超过预计。据初步统计，远远超过1000万份。

在2002年的“两会”上，贯彻落实《纲要》

成为会议的热点话题。来自全国各地的“两会”代表、委员，出席会议的各民主党派、全国工商联、无党派人士，紧紧围绕道德建设中存在的问题，展开讨论、建言献策，专门就加强和改进公民道德建设提出许多提案和建议。

上海市卢湾区桑城小区住户素质参差不齐，高空抛物现象时有发生，为此居委会组织居民开展“大家评”活动，450户居民自己制定公约，在《居民公约》上签了名，并协助监督检查，使这一现象得到有效遏制。过去居委会对经常发生的“楼上浇花、楼下下雨”等邻里矛盾，总感到束手无策，自从有了《居民公约》，制止这些不文明现象不再是难事。

运用典型力量，抓好示范引导，是党的优良传统，也是新时期加强道德建设的重要途径。南京下岗职工周光裕的英雄事迹在中央新闻媒体宣传后，引起全国特别是江苏省、南京市广大干部群众的强烈震撼。江苏省委及时加以引导，在全省范围内开展了学习教育活动，先后召开200多个座谈会，举办150多场事迹报告会，有200多万人次直接参加了学习活动。南京市广大干部、学生、市民群众自发捐款为烈士塑像；志愿者行动、“岗位学英雄”技能大比武等各项活动蓬勃开展。

（摘自2002年5月28日《人民日报》）

为贫困学子铺筑成才之路

——中宣部、中央文明办、教育部负责人就进一步做好“西部开发助学工程”实施工作答记者问

2002年3月11日，中央宣传部、中央文明办、教育部联合发出《关于进一步做好“西部开发助学工程”实施工作的通知》，就“西部开发助学工程”扩大资助范围、加大资助力度做出安排部署。记者就有关问题采访了中央宣传部、中央文明办、教育部负责同志。

问：“西部开发助学工程”是怎样提出的？主要内容是什么？

答：“西部开发助学工程”是中央精神文明建设指导委员会为贯彻落实中央西部大开发战略决策，帮助西部地区培养人才，经中央领导同志批准同意，决定由中央宣传部、中央文明办、教育部于2000年8月开始组织实施的。两年来，共在西部12省（区、市）和新疆生产建设兵团，以及河北省、山西省选择2300名当年考入全国重点和省（区、市）重点高等院校品学兼优的特困本科生，每人资助两万元，分4个学年陆续支付，每学年5000元，帮助他们完成大学学业，所需经费由中央文化事业建设费中支出。同时，受助学生在校期间的学费由所在院校免除。

问：“西部开发助学工程”实施两年来取得哪些成效？

答：“西部开发助学工程”实施两个学年以来，在西部乃至全国都产生了强烈的社会反响，得到了广大人民群众，特别是贫困地区学生、家长的广泛赞誉，取得了良好的社会效果。广大人民群众普遍认为这是党和国家为西部地区贫困群众所做的一件实事好事，是党中央支持西部地区发展的重要举措，是“三个代表”重要思想的生动实践，进一步密切了党和政府与人民群众的关系。各地陆续收到大量受助学生家长、学生以及群众的来信、来电，表达了他们对党和政府的感激之情。这一工程的实施，也大大激发了高校教职员工的积极性，他们纷纷表示要加倍努力工作，教好书，育好人，加强科学研究，为祖国的现代化建设作出贡献。

据了解，绝大多数受助学生思想进步，学习刻

苦、成绩优良,有相当一批已提出入党申请,有不少担任了学生干部,还有一些地区的受助学生发出倡议书,号召受助学生铭记党中央的关怀,立志刻苦学习,学成之后报效祖国,为西部开发贡献力量。

问:从今年起准备在哪几个方面加大“西部开发助学工程”工作力度?

答:中央精神文明建设指导委员会决定,从2002年开始加大“西部开发助学工程”的工作力度,主要有3个方面的内容:第一,扩大资助范围。由西部12省(区、市)和新疆生产建设兵团扩大到贫困面较大的河北、山西、黑龙江、安徽、江西、河南、湖北、湖南等省。第二,增加受资助大学生名额。资助大学生名额总数由去年的1200名增加到2080名,每人每学年的资助标准不变。所需经费从中央文化事业建设费和教育部管理的教育经费中支出。第三,开办高中“宏志班”。在上述资助范围的省(区、市)和新疆生产建设兵团选择若干省级示范性普通高中,开办“宏志班”,每年资助2000人,每人资助6000元(每学年2000元,分3个学年陆续拨付)。

问:为什么要开办高中“宏志班”?

答:在中西部贫困地区,有不少品学兼优的初中生,因家境贫困,无力进入高中阶段继续学习。应广大群众的要求,为促进和带动全社会重视教育、重视人才培养,提高贫困地区人口素质,经中央领导同志同意,“西部开发助学工程”资助范围由大学拓展到高中阶段,重点支持品学兼优的贫困学生,使他们能够顺利完成高中学业,为进一步深造创造条件。

开办高中“宏志班”,充分体现了中央领导对中西部地区人民群众的亲切关怀,体现了党和政府对基础教育的高度重视,是党和政府为特困中学生排忧解难、雪中送炭的具体措施,必将对改变中西部贫困地区文化、教育基础相对薄弱状况起到推动作用。

问:开办高中“宏志班”的工作将如何组织实施?

答:开办高中“宏志班”是“西部开发助学工程”向高中阶段的延伸,其实施原则、程序和办法基本遵循“西部开发助学工程”的有关规定。第一,由有办班任务的省(区、市)和新疆生产建设兵团文明办会同党委宣传部、教育厅(教委)负责组织实施。第二,高中“宏志班”的招生范围、录取程序、学籍管理等,由有关省(区、市)教育厅(教委)根据“西部开发助学工程”的有关要求做出具体规定。第三,确定受助学生要在学生本人自愿申请的基础上,采取自下而上、逐级审核、学校参与的办法,坚持“公开、公平、公正”的原则。“宏志班”学生的资助条件、申报程序等事项以及受资助学生候选名单要在本地主要新闻媒体和学生所在学校公布,接受社会监督,严防不正之风。第四,开办“宏志班”所需经费由中央文明办按年度做出预算,经财政部同意,分年度拨付到有关省(区、市)和新疆生产建设兵团文明办,由文明办下拨到承办高中“宏志班”的中学。资助经费由所在中学制定使用规定并逐月发给受助学生,所在学校要定期向受资助学生及家长公布使用情况,同时向本省(区、市)和新疆生产建设兵团报告。资助经费要专款专用,任何人不得克扣或挪作他用。

问:高中“宏志班”受助学生应具备什么条件?

答:第一,须是河北、山西、内蒙古、黑龙江、安徽、江西、河南、湖北、湖南、广西、重庆、四川、贵州、云南、西藏、陕西、甘肃、宁夏、新疆、青海省(区、市)和新疆生产建设兵团的应届初中毕业生。第二,要达到本地区当年中考录取标准,符合省级示范性普通高中招生条件。第三,须是品学兼优、家庭贫困无力完成高中学业的优秀学生。

对于将来考入重点大学的“宏志班”学生,凡符合“西部开发助学工程”资助大学生基本条件的,在履行规定的程序后,可作为候选资助对象予以重点考虑。

问:《关于进一步做好“西部开发助学工程”实施工作的通知》中提出要对受助学生进行动态管理,请介绍一下有关规定。

答:为保证“西部开发助学工程”的顺利实施,确保受助学生能够成长为有真才实学的现代化建设人才,我们提出对受助学生实行跟踪培养和动态管理。

实施“西部开发助学工程”,包括开办高中“宏志班”,都是配合中央西部大开发战略,为国家培养合格建设者的实际步骤。各有关省(区、市)和新疆生产建设兵团党委宣传部、文明办、教育厅(教委),有关高校、省级示范性普通高中要加强联系,密切配合,采取诸如组织开展暑期活动、参加各类社会实践等多种形式,加强对受助学生的爱国主义、集体主义、社会主义教育,有针对性地做好思想政治工作,培养他们树立正确的世界观、人生观、价值观,提高他们珍惜学习机会,克服困难,发奋努力,立志报效祖国和人民的自觉性,建设家乡,振兴中华的使命感、责任感。

动态管理主要是指:如受助学生在校期间出现严重违纪违规行为,要取消资助;受助学生在校学习两年仍有2门以上(含2门)必修课不及格,应取消资助;受助学生家庭经济情况发生变化或学生本人情况发生变化,不再符合资助条件,可中止资助。取消、中止资助资格的情况,要及时报中央宣传部、中央文明办、教育部。取消、中止资助后所余资助款要用于同年级同等条件的特困生。

问:2001年组织受助学生开展的暑期活动取得了很好的效果,今年将如何继续组织这项活动?

答:组织受助大学生开展暑期活动是遵照中央领导同志指示,加强对受助学生跟踪培养的重要措施之一。2001年暑假期间,中央宣传部、中央文明办、教育部委托西部12省(区、市)和新疆生产建设兵团党委宣传部、文明办、教育厅(教委)组织2000级受助学生开展了主题鲜明、内容充实、形式多样的暑期活动,使受助学生开阔了眼界,增长了见识,增强了投身西部开发的历史责任感和刻苦学习、早日成才的紧迫感,受到受助学生的热烈欢迎,起到了很好的教育作用,产生了较好的社会影响。2002年我们还将继续组织这项活动。第一,组织2001级受助大学生回本省(区、市)开展暑期活动。第二,2000级受助学生要利用暑假积极参加所在学校组织开展的各类社会实践活动,利用自己所学知识力所能及地参加社会公益活动,回报社会。

(摘自2002年3月22日《人民日报》)

中央宣传部　全国妇联　共青团中央等六部委

联合开展中国小公民道德建设计划活动

为贯彻《公民道德建设实施纲要》,切实提高当代少年儿童的道德素质,中宣部、全国妇联、共青团中央、教育部、国家环保总局、国家广播影视总局在少年儿童中开展了“中国小公民道德建设计划”活动。

活动坚持以少儿为主体,以“在家庭做孝顺父母、关心亲人、勤俭节约、热爱劳动的小帮手,在社会做热爱祖国、文明礼貌、诚实守信、遵纪守法的小标兵,在学校做团结友爱、互相帮助、尊重他人、善于合作的小伙伴,在社区和公共场所做爱护公物、讲究卫生、保护环境、遵守秩序的小卫士,在独处时做胸怀开阔、心理健康、勤奋自立、勇于创新的小主人”的“五小”行动为抓手,以倡导少儿自主参与丰富多彩的道德实践活动为原则,以进学校(幼儿园)、进家庭、进社区、进公共场所为重点,促进学校、家庭、社会的紧密结合,全面培养少儿的道德观念和社会责任感,引导少儿逐渐养成良好的道德行为习惯。

2月25日,六部委在人民大会堂举行了“中国小公民道德建设计划”的启动仪式;“六一”期间,在全国各地大中城市少儿中展开了小公民道德建设实践宣传周活动,在学校、社区和繁华的地区设立宣传点,悬挂标语、出动流动宣传车、编演文艺节目,发放宣传材料,板报展览,知识竞赛,省会市数百万少年儿童参与了活动;在北京,全国妇联联合团中央、中央电视台等单位在人民大会堂举办了“开采未来”大型少儿联欢晚会,其中专门以“五小”为内容创编了“我做合格小公民”的主题歌。6月1日,江泽民同志欣然为“中国小公民道德建设计划”题词:“加强小公民道德建设促进儿童健康成长”，在全国各地掀起了小公民道德建设活动的新高潮。

到2002年底，各省、自治区、直辖市基本上都把“中国小公民道德建设计划”纳入了本地区精神文明建设的总体规划。北京、天津、上海等28个省、自治区、直辖市成立了由省级领导同志担任组长的领导机构，并制定了实施意见，31个省、自治区、直辖市的数千万少儿通过公益活动、论坛、演讲、征文、技能比赛等多种形式参与了这项活动。中国小公民道德建设计划活动正逐渐成为广大儿童道德实践中一项重要内容。

（全国妇联宣传部）

中央文明办　铁道部　中国科协

联合组织科普列车西部行活动

“科普列车西部行”活动以“传播科学文明，促进西部开发”为主题，是继2002年5月“科普列车老区行”活动获成功后，由中央文明办、铁道部、中国科协开展的又一项大型综合性科普宣传活动。

内蒙古达拉特旗大树湾镇的池永明是一位普通农民，栽培蘑菇已有两三年了，可是在栽培蘑菇的过程中出现了几个让他挠头的难题，始终无法解决，导致蘑菇的产量不高，质量也一般。前几天，听说北京来的科技专家要到镇里来传经送宝，他心里的一块石头落了地。当他赶到镇政府会议室时，可坐200多人的会议室已座无虚席。晚来的乡亲们只好在过道中加座，或者站在会议室门外的走廊上。乡亲们如此踊跃，是因为来的这三位专家都很对他们的“胃口”：聂林富，黑龙江省林口县食药用真菌研究会会长；李凯，辽宁省北宁市大棚蔬菜技术协会会长；吕忠洋，吉林省前郭尔罗斯蒙古族自治县养狐协会副会长。他们都是来自基层、有着丰富经验的科技致富能手，在乡亲们眼里，他们是可亲、可敬、可学的好榜样。十几位蘑菇栽培户提出的问题都得到了满意的答案。

内蒙古呼和浩特市是西行的科普列车停靠的第一站。专家志愿服务团全体专家分为5个分团，分别在达拉特旗、准格尔旗、凉城县及呼和浩特铁路车站等地开展了各种科普宣传活动。

西行的科普列车第二站停靠在宁夏青铜峡市，专家们在此兵分6路，在吴忠市利通区、青铜峡市、灵武市及青铜峡驻军开展丰富多彩的科普宣传活动。当两位专家赶到回民中学时，不禁吃了一惊：学校操场上黑压压坐满了学生和老师，有将近2000人。原来，听说北京的老师要到学校来讲课，全校同学都非常想听，可是学校最大的阶梯教室也只能坐500人，其他同学只好坐在操场上，从扩音器里“听”这特殊的一堂课。北京师范大学传播与教育研究中心李亦菲副教授围绕着“透视人的性格”这一主题，与同学们交流如何了解自己，把握自己，改变自己。北京天文馆贾贵山副研究员以“趣谈天文学”为题，向同学们介绍了天文学的研究对象、研究天文学的意义、人类进入太空时代展望等知识。两位老师风趣幽默、简洁明快的语言，使同学们始终兴味盎然，会场气氛活跃。虽然已超过了结束时间，但跑上讲台提问的同学仍接连不断。

（摘自2002年10月21日《人民日报》）

中直机关文明委
组织“公民道德建设知识竞赛”

为深入宣传贯彻党中央印发的《公民道德建设实施纲要》，中直机关文明委于2002年3月初至5月底组织了“中直机关公民道德知识竞赛”，这次知识竞赛活动是近年来中直机关组织的规模最大、参加人数最多、答卷质量最高的一次答卷活动，收到了良好效果。

3月初，中直机关文明办组织人员拟制了竞赛试题，竞赛内容以《纲要》为依据，同时紧密结合中直机关的工作实际，基本上涵盖了机关道德建设的方方面面。之后，召开了各部委文明办主任会议，对知识竞赛活动的有关事项专门进行了部署。

各部委文明委、办对竞赛活动作出了部署。中央纪委、中央党史研究室成立了竞赛活动领导小组，专门负责组织领导这次知识竞赛活动。全国台联文明委先后3次召开会议研究贯彻落实《纲要》和部署知识竞赛活动。中央党校、广电总局积极动员干部职工参加了答卷活动。中宣部、中央文明办、团中央、全国妇联、人民日报、光明日报等单位是全国《纲要》知识竞赛的发起单位，这次也组织干部职工积极参加了竞赛活动。

答卷活动过程中，各部委文明委、办以及各级党组织的同志认真细致搞好组织协调工作，精心组织干部职工积极参加答卷活动，使答卷活动做到了效率高、质量好。多数单位从下发答卷至全部回收，基本上在10天左右就全部完成，质量和速度超过以往的同类知识竞赛活动。中直机关在京的干部职工85%以上参加了此次竞赛活动，有的部委参与率达到100%。

许多部委不仅组织广大干部职工积极参加《纲要》知识竞赛，同时还结合部委工作实际，引导干部职工积极投身道德实践活动，开展了一系列与公民道德建设相关的精神文明创建活动。如在开展知识答卷活动前后，驻西城区的十几个部委参加了区里组织的“扶贫济困送温暖”募捐月活动；中组部干部职工自觉把加强道德建设作为“迎十六大争先创优”活动的一项具体内容，推动和促进了部机关的精神文明建设；中宣部机关陆续开展了“我为精神文明建设进一言”活动、到郊区美化环境植树活动、献爱心救助贫困母亲活动；中央编译局配合《纲要》贯彻落实及答卷活动，邀请被誉为“京城雷锋”的孙茂芳同志作了题为“做一名道德高尚的好党员好公民”的报告。

中直机关文明办根据各部委文明办上报的组织竞赛活动的有关情况，从领导是否重视，组织是否落实，工作是否有创新，以及参赛人数、回卷率、在职部级领导参与情况等方面综合衡量，评出了13个优秀组织奖和12个组织奖。

（中直机关文明办）

中央国家机关
建立紫光阁党建网站

中央国家机关工委利用网络优势，创建了紫光阁党建宣传网站，积极开展党建和精神文明建设宣传，取得较好效果。

党建宣传网站面向机关广大党员、党务工作者和公务员，为机关党建和精神文明建设服务，在形式和内容上突出中央国家机关特点和党员干部的需求。其任务是：以机关党的建设为主题，及时传播党的理论、路线、方针、政策，全面宣传中央国家机关党的建设总体情况，精心组织交流机关党建工作经验，认真回答机关干部职工关心的热点问题，推进思想道德与文化建设。建设目标是：成为中央国家机关党建宣传教育的重要窗口，成为机关党建工作交流的可视平台，成为各部门机关党委相互联系的便捷渠道，成为广大党员干部学习的园地。

紫光阁网站注意结合工委的重大工作部署，收集和发布各部门的党建信息，集中展现中央国家机关党建工作各阶段的主要成果。积极为各级党组织和广大党员提供服务。开设了学习“三个代表”重要思想、学习十五届六中全会精神、学习贯彻十六大精神、党组书记谈党建等专题，登载中央国家机关的学习动态、部分党员干部的学习体会文章和一些部门主要学习成果等内容。从其他网站及报刊中选择和收集了有关领导讲话、重要论述、评论员文章，分专题编发，为党员干部学习提供方便，有效地推动了中央国家机关理论学习的深入。

网站为各部门机关党委提供了免费邮箱。先后举办了12期网络知识、网络技能培训班，使各部门宣传干部能够较熟练地掌握紫光阁邮箱的使用方法，建立了网上信息传递、相互密切联系的重要信息通道。

在紫光阁网站首页，开设了“工委信箱”，公布了工委各部门的E-mail地址。通过这个渠道，加大了社会接触面，扩大了宣传范围。

（中央国家机关文明办）

中央国家机关文明办
举办历史文化讲座

中央国家机关工委、文化部、社科院共同推出“部级领导干部历史文化系列讲座”活动，利用双休日的半天时间，在国家图书馆分馆举行。一年来共举办13场，有1300余名部级领导干部参加。

为了把讲座办好，使领导同志听后确有收获，中央国家机关文明办多次征求领导同志意见，认真进行分析，并在实际工作中注意抓好“五个环节”，落实“五个坚持”。

搞好选题策划的环节，坚持突出特色。部级领导干部历史文化讲座不仅要办好，还要体现高品位、高质量、高层次的特点，要与中南海的法治讲座、科技讲座和中宣部等五部委联合举办的形势报告讲座互为呼应，形成特色。讲座的选题划分为6大系列：一是时事政治系列，二是历史系列，三是中华文化系列，四是哲学系列，五是社会学、经济学系列，六是文学系列。在每个系列中，均列出了全年的备选题目和主讲人名单。年初，共提出备选题目17个。根据部级领导干部反馈统计，满意率达到93.5%。

精心选择主讲人，坚持效果第一。为保证讲座取得较好效果，除在6大系列下面分列选题外，还在每个选题下列出2—3名候选主讲人。精心选择相关领域公认的有影响、有造诣的资深专家，他们不仅学识渊博，而且精于表达，深入浅出，旁征博引，增强了讲座的吸引力。

丰富讲座内容，坚持以史为鉴。要求主讲人按照已确定的选题提供较为详细的讲课提纲，以便了解其授课的脉络和重点，提出修改意见。专家们对此十分重视，认真准备，力图通过两个小时的介绍和分析，对部级领导干部有所帮助。如戴逸先生讲《论康雍乾盛世》时，就清朝康熙至乾隆年间的封建社会鼎盛时期的政治、经济、外交、文化、教育的辉煌成就进行全面评述，揭示其繁盛背后暗藏的危机，总结封建社会盛极而衰的历史原因，以史为鉴，警示后人，许多领导同志感到很受启发。

改进讲座形式，坚持生动活泼。部级领导干部历史文化讲座要与一般报告会有所区别。因此，在讲座内容多样性的基础上，强调讲座形式的多样化。提倡主讲人使用多媒体，通过图片和音像资料来提高讲座的生动性。第八场讲座是吴江先生讲《浅谈京剧文化》，这次讲座共安排了6个京剧选段，台上演一段，吴江先生就讲解一段，不仅介绍了剧情，还介绍了京剧艺术的特点；不仅点评了剧中人物，还讲述了京剧文化的形成和影响，受到部长们的欢迎。

做好服务工作，坚持超前服务。每次讲座，都提前1个月落实讲座题目和主讲人，提前1周发出讲座通知，同时附上讲座提纲和主讲人介绍，以方便领导同志及时了解讲座内容、安排时间。为听讲的领导同志提供完整的讲座提纲、主讲人的详细介绍和近几年来的主要论著目录。讲座结束后，及时总结经验，不断改进服务措施，得到了领导同志的肯定。不少领导同志连续参加讲座，他们说，通过讲座，对我国历史文化有了更深刻的理解，丰富了知识，提高了个人的修养。

（中央国家机关文明办）

中央组织部机关
开展“迎十六大争先创优”活动

从2001年11月起至2002年底，中央组织部机关围绕完成中央交办的有关十六大筹备工作这个中心，在部机关开展了“迎十六大争先创优”活动。此次活动以抓学习，全面提高干部职工的思想政治素质和业务素质；抓工作，全面推进各项工作上新水平；抓作风，全面树立组工干部的新形象等3个方面为主要活动内容，分思想发动、组织动员，落实方案、全面争创，总结评比、宣传表彰3个阶段进行。部务会把争创活动作为全年的一项重点工作，对活动方案、进展情况、评选工作等事项及时进行研究，提出具体要求。全体干部职工积极响应部务会号召，踊跃参与，在部机关形成了比、学、赶、帮、超的浓厚氛围。各单位围绕主题，把开展争创活动作为加强自身建设、提高队伍素质、促进业务工作的有效载体，紧密结合本单位实际，采取灵活多样的形式，组织开展各具特色的争创活动。有的单位开展了“岗位承诺”活动，努力提高工作水平和服务质量；有的开展了与困难党员、群众、学生结对子帮扶活动，发扬扶危济困的精神；有的开展了“岗位练兵”活动，确保“工作零差错”，提高干部职工的业务技能水平。各单位在活动中，立足现实，着眼长远，探索建立争先创优的长效机制。如有的单位建立了“竞学考学奖学”机制，努力建设学习型局室；有的建立了“公文审核制度”，从制度上确保办文办件的质量；有的建立了“首问责任制”，确保各项工作责任到人、措施到位。

通过这一活动，机关出现了许多新气象、新变化。一是学习氛围更加浓厚。二是促进了机关各项工作任务的圆满完成。三是机关自身建设进一步加强。

（中组部文明办）

公安系统

开展慰问牺牲民警家属和英雄模范活动

2001年，在开展“严打整治”斗争中，全国共有443名民警英勇牺牲，6289名民警光荣负伤。为深切怀念在“严打整治”斗争中牺牲的公安民警，宣传英雄模范的感人事迹，公安部在2002年元旦春节期间在全国公安战线组织开展了以“弘扬英烈正气，共铸金盾辉煌”为主题的慰问“严打整治”斗争中牺牲民警家属和英雄模范活动。慰问活动从1月5日开始至1月27日结束，历时22天，共计慰问了695名牺牲民警和英雄模范家庭，颁发了183块公安英烈牌匾，发放慰问金460万元以及其他慰问品。同时，公安部还派出慰问演出小分队在山东、江苏、福建、江西、河南等地进行慰问演出。各地公安机关按照公安部的要求，结合本地的实际情况，也相应组织开展了一系列形式多样的慰问活动。部党委对这次活动十分重视，专门召开会议进行研究，成立了慰问活动领导小组，组成了10个慰问分团，10位部领导分别担任分团团长，分赴全国31个省、自治区、直辖市及铁路、交通、民航、林业、海关公安机关进行慰问。慰问团轻车简从，每到一地，都饱含深情地问寒问暖，认真听取英烈家属的倾诉，充分体现党委、政府对英烈家属的关怀和厚爱。各地党委、政府和有关部门的主要领导同志都参加了慰问活动和座谈会，并要求当地人事、财政、民政、劳动和社会保障等部门多给公安机关以关心和支持。各地党委和政府根据本地的实际情况，向英烈和英模家属发放了数额不等的慰问金和慰问品。部分地方还重新研究和改进加强公安优抚工作。

（公安部宣传局）

公安系统
建设“小阅览室” 开展读书竞赛活动

2002年4月，公安部政治部专门下发了《关于进一步加强基层公安机关“小阅览室”建设的通知》，决定3年时间内在全国公安机关建立1000个示范“小阅览室”，并先后在江苏、吉林、广东召开公安机关读书活动座谈会，对“小阅览室”建设和读书知识竞赛提出具体要求。各地公安机关按照公安部的要求，积极行动，把开展读书活动和参加知识竞赛活动作为促进基层公安机关文化建设，提高民警个人素质和业务能力，发扬好的学风，建设学习型公安机关的重要举措狠抓落实。11月，根据各地公安机关的实际情况，为加强西部地区公安机关“小阅览室”的建设，公安部政治部专门下发了《关于支持西部基层公安机关“小阅览室”建设的通知》，拨出专款按照每个小阅览室6000元的标准援建316个西部地区的“小阅览室”。各地公安机关从完善投入机制入手，把“小阅览室”建设作为公安机关开展读书活动的重要阵地，加大了对读书活动的投入，积极为民警创造良好的学习环境，以“一年试点、二年推广、三年见效”为方针，进行认真规划和部署。

（公安部宣传局）

京九铁路 京广铁路
警民共建铁路文明站区

京九、京广铁路，犹如两条并行的钢铁巨龙，成为共和国的两大经济动脉。驻铁路沿线的武警官兵与铁路职工开展了共建文明站区活动，谱写了一曲文明道德建设的乐章。

株洲北站是京广线大型编组站之一。有一段时间，这里铁路设施被毁、运载的货物被盗的现象严重。武警湖南总队二支队派出近百名官兵与车站民兵配合，日夜巡逻，抓获各类犯罪分子30余人，打掉盗窃团伙6个，为车站挽回经济损失70多万元。

春运历来是铁路运输最繁忙的季节。每逢春运，武警部队总是抽调警力，协助各站搞春运、保安全，努力确保旅客走得了、走得好。警民共建在千里铁路沿线和武警警营里结出了丰硕之果。驻京九、京广铁路沿线的武警部队与铁路站区建立的60多个共建对子中，已有40多个被评为县以上文明单位。

地处大别山腹地的光山火车站环境十分艰苦。少数职工不安心本职工作。武警河南总队光山县中队指导员邓小青得知这一情况后，多次来到车站给铁路职工上“爱国奉献”、“革命人生观”教育课，并逐个找闹情绪的青年职工谈心。这些职工被邓小青的诚恳深深地感动。一位青年职工拉着邓小青的手说："指导员，别的不说，就凭你一次次从10多公里外跑来给我们讲课谈心，我一定好好干。"

江西革命老区吉安火车站有一个全部是年轻人的上水班组。最初，他们觉得当上水工"没出息"、"低人一等"，工作不认真。武警吉安市支队政委邹凌云专门到车站给这个班组讲井冈山革命斗争史，讲做好工作确保京九铁路畅通的重要意义，并组织他们开展军训，还来到上水作业现场与他们共同工作。这一切，对青年职工的触动极大，他们从有活儿不愿干转变为争着干、抢着干，被南昌铁路局评为"上水明星班组"。

警民共建所带来的文明新风，正在京九、京广铁路沿线各站区吹拂荡漾。在聊城车站，警民联合组成巡诊队，为过往旅客送医送药；阜阳车站职工和武警官兵一起，担任义务咨询员，为旅客指路答疑……开展共建活动以来，警民双方共成立学雷锋小组927个，为过往群众做好事10万余件，有效地促进了沿线的文明道德建设。

黄河南岸邙山脚下有一个叫马村的庄子，距黄河铁路桥5公里。由于山区土地贫瘠，群众一直未能脱贫。村里一些人在铁路上打架斗殴，甚至偷盗货物。黄河铁路桥桥工段和负责守桥的武警四中队与马村结成对子，帮助村里发展生产，带动村民走上致富之路。2002年1月初，桥工段领导从网上看到有一个生产周期短、效益好的种植项目，立即建议村里腾出土地发展种植业，并和武警中队一起帮助筹措资金。当这个项目红红火火地开展起来时，马村的群众敲锣打鼓为桥工段和武警中队送来了他们开发的新产品。

广大铁路职工也把真挚的爱献给了子弟兵。每当部队老兵退伍、新兵入伍，铁路部门总会认真安排优质服务。每当部队遇到难处需要帮助时，铁路部门总是热情相助。几年来，铁路部门为武警官兵解决了大量实际困难，还投资为部队举办军地两用技术学习班，使上万名官兵学到了1至2门实用技术，7000余名退伍战士依靠所学技术顺利就业。

（摘自2002年2月27日《人民日报》）

西宁铁路分局

评选"高原铁路标杆群体和高原铁路标兵"

以"扎根高原的吃苦精神、立足本职的创业精神、协作友爱的团结精神、默默无闻的奉献精神"为内容的"青藏线精神"，是西宁铁路分局干部职工在恶劣的自然环境和艰苦的生产、生活条件下知难而进、奋斗不息的精神力量。西宁铁路分局通过"高原铁路标杆群体、高原铁路标兵"评选活动，在全局形成了人人争当公民道德的实践者、维护者的良好氛围。

西宁铁路分局通过开展"我们如何应对变化"、"假如我是一名旅客、货主"、"开车想着坐车人"等讨论，以道德教育为主要内容，提高职工思想觉悟。2002年是铁道部确定的"客运服务质量年"，分局以此为契机，将提高服务质量延伸到客货运输服务窗口，发挥"十大服务明星"、党员先锋岗、服务示范岗的典型引导作用。全局涌现出一大批先进集体和个人，职工自觉遵守公民道德规范的良好氛围日益浓厚。

西宁铁路分局自然环境恶劣，设备陈旧、落后，生产生活条件艰苦，给铁路养护带来很大困难。针对这一情况，分局通过创建文明单位、文明小区，使职工生活、工作条件得到了极大改善。沙漠戈壁的孤寂小站已建成一座座小型花园，一线职工创造了门区庭院化、宿舍公寓化、食堂餐厅化，娱乐有场所、活动有器材的良好文化生活环境。分局还通过开展各种文体活动，丰富职工群众的业余文化生活，营造健康向上的文化氛围。

分局所属的37个基层站段已全部获县级以上文明单位称号，分局多次获得青海省精神文明建设先进企业称号和全国、全省思想政治工作优秀企业称号。

（摘自2002年10月10日《人民日报》）

共青团中央

创建“五四红旗团委”

创建“五四红旗团委”活动是新形势下全面推进团的基层组织建设、活跃基层团的工作的重要载体和有形手段。从1999年开始，在全国企业、农村、机关、学校、科研院所、街道等各条战线的基层团委中全面展开。2002年，为进一步推动创建活动深入开展，在广泛调查研究的基础上，配套开展了争创“团建先进县（市）”和“五四红旗团支部（总支）”活动，通过县、乡、村三级团组织互动，形成了层层创建、整体联动的良好态势，有力促进了团的基层组织建设、活跃了基层团的工作。

2002年4月，团中央确定了第四批“全国五四红旗团委”创建单位；五四期间，团中央表彰了100个“全国五四红旗团委”（其中“全国五四红旗团委标兵”10个），60个“全国团建先进县市”，63个“全国五四红旗团支部”（其中“全国五四红旗团支部标兵”10个）。通过评选表彰，形成积极导向，推动了创建活动在基层扎实深入地开展。5月15日，纪念建团80周年大会前，江泽民、胡锦涛等党和国家领导人亲切接见了包括“全国五四红旗团委标兵”单位团组织负责人在内的先进基层团组织代表。

（共青团中央宣传部）

共青团中央　国家环保总局

开展保护母亲河生态监护活动

2001年年底，共青团中央、国家环境保护总局联合发起了保护母亲河生态监护活动。在2002年，通过对家乡、尤其是对母亲河的生态环境监测与保护，促进广大青少年和社会公众更清楚地了解当地生态环境和母亲河的状况，增强保护母亲河、保护生态环境的责任心和紧迫感，动员青少年和社会公众更加积极抵制污染和破坏生态环境的行动，形成全社会保护母亲河、保护生态环境的良好氛围。

建设保护母亲河生态监护站（下称“监护

站")。监护站是保护母亲河生态监护活动的机构，负责制定监护活动计划、确定监护点、开设监护热线、组织本地区群众性的监护活动。建在县级团委或其所属的青少年活动阵地，由当地团组织和环保部门共同领导。

开展保护母亲河生态监护活动。由环保部门统筹安排，在当地重点污染控制区、排污口等社会普遍关注的地方设立保护母亲河生态监护点。向社会公开招募志愿者，组成以青少年为主、人员相对稳定的监护队。主要职责是定期对监护点进行监督，向环保部门提供线索，举报违法行为并协助执法部门开展工作，积极向社会公众宣传环保知识和有关政策。在监护站设立保护母亲河生态监护热线，安排专人接听。热线的职责是开展环保咨询、接受举报，并将举报情况及时向当地环保部门反映，由环保部门协调处理。发布《母亲河公告》，主要是发布经环保部门确认的监护点的环境状况、生态监护活动的进展情况等。

活动开展后，全国各地组建保护母亲河生态监护队1000支，确定2300多个保护母亲河生态监护点，公布监护热线400多条，上百万青少年参加了内容形式多样的生态监护活动。

（共青团中央宣传部）

共青团中央

实施中国青少年新世纪读书计划青年助学行动

2001年9月，团中央发起并实施中国青少年新世纪读书计划青年助学行动。活动紧紧围绕青年人力资源开发，帮助中西部地区贫困青年学习知识、学习技能，不断提高他们的科学文化素质。

2002年，全国共有36所民办高校加盟青年助学行动，提供减免费助学名额1269个，折合人民币944万元。在各级团组织和加盟学校的共同努力下，共有1000余名贫困青年入学就读，实现了他们的“大学梦”。

各加盟高校对受助学生表现出了极大的热情和高度的责任感，采取各种切实有效的措施保证受助学生的入学和学习。为了使受助学生不再有后顾之忧，有的学校以多种形式为他们提供勤工助学机会，有的学校在减免受助学生学费的基础上，又减免了住宿费、书本费和部分杂费。为了使受助学生身心健康成长，有的学校还专门为受助学生组成“爱心助学班”、“民族助学班”，充分发挥班集体的积极作用，有的学校在发展受助学生入团、入党上作出了明确规定，积极为他们政治思想上的进步创造条件。

各地在做好民办高校助学工作的同时，充分发动社会力量免费或降低费用为贫困青年举办短期技能培训班。据统计，2002年各地共有15万名贫困青年接受了培训。

（共青团中央宣传部）

共青团中央 国家民委 中国关工委 全国少工委

开展“各族少年手拉手互助活动”

共青团中央、国家民委、中国关心下一代工作委员会、全国少工委在全国少年儿童中开展“各族少年手拉手互助活动”。

这项活动的主题是帮助各族少年儿童从小懂得“汉族离不开少数民族，少数民族离不开汉族，各少数民族也互相离不开”的道理，为他们长大以后成为民族团结的宣传者和实践者，成为维护国家统一和社会稳定的积极力量奠定坚实的基础。

这项活动是“手拉手”互助活动的一个重要载体，目的是吸引全国各民族少年儿童积极参加“手拉手”活动，引导他们相互学习、相互交流、相互关心，在亲身体验中培养民族团结的意识和感情，加深对祖国大家庭的了解，增强民族自尊心和自豪感。

“六一”期间，主办单位在北京、济南、上海、南京、广州等城市招募“各族少年手拉手”志愿接待家庭，邀请全国18个省、自治区的350名少数民族少年儿童到接待城市，和志愿接待家庭的少年儿童“手拉手”交朋友，引起强烈的社会反响，收到良好的教育效果。同时，东部47个城市也邀请西部9个省区的少数民族少年儿童开展了不同形式的“手拉手”活动。

（共青团中央宣传部）

共青团中央 全国青联 欧美同学会

举办2002海外学人回国创业周活动

为了进一步开发海外人才资源，激发广大海外学人报效祖国的热情，推动海外学人以多种方式为国服务，共青团中央、全国青联、欧美同学会于12月23—27日共同主办了“2002海外学人回国创业周”活动。活动以“科技创业、报效祖国”为主题，由中国青年科技工作者协会和北京市等14个省（区、市）团委承办、科技部火炬中心和14个省（区、市）的30多家园区协办，共有528名海外学人报名。来自美国、加拿大、日本、澳大利亚等16个国家和地区的421位海外学人回国参加了活动。其中，中国留日同学总会、北美华人科技协会等10余家海外学人团体组团参加了活动。

12月23日至26日，海外学人分为9个组，分赴北京、天津、黑龙江、上海、江苏、浙江、福建、广西、四川、陕西等省（区、市）的32个高科技园区进行项目洽谈和对接。各地开展了丰富多彩、各具特色的活动。黑龙江省举办了“省十大海外青年学人回国创业之星”表彰活动，成立了“中国海外学人黑龙江创业投资基金”；陕西省举办了“中国青年科技创新行动示范基地”授牌仪式。26日，在北京举行了“海外学人回国创业论坛”，论坛以“科技创业、报效祖国，为全面建设小康社会做贡献”为主题，围绕国家有关发展高新技术产业政策、科技风险投资基金、留学人员回国创业政策、科技园区发展规划等方面进行了深入探讨和广泛交流。27日，在北京人民大会堂召开了“科技创业、报效祖国——2002海外学人回国创业周”座谈会。

本次创业周具有规模大、影响大、创建性强、效果显著的特点。活动期间，新华社、人民日报、中央电视台、中央人民广播电台等40多家新闻媒体进行了追踪采访报道。本次活动取得了丰硕的成果。各地共组织海外学人参观高科技企业和园区58家，组织座谈会、项目发布会、洽谈会和交流会42场，通过网络发布项目600余项，现场发布项目252项，与876家国内企业和98家投资机构进行了洽谈和项目对接，共签署意向性协议112份。

（共青团中央宣传部）

共青团中央
中国青年科技创新行动

中国青年科技创新行动以中青科协为依托，借助中国青年科技信息网、中国青年科技创新在线博览会等网络载体，广泛汇集科技、经济信息，积极开展各类科技服务团，在大专院校、科研院所与企业之间，东部地区与西部地区之间，海外学人与国内建设之间，架起人才与项目对接、成果与市场联系的桥梁，有效地促进了科技与经济的紧密结合。

举办首届中国生态经济青年专家论坛。论坛以“生态·经济·可持续发展”为主题，集中探讨了我国生态经济现状及发展趋势，交流了生态经济科研成果和经验。60余名来自国内外的青年专家、企业家和投资界人士进行了项目发布和洽谈，共发布项目59项，签订意向性协议30份。

中组部、团中央从中央国家机关选调了114位博士和硕士，组成第三批“博士服务团”到重庆、内蒙古、广西、四川、贵州、云南、陕西、甘肃、青海、宁夏等西部10个省区市和江西省进行为期1年的锻炼服务，为西部大开发提供了人才智力支持。

2002年共举办了4期青年创新论坛，为广大青年科技工作者追踪科技前沿、探讨创业理念、交流创新思想提供了舞台。

建设中国青年科技信息网。通过汇集和发布各类具有应用价值和实际意义的信息，向各类专业人才、科研机构和高科技企业提供双向资讯服务。信息网已经汇集科技成果、专利项目1万多项，充分发挥了互联网在科技成果市场化、产业化过程中的信息集成和中介服务功能，促进了社会创新资源的优化配置，实现了技术、项目、人才、需求等信息的交流与对接，成为展示广大青年科技工作者风采的重要阵地和中国青年科技创新行动的有效载体。

开通中国青年创新在线博览会，集中展示当代青年科技英才风采，检阅中国青年科技创新行动的阶段性成果，以为社会各界提供可长期共享的信息资源为宗旨，采取交互式的服务方式，为青年科技创新行动提供展示舞台和信息渠道。

评选第五届“中国青年科学家奖”，表彰宣传在科技领域取得重大科技成果的青年科学家，倡导严谨、求实的学风。余振苏等11人获得本届中国青年科学家奖，李嘉禹等6人获得提名奖。

评选第五届“中国青年科技创新奖”，表彰宣传创造显著经济效益和社会效益的青年科技人才，激励广大青年投身科教兴国的伟大实践，加速科技成果的产业化。万明坚等10人获得杰出奖，刘小明等100人获得优秀奖。

（共青团中央宣传部）

共青团中央
推进全国青年创新创效活动

团中央以开发青年人力资源为着力点，以提高青工素质为目标，全力推进青年创新创效活动。

团中央青工部联合中宣部宣教局、国家经贸委技术进步与装备司、劳动和社会保障部就业培训司，召开了“应对加入世贸：青工创新素质与企业竞争力”研讨会，并举办了多次网上论坛。各省（区、市）积极响应，通过知识竞赛、交流会、论文比赛等方式，围绕主题进行了研讨。全国300多万名青年职工参与了研讨活动。

召开全国青年创新创效活动典型推介会议。全国200家企业团委书记参加。会议总结推广了青年创新创效活动典型模式，表彰青年创新创效先进典型。

团中央、国家经贸委、劳动和社会保障部、国家知识产权局、中国科协共同举办全国青年创新创效大赛。大赛由三部分内容组成：一是在电力、石油、石化、中航一集团、中远集团等企业进行职业技能竞赛。二是首次运用互联网举办了全国青年电工网上模拟技能创新创效大赛，共有5144人在网上参加初赛、复赛和决赛。三是评选表彰50家全国青年创新创效活动示范基地。大赛较好地展示了几年来的活动成果，调动了青年创新积极性，形成了良好的社会导向。

（共青团中央宣传部）

共青团中央　中国科协　教育部　全国学联
举办第三届“挑战杯”中国大学生创业计划竞赛

“挑战杯”中国大学生创业计划竞赛，是以“挑战杯”为龙头的大学生科技创新活动的重要组成部分。活动倡导培养大学生的创新能力、实践能力和创业精神。

第三届“挑战杯”中国大学生创业计划竞赛由共青团中央、中国科协、国家教育部、全国学联共同主办。比赛历经预赛、复赛、决赛，从3月至10月举行。

竞赛共收到来自全国29个省（区、市）244所高校的542件作品，参赛作品内容涵盖了农林、畜牧、水产、食品、机械、能源、材料、计算机、电子信息、生物医药、化学化工、环境科学及服务行业等多个学科门类，反映了当代大学生对当前社会经济以及自己未来创业之路的理解和认识。竞赛评审委员会由29位来自全国高校、企业界、投资金融界、法律界的专家学者组成。经过评审，北京大学的《胃肽美商业计划书》等160件作品获奖。

竞赛开通了专门的创业计划竞赛网站。大赛期间，组委会还举办了中国大学生创业论坛，邀请微软亚洲研究院（原微软中国研究院）院长兼首席科学家张亚勤等知名创业成功人士参加。许多同学表示，这次论坛改变了他们只能就业不能创业的旧想法，让他们感到了创新创业是可能的，也是必要的；也让他们对当前的创业环境、创业机会、风险投资的利用和创业团队的组建等创业实际问题有了更加深刻、全面的认识。

（共青团中央宣传部）

共青团中央
创建优秀“青少年维权岗”

创建优秀“青少年维权岗”活动由共青团中央、中央综治委联合最高人民法院、最高人民检察院等部门共同开展。制定《全国优秀“青少年维权岗”创建、评比、表彰、考核及管理办法》、《优秀“青少年维权岗”职责与奖励办法》，使创建活动有章可循，制度日趋规范和完善。

各地成立了创建活动监督检查领导小组，聘请社会各界人士作为维权岗监督员，对优秀“青少年维权岗”进行日常监督、年终考核。为推动创建活动机制不断完善，强化社会监督，在中青网上公布国家级优秀“青少年维权岗”名单和监督举报电话。

针对不健康“口袋书”危害青少年的问题，在全国开展了淫秽卡通画册和不健康“口袋书”专项整治行动，采取集中检查和突击抽查相结合的方式，进行了重点整治，两个月共出动检查18591人次，检查市场（摊点）12648个，查缴非法出版物2.3万册。同时，各级团组织还注重教育和引导青少年提高防范淫秽色情出版物的意识和能力，自觉远离不健康“口袋书”。

针对部分不良“网吧”危害青少年成长的问题，共青团中央、中央综治委预防青少年违法犯罪工作领导小组、信息产业部、公安部、文化部、国家工商行政管理总局联合开展创建“青少年安全放心网吧”活动，发布了《全国青少年网络文明公约》，整治传播不健康信息的“网吧”，净化青少年的上网环境。开展“未成年人远离不健康网吧”活动，教育引导广大未成年人认真遵守《互联网上网服务营业场所管理条例》。

针对“毒品”危害青少年成长的问题，6月初，团中央、国家禁毒委和民政部联合部署开展“社区青少年远离毒品”系列宣传教育活动。各地结合“青年文明社区”、“无毒社区”创建活动，集中开展形式多样、声势浩大的群众性禁毒宣传教育活动，营造禁毒防毒的良好氛围。

以“认识社会、拒绝诱惑、远离危险、防范侵害”为主题，在全国开展了“青少年维权岗”寒暑假自我保护教育行动。印制了两套10多万册《青少年自我保护掌中宝》卡通画册，免费向青少年发放。开展了“我的自护经历征文”比赛活动。联合上海市公安局拍摄了《青少年安全防范三十招》，在中央电视台播放，受到广大青少年的欢迎。

（共青团中央宣传部）

共青团中央

举办第四届“乡村青年文化节”

积极配合全国村级“三个代表”重要思想学习教育活动，2002年元旦春节期间，共青团中央以“学讲话、颂党情、跟党走”为主题，在全国农村组织开展了第四届“乡村青年文化节”。

各地各级团组织按照积极引导、项目牵动、活动基层、形成机制的指导思想，围绕大局，发挥优势，广泛开展内容丰富、形式多样的科技文化活动。一是大力举办主题文艺演出。以乡镇为单位，广泛动员和组织农村青年创作和表演当地学习、贯彻、实践“三个代表”重要思想的生动故事，反映农村生活新风貌。二是统一开展“挂主题年画、贴时代春联”活动。邀请书法家、画家、民间艺人义写、义画，制作一批宣传“三个代表”重要思想的年画和春联，组织青年志愿者送到各家各户。为指导各地开展好这一活动，团中央统一征集、制作、赠送了一批“学讲话、颂党情、跟党走”主题年画和春联。三是开设乡村青年文化科技大擂台。坚持纯朴热闹、有趣有为的方针，选取能够充分体现当地文化特色、便于组织操作的具体项目，在县、乡普遍开设文明健康、形式活泼多样的文体科技大擂台，为乡村青年学用科技、展示才华搭建舞台。四是积极创建“青年文明一条街”。组织广大农村青年按照环境卫生、植绿护绿、文明礼貌、志愿服务4个方面的要求，通过上街宣传、制定青年文明公约、社会公开监督、统一命名挂牌等形式，普遍开展创建“青年文明一条街”活动。确定2002年2月4日（农历腊月二十三）为“乡村清洁日”，各乡村团组织采取统一行动和分段包干相结合的办法，对村容村貌、公共环境卫生进行集中清理，开展辞旧迎新大扫除。

全国有60%以上的乡村开展活动，举办文艺演出和科技大集1万多场，9000多万农村青年参与活动，创建了2000条“青年文明一条街”，赠送了300多万幅主题年画和春联等宣传品，形成一定声势，取得明显成效，受到青年欢迎、党政肯定和社会认可。

（共青团中央宣传部）

共青团中央　全国老龄委办公室

实施“志愿者为老服务金晖行动”

共青团中央、全国老龄工作委员会办公室根据社会的需求，在全国范围内实施“志愿者为老服务金晖行动”（简称“金晖行动”），组织动员广大青年和其他社会公众积极参与到为老服务的志愿者行列，以实际行动为有需要的老年人办实事、办好事。

4月，共青团中央、全国老龄工作委员会办公室联合下发了《关于实施“志愿者为老服务金晖行动”的意见》。“金晖行动”主要以企事业单位离退休困难职工和无劳动能力、无生活来源、无赡养人的老年人及有特殊困难的老干部、老科技工作者、老教师为服务对象，以建设志愿者服务站、建立志愿者骨干队伍为核心，以“一助一”长期结对服务为基本形式，针对不同的情况，采取“个人助个人”、“集体助个人”、“集体助集体”等多种形式，广泛开展日常生活照料、医疗保健、法律援助、文化娱乐等多方面的服务，建立接力服务机制，在志愿者与老年人重点服务对象间形成长期稳定的服务关系，促进“金晖行动”的可持续发展。

各级共青团组织、志愿者组织发挥组织协调作用，与各级老龄组织密切配合，完善各项工作规章制度，规范服务项目运行机制；充分发挥服务站在为老服务工作中的积极作用，通过将服务站建设纳入“社区老年福利服务星光计划”的实施范围，大力推进服务站的建设，在社区的老年福利服务设施、场所中建立规范的为老服务站。

据23个省级志愿者协会的统计，“金晖行动”实施不到半年，参加为老服务的青年志愿者已达到327万多人，建设志愿者为老服务站1.1万多个，通过“一助一”结对服务等方式为40多万困难老人提供了2800多万小时的志愿服务。

（共青团中央宣传部）

共青团中央　中国残联

百万青年志愿者助残行动

4月，共青团中央、中国残联联合下发《关于开展“百万青年志愿者助残行动”的通知》，在全国范围内实施助残行动。助残行动以“践行志愿精神，倡树助残风尚”为主题，动员引导广大青年积极参与助残志愿服务，带动社会各界共同关注、帮助残疾人，形成扶残助残的良好社会风尚。

助残行动采取普查的方式，掌握辖区内残疾人的数量及服务需求，明确重点服务对象、服务内容和联系方式，结合残疾人及家庭的生活实际，积极为他们提供日常生活照料、义务家教、卫生医疗保健、法律援助、技术培训等多方面的服务，提高他们的文化、教育、技术水平，增强他们自立自强、参与社会的能力；采取注册的方式，掌握助残志愿者的数量、特长、联系方式及可以提供服务的项目、时间，坚持普遍号召和重点发动、社会招募和组织招募相结合，广泛动员青少年加入助残志愿者行动，逐步形成一支以青年为主体、包括中老年人在内的比较稳定的助残志愿者骨干队伍，加强助残志愿者队伍的培训，提高助残志愿者专业化水平；采取“一助一”长期结对服务的方式，把残疾人的服务需求和志愿者的服务能力有机结合起来，根据就近就便、力所能及、持续接力、务求实效的原则，制定服务规划，签订服务协议，落实服务措施，动员一名志愿者或一支志愿者服务队为一个有困难的残疾人或家庭提供经常性服务。采取“多助一”的方式，在残疾人福利院、残疾人康复中心和聋校、盲校、培智学校、特殊教育学校、福利企业等残疾人比较集中的场所，普遍建立志愿者助残服务基地，引导各行各业的志愿者或志愿服务集体利用双休日、节假日经常为一个服务基地的残疾人开展各类所需要的志愿服务，做到定期轮换、长期坚持；采取建设志愿者助残服务站、联络站的方式，在残疾人和志愿者之间架起沟通的桥梁，使志愿者有事可做，服务对象有求必应。

据不完全统计，截至2002年11月底，全国23个省、区、市已建立志愿者助残服务站4143个，服务基地2852个，近70万名志愿者（其中注册志愿者为464886名）为31万多名各类残疾人提供了1536万小时的服务。

（共青团中央宣传部）

全国妇联　文化部　中央电视台
联合举办第二届中国家庭文化艺术节

为贯彻实施《公民道德建设实施纲要》，进一步推进家庭美德建设，全国妇联、文化部、中央电视台于2002年9月至12月共同主办了第二届中国家庭文化艺术节。

开幕式于9月在江苏省南京市举行，来自全国各地的妇联和文化部门的代表观看了精彩的家庭文艺演出和家庭才艺展演，参观了当地丰富的社区群众文化活动，相互交流了组织开展家庭文化活动的经验。家庭文化艺术节的举办得到了全国各地党委宣传部、妇联、文化部门、广电部门的热烈响应和亿万家庭的积极参与。各地以弘扬家庭美德、倡导科学文明的生活方式为主题，以家庭文化艺术展演为主要形式，展示了近年来各地家庭文化建设的丰硕成果。许多优秀的家庭节目还被选送到央视《神州大舞台》栏目，得以在亿万电视观众面前展现艺术才华和良好的精神风貌，激励全国广大家庭奋发向上，健康生活。家庭文化艺术节闭幕晚会于12月14日在北京举行，晚会以文艺演出、才艺展示和大屏幕报道等形式，展示近年来我国家庭文化建设成果和广大家庭文明向上的崭新风貌，同时表彰第二届中国家庭文化艺术节先进省份和优秀家庭节目。15个获得优秀组织奖、8个获得组织奖的省区市代表以及47个获得家庭文艺表演、家庭才艺单项奖的家庭代表登台领奖。

这届家庭文化艺术节主要特点，一是普及面广，全国31个省区市的100多个地、市，上百万个家庭踊跃参加了艺术节活动；二是活动形式多样，包括家庭文艺演出、才艺展演、家庭读书活动、家庭音乐会、社区歌咏活动在内的文化活动，丰富而生动。

（全国妇联宣传部）

中国残联　中国残疾人福利基金会
启动“扶残助学春雨行动”

由中国残联和中国残疾人福利基金会开展的“扶残助学春雨行动”是一项向社会募集资金，用于重点资助中西部地区贫困残疾儿童少年入学的大型公益活动。“春雨行动”是响应中央宣传部、中央文明办、教育部《关于进一步做好“西部开发助学工程”实施工作的通知》号召，在中央文明办、教育部支持和参与下开展的。据调查，全国盲、聋、弱智三类残疾儿童义务教育入学率仅为77%，全国未入学的适龄盲、聋、弱智儿童总数40万人，中西部地区有32万人，占总数82%。贫困是造成残疾儿童少年失学的主要因素。

“春雨行动”的资助对象是农村贫困线以下，城市家庭人均收入低于生活保障线的义务教育年龄段的残疾儿童少年，其资助标准是每个贫困残疾儿童少年每人每年1500元，用于购买教材及学习用品，缴纳住宿费、伙食费、杂费等。在此之前，此次活动的发起者中央文明办决定从2002—2006年共拿出2500万元，资助中西部贫困残疾儿童少年入学。

（摘自2002年9月18日《中国社会报》）

北　京　市

评选“首都精神文明建设最佳活动”

7月，北京市开展了第五届“首都精神文明建设最佳活动”的评选。在各区县、各系统、各地区以及中央、部队驻京单位选拔推荐基础上，“让心中的歌代代传唱”等30项活动被评为“首都精神文明建设最佳活动”；“十年牵手，爱心长存”等17项活动获“首都精神文明建设最佳活动提名奖”。在推荐评选过程中，市属新闻媒体积极配合，对参与评选活动的先进典型进行广泛宣传报道，使得首都精神文明建设活动的影响进一步扩大。

评选活动充分调动了各区县、各系统以及基层干部群众参与活动的积极性，成为全市创建文明城市的重要组成部分。

（首都文明办）

北　京　市

开展文明乘车从我做起活动

北京市全力抓好“文明乘车从我做起”宣传教育活动。全市建立了一支素质良好的监督服务队伍，487个重点站台共有文明监督员1427人，在册志愿者17412人。创建了长安街文明乘车示范大街和文明乘车亮丽街8条，文明行车示范路4条，基本达到了“服务文明周到，站台管理规范，乘车秩序井然”的目标。

各城区、各有关单位在文明乘车活动中，不断创新，集思广益，开展多种形式宣传活动。西城区开展“文明乘车社区行——万人承诺签名”系列活动，将文明乘车活动深入到街道、社区。崇文区开展文明乘车进社区、进机关、进学校、进企业、进军营、进家庭的“六进”宣传教育活动，被评为“首都精神文明最佳活动”。

在党的十六大召开之前，全市开展了文明乘车百日竞赛宣传活动。从司售人员到文明监督员、志愿者；从机关、学校、企事业单位到驻地部队；从北京市民到外地进京人员，都积极踊跃参加。北京站利用站前大屏幕每天早8时到晚8时滚动宣传文明乘车，受教育面达15万—20万人次。北京西客站利用站台广告栏进行宣传，使文明乘车宣传达到经常化。市地铁运营公司把文明乘梯与文明乘车结合在一起，从具体事情做起，促进市民文明行为习惯的养成，塑造首都市民新形象。

市公交总公司走出去，请进来，与各区乘车办和每个中途站的文明监督员取得联系，加强沟通与理解。各客运分公司无论严冬，还是酷暑，都到站台慰问文明监督员，征求意见和建议，感谢他们对公交工作的支持。他们还组织各车队管理人员到城八区的文明站台观摩学习，并聘请了83名文明监督员为公交服务质量监督员，促进了公交司售人员队伍的建设和管理。在百日竞赛活动中，公交总公司还与市交管局开展共建活动，创建了长安街及延长线等4条公交文明行车示范路。

（首都文明办）

北京市
集中整治市容市貌和纠正不文明行为

8月底，为了以良好的城市面貌迎接国庆和党的十六大召开，北京市委市政府提出了以城八区和长城旅游景区为重点，对影响首都城市形象的市容市貌进行集中整治，纠正不文明行为，明确提出以彻底清除非法小广告、非法占路经营，环境脏乱为主要内容的7项任务。

集中整治分为两个阶段。第一阶段8月底至国庆节前，以治理非法小广告为突破口，重拳打击非法小广告，查获小广告张贴者、制造者，对违法者加大处罚力度。全市连续不断地行动，打掉了一批非法窝点，使小广告无存身之地。与此同时，清除非法占路经营、修车、清理“三无”人员、长城旅游景区的环境治理全面展开。国庆节后进入第二阶段，重点是主要大街、重点地区达到“六无”标准（无非法小广告、无占路摆摊和非法经营、无损坏废弃的公共设施、无暴露垃圾和白色污染、无乱堆乱挂、无乱穿马路跨栏杆等不文明行为）。同时，建章立制，治理死角，向纵深推进。结合贯彻《北京市市容环境卫生条例》，完善城市管理措施和管理办法。开展两次大规模“城市清洁日”活动，上百万群众纷纷走上街头清除小广告。形成了全社会围剿非法小广告的高压态势。

针对黄金周期间天安门广场遗留的大量口香糖残迹问题，由天安门地区管委会，市政管委组织对天安门广场、广场周边步行道等地面的口香糖污渍进行全面清除，奋战12天，将60多万块口香糖残迹全部清除，天安门广场恢复了整洁面貌。

集中力量协调解决群众反映强烈的市容环境重点难点问题，是这次整治的重点任务之一。市政管委城管监察部门加强“门前三包”管理，实行全面监控，查处违规经营的店铺和单位，取缔一批长期从事夜间烧烤的无照商贩，推出了一批精品示范街，并组建了应急分队处理市容环境紧急突发事件。市公安局在集中统一行动中，破获、查处各类违法刑事及治安案件1.4万余起。市公安交通管理局开展三个阶段交通环境整治和两次统一行动。市工商局对148家违法问题严重的广告经营单位和广告主进行处罚。市交通局查处汽车维修市场违规经营户2683户。市卫生局取缔非法医疗点691个。市药监局查处150多家违法经营单位，收缴非法医疗广告40余万张。市新闻出版局收缴盗版、淫秽光盘154万件，收缴非法出版物171万册。市邮政管理局开展“擦亮邮政窗口”活动，对全市1980个报刊亭逐一检查，查处违规报刊2万余份（册）。市旅游局协调有关区县，对长城景区环境进行治理。通过集中整治，八达岭、居庸关、十三陵、颐和园等著名风景区环境进一步改善。

集中整治期间，全市开展了大规模的宣传教育活动，市文明办编写了针对居民社区、公共场所、旅游景区、进京列车、火车站、长途车站以及外地来京人员不同方面的宣传材料，发放《宣传提纲》40万份，市委宣传部、文明办、市政管委、爱卫会等联合组织开展了两次社会宣传日和城市清洁日公益活动。中直机关和中央国家机关几十位部级领导，卫戍区、武警驻京部队6万多官兵参加清洁日劳动。全市开展了“整顿市容市貌，做文明北京人”，“各行各业齐动员，整治美化北京城”等丰富多彩的活动。为加强对流动人员的宣传，铁路、交通部门和北京站、西客站还在进京列车和火车站、长途汽车站候车大厅开展广播宣传。各区县还充分运用文明市民学校的形式，开展市容环境“一堂课”教育活动。在对外来人员开展“建北京有我一份，办奥运有我一功——外来人员与首都文明同行”活动，吸引他们参加。通过宣传教育，广大群众对城市环境的关注程度和环境意识明显提高。

（首都文明办）

天　津　市

百万市民公民道德签约承诺

天津市把贯彻《公民道德建设实施纲要》与学雷锋活动紧密结合，以毛泽东等老一辈无产阶级革命家为雷锋同志题词39周年为契机，从3月份起，在全市开展弘扬雷锋精神、实践道德承诺的百万市民签约活动。

南开区40多个企事业单位、100多所中小学、12个街道的238个居委会全面启动“学雷锋、讲道德”10万市民签名承诺活动。与此同时，南开区委组织的公民道德宣讲团成员也深入各基层，集中宣讲和贯彻《纲要》精神。

天津市在广大社区、城镇、农村和机关、学校、企事业单位，普遍开展了多种形式的公民道德签约的承诺活动。并结合这一活动，利用市民学校、村民学校等阵地，开展公民道德教育宣传，修订和完善社区居民守则、村规民约、行业服务规范，推进了各项工作的开展和市民道德素质的提高。

（天津市文明办）

天 津 市
公民道德建设咨询活动

5月11日，为深入贯彻落实《公民道德建设实施纲要》，提高市民素质，天津市文明办和市社会科学界联合会在水上公园联合举办公民道德建设咨询大会。来自本市社会学学会、伦理学会、法制心理学会、婚姻家庭研究会等12个学术团体的40多位专家教授，重点围绕社会公德、职业道德、家庭美德建设，热情地回答了群众提出的关于道德建设、婚姻家庭、人的成长期教育、人际关系等问题，受到群众的欢迎。

市委领导出席了普及咨询大会，并亲切慰问了参加普及咨询活动的专家们。

（天津市文明办）

天 津 市 和 平 区
传唱社区公民道德歌

天津市和平区委宣传部、文明办紧紧围绕贯彻《公民道德建设实施纲要》，3月下旬至6月中旬，面向全国组织开展了“道德之歌”征集、创作活动，并将此次活动作为迎接党的十六大召开的重要内容之一。

本次征歌活动得到全国各地的热烈响应。先后收到本市及北京、上海、辽宁、福建、甘肃等11个省、直辖市的专业和业余作者创作的歌曲83首。年届90高龄的著名音乐家王莘特意为本次活动创作了《公民道德开新花——基本道德规范歌》。为确保创作质量，工作人员还通过信函、长途电话等方式，逐一与应征者进行联系，提出修改意见和要求，使作品达到曲调流畅、旋律优美、内容与形式完美结合。经过认真评审，《中华美德万古传》、《基本道德规范歌》、《社会公德歌》、《职业道德歌》、《家庭美德歌》等18首歌曲获奖。同时，还聘请天津歌舞剧院管弦乐团、天津爱乐合唱团等专业艺术团体，把获奖的歌曲制成MTV光盘，发给全区机关、企事业单位和各个社区，广大干部群众纷纷观看和传唱，为党的十六大胜利召开营造了欢乐喜庆的氛围。

10月25日，和平区委、区政府共同举办了“喜迎党的十六大胜利召开歌咏大会”，全区各行各业的4000余名干部、职工和社区群众踊跃参加。

（天津市文明办）

天津市河西区

弘扬“危改精神” 创建文明社区

天津市危陋平房改造工程造福于民，使140多万居民受益。在工程建设中涌现了许多可歌可泣的动人事迹，并形成了在新时期鼓舞天津奋进的“造福人民，知难而进，万众一心，共创大业”的危改精神。河西区在全市率先完成成片危陋平房的改造任务，并且在全区开展了以“弘扬危改精神，创建文明社区”为主题的实践活动。他们用危改成果教育人，动员居民行动起来，珍惜来之不易的幸福生活，引导居民住新房不忘党的恩情。

弘扬危改精神，河西区创办了“安居节”。这期间，在重点危改受益的安德公寓、美宁公寓、福盛花园等居民小区，开展了“住小区、爱社区、讲公德、比奉献”的精神文明系列实践活动。社区党员发挥“一名党员一面旗”的模范作用，带领社区志愿者踊跃参加“庆安居、清整家园环境”、“谢党恩、建设文明社区”等活动。社区的群众文化社团创作编演了文艺节目，热情讴歌危改精神和新型居民区的新人新风尚。桃园街成立了“公民道德使者团”，深入社区，结合住房变迁的经历作生动的巡回演讲，引导居民维护家园环境。陈塘庄街结合社区的实际，制定了《社区民约》、《楼道公约》等制度，把公民道德建设融于社区管理之中。区文明办在各社区举办了“实践道德《纲要》，建设美好家园”演讲会，组织了“歌唱新生活，心曲献祖国”歌咏大赛。

社区街道、企事业单位和机关学校广泛开展了“热爱社区，护河、护绿、护路”的“一爱三护”教育实践活动和志愿者服务活动。居民群众在“一爱三护”活动中，既净化和美化了环境，教育了别人，同时也使自己受到了教育。

河西区“弘扬危改精神，创建文明社区”活动的开展，带动了全区精神文明创建活动的开展并取得了显著的成绩：马场街被评为“全国创建文明社区示范点”，河西区被评为“全国创建文明城市工作先进城区”。

（天津市文明办）

天津市河西区天塔街

开展“邻居节”活动

天津市河西区天塔街开展的“邻居节”活动，进一步密切了邻居之间的关系，探索和总结出了一套邻里真诚相待、互帮互助的有效做法，从而增进了邻里间的往来和友谊，形成了邻里间相识、相知、相助的氛围。

他们从社区实际出发，经过大量调查研究和

反复论证，坚持从小区抓起，从最基本的楼门抓起，对居民开展爱国主义、集体主义、社会主义教育，开展父母养教情、夫妻恩爱情、婆媳体贴情、邻里互助情“五情”教育，丰富社区文化生活，使居民在活动中融洽感情，增进了解，加强团结；使居民之间达到互知、互信、互敬、互帮、互促，积极投身社区建设。

为了丰富“邻居节”活动，天塔街党工委重点围绕解决居民区群众普遍关心的环境卫生、治安防范、邻里关系、文明言行、道德规范、文化交流等一些热点问题，在全街22个区居委会、1564个楼院先后开展10大系列活动：开展“道德与文明”研讨，邀请社会学专家与社区群众一起学习《公民道德建设实施纲要》，修订和完善社区居民道德公约；开展争当“好邻居”活动，引导居民走出家门，融入社区，签约“携手共建”；评选出好邻居楼院100个，好邻居标兵10个；举办社区文化艺术展和“沙龙”；组织居民以“讲述身边好邻居故事”为主题，热情讴歌社区好人好事；开展文艺会演和举办运动会，丰富社区文体活动，活跃群众业余文化生活；开展一条街公益服务活动，驻区单位积极献计献艺，用自己的技术强项为社区群众服务；开展扶贫助困活动，一些家庭和个人主动与困难户和贫困学生“结对子”；开展为群众办实事活动，街道党政部门、群众团体和驻区单位主动与社区居民建立“连心卡”；积极为下岗职工再就业创造条件，帮助困难群体解决生活困难。

天塔街通过举办社区“邻居节”，组织一系列内容丰富、形式多样、独具特色的活动，吸引全街2.5万户居民踊跃参与，营造了欢乐祥和的社区氛围，增进了居民群众间的亲情、友情、真情。

（天津市文明办）

天津市津南区八里台镇

评选好儿媳

八里台镇位于天津市津南区的西部，人口4.8万。过去，因老人赡养问题引起的诉讼案、离婚案时有发生，婆媳不和、妯娌不睦现象普遍存在。

镇党委在广泛听取群众意见的基础上，从1991年开始，年年开展评选尊老敬老好儿媳活动。评选活动先开家庭、邻居座谈会，征求意见，经村民小组推荐，村党支部同意，妇联考察，镇党委审定，整个过程严密透明，公平公正。

好儿媳来自好娘家。1994年春节前夕，镇党委给当选的好儿媳娘家挂匾，匾上“女儿孝敬公婆，娘家无上光荣”12个大字，吸引了无数羡慕的目光。送匾的那一天，镇区及各村街头彩车轻驶，锣鼓喧天，镇领导分头带队，与十几个村的支部书记、村委会主任送匾到好儿媳的娘家。有的好儿媳娘家在邻镇、邻区以及河北省，匾挂到哪个村，好儿媳的娘家就会得到当地群众的一片赞扬。

八里台镇同时开展了评选“幸福老人”的活动。九九重阳节，当选的“幸福老人”被请到镇政府，由镇领导为老人们披红戴花，然后陪着老人们逛津城、游北京。

11年来，八里台镇共评选出118位好儿媳、90位“幸福老人”。

从1999年开始，镇党委采纳镇妇联的建议，进一步扩大家庭美德教育的影响，每年开展一次回访好儿媳、“幸福老人”的活动。2000年，八里台镇组织了由好儿媳、“幸福老人”、文明家庭标兵户组成的家庭美德宣讲团，到各村及津南区的其他乡镇巡回演讲，树立农村妇女、老人、文明家庭的良好道德形象，带动社会风气好转。

10多年来，镇里还举办了30多期家庭美德教育培训班，受教育的妇女、老人占应受教育人数的70%以上。11年来，八里台镇没有发生过一例赡养诉讼，97%的家庭成为文明家庭，青少年辍学率、犯罪率均为零，社会治安案件明显减少，发案率为全区最低。

（摘自2002年3月3日《人民日报》）

天津市塘沽区

开设“道德法庭” 推动社会公德建设

天津市塘沽区在深入贯彻落实《公民道德建设实施纲要》的具体实践中，从大处着眼，小事入手，把道德教育和道德点评活动有机地结合起来，在社区开设了“道德法庭”，把道德规范与法制建设融入普通百姓的日常生活，推动了社会公德建设。

2002年6月，塘沽区第一家“道德法庭”在新村街道迴阳里居委会挂牌成立。“道德法庭”由居委会干部、党支部委员组成议事核心，聘请离退休政法干部担当法律顾问，街道工委会同区文明办、区司法局、区妇联等有关部门合力推动。“道德法庭”以“三尺黑板点评台”为活动阵地，大力表扬好人好事，严肃批评各种不良风气，用身边事实引导和教育社区居民分清是非、明辨善恶，用典型事例鼓励和激发广大群众弘扬正气、文明向上。比如，针对居民豢养宠物时有影响邻里生活而造成不和的问题，“道德法庭”从妥善处理宠物粪便开始，开展多角度点评，以增强豢养宠物居民的道德知识、卫生意识和环保意识。在“道德法庭”的倡议下，小区内豢养宠物的居民都与居委会签订宠物日常管理协议，从此邻里之间再也没有因宠物发生纠纷。再如有的居民把熬药剩下的中药渣倒在十字甬道上，其目的是让人踩踏，把病“带走”。针对这一问题，“道德法庭”开展了“倡导健康科学理念，还社区以清洁”为主题的点评活动，组织社区居民开展“相信科学与反对迷信”、“追求健康与遵守道德”、“培养道德与保护环境”等系列点评活动。通过点评，居民普遍认识到，这种陈年“老例儿”要不得，既影响小区的环境卫生，又带有迷信色彩，其结果是损人不利己。此后相继有“垃圾袋装是与非”、“绿地花坛谁爱护”等多个课题在道德法庭上得到“审理”澄清。

道德法庭设立以来已组织道德建设问题点评7期，接受居民法律咨询23次，协助解决厂、居共建事项5项，吸引参与点评投稿、提合理化建议、参加实践活动的热心居民多达数百人。道德法庭倡导公德建设，维护公众利益，关注公民生活，及时把握社区舆情动态，成为政府沟通百姓的一条特殊纽带，成为创建文明社区的有效措施。塘沽区召开了社区“道德法庭”试点工作总结会议，在全区各街道社区推广“道德法庭”的做法。

（天津市文明办）

天津市宁河县
结合反邪教开展“提高母亲素质”活动

宁河县文明委结合做好“法轮功”修炼人员转化工作，开展了“提高母亲素质”活动。在活动中，全县妇女积极追求文明健康科学的生活方式，自觉用科学思想、科学知识、科学方法和科学精神武装自己，并在建立和睦家庭、教育子女、知法维权等方面都有较大收获。

一是树立榜样，抓活动阵地。他们调动方方面面力量，在全县树立了不同层面的240名“新世纪合格母亲榜样”，并在全县14个乡镇建立了72所母亲学校，使之成为母亲们学习科学文化知识的阵地，开展精神文明建设的“窗口”。二是建立队伍，齐抓共管。建立了活动指导队伍和志愿者队伍，在依法维权、巾帼助学、妇幼保健、普及科学等方面开展教育工作，由县司法系统牵头建立法律咨询站，由县科委负责建立科技辅导站，由县师范学校建立心理关爱站，由县妇联负责建立活动指导站，均免费为全县母亲提供咨询服务，从而形成了各单位协调配合、齐抓共管的工作格局。三是开展活动，抓群众参与。多次举办报告会、座谈会、论文研讨会、读书心得交流会，邀请专家、学者办讲座，进行辅导，吸引广大母亲参与，不仅使她们感到做母亲的伟大，同时感到做一个合格母亲的责任重大。

通过开展“提高母亲素质活动”，宁河全县妇女自身素质明显提高，精神面貌发生巨大变化，读书学习求进步求发展的意识得到增强。

（天津市文明办）

天津大学
建设学生文明宿舍

天津大学由学校的学生部门和后勤部门共同管理学生宿舍，让学生参与学生宿舍管理，取得了初步成效。

天津大学由学校后勤集团负责学生宿舍楼的公共区域管理，学工部负责学生宿舍内部的管理和思想教育工作，并在学工部成立了文明宿舍建设管理办公室，充分发挥两个职能部门的优势。在管理中强调以人为本，充分调动学生自我教育和管理的积极性，在宿舍楼建立由学工部指导、学生组成的楼委会，全面负责学生宿舍内的日常管理工作。楼委会由家庭经济有困难的学生组成，学校以勤工俭学形式支付学生报酬。楼委会不但负责学生宿舍的卫生检查和日常管理，还协助学工部负责宿舍楼的文化建设、思想教育、宿舍楼安全防火、计算机网络安全等工作。

天津大学在工作中，一是通过学生自我管理促进学校管理水平的提高。过去，管理工作由学校有关部门负责，由于管理部门的工作面较宽，对学生情况掌握得不够具体，在管理上很难做到有的放矢，部分学生对这种管理方式也有意见。

楼委会成立后，在学工部的指导和监督下积极开展工作，由于参加楼委会的学生对宿舍情况非常了解，管理比较到位，学生宿舍的秩序、卫生状况等均有了一定程度的提高，广大学生也普遍认同这种自我管理方式。二是以学生勤工助学带动学生宿舍管理。目前，天津大学的楼委会共招聘家庭有困难学生200多人，受聘学生每月可获得200元以上的报酬，从而使这些学生不仅得到实际工作锻炼，也部分解决了经济困难。三是加强对学生的思想道德教育和校园文化建设。一方面，楼委会在宿舍楼内的黑板报及时刊登党和国家的重要政策、法规，党和国家领导人的重要讲话及国际国内的最新消息。另一方面，楼委会还经常组织各种学生们喜闻乐见的书画展、文体活动和竞赛等，丰富学生的业余生活，提高学生自主管理意识，使越来越多的学生主动配合学工部和后勤集团的工作。四是加强对学生宿舍网络的管理。针对网络时代的新形势，学校加强了学生宿舍的网络硬件建设，鼓励学生通过网络开阔视野，获取新知识，同时加强网络管理工作，避免不良信息对学生的影响。楼委会还聘请经过培训的学生专门负责网络管理和网络安全工作。他们不但能配合学校对学生上网进行技术服务与指导，还通过不定期的检查监督，使学生在宿舍的上网行为得到更加有效的管理。

（教育部社政司）

河北省石家庄市新华区
建设社区信用档案

4月4日，石家庄市新华区社区信用档案库正式启用。这是全国第一家记载社区诚信信息的档案库。社区信用档案的登记对象为执法执纪部门、企业、中介机构、市场经营户、社区年满18周岁的公民等五类主体。目前已录入各类信息2.4万余条。社区信用档案向全社会开放，任何单位和个人均可免费查询。

在社区信用档案登记的五类主体中，执法执纪部门被放到了第一位。档案中既有这些部门在政务公开、依法行政、执法透明度方面的记录，也有他们在履行社会承诺、制定执行政策连续性方面的登记，同时还把这些部门获得的区级以上诚信方面的荣誉称号登记在册。

目前，新华区29个执法执纪部门和15个乡、镇、街道全部向社会做了承诺，由社会来监督政府部门的诚信行为。

政府诚信对社会诚信具有导向性作用。全区各部门、各单位通过多种途径实行诚信服务。社区信用档案的建立营造了良好的诚信氛围，为新华区经济发展打造了一块“金字招牌”，1至3月，该区私营企业注册仅有30家，到7月就增加到了150家，个体工商户也由330多户增加到2500多户。“信用”成为企业和个人的无形资产。

社区信用档案让诚信者受益，也让失信者有了压力。在社区信用档案建立前，新华区大小企业老板和个体户不缴个人所得税的比例占70%，现在则下降到了20%。

社区信用档案的建立，在社区兴起了讲诚信之风。如今，新华区志愿者队伍越来越壮大，义务保洁队、红色志愿服务队等新兴的各种社区服务队伍也越来越多，单位守规则、居民讲道德、全区求诚信，成了新华区的单位和居民的新追求。

（摘自2002年10月4日《人民日报》）

河北省邢台市

开展群众性道德实践活动

邢台市从群众关心的热点、难点问题入手，精心设计载体，广泛吸引群众参与，围绕社会公德、职业道德、家庭美德建设，狠抓“读书学史”、《行风热线》、“两会一校”三大工作载体，形成了生动活泼的公民道德建设工作格局。

在企事业单位、机关、学校中，以“读书学史”为载体，大力推进社会公德建设。组织力量编写了《伟大的民族，可爱的祖国》系列丛书。该书对我国的历史渊源、灿烂文化进行了详尽介绍。全市各级党组织围绕“读书学史”活动共组织各类竞赛1200多次，报告会、书评会、座谈会150多次，收到读书体会征文800多篇，以“读书学史”为主题开展群众性文艺活动70多次，参加人数达13万之多。

以《行风热线》为载体，扎实推进职业道德建设。《纲要》颁布以后，对照《纲要》的要求，结合变化了的形势和任务，对进一步办好《行风热线》进行了深入调研，认真谋划，以市委名义下发了《关于进一步办好〈行风热线〉积极推进行风建设的意见》，对《行风热线》的组织领导、运行机制又进行了明确。截至目前，《行风热线》已接听群众热线电话5000多个，接收来信1300多封，接待来人来访860多人次，解决热点难点问题4200多个，解答政策咨询2600多项。

以“两会一校”为载体，扎实推动农村家庭美德建设。“两会一校”是红白理会、道德评议会和婚前学校的简称。红白理事会、道德评议会是农民群众移风易俗的自治组织。红白理事会通过规范人们婚丧观念和行为，教育群众树立文明新风；道德评议会通过评村民道德之行，议人们关心之事，教育人们树立良好的道德风尚；婚前学校，借助政府职能部门力量，抓住青年人成家立业这一关键时期对婚前青年进行系统的教育，使他们树立正确的人生观，自觉承担社会责任，尽到社会义务。邢台市已建成红白理事会4765个，道德评议会3941个，分别占农村总数的91.9%和76.1%；建成婚前学校167所，占乡镇总数的76.5%。

（河北省文明办）

河北省沧州市

“温暖社会、奉献爱心”系列公益帮扶活动

河北省沧州市充分发挥文明单位在两个文明建设中的示范带动作用，广泛开展以“温暖社会、奉献爱心”为主题的系列公益帮扶活动，初步探索出了一条“以人为本、帮教并举、建管结合、

共建共育”的文明单位创建新路子，取得显著社会效益和经济效益。

为配合市委、市政府实施再就业工程，动员社会力量为下岗职工排忧解难，沧州市在文明单位中广泛开展了以为下岗职工“送温暖、献爱心”为主要内容的帮扶活动。每个文明单位联系3名以上的下岗职工，帮助他们解决生活和生产困难，为下岗职工开辟就业岗位，并开展转岗技术培训提供帮助。截至目前，全市文明单位帮扶的4000多名下岗困难职工全部实现解困和再就业。

帮扶贫困村，是沧州市公益帮扶的又一项重要工作。沧州市组织实施了100个省市级文明单位帮扶100个贫困村的“双百帮扶”活动。据不完全统计，各文明单位通过干部职工自愿捐款和多渠道筹资达4000多万元，帮助贫困村打井205眼，建引水渠11条、小水库2个，修小康路、扶贫路51条。

沧州市还积极组织各级文明单位开展了社区结对帮扶活动。市直文明单位共捐款、捐物折合人民币达70多万元用于社区建设，使全市54个社区实现了“三个一百”的目标（即有100平方米办公室、100平方米室外活动场地、100平方米室内活动中心）。

8月，沧州市文明单位广泛开展“助学成才，奉献爱心”活动，在不到10天的时间里，先后有76个省、市级文明单位捐资38.5万元，使全市78名考入重点院校的贫困学生顺利地走进大学的校门。

（摘自2002年12月8日《人民日报》）

山　西　省

十多万人参加道德建设知识竞赛活动

2月至4月，由山西省委宣传部、省文明办、山西日报社、山西电视台联合主办了《公民道德建设实施纲要》知识竞赛活动。

全省各级组织和广大人民群众对这次活动表现出浓厚兴趣，参加答卷的人数达到10.6万人。华北工学院分院党委提交答卷数量位居全省之首。平遥县人民武装部组织了全县的基干民兵连参加竞赛。广西壮族自治区山西籍离休干部陈万枢看到《山西日报》上的竞赛题后，翻阅了大量的资料，寄来了答卷。

经过3个多月的活动，全省学习《纲要》知识竞赛取得了圆满成功，收到了积极的社会效果。4月25日，主办单位在山西电视台大演播厅举行了山西省学习《纲要》知识竞赛暨抽奖、颁奖晚会。太原、晋中、阳泉、晋城、大同5市文明办获组织奖，华北工学院分院等20个单位获先进单位奖，省直工委代表队获电视竞赛一等奖；长治、晋中代表队获电视竞赛二等奖；晋城、省高校工委、省企业工委代表队获电视竞赛三等奖。孙丽军等60人分别获笔答一、二、三等奖。

（山西省文明办）

山西省

思想道德建设征歌大赛及传唱比赛

从2001年底至2002年第一季度，由山西省文明办、省文联主办，省音乐家协会承办，开展了“加强社会主义思想道德建设征歌大赛及传唱比赛活动”。

在不到两个月的时间内，共征集各类歌曲50多首。组织省内有关专家组成评委会，从中评出获奖歌曲24首，由基层文化工作者创作的歌曲《从我们做起》获得了专家的一致好评，被评为一等奖。省文明办组织出版了《从我们做起——山西省“加强社会主义思想道德建设征歌大赛”获奖歌曲集》和录音磁带，并在山西人民广播电台、山西电视台开设专栏进行教唱活动，很快在全省形成了一股传唱学唱公民道德歌的活动热潮。

在经过基层近两个月的传唱学唱活动的基础上，山西省文明办和省文联于4月1日在太原市举行“加强社会主义思想道德建设歌咏比赛”。全省共有11个地市和省直4个工委共15支队伍参加了比赛活动，上台参赛的演出人员达到3000多人。长治市代表队、晋中市代表队获一等奖。

（山西省文明办）

山西省

创建“大运千里文明长廊”

山西省文明办抓住省委、省政府全面铺开建设大运高速公路的契机，在大运沿线各市、县全面开展了“大运千里文明长廊”创建活动。着力打造山西改革开放、开拓前进的新形象。

“大运千里文明长廊”北起大运高速公路的始点大同市，南到大运高速公路的终点运城市，全长650余公里，纵贯山西省南北，途经8市（地）、53县，是全省经济、文化活跃地区，也是带动全省精神文明建设整体突破的战略支点。

“大运千里文明长廊”创建主要围绕实施“五大系列工程”展开。一是实施以社会治安综合治理为重点的平安工程，创建千里安全长廊；二是实施以千里林草带为标志的生态环境工程，创建千里绿色长廊；三是实施以信息、科技、法律为主要内容的素质工程，创建千里信息长廊；四是实施文化资源整合创新工程，创建千里优秀文化长廊；五是实施群众性文明创建工程，创建千里文明长廊。

“大运千里文明长廊”经过一年的创建，已经初步显现出了创建成效。首先是城市品位和格调进一步提升，一批旨在改善城市生态环境的工程，如大同市城郊万亩生态园、朔州市城南城北两个万亩森林公园、太原市汾河生态公园、临汾市滨河工程相继建成，为现代化城镇建设注入新的活力。二是沿线一批重点旅游景点的建设取得明显进展，以10大景区和20个文明示范点为支撑点的文化旅游格局基本形成。三是城乡人民群众思想道德素质和科学文化素质进一步提高，沿线一大批单位相继进入省级、市（地）级文明单位先进行列。

（山西省文明办）

山 西 省

爱心助学行动

山西省文明办在全省组织实施了以资助当年考入大学的贫困家庭学生为主要内容的“爱心助学行动”。

8月初，省文明办向全省省级以上文明单位发出《致省级文明单位的公开信》，号召开展“一助一爱心助学行动”，即一个文明单位资助一个当年考入大学因家庭经济困难而无法入学的学生。公开信发出后，得到了文明单位的积极响应。全省495个省级文明单位无一例外，全部参加捐资助学活动，许多单位在自身财力许可的情况下，都尽可能多的捐款资助。中国网通山西省分公司、山西省电力公司、山西阳光发电股份有限公司各捐助8万元，山西省国税局、省地税局、太原热力公司、太原邮政局等单位也分别捐助5万—6万元。当这些文明单位捐款助学的行动在新闻媒体刊播后，引起了社会的强烈反响。民营企业大同市金龙石油公司总经理李树林、太原恒康乳业公司董事长李健华等企业家主动找省文明办联系，各出资8万元支持“爱心助学行动”。省城的艺术家自发组织义演，将门票收入全部捐献给困难学生。

“爱心助学行动”开展不到一个月时间，全省便收到各方面捐款400多万元，资助1080名家庭困难的大学生顺利迈进了大学校门。“爱心助学行动”受到省委、省政府领导的高度评价，赢得了社会的广泛赞誉。

（山西省文明办）

内 蒙 古 自 治 区

专题宣传“文明新风”

为给党的十六大胜利召开营造良好的舆论氛围，进一步交流经验，宣传和推广典型，展示全区精神文明创建工作的成果，内蒙古自治区文明办与内蒙古日报社共同举办了“文明新风”专题宣传活动，集中宣传了群众性精神文明创建活动中的先进典型。

5月30日至8月11日，在《内蒙古日报》上用20个专版陆续推出10个方面的80个群众性精神文明创建活动中的先进典型，即创建文明城市、文明社区、文明小城镇、文明建制镇（苏木、乡）、文明村（嘎查）、文明行业、文明单位标兵、文明风景旅游区、军警民共建、以城带乡等10个方面的先进典型。为便于全区各地学习先进典型的经验，自治区文明办将10个方面的80个先进典型的经验材料汇编成册，编辑出版了《文明之星——内蒙古自治区群众性精神文明创建工作先进典型巡礼》一书。这次“文明新风”专题宣传活动引起了社会各界的关注，产生了积极而广泛的社会影响，受到广大干部群众的肯定和好评，对推动全区群众性精神文明创建活动的深入发展起到了示范辐射带动作用。

（内蒙古自治区文明办）

辽 宁 省

以“自强敬业”为主题开展道德实践活动

在贯彻落实中央《公民道德建设实施纲要》过程中，辽宁省精神文明创建活动紧紧围绕经济建设中心，紧紧围绕省委、省政府关于“高起点开局，跨越式发展”的总体部署，紧紧围绕确保全省稳定这个头等大事，坚持从具体事情做起，从群众最关心的事情抓起，在全省开展了以“自强敬业”为主题的系列道德实践活动。

在企业职工中，开展“敬业创优树形象”活动。把学习贯彻《纲要》同开展“应对入世挑战，抢抓机遇发展”学习教育活动结合起来，引导职工树立新的自强敬业观，在自强中敬业，在敬业中自强，增强忧患意识、竞争意识，增强应对入世的紧迫感和敢于面对困难、战胜困难的勇气，为深化改革发展企业做贡献。

在下岗失业人员中，广泛开展“自强之路在脚下”活动。帮助下岗职工和失业人员端正就业心态，转变就业观念，强化就业能力，解决就业困难。组织下岗职工和失业人员重回课堂学技能，普遍开设第二课堂，学习与市场经济相适应的新思想、新知识、新技能，提高再就业能力和素质。各级政府为下岗职工和失业人员再就业创造良好的社会环境，保护下岗职工和失业人员再就业的合法权益。各有关部门开展各种行之有效的活动，如“手拉手献爱心”、“不让一名下岗女工掉队”、“优秀青年帮扶下岗职工自立”、“媒体援助就业行动”等活动，帮助下岗职工和失业人员实现再就业。在全省大力宣传和树立有时代特征的再就业先进典型。为下岗职工和失业人员树立楷模，鼓励他们勇于克服各种困难，再创新业。

在社区开展“心连心、共奋进”活动。各社区把开展“心连心、共奋进”活动，热情帮助下岗职工和失业人员树立自强自立意识，做好再就业工作。社区工作人员及时了解本社区下岗职工和失业人员情况，做到底数清，家庭状况清，本人需求清，安置结果清，工作表现清。通过社区大学、市民学校等各种形式加强对下岗失业人员的培训，引导他们树立正确的择业观，提高再就业技能。争创“无待业社区”，大力拓宽社区再就业渠道，广泛开展社区服务，兴办家政服务。组织社区党员干部与下岗失业人员结对子，温暖困难人群，和谐人际关系，弘扬社会主义道德风尚。

全省各级党政机关、各条战线、社会团体广泛地积极地参与以“自强敬业”为主题的道德实践活动，共同构筑下岗失业人员精神保障体系、再就业环境保障体系、基本生活保障体系、再就业培训安置体系等，为辽宁改革发展稳定做出贡献。

（辽宁省文明办）

辽宁省沈阳市商业城皮鞋二场

青年文明号信用建设示范行动

商业城皮鞋二商场的一个展板上，几行大字格外醒目：商品质量保证承诺，保证不高于市内同类型国有商品价格；消费者购货无烦恼承诺，保证“三包”；便民服务承诺，设立多种便民服务项目；经营环境承诺，为消费者营造一个洁净、优雅、温馨的购物环境；优质服务承诺，为消费者提供主动、热情、耐心、周到的高品位服务。

《公民道德建设实施纲要》颁布后，皮鞋二商场深入实施了“青年文明号信用建设示范行动”，促进青年职工强化信用意识，塑造信用形象，展示信用风采。这一活动唤起了青年员工高度的认同感，职业道德建设由此找到了符合客观需求、符合青年思想和工作实际的切入点和突破口。

6月，一位营业员在工作中由于马虎，将价格238元的鞋误开为298元。当时营业员和顾客都没有发现，晚上结账的时候，发现开错了价。第二天，根据顾客档案找到了这位顾客，把差价款送还到顾客手中。顾客觉得这种诚信行为十分可贵，给商场打来电话，表示感谢。然而，营业员非但没有受到表扬，反而遭到了严厉的批评。批评的依据就是“青年文明号”的信用管理制度规定。大家最后取得了共识：“恪尽职守”是员工的服务规范，更是对顾客的信用承诺。

在这个朝气蓬勃的青年集体中，还先后涌现了一批“金牌”营业员。诚信服务，使“青年文明号”的创建过程成为不断提高自身道德文化素养和职业文明水准，不断超越自我的过程。

（摘自2002年7月26日《人民日报》）

辽宁省鞍山市

“自强敬业”系列道德实践活动

辽宁省鞍山市是一个面对困难、机遇与挑战的城市，更是一个信心十足、充满活力的城市。鞍山人之所以有现在的精神面貌，在很大程度上得益于全市开展以“自强敬业”为主题的道德实践活动。

李宴家是鞍山钢铁集团公司化工总厂焦化车间工人，近些年来，他越来越感到光有“老黄牛”那股劲儿还不行，还得勤学习、勤钻研，否则就会落伍。李宴家系统学习了30多门课程。先后取得52项技术革新成果，为企业创效益2800万元。去年，李宴家被评为全国优秀共产党员、全国劳动模范，还被辽宁省命名为“新时代的好工人”。

鞍钢在强化对职工爱岗敬业的教育中，着重引导职工追求职业理想、明确职业责任、提高职业技能，培养了一批技术业务拔尖人才。全公司涌现出全国及省级劳动模范 28 人、市劳动模范 169 人，公司命名的技术专家 132 人、技术拔尖人才 485 人。

鞍山市针对经济转型、体制转轨、结构调整的现实任务，引导广大干部职工进一步树立市场意识、效率意识，使爱岗敬业精神得到了升华。去年 10 月以来，全市职工共实现“双增双节”3 亿多元。

在鞍山市，小铅笔编织工艺有限公司家喻户晓。它的创办者焦素彦于 1991 年下岗，开始了艰难的创业之路。2000 年，她带领下岗姐妹们创办了小铅笔编织工艺有限公司。目前，这家公司已拥有 6 家连锁店，吸纳了 1532 名下岗女工。

万帮会社是 1998 年鞍山市总工会为安置下岗职工再就业而创办的经济组织，其宗旨是“扶贫解困，促进就业，万人入社，帮扶万家”。为组织下岗职工入社，市总工会花了大量的精力帮助他们转变择业观念。万帮会社组织 20 多名下岗女工和身有残疾的职工，开设了“修鞋一条街”，现在已发展到 10 条街，从业人员有 200 多人。

手拉手，共奋进。鞍山市在弘扬自强敬业精神的同时，加大了扶贫帮困的力度。他们开展了“万名干部送温暖，百万市民献爱心”活动。

（摘自 2002 年 10 月 7 日《人民日报》）

辽宁省丹东市

成立市民文明督导队

为深入贯彻《公民道德建设实施纲要》，进一步提高公民的文明素质，丹东市成立市民文明督导队。

成立市民文明督导队的目的是：在全体市民自觉提高文明素质，增强文明修养的基础上，设专人对公共场所中的公民进行文明言行监督和引导，维护公共场所的环境卫生和秩序，强化公民的文明意识，监督少数人的不文明行为，促进文明行为习惯的养成，引导广大市民更加遵守各项文明规则。

文明督导队主要负责对丹东站前广场和市政府东侧广场及新安步行街进行文明督导。对广场、街道内活动人群进行丹东市民文明行为规范宣传。对人群中违反文明行为规范的人进行监督和教育。维护广场、街道内的环境卫生。维护广场、街道内的公共设施。支持健康向上的文化娱乐活动。

市民文明督导队在执勤中，广泛宣传公民基本道德规范和社会公德、职业道德、家庭美德；宣传“三管住、六个不”，即管住自己的嘴，不说粗话脏话，不随地吐痰；管住自己的手，不乱扔杂物，不损坏公物；管住自己的腿，不斜穿马路，不践踏草坪，并督促广大市民执行丹东市民“十不准”行为规范：①不准随地吐痰、便溺。②不准乱扔杂物、乱泼污水。③不准乱倒、乱涂、乱贴、乱画。④不准从窗口向外抛杂物。⑤不准损坏公物。⑥不准破坏绿化成果。⑦不准在规定的禁烟场所吸烟。⑧不准设局赌博。⑨不准打人骂人，说粗话脏话。⑩不准打卦、算命、看手相。

（辽宁省文明办）

吉林省通化市

“通化山城是我家，我为山城添光彩”系列道德实践活动

为动员全社会力量，积极参与城市建设和管理，既弥补城市建设资金的不足，又使市民在参与中受到教育，自身素质得到提高。通化市在市区组织开展了“通化山城是我家，我为山城添光彩”系列道德实践活动。

一是组织万人治脏战役。组织市直各有关部门干部群众近4万余人，出动车辆300余台次，清理垃圾万余吨，疏通沟渠6000延长米，清理乱贴乱画8000余处。二是组织社会力量参与公益事业建设。协调61家单位，参与城市建设和改造工程，建绿地13块，修路12条，修建公厕35座。三是开展“山城之夜”广场文化活动。活动从5月29日至9月27日，演出28场，演出573个节目，观众达60余万人。通过这一系列道德实践活动，不仅城市面貌发生了根本变化，城市基础设施建设取得了突破性进展，而且吸引了成千上万的群众积极参与，使群众在参与中陶冶了情操，提高了道德素质。

（吉林省文明办）

共青团吉林市委

“青春辉映夕阳红”敬老志愿服务

共青团吉林市委按照团中央、团省委的统一要求和部署，组织开展“青春辉映夕阳红”敬老志愿服务活动，并把这一活动作为18岁成人仪式教育中的重点内容，以推动尊老爱幼、老少共融良好社会风尚的形成。在这项活动中，全市60多所学校的3万多名14—18岁的中学生参加，收到了良好的社会效果。

活动初期，吉林团市委在市、区民政部门及街道的大力协助下，选择基础较好的社会养老服务机构作为中学生成人预备期敬老志愿服务基地。对全市所有社会养老机构进行调查统计，摸清数量和需求，将那些有服务需求的老人列为开展志愿服务的对象，并不断扩大敬老志愿服务的覆盖面和参与面，使活动延伸到街道、社区，将10所社区老人活动站作为基层志愿服务基地。在活动方式上，采取了“一助一”或“多助一”的方式，如吉林市信息工程学校与龙潭区龙潭乡敬老院对接，毓文中学、工留职业技术学校共同对接吉林市社会福利院。在整个活动过程中，共形成79对集体助集体对子，371对个人助个人对子、626对

集体助个人对子。

吉林团市委会同市教育局、市民政局、市学联印发了《关于组织开展吉林市2002年18岁成人仪式教育活动的通知》，成立了活动领导小组。制作了市级“中学生成人预备期敬老志愿服务基地”牌匾，对40家市级基地实行挂牌服务，各校根据服务的特点和范围在基地内悬挂服务公约。统一制作《中学生成人预备期敬老志愿服务活动基地老人登记簿》、《中学生成人预备期志愿者情况登记簿》、《中学生成人预备期志愿服务活动记录簿》，为中学生制定服务记录卡，客观、公正地记录中学生的服务情况，作为评判学生服务质量的依据。

为了使“青春辉映夕阳红”活动深入、持久地开展下去，团市委组织各基层团委进行座谈，交流经验，了解情况，帮助他们解决实际工作中存在的问题。为让“青春辉映夕阳红”活动取得广泛的社会效益，团市委在抓好40个活动基地的同时，组织全市中学生为无劳动能力、无生活来源、无赡养人的老年人以及有特殊困难的老干部、老职工、老科技工作者、老教师等提供长期的敬老志愿服务。

（共青团中央宣传部）

黑龙江省

转变机关作风　创建经济发展良好环境

为了创建经济发展良好环境，黑龙江省从龙头抓起，认真转变机关作风，开展文明机关建设活动。

以贯彻落实《公民道德建设实施纲要》为契机，提高干部职工的整体素质。许多机关结合贯彻《纲要》，制定了行为规范，加强职业道德的基本理论、基本原则、基本规范教育。引导广大干部树立崇高的职业理想，养成良好的职业道德，掌握精湛的职业技能，遵守严格的职业纪律。通过创建文明机关等活动，深化道德实践，引导干部职工在职业行为中自觉履行职业道德要求，塑造良好的机关形象。各级机关还不定期组织干部职工学习新知识、新技能，开展岗位练兵和形式多样的技能竞赛与评比活动，以适应形势发展的需要。

以新世纪黑龙江人形象教育活动为载体，推广优质规范化服务承诺制。为把形象教育活动落到实处，在省直单位开展了规范化优质服务承诺制活动。首批推出了省国税局、省电力有限公司、省电信公司等12家窗口部门和执法部门，在报纸上公布承诺内容和监督电话，主动接受社会监督。随后组织省内新闻单位对12家单位的践诺情况进行了集中采访，播发稿件近70篇，受到了群众的好评。省社会调查所又对有关窗口部门进行了明察暗访，形成了近万字的调查报告。将其中反映的问题逐一反馈给各单位，督促其进行认真整改，集中解决了一些热点难点问题。为将这一活动进一步引向深入，又推出了省出入境检验检疫局、省质量技术监督局、省移动通信公司等20家党政机关、窗口行业和执法部门作为第二批承诺单位，进一步拓宽了承诺的领域和范围。各部门通过逐步健全目标管理机制、领导责任机制、投入保障机制、奖励约束机制，保证承诺制活动常抓不懈，常抓常新。

以树立机关的良好形象为目标，大力开展文明机关和文明行业创建活动。围绕建设廉洁、高效、务实、文明的机关这一目标，按照“拓展领域、充实内容、改进方法、提高水平”的思路，广泛开展创建文明机关活动，切实加强机关职业道德建设，提高机关干部整体素质，努力转变机关作风，树立机关的良好形象。领导机关不仅率先垂范，还充分发挥示范辐射作用，推动本系统文明行业建设，形成抓机关、带直属、促战线的创建格局。

（黑龙江省文明办）

黑龙江省鸡西市

创三优　强素质　树形象

黑龙江省鸡西市把“创三优、强素质、树形象”活动作为深入贯彻“三个代表”重要思想的具体工作，紧紧围绕“一改两开、富民兴市”的总体目标，全面推进活动的开展。

着眼于提高人的素质，塑造良好的公民形象。抓住贯彻《公民道德建设实施纲要》的契机，市委、市政府统一安排教育活动，各部门、各单位结合“塑造鸡西人形象”，开展了不同形式的教育活动。市直机关工委在全系统开展了“作风建设年”活动，大力强化机关思想作风、学风、领导作风建设。市委宣传部以提高干部素质为目的，开展“素质提高年”活动，广大宣传干部立足岗位，苦练基本功。全市开展的“讲道德、强素质、树形象”活动、“百佳评比”活动在群众中引起强烈反响。

从解决人民群众最关心的问题入手开展创建活动，精心设计载体，做好服务文章。市环保局围绕“听民声、顺民意、解难题”，设立了12369热线电话，实行“一条龙”现场办公，集中解决了一批热点难点问题。市百货公司全面推行了信誉服务承诺制，为消费者提供优美环境、优质服务、优良品牌、优秀形象，落实统一标识、明码实价、开架自选、统一管理，使消费者明白消费，服务质量全面提高。市司法局推行承诺制度、办事公开制度、挂牌上岗制度、文明用语和文明忌语制度，每个干警都要做到“进文明门、说文明话、办文明事、做文明人”。市教育局在师德师风教育活动中，开展自查自纠和学生满意率测评活动，并把测评结果记入教师个人档案，作为聘用、评职评优的依据。虎林市通信公司从方便用户出发，实行先装机、后交费服务措施；为方便农村用户，设立了流动服务车。鸡西火车站开展了“006”服务活动，即零距离服务、零距离投诉和六项便民措施，增强了旅客对车站的信誉度。

创建城市品牌，共建美好家园。全市集中力量治理了号称鸡西“龙须沟”的城市边缘垃圾场和死水泡，建立了占地31.2万平方米，5个功能区，由22个建筑物组成的河滨小区，成为全市的名牌工程。边城密山、鸡西发电厂等单位建设了一大批造福群众、美化城市的精品工程，使全市城乡面貌一新。各地抓住“创三优、强素质、树形象”这个载体，治理了“三不管”地区的积存垃圾、闭矿矿区的环境卫生和城市周边的白色污染等城市脏乱部位，使城市的基础建设水平和文明程度有了明显提高。

（黑龙江省文明办）

黑龙江省鹤岗市

实施四大工程 加强公民道德建设

鹤岗市为进一步推进《公民道德建设实施纲要》学习实践活动，在全市实施了学习、宣传、基础、典型“四大工程”。学习工程：编辑了辅导手册，下发到全市各级党组织，开展《纲要》知识竞赛，举办培训班，促进全市学习的不断深入。宣传工程：在新闻媒体开辟“热爱鹤岗、争做贡献”、“煤城新风”、“公民道德建设大家谈”等专栏、专题，把4、5月份定为学《纲要》宣传月，组织3次大型宣传日，举办“学《纲要》、讲文明、树形象、做贡献”漫画巡回展览，围绕“我爱家乡鹤岗”、“十万富民行动”举办征文活动，展示干部群众精神风貌。基础工程：加强社区建设，确立社区示范点，发动单位开展一对一帮扶活动，为公民道德建设提供坚强阵地；加强了城市宣传阵地的基础建设工作，在城市繁华地段、道边门口、营业厅设立以20字基本道德规范为主要内容的灯箱、标语牌，广泛宣传公民道德规范。典型工程：命名表彰“十大特等功臣”等一批先进典型，开展“万名文明市民学《纲要》，做贡献”活动，开展优质服务竞赛活动，命名一批文明服务示范点，在全市兴起实践《纲要》的良好氛围。

（黑龙江省文明办）

上 海 市

“青春的节日”文艺巡演

4月17日，由上海团市委和市文广集团共同举办的“青春的节日”——2002年上海青年文艺巡演活动在松江大学城举行首场演出。在半年多时间的巡演中，专业演员下到区县、社区、学校、厂矿企业巡回演出300余场，成为上海精神文明建设的一个亮点。

团市委和市文广集团利用各自优势，策划举办了本次巡演活动。巡演活动经费由团市委和市文广集团解决，基层单位只需要为演出单位准备相关的演出场地和简单的音响灯光等设施，大大地减轻了基层的负担。团市委和市文广集团各拨出专项资金100万元，使巡演活动有充足的资金保障。团市委还对全市各级团组织提出明确要求，要求他们务必按照“立足基层，面向团员，主题鲜明，务求实效”的原则，高度重视、精心组织、抓好落实，力求使巡演活动成为团组织服务青少年的工作品牌。

团市委首先建立健全工作网络，由活动主办单位组成巡演活动办公室，指派专人负责日常演出的联络和组织协调工作，同时各基层团组织和参加演出的文艺院团也明确了联络员，保证演出过程中的信息沟通；其次定期召开联络员协调会议，安排基层团组织与演出单位见面，现场安排下阶段演出时间、场次以及内容，并对演出进行确认；第三是建立过程跟踪机制，通过演出确认单的方式，及时掌握每一场演出的后勤保障、演出质量、观众反响等方面的情况，还派出工作人员不定期对演出场次进行抽查，发现问题及时纠正，并在下一阶段的工作会议中加以提醒。

主办单位组织了文广集团所属文艺院团，把广大青少年喜闻乐见的文化艺术作品，以广场演出、剧院演出等形式，送到基层广大青少年中。主办单位为基层提供的第一批27套精彩节目，既有诸如京昆、芭蕾等专业性的演出，也有综合性的文艺专场，还结合青少年特点，专门组织力量创作新节目奉献给观众。很多上海的知名演员和文艺工作者，不顾巡演时间间隔短、演出条件艰苦等困难，坚持到第一线，以一流的艺术水平为群众演出。

各级基层团组织将“青春的节日”同本单位纪念建团80周年等重点工作结合在一起，活动开展得有声有色。演出现场观众队伍组织有序、后勤保障及时有力，许多社区文艺爱好者也纷纷与知名演员同台献艺，台上台下，观众演员融成一体，场面热烈。

团市委和文广集团还组织了专场文艺演出送往铁路沿线、部队驻地、上海驻外省市单位以及劳改农场，让更多人能够享受到文艺带来的欢乐。

（上海市文明办）

上海市徐汇区
“与文明同行”创建活动

近年来，在徐汇区委、区政府的领导下，在徐汇区各职能部门和社会各界参与支持下，徐家汇地区管委办以创建文明示范标志区域为抓手，以整治交通、规范行人走路为切入口，开展一系列“与文明同行”创建活动。

一是组建一支交通协管员队伍。徐家汇地区管委办在下岗、待岗人员中选聘了40多名具有一定文化知识、形象较好、素质较高的人员组建了徐家汇地区交通协管员。这支统一着装、纪律严明、精神饱满的交通协管员队伍在徐家汇广场各主要道口、公交站点协助交巡警进行交通管理，教育行人遵守“七不”规范，遏止行人乱穿马路，同时发挥另外7支管理队伍（广场治安队、交巡警四中队、城管广场分队、自行车管理服务部、女子清扫班、卫生执勤队、园林三队）联合执法作用，确保徐家汇地区文明示范标志区域良好的交通秩序、整洁的环境。二是采取“上下”联动，加强徐家汇地铁出入口管理。由于地铁出入口处于地面管理和地下管理的结合部，地铁14个出入口连接徐家汇商圈各主要商厦，无照商贩、乞丐和小偷利用薄弱环节乘虚而入，影响行人交通和社会秩序。徐家汇地区管委办运用“上下联动”的管理机制，协调组织地铁徐家汇派出所、徐家汇警署、区城管大队广场分队进行联手整治，确保了徐家汇各地铁出入口安全、有序。三是增强徐家汇地区各单位参与巩固文明示范标志区管理的积极性。管委办多次召开商家负责人联席会议，结合《公民道德建设实施纲要》的学习，在单位职工中开展“我与文明同行”宣传教育活动，使各商家营业员成为活动的宣传者和示范者。四是动员各商家落实专职人员，管好各自门前人行道车辆出入口，规范社会车辆的出行停车，遏止行人乱穿马路。五是不断完善徐家汇地区专项检查和管理问题反馈制度，对存在的问题及时反馈有关职能部门，督促整改。六是邀请市区人大代表、政协委员、市民巡访团成员对徐家汇地区检查指导。经过几年的努力，徐家汇地区的交通秩序得到了明显改善。

为贯彻落实上海市《关于加强道路交通管理法制宣传教育工作的实施意见》，结合城区实际情况，徐汇区有系统地组织安排道路交通管理法制宣传普及工作。一是对社区65名交通安全管理干部和联络员进行了专职培训，根据社区居民特点，制作通俗易懂的交通安全宣传图片70块。二是设立13个交通安全宣传园地，以居民楼组为单位开展交通安全知识竞赛，组织社区交通安全志愿者进小区，上大街，宣传交通安全知识，劝阻行人不乱穿马路。三是各街道、镇将社区的交通安全工作与创建文明社区、文明小区工作相结合，成立了社区道路管理法制教育工作小组，将社区道路安全宣传教育工作纳入社会治安综合治理考核标准中，有效地推动社区、道路交通法制宣传教育工作的开展。

在开展“行车走路讲安全——与文明同行”活动中，各街道根据各自不同的特点，开展形式多样的交通安全宣传活动，如虹梅街道根据城乡结合部和漕河泾开发区的特点，在小区内实施“五个一”工程：即一块交通安全小挂板、一只交通安全联系箱、一个交通安全播放点、一个外来民工交通安全教室、一个交通安全咨询点。康健街道根据居民小区特色，建立“交通安全警民联系箱”，设立交通安全宣传园地，自制交通安全宣传展板在居民区内巡回展出，以典型案例教育居民遵守交通法规。同时，在社区内建立驾驶员登记册，记录统计接受交通安全宣传教育的人次。天平街道设立“交通安全播放点”，使社区交通安全宣传延伸到每个小区。徐汇区还组织千名交通安全志愿者深入小区，向居民宣传《居民文明交通须知》。徐家汇港汇广场展出的120块交通安全宣传展板和80块交通安全黑板报，加大了宣传力度和广度，有效增强了社区居民和行人的交通安全意识。

（上海市文明办）

上海市卢湾区
居民公约实践活动

“国事家事社区事，事事关心；扶弱助残献爱心，富而思进；公共设施大家护，物业添寿；饲养宠物不扰邻，和谐相处……”走进上海市卢湾区五里桥社区，几乎每个小区和楼组都张贴有居民们制订的“居民公约”。

人生活在一起，难免有时磕磕碰碰，邻里之间也免不了矛盾，一些诸如卫生、安全等“鸡毛蒜皮”的事，法律管不着，政府又管不了，该怎么办？

卢湾区五里桥街道桑城小区由4幢高楼组成，以前一些不文明的行为引发不少邻里纠纷。于是，居委会在组织志愿者协助物业管理加强巡视的基础上，想到了让居民们自己订立公约、自己遵守的办法。

像桑城小区这样制订居民公约的做法，如今在卢湾区已经遍地开花，全区有68个居民区制订实施了居民公约，覆盖率超过90%，并且形成了34个社区公约、75个小区公约和207个楼组公约。

居民公约出现后，卢湾区各社区出现了居民自觉守约或发生矛盾让公约主持公道的新鲜事。过去一些吵得不可开交的事，如今对照居民公约，许多问题在心平气和中解决了。

在卢湾区，与居民公约配套的除了居民协调会制度，还有“道德点评台”，小区居民都是“道德点评台”的热心参与者，他们围绕一些好人好事和不文明的现象开展评议。现在，小区里只要出现不文明的现象，就会有人站出来批评。同时，公约也激发了更多群众投身社区文明建设的积极性，在社区形成了邻里和睦、守望相助的好风尚。

（摘自 2002 年 9 月 24 日《人民日报》）

上海市长宁区
青少年道德评议活动

长宁区华一居民区的部分青少年，针对少数居民的不文明行为，在社区道德评议栏公布并加以评论，此举得到许多居民的好评和支持，产生了良好的反响。

长宁区建立了 16 个社区青少年道德评议栏。在 80 多个青少年绿色文明园、小区文化园和青少年文明楼组中，又出现了 120 多个以青少年为主角、各社区居民自发开展的楼组道德评议栏。长宁区的青少年道德评议活动，成为上海公民道德体系建设和社区文明建设中的重要一环。

长宁区团委在区委的领导下，开展“上海市社区青少年道德建设行动”试点工作。他们组织引导青少年，针对身边的人和事开展道德评议，通过“小手牵大手，文明路上大家走”活动，促进青少年自身和居民群众道德水平的提高。在活动形式上，经楼组居民大会推举，组成楼组道德评议委员会，再由他们在社区、楼组居民内征集、筛选、确定每月一个评议主题。一些社区的评议公示栏有个形象的名字：“群众的眼睛”，设有“道德烛光”、“道德天平”、“道德红绿灯”等栏目，对居民区发生的事进行褒贬分明的评议。

在虹桥街道虹储小区，活跃着一支由小区青少年组成的道德评议小组。有一次，小朋友们在讨论中提到，要关心生活在小区的孤寡老人们，倡议发出后，自愿报名的青少年络绎不绝。如今，敬老服务在虹储小区已蔚然成风。

新泾镇双泾村地处长宁区西郊，人称“都市里的村庄”。为了养成文明习惯，提高村民文明意识，全村开展了一场“与不文明行为决裂”的讨论，青少年道德评议小组将不文明行为整理成文，并配上漫画，在村里科普画廊张贴，在全村形成了“做新时代农民”的舆论氛围。

“信息化凝聚青少年，信息化促进道德建设”，这是江苏路街道青少年“电子社区”提出的口号。青少年“电子社区”开通以来，深受青少年和家长们的欢迎，被誉为“绿色网站”。“电子社区”论坛也是青少年进行道德点评、思想交流的新天地。在“道德火花”论坛上，对一些社会现象和行为习惯进行点评。

南汪居委会的道德评议栏——“有话大家说”设立以来，许多居民纷纷在评议栏上对小区的精神文明建设提出自己的想法和建议。如今，小区处处洋溢着文明新风。

（摘自 2002 年 7 月 27 日《人民日报》）

江苏省无锡市

市民文明交通工程

江苏省无锡市确立争创全国文明城市的目标，以营造城市新秩序、新环境为突破口，深化文明城市创建工作。自2001年9月份起，由市文明委统一组织，在全市策划实施了“市民文明交通工程”，旨在通过为期3年的不懈努力，以宣传教育、严格管理、道德实践为具体实施途径，促成广大市民“文明行车”、“文明乘车”、“文明行走”，使市民的道德素质有明显提高、城市综合环境有明显改善。

一是抓宣传教育，着力提高市民文明交通意识。无锡市举行市民文明交通万人签名活动，开展交通法规宣传咨询；散发《致市民群众的一封信》、文明交通守则、公交乘车指南等宣传材料，开展道路交通法规宣传咨询；举办交通安全宣传流动图片展览，宣传“市民文明交通工程”活动的主要内容。全市共有10万多名市民在主会场及各城区的9个分会场上参与了“实践公民道德，从文明行车、文明乘车、文明行走做起”签名活动；制作分发了文明交通宣传折页、广告宣传画、文明交通守则、公交乘车指南等各类宣传品15万份；在8条公交示范线路的公交车和近千辆出租车上悬挂“文明交通”红色宣传旗4000多面；全市各主要新闻媒体加大宣传力度；在市区主干道和社区道路两旁设置1300块公益广告，窗口单位和居民社区张贴1万份招贴画，营造浓厚的氛围。同时，在社区居民中广泛开展以“文明行路光荣、乱穿马路可耻”为主题的宣传教育，在大中小学的素质教育中纳入文明交通教育内容，在外来人员中加强文明交通教育。

二是抓严格管理，着力强化市民文明交通行为。无锡市组织公安交巡警、交通运政管理、城管监察和解放军警备纠察4支执法队伍近200多名执法人员举行“文明执法、严格管理”交通违章集中整治行动，严格纠正闯红灯、车辆随意掉头等各类违章行为。命名了5个“创建文明交通重点地域”、8条“公交文明示范线路”和80辆“文明示范出租车”，并要求做到“十不”：即不闯红灯，不违章鸣笛，不越线或逆向行驶，不乱停乱放，不违反客货运载规定，不随意斜穿马路，不在有碍交通与安全的地方拦乘车辆，不违章带人，不在乘车时发生有违公德的行为，不擅自占用道路从事非交通活动。对政府公务用车、驻锡部队和政法机关机动车的交通违章，统一实行抄牌通报制度。设立完善一批公交车、出租车停靠点，方便市民上车和公交车、出租车停车。对设灯路口的非机动车闯红灯、越线停车、自行车带人等违章现象实行“违章必罚”，并对拒绝接受教育和处罚的违章者，通过查验身份证，实行不良行为记录。此外，无锡市文明办还把实施“市民文明交通工程”与群众性精神文明创建工作相结合，把开展文明交通宣传、落实交通安全责任制情况作为文明（社）小区、文明单位评比的一项重要指标。

三是抓道德实践，着力提高市民文明道德素养。2002年春节期间，组织全市部分文明行业、文明机关和社区干部群众6000多人次利用假日参与市区主干道的文明交通宣传、协勤和摩托车助力车普查活动；五一、十一黄金周期间，又组织注册志愿者、驻锡部队官兵、交通和旅游行业部分干部职工近3000人次在火车站、长途汽车站地区开展公交乘车、市内旅游咨询和交通引导服务等，发放文明交通宣传资料6万余份。同时，在公安局交巡警队伍中开展“规范服务、文明执法”活动，重点抓好规范文明用语、规范值勤指挥、规范执法行为。发挥“市民道德建设寻访团”的作用，用摄影、文字等形式，对交通秩序和市民不文明交通行为进行明察暗访，引导广大市民群众自我参与、自我教育、自我监督。组织全市100多名“爱心车队”的出租车司机积极开展为外地车辆引导等活动，并在出租车行业和公交行业开展“树职业道德新风、争当文明驾驶员”的竞赛。成立无锡市注册志愿者“文明交通”活动总队，在“全国创建文明城市工作示范街”——中山路上建立“文明交通道德实践基地”。发动市志愿者总会、市第四人民医院和市供电、卫生、国税、教育、电信等文明行业、文明单位包干部分交通主干道、公交站台。组织注册志愿者和单位员工利用双休日、节假日开展交通协勤、宣传服务和对不文明交通行为进行劝导。

“市民文明交通工程”活动的开展，增强了市民的社会公德意识，营造了良好的交通秩序，使市民的道德素质有了明显提高。

（江苏省文明办）

浙　江　省

信用浙江千里行

3月，浙江省全面启动以“信用浙江千里行”为载体的诚信主题教育活动，以推进全省信用体系建设。

活动开始后，浙江省委宣传部牵头，会同省文明办、省经贸委、省工商局、省技监局、省物价局等有关职能部门，组织浙江日报、浙江广播电台、浙江电视台等新闻媒体，赴全省11个市进行深入宣传报道，以推动全省各地信用体系建设。各级党委、政府齐抓共管，全社会广泛参与，共同营造“信用浙江”建设的良好舆论氛围。杭州市在《杭州日报》上开辟“信用建设大家谈”专栏，引起了市民的广泛关注。宁波市实施“企业信用工程”，制定信用建设实施意见。台州市以发生在身边的案例为切入口，在全市组织开展了“信用台州”大讨论，反响强烈。衢州市开展了“信用衢州城乡行”活动。苍南县从制度建设入手，加大信用建设力度，初步扭转了一度信用失范现象。

活动着眼于加入世贸组织后经济发展对诚信建设的必然要求，把“维权与诚信”作为活动主题，并与整顿和规范市场经济秩序和文明城市、文明行业创建等工作相结合。重点抓住4个方面的内容：一是政府信用建设。推行政务公开、承诺制、审批制度改革。如推行涉农价格和收费公示制，建立办事中心，改善经济社会发展环境等。二是经济信用建设。围绕“百万企业信用工程”建设，突出对医疗器械、泵业、荧光灯管以及印刷业、专业市场的整治，加强对金华西四街、衢州上下街、杭州大厦、宁波长发商厦等一批“百城万店无假货”示范单位和一批窗口行业进行宣传报道。三是法制信用建设。四是全民道德信用建设。重点宣传报道在贯彻落实《公民道德建设实施纲要》和《浙江省公民道德规范》活动中涌现的各类先进典型。

活动采取政府推动、媒体运作的形式，发挥政府职能部门的行政优势和新闻媒体的宣传优势，取得了良好成效。省级新闻媒体开设活动专栏，进行集中宣传报道，形成了强大的新闻舆论声势。据初步统计，“信用浙江千里行”新闻采访团共采访近百家企事业单位和有关领导，编发几百篇新闻报道，在全省上下营造了良好的诚信氛围。

（浙江省文明办）

浙江省杭州市上城区

创新道德建设活动载体

杭州市上城区在公民道德建设中，精心设计载体，开展生动形象、丰富多彩的活动，宣传贯彻《公民道德建设实施纲要》和《浙江省公民道德规范》，呈现出宣传声势大、载体形式新、群众参与广的特点，取得明显效果，使《纲要》、《规范》真正进社区、进市场、进企业、进学校、进家庭，营造了浓厚的道德建设氛围。

百场公民道德宣传文艺演出活动。全区共组织了100余场次公民道德宣传文艺演出，20多万人观看了演出。演出节目取材于身边的典型人和事，由街道和社区干部群众自编自演。为了使更多的群众参与到活动中来，不少街道还把演出舞台搭到专业市场，让忙得脱不开身的生意人、外来民工也受到教育。

百句道德格言征集活动。共征集到道德格言1000余条，从中精选出387条配上图案，制作成“道德宣传折页”发到社区群众手中，用内涵丰富、形象生动的道德格言鼓舞和激励广大群众。区教育局给全区2万余名中小学生布置了特殊“家庭作业”，让学生与家长一起编公德语，做公德灯。有的街道请辖区内的书画爱好者把征集到的格言佳句书写成字画，或送到居民家中，或悬挂在特色楼道中，让居民看在眼里，记在心上，落实在行动中。

百块公德宣传牌进社区活动。把从群众中征集到的道德格言，制作成500块图文并茂的公益宣传牌，挂到社区和楼道。在主要路段建起了6块大型公益广告牌。

百位好公民评选活动。在街道评选的基础上，区里评出了“西博会志愿者——沈伯欣”、“社区义务保健医生——邱元昌”等10位区级“十佳公民”，并在报刊上宣传他们的事迹。

文体百佳评选活动。评选表彰了在全区公民道德教育活动中涌现出来的“十佳宣传员”、“十佳文艺团队”、“十佳文艺家庭”、“十佳文艺新苗”等10类文体活动先进人物。

（浙江省文明办）

浙江省余姚市沿山村

道 德 立 村 新 风 来

从经济实力、文化水平上看，沿山村在当地不是冒尖的村，迷信活动、不赡养老人、婆媳对簿公堂、村容脏乱差一度在沿山村也时有发生，但实践《公民道德建设实施纲要》一年多来，这里发生了喜人的变化。

村口的“道德广场”是沿山村的标志性建筑。

2002年初，余姚市委把沿山村作为实施《纲要》的试点村后，村里筹资20多万元兴建了公园式的道德实践基地。“道德林”则是村民道德实践的展厅。这里有儿女为老人祝寿的长寿树，有新婚夫妇栽的同心树，有入伍新兵栽的报国树……

村委会两层小楼旁的“道德夜校”，是一个可容纳近百人的村民教育阵地，村里人常聚到这里，参加各种讲座或讨论会。对党员干部，采用辅导与自学相结合的方式；对村民代表，重点进行以德治村教育；对老年人，重点进行破除迷信、移风易俗的教育；对家庭主妇，交流长幼亲情教育；对青年人，开展个人修养教育；对中小学生，重点进行礼仪教育。

在沿山村，“道德窗”里每月评议村里发生的各类事件，表扬真善美，鞭挞假恶丑；“道德亭”里则矗立着本地古代名医的塑像石碑，弘扬助人为乐的美德；长达50米的“道德墙”上有着自编的道德教育三字经，朗朗上口，妇孺皆知。

村民道德素质的培养，最先化作营造和谐优美居住环境的动力。如今，全村基本实现“村内无粪缸、路面无垃圾、水面无杂草”，成为一个“村在林中，屋在树中，人在画中”的生态村庄。

用诚信开拓市场是沿山村村民道德建设促进经济社会发展的一个侧面。承诺丧事简办的19位老人，节省的近10万元全部投入到新产业；2002年全村近200户村民进军苗木花卉业，新增苗木基地500多亩。

（摘自2002年10月5日《人民日报》）

浙江省舟山市

推行义工制度 倡导良好风尚

为进一步推动公民道德建设健康发展，舟山市从8月份起，在全市社区广泛推行义工制度，倡导“有时间做义工，有困难找义工”的良好风尚，有力促进了思想道德建设，促进了文明城市、文明社区创建。

舟山市成立了义工工作指导委员会。市里主要领导身先士卒，积极报名参加所在社区的义工组织，为义工工作的开展作出了表率。为增强义工工作的吸引力、生命力，实现良性运作和可持续发展，该市初步建立了一套有效的义工工作运行机制：一是建立规范的管理机制。市里制定义工联合会章程、舟山市义工管理制度、义工服务站管理办法等，推行每月一天的义工统一行动日制度，建立以义工的招募、注册、培训、考核和参与服务为主要内容的义工管理机制，实现义工工作的规范化运作。二是建立义工工作考核激励机制。市里把义工工作纳入精神文明建设和文明社区、文明单位考核的主要内容。鼓励和发动学生、公务员、党团员参加义工组织，形成全社会都来参加义工的氛围。教育主管部门把学生参加义工工作纳入到素质教育和教学考核体系中。各级义工组织建立“小时储蓄制”、“星级制”、“评优制”等义工评估表彰制度。政府每两年表彰一次十佳义工、优秀义工服务站，受表彰的义工在企事业单位招聘、学校招生时在同等条件下优先录用、录取。三是建立义工工作物质保障机制。义工组织的工作经费由财政拨款和自筹捐助组成，各级财政部门将同级义工组织必要的工作经费纳入年度财政预算。鼓励义工组织通过社会化方式筹储工作经费，鼓励国家机关、企事业单位、社会团体和个人对义工组织进行捐助、资助。街道、社区为社区义工服务站建设创造条件，提供必要的场地和设施。

为使义工制度区别于过去志愿者工作，使义

工有归属感和认同感，该市建立了市（区）义工联、街道义工服务中心、社区义工服务站的组织体系。把社区义工服务站作为组织网络建设的关键环节，统一制定了社区义工服务站“八个一”建设标准。所有义工实行注册会员制度，分三类进行公开招募：第一类是普通义工。通过社会招募方式，把一大批志愿从事义工服务、有服务技能的热心人士吸收到义工中来，并根据其特长、爱好、志愿，由义工宣传团对义工进行必要的培训后，分别组建各类义工服务队。第二类是义工骨干。从义工队伍中选拔一批具备组织管理能力、时间和精力允许的义工承担一部分组织工作，以逐步向义工组织“自我管理、自我运作”过渡。第三类是团体义工。以系统为单位加入，机关、企事业单位、群众团体、学校可以发挥各自的专业技术优势，成立各类专业性的义工会员团体。各行政机关、企事业单位、学校社区也积极发动，引导广大市民参与到义工队伍中来。各级义工组织分别对他们进行了入会培训、注册、登记，并根据特长、爱好、志愿，分别组建了各类服务队。

全市各级义工组织本着“党政关心、社会所需、义工所能”的原则，把着力点放在公益性、扶困性、文化性的服务项目，着重在市场机制难以奏效、政府管理相对薄弱的地方发挥作用。为增强服务的实效性，社区义工服务站通过上门走访、分发调查表等形式，认真调查辖区内需要的服务项目和服务对象，确定了四大系列服务项目，即以完善社区服务功能为目标的社区文化、教育、环保、治安、家政服务；以关注社会弱势群体为重点的助学、助老、助残、助病、助困等一助一、多助一扶贫帮困服务；以心理健康、法律援助、就业介绍为主要内容的热线咨询服务；以参与重大节日和各项大型公益活动为主要内容的团体性义工服务活动。定海区为迎接国庆和重阳节，组织义工先后开展了“与你同行”、“与你同乐”、“百名义工进百家”助残助老三大系列活动。普陀区6个社区义工服务站紧紧围绕中秋节、国庆节、沙雕节、老人节等，开展了“每月一次义工统一行动日活动”，组织义工举办“爱在中秋”与困难家庭共度佳节活动；开展上街清理非法广告活动；组织义工对社会低保户开展“献爱心，回报社会”等丰富多彩、富有成效的义工为民服务活动，受到了社区群众的普遍好评。

（浙江省文明办）

安徽省合肥市

大学生公益广告设计大赛

为深入贯彻《公民道德建设实施纲要》，大力开展群众性精神文明创建活动，9月起，由合肥市文明办和中国科技大学计算机系联合主办，安徽电信公司合肥分公司协办，在全市各高校大学生中开展“电信杯”首届大学生公益广告设计大赛活动。大赛通过“江淮热线”和科大网站开展征集作品，同时以大学生宣传活动和新闻宣传报道相配合。许多大学生前来了解、咨询和参赛。科大计算机系学生会成立校园文化推广部，下设辩论、礼仪、海报、网络四部分，四部分分工协作，进行宣传发动。他们既是活动的组织者和参与者，也是公民道德的实践者和宣传员。合肥市文明办把这项活动作为贯彻《公民道德建设实施纲要》的一个重要载体，专门负责组织协调，确保活动能够顺利开展并获得成功。在活动开展过程中，组织新闻单位先后从不同角度对活动进行宣传报道，以引起市民广泛关注，树立大学生的文明形象。安徽电信公司合肥分公司作为一家省级文明单位，积极协办本次活动，从技术、经费等多方面给予保障和支持。本次活动吸引了合肥地区10多所高校的众多大学生，在大学校园内产生了很好的反响，提交的参赛作品内容涉及社会公德、职业道德、家庭美德、绿化环保、科技创新、和平友爱、反腐倡廉、计划生育、希望工程、生命健康等许多方面，作品质量较高，得到专家评委的一致肯定。征集作品结束后，由主办单位、协办单位以及广告公司和新闻媒体的专家组成评委会，对所有的参赛作品进行了几轮筛选，评选出获奖作品，并在市政府广场隆重举行了合肥市“电信杯”首届大学生公益广告设计大赛颁奖仪式。

本次大赛吸引了合肥地区10多所高校近200名大学生参赛，共提交了300余幅作品，有数千名大学生咨询大赛情况并接受了宣传教育。在市府广场进行的两天作品展示活动吸引教育了广大市民，获得好评。

（安徽省文明办）

安徽省铜陵市

开播“100市民热线”

为进一步巩固、扩大文明创建成果，使广大市民关注城市文明，参与并监督文明创建工作，安徽省铜陵人民广播电台于1月1日起开播《100市民热线》节目，在党和政府与人民群众之间架起沟通的桥梁。政府部门领导走进电台直播室与广大市民直接对话，现场解决创建中的疑难问题。

该节目每周一至周六的中午12:00—12:15进行直播，周日对一周所解决的问题进行集中回放。该节目最大特点在于互动性和交流性，充分发挥了广播媒体的独特优势。在节目直播过程中，开通了两条热线电话，大到市容建设、文明行业创建，小到居民村化粪池阻塞、楼道灯不亮，市民都可以拨打热线电话进行反映。市民打进的热线电话经导播问明情况并记录后，切入直播室，市民与主持人“面对面”直接交流。

解决群众反映的实际问题是《100市民热线》节目的出发点和落脚点。节目组成员在对群众反映的问题进行核实后，以最快的速度与问题涉及单位或部门联系、采访。一般性的创建问题在第二天的节目中就予以答复。对于一些涉及多个职能部门、解决难度比较大的问题，跟踪采访，盯住不放，直到问题得到最后解决。对市民反映的问题力争做到“件件有回音、事事有着落”，取信于民。国庆前夕，一位听众打进热线电话，反映市区一条道路没有安装路灯，沿路几个单位的职工上下夜班很不安全。主持人及时向市建委领导反映这一情况，并要求协调解决。由于资金落实难，一周后仍未解决。主持人又找到市长，市长当即批示有关部门尽快解决。不到一个月的时间，这项投资20多万元的工程便顺利竣工投入使用。路灯照亮了群众夜行之路，也点亮了民心。

行风建设一直是群众关心的热点问题。《100市民热线》开播以后，始终将目光聚焦于此。该台主动与市创建文明行业办公室取得联系，在每周六的节目中开辟“文明行业创建热线”专栏，并将节目延长至30分钟。专栏采取组织文明行业创建部门主要领导走进电台直播室担当节目嘉宾的方式，介绍本行业（本单位）文明创建的规范标准和文明创建工作的基本情况，向社会作出服务承诺，接受群众监督；通过热线电话现场解答群众提出的问题，受理群众的投诉。

为确保“文明行业创建热线”专栏顺利开展、有序进行，该台制定了详尽的实施方案。每期节目开播前两天，节目主持人、导播都要和嘉宾在一起，研究制订直播方案，拟定发言提纲，做到心中有数。在节目直播过程中严格把握导向，对于群众通过热线电话咨询或投诉问题，按照“三个有利于”（有利于问题的解决、有利于创建工作的开展、有利于社会的稳定）原则决定是否播出。“文明行业创建热线”专栏开办以来，共接到听众打进的热线电话800多个，问题解决率在95%以上，进一步密切了党群干群关系，化解了矛盾、改进了工作。随着节目影响的不断扩大，参与节目的部门由14个增加到28个。

为了更多的人了解、关注、参与《100市民热线》节目，不断加大节目解决问题的力度，他们加强节目的自身包装与宣传。除在市级新闻媒体对节目进行宣传外，该台还利用节目开播100期、一周年等机会，多次召开座谈会、主持人与听众见面会、嘉宾与听众见面会等，广泛征求社会各界意见，不断改进节目播出形式，提高节目质量，收到了良好的社会效果。

（安徽省文明办）

安徽省淮南市平圩电力公司

结对开展“爱心助学”活动

安徽省淮南市平圩电力公司为弘扬社会主义新风尚，促进职工对社会、对公益事业的关心，树立电力企业在社会上的良好形象，在公司党委的牵头组织下，职工踊跃参与“爱心助学”活动。

该公司的“爱心助学”原来是由各党支部、团支部自发组织小范围的活动。2002年，党委决定在公司内组织大范围的助学活动，采取党委组织和群众自发相结合的方式。党委书记在全公司党员大会上对“爱心助学”活动进行动员，公司总经理、党委书记带头与失学的孩子结对。公司职工纷纷自发与失学儿童结对并捐款，有职工个人结对，有家庭结对，有夫妻结对，有同事之间自由组合结对的。短短一个星期，由淮南市有关单位提供的226名贫困失学儿童，全部被公司踊跃参与的干部职工结对资助。公司党委已将这项工作作为一项长期工作坚持开展下去。

一次性自发结对226对在安徽省淮南市还是首次，在社会上产生了较大的反响，展示了淮南市平圩电力公司企业形象以及职工的精神风貌。这次活动触发了公司职工关爱社会、回报社会的热情。

（安徽省文明办）

江 西 省

“塑造江西人新形象”主题教育

从4月上旬开始，江西省广泛开展了“塑造江西人新形象”主题教育活动。

省教育活动领导小组办公室根据活动主题，确定了20多项由省里直接抓的重点活动，制定了实施方案，明确了牵头单位和协办单位、完成时间和应达到的目标。各地各部门都结合各自实际，根据统一要求，制定了切实可行的具体方案。许多单位在实施过程中，将任务分解，责任细化，做到活动组织有人抓，监督检查有人管，上下衔接有人做，确保教育活动在思想上、组织上、行动上“三落实”。

活动中，各地各部门立足于解放思想、加快发展，着眼于提高干部群众的整体素质，认真查摆江西人在接受先进思想文化、市场经济意识、现代文明生活方式等方面存在的不足，在遵守社会公德、职业道德、家庭美德等方面存在的差距，在对外交往、招商引资和社会服务中存在的问题，分析原因，研究对策。

抓好重点部门的形象建设。一是在经营单位和窗口行业，深入开展以遵纪守法、诚实守信、爱岗敬业、服务群众、奉献社会为主要内容的教育，树立经营单位和窗口行业新形象。省电信公司紧扣主题，通过座谈讨论、网上漫谈、演讲比赛、征文活动、系列讲座等形式，查摆问题，采取措施，切实解决。省电力公司以职业道德建设、优质规范服务和基层单位建设为重点，扎实开展“塑造江西人新形象，做诚信电力职工”活动。省卫生厅广泛开展“创建百姓放心医院”、“创优质服务、树医疗新风”活动，受到社会各界好评。二是在执法部门中，深入开展以公正高效廉洁为主要内容的道德教育。省检察院结合检察机关“转变执法作风年”活动，开展塑造江西检察干警新形象活动。省法院、省公安厅、省工商局、省地税局等部门都结合各自实际，深入基层，服务群众，有针对性地开展教育活动，增强执法人员公正高效廉洁的服务意识，转变工作作风，塑造执法人员新形象，展示执法部门新风貌。

抓好重点对象的形象建设。一是在党政机关深入开展“创文明机关，做人民满意公务员”活动，引导各级领导干部和公务员面向基层，面向群众，提供优质服务，提高办事效率，塑造文明形象，发挥表率作用。二是在广大青少年中广泛开展理想信念教育和爱国主义、集体主义、社会主义教育，努力培养符合时代要求的社会主义事业建设者和接班人。团省委大力开展“塑造江西人新形象——青年在行动”活动，组织全省广大青年以实际行动为江西人新形象增光添彩。南昌大学、江西师大在广大学生中开展“塑造江西人新形象——大学生在行动”系列活动，树立新世纪大学生新形象。

广泛开展大讨论活动。各地各部门采取召开座谈会、研讨会、报告会，举办系列论坛等多种形式，组织广大党员、干部和群众认真开展江西人新形象大讨论活动。宜春、新余、上饶等地实施“请进来”的办法，邀请国内外知名专家学者，在实地考察的基础上，就如何创造良好的发展环境、推进城市化进程、塑造城市新形象等问题，展开讨论，引导广大干部群众开阔视野，打开思路，增强塑造新形象的紧迫感。

广泛开展群众性文化活动。各地各部门充分发挥社会文化在塑造江西人新形象中的潜移默化作用，广泛组织开展了歌曲征集和传唱、歌咏比赛、文艺汇演、美术书法摄影展览、电影周、主题广场文化等丰富多彩、健康向上的群众性文化活动。省委宣传部、省直机关工委、省文化厅组织的“塑造江西人新形象”歌咏比赛活动，吸引了49个省直单位、2500多名干部群众参加。赣州市举办的“首届塑造江西人新形象客家山歌、苏区民歌、红色歌谣业余歌手电视大奖赛”，在18个县（市、区）巡回比赛，300多万群众观看了比赛。通过开展主题教育活动，全省上下掀起了新一轮解放思想、更新观念、加快发展的热潮。全省人民的精神面貌发生了深刻的变化，文明素质有了明显提高。

（江西省文明办）

江西省九江市
大力创建学习型城市

九江市以“三个代表”重要思想和十六大精神为指导，大力创建学习型城市。

一、宣传发动，营造创建学习型城市的浓厚氛围

全市各级各类新闻媒体开展了有声势、有深度、持久性的宣传报道，及时反映全市创建学习型城市的新理论、新经验、新典型和新成果。市主要新闻媒体分别开辟专栏专题，大力宣传创建学习型城市的目的意义、主要措施和成效经验。市建设学习型城市工作指导委员会办公室编印了10期《建设学习型城市工作简报》，及时反映创建动态、主要成效、新鲜经验、先进典型等。

市委宣传部牵头会同有关部门，宣传创建学习型城市的深远意义和“终身学习”、“持续学习”的先进理念。浔阳区通过开办文化艺术节、创建学习型社区图片展、“甘棠湖之夜”等一些群众喜闻乐见的活动，吸引市民群众参与学习型城市创建。

二、点面结合，大力构筑创建学习型城市的运行机制

市委成立了由市委书记为主任的创建学习型城市工作指导委员会，建立联席会议制度，指导学习型城市的创建工作。各牵头单位也分别成立了创建学习型机关、企业、乡村、社区、家庭的领导小组。

市委把组织开展创建学习型城市、学习型组织工作的成效，作为考核领导班子和领导干部工作实绩的重要内容。市人事局开展评选“学习标兵”和“学习型家庭”活动。铁四局五处从自身实际出发，出台了《创建学习型企业员工等级待遇管理办法》，每年开展两次“技术状元”评比，形成了一套完整的奖学、促学机制。

建立督导机制。不定期对各地各单位的创建工作进行检查、督促。

三、突出特色，开展多样的学习活动

市直机关工委在《市直党建》上开辟了“创建学习型机关专刊”，市检察院、市文化局等单位把本系统45岁以下的干部进行编班分组，组织集中学习。

积极组织全民读书活动。把每月第一个星期的星期六作为全民“学习日”。各地各单位有计划、有组织安排干部群众集中学习或开展读书活动。市直机关工委利用市委党校阵地，连续3个月组织77个市直单位45岁以下副处级干部参加“学习日”读书班。都昌县在“学习日”组织县直45岁以下的党员干部参加集中学理论、学法律、学英语、学电脑。庐山管理局设立“庐山读书节”，每年举办一次，组织干部群众互相交流学习心得，共同提高。

定期举办大型报告会。2002年共举办8场，邀请省内外一些知名专家、学者和领导作报告。十六大以后市委结合学习型城市创建工作，成立了十六大精神宣讲团，深入到市直单位和基层宣传300多场，听众近万人次。

四、加强调研，不断探索创建学习型城市的新鲜经验

借鉴全国各地创建学习型城市工作的成功经验，结合九江的实际情况，提出有自己特色的创建思路，逐步建立和完善建设学习型城市的运行机制。

市直机关工委召开了创建学习型机关理论研讨会，交流理论文章，为推动创建工作拓展了思路、提供了素材。市委农工部创建学习型村镇的经验，在华东地区农村工作经验交流会上进行介绍。《九江日报》配合创建学习型城市的理论研讨工作，组织理论专版，刊发了10多篇相关的理论文章，普及新的学习理念、开阔创建思路。

（江西省文明办）

江西省万安县
“公民道德建设年”活动

万安县扎实开展“公民道德建设年”活动。专门成立了组委会，下设办公室，并从有关部门抽调7名干部集中办公，具体指导、协调、督促活动的开展。

县有线电视台每天播出以20字公民道德基本规范和社会公德、职业道德、家庭美德为主要内容的节目，县广播站开辟了“加强‘三德’建设，树立崭新形象”专栏和“大众话题”专题。县里组成10个宣讲团开展宣讲活动，用一个月的时间深入到全县100多个乡村和学校巡回宣传《公民道德建设实施纲要》。

开展《公民道德歌》传唱活动。根据社会公德、职业道德、家庭美德的主要内容，组织人员创作了《公民道德歌》，并印发1万多份到干部群众手中，同时还组织专业人员深入到学校、厂矿企业和行政企业事业单位辅导教唱，近10万名干部群众和中小学生参加了传唱活动。

开展争创行业“十佳”活动。县里根据不同行业、不同层面的特点，开展了争创十佳人民教师、十佳中小学生、十佳医护人员、十佳新型农民、十佳政法干警、十佳文明个体户、十佳科技文化工作者、十佳公务员、十佳村干部活动。通过各行各业的争创活动，全县党员干部的工作作风有了明显好转。

开展群众性公民道德实践活动。在党政机关、执法单位、窗口服务行业开展了文明执法，优质服务活动；在社区开展了以“环境整洁优美、社会秩序安定、社区服务完善、社区教育全面、社区文化丰富、社区风尚良好”为主要内容的建设文明社区活动；在农村开展了以“倡导移风易俗，树立文明新风”为主要内容的文明村组创建活动。

（江西省文明办）

山东省青岛市

唱响“道德组歌”

2月8日，在青岛市湛山小区的广场上，数百名少年儿童、退休老人和企业经理、市内各区的文明办领导齐唱“道德组歌”，并分发“道德组歌”宣传画，青岛市开展的学唱“道德组歌”活动由此拉开了帷幕。

“道德组歌”是从青岛市郊区的即墨市传唱起来的。即墨市委围绕社会公德、职业道德、家庭美德和青少年教育等方面，在当地广泛开展了群众性道德规范歌词的征集活动，共收到稿件1270篇。在此基础上，即墨市委宣传部、文明办结合新颁布的《公民道德建设实施纲要》，创作出以《社会公德歌》、《职业道德歌》、《家庭美德歌》和《青少年道德歌》为内容的道德建设组歌。这些歌曲既包含了传统美德，又体现了时代主旋律，弘扬了时代精神，通俗易懂、曲调优美，把公民道德建设纲要的内容具体化、形象化，集中体现了“爱国守法、明礼诚信、团结友善、勤俭自强、敬业奉献”的20字基本道德规范。

为使“道德组歌”家喻户晓，青岛市印制了5.5万份宣传画，出版歌本和光盘，并在电台、电视台播放，各级文化馆、少年宫等群众文化单位组织专门力量，深入社区、机关、企业、学校和村镇进行传唱。

（摘自2002年2月17日《人民日报》）

山东省烟台市

“爱心一日捐”活动

6月，烟台市委、市政府首次在全市范围内开展了“爱心一日捐”救助社会困难群体活动。“爱心一日捐”活动是在自愿的基础上，动员城镇有固定工资收入的干部职工，每年献出个人一日的收入；动员全市机关、企事业单位，特别是各类企业积极参与社会公益事业，根据实际能力，踊跃参加捐助，为弱势群体奉献爱心；同时欢迎社会各界人士捐款，建立“一日捐”救助资金，专门用于救助弱势群体；各地、各部门、各单位可自行确定某一天为“一日捐”时间，发动干部职工自愿捐款。这项活动旨在形成安老、扶幼、助学、济危、援残的社会新风，增强广大干部职工的社会责任感和社会公德意识。短短两个月的时间，全市捐款总计2024.25万元。

市委、市政府下发了《关于做好社会性弱势群体救助工作的意见》、《“爱心一日捐”活动实施方案》等配套文件，并通过层层召开动员会等形式，对社会困难群体救助工作的救助对象、救助途径以及“爱心一日捐”活动的组织实施，提出了具体要求。加大新闻舆论引导的力度，结合宣传动员，以“团结友爱、奉献社会”为主题，开展主题演讲、团队活动、举办专场文艺演出，统一全市干部群众的思想，提高参与积极性和自觉性。

在市县两级成立了社会困难群体救助工作领导小组，明确文明办、民政、教育、工会、团委、妇联、残联等部门的责任，对“爱心一日捐”活动统一组织，统一调度。同时，要求各级领导干部带头，党政机关带头，为群众做出表率。据统计，全市共有36万多名干部职工参加了捐助活动，个人捐款总额达到1577.7万元。与此同时，许多单位还通过压缩成本预算、取消庆典活动、节约一笔开支、贡献一天利润等，把节省的资金捐献给弱势群体，捐款最多的单位达到25万元，20多个单位捐款在10万元以上。

在市县两级民政部门设立了专门账户，并制定了《“爱心一日捐”救助资金管理使用办法》，规范救助对象，确定标准和认定程序，确定救助资金发放途径。还按照公正、公平、公开的原则，通过新闻媒体及时公布“爱心一日捐”救助资金的来源、数额及使用情况，并接受审计部门的年度审计；在社区和农村等基层单位公示被救助对象家庭经济状况和救助数量，接受群众监督。这次募集的“爱心一日捐”资金，大部分用于救助困难学生，救助规模达到2万多人。

（山东省文明办）

山东省莱西市

村民道德评议会育新风

山东省莱西市李权庄镇大河头村尽管远离城市，仅靠一条长10公里的沙土路与外界相连，但韩国客商还是找到了大河头村，并投资40万美元建厂。外商看中的是大河头村的良好村风，而良好村风的形成得益于村民道德评议会。

《公民道德建设实施纲要》颁布后，围绕“以德治市”，莱西市认真总结了农村中各种群众评议、议事组织的成功做法，形成了《莱西市村民道德评议会章程》，在农村成立了村民道德评议会。评议会由村民公推的老干部、老党员、老模范担任会长。大河头村的村民道德评议会就是全市862个村民道德评议会中的一个。

大河头村“村民道德评议记录簿”上记载着，从牛犊乱跑、损害青苗、乱倒垃圾、污染环境，到邻里欠水泥款纠纷、婆媳矛盾、如何赡养老人等。集中点评一些法律法规管不到、村规民约管不好的不道德现象。莱西村民道德评议会的每次评议活动都有记录，有的还建立了档案。村民参军、入党、参选村干部等都要看档案记录。

随着物质生活水平的提高，莱西农村掀起了“村村行动整治环境、户户参与美化家园”活动。

个人的道德行为会影响村风，村风的好坏则影响着经济的发展。1993年，店埠镇东庄头村建起了蔬菜批发市场。创办后的一段时间里，由于少数村民欺行霸市、强收保护费等行为，严重制约了市场发展。村民道德评议会成立后，参与市场管理，加强市场道德建设，逐步形成了“三宽、三严、三让”的市场管理原则，即对外村人宽，对本村人严，本村人让利给外村人；对外地人宽，对本地人严，本地人让利给外地人；对生人宽，对熟人严，熟人让利给生人。该市场年交易量已达7.2亿公斤，交易额7.9亿元，带动周围农民发展了40万亩蔬菜生产基地。

村民道德评议会把莱西农村一些不道德的问题和现象解决在萌芽状态，起到了正民心、树新风的积极作用。莱西市也因此连年荣获“山东省精神文明建设先进市”荣誉称号。

（摘自2002年10月8日《人民日报》）

河 南 省
评选表彰“在京豫籍优秀外出务工人员”

9月，河南省委宣传部、省文明办、省劳动和社会保障厅、团省委联合下发《关于评选表彰“在京豫籍优秀外出务工人员”的通知》，对评选表彰活动的指导思想、对象、条件、方法步骤等作了明确规定，并成立了评选表彰活动领导小组。10月22日，主办单位在北京联合举行新闻发布会，中央和北京新闻媒体及时作了宣传报道，产生了很好的社会反响。广大在京务工人员对评选表彰活动十分关注，踊跃参加；北京市劳动部门和用工单位对评选表彰活动大力支持，认真推荐；社会各界对评选表彰活动充分肯定，积极鼓励。

经过推荐选拔、走访了解、资料整理等工作程序，11月中旬，经评选表彰活动领导小组认真筛选，确定孙天丛等30人为“在京豫籍优秀外出务工人员”。12月16日，在北京河南大厦举行表彰大会，对评选出的30名“在京豫籍优秀外出务工人员”进行表彰，颁发了证书和奖金。人民日报、中央电视台、中央人民广播电台、中国青年报、光明日报、人民网、新华网等22家省外新闻媒体，以及省内13家新闻单位进行了报道。30名优秀外出务工人员到中央电视台节目录制现场作了诚信宣誓，在全国特别是在北京产生了很好的社会影响。

（河南省文明办）

河 南 省 郑 州 市
道 德 规 范 进 万 家

2月5日，郑州市委经过精心组织，由大学路办事处向全市发出了“道德规范进万家”活动倡议书。郑州市从实践“三个代表”重要思想的高度，把搞好“道德规范进万家”活动作为实现“十五”发展目标、创建文明城市、优化经济环境的基础工程，全面启动了公民道德宣传教育和社会实践活动，并把它列为全年工作目标之一。

城乡联动，3月份开展了集中宣传月活动。在繁华地段及重要交通要道，制作推出一批户外公益广告牌，在各县（市）区设定了公民道德建设宣传示范街，各基层单位及其家属楼院也设置了醒目的专题宣传栏和标语牌。郑州市领导和各委局负责人还走进电台直播间，参加了“周末面对面”、“绿城对话”等节目，就加强公民道德建设、创建文明城市与群众直接交流，受到广大市民欢迎，参与人数达60余万人次。郑州信息网设立了“道德规范进万家”活动专题网站。相继开设了“道德规范进万家，我要争做道德公民”网上签名、公民道德知识竞赛、德育论坛、爱国主义教育基地、道德教育展板等栏目，为道德规范进学校、入课堂提供了知行结合的德育资源，为学校德育工作者提供了理论学习和相互交流的平台，为师生和家长提供了思想、情感相互沟通的天地。德育网站自开通以来，点击率直线上升，每天参加争做道德公民网上签名的学生已平均达到500人，成为活动中的一个亮点。

组织社区居委会与辖区每户居民签订文明市民责任书，居民郑重承诺自觉遵守道德规范，争做文明市民，增强自我约束力。同时，市里编写了《郑州市公民道德教育读本》、《公民道德四字歌》等普及读物，由财政投入，免费发放到市民家庭。倡导每个家庭成员把忠心献给祖国，把孝心献给老人，把爱心留给社会，把关心留给他人，把信心留给自己；珍惜夫妻恩爱情，铭记父母抚育情，牢记兄弟手足情，提倡邻里互助情，弘扬家庭成员体贴情，努力使家庭成为每一个成员品德培养的摇篮，切实增强了活动的亲和力和渗透力。

在机关，重点开展了“立党为公，执政为民”宗旨意识教育和“争当人民满意的公务员”等活动，把道德规范列入全年各级党政机关干部的教育考核内容，教育引导党员干部筑牢思想道德防线，正确树立为人民掌好权、用好权的公仆意识。

郑州二七区大学路街道办事处从群众最关心的热点、难点抓起，使道德建设落到实处。辖区居民、残疾人张遂娥没有固定经济收入、生活十分困难。办事处了解情况后，决定由居委会腾出半间门面房，帮她建起小卖部，并安装一部公用电话，解决了她一家人的生活来源。办事处还投资60余万元建立了一个综合市场和一个菜场，优先安排下岗职工100余人（次）。

郑州市“道德规范进万家”活动以抓“三个结合”的辐射效应为抓手，把活动与各行各业的发展和每个市民的切身利益结合起来，使道德建设重心下移，有机融入经济社会发展，增强了活动的吸引力、凝聚力和生命力。

与优化经济发展环境紧密结合。为促进良好社会信用体系的形成，郑州市制定了《市场主体不良行为警示记录系统管理办法》，建立企业信用公示制，教育企业经营者增强法治意识和诚信意识。

与创建文明城市紧密结合。围绕“城市环境整洁有序，市民素质文明礼貌”的创建文明城市工作目标，郑州市开展了“创建文明城市大家谈”、“自觉遵守三德，争做文明市民”等群众性创建活动，突出整治了市容市貌、交通秩序、社会治安秩序、市场秩序，广大市民拍手称道。

与思想道德建设的新问题、新变化紧密结合。外来务工人员、下岗职工和新经济组织是近年来开展思想道德教育较为薄弱的环节。郑州市抓住春运组织民工有序流动、劳动法制宣传咨询、流动人口管理等环节，把《省会文明公约》、《省会市民行为规范》、《务工必读》等培训教材发放到务工人员手中，通过开展“十佳百优外来务工青年”评选等活动，提高外来务工人员的法律意识和道德意识。还在下岗职工的教育培训中增加了道德规范的内容，使他们增强自立自强意识，转变择业观念，有效促进了再就业。

（摘自2002年6月17日《人民日报》）

河南省漯河市

文明学校传播先进文化

“上文明学校，学到了花钱也买不到的知识，这课我们愿意听。”说这话的是河南省漯河市的农民。上文明学校，已经成为漯河市许多人向往的事。

在漯河市，各类文明学校很多。针对不同对象，有不同的培训内容。文明农民学校的内容主要为“三学一讲”：学理论、学科技、学法律，讲道德。文明市民学校学习内容则更为丰富：有热爱家乡、社会公德、环境保护、礼仪常规、法律法规、家庭教育等方面内容。其他文明学校也都具有很强的针对性、服务性。现在，全市以农村小学为依托的文明农民学校已达938所，有57.3万农民入校学习，占农村从业人员的69%，共授课9700多个学时，讲授各类实用技术1.5万个课时，放映科教电影及录像4万多场。而城镇中的各类文明学校也都把家长、学生、司乘人员等大体培训了一遍。

进行培训时，漯河市创造了“小手拉大手，学生带家长”的形式。每次开课，由学校通知学生，学生再通知家长。对没有学生的家庭，则由党员干部联系户、群众代表联系户来组织。这些学校开课时间一般都安排在农闲季节、双休日或夜晚。

先进文化的传播，改变了城乡人民的精神面貌，提高了群众的文明素质。近年来，漯河市涌现遵纪守法户48.5万户、科技致富户17万户、双文明户9000户。在此基础上，有关部门又通过评选“十佳市民”、“十佳农民”等活动，进一步提高全社会的文明水平。

（摘自2002年9月3日《光明日报》）

河南省周口市

评选“百名孝顺儿子、百名孝顺媳妇”

为贯彻《公民道德建设实施纲要》，解决农村存在的不孝敬老人、不赡养老人的问题。周口市开展了“百名孝顺儿子，百名孝顺媳妇”（简称“双百”）评选活动。

3月，周口市委宣传部、市文明办制定了“双百”评选方案，提出了评选的具体标准，包括爱党爱国、遵纪守法、孝敬父母、家庭和睦、邻里团结等内容。各级新闻媒体都开设了专栏、专题，做到消息天天有，新闻不间断。采取座谈会、演讲比赛、知识竞赛、万人签名、漫画展览、宣传标语等多种形式，大张旗鼓地宣传“双百”评选活动的目的、意义和内容要求，形成良好的舆论氛围。全市共印发宣传品20余万份，制作户外大型公益广告260块，标语1万多条，在市区（县城）、乡镇、行政村主要街道绘制了道德规范进万家壁画长廊7300多米。采用群众喜闻乐见的小品、戏剧、相声、快板等形式，把20字基本道德规范创作成文艺作品赴农村巡回演出。周口市豫剧团创作了“道德规范进万家”专题文艺节目，深入社区和重点工程建设工地为广大市民和工人进行现场演出；市委宣传部组织编排了4台反映道德建设的大型剧目，受到观众一致好评。

周口市把评选过程作为教育感化的过程，防止图形式、走过场。首先由群众自认，经村民组讨论后产生出候选人，也有的采取10户联名推荐的办法。候选人在村民大会上登台演讲，群众采取无记名投票的方式进行选举。然后由村、乡镇、县区逐级核实表彰、逐级优中选优向上推荐，最后产生出市里表彰的“双百”典型。在“双百”评选活动中，全市行政村评选出孝顺儿子1.1万多人，孝顺媳妇1.2万多人；乡镇评选出孝顺儿子4967人，孝顺媳妇5751人；县区评选出孝顺儿子673人，孝顺媳妇756人；市里评选出孝顺儿子、孝顺媳妇各100人。

周口市村、乡镇、县、市层层对“百双”典型进行表彰，并组织“双百”典型事迹报告团到群众中进行巡回演讲。他们把“双百”典型制成光荣榜张贴到村委会、街头闹市，或制成光荣册发放到每户家庭；有的地方向孝顺媳妇的娘家发喜报、送贺匾；有的地方把评选出的孝顺儿子、孝顺媳妇送到技校、农校进行技术培训，增强他们致富奔小康的本领；有的地方向孝顺儿子、孝顺媳妇颁发5000元以下贷款的信用卡。在全市召开的“双百”评选总结表彰大会上，市里对评出的100名孝顺儿子、100名孝顺媳妇，每人奖励25英寸彩电1台，市领导为他们颁发了奖牌和证书，产生了强烈的社会反响。

（河南省文明办）

河南省平顶山市

集中开展“双百一千”创建活动

平顶山市以“双百一千”（100个道德建设先进单位、100个模范家庭、1000个先进个人）创建活动为重点，组织开展了一系列贯彻《公民道德建设实施纲要》的实践活动。

典型说话，胜于说教。开展“双百一千”活动的主要目的，就是要用能让人信服的人和事，唤起人们的良知和荣辱感，使人的行为逐步纳入公民道德规范，进而在全社会形成良好风尚。4月初，市里制定了评选目标、步骤和条件，从市委到基层党支部都建立了工作领导机制，层层动员，大张旗鼓地宣传道德建设的先进个人和群体。为确保“双百一千”活动达到预期效果，评选出真正具有典型性、能够起到表率作用的先进群体和个人，平顶山市采取月评、季评和年终总评的做法，建立了培育、推荐先进典型的网络和机制。

针对农村的特点，组织了科技、法律、道德、文化“四下乡”服务队，以“科技进家家家富，法律进家家家安，道德进家家家和，文化进家家家乐”为主题，发资料、搞展览、办讲座，巡回服务。平顶山各县区都选用适合自己的活动载体，充分调动农民群众参与道德建设的积极性。

针对不同的行业选择不同的形式。在机关开展“讲道德、强素质、树形象、比贡献”活动，在企业开展“双学双争”活动，在中小学开展“小手牵大手，道德进家庭”活动，在社区开展“道德规范进万家，不良习俗出社区”活动。各行各业还结合行业作风转变开展了“讲医德，树形象”、“万店无假货”、“争做人民满意公务员”等活动。

通过实践，遵守道德规范已成为越来越多人的自觉意识，机关作风和人际关系得到明显改善，初步营造出一个学习先进、见贤思齐，守德者荣、缺德者耻的良好氛围。

（摘自 2002 年 10 月 9 日《人民日报》）

湖 北 省 武 穴 市

开设思想政治工作“民情热线”

武穴市积极探索农村思想政治工作的新途径、新方法，设立了思想政治工作“民情热线”，构筑起党委、政府与群众沟通的“绿色通道”，深受基层干部和群众的欢迎。“民情热线”的服务范围越来越广，服务内容越来越多，服务质量越来越高，收到了良好效果。

一是抓普及，形成服务网络。市委、市政府和 18 个与群众生产、生活密切相关的市直机关及所有乡镇、村设立的“民情热线”，形成热线网络。全市共设立热线电话 351 部，电话号码通过报纸、电视、标语、印发“热线服务卡”等形式，广为宣传，使“民情热线”走进千家万户。

二是抓管理，强化服务质量。为把“民情热线”抓出实效，武穴市健全完善各项工作制度，积极推进“四专”（专线电话、专人值班、专门记载、专班办理），“三制”（值班制度、记载制度、办理制度），“两栏”（宣传栏、佳音栏）的“民情热线”运行机制，在全市统一管理模式、统一制定制度、统一发牌，实行规范化管理。在此基础上，为使“民情热线”工作得到巩固发展，各地纷纷成立了“民情热线”服务中心。为调动部门和各乡镇参与“民情热线”工作的积极性，他们制订了“民情热线”工作考核细则，在年底把“民情热线”工作列入年度考核、评比、表彰的重要内容。

三是抓延伸，提高服务水平。武穴市把“民情热线”工作及时延伸到一些与群众生产、生活息息相关的部门，如开辟了治安热线电话、打假热线电话、计生服务热线电话、农技热线电话、广播电视服务热线电话等，通过细化服务范围，使“民情热线”更加贴近老百姓，更具操作性，极大地满足了群众生产、生活需求。

2002 年，全市通过“民情热线”共调解家庭纠纷 2 万多件，社会纠纷 2.8 万件，帮助群众解决困难 6 万件，帮贫扶困 2.6 万人次。

（湖北省文明办）

湖　北　省

启动长江、汉十双千里文明走廊创建活动

湖北省文明委在长江和汉十两条重要交通线上启动了长汉、汉十双千里文明走廊创建活动。长江湖北段和316国道武汉至十堰段共经过湖北12个市州、50多个县和200多个乡镇，是湖北省重要的经济走廊。湖北省文明委确定了联合力量、联动发展、联片创建、分类指导的创建原则，开始实施思想道德工程、精神文明阵地等6大工程，力争经过5年创建，努力形成以武汉市为中心的文明城市圈和贯通全省的两条文明风景带。

为了推动双千里文明走廊创建活动，湖北省文明委分别召开了长江沿线和汉十沿线创建文明走廊活动推进会，形成了省里抓双千里，各地抓双百里，以工程促环境改善，以活动带形象提升，共同奏响文明大合唱，整体推进三大创建的良好态势。在汉十线上，省交通厅和沿线的武汉、孝感、随州、襄樊共投资6亿多元用于路面改造，使汉襄段公路路面黑色化，路两边初步绿化；沿线部分建筑经过重新粉刷，初步美化；沿线乱堆乱放、乱搭乱盖、违章建筑整治取得成效，基本建成了畅通路和安全路。在千里长江航道上，宜昌段、荆州洪湖段已分别建成全国样板航道，其他航段的违章停靠、乱搭乱建、乱挖河沙等现象得到初步遏制。

（湖北省文明办）

湖　北　省

评选“十大杰出公民”

为了进一步贯彻落实《公民道德建设实施纲要》，宣传两个文明建设中涌现出来的新时期先进典型，在全社会形成崇尚先进学习先进的热潮，省文明办与省委宣传部联合财政、人事、工青妇等单位，于9—12月，在全省开展了评选“第一届湖北省十大杰出公民”活动。

30位候选人均由基层推荐而来，从律师、教师、医生到企业家、军人、农民，从年富力强的青年到老骥伏枥的智者，职业涉及13个之多，年龄从28岁到68岁，是名副其实的精英荟萃。吴天祥、刘银昌、李大红、傅本发、王涛等10人当选为湖北省第一届“杰出公民”。

这次评选真正做到由“群众说了算”。候选人由基层推荐、评委审定、媒体公示、群众投票的方式进行，激发了群众的参与热情。11月底在《湖北日报》刊出候选人事迹后，评选活动高潮迭起，参评群众不断增多。年底，组委会共收到选票近10万张。

通过评选活动，各地广泛宣传杰出公民的先进事迹，为倡导文明新风、弘扬社会正气、促进经济发展创造了良好的舆论环境。

（湖北省文明办）

湖北省黄冈市

抓五个工程　促基层道德建设

黄冈市围绕贯彻落实《公民道德建设实施纲要》，在全市广泛开展了“思想道德在基层”活动，狠抓五个工程，突出重点，推进全市两个文明建设的协调发展。

一是抓好“龙头工程”，让道德进机关，进村部，以官德促民风。他们把思想道德建设与基层党组织建设紧密结合起来，充分发挥党组织的战斗堡垒作用和党员的先锋模范作用，使党员干部在道德建设中当好龙头，做出表率。通过开展“争创文明机关、争当人民公仆”、“依法行政、文明执法”、“十佳公仆”等活动，教育党员干部特别是领导干部树立正确的世界观、人生观、价值观，牢记全心全意为人民服务的宗旨。

二是抓好“信用工程”，让道德教育进行业，以诚信树形象。市委、市政府在全市开展了“整治经济环境、提升城市形象”活动。市委宣传部与财政、金融、税务、工商、质监等部门联合，在企业、个体工商户和中介机构中广泛开展了信用意识教育，打造城市信用品牌，优化经济发展环境。供电、电信、交通等部门在职工中开展了“诚信服务，奉献社会”教育。

三是抓好“基础工程”，让道德教育进社区，以环境育新风。黄冈市以创建文明城市为契机，紧紧抓住市民道德建设和环境整治两个关键环节，狠抓市民教育，优化社区环境，整治社区秩序，丰富社区文化。市区两级通过开展“向十种不文明言行告别”万人签名承诺活动，民歌大奖赛、学习贯彻《纲要》知识竞赛和演讲比赛，大型歌咏晚会，组织科技、教育、法律、卫生“四进社区”等活动，努力营造文明健康、积极向上的道德环境和社会氛围。

四是抓“希望工程”，让道德教育进学校，以素质固标本。各级各类学校通过多种形式，把道德教育渗透到学校活动的各个环节，全面推进素质教育。黄冈师院、黄冈中学、市实验小学等大中小学根据青少年身心发展和品德形成规律，科学安排教学内容，利用课堂教育“主渠道”，对学生系统进行思想品德教育。市委宣传部、市教委、团市委等单位组织开展了“讲公民道德，争做合格小公民”主题教育征文比赛、演讲比赛、知识竞赛活动，开展了“我为美化黄冈作贡献”等道德实践活动，使广大学生在实践活动中心灵得到净化。

五是抓“细胞工程”，让道德教育进家庭，以家庭强基础。黄冈市通过开展“五好文明家庭”、“十星级文明农户”等创评活动，引导公民处理好夫妻、长幼和邻里关系，树立夫妻和睦、尊老爱幼、邻里团结的良好道德风尚。

（湖北省文明办）

湖北省咸宁市

开展"五德"教育　落实《纲要》精神

湖北省咸宁市广泛开展"普德、立德、行德、评德、颂德"等"五德"教育活动，贯彻落实《公民道德建设实施纲要》，取得了良好的效果。

一是"普德"。市委制定下发了《关于在全市广泛开展公民道德教育的意见》，将每年3月定为全市公民道德教育宣传月。宣传月期间，在全市各城区主要路口、闹市区和服务行业的"窗口"等公共场所立宣传牌、出宣传栏、挂宣传条幅、贴宣传图，宣传《纲要》精神；成立咸宁市公民道德建设宣讲团，先后分别就《公民道德建设概论》、《社会公德》、《职业道德》、《家庭美德》、《公民道德20字基本规范》等内容作了多场专题讲座；市直和6个县市区分别举行了道德知识考试、竞赛活动，从预赛、复赛、决赛共有10万多人参与，电视台、电台、网站和报纸开辟道德建设专栏，滚动播出公民道德建设公益广告及各地各单位开展道德建设的动态、经验，形成了浓厚的社会氛围。

二是"立德"。建立社会公德行为规范：全市统一组织开展《咸宁市市民公约》、《市民守则》大讨论，许多干部、职工、教师、学生、党外人士和农民纷纷献言，最后形成《市民公约》、《市民守则》向全市颁布。建立职业道德行为规范：各行业、各部门和基层单位根据自身职能和实际，制订本行业、本部门的职业道德规范，并在新闻媒体公示。全市窗口行业和行政执法部门推行了承诺制和公示制。建立家庭美德行为规范：制订颁发了《咸宁市文明市民标准》、《十星级文明农户标准》、《文明家庭标准》，以多种形式广为宣传，做到家喻户晓，人人皆知。

三是"行德"。在市文明委的统一部署下，开展五大系列道德实践活动：以文明城市创建为龙头，在市民中广泛开展"管住自己的脑，不随心所欲，不迷信邪教；管住自己的口，不随地吐痰，不说脏话；管住自己的手，不乱扔杂物，不乱贴乱画；管住自己的腿，不乱穿马路，不践踏花草"等"四管八不"为主要内容的道德实践活动。以文明村镇创建为基础，在村民中开展"五入户"活动，即道德入户，实现家家美；科技入户，实现家家富；法律入户，实现家家安；文化入户，实现家家乐；卫生入户，实现家家康为主要内容的道德实践活动。以文明行业创建为重点，在行业中开展履行职业道德行为规范的"五杯竞赛"活动，成效显著的分别授予行业文明杯、行业新风杯、优质服务杯、道德教育杯、环境美化杯。以开展公益性活动为抓手，开展"希望工程"、"春蕾计划"、"捐资助学"、"城乡共建"等活动，传播道德文明，倡导良好风尚。组织开展各具特色文化娱乐活动，不断扩大道德实践活动影响力。

四是"评德"。在全市统一组织了"百星耀鄂南，十佳大评选"活动。在报纸上介绍200名候选人名单和先进事迹，由群众选举评出道德品质高尚、先进事迹感人的"十佳"。

五是"颂德"。在群众评出"十佳、百星"后，市委隆重表彰，在新闻媒体上逐一进行宣传；组织"十佳·百星"到各地巡回作报告，掀起"知百星、学百星、赶百星"的热潮，把全市广大干部群众的思想行动凝聚到全面建设小康社会的伟大实践中去。

（湖北省文明办）

湖南省长沙市开福区

“相互提个醒　同做文明人”

为把“创建文明城区、共建美好家园”活动真正深入到每个家庭、学校、社区、机关企事业单位，长沙市开福区开展了“我们相互提个醒、同做文明长沙人”活动，受到广大群众的热烈欢迎。

这一活动最初由几户居民为了维护洁净安宁的生活环境而主动发起。清水塘街道蓉路社区居委会抓住契机，积极组织引导，各楼栋及居民户根据各自的实际，分阶段通过签约承诺、自觉履行和相互监督的形式，自觉改正那些签约者公认应该改正的不文明、不道德行为。邻里之间或共同承诺不参与“法轮功”等迷信邪教活动，或相互提醒不向门前绿化带扔垃圾，或共同制止楼道张贴小广告，或保证不让宠物影响市容卫生。家庭成员之间，有的提醒孙子要对爷爷奶奶有礼貌，有的提醒父母不要参与打麻将赌博。全区有20余个社区1000多户居民参加了“提醒”签约，“提醒”的内容近100项，涉及到居民生活的方方面面。这一活动以居民群众为主体，以贯彻20字公民基本道德规范为主线，以美化环境卫生、规范言行举止、文明经营为着眼点，引导居民相互提醒，共同监督，从我做起，从点滴小事做起，使《公民道德建设实施纲要》的要求真正落到实处。活动开展以来，居民们在善意的提醒中乱堆乱放的少了，制造噪音的少了，乱扔垃圾的少了，环境卫生一天比一天好，邻里关系更为融洽。

（湖南省文明办）

湖南省长沙市天心区

创建“爱国守法，诚信经营”星级非公企业

《公民道德建设实施纲要》印发后，长沙市天心区把加强非公有制经济领域道德建设作为深化精神文明建设，争创省级文明城区的重要方面，广泛开展“爱国守法，诚信经营”星级企业创建活动，为进一步做好非公有制经济领域精神文明建设工作，促进非公有制经济快速、健康发展起到了积极的推动作用。

区工商联组织各行业商会、会员企业学习《纲要》精神，非公有制经济代表人士带头讲信誉，讲诚信，以实际行动树立民营企业诚信经营新形象。区文明办、工商联举行了“爱国守法，诚信经营”企业法人代表签名活动首签式。各街、镇分会、行业商会分别组织了签名活动。

区文明办、工商联牢牢把握“爱国守法，诚信立业”，增强经济道德意识，树立企业信誉这一主题，采取座谈、研讨等形式，强化诚信意识，

增强企业诚信经营的自觉性。全区7个相关职能部门和12家民营企业负责人参加研讨活动。向区政府有关部门、社会各界和民营企业发出征求意见书120份，共收集建设性意见32条，形成活动的具体思路和措施。

区委宣传部、区文明办、区工商联组织全区民营企业代表、区行业商会、工商联分会负责人共20人举行“爱国守法，诚信经营”经验交流座谈会。《中华工商时报》及省市主要新闻媒体进行专题报道，扩大了诚信经营创建活动的社会影响。

在深入调研、广泛考察的基础上，区工商联、文明办制定了《诚信经营星级企业考评实施细则》，把诚信经营的要求化为具体的考核指标，从产品质量、价格、服务态度、服务质量、遵守法纪、热心公益等6大项共30个方面，分5个级别进行考评，并制定了相关的考核、评比、表彰措施。诚信企业的评选采取企业对照标准自行申报，分会、行业商会进行初评，区工商联会同区文明办统一审核，社会公示的方法和程序，确保评选过程和结果公平、公开、公正。

创建诚信经营星级企业活动开展以来，在非公有制经济领域引起了强烈反响，全区有600余家企业参与了创建活动，其中120家企业正在积极创造条件争创三星级以上诚信经营企业。

（湖南省文明办）

湖南省衡阳市南岳区

争做“五小公民”

衡阳市南岳区认真贯彻《公民道德建设实施纲要》，在青少年中广泛开展争做“五小公民”活动，充分调动了青少年参与道德建设的积极性、主动性和创造性，提高了文明素质。

“五小公民”，即在社会上做热爱祖国、文明礼貌、诚实守信、遵纪守法的“小标兵”；在学校做团结友爱、互相帮助、尊重他人、善于合作的“小伙伴”；在社会和公共场所做爱护公物、讲究卫生、保护环境、遵守秩序的“小卫士”；在家庭做孝顺父母 、关心亲人、勤俭节约、热爱劳动的“小帮手”；在独处时做胸怀开阔、心理健康、勤奋自立、勇于创新的“小主人”。活动由区委宣传部牵头，区团委、妇联、教育局、广电局都制订了具体的实施计划，开展了系列教育活动，帮助青少年树立正确的世界观、人生观和价值观。一是开展爱国主义教育。学校组织学生参观爱国主义基地，激发青少年的爱国之情和报国之志。二是开展文明礼仪教育。鼓励少年儿童争当“小小迎宾员”，树立“笑迎天下客，满意在南岳”的观念。三是开展环保意识教育。开辟树木园劳动教育基地，组织学生参观学习，在大自然中、在生产实践中增长知识，陶冶情操，从小树立爱护环境、保护环境的良好意识，争做文明小公民。

（湖南省文明办）

湖南省岳阳市

开展“做文明市民”活动

为加强公民道德建设，提高市民文明素质，岳阳市在全市开展“做文明市民”活动。

一是开展“做文明市民”万人签名活动。4月初，市委、市政府召开“做文明市民”活动动员大会，组织城区居民、青年志愿者、中小学生举行签名活动，承诺“做一名文明岳阳人”。

二是开办市民文明学校。每所文明学校做到“七有”，即有领导机构、有专门人员、有教学计划、有固定场地、有专项经费、有教学活动、有教学考勤记录。市文明办组织编写《岳阳市民道德行为规范简易读本》，作为文明学校教材。教育系统组织市区中小学校每两周开展一次公民道德教育和实践活动。

三是组织义务护园活动。从4月至年底，组织市直党政群机关公务员、青年志愿者、城区中小学生到城区中心园林，进行义务护园执勤。

四是开展系列文明创建活动。在市民中开展评选“文明标兵”活动，在窗口单位和服务行业开展“文明在岳阳”为主题的创建活动：争创“文明出租车”、“文明在公交车”、“文明在公园”、“文明在校园”、“文明在车站、码头”、“文明在医院”、“文明在商场”、“文明在社区”、“文明在家庭”，大力倡导社会公德、职业道德、家庭美德。

五是开展公民道德教育系列宣传活动。在主要街道、重要路口制作宣传标语牌。各新闻单位开辟公民道德教育专栏（专题），定期宣传两个文明建设中涌现出来的反映新时期道德要求的新事物、新典型。加强对社会普遍关注的道德热点问题的引导，积极开展舆论监督。

六是组织“公民道德建设先进事迹”巡回报告，推介开展公民道德教育和道德实践活动先进典型的做法和经验。

（湖南省文明办）

湖南省岳阳市云溪区

家规家训进万家

岳阳市云溪区地处湘鄂边境，区内农户素有订立家规家训，进行自我教育、自我管理的传统。中央印发《公民道德建设实施纲要》后，云溪区从家庭这一社会细胞入手，努力挖掘传统文化资源，以群众喜闻乐见的“家规家训”为载体，在全区农村广泛开展“家规家训进万家”活动，大力推进农村思想道德建设。

建立家规家训库。按照继承与创新相统一的原则，由区文明办牵头，文化、科技、教育、司法等单位参加，联合组成家规家训整理小组，对村民传统的家规家训进行整理，吸取精华，摒弃糟粕。以“爱国守法、勤劳科学、邻里和睦、发家致富”为主题，结合时代要求和各村地域特色，充实和发展家规家训内容，着力弘扬尊老爱幼、勤俭自强、尚学崇劳等传统美德，倡导科学致富、富而思进、诚信守法等时代新风。在此基础上，区文明办设家规家训总库，各乡镇（科局）、村设分库，编印了《云溪区家规家训集》，发放到每家每户。群众根据自家的历史渊源和家庭实际自主选用。

组织一支“家规家训”宣讲小分队。从司法、科技、教育、文化等部门抽调一批专业人员，下到全区57个村宣讲“家规家训”。

组织“家规家训在我家”演讲比赛。由各乡镇组织初赛，区里选拔10名优秀选手决赛。并在全区乡村巡回演讲，吸引群众参与。

典型引路。云溪区相继推出了尚学崇劳的退休教师叶树芳，义抚三侄的农妇杨友元，孝敬公婆的熊菊英等一批先进典型，在全区产生了积极的影响，有效地提高了活动的整体水平。

（湖南省文明办）

湖南省岳阳市君山区

建立精神文明建设讲评制度

岳阳市君山区文明委针对区情，大胆创新，在逐步健全精神文明建设各项管理考核考评制度的同时，建立定期讲评制度，有力地推动了精神文明创建活动的顺利开展。

区里成立了以区委书记任组长，区委主管副书记、区委常委、宣传部长任副组长的讲评领导小组，每两个月召开一次精神文明建设讲评会，各镇（办、场）分管副书记参加，依据《君山区2002年精神文明创建活动目标考核细则》，对各镇（办、场）阶段的工作任务完成情况进行现场评议。

在讲评过程中，建立一套严密的规范程序，从问题收集、专题评议，到会后执行、结果反馈，都做到规范化、程序化。每次讲评围绕一个主题展开。讲评前，区文明办组织力量到各镇（办、场）通过走访或不定期抽查等方式，掌握情况，确保讲评的真实性、针对性、预见性，每次讲评采取自评、互评、主评的形式，对各单位的工作进行综合评定。既谈成绩，又找问题，既说经验，又寻症结，重在查找差距。

区讲评领导小组对个别单位在讲评中存在的突出问题限期整改，各单位将整改情况及时反馈到区文明办。区文明办将每次讲评及整改情况进行综合，报区领导，并下发到各镇办场。2002年君山区共举行了4次讲评，解决了精神文明建设经费投入不足，没有形成合力等问题12个，帮助群众解决热点难点问题20多个。

讲评制度的实行促进了农村精神文明建设。全区已有90%以上的农户积极参与“十星级农户”创建活动，涌现出一大批致富守法、尊老爱幼、邻里和睦的典型。

（湖南省文明办）

广西壮族自治区河池地区
贵州省黔南布依族苗族自治州
联手创建“文明大通道”

8月，由广西壮族自治区河池地区和贵州省黔南布依族苗族自治州双方协商共建的跨省区“文明大通道”——大西南出海大通道黔南段、河池段“文明大通道”创建工作拉开序幕。

大西南出海通道穿越贵州与广西交界少数民族聚居的黔南布依族苗族自治州和河池地区，路段全长519公里，其中黔南段259公里，河池段260公里。沿途共有9个县（市），壮、布依、苗、瑶族等少数民族人口占85%以上。贯穿黔桂的大西南出海通道的开通，为两地（州）经济、文化的进一步交流和发展提供了新的机遇。

黔南与河池双方本着“因地制宜，实事求是，求同存异，创出特色”的原则，确定了9个方面的创建内容。其中包括在沿线强化精神文明宣传和教育，营造创建文明大通道，服务西部大开发的浓厚氛围，抓好文明小康、生态农业、宣传文化基础设施、公民道德建设以及村容村貌和路容路貌整治、大通道窗口单位优质服务、边界社会环境和社会治安的治理工作，通过3—5年的联手创建，使沿线文明城市、文明单位、文明村镇的精神文明创建工作跃上新台阶，成为名副其实的经济发展、社会稳定、民族团结、文化活跃、往来频繁的“文明大通道”。这一创建活动将每半年易地召开一次协调会，总结交流经验，促使不断升华提高。

（摘自2002年9月1日《人民日报》）

广西壮族自治区南宁市
公民道德建设系列活动

为贯彻落实《公民道德建设实施纲要》，南宁市以丰富多彩、生动活泼的形式开展了公民道德建设系列活动。

各县区结合自身特点，有针对性地开展公民道德建设，确保实效。兴宁区根据辖区流动人口多的特点，建立社区党员与流动人口、辖区学校学生与流动人口道德教育连心卡制度，开设“流动党员活动室”、“流动人口之家”，开展“婚育新风步入流动人口”主题活动等一系列活动，探索城市流动人口公民道德建设的新路子。城北区根据辖区内大中专院校多、知识分子多的特点，重点开展“社会公德大家谈”活动，围绕“说说我家美德情、夫妻对话恩爱情、邻里共话互助情、众人共赞党恩情、评说社区道德情”等话题开展论谈。永新区根据小商品批发零售集散地的特点，重点在经商户中开展“创诚信经营活动”。江南区根据辖区居民多的特点，重点开展“居民评居民议道德”系列活动，抓住发生在居民身边的好人好事和一些不讲道德的现象，居民自己说、自己议，在评议中达到自我教育的目的。邕宁、武鸣两县根据农民多的特点，在农户中开展“十星农户”竞赛活动，通过竞赛使农民实现自我教育。

抓住重点人群、行业，提出不同教育和内容目标要求。重点在党员干部尤其是领导干部中，开展“廉洁奉献、办事公道、尽职尽责、热心服务”教育；在青少年中开展“爱国爱民、遵纪守法、自强自立、无私奉献”教育；在个体工商户中开展“文明经商、诚实守信、锐意创新、奉献社会”的教育；在流动人口中开展“爱城市、爱岗位、做贡献”的教育。在重点行业中，以经营单位为重点，广泛开展以诚实守信为主要内容的道德教育。

运用丰富多彩的形式，开展生动活泼的公民道德教育活动。一是开展公民道德社区巡回演讲活动。二是开展电视知识竞赛活动。三是开展社会公德、职业道德、家庭美德十个“十佳”（十佳婆婆、十佳媳妇、十佳青年、十佳少年、十佳个体户、十佳私营企业主、十佳窗口行业标兵、十佳政治干警、十佳公务员、十佳市民）公民道德建设活动。

（广西壮族自治区文明办）

广西壮族自治区梧州市

做文明市民　创优美环境

从10月份起，梧州市文明委在全市组织开展“做文明市民，创优美环境”群众性创建活动。活动以提高市民素质和城市文明程度及创造优美环境为目标，以“做文明市民，创优美环境”为主题，紧紧围绕创建文明城市展开，核心内容是深化“三个创建”和着力营造“三个环境”。“三个创建”是：创建文明社区，提高市民环境生活质量；创建文明行业，提高人民群众满意度；创建文明村镇，提高村镇文明程度。营造“三个环境”是：营造优美和谐的生态环境；营造方便舒适的生活环境；营造规范有序的社会环境。根据创建活动的内容，把活动责任分解为规范市民言行，提高市民文明素质；环境整洁优美；社会秩序良好；社会服务优质4个方面，涉及市政管理、教育、公安等近40个责任单位。活动中坚持重点突出，实施市县联动、城乡联动，整体推进，抓好重点单位的创建活动。首先是抓好机关、窗口行业等单位和城乡、城郊结合部等地方，从车站、码头、宾馆、收费站等单位和主要街道抓起，规范服务行为，倡导文明用语，提高服务质量，创造优美环境；第二是以市区为重点，逐步沿公路线向乡镇辐射，形成以梧州市区为中心，点、线、面相结合的辐射方圆近百公里的区域性精神文明创建工作圈；第三是按梯次抓好环市区附近的乡镇、县城周围的乡镇、公路沿线的乡镇、边远乡镇这4个层面的区域性精神文明共创工作，逐步推进，共同提高。

（广西壮族自治区文明办）

广西壮族自治区忻城县马泗乡

开展农民道德评议活动

广西忻城县马泗乡党委在大力宣传《公民道德建设实施纲要》的同时，针对农村群众生产、生活的实际和农民群众的思想状况，在全乡5个村建立农民道德评议会，广泛开展道德评议活动，有效地促进了农民道德素质的提高和村风民风的好转。

建立道德评议组织。农民道德评议会，主要是针对农村中那些法律管不到、行政管不了或管不好的言和行、人和事进行评议，教育引导农民遵守道德规范，提高道德素质，树立文明新风。农民道德评议会通常由4—5人组成，村党支部书记兼任会长，群众推荐的老党员、老干部、老教师和其他群众代表担任评议员。在评议工作中，评议员以德律己，不计报酬，既是道德建设的宣传者，又是道德建设的引导者。

制订道德评议标准。在广泛调查研究、征求意见的基础上，紧贴农民群众思想和生产、生活实际，把社会公德、职业道德、家庭美德具体化为“品行端正不违法，应缴税费不拖欠，保护耕地不乱占，计划生育不超生，家庭和睦不忤逆，邻里互帮不生非，崇尚科学不迷信，健康娱乐不赌博，热心公益不落伍，保护环境不污染”的70字要求。

明确道德评议内容。注重了解农民群众所思所盼、所难所急，增强农民道德评议内容的针对性和实效性，重点围绕3个方面确定议评内容：一是农民产业结构调整、农民增收、农村社会稳定等重点工作；二是群众关心的村务公开、计划生育、公益事业等热点难点问题；三是山林、土地、水利纠纷和邻里、家庭矛盾等。

注重道德评议策略。在评议策略上，以正面引导为主，对正面的评议褒扬，弘扬正气，对反面的评议剖析，促其转化。针对不同对象、不同事件，因事、因人而异，讲究艺术，注重策略。在评议方式上，注重实际，从基本要求做起，从具体事情抓起，实现从说教式向谈心式、号召式向引导式、单向灌输式向参与互动式的转变。在评议方法上，对普遍的倾向性问题以及广大群众关注的热点难点问题，通过会议集中评议；对个别存在的或涉及隐私、不宜公开的问题，尊重被评议对象的人格，由有关评议员以谈心拉家常的形式上门评议；对好人好事利用墙报板报公开评议；对突发事件就地现场评议；对“老大难”问题跟踪评议。

通过开展农民道德评议活动，使广大农村形成了“新人新事有人夸、歪风邪气有人管”的良好风尚，对解决当前农村中一些突出矛盾和难点问题起到良好的促进作用。

（广西壮族自治区文明办）

重　庆　市
开展文明诚信竞赛

重庆市解放碑商贸中心是重庆最繁华的商业区，也是“全国精神文明创建活动示范点”和“全国百城万店无假货示范点”。为了进一步规范经营行为，打造诚信重庆，把解放碑建设成为“品牌、时尚、诚信、文明”的中国西部第一街，由重庆渝中区文明办、解放碑综合管理处及解放碑商贸区近百家企业联合发起了“文明诚信竞赛活动”。

竞赛活动以“文明诚信”为主题，以“比店堂环境美，赛商品陈列美；比服务质量优，赛接待语言美；比商品质量优，赛品牌款式美；比职工素质优，赛职业行为美；比经营业绩优，赛企业形象美”的“五比五赛”为主要内容。各参赛单位结合自身实际，开展了丰富多彩、富有特色的活动，强化了员工的服务意识和诚信意识，全面提高服务水平。通过开展活动，“文明诚信服务”得到各商家的高度认同，有力地促进和推动了各企业的诚信文明建设，员工的素质普遍得到提高，更好地树立了商场的文明形象和优良信誉，进一步深化了“为您服务、使您满意、让您放心”的服务宗旨。

活动从1月开始，5月结束，评出了十佳文明诚信单位、十佳优秀服务标兵。该活动将继续深入开展下去，今后每年上半年开展“优质服务优胜单位竞赛活动”，下半年开展“文明诚信竞赛活动”，着力为打造诚信重庆树立品牌。

（重庆市文明办）

重　庆　市
开展百万市民看重庆活动

为了进一步鼓舞士气，凝聚人心，充分展示重庆的建设成果，市文明办组织开展了“百万市民看重庆”大型系列活动。

活动以参观为主要形式，内容包括“国企改革结硕果”、“靓丽景观塑造形象”、“文明创建展风采”、“科教兴渝迈大步”、“民营企业显活力”、“生态农业促腾飞”等。通过组织全市各行业、各阶层干部群众参观直辖以来重庆经济社会的巨大变化和两个文明建设的成果，向广大市民宣传共产党好、社会主义好、改革开放好，激发全市人民心系新重庆、热爱新重庆、建设新重庆的热情，引导干部群众更加深入贯彻邓小平理论和“三个代表”重要思想，更加坚定走有中国特色社会主义道路的信心，为全面实施“十五”计划，努力建设“礼仪重庆、诚信重庆、知识重庆、魅力重庆”，促进全市经济社会的发展创造良好的社会氛围。

活动从1月开始，到6月结束，历时半年，市级各部门、各区县（自治县、市）组织劳模、英模、先进人物；老红军、老干部、离退休干部职工；新闻、文艺、教育工作者；驻渝部队；下岗职工；库区移民；老少边区少数民族、驻渝媒体及外地媒体和群众等各阶层共数十万人进行参观。

活动的开展受到干部群众的普遍欢迎和全社会的强烈反响，得到市委、市政府领导的高度评价，起到了凝聚人心、振奋精神的作用。

（重庆市文明办）

重　庆　市
推出电视新闻评论栏目《道德观察》

为进一步学习宣传《公民道德建设实施纲要》，贯彻落实《纲要》提出的各项任务，向广大人民群众普及公民道德建设基本知识，重庆市文明办于11月11日在重庆电视台推出了电视新闻评论栏目《道德观察》。

《道德观察》的定位是：引导社会舆论，倡导文明新风，规范道德行为，展示魅力重庆。栏目立足重庆，面向全国，充分发挥电视新闻评论的舆论导向作用，反映道德实践，引导道德规范，弘扬高尚美德，抨击不道德行为，集评论性、新闻性、纪实性、可视性于一体，力求把栏目办成抨击不道德行为的重要阵地和载体，办成广大人民群众追求真、善、美和崇尚良好道德的精神家园。

《道德观察》采取新闻纪实性报道的节目形态，捕捉真实的新闻线索，采取纪实的手法，用追踪报道的方式讲述人物和事件故事，突出人物与事件的矛盾冲突以及事件中极具冲突与悬念的关键情节，以故事性，情节化，人性化吸引观众，满足观众的收视需求，进而在观众对当事人和事件事实充分了解并有一定情绪积淀的基础上，对有观念冲突和悬念的结论进行拓展延伸，由记者采访权威人士、学者、专家和社会公众人物，对涉及的问题作客观、公正的评价，以体现栏目的客观性、公正性和教育性。栏目全面介入道德领域的方方面面，既有褒扬，又有批评，还有对道德现象、道德问题的评析，力求充分体现时代性、先导性、教育性、批评性和权威性。宣传报道道德建设的先进典型和先进人物，跟踪记录和评析社会不良现象发生形成的原因，并保持平实、冷静、客观、科学的态度，通过对公民道德实施过程中出现的新人、新事、新风尚，以及不道德行为和事例进行透视分析报道，特别是对败坏社会风气，有违伦理道德的行为进行曝光批评，对社会丑恶现象进行无情抨击，弘扬正气，惩恶扬善。

（重庆市文明办）

贵州省毕节地区

建设经济文化长廊

毕节地区以贵毕高等级公路为龙头，开展黔西北经济文化长廊建设，用3—5年的时间，建成贵毕路、毕威路、大纳路千里文明长廊，促进毕节地区物质文明、政治文明、精神文明的协调发展。其中，西南出海辅助通道贵毕高等级公路毕节段全长142公里，途经毕节地区3个县市、21个乡镇、154个行政村。

开展“地直单位共建”活动。根据地委、行署“4321（地厅级干部、县处级干部、乡科级干部、一般干部分别帮扶4户、3户、2户、1户）”绿肥帮扶活动的要求，地直70多个部门在沿线确定了自己的联系点，共集资9.56万元购种子10.15万公斤，种植绿肥4.88万亩。

开展“警民共建”活动。地区公安局、交通警察支队按贵州省文明委、公安厅的要求，以创建“平安大道”为重点，围绕“交通安全畅通、治安秩序良好、执法公正文明、警务保障有力、人民群众满意”的目标，专项整治，在沿线村寨、学校开展交通安全教育，增加标志、标线、标牌，遏制了交通事故的发生，维护了人民群众的根本利益。

开展“文明委成员单位共建”活动。按“五五三”（五改：改水、改厕、改灶、改路、改善环境；五创：创文明村镇、单位、学校、大道、十星文明户；三禁：沿线可视范围内严禁乱开滥采、乱搭滥建、乱埋滥葬）要求开展活动。地直宣传文化部门与各县（市）开展共建活动，使沿线实现了广播电视寨寨通，促进了蜡染刺绣、苗族多声部合唱等民族风情及丰乐生态文化园、毕节夜郎文化休闲都等民族民间文化建设的发展。

开展“文明单位共建”活动。受表彰的省级文明单位，积极参与“文明大道”创建活动，制作“贵毕路经济文化长廊建设”大型公益广告牌10多块，积极为文明村寨创建献计出力。

经济建设方面：一是强化生态环境建设，构建绿色示范长廊。全年共完成植树造林7.9万亩。二是强化科技兴农，构建农业科技示范长廊。三是强化农业基础地位，构建农业发展的“基础”示范长廊。四是强化畜牧大区建设，构建畜牧示范长廊。

文化建设方面：一是“三级联创”党建示范区进展喜人。二是大力加强民族历史文化建设和旅游文化建设。三是以黔西丰乐园为代表的科技文化建设示范点初见成效。四是以毕节毛纺厂夜郎文化休闲都、毕节卷烟厂为代表的企业文化示范点建设取得了新的突破。五是沿线村村通广播电视工程进展顺利，已安装卫星电视接收站100座、小规模小线电视网站34座。六是沿线文明程度普遍提高。沿线县（市）获省第五届省级文明单位11个、文明村镇2个、获省文明委精神文明创建活动组织奖3个。

抓好以民主法制建设为重点的“两学一奔”（学科学文化、学政策法规、奔小康）示范村和安全文明示范小区建设。开展以讲文明、树新风为主题的“十创一评”活动、“卫生与秩序”为主题的文明卫生城镇、村寨创建活动。把群众性精神文明活动集中在沿线开展，丰富群众的精神文化生活。“三下乡”、“四进社区”、“五个一”、科技活动周等活动，深受群众欢迎。

（贵州省文明办）

云 南 省

组织公民道德建设先进事迹报告团

在中央颁发《公民道德建设实施纲要》一周年之际，在党的十六大召开前夕，云南省委宣传部、文明办组织了公民道德先进事迹报告团在全省巡回报告。报告团的成员有：昆明市公共汽车总公司驾驶员、全国五一劳动奖章获得者、国家建设部劳动模范、云南省十大杰出青年、昆明市特等劳动模范吴艳，武警云南总队德宏支队瑞丽中队指导员、第五届中国武警十大忠诚卫士、云南省“云岭卫士”、云南省十大杰出青年张云波，丽江地区华坪县民族中学教师、全国先进工作者、全国十佳师德标兵、云南省先进工作者、云南省思想政治工作先进个人张桂梅，昆明市阿惠家政服务中心主任、全国“三八红旗手”、云南省十大再就业明星毕惠仙，昆明市五华区人民法院审判监督庭庭长、云南省人民满意的政法干警、云南省先进工作者瞿建华，云南省华夏中等专业学校教师、云南省十大杰出青年和志刚，云南省玉溪市人民检察院反贪污贿赂局局长、云南省人民满意的政法干警、云南省十大杰出青年王江华，以及全国先进基层党组织、云南省学习实践“三个代表”先进集体、泸西县白水镇党委，全国精神文明建设工作先进单位、全国思想政治工作优秀企业、全国“五一劳动奖状”获得单位漫湾发电厂，全国精神文明建设工作先进单位、昆明铁路局客运公司61/62次列车，云南省文明单位南华县工商局，云南省优秀妇女之家、昆明市先进党组织、昆明市文明社区先进单位、昆明市五华区虹山中路居委会等先进单位的代表。

10月22日，报告团在昆明胜利堂向省党政军领导和1000多名观众作了首场报告后，在16个地、州、市巡回作了41场报告，历时近两个月，行程6000多公里，近50万人收听收看。他们感人至深的动人事迹为与会者上了一堂生动的公民道德建设教育课。报告团的活动时间长，规模大，社会反响强烈，把云南省公民道德基本规范学习教育活动引向了高潮。

（云南省文明办）

甘 肃 省 白 银 市

开展公民道德建设八大实践活动

白银市在全市组织开展八大道德实践活动，取得了明显成效。

一是以创建爱国主义教育基地活动为载体，进行热爱祖国、建设白银教育实践活动。利用各级爱国主义教育基地，开展丰富多彩的爱国主义教育实践活动。每年在爱国主义教育基地举行18

岁成人仪式。2002年有1.4万人参加这一仪式。坚持不懈地开展“白银精神”教育，引导广大群众正确认识市情，热爱白银，建设白银。

二是以创建文明城市活动为载体，组织人们广泛参与社会公德建设活动。开展“建文明城市、创文明单位、做文明市民、满意在白银”活动，引导广大市民讲文明、树新风，遵守《白银市民公约》和《白银市“三从十不”市民行为规范》，争做文明市民。投资1亿元对市区22条道路进行拓宽改造；发动广大市民义务植树40多万株，使城区绿化面貌得到改观；开展“治理脏、乱、差，改善城市面貌”活动，清理垃圾2000多吨。白银市被命名为省文明城市和省卫生城市。

三是以创建文明村镇活动为载体，广泛开展“三刹两创一建”道德实践活动。即“狠刹封建迷信、赌博、婚丧事大操大办，创十星级文明农户、遵纪守法光荣户，建文明村”活动。沿黄河14个乡镇以创建“沿黄精神文明建设示范长廊”为突破口，在“三刹两创一建”活动中走在了前列。以行政村为单位，依据“三德”规范和有关法律法规，制定《村规民约》，推动道德规范的建立与实践。建立红白理事会、道德评议会、妇女禁赌会等群众自治组织830个，抵制婚丧陋习、聚众赌博和各种形式的迷信活动。利用墙报、板报、文化墙、“村民功德录”等形式，表扬助人为乐、诚实守信、尊老爱幼等好人好事，鞭挞不文明、不道德行为。

四是以创建文明行业活动为载体，组织人们广泛参与职业道德建设活动。在党政机关，开展“创文明机关、做人民满意公务员”活动；在执法部门，开展“文明执法，廉政为民”活动；在商业服务性行业，开展“诚实立身、诚信立业、文明生财”活动；在各级各类学校，开展“创建文明校园、弘扬社会新风”活动。各行各业的具体道德规范逐步完善，首问负责制、限时办结制、承诺制、公示制等制度得到推广，“为您服务、向您承诺、请您监督、让您满意”的氛围在全市基本形成。

五是以创建文明家庭活动为载体，组织人们广泛参与家庭美德建设活动。城市各社区普遍开展争创“五好文明家庭”活动，共评选出市级“五好文明家庭”20户，县区级“五好文明家庭”450户。广大农村深入推进争创“十星级”文明农户活动，共评选“十星级”文明农户9000多户。同时，还开展了“好媳妇”、“好婆婆”等评选活动。各居民委员会、村民委员会还把评选结果同小额贷款、参军、帮扶等挂钩，使广大群众在参与中得到实惠，进一步提高了广大群众参与创评活动的积极性。

六是以创建文明单位活动为载体，组织党政机关、企事业单位的干部职工广泛参与“三德、三做”活动：自觉遵守社会公德，在社会上做个好公民；自觉遵守职业道德，在单位做个好职工；自觉遵守家庭美德，在家里做个好成员。同时，对不积极参与“三德”、“三做”活动，发挥不了示范带动作用的文明单位，进行通报批评，个别单位被取消了文明单位的荣誉称号。2002年，全市涌现出了省级文明单位5个，市级文明单位105个，县区级文明单位600多个。

七是以各种社会公益活动为载体，广泛开展“献爱心”道德实践活动。全市开展了“希望工程”、“送温暖”、“志愿者”、“手拉手”、“幸福工程”、“春蕾计划”、“扶残助残”、“文明单位扶贫工程”、“弘扬社会新风、扶助下岗职工”等活动，广泛吸引各方面群众参与，使群众在参与中受到教育，得到提高。

八是以公民道德建设示范点创评活动为载体，广泛开展树楷模、学先进活动。确定并推出了全市公民道德建设示范点8个，组织公民道德建设宣讲团，深入各县区、厂矿宣讲20场次，听众达3万多人次。“背着残疾人上学”的先进典型王梅的感人事迹在全市产生了很大影响，被团中央命名为全国“五四”奖章获得者和全国“学雷锋先进个人”。

（甘肃省文明办）

青海省交通厅

建设高原千里文明通道

5月份，青海省交通厅召开动员大会，全面启动高原千里文明通道建设。高原千里文明通道以省会西宁为中心辐射涵盖了青海省东部农业区和西部重点开发区，是青海省经济的主动脉，也是青海对外开放的主要走廊。

公路交通是青海省最基本最重要的运输方式，承担着全社会货运量90%以上的客运量，是名副其实的经济大动脉，将主要干线道路首先建成文明通道，继而辐射和带动全路，这对于实现强省富民战略、发展特色经济、加快资源开发、加大招商引资力度、改善广大农牧区人民群众的物质文化生活、加强与外界的沟通、打破因区域封闭而形成的思维定势、接受先进的文化信息都有重要意义。

建设高原千里文明通道，实施“四项工程”，即建设“交通基础设施优质廉政工程”、“交通行政执法素质形象工程”、“交通运输通道文明畅通工程”、“交通运输企业安全效益工程”。

加强组织领导，广泛发动群众，深入宣传教育，制订建设计划，规范工作（服务）标准，落实岗位责任，严格业绩考核，建立激励机制，重视财力投入，协调外部关系，及时总结提高。工作步骤是：一年打基础见成效，两年上台阶规范化，三年巩固提高建成命名。建设高原千里文明通道最核心的问题是不断提高相关人员的综合素质，加强队伍建设。

开展建设高原千里文明通道活动以后，青海省各地交通部门广泛发动群众积极投身到建设活动中来，按计划扎扎实实地向前推进并已取得阶段性成果。

（青海省文明办）

青海省妇联

积极组织家庭文体活动

青海省妇联在全省广泛组织开展家庭文化体育活动，营造了积极健康、文明向上的社会氛围，推动了家庭文明建设。各地在这一活动中根据实际，开展各具特色的活动，取得了实实在在的效果。德令哈市依托妇女骨干，带动辐射左邻右舍，开展家庭读书活动，通过导读、助读、知识竞赛、演讲等，促进家庭成员学习新知识，树立新观念。西宁市把“家庭抵制邪教、家庭倡导文明”纳入农村、社区的家庭文化活动中，组织观看反邪教展览，使群众受到深刻教育。门源、湟中、互助等县组织家庭成员参加刺绣、摄影、书法、绘画及中秋月饼展览。海北州在夏秋季节开办了以文艺演出，趣味游戏，体育活动，科技、法律知识宣传为内容的“西海文化广场”活动。省妇联开展的征集优秀治家格言活动，得到了各地积极响应。省体育局、省教育厅、省妇联共同举办的第二届家庭运动会，吸引了190多个家庭700多名家庭成员参加。11月，省五好文明家庭创建活动协调小组举办的“喜庆十六大·美德在家庭”展演，既是一次文化文艺活动，又是一个向社会展示家庭文化建设成果的平台。来自省直机关、厂矿企业、部队、学校的110户家庭、400余人直接参加了活动。华措4姐妹的藏族舞蹈和湟中县妇女乔应菊的堆绣作品，代表青海省参加在北京举办的第二届中国家庭文化艺术节颁奖晚会并进行了展演。由省妇联推荐的家庭和睦、具文艺特长的王雪芳等3户家庭参加了中央电视台3套《神州大舞台·欢乐之家》栏目的节目制作。通过歌舞、魔术、武术、书法、绘画、摄影、剪纸、刺绣等多种艺术形式，向全国的电视观众展现了青海高原家庭的风采。

为倡导尊老敬老的家庭美德，各地以“母亲节”为契机，组织开展了“鲜花送母亲”活动。海南州开展了“敬母爱母五个一活动”，互助县拍摄了电视散文专题片《母亲》，海南、海西、果洛等州县开展了“爱心献母亲，慰问救助贫困母亲”活动，民和县举办了中小学诗歌、散文朗诵比赛，选手的每一首诗歌、每一篇散文，字里行间都包含着对母亲的理解和尊重。

（青海省文明办）

宁夏回族自治区银川市

道德千句文　传遍凤凰城

银川市委宣传部、市文明办在中央《公民道德建设实施纲要》印发后，组织力量，结合实际编写了《公民道德千句文》，在全市进行广泛宣传，赢得了广大市民的热烈欢迎和积极参与，产生了良好的社会效果。

年初，银川市委宣传部、市文明办组织了10多位作家、诗人，撰写了银川市《公民道德千句文》，下发各县（区）乡镇、街道办事处，作为全年精神文明建设的重要内容，进行广泛宣传。《公民道德千句文》以基本道德规范20字为框架，配以插图，分7个部分对公民道德建设的指导思想、方针原则、基本内容和教育实践等进行了全面介绍，将应当理解的大道理、必须坚持的大原则和生活中的日常习惯以及身边的琐碎小事综合在一起进行阐述，做到内容丰富、通俗易懂。四字一句，整齐押韵，琅琅上口，便于传诵和记忆。

自《公民道德千句文》推广普及以来，对推动市民综合素质提高起到了重要作用。

（宁夏回族自治区文明办）

宁夏回族自治区平罗县城关镇
成立“好丈夫俱乐部”

平罗县城关镇在农村精神文明建设中，为了改变以往“女主内，男主外，女人围着锅台转”的传统习惯，使年轻丈夫帮助妻子承担家务，增强关爱家庭、夫妻和睦、共创美好生活的意识，于3月成立了“好丈夫俱乐部”，作为农村精神文明建设活动的新形式。

“好丈夫俱乐部”本着“学习、交流、提高、进步”的宗旨，以争做好丈夫为目标，开展了系列活动。一是定期举办讲座。每月邀请妇女工作和法律工作者讲解家庭美德的重要性，教育俱乐部成员转变思想观点，坚决摒弃大男子主义思想，树立男女平等、共担家务的理念。教育俱乐部成员懂得尊重妻子、体贴妻子不仅是搞好家庭建设的重要前提，也是一个人道德水准的体现。二是组织家务技能比赛。每月组织俱乐部成员开展一次比做饭、比炒菜、比打扫卫生活动，对表现好的俱乐部成员进行表扬，对不会做饭、炒菜、打扫卫生的俱乐部成员则鼓励他们多向妻子或其他人学习，逐步提高做家务的本领。三是交流座谈。每月利用活动日，由俱乐部确定交流主题。交流内容涉及家庭美德建设、邻里关系、亲朋交往、发展经济等。四是开展文体活动。利用活动日，借助镇宣传文化中心，组织家庭参加有益的文化体育活动，增加俱乐部成员之间、俱乐部成员夫妻之间的相互理解与了解，进一步提高俱乐部的社会影响力，寻求社会各界对办好俱乐部的支持。五是组织观摩学习。每隔2至3个月，组织俱乐部成员到夫妻和睦、邻里团结、经济发展、卫生整洁的家庭进行观摩学习，用身边事教育身边人。六是开展相互评议。每年以村为单位，由俱乐部成员进行自述，其他俱乐部成员进行评议。

“好丈夫俱乐部”成立以来，越办越红火，成员发展到130多人，100%的会员会做简单饭菜，主动参与家务劳动。会员家庭和睦、夫妻恩爱、孝敬父母，广受社会好评。

（宁夏回族自治区文明办）

宁夏回族自治区石嘴山市
道德评议树新风

为进一步提高家庭美德教育的针对性与实效性，石嘴山市坚持以“五好文明家庭”创建活动为载体，在全市广泛开展了丰富多彩、形式多样的道德评议活动。

对热心公益、助人为乐、尊老爱幼、家庭和睦、孝敬老人、教子成才等好人好事和好的家庭进行评议。大武口区人民路办事处工人街居委会的家庭道德评议协会，随时注意搜集、发现辖区内值得表扬的好人好事和值得提倡的做法，坚持每月召开一次家庭道德评议会议，对搜集到的情况进行评议和分析，对大家认为表现突出的家庭和家庭成员，在宣传橱窗和黑板报上张榜公布，同时还组织其他家庭学习，弘扬家庭美德。

对不讲公德、损人利己、家庭暴力、邻里纠纷、溺子为患、迷信邪教等不良行为和违法乱纪现象进行评议。长城街道办事处健民居委会的家庭道德评议协会，吸纳十几名思想觉悟高、政治表现好、正派公道、在群众中有较高威望的居民担任理事。他们热心公益，办事认真，对有违家庭美德的现象及时教育疏导，帮助提高。定期召开评议会议，把不文明的行为在橱窗、专栏、黑板报上公布于众，让群众自我评议、自我监督、自我教育、自我提高。

对“五好文明家庭”、“十星级文明户”进行评议。在评选“五好文明家庭”、“十星级文明户”时，必须经家庭道德评议协会初审，然后才能提交村委会、居委会研究决定。定期召开会议，对各级“五好文明家庭”进行复查，逐个评议。对群众意见大、表现不好的家庭提出批评教育和限期整改，进行跟踪教育和评议；对不符合“五好文明家庭”条件的家庭，建议摘牌。对“五好文明家庭”、“十星级文明户”起到了有效的监督作用。

围绕主题开展评议。如，第一季度评议主题定为“妇女、环境、家园”，主要是对春节期间的环境卫生整治进行评议。评议出卫生模范家庭，张榜公布。第二季度的评议主题定为“抗击非典，从家庭做起”，主要评议在预防非典工作中的好人好事，广泛动员社区居民积极投身到防治非典的战役中。

（宁夏回族自治区文明办）

宁夏回族自治区石嘴山市供电局
“千夫所指”不文明现象

加强企业文化建设，提高职工队伍的整体综合素质，自6月份起，石嘴山市供电局在全局职工中开展了以“讲文明、树新风”为主题的系列活动。供电局从纠正不文明现象做起，弘扬好风尚，批评不文明言行，开展了“我最厌烦的五种不文明现象评选”活动，使不文明现象公开曝光，成为“千夫所指”。这次活动在职工中引起较大反响，使人警醒，发人深思。

第一步，查找阶段。在全局职工中开展了“我身边的不文明现象查找”活动。以党支部、团支部为单位，利用职工政治理论学习、党团组织活动等形式，发动职工群众查找身边的不文明现象，有24项之多，内容涉及语言、行为、公共卫生、公共设施等6大类。

第二步，组织评选阶段。通过《简报》、宣传栏、黑板报以及局域网等，将查找到的24项不文明现象在全局公布，并将这些不文明现象印制成选票，由各党支部组织开展“我最厌烦的五种不文明现象”评选活动。有700多名职工参与了评选。经过统计，评出了“职工最厌烦的五种不文明现象”：语言不文明、说脏话；把狗带入食堂；公共场所大声喧哗、影响他人工作休息；垃圾不入垃圾箱；不保持卫生间的卫生。

第三步，宣传教育阶段。将评选结果通过多种形式在不文明现象的多发区进行相应的宣传，以“人人都是企业形象，人人维护自身形象”为主题，组织班组职工展开讨论，制作“不文明现象曝光栏”，在职工中产生了震动。

这项活动充分发动群众，有70%的职工参与了投票，很多职工都是主动要求填写，一些职工还自发地进行讨论，直言不文明现象的危害，形成了舆论力量，产生了约束作用。活动开展后，正气得到弘扬，生产区、生活区的不文明现象大大减少。

（宁夏回族自治区文明办）

新疆维吾尔自治区
公民道德建设月

为深入贯彻《公民道德建设实施纲要》，年初，新疆维吾尔自治区党委决定把每年的3月定为“公民道德建设月”。在区党委宣传部、自治区文明办精心组织下，全区各地组织了声势浩大的动员，形成了全社会关注的强大舆论氛围。开展了形式多样的大学习、大宣传，实施了大规模的道德实践活动。全区参加各类活动的人数达400余万，掀起了公民道德建设热潮。

根据新疆实际，自治区文明办采取了准备阶段“注重造势”，组织阶段“广泛发动”，活动月中“组织战役”，活动月后“以月促年”的思路，层层展开、环环紧扣，收到了良好效果。通过精心策划，提出了“上旬抓发动，中旬抓教育，下旬抓实践”，以组织战役为主，集中攻坚和分散活动相结合的工作思路。多次召开新闻通气会，把“公民道德建设月”活动的总体思路、活动形式、报道任务、完成时间、宣传效果都制成日程表，发给各新闻单位，使新闻宣传大大提高了主动性。3月1日，区党委领导发表电视讲话。全疆各地同时进行动员，数十万人同时开展活动，形成了大规模动员，大规模宣传，大规模行动的良好态势。新闻单位根据各自的特点，开设了群众喜爱的专栏、专版、专题和各种节目，发表系列评论，加强对社会关注的道德热点问题的引导，开展舆论监督。与此同时，组织了一批文章，集中宣传“十大公民道德实践先进人物”、“十大杰出青年”、“职工职业道德十大标兵”、“职工职业道德十大集体”等，形成了强有力的舆论氛围。

各地、各行业针对不同职业和群体的特点，组织开展了“青年志愿者行动”、“万人签名”、“手拉手送温暖”、“为弱势群体解困”等活动。特别是有重点地组织了“百万家庭承诺，争做公民道德模范”活动。动员各地根据不同情况，提炼出具体条目，动员千家万户主动承诺。在此基础上，各地把道德要求和实践融入城市管理、企事业和农村管理的各项规章制度中，渗透到市民公约、村规民约、行业规章中。普遍推广和成立了街道、社区文明监督岗、农村道德评议会、红白理事会，使《纲要》提出的20字基本道德规范真正融入到人们的经济和社会生活中。

在公民道德建设月中，所有活动都列入对文明单位的考核体系，纳入创建文明城市、文明社区、文明行业、文明村镇活动，把开展教育的情况和干部群众遵守公民道德的情况，列入创建工作考核标准。

（新疆维吾尔自治区文明办）

新疆维吾尔自治区和田地区

建设城镇广场文化

新疆和田地区为活跃群众文化生活，以“文艺晚会”的形式开展广场文化活动，使广场成为各族群众休闲娱乐的好去处，成为展示市民文明素质和精神风貌的窗口。到年底，和田地区已成功举办了153场专场文艺活动，推动了基层文化活动的开展，丰富了群众文化生活的内容。

城镇文化广场以地区组织的“阗之韵”系列活动为先导，由地委宣传部牵头，地区文明办、文体局、工会、团委、妇联、公安、城建、和田市委、和田县委联合主办，驻县（市）机关、企事业单位、部队、学校共同参与。每场文艺演出实行演出总监制，由各级党委宣传部负责节目审查。截至11月底，地区共成功举办“祖国颂”大合唱比赛、《万方乐奏有于阗》迎十六大演出活动等39场。

在地区“阗之韵”活动的推动下，各县的城镇广场文化活动按照“三有”（有主题、有场地、有活动计划）的要求，蓬勃开展。策勒县“胡杨清”广场文化、洛浦县“玉河清”广场文化、皮山县“生龙活虎皮山人”广场文化、墨玉县“墨玉欢歌”广场文化活动各有特色。在这些文艺活动中，干部、职工、学生、军人和演员们一起同台演出，载歌载舞，吸引了成千上万的各族群众。

（新疆维吾尔自治区文明办）

新疆维吾尔自治区柯坪县

民族团结教育注重“五结合”

新疆柯坪县把维护、促进民族团结摆在重要位置，努力做到“五个结合”，使“三个离不开”思想深植于广大干部、群众心中。一是把民族团结教育活动与转变机关作风和行风结合起来。为了减轻乡（镇）接待费用，村级接待实行“零控制”的目标，县委为各乡（镇）解决14万元资金建起了机关食堂；县委、政府机关、劳保局、财政局等15个单位开展了文明单位与贫困户结对子活动，党员、干部深入基层帮助农民理清脱贫致富思路，使他们尽快走上致富之路。二是把民族团结教育活动与学习新疆历史结合起来。在新的形势下，正确了解和认识新疆的民族发展史和宗教演变史，有利于加强民族团结，维护祖国统一，反对民族分裂。县委宣传部、县文明办编印了《正确阐明新疆历史》，并将100道复习题下发各单位，对全县科级干部进行考试，取得了较好的学习效果。三是把民族团结教育活动与为民办实事结合起来。县人武部开展了“1+1”助学活动，

4名团职干部每人出资300元救助1名失（辍）学学生；县直机关和乡镇各族干部积极开展扶贫帮困活动，为少数民族贫困户和“三老”人员捐款13020元。四是把民族团结教育活动与深入学习《公民道德建设实施纲要》结合起来。组织干部职工开展《纲要》和民族团结知识竞赛，县委组成宣讲团，深入乡镇村巡回宣讲35场，受教育干部群众达1.2万多人（次），县文工团到各乡镇进行巡回演出，观看人数达2.2万多人（次）。五是把民族团结教育活动与“共建”活动结合起来。在民族团结教育月期间，县与农一师一、二、三团举行民族联谊、座谈活动。双方互惠互利，共同发展，共同建设美好家园。

（新疆维吾尔自治区文明办）

新疆乌鲁木齐铁路局

建设南疆千里铁道文明线

在新疆维吾尔自治区和铁道部的支持与协调下，乌鲁木齐铁路局会同武警新疆总队、新疆军区、新疆生产建设兵团及沿途各地、州、市(县)，联合开展军、警、民共建南疆千里铁道文明线活动。使这条铁路线在政治、经济、民族团结、军民团结等方面不断得以巩固和发展，精神文明建设得到进一步加强。特别是在贯彻落实《公民道德建设实施纲要》的过程中，共建各方齐心努力，共同营造良好的道德风尚，为共建幸福路贡献力量，确保了铁路安全畅通，为有效地维护南疆地区政治稳定，促进新疆经济发展，发挥了积极的作用。

共建各方发挥各自优势，坚持“六联”：经济建设联抓、思想教育联做、科教文体联搞、社会治安联防、公益事业联办、环境建设联治，使共建的制度、管理、考核形成链式组合，建成共建网络。南疆铁路临管处各单位根据自身特点，与南疆铁路沿线各地州市及部队、武警共建对子175个，签订共建协议书，明确共建内容。

文明创建活动着重在6个方面下功夫：一是大力推进“三区”、“三线”建设；二是抓好“千里绿色长廊”工程建设；三是全面开展文明站车创建活动，开好“民族团结号”列车；四是学习军事化管理，加强素质建设；五是开展“扶贫助学结对子”活动，帮助贫困学生完成学业；六是围绕民族团结开展活动，促进稳定与发展。共建形式的多样化，共建内容的丰富化，使共建工作逐步走向规范化。

为确保南疆铁路安全畅通和维护南疆地区社会政治稳定，巴音郭楞蒙古自治州、阿克苏、克孜勒苏柯尔柯孜自治州及喀什4个地州的公安机关，在当地政府的协调下，主动与库尔勒铁路公安处达成共建协议，把双方公安机关共建千里铁道文明线作为保卫铁路安全畅通、维护社会政治稳定、促进地方经济发展的“三合一”工程，以共建保平安，以平安创文明，实现南疆千里铁道文明线的目标。共建各方把整顿铁路治安秩序作为共建保安全的突破口，多管齐下，全力确保铁路畅通，确保人民群众生命财产的安全。共开展了10次较大规模的爱路护路法制宣传教育活动，散发使用维汉语印制的宣传品2万余份，受教育群众达41万余人次。

各单位纷纷举办民族团结报告会、座谈会、联谊会，讴歌民族团结的《雪山作证》、《决战天山》、《向西挺进》、《共建幸福路》等报告文学集，《走向辉煌》、《天山荡起不落的歌》等电视片相继出版、播出。为增强铁路干部职工的民族团结意识，利用主要工种专业会、计划会对职工进行宣传教育，组织职工学习党的民族理论和民族政策，着力培养职工的实际操作技能和应变能力。每个车班都发有一盒配套磁带，每个职工都配发一个随身听，列车上开展每日学一句维语活动，不断提高业务技能和服务水平。穿梭于南疆大地的“民族团结号”、“天鹅号”旅游列车，成为深受新疆各族人民欢迎的团结文明列车。

（新疆维吾尔自治区文明办）

创建文明城市

以实践“三个代表”，造福人民群众为宗旨，全国各地广泛开展科教、文体、法律、卫生“四进社区”活动，越来越多的社区正在建设成为环境优美、服务完善、舒适安全、风尚良好的美好家园。

实践“三个代表”造福人民群众

——全国科教文体法律卫生“四进社区”活动综述

4月21日，中央文明办、中央综治办、文化部、卫生部、司法部、国家体育总局、中国科协、共青团中央、全国妇联等9部门在北京举行了全国科教、文体、法律、卫生“四进社区”活动启动仪式，各直辖市、省会城市、副省级城市同时举行了当地“四进社区”活动启动仪式。各大中城市从实际出发，采取丰富多彩的形式，不断将“四进社区”活动引向深入。在4、5月份掀起的“四进社区”第一个高潮——“科教进社区”活动中，全国25个省区市共举办科普讲座、咨询、培训、竞赛、演讲、展览、文艺巡演、影视放映、青少年课外科技活动等11万余场，直接参与活动和受教育的群众达3400多万人次。

各地在活动中，十分注重从实际出发，因地制宜，精心设计本地区“四进社区”活动的具体方案和活动形式，充分依靠群众，广泛动员社会各方面的力量。

北京市“四进社区”活动月月有重点，工作不断线。自3月起，该市有关部门密切配合，精心设计并组织开展了“科普大使进社区”（聘请两院院士、知名专家担任科普大使深入社区，走近百姓，宣传科学知识，进行科普活动）、评选“首都文明市民公益大使”和“科普挂图展览暨评选”活动，十几万市民群众踊跃参与。上海市以“开展身边活动，展示健康风采，促进社区文明”为主题，举办社区健身大会，仅6月份，参与群众就达300多万人次。该市组织的“上海市文艺家社区巡演”活动走进街巷广场，走近寻常百姓，为社区居民献上精彩节目，与群众同台演出，受到市民热烈欢迎。天津市红桥区的“科普大篷车”、西青区的“消夏纳凉广场文化活动”、河东区的“五月歌会”、河西区的“邻居节”和“小巷总理”摄影展览等活动，内容生动，形式新颖，群众喜闻乐见。

湖南省长沙市岳麓区望月湖社区创办的全国首家“道德银行”，在注册志愿者的基础上，导入银行运作理念，以协会制度形式规定和保障志愿服务者可以获得社会志愿回报，在社区内大力倡导“我为人人，人人为我”的良好风尚，激发了广大群众携手共建美好家园的热情。

为确保“四进社区”活动取得实效，各地十分注重加强活动阵地和活动队伍建设。在阵地建设上，坚持“共建、共享、开放、互助”的原则，采取市里拿一点、区里投一点、街道出一点、有关单位捐一点、社区物业管理或开发商掏一点的多元投入机制，有效保证了阵地建设资金到位。

重庆市、南京市、长沙市在创建文明社区和“四进社区”活动中，大力加强社区服务中心、文体活动中心、卫生服务中心、市民学校、“148”服务热线等活动阵地建设，完善了服务功能，为居民的教育、服务、健身、娱乐提供了良好的场所。

在队伍建设上，各地注意发现和培养一批思想品质好、组织能力强、善于联系群众、热爱社区工作的活动骨干，并十分注意发挥社区内各专业文艺、体育、法律、卫生组织和相关专业人才的作用，逐步形成专业组织和业余团体结合、专业工作者和志愿者结合、社区内和社区外人士结合的“四进社区”活动骨干队伍。天津市经常活跃在社区的活动骨干就有30多万人。上海市上千名社区文化辅导员经常到社区群众当中，为社区文艺爱好者进行辅导和服务。南京市玄武区在“科教进社区”活动中，发挥区内科教资源丰富，有东南大学、南京理工大学、中科院南京分院等40多家知名科研院所和大专院校以及30多位两院院士的优势，成立了全国首家社区气象学校、少年科学院、少年工程师俱乐部等一批科技特色学校，开设了“社区院士科普网站”，定期邀请院士和知名专家在网站上讲解科普常识，解答网民提出的各种问题，现已有数万人次上网访问。江西赣州市章贡区“科普进社区”活动已成为当地很有影响的“名牌项目”，每月在市中心南门文化广场、赣州公园分别举行一次“科普集市”，每月在各社区轮流举办科普讲座，定期由市民学校开设市民素质教育课。

各地都把“四进社区”活动当作改进工作作风、增进干群感情的大事来抓，倾听群众呼声，关心百姓冷暖，带着深厚的感情，真心诚意为民服务，扎扎实实为社区居民解决实际困难和问题，增强了“四进社区”活动的针对性和实效性。

重庆市针对社区卫生网点偏少、居民看病就医困难的情况，新建社区卫生服务中心50余个、卫生服务站70余个。同时，组织开展送医送药，为社区居民提供医疗、预防、保健、康复、健康教育、计划生育技术服务等“六位一体”的医疗服务。各社区卫生服务中心每两月进社区举办一次健康教育讲座，组建巡诊医疗队，每月巡回义诊不少于两次，还专门为社区内70岁以上的老人进行免费健康体检。南京市在各社区陆续建立了“148”法律服务专线、法院社区工作站和检察官社区服务站，配备人民调解员，向居民开展法律咨询，成立青少年维权岗，向学校委派法律副校长，形成预防青少年犯罪的网络。北京、杭州、南昌等城市在“四进社区”活动中，一切为群众着想，纷纷举办“再就业知识培训班”，开展为社区孤寡老人、残疾人、下岗职工和困难家庭提供法律援助、送医送药和送温暖、献爱心等活动，满腔热情地关心帮助困难群众，千方百计为他们解决实际问题。

（摘自2002年8月13日《人民日报》）

共青团中央 民政部 建设部 国家工商行政管理总局

创建青年文明社区

共青团中央、民政部、建设部、国家工商行政管理总局等部门继续开展创建“青年文明社区”活动。各地在社区文化、社区安全、社区教育、社区环境、社区民主事务管理等方面开展了丰富多彩的活动，取得阶段性成果，赢得各级党委政府的充分肯定，受到了广大群众和社区青少年的普遍欢迎。

继续开展社区青年文化节活动。4—10月，以“永远跟党走”为主题，以深化“青年文明社区大家乐”活动为载体，以贯彻落实“三个代表”重要思想，宣传改革开放特别是十三届四中全会以来我国社会主义现代化建设各条战线取得的伟大成就，迎接党的十六大胜利召开为主要内容，通过社区楼道文化展示、社区家庭文化擂台、社区青少年才艺大舞台等多种形式，吸引社区青少年和居民广泛参与“社区青年文化节”活动，全面展示社区青少年的文化生活。

开展“青年文明社区”示范城（区）创建活动。为发展社区经济、方便群众生活、创造安全文明的社区生活环境贡献力量；为社区青年劳动就业、成长成材、追求健康文明的文化生活需求提供服务；在教育、管理、引导社区青年等方面发挥积极作用，代表和维护青少年合法权益，反映广大青少年的愿望和呼声，为提高社区的文明程度做出贡献。

实施“青少年违法犯罪社区预防计划”。10月，中央综治委预防青少年违法犯罪工作领导小组和中央社会治安综合治理委员会办公室联合下发“青少年违法犯罪社区预防计划”，旨在适应社会发展的新形势和社区建设的新发展，发挥社区在青少年健康成长中的重要作用，以未成年人为重点，立足于教育、保护和预防，加强预防青少年违法犯罪的基层基础工作。通过开展社区教育、社区青少年事务的管理，完善社区服务内容，净化社区青少年成长环境等工作消除青少年违法犯罪的诱因，促进青少年健康成长。

命名表彰第三批全国“青年文明社区”及“青年文明社区”创建活动组织奖、贡献奖。团中央、民政部、建设部、国家工商行政管理总局等联合决定，授予北京市东城区和平里街道六区社区等474个社区为“第三批全国青年文明社区”；授予北京团市委等59个单位“第三批青年文明社区”创建活动组织奖；授予北京市民政局党委副书记楚国清等99人为第三批“青年文明社区”创建活动贡献奖。

（共青团中央宣传部）

北 京 市

“四进社区”活动全面启动

北京“科教、文体、法律、卫生进社区”活动自4月21日全面启动以后，西城、海淀、石景山和远郊区县分别举行了科普基地揭牌、社区宽带网开通、小学生科技制作、环保咨询、义诊、疾病预防讲座、送法律到企业等活动，社区居民踊跃参加。

被首都文明办授予“市级文明社区”的北京西城区二龙路街道，投资260多万元，建成了占地1000平方米的科普基地。基地的科普图书室、青少年科普园地、科普资源库、多媒体远程教室、科学健身房等设施为社区居民学习、健身、休闲提供了良好的条件。该街道2000多名科普志愿者活跃在社区，14个居委会配备了电脑、电视，还建立了北京市第一家社区无线局域网，实现了街道与居委会之间的网络连接。

北京复兴路83号社区早在1996年就被评为“全国先进居委会”。“四进社区”活动启动后，社区开展环保知识咨询、现场识别假冒伪劣产品、专家义诊以及丰富多彩的群众体育、文化活动。居民不出社区就可以买到放心菜、放心肉，社区环境绿化、美化，邻里和睦，团结互助。

由石景山区司法局、八宝山街道办事处主办的“法律服务进企业”活动，受到北京重型电机厂等企业职工的欢迎，他们不出厂门就得到劳动法和婚姻家庭方面的法律咨询。区司法局向企业赠送了有关法律的书籍、光盘，还为职工发放了“爱心法律服务卡”和治安、环保、劳动、公民道德建设等方面的宣传材料。

（摘自2002年5月10日《人民日报》）

天津市南开区

实施千门工程 创建美好家园

为改变80年代至90年代老居民楼的环境，从4月中旬开始，南开区在全区开展“实施千门工程，创建美好家园”活动，提出年内清整1000个楼门，创建100个精品楼门的工作目标。截至年底，全区共清整2080个整洁的楼门，创建100个科普、文化、环保等特色文明楼门，为居民群众创造了整洁干净、优美的生活环境，受到群众的欢迎。

在实施“千门工程，创建美好家园”活动中，他们采取4项措施：一是社区互动，做耐心细致的思想发动。南开区把实施千门工程作为贯彻《公民道德建设实施纲要》的重要载体，作为落实市委新3件事的有力措施和创建文明城区细胞工程来抓，制定《实施千门工程，创建美好家园》办法，召开“南开区实施千门工程，创建美好家园”现场交流推动会，组织参观了嘉陵道街示范楼门；利用黑板报、宣传栏、悬挂标语、印发《致居民一封公开信》等形式进行广泛宣传。区市容委、环卫局、消防支队、街道办事处、各派出所等单位深入居民区，大力宣传环保、社会治安、防火等知识，解答群众在清整环境中遇到的难点问题。居委会干部挨家挨户，对群众讲解实施千门工程的意义、目的、要求，把“要我清整”变为“我要清整”。二是以居委会为主，组织居民自清自整。为使群众成为受益者、参与者、创造者，充分发挥居委会自治作用，组织各楼门长参观学习先进单位经验，制定清整、创建目标和措施。各楼门以党员为骨干，组织居民从自家门前做起，清理堆物、刮残标，集资粉刷楼道、安装电灯。党员带头创建了一批精品楼门。三是职能部门发挥优势，形成创建合力。区环卫局、各综合执法中队、派出所等部门积极主动，协助居委会清除小区、楼道杂物和垃圾，拆除违章建筑，严厉打击乱贴广告行为。辖区企事业单位主动出资出力帮助居民粉刷楼道，制作宣传牌。四是加强长效管理，巩固创建成果。为把保持环境整洁变成居民的自觉行动，清整后的楼栋普遍建立文明公约、文明成果宣传栏，建立了长效管理制度，并把提倡的思想道德观念、道德标准、环境治理融于各项制度中，使自律与他律有机融合。

（天津市文明办）

河北省唐山市

“四进社区”活动周

3月3—9日是唐山市“创建全国文明城，争做文明唐山人”四进社区活动周，近10万干部群众把“四进社区”活动推向高潮。

卫生系统的千余名医务工作者在44个社区卫生中心和62个社区卫生服务站举行大型便民义诊活动，接受咨询诊治2354人，向群众赠送药品价值13306元。社区居民近2万人在“卫生进社区”活动中受益。

全市51个社区的316个社区文教体活动站，800多支社区文体队伍，为社区群众表演花会、秧歌、舞蹈、合唱、曲艺、戏剧、健身操、武术等文体节目。市评剧团、京剧团、皮影团、歌舞团、职工艺术团等艺术团体也把舞台搭到了社区，把丰富多彩的文艺节目送到了居民的家门口。

“科普进社区”活动广泛开展，全市25个自然科学学会、协会、研究会共同组织大型科普宣传，发放各种科普宣传资料2.5万多份。

“三八”妇女节前夕，市妇联、市司法局抓住全国“三八”妇女维权周启动仪式在唐山举行这一有利契机，组织市内百名法律工作者，专门开展了以宣传《中华人民共和国妇女权益保障法》，推动全社会共同维护妇女权益为主题的法律宣传和咨询活动。市法院、检察院、公安局等11个部门在路北区祥富里社区设立了法律咨询服务站、投诉台、宣传站，向居民广泛宣传法律知识，耐心解释法律法规。市人大、市政府和市司法局、劳动局、环保局、技术监督局、民政局、工商局等单位和部门，把与居民群众生活息息相关的法律、法规问题编印成1万多份《这些问题怎么办》等通俗易懂的宣传品，发送到社区居民手中，并开展现场咨询，耐心细致地解疑释惑，受到了社区居民的欢迎。

（河北省文明办）

河北省固安县

社区文明服务卡助万家

为扎实推进形象工程建设，更好地为居民提供信息，固安县在城区组织实施了“社区文明服务卡助万家”活动，受到了群众的欢迎。

固安县文明办从居民群众最需要的社会服务入手，将相关行业和部门的服务内容经过汇集、分类、整理后，印制成《社区文明服务卡》，免费发送到社区居民手中，向群众提供生活服务指南。首期发送的服务卡共汇集了县房管局、煤气营业所、供热气、劳务市场等23个单位10余种类型的服务信息，服务卡汇集政府机关的窗口单位、社会服务部门、社区志愿者三方面服务队伍，形成了机关与行业、有偿与无偿、服务与互助相结合的服务体系，逐步建立起体现社区特点的新型社区服务机制。

在开展“社区服务卡”活动中，固安县文明办协调各有关行业和部门，坚持与加强机关建设、转变机关作风相结合，塑造机关形象，密切党群关系；坚持与加强道德建设、优化社区风气相结合，提高个人素质；坚持与加强行风建设、增强职业道德相结合，规范行业管理，提高服务水平；坚持与加强社区建设、深化社区服务相结合，健全服务网络，实施规范管理；坚持与加强市容整治，改善环境面貌相结合，建立长效机制，做到堵疏并举。

（河北省文明办）

山西省太原市

城市环境综合整治行动

为改善省城形象、打造城市品牌、提高市民生活质量、夯实文明城市创建的基础，太原市开展了以“拆除违章建筑、取缔马路市场、整饰建筑立面、更新铺装便道、建设园林绿地、规范交通秩序”为主要内容的城市环境综合整治活动。一年内，全市拆除违建临建310万平方米，取缔马路市场185个，新建规范蔬菜市场90个，铺装便道115万平方米，整饰建筑立面671万平方米，对32条主干道出口进行了整治和美化亮化，改造了20个交通路口，新增绿地317万平方米。市区最大的公园——迎泽公园拆除围栏，改造成了供游人随便进出的开放式公园。新建了一批贴近市民的广场和游园。

针对全市重工、化工企业多，大气污染严重的状况，专门制定了《太原市清洁生产条例》，采用法律、行政和政策等多种手段积极推行清洁生产，市区先后拆除烟囱1000余座，将不符合尾气排放标准的出租车全部更新，转产或搬迁一批排污超标企业，扩大集中供热面积600万平方米，市区空气质量持续改善。生态建设迈出新步伐，环城林带完成7.8万亩。天蓝、地绿、水清、街亮，太原市旧貌换新颜，城市环境发生了根本的变化。荣获联合国人居署颁发的“2002联合国迪拜国际改善人居环境最佳范例奖”。10月29日，太原市被中央文明委授予“全国创建文明城市工作先进城市”称号。

（山西省文明办）

内蒙古自治区

以会促创 典型示范

实施“以会促创，典型示范”精神文明建设重点推进战略，就是自治区党委、政府每年在一个盟市或旗县召开一次全区精神文明建设经验交流会，以此促进该地区精神文明建设事业突飞猛进地发展。2001年底，自治区党委、政府决定，2002年8月，在呼伦贝尔市、满洲里市召开全区城镇精神文明建设经验交流会。为达到“以会促创”的目的，呼伦贝尔市、满洲里市坚持以“三个代表”重要思想为指导，坚持“两手抓、两手都要硬”的方针，坚持“抓住机遇、自我加压、负重奋进、敢于争先”的拼搏精神和争创意识，把“以会促创”工作摆在了重要位置。在推进创建优美环境、优良秩序、优质服务、优化管理、优秀文化和提高居民素质、提高典型质量等方面取得了突破性进展，带动了满洲里市、海拉尔区、鄂温克旗、陈巴尔虎旗及其他旗市创建文明小城镇活动的深入开展，推出了一批创建文明口岸、文明社区、文明风景旅游区、文明企业、文明村镇、文明小城镇的先进典型。

实践证明，大力实施“以会促创，典型示范”精神文明重点推进战略，已成为内蒙古自治区党委、政府抓精神文明建设的成功经验和有效途径。

（内蒙古自治区文明办）

黑龙江省

法律进社区

黑龙江省各级文明办、综治办、司法行政机关把法律进社区作为创建文明社区的重要内容，设置专人，普遍制定具体实施办法。广大律师、公证员、基层法律服务工作者和法制宣传员深入社区开展工作。

律师每月深入社区开展一次“义务咨询日”活动，并举办法律知识讲座；在有关法律、法规颁布或实施日，向社区群众讲解法律知识，提高社区群众法律意识。

辖区公证处组织公证员分批分期深入所辖各社区，向群众宣传与其生活密切相关的公证知识；利用《黑龙江省公证条例》颁布实施3周年之际，开展“公证宣传日”活动，以增强社区群众的公证意识；积极推行服务公示制，利用社区设置的宣传栏、宣传窗，将公证项目收费标准向社区群众公示，接受群众监督。

司法助理员指导基层调委会深入社区集中开展矛盾纠纷排查工作，发挥司法中心的职能作用，积极实践社区内民调工作的提前介入机制，依法调处好矛盾纠纷；基层司法所指导社区内的法律服务所和法律服务工作者开展好“优质法律服务”活动，通过解答与社区群众日常生活密切相关的法律问题，引导社区居民增强法律意识和法制观念，强化质量意识和服务意识，为社区群众提供优质法律服务；司法助理员积极参与社会治安综合治理，严厉打击各种犯罪行为，为社区的治安稳定提供司法保障；基层安置帮教组织集中开展社区内释解人员的跟踪调查工作，做好释解人员的接收、安置及监控各环节的工作，加强对“法轮功”类解教人员的帮扶和教育转化工作，降低重新违法犯罪率和违纪率。

对社区的下岗职工、特困户、未成年人、老年人以及残疾人等，积极提供法律援助。通过向这部分群众广泛宣传《黑龙江省法律援助办法》、《妇女权益保障法》、《残疾人保障法》、《未成年人保护法》以及《老年人保障法》等法律法规，使他们知晓通过法律援助的形式，依法保护自身的合法权益。

每月由法制宣传员组织社区居民集中学习两次《全省“四五”普法公民读本》，每季度举办一次法律知识讲座；举办社区青少年“两法”知识竞赛活动；利用社区设置的固定宣传栏，每月出一期与社区居民工作、生活紧密相关的法律法规宣传专栏；在有关法律法规颁布或实施日，开展法制宣传日活动；配合“12·4”全国法制宣传日活动，举办了法制文艺汇演和社区法制宣传教育图片展览。

法律进社区活动增强了市民遵纪守法意识，有力地维护了全省的社会稳定。

（黑龙江省文明办）

黑龙江省哈尔滨市

精心美化城市环境

哈尔滨市在城市环境综合整治中，把群众的呼声作为“第一信号”，重点整治市民生活周边环境。一年来，他们维修、铺装、改造三四类街道771条，庭院改造475个，建设社区广场15个、街心绿地33处、灯饰景观街路20条，拆除大烟囱134个。把公园拆墙还绿，共开敞公园13个。许多居民说：“不出大院门就看到了城市的变化。”

好的环境改变了人们的生活习惯。现在全市晨练的人多了，遛弯儿的人多了，围坐在花坛旁晒太阳的多了。步行街上拾金不昧、扶老携幼的雕塑，红旗大街休闲广场上巨大的中国象棋棋盘、棋子，手触式人行过街信号灯，庭院内的绿地和楼道里的画廊，都影响着市民的举止言谈。全市135所学校的中小学生及青年志愿者、公安干警、“夕阳红”老年服务队等共出动3万余人次，对松花江畔、重点街路和绿地花园卫生多次进行清理；道外区团委、城管局、区个体私营协会共同倡议发起了“认养树木、营造光彩林”的活动，22万亩绿地得到认养。东北林业大学“绿色使者”志愿者协会还通过媒体向全市人民倡议：参与绿色事业，当一名光荣的护林员。

好的环境还出经济效益。政府的动议得到广大市民的热烈响应，自己动手美化、亮化办公楼和住宅楼。2002年投资环境整治工程2.8亿元，市政府投资不到7000万元，各区及社会各界参建资金达到2.2亿元。美巢引得凤凰来。哈尔滨市招商引资额达到168.4亿元人民币，几乎是前10年的总和。

（摘自2002年10月9日《人民日报》）

黑龙江省哈尔滨市

实施“绿色文明楼道”工程

为使居民楼道净化、亮化、美化，进一步改善居民生活环境，提高城市文化品位和文明程度，哈尔滨市实施“绿色文明楼道”工程。

绿色文明楼道活动由市文明办牵头，市综治办、公安局、建委等部门组织居民在楼道内开展“两清”活动，解决乱堆乱放、乱贴乱画问题，实现楼道无堆积、无障碍、无涂鸦。清除在楼道和庭院内不符合规定的非法广告牌匾，使楼道“净”起来。对所有楼道灯进行检查，没有安装照明灯的楼道尽快安装，对丢失、破损的楼道照明灯及时更换、维修。巩固“两亮”成果，使楼道“亮”起来。在楼道里悬挂以“美丽的哈尔滨”风光为背景，以《公民道德建设实施纲要》为主要内容，配有治安、消防、供电、供水、医疗、送药、供暖、供气等便民服务电话的宣传画。组织居民在小区楼道辟建文化阵地，开展书法、绘画、艺术制作、花卉展览等丰富多彩的楼道文化活动，利用板报、墙报，宣传《公民道德建设实施纲要》、“四进社区”、“市民文明公约”、“七不准”等内容，明确社区、楼道责任人，建立“邻里互助协作网络”等，营造良好的“楼道文化”氛围。

（黑龙江省文明办）

黑龙江省齐齐哈尔市龙沙区

把“四进社区”活动落到实处

强化“四进社区”活动的意识和氛围。齐齐哈尔市龙沙区在区委党校、行政干部学校举办了两期社区建设培训班，组织了8个专题的学习，对全区90个社区居委会的400多人进行培训。提高了认识，激发了同心协力抓“四进社区”的责任感。

设计载体，把“四进社区”活动落到实处。科教进社区活动以全区30多所市民学校为依托，集中为市民上好思想道德、职业道德、民主法制、身心健康、科普常识等10门课，在市民中开展读一本好书，办好一个培训班，树一批好典型，开好一个生活会、办一期有特色的科普展活动。文体进社区活动利用现有条件，完善社区图书馆、社区文化广场、休闲园地，会同市文化局、体育局、艺术团、话剧团等文艺、体育团体，共同制定活动规划，建立包教联系制度，无偿为社区培养各类骨干。以“春之声、夏之夜、秋之韵、冬之趣”为主题的系列文体活动逐渐形成规模，满足了群众求知、求美、求乐、健体的需求。法律进社区活动根据群众对法律的需要，在各街道普遍设立了法律咨询服务所，开通了“148”法律服务热线，会同司法、工商、税务、交通等部门举办了10期社区法律知识培训班，组织万名中学生宣传法律知识活动，举办反“法轮功”邪教图片展等，开展“法在社区”、“法在家庭”、“法在身边”系列活动，提高了居民的守法意识。卫生进社区活动以辖区医院为依托，建立三级社区卫生服务网络，立足社区、面向家庭，为居民提供集预防、保健、医疗、康复、计划生育于一体的，综合、便捷的新型社区卫生服务，保证小病不出社区，方便了群众就医。

（黑龙江省文明办）

上 海 市

“文化进社区”活动丰富居民文化生活

上海围绕安居乐业的目标把“四进社区”活动纳入社区精神文明建设的总体格局。为了加强对群众文化工作的组织和协调，成立了由市文明办、文化、体育、教育、工青妇等部门组成的群众文化工作委员会。全市各个社区由街道党工委、办事处牵头，成立了有社区机关，企事业单位参加的社区文化建设协调小组，形成了“以块为主，条块结合；政府主导，群众参与；社区协调，企业资助”的社区文化工作格局。

据统计，在全市中心城区的80个社区街道中，社区文化中心包括社区图书馆、老年活动中心有146个，社区广场455个，新建小区新民茶室近100个；基本形成了区县、社区、小区三级衔接，大中小配套，高中低互补的社区文化设施网络，为社区群众开展文化活动，丰富精神文化生活奠定了扎实的物质基础。

上海根据不同的特点，利用各种社区文化载体，加强团队建设，广泛深入地开展“文化进社区”活动。一是注重开展丰富多彩的社区文化活动，倡导科学、文明、健康的生活方式。全市各个社区开展了各具特色的社区文化活动，形成了诸如社区老妈妈艺术团、老伯伯京剧组、“夕阳红”合唱队等品牌项目。市文明办、市文广局连续两年举办了上海“石化杯”社区文化大赛和“党的光辉照我心”社区歌咏大赛，参加活动的社区群众达百万人之多。二是注重运用有效载体，开展“文化进社区”活动。上海市加大“文化进社区”中的思想道德建设含量，通过社区学校等载体，寓教于学，寓教于乐，寓教于各类社区文化活动之中。通过学习，使居民既学到了科学文化知识，又增添了生活情趣，提高了自身综合素质。

在全市中心城区的80个街道中，群众文化团队达1064个，全市全年参加各种经常性社区文化健身活动达520万人次。市文明办与市文联组织了109名文艺家参加的文化指导员队伍，3至5人为一小组，直接对口到社区，根据社区的需求和安排，指导社区群众开展为众人所喜闻乐见的文化活动，培训社区文艺骨干，提高社区文化活动水平，占领社区思想文化阵地。

（摘自2002年10月21日《光明日报》）

江苏省南京市玄武区

千家万户唱新风

2002年春节前后，南京市玄武区“千家万户唱新风”大型社区文化活动进入高潮：“爱我家园，建设社区”书画摄影展、公民道德守则广场宣传演出、“今天的红领巾、明天的好公民”少儿征文活动、“学英雄、唱英雄”歌咏比赛、“龙腾马跃闹新村”送文化下乡活动、“在科学的星光下——家庭科普趣味大赛”、“信守不变的诺言——珠江路IT社区新年宣言”等轮番上场，好不热闹。

这个区的社区文体工作有着良好的传统和很强的实力。锁金村、丹凤街街道是全国群众体育先进单位，锁金村、后宰门、丹凤街等3个街道为全国城市体育先进社区，锁金村等9个街道为省级文化街道。该区连续10年举办“玄武新春乐”、“梅园之春”、“锁金之夏”、“丹凤之秋”等文化活动，开展消防运动会、广场运动会、流动人口运动会、残疾人运动会等，长年参加体育锻炼的人群占全区人口40%以上。

玄武门街道大树根社区有一支“老妈妈合唱团”，吸引了很多社区老人，她们不仅唱歌，还积极参与社区事务。江苏有70多位“两院”院士，一半居住在该区。社区请院士开讲座，建立了社区科普站、社区气象学校、娃娃科学院、少年科学院、少年工程师俱乐部等一批有科技特色的社区活动园地。

（摘自2002年2月27日《人民日报》）

浙 江 省 杭 州 市

清洁杭城　美化天堂

年初，杭州市围绕深化文明城市创建，从解决影响群众生活和城市环境面貌的问题入手，广泛开展了“清洁杭城、美化天堂”的群众性创建活动。

市里组织力量深入基层调查研究，广泛听取群众的意见建议，确定整治的18个突出问题。市属各新闻媒体开辟专题专栏，进行全方位的宣传发动，及时报道清洁杭城的动态，宣传清洁活动中涌现的先进典型，并曝光乱扔垃圾、乱堆杂物、乱贴广告等不文明行为。精心设计载体，运用巡访督查、抄告整改、跟踪回访、舆论监督等手段予以督促整改、落实，通过组织开展“迎西博、迎十六大、清洁杭州万人大行动”、“五一”黄金周文明劝导执法和清除城市“牛皮癣”等一系列大型活动，造声势，清顽疾。全市共有5万余名干部群众参加了形式多样的清洁杭城活动。成立了由相关职能部门、人大代表、政协委员、新闻媒体和群众代表组成的“清洁杭城”监督委员会，进行经常性、不定期的现场督查、暗访，并向社会征聘了202名义务监督员，形成多层次、网络化的监督管理机制。通过声势浩大、形式多样、措施有力的清洁活动，使城市的面貌发生了较为明显的改善。对79个生活小区、25家重点污染源实施了截污纳管，日截污量达到20万吨。以前老远就能闻到臭味的运河杭州段，现在不仅可以开展水上游戏项目，岸边还常有人垂钓。曾被称作杭州“龙须沟”的新开河，全长4.6公里，经过整治，从当年的臭水沟变成了杭州城内的一条风景线，使沿岸两边的房价直线上升。同时，加强了对空气污染的防治，对近万辆车辆实施路检，对超标机动车强制安装净化装置。投资1.9亿元新增了443辆公交车，均达到环保标准。投资4亿元对半山电厂、杭州热电厂进行烟气脱硫除尘，使空气中含二氧化硫、二氧化氮和总悬浮颗粒浓度达到国家二级标准。在德国斯图加特举行的由21个国家42个城市参加的2002年国际“花园城市”竞赛中杭州市获得E组第二名，荣获国际“花园城市”称号。

（浙江省文明办）

浙江省杭州市下城区

评选“满意社区”

为深化文明社区创建活动，9月份，杭州市下城区推出了“为居民服务、让群众满意”的考评机制，由社区的居民群众和辖区单位民主评判社区干部的服务水平和工作成效。

区委、区政府十分重视这次评选活动，把它作为实践“三个代表”的具体行动和深化社区建设、推进社区自治的有效载体来抓，建立了评选领导小组和办公室，召开了动员大会，提出了群众参与，公平、公开、公正，重在过程、重在实效的活动原则。同时，确定对65个社区的干部服务水平及工作成效进行综合评价。其中服务水平包括宗旨意识、服务质量、工作作风和开展社区自治的情况；工作成效包括社区党建、治安、卫生、环境、教育、文化、服务设施开放和重点对象的服务等8个方面。22个社区中有95%以上居民参加了投票评选，并提出意见建议200余条，居民参与文明社区创建的积极性明显提高。

机关干部通过“百名机关干部访万家”活动，增强了服务意识，转变了工作作风，想基层所想、急基层所急。区妇联开展了“姐妹帮助工程”活动，组织35名处级女干部与社区35名特困家庭的妇女结成对子；区公安分局加强社区警务管理，推出了民情联系卡；区建设局成立了7支便民服务队。王马社区建立了“家访制”，每位社区工作者做到月访“十余户”，年访“百余户”，重点解决群众生活中的热点、难点问题。全区有194个辖区单位基层党组织与65个社区党组织结成共建对子，通过共建机制解决下岗人员1000余人，有140多个单位参与“满意社区”评比。

区、街道、社区共投资2000多万元，建立了65所市民学校、60个图书阅览室、60个健身娱乐场所。社区历史文化得到充分挖掘，培育现代文化和楼道文化，推出了一批“竹文化”、运河文化、环保文化、楼道文化等特色社区。浙大御跸社区在创“满意社区”活动中，先后举办了庆祝有关节日的秧歌比赛，新社区新家庭青少年绘画比赛，公民道德文艺演出，老人节文艺汇演等群众性文体活动，丰富了群众文化生活，提高了社区文化品位。

（浙江省文明办）

浙江省杭州市拱墅区

“服务菜单”进社区

6月份，由拱墅区委宣传部、拱墅区团区委牵头，成立了由全区2000余名专业工作者和志愿者组成的“大运河”文体志愿服务队、“金喜鹊”房产志愿服务队、“夕阳红”志愿服务队、“百合花”卫生健康服务队、“风范”党员干部志愿服务队、“星火”科技志愿服务队、“天平”法律志愿服务队、“巾帼”志愿服务队、“蒲公英”创业志愿服务队等10支志愿者服务队，开展“服务菜单”进社区活动。通过建10支队伍、树10面红旗，把拱墅区科教、文体、法律、卫生“四进社区”活动引向深入。区里专门印制了有10支队伍的服务项目、联系人、联系电话的《社区服务菜单》手册，并分发到46个社区的居民手中。无论哪个社区的居民有服务需要，只要按照菜单上的服务栏目，打个电话，10支队伍中的志愿者就会随叫随到，及时为居民群众提供房产咨询、健康教育、劳保监察、法律援助、妇女维权、环保监察、手拉手互助等几十项上门服务。在此基础上，区里还把每月17日作为固定服务日，组织10支队伍开展为民服务，极大地方便了广大居民群众。

（浙江省文明办）

浙 江 省 温 州 市

实 施“安 心 工 程”

“安心工程”是温州市在创建文明城市中实施的一项集中解决外来务工人员居住、就业、教育、培训、管理等问题为一体的民心工程。

温州市在建设“安心工程”中，注意抓住6个重点环节：一是确定建筑规模和品位。市委、市政府在“安心工程”建设方案的制定和实施中，注意听取外来民工代表、老干部代表和基层干部等方面的意见和建议，确定“安心工程”的规划用地，可安排近20万外来务工人员居住；定位于既经济实用，又美化绿化，并与城市发展相协调的目标。二是认真搞好建筑选址。综合考虑符合城市总体规划和创建文明城市的要求；尽量安排在规划工业区与外来人口相对集中的地段；每个组团用地规模一般在30亩左右；有一定基础设施条件，水、电、路比较齐备；与“城中村”改造及周边城市环境整治相结合。三是针对不同需求，设计不同档次的建设标准。四是注重配套设施建设。一般每个组团都有一块集中绿地及布置宅前宅后的绿地，并配建不少于100平方米的服务活动中心，不少于50平方米的管理用房以及必要的停车和安全防范设施，有条件的还配建教育培训、文化娱乐、商业服务设施。五是采取多元化投入机制。充分发挥温州市场发育比较完善和民间资金丰裕的优势，鼓励企业出资联建；建设用地采用划拨形式，按照建设征地业主确定权属关系；免缴按规定由市、区收取的各种规费。六是落实管理权限。“安心工程”交付使用后，由乡（镇）或村负责管理，成立社区专门管理服务机构，并制定管理制度。

“安心工程”一期7个组团共22万平方米，已交付使用，得到了广大群众特别是外来务工人员的欢迎。从实施情况看，“安心工程”有利于外来务工人员安心工作，有利于减轻企业管理负担，有利于改善城市环境，有利于加强对外来务工人员的管理，有利于提高外来务工人员的整体素质，也有利于推进城市化进程。

（浙江省文明办）

安徽省铜陵市杨家山街道朝阳社区

建立社区“爱心卡”

作为全国文明社区示范点的安徽省铜陵市铜官山区杨家山街道朝阳社区党组织和居委会，针对社区内孤老、残疾、重症患者等特困无助人群占有一定比例的实际情况，按照“知民、为民、便民、利民”的总体要求，真心实意地为社区居民谋利益，在全市率先开展了向部分特困人群发放“爱心卡”活动，并以此为契机大力弘扬民族精神和传统美德，在社区内广泛开展“爱心扶助”送温暖活动，受到了社区内居民群众的广泛关注和好评。

6月，朝阳社区探索性地为社区内的部分特困家庭和孤残人员办理“爱心卡”。由社区党组织和居委会牵头，组织辖区内卫生服务保健中心等10家便民服务单位加盟，自愿为20多户特困家庭常年提供理发、送医送药、购买粮油百货、维修家用器具、卫生保洁等多项内容的无偿、低偿服务。

围绕“扶贫济困、排忧解难”这一主题，朝阳社区党组织多次开展了爱心救助活动，想方设法帮助特困人群渡过暂时难关。一年中，社区共募得老党员、青年志愿者、社区工作者、热心群众等自发捐钱捐物价值达5000余元。

在抓好对社区内特别困难人群扶助济困的基础上，朝阳社区党组织和社区居委会以社区志愿者为主体先后组建了“朝阳社区青年志愿者服务队”、“送温暖扶贫帮困小组”、“巾帼志愿者服务队”、“敬老服务队”等10多支队伍，志愿者服务人员达280多人，便民服务网点54家，服务内容涉及医疗保健、家电维修、管道疏通、家政服务、婚姻介绍、代购物品等20多个项目，常年为社区居民提供优质、快捷、低廉、便利服务，服务覆盖面达到85%。社区医疗卫生服务站还为65岁以上的老人建立了个人档案，并定期开展“一助一”敬老服务活动。

朝阳社区还把安置下岗职工再就业当作一项“民心工程”来抓，先后设立了社区下岗职工联络站、职业介绍信息站，积极开展了创建“无下岗职工”社区活动；社区党组织、居委会成员通过走家串户、登门走访，基本摸清了底数、掌握了情况，建立了“下岗职工登记花名册”、“下岗职工个人档案”，开办了“下岗职工技能培训班”，并做到下岗职工不上岗脱贫联系服务就不脱钩。一年中，通过各种途径共介绍和安置下岗职工235名。

11月，朝阳社区党委创造性地开展社区党建“一支一品”（即一个党支部，选定一个党建品牌）活动，确定了“党员爱心互助工程”这一党建品牌，结合巩固和扩大“爱心卡”活动，以广大群众的需求为社区工作的出发点、切入点和落脚点，把“三个代表”重要思想落到实处，积极营造邻里互助、爱心永存的良好社会氛围。

（安徽省文明办）

福建省

为市民营造美丽家园

福州市亚峰社区原先是一片杂荒地，又脏又乱，为了改善居民生活环境，政府投入了500多万元把它改造成面积近百亩的社区公园，建起了社区健身长廊、社区中心文化广场，使居民们能够呼吸到新鲜的空气，参加各种健身和娱乐活动。

福州亚峰社区是福建省众多社区的一个缩影。在社区建设中，福建各地建立了各种“市民服务中心”和“政务超市”，把与社区居民工作、生活相关的城市管理职能下放到社区，推行公共行政服务进社区，方便群众和社区单位办事。福州市台江、鼓楼、晋安、仓山等区建立健全了由区公共行政事务服务大厅、街道市民服务中心、社区市民服务代办点组成的三级公共行政服务网络，实行无假日办公，市民“进一个门办成，盖一个章办好”，极大地方便了市民的工作和生活；厦门市开元区建成区街两级社区服务中心，凡是“低保”、助残、优抚、计生、法律咨询、婚姻登记和消费者投诉等与市民生活密切相关的事项，在“市民服务中心”内就能一次性办成；泉州市鲤城区38个社区居委会设立了社区服务站，为居民提供福利、公益、便民等方面的服务。

依托社区建设，福州市鼓楼区开展了“千名党员进社区”活动，把思想政治教育、文化教育、科普教育、法制教育和扶贫助困送到群众家门口，帮助下岗职工再就业，建立“无特困社区”；泉州市鲤城区成立了社区科教、文艺服务等各类志愿者队伍86支，志愿服务人员1.8万多名，对社区居民特别是困难群众开展服务。厦门市湖里区和福州市鼓楼、台江区还把信息技术引入社区服务管理，建造“社区在线”，不仅为居民提供几十种日常用品的配送服务，而且还提供医疗急救、防盗报警、治安报警、信息咨询、家政服务及网络管理等综合性服务。

（摘自2002年7月21日《人民日报》）

江西省南昌市

实施“2530”工程　塑造英雄城新形象

“2530”工程，即塑造繁荣、文明、开放、创新的南昌市新形象和塑造文明礼貌、团结友爱、勤奋好学、爱岗敬业、遵纪守法、自强不息的南昌市民新形象这2个目标，抓好道德法制教育、作风建设、文明创建、城市面貌、特色品牌这5个重点，落实30项主要任务，力争在全省创建文明城市和卫生城市检查评比中获得第一，跨入全国创建文明城市工作先进城市行列。

在抓好道德和法制教育方面，成立市民文明学校总校和城区街办分校；在社会上开展“志愿者日”等活动，使青年志愿者成为市民的好帮手、好榜样；在中小学开展“小手拉大手，共创文明花园城市”活动，形成一个学生带动一个家庭，一所学校带动一片社区，争做文明南昌人的良好社会风尚；开展争做“与时俱进”的老年人主题活动，在东湖区、西湖区、青山谱区16个街办设立老年人服务站作为主题活动的载体。在加强作风建设方面，开设“南昌改革与发展”论坛；开展国家公务员更新知识培训班；在县处级领导干部中开展“帮困结对献爱心”活动，实施社区老年福利服务“星光计划”和“助残工作”；在各行各业开展“讲诚实守信，树行业新风”为主题的行风评议活动。在搞好文明创建方面，开展第三届文明城市（县城）竞赛活动；争创全国“双拥”模范市五连冠，加强军警民共建活动，建立10个军地两用人才培训基地，开展“好军嫂”评选活动。在改善城市面貌方面，建设青山湖、象湖两大景区，新建艾溪湖、灌婴两个文化广场；结合城市道路改造，把沿江路、解放路、洪都大道建成城市风光带；加快文化产业的基础建设，年内完成图书馆工程，开工建设市广电中心、报业大厦、红谷滩文化宫。在塑造特色品牌方面，配合建军75周年，组织“相聚在军旗升起的地方”系列纪念活动；举办第二届城市候鸟节，开展生态候鸟旅游观光活动。举办水上运动项目比赛；举办首届滕王阁国际经贸旅游节，开展南昌金秋旅游月活动，全力打响了“五彩缤纷看南昌”旅游品牌。

（江西省文明办）

江西省九江市
以“六个一”落实“四进社区”

九江市在开展“四进社区”活动中，以“六个一”为抓手，强化领导，狠抓落实，着力推进社区精神文明建设。

成立一个领导小组。中央文明办等8部门《关于开展科教、文体、法律、卫生“四进社区”活动的通知》下发以后，九江市即把“四进社区”活动作为精神文明建设的大事来抓。为加强领导，该市即时成立了“四进社区”活动领导小组，市委领导任组长，市文明办、市综治办、市文化局、市卫生局、市体委、市科协、团市委、市妇联等8部门主要负责人为成员，办公室设在市文明办。

召开一个动员大会。4月初，由市文明办牵头，召开了有文化、卫生、司法等系统100多人参加的动员大会，就开展“四进社区”活动作了具体安排。

制订一个活动方案。由市文明办牵头，制订《九江市开展“四进社区”活动实施方案》。按照“职责分工、对口管理”的原则，由职能部门分别制订科教、文体、法律、卫生进社区具体活动方案。

办好一次为民活动。浔阳区以科教进社区为龙头，实施“五上”工程，全面开展“四进社区”活动。全区紧紧抓住“科技活动周”教育活动的契机，着力在科教学习、宣传、硬件投入等方面下功夫。特别是在硬件建设上，在每条街建起一块永久性科技宣传栏，在各社区建两块黑板式科技宣传栏，建立一个橱窗阅报栏，为每个社区订阅3—5份科技杂志，并有选择性地购买一些科普VCD光盘。

搞好一次为民服务。浔阳区坚持“四个面向”，即面向居民开展便民利民服务，面向单位开展双向服务，面向下岗职工开展再就业服务，面向民政对象开展福利保障服务，深入开展“军民共建及社区建设之春”系列服务活动。武宁县开展“关爱老人生活，关注老人健康”服务活动。九江县开展“奉献青春，服务社会”大型文艺演出。

抓好一次督促检查。为使“四进社区”活动扎实有效地开展，年底，九江市“四进社区”活动领导小组对各地、各单位进行了一次全面督查。

（江西省文明办）

山东省章丘市
实施“以德治市”战略

3月，章丘市出台了《关于开展以德治市工作的实施意见》，并于4月召开了全市动员大会，全面实施以德治市战略。

章丘市把以德治“官”作为关键，把以德约民作为基础，通过以德治政、以德治业、以德严长、以德约民“四路齐进”，全方位实施以德治市，把《公民道德建设实施纲要》的要求落到实处。一是通过以德严长，加大对各级领导干部的道德教育和约束力度，努力提高其道德素养。对领导干部提出明确的道德要求：要坚定理想信念，树立正确的人生观、世界观、价值观，不断增强全心全意为人民服务的宗旨意识，时时处处为群众利益着想；要做遵纪守法、廉洁自律的模范；要成为实践职业道德、社会公德和家庭美德的表率。二是通过以德治政，切实转变党政机关特别是执法部门的工作作风。三是通过以德治业，加强各行业从业人员的职业道德建设。四是通过以德约民，实现对全体公民特别是农民群众的社会道德教育，整体提高全民的道德水准。

章丘市在具体工作中，采取抓教育、抓规范、抓活动、抓阵地、抓保障“五抓并举”，以官风、政风带动民风、社风的优化转变。一抓教育。在农村，发放宣传提纲，组建德育宣传队进行宣传发动。在学校，把道德教育送入中小学生的政治课堂，成为必学内容。各单位还举办知识问答、学习研讨、演讲比赛等，把学教引向深入。二抓制度。针对机关、企事业单位及农村的不同情况，依据《纲要》，对道德要求细化、量化、具体化，制定出各自不同的规范。三抓阵地。在报纸、电视台开辟“以德治市”专栏，集中对《纲要》和以德治市进行宣传，宣传道德建设先进人物等典型。把村民代表议事会作为农村以德治理的重要阵地，村民代表在议政、理事的同时，担负起对不道德行为进行评价、管理的责任，对邻里纠纷从道德角度进行评说，并主动上门入户协调处理，规劝说服不道德之人，约束不道德之事。把校园作为培养青少年道德素养的阵地。在市教育系统发起“以德治家，孝敬父母”活动，倡导教职员工、学生家长身体力行尊老敬老传统美德，培养青少年做有德之人、有为之人、有用之人。四抓活动。以文明村镇、文明行业、文明家庭等各项创建活动，以及群众性文体活动作为依托，把道德教育和实践融于各类活动之中。先后组织学习《纲要》电视知识竞赛，开展建设文明城市大讨论。制定了市民《十要十不准道德行为规范》。五抓保障。以市委书记为组长组建了领导小组，成立了专门的办公室。各乡镇都有一名领导干部具体负责指导。把以德治市纳入全方位目标管理，健全了考评机制。在对部门、乡镇干部的年终评比中，德绩与政绩、业绩同时作为考核评议的重点，实行德绩考核一票否决权，德绩达不到良好标准的，不能被评为优秀，不能提拔重用。

（山东省文明办）

河南省郑州市

开展“五进社区” 提高市民素质

郑州市结合道德规范进万家活动，广泛开展了“五进社区”活动（即：科教、文体、法律、卫生、道德规范进社区），促进了市民文明素养的提高。

科教进社区。一是建立社区文明学校。把“建有文明学校并定期开展有针对性的教育活动”作为评选市级文明社区的一条硬性要求。全市338个社区普遍建立了文明市民学校，并做到有教学规划，有专兼职教师队伍，有教学档案。二是设立科普宣传栏，定期更新内容。每逢节假日，组织科协、教育等有关部门携带各类科教仪器深入社区，举办科普知识讲座，指导群众在动手操作中接受现代科技知识教育。三是建立社区图书室。全市各社区都建立了藏书2000册以上的图书室，有专人管理，定时向居民开放，并经常组织书评征文活动。

文体进社区。全市各社区分别建设了自己的文化广场，成立了秧歌队、盘鼓队、戏迷演唱队、腰鼓队、舞蹈队等群众自娱自乐演出队伍1100多支。9月份，管城回族区率先举办了为期两个月的社区文化艺术节。金水区依托社区文艺演出队，举办了8场“金水之春”、“金水之夏”等文艺晚会，观众达3万多人。在体育方面，除依托体育场馆开展群众性体育比赛外，还在每个社区开辟体育角、健身场。据统计，郑州市338个社区共设体育角、健身场400余处（个），有170余个社区建立了健身房，拥有各种健身器材2300余件（套）。管城、中原等区还举办了社区运动会。

法律进社区。坚持宣传教育与服务并举，定期组织公检法等单位，深入各社区举办法律知识宣传、法律援助、司法调解、法制讲座等，组织开展丰富多彩的法律服务活动。管城回族区实施了以“每个街道办事处建立一所法制学校、每月出一期《以案说法》简报”等为内容的“十个一普法工程”。二七区成立了“普法讲师团”，巡回在辖区各社区举办法律知识讲座，受到群众欢迎。

卫生进社区。一是建立社区卫生服务站。组织市医疗单位在全市社区建立医疗服务网点，对社区居民实行低收费，使居民常见病不出社区就可享受到医疗服务。二是组织卫生知识宣传。定期组织医疗工作者深入社区举行集中宣传义诊活动，并随着季节的变化，适时组织医疗卫生知识讲座，丰富社区居民防病治病常识。

道德规范进社区。一是编印了《公民道德四字歌》、《郑州市公民道德教育读本》等简明教材，免费发放到社区居民家中，使居民学有教材，行有指南。二是开展居民道德“月点评”活动。以“讲文明——从我做起”为主题，每月围绕一个专题，居民就自己关心的话题“实话实说”；或开辟“社区居民道德论坛”，组织专家与百姓进行交流。三是组织居民签订文明市民责任书。以20字公民基本道德规范、省会市民“十不”行为规范和“三管六不”等为基础，统一制定了《文明市民责任书》，由各社区组织召开居民大会，组织家庭代表在责任书上签字。四是组织公民道德“巡回报告团”。选出一批有代表性的道德楷模，组成“巡回报告团”，深入社区巡回报告。

（河南省文明办）

河南省洛阳市

实施“五大工程” 推进“双创”工作

城市路网建设工程。高起点规划，各种明线入网，排水、供水、供电、通信、煤气、照明、消防等设施改造建设同步进行。共新建、改建、扩建城市道路61条，总长134.3公里，使城市五区路网架构更趋合理，交通更加通畅、便捷。

旅游景区环境建设整治工程。洛浦风景旅游区完成了西段秋风园建设项目，在东段历史文化景区新设周鼎及张衡浑天仪、地动仪等标志性雕塑。南线生态旅游区快速通道——洛栾快速通道已正式通车，使洛阳至栾川的公路里程缩短了40公里。为保护世界文化遗产——龙门石窟而建的龙门南、北二桥已正式竣工通车。一个以龙门石窟为核心，东西宽1.5公里、南北长4公里的龙门名胜风景区实现了封闭式管理，为建设国际一流景区创造了条件。

大环境绿化和通道绿化整治工程。洛阳市进一步加快园林绿化建设，新建绿地50余处，使城区绿化覆盖率达40.2%、人均公共绿地9.1平方米。新建1000公里通道绿化。洛三高速、开洛高速偃师、孟津、新安段每侧建成了50米宽的绿化带。同时，实施了龙门山、周山、小浪底风景区绿化工程。东、西、南、北4个出口道路建设整治共投资5亿元，拆迁各类建筑物50多万平方米。对310国道等7个城市出入口和通往景区（点）道路的占道经营、施工垃圾、违章建筑进行了拉网式整治，取得了明显成效。

市容环境卫生整治工程。首先在全市范围对非法违规广告进行大规模的打击整治，清刷各类广告，对发布非法违规广告的各类通信工具2300余部进行停机处理；二是开展占道经营、店外经营和交通秩序专项整治，规范了经营秩序和交通秩序；三是对群众反映的热点问题进行综合整治，组织开展了垃圾专项清运治理工作。

公民道德建设工程。洛阳市把“道德规范进万家”作为提高市民素质教育活动的主题。制定了《在全市开展“道德规范进万家”活动实施方案》，以“美在牡丹城、道德进万家”活动为载体，开展了声势浩大的集中宣传月活动。

（河南省文明办）

河南省漯河市

社区文化丰富多彩

2002年春节，河南省漯河市的许多居民群众感受到过节方式与往年大不相同。市里开展的社区文化集中活动使节日生活变得更加丰富多彩。

金沙滩游园成了全市居民欢乐的海洋，沉浸

在新春佳节喜悦之中的群众从四面八方涌到这里，观看各种文艺演出。豫剧演员们精彩的表演和优美的唱腔、盘鼓队激越的鼓点、健康向上的青春韵律健美操博得阵阵喝彩和掌声。

金沙滩游园只是漯河市文化进社区活动的一个缩影。为了倡导新风尚，引导群众热爱新生活，市里组织了“送精神年货，过文明春节”活动，35支社区文艺队在70多个社区和市区的繁华地段为群众服务，写春联，送年画，奉献文艺表演。

健康向上的文化活动像一块巨大的磁铁吸引着广大群众。双汇广场、烟厂花园、柳江小区等16个群众休闲场所，几乎每天都有精彩的文艺演出，参演的既有机关单位、企业学校，又有专业剧团、民间团体。在全市80多个居委会中，成立了老年艺术团、轻音乐团、少儿演唱队22个，人员1200多人，活动主要有戏剧、演唱、腰鼓、迪斯科、太极拳、门球等。他们把来源于社区、来源于生活的文艺作品作为文艺演出的主要内容。

（摘自2002年3月4日《人民日报》）

河南省长垣县

围绕“三个文化” 提升创建品位

长垣县立足当地文化资源优势，增强城市文化底蕴，全力提升创建品位，进一步加快了文明城市创建步伐。

挖掘传统文化资源。长垣县历史文物较为丰富，有著名的龙山文化和仰韶文化遗址等，春秋时期为卫国的蒲邑，“子路为蒲宰”3年，孔子三称其善。明朝时曾有“满朝文武半江西，小小蒲城七尚书”的美誉。近年来，该县坚持“保护为主、抢救第一”的方针，合理利用，加强管理，广征文物，切实做好地下文物的保护，对一些文物进行了抢救性修复和重建，重修了学堂岗对庙“杏坛碑”，对宜邱遗址进行了保护性的考古发掘，并正在进一步开发“圣文塔、蘧公故里、景荣公园”等文化旅游景点。

打造特色文化品牌。长垣县是闻名全国的烹饪之乡。改革开放以来，全县非公有制经济迅猛发展，防腐、起重、卫材三大产业成为全县主要经济支柱，并几乎占据全国同行半壁江山。长垣县蓬蓬勃勃的非公有制经济发展势头被誉为“长垣现象”，引起社会各界关注。在创建文明城市活动中，该县围绕“防腐”名牌战略和支柱产业，打造地方特色文化名牌，构建长垣县现代文明。举办了首届烹饪之乡文化节，并正在筹建中国第一所烹饪高等专科学校；聘请省外专家，精心策划，建设融现代文明与地方支柱产业为一体的“长垣民营企业文化长廊”。

发展群众文化事业。近年来，长垣县投资近400万元，着力实施文化建设“五大工程”，即群众文化活动网络工程、文艺人才培养工程、精品推出工程、文艺扶贫工程和文化设施建设工程，使全县公共文化基础设施有了明显改善，各类群众性文化活动十分活跃，文坛新人不断涌现，艺术作品、剧目成绩斐然，全县营造出了浓郁的健康文化氛围，大大提高了人民群众的文化素质。

（河南省文明办）

湖北省武汉市
实施环境创新“三大行动”

武汉市着眼于可持续发展，实施了改善环境的“三大行动”工程——绿色武汉行动、碧水蓝天行动和市容整洁行动。

绿色武汉行动。市人大通过了“大力开展植树造林，建设绿色武汉”的议案，把武汉建设成为一个绿色大都市，使“绿树”同“水”一样，成为武汉城市建设的显著特色和标志性品牌。“绿色武汉”行动的目标是：广植树、植大苗、建大绿，通过5年的时间，实现“绿色武汉，城在林中”的奋斗目标。努力实现城区绿树成景、郊区森林成片、干道树林相连、两江四岸绿林成带、城市绿树环抱的城市绿化新格局。

碧水蓝天行动。旨在全面改善武汉市地表水和环境空气质量的综合治理工程。总体目标是：水安全得到巩固，饮用水源得到有效保护，清水问题基本解决，湖泊港渠功能定位明确，水质符合功能要求，建立科学合理的水资源开发利用保护管理机制，实现水资源、水安全、水环境保护与城市发展的有机结合。2002年碧水蓝天行动主要工作是：加强饮用水源保护，逐一清理汉江沿岸的排污口，限期清理各农用水源保护区内的污染源，全面完成“湖改江”工程，使武昌地区居民全部饮用长江水；实现东湖全面截污；保护湖泊，杜绝违法填湖，并规划好“三带”（绿化带、市政设施带、加宽隔离带）；加快污水处理市场化步伐，建立合理的水价机制，合理确定污水处理费价格，实行废水排放总量收费；全面完成中央下达的长江、江汉干堤整险加固工程；内环线以内燃煤锅炉、窑炉及大灶改用清洁燃料，中环线内及东湖新技术开发区、武汉经济技术开发区不再批准新、改、扩建燃煤锅炉，依法关闭排污量大、污染重、治理不达标的工业企业；依法强制报废超期、超标排污机动车，中心城区停止新增摩托车登记上牌，外地和远城区的摩托车禁止进入中心城区。

市容整洁行动。以实现市容环境整整齐齐、干干净净为目标，以取缔违章占道和加强街巷卫生保洁为重点，全面动员各方力量，集中整治市容市貌，强化城市综合管理，优化城市环境，提高人民群众的生活质量。市容整洁行动坚持“以区为主、街为基础”的原则，由各区具体负责组织实施，落实执法责任；市里负责检查监督工作，落实督办责任。具体工作任务：一是取缔违章占道。二是加强街巷卫生保洁。三是规范广告招牌。四是严格执法，依法管理。

（湖北省文明办）

广西壮族自治区南宁市环保局

环保行动进家庭

南宁市环保局把环境宣传教育与精神文明建设有机地结合起来，开展遍及全市的“环保行动进家庭”活动，促进了精神文明建设和环保工作的开展。这一活动的经验受到自治区文明委的肯定，在全国环保系统得到了推广。

回收家庭中的废旧电池活动。在各个单位、学校、居委会、住宅小区、街道办事处共制作安装近2000个废旧电池回收箱，投资20万元建成180立方米的废旧电池回收库。

家庭节水竞赛活动。南宁市虽然水资源丰富，但节约用水就会减少生活污水的排放，减少对水环境的污染。全市组织开展“节约用水、循环用水、少排污水”的节水优胜家庭竞赛活动，参加节水竞赛的居民十分踊跃，全市共有5000多户居民参与节水活动，日均节水3000吨。

创建无摩托车噪声、尾气污染和无燃煤生活小区活动。南市宁约有40万辆摩托车，在方便市民出行的同时，也带来了噪声、尾气的污染。全市有6个住宅小区开展了创建无摩托车噪声、尾气污染生活小区活动，有两万人受益。在创建无燃煤生活小区活动中，全市有50多个单位或小区的全体居民做到了全部使用清洁燃料，每年可少排放二氧化硫1300多吨，为南宁市控制酸雨工作做出了贡献。

规范家庭空调外排水活动。全市新建住宅的空调机统一安装排水管，但由于历史的原因，许多旧的生活小区住宅没有空调机安装位置，而随着居民生活水平的提高，居民住宅普遍使用空调，从而产生了空调机噪声和随处滴水扰民的现象。环保局在生活小区推行了空调机加装接水管，室外排水室内收集利用，用于冲厕、擦洗地板等。

开展不捕不买（卖）野生动物，管好一张“嘴”活动。针对本市一些市民环境意识淡薄，曲解饮食文化的内涵，滥捕贩卖和食用野生动物的现象，环保局主动与林业局、共青团、妇联、教育局等单位开展不捕不买（卖）野生动物，管好一张“嘴”活动。通过印发5万份保护野生动物倡议书和宣传资料、在城区与乡村举办珍稀野生动物标本展，引导市民改变饮食陋习，使市民提高保护野生动物的意识。一些市民自费买回被捕贩卖的野生动物交给野生动物保护协会或放生。

开展读一本“环保书”活动。环保局编印发放了通俗易懂、图文并茂的《南宁市民环保行为规范》、《南宁市少年儿童行为规范》和《环保科普知识读本》30多万册，举办环保知识竞赛、环保知识大家谈、环保知识快板文艺等活动，向广大市民普及环保知识。

（国家环保总局文明办）

贵州省贵阳市

创建文明林城 打响“八大战役”

贵阳市委、市政府组织开展创建文明林城活动，并以此为龙头，统揽全市群众性精神文明建设。围绕整顿市容市貌，改善交通秩序，树立城市形象等主要内容，全市先后打响了“八大战役”，对创造优良秩序、优美环境、优质服务，起到了积极的推动作用。

拆违战役。市委、市政府把拆除违章建筑25万平方米确定为2002年“十件实事”之一。市城管局将这项工作作为整顿市容的一项重要任务来抓，并把拆除的重点放在群众反映强烈的市中心区及主干道上。

取缔违章占道经营战役。把取缔主干道上各类占道经营，制止沿街门面延伸占道，做到货归店、柜入堂的工作，作为市容整治的重要任务来抓，有针对性地开展了占道经营的专项整治，先后取缔了延安路、人民广场、火车站等窗口（地段）的违章夜市、非法狗市、烤肉摊点等占道经营摊位；完成了城中心区26条“马路市场”的清退工作。

清除卫生死角战役。把落实长效管理机制清除城郊结合部等卫生死角，作为环卫工作的重中之重来抓，完成了城郊结合部卫生死角整治任务，并对重点旅游公路、沿途城镇及名胜风景区环境卫生开展了专项治理，共清除卫生死角700多处（次），清运积存垃圾5.6万多吨。

街景整治战役。街景整治战役的重点：对市中心6条主干道人行道道板进行改造。对市区范围内不规范的户外布幅、广告标牌、门头、雨棚进行专项整治，拆除不规范广告牌及破旧遮阳棚等2万余（处）块。并对18条主干道上的空白广告载体业主，全部发布公益性广告。开展了对“野广告”的专项治理，公安、城管、工商发布了《关于禁止乱贴、乱画户外广告的通告》，共计取缔、铲除、覆盖“野广告”3万多处（张），收缴未张贴的广告近20多万张。

交通整治战役。针对市区道路拥挤、车流不畅、交通秩序混乱的问题，采取了动态与静态治理相结合的措施，有效地开展了交通整治工作。限制过境大型货车进入市区。加大了违章车辆的查处力度，尤其是针对中巴车、的士车乱停、乱串的问题，开展了明查与暗访的专项整治，有效地遏制了随意违章的势头。巩固和拓展严管街的整治成果，在保持繁华路段整治效果的基础上，将更多路段纳入严管街的管理范畴。从根源上治理中巴车隐患，一方面积极推进“中改的”工作，另一方面积极采取措施，将中巴车退出市区主干道。

亮灯战役。开展了以美化、亮化为主要内容的夜间“亮丽工程”。实现了以南明河两岸16公里长为代表的市政公用设施亮丽工程，既美化了城市的夜景，又丰富了群众的文化生活。

绿化战役。以提高中心区绿化档次和新增绿地面积为重点。以市城管局完成沿河10万平方米绿化为代表，全市共新增绿地面积25.94万平方米。节日、重大活动期间摆放鲜花共3万余盆，环岛、中间隔离带环境布置换花1万多盆。

清理“三无人员”战役。全市共组织较大规模的集中统一行动4次，区域性行动21次。查出“三无”人员2930人，其中，收容遣送1680人。清理工作取得了阶段性成果。

通过打响以上八大战役，贵阳城市的面貌发生了巨大变化，得到了广大人民群众的赞誉，贵阳市2002年被中央文明委命名为创建文明城市工作先进城市。

（贵州省文明办）

贵州省凯里市

做文明市民 创建文明城市 建美好家园

凯里市以创建“文明城市”为突破口，经过一年努力，城区卫生与秩序状况明显改善，广大市民的城市意识、文明意识普遍增强，城市面貌发生了巨大变化。

加强硬件建设，夯实“文明城市”创建基础。凯里市抓住国家实施西部大开发战略的契机，对该市城市发展进行了反复论证和科学规划。在资金紧张的情况下，争取到1亿多元的国债项目资金，高标准地对市政设施进行改造。1月大阁山隧道竣工通车，接着韶山北路改造完成。6月北京路改造工程竣工，8月韶山南路改造竣工。营盘东路、州府路等道路相继改造完毕。这些城市改建项目的完成，改变了城市基础设施落后的状况，提高了城市品位。

加强舆论引导，广泛动员群众积极参与。为提高广大市民对“文明城市”创建活动重要性的认识，采取发放创建资料，开展知识有奖问答，举办“爱我凯里”图片展，组织青年志愿者等活动，新闻媒体对活动进行了全方位的宣传报道，对不文明行为进行揭露和曝光，以此教育各种不文明行为和顶风违规者。

坚持教管结合，培养市民文明习惯。从6月9日起，从市直机关66个单位抽派356名干部，会同公安、城管、环卫等组成近1000人的队伍，分布在50个执勤岗点，开展为期3个月的“文明城市”宣传与城市管理的突击整治。

坚持齐抓共管，共同推进创建活动深入开展。一年来，凯里市文明办、市爱卫办与各街道共同组织4次有185个部门、单位，万余人参加的大规模的清理卫生死角活动，使全市卫生状况进一步改善；市交警大队、交通局、运管处等部门把城区主要街道、主要路口及市内客运车辆临时停靠点作为重点管理部位，对车辆和行人进行规范管理；市运管处在出租车、中巴车中组织开展了“优质服务车”创建活动，公共汽车公司首次在城内开通无人售票公交车；城管、环卫部门加强了城区卫生的清扫、保洁工作，加大了对乱搭乱建、占道经营、随意横穿马路等行为的查处力度；建设部门对不符合“文明施工”要求的建筑工地责令其限期整改，直至停工整顿，从源头上整治城市污染；工商、物价、文化、公安、技术监督等部门组织开展“百城万店无假货”、“天天‘3·15’”、创“诚信单位”和“文明商店”活动；环保、交警共同抓临街门面“二废”排放、城市噪音控制和对汽车尾气排放监控；各中小学校组织中小学生开展“你丢我捡”等文明实践活动，协助治理环境卫生；公安部门出警迅速，对违法犯罪行为依法予以打击，保证了创建活动的正常开展。

坚持州市共建，共同构筑“凯里文明”。州直15个机关单位派出干部上街参与执勤，州武警、州消防支队主动派官兵上街参与执勤，组织开展“军（警）民共建文明路”活动。凯里发电厂、凯里供电局、腾辉水泥公司等单位强化职工的“文明城市”意识，动员职工积极参与“文明城市”创建活动。

（贵州省文明办）

甘肃省兰州市

市容环境整治“百日会战”

兰州市从6月初开始至9月上旬，组织开展市容环境整治“百日会战”。

市容环境整治“百日会战”活动以治理脏乱差、整顿市场秩序和交通秩序、规范市民行为为重点，以整治环境卫生、治理户外广告、清理违章占道、清退马路市场、查处违法建筑、规范建筑工地、绿化美化亮化、提高市民素质为主要内容，以改善市容环境、提高城市文明程度为奋斗目标。

加强城区主次干道和重要场所的清扫保洁工作，认真落实环境卫生清扫保洁责任制，调整作业时间，实行主要道路全天保洁，垃圾清运日产日清，基本做到了按章清扫、定时保洁，规范有序。各区还将城市主要出入口、车站、排洪道、城乡结合部等地段列为整治的重点，加大人、财、物力投入，集中清理积存垃圾，整治周边环境，完善必要设施，强化日常监督，使这些地段环境卫生面貌得到了改观。对住宅小区、楼群院落、公交站亭环境卫生进行了清理和落实。

在户外广告清理整顿中，市、区、街密切配合，联合行动，动真碰硬，以清理乱贴乱画乱挂和拆除违章广告、整顿过期和不规范广告为重点，集中进行了清理整治。以火车站广场为突破口，沿城市东西大道向重点路段和重点区域延伸，坚持先易后难，先规范后拆除，彻底整治、不留尾巴。对火车站、天水路、黄河风情线等区域地段的户外广告进行了较为彻底的规范治理或清理取缔。

“百日会战”活动中，800多名交通民警和200多名城管人员紧密配合，加班加点，蹲点守候，针对乱摆摊点流动性大、反复性强的特点，突出重点路段，对违章占道摊点比较集中的东岗东西路、平凉路、甘南路等10多条路段和西站什字、文化宫、西关什字、庙滩子、雁摊家具市场门口等13处重点地段实行分段划片包干，定岗、定人、定责、定时管理。同时，加强督促检查，坚持每周一次的定期检查和平时抽查相结合的办法，发现问题及时反馈，提出要求促其整改，并根据检查情况合理调配人员，调整时间，做到了专人负责，长期坚守，使占道经营得到了一定遏制。加强机动车辆管理和交通组织，对城市部分停车场（点）进行了调整规范，使城市交通秩序得到了好转。

在城市绿化美化中，坚持点线面结合，以主要广场、主要景点的建设为点，以新建改建道路行道树栽植补植和黄河风情线绿化美化为线，以南北两山生态环境建设为面，并结合花园式单位创建活动的开展，大力发展城市公共绿地、生产绿地、居住绿地和防护绿地，加快了城市园林绿化建设步伐。全面完成了南北两山绿化造林预定任务，新增城区公共绿地100公顷。

（甘肃省文明办）

创建文明村镇

2002年，以“三个代表”重要思想为指导，创建文明村镇活动与发展农村经济，促进先进文化建设，为农民群众办实事、谋福利紧密结合，更加扎实而富有成效。

“三下乡”为亿万农民送温暖献爱心

2001年冬至2002年春以来，各地各有关部门以“三个代表”重要思想为指导，从促进农村改革发展、维护农村社会稳定这一大局出发，把文化科技卫生“三下乡”摆上重要位置，精心设计，认真实施，诚心诚意为农业农村农民办实事、做好事，营造了欢乐喜庆祥和的节日气氛，把党和政府的关怀送到广大农民群众的心坎上，促进了“三下乡”常下乡，受到社会各界广泛关注和农民群众热烈欢迎。

一、转变作风、务求实效，让农民得到更多实惠

各地各部门坚持一级抓一级，一级促一级，点面结合，上下联动。中央有关部委率先推出中央文艺院团赴西部慰问演出、乡村青年文化节等10项集中示范活动，带动面上工作。国家计生委、共青团中央、全国妇联、中国科协的领导率队到农村开展“三下乡”。各省（区、市）根据各自实际，组织了多种形式的集中活动。各市、县根据统一部署，积极组织基层文化科技卫生人员下乡为农业农村农民服务。河北组织活动时，不增加地方负担，每次都由省里负担活动人员食宿费。他们除送书送戏送电影外，还为农民送去价值100多万元的良种、化肥、电脑以及药品和医疗设备等，签订了21项长期帮扶协议，引导农产品加工企业与村签订合作项目，价值达310多万元。江苏组成文化科技卫生新年“三下乡”服务慰问团，省、市、县三级都派人参加，由省委省政府主管领导带队，分赴贫困地区农村，为农民服务。安徽组织1102支医疗小分队分赴农村各地，送器械药品250万元，建立村医疗卫生室1333个，办医务人员培训班430个，培训医务人员19513人次，诊治农民86万，247名青年卫生志愿者在20多个县长期蹲点为农民提供医疗卫生帮助。山东在短短的1个多月里，送文艺演出下乡600多场、电影1000多场、图书30多万册、科技录像带10万多盘，诊治病人5万多人，培训农村文化科技卫生骨干4000多人次。

二、突出重点，加大支持西部地区和贫困地区的力度

各地各部门本着“雪中送炭”的原则，把“三下乡”的工作重点放在西部地区、贫困地区和革命老区。中宣部、中央文明办、文化部先后组织中国歌剧舞剧院、中国歌舞团、中国儿童艺术剧院、中国京剧院和中央民族乐团赴广西、重庆、四川、甘肃和新疆等西部省区贫困农村，为当地农民演出了丰富多彩、生动活泼、喜闻乐见的文艺节目。中国科协给贵州、云南、西藏、甘肃、宁夏、新疆等省区各配备一辆价值60多万元的科普大篷车，装有5000多套光盘、录像带，10万套农业技术图书、反邪教挂图以及18种可动手操作的科普仪器。1月7日科普大篷车送到甘肃后，先后深入13个县市的乡镇开展科普宣传，行程1000多公里，受益群众15万多人。辽宁从省宣传文化基金中拿出专款用于资助贫困中小学生，向贫困地区送去一批科技致富图书、光盘，帮助建立一批村级文化活动室，组织200多支扶贫医疗队和100多支科技扶贫队下乡，重点帮扶农村中的困难户、五保户。天津卫生局组织23所医院的160多名医学专家分赴各郊区县，为贫困农民送医送药，诊治患者1546人，无偿发放药品价值近10万元。

三、开拓创新，积极探索服务亿万农民的新内容新形式

各地各部门在开展“三下乡”过程中与时俱进，适应形势要求，充实活动内容，改进活动方式。为配合贯彻党中央印发的《公民道德建设实施纲要》，各地将《纲要》的单行本、宣传画、宣传图片、辅导读本以及农民道德知识丛书送到农村，并以农民群众喜爱的戏剧、歌曲、舞蹈、小品等形式，宣传20字基本道德规范。适应加入世贸组织的新要求，各地增添了世贸组织规则下乡的内容。四川组织有关专家下乡举办讲座，深入浅出地讲解加入世贸给农业带来的难得机遇和严峻挑战，引导农民调整产业结构，帮助农民学会利用世贸组织规则保护自己、发展自己。江西配合市场经济秩序整顿，把法律咨询、打假和农资送下乡，到乡村集市设立“现场投诉”、“法律法规咨询”、“真假产品识别”等流动工作台，现场讲解假冒伪劣产品的识别方法，接受农民投诉。安徽、湖南、四川组织律师等法律工作者“送法律下乡”，帮助农民了解法律知识，解决遇到的法律难题，这些农民遇到法律问题后，又反过来找“下乡”律师打官司。河北衡水科技服务车“招手停”，帮助农民解决科技难题；天津开设了科技咨询服务热线，帮助农民致富；广东把“道德春联”送到农家，广泛宣传道德知识和道德规范；云南村村建成“万村书库”，组织农民读书用书。

四、建立机制，努力促进“三下乡”常下乡、三扎根

各地各部门把实现常下乡作为深化“三下乡”的重大课题，积极探索，努力建立常下乡机制。中宣部、科技部、国家广电总局大力推进星火科技下千县活动，这项活动覆盖全国31个省、自治区、直辖市，参播电视台达1250家，播放了近千条农业实用技术和信息。山东省组织省、市、县有关部门和单位同贫困地区农村结成对子，按照“五定”（定点、定期、定量、定指标、定效果）的原则，有针对性地开展帮扶活动，结成各类帮扶对子3000多对。北京除组织“燕山情”文化下乡演出团为农民演出外，还组织市属文艺院团与区县文化馆、文化站“挂钩”，定期组织高水平的专业人员深入农村基层，开展业务辅导，培训农民文艺骨干。上海采取切实措施，保证“三下乡”常下乡制度化、规范化。市文广局调整文艺院团下乡演出补贴政策，积极鼓励文艺工作者下乡；市卫生局规定：医疗机构卫生中级专业技术人员，在晋升副高级职称时，必须到农村和城市基层医疗机构定期工作6个月；市农科院采取科技人员长期下乡、阶段下乡和临时下乡相结合，实施科技扶贫，不脱贫不撤点。福建三明市既为农村“输血”，又帮农民“造血”，组织农业技术协会与村直接挂钩，开展协作，通过科技专家服务队下乡，建立农业示范基地，进行技术培训，引导农民调整产业结构，提高效益，为农民增产增收作贡献。

（中央文明办）

农　业　部

科技下乡到西部

农业部在甘肃省天水市北道区举行的科技下乡活动，吸引了附近农村的10多万群众参加。

这次科技下乡活动是农业部贯彻落实党的十六大精神，实践“三个代表”重要思想，为广大农民办实事的一次重要行动。为了把这次科技下乡活动搞得更好，农业部专门组织了中国农科院、中国农业大学、西北农林科技大学、甘肃农业大学、甘肃农科院、中央农业广播电视学校、中国农业出版社等单位的50余位专家，除了在现场开展咨询外，还分为4个小分队，赴农村进行技术指导。与此同时，农业部还向天水市北道区赠送了价值40余万元的农业技术资料和培训设备，其中科技图书2.8万册，VCD光盘2630盒，以及农药、兽药等物品，受到当地农民的热烈欢迎。

（摘自2002年12月15日《人民日报》）

黑龙江省铁力市

站村共建文明村

为使精神文明创建活动与发展农村经济有机结合，推动文明村镇建设，铁力市组织乡镇畜牧站同村屯开展共建文明村活动，既提高了农民的素质，也促进了农村经济的发展。

一是畜牧站为农民提供优质高效的技术服务。市畜牧局根据铁力的畜禽饲养现状和规模，有针对性地开展服务，并在饲养管理、疫病防治、草原饲料建设、龙头企业发展等方面进行重点突破。建起市、乡、村、屯四级服务网络，达到市有服务总站，乡有综合服务站，村有防疫繁改服务室，配有技术员和联络员。技术员同村乡镇站签订共建合同。针对农民普遍科技素养偏低的实际，畜牧站对他们进行培训，做到经常化、专业化、普遍化。通过科普之冬、科技下乡、办培训班及电视讲座等形式开展培训，以畜牧实用技术和农民实际需要为重点，使大多数农民成为发展畜牧业的明白人。一般技术问题养畜户自己就可以解决，重大技术问题则由乡镇畜牧综合站帮助解决。在培训中注重培养有知识、有闯劲、发展畜牧业积极性高的年轻人，使他们成为发展畜牧业的带头人。全市养畜专业大户都有一位技术员，每个专业村都有一名业务骨干，全市农民的专业技能上了一个档次，为站村共建奠定物质基础。市畜牧局组织成立了养禽、养猪、养鹿、养牛等4个专业协会，各乡镇、各养殖专业村设有分会，由乡镇畜牧综合服务站牵头，一方面及时提供综合信息、技术服务，指导农户选择养殖项目，引进优良品种和先进技术，保证产前、产中服务。另一方面发挥“桥梁”作用，把千家万户畜产品集中起来，找市场、找销路，上联市场、下联农户，实行订单生产，完善产后服务，解除了农民的后顾之忧。

二是发挥精神文明建设对畜牧经济发展的推动作用。全市加强环境基础设施建设，改善村容村貌。对村屯环境“一路二树三秩序”做出了总体规划，以住房整洁化，道路砂石化，栅栏规范化，庭院卫生化，畜舍标准化为主要目标，因地制宜积极稳妥地开展了整治活动。注重对农民的思想道德教育，开展移风易俗、树文明新风活动，陈规陋习得到有效遏制。基本上做到无封建迷信和非法传教活动，社会治安秩序良好，人与人之间形成和谐的良好关系。全市农民的思想道德素质有了普遍提高，发展生产勤劳致富的意识不断增强。全市建成市级文明村（含标兵村）50个，地级文明村14个，标兵村7个，省级文明村3个；荣获全省城市创十佳龙江杯致富先进市、文明城市建设先进市等荣誉称号。

（黑龙江省文明办）

江苏省东台市

农民道德评议

江苏省东台市为加强农民道德建设，提高农民群众的道德素质，积极探索以群教群、以德治村的新路子，村村建立农民道德评议会，针对农村生产、生活实际和农民群众的思想状况，扎实开展道德评议活动，有效地促进了农民道德素质的提高和村风民风的好转，推动了全市农村经济建设和社会事业的快速发展。

建立道德评议组织。东台市结合本地实际，建立农民道德评议会，对农村中那些法律管不到、行政管不了或管不好的言和行、人和事进行评议，教育引导农民遵守道德规范、树立文明新风。该市农民道德评议会通常由7—9人组成，村党支部书记兼任会长，群众推荐的老党员、老干部、老教师和其他群众代表担任评议员。各镇、村对评议员及时培训，努力提高评议员的素质。在评议工作中，评议员以德律己，不计报酬，既是道德建设的宣传者，更是道德建设的引导者，较好地发挥了示范作用。全市已经建立起408个农民道德评议会，推荐、聘请村级评议员3300多名。

制定道德评议标准。该市在广泛调查研究、征求意见的基础上，紧贴农民群众思想和生产、生活实际，研究制定评议标准，把社会公德、职业道德、家庭美德的要求具体化。其基本道德规范是“品行端正不违法，应缴税费不拖欠，保护耕地不乱占，计划生育不超生，家庭和睦不忤逆，邻里互帮不生非，崇尚科学不迷信，健康娱乐不赌博，热心公益不落伍，保护环境不污染”。在基本道德规范要求的基础上，各镇、村又结合本地实际进行适当调整，使群众易于接受，评议便于操作，较好地发挥了教育引导作用。

明确道德评议内容。该市注重了解农民群众所思所盼、所难所急，增强农民道德评议内容的针对性和实效性，重点围绕3个方面确定评议内容：一是农村税费改革、结构调整、中心村建设、路桥建设、工业园区建设等重点工作；二是群众关心的村务公开、殡葬改革、计划生育、征兵服役、义务献血、公益事业等热点难点问题；三是农村中经常发生的地界、邻里、家庭矛盾纠纷等。

注重道德评议策略。该市在评议策略上，以正面引导为主，对正面的评议褒扬，弘扬正气，对反面的评议剖析，促其转化。针对不同对象、不同事件，因事制宜，因人而异，讲究艺术，注重策略。在评议方式上，注重实际，从基本要求做起，从具体事情抓起，实现从说教式向谈心式、号召式向引导式、单向灌输式向参与互动式的转变。在评议方法上，对普遍的倾向性问题以及广大群众关注的热点问题，通过会议集中评议；对个别存在的涉及隐私或不宜公开的问题，尊重被评议对象的人格，由有关评议员以谈心拉家常的形式上门评议；对好人好事利用广播、橱窗板报公开评议；对突发事件就地现场评议；对“老大难”问题跟踪评议。同时，结合村务公开和党群民主议事日制度对基层干部的“官德”进行评议，既做好示范，又提高干部素质，改进工作作风。

农民道德评议活动的开展，有效地解决了农村许多突出矛盾和难点问题，评出了新人新事有人夸、歪风邪气有人管的新气象。出现了越来越多的邻里互帮、关心公益事业的先进典型，刑事犯罪明显减少。捐资修桥铺路、助学帮残形成风尚。至2002年底，农民群众为修建学校、路桥、路灯、码头等公共和公益设施自觉捐资达3000多万元。

（江苏省文明办）

安徽省巢湖市居巢区沐集镇

拓展“十星级”评比内容　建立农户信誉档案

安徽省巢湖市居巢区沐集镇把“十星级”文明农户评比活动与农村小额农贷相结合，到年底共为1267户农民发放小额贷款350多万元。

一是调查摸底。年初，沐集镇抽调专人对创建活动进行了全面调查，重点摸清广大农户对“十星级”评比活动的反映，特别是群众对镇党委在精神文明建设中为民办实事方面有哪些需求，开展有针对性的创建活动。调查结果表明，一方面，广大农户致富心切，缺少发展资金，农户想贷款贷不到；另一方面，农村信用社给农户借贷不放心，贷款怕收不回，有款贷不出。贷款难的问题制约着农村经济的发展，影响着农民致富奔小康的进程。为此，镇党委决定“十星级”创建活动以诚信建设为重点，着力提高农户的信誉度，并与镇信用社联手，建立农户信誉档案，把“十星级”创建活动与信用社小额农贷相结合，吸引农户积极参与创建活动。

二是充实内容。沐集镇在“十星级”文明农户复评中，增加诚信建设和讲信誉的内容，同时修改评比标准，严格按照自评、互评、张榜公布、评审委员总评、村民代表大会通过等程序评选，全镇农户全部参加了评选活动。

三是建立信誉档案。在评选定星的基础上，镇党委和镇信用社根据每个农户的得星情况建立农户信誉档案，发放不同等级的信用证。“九星”户、“十星”户发放优秀等级信用证，“七星”户、“八星”户发放较好等级信用证，“六星”以下户发放一般等级信用证，农户凭三种不同等级的信用证到镇信用社办理贷款手续时，分别可以贷款5000元、3000元、1000元，不用任何担保、抵押手续。

沐集镇把“十星级”文明农户创建活动与农村信用小额农贷相结合，提高了创建活动的针对性和实效性，收到了明显的效果。一是进一步调动了广大农户参与创建活动的积极性。“十星级”文明农户评选活动与农村小额贷款相结合，使创建活动生动、具体、实在，农民看得见、摸得着，并在活动中得到实实在在的方便和实惠。二是推动了农村经济发展，加快了农民致富奔小康的进程。陈岗村大姜自然村姜中利等4户农民用信用证在信用社贷款18000元，发展150多亩水面养殖，当年户均获纯利3万余元；兆河村村民翟大华凭优秀等级信用证到信用社贷款5000元，发展养猪、养鱼，当年获利4万多元。镇里为农民解决了贷款难的问题，农民不缺发展资金，如鱼得水。据统计，仅此一项活动，全镇新增产值600多万元，农民增收约90万元，人均纯收入提高45元，占全镇人均纯收入增长的三分之一。三是有力地推动了农村的诚信建设。创建活动由于突出了诚信建设，讲诚信、守信誉在沐集镇蔚然成风。同时，推动了计划生育、财贸入库、社会治安综合治理和中小学生失学等老大难问题的解决。

（安徽省文明办）

江西省大余县
建设新世纪农村新家园

一是建好一批思想道德及科学文化教育阵地。各乡镇成立一所农民文明学校，建成一个文化活动中心，并在墟镇设立一块容量大、标准较高的宣传栏。各村也相应设立分校或农民夜校、宣传栏、阅览室和活动室。县直各单位为各村配备一套电教设备。

二是建设4支队伍，即文明学校教师队伍，墟镇规划及秩序管理监察队伍，环境卫生服务队伍，联防治安员队伍。同时发挥农村自治组织作用，建立红白理事会、屋场理事会、妇女禁赌会等群众性组织，让农民自我教育、自我管理。

三是抓好卫生秩序管理工作。从整治墟容镇貌入手，逐步延伸辐射到各村各户。各墟镇建立3—5个垃圾中转站，1个垃圾处理场，各村设立1个以上垃圾池，科学清理和利用垃圾，指导帮助农户做好改厕改圈工作，普遍推广建设和使用“无害化”厕所。

四是做好建设新村镇（乡）规划。各乡镇在建设、土管等部门的指导下，制定科学合理，符合实际，既节省土地，又符合时代要求的建设新村镇（乡）的近期与远期规划。

五是开展形式多样的创建活动。制订活动方案，发动农民广泛参与。大力开展争创“十星级文明户”、“文明村组”、“文明乡镇企业”和评选“好儿女”、“好婆媳”、“好夫妻”、“种养能手”等群众性创建活动，及时总结经验，树立典型，充分发挥典型的示范引导作用。

（江西省文明办）

江西省新余市
开展“三清三改” 推进农村文明

新余市以农村“三个代表”重要思想学习教育活动为契机，以“三清三改”（清垃圾、清污沟、清路草；改水、改厕、改路）为主要内容，着力整治“脏乱差”，农村面貌有了明显变化，促进了农村两个文明建设。

一是选准切入点，从整治环境卫生入手，切实整治“脏乱差”。市里统一时间、统一标准、统一行动对全市100多个村庄进行“三清三改”，拆除乱搭乱建棚屋，取缔不规范标语和广告牌，统一粉刷建筑物，村村户户齐动手，清理垃圾2000余吨、清理污沟200公里、清理路障4000余处，栽树近万株。二是明确主攻点，坚持科学合理规划，切实抓好改水、改厕、改路等工作。针对各地的经济条件和现有基础不一样的状况，在实际工作中坚持做到因地制宜，突出当地特色。经济实力较弱的村庄，要求其在“四改”方面做到“四要”：水沟要硬化、路面要平整、门前要“三包”、公厕要自建；先富起来的“小康村”，则要求其做到“四化”：硬化、绿化、美化、亮化。三是建好示范点，坚持典型引导，切实形成以点带面的辐射效应。在创建过程中，制定了“一年启动、三年初变、五年大变”的工作方针，抓好示范点的建设。全市重点扶持了100个标准较高的示范村，以改水改厕为主要内容，通过近3个月的集中整治，由过去厕所乱建、水质不清、道路不畅的贫困村演变成房屋整洁、路面平整、环境优美的文明新村，成为全市“三清三改”的样板和典型。

为使工作持之以恒，常抓不懈，建立健全了三项制度：一是创建管理制度。修订完善了《村规民约》，各示范点还分别与农民签订了“门前三包”责任状，划分了卫生责任区和责任人，坚持三天一小扫、一周一大扫、一月一评比，使卫生管理制度化、经常化。二是资金投入保障制度。对主动改水改厕，每个蹲位补助150元；兴建沼气厕所，每个补助300元；每打一个压水井补助50元。同时，在不增加农民负担的前提下，采取“五个一点”的办法，即向上争取一点、市县财政拨一点、蹲点单位扶一点、村委贴一点、群众自筹一点的办法，建立多渠道筹资机制。三是督查考核制度。专门制定了操作性较强的考核评分细则，把创建工作纳入各乡镇工作年度目标综合考核内容，并与各乡镇签订创建工作目标责任状，与乡镇主要领导的任期目标、经济利益、提拔使用实行“三挂钩”，确保了工作有始有终持之以恒。

（江西省文明办）

山东省莱西市

村民道德评议

莱西市总结农村中各种群众评议、议事组织的成功做法，研究制定了《莱西市村民道德评议会章程》，成立了村民道德评议工作领导小组。3月份，召开了全市村民道德评议活动现场会，全面启动村民道德评议活动。

严把道德评议会人员“入会关”，由群众公推的老干部、老党员、老模范担任会长，也可由村党支部书记或村委会主任任会长，严格按照“为人正直、办事公道、威信较高、说理能力强”的要求，由群众推荐、村党支部和村委会审查确定评议会成员，并发给聘书。村民道德评议会一般由6—10人组成，下设小组，各村民小组为道德评议小组，村民小组长兼任道德评议小组组长。全市共聘任道德评议会成员5000多人，老干部、老党员、老模范占60%以上。

根据基本道德规范，结合当前农村实际，把评议内容归纳为10个方面：是否坚定不移地贯彻执行党的路线、方针、政策，自觉履行公民义务，主动缴纳国家规定的各种税费；是否遵守国家法律法规，敢于同违法犯罪行为和不正之风作斗争，有无违法乱纪现象发生；是否讲文明讲礼貌，诚实守信，有无欺骗欺诈、拖欠赖账、违约行为；是否崇尚科学，重视教育；是否勤俭持家，自强自立，广开致富门路，勤劳致富；家庭成员之间关系是否和睦，互敬互爱；邻里关系是否融洽，友好相处，有无搬弄是非、损害他人利益的行为；是否自觉遵守计划生育政策，做到晚婚晚育，优生优育；是否注意讲究卫生，美化环境；是否坚持移风易俗，积极参加村里开展的各种健康文明的娱乐活动。年底，评议会将一年的评议情况进行综评，评出本村年度“十佳”好事，大张旗鼓地进行表彰奖励。

村民道德评议会原则上每半年组织一次集中评议，与村民“民主日”或村民小组活动相结合。在集中评议前，评议会围绕村“两委”近期工作重点开展调查研究，针对思想道德方面存在的问题，列出评议要点。评议过程中，评议人员根据道德规范的要求，就村、组发生的重要事件进行评议，形成决议，向当事人通报。当事人对评议结果不服的，可申请村、组评议会重新评议。评议活动结束后，评议会要及时向村党支部和村委会汇报评议结果，并将评议内容及结果通过道德评台向全体村民通报。为了保证评议活动的经常化和时效性，把问题和矛盾解决在萌芽状态，规定道德评议会可根据需要，按照“急事先评、大事大评、一事一评”的原则，随时组织评议。具体操作过程中，针对不同事项采取不同的评议方式。对倾向性问题以及群众关注的热点问题，通过会议集中评议；对家庭问题及涉及隐私、不宜公开的问题，尊重被评议对象的人格，由有关评议人员上门评议；对好人好事利用广播、橱窗板报公开评议；对突发事件随时评议；对“老大难”问题跟踪评议。8月，某村民家因电起火，4间房子烧塌，全部家当烧光，处于绝望境地。道德评议会了解情况后，马上组织评议，决定组织一次救助活动，帮助渡过难关。通过发动，全村村民累计捐款1.3万余元，帮助这位村民重建了家园，恢复了生活的信心。

市文明委统一设计印制了评议活动记录簿，每次评议活动都做好记录，建立档案，并将评议结果及整改情况与农户的评先选优、福利待遇、经济利益挂钩，提高了道德评议的权威性和实效性。村道德评议会对全体村民实行一户一档、一人一档，对履行义务和遵守村规民约、文明公约等与思想道德有关的日常行为分别提出具体要求，每季度组织一次考核，将考核情况记入个人档案，小伙找对象，村里把档案拿给对方看；姑娘出嫁，则把档案转交给其婆家村；参军、入党、参选村干部等都要看档案记录。村民档案的建立有效地约束了村民的行为，形成了追求高尚，激励先进的良好村风。

（山东省文明办）

山东省泰安市
创建文明片区

泰安市在创建“十星级文明户”、“文明村”的基础上，创造性地开展了创建文明片区活动，提高了文明村镇创建水平，促进了农村物质文明、政治文明和精神文明建设的健康协调发展。

为切实搞好文明片区创建工作，泰安市根据实际情况，突出了“四个联建”：一是精神文明联建，树立文明新风。在片区内各村统一开展“十星级文明户”、“文明村”、“好媳妇、好婆婆”、“致富能手”等富有实效的评创活动，制定并实行统一的红白事操办标准，实行殡葬改革，破除陈规陋习，反对铺张浪费，倡导喜事新办、丧事简办，转变了社会风气。统一制定思想道德、科技、法制、计生等教育内容，大力宣传普及20字公民基本道德规范。按照统一规划，片区内各村加强精神文明建设“一条街”、文化大院、小公园、室内外文体场所等阵地建设，丰富群众的精神文化生活，提高群众的思想境界。二是经济建设联抓，发展规模经济。三是社会事业联办，完善服务功能。片区内各村社会事业联办，互帮互助，做到资源优化配置，联合发展。大力加强基础设施建设，基本实现“五通”，即电通、自来水通、路通、电话通、有线电视通。建立片区医疗卫生服务机构，开展医疗预防、健康教育、计划生育为一体的综合性服务。结合农村中小学布局调整，支持乡镇办好中心小学或驻地小学，积极兴办学前教育。四是社会治安联防，确保片区平安。以创建“安全文明片区”活动为载体，建立了以乡镇派出所为龙头，以各片区治安联防小分队为主体，以治保、调解、帮教为主要内容的治安网络，安全与文明并举，以安全促文明。各片区普遍聘任了联防员，成立了巡逻队，24小时昼夜巡逻和守候。片区内联防小分队及各村委会调解组织，主动上门调解民事纠纷、经济纠纷，使邻里之间、家庭成员之间、群众和村干部之间的矛盾得到及时化解。

（山东省文明办）

湖北省宜昌市

百家千户扶智扶路

宜昌市坚持“以城带乡、城乡共建”原则，以“为农村帮农民，做好事办实事”为目的，在全市广泛开展了以“百家千户扶智扶路”（即转观念、授知识、传技术、理思路、办实事等）为主要内容的城乡共建精神文明活动，开创了“以城带乡扶智扶路，城乡携手共创文明”的农村精神文明建设新局面。全市1200多家县级以上各级文明单位和市县直相关职能部门先后与1000多个贫困村和200多个后进村结成了共建对子。

引导干群转变观念。各级文明单位通过组织被帮扶村的干部群众学理论、学政策、学法律，引导村干部和农民转变观念，解放思想。长阳、五峰、枝江、秭归、远安等县市，结合开展理论、科技、文化、法律“四进家”活动，文明单位定期抽调专人到对口帮扶村，培训村组干部。夷陵区以开展农村政策法规教育为突破口，加强对口帮扶村农民专业技术培训，建立农村能人档案等。宜昌市各帮扶单位抽调近万名干部，深入被帮扶村，一家一户访民情，对农民群众误解或一时不理解的问题，做耐心细致的思想政治工作，解开群众心里的“疙瘩”，密切党群、干群关系。

加快农村小康步伐。宜昌市确定了“四个一”的目标，即扶助一笔资金或物资，帮扶一批贫困户，办一批实事，找一条致富门路。通过实施“四个一”，有效改变了贫困村、落后村的面貌。全市各级文明单位先后为500多个村送农业科技书籍30多万册，帮助300多个村建起了村图书室。举办各种培训班3000多场次，培训人员近20万人次。同时，还多渠道筹措资金500多万元，扶持对口帮扶村开发项目、修路、架桥、建希望小学、完善通信和广播电视设施，较大地改变了贫困村和落后村的面貌，加快了小康村建设步伐。

大力实施“智民工程”。为更好地满足农村干部群众的精神需求，该市各级文明单位采取多种形式实施“智民工程”。当阳市组织100家文明单位重点帮扶对口联系村建图书室，每个单位赠送

1000册以上适合农村实际的农技、科普、文化、法律、卫生等方面的书籍，为80多个村建起了标准化图书室。兴山县结合实际开展“文明创建手拉手，城乡联动心连心”活动，组织130多个文明单位深入对口联系村送技术、送信息。宜都市潘家湾乡探索出“要富民先智民，靠农民进农户，出思路给门路”的农村精神文明建设的新路子，建立了一批科技协会，开辟了一系列理论信息窗口，培植了一批文化中心户，深受农民欢迎。

（湖北省文明办）

湖北省宜昌市猇亭区
建设“农村文化中心户”

猇亭区扎实开展“农村文化中心户”建设活动，推进农村两个文明建设。区委把开展“农村文化中心户”建设活动作为深化农村思想政治工作的有效载体和突破口，成立了“农村文化中心户”建设活动领导小组，提出了明确的目标要求和具体实施意见。为了把“农村文化中心户”活动扎实开展起来，并不断引向深入，猇亭区在4个环节上下功夫：

坚持严格审核标准，落实选拔对象。“农村文化中心户”指的是大文化概念，不仅包括文化文艺，还包括理论、科技、卫生、法律、道德等多方面内容。制定了“111133”的“农村文化中心户”标准，即每户有一位综合素质较高的明白人；有一套家庭影院设备，山区农户有卫星接收设备；订有1份市级以上的报刊；有一个较宽敞的活动场所；有300本以上藏书；每年能集中组织3次以上活动。据此，他们在全区27个村（居）委会进行了调查摸底，确立了首批50个“农村文化中心户”名单。

坚持创新活动形式，充实活动内容。把开展“农村文化中心户”与开展创建“十星级文明农户”、农村“双带”（带头致富、带领群众致富）等活动有机结合起来，着力培育“文化中心户”各个方面的典型，包括擅长文艺活动的典型，宣讲党的理论方针政策的典型，学用推广先进科技的典型，懂经营、善管理的典型，调解农村社会矛盾的典型，热心公益事业的典型。全区“农村文化中心户”发挥各自的特长和优势，选择好的形式与载体，每年集中组织3—5次学理论、用科技、讲法律以及文体娱乐等形式多样的活动，努力成为本村、本组具有强大亲和力和向心力的活动场所。

坚持对口帮扶，夯实建设基础。各级文明单位与“农村文化中心户”结对子，采取捐赠图书、提供配套设施等形式，对联系对象进行对口帮扶。40余家单位为“农村文化中心户”送去了图书8000多册，提供影碟机等家庭影院设施10套，举行联欢会15场次。通过对口帮扶，使全区“农村文化中心户”逐步达到了有良好的环境、齐备的设施、丰富的活动。

坚持规范管理，扎实推进活动。各街办、各村（居）委会都制定了“农村文化中心户”活动方案与细则，建立了相关的制度与措施，对“农村文化中心户”情况进行建档立卡，落实专人加强对“农村文化中心户”跟踪指导和管理。年终评选表彰活动先进户，同时对那些达不到条件、不按照要求积极开展活动的“农村文化中心户”及时进行调整。

（湖北省文明办）

湖北省恩施市

建设生态家园文明新村

恩施市在全市农村实施生态家园文明新村建设，其主要内容是“五改三建两提高”。“五改”即改水、改路、改厨、改厕、改圈；“三建”即建地、建家、建园；“两提高”即提高村级组织战斗力和农村文明程度。建设生态家园文明新村的目标是“五化”：一是村组道路标准化，二是农户庭院美化，三是经济结构优化，四是农民思想教育深化，五是基层组织建设强化。

一是注重宣传发动。通过层层召开党员干部会、群众大会、院落会，把宣传发动工作做到每一个农户。二是实施政策拉动。市直有关部门千方百计争取国家相关资金的投入，按照“项目跟着建设走”的原则，将相关资金捆绑使用，优先安排到生态家园文明新村工作力度大、农民积极性高的乡镇和村组。市政府还对农民实行了建一口沼气池补助一吨水泥的激励政策，大部分市直单位给对口联系村完成“五改三建”任务的农户补助300—500元现金，或奖励一台沼气灶具等。三是实行干部带动。农村干部家属户带头做示范、创样板，市、乡直机关广大干部职工纷纷进村入户，与农民结“亲家”，采取资金投入、物资扶持、投工投劳、技术指导等方式予以支持。

“五改三建两提高”活动促进了农村的物质文明和精神文明建设。各级各部门干部深入农村，广泛宣传新时期党在农村的方针政策，大力普及科学知识。各村普遍制定“文明公约”，形成了健康向上的社会风尚和融洽和谐的人际关系。以沼气建设为龙头，改善农民生产生活条件。通过资金扶持和技术指导，全市已建沼气池2.5万口，改建村级公路107公里，新建维修蓄水池191口，建引水渠2.3万余米，改水近1.4万户，农户改厨、改厕、改圈面积达60%。普遍进行了“三五”普法教育，实施了广播电视“村村通”工程，配备电教设施340套，共建村级图书室258个，绝大部分村都重建或维修了村民活动室。

（湖北省文明办）

湖南省桃源县

开展“世贸组织教育” 增强农民应对能力

针对农民面对中国加入世贸组织的茫然畏惧心态，桃源县从抓“世贸组织教育”入手，增强农民应对加入世贸组织的能力，培养高素质的新型农民。

一抓文化素质教育。全县各乡镇农科站配备文化辅导员200多名，利用农民文化夜校、图书馆（室）等场所，举办流动教学班，不定期向农民进行科技文化素质教育。投资400多万元建起了3个农科信息网站，与各乡镇电脑站联网，供农民免费上网查阅信息，全县还举办各类电脑普及班，培养“网上农民”3万多户。

二抓科技技能教育。为增强农民的科技技能，县广播电台、电视台开办《科技之窗》、《星火之路》等栏目，介绍国内外农业新技术、新产品、新信息，对农民进行科技辅导。与国内、省内8个农科院校联手，设置专业培训班、培训基地30多个，聘请20多名专家教授讲课，培养出有初级以上专业技术职称的技能型农民3万多人。

三抓法律法规教育。县司法局、乡镇司法所宣传世贸规则及政府制定的相关法规政策，组织流动宣传队10个，发放宣传资料8万多份，举办世贸规则讲座800多次，听课群众达10多万人次。全县“合同农业”面积达到200多万亩，新注册的农业农产品商标达80多个。

四抓诚实守信教育。加大以德治县力度，以诚信为重点开展思想道德教育。组织“道德宣讲队”到各乡镇开展诚信宣传和教育，组织“诚信与发展”专题讨论。组织“公民道德建设文艺大篷车”，走村串户宣传演出，寓教于乐。

五抓环境环保教育。广泛开展“生态庭园”建设活动，通过统一制定标准，推动改水改厕，推广沼气使用，建设生态庭院和生态农业村，改善农民的生产生活环境。聘请农林环保专家举办讲座，向农民灌输环保农业、生态农业、绿色农业概念，增强农民生产经营中的环保意识。全县已发展生态农业基地20个，面积60万亩，收到了良好的社会、经济效益，三阳港镇官家洲村被中央文明委命名为全国创建文明村镇工作先进单位。

（湖南省文明办）

广东省江门市蓬江区环市镇白石村

治穷治愚治脏 变富变智变净

白石村人坚持“三治”促“三变”（治穷变富、治愚变智、治脏变净），两个文明建设取得显著成绩，先后荣获广东省文明示范村、广东省卫生村、广东省尊师重教先进单位、江门市文明单位等20多项光荣称号。

一、“治穷变富”，为建设现代文明新农村提供物质条件

发展基础工业，增强经济实力。根据地处城郊结合部的实际，以发展村属工业为基础，积极开发房地产业，努力拓展第三产业，多层次、多种形式发展，不断壮大集体经济。先后建立了4家村级直属企业，积极开发高新科技新产品，提高企业经济效益。

改善投资环境，加快经济发展步伐。投资4000多万元，改造扩建了两公里长的港口二路；积极在大路两旁发展商铺物业，开发工业小区，全村拥有商铺、厂房物业达32万平方米，每年出租物业有3000多万元的收入。

完善社会福利，提高村民生活水平。白石村委会对干部、社员实行退休补贴制度。男性60岁，女性55岁即可申请退休，社员最低补贴标准为每人每月500元。建立了白石医疗基金，先后投资520万元新建了白石正骨医院，较好地解决了村民的防病治病问题。

二、“治愚变智”，努力提高农民综合素质

抓教育，努力提高全体村民的文化素质。白石村实行股民子弟12年义务免学费入学教育，对考上大学和参加自学或函授获得大专以上毕业证书的村民子弟发给奖金予以奖励。

抓活动，努力提高村民的思想道德修养。抓

设施建设，提供思想教育阵地。兴建了两个体育运动场、一个标准篮球场、卡拉OK室、党员活动室、“两思”教育展览室、敬老院、文化活动中心和体育活动中心。开展丰富多彩的教育活动，寓思想教育于活动之中。通过举办“两思”教育展览，“两思”演讲比赛和新、老村民“两思”座谈会，进行新旧对比，展示了白石村两个文明建设的成就，激发了村民进行“二次创业”的热情。经常开展村际篮球赛、乒乓球赛等文化体育活动。在村民中广泛开展“破除迷信，崇尚科学”教育活动，利用墙报、知识竞赛、演讲等形式，广泛宣传科学知识。

三、“治脏变净”，努力提高村民的城市文明意识

抓认识，促创建。为提高村干部对创建文明村重要意义的认识，村委会多次组织村干部和党员外出参观学习，开阔视野，看到了差距，提高了认识，激发了创建文明村的积极性。

抓示范，促普及。联兴新村在1999年被评为江门市标兵文明村。该村的建成，对其他自然村起到了辐射和带动作用。

抓综合治理，促全面发展。一是建章立制，加强管理。制定了《白石村民自治章程》、《白石村管理实施细则》，对全村的社会秩序、经济管理、人事组织、廉政建设、精神文明建设等工作作出明确的规定。实行村务、财务公开，自觉接受村民的民主监督。二是加强治安管理，保障社会秩序良好。村委会把提高村民的法律意识作为综合治理的一项重要工作来抓，加强对青少年的教育，定期请区检察院的领导为村民和在校中、小学生上法制教育课，成立了失足青少年帮教小组，指定村干部对帮教对象进行转化教育，加强对外来人员的管理，成立了治安巡逻队，保障村内社会秩序的稳定。三是加大整治力度，彻底改变白石面貌。投入300多万元，对所有旧道路进行了彻底的整治，对村内的空地、死角均按高标准进行绿化美化，使得全村的道路宽广了，卫生死角没有了，村容村貌漂亮了。

（广东省文明办）

广西壮族自治区兴安县
实施“六要七有八个一”工程

兴安县在文明示范村创建中，改变过去拆旧村建新村的单一思路，从实际出发，以村容环境卫生、思想道德建设和文化体育科普3个方面作为文明示范村创建工作重点，实施“六要七有八个一”工程，即，村容环境卫生“六要”：公共卫生要一周一扫，公共垃圾要定点堆放，生活废水要有排水沟，绿化美化要规划管理，门外屋内要整洁美观，鸡鸭牲畜要圈养管好；思想道德建设“七有”：有基地，有教师，有教材，有活动，有记录，有标语，有制度；文化体育科普“八个一”：一个篮球场，一个图书阅览室，一个宣传栏，一支文艺宣传队，一份科普报刊，一次知识竞赛，一场电影，一次评比表彰活动。

在具体工作中，为了让群众真正得到实惠，县里把工作重心放到了自然村。图书阅览室全部建在自然村，群众在劳作之余就可以看书看报。文艺演出、体育比赛等都在自然村开展，文明教育课放在农户家中和村（屯）文化活动室进行，使群众真正体验到精神文明建设看得见摸得着的实惠。

全县18个文明创建村都成立了精神文明协会，每个协会都挑选德高望重、热心工作的老同志为创建文明村的带头人。通过群众民主推荐，选出了热情高、威信高、能力强的退休回村的老干部和村里的老同志当协会会长、副会长。

县委宣传部、县文明办经常到创建村，积极引导，送书送报到村屯，为每个文明创建村订了《广西科技报》、《农家之友》等4种报刊，分别赠送给18个创建村（屯）的图书阅览室。组织县直机关捐书3000余册，分送到创建村（屯）。

县委、政府号召县直驻村单位，帮助解决实际困难。每个创建村都确保有3—5个县直单位挂点联系，给予帮助。科教文卫等12个部门定期到各创建村（屯）开展科技、文化、卫生“三下乡”活动，编排文艺节目巡回演出11场，发放科技资料2万多份，接受科技咨询1万多人次。

（广西壮族自治区文明办）

广西壮族自治区恭城瑶族自治县

推行“五改十化”农村城镇化建设标准

恭城瑶族自治县立足“种植—养殖—沼气”小生态循环圈，使农民走上了致富之路。在此基础上，自治县委、县政府在农村进一步推行“五改十化”的农村城镇化建设标准，积极建设文明富裕生态家园，引导村民逐步过上了文明、健康、科学的生活。

“五改”即改水、改路、改房、改厨、改厕。“十化”即交通运输便利化（村村通四级公路）；村屯绿化美化；户与户之间道路硬化；农民住宅楼房化；厨房标准化（建有橱柜、水柜、洗碗槽）；厕所卫生化；饮用水净化；生活用能沼气化（户户建有一个自动排渣沼气池；安装使用电子打火灶、沼气灯）；养殖良种化；种植高效化。

恭城瑶族自治县采取多项有力措施，保证工程的顺利推进。在组织领导上，派驻工作组，成立县、乡、村级领导机构，加强对“五改十化”工程的领导，制订方案，落实责任。在投入上，采取“三个一点”的办法，即县乡拨一点、银行贷一点、村里筹一点，由村民出工出力，共同抓好建设。在保障措施上，加强宣传，有效运用各种宣传方式，充分调动村民的积极性，增强凝聚力和向心力。建立激励机制，通过奖惩机制及各种活动载体促进工程的顺利实施。

全县有20%的村在实施这项工程，约有10%的村已基本达到“五改十化”要求，当年创建的5个市级文明村中，有4个是“五改十化”的受益者。

（广西壮族自治区文明办）

广西壮族自治区柳城县

“百村百戏”——农村文明创建新品牌

柳城素有“彩调窝”和“戏曲之乡”的美誉。根据柳城农民爱演戏、爱看戏这一特点，县委因势利导，决定开展“百村百戏”活动，创建了农村精神文明创建工作的新品牌。

广泛参与，以优秀戏曲吸引人。柳城县成立了“百村百戏”办公室，狠抓阵地建设，使戏曲演出有队伍，队伍演出（排练）有场所，群众看戏有地方。加强队伍建设，以县文化馆为阵地，由辅导员到各乡镇进行巡回辅导，编写了200多套节目送下乡，帮助各业余文艺队培训文艺骨干，不断提高他们的演出水平，使文艺队员演出有劲头，观众有看头。还采取财政拨一点、社会集一点、自己创一点的办法，解决了演出队的经费来源。

典型引路，以优秀戏曲说服人。柳城县在开展“百村百戏”活动时，注意典型事例的感召力，用先进文化占领农村宣传阵地。洛崖乡大碑村大碑屯有一位农民，在1996年洪灾期间，眼看洪水就要淹没了整个村屯，他却带着香烛到奶奶庙求佛保佑。结果佛没求到，房子却倒了，财产损失惨重。洪灾过后，在市、县工作队的帮助下，他利用科技发家致富，两年后又建起了一栋新房。村党支部抓住这一典型事例，编排了一出戏，教育群众要过科学文明的新生活。由于戏中演的是群众身边的具有典型意义的故事，受到了群众的热烈欢迎。在此基础上，村党支部组织发动村民捐资8000元，推倒奶奶庙建起了文娱活动室，使求神拜佛的地方成了歌颂党的富民政策的场所和农民学习科学文化的场所，促进了经济发展。县委紧紧抓住这一典型大力宣传，在全县掀起了学习科学文化知识、弘扬先进文化的热潮。各村屯出现了“撤掉麻将桌，换上读书桌”、“拆掉奶奶庙，建起活动室”、“撤出赌场闯市场，科学致富奔小康”的新风尚。

用活载体，以优秀戏曲感染人。一是以宣传党的政策为载体。“百村百戏”文艺队将党的政策用文艺形式编成浅显易懂、短小精悍的节目，对群众进行潜移默化的政治教育；二是以致富奔小康为载体。用身边的事教育身边的人，使学科学用科学、勤劳致富奔小康的观念深入人心；三是以移风易俗为载体。将本地移风易俗、自觉实行计划生育、勤劳致富奔小康的典型事例编成各种节目，在传统节目中增加时代内容，收到了较好的教育效果；四是以中心工作为载体。以税法、土地、交通、禁毒法规、环保、社会治安得到治理等为题材，采用深受农民喜爱的彩调、小品、戏剧、渔鼓等文艺形式创作节目，使农民群众在享受艺术的同时，增强了法制观念和自律意识。

“百村百戏”活动，大大地调动和吸引了广大农民参与精神文明建设的积极性，文艺队植根于乡村，长年开展活动，不仅丰富了农村精神文化生活，而且有效地促进了村风民风的好转和农村工作的开展。全县共有彩调队、文艺队、桂剧队、歌舞队以及综合性的文艺队等各类农民业余文艺队104支，年演出超千场，观众达40多万人次，大埔镇荣获自治区“民间彩调文艺之乡”称号。

（广西壮族自治区文明办）

海南省琼海市嘉积镇
创建文明生态村

琼海市嘉积镇组织干部群众大力开展文明生态村建设，全镇共建成省级文明生态村10个，市级文明生态村23个。

嘉积镇在对全镇自然村调查摸底的基础上，制定了《嘉积镇文明生态村建设八年规划》。该镇把创建任务分解到所有的镇干部以及各村（居）委会，全镇每个副科级干部、每个村（居）委会负责抓1—2个村庄的创建，实行包任务、包经费、包落实。建立每周汇报、每季小结、半年初评、年终总评的考核制度，将创建内容、指标进行量化。

在创建工作中，嘉积镇做到“党委搭台，干部带班，群众唱主角”，把调动群众的积极性，发挥群众的主人翁作用作为创建活动的重中之重来抓。该镇采用调频广播、宣传车、墙报、黑板报等形式，开设专题专栏，广泛宣传创建文明生态村的目标、内容和意义，大力营造创建氛围，使创建活动家喻户晓，人人皆知。发挥村中离退休老干部、老党员的带头作用，带领群众开展各项创建工作。

嘉积镇采取“村庄＋企业”的做法，吸纳资金开展创建活动。下朗坡村在引资150万元开发农家乐旅游项目的同时，大力开展环境整治，拆除乱搭棚舍，修整道路，成为市级文明生态村示范点。在文明生态村建设中，该镇还充分发扬“双拥”的优良传统，大力开展军民共建活动。驻军75552部队先后组织官兵8000多人次，帮助整治村容村貌，赢得广大农民群众的称赞。

（海南省文明办）

贵州省铜仁市川硐镇
“六进农家六连心”活动

铜仁市川硐镇在精神文明建设中深入开展“六进农家六连心”活动，使干部经常受到教育，群众长期得到实惠，取得了良好的社会效果。

调查研究进农家，同群众交心。川硐镇实行领导干部包村和一般干部包组制度，规定每月必须驻村入户15天以上，开展调查研究，同群众促膝谈心，帮助群众解决实际问题。

增收创收进农家，树群众信心。川硐镇以往种植结构单一，农业产业化水平低下，群众增产不增收的问题比较突出。镇党委、政府立足实际，围绕“通道经济”做文章，多渠道争取各种项目，大力调整农业结构。共争取资金600多万元，在铜仁至大兴公路沿线相继建立了石榴基地、枣子基地、豇豆生产基地、水稻基地、葡萄基地、大棚蔬菜基地、桃子基地等，有些基地已见成效，使公路沿线的4个村8000多名群众得到了实惠。

政策法律进农家，让群众放心。包村包组干部下到基层后，大力宣传党的方针、政策，宣传法律、法规，解决民事纠纷，维护社会治安。利用赶集日，在集镇进行法律咨询，发放宣传资料。从镇直各单位抽调年富力强、富有农村工作经验的干部到各村挂职，协助村里解决各类纠纷，消除了隐患。

科技文化进农家，使群众欢心。为帮助群众掌握农业实用技术，提高文化水平，选派9名年轻科技干部到各村挂任科技副主任，帮助村里明确发展目标，制定发展规划，选定各种项目。投入3000元帮助9个村建立图书室，购买“千乡万村”书库图书供群众阅读。开办科技培训班，先后培训150多名科技骨干，创办科技示范基地12个，使90%以上的村民掌握了1—2门实用技术。

结对帮扶进农家，使群众暖心。对相对落后贫困的5个村进行帮扶，全镇干部捐款2万多元，购买150头仔母猪，送给村里，发展仔猪生产基地，使150多户农户摆脱贫困。通过民政途径，共投入15万多元对特困户和受灾户进行重点帮扶。建立党员扶贫制度，将全镇有能力的200多名党员划分成9个组，每个党员联系一个贫困户，帮助改进农业生产，解决实际困难。

文明新风进农家，使群众开心。投资50万元建成1200平方米的文明活动中心，设立电教室、党员活动室、科技培训中心等，使广大群众有了娱乐场所。利用各种节日开展健康有益的娱乐活动和“三下乡”活动。倡导破除封建迷信、移风易俗活动，提倡少生优生，建设美好家园。加强公益事业建设，投入100多万元，硬化5个村公路，修建480多口沼气池，创建5个安全文明村寨，使群众生活水平得到了提高。

（贵州省文明办）

西藏自治区昌都地区左贡县

在农牧民群众中开展道德评议活动

左贡县位于西藏昌都地区东南部，地处澜沧江、怒江流域之间，距拉萨1100公里，10个乡镇中有5个不通公路。受地理环境、交通等因素的影响，长期生活在大山深处的人们，还没有完全摆脱陈规陋习的束缚。在创建文明村镇过程中，左贡县精神文明建设指导委员会利用《公民道德建设实施纲要》颁布的时机，针对许多农牧民群众法制意识、教育意识、市场经济意识、卫生意识、创新意识淡薄的问题，在农牧民群众中开展道德评议活动。制定了《左贡县农村道德建设百条公约》，将道德水平分为“道德高尚、道德良好、道德合格、道德欠佳、道德失检”5个档次，对照道德公约，开展评议，激励先进，鞭策落后。成立由村民推选的道德评议会，分4个步骤进行：发动群众自评，各户对照道德公约自查；初评，由评议会对各户进行点评；互评，召开村民民主会，由村民互相评议；总评，由道德评议会评出各户的档次。每月评议一次，年终进行总评。左贡县10个乡镇在240多个家庭进行了道德评议活动，评出16个道德高尚家庭、85个道德良好家庭、102个道德合格家庭、27个道德欠佳家庭、10个道德失检家庭，调解家庭矛盾31件，解决赡养问题5件，调解邻里纠纷20多件。

（西藏自治区文明办）

西藏自治区察隅县下察隅镇沙穷村

破除陈规陋习 创建文明新村

察隅县下察隅镇沙穷村是僜人聚居的村落，有50户，327人。受传统习惯的影响，村民环境卫生意识不高，家庭内杂物乱摆乱放，垃圾四处堆放，“脏、乱、差”问题十分突出，影响了生产的发展和生活水平的提高。村党支部、村委会在创建文明乡村活动中，从破除陈规陋习入手，把古老的村落带进现代文明。

破除陈规陋习从转变群众的观念开始。村长阿洛松到过拉萨和北京，有较强的文明意识和经济意识。他在自己家的院子里种上草坪，引进优质玉米种子和美国葡萄，即美化了环境，又增加了收入，起到了示范作用。他和全村党员发动群众修建了村文化室，县文明办支持盖房用的铁皮和一台电视机、两个音箱。普法、扫盲、科普、文艺等活动都在文化室进行。

大力治理“脏、乱、差”，引导群众过卫生文明的新生活。他们花了3个月时间，清理了各家堆放了30多年的垃圾。规定每家都要打扫庭院、养花，讲环境卫生。以前村里牛粪、石头乱堆乱放，很不整洁。党支部、村委会发动群众，实施“十里长城”工程，用石头垒起了“广东路”、“福建路”和“北京中路”，及时将农家肥归田，村容村貌得到彻底改变。为了引导群众改变落后的习惯，还修建了一座公共厕所。

陈规陋习的改变，极大地振奋了群众的精神，以前不思进取、靠天吃饭的懒汉思想改变了，勤劳致富成了全村人的共识。现在，全村年人均现金收入700多元，粮食每户有1万多斤，衣食有余。

（西藏自治区文明办）

陕西省杨凌示范区李台乡

开展校村共建 创建文明村镇

李台乡与西北农林科技大学、杨凌职业技术学院密切联系，邀请科教人员下乡包村，开展校村共建，提高了农民的科学文化素质，推动了乡村的发展，被陕西省委、省政府授予“文明村镇”、“优秀农村基层党委”、“农村发展农民增收一等奖”、“综合考核先进集体”等多项荣誉称号。

充分发挥高校科教人员的作用，开展科学文明生活方式教育，帮助农民树立新的生活生产观念。一是充分利用宣传阵地，深入开展教育活动，印发《文明教育简明读本》、《公民道德建设实施纲要》、《村民自治知识读本》等9类书籍近两万册，举办公民道德知识演讲赛和计划生育知识竞赛等28场次。二是以农民夜校为阵地，定期举办道德知识、实用技术、计生知识等讲座，举办培训讲座90多场次，播放电教片200多人，发放宣传资料上万份，培训农民1.6万多人次。三是在党员干部中开展向焦裕禄、孔繁森、郭秀明等先进人物学习活动；在全体党员中开展“我为党旗添光彩”、“祖国永在我心中”等活动；在团员青年中开展“讲文明树新风”、“学雷锋、送温暖、送科技”等活动；在全乡群众中开展“示范区人文明教育”活动。四是开展“五好家庭”、“十星级文明户”评选活动。全乡共评选出十星级文明户91户，五好家庭81户，好媳妇14名，好婆婆11名，致富女能手和科技带头人18名。通过宣传教育和评比活动，文明健康的生活观念和生活方式逐渐形成，全乡计划生育、环境卫生、招商引资等得到很大发展。

治理村容村貌，改善生活生产条件。制定了《村组卫生三包制度》、《保洁员、护路员管理制度》、《村内卫生管理制度》等。开展“三清、三改、三化、一规范”活动，对乡村垃圾、柴草、路障进行彻底清理；对村民饮用水、农户厕所、村内道路进行治理改造；在各村组普遍推行电视闭路化、燃料沼气化、卫生达标化；规范村容村貌管理，做到了村组垃圾柴草统一定点堆放、垃圾统一拉运、公用厕所专人清扫，建立房前屋后农户包清理、包绿化、包平整的“三包”制度。勤抓严管。在全乡建立了卫生监督网络，对于违犯环境卫生制度，破坏环境卫生的人和事，及时予以教育处理。抓督查，始终坚持每月检查，季度评比，年终总结考核。使全乡的环境卫生面貌发生了根本性转变，优化了农民的生存环境，为示范区发展和招商引资创造了良好的外部环境。

（陕西省文明办）

新疆维吾尔自治区库车县
开展“十个起来”活动

库车县认真贯彻落实“三个代表”重要思想，按照“重在建设，重在基层”的方针，在广大农牧区开展了“十个起来”活动，用先进文化占领农牧区思想文化阵地。

一是五星红旗飘起来。由各乡镇党委、政府向各村赠送一面国旗，每个村按国旗法中规定的日子举行升旗仪式，还利用村民大会、重大活动等时机举行升旗仪式。通过升旗仪式，对广大农牧民群众进行爱国主义教育，在思想上筑牢反分裂斗争防线。

二是领袖画像挂起来。县委宣传部把2600多套“领袖和新疆各族人民在一起”的画像分发到各乡镇村组，实现了领袖画像进村入户。

三是宣传牌子竖起来。各乡镇村都在主要路口及村委会门前竖起了宣传牌，广泛宣传党的路线、方针、政策。

四是革命歌曲唱起来。县文明办统一向农牧区发放了革命歌曲录音磁带，组织广大村民学唱革命歌曲。各乡镇还利用重大节庆日组织开展“革命歌曲大家唱”歌咏比赛，有4个乡镇还成立了农牧民业余演唱团。

五是爱国电影放起来。全县恢复新建了14个电影队，组建了35个电影组，由县财政每年设立10万—15万元专项资金，用于购买爱国主义影片，无偿地向农牧区电影队提供片源，基本实现了农牧民每人每月能看上一场电影。

六是科普专栏办起来。村村都办起了科普专栏，由乡镇科技人员定期更换内容。尤其是针对农村种植业结构调整，农技人员充分利用科普专栏及时发布种植信息，在全县掀起了“学科技、用科技”的热潮。

七是广播喇叭响起来。全县已有大喇叭及落

地调频音箱1182只，实现了广播电视“村村通”，确保了把党的声音及时传送到千家万户。

八是健康书籍读起来。全县218个行政村已建成了205个标准文化室，有各类书刊21.5万册。该县阿拉哈格镇一次出资11万元，为全镇26个村文化室购买了1万余册图书，切实解决了农牧民看书难的问题。

九是文艺节目演起来。县龟兹歌舞团每年下乡巡回演出200余场次，并积极为各乡镇培训文艺骨干。有6个乡镇成立了农牧民文艺队，常年走村入户自编自演一些健康向上的文艺节目。

十是体育活动搞起来。各乡镇结合农村特点，本着“农闲多办，农忙少办”的原则，每年都要组织多次内容丰富、寓教于乐的体育比赛活动。

库车县自从开展“十个起来”活动以来，农牧民群众参与文化活动的热情空前高涨。

（新疆维吾尔自治区文明办）

新疆维吾尔自治区和硕县曲惠乡
开办民主恳谈会

和硕县曲惠乡是多民族聚居地区，部分村民之间关系紧张。经过研究，乡党委决定以恳谈会的形式化解村民之间的矛盾，使全体农牧民把精力转到发展经济上来。

第一次恳谈会在老城村的一组组长摆友林家召开，参加的村民有49人。乡党委书记、乡长与村民面对面恳谈。乡党委书记将《公民道德建设实施纲要》的内容与通俗易懂的生活事例相结合，给村民讲团结的重要性、讲和睦相处带来的好处，化解了一些矛盾，加强了团结。

针对榆树园村发展缓慢的情况，乡领导与村民恳谈。农民提出信息不灵，种什么、销到哪儿不清楚，草场匮乏，没有闭路电视，文化生活太单调等问题，乡领导帮助农民逐个分析存在的问题，寻找解决的办法，随即设法解决了看电视难的问题，农民感到很满意。

民主恳谈会，拉近了干群关系，干部们为农民办实事、办好事，努力实践“三个代表”重要思想，促进了农村三个文明建设。

（新疆维吾尔自治区文明办）

新疆维吾尔自治区博尔塔拉蒙古自治州
“四六八”活动带来农村新变化

博尔塔拉蒙古自治州分步骤、有重点地开展精神文明建设“四六八”活动，使农村精神面貌发生了可喜变化。“四六八”活动的主要内容是：“四个一”活动，即教育一个学生、带动一个家庭、影响一个村队、辐射一个乡镇；“六无村队”建设，即无群体上访、无赌博斗殴、无超计划生育、无适龄儿童失学、无民族分裂活动和非法宗教活动、无不交乡统筹村提留；“八进村”工作，即国旗进村、领袖像进村、大喇叭进村、阅报栏标语牌进村、墙报栏进村、电影电视进村、文艺演出进村、宣讲进村。

“四个一”和“六无村队”活动逐步展开。成立了“四六八”工作领导小组，加强领导、各方联动、形成合力，并结合实际，制定了切实可行的实施方案。一是把“四个一”活动纳入学生德育教育中；二是对启动较早的乡镇，把“净化环境”作为主题，让学生参与农村治理“三堆”（柴草堆、垃圾堆、粪堆）活动；三是以此促进“十星级文明户”评选工作；四是同基层组织建设和综合治理结合起来，建立责任制，签订责任书，狠抓落实。

“八进村”活动搞得扎扎实实。一是全州332个村中的320个村飘起了国旗。有些乡镇在重大节日和纪念日还举行升旗仪式。二是有固定办公室的320个村的办公室内都张贴了领袖画像。三是有291个村的大喇叭每天按时播放。四是为达到“一张报纸大家读”的目的，所有村都在村委会或文化室设置了阅报栏。五是所有村都建起了宣传上级政策、法律、文化、科技、卫生等内容的墙报专栏。六是全州电视覆盖率达88%，电影队为边远的农牧村组放电影300多场。七是文艺演出形式鲜活，不但城里的“文化下乡”，农村的文艺节目也“进城演出”，极大地丰富了人民群众的文化生活。八是各级党委选派万名干部进村入户，以“三个代表”重要思想、加强民族团结、维护社会稳定，世贸组织与中国农业和本地经济建设的关系等为主要内容，宣讲996场，起到了提高认识、统一思想、稳定人心、凝聚力量的作用。

（新疆维吾尔自治区文明办）

新疆维吾尔自治区轮台县

以人为本开展“十思”活动

轮台县结合农村“三个代表”学习教育，开展了以“开启民智、集中民力、凝聚民心、提升民气”为基调，以促进跨越式发展为主题的“十思”教育活动，有力地推动了农村精神文明建设。

“十思”教育，就是要提高农民素质，使农民在思想上树立起“富而思本、富而思富、富而思责、富而思教、富而思管、富而思德、富而思俭、富而思廉、小富思因、未富思过”的意识。在“十思”教育活动中，首先开展了如何解放思想大讨论，并通过举办两个文明建设成果展、书画摄影展、报告会、文艺演出和家庭演唱会等丰富多彩的宣传形式，营造了“十思”教育活动的浓厚氛围，使“十思”教育活动家喻户晓，深入人心。随着“富而思富”、“富而思管”、“富而思教”等活动的不断深入，农村中一些小富即安、不思进取、赌博迷信、家庭不和、公德意识淡薄等现象有了明显改观，村民素质也有了很大提高。野云沟村拖欠一年的水费，一次就补交了12万元。塔尔拉克乡农民还从齐齐哈尔市以每头6000元的价格引进了40头纯种西门塔尔牛，加快了黄牛改良步伐。

“十思”教育的开展，使干部群众思出情感、思出差距、思出方向、思出办法、思出动力，形成一个未富要快富、小富变大富、大富更有新追求的良好局面。

（新疆维吾尔自治区文明办）

创建文明行业

2002年，随着宣传贯彻《公民道德建设实施纲要》的逐步深入，诚信问题成为社会关注的焦点。各行政管理部门和各行各业以打造诚信体系为主要内容，加强行风建设，创建文明行业活动显现新的特色。

筑起诚信的长城

——2002年全国“百城万店无假货”活动综述

2002年，“百城万店无假货”活动走过了第7个年头。

各地各部门和商贸企业深入贯彻《公民道德建设实施纲要》，认真落实《国务院关于整顿和规范市场经济秩序的决定》，按照“巩固成果，加大力度，搞好延伸，不断创新”的思路，与时俱进，不断创新，全面推进“百城万店无假货”活动向纵深发展。

联合整治、专项打假各项活动推动着市场经济秩序的好转，示范单位的真诚服务温暖着人民群众的心怀。“以真诚赢得信誉，用信誉保证效益”，诚实守信的商业新风逐渐吹遍每一个示范街、示范店和示范市场，深入到广大商贸职工的中间。这项打击假冒伪劣、弘扬社会正气的民心工程带来了经营环境、消费环境以至社会环境的变化，对于提高社会文明程度，树立良好社会风尚，维护人民群众的根本利益，起到了积极有效的推动作用。

认真贯彻《纲要》　加强诚信建设

《公民道德建设实施纲要》颁布后，各地抓住这一有利契机，大力宣传20字的基本道德规范，加强职工职业道德教育，不断强化信用意识。

辽宁、湖北、江西等地的商贸企业，把组织职工学习《纲要》与学习《反不正当竞争法》、《产品质量法》、《消费者权益保护法》、《价格法》等法律法规结合起来，增强法制观念，提高大家的职业道德素质。

浙江在贯彻《纲要》时，把“百城万店无假货”活动纳入打造“信用浙江”的总体要求，号召商贸职工从提高自身素质做起，积极参与各项创建活动。上海、河北、湖南等地的一些商贸企业开展争当星级营业员、服务标兵挂牌上岗等活动，广大职工诚实守信、以德兴企意识不断增强，涌现出一批服务明星。武汉在职工中组织“人人都是投资环境”的大讨论，开展信用自律活动，提高经营者和服务人员的素质，收到很好效果。

南京湖南路管委会创办道德学校，开展以诚信为主题的道德教育活动，将公民基本道德规范与职业道德规范结合起来，努力提高经营者的道德素质，强化商业街上各商家的职业道德精神。经营者们“先做人、后做生意；先经营服务，后经营商品；先为顾客，后为自己”，养成了诚实守信，文明经商的职业习惯。几年来，已先后有300多名私营企业的老板和1.5万名营业员接受了道德和法制教育，诚实守信已成为各商家的自觉行为。

一些示范店坚持诚实守信、以德经商的理念，把诚实守信作为企业经营的基础。上海新世界商厦坚持质量诚信、服务诚信、价格诚信和合同诚信，推出了“卖真品、标真价、送真情”的三真理念和“无需理由退货”的举措，公司销售额没有下降，反而连年上升，不仅赢得了顾客，而且赢得了市场。

加大工作力度　拓展活动内容

随着“百城万店无假货”活动深入开展，社会各界的重视程度也越来越高。2002年国家计委作为活动组织部门首次参与进来，组织开展了百城万店“价格、计量信得过”和明码标价宣传活动。全国各级价格主管部门充分发挥职能作用，积极宣传《价格法》、《国家计委关于商品和服务实行明码标价的规定》和《禁止价格欺诈行为的规定》等价格法律法规和规章。同时，严厉查处各种误导、欺骗消费者的不正当价格行为，加大对价格欺诈等不正当价格行为监督检查的力度。

有关部门围绕整顿和规范市场经济秩序拓展内容，进一步加大了对棉花、食品、粮油、肉制品、日用百货、农资、建材等领域的打假力度。国家工商总局在春节前夕组织了“百城万店食品打假”专项活动，国家质检总局在春耕春播之际开展了“百城万店农资专项打假”，团中央组织了“百城万店青年文明号信用调查神州行”活动。这些活动紧贴实际，重点突出，抓住了群众关心的热点、难点问题，社会反响很好。

农业部会同工商总局、质检总局等部门，在农资专项打假中，对种子、农药、肥料、兽药、饲料、农机和渔机渔具七大类农资中的假冒伪劣产品进行了专项整治，为农民挽回直接经济损失8亿多元。春节前后重点打击“瘦肉精”，查处了一批大要案件，浙江、广东、江苏三起制售和使用“瘦肉精”的违法企业和个人受到了刑事追究。

湖南省质量技术监督部门向社会承诺：凡农民因购买假农资受到损害的，质量技术监督系统负责部分赔偿。这一责任追究制度已在湖南省市县三级质量技术监督部门建立。江西省信丰县质量技术监督部门根据群众打来的举报电话，迅速出击，查获一起销售假化肥案，一举起获假尿素10吨。为了有效防止假冒伪劣农资坑农害农事件的发生，这个县专门开通了农资打假“110”热线电话，发动群众参与打假。热线开通后，假冒伪劣农资成了“过街老鼠”。

有关部门还加强了行业标准体系建设和市场抽检力度。一系列有关农资的国家标准和行业标准相继出台，其中，由农业部发布的《食用动物禁用的兽药及其他化合物清单》、禁用限用高毒农药品种清单和禁用限用渔药国家标准和行业标准，使我国禁用、限用有害药物的相关标准日臻完善。

改进服务方式　想着群众利益

“3·15”期间，吉林、山东、河南、福建等地商贸行业积极开展“百城万店青年文明号回访顾客”活动，通过上门走访、电话回访、发放顾客意见征询表等形式，充分了解消费者意见和需求，提高服务水平，以良好的信誉、良好的形象取信于民。

济南市贵和购物中心设置了顾客咨询台，由专门人员为顾客提供咨询服务，向顾客发放青年文明号服务卡。在福州市，“青年文明号回访顾客服务队”深入到顾客中间，了解他们对青年文明号集体服务质量的满意度，了解他们对商品外观质量、售后服务的意见和需求。据统计，全国共有近6000个商贸行业的青年文明号集体和争创集体参加了这一活动，为近100万名消费者提供了义务咨询和回访服务。

南京、昆明、青岛、邯郸、赣州、宝鸡等地示范店和骨干企业，在元旦、春节期间将家用电器、日用百货、烟酒糖茶、针织服装、农用物资等货真价实、适销对路的商品下乡展销，向农民群众介绍识假知识，既提高了农民的防范意识，又繁荣了农村节日市场。

昆明市由商贸局牵头，昆明百货集团、文化用品集团、旅游服务集团等20多家商贸企业带着400多个品种、数十万元的商品，送货到偏僻的寻甸回族彝族自治县倘甸镇。除了送货下乡，随行的企业还帮助农民维修商品，宣传介绍识假、防假、打假知识。

此外，一些地方还在为群众办实事、办好事上采取了新的措施。南京湖南路成立了投诉服务中心，提出对消费者不满意商品“先行退赔”的承诺，对符合“不满意就退货”规定范围的商品，中心先垫付赔偿，避免顾客为解决投诉难题四处奔忙。成都在投入巨资改造示范街硬件环境的同时，拨出专款，另辟场所，妥善解决下岗职工和困难群众摆摊设点经商问题。重庆、沈阳的示范店通过开展送温暖、慰问特困下岗职工、组织车辆把农民接进城购买名优年货等活动形式，扩大了服务范围，增加了服务渠道，受到广大群众的欢迎。

强化执法监督　完善监督体系

为了保持示范单位先进性，各地进一步加大对示范街、示范店、示范市场的管理整顿力度，在管理中进一步维护市场环境。

河北、江苏、黑龙江等地的行政执法人员定期对示范点进行清查，发现问题及时处理。上海、重庆、邯郸等地还通过聘请人大代表、政协委员等担任质量监督员和建立商家自律检查队等形式加强监管。广州、福州、昆明、武汉等地发挥“12315”消费者申诉举报、“12365”打假举报质量投诉和“2358”价格举报电话网络的综合作用，在示范街、示范店设立投诉电话，形成多层次的监督、投诉网络。南京建立“12315 防伪数据库”，利用高科技手段保护名优新产品和消费者权益。现在，这些地方消费者投诉率均显著下降。厦门、南昌等地对示范街商家情况进行详细调查，建立监管档案，并将有关资料录入电脑，实行网络化、卡片化、档案化管理。这些措施对规范商家经营行为，打击假冒伪劣商品，保护消费者合法权益发挥了积极作用，有效地维护了示范点的良好形象。

宁夏银川市步行街开展了“打假维权消费者满意街”创建活动。工商部门“一手抓执法，一手抓规范”，全面开展市场巡查。他们与经营户签订了《创建满意街责任书》，设立了“12315”四级网站和流动投诉车，督促经营者建立健全商品质量进货、入库、上柜查验制度和售后服务信誉承诺制度，并积极处理消费纠纷，及时查处侵害消费者权益案件，切实保护了消费者的合法权益。

兰州张掖路放心购物一条街备受市民青睐。为使张掖路成为购物“净土”，甘肃工商、物价、技监、消协等部门全面介入管理，为所有商家建立了“经济户口”和商品进货监督管理机制，将其经营行为纳入监管网中，为广大群众提供优质服务。日常管理以“经济片警”的形式分片实行滚动交叉巡查、对口交流检查，受理投诉、解决纠纷，此外还聘任义务监督员进行监督，不断提高商家守法经营意识。

历经 7 年发展，由中宣部、原国内贸易部共同组织的“百城万店无假货”活动如今已扩展到 8 个部门参加，内容愈加丰富，声势愈加浩大。在这项活动的持续影响下，加强道德建设，强化信用意识深入到全社会的各个角落，共筑诚信长城成为每一个公民的强烈心声。

（摘自 2003 年 1 月 7 日《光明日报》）

共 青 团 中 央
百城万店青年文明号回访顾客

为深入开展“百城万店无假货”活动，切实维护消费者权益，3 月 20 日共青团中央在全国开展了“百城万店青年文明号回访顾客”活动。

在全国大中城市，商贸行业的青年文明号集体开展了形式多样的回访活动，通过上门走访、电话回访、发放顾客意见征询表等形式回访顾客，在充分了解消费者的意见和需求的基础上，进一步丰富服务内容，创新服务方式，提高服务水平，以良好的信誉、良好的形象取信于民。

吉林省长春市欧亚集团车百大楼邀请20几位消费者参加青年文明号与顾客双向交流对话会。随后，商场有关负责同志就消费者提出的改进售货环境、增加服务项目等意见一一作了答复，并责成青年文明号集体于7日内全部落实。

山东省济南贵和购物中心专门设置了顾客咨询台，由专门人员为顾客提供咨询服务，向顾客发放青年文明号服务卡，同时商场组织了青年文明号回访顾客小分队，到60多位顾客家中进行回访，收集顾客意见近百条。

河南省在郑州华联商厦广场门前举行了青年文明号回访顾客小分队出征仪式。来自华联商厦、紫荆山百货大楼等22个青年文明号集体和争创集体的300余人上门对1000多名顾客进行了回访，发放产品及服务质量反馈表和青年文明号服务卡，并提供上门服务。

在福建省福州市，100多支“青年文明号回访顾客服务队”深入到顾客中间了解他们对青年文明号集体服务质量的满意度，了解他们对商品外观质量、售后服务的意见和需求。同时，福州市还开通了全市统一的热线电话，受理顾客对青年文明号失信行为的投诉。

全国共有近6000个商贸（行业）的青年文明号集体和争创集体参与了此次活动，为近100万名消费者提供了义务咨询和回访服务。青年文明号集体与部分顾客建立长期联系，不定期地开展回访活动。

（摘自2002年3月20日《人民日报》）

全国文明风景旅游区示范点

北京天坛公园

营造优美环境　提高服务质量

北京天坛公园将科学保护文物古迹、努力营造优美环境、合理利用文化资源有机结合起来，形成良性循环，取得了良好的环保效益、社会效益和经济效益。近年来，天坛公园每年接待游客500多万人次，2001年经济收入达到1.1亿元，并被评为全国第一批4A级旅游区（点）。

为保护好天坛这份独特的世界文化遗产，也为广大游客创造一个优美舒适的旅游环境，公园一方面对园内文物古迹开展了大量卓有成效的保护工作，一方面致力于改善生态环境。先后拆除了老红桥市场等，复建东门至北门1100米坛墙，再现了外坛墙规整森严的历史原貌；对南神厨古建群进行了整体修缮，有效保护了殿内珍贵的彩画；投资5000万元对天坛五组建筑之一的神乐署古建群进行全面修缮。投入8000万元搬迁了东北外坛的园林花卉市场，恢复绿地10公顷。拆迁西北外坛的花圃，营建绿地7.5公顷。对南神厨、圜丘等10余个景区进行大环境改造，播种人工草坪15万平方米，栽种树木1.1万株。公园古建周围的3600多株有百年以上历史的古柏，由于得到精心呵护，多年来没有出现老死枯死现象。

文明风景旅游区创建活动开展以来，天坛公园坚持“以人为本”的理念，软件、硬件一起上，不断改善服务设施，提高服务质量，强化文明管理。在游客集中的南门与北门，设立了导游讲解班、游人服务中心和急救点等，各门口都可为游客提供轮椅、雨伞、药箱等服务设施。增设路椅300多处，使公园路椅数量达到600多处；全园

38%的厕所更新为三星级以上；添置了环保电动观光游览车和清洁饮水设施；新建了免费公益健身设备近30项，有效地满足了游客在通讯、饮水、交通、健身等方面的需要。2002年以来，公园又着手改造残疾人专用无障碍设施，共改造13处残疾人坡道及售票窗口，增设了多部残疾人专用电话和10辆残疾人轮椅。同时，公园不断强化对员工的思想道德、服务素质教育，开展规范化服务培训，员工培训率和知晓率均达到100%，执行率超过95%，大大提高了服务质量和水平。

（摘自2002年9月24日《人民日报》）

吉林省松花湖风景区

保护景区环境　依法规范管理

吉林省松花湖风景区以水阔、山幽、林秀、雪佳著称，有“北国明珠”之誉。近年来，松花湖风景区管理部门在精神文明创建活动中，精心保护景区环境，依法规范景区管理，全力打造“青山绿水松花湖”。

松花湖风景区在景区开发建设上始终坚持保护第一的原则。一是严格行政执法，3次集中查处整治违章建筑，拆除有碍观瞻的私搭乱建非法建筑、零星摊床等60余处，不合格广告20余处，各类堆放物13处。二是加大水土保持力度，坚持退耕还林，保护植被。制止乱批滥建、盗伐林木、毁林开荒行为，修整绿地2.5万平方米。三是防止湖水污染，有效地控制入湖各支流的水质标准和生活污水、废油的排放。湖区内30马力以上的燃油船全部安装了油水分离器，30马力以下燃油船也全部安装了废油接收盒。四是从可持续发展战略要求出发，风景区内移民工程2001年开始实施，3年内将把中心景区400余户居民和业户整体迁移到风景区外。

为了保护松花湖生态环境，松花湖风景区以创建“文明湖、卫生湖、安全湖”活动为载体，依法集中整治湖区环境。景区管理部门先后制定了一系列卫生管理规章制度，建立了垃圾场，设置了卫生箱和环保厕所，成立了专职卫生“保洁队”，实行“全天候”保洁。同时，加强对景区市场和经营秩序的规范管理，统一制作标准摊床，实行统一布局、统一摆放、统一着装、统一管理，经营秩序有条不紊；打击不法商贩，取缔缺斤少两的“黑秤”。依法对景区内宾馆、酒店、饭店进行定期和不定期检查，加强对餐饮业的监督管理。

（摘自2002年10月3日《人民日报》）

江苏省连云港花果山风景区

构建主题游览区　营造一流软环境

江苏省连云港市花果山风景区集山石、海景、古迹、神话于一身，生态环境和资源保护不断完善，管理水平和服务质量不断提高，年接待游客量已达170多万人次，旅游总收入达到1.5亿元，成为江苏省旅游发展的一个新亮点。

为展现《西游记》中花果山“四季好花常开，八节仙果不绝”的盛境，围绕“花、果”特色，大力进行绿化美化。花有桃花、樱花、杜鹃、紫薇、油茶、玉兰、梅花等70多种，果有樱桃、板栗、银杏、冬桃、雪枣等20多种。这里的竹子黄绿相间，独具一格，名曰金镶玉竹。

景区确立了“为游客增添一份好心情，不让

游客留下遗憾”的服务理念，致力于营造一流的服务软环境。在环境保洁上，他们实行了全天候跟踪清扫，提出“游客发现一个烟头奖励100元”，至今仍无一人领取此奖。为规范服务，服务人员统一着装，挂牌上岗。导游人员中已有8人取得全国导游证，24人取得了市颁讲解员证书。

近年来，景区每年都开展“做五好职工，树景区形象”百日劳动竞赛主题活动，并结合“青年文明号”创建活动，使游客从进山开始，乘车、游览消费、导游讲解直至安全离开，都有“青年文明岗”全程服务。

花果山景区看不到“罚款”、“严禁”之类的警示牌，映入眼帘的是为数不多的引导牌，著如“花草树木多情依依，期待您的呵护赏识”等，令人备觉温馨。

（摘自2002年10月4日《人民日报》）

江西省上饶三清山风景区

开发服从保护　争创优质服务

以山岳奇绝闻名天下、有“江南第一仙峰”之称的道教名山三清山景区，以提升管理水平为突破口，做好景区开发和服务，实现了社会效益和经济效益双丰收。2001年被评定为国家4A级旅游区。

三清山景区首先从抓好景区科学规划入手，使建设服从规划，开发服从保护。景区管委会投资200万元，聘请专家对三清山总体规划进行修订，突出了保护环境、保护生态的发展战略；加大整治工作力度，拆除了56处违章建筑设施，停建了3处大型宾馆；在保护资源的前提下搞好景区建设，新修栈道10公里，建成了3600米“西海岸”悬崖栈道，形成了一个气势磅礴、惊险刺激的观光区，受到专家和游人的高度赞誉。

为做好旅游服务，景区开展了“三清山要发展，我该怎么办”、“怎样做一个三清山人”等专题讨论。景区各行各业争创“窗口形象”、“服务明星”，一大批基层组织和个人被建设部、国家旅游局等部门评为先进集体和先进个人。为维护游客权益，景区还加强了对宾馆、招待所和服务销售网点的价格规范，依法使用三色价签，杜绝强买强卖、纠缠游客、哄抬物价等现象。

（摘自2002年10月5日《人民日报》）

海南省三亚市南山文化旅游区

坚持生态与环境优先　精心营造南山景观

地处海南省三亚市西南40公里处的南山文化旅游区，以其秀丽的海景、山景、石景，博得游客的青睐。

1998年4月建成开放的南山文化旅游区规划面积达50平方公里。在建设过程中，南山人始终坚持生态与环境优先的开发理念，先后投入3亿多元，将200多个品种、万余株大树、数十万堆花丛移居园区。碧绿的草坪，挺拔的木棉，修长的油棕，顶天立地的银杏及南山破布木、海南椴、海南细辛、龙血树等众多稀有树种，让游人赏心悦目。南山文化旅游区还根据每一景点的不同生态特点，配置不同的树种花草，形成丰富的生态结构，并充分利用山势建成滚水坝、瀑布等景观，从而营造出山灵水秀、百鸟争鸣的优美生态环境。

为把南山建成“环境优美、秩序优良、管理优化、服务优质”的游客满意景区，南山人常年不断开展丰富多彩的精神文明创建活动。他们先后编写了《南山文化旅游区导游词》等一批培训教材，组织了“撒温情花雨，添人间欢乐”等系列活动，大力开展诚信教育和素质教育，同时在吃、住、购、游、娱等多方面实行明码标价，恪守诚信。近两年来，南山员工拾金不昧130多次，且从未发生重大服务质量投诉。此外，园区内实行全日保洁，地面随脏随扫，景区十分洁净，受到众多游客称赞。

南山文化旅游区以其优异的生态建设、环境保护业绩和始终如一的优质温馨服务，得到社会各界的认可，成为国家旅游局确定的首批“中国旅游业发展优先项目”。

（摘自2002年10月6日《人民日报》）

四川省九寨沟风景名胜区

保护性开发 规范性建设 科学性利用

走进九寨沟，不时可见的环保垃圾桶、环保厕所以及穿梭的环保汽车，显示出九寨沟景区管理部门强烈的环保理念与追求。九寨沟因“童话世界”般的优美环境，被载入“世界自然遗产名录”。近年来，慕名前往九寨沟的中外游客年均增长达10万人次。2001年，景区游客总量首次突破百万人次。

九寨沟风景名胜区自1984年成立以来，始终把自然保护、生态保护和环境保护放在各项工作的首位。九寨沟管理局邀请国内外专家学者对九寨沟的生态环境进行了多次考察、调研，在此基础上制定了《森林防火扑救预案》、《九寨沟科研项目规划》、《九寨沟自然保护区总体规划》以及《九寨沟风景名胜总体规划》等有关环保和生态保护的规章，为九寨沟的保护、开发与旅游发展确定了重点、方向和原则。

保护九寨沟丰富的野生动植物资源，是九寨沟自然保护区和风景名胜区建设的重要原则。为此，景区内专门修建了50多公里的“黑色化”环保道路，以减少尘埃和游人活动对水质和植被的影响。为解决汽车尾气对景区大气的污染，景区内开通了以石油液化气为燃料的绿色观光车。九寨沟还先后关闭了景区内所有宾馆，每年拨专款800万元作为景区居民的生活保障费，同时安排600多名景区内居民从事保护、环卫和相关服务工作，有效地解决了“保景”与“富民”问题。九寨沟还在全国同行业中率先实施了“限量旅游”管理，把每日进景区游客限制在1.2万人以内。2002年，景区投入1亿多元全部更新区内200辆观光车，大规模引入电子监控、自动更换保洁用袋、排泄物自动打包并配有生化处理设施的“绿色生态旅游厕所”。投资1000多万元的全景区统一排污、治污系统工程前期工程已经全面展开。

（摘自2002年10月7日《人民日报》）

云南省西双版纳热带植物园

发挥资源优势 强化科普特色

西双版纳热带植物园依托其国家知识创新工程基地、国家植物种质保存基地的科研资源优势，成为国家4A级风景旅游区，打造了一批科普旅游精品景区。近年来，热带植物园接待国内外游客400多万人次，每年为西双版纳带来数亿元的综合收入。

“九五”期间和“十五”计划之初，西双版纳热带植物园就确定了强化基础设施建设、突出科普特色、打造精品景区的发展思路。植物园筹集资金6793万元投入景点和基础设施建设，2000年启动了“万种植物园”项目，收集的植物品种由4000多种增加到7000多种。植物园还拆除了围墙和铁丝网，使景区由封闭式转为开放式，并对奇花异卉园、民族植物文化园、热带雨林景区等老景区进行了重新规划和改造，新建了国树国花园、兰花园等园区，使旅游景点由10余个增至20多个。其中，热带雨林、民族植物文化景区这两个云南省的旅游精品景点独具特色，热带雨林景区既有自然景观又有科学内涵，集知识性、趣味性、观赏性为一体，而民族植物文化园则集中展示了以傣族为主的世居民族丰富多彩的森林文化，深受游客青睐。

从20世纪80年代起，植物园以科技人员为主组建了一支高水平的科普导游队伍。随着入园人数的增加，又成立了一支由数十名傣族姑娘组成的科普导游队伍。植物园十分重视培养这支科普导游队伍，规范和统一了导游词，制定了高标准的培训和考试制度，实行持证上岗。以科普导游为中介，植物园向广大游客尤其是青少年介绍和普及植物学知识，倡导保护环境、爱护自然。近年来，植物园还利用电视、广播、网络等媒体大力传播科普知识，与中科院网络信息中心合作共建了“网上虚拟版纳植物园”，与中央电视台、云南电视台合拍了多部科普教育片，取得良好的社会效益。

植物园强化内部管理，不断提高服务质量。2002年2月，植物园开展了ISO9000和ISO14000的认证工作，并建立了一系列相应的工作制度和规章。植物园还完善了旅游安全保卫制度，在景区实行派出所干警24小时值班制及保安巡逻制。同时，严格规范管理购物市场，杜绝了无组织的流动摊点、假冒伪劣商品、欺诈宰客等现象。近两年，景区实现了零投诉。

（摘自2002年10月8日《人民日报》）

山西省云冈石窟旅游区

身处煤海不染尘　乐在绿色环抱中

云冈石窟建于北魏和平初年，东西绵延1公里，石雕面积1.8万平方米，现存大小窟龛252个、雕像5.1万余尊，是我国早期的石窟艺术代表之一，也是北朝时期佛教艺术的集大成者。石窟区离大同城区仅16公里，又与晋煤外运的109国道相邻，在享受交通便利的同时，石窟的环境保护遇到了日益严峻的挑战：运煤车辆昼夜不息，尘土煤灰四处飞扬，天长日久，使云冈石窟渐渐蒙上了一层层灰色的污垢，石窟的保护和周边环境的治理越来越引起世人注目。1998年起，大同市委、市政府痛下决心，争取和自筹资金2.3亿元，改建了109国道云冈段，使运煤专线远离石窟文物，将原道路建成一条20公里长的高标准旅游专线，公路两侧及沿线山坡营建了绿化带和防护林网。同时，拆迁周边有碍观赏的建筑面积12万平方米，新增空地绿化面积20公顷，景区内种植草坪2万平方米，栽植树木1800株，新建游客休闲广场7900平方米，将石窟旅游区科学分类为石窟欣赏区、重点参观区、西部游憩区、旅游服务区和研究管理区。在此基础上，文物专家运用先进的科学技术，为一尊尊雕像清污除垢，洗面洁身，使云冈石窟以新的面目“靓妆”迎客。

2001年12月，云冈石窟被联合国教科文组织列入《世界遗产名录》。景区管理部门及时开展了“弘扬文化遗产从提高自身品位做起，崇尚文明服务从增强自身素质做起”的文明创建活动：对从业人员每月进行一次培训和考核，强化对石窟考古、佛教史、中外艺术史、建筑史和文物保护知识的学习，使工作人员言之有物；对工作人员的仪容、仪表、讲解方式、服务态度、迎送礼仪等都做了详尽规定；违规者按事故处理，使景区的文明与人的文明和谐统一。今年以来，景区未发生一起工作人员服务方面的事故和投诉。

（摘自2002年10月9日《人民日报》）

湖南省岳麓山风景名胜区

挖掘文化内涵　传播精神文明

湖南省岳麓山风景名胜区根据岳麓山历史文化名山的特点开展创建活动，成为传播精神文明的重要窗口。

在创建文明风景名胜区过程中，景区管理处首先抓好景区的保护、建设。1990年，湖南省人大常委会颁布实施了《岳麓山风景名胜区管理办法》。12年来，景区管理处按照这一法规严格管理，严肃查处景区内损绿、毁绿、葬坟修墓、违章基建等行为，共拆除各类违章建筑40多处，计73500平方米。近年来，景区管理处投资7000多万元，维修名胜古迹，新建观赏景点，进一步完善基础设施配套建设。

在创建活动中，景区管理处坚持把文化创建作为精神文明建设的切入点。他们根据岳麓山的历史渊源和民间传说，编写了《麓山览胜》和《岳麓山风景名胜》等书籍，介绍岳麓山的历史文化名胜古迹和革命史实；充分利用橘子洲头、爱晚亭、新民学会旧址等革命纪念地和黄兴、蔡锷等民主革命烈士墓地和生平事迹展室，对游客进行爱国主义教育，使游客特别是青少年游客在旅游观光的同时，受到爱国主义的熏陶。岳麓山通过充分挖掘丰富文化内涵，成为国内外游客在长沙游览的首选地。每年春游、秋游和春节期间、“五一”、“十一”黄金周，许多大中小学纷纷组织学生前来岳麓山景区瞻仰革命纪念地和辛亥革命先烈的墓地和展室。

景区把提高职工的文明素质作为重要方面来抓，坚持在职工中开展职业理想、职业道德、职业技能、职业纪律教育，开展“争先创优”、“岗位练兵”活动。

（摘自2002年10月10日《人民日报》）

河南省开封市龙亭湖景区

服务上水平　文化氛围浓

龙亭湖风景旅游区位于开封城区西北隅，由龙亭公园、清明上河园、天波杨府、翰园碑林、铁塔公园5个景点组成，其中有国家4A级景点2个、省级文明单位3个。

在创建文明景区工作中，龙亭湖风景旅游区加强了整个景区的硬件建设，投入资金1000多万元，用于标示牌更新、路面硬化、绿化亮化、星级厕所改造等，使景区整体面貌发生明显变化。同时，景区还强化软件建设，各景点按照“统一职工着装、统一挂牌上岗、统一服务标准、统一服务程序”的要求开展工作。对景区内出售的各种商品，规定明码标价，不准欺客、宰客。景区还专门请质量技术监督部门进园检查，防止出现假冒伪劣商品。

各景点重视提高职工素质和服务水平，在职工中普遍开展了岗位技能培训、普通话大赛、敬业爱岗演讲比赛、创建青年文明号等活动，并将文明景区创建知识编制成生动活泼的卡通图书，发到每个员工和商户手中。清明上河园教育职工为游客着想，树立“游客总是对的”的服务信条，从而赢得了游客、赢得了市场，建园近4年来，游客人数和收入以年均25%的速度递增，游客有效投诉率为零。

注重文化氛围的营造是龙亭湖风景旅游区的一个显著特点。清明上河园每天上午要演示开园仪式，击鼓造势，马队分列，“包公”率领护卫亲迎四海宾朋。园内有吹糖人、耍飞刀、喷火、舞狮子等表演，热闹非凡。此外，还有许多观赏性、娱乐性和参与性极强的节目表演，如“包公巡按”、“武松路救兄嫂”、“大宋科举”等。龙亭公园推出了宋代服饰展演、古筝演奏和舞蹈等文艺节目。景区浓浓的文化氛围，使游客流连忘返。

（摘自2002年10月19日《人民日报》）

中央金融系统

创建“十字”行风

为贯彻落实《公民道德建设实施纲要》和中共中央十五届六中全会精神，中央金融工委下发《关于进一步加强金融行业作风建设的意见》，提出在金融系统开展以“严格、规范、谨慎、诚信、创新”为内容的“十字”行风建设。强调行风建设要“标本兼治、纠建并举”；要坚持以党风促行风带行风，积极开展民主评议，接受社会监督；把加强金融行业作风建设作为不断提高行业信誉水平和服务水平，防范金融风险、提高经营效益的基础性工作来抓。

根据金融工委统一部署，工委宣传部、文明办抓住首都地区各金融分支机构和基层联系点这两大重点，组织开展了“十字”行风的创建活动。3月召开了金融系统宣传思想工作、精神文明建设联系点座谈会，对“十字”行风创建活动进行了动员。会上，22家金融机构联合向金融系统发出了开展创建活动倡议书。4月中旬，金融工委宣传部召开在京部分金融机构代表座谈会，就金融系统贯彻落实《公民道德建设实施纲要》、深入开展“十字”行风创建活动等问题进行了研讨。

各中央金融机构根据工委要求，结合各自特点，积极开展“十字”行风创建活动。中国保险监督管理委员会从4月1日起用5个月的时间分学习、创建、总结评比表彰和交流等4个阶段，在全系统开展集中教育活动。中国工商银行结合“世界贸易组织与工商银行经营理念”的主题教育，强化“十字”行风教育和创建。中国银行在创建活动中，制订周密计划，力求创建活动有针对性、实效性和群众性，并将创建活动纳入目标管理综合考核项目中。

各银行、证券、保险机构根据自己的工作特点和员工构成等实际情况，确立“十字”行风创建活动的重点和具体工作部署。不同的工作部门和业务岗位，对行风建设确定了不同层次的要求，并采取不同的方式进行创建。各机构领导干部率先垂范，以好的作风带动群众，以好的风气影响基层。员工积极开展道德操守和职业规范的教育和自我教育，增强爱岗敬业、遵纪守法的意识。中国人民银行太谷县支行突出监管特点，将创建活动寓领导班子、队伍建设、日常管理、职业道德建设之中。中国农业银行浙江南浔支行根据

“十字”行风要求，全面完善和修订了管理程序、经营服务守则、产品开发和后勤保障等工作规章。中国光大银行长沙支行对基层行实行包括服务态度、服务质量、服务效率等58条承诺。各基层单位还自觉接受社会监督，开展行风评议，查找不足，不断改进。建立健全检查、督促、评比、激励机制，调动了员工参与行风建设的积极性、主动性、创造性，在社会上展现了金融员工和金融行业的良好形象。

（中央金融工委文明办）

建设系统

树行业新风　让人民满意

建设部把群众反映强烈的突出问题，作为纠风工作的重点，紧密结合建设系统实际，认真加强建设系统行风建设，特别是针对南京市“万人评议机关”活动中暴露出的问题，引以为戒，在全系统深入开展“树行业新风，让人民满意”主题活动。

2002年2月19日，南京市委、市政府召开全市“转变作风年”动员大会，会上通报了“万人评议机关”活动有关情况和处理意见。对排在末5位的市政公用局、市房产局、市容局、市规划局、市药品监督局的主要领导作出处理。这5个局中除市药品监督局外，其余4个均属建设系统。他们在行风建设中暴露的主要问题是：部门和职工为群众服务的意识不强，服务态度不好，办事手续繁杂，存在着“门难进，脸难看，事难办”的现象；少数领导干部思想作风存在问题，直接影响本单位、本部门的行业形象；一些工作人员依法行政的观念不强，执法不严，执法不公，甚至执法粗暴，以罚代管，引起群众不满；有些改革措施出台前缺乏详细的研究论证，征求各方面意见不够，缺少必要的宣传解释，难以取得群众广泛的理解与支持等。

主题活动分3个阶段进行：第一是深入学习、普遍教育阶段。在全系统广大干部职工中深入开展学习“三个代表”重要思想、中共中央关于加强和改进党的作风建设的决定和职业理想、职业道德、职业技能、职业纪律的教育，进一步增强职工的公仆意识、宗旨意识、服务意识和市场意识，倡导和形成“爱岗敬业、诚实守信、办事公道、服务人民、奉献社会”的职业道德风尚。第二是征求意见、查找原因阶段。“走出去，请进来”，变被动评议为开门主动征求意见，广泛听取社会各界，特别是管理和服务对象、市民群众及下级单位的意见。同时，发动本单位职工群众查摆问题，不怕揭短亮丑，不掩盖问题，不回避矛盾。对征求的意见和查找的问题认真梳理，立足自身，自我解剖，深挖根源。第三是制定措施、落实整改阶段。针对存在问题，逐条落实整改措施，确定整改目标和达标时间，公开接受社会舆论和人民群众的监督。整改措施和责任落实到单位、部门和个人，实行行风建设责任制，一级抓一级，一级带一级，层层抓落实，一直抓到基层，真正抓出实效。

在主题活动中，南京市市政公用局、市房产局、市容局、市规划局认真反思“万人评议机关”活动暴露出的问题，痛定思痛，立足自身，认真整改，行业形象有了明显改观。各地建设行政主管部门按照部开展主题活动的部署，结合本系统实际，都制定和印发了贯彻实施意见。上海建设系统结合巩固规范服务达标成果，编印下发《上海建设系统从业人员职业道德规范汇编》；聘请城调队对窗口行业进行行风测评，实施有力监督；行政执法部门实行行政检查、行政强制、行政处罚三告知制度。河北省建设厅召开全省建设系统行风建设电视电话会议，在全系统实行政务“六公开”，即办事机构与办事人员公开；办事依据、程序和时限公开；办事结果公开；办事纪律公开；投诉方式公开；法律责任与相对人的权利义务公开。

（建设部文明办）

北京海关

争创文明窗口 展现国门形象

北京海关顺应经济发展对海关工作的新要求，专门下发通知，在关区争创文明窗口，展现国门新形象。

突出规范化、制度化建设。制定了《文明服务用语》、《文明服务禁用语》、《文明服务对外承诺制》、《一线窗口工作规范》、《文明监管责任制》、《文明礼貌测评》等一系列制度。建立关长接待日、处长值班台，开通电子触摸咨询系统，设立投诉信箱和咨询台，对外公布文明礼貌监督电话，按照海关总署规定的政务公开要求，坚持定期更换现场公告栏、标志牌、宣传栏，达到整齐划一、规范统一。在报关现场，积极推行“阳光作业”，公开通关作业程序，及时更新工作程序和工作承诺，实行对非正常业务事项的管理制度，保证创建活动全方位开展。

营造良好的通关环境。他们把创建文明窗口活动的重点放在政府、社会、企业最为关注的通关速度和工作效率上，经过广泛调研和论证，出台了支持首都经济发展的10项措施。首都机场海关、开发区海关、十八里店办事处、平谷办事处等单位采取“走出去、请进来”的办法，主动征求企业加入世贸组织后对海关工作的意见和建议，在机制创新、提高通关效率、转变工作作风等方面制定整改措施100余条。同时积极探索新的监管模式，在北京经济技术开发区率先推行高技术含量的“星网工业园”海关监管新模式，使监管“电子化”程度大为提高。开展携手共建文明窗口活动，签订了协议书和备忘录，所有共建单位与海关同步出台了对外承诺、文明公约，制定了奖惩办法，同树文明窗口良好形象。

在抓实事、求实效上做文章。经济技术开发区海关等单位在创建中率先推出“首问责任制”；平谷办事处采取了“业务联系卡”的办法，把加工贸易备案须知以及办理各类业务的联系监督电话印在卡片上，企业的同志高兴地说：“卡片虽小，体现了海关为企业服务的真心，我们有了这张卡，方便多了。”机场海关快件科实行“让快件更快”行动，延长办公时间，调整通关环节，实现到报关厅一次办完所有手续。企业报关员赞扬说：“海关改进作风，为企业和客户赢得了大量时间，把实实在在的方便留给了货主。”

（海关总署政工办）

全国气象部门

建设气象文化

为深化创建内涵，继续深入创建文明气象行业，中国气象局党组于 2002 年 6 月 7 日首次提出“加强中国气象文化建设”的要求，7 月 9—10 日、8 月 2—7 日，中国气象局、《中国气象报》分别组织有关人员对气象文化建设的内涵、气象文化建设与创建文明行业的关系等进行了初步探讨，并采取会议和培训合一的形式于 9 月 9—10 日在兰州召开“全国气象文化建设研讨会”，对各省气象局文明办主任进行了培训，交流了经验。

气象文化建设初步在全国气象部门展开，安徽省气象局成立了气象文化研究会，举办了两期研讨会并出版了论文集。江西、陕西等省气象局下发了关于加强气象文化建设的通知或实施意见。河北省气象局开展了“实践‘三个代表’，建设气象文化”活动。山东省聊城市气象局树立以文化凝聚人心、推动气象发展等思想理念，加强文明素质教育。坚持每周半天理论学习制度，修订气象职业道德标准、气象职工文明公约和《文明服务礼仪手册》，开展了争创“文明示范岗”、文明职工、五好文明家庭活动，进行职业道德、社会公德、家庭美德教育，职工队伍形成了良好的道德风范。同时积极组织思想道德教育含量高、群众参与面广的活动，大力表彰先进典型，树立学习榜样。全局统一着装上岗，开展了为职工生日送蛋糕、鲜花、贺卡的慰问活动，创造了凝聚人心的良好氛围。

（中国气象局文明办）

天津市电信公司

文明行业大回访

天津市电信公司开展了“全员全网大回访，用心服务树品牌”活动。该公司动员 6000 多名员工，从总经理至一线员工一起行动，共走访、回访客户 180 余万户，收集各种意见和建议 12.6 万余条，为客户解答有关问题 10 万余次，让客户着着实实地评价了天津市电信行业行风行貌、服务质量、办事效率，同时完善了规章制度，促进了经济效益的提高，振奋了员工精神。

坚持提高服务质量无尽头，不断追求服务质量高品位。公司不断完善和超越自我，本着边访边改的精神，对回访中发现的问题，只要有条件改的，立即改进。如他们在大港区世纪广场安装天津市首座残疾人电话亭，得到了全区人民的一致好评，并受到残联主席邓朴方的肯定。

坚持服务理念的创新，不断改善行风树新风。公司大力推行主动服务，变“让我”服务为“我要”服务，变在上面“等”服务为下去“找”服务；把“窗口”服务延伸到客户单位或家中，让客户“足不出户享受服务”。一位日本客商亲自登门送来感谢信，称赞天津电信服务是“一流”的；群众则反映“你们服务真是到了家了”。坚持向社会推销自己，不断完善社会监督网络。公司把服务举措、方便客户的新方法、增添的新项目、向社会的新承诺，通过各种渠道和形式向社会广为宣传，并主动求得社会的意见和监督，及时倾听客户的呼声，热情为客户释疑解难，从而使工作日臻完善。

（天津市文明办）

天津市商业系统

首推十大服务名牌

3月份，天津市文明办、市委商业工委、市商委等部门，在认真总结分析多年来实施商业服务品牌建设、开展文明经商“五项承诺”（商品真、价格实、服务优、环境美、监督严）活动实践经验的基础上，以“高尚的职业道德、创新的服务理念、精湛的服务技能、良好的社会形象、突出的经营业绩”为评选标准，向社会推出全市首批“天津商业十大服务名牌”，并在各新闻媒体广泛宣传，取得了实实在在的经济效益和社会效益。

近年来，一商集团友谊商厦员工秉承“买名牌、到友谊”的承诺，提出了不仅要经营名牌商品，更要把讲诚实守信用的一流服务奉献给消费者，并推出了自己8大服务品牌、命名了16名星级服务个人、8名星级商品部，影响和带动了企业精神文明建设和经济发展。华联商厦以打造“新华联、新百货”企业形象为目标，开展了“华联送你一片情”活动，并推出了12个服务品牌。物资集团作为全市最大的物流企业，紧紧围绕集团发展的目标，加强诚信建设，开展了“打造服务品牌，深化营销创新”活动，努力做到服务理念上水平、服务标准上台阶、员工素质上层次、经营环境上档次，以服务创新赢得满意、满意赢得信誉、信誉赢得生意、生意产生效益。通过服务品牌创建活动的开展，天津商业已由传统的热情服务逐步向亲情服务、技能服务、延伸服务、品牌服务领域拓展，极大地促进了商业系统两个文明建设。

“天津商业十大服务名牌”具有鲜明的时代特征，代表了行业服务的较高水平。他们是：“视听专家”——百货大楼股份有限公司汝舜电器公司经理邱汝舜；“手表先生”——劝业场股份有限公司手表柜营业员王玉成；“家电博士”——友谊商厦家品工艺商场李洪生；“西餐名师”——起士林大饭店行政总厨傅今男；“烹饪大师”——狗不理大酒店国家级烹饪大师赵嘉祥；“珠宝双星”——华联商厦金百商场张寿轩、房妍； “梦幻‘使者’”——一商集团百货商贸总公司“梦幻”香皂品牌代理张蓉；滨江商厦“滨江‘十姐妹’”柜组；天津石化公司气象台路“‘五星’加油站”；粮油集团“‘良好’汽车租赁”。

为进一步推动品牌建设的深化和发展，天津市商业系统坚持扩大品牌建设范围，并推出一批商业服务业的“诚信建设示范店（场）”、“诚信服务标兵”等典型，进一步带动全市商业服务水平的提高。

（天津市文明办）

北京市香河园街道工委、办事处 牢牢抓住以人为本这条主线，全力打造生态型品牌社区。自1999年至2002年，街道先后投资3600万元，建成了西坝河南路坝桥金色公园、芳馨园公园、金色怡人公园等八街四园的人文景观，成为环境优美、生态良好的花园式社区。2002年，香河园街道被评为全国文明示范点。

社区志愿者

晨练

清除“白色污染”

社区文化活动

消夏广场

元宵灯展

天津市大港区 按照城市建设既是经济建设，也是精神文明建设，更是凝聚民心的政治建设的发展思路，近年来共投资近100亿元，进行大规模城市环境建设，建成了内部畅达、外部环绕的城市交通网络，在含盐量高达3‰的盐碱荒滩上创造了绿化奇迹，城区绿化覆盖率和人均公共绿地面积分别达到28.2%和15.6平方米，实现了由厂矿生活区向花园式城区的历史性跨越。大港区先后获得全国创建文明城市工作先进城区、全国文化先进区、全国计划生育先进区、全国妇女儿童工作先进区、全国园林绿化先进城区、全国环境保护模范城区、全国社会治安综合治理先进集体等称号，并被确立为国家可持续发展实验区。

社区花园

在全国率先开办邮政社区服务业务

投递入户

山西省晋中市邮政局 以“三个代表”重要思想为指导，积极开展“百日调研”、“百日教育”、“百字承诺”、“百日创收”、“百日营销”系列活动，企业管理、经营、服务水平均走在了全国同行业的前列，为地方的经济和社会发展做出了贡献，先后荣获全国精神文明建设先进单位、山西省模范单位、山西省诚信单位称号。

投递员风雨无阻奔波于乡间

加强学习，提高素质

宣传征稽政策

帮助车主修车

内蒙古自治区巴彦淖尔交通征稽分局 坚持“两手抓、两手都要硬”的方针，以交通规费征收为中心，严格执法，按章征费，文明服务，科学管理，两个文明建设有了长足发展，取得显著成绩。分局先后被评为全国文明行业、全国车购费征管先进单位、自治区交通系统先进单位，所属临河征稽所被评为自治区级文明单位标兵单位，乌后旗征稽所被评为自治区级文明单位，其他5个征稽所、3个通行费收费所被评为盟级文明单位，4个征稽站被评为旗县级文明单位。

业余文化生活

石山村群众文化活动

人民广场一角

呼兰镇孤山村村民住宅

吉林省磐石市 按照“环境立市”发展战略的总要求，以提高市民的思想道德素质和科学文化素质为宗旨，坚持“以人为本，重在建设”的方针，以塑造文明开放城市形象、文明富裕的农村形象和文明向上的市民形象为创建目标，突出环境育人、文化育人、活动育人的思想内涵，不断设计、完善活动载体，深化群众性精神文明创建活动，城市基础设施不断完善，城市基本实现了净化、绿化、亮化和美化；市民文明素质明显提高，“爱磐石、建家乡”的热情日益高涨；争创文明机关、文明行业、文明单位的氛围日益浓厚，精神文明创建工作取得了良好效果。2002 年，荣获全国创建文明村镇工作先进市称号。

吉昌镇烧锅鲜村文化广场

社区文化中心

全民健身

上海市曹杨新村街道 在创建文明社区活动中，坚持“一切为了群众，一切依靠群众”的宗旨，围绕“园林化、学习化、服务化”为主要内容的创建目标，注重从大处着眼，小处着手，分阶段推进，每年实施一批实事工程，不断积累文明社区的创建成果，提高社区精神文明水平，先后获得全国文明社区示范点、全国精神文明建设先进单位、全国街道之星、全国婚育新风进万家活动先进集体、上海市精神文明建设“十面红旗”、上海市文明社区等荣誉称号。

社区文艺展演

开展营销宣传，发放汽车消费贷款

员工文艺演出

中国工商银行浙江省分行 围绕向现代商业银行转变这个中心，一手抓质量效益，一手抓精神文明建设，开展了以提高素质、激发干劲、树立形象为主线，以文明单位创建为龙头，包括“青年文明号”、“巾帼建功示范岗”、“职工之家”等多种形式的精神文明创建活动，取得丰硕成果，连续7年在工总行一级分行经营管理考核中排名省级分行第一，并先后被评为全国金融系统精神文明建设先进单位、中国工商银行先进分行、全国职业道德建设先进单位、浙江省文明行业。

捐资认购希望田并赠送给杭州市儿童福利院

世纪广场

社区剧团演出

安徽省淮北市 以争创全国文明城市为中心，以提高市民素质、优化城市环境、强化城市管理为重点，全面推进精神文明创建工作，取得显著成绩，2002年获得全国创建文明城市工作先进城市的光荣称号。

规范服务，文明执法

蓬勃向上的厦门地税队伍

深入企业，排忧解难

干部参加军训

福建省厦门市地方税务局 开展了一系列具有地税行业特色的精神文明创建活动，为精神文明工作注入了新的活力，提升了精神文明建设的层次和效果，先后荣获全国精神文明建设先进单位、福建省文明单位、厦门市精神文明建设先进行业和专业性文明系统称号，涌现出国家级、省级、市级“青年文明号”、“巾帼文明岗”及省市级劳动模范、“新长征突击手”、全国税务系统先进工作者等一批先进集体和个人。

电子申报纳税

江西省九江市湓浦街道孤溪埂社区 坚持以民为本，以群众需求作为工作的出发点和落脚点，大力提倡学习新风、服务新风、文化新风和科普新风，小区由过去的邻里相隔、人情冷漠变成环境优美、关系和谐的新型社区，先后荣获全国创建文明小区示范点、全国青年文明社区、全省安全文明社区等称号。

举办少儿消防知识培训班

弹好“五线谱”，温暖送百姓

“全国优秀社区志愿者”龙体明为社区老人上门服务

民警慰问社区困难居民

广场文化活动

广西壮族自治区龙胜各族自治县 扎实推进少数民族山区精神文明建设，促进了社会经济全面发展，营造出良好社会氛围，先后荣获全国创建文明村镇工作先进县、全国民族团结进步先进县、全国生态示范区、广西优秀旅游县等称号，县城荣获自治区城市市容环境综合整治“南珠杯”。

清新秀丽的滨江公园

晨曦中的龙胜县城

山里群众赶上了科技圩

中国建设银行海南省分行营业部 大力弘扬“服务大众　争创一流”的企业精神，积极推进精神文明和企业文化建设，努力增强队伍凝聚力，热忱为社会各界提供优质服务，有效促进了业务发展。2002年人均存款、人均贷款、人均效益、综合考核均为建行海南省分行系统第一名，荣获全国创建文明行业工作先进单位称号。

职工运动会

热忱为客户提供优质服务

开展“倾情服务在银行”活动

举行信用公约宣誓

四川省电力公司 以“三个代表”重要思想为指导，坚持“服务客户、奉献社会”的企业价值观，全面实施以德育人、以德治企、以德兴业的管理方略，大力开展文明行业创建工作，内强素质，外塑形象，促进了公司两个文明建设协调发展。公司所属14个地市电业局被当地文明委命名为文明行业，占电业局总数的82%。2002年，公司被命名为省级文明行业。

“光明工程”系万家，人民电业为人民

“一站式服务”方便客户

带电作业，抢修故障

电力员工爱心助学

向民族贫困地区捐书助学

跋山涉水送书下乡

云南新华书店集团有限公司 坚持“两手抓、两手都要硬”的方针，始终把精神文明建设摆在突出位置，立足塑造新华形象，打造新华品牌，全面推进书店的改革和发展。在经济效益稳步增长的同时，全系统92%的书店建成各级文明单位，公司被授予全国精神文明建设工作先进单位称号和省级文明行业称号。

向贫困小学学生赠送图书

戈壁深处的璀璨明珠——玉门油城

玉门石油管理局 实施“电力生产供应为基础，油田作业、建筑安装、机械制造为支柱，综合经营业务做补充，社会公益事业保稳定，人力资源开发工程为动力”的“四加一”发展战略，突出为油田服务的主线，坚持改革改制增活力、稳内拓外闯市场、优质服务创效益、精细管理强素质、精神文明建设树形象，精心打造“玉门石油”品牌，不断提升市场盈利能力和精神文明建设水平，自1986年起，连续保持全国和甘肃省思想政治工作优秀企业称号，2001年，荣获全国首批“重合同、守信用”单位和全国用户满意企业称号，2002年，被评为全国精神文明建设先进单位。

特种运输车辆装备齐全

井下作业队伍远赴阿塞拜疆、土库曼斯坦进行作业

积极参与“西气东输”工程建设

新疆维吾尔自治区沙湾县 把"发展是硬道理"贯穿在"三个代表"重要思想实践中，把提升城乡文明程度和为群众谋利益落实到各项工作之中，全县物质文明和精神文明建设协调发展，全面进步，两个文明建设均走在了新疆各县市的前列。先后荣获全国创建文明城镇工作先进县、国家级民族团结进步模范县、全国文化先进县、全国生态农业建设先进县、全国科技先进县、全国群众体育先进县、全国扫盲先进县、全国防病改水先进县、全国城市环境综合整治优秀县城等14项国家级荣誉称号，荣获自治区综合治理先进县、园林城市、卫生红旗县城等16项自治区级荣誉称号。

天山牧场

城乡协调发展

城市园林

民族婚礼

天津市红桥区
创建百姓放心医院

年初，红桥区开展以诚信为主题的“创建百姓放心医院，树立行业文明新风”活动，把“一切为了病人”作为创建活动的出发点；把按照病人的需要办医院作为创建活动的着力点；把加快服务理念的更新，立足于促进医疗模式的转变作为创建活动的关键点，极大地促进和深化了社区卫生创建工作，既改进了医院作风，提高了医疗水平，又密切了医患关系，并在全区卫生系统树立起一批质量优良、诚实可信、社会认可、百姓放心的品牌医院。

为确定创建活动的重点，抓住群众关注的热点，红桥区卫生系统围绕“群众选择什么样的医院，患者需要什么样的医生”等问题在全区进行了大范围、多侧面的调查分析，找准了纠正不正之风的突破口，明确了创建活动的着力点。一是重点推行医务公开，扩大病人知情权和选择权，开展以“公开服务项目、公开服务标准、公开服务价格，事项单项服务承诺”为内容的“三公开一承诺”活动；二是完善“病人选医生”的竞争机制，开辟病人选医生的便捷通道，创造方便、快捷、舒适的就医环境；三是以“优质服务、优良秩序、优化管理”来提高医院的服务质量，以“合理检查、合理治疗、合理用药、合理收费”的服务来提高群众对医院的信任度。与此同时，为进一步方便群众就医，狠抓了社区卫生服务中心建设，细化了社区服务中心的内容和要求，通过“眼神服务”、“无忧服务”等具体措施，全区建成25个规范化的卫生服务站，实现了更便捷地为患者服务。

红桥区把广大人民群众满意、高兴、答应作为卫生系统“创建百姓放心医院、树立行业文明新风”的检查标准。着眼于增强人文意识、崇尚人文精神、体现人文关怀、营造人文氛围、密切医患关系，形成新型的卫生服务理念，达到“五放心，三满意”的标准。“五放心”，即提高医疗技术质量，让患者放心；提高卫生服务质量，让患者称心；提高就医环境质量，让患者舒心；严格规范医疗行为，让患者安心；实行一日清单，让患者明白顺心。“三满意”，即让患者视觉满意、听觉满意和感觉满意。最终达到把爱心献给病人、方便让给病人、实惠送给病人、温馨留给病人的目的。

为使群众的监督意见真正成为创建活动中的评价标准，由区文明办、纠风办、卫生局统一组织建立“诚信网”，即在全区各医院面向社会开通一部监督电话，设立一个群众监督意见箱，完善创建工作内部快速办理反馈机制。在全区卫生系统干部职工中开展争创“信誉杯”服务竞赛，从而加快形成有利于卫生事业健康发展的“机关围着基层转，医护围着病人转，后勤围着一线转，领导围着职工转，全院围着患者转”的全新服务格局。

（天津市文明办）

天津市蓟县
创建文明工商户

为不断拓展精神文明建设领域，扩大精神文明创建成果，蓟县文明办在总结农村十星级文明户创建经验的基础上，深入开展了十星级文明工商户、十星级个体私营企业创建活动。此项活动的开展，有效地调动了个体工商户和私营企业经营者守法经营、诚信待客的自觉性，促进了个体私营经济的繁荣与发展。

蓟县各级党政组织、各级工商行政管理部门和各级个体私营企业协会，都把这项活动纳入了重要议事日程，分别成立了争创活动领导小组，制定了周密的活动计划，做到统一研究、统一组织、明确分工、互相配合。在全县上下形成了一个齐抓共管、合力推进的创建格局。

活动中，注重发挥十星级创建的综合优势，坚持把这项活动同“讲文明树新风”、“百城万店无假货”、争创“光彩之星”、创建“打假维权群众满意街”等活动紧密结合起来，同思想道德教育、职业道德教育、法制宣传教育结合起来，做到相互促进、整体推动。广大个体工商户、私营企业者在参与中，思想感情得到熏陶，精神生活得到充实，道德境界得到升华。

他们坚持以《公民道德建设实施纲要》为主线，持之以恒地开展了多种形式的道德实践活动。全县个体工商户和私营企业经营者走访慰问敬老院41次，资助贫困户49户、特困生70名，慰问部队5处、慰问“三老人员”184人次，向社会捐款物折合人民币32万元，树立了个体工商户和私营企业的良好形象。同时，创建活动也有效地促进了个体工商业发展。

为便于考核，蓟县文明办将考核标准细化为爱党爱国、照章纳税、诚实守信等十个星级，每个星级都有具体要求。活动中，他们坚持动态化管理，严格按照认星、评星、定星的评比程序，层层筛选，优中选优，确保评选公平、公正、公开。2002年，全县评选出十星级文明工商户123户，十星级文明私营企业20户。

（天津市文明办）

河北省秦皇岛市
讲诚信创名牌商贸企业

秦皇岛市积极贯彻“诚信河北”活动的要求，充分利用新年、春节这一商贸黄金季节，在全市商贸流通行业组织开展“讲诚信创名牌商贸企业”活动，制发了《秦皇岛市关于开展“讲诚信创名牌商贸企业”活动的实施意见》，大力倡导“诚信、守法、文明、敬业”的商业道德，受到了广大消费者的欢迎。

一是抓诚信教育，树立诚信形象。各商贸企业结合自身实际，抓住“两节”有利时机，开展岗位培训、岗位练兵活动，倡导敬业奉献的职业精神，进行职业理想、职业道德、职业规范、职业技能等方面的教育，树立“诚信为本、以德经商、以信兴业”的经营理念，宣传先进典型，鼓励职工争做“文明职工”、“技术能手”、“劳动模范”和“服务明星”。把诚信活动与法制建设紧密结合起来，把“四五”普法教育的要求落到实处，努力使企业职工切实做到知法、懂法、用法、守法经营，造就一支商业道德意识强、法制观念强、服务意识强、思想业务素质高的商业职工队伍。

二是抓商品质量，杜绝假冒伪劣行为。结合整顿和规范市场经济秩序的活动，严厉打击商贸流通各环节的假冒伪劣行为，查处一批假冒伪劣商品，并在媒体曝光。各商贸企业，积极提倡诚信意识，加强商品质量管理、质量监督和质量保证工作，严把商品进货关、检验关和销售关，预防假冒伪劣商品进入流通领域。渤海物流控股股份有限公司、家惠商贸有限公司、天洋公司、集发公司等大型商贸企业积极行动，争取通过河北省质量管理体系认证。许多消费者给予积极评价，认为这是企业讲诚信、消费者得实惠的好举措。

三是抓商业服务，提高服务水平。树立“用服务来吸引顾客，用服务去占领市场”的观念，大力倡导热情服务、微笑服务、真诚服务，想顾客之所想，急顾客之所急，最大限度地满足广大消费者的需求。一些商贸企业不断完善服务设施和服务功能，为消费者创造快捷、舒适的购物环境；有的商贸企业扩大售后服务内容和完善售后服务体系，努力使商贸企业的服务工作走上标准化、规范化的轨道。

四是抓检查监督管理，打造讲诚信创名牌企业。制定《开展“讲诚信创名牌商贸企业”活动实施细则》及《“讲诚信创名牌企业”活动百分考核评比细则》，规定同行之间必须坚持公平竞争，禁止以非法的或不道德的手段来排挤、打击、损害竞争对手或垄断市场，要求选择供货渠道重信誉、守合同，建立正常的供货关系，切实做到货真价实。组织有关部门进行大检查，会同新闻单位进行明察暗访，落实价格投诉制度，聘请100名义务监督员，公开举报电话，最大限度地杜绝价格欺诈、缺斤少两等不良行为，对涌现出的优胜单位进行阶段性总结表彰。

（河北省文明办）

吉　林　省

讲诚信公正优质　保放心舒心欢心

为进一步巩固、深化整顿和规范市场经济秩序工作成果，推动全省创建文明行业活动深入开展，吉林省在全省经营服务窗口和执法执纪部门开展“经营讲诚信，保证你放心；执法讲公正，保证你舒心；服务讲优质，保证你欢心”活动。

认真搞好各类经营场所的专项治理，保证人民群众放心。重点解决流通领域假冒伪劣问题，服务态度的“生、冷、硬、顶”问题，服务环境的“脏、乱、差”问题，使服务质量上一个新台阶。深入开展“百城万店无假货”活动。集中力量继续对社会影响大、群众反映强烈的药品市场、食品饮料市场、传销市场、农资市场、建筑市场、广告市场进行重点治理。大力倡导诚实守信的职业道德，组织引导个体劳动者和私营业户积极参与创建活动，培育诚实劳动、文明经营、守法致富的良好风尚。

严格规范执法执纪者行为，保证人民群众舒心。以规范执法执纪人员行为为重点，以建设“廉洁、务实、高效机关”为目标，切实加强管理，不断完善监督、约束机制，重点解决好公仆意识差、纪律涣散、效率低下、作风不正、为政不廉等问题。进一步明确界定各级执法、行政机关的执法分工、执法目标和执法责任，解决好部门职责不清、不负责任、以权代法、以言代法、有法不依、执法不严、违法不究和执法随意等问题。执法执纪机关进一步转变作风，提高办事效率。重点解决服务意识差、办事拖拉、推诿扯皮等问题，使执法执纪工作达到群众认可、满意、舒心的程度。

深入开展行业规范化服务活动，保证消费者欢心。从窗口行业入手，积极开展创建活动。培养行业规范化服务示范点，使其布局合理，增大辐射面，形成多层次、多类型的示范网络，不断拓展行业规范化服务示范工程的覆盖领域和范围，努力使点上的先进经验变成面上的普遍要求，通过切实落实好服务规范，达到人民群众欢心的要求。

（吉林省文明办）

吉林省白城市

“五星”文明车竞赛

白城市在市区客运和出租车行业开展了争创“五星”文明车竞赛活动。活动以提高客运出租车行业整体水平为宗旨，以树立行业新风为目标，以争创“卫生星、安全星、守纪星、礼貌星、诚信星”为内容，争取利用5年时间，使市区50%以上的大小公共汽车和出租车达到“五星”文明车标准。

竞赛内容包括5个方面，即卫生、安全、守纪、礼貌、诚信，分别称为卫生星、安全星、守纪星、礼貌星、诚信星。卫生星：车貌整洁、牌照清晰、车内干净、空气清新、尾气排放合格；安全星：车况良好、按时保养、设备齐全、控制车速、保证乘客安全；守纪星：不闯红灯、不乱停车、不拒载客、不超定员、照章缴纳税费；礼貌星：衣着整洁、举止端正、语言文明、助人为乐、服务热情周到；诚信星：票价公平、有诺必承、拾金不昧、见义勇为、确保乘客满意。

市交通运管和公安交警部门对每辆参赛车辆和司机都建立竞赛评比档案，按照“五星”内容要求，设定评分标准，进行跟踪考核。一是每个车都要设服务监督卡，卡上标明车牌号、司机姓名、所属车行及电话号码，以便乘客向司机所属车行或管理部门提出表扬或投诉；二是各出租车行和公共汽车公司要定期对司机和车辆进行考核，每次考核结果记录在案，作为评选依据；三是竞赛活动领导小组办公室定期或随机对出租车进行抽查，检验竞赛情况；四是按出租车数量确定评选“五星”文明车比例、名额，由竞赛活动领导小组办公室负责考核验收，报市文明办备案。

年度评选“五星”文明车由交通、公安、建委等部门会同城管及新闻单位对推荐名单进行审验，然后提交市文明办审核，最后提交争创“五星”文明车竞赛评比活动领导小组确定，以市文明委名义进行表彰。表彰分为4个方面：“五星”文明车，颁发标志灯；“五星”文明车司机，颁发证书；“五星”文明车竞赛活动先进组织（包括竞赛活动成员单位和出租车行)，颁发牌匾；“五星”文明车竞赛活动优秀组织者，颁发证书。“五星”文明车实行动态管理，每年评选表彰一次。对服务质量下降、乘客举报属实的；因违章发生重大交通事故的；路遇交通事故不积极抢救伤员的以及有其他严重违反司机职业道德行为的，随时予以摘牌并在两年内取消参评资格。

(吉林省文明办)

黑 龙 江 省

在窗口行业开展服务暗访活动

为了进一步提高窗口行业优质服务水平，省文明办会同省直新闻单位对32个“窗口”行业“践诺”情况进行暗访，将服务质量方面存在的问题进行通报。

哈尔滨铁路分局把新闻单位在“暗访”中反映出来的12个问题进行了认真梳理，逐条分析原因，确定对策，协调有关单位共同解决存在的问题。滨江站主管站长组织客、货等人员，集中两天时间对车站内部进行清理整顿，工会主席带队，邀请有关单位共同研究整改措施。哈尔滨东站针对硬件条件差、周边环境差的问题，实施了3项整改措施：一是新建售票厅和行包房，重新营造新形象；二是装修候车楼，以新型材料覆盖车站外墙主体；三是改造站台风雨棚、售票厅和40年代建造的老天桥。

省通信公司领导看到新闻单位暗访情况报道后，一方面将暗访情况通报全省电信部门，亲自组织了对全省32个地市分公司、县局、支局、中心局的检查，对出现问题的单位和个人进行查处。另一方面，制定了《线务员服务标准和服务规范》、《营业员服务标准和服务工作规范》，明确规定了各个岗位人员的服务仪表、服务用语、服务操作和服务纪律，并录制成教学光盘在全省线务员、营业员等窗口服务工种进行培训。还逐步将这项工作向其他工种拓展，规范全省所有通信营业厅的服务环境、服务设施、服务功能、服务流程、服务水平、服务质量、星级服务，促进全行业服务质量的进一步提升。

省交通系统向社会承诺的窗口单位，“暗访”赢得好评。但交通厅仍组织全系统干部查找服务上的差距，坚持优质服务，由点到线、由线到面拓展和延伸，把优质规范化服务落实到全行业、全系统。

(黑龙江省文明办)

黑龙江省国土资源系统
开展“十星”创评活动

为了更好地激励先进、鞭策后进，增加活动的可比性，调动基层的积极性，把文明行业创建活动落实到基层，黑龙江省国土资源厅在全系统范围内开展“十星”创建活动。“十星”创评活动的内容包括：班子建设星（团结协作星）、思想建设星、廉洁建设星、作风建设星、环境建设星、完成任务星、依法行政星、遵纪守法星、计划生育星、文体活动星。活动开展的范围包括厅机关、直属单位、市县局、驻农垦、森工分局。一年来，各单位把创评活动摆上突出位置，作为主要任务来抓，作为长远任务来抓，作为全局性工作来抓。把创建文明行业与“纠正行业不正之风”结合起来，加大投入力度，结合实际开拓工作思路，调动创建文明行业的积极性，推动了创建活动健康发展。全系统形成7种意识，即：满意意识、效率意识、公仆意识、精品意识、忧患意识、自律意识和竞争意识。

（黑龙江省文明办）

黑龙江省出租车行业
争创“的士之星”竞赛活动

为进一步提高全省出租汽车行业的服务质量，树立新世纪出租车行业的崭新形象，黑龙江省开展出租车行业争创“的士之星”竞赛活动。

竞赛活动参赛范围为全省各市（地）、县（区）出租车行业管理部门、出租车企业和出租车驾驶员。

竞赛活动的内容是整顿市场秩序，规范经营行为。严厉打击无证无照经营、欺行霸市和“宰客”、“骗客”等非法经营行为。提高出租车经营者守法意识，使其自觉缴纳国家规定的各种税费，严格执行运价标准，杜绝违价的行为；及时向投诉和举报人反馈处理结果，切实维护乘客的权益。

竞赛要求：一是健全营运标志，增加服务设施和项目。出租车车容车貌做到外观整洁、车内卫生良好；计价器、待租显示器、标志灯、车门标志、营运证、价格标签、服务监督卡、白色坐垫套等服务设施要齐全有效。有条件的地方和企业要统一车身颜色，在出租车内增加雨伞、报刊、导游图等用品，对坐垫头套实行日清洗，坐垫套周清洗，逐步对出租车驾驶员推行统一的行业标志服，树立良好的仪表形象。二是规范文明用语，提升文明服务水平。出租车驾驶员能广泛使用“您好、请、谢谢、对不起、再见”十字文明用语。在为乘客服务过程中自觉使用标准的行业服务用语，最大限度地减少驾驶员与乘客的语言冲突。对外开放城市还要培训驾驶员掌握简单实用的英语会话，边境口岸城市驾驶员要掌握俄语会话。三是遵守交通规则，确保乘客安全。消除出租车行业存在的违章行车、乱停乱靠等现象，克服出租车对整个社会交通秩序的不良影响，使其能够模范地自觉维护交通秩序，做到文明礼貌行车。

各地市结合本地的实际情况采取多种形式对营运出租车驾驶员的驾驶技能、职业道德、服务规范进行全面培训，进一步提高了驾驶员的整体素质，加大了对各种不规范经营行为的纠正和查处力度，消除各种不文明现象，督促广大经营者改善服务质量、树立良好行业形象。通过培养和树立先进典型，引导驾驶员提高对自身的社会价值和地位的认识。通过竞赛活动，全省出租车行业的规范经营、文明服务、车容良好、仪表端庄、制度完善、管理到位、收费规范公开透明等多项指标逐步提高。

（黑龙江省文明办）

浙江省宁波市海曙区

构建诚信服务平台

81890是浙江省宁波市海曙区政府建立的求助热线电话和公众服务信息网站，自2001年8月18日开通，已为市民解决求助事项3.38万件，月均受理4000多件。

便民利民，有求必应是宁波市海曙区对市民的承诺。他们通过整合服务资源，完善了服务功能，使这一承诺有了基本保证。

整合了政府的资源，使市民对城市公共事务管理的需求、意见、建议得以及时处理。他们依靠行政系统的互动，各职能部门以及一切政府搭建的与群众生活密切相关的服务单位，都能及时地回应群众的呼声，解决群众的实际问题。

整合了市场的资源，使市民在日常生活中的服务需求得以及时满足。他们依托已加盟的460多家各类服务企业，为市民提供全方位、全天候的生活服务。

整合了社会的资源，使一大批有志于奉献社会、回报社会的志愿者有了积极参与的机会。他们组建了上千名有一技之长的81890红帽子志愿者队伍，这支队伍有足够的能力为市民提供各类个性化服务。

这个区以81890信用平台为依托，通过政府信用推进整个服务行业的信用建设。他们建立了一整套信用管理制度，使以诚信为灵魂的文明服务行业的兴起有了基本的条件和保障，从而较好地维护了广大人民群众的利益。

建立服务企业约束制度。81890与加盟企业有严格的质量保证协议，与服务对象有认真的质量回访制度，对服务企业实行严格的监控，对信誉良好的企业向社会重点推荐，对失信企业实行惩罚，促使服务行业向健康的方向发展。

建立教育培训制度。他们设立了面向全国的社区服务培训中心，在向全国推广81890为民服务网络品牌的同时，对服务行业中的各类服务人员进行标准化训练。

建立服务质量保证制度。为确保服务质量，他们聘请了81890服务系统的法律顾问和消费者服务质量巡视员，专门处理因服务质量和价格等引起的纠纷。建立了81890接线受理的义务监督员队伍，对81890服务平台的服务态度和服务质量进行每月一次的评估，以不断提高服务水准。

（摘自2002年5月24日《人民日报》）

安徽省马鞍山市发电厂

建立“每月双评”激励机制

针对年度先进因时间长，激励的时效性有所欠缺，典型的影响力相对减弱这一实际情况，为了肯定普通职工在某一特定工作、特定环境、特定时段作出的成绩或贡献，马鞍山市发电厂在已经开展的“每月一星”评比基础上，同时开展“每月亮点”评比，建立起“每月双评”的激励机制。

评比自下而上——首先，由全厂80余个基层班组收集材料，进行讨论，评出“班组之星”、“班组亮点”；再将材料上报所在党支部（党总支），评出“分场之星”、“分场亮点”；厂党委以党支部为单位收集“分场之星”、“分场亮点”事迹材料，在党委会上专门进行讨论、评比，最后，确定厂级“每月一星”、“每月亮点”。

厂级“每月一星”、“每月亮点”确定后，厂党委正式下文表彰，同时对5名表现突出的职工进行通报表扬，并给予每人嘉奖50元，给予“亮点”党支部嘉奖200元。宣传部门根据“双评”材料配上照片，制作成精美的展板，在宣传橱窗内展出；同时，在“马鞍山发电厂主页”（电力系统网）上发布信息，进行宣传；对事迹突出、较有特色的典型，宣传人员进行深入采访，向新闻媒体投稿，既表扬了个人，又树立了企业形象。此外，凡“双评”获奖人员参加厂内岗位竞聘时，都有不同程度的加分，在年度先进评比中优先考虑。

“每月双评”活动长年坚持，在企业中涌现出一大批先进人物，使职工“干有榜样、学有典型”。其中，“节油状元”朱立达、拾5万元巨款毫不动心的宋明、“继保能手”聊方伦、“安全功臣”李明、热心救人的姚军等“明星”事迹在社会上也有较大的影响。据统计，自“每月双评”开展以来，全厂已评出“月星”近百名。通过“月星”评比，一部分平时表现不很突出的职工，因为“闪光点”被班组或分场发现、宣传，甚至被厂党委表彰、肯定，他们的热情被“点燃”，工作更加积极，生活更加乐观、积极、健康。通过“月星”评比，基本消除了职工对先进典型的“隔膜感”和“距离感”，为企业提高员工绩效和实现“凝心聚力”、推动企业文化建设注入了很大的动力。

“每月亮点”成为该厂思想政治工作园地的新“热点”。通过“亮点”评比，企业的凝聚力进一步增强，职工的团队意识显著提高，班组、分场的管理水平和职工队伍的整体素质不断提升。

（安徽省文明办）

安徽省马鞍山市国税局

评选“每月一星”、“每月新事”

安徽省马鞍山市国税局按照省、市文明委的要求和创建“人民满意的基层站所”有关标准，切实转变工作作风，引导职工牢固树立全心全意为人民服务的宗旨，改善服务态度，提高办事效率，促进经济发展，开展“每月一星”、“每月新事”评选活动。

为进一步推动国税系统两个文明建设，发现、挖掘日常工作中涌现出的好人好事，发挥典型的模范带头作用，从3月起，马鞍山市国税局在本系统开展了“每月一星”、“每月新事”评选活动。市县区国税局分别成立了评选工作领导组，各基层单位每月上报先进个人和典型事迹材料，经领导小组集体审议后确定“每月一星”、“每月新事”。在市国税局局域网上开设专栏，将评选出的“每月一星”、“每月新事”事迹进行公布，“每月一星”还配上本人照片。活动开展以来共评选出市县区级“每月一星”56人、“每月新事”74件。

这项活动开展以来，网上先进事迹点击8000余人次，发表评论500余篇，有力地推动了全市国税系统两个文明建设，使广大国税干部职工文明办税、优质服务意识得到进一步增强，政治思想素质、业务技能明显提高，全系统2002年底被评为“文明行业”。

（安徽省文明办）

江西省电力公司

供电优质服务走访活动

江西省电力公司在全省开展供电优质服务走访活动。活动分4个阶段进行。

第一阶段：组织准备。组织员工学习国家电力法规政策、收费标准和电力优质服务的各项规定，总结近几年来行业作风建设和优质服务实践；调查摸底，确定走访对象，明确走访分工；加强同新闻单位的沟通，提供行风宣传典型。

第二阶段：进行走访。分两个层面进行：第一个层面，市供电局及县公司自行走访。各单位在收集社会各界意见的基础上，查找本单位行风建设中存在的问题，邀请客户对企业形象进行测评。第二个层面，省公司组织走访。省公司走访组走访范围为党政机关、部队、学校、医院、厂矿企业（尤其是外资企业）等单位及街道居民、农户等。

第三阶段：整改建制。按照走访过程中收集的意见，认真进行整改。对走访中反映的人和事，调查处理后及时给客户答复。对违纪问题，按有关规定严肃查处。

第四阶段：走访总结。对本单位“走千家，

访万户”进行认真总结，进一步完善规章制度，巩固优质服务工作成果；按照行风建设奖惩规定，对检查走访过程中发现的行风违纪问题进行处理；省公司对先进单位进行表彰。

（江西省文明办）

江西省宜春市袁州区
行业规范化服务达标活动

袁州区文明办、纠风办联合制定下发了《关于在全区窗口行业和行政执法部门开展“规范化服务达标”活动的意见》，成立了规范化服务达标领导小组，明确分工，落实责任，加强检查和考核。各行业、各部门认真研究和制定本行业、本部门开展规范化服务达标活动的实施方案。

全区各行业、部门组织干部职工认真学习规范化服务标准和要求，坚持抓好职工教育，强化培训，开展规范化服务的知识教育和知识竞赛活动，狠抓以职业道德为重点的思想教育，开展服务技能、业务技能培训，业务技能比赛，岗位大练兵等活动。

各行业、部门及基层单位，强化服务意识，改善服务态度，规范服务行为，拓展服务内容，改进服务方法，努力提高服务质量，系统的整体服务水平有了明显的提高。电力系统在城市大力推行一表一户工程，并增设工农业网点，方便用户。在农村加强农电管理和服务，让农民用上放心电。农业部门把规范化服务活动作为“民心工程”来抓，坚持以农业服务为中心，做到农业决策服务让领导满意，公益服务让群众满意，专项服务让用户满意。

各行业、部门在普遍抓规范化服务的同时，针对本系统的重点、难点，加大工作力度，对“门难进、脸难看、话难听、事难办”的“生、冷、硬、推、顶”以及“吃、拿、卡、要、报”等重点问题，进行治理，使行风有了明显的转变。国税系统开展优质服务竞赛活动，取得了很好的效果。

（江西省文明办）

河南省工商系统
正行风 树形象

河南省工商机关从规范队伍执法行为，治理“四乱”入手，开展“正行风、树形象”集中教育活动，全面建设服务型工商。

省局召开了全系统5000名股所长级以上干部参加的电视电话动员大会。全员进行半个月的封闭式军事训练，整肃仪表风纪，锤炼作风纪律；实行开门整风，广纳诤言，认真开展自查自纠。全省各级工商机关召开企业、商户座谈会2519

次，参加4.7多万人；走访人大代表、政协委员4031人，走访企业4.45万家，走访个体工商户32万户；发放征求意见信（表）32.2万份，收集各类意见和建议1.6万多条。针对存在问题和意见建议，逐条梳理归纳，逐条进行分析，从企业最不满意的地方改起，从企业最企盼的事情做起，认真进行整改。各级工商咨询代理中心等中介服务性机构全部撤出了工商部门的登记窗口，企业、商户反映强烈、多年没有解决的搭车收费、报刊摊派和强行提供服务的问题得到了彻底解决。

在搞好集中教育的基础上，省工商系统大力整顿执法队伍。一是以县（市、区）局为单位，建立“工商监察队”，实行异地检查、交叉检查。二是逐级下派“暗访组”，以“工商焦点访谈”的形式，加大内部曝光的力度。三是实行举报奖励制度，各级工商机关向社会公开承诺，凡是举报工商人员违法违纪，经查属实的，对举报人予以一定的奖励。四是开展执法资格考试，实行离岗培训制度。5月25日，省局采取“统一命题、统一制卷、统一考试、统一评分”的办法，对全系统3万余名公务员进行了执法资格考试。对考试合格的，核发《执法证》；不合格的，一律离岗培训。五是“严”字当头，把查处违法违纪案件贯穿于整治工作的全过程。整治企业经营环境工作开展以来，全系统共立案查处58起涉企“四乱”案件，47名股所长以上干部被处理。其中开除2人，辞退2人，撤职3人，降职3人，党纪政纪处分32人，领导班子集体免职5人。

（河南省文明办）

河南省洛阳市吉利区人民法院

规范审判秩序　弘扬司法文明

河南省洛阳市吉利区人民法院围绕“服务人民、奉献社会”的主题，坚持以创建文明行业总揽工作全局，抓教育，抓改革，抓服务，使干警队伍素质不断提高，审判工作日趋规范，办案质量明显提高，有力地服务了当地经济发展，维护了社会稳定。

该院围绕公正与效率这一司法工作主题，积极采取措施，大胆进行改革，使审判工作逐步走上了制度化、规范化管理轨道。一是推行审判流程改革。该院的审判流程，由立案处统一立案，统一分案，审判人员不能选择案件，案件在开庭3日前才移交给承办人员，减少了开庭前审判人员和当事人接触的机会，减少了关系案、人情案的发生。二是建立排期开庭制度。每周把要审理的案件排定日期予以公告，承办人员必须按排期预定的时间准时开庭，既落实了公开审判制度，又避免了法官无故推迟开庭，案件久拖不决现象的发生。三是成立了速裁审判庭。对所立的案件进行繁简分流，把那些事实清楚、涉案标的较小的债务案件以及当事人争议不大、预约到法院解决纠纷的简易案件直接转入速裁审判庭，当日立案、当日审理、当日裁判、当日送达法律文书。四是实行中止执行听证制和债权凭证制。为切实解决人民群众反映强烈的“执行难”问题，针对过去个别执行人员滥用中止执行权等问题，规定凡是需要中止执行的案件，除申请执行人同意的以外，必须经院听证委员会听证后决定，防止个别执行人员随意中止执行。被执行人确无财产可供执行的，给申请人发债权凭证，申请人无论何时发现被执行人有财产可供执行，均可依据债权凭证请求法院执行，从而最大限度地维护了债权人的合法权益。五是强化审判监督。为接受社会各界和人民群众的监督，他们设立投诉中心，公布投诉电话，及时受理群众投诉，经查证属实的及时予以严肃处理，给群众一个满意的答复。实行案件逐月审查制，对每月审结的案件，由专门的机构进行逐案审查，有问题的及时予以纠正，确保审结归档的每一起案件经得起历史的检验。通过抓文明行业创建活动，树立了人民法院的良好形象，赢得了社会各界的广泛好评。

（摘自2002年5月20日《人民日报》）

广西壮族自治区柳州市出租车行业“文明服务、诚信经营”竞赛

为了提高柳州出租车行业的社会信誉，塑造柳州出租车行业的新形象，创建文明行业，柳州市委文明办、市交通局于6月至12月，开展出租车行业“文明服务、诚信经营”竞赛活动。

“文明服务、诚信经营”竞赛活动是一项持续开展、分段评奖、匾牌流动弹性管理的优质服务竞赛活动。为了确保活动的顺利开展，成立了竞赛活动领导小组，制定了实施方案、竞赛活动评比条件及管理办法。召开竞赛活动动员大会，利用各级新闻媒体广泛宣传。各参赛车辆统一张贴参赛标志，各新闻媒体设立专栏，跟踪报道竞赛过程。建立监督举报制度，设立举报电话，向乘客及行风评议员发放评议选票，发动广大乘客和市民群众参与竞赛评选活动。

“文明服务、诚信经营”竞赛活动开展以来，全市各出租车公司、车队及3000多名出租车驾驶员积极投入到竞赛活动中，自觉按照竞赛标准及评比条件严格要求自己，规范经营行为，争创品牌服务，促进了出租车行业管理水平和服务质量上新台阶，为企业创造了良好的经济效益和社会效益。

12月底，市委文明办、市交通局隆重召开了竞赛活动总结表彰大会，授予两家出租车公司“文明服务、诚信经营”先进单位称号，授予3家出租车公司“文明服务、诚信经营”优胜单位称号，评选出51辆“文明诚信示范车”及51名优秀驾驶员。

（广西壮族自治区文明办）

广西壮族自治区柳州市环卫行业开展争当“十佳城市美容师”和“优秀城市美容师”活动

柳州市在全市环卫行业（含柳铁、柳江、柳城环卫站）开展争当“十佳”、“优秀城市美容师”活动，促进了环卫事业改革与发展。

柳州市环卫职工充分发扬“宁愿一人脏，换

来万人洁”的无私奉献精神，不怕苦、累、脏、臭，夜以继日，清扫街道，清掏粪便，清运、填埋处理垃圾，用辛勤的汗水和聪明的才智为全市人民创造出整洁优美的工作和生活环境，为柳州市争创全国文明城市、夺取广西“南珠杯”作出了突出贡献。涌现出许多先进事迹和模范人物，通过评选、公示，10月26日（广西第6届环卫工人节），市城管办授予黄荣甫等72位同志柳州市“优秀城市美容师”称号，市政府授予黄锦年、吴松兰、陈新田、何建军、覃桂青、廖乃芬、唐莲芳、郑桂芬、李勇、邓庆全10位同志“十佳城市美容师”称号。周光英获全国城市市容环卫先进工作者称号，受到国家建设部表彰。

通过争当“十佳”和“优秀城市美容师”活动，激发了环卫职工主人翁精神和职业光荣感，极大地调动了全市环卫职工的劳动积极性，提高了环卫部门服务承诺和服务质量的信誉。

（广西壮族自治区文明办）

海南省三亚市

让旅游业更加文明

三亚市围绕建设国际化热带滨海旅游城市目标，从培育旅游诚信入手，整顿规范旅游市场，深入开展以“树立三亚旅游新形象，让三亚旅游业更加文明”为主题的文明行业创建活动，推动了旅游产业的快速发展。

三亚市把整顿规范旅游市场作为突破口，制订了3年整治方案，组织了3大战役。

规范旅游饭店销售行为战役。重点解决三亚市旅游市场旺季疯狂炒房、淡季恶性削价竞争问题。在这一战役中，市政府发挥主导作用，采取了两项措施：一是实施了酒店“成本价”销售办法。二是在旺季和节假日推出了“最高经营价”公开承诺制度，并在此基础上形成了旅游饭店平季、旺季和节假日3个价格体系。

规范潜水旅游企业经营行为战役。三亚市的潜水企业已达20多家，年接待游客近15万人次，潜水业显示出日益广阔的前景。但由于多头经营，价格混乱，管理滞后，引发了潜水企业“在锅里抢饭吃”的恶性竞争。对此，三亚市组建了潜水行业协会，制定了潜水企业公约，有效地遏制了潜水暗箱操作、高额回扣行为。

整治旅游购物不规范交易行为战役。三亚市针对侵害旅游者利益的违规违法行为，加大整治力度，查处了6家以次充好、以假乱真的“水晶厂”、“珍珠行”，整治关闭了一批杂乱无序的购物点，查获以次充好、以假代真和国家保护、禁止销售的商品3296件；整顿“黑”、“野”旅行社。

（摘自2002年5月26日《人民日报》）

西藏自治区交通厅

抓机关带基层　抓典型带行业

西藏自治区交通厅采取抓机关带基层，抓典型带行业的方式，使创建文明行业向公路、运政、路政、规费稽查等行业延伸，形成了由点到线、由线到面、层层深入、整体推进的创建工作格局。

在交通厅机关开展“三优一满意”、“争创优秀公务员”活动；在公路养护部门开展“双百、一千、十佳”活动，即创建一百个标准化道路、一百个文明道班，一千公里标准路，十佳养护道班；在交通企业开展争创“文明企业”、“文明站队”、“文明班组”活动；在交通运政、征稽、路政等行政执法部门开展创建“文明执法岗”、“文明执法标兵”活动。将创建标准和服务承诺向社会公开，接受监督。创建活动使机关作风、服务质量、执法水平有了明显提高。文明示范“窗口”单位的服务态度、服务质量和管理水平有了明显改善。

开展形式多样、内容健康的群众性文体活动。全系统每年举办20多场职工文艺比赛，抽调文艺骨干组成交通厅业余文艺宣传队，下基层、道班进行演出，丰富了基层干部职工的文化生活，增强了行业的凝聚力和战斗力。

发挥先进典型的示范带头作用。在创建文明行业过程中，着力培养一批先进典型。交通系统先后有5人被评为全国劳动模范、全国民族团结先进个人，61人被评为省部级劳模、岗位能手、先进工作者，24人被自治区党委、政府评为优秀共产党员、“五一”劳动模范、先进工作者，21个单位获得省部级“文明单位”称号，5个部门获得省部级“文明行业”称号。这些先进个人和先进集体为全行业树立了榜样，使人们学有先进，赶有目标，形成了争先创优的生动局面。

（西藏自治区文明办）

西藏自治区拉萨市出租车行业

做文明使者　创优质服务

拉萨市出租车行业以贯彻《公民道德建设实施纲要》为契机，10月至12月，自治区文明办、纠风办、公安厅、交通厅、运管局、交警总队和拉萨市人民政府、文明办、公安局、交通局、运管局、交警队、城管大队联合开展了“做文明使者，创优质服务”活动。

开展社会公德、职业道德和交通法规教育。各出租车公司组织驾驶员认真学习，举办“做文明使者”知识竞赛，参赛率达95%以上。

各出租车公司开展优质规范服务活动。制定

了安全生产、文明服务的规章制度和奖惩措施；要求驾驶员自觉遵守交通规则和行业规范，严禁宰客、甩客、乱收费等欺诈行为；统一车内座套，每周更换一次；驾驶员持监督卡上岗，卡上公布姓名、照片、驾驶证号、监督电话。在出租车司机中开展“六好”服务承诺活动，即职业道德好、安全行驶好、服务态度好、文明礼貌好、行为举止好、车辆卫生好。将承诺印在卡上，挂在车内。

开展评选“文明使者”活动。“文明使者”必须做到：遵守社会公德和职业道德；语言文明，不说脏话、粗话，不说不利于祖国统一和民族团结的话；仪表文明，着装整洁；行车文明，礼让三先，没有违章行为；车容车貌整洁，车内卫生、舒适；诚信服务，不拒载、超载，不抢客、甩客，不乱收费；服务热情周到，积极为乘客排忧解难；扶危济困，见义勇为。

活动领导小组办公室组织人员上路对活动开展情况进行抽查，同时发放调查问卷3000多份，征求乘客和市民对创建活动的意见。活动结束时，举行了隆重的表彰会。共表彰“文明出租车”30辆、“文明使者”30人。

这次活动，提高了出租车司机的职业道德水平，增强了服务意识和交通法规意识，基本解决了出租车内卫生差、服务态度生硬、交通违章、不使用礼貌语言等问题，深受乘客和市民的好评。

（西藏自治区文明办）

陕 西 省

开展“创佳评差”活动

陕西省在全省“窗口”行业开展以为人民服务为宗旨，以强化职业道德建设，提高服务质量，纠正行业不正之风为目标的“创佳评差”活动。

年初，省文明办把全年工作任务逐项分解，制定“创佳评差”活动《任务书》，在全省精神文明建设工作会议上举行签字仪式，由陕西省委省政府领导与参加活动的24个厅局、行业领导逐一签字，形成年度创建目标责任。各厅局、行业结合自身特点，制定行业年度创建目标《任务书》，在行业内部逐级签订任务书，落实创建任务和责任。

各厅局、行业主要开展三方面活动：一是开展迎接、宣传、贯彻十六大宣传教育活动。二是围绕贯彻《公民道德建设实施纲要》，全面推行优质规范服务，树立行业良好形象。依照《纲要》内容，普遍修订完善了行业服务公约、服务规范，岗位职责，广泛组织开展了道德实践活动。三是开展治理整顿。各厅局、行业以解决热点难点问题为重点，加大治理整顿力度，省旅游局整顿“一日游”市场，取缔“黑车”、“黑导游”和非法从事旅游业务的行为。省交通厅治理公路“三乱”。省工商局认真查处一批群众投诉事件。治理整顿进一步规范了服务行为。各行业普遍开展行风评议，聘请行风监督员，促进了行风建设。

半年时，召开“创佳评差”活动汇报交流会议，24个参加活动的厅局交流开展活动情况，推广先进经验，分析形势，发现问题，对下半年工作提出要求。

年终，由省文明委组织成员单位，对“创佳评差”活动进行考核评比。采取各厅局、行业互相评比、深入行业基层单位实地考核、召开各界人士座谈会听取意见、各市县文明办联评排序等方式，对全年各厅局、各行业开展活动的情况进行考核、评比。省文明委根据评比情况和工作总结，决定表彰的最佳厅局、最佳单位名单和相对落后单位名单。在每年一度的全省宣传部长暨精神文明建设工作会议上公布，并将最佳厅局、行业、单位和相对落后单位名单在《陕西日报》刊出。2002年度共评比表彰最佳厅局、行业19个，最佳单位55个，通报批评相对落后单位28个。

（陕西省文明办）

甘肃省酒钢(集团)公司
“三德三增强”主题教育

酒钢公司党委将贯彻落实《公民道德建设实施纲要》、“四五”普法宣传教育、创建国家级文明单位融为一体，并同生产经营建设、公司“挖潜增效”的目标任务紧密结合起来，在全公司开展“三德三增强”（社会公德、职业道德、家庭美德；增强忧患意识、责任意识、创新意识）主题思想教育活动，得到了广大干部职工的积极响应。

从公司主线厂矿到辅助单位，从上市公司到子公司，从基建单位到后勤服务部门，都着眼于各自工作实际和生产经营建设，从深化企业改革的需要出发，从增强职工的忧患意识入手，对职工进行加入世贸组织形势教育，让职工了解钢铁行业激烈的竞争状况，激励职工管理创新、工作创新。有的单位将“三德三增强”主要内容结合本单位实际和工作特点制成卡片，编成手册，职工人手一卡、家属人手一册。

各单位普遍开展了形式多样的教育。选矿厂针对“12·18”重大计量舞弊事故，组织开展了重树选矿职工新形象活动；宏兴公司、修建部、机制公司针对生产事故多发的现象，先后组织开展了安全大讨论、模拟事故安全案例分析、安全知识竞赛活动；新组建的物资储运公司结合落实职工职业道德规范制定完善了157项规章制度，规范职工行为；运输部、汽运公司、动力厂等辅助单位开展“优质服务承诺”活动，倡导文明用语，主动走访用户。这些活动改变了部分职工以往“上班靠监督，干活靠督促”的状况，“上班比实干，干活比奉献”形成风气。

公司工会、共青团组织开展了“三德三增强”演讲比赛和“社会、企业、家庭与我”征文活动；坚持每月评选“风气之先”新闻青年；围绕公司挖潜增效目标任务的落实，适时开展了“五小”、“金点子”、技术比武、岗位练兵、劳动竞赛等群众性创建活动。

各单位领导干部在“三德三增强”主题教育活动中率先垂范，为职工群众做出榜样。宏兴公司从管理创新出发，对管理干部进行集中系统的培训；选矿厂制定了党员、干部形象标准，并制作成桌牌和卡片，摆放在办公室、会议室、活动室醒目之处，时刻警示党员干部按标准严格要求自己；镜铁山矿规范收支费用管理，实施“六不准”管理规定；汽运公司开展了管理干部到作业区、班组工作锻炼活动，使中层干部的思想和作风有了全新转变，赢得了职工群众的赞誉。

各单位从身边小事做起，开展道德实践活动。烧结厂谱写了职工道德建设歌和文明用语歌，在全厂职工中组织传唱，并从倡导不乱扔烟头垃圾、不讲脏话粗话、不随地吐痰的点滴事情抓起，培养职工文明习惯；宏丰公司优化施工现场环境、小区管理，强化施工质量和服务意识，开展了文明小区创建活动，在职工食堂推行“餐厅化”服务管理；普教委、职工培训中心开展课堂教学竞赛活动，实行“师德”一票否决制度；酒钢医院开展了“明明白白看病，争创百姓放心医院”和“三德三满意”服务月竞赛活动。

通过开展系列活动，广大职工精神风貌有了很大改观，思想观念有了进一步的转变，日常行为更加符合公司提出的规范要求，大家争做社会的“好公民”、企业的“好职工”、家庭的“好成员”。职工的忧患意识、责任意识、创新意识不断增强。

（甘肃省文明办）

青海省工商行政管理系统

围绕本职　突出特色　树立行业新形象

青海省工商行政管理系统紧密结合实际，把创建文明行业作为工商部门精神文明建设的重中之重，突出“四抓”，不断把精神文明建设引向了深入。一是抓“窗口”。在工商部门内设的企业注册、个体登记、合同鉴证和基层工商局、工商所等“窗口”岗位以及单位中，采取首办负责制、电话预约制、上门服务制等一系列便民措施，建立了“一厅式办公、一条龙服务”机制，优化了环境，方便了群众，使各工商所以规范的工作、整齐有序的内务和亮丽的形象成为辖区精神文明建设的示范点。二是抓制度。全系统相继推行了行政执法公示制、行政执法责任制、执法资格认证制，颁布了《禁酒令》、《着装令》、《公务规范用语》等制度，以规范的制度严格教育、管理、监督执法干部，促进了文明执法水平的提高。三是抓创新。积极培植适应时代要求的法制观念、效益观念、文明观念、竞争观念，提出了“人人都是投资环境，事事关系工商形象”、“跳出工商看工商，胸怀全局干工商”等新理念，使创新思想日益深入人心。四是抓队伍。一方面，在全系统实施以素质工程、依法行政工程、形象工程、廉政工程和服务工程为主要内容的“五项工程”建设，大力开展以加强队伍作风建设为主题的“六查六比”活动（查行政执法，比依法办事；查特权思想，比廉政建设；查工作态度，比服务意识；查工作质量，比贡献大小；查工作效率，比工作效果；查组织纪律，比遵纪守法），并通过机关队伍作风纪律整顿、机关作风“下评上”、行风评议排序榜、百日文明执法达标、创建文明机关、争当人民满意公务员、岗位学雷锋、行为树新风等一系列活动，锤炼队伍，提升素质。另一方面，从执法工作的实际需要出发，对工商干部进行集中军训，实行准军事化管理。在全系统组建风纪纠察队，专门对仪容仪表不规范、有损工商形象的行为进行查处。坚持开展“送温暖献爱心”、“青年志愿者”、“3·15宣传咨询服务”、送法下乡、开展联点扶贫等一系列社会公益活动，为人民群众办实事、好事，赢得了群众赞誉。

（青海省文明办）

先进典型

ADVANCED INDIVIDUALS AND UNITS

先进个人

张荣锁

张荣锁（1956年— ），中共党员，河南省辉县市上八里镇回龙村党支部书记。

通讯：“太行赤子”张荣锁

真是奇迹！

8年间，太行深山一个与世隔绝的“极贫部落”竟成了闻名遐迩的“小康群体”；

“四百壮士”在高山野人式地穴蛰居3年，竟在历史上3个朝代修路未成的万仞绝壁上筑起了长达10公里的“通天路”；

昔日以“世风日下，人心不古”而闻名晋豫两省交界地区的“深山乱窝子”，如今成了“文明示范村”。

创造奇迹的带头人，就是以“太行赤子”名播中原的河南省辉县市上八里镇回龙村党支部书记张荣锁。

“放着‘百万富翁’的日子不过自讨苦吃，图的是借一个舞台实现走出大山时的梦想，带领村民把‘极贫部落’变成‘小康群体’”

1993年秋天，辉县市村“两委”换届。时年37岁，已在外经商13年，以200多万元资产成为“全镇首富”的退伍军人、共产党员张荣锁，主动向镇党委请缨，要求回到故土回龙村当支书。

当时回龙村的贫穷状况，在改革开放已10多年的中国农村实属少见。已是20世纪90年代，这里依然是运输靠人背，磨面靠石碾，照明靠油灯。没钱娶嫁，村里青年人大多是“换亲”成家。不少人家农闲季节一日只吃一顿饭………

“上任演说”时，张荣锁向党员、村民立下誓言：“不怕自家经济收入上受损失，不为当支书手中有权力，不图当官借机捞好处。我放着‘百万富翁’的日子不过自讨苦吃，图的是借一个舞台实现走出大山时的梦想，带领村民把‘极贫部落’变成‘小康群体’！”

上任伊始，他首先考虑的是把电送到山崖上的几个自然村。但是，往山上送电谈何容易！回龙村崖上崖下直线距离5公里。要把几十根每根500多公斤的水泥电杆，抬上海拔1700米的老爷顶，其间要穿过几道沟，翻过几架岭，还得攀上绝壁，登越险峰。过去，市、镇供电部门也曾勘测多次，都因“电杆无法抬上山”而搁置下来。

“如今火箭都上了天，我就不信电杆上不了山！就是拚了一条命，也要把电杆插上山，让崖上人结束黑灯瞎火的历史！”张荣锁立下誓言。

这年冬天，张荣锁带着村民打响了“送电战役”。12人抬一根电线杆，脚踏着根本没有路的山崖砾石，一步一步往上挪。电杆抬到悬崖绝壁前，无法再抬了，大伙儿就用粗大的长绳拴住电杆的一头，几十个人喊着号子，一寸一寸地往上拖。就这样，苦斗35天，硬是把78根水泥杆“栽”上了崖顶。1994年2月5日，明亮的灯光终于照到了崖上。

“送电战役”刚结束，张荣锁又带领村民打响了“治坡之战”。

回龙村的座座荒坡，乱石遍布，星星点点的贫瘠土地嵌在石堆间，挂在高坡上。“决不能把穷山恶水留给子孙，得让回龙山水在我们这代人手里重新变个样儿！”严冬，张荣锁带领全村430名劳力，在山上埋锅做饭，垦荒造田。村民们苦斗

50多个日日夜夜，硬是在荆棘乱石间造出90亩梯田。连续3年，全村治理了8道荒坡，开辟良田1500亩，种下苹果、山楂、桃、梨等果树3.5万株，目前已有1.5万株进入盛果期。

粮、果多了，没有路运不出山，变不成钱。张荣锁带领村民修筑了3.5公里柏油路，接通了山外公路，结束了回龙村“与世隔绝”的历史。有了公路，货畅其流，山里的“特色经济”迅猛发展。

如今，全村每年都有50多万公斤水果销往山外；拥有菌棒15万根，生产的“无污染香菇”打入国际市场，年获纯利上百万元；机械化加工的各类石材畅销全国几十个大中城市。昔日穷得丁当响的村民们腰包鼓了起来，“冒尖户”的积蓄达到了几十万元甚至上百万元。张荣锁上任不到3年，回龙村就成为新乡市首批命名的“小康村”。

“共产党员是敢于创造奇迹的人。就是千难万险，也要在万仞绝壁上开出通天路”

山下的回龙人富了，崖上的回龙人却仍因大山阻隔，依然贫困。回龙村境的老爷顶海拔高度达1700米。绝壁之上有5个自然村，居住着380口人，村民世代只靠挂在绝壁上的一架“老爷梯”爬上爬下。张荣锁发誓要把“老爷梯”变成“通天路”，让崖上乡亲也过上好日子。

1997年冬天，张荣锁带领150名党员、民兵组成的筑路大军，背着背包，拉着锅碗瓢盆，挺进深山峡谷，挖地穴，依巨石，铺上山草，安营扎寨。筑路壮士苦干一年多，劈开9个山头，修成了一条长8公里的盘山水泥公路。公路修到壁立千仞的峭崖之前，最艰难的时刻到来了。如果按照常规隧道的打法，隧道的进口、出口平穿山崖，公路只能通到峭壁的对面；对面也是绝壁，仍无法通到绝壁顶上。张荣锁想出一个“绝招”：让隧道在崖腹里呈“S”形蜿蜒而上。

张荣锁凭借从战友那里学来的测绘技术，把粗绳一头拴在崖顶树上，一头拴在腰间，一下子滑下崖壁，开始测量洞口的位置和隧道的坡度。他冒着掉下悬崖的危险，先后30多次上下绝壁，成功地点响了征服悬崖的第一炮。

为修路，张荣锁不仅豁出命来，而且豁出财来。开工后，他把自己经商积攒的72万元存款，全部无偿投入到了修路上。

2000年4月，修路资金告罄，眼看就要停工。张荣锁以低价卖掉了轿车、镇上的住宅和苦心经营多年的石材厂，所得现款26万元全部做了修路急用。

张荣锁的精神感动了身边的人。许多人以他为榜样，为修路谱出动人篇章。

全村上百户村民都把存款交到张荣锁手里，支援修路。筑路大军由开始的150名党员、民兵，发展到460人。

就这样，“四百壮士”在山上度过了整整3年，投工15万个，动用土石30万立方米，终于把公路修上了崖顶。

2001年1月4日通车那天，全村人都涌上山顶，隆重庆祝山民的“通车节”。

路通了，使世代以“天上人间”、“世外高人”自嘲的崖上村民们的生活与现代社会接轨了。此路成了豫西北连接山西的又一通道。2001年“五一”期间，5000多名游客乘车上山，游览千年名刹真武观。旅游服务成为回龙村的一项重要收入。

“要正他人先正自己，只要干部带头、党员带头，不信文明春风唤不回”

回龙村过去干部不团结，村里吵嘴骂街、打架斗殴、盗窃赌博等不文明的事屡有发生，是出了名的“深山乱窝子”。

“要正他人先正自己，只要干部带头，党员带头，不信文明春风唤不回!”张荣锁一上任，先抓班子建设，决心用自己的真诚和模范行动感染班子成员，教育党员和村民。

村里老支书早年和张荣锁的父亲有矛盾，经常给荣锁家出难题。张荣锁任支书后，很多人认为老支书的日子不好过了。然而，张荣锁却一直十分尊敬老支书，逢年过节还提着酒肉登门探望。老支书临终前，拉着张荣锁的手说：“小锁，回龙村有你在，一定能变好!”

张荣锁经常对村里干部说：“集体的事情要想办好，干部必须得带头。干部带头，什么事情都好办”。

1996年8月，正当村民种的香菇即将丰收之时，一场罕见的特大山洪，把两万多根槲树菇棒冲进了山下石门水库。村民们看着近200万元财产将被洪水吞没，不禁绝望地大哭。

“哭有啥用？党员、民兵，跟我上!”张荣锁带着党员、民兵与狂风巨浪搏斗5个昼夜，硬是从肆虐的洪水中把2万根菇棒抢了回来。

一天，村里正进行道路硬化。一车石灰刚拉到村里，天空突然暴雨如注。如不迅速卸下车上的石灰，石灰遇水产生的高热，促使油箱着火，就会引起汽车爆炸。张荣锁奋不顾身，一跃上车，挥动大铲，向车下卸石灰。卸完车，张荣锁的双脚烫满燎泡，不能行走，大病一场。

张荣锁还以扶贫济困的行动，带出了互帮互助的村风。作为共产党员、村支书的张荣锁，对全村乡亲都饱含着赤子之情。村里不管谁治病缺钱，他总是成百上千元地掏。据村民反映，张荣锁含辛茹苦十多载积存的钱，除100多万元花在了修路上，其余的全花在了孩子上学、吃药住院有困难的村民身上。有人为他惋惜："你把千辛万苦挣来的钱全花在了他人身上，不值!"他回答："作为共产党员，好爹好娘是人民。儿子挣钱父母花，最值!"

榜样的力量是无穷的。在张荣锁的带领下，回龙村逐渐形成了"一家有难，众人相帮"的好风气。昔日八方皆知的"深山乱窝子"，如今成了多次受到省、市表彰的"文明富裕村"。

（摘自2002年2月9日《人民日报》）

评论：自觉实践"三个代表"的模范

张荣锁同志的事迹感人至深，催人泪下，促人奋进。

张荣锁同志通过诚实劳动成了百万富翁，却没有忘记共产党员的责任，仍惦记着家乡的发展。他用对乡亲的一片真情获得了群众的信赖，成为带领"两委"班子和党员群众治乱、治穷的好书记。他敢于挺身而出担当重任，并要求班子成员"与天斗，与地斗，决不能搞窝里斗"，用好作风带出了好班子；他带领群众凿山开洞，在悬崖绝壁上修起了一条"生存路、团结路、致富路"，结束了高山农村不通公路的历史；他带领农户栽果树、种香菇、开石材、搞旅游，使全村彻底摆脱了贫困；他慷慨解囊、扶贫济困，先后拿出9万元帮助孤寡老人、病人、残疾人和困难学生。

张荣锁同志不愧为植根于山区，植根于群众，善打敢拼的太行山硬汉，他是"三个代表"重要思想的模范实践者，是农村党支部书记的榜样，值得农村基层干部学习。

"一滴水折射出太阳的光辉"，从张荣锁身上，我们看到当代共产党人的精神风貌。他执政为公、勤政为民，有正气；艰苦奋斗、不怕艰险，有锐气；立足山区、根治贫困，有朝气；更有一颗与群众血脉相连、甘苦与共的拳拳爱民之心，真正做到全心全意为人民群众谋利益。

张荣锁是一名普通的农村党支部书记，他依靠党员队伍带领群众自力更生、艰苦创业、建设山区、治穷致富、壮大集体经济的事迹，充分证明"三个代表"的重要思想一旦成为农村党员、干部的自觉行动，便会产生不可估量的力量。

当前，农业和农村工作面临许多新情况、新问题，对农村基层组织和基层干部提出了更高的要求。要迎接新的挑战，解决新的问题，提高农村干部和党员的素质是关键。只要广大农村干部党员都像张荣锁那样，自觉用"三个代表"重要思想统揽农村工作，牢记宗旨，振作精神，发扬正气，艰苦创业，以加强党建促进农村经济、社会协调发展，就一定能走出一条发展农村经济，增加农民收入，保持农村稳定，促进农业现代化的新路。

（2002年2月9日《人民日报》）

龙清秀

龙清秀（1948—2001年），女，苗族，中共党员，生前为湖南省发展计划委员会以工代赈办主任。

通讯：本色赋

2001年2月15日，龙清秀——这位生前曾亲手批过24亿多元以工代赈资金、被人们称为“在钱堆里打滚”的人，穿着8元一米的土布做的本色衣离开了人间。

“我们是做扶贫解困工作的，每次端起饭碗，都要想一下还有多少人吃不饱饭，在挨饿呢”

龙清秀生于贫困长于贫困，又担负着带领父老乡亲治理贫困的重任。她53载的人生，始终和贫困纠缠在一起。她懂得贫困的滋味，和在贫困中生活的父老乡亲始终贴着心、连着筋。

到北京出差，她舍不得住宾馆，经常住在招待所或旅店的地下室。下基层，她不进饭店，总是要求在机关食堂和基层的同志一样用餐。她用贫困群众的生活标准来衡量自己的生活。可是当贫困地区的群众遭遇到困难和不幸时，她花钱却大方得很，经常以自己的微薄积蓄帮助贫困群众。

千千万万的父老乡亲始终把龙清秀当做自己的女儿。1973年，龙清秀在隆回县金石桥镇晓阳溪村当过工作队员，20多年来，她一直同村民们保持着密切联系，村民们也一直将她当做自家人。

1996年7月，晓阳溪村举行了一个简单而庄重的仪式，村干部将写着“金石桥镇晓阳溪村荣誉村民龙清秀”的证书授予了龙清秀。一向对个人荣誉看得很淡的龙清秀，对这个证书却十分看重，一直将它珍藏着。

“群众太苦了。党把我放在这个位置上，就一定要为他们做实事”

为群众办实事，让群众早脱贫的责任感激励着龙清秀不辞辛苦，她每年1/3多的时间都在乡下。古丈县有个断龙乡，海拔1600米，严重缺水。解放后，党和政府曾三次组织治水之战，都因技术、资金等原因，未能从根本上解决问题。龙清秀先后27次到现场考察，将投资计划由320万元调整到1500万元，断龙乡人民历时五载奋战，终于建成了“接龙渠”，彻底解决了21个村2万多群众的生产和生活用水。

群众苦，国家大，底子薄，以工代赈的有限资金怎样发挥最大的投资效益？龙清秀提出了“政府建设施，能人办产业”的扶贫思路和“能人承包，大户经营，带动特困户”的造林种果模式。

龙清秀时刻记着，从她手里花出的一分一厘以工代赈资金都要体现党的方针政策，体现党对贫困地区群众的关怀。对每个项目的立项，她都要亲自调查，精心审核，合理安排。把一个项目的建设放到整个地区发展的大背景中去考虑，使每一笔钱都尽可能发挥出最大的效益。

桑植县官地坪镇，8个村没有一分水田。1988年8月，龙清秀带着工程师来到这里，对6条水源进行了详细考察，经过反复论证，确定了在这里进行片区治理，进行小流域开发，贫困山区的人们终于圆了世世代代的造田梦。有了水，“山里什么都活了”，农业结构的迅速调整，使人们过上了过去想都不敢想的日子。

“当公仆，搞服务，既要肯做事，还得会做事”

以工代赈需要认真搞好规划。针对各地的特点，在龙清秀的主持下，湖南省先后制定了7个以工代赈专项规划，并认真总结了各地资金管理的经验，制定了一系列管理办法。

以工代赈工作涉及到水利、交通、通信、农业、林业等众多行业，需要具备方方面面的专业知识。龙清秀随身带着三个本子：一个记政策，一个记情况，一个记心得。她还要求以工代赈办的同志做到：每人每年要写一篇好文章，每季要读一本好书，每月要组织一次业务研讨会。这“三个一”已推广到全省的以工代赈系统……

“搞以工代赈，管项目管钱，是炉灶边的厨师火边的柴，要经得住考验啊”

以工代赈办直接负责实施国家下达的以工代赈计划，是个特殊岗位。可龙清秀硬是做到了一身正气，两袖清风。她常常提醒以工代赈办的同事：“搞好以工代赈，管项目管钱，是炉灶边的厨师火边的柴，可要经得住考验啊！”

过去，以工代赈采取的是发放粮食、工业品等实物形式。从1996年起，改为资金拨付的形式。这一改，管理难度也随之加大。龙清秀每到一地，查账成了首要任务，所有账目她都要一笔一笔地核实。

有一次，她发现一个县挪用以工代赈资金发工资，她当即找到县领导，“半月之内，资金必须归位，否则，跟你们没完！”几天后，县里告诉她，资金已归还，她心里还是不踏实，要求县里将银行的转账凭证传真给她看，她看了后才放下心来。

龙清秀对同事和下属管得严，对自己要求更严。她经常对身边的同事说：“有的人为了钱，最后身败名裂，不值得。守住清廉，心里踏实。”为守住这份清廉，龙清秀为自己设了“三关”。第一道关是：门卫关。第二道关是：家属关。第三道关是：自我关。

龙清秀担任省以工代赈办主任，每年掌握的项目资金数以亿计。在外人看来，想发财实在太容易了，但她从未动用过公家的一分钱为自己谋过私利。面对上门来送东西的基层干部，龙清秀说：“以工代赈给县里办了些事，这是国家的钱，不是我私人人情。你们应该把这些东西送给最苦的群众。”

龙清秀生活简朴，多少年来一直保持着山区人民朴素的本色。龙清秀去世后，亲属在清理遗物时，打开衣柜，发现除了几件旧衣外，空空荡荡的。亲属们含着眼泪说：“没想到大姐是这样的清贫。”

以工代赈工作政策性强，在政策面前，龙清秀不徇私情，从不拿原则做交易，即便对家乡、对亲人也毫不例外。

龙清秀对丈夫说：“我们不能以权谋私，得定一个家规：一、凡是来说情送礼者，一概拒之门外，我的熟人朋友你来堵；你的熟人朋友我来挡；我俩确实拉不下面子的，由儿子来挡。二、无论何时何地，亲戚有困难，我们都不得借用手中的权力解决。三、宁愿得罪人，也不能松懈做人的原则。”长年以来，龙清秀一家三口一直恪守着这三条家规。

2001年2月18日，在长沙殡仪馆遗体告别大厅，龙清秀同志的遗体安卧在鲜花翠柏之中，身上覆盖着鲜红的中国共产党党旗。原定9点半开始的告别仪式，7点多人们就来了；原定200人的仪式，超过了1000人，治丧小组的同志赶制了600多朵小白花，还是远远不够……

追寻着龙清秀的足迹，人们不能不发出由衷的赞叹：国务院曾授予她民族团结进步模范的荣誉称号，全国妇联也曾授予她“巾帼建功”标兵的荣誉称号。中共湖南省发展计划委员会党组发出了《关于开展向龙清秀同志学习活动的决定》；湖南省妇联追授她“三八红旗手”称号；人事部、发展计划委员会追授龙清秀模范公务员荣誉称号；国家发展计划委员会在全国计划系统开展了向龙清秀同志学习的活动。

（摘自2002年2月25—27日《人民日报》）

评论：党的光荣

龙清秀的出现是党的光荣。

只有集中了中华民族优秀分子的党，只有始终坚持全心全意为人民服务根本宗旨的党，只有忠实实践“三个代表”重要思想的党，才能培养出龙清秀这样的优秀党员。

党的宏伟队伍是由千千万万个优秀儿女组成的；党的远大理想是靠一点一滴的具体工作实现的。龙清秀正是靠着在悬崖峭壁上一步一步地艰难跋涉，在农家小院一遍一遍地嘘寒问暖，在以工代赈工程上一分一分地精打细算，在反腐倡廉中一次一次地防微杜渐，使中央的以工代赈政策春风化雨，滋润万家；使数百万世世代代在贫困中挣扎的人民群众告别艰辛，奔向小康。人民群众也是从龙清秀和她的同志的一言一行中，从他们制订的每一个以工代赈工程方案中，从他们带领群众成就的每个具体工程中，认识到中央的方针政策的正确，感受到党和政府的温暖，领悟了“三个代表”重要思想的真谛，坚定了跟着我们党奔小康的信心。三湘四水之间，人民群众自发为以工代赈工程树立的座座丰碑，是人心的昭示，是力量的凝聚，是希望和未来的展现，也是龙清秀和她的同志以自己的辛劳、汗水甚至生命为代价，为党赢得的光荣。

龙清秀的模范事迹，给广大党员的启示和教育是多方面的，其中很重要的一条就是每个共产党员都可以也应该在自己的岗位上为党增光。每个人的一言一行，都是构成个人总体形象的组成部分。同样，每个党员的一言一行也是构成这个党员个人形象的组成部分。而千千万万党员的个人形象就构成了党的总体形象。每个共产党员都应该时刻记着：共产党员就应该做党员该做的事，党员不该做的事，一点也不能做。该做的事做好了，就像党员的样子，就为党的形象增加了光彩；不该做的事做了，就不像党员的样子，就损坏了党的形象。就拿以工代赈这件事来说，同样的政策、同样的资金、同样的权力，放在龙清秀和她的同志手里，事情办好了，群众得到了实惠，党的威信和凝聚力大大提高。相反，在有些地方，放在个别人手里，事情有的办不成，有的没办好，极个别的甚至办砸了。结果是群众得不到实惠，党的威信没有提高，干群关系闹得比较紧张。原因就是有的党员干部不按党的要求办事，有的做了不该做的事，甚至有极个别腐败分子违法乱纪，贪污受贿。这就要求每个热爱党、忠诚党，每个希望党的形象更加光辉伟大的同志，时刻记着共产党员的责任，认真做好党交给的每一件事。

做一个共产党员是光荣的。做一个光荣的共产党员，曾经是每个共产党员入党前的崇高追求。当成为共产党员以后，应该时时刻刻、始终如一珍惜这份光荣。每一个共产党员，既有权利享有党的光荣，更有责任为党创造光荣，增加光荣。龙清秀是为党创造和增加光荣的典型。深入开展学习龙清秀的活动，会使我们党的队伍中出现更多的龙清秀。这将会为我们党增添新的更多的光荣，使我们党始终成为建设有中国特色社会主义伟大事业的坚强领导核心。

(2002年2月25日《人民日报》)

汪根林

汪根林（1965—2001年），中共党员，生前为浙江省开化县星口乡农经员。

通讯：烛耀山乡

2001年6月24日，汪根林起了个大早，准备携妻儿回老家探望父母。就在此时，忽听街上有人喊：“木制品厂着火了！”他迅速赶往火灾现场。在抢救两名困在火海中的职工时，他被浓烟熏倒在地。熊熊烈焰熔断了空中的10千伏高压电线，断线正掉落在满身泥水的汪根林身旁……36岁的汪根林，献出了宝贵的生命。

汪根林牺牲后，有1000多名群众自发赶来参加追悼会。一直到现在，他墓前的鲜花没有断过……

一个普通的农村干部，为什么会在群众心里留下如此深的印记？

只有你心里装着群众，只有你的行为真正代表了群众的利益，群众才会拥护你

1998年7月23日，一场暴雨引起山体滑坡，毛家村紧靠河畔的47亩水浇地被山体整个吞没。对于人均不足半亩耕地的毛家村人来说，这是他们的命根子呀。然而望着小山似的泥沙，村民们绝望了，不少人准备放弃土地外出打工。

面对这种情况，在毛家村蹲点的汪根林心急如焚，他一连几天到村里动员，可村民们只有眼泪和沉默。汪根林借来锄头、箢箕，来到地里埋头干起来。时值酷暑，汪根林一步一把汗，几担挑下来就全身湿透了。一天，两天……村民们感动了。一个月过去了，“山”终于被搬走了，种上了绿油油的水稻。

汪根林看到山区饲草多，就积极帮助村民们发展绿色养殖。在汪根林的扶持下，小山村出现了好几个养殖专业户。毛猪在市场上卖到10多元一斤还供不应求。

“群众看干部，不是看会上讲得多么好听，而是看你做得怎样。只有你心里装着群众，你的行为真正代表了群众的利益，大家才会拥护你，你的工作也才好做。”

汪根林蹲点前，毛家村是乡里的“老大难”村：两任村支书上任都不到一年就没法干下去。汪根林来后，乡里布置的任务，无论是交公粮还是修桥补路，毛家村样样走在最前面。村容村貌也发生了很大的变化，小机耕路拓宽了，村中道路硬化了，电网改造了，有线电视、程控电话进村了……后进村一跃成了乡里的文明示范村。

只有深入到群众中去，体察他们的喜怒哀乐，才能找准解决问题的门径

“农村工作千头万绪，农村基层干部只有深入到群众当中去，体察他们的喜怒哀乐，倾听他们的呼声，对村情、民情了如指掌，并及时梳理工作思路，才能找准解决问题的门径。”这是汪根林在《“三个代表”学习心得》里写的话。在乡里，大家都说汪根林是解难治乱的能手。他所以成为“能手”，与他常年融入群众之中、自觉和群众打成一片不无关系。汪根林在毛家村蹲点三年，村里从 5 岁的娃娃到 80 岁的老人，没有人不认识他；去年 3 月，他开始联系黄庄村，在 3 个多月的时间里，他就把全村 163 户人家的门槛踏遍了。

一段时间，白渡村工作落后。汪根林敏锐地感觉到，可能与干群关系失和有关。经过调查，他发现，群众对村里财务“暗箱”操作有意见。要聚拢人心，必须给群众一个明白。于是他果断地向上级反映：审查该村的账目。

在他的坚持下，检查组进驻了白渡村，经过 38 天的审计，查实：白渡村主要干部采用修路款不入账、多报工程量等手段，贪污公款 2 万多元。

为了防止“白渡事件”重演，在上级部门支持下，2000 年，他对全乡各村的财务进行了两次审计。2000 年 8 月，他制订了《星口乡关于加强村级集体资金管理办法》和《星口乡村组财务管理办法实施细则》，要求每月的 5 日，全乡 10 个村的会计都要到乡里统一做账，6 日至 7 日要在村务公开栏上榜。他的这些措施已在全县推广。

干一行必须爱一行专一行，要不断学习，做行家里手

1997 年，汪根林从部队转业后就职的岗位是农经员。他只有初中文化，从未与财务打过交道。

汪根林说：“干一行就必须爱一行专一行，要不断学习，做行家里手。”当农经员的第二年，他做的年报比有些老经管员的差错率还低。1999 年和 2000 年的年度考核中，星口乡农经站排名位于全县前列，他本人还被评为农经系统先进个人。

为了提高星口乡会计人员的整体素质，汪根林动员大家参加中央农业广播学校的会计专业学习。

为人民利益不顾个人安危，他把一切交给了人民

故乡的山水赋予了汪根林淳朴的性格，他又把自己的爱回馈给这块土地。他每月只有几百元工资，却接济过多户村民；村里划给他的那块宅基地，13 年过去了，至今仍然只扎了个墙基……村民们这样评价汪根林：“在家他是个好孩子，在学校是个好学生，在村里是个好村民，在部队是个好战士——当兵 14 年，他 6 次受嘉奖。”

星口乡火灾水灾频仍，抢险救灾人员名单中，汪根林的名字出现最多。1988 年 7 月间，开化境内连降 5 场大暴雨，余家坞村遇险，汪根林主动请战，带全村人撤到了安全地带，当大家清点人数时，却发现村里还有一个 69 岁的“五保”老人滞留在家中。汪根林二话没说，再次趟着齐胸深的水入村营救，当他钻进老人的屋子时，土屋的墙已经裂开了好几道缝，木屋架正发出嘎嘎的响声，汪根林一把拉起老人，当他刚把老人背出土屋十多米远时，就听身后一声巨响，老人居住的土屋轰然倒塌……

为表彰汪根林敬业为民、勇于奉献的精神，中共开化县委、衢州市委追授他为优秀共产党员，浙江省人民政府追认汪根林为革命烈士，农业部作出了“在全国农业系统开展学习汪根林的决定”，中央宣传部、中央社会治安综合治理委员会、公安部、中华见义勇为基金会授予汪根林“第七次全国人民群众见义勇为先进分子”光荣称号。

（摘自 2002 年 3 月 2 日《人民日报》）

评论：为了人民群众的利益

危难中挺身而出，工作中敬业爱岗，生活中严于律己，这是汪根林精神，是他平凡而又不平凡的人格魅力。

全心全意为人民服务，是我们共产党人的宗旨。江泽民总书记在纪念建党 80 周年大会上指出：党的全部工作的出发点和落脚点，就是实现好、维护好、发展好人民的利益。汪根林所做的一切，正是用自己的行动实践了“三个代表”对党员的要求。

代表最广大人民群众的根本利益，前提是把群众利益放在第一位。从毛家村“救田”，到扶持叶金华养猪，再到白渡村查账……汪根林所做的正是基于这个前提。我们向汪根林学习，就要学习他以人民利益高于一切，不计个人得失，无私奉献的优良品德；学习他坚持党的宗旨，秉公办事，敢于碰硬的工作态度；学习他敬业爱岗，埋头苦干的工作作风。

我们已经告别了“春耕夏耘秋收冬藏”的传统农业模式，展现在大家面前的新东西太多了，许多东西都需要重新学习。汪根林说得好："干一行就必须爱一行专一行，要不断学习，做行家里手。"是的，作为一个乡长，如果不了解市场变化的规律，那么面对困难，就无所适从；作为农技员，如果不了解新型复合肥料的配比，就不可能指导群众增产增收；作为村支书，如果不了解农村党建的新形势，要想使支部起到战斗堡垒作用，就是一句空话……与时俱进，通过学习掌握为人民服务的本领，这是汪根林的可贵精神。

汪根林的事迹，给我们提供了一个实践"三个代表"的生动教材，他像一枝蜡烛，点燃了自己，照亮山乡，激励着我们向前。

从我做起，从正在做的事情做起，脚踏实地做好本职工作，这是时代的要求，是党和人民对我们每一位干部的要求。

（2002 年 3 月 2 日《人民日报》）

刘 清 华

刘清华（1960 年— ），中共党员，中国铁道建筑总公司第十三工程局三处第十支队党支部书记。

通讯：基层干部的榜样

在辽阔的林海雪原上，基层干部刘清华的故事被广为传扬。他的精神，他的信念，他的人格，他的情操，熔铸成一种昂扬向上的旋律，感人至深，催人奋进。

"要砸先砸我，要死我先死。我死了，就由张会军替我指挥"

2000 年 3 月 10 日晨，位于吉林省靖宇县境内的营（城子）抚（松）公路珠宝隧道工地，车水马龙，施工正在紧张进行。

上午 9 时 10 分，正在隧道下导坑跟班作业的刘清华发现洞顶往下掉碎石，已喷锚的拱部有水泥块崩落，有着丰富隧道施工经验的刘清华警惕地意识到，这是塌方的前兆。他当即命令在下导坑施工的 14 名职工撤出危险区。

此时，在 180 米深处的上导坑掌子面上，仍然有 10 名职工正在进行掘进，眼下已临近爆破时间，如果点燃导火索，前面有 100 多个装满炸药的炮位被引爆，后面有塌方堵死退路，工人们将陷入绝境。刘清华火速向掌子面冲去，命令中止爆破，撤离现场。由于险情的急剧变化，上导坑的工友们已经来不及赶在塌方之前撤离险区了，如继续往外撤，必然要遭遇大塌方的迎头袭击。

此刻，刘清华只要退后几步，就可以撤出险区，化险为夷。然而，刘清华没有后退，为了工友们的安危，他冒着被大塌方吞没的危险，向洞里冲去，边跑边喊："停下！快停下！"就在这时，只听见轰隆一声，塌落的山体在刘清华身后倾泻而下，严严实实地将隧道封死。刘清华同 10 名工友一起被封堵在隧道里。

面对突如其来的劫难，大家一片恐慌。在被堵在洞内的 11 人中，只有刘清华和工班长张会军两个是党员。刘清华一面稳定大家的情绪，一面把大家带到相对安全的地带。工友们被安顿下来后，他带着张会军来到险象环生的塌方地段，察看险情，确定自救方案。

入夜，洞内温度降到摄氏零度以下，有的工友的脚被冻伤了，刘清华让大家划开水泥袋，把脚插进干水泥里。大家拥抱在一起互相用体温取暖，保存体力。刘清华和张会军却没有休息，他们再次来到塌方地段查看险情，捕捉战机 。到 11 日凌晨 5 时 40 分，塌方频率缓解了，刘清华立即组织工友们掏洞自救。此时塌方仍时有发生。他们每前进一步，都要付出难以想象的艰辛。当掘进到 8 米时，导洞挖一段塌一段，几小时过去了，毫无进展。

刘清华和工友们 40 多小时水米未进，濒临体能的极限和精神崩溃的边缘，有的说拼也是死，不拼也是死，干脆躺着等死吧。

刘清华知道躺下等死万万不行。他站起来说："要砸先砸我，要死我先死，我死了就由张会军替我指挥！"说完就一头钻进导洞挖了起来。在这生死关头，刘清华的言行深深感染了大家，工友们凭着仅有的 3 把铁锹轮流作业，铁锹坏了，就用双手扒，安全帽也成了运输工具，将碎石一点一点地清出来。在8到10米这最艰难的地段整整用去6个多小时。

与此同时，洞外的抢险战斗也正在紧张地进行。

12日零时15分，洞外传来开挖导洞的“咚咚”声，洞里受困的人员欣喜若狂，他们在刘清华的带领下，展开了最后的冲刺。

12日凌晨5点多钟，一根直径为10厘米，长度为3米的钢管穿透了隔离带，6点30分，内外导洞奇迹般地实现了对接，里外高度仅差20厘米。

生命的通道打开后，刘清华斩钉截铁地说：“我的命并不比大伙的命金贵，只要有一个人没撤，我就不能离开。”他最后一个离开导洞。

堵在洞内长达46小时的11位职工终于全部脱险了。

“当干部的要反省自己，你心里究竟有没有装着工人”

“要以英雄模范人物为榜样，做一个有益于人民的人。”刘清华以实际行动履行着自己的诺言。

作为一名基层干部，刘清华心里时刻装着工人。他常说：“我们的工作有点疏忽，工人就有可能付出血的代价啊！当干部的要反省自己，你心里究竟有没有装着工人？”在隧道施工中，爆破是最危险的环节。每次爆破之后，刘清华都要带上安全调度，赶在工人上班之前来到掌子面，用事先做好的小木牌把爆破后出现的危石和险区做上标记；等上班的工人来到掌子面，他要亲眼看着排去危石，进入正常掘进；下班前他还要来到掌子面，待爆破手点完炮之后他才同爆破手一起撤出隧道。工友们说：“有刘清华在身边，我们就没有吃不了的苦，就没有克服不了的困难，身上就有使不完的劲儿！”

“基层党员干部要以自己的实际行动为职工谋利益，让工人切身感受到自己是主人”

刘清华不仅关心工友，而且以高度的自觉性和责任感，把职工群众的主人翁地位落到实处。他说：“基层党员干部要以自己的实际行动为职工谋利益，让工人切身感受到自己是主人。”

1988年2月，二工班有职工反映，当月工资资金分配方案未经职工讨论。刘清华立即找来工班长询问情况，并让工班长收回分配方案，逐一征求职工意见，修改了分配方案的一些欠缺。事后，刘清华专门召开支委会，研究解决实行企务公开，推进民主管理的具体问题，使工程队的民主管理提高到了一个新的水平。

对工程队干部的任用，刘清华尤其注重听取职工的意见。他说：“用错一个人，就等于毁掉一座党联系群众的桥梁。”

随着企业改革的深入，工程队实行全员劳动合同制后，刘清华对干部们说：“国企的干部不是老板，工人也不是雇工，动不动就炒这个，炒那个，老板派头十足，这种作风要不得！”

“干部无论大小，都要真正过好权力关”

刘清华有句口头禅：“干部无论大小，都要真正过好权力关。”多年来，刘清华从不用手中的权力为自己谋私利。

刘清华的爱人李华英1991年从家乡随队来到盘锦。为了挣钱补贴家用，走街串巷卖过雪糕，到郊区给农民插过秧。1992年4月，队里招收一批合同工，李华英作为家属工终于被录用了，工作干得十分出色。然而，只过了一年，队里6名家属工要精简4名，刘清华动员妻子带头下岗。

刘清华常说：“企业处在改革开放的风口浪尖上，在市场经济尚不规范的条件下，企业的党员干部要经得住‘枪林弹雨’的考验，做到一尘不染。”

他给自己约法三章：请吃不到，送礼、送钱不要，邀请到娱乐场所也决不光顾。3年前在珠宝隧道施工中，一支施工队搞掘进达不到质量要求，向刘清华塞红包请他多关照。刘清华严词拒绝了，并且立即开除了那个施工队。

在平凡的岗位上，刘清华塑造了一个企业党员干部的光辉形象，铁道部党组和中国铁道建筑总公司党委分别授予刘清华优秀共产党员和“基层干部的榜样”光荣称号。刘清华被中华全国总工会授予“五一”劳动奖章，中央企业工委授予他优秀党务工作者称号，中组部表彰他为全国优秀党务工作者。

（摘自2002年3月29日《人民日报》）

评论：共产党员的崇高境界

刘清华同志的感人事迹，体现了一名共产党员、基层干部崇高的精神境界。

刘清华同志在生死关头表现出共产党员大无畏的献身精神、强烈的责任感和严谨的科学态度，绝非偶然。在平凡的工作中，他恪尽职守，一丝不苟，兢兢业业；他勇挑重担，不畏艰险，身先士卒；他艰苦奋斗，廉洁自律，甘于奉献；他始终保持工人阶级的本色，是“三个代表”重要思想的忠实实践者，是基层干部的榜样。

刘清华同志在平凡岗位上做出了不平凡的业绩，正是因为他心里时刻装着群众，处处关心群众，密切联系群众，视职工群众如兄弟，与职工同甘共苦乃至同生共死。

一位高尚的共产党人说过：“一个共产党员爱的最高境界是爱人民。”爱人民意味着无私奉献和自我牺牲，这就是共产党员的崇高境界。正是有这种境界，刘清华同志才能在生死关头与职工同患难、共生死。有这种境界，他才会经常反省自己：心里究竟有没有装着工人？有这种境界，他才会时刻提醒自己：党员干部必须珍惜自己在职工中的形象。有这种境界，他才会兢兢业业，成为本专业的行家里手……也正是有了这种境界，他才赢得了职工群众的衷心拥护，成为工人们的“主心骨”！

我们党的政治优势是密切联系群众，最大的危险是脱离群众。党的基层干部，在密切联系群众方面，起着桥梁纽带作用。广大党员干部，只有把群众的疾苦放在心上，以群众高兴不高兴、群众答应不答应、群众满意不满意、群众赞成不赞成，作为想问题、办事情的出发点和归宿，群众才会真心信任你、拥护你、支持你，党的事业就有坚实的群众基础和坚强的保证。

我们希望广大基层干部向刘清华同志学习，学习他恪尽职守，求真务实、高度负责的敬业精神和严谨的科学态度；学习他牢记党的宗旨、廉洁奉公、艰苦奋斗、无私奉献的精神；学习他身先士卒、勇于牺牲的英雄气概；学习他始终保持与职工群众血肉联系的优良作风，不断提升自身的精神境界，切实改进作风，把“三个代表”重要思想扎扎实实落实到基层，落实到自己的工作中。

（2002年3月29日《人民日报》）

朱缀绒

朱缀绒（1950—2001年），女，中共党员，生前为浙江省舟山市定海区白泉镇皋泄村党支部书记。

通讯：默默的实践者

4月5日清晨，舟山群岛弯弯的山道上，抬着花圈捧着花束的人们，走向一块黑色大理石，上面镌刻着：“一心为民的模范村党支部书记朱缀绒。”52岁的朱缀绒在去年10月18日为村里规划水果基地时，不幸遭遇车祸以身殉职。

皋泄村500多名村民面对石碑，有的长跪不起，有的失声痛哭。

“脱掉三层皮，我就不信老百姓富不起来”

皋泄村生活着660户人家，2051名村民。1993年10月，43岁的朱缀绒担任村党支部书记。当时全村发展滞后，村前一条坑坑洼洼路，村里还负债3万元。

面对渴望致富的乡亲们，朱缀绒深感不安。那几天，她走访种菜能手，了解大棚蔬菜产量，到舟山市区了解蔬菜市场。在村两委会上，朱缀绒提出了“发展大棚蔬菜，菜果兴村”的思路，她说：“脱掉三层皮，我就不信老百姓富不起来！”

朱缀绒带领村干部串东家走西家，终于说动了不少人发展大棚蔬菜。她向有关部门争取了大棚的优惠价，向银行争取了4万元低息贷款。

为了使村民们掌握大棚蔬菜种植技术，朱缀绒请来农技专家到村里讲课传授。为了改善蔬菜基地的基础设施，朱缀绒通过各种渠道筹集资金，发动群众修水库，建渠道，拓宽机耕路，新建集贸菜场。

皋泄村逐步达到日生产9吨左右的新鲜蔬菜，先后被舟山市政府命名为“菜篮子”工程先进集体、“一线蔬菜基地示范村”。

一部分菜农富起来了，要让村里更多的人富起来，朱缀绒想到了村里的特产，香味浓郁、酸甜适中的皋泄香柚。

朱缀绒认为，要让皋泄香柚成为拳头产品，第一发展规模要大，第二要创名牌。

村里挤出资金建了培育香柚的苗圃，请来市、区农林专家作现场指导。第二年，首批皋泄香柚种苗培育成功。朱缀绒和村干部一起，按村里人头，给每人免费提供香柚种苗。

1998年10月，朱缀绒和村干部商量后，决定加大投资，申请了“普陀山”商标，印制了两套皋泄香柚专用箱，使得销售价格大大高于市场同类产品。当年11月，皋泄香柚获得浙江省优质农产品银奖。

皋泄村成为产业特色明显的小康村，成为全国造林绿化千佳村，全村拥有1000多亩蔬菜地和2650多亩山林，每年有近4000吨的蔬菜和香柚、杨梅、草莓上市销售。2001年全村人均收入达到4494元，不少人家盖起了漂亮的小楼。

“要懂得村民的心，还要懂得做工作”

高高的东皋岭，横亘在皋泄村与定海城区之间。朱缀绒作为定海区人大代表和区人大常委，一次又一次地把有关东皋岭隧道议案提交到人代会上。

2000年1月3日，舟山市委书记王辉忠、市长张家盟带领有关部门同志登上东皋岭。实地考察的结论是，朱缀绒的议案正是实施城市发展总体规划，这是使城乡协调发展的一着“活棋”。

交通、城建等部门测算，打隧道、建接线公路，皋泄村需拆迁房屋25座，征用土地40多亩，牵涉近百户人家，涉及土地征用、房屋拆迁、青苗补偿等。为保证让隧道按期开工，顺利施工，朱缀绒和村干部便先后召开了村党支部、村民代表会议，引导大家正确处理眼前利益与长远利益的关系。又上门到拆迁户和其他村民家，问情况，讲道理，帮做事，解难题。

朱缀绒每月工资仅630元，但她为隧道工程捐款3000元。在她的带动下，全村干部群众共捐款38万元。房屋拆迁、土地征用赔偿资金一时未到位，她用儿子新房的房产证作抵押，向信用社贷款6万元，还向别人借款4万元，暂借给村里。由于朱缀绒耐心细致的工作，皋泄村因用地、拆迁、平青苗等矛盾一一化解，施工进展顺利。

“金奖银奖不如群众夸奖，金杯银杯不如群众口碑”

朱缀绒的家中，挂着乡亲们送的对联：“一心为民百姓共爱戴，一身正气万众为楷模”，横批：“精神永存”。

村干部和村民们都牢记着朱缀绒的一件件事：

她制定了廉洁自律、民主监督、党员议事等一系列规章制度，自己带头执行。她和村班子约法三章：村集体的钱谁都不能借一分，不能报销餐饮费，不能报销出租车费。在她的带动下，村班子成了带领群众致富奔小康的好班子，村党支部被评为省、市先进基层党组织。

她在下雪天翻山越岭为孤寡老人送棉衣棉被。她在台风天不顾自身安危去抢救受灾户。她为修建学校、改造道路、资助困难户多次捐款……

翻开朱缀绒的笔记本，看到了她用圆珠笔写下的一行行体会：“理解‘三个代表’，实践‘三个代表’。时刻为人民，一切为人民。认真听，主动想，及时办，做干净干事的模范。金奖银奖不如群众夸奖，金杯银杯不如群众口碑……”

（摘自2002年4月22日《人民日报》）

评论：一心为民　一身正气

浙江省舟山市定海区皋泄村党支部书记朱缀绒同志的事迹感人至深。她以自己的行动忠诚实践“三个代表”，带领群众把一个偏僻的小山村变成了小康村，不愧为新时期共产党人的楷模。群众送朱缀绒一副挽联：“一心为民百姓共爱戴，一身正气万众为楷模。”这既是对她一生的真实写照，也表达了广大群众对党的基层干部的期望。

发展生产力，改变落后面貌，过上富裕生活，是广大农民的迫切愿望。朱缀绒之所以受到拥戴，就是适应了时代需求，满足了农民的愿望。她带领大伙儿苦干实干，使皋泄村由一个偏僻的穷山村变成一个产业特色明显的小康村，变成全国造林绿化千佳村。她领着村民修建渠道，打通隧道，拓宽道路，实现了群众的夙愿；她动员群众转变种植观念，树立致富信心，学习科技知识，引导村民种大棚蔬菜，种皋泄香柚，发展菜果规模经营；引进技术人才，建立集贸市场，为群众提供市场和技术服务，使村民们走上了富裕之路。

朱缀绒身上体现了共产党人的突出特点，就是时刻把群众的冷暖疾苦放在心上。只要是群众关注的，小事也是大事；只要是群众需要的，都要想方设法解决。她的行动体现了人民群众的根本利益。她每天想的、做的，一是群众的衣食住行等生活问题，二是农民的生产经营和增加收入问题。每做一项工作，每办一件事，都想到是不是对老百姓有利，能不能为群众解决问题。

老百姓心里有杆秤。干部作风好坏，群众的眼睛是雪亮的。朱缀绒以身作则，一身正气，不徇私情，不谋私利，好处让给群众，难处留给自己。“时刻为人民，一切为人民。认真听，主动想，做办实事的模范。金奖银奖不如群众夸奖，金杯银杯不如群众口碑……”一心为民，一身正气，这八个字平凡质朴，但掷地有声，反映了共产党员的精神境界，也是共产党人最可贵的精神财富。

（2002年4月22日《人民日报》）

陈开枝

陈开枝（1940年— ），中共党员，广东省广州市政协主席。

通讯：一位共产党员的“百姓情结”

陈开枝，广州市政协主席，全国惟一由区外人士和国务院扶贫办共同推荐的“扶贫状元”。

广西壮族自治区百色是典型的“老、少、边、山、穷”地区，是全国18个连片贫困地区之一。党中央和国务院决定，由广东省和广州市对口帮扶百色。

1996年11月，时任广州市委常委、常务副市长的陈开枝，第一次来到广西百色，下车就提出：“不休息了，到最穷的山寨去，到最苦的村民家里去。”

在每一个贫困农民家里，他都要看看床头有没有御寒的棉被，灶头是不是热的，米缸里有没有粮食，尝一尝村民吃的玉米糊和野菜。陈开枝年届花甲，患有多种疾病，奔走于百色险峻的山路上，双脚经常肿得连鞋也脱不下。1997年11月，他去田东县陇穷村扶贫，因劳累突然昏倒在半山腰上，抢救了近20分钟才苏醒过来。他不顾劝阻，捡了一根树杈当拐棍，踩着乱石继续一步一步往上走，终于掌握了第一手资料。

后来，陈开枝跟组织汇报思想时谈道：“百色老区的老百姓太苦了，不把扶贫工作做好，怎么能算得上人民利益的根本代表？怎么能算得上先进生产力的代表？”

6年中，陈开枝曾31次到百色。百色的人畜饮水、村级道路、村村通电、茅草房改造、改善农村办学条件等“扶贫十大会战”，陈开枝亲自规划指挥。

新千年元旦，陈开枝第16次爬上了六隆山。1997年5月，他建议在这里建立八渡笋基地，并亲手栽下第一棵竹子。现在，这里已经发展到20万亩竹林，有14万亩竹笋投产，产鲜笋30万吨，竹子10万吨。望着青翠欲滴的竹林，陈开枝又想怎样进行竹笋深加工，采用“公司+基地+农户”形式，实行“产、供、销”一条龙，“农、工、贸”一体化。

4个月之后，陈开枝第17次出现在六隆山。这次他开怀大笑：台湾山弘公司已到六隆投资2000多万元兴建了一个加工厂，八渡笋加工销售有着落了。2001年加工笋干600吨，产值达2000多万元，户均收入4000元，纯收入在万元以上的有406户，3万元以上的有60户，实现了“当年开发，当年解决温饱，当年住进新房”。

百色群众中流传一句话：“有难事，找开枝。”

田东县作登瑶族乡巴立村有198户920人，因严重缺水，其中一多半农户没有解决温饱。村民们盼水盼电心切，不少孩子取名盼水、盼电。得知这些情况后，陈开枝马上动员广州市供电局在春节活动中节约了20万元，10天后就汇到了巴立村，使巴立村人告别了松明火把照明、人挑马驮用水的日子。

在百色，陈开枝一共资助了8个学生。如今，这8名孩子已有1名大学毕业，2名正在读大学。

陈开枝31次到百色，都是利用双休日和节假日。跟他一起跑的人都说："跟着陈开枝，累死无人知，吃饭不准时，加班无贴士（加班费）。"陈开枝听到后深情地说："我既是广州600多万人民的打工仔，也是百色300多万人民的打工仔，只能只争朝夕地干，争分夺秒地干，想尽办法去干。一个人只要心里装着老百姓，就会越忙越有劲。"

1998年6月，陈开枝由广州市常务副市长升任市政协主席，百色的同志担心他以后不会再来了。没想到当年8月1日陈开枝就带着筹集的250万元办学扶贫款赶到了百色。他对感到惊讶的地区领导说："我是一名共产党员，岗位转换，扶贫的义务没有变。生命不息，扶贫不止。"

2002年农历正月初十，他带着一批港澳政协委员、企业家，带着募捐来的2300多万元，第30次到了百色。仅仅20多天后，陈开枝又第31次到百色，商讨陇邦特困山区的脱贫问题。

他利用政协工作的优势，发动了一批又一批的粤港澳三地企业家和朋友到百色捐赠和投资：到2001年底，广东省及广州市和港澳社会各界与百色地区共签订经贸合作项目197个，总投资88.01亿元，无偿援助百色地区的钱物折合2.5亿元，实现了村村通电通广播电视，12万贫困群众结束了住茅棚的历史，100万人解决了行路难，42万人解决了饮水难，提前两年完成了"八七"扶贫攻坚任务。在这2.5亿元无偿援助中，直接由陈开枝发动和牵线的捐赠就有上亿元。

（摘自2002年4月29日《人民日报》）

评论：心中装着老百姓

实践"三个代表"，最根本的就是要全心全意为人民服务，多为群众办好事、办实事。陈开枝身居广州，可他把广西百色的脱贫和发展当做了自己的责任，6年来先后31次到百色，以一个共产党员的高度责任感，为贫困群众排忧解难。什么叫身体力行"三个代表"？陈开枝以自己的实际行动，为我们做出了榜样。

实践"三个代表"，要有扎实深入的工作作风。在百色扶贫中，陈开枝深入移民农户、瑶家苗寨、学生宿舍，和贫困群众、学校师生交朋友，体察实情，办了大量的实事、好事。几年来，他带去的不仅仅是上亿元的资金，更是那种为了党的事业，为了人民幸福，"生命不息，扶贫不止"的奉献精神。实践"三个代表"，重要的是见行动、见成效。我们要向陈开枝同志学习，"心里装着老百姓"，工作作风实些再实些，身体力行深入更深入，真正多帮助人民群众解决实际困难和问题。

（2002年4月29日《人民日报》）

叶景林

叶景林（1953—2001年），中共党员，生前为沈阳军区话剧团曲艺队队长。

通讯：长留欢笑在人间

生前他评说别人的故事，走后别人述说他的事迹；生前他给人们带来欢笑，走后人们传颂他的精神。他就是战士"心中的明星"：沈阳军区话剧团曲艺队队长、著名评书艺术家叶景林。

生命的绝唱　艺术的辉煌

2001年2月12日，已被病魔折磨得很虚弱的叶景林，硬挺着随队来到某直升机团。在冒着严寒为机场上的官兵加演一场之后，他再次抖擞精神，走上舞台，表演自己创作的评书《人命关天》。

这是叶景林去世前的43天，是他被确诊为癌症晚期后下基层的第8场演出，也是他一生中最后一场演出。

在生命最后的日子里，他坚持着，奔波着，把欢笑、把真情、把爱心奉献给他所挚爱的观众。

2000年冬，为"消灭"最后一个作战师"空白点"，叶景林说服医生和话剧团政委，来到某装甲师，为即将离队的老兵演出。

叶景林身着整齐的演出服，大步流星走上舞台，脸上洋溢着笑容。一段《人命关天》，又一段《春节晚会》，再一段《站岗》。

3天时间，每天演出两场。叶景林在左肺完全失去功能的情况下，每次都坚持演3个段子。上台精神抖擞，下台大汗淋漓，不停吸氧。

"实在太累了，干不动了……"2001年3月10日下午，叶景林对妻子说完此生最后一句话后，便虚弱地昏睡过去。

哪里艰苦哪搭台　哪里有兵哪里演

1994年初，一份组建面包车曲艺小队的建议递给了上级党委。上下一拍即合。4月1日，"面包车艺术团"正式成立。

叶景林给"面包车艺术团"定下了宗旨："多给官兵送欢笑，少给基层添麻烦"；明确了服务模式："行军一台车，吃饭一张桌，演出一台戏，送兵一片情"；立下了铁规矩："哪里艰苦哪搭台，哪里有兵哪里演"。"小队"总共10个人，包括司机在内，个个是多面手。

组建不久的"面包车艺术团"来到大连陆军学院演出。一开始没被人瞧上眼的10人"小队"，居然演了两个多小时还迟迟拉不上大幕。"太精彩啦!"学院决定：聘全体演员为兼职文化教员，颁发聘书、校徽，用"阅兵式"为他们送行。

1995年4月。他们来到一个偏远的仓库演出，黄沙漫天，寒风凛冽。面包车半路"抛锚"了。"同志们，今天爬也要爬到仓库去。下车，推!"叶景林发出了命令。他们花了6个多小时，用双脚量完了通往仓库的沙漠路。第二天，演员们红肿着眼睛登车上路。全体官兵站在山坡上为演员们送行。

从"北极村"漠河向北40多公里，有一个老金沟通信线路维护站，人称"北方第一哨"，士官张润山带着妻儿驻守在这里。1995年的最后一天，叶景林带着队伍，艰难地向这个远离人烟的"夫妻哨"行进。只有七八平方米的屋里成了"舞台"。张润山和妻儿端坐在火炕上，10名演员轮流登"台"献艺。张润山流泪了，被这特殊的"待遇"所感动。

除夕夜，笑声回荡在大森林，篝火映红了北极哨。

走边防、下海岛、钻山沟、进灾区。叶景林从艺近30年，演出2000余场；每年带领"面包车艺术团"下基层，行程20多万公里，7年演出480多场。在他的影响下，"小队"演员都把为兵服务的演出作为第一位任务。演出时，天再冷女演员们上台也要穿裙子；三伏天，再热也要着装严整。

1998年，中国文联授予"面包车艺术团""德艺双馨"匾牌，首都各大媒体纷纷报道他们的事迹。沈阳军区为他们记了集体二等功。

基层需要就是路子　群众欢迎就是方向

一个寒冷的冬日，叶景林在军区《前进报》上看到一篇报道：医学研究所一位防冻专家，为了给边防部队官兵和当地群众治疗普发性冻伤，在17岁的女儿患白血病临终前，都没有顾上回家看一眼。

经过认真采访，他创作了评书《回家》。1996年，《回家》获全军首届新作品一等奖；次年，又被评为全国曲艺一等奖。

2000年，叶景林的评书《人命关天》，获中国曲艺最高奖项"牡丹奖"创作、表演双奖。

从一个初中毕业生到国家一级演员，叶景林走过了不同寻常的艰辛之路，他以"笨鸟先飞"的执著，付出了比寻常人更大、更多的努力和拼搏，创作了《俄罗斯小独楼》、《麒麟送子》、《民族魂》、《意料之外》等脍炙人口的段子，受到各界的好评。

"不到官兵中，我找不到感觉；不说兵段子，我出不了激情。"叶景林当过3年通信兵，成为专业演员后仍坚持深入生活。因此，他最知道战士需要什么。

军营舞台需要短段子，战士要听自己的故事。叶景林用更多的时间到偏远的地区体验生活，创作演出。叶景林一生共创作60多个评书段子，50多个获奖。著名艺术家朱光斗说：“短篇评书要在几分钟、十几分钟内反映矛盾冲突、塑造人物形象，创作难度相当大，没有厚实的生活积累，是出不了这么多好段子的。”

1998年5月，26万字的《叶景林评书选》问世。中国曲艺家协会副主席刘兰芳在序言中写道：叶景林的作品紧扣时代脉搏，弘扬爱国主义精神，启迪人们灵魂，形象鲜明，语言生动，是当代短篇评书的精品。

台上演好戏　台下做好人

叶景林的名气越来越大，“口碑”越来越好，一些地方单位以能请到他为荣耀，而且报酬丰厚，叶景林一一谢绝了盛情邀请，带队下了边防。他说：“咱当兵吃的是军粮，穿的是军装，拿这样的钱我心里不安!”

“军队演员在屏幕上露面，提高个人知名度，是好事。因为越是得到全国人民的喜爱，越会受到部队官兵的欢迎。”他常常把出名的机会让给队友，推荐给新人。

叶景林是解放军艺术学院的客座教授，又是众多部队业余文艺骨干的义务辅导员。不论学生是谁，他都认真言传身教。他常对演员说：“台上演戏，生活中不能做戏。一个演员用技艺博得观众的掌声并不难，难的是用艺德赢得人们的敬佩!”

2000年，叶景林被中国文联评为“德艺双馨的中青年艺术家”。

2001年，沈阳军区授予他金质“学雷锋荣誉奖章”，为他记一等功，同时号召全军区官兵开展向叶景林学习的活动。

……

2001年3月28日夜，叶景林在昏睡了18天后，溘然长逝。前一天，3月27日，正是他48岁生日。

他走了，走得那么匆忙。昏迷之前，他用尽气力写下了两个歪歪扭扭、依稀可辨的字——“演出”。

他走了，是穿着那件挂满军功章的演出服走的。

灵车缓缓穿过沈阳市区，几十辆出租车自发地为他鸣笛送行……

（摘自2002年5月14日《人民日报》）

评论：德艺双馨为人民

沈阳军区话剧团曲艺队队长叶景林是一名优秀的军队文艺战士，一名德艺双馨的人民艺术家。7年来，叶景林和他的“面包车艺术团”，走边防、下海岛、钻山沟、进灾区，风餐露宿，足迹踏遍白山黑水座座军营，把欢笑和快乐送给千千万万个普通观众和基层指战员，模范地实践着党的文艺“为人民服务、为社会主义服务”的方针。

江泽民同志指出，“当代中国的文艺工作者，应该遵循先进文化的前进方向，自觉投身改革开放和现代化建设的伟大实践，努力推进我国文艺的创新和繁荣，努力创作出弘扬中华民族的民族精神和我们时代的进步精神的作品，用以教育人、鼓舞人和鞭策人，为繁荣祖国文艺的百花园，为培养一代又一代有理想、有道德、有文化、有纪律的社会主义新人作出自己的贡献。”正是这种崇高使命感的召唤，叶景林和他的“面包车艺术团”坚持深入基层，与战士同吃同住同训练，坚持为第一线官兵创作演出，用艺术表现火热的军营生活，塑造昂扬威武的军人形象，反映基层官兵的喜怒哀乐，形成了他们特有的“写的是兵的生活，说的是兵的情感，演的是兵的故事”的艺术风格，获得了广大观众特别是基层战士们的喜爱。

叶景林和他的“面包车艺术团”，不仅在艺术追求上严谨认真，努力实践着为兵服务的思想，而且心系观众，演好戏做好人。他把演出当做与战士们交流的机会，尊重观众，同战士们心心相印，在给部队指战员送去欢乐的同时，也把艺术家们的热情和执著留在广大官兵心中，把党的关怀和温暖及时送到群众中。作为人民的艺术家，叶景林首先是做广大观众的朋友，把艺术当做同观众交流的桥梁。做德艺双馨的艺术家，是叶景林和他的艺术小分队的不懈追求，也是广大观众对他们的评价。“面包车艺术团”心系观众，创造性地服务于基层，探索为兵服务的最佳方式，“行军一台车，吃饭一张桌，演出一台戏，送兵一片情”，彻底改变了过去那种“锣鼓一响，又是一场”、“小车一站，又是一段”的原始演出套路，使基层真正感受到现代文明和先进文化的气息，使战士真正享受高品位的艺术。

60年前，毛泽东同志在《在延安文艺座谈会上的讲话》中号召文艺工作者，深入生活，深入群众，创作出更多更好的无愧于时代、为人民群众喜闻乐见的文艺作品。今天，时代的发展、人们审美趋向的变化，对文艺提出了更高的要求。因此，在发展社会主义先进文化，满足人民群众不断发展的审美需求方面，文艺工作者肩负着重任。发展健康向上的文艺，振奋民族精神，就是要坚持“以科学的理论武装人，以正确的舆论引导人，以高尚的精神塑造人，以优秀的作品鼓舞人”。同样，文艺的繁荣和发展，离不开一大批优秀的艺术家的创作实践，只有投身到火热的社会实践中，坚持先进文化的正确方向，与时俱进，不断推出精品力作，才能成为有所作为、深受欢迎的人民艺术家。在纪念毛泽东同志《在延安文艺座谈会上的讲话》发表60周年之际，广大的文艺工作者要向叶景林同志学习，做德艺双馨的艺术家，坚持以马列主义、毛泽东思想、邓小平理论为指导，贯彻“三个代表”要求，牢记人民是文艺工作者的母亲、生活是文艺创作的源泉这个真理，遵循先进文化的前进方向，积极投身改革开放和现代化建设的伟大实践，为进一步推进我国文艺创作的繁荣与发展做出不懈努力。

（摘自2002年5月14日《人民日报》）

廷·巴特尔

廷·巴特尔（1955年—　　），中共党员，内蒙古自治区锡林郭勒盟阿巴嘎旗洪格尔高勒苏木萨如拉图亚嘎查党支部书记。

通讯：以造福牧民为幸福

1974年夏天，19岁的蒙古族小伙子廷·巴特尔在草原深处扎下了根。

廷·巴特尔本可以选择另一条生活道路，但他却义无反顾地留在了草原深处，成为牧民的贴心人、致富的带头人，成为真正的草原巴特尔（英雄）。

“做人要正，做事要公，做官要清”

1993年，廷·巴特尔当选萨如拉图亚嘎查党支部书记，成了村里的“一把手”。

1983年村里实行草畜双承包，承包的结果，嘎查长廷·巴特尔的牲畜最少，草场也最差。1996年重新划分草场时，草原局的同志为补偿廷·巴特尔的损失，把靠河边的好草场划给了他，他发现后坚决换了过来。照他的话说：“做官就不能让牧民吃亏，宁可亏自己，也不能亏了牧民!”

牧户过去常因草场划分不均发生争执，为解决这个问题，廷·巴特尔晚上挑灯夜战，自学测绘知识，白天开车、骑马实地测量，绘制了一幅1:5万的精确的萨如拉图亚草场划分图。有了精确的划分图，牧户再也没有为草场划分发生争执。廷·巴特尔也借助这张图对村里的发展进行了规划。

为公家花了多少钱，廷·巴特尔从不记账，而嘎查的账目却是一清二楚。牧民大会的一个重要内容是向牧民公布账目。

作为嘎查党支部书记，廷·巴特尔时刻牢牢记着为牧民服务的宗旨。他说：“对‘三个代表’的要求，我用最实在的话跟牧民说，主要的还不是说，而是从实处做，做好了不用多说。”

廷·巴特尔头脑灵活，勤奋好学，凡是牧区生产、牧民生活需要解决的问题，他都学习，都钻研，都琢磨。牧民找他帮忙或跟他学习，他从来都是二话不说。20多年来，廷·巴特尔到底帮助牧民做了多少事，谁也数不清。

在牧民心目中，廷·巴特尔不仅是支部书记，也是农艺师、技术员、赤脚医生，不仅是老人的好儿孙，也是同龄人的好兄弟、年轻人的好长辈。牧民们觉得，有事找廷·巴特尔是天经地义的事情。廷·巴特尔自己也说：“这些事，我不管谁管?”

“扶贫帮困是党员的义务，更是书记的责任”

靠着党的好政策，靠着自己的聪明才智和辛勤劳动，廷·巴特尔成了嘎查的富裕户。但廷·巴特尔从未忘记一个共产党员和支部书记的责任：带领牧民走共同富裕的道路。用他自己的话说，“扶贫帮困是党员的义务，更是书记的责任。”

对于贫困牧民，廷·巴特尔总是热情地给以帮助和扶持。他自家的草料、蔬菜、草籽、树苗，只要牧民打声招呼，想拿什么拿什么。他还动员富裕户特别是党员富裕户，与贫困户结对子，以富带贫，共同致富。他自己带头扶持两户贫困户，使他们脱贫致富。

廷·巴特尔对于扶贫是很讲条件的。他和嘎查干部商量决定，先治懒后扶贫，扶贫不能白给，也不再把嘎查的扶贫羊无偿分散于众多贫困户，而改以承包的形式每年集中扶持两户，这两个承包户要通过评比产生。

“评比式扶贫”不仅激发了贫困户经营的责任感和致富的主动性，而且提高了牧民的文明修养和精神境界。

“草原是我们的命根子，也是子孙后代的命根子”

草原在逐渐沙化，这是草原人无法回避的严峻问题。

廷·巴特尔比别人更早地看到了草原生态面临的问题，看到了现行生产方式的弊端，看到了牧民生活方式的缺陷；更重要的是，他能够结合嘎查实际，拿出切实可行的措施来，带领牧民走出了一条生态保护与牧民致富并行不悖的路子。

1983年草畜承包后，由于牧民致富心切，过量养畜，草场超载，加之气候连年干旱，草原沙化日益严重。形势逼人。“保护草原生态已成为今后的头等大事，草原是我们的命根子，也是子孙后代的命根子!”这是廷·巴特尔发出的呼吁。

草原要保护，牧民要致富，这是一对矛盾。廷·巴特尔在两者之间找到了平衡点：改革现行的畜牧生产方式。他的方法是用围栏将草场分隔为6到8个区，其中4个区实行四季轮牧，一到两个区禁牧，一到两个区种植树木和青贮饲料。轮牧、禁牧可使大部分草场得到休养生息；种树有利于涵养水源，保护生态；种植青贮，则可以减少对牧草的消耗，为轮牧、禁牧提供条件。

廷·巴特尔把自己承包的6000亩草场用围栏分为6个区，实行四季轮牧，外加种树、种青贮、打井、补播草籽，还在房后建起了暖棚，夏季种菜，冬季接羔。

效果很快就出来了。廷·巴特尔的草场上，出现了狐狸、狍子和獾，生态日益好转。牧民纷纷照着廷·巴特尔的样子干起来，年人均纯收入增加到3000多元，嘎查草原生态明显改善，防灾抗灾能力大大增强。在廷·巴特尔的影响下，嘎查的多种经营也逐步开展起来。

萨如拉图亚嘎查的牲畜以绵羊为主。牧民的求富心理导致过量繁育羊羔，使草畜矛盾十分突出。为此廷·巴特尔毅然进行牲畜结构调整，忍痛将自家的几百只羊处理掉，改养200余头牛。

从此，廷·巴特尔逢人就宣传他的“蹄腿理论”：“1000只小畜有4000只蹄，200头大畜有800条腿，收入一样，可哪个对草场破坏大呢?”他还补充说：“羊吃草根，四蹄刨草，牛不吃草根，吃饱了就趴在草地上倒嚼，还是养牛好。”

牧民们很快接受了他的“蹄腿理论”，纷纷卖羊买牛，嘎查牧畜结构逐步调整，牧畜数量不断压缩，而牧民收入却看涨。

为了种好树，他在自家院子附近建了一片苗圃试验地，凡是能弄到的树种，他都要试种一下。妻子埋怨他怪人做怪事，廷·巴特尔笑着说：“我亲自做过试验，心里有了谱，再向牧户推广时，不就避免了损失？自己损失点、累点，怕啥?”

“做新时代的新牧民”

廷·巴特尔深知，改善牧民生活，不光要增加收入，还要丰富精神生活，养成文明风尚，除陋习与树新风要并举，两者相辅相成。他与支部成员商量决定，每月开一次嘎查牧民大会，会后举行交谊舞会。后来又把舞会发展成晚会，开展演唱跳舞比赛、技巧展示、男女混合特技赛跑、击鼓传花等等，草原的夜晚不再寂寞，牧民之间的隔阂在娱乐中化解。

现在的萨如拉图亚嘎查，牧民不仅向国家纳税，也热心公益。只要有修路、植树等义务劳动，牧民都踊跃参加，有的牧民甚至全家上阵。功夫不负苦心人。当年生态条件差、贫困落后的萨如拉图亚嘎查，如今已变成了生态改善、文明富裕的嘎查。

“我不愿做都市里供人观赏的花卉/只愿做浑善达克沙地的一棵小草/为牧民遮挡一丝风寒/为草原增添一点绿色/为祖国大地减轻一点沙尘暴的袭扰……”

这是廷·巴特尔写下的诗句，也是廷·巴特尔壮美人生的诠释，更是他扎根草原28年的真实写照。

（摘自2002年6月24—26日《人民日报》）

评论：新时代的草原英雄

巴特尔，在蒙古语中是“英雄”的意思。内蒙古自治区阿巴嘎旗萨如拉图亚嘎查党支部书记廷·巴特尔同志，是名副其实、当之无愧的草原英雄。

作为一个知识青年，一个高级干部的儿子，廷·巴特尔多次放弃回城机会，自愿扎根草原，一干就是28年。这28年中，我们的国家、我们的社会发生了巨大而又深刻的变化。但无论怎样变化，共产党人全心全意为人民服务的宗旨不应改变，艰苦奋斗、无私奉献的优良作风不应改变。在这个意义上说，廷·巴特尔同志当年作出扎根草原的选择和今天带领牧民发展生产力，实践“三个代表”的突出业绩，都述说着一个有志青年、一个党的基层干部，应该具有怎样的远大理想和高尚情怀。

廷·巴特尔同志的先进事迹给我们以深刻的启示。

人民的需要才是价值，无私奉献才是幸福。“牧民离不开我，我也离不开牧民。”这是廷·巴特尔放弃回城机会，留在草原的根本原因。他把牧民的需要视为自己的需要，视为实现人生价值的契机和动力，20多年来勤勤恳恳，扎扎实实，殚精竭虑，孜孜以求，为牧民致富、为保护草原贡献了自己的青春、智慧和力量，赢得了牧民群众的高度评价和衷心爱戴。与那些仅仅满足一己之需、贪图个人享受的庸碌人生相比，究竟哪一种人生更幸福，哪一种人生更有价值，廷·巴特尔以自己的实际行动为我们做出了回答，牧民群众也以他们朴实的语言和纯真的情感为我们做出了回答。

立足一线，扎根基层，艰苦创业，把自己的知识、技能和青春年华奉献给祖国和人民，在为国家现代化建设的奋斗中实现人生价值，是一切有志之士成长、成才的必由之路。一线、基层、实践和群众，构成了无限广阔、无比幸福、极其生动的舞台，期待着人们去开拓事业，施展抱负，大展宏图。廷·巴特尔能创造今天的业绩，赢得群众的爱戴，获得崇高的荣誉，都与当年他确立扎根草原、服务牧民的人生目标并始终不渝地为之奋斗，有着直接的关系。

廷·巴特尔的成就和事业，说到底，根源于一个共产党员正确的世界观、人生观、价值观，离开了这一点，就谈不上建设草原、服务人民、奉献社会。

革命战争年代，党和人民需要冲锋陷阵、赴汤蹈火、杀敌立功的英雄；改革和建设年代，党和人民需要苦干实干、无私奉献、与时俱进的英雄。廷·巴特尔正是这样一个在28年艰苦奋斗中创造出不平凡业绩的具有时代精神的英雄人物。他的思想和精神可钦可敬，可望可及，教育和感召着广大党员和群众。向廷·巴特尔学习，我们党的队伍中必将涌现出更多的深受人民群众爱戴的英雄模范。

（2002年6月24日《人民日报》）

韩行通

韩行通（1945年—　　），中共党员，辽宁省大连市南贫沟屯党支部书记。

通讯：山路弯弯写忠诚

20年前，37岁的韩行通揣着“先富起来”的梦进城经商。1997年，已拥有千万家财的韩行通变卖企业，怀着“共同致富”之愿回到家乡。

短短5年间，韩行通带领群众将一个“枣荆子镶边，千层板打底”的秃屯变成了“花果山”似的福地，劳动力人均年收入从2000元跃升为8000元。

踏上共同致富路

韩行通永远也忘不了回乡的那个冬天。穿过寂静小路，村口，两间土屋在寒风中“抖动”。这就是“屯部”？10多年了，一点没变，只是添了几许岁月的沧桑。

韩行通从乡亲们口中了解到，虽然党和政府很关心这缺水少地的“白云深处”，但救济不敌贫瘠，镇里甚至一度计划将其“取消建制，整体搬迁”。韩行通的心在战栗，一股湍流在撞击：变卖企业，回乡创业。只有大伙儿都富起来了，自己的奋斗才有意义！

春节刚来，韩行通就提出承包与南岔沟村企合一的庆安开发公司。1997年3月8日，韩行通任南岔沟村民小组组长、庆安开发公司经理。

凝聚人心最重要。韩行通把屯里18名党员派到公司各个重要岗位，首创了屯监督委员会，成员全是村里德高望重的老人、老党员或当过村干部的。韩行通说：“他们什么事都管，首先是管我。”

韩行通一次次派人去山东、河北取经，路费、学费全由他出。他说：“这是给乡亲们寻找致富的‘金钥匙’，花再多钱也值！”终于，南岔沟人找到了这把“金钥匙”：瞄准国内外市场，发展名特优果品。

南岔沟人果断淘汰了8000多棵老果树，由韩行通投资150万元，在现有540亩土地上栽种新品种。他们从不毛之地中垦出310亩新地。

树栽上了，缺水问题凸现。韩行通大手一挥：“治水！”他带领大伙日夜奋战90天，5.5万立方米的通源水库终于竣工，530亩土地灌溉、460人生活用水难题迎刃而解。以色列自动滴灌设备接踵引进，果树灌溉从此无患。

回乡第一年，韩行通承诺的年终分配兑现，全村劳动力人均年收入5000元。

当年“屯部”两间土屋旧址上，一个集办公、文娱、学习为一体的综合楼拔地而起。上梁那天，一副对联格外醒目：幸福不忘共产党，致富不忘领头人。

架起干群连心桥

芳菲四月南岔沟水泥大道两旁，木菊、黄洋球、鱼叶梅、紫薇，姹紫嫣红，山东的大红灯樱桃、大久宝桃子、富士苹果，河北的鸭梨、雪梨、巴梨，意大利的早红，美国的沙蜜豆……98个新品种、2万多棵果树，将850亩土地点缀得如诗如画。

村口，一座钢筋水泥大桥名曰“连心”。韩行通回乡当年，就拿出185万元用于改变山村环境。5年来，韩行通在基础建设上累计投入了800多万元。有人对此不理解。韩行通却说，“我是在党的改革开放政策指引下先富起来的”，要以自己的实际行动回报家乡父老，让他们也享受到党的好政策的丰硕果实。

在带领乡亲们共同致富的实践中，在党组织的热忱帮助下，韩行通逐步完成了向“党的人”的思想转变，光荣地加入了中国共产党，后来又被选为党支部书记。

韩行通的人生在不断升华。他说，“我过去未进党的门，先做党的人。现在做了党的人，更要为党添光彩”。

他身上有个记事本，哪家有困难，记得清清楚楚。韩行通到底资助困难户多少钱，乡亲们说：“看得见，数不清。”

韩行通病倒了。糖尿病并发症，尿蛋白4个加号。乡亲们心疼、着急，纷纷找到党支部：“让我们去医院看看老韩吧，他是为乡亲们累倒的！”韩行通闻讯热泪长流：“作为一名共产党员，还有什么荣耀比得上乡亲们的这份真情呢？”

筑起山乡文明道

南岔沟这个远近闻名的穷山沟，如今成了劳动力年均收入8000元的富裕村。韩行通又有了新的想法：“现在乡亲们富裕了，需要健康向上的文化生活。我想组织一个秧歌队，让大伙儿有个乐的地方。”他掏钱买来了100套秧歌服装和道具。秧歌队越扭越红火，扭出了名气，扭到了大连市第十三届服装节的大型广场文艺晚会上，引得许多外国贵宾和秧歌队合影留念。

屯里建起了党员活动室、图书室、阅报栏，并为每户订了一份报纸，各家门口都设了报箱。

这几年，村里、镇里，无论是优秀党支部评选，还是计划生育、卫生评比，南岔沟都名列前茅。过去太阳一落山，山里人就凑到一起打麻将。现在的南岔沟人，习惯到屯里的图书馆看看书，到文化室活动活动。小偷小摸、打架斗殴现象在此绝迹。

为了让乡亲们看看祖国的大好河山，1998 年，韩行通自己掏钱，领着南岔沟 22 位从未出过远门的老人去北京旅游。7 天时间，韩行通带领老人们看天安门、看升国旗仪式、看长城……

（摘自 2002 年 7 月 8 日《人民日报》）

评论：做“三个代表”的忠诚实践者

在千千万万名共产党员中，韩行通是一名有着一些特殊经历的党员。他出身农民，改革开放后进城经商，靠勤劳发展成为拥有千万家财的私营企业主。而后他又毅然变卖了个人企业。返回家乡，先后出资数百万元带领乡亲脱贫致富。他以带头致富、带领群众共同致富的实际行动，对共产党员如何实践“三个代表”重要思想这一重要问题作出了响亮的回答，是我们学习的榜样。

韩行通的事迹启示我们，做“三个代表”的忠诚实践者，就应当始终把全心全意为人民谋利益放在第一位。他深怀爱民之心，最看不过乡亲们有难过不下去，只要看见了就不惜个人钱财，慷慨相助。入了党、当了带头人后，他恪守为民之责，善谋富民之策，一心一意为百姓办好事，深受群众的拥护和赞扬。江泽民同志在“七一”重要讲话中指出：“我们党始终坚持人民的利益高于一切。党除了最广大人民的利益，没有自己特殊的利益，党的一切工作，必须以最广大人民的根本利益为最高标准。”全心全意为人民服务，立党为公，执政为民，是我们党同一切剥削阶级政党的根本区别。始终代表中国最广大人民的根本利益，既是“三个代表”的根本出发点和落脚点，也是党的各项工作的根本点和归宿。在新的历史时期，能不能始终代表最广大人民群众的根本利益，始终坚持全心全意为人民谋利益，既是对党的考验，也是对全体党员的考验。每个共产党员都要像韩行通那样，时刻牢记党的教诲，自觉坚持党和人民的利益高于一切，想群众之所想，急群众之所急，帮群众之所需，解群众之所困，实现好、发展好、维护好人民群众的利益，努力成为让群众满意的好党员、好干部。坚决反对那些脱离群众，凌驾于群众之上，对群众的疾苦漠不关心，麻木不仁，甚至做出侵害群众利益的行为。

韩行通的事迹启示我们，做“三个代表”的忠诚实践者，就应当自觉地把实践“三个代表”与加强党性修养紧密结合起来。韩行通之所以能够忠诚地实践“三个代表”要求，首先源于他对党的热爱和高度的党性。

他致富思源，不忘党恩，正如他所说，“没有党的改革开放政策，就没有我的富裕”。入党前，他就对党一往情深，始终追求政治进步，要求自己“未进党的门，先做党的人”，把加入光荣的中国共产党作为自己人生的最高追求。入党后，他自觉地把自己置于党组织的教育、管理和监督之下，把个人事业追求与实践党的宗旨统一起来，带领群众艰苦创业，以苦干实干、无私奉献的实际行动，实践着自己的“生是党的人，死后留清名”的诺言。韩行通的先进事迹充分说明，坚强的党性是实践好“三个代表”的重要保证。目前，我国经济总体上还不发达，在广大农村，有许多人刚刚脱离温饱水平，还有一部分人生活困难，处于贫困状态。带领全国人民建设小康社会，加快推进社会主义现代化建设，是我们党进入新世纪所肩负的三大历史任务之一。对于广大党员特别是农村广大党员来说，坚定地跟党走，坚定社会主义信念，坚持带头致富和带领群众共同致富，在各自的岗位上勤勤恳恳、任劳任怨、恪尽职守地为党和人民的事业努力工作，是履行党员义务、发挥党员先锋模范作用的基本要求，也是新形势下共产党员党性的直接体现。尤其是那些通过辛勤劳动，已经走上致富路的党员，更要做到“致富思源、富而思进”，“先天下之忧而忧，后天下之乐而乐”，把保持共产党人的先进性落实到支持和帮助群众共同致富的实际行动上来，正确认识党的领导和社会主义制度是个人致富的根本保证，放宽眼界，摆正个人与群众、个人与组织的位置，大力弘扬艰苦创业精神，团结和带领周围群众共同致富，坚定地走建设有中国特色社会主义的道路。

韩行通的事迹还启示我们，做“三个代表”的忠诚实践者，就必须身体力行，从实实在在的事情做起。韩行通宣传贯彻“三个代表”，不是喊口号，不是装门面，不是做样子，而是把“三个代表”的要求同农村的具体实际紧密结合起来，从群众最关心的事情做起，从群众最能得实惠的事情做起。他积极采用先进的科学技术、生产方式和管理方式发展农村经济。他注重帮助乡亲们开阔眼界，改变封闭、守旧、狭隘的陈旧观念，在大力发展经济的同时，他同样重视精神文明建设，用积极向上的先进文化和文明健康的生活方式团结群众，鼓舞群众，凝聚群众。正是从韩行通身上，从他为群众做的每一件好事、实事上，乡亲们看到了党的形象，感觉到“三个代表”就在身边。党员是党的细胞，党员的形象直接关系到党的形象，党的主张只有转化为广大党员的自觉行动才能得到彻底的贯彻。因此，我们党要始终做到“三个代表”，就需要有千千万万个韩行通式的党员，自觉地聚集在党旗下，按照“三个代表”要求，以饱满的热情，旺盛的斗志，科学的态度，在各自的岗位上勤奋工作，为实现中华民族伟大复兴的宏伟事业贡献自己的力量。

（2002 年 7 月 8 日《人民日报》）

孙凤阳

孙凤阳（1960 年— ），中共党员，北京军区某集团军直升机团团长。

通讯：猎鹰傲视天地间

荣立过一等功的特级直升机飞行员，中国精锐陆军部队的武装直升机团团长孙凤阳，42 岁的人生航迹像他的惊险飞行表演一样，充满着一个接一个的挑战和突破。

孙凤阳 16 岁应招进入空军某航校，17 岁在同批 44 名学员中第一个放单飞，19 岁成为所在部队历史上最年轻的机长……1985 年，年仅 25 岁的孙凤阳已是北京军区空军航运团具有四种气象飞行能力的机长、指挥员和教练员。也就是这一年，中央军委作出了组建陆军航空兵的决策。两年之后，第一支直升机部队正式编入陆军集团军，孙凤阳成为其中的一员。

如果把运输直升机比做温和的飞鸽，武装直升机就是勇猛的猎鹰。武装直升机的出现，使陆战形态发生了质的变化。早在中国陆航部队诞生之前，世界上已有 30 多个国家拥有了陆军航空兵。

路在人的脚下，长空在猎鹰的翼下。从零开始的孙凤阳和战友们急起直追。

“莱韦斯曼”这套 70 度大俯角、大仰角来回俯冲跃升的飞行动作的危险性在于，稍有疏忽便会导致直升机失控。国际上，能飞这个动作的都是顶尖飞行员。国内能完成这套动作的，更是凤毛麟角。

孙凤阳决心把这套表演动作改造为实战动作。

从 40 度角开始，孙凤阳向“莱韦斯曼”发起挑战：50 度，60 度……经过千百次炼狱般的剧烈俯冲和腾空拉起，3 个月后，孙凤阳把这个一级风险科目由 70 度刷新到 80 度，实现了我军直升机飞行史上的一次艰难的跨越。倒飞盘旋、悬停点头、水平梅花、U 型起飞、O 型着陆……孙凤阳一连飞出了陆军航空兵的 34 项第一。

孙凤阳力求每一次起飞都有一次新的突破。当几家航空公司的试飞员不愿承担国产武装直升机投产前的最后一次发动机负载极限试飞时，远在千里之外的孙凤阳主动请求：“我来飞！”

这是以生命作代价的试飞。一旦发生意外，直升机就会瞬间解体。

机声轰鸣。直升机在一片焦虑的目光中起飞。在 3000 米高空，孙凤阳来了个紧急减速，这是真正的超越极限飞行。孙凤阳使出浑身的解数，一直将速度猛提到超过最高设计时速 20 公里，武装直升机犹如一道黑色的闪电，在蓝天大地间上下穿越。孙凤阳以一系列惊险多变的战术动作，检测出战机的近百个性能数据。

面对日新月异的新军事革命，团里建起模拟对抗网，全团官兵可以随时在网上进行战术讨论、模拟教学和攻防演练。在他的资料库中，储存着3000多万字的文字资料和80多种型号的直升机图片。飞行天地、外军研究等充满前沿知识、独到见解、超前思维的8个栏目，每天都吸引着全团的官兵……

他创造的“指标训练法”、“超越训练法”，使飞行员的训练周期缩短了2/3；他撰写的《陆军航空兵发展趋势》、《陆军航空兵与多兵种联合作战中应把握的问题》等20篇论文，引起上级关注；他主持制定、编写的16种军事训练法规和飞行训练教材，已开始在全军陆航部队推行试用。

燕山深处，浓云密布。尽管气象部门一再建议取消飞行计划，孙凤阳仍然决定利用10时至12时之间两小时相对稳定的气象，奇袭“蓝军”——这是一场现代化的演兵。孙凤阳率队机警地在“蓝军”强大的电子侦察干扰和密织的弹雨中迂回穿梭，直扑“蓝军”阵地。

然而，几团飞卷的低云突然遮住了他们攻击的目标——山脚下的死角里，两座坚固的碉堡。如果不在这短短的60秒中摧毁目标，直升机只能在这次演兵中扮演看客的角色了。

孙凤阳寻机改变攻击队形，贴着一条干涸的河沟掠地飞行，穿过“蓝军”火力封锁，从另一侧发起攻击。就在导弹喷着明亮的尾焰以令人吃惊的精度钻进“蓝军”碉堡射孔时，长空中响起了炮弹的呼啸声——但此刻，一切已有惊无险……

也许是苍天为猎鹰的机警勇敢所感动，机群返航途中，一道彩虹出现在天空。

（摘自2002年7月29日《人民日报》）

评论：可敬的精神

在纪念中国人民解放军建军75周年之际，本报对人民军队建设取得的成就进行了一系列的报道。今天本报又发表记述我军陆航部队钻研现代化、献身国防建设的陆航团长孙凤阳同志先进事迹的长篇通讯——《猎鹰傲视天地间》，作为献给建军节的一份礼物。

孙凤阳是中国人民解放军第一代陆航人。作为伴随我军陆军航空兵一同成长起来的军人，他以强烈的历史使命感和时代精神，全身心地投入我军现代化建设。他刻苦钻研本职业务，努力学习现代科技知识，练就了一身过硬的飞行本领；他带领团队艰苦创业，与时俱进，开拓创新，取得优异成绩，多次受到江泽民等党和国家领导人的检阅。孙凤阳为我军陆航部队的建设做出了突出贡献，是一位可敬的开拓者。

中国人民解放军75年的建军史，是人民军队在党的三代领导集体领导下不断成长壮大，从胜利走向胜利的历史。今天，我军的现代化水平提高了，国防力量增强了。但是，面临世界军事技术发展的挑战，我们要与时俱进，开拓创新，进一步加强部队的革命化、现代化、正规化建设。创新是社会发展的不竭动力，也是推进军事科技向前发展的无穷力量。全军指战员要认真贯彻执行江泽民总书记关于要与时俱进、开拓创新和科技强军等一系列重要指示，像孙凤阳那样，刻苦钻研现代军事科学技术，加强我军现代化建设，更好地肩负起保卫祖国的神圣使命。

孙凤阳也是全国人民学习的榜样。随着改革开放的深入，社会主义市场经济的发展，人们的利益取向、价值观念也发生了变化。在新的形势下，我们到底树立什么样的理想信念，应该有什么样的人生追求，怎样处理个人利益同国家、集体利益的关系，如何看待无私奉献、爱岗敬业等等，这是我们每个人都会面临的考题。面对这些考题，孙凤阳向党和人民交上了一份份优秀的答卷：为了我军的陆航事业，他举家从北京迁至一个小城郊区；他不为金钱所动，拒绝地方公司的高薪聘请；他不惧危险，不惜流血牺牲，创新飞行技术，挑战飞行极限，创造了我军陆航史上多项第一。向孙凤阳学习，就要学习他干一行钻一行的敬业精神，学习他紧跟时代勇于开拓的创新精神，学习他不为名不为利的奉献精神，把建设有中国特色社会主义的伟大事业推向前进。

（2002年7月29日《人民日报》）

刘坤洲

刘坤洲（1949年— ），中共党员，山东省潍坊市坊子区光明中草药种植基地经理、党支部书记。

通讯：忠诚浸红创业旗

刘坤洲，这位共和国的同龄人挺过了人生、事业上的道道难关，打造出了转岗创业的串串奇迹。

“人是要有一点精神的。我刘坤洲从来就不是个软皮蟹子”

刘坤洲当过兵，服役当年就入党，多次被评为“五好战士”、“技术标兵”；1980年他以正连职干部的身份转业到潍坊市寒亭区人民检察院；曾任坊子区商业局办公室主任；1994年调任坊子区泰峰肉鸡有限公司党支部书记兼副经理。

然而，市场无情。1997年，泰峰肉鸡公司破产倒闭，刘坤洲和公司的职工都下了岗。当他回到家里面对下岗几年的妻子，品学兼优、正读中专的儿子，还有常年卧病在床的80多岁老母时，作为全家“顶梁柱”的刘坤洲一下子跌入了痛苦的漩涡之中。

夜深人静，辗转难眠，难忘的军营经历，激起他心中豪情一片。性格倔强的刘坤洲很快振作起来，他没有怨天尤人，而是走上了一条自食其力的自救之路。卖菜、养猪……刘坤洲尝尽了谋生的艰辛。

1997年10月，他得知离家不远的西岭村有30亩荒地已闲置多年，就与妻子合计还是种点地先解决吃饭问题吧。就在这片荒地上，刘坤洲迈出了二次创业的第一步。人勤地不懒，只过了一年，地里的庄稼就帮他还清了欠账。

2000年底，老家的侄子来探亲，看到又黑又瘦的刘坤洲，一下子哭了，侄子要给刘坤洲养老，可他却不肯回老家。侄子拗不过他，就给他提供了一条土里生金的信息：老家近年来种中草药的农民越来越多，一亩地可挣一两千元，比种粮食强多了。

刘坤洲心头一亮，他把16亩丹参苗种到了地里。刘坤洲边干边学，先后啃下了《药用植物学》、《中草药种植》等10本专业书籍。终于，半年多心血结出了丰硕的果实，这一年，他挣了2万元。第二年，他又增种了黄芪、板蓝根等十几个品种。

“工作可以下岗，但党员的责任和义务不能下岗”

泰峰公司的破产倒闭，对公司的大多数职工来说，是一个苦涩的结局。不少职工来找他，向他诉说下岗后的困难。

刘坤洲的心一下子被刺痛了，“一定要干出个名堂，闯出条道来，为大伙做个好样子！”刘坤洲暗暗下了狠心。

天道酬勤。经过反复实践，刘坤洲的中草药种植获得了初步成功。于是，他找来原公司的7位党员，把他们领到丹参地头，给每人一把镬，动情地说：“种这东西风险小、本钱少，能挣大钱。你们只要相信我老刘，咱们就一块干！”7个汉子的心里顿时热腾腾的，8双大手紧紧地握在了一起。

2001年6月20日，新的党支部在种植基地成立了。刘坤洲以全票当选为党支部书记，他领着党员们重温了入党誓词，响亮地喊出“工作可以下岗，但党员的责任和义务不能下岗”的口号。新的支部成员分头去其他下岗职工家做工作，把他们带到药田里。

看到部分人仍瞻前顾后，举棋不定，刘坤洲不厌其烦，耐心开导：“我们不能总是怨天尤人，失去了一个‘铁饭碗’，我们要靠自己的干劲和本事去挣一个‘金饭碗’……”不到一星期，原公司37名下岗职工全部“报到”。

“越是困难的时候，越能看出共产党员和军转干部应有的本色”

提起这几年的种种经历，一向要强的刘坤洲的妻子马兴敏笑了，开始“埋怨”起老刘来。“老刘心眼实、心肠热，好不容易找到条种草药的正经路子，以为家里从此要过上安稳日子了，没想到他又把原先的伙计拢了过来。”“他就是这么个人，自己找到碗好饭忘不了大伙。”

对尝尽了生活的酸甜苦辣的刘坤洲来说，就像他种的那些中草药，要求于人的甚少，给予人的甚多。如今，刘坤洲创办的种植基地已成为远近闻名的中草药种植示范园，带动全区180多个村的农民发展中草药近5000亩。

2002年7月，山东省人民政府授予他山东省模范军转干部荣誉称号。山东省委、省政府、省军区向全省发出了关于向刘坤洲同志学习的决定。

面对荣誉，刘坤洲动情地说：“我作为一名受党和军队教育、培养多年的干部，更要知党情、报党恩，不能给党和政府添麻烦。越是困难的时候，越要为国分忧，越能看出共产党员和军转干部应有的本色!”

（摘自2002年8月2日《人民日报》）

评论：忠诚，岂止在军营

山东省模范军转干部刘坤洲的事迹感人至深。这位前半生红红火火的军转干部，面临下岗的人生逆境，不怨天尤人，也不等不靠，白手起家，顽强拼搏，在黄土地上闯出了一条成功之路，把30多名下岗职工又团结在党的旗帜之下。

“作为一名受党和军队教育、培养多年的干部，更要知党情、报党恩。越是困难的时候，越要为国分忧，越能看出共产党员和军转干部的应有本色!”刘坤洲的肺腑之言，发人深省，感人至深。

对党的事业无限忠诚，是人民军队培育出来的优秀品质。在绿色军营中，有不少热血男儿像刘坤洲一样，为党的事业、为人民军队的建设流血流汗，尽心尽力。然而在离开军营之后，特别是在遇到困难的时候，怎样才能保持共产党员和革命军人的革命意志？刘坤洲用实际行动作出了最好的回答。他在平凡岗位上埋头苦干、默默奉献，在困难面前自强不息、勇于拼搏，在市场经济大潮中锐意进取、开拓创新，发扬了人民军队的优良传统，充分展现了一名模范军转干部顾全大局、艰苦创业、为国分忧的高尚品质和宽广胸怀。

希望广大党员和转业复员退伍军人，都能向刘坤洲同志学习，增强光荣感和责任感，积极投身改革开放和现代化建设的伟大实践，为国分忧，为民尽力，为军争光，为党和人民再立新功。

（2002年8月2日《人民日报》）

郑培民

郑培民（1943—2002年），中共党员，1983年至1991年，先后担任湘潭市委副书记、书记，湘西土家族苗族自治州州委书记。1992年10月至1995年10月，任湖南省人民政府副省长。1995年10月，任湖南省委副书记。2001年1月，当选为湖南省人大常委会副主任，同年11月起主持湖南省人大常委会工作。

通讯：公仆本色

重任

1990年5月，湘潭市委书记郑培民被调往湘西土家族苗族自治州，出任州委书记。湘潭和湘西，一字之差，天壤之别。多年来，省委一直把湘西的脱贫致富放在突出位置。

郑培民一上任就问：“哪个村子最穷啊?”随后，就去了叭仁村。“叭仁”是苗语，意思为山顶上。他是住过这里的最大的领导。叭仁是个为水发愁的村庄。郑培民去调查后，政府为村子通了水，拉了电。村民们再不用走上8公里路，拎着重重的木桶，吃力地到山沟里去提水了。

两年多时间，郑培民跑遍了全州218个乡镇，住过30多个乡镇。

时隔多年，他在州干部大会上说过的话还像楔子一样钉在人们脑海里：来湘西“三生有幸”；在湘西“埋头苦干”。

自治州开始推行“双两大”地膜玉米新技术。

郑培民不是坐在办公室里指挥，他带着机关干部下地，自己弯着腰在田里干活，给农民演示。书记的行动也是推行农业新技术的“科教示范”，从这一年起，全州的粮食开始自给。

学理工出身，又来自工业较发达的湘潭市，郑培民无疑比其他人更具有现代化的工业理念。

湘西州20世纪五六十年代发展起来的小水电，为自治州的发展起步奠定了基础。然而，小水电受着季节的制约，也制约着湘西的进一步发展。果断决策：引进大电网。

郑培民在前任扩建湘泉酒厂的基础上，又进一步支持了这个酒厂的三期扩建。如今，壮大起来的湘泉酒厂已成为上市公司。

火禾公路，在凤凰县火炉坪乡500多户群众的心中，大得像一片天。修这条公路时，郑培民领着技术人员，吃着缓解心脏病的药，晃晃悠悠地攀上悬崖峭壁去勘察。

十几公里的火禾公路打通了，是全州标准最高的乡级公路。火炉坪乡的苗族群众坚持要把剪彩的光荣留给郑培民，哪怕是为了郑培民繁忙的工作，把公路正式通车的日子一推再推。

真　情

在湖南，常常会听到人说：“培民书记是我的好朋友。培民书记像我的好兄长。”说这话的人大都是普通百姓。

做官先做人，万事民为先，这句话出自郑培民的心。即使当了大干部，郑培民还是像一棵永远不会离开大地的大树，他的根系牢牢地扎在“人民”二字上。

凡是群众写给他的信，郑培民总是坚持自己拆看。下农村，郑培民要到农民家去，掀开锅盖，瞧瞧吃的什么饭；看看猪圈牛栏的家畜，撩开蚊帐摸摸农民床上的被褥。郑书记还爱在农民家吃饭，筷子直奔油辣的农家菜，粗糙的饭食也嚼得津津有味。有时，他还会宿在农家。对郑培民来说，他与普通的百姓，压根是长在一起的，他的心为他们而快乐，为他们而疼痛。

砥　柱

1998年，湖南常德市安乡县，身受长江和澧水、沅水三大水系夹击。正当人们惶惶不安，没有主心骨的时候，郑培民来了，他安营扎寨，住进了黑洞洞的县委招待所。

郑培民在安乡指挥了三大战役：赶在洪水扑到之前，抢修了一条11公里的隔堤，保住了安乡县城；指挥堵塞书院洲溃口，用血肉之躯扼住了洪水之喉；湖北境内的黄金大院溃决后，统帅抗洪大军进行了一场惊心动魄的北大堤保卫战，拒千里洪峰于湖南重镇常德市之外……

抗洪期间，郑培民平均一天只睡两个小时，情况紧急时甚至还要冲上去搬麻袋抢险，这对他这样一个身患高血压、心脏病和糖尿病的人来说，实在是太危险了。

郑培民在大堤上，整整呆了60多天，400公里的长堤在他脚下踏过不止一遍。回到家里，掉了10多公斤肉的郑培民对妻子说了实话：“这次抗洪，是对我生命极限的挑战！”

考　验

比起普通百姓，领导干部会更多地面对诱惑和考验。在领导岗位上真正做到固守操守，承受考验，比常人更难。在老百姓眼里，郑培民就是个在廉政问题上一辈子干干净净、只做好事的人。

对于下级单位送的礼物，郑培民从来是能拒就拒，自己拒不了就让秘书去退。从20世纪80年代起，郑培民就先后担任市委书记、州委书记、副省长、省委副书记，又曾长期分管全省农业、文教、政法和党群工作，可谓位高权重。但他总强调，“情浓钱淡，永葆清白”，“君子之交淡如水”。

“对待身外之物，要铁石心肠。”郑培民写得清楚，做得更明白。

家　风

郑培民的家，是尽人皆知的美满家庭，郑培民很爱他的妻子和儿女。只是他从不用手中的职权来表达这份感情，他深知，权力是人民给的，是为人民做事的。

几十年中，郑培民的职位一直在变动，而他的妻子杨力求的工作单位只变动过一次，就是从湘潭市新华书店调到了省新华书店，职务仍然是一名普通职工。

妻子敬重郑培民的为人，更注重维护丈夫的形象。杨力求有个“三不”：不帮人向郑培民带任何信，不传口信，不接受任何礼品。他们的儿子说：“在廉政问题上，爸爸把前门，妈妈守后门。”

郑培民曾这样鼓励自己的孩子读书上进，“与其我留给你们财富，不如给他们留下创造财富的能力。读书，就是创造财富的能力！"

呼 唤

2002年3月11日，郑培民被抽调到北京参加中央干部考察组，工作中，急性心肌梗塞突发。一棵生命的大树就这样倒下！

北京八宝山革命公墓，胡锦涛等中央领导和近千人为郑培民送行；在长沙多少群众围在省委大院郑培民的家门外，痛哭失声！

听说郑培民去世，火禾公路指挥部的8个成员坐在一起，两个小时，不闻人语，只闻人泣；郑培民的扶贫点——湘西凤凰县安坪村，全村的男女老少汇聚在一起追悼郑培民，百姓的泪和湘西的雨交织！湘西的老百姓要自己出路费，到北京和长沙来送郑培民！

"书有未曾经我读，事无不可对人言。"郑培民去了以后，组织上派人整理他的办公室，清理出来的，只有一本本的工作笔记。上善若水。郑培民的生前身后，都透明如水，洁净如水，经得起任何形式的翻检！

倒下的郑培民，擎起来的是精神上的火炬。"大浪淘汰，警钟长鸣，不忘宗旨，永葆本色"，已经变成了宝贵的精神遗产。

（摘自2002年10月14日《人民日报》）

评论：坚持执政为民 当好人民公仆

在我们党的领导干部队伍中，涌现出许许多多全心全意为人民服务的好干部。上个世纪60年代，县委书记焦裕禄的模范事迹曾传遍神州大地，激励着千千万万干部群众忘我地投身社会主义建设事业。90年代，地委书记孔繁森无私奉献的宝贵精神，再次在党员干部中形成了强烈的震撼，成为人们争相传颂和学习的典范。进入新世纪，正当我们以新的精神风貌迎接党的十六大召开之际，又出现了一位焦裕禄、孔繁森式的好干部——郑培民。他感人至深的事迹，谱写了新形势下忠诚实践"三个代表"重要思想、当好人民公仆的动人篇章。郑培民是党的高级领导干部的优秀代表，是每一位党员干部特别是领导干部学习的榜样。

全心全意为人民服务，立党为公，执政为民，这是我们党的根本宗旨和对党员干部的要求。党80多年的奋斗历程表明，我们党要继续站在时代前列，带领人民胜利前进，必须始终做到"三个代表"。"三个代表"归根到底就是要代表最广大人民的根本利益。贯彻"三个代表"要求，本质在于坚持执政为民。坚持执政为民，必须落实到每一个共产党员全心全意为人民服务的行动中，体现在各级领导干部当好人民公仆的实践中。从焦裕禄到孔繁森，再到郑培民，虽然他们所处的环境有所不同，担任的职务有所不同，但他们坚持执政为民的本质是相同的，当好人民公仆的本色是相同的。

学习郑培民，做执政为民的好公仆，就要像他那样时刻摆正同人民群众的位置，心系人民群众，深怀爱民之心。郑培民经常告诫自己，"做官先做人，万事民为先"。在他20多年的领导工作中，尽管岗位多次变动，职务越来越高，但他始终是老百姓的"好朋友"、"好兄长"，始终保持着对人民群众不变的情结。"意莫高于爱民，行莫厚于乐民"，在郑培民身上得到了真实的体现。在新的历史条件下，各级领导干部都应像郑培民同志那样，切实增强群众观念，时刻把人民群众的安危冷暖放在心上，把人民拥护不拥护，赞成不赞成，高兴不高兴，答应不答应，作为我们想问题、办事情、做工作的出发点和落脚点，切实为人民群众办好事、办实事。当前，尤其要关心城市下岗职工的再就业和农村贫困人口的生产生活，切实为他们排忧解难，及时把党和政府的温暖送到他们心坎上。

学习郑培民，做执政为民的好公仆，就要像他那样恪守为民之责，始终把为人民谋利益作为自己不懈的人生追求，以强烈的事业心和忘我的敬业精神，干实事求实效。"当干部就是要多做造福人民的事。"这是郑培民常说的一句话。在他领导过的地方和曾分管的每一领域，留给世人的虽然不是眼见耳闻的大"工程"，但都是为群众办实事、谋发展、铺路子的实实在在的政绩。发展是执政兴国的第一要务，也是人民群众根本利益所在。在推进改革发展、为人民谋利益的问题上，各级领导干部一定要有一种时不我待的紧迫感，始终保持与时俱进、奋发有为的精神状态，勇于实践，勇于创新，求真务实，真抓实干，真正做到当一任领导、兴一方经济、富一方群众、建一方文明、保一方平安，上不愧党、下不愧民。

学习郑培民，做执政为民的好公仆，就要像他那样不畏艰难，带头弘扬艰苦奋斗的革命精神。作为一名党的干部，在艰苦的工作和生活环境中，能否保持旺盛的斗志，这是一种考验。当经济发达了，物质条件改善了，特别是地位变了、职位高了，能否继续保持和发扬艰苦奋斗的优良作风，这更是一种严峻的考验。郑培民从不贪图安逸，不论在什么岗位上，他都带头与群众同甘共苦，艰苦创业。“历览前贤国与家，成由勤俭败由奢”。各级领导干部一定要有吃苦在前、享受在后的思想境界，不管在任何时候都始终保持艰苦奋斗的优良作风，决不能在工作和生活中搞特殊化。只有这样，才能得到人民群众的衷心拥护和爱戴。

学习郑培民，做执政为民的好公仆，就要像他那样一身正气、两袖清风，始终保持共产党人的高尚情操和优秀品格。郑培民常说，“情浓钱淡，永葆清白”。他去世后，组织上在整理他的遗物时，清理出来的只有一本本工作笔记和生活日记。面对这样一面闪光的“镜子”，我们的领导干部能不好好地用来照一下自己吗？“大浪淘沙，警钟长鸣，不忘宗旨，永葆本色”，这16个字，是郑培民的座右铭，也应当是所有领导干部经常审视自己、鞭策自己、提高自己的宝贵箴言。

郑培民同志坚持执政为民、当好人民公仆的模范行为，来源于他对党和人民的事业的无限忠诚，来源于崇高的理想和坚定的信念，来源于加强世界观改造和党性锻炼的高度自觉性。他始终坚持认真学习马列主义、毛泽东思想、邓小平理论和江泽民同志“三个代表”重要思想，并自觉地指导自己的思想和行动，牢固树立正确的权力观、地位观、利益观。他坚持讲政治、顾大局，在任何时候、任何情况下，都把党的利益、人民的利益放在首位，从不计较个人得失。他光明磊落、公道正派，在处理同志间的关系和选人用人问题上从不搞团团伙伙，从不居功诿过，从不隐瞒自己的观点。他40多年的日记既是一名党的高级干部高尚情怀的写照，又是他自觉改造世界观，不断自重、自省、自警、自励的真实记录。

当前，我国已进入全面建设小康社会、加快推进社会主义现代化的新的发展阶段。实现新世纪新阶段的新目标新任务，需要千千万万个郑培民式的优秀领导干部。只要我们的党员干部特别是各级领导干部始终牢记党的宗旨，忠诚实践“三个代表”重要思想，永葆人民公仆本色，我们党就能坚定地站在时代潮流的前头，团结和带领全国各族人民，克服各种困难，在建设有中国特色的社会主义道路上实现中华民族的伟大复兴。

（2002年10月14日《人民日报》）

方　工

方工（1951年—　　），中共党员，北京市检察院第一分院副检察长。

通讯：人民检察官的境界

方工，从事检察工作23年，参与和主办了近3000件刑事案件的审查和起诉，无一错案。他出色完成了对成克杰、李纪周、朱小华等一批贪官的起诉工作，他承办了新刑法实施后，全国第一例“利用邪教破坏法律实施”案，被称为“北京第一公诉人”。他先后被荣记一等功4次，获得北京市国家机关优秀共产党员、首都精神文明建设奖章、全国模范检察干部、全国五一劳动奖章等荣誉，2001年12月，当选为第四届中国十大杰出检察官。

他的理想是为党和人民用好权

按照规定，北京市检察院第一分院的主要职责是对有可能判处无期徒刑以上的刑事案件进行审查和起诉。查办一起案子，检察官会面临来自各方面的请托和拉拢腐蚀。方工对此早已心中有数：任他是谁，都要以法律为准绳！自己手中的执法权，事关党的形象，事关人民的根本利益。

方工有句话说得好："法律并非无情，恰恰最有情，因为它维护的是全社会的正常秩序，体现的是人民大众的共同利益，所以，私情再深，私谊再厚，也大不过公义！"

谈案件只能在办公室，这是方工的规矩，谁也不能例外。在办案中执著追求自己的理想，人情撼不动，钱物更不放在他的眼中。

在方工心里，什么样的诱惑也撼不动他为党和人民掌好权，用好权，让党和人民满意的信念。十几年时间里，方工身上的担子越挑越沉了，责任越来越大，北京市检察机关每当受领大案、要案任务时，领导首先就会想到让他领军办案。

他的努力使实现理想成为可能

当年，刚走进检察院的方工只是一名初中文化程度的书记员，不熟悉业务和法律知识的匮乏，成了方工工作中最大的障碍，于是，他下定决心，边工作，边学习，尽快补上这一课。

1980 年，方工和他年轻的同事们一起参加了夜大法律专业大专班的学习。风雨无阻的 4 年，法律的大学专科毕业证书拿到了手中，他也逐渐成为处里的业务尖子。7 年时间里，他由书记员、检察员被提拔为一分院自侦案件审查起诉处的副处长，又过了 6 年，他升任处长，并被同事们称赞为"第一公诉人"。

职务变了，方工仍然是处里最勤奋的人。他在取得了大专学历的基础上，又参加了中央党校法律专业本科班和研究生班的学习。他在办公室里放着 30 多本自己剪贴的学习资料，内容包括法律、政治、经济、文学等。他把自己在实践中摸索和总结出来的经验都用心地记下来，他把自己办理过的案件的起诉书、公诉词、判决书等，全部装订成册，保存至今。同事们办案遇到问题，经常会到方工这里来查阅他的"宝典"。

2000 年，方工率几名精兵强将，承担了成克杰与情妇李平受贿近 4000 万元的犯罪案件的审查起诉工作。

提审过程中，成克杰口口声声说自己"对不起人民，对不起党"。方工根据自己的办案经验及时提醒大家，一定要认清这些人的真面目。

果不其然，在公开庭审时，成克杰推翻了以前所有的口供。突然出现的情况出乎当庭很多人的意料，方工却早就成竹在胸："一、成克杰与李平有共同犯罪的故意，……二、成克杰与李平有犯罪预谋，形成了共同的犯罪故意……三、成克杰与李平的共同犯罪有明确的分工、合作……四、谁收钱并不影响共同犯罪的故意……"

面对检察官无可挑剔的指控，成克杰也觉得再怎么说也没有用了。

他的追求是司法公正

实现司法公正，是方工 20 多年来一直追求的目标。他坚守着一个办案原则：不放过一个坏人，但也决不冤枉一个好人，要把每一个案子办成"铁案"，经得起法律和历史的检验。

2000 年 8 月底，轰动京城的"打闷棍案"终于告破。焦文军等两名疑犯终于落入法网。

案件依照法律程序到了第一分院。经过调查核实，焦文军承认自己及与他人合伙共作案 100 起。但他矢口否认曾参与一起持枪抢劫案。而且，这次作案时用的一把枪至今也没有找到。对于这样一起重大事实的遗漏，承办人认为应当由公安机关补充侦查加以认定。案卷报到了方工那里，方工果断地支持了承办人的意见。

一个星期后，公安机关终于从焦文军的老家找到了那支作案时用的枪。法院最后认定了焦文军作案 101 起，依法判处其死刑。

有人评价方工主办和审查案件时像一把"尺子"，一分一毫地去与法律对准。一名年轻检察官至今还记得进院时方工对他说的话：一个检察官，就要忠诚于自己的神圣职责，尊重法律和事实，不偏不倚，不枉不纵，公正是执法的灵魂。

党性使他多情又无情

方工的妻子叫牛凤琴，两人是在工厂当工人时相恋并结婚的，夫妻之间的感情很深。牛凤琴跟了丈夫 20 多年，从没有沾过老方一点光。

1999 年，牛凤琴所在的单位减员，牛凤琴还不到 45 岁，但厂里还是动员她退下来。回家后，牛凤琴哭着让丈夫去找单位的领导说说。方工让妻子平静下来，轻声说道："我作为党员，作为党的一名领导干部就不能去，这不是我不关心你，而是厂子里肯定也有他们的难处。"

妻子被方工说服了，后来，她在社区通过竞聘，在街道居委会干了一份工作。

方工克己奉公，遵守党的原则，坚持党性，在单位也是出了名的。他不允许个人占公家一点便宜，他说，我们都是国家供养的，拿着国家的俸禄，是党和人民给予我们衣食不愁的小康生活，在生活待遇和工作条件上，相比许多群众，我们已然很优越，没有理由再做非分之想，甚至有不当之举。

作为一名党员领导干部，方工对群众充满感情。他对下级，从不摆架子，从不搞拉拉扯扯；对群众的涉案来信来访，他都要亲自处理，只要群众需要，他都会尽力去做。

精神的愉悦靠党性保证

方工的工资花得不多，因为他没有什么额外开销，他的生活轨迹是两点一线：单位和家，在谢绝外面的应酬后，每天回家和亲人聚在一起吃饭是他的享受……身为检察官的方工在这个物质丰富的世界里，过着一种简单的生活。

可是方工所拥有的高尚而丰富的精神世界是很多人所没有的。他欣慰地说过：“堂堂正正做人，踏踏实实做事，心灵会感到愉悦，那种感受的美好，既可以意会，又可以言传。但，不是任谁都配享受这种心灵的愉悦，至少利欲熏心的人，比如贪官就不配……”方工把自己的快乐源泉和自己纯洁的党性完美地结合。

方工曾经这样描写心中理想的检察官：他鄙视碌碌无为，更唾弃狗苟蝇营，他与追求享乐、惟利是图、腐朽没落的世界观、人生观、价值观格格不入，“先天下之忧而忧，后天下之乐而乐”，是他的人生铭言。他工作艰辛，换来的是生活内容的充实丰富和精神世界的宁静和谐，在净化社会的同时，也升华着自己的品格。

（摘自2002年10月21日《人民日报》）

评论：公正执法的楷模

方工同志是我国检察战线上涌现出的一名优秀的人民检察官，一位值得党和人民信赖的优秀领导干部，他牢记全心全意为人民服务的宗旨，对党的事业无比忠诚，对本职工作一丝不苟。他的优秀品质体现了一个领导干部立党为公，执政为民的高度责任感，体现了一个共产党员崇高的理想信念。他是实践“三个代表”的典范，是我们学习的楷模。

方工同志恪尽职守，公正执法。他从事检察工作已有23个春秋，参与和主办了近3000件刑事案件的审查和起诉工作，截至目前没有发现假案错案。这是了不起的成绩。方工同志之所以能够做到这一点，是因为他牢记自己是人民的检察官，人民的利益高于一切，法律的尊严大于一切，必须执法如山，不徇私情。人情关、利益关，是包括对检察官在内的每一个执法人员的考验。在方工同志看来：“法律并非无情，恰恰最有情，因为它维护的是全社会的正常秩序，体现的是人民大众的共同利益；私情再深，私谊再厚，自古以来就大不过公义。”面对种种诱惑和种种压力，他始终如一地坚持对法律的忠诚，把依法治国的信念体现在自己的工作中。

方工同志执政为民，廉洁奉公。无论地位和权力发生怎样的变化，他都能清醒地意识到，自己对党和人民负有的义务，对宪法和法律负有的职责。他没有忘记权力是党和人民给予的，必须全心全意为人民服务，绝不能以权谋私，以法徇情。他公私分明，不占公家的一分便宜；他坚持操守，拒绝所有可能妨碍履行公务的吃请送礼；他严格自律，不利用自己的地位和影响为亲属和朋友办私事。方工同志对自己的要求是：“要甘于奉献，守得住清贫，耐得住寂寞，抵得住诱惑，经得起考验。”

方工同志刻苦学习，认真钻研。他主办或参与过不少大案要案，有的案件情况复杂，难度很大，但他总是能出色地完成任务，不放过一个坏人，不冤枉一个好人，表现出优良的政治业务素质。多年来，他上夜大，续本科，读研究生进修班，打牢了理论根底，积累了丰富经验。这些为高质量办案提供了坚实基础。方工同志紧跟时代步伐，努力学习新知识，善于理论联系实际，给我们作出了好榜样。干一行，爱一行，学一行，专一行，正是方工同志多年工作实践的真实写照。

“堂堂正正做人，清清白白做官，扎扎实实做事，公公正正执法。”这是方工同志的座右铭，也应该是我们每一个党员干部的自觉追求。方工同志的事迹可亲、可敬、可学。学习方工同志，就是要学习他全心全意为人民服务，用实际行动积极实践“三个代表”的理想信念；学习他执法如山，清正廉洁的高尚职业道德和品德；学习他孜孜不倦、与时俱进的好学精神；学习他淡泊自守、艰苦朴素的优良作风。大力推进依法治国的基本方略，加强社会主义民主和法制建设，需要千千万万像方工这样的好党员、好干部。政法机关以及各行各业的党员干部都应以方工同志为榜样，做好本职工作，以改革和建设的新成绩，迎接党的十六大召开。

（2002年10月21日《人民日报》）

周光裕

周光裕（1944—2001年），生前为江苏省南京市钨钼材料厂下岗工人。

通讯：一个普通公民的道德情怀

南京雨花台功德园周光裕烈士墓前，前来悼念英雄的人络绎不绝。人们深情追忆着这位普通公民平凡人生中的美好道德情操。

2001年11月12日傍晚，一名中年妇女正走在南京火车站附近一条僻静的马路上，突然被3名持刀歹徒抢劫，手机及挎包瞬间被抢走。她大声呼救。这时，骑车路过这里的周光裕闻声立即沿着歹徒逃跑的方向奋力追赶。

周光裕追上歹徒后，大喝一声：“你们是干什么的，快把东西放下！”他跳下车，一把揪住跑在最后的一名劫匪，用力往下摁住他的头。这时，跑在前面的歹徒返身挥刀向周光裕的大腿刺去，血流如注的周光裕仍不松手，歹徒又丧心病狂地向他的臀部、背部、颈部猛刺数刀，最后一刀穿透肺叶，周光裕倒在了血泊中。

2001年12月27日，江苏省人民政府追认周光裕为革命烈士。近日，中华全国总工会追授周光裕烈士全国“五一”劳动奖章。

周光裕牺牲后，南京警方在8天之内就将3名犯罪嫌疑人追捕归案。今年4月9日，南京市中级人民法院一审判决杀害周光裕的主犯死刑，判处其他两名同案犯有期徒刑。

1961年初中毕业后，周光裕来到江苏省老山林场劳动，一干就是15年。

1976年，周光裕调到南京钨钼材料厂当工人。1996年他下岗了，月收入只有186元。妻子王福琴是公交公司售票员，1998年办了内退，月收入只有434元，家庭生活艰难。作为家庭主心骨的周光裕，从没有对社会、对家人、对朋友抱怨过什么，而是千方百计找自己能做的事，干别人需要他做的活儿。下岗期间，他卖过螺蛳、龙虾、猪肉，摆过水果摊，干过空调安装工、送货员和浴室看门人。

周光裕从来不对别人说自己家的困难。太平门社委会老主任了解到他家生活困难，就让他填个“低保”申请表。谁知，周光裕表示：“我现在还干得动，‘低保’就不要了，还是帮我找个事做吧。”

下岗后，周光裕经常回厂里看看。见到厂领导，总是问，“厂里脱困，还有什么新招吗?”“空着的厂房是否可以考虑建一个农贸市场?”周光裕就是这样，面对困难，从不怨天尤人，总是想方设法克服它。

周光裕在钨钼材料厂纯化车间工作期间，每个班次都要将4桶各重25公斤的钨酸搬上离地面1.2米的搅拌口，因为液氨呛人，有人就将整桶的钨酸倒下去，而周光裕总是按照生产工艺的要求，一勺一勺地将钨酸舀到气味呛人的液氨中去。

周光裕在私营企业南京金鼎成公司打工时，负责送货、收款，直至他突然牺牲，没有一笔未收回的货款。做汽车车辆管理员，他很快将20多辆车一一建立起“档案”，明显降低了车辆的维修费用等；做餐厅经理，为了降低经营成本，有时为买几瓶酱油、几包味精，他也要骑车跑上十几里路，到批发市场购买；当送货员，城里的大街小巷，大小食品批发市场，都能看到周光裕“跑”来的业务订单，尽管他并没有因此多拿公司一分报酬。

周光裕手巧，心善，无我。周光裕养父长期

瘫痪，他一直为其擦身、端尿，直到老人去世。王福琴说，周光裕几乎揽下了家里的全部家务活。上大学的儿子周凌云至今难忘，他在餐馆打工至深夜，刚出门，就看见父亲推着自行车在漫天飞雪中等着接他回家。对自己，老周却省吃俭用，没有一件像样的衣服。但是，老周走出去，从来都干干净净，整整齐齐，看上去根本不像57岁的人，更不像一个生活面临困难的人。老周是个热心人。不管是家人还是外人，只要找到老周帮忙，他从来没有拒绝过。

人是需要有一点精神的。在周光裕身上，集中体现着正直真诚、勤劳朴实、与人为善的传统美德；体现着自强创业、诚实守信、见义勇为的时代精神。

（摘自2002年4月11日《人民日报》）

评论：向周光裕同志学习

周光裕同志的英勇事迹，震撼着人们的心灵，激起了强烈的反响。周光裕一生平凡，但他无论在林场劳动、工厂做工，还是下岗自谋职业，都无怨无悔，真诚正直，勤劳朴实，兢兢业业，表现出高尚的敬业精神和道德情操。尤其在与行凶歹徒英勇搏斗时，周光裕临危不惧，舍己救人，他身上凝聚的时代精神和高尚道德情操，得到了充分展现和升华。

细微之处见精神。周光裕在英勇牺牲前，没有做过什么惊天动地的事，但是只要同他一起工作和生活过的，没有人不为他的精神境界所感动，没有人不为他的道德情怀而敬佩。在工厂，他任劳任怨，连年被评为先进，同事都爱跟他一起工作；在小区，他做好事不留名，邻里都乐意同他打交道；在家庭，他尊老爱幼，是出了名的“模范丈夫”；路见危难，他挺身而出，用鲜血和生命谱写了一曲社会主义新时期公民道德的赞歌。

周光裕是在全社会加强公民道德建设中，从普通公民中涌现出的典型。贯彻《公民道德建设实施纲要》，推进社会主义道德建设，是全体公民的义务和责任。我们每一个人，无论领导干部，还是普通群众，都应该向周光裕同志学习，大力实践“爱国守法、明礼诚信、团结友善、勤俭自强、敬业奉献”的基本道德规范，用实际行动把《公民道德建设实施纲要》落到实处。

（2002年4月11日《人民日报》）

石光银

石光银（1947年—　），中共党员，陕西省定边县海子望乡四大壕村村民。

通讯：一位农民和二十万亩绿洲

出生于毛乌素沙漠南缘“三边高原”的石光银，从小在骆驼背上长大，在沙窝里滚，沙梁上爬。在他的记忆中，茫茫沙漠追逐着开荒者的铁锄和牧羊人的皮鞭一路南侵。

1984年，国家鼓励个人承包造林的政策出台后，石光银毅然辞去乡农场场长的职务，和乡政府签订了承包治理3000亩荒沙的合同，并带着瘦小的妻子和年幼的孩子，举家搬到全乡荒沙面积最大的一片沙窝窝里。

这一年春秋两季，石光银说服周围7户人家，冒着被沙暴埋掉的危险，在3000亩沙地上种下了用骡马和羊换来的树苗。

天公作美，雨水特别好，种下的树十有八九都抽出了绿叶。

首战告捷，石光银的“野心”更大了。1985年春天，海子梁乡政府门前贴出这样一张海报：“响应政府承包荒沙的号召，我石光银又和长茂滩林场签订了治理狼窝沙5.8万亩荒沙的合同。借鉴城里正在推行的股份制做法，决定成立治沙公司。凡出钱或出力者，均为我公司股东。”

早在治沙公司成立时，石光银就对贫困户倾注了特殊的关爱。在他吸收的127户农户中，一多半属于特困户。村民王志刚家里人多娃娃小，一家人常靠拣野菜、剥榆树皮充饥。石光银千说万劝，动员他入股，并借给他1000元，送树苗500株；孤儿常维国3岁时爹死娘走，一直靠讨饭为生，还染上小偷小摸的恶习。石光银把他招到公司，包吃包住，悉心教导，当亲儿子看待。

石光银带着这帮“穷光蛋”，一边造林治沙，一边搞起沙产业开发。他请来专家进行规划，建成百亩育苗基地，培育美国大杏、法国葡萄、俄罗斯大粒沙棘和金丝柳等经济树种。还建成饲料加工厂、机砖厂、养猪场、养羊场等企业。2001年春天，他又投资办起一个绿色食品厂，将沙芥、苦菜、沙葱等加工成袋装食品。如今，最初入股的100多户农民已经成了远近闻名的富裕户，人均纯收入从不到200元增加到2000多元。他们喜滋滋地编了一段顺口溜：家家有余粮，户户盖新房，新式家具摆进房，圈里都有马牛羊。

当地人的日子慢慢好转，石光银的目光又越过“三边高原”的滩地，投向陕西省扶贫攻坚的硬骨头——白于山区。从1997年至今，石光银承包治理的沙地上先后接纳了60多户来自白于山区的贫困移民。他统一规划，给每一户移民划出3亩宅基地、3亩水浇田，还无偿为他们打井修路，提供树苗、草种，手把手地教他们种植、养殖技术。1999年，经民政部门批准，十里沙移民新村宣告成立。

石光银没上过一天学，却对孩子读书识字格外上心。看到狼窝沙附近的27名孩子上学难，他马上拿出6万元，修建了一所“黄沙小学”，并以优厚的待遇从外地请来教师。前不久，他又拨出10万元专款，准备在十里沙移民新村建一所像模像样的完小，让附近100多名上不了学的孩子走进课堂。石光银说：“我这辈子是吃苦受累打基础，沙区更美的光景需要有文化的新一代创造。”

十年树木，春华秋实。18年殊死拼杀，石光银率领一群陕北汉子，以超常的坚韧，在寸草不生的20多万亩大沙梁上，栽活2000多万株新疆杨、高杆柳和柠条等乔灌木，将昔日的沙窝窝变成了林茂粮丰的绿洲。这些树木如果间隔2米栽植1株，栽成20行50米宽的绿化带，可以从毛乌素一直栽到北京；如果单列每2米栽1株，可以绕地球1周多。石光银先后被授予全国劳动模范、全国十大绿化标兵、全国十大扶贫状元、全国农村优秀人才等光荣称号，并9次受到党和国家领导人的接见，还应联合国邀请，在国际防治荒漠化大会上介绍经验。

（摘自2002年6月10日《人民日报》）

马誉炜

马誉炜，中共党员，北京军区某集团军炮兵旅政委。

“爱兵，要全心全意、真心实意地爱，做到兵有痛痒我着急，兵有委屈我内疚，兵有长进我高兴，兵有难处我解忧。”马誉炜任政委近5年来，给战士温暖、帮战士解忧、育战士成才，被官兵们誉为“爱兵政委”。

把士兵当成自己的亲兄弟

那天，气温在摄氏零下20多度，马誉炜路过军营门岗，看到执勤的哨兵没戴手套，手上冻裂了一道道血口子。他心里很不是滋味，很快送来了手套和“创可贴”。没想到，小战士没舍得用“创可贴”，而是把它贴在了日记本的扉页上，在旁边写下：“这是政委送的，我将铭记领导的关怀，干好工作来报答。”

一副手套和一块小小的“创可贴”，竟在战士心中引起如此大的反响，这说明战士太需要关爱了。马誉炜作为旅政委，为自己对基层干部教育不够感到很内疚。于是，建议在全旅展开科学文明带兵的系列教育活动。他以《新时期带兵人应成为爱兵的模范》为题讲了第一课，引起了全旅干部的深思。全旅干部形成共识：爱兵不是工作方法问题，而是对战士的根本态度问题、感情问题。

马誉炜教育全旅干部爱兵，自己率先垂范。士兵澡堂的水龙头坏了，他找到营房科，半天解决了问题；连队厕所里灯坏了，他责成有关部门很快换上灯泡。马誉炜有一个特殊的花名册，全旅孤儿和来自单亲家庭士兵的名字都登记在册，对他们给予特殊关照，使他们感受到军营大家庭的温暖。

切实维护士兵合法权益

“对士兵的爱有很多方面，维护士兵的合法权益，才是爱到根本上。”这是马誉炜的切身体会。

一年一度的士官选改工作刚刚结束，马誉炜收到一个连队的战士来信，直言相告：“这样选改的士官，我们不服气！”马誉炜看了战士们的信很吃惊，于是，他和旅长商量，要调查核实，严肃处理。调查结果，战士反映的情况属实。马誉炜建议立即召开旅党委会，决定退回这个连队选改士官的报告，让他们重新选报，并对有关责任人进行了严肃处理。

选改“风波”过后，旅党委研究制定了保证“四公开”落实的6项配套措施，并要求机关对士兵考学、提干、入党、学技术、转士官、立功受奖等名额，不隐瞒、不截留，将这些措施印发班、排，让官兵人人皆知。

马誉炜对新的6项措施，全程跟踪，检查落实。几年来，全旅先后有14名战士提干，246名战士考学，290名战士学技术，650名战士转士官，都坚持了“四公开”，再也没有出现告状的。

马誉炜还主持制定了《文明带兵十不准》，明确了士兵有监督干部、反映问题、申诉申辩等10项权利。与此同时，旅里开设了“士兵维权绿色通道”，开通了旅长、政委热线电话，设立了首长信箱，确定了首长接待日……随着一项项规章制度的落实，士兵的民主权利得到了充分保障，官兵关系更加融洽，旅的全面建设进步明显，多项工作受到总部、北京军区和集团军的表彰。

一心为士兵的未来着想

“铁打的营盘流水的兵。战士不可能永远留在军营，我们要为战士的长远利益着想，在有限的服役期内，把他们培养成国家的有用之才。”这是马誉炜经常对干部们强调的一句话。

马誉炜首先注意以德育人。他通过谈心、交朋友、重点帮教的方式，先后使20多名后进战士发生了转变，有的还成为优秀士兵。

热心培养“两用人才”，是马誉炜关心爱护士兵的另一个重点。他指导旅政治部制定并实施《育人工程》，开展了“军营育人系列活动”。旅里成立了书画、家电维修、微机操作、科技与法律知识普及、青年生活指导等7个小组，每逢周末开展活动，培养人才。3年多来，炮兵旅有600多名战士通过自学拿到中专以上文凭或军地两用人才证书，退伍战士中有近900名被地方聘用。他们的育才经验，被总政治部向全军推广，炮兵旅被评为全军“读书育人先进单位”。

马誉炜在“爱兵育人”上做出了突出成绩，被北京军区树为“优秀旅团领导干部”，并荣立二等功。

（摘自2002年4月1日《人民日报》）

肖玉泉

肖玉泉，中共党员，1963年出生，2002年2月15日，因患晚期肝癌医治无效逝世，生前系上海市公安局杨浦分局巡警支队五中队民警。

他只是一个普通民警，却赢得了群众和同事的赞誉。2002年2月27日，在这位因病逝世的优秀人民警察的遗体告别仪式上，吊唁厅里放满了花圈，挤满了自发前来吊唁的人。

陈爱琳和她的女儿许佳丽带着亲手做的花圈来了。这对残疾母女还没到大厅，已是泪流满面。陈爱琳母女和肖玉泉相识十分偶然。那是在3年前的一个傍晚，陈爱琳母女俩摇着残疾车外出，女儿许佳丽看到一家杂货店里的文具后，吵着要买。双腿残疾的陈爱琳独自抚养患有脑瘫的许佳丽，生活拮据。母女俩想到生活的艰辛，忍不住在大街上哭起来。

哭声把正在执勤的肖玉泉吸引过来。他问清情况后，毫不迟疑地掏出身上仅有的100元钱塞到陈爱琳手里，说道：“拿着，给孩子买些文具吧。”临走，还留下呼机号码：“以后有什么困难，尽管呼我。”

梅雨季节里，陈家的卧室漏了，厨房漏了，连做饭都要打着雨伞。万般无奈的陈爱琳试着向仅有一面之缘的肖玉泉求援。肖玉泉马上和同队警员们来了，盖瓦铺砖、糊墙堵漏，里里外外忙了一天。酷暑天来了，肖玉泉又来安遮阳棚。

肖玉泉得知许佳丽15岁还未进学校，就四处奔波为她上学游说。齐齐哈尔路第四小学破例收下许佳丽。开学那天，肖玉泉背着许佳丽进了教室。

如今，肖玉泉走了。临走时，他还念念不忘陈爱琳母女。那天，他把妻子叫到病床前，交代“去看看陈家”。妻子遵嘱捎去礼品和200元现金。陈爱琳和肖玉泉的妻子抱着哭了，“他是个好人啊。”每每看见肖玉泉留下的电话号码，陈爱琳的眼泪总是止不住地往下流。

个体车铺老板陈向前对肖玉泉充满了敬重和钦佩。陈向前和肖玉泉真可谓“不打不相识”。有一次，正在值勤的肖玉泉接到群众举报：昆明路一个体车铺将一大堆自行车、助动车摆到人行道上，还占用了非机动车道，妨碍交通。肖玉泉有理有据的处罚，和风细雨的执法方式让陈向前心服口服。曾经桀骜不驯的他十分敬重这个普通民警。在肖玉泉最后的日子里，陈向前扔下一摊子生意，在肖玉泉的病床前整整陪侍了20天。

社区居民说,肖玉泉做过的好事就像天上的星星。他给负气离家的浙江嘉兴女孩送来面条和回家的车票;给家境贫困的学生送去学习和生活用品以及精神鼓舞;给杨浦区托老所的老人们洗澡、剪指甲。

肖玉泉是杨浦交巡警支队的业务尖子和标兵。他在执勤中细心观察，并多次到钢材仓库、汽车运输部门等单位调查，了解各种规格钢材、货物的重量情况，掌握了一招“绝活”——一眼就能看出载货卡车是否超载，而且能一口准，向司机指出超载了多少吨，令司机折服。

2000年，翔殷路中原路至国和路段先后发生3起行人、骑车人在抢道时与机动车发生相撞的交通事故，这引起了肖玉泉的注意。他经过实地观察发现，这个路段为机、非混合道路，非机动车道相当狭窄。而此路非机动车流量远远超出机动车流量，机动车与非机动车争道抢行现象屡见不鲜，导致事故频发。肖玉泉反复论证推敲，提出建议，放大非机动车道宽度，避免非机动车和机动车抢道。方案实施后，大大改善了道路交通状况。肖玉泉有一套过硬的巡查本领，先后抓获了56名犯罪嫌疑人。

2001年，APEC会议在上海举行。作为业务尖子，肖玉泉被抽调到市交巡警总队机动支队，参加会议期间的开道车驾驶培训。

8月的申城酷暑如蒸，在演练中，往往是汗流浃背，衣衫透湿。这样艰苦的培训，连常人都难以忍受，而此时已是肝癌晚期的肖玉泉硬是坚持下来挺了过来。10月初，训练准备工作进入了冲刺阶段。而此时的肖玉泉，已经越来越感到力不从心了。他的妻子张美丽说：“很多次，他在梦中被痛醒，自己握紧拳头顶住肝部。”当时，他还不知道自己得了肝癌。

终于，肖玉泉通过了强化训练和严格考核，获得了为APEC会议贵宾开道的资格。为此，他感到很兴奋。但他的病也越来越严重了。10月10日上午，肖玉泉最后一次到训练基地，但这时的他已经直不起腰来，无法下车。在领导的命令下，肖玉泉去了医院。医生确诊为肝右叶多发性癌症伴瘤内出血，已经不能动手术。

从警8年，肖玉泉用自己的平凡实践，实现了自己的诺言：全心全意为人民服务。肖玉泉虽然走了，但他爱岗敬业、自强不息、关心群众的精神将永远激励着他的战友们。

（摘自2002年5月27日《人民日报》）

游凯涛

游凯涛，中共党员，北京朝阳医院外科教研室主任。

在医生这个岗位上，游凯涛已经走过38个春秋。他以敬业奉献为人生坐标，绘出一条条闪光的轨迹：先后被评为北京市劳动模范，北京市卫生系统优秀共产党员，全国卫生系统文明先进工作者，被授予首都劳动奖章和全国“五一”劳动奖章……

立志从医，为了千千万万像母亲那样善良的人

游凯涛出生在东北农村，从小失去父亲，母亲带着他和弟弟相依为命。在他12岁时，母亲患了子宫颈癌。那时农村缺医少药，亲友们请来巫医给母亲治病去邪。几个月后，癌症还是夺去了年仅37岁的母亲的生命。

他发誓要当一名医生，将来给千千万万像母亲这样善良的人治好病。这个朴素的心愿鼓励他迈过了人生道路上许多沟沟坎坎。考大学的日子就要到了，他却患了结核病，被迫休学。休学两年后，他以顽强的毅力考上了医学院。

1964年，他以全优的成绩大学毕业，分配到北京朝阳医院外科。

穿上白大褂，他满腔热忱为患者治病，在他的心灵深处，有一个信念是不可动摇的，那就是要用所学的知识尽其所能救死扶伤，不让病人重复母亲的悲剧。

无怨无悔，为患者诊治千种病，向患者捧出一颗心

1969年，他参加密云农村医疗队，一次在高岭子卫生院会诊，一个50多岁的农民患溃疡病大出血。病人被抬上手术台时血压已降为零。在条件设备极其简陋的情况下，他靠仅有的600毫升血源，针麻加局麻，为病人进行了胃大部切除术。当时，他还是一个只有4年工作经历的住院医生。

回到医院不久，超负荷工作使他的结核病又一次复发。病情刚刚稳定，他听从组织安排，撇下两个年幼的孩子，奔赴遥远的河西走廊。一次在海拔3000多米的祁连山顶，他发现一位大娘患了宫肌瘤多年，出血不止，性命难保。他大胆地在老人家里搭起手术台，用汽灯照明，连夜给老人做了子宫全切术。

抚顺造纸厂一位工人，在一次社会抢险中大腿根部多处崩进金属片，深深嵌在神经血管附近，到全国多家医院都未治愈，最后转到朝阳医院。游凯涛仔细研究患者的病情，拍了多种体位的X光片，最后成功地为抢险英雄取出了金属片。

朝阳医院一位职工家属患结肠癌，术前没有查出癌细胞向其他脏器转移，术中却发现结肠癌穿透胰腺。他冒着巨大风险，成功地给病人做了结肠癌根治和保留十二指肠的胰头和胰颈部切除的手术。这种手术是朝阳医院建院43年来首例高难度手术。

他自己也有后怕的时候，可是一遇到危难中的病人，他便把个人安危得失忘在脑后，救死扶伤的强烈责任感驱使他使出浑身解数，从死神手里夺回病人的生命。

敬业奉献，以自己的“四心”赢得病人的“四感”

2001年，游凯涛被北京市卫生局推举为《公民道德建设实施纲要》宣讲团成员。人们无不为他以“四心”赢得病人“四感”的职业追求所感动。

为了把敬业奉献落实到为病人服务的全过程，多年来，他确定了用“四心”赢得病人“四感”的服务思想。“四心”就是为病人服务要做到热心、耐心、细心和责任心。经游凯涛医治过的病人都说，游大夫总是给人一种亲切感，在诊断和治疗过程中对他充满信任感和安全感，最后带着满意感离开医院。

“对患者有了热心、耐心、细心和责任心，才会使医生产生勇气和智慧，而这种勇气和智慧，常常给患者带来新的生命!”回顾以往的医疗实践，他这样说。

为攻克急性坏死性胰腺炎这一世界性难题，他研究了朝阳医院对这种疾病的诊治情况，总结出一套在没有影像学诊断条件下的积分诊断法，大胆提出采用区域性动脉灌注给药的介入疗法，找出了治疗重病胰腺炎的新途径，把死亡率从22.9%降为2.3%，为胰腺外科攻克世界性难题做出了贡献。

20多年来，他苦心研究乳腺病和乳腺癌，组织力量为上万名妇女进行乳腺癌普查和治疗，发明了“散乳癖口服液”中药配方，使乳腺增生治疗的有效率从20%提高到94%。在他的努力下，该院在国内首例引进硬性乳管镜，他又和同事一道自制乳管扩张器，制出正常乳管内图谱和乳头溢液各种乳管内病变的图谱，填补了国内空白，为乳腺癌的早期诊断探出一条新路。

游凯涛担任外科主任后，狠抓职业道德建设。通过几年的努力，他所领导的朝阳医院外科在肝移植技术、乳腺癌诊治技术、重症胰腺炎的治疗技术、腹腔镜切除结肠癌技术等方面跻身北京市先进行列。

由于朝阳医院业务的需要，在游凯涛60岁时，医院又任命他为外科教研室主任。游凯涛说：“行政退下来了，业务不能放松，敬业奉献的人生坐标不能更改。”

48年前，他立志当一名医生，为千千万万像母亲一样善良的人治病；48年过去了，他可以无愧地说，他挽救了千千万万个母亲及其他患者的生命，他的心愿实现了。

（摘自2002年8月16日《人民日报》）

陈先宇

陈先宇，男，19岁，中国地质大学（武汉）资源学院2000级学生，湖北省荆州市弥市镇弥市村人。2001年8月4日下午4时左右，由于天气炎热，同村两个孩子拉着陈先宇到长江边准备游泳。两个孩子下水后，先在岸边嬉水，因江堤坡度大，不小心滑入深水区。坐在岸上的陈先宇同学听到呼救，冲到江边，先将靠近岸边的一个孩子拉起，又跳入深水中将已沉到水下的另一个孩子推上来。两个孩子得救了，陈先宇同学却献出了自己宝贵的生命。

陈先宇同学自进大学以来，积极上进，表现突出。入学不久，就向党组织递交了入党申请书。在向党组织汇报思想情况时，表示要以“三个代表”重要思想为指导，努力学习科学文化知识，做社会主义的有用之才，为共产主义奋斗终生。他学习刻苦努力，成绩优秀；他性格活泼开朗，乐于助人，积极参加集体活动，是一位乐观向上、积极进取的好学生。

为表彰陈先宇同学的英雄事迹和舍生忘死的革命英雄主义精神，教育部授予陈先宇同学“舍己救人的优秀大学生”荣誉称号。

（教育部社政司）

何贵平

何贵平，中共党员，湖南省郴州市安仁县水利局局长，党组副书记兼茶安水库管理局局长，全国水库管理先进个人。

1994年10月，何贵平从茶安水库灌区管理站长提拔为水库管理局局长。当时的茶安水库管理混乱，破败不堪，90多名职工连工资都发不出来。何贵平经过深入调查，作出结论，茶安水库要振兴和发展，关键是要解放思想，转变观念，改变过去守着资源没事干，靠着国家穷也安的旧习惯。他组织召开动员会、讨论会、谈心会，用了3个月的时间统一大家的思想，提出了自主谋生、自负盈亏、自我发展的观念，确立了“转变经营机制，激活内在资源优势，依附生态养鱼，发展综合种养”的改革思路。

何贵平推出的第一项改革措施就是将水库养鱼进行承包，承包期两年，年产鱼4.25万公斤，少1公斤罚2元，多一公斤奖2元。方案一出，大伙议论纷纷，谁也不敢第一个“吃螃蟹”。面对这种情况，何贵平站了出来，说服几个局委会成员，和自己一块承包，决心做出样子来，领着大伙干。两年时间，终于迎来了收获。这之后，职工们纷纷竞争承包养鱼。现在，每个承包期的捕鱼量达30万公斤，除养活10多人外，还向局上交20万元。

何贵平趁热打铁。他提出“人员分流，作业分组，项目承包，一定两年”的改革思路，推行“全员创收，按劳取酬”的全新分配机制。

首先，采取鼓励分流政策，让一部分职工去从事经营、打工。对留下来的人，何贵平把他们分成管水灌溉组、综合养殖组、多种经营组，把全局的工作分成8个项目承包到组到人，签订合同，奖勤罚懒。其次，从局长到一般员工，每人都有创收任务，把职工的工资分成两部分，一部分是固定的，另一部分则要靠自己参加劳动获得，实行多劳多得，市场化运作。

对每一位职工的工作，何贵平进行了详细的分工，推行“满负荷工作法”，每个人都是身兼数职。实行这项制度以来，大家围绕“水”字做文章，围绕“山”字搞开发，形成了“鱼—鸭—猪、牛—羊—果、茶—林—电”的立体开发模式。

1996年，为了开发水库中的一个半岛，何贵平决定自力更生修马路，架电线。1999年，何贵平又领着大伙打响了水库除险加固的战役。

凭着自力更生的精神，何贵平领着全局职工修好了大堤，修好了水渠，修建起了一座崭新漂亮的办公大楼。他们用自己的汗水和智慧创造了繁荣，创造了财富。现在，职工平均月工资达1100多元。

茶安水库灌区跨株洲的茶安和郴州的安仁两市县。过去每到灌溉季节，两县的老百姓为了争水，经常械斗，省水利厅还成立了专门的协调机构。何贵平担任局长后，通过几个月的深入调查，认为问题的症结在灌区管理局自己。他提出了“轮流灌溉、比例送水、方案配水、承包管水”的科学管理方法，并且按照“主动协调、先下游后上游”的原则，制订灌水方案，公之于众，按田亩比例，轮流灌溉，3天一对账。这样，即使在1998年的大旱年，也保证了两县20万亩农田灌溉。被当地群众誉为“团结治水的典范、科学治水的典范、效益管水的典范”。何贵平实现了他“保一方平安，保一方丰收”的诺言。

（水利部文明办）

陶春梅

陶春梅，女，1949年出生，山东省烟台市环境监测中心站高级工程师。她多次被评为省市级先进工作者，2002年她的家庭被国家环保总局文明委授予五好文明家庭荣誉称号。

她第一个家庭曾经遭遇不幸。1989年12月25日，前夫赵强（烟台市环境监测中心站工程师）在工作岗位上因突发脑溢血离开了人世。前夫过早地去世，对她打击很大，她产生过死的念头。但想到年迈的婆婆和刚刚11岁的女儿，她强打起精神支撑起了这个家。在组织的关怀和帮助下，她调进了监测中心站工作，走进了丈夫曾经忙碌过的实验室，继承丈夫未了的事业。她既要一如既往地体贴、孝敬婆婆，又要关爱和教育女儿，使这个破碎的家庭始终充满着亲情。

1993年她与失去了妻子、独身带着一个男孩的烟台市电信局职工于建章组建了新家庭。陶春梅的女儿虽比继子只大18天，但她郑重地告诉女儿：“失去母亲的孩子比失去父亲的孩子更可怜，更需要理解和关爱。你是姐姐，要多谦让弟弟。”她把继子当亲生儿子一样看待，生活上细心照料、学习上耐心辅导。中午继子不在家吃饭，她总是把好东西留到晚上吃。遇到继子外出归来，总是像过年一样提前为他准备好可口的饭菜。继子就业遇到困难，她毫不犹豫拿出积攒了多年的2万元钱为他办饭店。饭店效益不好，不久就倒闭了。她没有心疼那2万元钱，在她看来，能让继子体味人生创业的艰辛，走好今后人生的道路才是最重要的。在她的推荐下，继子到了自己单位上了班，这很大程度上是因为她对继子的一片真情换来了领导和同志们的理解与同情。

她努力尽到做儿媳的责任，把两个都已70多岁的婆婆当成自己的亲生母亲一样照顾、孝敬，两个婆婆逢人便夸：“儿媳妇比我的亲生女儿还亲。”

陶春梅坚持真心换真情的做人原则，是周围人的好同事、好邻居、好大姐。有一次单位同事外出开会，其家人突发急病，她连夜帮着把病人送往医院，并一直陪伴到第二天病愈出院。监测站的一个职工半夜因病去世，她得知消息后，独自一人去这个同事家里帮助料理后事。

（国家环保总局文明办）

党慧雯

党慧雯，女，宁夏石嘴山市环境监测站工程师，多年被评为先进工作者，2002年她的家庭被国家环保总局文明委授予五好文明家庭荣誉称号。

1998年3月17日，党慧雯的丈夫路振东在帮助同事完成停电检修任务时，不幸被3.5万伏的电压击中，双臂被烧焦，身上多处被电击穿。性命虽然保住了，却双臂高位截肢、右脚畸形，从此失去了健康的体魄。厄运的突然降临，使这个原本无忧无虑、温馨和睦的家庭失去了往日的欢笑和宁静。

丈夫残疾后，完全失去了生活自理能力，一些好心人劝党慧雯考虑离婚。她冷静思考过这个问题，也产生过动摇，但她最终还是认为，夫妻只有在逆境之中和困难面前才显真情、经受考验，何况丈夫是自己高中时的同学，这么多年夫妻感情一直很好。她下定决心，绝不能因为丈夫因公残废抛下他，拆散这个原本幸福的家，推给社会一走了之。她要用真心去护理丈夫，用爱心营造这个不幸的家。

她每天早晨6点前就起床，收拾屋子、做早饭、叫醒儿子起床上学，然后要护理爱人穿衣、漱口、洗脸、上厕所、喂饭、换药，等一切收拾利索后，又要赶去上班。晚上一回到家，又要忙着干家务，给丈夫洗澡、按摩等，睡觉前还要学习自己本科进修的课程。日复一日，年复一年，党慧雯就是这样，把家里安排得井井有条，也从未在工作上迟到早退过。

党慧雯从事的环境监测工作，经常要在野外住宿，少则一天，多则一个星期。丈夫和孩子的护理和照料只好托付给体弱多病的公婆。公婆在一次上楼梯时不慎摔倒致使髌骨骨折，党慧雯十分后悔。从此，她外出就把照顾丈夫饮食起居的任务交给了儿子。在同龄孩子中，儿子早早成熟了，但也失去很多本该属于他的童年乐趣。

她的丈夫并没有因为残疾而消沉颓废。一次党慧雯病得很重，丈夫拖着残肢一步一步地挪到医院为她拿药，回来后又支撑着煎药，不满10岁的儿子也张罗着给妈妈做饭。为了减轻党慧雯的负担，丈夫经常用嘴和一只脚去做常人一分钟而他却要花费十几分钟才能完成的一些简单的事，他还时常挎着包去买菜，并美其名曰：我这是“废物利用”。

党慧雯属于那种异味过敏型体质，而她所承担的餐饮业废水监测工作多在夏季气温高的时候进行，采集的分析样品数量大、易变质，散发出的气味令人作呕，她几次晕倒在实验室。尽管如此，但她没有退缩，仍然认真地做好每批样品的分析工作，为环境管理提供及时有效的监测数据。她努力钻研环境监测分析方法，积极探索生物、土壤等新的监测领域。她撰写的学术论文《用硫酸锰代替硫酸银快速测定化学需氧量》、《高锰酸盐指数测定方法改进》和《用COD快速测定仪测定废水中COD特殊水样分析方法的改进》均在国家刊物上发表，并在实际工作中得到应用。

党慧雯和她的丈夫在人生挫折面前，没有消沉、没有退缩，更没有怨天尤人、悲观失望，而是勇敢地面对现实，以积极向上的乐观态度对待人生。人们赞美他们是风雨同舟的夫妻。

（国家环保总局文明办）

王书臣

王书臣，1962年生，中共党员，三级警督，天津市公安局红桥分局南头窑派出所民警，主任科员。

早在1971年，刚刚9岁的王书臣就开始用自己的爱心无私地帮助周围同学，其中有一个残疾人叫张连喜，因下肢瘫痪，上学有困难，王书臣风雨无阻地背他上学直至高中毕业。后来，王书臣又四处奔波为张连喜找到了适合的工作，并且穿针引线把他背进了结婚的殿堂，帮他建立了一个幸福美满的家庭，让他像健全人一样过上了幸福生活，使张连喜深深地感受到了社会主义大家庭的温暖。

王书臣高中毕业后，参军入伍。他在军营苦练军事技能，多次参加全师大比武，成绩都是名列前茅。在部队，王书臣加入了中国共产党。1982年至1983年，他连续4次受到部队嘉奖，并被授予“继续走雷锋道路的好战士”光荣称号。

1985年，王书臣复员回到天津，被分配到天津市公安局红桥分局南头窑派出所，成为一名户籍民警。他立足本职、爱岗敬业，串百家门，知百家情，解百家难，被群众称为“热心的人”，他帮助过的居民不计其数。王书臣从警18年，把朴素的感情升华为兄弟之情、警民之情，千方百计地为辖区内困难群众解决生活中的实际问题，传送着党和政府的温暖。王书臣在做好本职工作的同时，始终不忘自己是一名共产党员、是一名人民警察，时时处处起到模范带头作用，努力搞好传帮带。在他的影响和带动下，南头窑派出所近年先后涌现出4位全国和天津市的先进典型。《人民日报》、中央电视台、《新华每日电讯》、《法制日报》以及多家地方报刊、电视栏目都对他的事迹进行了深入报道，中央电视台连续播放了以王书臣同志事迹为题材拍摄的公益广告片，社会各界群众反响强烈。

王书臣同志1995年、1996年和1997年三次获市公安局嘉奖；1998年荣立个人三等功，并被评为“红桥区勤政廉政先进个人”；2002年，被天津市公安局授予爱民模范、民警之星荣誉称号，荣立个人二等功，并被评为红桥区优秀共产党员；2002年12月31日，公安部授予王书臣同志全国公安系统二级英雄模范荣誉称号。

（天津市文明办）

郭宝印

郭宝印，1956年生，中共党员，天津市西青区李七庄街王兰庄村党支部书记。

1978年，年仅22岁的郭宝印毅然挑起王兰庄村党支部书记的重担。上任以后，他带领党员群众拼搏创业，奋发图强，办企业、搞市场、建新村，在激烈的市场竞争中闯出一条发展之路、致富之路。从1984年至1994年，短短10年间，在他的带领下，王兰庄村先后建成了25家企业、涉足化工、制药、橡胶、塑管四大行业。到2002年底，村集团公司已拥有固定资产3.8亿元，年创利税2200万元，农民人均纯收入达到7400元。

“一心为民，永葆公仆本色，想群众之所想，急群众之所急，尽心竭力为群众谋利造福”是郭宝印的追求。1986年，郭宝印被诊断出患有多囊肾，疾病发作时会危及到生命。但他没有被病情所吓倒，为甩掉王兰庄村的穷帽子，他以惊人的毅力超负荷工作。

二十几年来，他始终做到靠廉洁树形象，靠正气聚民心。他每年都能为村里建起座座厂房，可自家的房子盖了四年还没上房盖；在村党支部、村委会和集团公司三套班子中，没安排一位自己的亲属，连他的妻子也一直在村里条件最差的企业上班；他圆了乡亲们祖祖辈辈住进楼房的梦想，但在分房的大事上，他谢绝了群众的好意，坚持与老百姓一起“抓阄”。

王兰庄村从无一寸厂房到拥有涉足四大行业的十几家企业；从主要依靠乡镇企业的发展到形成二、三产业互补的产业格局；从一个极其普通的村庄到经济发达、环境优美、文明富裕、设计先进、功能齐全的社会主义现代化新农村。在取得的一个个成绩面前，郭宝印自找差距，自加压力，从而激发起更加强烈的忧患意识、进取意识，不断确立更高的奋斗目标，以更高的要求激励自己。

郭宝印同志在村党支部书记岗位上，24年如一日，认真履行着党员干部的光荣职责，树立了农村基层干部的良好形象，他曾先后荣获全国十大杰出青年、市级劳动模范、区级优秀共产党员等称号。王兰庄村党支部被评为全国农村“三个代表”重要思想学习教育活动先进集体、市级红旗党组织标兵。

（天津市文明办）

郭文香

郭文香，一名普遍的农家妇女，一个普通的共产党员，人们都亲切地称她为“郭大姐”。《人民日报》、《中国妇女报》等国家级报纸；中央电视台《实话实说》节目、香港凤凰卫视《爱心大使》栏目先后向全国介绍了郭文香在十几年时间里挽救了70多条生命的感人事迹。

郭文香从小就生活在北戴河区一个依山傍海的小村庄——草厂村。1984年初夏，郭文香办起了家庭小旅馆——“文香旅馆”。从此，她用北戴河普通村民的真诚朴实、爱心善良，给众多游人留下了一个个非常美好的印象。

“文香旅馆”开业的第7天，来了一位愁眉不展的张家口姑娘，姑娘登记完床位一直到半夜还未回，急得郭文香四处打听寻找。第二天一早，姑娘失魂落魄地回来了。郭文香把她扶到床上，慢声细语地抚慰、开导，姑娘这才哭出声来。原来这位姑娘是为逃婚而出走的，她想先看看大海，最后打算投海自尽。听到姑娘的遭遇，郭文香心痛的直流泪，像妈妈一样，马上做了一碗热汤面，看着姑娘吃了下去，陪伴在姑娘的身旁，劝慰好几天，直到通知其家人赶来北戴河办理了退婚手续，才放心地把姑娘送上火车。姑娘临走时，泣不成声地说：“郭妈妈，我一辈子忘不了您!”

从那时起到现在的十几年时间里，她每次到车站接送游客，对那些孑然一身、神情孤苦的无助者，总是热心地把他们领回“文香旅馆”，热情地照料开导，有时还免费让他们吃住，掏钱为他们买车票；对那些欲投海自尽者，只要她听到消息，总会毫不犹豫地前去看望、开导和照顾，用一颗无私真诚的爱心让他们感受到人间的真情和温暖。

时间长了，郭文香多了个绰号——“老解决”，意思是说谁有了困难，她都会帮助解决。她开的“文香旅馆”也同当地医院、“110”、公安派出所成了“关系户”，她经常协助民警和医护人员做教育人、挽救人的事。人们把“文香旅馆”喻为“爱心方舟”，称“文香旅馆”为海滨的第二个“110”、“轻生者抢救中心”。十几年来，经她救助、感化的轻生者达70多名，她为此无怨无悔地献出了许多许多。

郭文香全家10口人，主要靠每年暑期经营“文香旅馆”收入的1万多元钱来维持生活。但郭文香从没有为多赚几个钱而打过旅客的歪主意。她为旅馆定下的规矩是：一个床位一天10元钱，军人、残疾人和学生一律收半价。为了方便游客，1998年，她又推出了一项新的服务项目：旅客可以自己到市场买东西回店加工，免费为其提供油盐酱醋等。十几年来，她先后为“希望工程”、抗洪救灾和市、区营造“城市森林”等公益性活动捐款2万余元，为四面八方有各种困难的人们无偿资助2万余元。

秦皇岛市委、市政府、市文明委号召全市人民向她学习。郭文香成了秦皇岛北戴河精神文明建设的一个“品牌”，产生了越来越大的社会反响，越来越多的人加入到郭文香的爱心行动中来，秦皇岛市涌现出30000多名志愿者，坚持在假日为游客义务服务。2001—2002年，就为5万多人次提供了各种优质规范的服务，救助的溺水游客和危重病人不计其数，拾金不昧现象不胜枚举，大家一道将“文明秦皇岛人”、“文明北戴河人”的形象铭刻在大海之滨、长城脚下。

（河北省文明办）

屈 信

屈信，遵化县西化村党支部书记，全国劳动模范，河北省优秀共产党员。

20年前，屈信成为西铺村第三任党支部书记。上任伊始，他便把目光紧紧盯在兴办村集体企业上。一个偶然机会，当他听说天津一家电线厂正在寻求合作伙伴时，当天便和其他几名支委赶了去。可当电线厂听说是村里来的，连厂门都没让进。他们就在厂门口等，好话说了一遍又一遍，就这样，两天过去了，门卫传出厂长的话：农民根本办不了电线厂，不用白费心机了。后来，他们在厂长家门口又等了三天三夜，终于见上厂长一面，却又被当面拒绝。看到带的钱花得差不多了，屈信只得让同伴先回村，他一个人天天跑去恳求见厂长，半个月后，厂长深受感动，终于答应了合作办厂的事。就这样，西铺村终于有了第一家投资近百万元的集体企业——天津电线电缆分厂，投产后当年就获利20多万元。如今，西铺村已相继办起了织布厂、合股厂、辐射交联电缆厂等8家集体企业。村企业年完成产值1.8亿元，比他上任初的1982年增长了1800倍。

西铺富了。可屈信本人依然保持着当年“三条驴腿”闹革命的“穷棒子”精神。屈信常说：“我们比华西村还差得远呢。”如今，在村中屈信家也只有中等生活水平。这些年镇党委、政府为表彰他在发展村级集体经济中做出的贡献奖励他的奖金有几十万元，他一分也没有拿。当有人问及屈信是否后悔时，他不假思考地说：“以我个人的十几万、几十万、几百万，换取西铺村的2.18亿，我心甘情愿。”村上人都清楚，屈信并不缺少出门为自己挣大钱的机会，可他却一直未离开，他义无反顾地选择了西铺。

屈信敢于坚持原则，不徇私情，对自己的亲人也不例外。1993年，屈信的侄女婿承包车队车辆搞运输，因赔了3000多元而要求退掉合同，面对2000多元的违约罚款，夫妻俩多次找到屈信，要求网开一面，当时他只说了一句话：“合同是有法律效力的，我没办法同意。”这事过后，整个西铺村就没有出现过一份特殊合同。1996年，电缆厂竣工投产后，需要从原电线厂抽调一批技术工人，班子成员都建议屈信把妻子从电线厂调过来，却被他拒绝了，他妻子至今仍是电线厂一名普普通通的修线工。

（河北省文明办）

尚金锁

尚金锁，中共党员，高级工程师，河北省有突出贡献的中青年专家，中国粮食行业协会常务理事，河北省粮食行业协会副会长，河北柏乡国家粮食储备库主任。他先后荣获全国劳动模范、全国五一劳动奖章、全国职工自学成才奖、全国商业劳动模范、全国粮食系统购销优秀工作者、省优秀共产党员、省十佳优秀人民公仆等荣誉称号，并当选为九届、十届全国人大代表。2001年全国粮食工作会议提出“全国粮食系统学习尚金锁、学习柏乡粮库”。

尚金锁1970年参加工作，1974年调到柏乡粮库。29年中，他当过会计、保管组长、粮库主保管、粮库副主任，1987年被提拔为粮库主任。他当保管组长期间，几乎天天蹲在粮仓里，把粮库当成了家。有一次，7号仓发生虫情，他用药熏蒸，造成磷化氢中毒，几乎丢了性命。严重的教训使他懂得，必须走科技兴库之路。从此，他一心钻研粮食保管的学问，撰写了20多万字的读书笔记，并且走访了省内外20多位专家、学者。6年寒暑，他一天不落地观测记录大气温湿度、粮仓温湿度、粮食温湿度和虫害变化现象等13项数据，获得6万多个原始数据，总结出了粮食结顶规律、仓虫危害规律，绘制出《三温三湿变化图》、《粮食保管一年早知道示意图》，并编写了万余字的说明。还先后试验成功了“自然缺氧”、“气流熏蒸”、“磷化氢缓释技术”等13项科学保粮新技术，其中1项填补国内空白，3项填补省内空白，9项在省市县推广应用。他还先后在省级和国家级刊物上发表了15篇论文，其中《管理也是生产力》获国家级一等奖，在他的辛勤努力下，柏乡粮库连续29年被评为高标准“四无”粮库，3次被评为国家粮油保管工作先进单位。

当了粮库主任的尚金锁，心中装着的是柏乡粮库和粮库的干部职工们。粮库的职工多数来自农村，工作和生活上谁有困难，尚金锁都想尽办法、创造条件帮助解决。他千方百计改善职工的工作环境和生活条件，每月为职工举行一次集体生日晚会，送一个生日蛋糕，献一份生日礼物，在电视台点一首祝福歌，让职工在粮库感受到家的温暖。他还为职工家庭办理了人身意外伤害保险，解除了职工的后顾之忧。在他的带动和感召下，柏乡粮库实现了连续16年无亏损，年年盈利上台阶。人均创利、人均经营量、吨经营量费用开支三项主要经济指标连续6年在全国同行业名列前茅，连年被评为省部级先进企业、文明单位。河北省粮食局、邢台市委市政府、邢台市粮食局分别作出向柏乡粮库学习的决定。柏乡粮库先后被中央和省委命名为全国、全省农村“三个代表”重要思想学习教育活动先进集体。

（河北省文明办）

刘希光

刘希光，中共党员，张家口市桥西区政协副主席兼民政局局长。他曾两次荣立二等功、四次荣立三等功。2002年被河北省委、省政府授予优秀共产党员、“廉政公仆”荣誉称号。

工作中,刘希光经常告诫大家,老百姓的救命钱一分也不能乱花！在他任民政局长期间,每年经他手的救灾款、优抚金多达数百万元,但从未出现过一丝一毫的差错,在国家审计署的抽查中得到了好评。每逢8月退伍兵安置时,有些退伍兵的家长想为孩子安置个好单位,不惜重金与刘希光联络感情。对此,他总是诚恳地说,入伍是光荣的,安置是党的政策,我们民政人会以党性保证公正、公平、合理地安置好每个退伍兵。一次,一位在部队立过功、受过奖,父母残疾的退伍兵的亲戚找到刘希光,想让他给安排个好工作,把一个装有2000元钱的红包偷偷塞到他的柜子里。刘希光发现后,立即派司机将红包送了回去。后来,民政局按规定将这位退伍兵进行了合理安置。那位退伍兵的亲戚逢人就讲:“没想到,刘局长办事那么公道,真是咱老百姓的贴心人啊!”

10年来，刘希光走访了上万户优抚对象，带头并倡导全局同志坚持“与特困户过大年”。在他的影响下，桥西区民政局创下了两个100%，即：100%的民政干部都有帮扶的对象；100%的民政干部都带着爱人、子女一同到帮扶对象家中过年。

桥西区有十多个极度贫困村，区委、区政府要求各部门实施包扶贫困村。民政局负责包扶四岔村，刘希光看到这里的老百姓为行路叫苦，为吃水犯难的情景时，他流泪了。他带头捐出300元钱给四岔村修建高位水塔。在他的带动下，全局20多名同志共捐款2050元，村民们自愿投工5000多个，备沙石料10000多方，捐款6745元。工程开工后，刘希光和他的同事们多次利用双休日到工地义务劳动，抬钢筋、水泥，搬运沙石。四岔村的村民终于喝上了清洁的自来水。

（河北省文明办）

殷朝荣

殷朝荣，35岁，中共党员，河北省清河县公安交警大队民警，三级警督。

殷朝荣1992年参加公安工作，从警十多年来，始终把服务群众、奉献社会作为自己的崇高职责。他的事迹受到社会各界的广泛赞誉，被誉为新时代的“活雷锋”。《人民日报》、《河北日报》、《警视窗》杂志、《邢台日报》等多家报刊报道了他的先进事迹。

2002年4月，《河北日报》、《河北经济日报》、《邢台日报》等多家媒体，相继刊发了一封读者来信。写信的是天津医科大学衡水校区的一个叫赵会巧的女学生。信中说，她是柏乡县内步乡胡上京村人，父母因病残均丧失了劳动能力，家中还有三个正在上学的弟弟妹妹。2000年她考入天津医科大学衡水校区。2001年5月，《燕赵都市报》刊登她家境困难急需救助的消息，当天下午，就有位好心的同志打来电话，鼓励她坚定信心，战胜困难，争取做国家栋梁，并说以后每个月都会给她寄生活费，直到她有独立生活能力。从那时起，她每月都能收到这位同志的汇款，第一个月是50元，第二个月起变成了100元，她在电话里对这位同志说，50元就够了，可这位同志说，现在正是长身体的时候，应该吃好点。每个月寄钱后，他总是打来电话问钱收到没有，并叮嘱她要坚强起来，勇敢地面对生活，努力学习，将来做一名出色的医生来回报社会。每次接到电话，她总会询问这位好心人的姓名，可都被他婉言谢绝了。后来，她终于知道了这位好心人是清河县交警大队的殷朝荣。

殷朝荣救助赵会巧的事迹传遍了清河县。谁知就在那封“读者来信”刊发不久，交警大队的领导又接到河北师范大学音乐系一个叫李德馨的同学打来的电话，道出了殷朝荣资助她上大学的故事。

李德馨是清河县人，幼年丧父，母亲带她改嫁，家境十分困难。李德馨从小爱好唱歌，很有音乐天赋，1999年高考，她以优异的成绩被河北师范大学音乐系录取。金榜题名本是人生一大喜事，但是看看通知书上要求的巨额学费，她不知偷偷地哭了多少回。

殷朝荣听说了她的情况，找到她，表示愿意资助她上大学。殷朝荣的话还没说完，这个倔强的女孩子就感动得泣不成声。

殷朝荣家里并不富裕，他上有年迈的双亲，下有正在上学的孩子，妻子是下岗职工，他每月1000多元的工资，要养活一家四口人。然而他4年来资助这两名贫困大学生的资金达两万元。

殷朝荣1985年入伍，1989年转业到地方。他常讲，当兵时头上的军徽让他肩负起保卫祖国的重担，现在，头上的警徽更让他深感服务群众的神圣职责。

为群众排忧解难，殷朝荣不辞劳苦。1993年冬天的一个上午，殷朝荣在县城三羊大街儒林道口执勤，看到一个4岁左右、衣衫单薄的小孩子，喊着“妈妈”，他赶紧拦住孩子，脱下大衣给孩子裹上。孩子说不清家住何处，父母是谁，殷朝荣就抱着孩子，跑遍了县城附近的7、8个村子，从上午一直找到下午。后来，他抱着孩子转到城东的武家那村，才找到孩子的家。第二天，孩子的父母一路打听着，先找到县委，又找到交警队，非要重谢这个好心人不可。

每年义务献血，交警队总少不了他。2002年，殷朝荣从报上看到河北大学一个学生发出了捐骨髓的倡议书，随即赶赴保定，自费花了500多元化验费，成了中华骨髓库的一名志愿者。

（河北省文明办）

刘明然

刘明然，中共党员，秦皇岛市北戴河区海淀镇刘庄村党总支书记、滨海实业总公司总经理。

刘明然1996年12月担任村党总支书记以后，带领全村村民大力发展集体经济，6年迈了6大步。1997年当年实现收支平衡；1998年还清外欠款480万元外，还有200万元的存款入账；2000年村集体企业增加到16家，集体资产达到8000万元，实现社会总收入1.2亿元，资金积累达1100万元，2001年度村集体资产近亿元，实现社会总收入超亿元。

刘明然带头讲奉献，主动将560万元的奖金作为村委会的股份投入到建筑公司。在他的带领和影响下，1997年年底，区里奖励给村干部的拆迁奖金10万元，至今仍一分未动地留在村集体的账户上。

一心为民办好事，关心残疾人和老年人生活。村里60岁以上老人普遍实行了“退养”制，全村老人每年人均发放生活补助费和各种福利2400多元。减免残疾人的摊位费用，为他们生活提供方便。为了改善村容村貌，提升生活质量，近两年村里投资盖了3栋住宅楼，村道全铺成水泥板路，翻新了上下水管线，改造了4条污水沟，实施“垃圾不落地”工程。村里还成立了绿化美化小分队，先后建花坛188个，植花木3万多株。

1999年2月，在他的倡导下，村共青团员义务办起了村报——《刘庄新风》，架起了村两委班子与村民沟通的桥梁。村里每年都要由村民投票选举产生14类200多个先进典型。投资4万余元组建了滨海乐队，办起了文化娱乐活动室和图书阅览室。先后组织村民1200人次去北京、上海、大连等地观光游览。

刘明然为刘庄的发展呕心沥血，常常超时工作。自1999年10月做了胃部切除五分之四的大手术之后，又累计做过6次大手术。他常说："我是刘庄人的儿子，只要有一口气，就要为刘庄的发展奋斗到底"。

刘明然带领村两委班子成员经过三次艰难创业，先后对11家村集体企业进行了技术改造，创办了房屋开发公司、自动化仪表厂等企业，使村集体企业达到16家。刘庄村由原来负债480万元负债村，发展成为拥有集体固定资产超亿元，集体存款2000万元，人均纯收入5200元的小康村。先后有22名见义勇为的刘庄村民受到了各级政府的表彰和嘉奖，刘庄村先后被评为全国先进基层党组织、省级文明村、省级红旗党支部、省级综合治理先进单位、省级创建精神文明示范点、全省"三个代表"重要思想学教活动先进党支部等荣誉称号。他本人也多次被省、市、区评为和授予学习实践"三个代表"重要思想优秀个人、优秀共产党员、优秀党务工作者、农民企业家、秦皇岛市十大优秀人民公仆。

（河北省文明办）

暴新立

暴新立，中共党员，河北省高邑县民政局工会主席兼光荣院院长。1980年毕业于陕西民族学院，在组织的号召下奔赴西藏阿里地区工作。在西藏的16年中，获得了地级民族团结先进个人、双拥模范、自治区先进个人等荣誉称号。1993年起他担任噶尔县宣传部副部长职务，获自治区党校优秀共产党员称号。

1995年，暴新立因病被调回高邑县民政局，安排到光荣院工作。担任光荣院院长后，由于工作性质和内容都发生了很大变化，他首先从自己做起，放下思想包袱，放下官架子，心贴心地去照顾每一位老人，把光荣院的老人当自己的亲人来对待，老人的事就是自己的事。在暴新立的带领下，光荣院全体工作人员以最优秀和周到的服务态度对待每一位老人。

"人生的价值，贵在孜孜不倦地追求"。暴新立把这句话作为自己的座右铭，牢记在心中。工作之余，他自学了《医学护理基础知识》、《老人心理学研究》等医学书籍，掌握了大量医学常识，并取得内科护理师职称。在多年的工作和护理实践中，他练就了一手硬功夫，对老人的情绪变化、思想动态、发病季节和犯病先兆，能准确观察掌握。

1998年以来，光荣院连续5年无大事故，人员无伤亡，老人平均年龄达78岁，真正成了"长寿院"。暴新立不仅关心老人们的身体健康，还经常与老人们促膝长谈，帮助住院老人转变悲观等死的厌老观念。他带领老人自己动手养猪、种菜、养鸟，走出院门向小学生宣传革命传统，争做社会有用之人，让他们体会到"人生最美夕阳红"。

暴新立从老人吃、穿、住着手，1998年投资3万元为老人改装了冬季取暖、夏季纳凉设备和饮水锅炉，使老人的生活条件得到了改善，把过去被称为"上访大户的光荣院"，变成了安定团结的文明院。1999年投资6.3万元，对院容院貌进行了整修，硬化了道路和院落内地面，种植花果树木20余种，使老人的生活环境幽雅，空气清新，达到了冬有青、夏有草、春有花、秋有果的花园式庭院标准。光荣院扩建充实了医务室、康复室、娱乐室、荣誉室、浴室等。他为每位老人过生日，定期检查身体，并建立了老人身体状况档案。这些措施使老人生活质量有了很大的提高。

从1995年他接任院长以来，院办经济累计创收16万元左右，老人人均生活消费标准已由每月150元，提高到190元，院内肉、蛋等副食品实现了自给自足。

（河北省文明办）

杨春霞

杨春霞，女，山西省优秀党员，运城市人大代表，盐湖区政协常委，盐湖区饮食服务总公司迎宾餐馆经理。

杨春霞自1995年担任迎宾餐馆经理以来，带领全体职工奋力拼搏，使迎宾餐馆由一个小小门店发展为拥有固定资产80余万元，年创利税20余万元的中型餐饮企业。

致富不忘众乡亲。20余年来，她倾心营造爱心工程，共拿出20余万元扶弱济困。她扶助遭遇火灾、陷入困境的闻喜兄妹伟康（11岁）、伟仙(8岁)。她常年资助的运城中学特困生吴宏民、吴佳民兄弟二人于2000年以优异的成绩考入中央财经大学和太原理工大学；常年资助的运城中学特困生景国辉、景国峰兄弟二人于2001年考入南开大学和太原理工大学。因父母失足入狱，11岁的秦洁敏举目无亲，杨春霞担起养育小洁敏的担子，也唤回了失足父母的良知。2002年，16岁的秦洁敏考入市卫校大专班。西姚乡西姚村老人杜静堂年老无依，孤苦伶仃，杨春霞十几年如一日给予他女儿般的照顾。

辛勤的工作，无私的奉献，换来了组织的关爱和人们的敬慕。杨春霞先后被山西省授予优秀共产党员、优秀女企业家、三八红旗手称号。2002年又荣获山西省“五一”劳动奖章和山西省“十大女杰”的光荣称号。

（山西省文明办）

张小民

张小民，中共党员，生前是运城市临猗县孙吉镇蔡村党支部副书记、村委主任。2001年11月9日在帮助村民劳动时，因车祸去世，年仅42岁。

张小民同志并没有什么轰轰烈烈的事迹，没有惊天动地的壮举，但他以人格的力量感动着乡亲。张小民葬礼那天，出现了上千名群众自发为其送葬的感人场面。

张小民在村委会主任的岗位上，时刻把群众的事放在前面。前几年村里发展果树种植业，栽苗季节，他先帮东家买苗运苗，再帮西家挖坑担水，忙完全村人的活，他家买的200棵树苗都快风干了，栽下后，自家的树苗成活率低了两成。2000年秋天大旱，好不容易等来一场透雨，全村人忙着抢墒种麦。张小民先到13户孤寡老人的地里帮助整地、拉粪、播种，等回到自家地里，别人的小麦已经出苗了。

张小民把带领全村人致富当成了自己义不容辞的责任。他刚上任时，全村2300口人春种秋收靠天吃饭，人均收入不到500元。为了寻找致富门路，张小民苦苦寻求，从本村一个叫丁广义的村民在西安搞食品加工致富的事上受到启发。他千里迢迢到西安把丁广义请回村给乡亲们传授经验，为准备外出的乡亲找县里，跑市里，先后帮助办理各种证照113个，争取贷款716万元。如今，由蔡村人办的123家小食品厂遍布西安、武汉、郑州、银川、兰州等大中城市，外出从业的蔡村人有800多人，为蔡村带回大笔收入，蔡村人均收入已超过4000元。

蔡村富了，村民富了，但张小民自家的生活并不宽裕。给孩子交学杂费，他卖掉了镇上奖给他的皮衣。家里连一张书桌都没有，上学的独生子写作业和他轮流用一个条凳。但他却为村里建学校两次带头捐款。张小民去世后，他的事迹广为传播，《山西日报》、山西电视台、《人民日报》、中央电视台等新闻媒体都先后做了报道，中共山西省委也于2002年4月17日作出了“关于开展向张小民同志学习活动的决定”。

（山西省文明办）

戴成钧

戴成钧，1966年生，中共党员，生前为内蒙古自治区宁城县汐子镇副镇长。

2001年8月29日凌晨，不满35岁的戴成钧积劳成疾，倒在汐子镇副镇长的岗位上。戴成钧1985年从赤峰市农牧学校毕业后，先后当过牧站技术员、镇行政秘书、镇长助理，他于1991年入党，1999年10月任副镇长。戴成钧在镇里分管牧业。1999年，镇里号召养鹅，他怕群众不会养，自己花钱买了雏鹅，让父亲戴国庆试养，并请教农牧学校老师，很快帮助全镇发展养鹅14万只，当年增收400多万元。

2000年，汐子镇党委、政府在杨家窝铺村筹建蔬菜大棚。戴成钧与镇党委组织委员合计，先在烧锅地村抓试点。在为烧锅地村调地迁坟时，戴成钧为几家特困户垫付了上千元的尸骨火化费。有几户村民建塑料大棚无人敢做资金担保，他以自己的名义给他们担保贷款3.6万元。接下来，他又到赤峰、凌源、朝阳等地跑市场，使多数大棚户产品有了市场，收益很好。2001年，全镇一下子出现了423个蔬菜大棚。

戴成钧把勤为政、廉为公、不图利、不图名看得比泰山还重。戴成钧每年过手的公款近400万元，从未占公家一分钱的便宜。戴成钧逝世后清理账目时，他分管的资金分文不差。

戴成钧当乡镇一般干部时，给自己定下“脑勤、嘴勤、手勤、腿勤、笔勤”的五勤律条。担任镇党委宣传委员、镇长助理、副镇长后，又多次自勉：“扎扎实实下点功夫，提高自己的能力和水平。”

2001年立夏时节，镇里打响兴隆地生态建设大会战，戴成钧担任工地常务总指挥，不顾自己患有高血压，带领群众顶烈日、战酷暑，奋战90天，治理大大小小15座山头。他曾在日记里记下“把平凡的事做好，你就不平凡；把简单的事做好，你就不简单”的感言。

8月24日晚上，是戴成钧在家度过的最后一晚。8月26日，他和牧站站长从4个村的养殖大户那里查访回来。进了卫生院，戴成钧只说感冒了，医生给他打了一针。直到8月28日21时40分，戴成钧还在办公室打电话联系和第二天一早外出参观的事。当晚，他连病带累躺下了，这一躺，就再也没能起来。

同事、乡亲、家人，谁能料到还不满35周岁的戴成钧竟走得这样匆忙！不到一个上午，汐子镇的花圈卖光了，医院、政府、小街变成了挽联、花圈的海洋。

戴成钧逝世后，内蒙古自治区党委追授他“模范基层干部”荣誉称号。

（内蒙古自治区文明办）

铁兆义

铁兆义，内蒙古呼和浩特市回民区回族个体经营者。多年来，铁兆义诚实守信，积极投身社会公益事业，捐资助学、扶贫解困，做出了突出贡献，多次受到呼和浩特市表彰奖励。1998年，铁兆义荣获全国“五一”劳动奖章，1999年被自治区党委、政府评为全区发展个体私营经济十佳带头人。

党的十一届三中全会以后，铁兆义成为呼市回民区第一家个体工商户，经营牛羊肉和小食品。铁兆义恪守“遵纪守法、合理经营、公平买卖、取信顾客”16字经营准则，不为暴利所动，严把质量关。为保证店里常年有新鲜牛羊肉出售，铁兆义建了一个牧场，饲养了600多只羊，100多头牛。从幼牛幼羊的选购、饲养，到出栏牛羊的选择，他都要亲自办理，决不把带有病菌的牛羊肉卖给顾客。

铁兆义开店做生意，坚持买卖公平，不欺瞒顾客。不论买卖大小，他都一样对待。铁兆义常常提醒自己的店员：一定要公平、诚实地对待每一位顾客。铁兆义的牌子越叫越响，靠信誉换来了数不清的回头客。

在工作中，铁兆义要求每一位店员要认真负责、一丝不苟，要微笑对顾客，要把好每一道工序。在生活中，他无微不至地照顾他们、帮助他们。他一再鼓励资助员工独立经营，自己闯市场当老板。不仅是对店员，就是周围有困难的人，铁兆义都能以一颗友善之心慷慨相助。铁兆义总是这样说，“我也受过穷，吃过苦，是党的富民政策好，是政府支持了我，才让我脱了贫，生活宽裕了许多，我永远不能忘记党，不能忘记人民……”

1998年长江、松花江、嫩江流域遭受百年不遇的特大洪灾，铁兆义捐献出3万余元的钱和物，这是回民区政府接到的第一笔捐款。从1980年开始，铁兆义先后为希望工程、光彩事业捐款80多万元，为大小清真寺捐款100余万元。铁兆义20年苦心经营，既积累了丰富的从商经验，更读懂了人生真谛。他说："钱挣多少算个够，要是没有新社会，没有党的好政策，我的钱从哪来？再说，钱财对我来讲真是身外之物，生不带来，死不带走，捐出去能为社会做点贡献，留个好名声，也不枉这一生。"

（内蒙古自治区文明办）

王剑峰

王剑峰，1978年8月生，中共党员，吉林省通化县城区管理综合执法监察大队监察员。

王剑峰，1994年入伍，先后担任班长、排长，并被部队授予"神投手"称号。在1998年的松花江、嫩江抗洪抢险中，他冒着生命危险，与战友们奋力抢险，保住了人民生命财产，个人荣立三等功。

2001年12月30日，通化铁路实验小学8名学生到通化市玉皇山大桥下冰冻的江面上玩耍。突然，冰面断裂，7名学生掉进3米深的水中。在这危急关头，王剑峰飞身跳入冰冷刺骨的江水中，奋力抢救落水学生，先后将5名学生救上岸。当全部7名学生脱离危险时，他已脸色发紫，四肢麻木，浑身上下被冰凌划得血迹斑斑。他的英雄壮举，受到了在场群众的称赞。1995年至今，他舍身救过20多名落水群众。

为弘扬王剑峰见义勇为、舍己救人、无私奉献的崇高精神，2002年7月，中共吉林省委、省人民政府、省军区联合召开表彰大会，授予王剑峰"模范退伍军人"荣誉称号。

（吉林省文明办）

张祖安

张祖安，1945年生，宁波市对口扶贫办公室主任。1997年，张祖安同志从宁波市林业局局长调到市对口扶贫办公室，主要从事宁波与贵州的对口帮扶工作。

6年多来，他牢记江泽民同志关于对口帮扶的指示精神，情系贵州，带领对口扶贫办一班人，认真贯彻落实市委、市政府关于对口帮扶工作的要求和政策措施，积极做好甬黔两地的联络协调工作，他先后28次行程5万多公里，深入到贵州的贫困村寨，考察扶贫点，落实帮扶项目，与贫困农户交朋友，为那里的百姓送去了党的温暖和宁波人民的深情厚谊，赢得了贵州人民的信赖，被帮扶地的干部群众亲切地称为"我们的贵州干部"、"我们的贴心人"。

他在贵州扶贫的6年，积极推动可持续发展项目的建设，变"输血式"扶贫为"造血式"扶贫。他想方设法联系项目，建设医院、学校、电视转播站等设施，改善当地人民的生活条件；引进甘蔗、雷竹、杨梅、黄花梨、波尔山羊等种植养殖项目，让地处贫困山区的村民们直接受益。张祖安还多方联系安排贵州的干部、医生、中学校长到宁波挂职、进修、培训，组织了百名村干部到宁波考察培训、百名县级干部到宁波学习研讨等活动。宁波的农业专家、教师、医生、青年志愿者奔赴贵州，往来交流，为贫困地区带去新的思想、新的观念和新的生产技术，为帮扶地区注入了生机与活力。

张祖安由林业局长到扶贫办主任，职务未提升，工作条件更艰苦，但他毫无怨言，依然以强烈的事业心和责任感，兢兢业业，忘我工作。他说："我是一个普普通通的党员，是党组织把我从一个苦孩子培养为一名党的领导干部，我做的事都是我应该做的，许多同志做得比我更好。""要凭良心做人，凭党性干事。"2002 年 9 月 17 日，浙江省委决定，在全省党员干部中开展向扶贫帮困模范干部张祖安同志学习的活动。

（浙江省文明办）

刘年春

刘年春，生前为安徽省铜陵县顺安镇城山小学教师。

城山小学全校连校长在一起只有三名教师，三十几名学生，四个年级合成两个复式班上课，是全村 11 个村民组的希望所在。刘年春从 19 岁开始，就一直在这里教书。2002 年 4 月 28 日，年仅 49 岁的刘年春，被病魔夺去生命。

刘年春临终前留下遗嘱："死后不留骨灰，一部分撒在校园，一部分撒在城山上，一部分撒在父亲墓旁，栽一棵树；将补发的 1 万元工资作奖学基金，奖励城山学校的学生。"

刘年春家境不好，爱人没工作，上有 71 岁老母，下有两个孩子，一个上大学，一个读初中，还欠外面不少钱。家里除了一台彩电，几乎没有什么值钱的东西。刘年春三十年如一日，把自己的整个身心都融入了家乡教育事业，融入了山区孩子们的梦中。刘年春每周要上 20 节课，承担着语文、音乐、美术、体育等多学科教学任务。除了 2001 年底突然患病，刘老师还从没请过一天假。城山小学师生直到刘年春在出差途中晕倒以后，才知道刘老师病了。刘年春的病情在逐渐加重，他却仍在教室里捂着胸口讲课，在办公室里边改作业，边用杯子抵着胃部。为了不影响上课，刘年春从镇上医院开了一些药品带回家，找到乡村医生，要求在学校给他打点滴。刘年春去世后，教室和办公室角落处还留下 36 个大药水瓶，装了满满一麻袋。2002 年春季，他还带病坚持上了两周课，后因为在课堂上一次次晕倒，连拄拐杖也支持不下去了，才被家人强行送往合肥和上海治疗。此时的刘年春已是胃癌晚期。

4 月 30 日，刘年春的遗体送往殡仪馆，仅有千余人的城山村，有八百多村民自发赶来为他送行，人们含泪向这位在平凡的岗位上默默奉献了一辈子的老师作最后的告别。刘年春事迹引起强烈反响。中共铜陵县委、铜陵县人民政府及县委宣传部、县教委等分别发出通知，号召向刘年春同志学习。

（安徽省文明办）

李树银

李树银是安徽省临泉县老集镇的一位农民。16 年来，他将自己的生命与魏野畴烈士的坟茔紧紧联系在一起，并将一段被岁月尘封的历史清晰地展现在人们面前。

李树银知道魏野畴烈士的事，是在 1985 年 10 月，他当时在老集镇韩庄村小学任代课老师兼少先队辅导员。一天，他经过镇东头界南河边，见一棵泡桐树上挂了一块牌子，上面写着"皖北特委书记魏野畴烈士遇难地"。他想，当地有这样一位革命烈士，正好可以用作教育学生的"乡土教材"，只是不知魏野畴烈士的情况。李树银于是专门来到地区党史办，这才有了更多的了解。

魏野畴烈士 1921 年毕业于北京师范大学，并由李大钊介绍入党。他是中国共产党早期理论家、宣传活动家。在陕西，他培养了刘志丹、谢子长等革命志士，担任过杨虎城部政治部主任。1928 年，魏野畴来皖任中共皖北特委书记，4 月 9 日，他领导了著名的皖北"四九"起义。起义失败后，魏野畴被土匪武装杀害，年仅 31 岁。毛泽东同志高度评价了这次起义，并亲笔题词："死难烈士万岁！"

魏野畴烈士的事迹深深打动了李树银。他想趁一批知情人还健在，挖掘"四九"起义与魏野畴烈士的宝贵资料。

1989 年在北京，他找到杨虎城将军的长子、全国政协文史委员会主任杨拯民和“四九”起义的参加者、全国政协常委米暂沉。两位老人向李树银提供了许多资料。此后几年，他奔走于阜阳、亳州、合肥、北京、武汉、西安等地收集资料，行程10万余公里，搜集的各种资料摞起来有1米多高。人们称他是“四九”起义和魏野畴烈士事迹的“活字典”。

1992年秋，李树银决定弃教务农，他带着家人科学种田，搞畜牧养殖，很快成为老集镇农民中第一纳税户和售粮大户，被人们称为“能人”。发家致富的他，心中始终放不下安息着烈士英灵的坟茔，他在宣传方面投入更多精力。有的人不能理解他的行为。但李树银觉得，他只是在做一件对得起自己良心的事，很自然，也很平常。李树银多年来用在宣传烈士方面的费用超过4万元。这些宣传活动润物无声。越来越多的人们来到陵园祭奠魏野畴烈士，16年来，累计已300多万人次。

长久以来，李树银一直梦想建造一座烈士塑像。2001年清明，李树银提议大家为此捐款，并得到省民政厅为此划拨的2万元专项资金。当魏野畴烈士7.1米高的汉白玉塑像巍然屹立在烈士陵园前的广场时，李树银心中无比宽慰。李树银与陕西省兴平县党史办的同志共同编写了10集电视连续剧《魏野畴》剧本。要把烈士的事迹搬上银屏，让更多的人了解烈士的业绩和精神。他正着手写一部长篇传记《魏野畴》。

先烈的英名传播四方。李树银宣传、实践烈士精神的精神，赢得远近人们的广泛敬重和赞誉。

（安徽省文明办）

王乐秋

王乐秋，女，31岁，江西乐秋截瘫康复中心主任，南昌市郊区肢残人协会主席。22岁时，王乐秋从高楼摔下导致截瘫，经9次大手术方站起来。康复后她面对婚姻变故，自强不息，筹集60余万元创办江西省第一家外伤性截瘫康复中心，至今已收治和接待国内外2000多位截瘫患者及家属。她为贫困病友减免费用10万余元，并积极纳税，不要国家免一分钱税。她精心护理患者，以自己的亲身经历激励患者。她热心于社会公益活动，先后在学校、工厂、企业、机关等单位做了30多场报告会，产生了很好的社会反响，全国50几家新闻媒体对此作了宣传报道，被称为“当代中国的女保尔”。荣获南昌市创税大户、先进助残个人、三八红旗手称号，获中华爱国工程联合会热心公益事业奖，被评为中国文联“世纪之星”。

（江西省文明办）

孙霞林

孙霞林，40岁，中共党员，樟树市洋湖乡东阁村农民，江西华发集团有限公司董事长。他在短短3年时间里，将公司发展成年产值达8000余万元的企业集团。1992年他刚从事饲料加工，因一时找不到买主，9吨多饲料积压霉变，为不损害养殖户的利益，他将其全部倒掉。10年来，为困难农户扶助生产资金190多万元，帮助1000多户贫困户脱贫致富；为保护鸭农利益，他以成本价收购协会会员的成鸭，累计贴资35万元，被群众誉为“农民的企业家”；每年出资2000元用于扶助村小学贫困学生，使全村无一名学生因贫困而辍学。2000年被评为省劳模，2002年被评为宜春市优秀共产党员。

（江西省文明办）

廖长春

廖长春，43岁，中共党员，宁都县田头乡民政所长、赣州市政协委员。他20多年如一日，用实际行动坚持学雷锋、做好事，经常救助、服侍孤寡老人，义务为敬老院打工。在学生中组织学雷锋小组，为老人们服务。在村组干部、党员中组建拥军优属服务组，为优抚对象服务。他经常为群众排忧解难，化解积怨，曾两次现场化解村民械斗事件，还险些丧命，但仍未动摇学雷锋的一颗痴心。其事迹编入江西省小学统编教材课文《春雨滋润众人心》。被评为1990年、1993年全国学雷锋先进个人，1999年获全国尊老好儿女金榜奖，2002年获民政部最高奖“孺子牛”奖。

（江西省文明办）

徐正华

徐正华，65岁，中共党员，萍矿集团公司巨源煤矿退休职工。他平时生活俭朴，为人乐善好施，热心公益事业。1995为萍水河治理工程捐款2000元，1997年为庆祝香港回归捐款1000元，1998年为抗洪捐款1500元，1999年建设秋收起义广场捐款1000元，他还组织了10余名老工人成立广场义务护场队，维护广场治安和环境卫生。老人嫉恶如仇、一身正气，1998年，他运用法律手段，免费帮助萍乡市毛涤纶厂141名下岗女工要到了应得的20多万元社保金，几年来徐正华帮人打官司40多起，调解纠纷200多起，2000年被萍乡市律师事务所聘为全市惟一的律师职业人民监督员。2002年4月，见到三个歹徒在火车站持刀抢劫，他挺身而出并擒拿其中一名歹徒。连续7年被评为萍矿集团公司十佳离退休职工，1995年、1996年、1999年被评为萍乡市“十件新人新事”之一，2001年被评为萍乡市百佳文明市民。

（江西省文明办）

张清香

张清香，女，64岁，中共党员，万年县青云镇福利院院长。1967年上任时张清香面对欠债3900元、缺粮3个月的福利院破烂摊子，拿来自己多年积攒的200斤粮票和几件棉衣分发下去，让17位老人安然过冬。在公社的支持下，她开起了一家小旅社，大大改善了老人们的生活，1986年她创办了一家民政福利厂作为院办经济。1998年，又申请到省、市、县三级财政民政“三院”专项资金，建起了总投资158万元的青云福利院。2001年，集体经济收入达7.7万元。1988年，她主动放弃调任乡妇女主任的机会，留在福利院工作。平时，她视老人为父母，精心服侍。1999年，双目失明的刘金莲老人中风瘫痪在床，不能自理，她为其擦洗身子，一干就是3年多。任职35年中，先后照顾了136位老人和16位孤儿。1998年荣获中华好儿女金榜奖，2000年被评为省民政厅精神文明十佳，2001年被省民政厅授予三院建设先进院长，2002年评为全省民政系统先进个人。

（江西省文明办）

李连成

李连成，中共党员，河南省濮阳县庆祖镇西辛庄党支部书记、十六大代表、全国优秀党员。

1991年8月，靠种蔬菜发家致富的李连成当选为村党支部书记。上任后，李连成发挥自己的优势，把大力发展大棚蔬菜作为带领村民脱贫致富的突破口。他帮助大伙筹措资金、免费提供技术指导，短短两年，年年靠救济的西辛庄人均收入就增加了500元，村民们看到了脱贫的希望。

当周围村庄都搞起大棚后，对市场变化特别敏感的李连成又率领村民发展工业，筹措经费建起了再生纸厂、工业用呢厂等几家工厂。2002年，全村集体固定资产已达6000多万元，人均纯收入超过5600元，村民们尝到了致富的滋味。

西辛庄百姓富了，村里也有了积蓄。李连成促成村里成立了“民主理财小组”，管账管钱两分开，重大开支必须由支委、村委和村民代表会议研究决定。李连成常说，村里的每一分钱都是群众辛辛苦苦挣来的，能省下一分钱就能为群众多办一分钱的事，谁也没有权力乱花。11年来，他个人为集体、邻里、困难户无私捐助达20多万元。就连中央表彰全国优秀共产党员颁发给他的5000元奖金，他自己仅留了100元，其余都捐给了学校和困难户。

李连成当村支书以来，从个人致富到带领群众致富，从发展特色农业到创办乡镇企业，从开办低效益企业到高附加值企业，他对发展的追求似乎永无止境。2001年，西辛庄村租用了邻村的200亩地，加上本村的900亩地，一下子种了1100亩的“107速生杨”。李连成预计,头两年杨树小，可间种粮食作物。到第三四年,树下可种草,草可以养奶牛,养波尔山羊。等到第五个年头,杨树就可以砍伐了。栽上一棵树,就等于办了一个“存折”。如今的西辛庄已是名副其实的“生态村”。

（河南省文明办）

夏雨田

夏雨田，中共党员，中国曲艺家协会副主席，原湖北省文联副主席，原武汉市文联主席、党组书记、市委宣传部副部长，我国相声界第一位大学生，歌颂型新相声的开路人。

夏雨田11岁时随父母来武汉定居，1960年毕业于华中师范大学中文系。1961年，进入武汉曲艺队成为专业编剧和演员。

“扎根生活，扎根群众，才能开掘出‘笑’的矿藏。”从60年代起，夏雨田经常到部队、农村、工厂、学校演出，每年都要到农村体验生活三四个月，深入群众，熟悉各种人物的语言和性格特征。来源于生活又回归生活，扎实的生活基础，使他的作品生动形象、富于感染力。

夏雨田认为，相声也是歌颂的艺术。他尝试着用相声歌颂新生活，赞扬新人物。1963年，他创作的相声《女队长》，成功地塑造了一个舍己为公、热爱集体的女生产队长形象。经马季等相声演员的传播，《女队长》“火”遍中华大地，法国巴黎大学将它收入教材。歌颂干一行爱一行的澡堂工人的《无限青春》、赞颂勇夺五连冠的中国女排的《女排七十八号》、歌颂知识分子的《农老九翻身记》等，一个接一个在舞台上亮相，使人们记住了“夏雨田”这个名字。

夏雨田是中国新相声的“开路人”，他的歌颂型新相声不是一般的歌功颂德，而是将优秀人物在现实生活中的小毛病与其崇高境界进行融合、加工并幽默地予以表达。随着一个个“包袱”抖落，人物形象显得更丰满、更生动，“不美之处最美”是夏雨田的独特创造。

夏雨田引领着武汉市说唱团对相声进行了不拘形式的革新，比如把“吹拉弹唱”引进相声，独创了“小品相声”等。事实证明，这些表演形式受到了观众的喜爱。

几十年来，夏雨田创作发表相声、小品、诗歌、散文、评论等作品500余万字，100多次获得全国、湖北省和武汉市文艺创作奖，仅中央电视台就播出他创作的节目40多个。可谁曾想到，这些生动幽默、令人捧腹的作品，有300万字是夏雨田在病床上、在死神的威胁下完成的。

夏雨田下乡演出时染上了黄疸性肝炎，肝炎逐渐拖成了肝硬化腹水，肝、肾功能已衰竭，每周都要接受血液透析治疗。

“生命无可制约，活法可以自己选择。”夏雨田说：“与其躺在病床上等死，不如把平时积累的素材综合、提炼一下，拼命干上一两年，给世人留下一点作品。”1998年，武汉遭遇特大洪水，夏雨田也正值胸水、腹水同时上涨，肚子比9个月的孕妇还大，体重近100公斤。“挺着大肚子”的夏雨田没闲着。7个不眠日夜，他为武汉市曲艺团完成了一整台晚会十几个节目的创作，晚会命名为《水也滔滔，情也滔滔》，其中，《零点三十分起爆》获得国家大奖，相声《电话声声》在中央电视台播出。

2002年3月，夏雨田作品专场晚会举行，马季、姜昆、冯巩等全国相声界名角都来了。马季开玩笑：“老夏，不知道‘那个世界’的公汽挤不挤?”他答：“挤也没关系，雷锋不是在那边给大家伙儿让座吗?”幽默是夏雨田的艺术风格，更是夏雨田的人生态度；也正是幽默，让夏雨田的生命之舟闯过一个个险滩，顽强地向前驶去。有人认为，文艺圈是个名利场。而在市场经济新形势下，夏雨田用他的实际行动展现了一个共产党员的高尚情怀。为了湖北文艺事业的繁荣发展、多出新人，夏雨田不计回报地为许多业余演员写作品。他一口气给独角戏演员田克兢创作了200多个“本子”，田克兢成了全国知名的曲艺明星，独角戏也成为湖北特色鲜明的曲艺门类。法国巴黎大学的尼古拉·雷先克教授在教材中选用《女队长》后，执意要付给夏雨田一笔重金作为酬谢。夏雨田在复信中答道：“能为中法人民的文化交流做点贡献，我感到十分荣幸，请你不要寄钱来。”

心中有百姓的人，百姓心中就有他。在荆门市的公园里，人们为夏雨田塑了一尊大理石像，传颂这位人民艺术家的纯洁灵魂。

（湖北省文明办）

曾令钊

曾令钊，1970年生，土家族，中共党员。

曾令钊1995年进入中国银行湖北省三峡分行工作。当时，银行正在大力推进“电子化服务”工程。曾令钊明白，自己还是银行业务的门外汉，要想发挥计算机技术的专长，必须尽快掌握金融领域的知识。于是他利用业余时间，研读《会计》、《储蓄》、《银行行销》等书籍。短短一年，他就从普通的程序维护员，变成既了解银行业务又掌握计算机技能的程序项目负责人。踏实、敬业是大家对曾令钊的一致评价。

1996年，曾令钊正埋头电脑局域网进入银行业务的研发，却被检查出患上了男性乳腺癌。面对突如其来的生死抉择，绝望、不甘心、抗争，种种思绪一起向他袭来。幸运的是，热恋中的女友伍丽琴不但没有弃他而去，反而用炽热的爱、温暖的胸怀支撑了曾令钊。

治疗中的曾令钊心中翻滚：治疗是为了健康，健康是为了高质量的生活，敬业、务实、对社会多做贡献才是延长生命的最好方式。手术后他找来大量电脑书籍，忍着病痛开始“充电”。病房中的医生、护士感叹：“像曾令钊这样重症病人的精神状态和敬业精神，在医院很少见到。”

一出院，他就迫不及待地上班，开始了生命“倒计时”的赛跑，要和病魔做一次殊死的较量。他虚弱的身体，通过小小的键盘、闪亮的荧光屏迸发出巨大的能量。因为工作需要，他在宜昌和荆门之间频繁往来，有时几乎一天一趟，每次都要五六个小时。

2001年是三峡分行科技攻关的一年，信用卡数据的全省大集中要求相应软件更新换代、各县市支行数据统统要转录到新型RS/6000计算机中、数据转换程序的编制调试、培训资料的编写、对存储网点的人员培训……曾令钊找到领导请战，担当了项目负责人。他除了自己努力做好程序的开发、员工的培训外，还带领一组人马共同攻关。为了大家工作便利，他特地编制了方便、高效的工具软件，毫无保留地让全组的同仁使用。从1997年开始，曾令钊独立承担和参与开发的金融软件产品，就有15项之多。

2001年的一天，一张“白血病”的诊断书惊呆了他的同事。他却又工作了两天，安排好自己想到的一切才住进医院。刚刚住进武汉协和医院，病危通知就发给了单位和家属。躺在病榻上的曾令钊向前来探望的领导交出的是两张软盘：一条条指令，一行行代码，一张张流程图，一页页文字说明。

令人欣慰的是7次化疗“打退”了病危通知。更令人高兴的是，经过武汉协和医院大夫精湛的骨髓移植术治疗，曾令钊已经走出了无菌舱，健康情况稳定。医生说：“无菌舱中的几十个日日夜夜，面对生与死、面对隔离的孤独与寂寞，常人都要用镇静药物配合治疗。曾令钊却没有使用，他真是一个坚强的人！”

（湖北省文明办）

田宝权

田宝权，1972年11月出生，中共党员，生前是珠海市公安局香洲分局民警。

田宝权1994年7月从中国人民公安大学法律系毕业分配到珠海市公安局，被派往原万山公安分局工作，1996年11月加入中国共产党。参加工作8年中，他一直扎根于条件艰苦的海岛，不计较个人得失，兢兢业业，默默奉献，为万山公安分局的公安法制工作的开展，为当地治安稳定和打击走私犯罪做出了积极的贡献。法制科长期只有他一人，从材料的审核、案件的报批、法律文书的出具到案卷的整理归档，大小事务都是他独立承担。为了不断提高业务水平，他把大部分的业余时间都用在钻研业务上，2000年他针对海岛执法工作的实际而草拟的《万山分局办理治安案件取证方法》、《万山分局执法规程》、《几类常见案件取证重点》等执法规范文书，进一步完善了分局的执法制度，受到领导和基层民警的充分肯定和赞扬。8年中，田宝权始终以一名共产党员的标准和人民警察的职责严格要求自己，做到忠于职守、排除万难，积极顽强地做好各项工作。2001年4月，因长期工作劳累，田宝权同志的肝病恶变为晚期肝癌，在2002年10月22日病逝。他在身患绝症住院治疗期间仍然心系工作，并致信珠海市公安局领导，表示对公安工作的眷恋和献身于公安事业而无悔的高尚情怀。他妻子下岗，家庭经济拮据，但自发病以来，从不为了个人的困难向组织提出任何要求，对组织给予的照顾，总是推让或婉拒。田宝权生活俭朴，为警清廉，助人为乐。8年中，从未接受过有工作关系的社会人员的宴请，未去过一次娱乐场所。他家庭经济虽然困难，但他常常用有限的工资去资助困难的群众和同事。

田宝权始终把共产党员个人价值的实现与社会的需要结合在一起，用实际行动履行了“我是党和人民培养出来的大学生，我要用生命来回报这个社会”的铮铮誓言，是新时期优秀人民警察的突出代表。

田宝权先后7次受嘉奖，2001年被珠海市万山区委评为优秀共产党员，2002年12月18日被公安部追授为全国公安系统二级英雄模范称号。

（广东省文明办）

柯 军

柯军，女，中共党员，阳春市人民法院经济庭法官。

在阳春法院，柯军是大家公认的“大忙人”，自1995年以来，她每年个人结案达130宗以上，共审结案件1100多宗，配合其他审判人员参加合议430多宗，出庭记录220多宗，其中2002年办结案155宗，被评为办案能手。阳春市辖区大，交通条件落后，有一次，她与同事出差到石望镇偏僻山区途中，突然刮起风下起雨来，不小心脚扭伤了，但她硬是一拐一拐地将法律文书送达到当事人手中。

为了尽快解决各类经济纠纷，提高办案效率，柯军总是在有限的上班时间内“挤”出时间，甚至利用休息时间办案，在她办结的1100多宗案件中，没有一件超审限，当庭宣判率达30%以上。其中调解结案率达70%以上，社会反映良好。

因法院执行力量不足，权利人主动向业务庭申请执行，依法立案后，经主管领导批准分配给柯军执行的案件，柯军从不推卸，按期执行。对有能力偿债的当事人，耐心地做疏导工作，经教育后，自觉履行偿债义务的有11宗，执行标的额23万元。她对“骨头案”也敢于碰硬，有针对性强制执行，对有财产可供执行的坚决拍卖，该搬迁的强制搬迁。2001至2002年，执行查封房屋一间，扣押小车一辆，查封风扇和机械设备一批，执行标的400多万元。确保了当事人合法权益。

柯军作为一名女法官，一名妻子和一个母亲，很难做到事业和家庭两不误。长期加班加点办案，吃“盒仔饭”便成了家常便饭。在儿子眼里，柯军不是一位好母亲，但在另一个被其亲生父母抛弃的小孩子眼里，她胜似母亲。1999年10月，一个刚出生三个月的小女孩被其亲生父母狠心地抛弃了，柯军从自己并不丰厚的工资中每月拿出180元助养这个小孤儿。有一次，小女孩得病，全身浮肿，柯军把小孩送去住院10多天，终于把小女孩从死神手中抢救回来。

自1995年以来，柯军连年被阳春市人民法院评为先进工作者、优秀共产党员；1999年被阳江市中级人民法院记三等功；2000年被阳春市委、市政府授予劳动模范奖章，被阳江市中级法院评为先进工作者；2001年度被省政法委、妇联授予“南粤百优女政法工作者”的荣誉称号；2002年被评为全国人民满意的好法官、全国妇联三八红旗手和阳春市“十大女杰”。

（广东省文明办）

官锦初

官锦初，中共党员，茂名市电白县那霍镇水石村党支部书记、村委会主任、民兵营教导员。

官锦初1981年退伍以后，立足山村，不等政府安排，不靠政府救济，不给村里添麻烦，从每孵一只小鸭赚5分钱干起，积累了3万多元，成为“孵鸭专家”，在市场经济的大潮中，他先后在广州经营食品，到深圳代销化妆品，最后在东莞办起了“华达服装厂”，并在激烈的竞争中不断发展壮大。他致富不忘乡亲，在服装厂生意日益红火时，回村当起了村官，接过了带领村民治贫治困这副光荣而沉重的担子。军人出身的官锦初“三句口令”治班子。首先是“立正”，注重抓学习，把“一班人”的头脑搞清醒，做到把握方向不含糊；随后是“向中看齐”，注意讲团结，把“一班人”的心思拢齐，做到维护大局不含糊；然后是“向前看”，注重严要求，把“一班人”的形象树好，做到廉洁自律不含糊。为了彻底摆脱省级贫困村的帽子，官锦初大力调整种植结构，因地制宜地发展“三高”农业。改一年“两稻”为一年“一稻两菜”，搞起了“公司+农户”的“订单农业”模式，让群众得到了实惠。官锦初注意发展壮大集体经济，党支部通过开辟党员“七一果场”、集体苗圃，承包水库养殖，带领党员高山造林、低山种果、水上养鸭、水底养鱼，使集体经济年收入达到30多万元。他不断建立健全市场信息网络，掌握了经济发展的主动权。他带领群众弘扬科学，倡导文明，移风易俗，引导村民遵规守法，培养良好的道德风气。

在官锦初和支部“一班人”带领下，不到4年，水石村成为全镇的首富村、全县的扶贫示范村和全省的模范村；群众人均收入从不足800元跃升到3320元，2002年，村集体经济从原来的不足3万元跃升到30多万元。2000年以来，村党支部先后被评为县红旗党支部、先进党支部、示范党支部，市农村基层建设“三级联创”先进单位、模范基层党组织，省十大模范村党支部。2002年9月，官锦初被茂名市委、市政府、茂名军分区授予优秀退伍军人荣誉称号。2002年10月，省委、省政府、省军区授予官锦初模范实践“三个代表”的退伍军人荣誉称号。

（广东省文明办）

林海燕

林海燕是化州市中山路10060号体育彩票投注站经营者。林海燕在校读书时是品学兼优的学

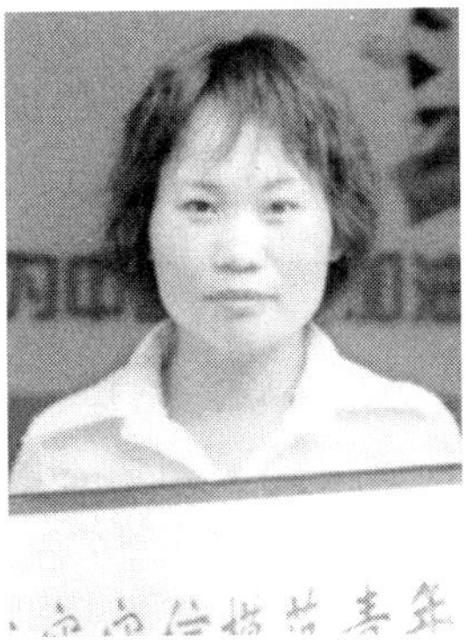

生，深受老师和同学好评。经营体育彩票投注站以来，林海燕热情服务，诚实经营，赢得了广大购票投注者的信赖，投注站的投注金额大幅度增加，取得了良好的社会效益和经济效益。2002年8月30日下午开奖的中国体育彩票第97期，化州市喜中一等奖，奖额达500万元的巨奖正好落在林海燕经营的投注站。当林海燕得知某顾客预订但未付款的彩票中了500万元巨奖时，立即打电话告知并催促其来领取彩票。体育彩票具有不记名、不挂失、不流通的特性，面对500万元的诱惑，林海燕毫不动心，表现出当代青年崇高的人格和崭新的精神风貌。

她的事迹在全国引起强烈反响。2002年底，化州市召开表彰大会，化州市文明委、市委宣传部、市妇联、市团委授予她诚实守信模范青年称号；茂名市召开表彰大会，茂名市体彩中心授予她诚信经营模范称号；广东体彩中心授予她诚信销售先进个人称号；中国体彩中心授予她中国体彩发行诚信先进个人称号，中国体彩中心主任孙晋芳称赞她是中国体育彩票发行的“形象大使”。中央电视台先后三次报道了林海燕的事迹。

（广东省文明办）

施家荣

施家荣，1948年生，广西壮族自治区柳州市城中区东台社区治保调解主任。自1982年起担任街道义务治安夜巡队队长以来，和队友们一起共抓获各类违法犯罪嫌疑人1400多人，缴获赃款财物20多万元，调解民间纠纷300多起。先后被评为全国社会治安综合治理先进个人、全国模范人民调解员、自治区先进工作者、自治区优秀人民调解员、柳州市“十佳市民”、柳州市劳动模范、“龙城勇士”、柳州市优秀治保调解主任，多次获全市社会治安综合治理先进个人称号。

1982年曙光东一街居委会成立义务治安巡逻队，施家荣被推选为队长。从此，他把治保工作当成是自己神圣的职责。治安巡逻意味着随时会有危险，施家荣勇往直前，毫不畏惧，他的勇敢镇住了嫌疑犯。

一天凌晨4时许，施家荣和两名队员赶到一路口堵截逃犯。不久，来了俩人，形迹可疑，施家荣他们刚刚迎上去歹徒就掏刀拔枪。施家荣和战友闪电般打翻了一个，另一个手执砂枪跑了。施家荣拦住一辆摩托车，紧追不舍，直到歹徒累得瘫软在地，束手就擒。经查，这两人正是被通缉的持枪逃犯。

“识别功”是施家荣的一门硬功夫。为苦练这门功，他对抓获的不法分子都记录存档，一有空就拿出来翻翻，分析这些人穿着打扮的特点、查问时露出的破绽、活动特点、作案手段等等。现在，施家荣通过观察对方穿着打扮举止，简单查问，就能确定对方“是否有问题”。

“记忆功”又是施家荣一门硬功夫。他义务巡逻的街区有330户1100多人，还有几百外来人口，施家荣全都了如指掌。一天凌晨，他巡逻到一家商铺门前，发现与往常不同的是商铺门前停了3辆自行车。这种异常使施家荣警觉起来，决定在附近伏击守候。当3名夜盗“满载而归”骑自行车逃走时，被施家荣和战友们逮个正着。

施家荣1985年当街道居委会调解治保主任时月薪30元，到现在是330元。妻子靠零售水果挣钱，3个孩子无固定工作。一家5口长期挤住在20多平方米的房子里。然而，施家荣却放过了一次次赚钱的机会。施家荣在当地是出了名的治保积极分子，不法分子怕他恨他，知道他在哪个区，不法分子就不敢去哪个区作案。一些部门单位看上了这点，曾用重金请他当保安，都被施家荣婉拒。施家荣说：“去了工地，作用范围小了。我是街道居委会治保调解主任，要对整个街区负责。”

（广西壮族自治区文明办）

覃贵宗

覃贵宗，壮族，中共党员，1952年12月生，广西壮族自治区武鸣县城厢镇大皇后村党总支副书记、村委会主任，武鸣县皇后淀粉化工厂厂长。

覃贵宗先后获得南宁市致富先锋户，南宁市第四届“民族团结”先进个人，南宁市、自治区劳动模范，自治区党员科技致富能手，自治区农村优秀人才，广西先进乡镇企业家，南宁市、自治区优秀共产党员，全国农村学习实践“三个代表”重要思想基层干部标兵等称号，并当选为自治区第八次党代会代表，党的十六大代表。

1992年，覃贵宗带头承包了村里的20亩鱼塘养鱼。1993年他仅养殖鲳鱼一项就收入6万多元，一跃成为远近闻名的养鱼大户。

覃贵宗的养殖业成功后，他先后给村里的20多户贫困户无偿提供鱼苗价值达8万多元。在他的带动和帮助下，大皇后村涌现养鱼专业户220多户，成为远近有名的养鱼村和“万元塘”村。

1999年覃贵宗被村民们推选为村委会主任。为了让村民们尽快富起来，他出资20万元引进优质高产木薯种，并出资邀请专家到村里进行技术指导，在本村及附近的村屯推广种植技术。村里的20多户困难户，在他的资金和技术帮扶下，都走上了脱贫致富之路；他办的皇后淀粉厂是村里的“扶贫基地”，全厂140人中，有20多人是困难户，2人是残疾人，其余是村里的富余劳动力。2000年以来，他先后捐出3.6万元资助村里的公益事业，捐出5000元帮扶贫困学生。

先富起来的覃贵宗很注意把村里的群众文化生活抓起来。2000年村里成立了乡土文艺队、农民篮球队，覃贵宗出资为他们购买演出服装、道具、球衣、球鞋等，丰富多彩的文化生活，使大皇后村逐渐形成了团结、友爱、互助、向上的良好村风，没有打架斗殴、聚众赌博等陋习和各种刑事案件发生，95%的农户被评为“遵纪守法户”、“五好家庭户”。

覃贵宗严格按照《村民委组织法》办事，凡村里重大事务特别是财务开支都由村代会讨论通过后方实施，同时搞好村务公开。他还带头依法纳税，1996年至2000年底，他所办的皇后淀粉厂累计上缴税收200多万元。1999年他还被评为县先进纳税户。

10年来，在覃贵宗的带领下，大皇后村发生了巨大的变化。2001年全村工农业总产值达2800万元，集体经济总收入50万元，人均纯收入达3600元，成为武鸣县乃至广西有名的小康文明村。

（广西壮族自治区文明办）

陈进坤

陈进坤，女，52岁，广西壮族自治区北流市白马镇白马村茂林组农民。

陈进坤先后获得北流市劳动模范、玉林市敬老好儿女美德奖等荣誉，被国家民政部、劳动与社会保障部、全国总工会、共青团中央、全国妇联、中国老龄协会联合评为全国敬老好儿女金榜奖，曾当选为玉林市人大代表。

陈进坤嫁进白马镇白马村茂林组的李家后，与丈夫李思忠相敬如宾，孝敬公公婆婆，成为全村出了名的“贤媳妇”、“孝儿媳”。夫家的伯爹、伯娘都已年过八旬，一个独生女儿也嫁到了几十里外。此外，丈夫还有一位终身未娶、年过六旬的兄长。1985年冬，陈进坤跟丈夫李思忠商量，把三位老人的家和自己的家合成一个家，以便更好地照顾老人。这五位老人中，伯爹已80多岁，患有老年痴呆症，伯娘长期卧病在床，常需有人床前照料；公公、婆婆虽能生活自理，但年事已高，身体常犯毛病；还有终身未娶的夫兄李思元，身体孱弱，不能参加体力劳动，只能帮做一些轻微家务。陈进坤夫妇基本包揽3个家庭5亩多责任田的庄稼活，并细致入微地照顾五位老人的生活起居。

1993年8月，丈夫因意外去世后，陈进坤一个人担负起赡养几位老人、抚养几个孩子的责任。为了增加家庭收入，陈进坤调减自家责任田的水稻种植面积，种了1.5亩蔬菜。她勤俭持家、劳动致富，积极响应号召，全村第一个牵牛到镇牛品种改良站接受杂交配种，而且每年种植商品菜一二亩，养母猪三头以上，增加经济收入。陈进坤十几年如一日孝敬5位老人，无怨无悔，被村民们传为佳话。

（广西壮族自治区文明办）

雷 通

雷通，1978年7月出生，西安市公安局碑林分局南大街派出所刑警，三级警司。

雷通同志自1999年参加公安工作以来，共参与抓获各类犯罪分子230余人，破获刑事案件270余起，查处治安案件300余起。1999年被评为碑林分局人民满意民警，2000年被评为优秀公务员，2001年因破获“1·10”特大系列团伙暴力抢劫案荣立个人二等功一次，同时荣立集体三等功一次，荣获2001年度碑林区人民满意政法干警称号。

2002年2月2日下午5时许，根据获取的线索，雷通和派出所民警魏晓林等同志前往西安绝缘材料厂家属院抓捕有吸贩毒嫌疑人员高飞琪、李刚等。当发现3名犯罪嫌疑人正在一辆银灰色的奥拓车内吸食毒品并等待毒品交易时，雷通和魏晓林即迂回靠近实施抓捕。高飞琪等人察觉后，企图驾车逃窜。雷通即进行拦截，并反复拍打车门，亮明身份，令其停车，高飞琪全然不顾民警喝令，开车夺路而窜，被守候的民警用警车截住去路。雷通和魏晓林追上前去，再次出示警官证命令其停车。高飞琪不但不停反而向后倒车逃窜。雷通立即堵到车后拦截。可是，歹毒的罪犯猛踩油门，朝雷通撞去。雷通被撞倒在地，汽车的右后轮从他的腿部碾过。雷通只有一个念头：“不能让他们跑了！”他被压在车下，双手死死抓住车底盘下的一个金属棱，任由身体在沙石路上被拖出十余米。直到车被雷通的身体顶起而熄火后，3名歹徒才弃车逃跑。群众和民警把雷通从车轮下抬出来。他的左大腿已经拧成了麻花，断了的大腿裸露在外面鲜血直流……高飞琪、李刚等3人被魏晓林等民警抓获，当场缴获海洛因1包、匕首1把。

雷通被送到医院救治，全身受伤部位多达8处。经过抢救，雷通苏醒过来，第一句话就问：歹徒抓住了没有？战友是否平安？

2002年，陕西省人民政府授予雷通陕西省青年五四奖章和陕西省青年卫士称号，公安部授予他二级英模光荣称号。

（陕西省文明办）

朱显发

朱显发，中共党员，生于1953年4月，1995年起先后任岳坝乡副乡长、乡长、党委书记，2002年6月9日在抗洪抢险中为抢救群众英勇牺牲。

2002年6月9日，陕西省佛坪县岳坝乡草林村遭受特大暴雨袭击，朱显发临危不惧，果断带领机关干部组成抗洪抢险队伍，组织干部群众转移。他不顾个人安危，多次跳进洪水激流中抢救群众，先后从洪水中救出20名师生和40多名群众，自己却不幸被泥石流吞没。

朱显发同志扎根山区，在陕西佛坪县最偏远、最贫穷、最艰苦的山区乡工作了31年。为改变贫穷落后面貌，他带领干部群众艰苦奋斗，顽强拼搏，使全乡人口在1999年越过温饱线，2001年底基本实现了村组通公路、通电话。他关心群众冷暖，经常深入村组，帮助群众解决困难，全乡哪个村是什么状况，哪一户有什么困难，哪家的孩子该上学，他都一清二楚。他最挂心全乡的“五保户”和孤寡老人。群众颂扬他像一盏灯，照亮着岳坝乡的家家户户，像一团火，温暖着岳坝乡的父老乡亲。

朱显发同志既严格要求自己，以身作则，又

敢于批评敢于管理。他坚持原则，清正廉洁，秉公办事，对亲友家人从不特殊照顾，他常对亲人说："我当书记是岳坝人的书记，不是咱家的书记！不符合政策的事不能办。"

朱显发先后14次被市、县党委和政府评为优秀共产党员、优秀公务员和先进工作者。2002年9月16日，中共陕西省委作出决定，追授朱显发同志优秀共产党员称号，并在全省开展"向优秀共产党员朱显发同志学习"的活动。

（陕西省文明办）

陈 庆 生

陈庆生，中共党员，新疆维吾尔自治区疏勒县塔孜洪乡党委书记，2001年7月21日因抢救落水群众英勇献身，年仅38岁。

陈庆生始终把为人民群众排忧解难，实现脱贫致富奔小康作为义不容辞的责任。

在疏勒县阿拉甫乡时，他通过引进科学种田技术、培养致富典型，使该乡的巴扎村农民人均收入在两年内翻了一番；在牙甫泉镇，他因地制宜调整产业结构，制定优惠政策发展个体私营经济，使该镇农民人均收入由1995年的677元，增长到2000年的1277.4元，年均增长10%；在塔孜洪乡任职的短短5个月中，他带领一班人发挥地域优势，大力招商引资，发展乡（镇）经济。

陈庆生生前工作过的乡（镇），社情较复杂，他始终坚持把加强民族团结、维护祖国统一作为事关全局的大事来抓。1998年，他敏锐地发现牙甫泉镇有一人行踪诡秘，活动异常，采取果断措施，及时挫败了一起分裂破坏活动。2001年，他及时发现和取缔一起有26人参与的非法教经点。

陈庆生同志脚踏实地，埋头苦干，一心扑在工作上，做到"为官一任，造福一方"。陈庆生同志常说："我是党的干部，就应服从组织安排。"他家有年迈父母、体弱多病的妻子和尚未成年的儿子，当组织和人民需要的时候，他坚决听从党的召唤，把家庭和个人的困难置之度外，毅然要求到最艰苦、最贫困的乡（镇）去工作，一干就是14年。

陈庆生从不利用职权搞特殊，更不谋私利。对家人他也"约法三章"，严格要求。

2002年1月，陈庆生同志被新疆维吾尔自治区党委追认为优秀乡（镇）党委书记，2002年3月，新疆维吾尔自治区人民政府授予陈庆生为革命烈士称号。

（新疆维吾尔自治区文明办）

公民道德建设先进典型

傅 延 华

傅延华，中共党员，山东省枣庄市人民检察院法医，先后8次被评为先进工作者，2次被评为先进科技工作者，并被山东省检察院记个人一等功。2001年，被评为第四届中国十大杰出检察官，山东省优秀共产党员称号。

法医是一项"脏、累、苦、险"的工作。然而，傅延华自从当法医的那天起就做好了"四不怕"的思想准备。

枣庄是多矿区，前些年矿山事故时有发生。有一年春节前夕，薛城区黄贝煤矿发生透水事故，有矿工遇难。傅延华马上投入了抢险工作，并制定了一个完整的辨认方案，一具一具地检验着尸体。当最后一批遇难者尸体抬上井时，已是除夕。傅延华仍然耐心地根据家属们提供的细节，仔细辨别死者身份。经过一天一夜的连续工作，直到年初一的凌晨，才一一鉴别出死者的身份。遇难者的家属都找到了自己的亲人，傅延华却连累加冻，浑身麻木，瘫在了地上。

法医工作最危险的是现场勘察。傅延华却说这是法医职业道德的要求，越是危险越需要我去做。这些年来，他冒着生命危险下过多少次井，连他自己都记不清。

十几年来，傅延华进行医学检验鉴定4000余件次，其中文证审查700余件，物证检验600余次，现场勘察300余次，亲自检验尸体900多具，其中高度腐败的尸体300多具，开棺验尸20多次，活体检验1600多人次，出具法律文书3600余份，鉴定准确率达100%。

法医工作“差之毫厘，谬之千里”，鉴定结论有时会决定当事人要么无罪，要么死刑。

傅延华曾经处理过一起强奸杀人焚尸案。犯罪分子把一名13岁的小女孩强奸后，掐死，焚尸灭迹。案件起诉后，办案者根据省里一权威医院的检验结论，认定被告人无性行为能力，整个案件被推翻，被告人将被宣告无罪释放。傅延华接受了对这一案件重新进行鉴定的任务。被害人家属的控诉，被告人的申辩，以及各种说情和劝说排山倒海而来。

傅延华说：“我不怕说情和恐吓，只怕鉴定有差错，无颜面对法律，面对社会，面对党和人民。”他反复查阅了有关案卷，巧妙机智地对被告人进行了活体检验，作出了被告人有性行为能力的鉴定结论。依据这个鉴定结论，法院依法判处犯罪分子死刑。

2000年，傅延华在审查一起刑事伤害批捕案件时，公安机关将受害人定性为外伤性白内障，傅延华通过审查卷宗和医院诊断资料，对这个结论提出了异议，认为造成白内障的原因可能是病理性的。但有关部门不愿接受这个结论。傅延华通过多次到医院查阅受害人的病史资料，发现其有眼疾病史，证实了自己的判断，他依据事实做出了鉴定，避免了一起错案。

这些年来，傅延华通过技术鉴定，使30多名狡猾抵赖的犯罪分子认罪服法。他先后纠正错误结论94件，避免了90多起错捕错诉案件的发生，使100多名无罪的人免受法律错究。

（摘自2002年3月2日《人民日报》）

胡学勤

胡学勤，中共党员，生前为宁夏回族自治区灵武市磁窑堡工商所所长。

2002年6月24日下午6时左右，胡学勤接到举报：有一辆“康八”153型东风车，拉运土炼油到磁窑堡地区销售，请工商部门查处。胡学勤顾不上吃饭，立即带领杨军等三名执法人员到辖区巡查。25日凌晨，胡学勤等人将车号为“蒙K－19841”的东风油罐车查获。经查，车上装有土炼油十六吨，既无正规发票，又无油品调拨单，是内蒙古自治区鄂尔多斯巴拉贡镇人贺军、胡成、赵建忠从宁夏盐池县粤西助剂厂装车贩运的。

凌晨时分，贺军等人乘机冲出工商所，准备驾车逃跑。胡学勤、杨军二人奋不顾身地冲上去，一左一右挡在车前。但不法分子们仍然将车开动，车速越来越快，如果胡、杨二人躲闪还来得及，但二人没有丝毫退却。穷凶极恶的不法分子猛踩油门，车速突然加快。胡学勤见状大喊一声“杨军你快闪开”。话音未落，汽车将杨军撞倒在路旁的树坑里，20多吨重的汽车从胡学勤的头部、腰部轧过，胡学勤当场壮烈牺牲。

1998年，胡学勤担任崇兴工商所副所长期间，崇兴市场成为受群众欢迎的放心市场。2000年，他担任交通运输市场管理所所长期间，灵武市工商局首次实现了对全市市场营运车辆的全面监管。他担任磁窑堡工商所所长半年来，该所已实现目标管理和精神文明双丰收。

在工作中，胡学勤积极主动，不分分内分外。2001年5月，胡学勤在接受了整理全局5000多份国有企业、私营企业、个体工商户档案的任务后，带领全科同志，仅用半年时间，就全面规范了辖区内4100多个体户、530多家企业、近200家私营企业的档案，提前完成了任务。

胡学勤常说：依法办事是我的职责，如果我们不能依法办事，还要我们这些执法者做什么！

2002年3月中旬的一天晚上，一不法油贩从马家滩土炼油炉装油，准备运往其他地区销售。胡学勤和几名工商人员前去查处，油贩子左躲右闪逃避检查。胡学勤将执法车辆横挡在油车前方，跳下车堵在油贩子车前，厉声喝道："有本事就从我身上轧过来。"油贩子用车顶着胡学勤驶出四五米远后，终于将车停下。油贩子在接受处罚时对胡学勤说："我算服你了，真没想到，这年头还有你这样为公家的事不要命的人!"

胡学勤对不法分子铁面无私，但对依法经营者却献上了他的一片真情。

从事个体经营的李英，前几年生意不错，后迷上赌博，无心经营，所有积蓄几乎输光。胡学勤得知情况后，多次上门劝他戒赌。在胡学勤的帮助下，李英终于戒掉赌博恶习，生意重新红火起来。

芮志新和妻子都是残疾人，家境非常困难。1990年初，两口子合计开一个小商店，时任灵武城镇工商所专管员的胡学勤闻讯后主动帮他们办理营业执照。当得知他们只有500元的本钱时，胡学勤又主动拿出300元钱塞给他说："你是个残疾人，干点事不容易，这些钱你拿上先用，以后生意好了再还我。"芮志新感动得不知说什么好。以后，胡学勤隔三差五就上门看一看芮志新的经营情况，为他出谋划策。

年轻的胡学勤走了，他却将一笔宝贵的精神财富留给社会，留给他曾经为之奋斗的"红盾"事业。国家工商行政管理总局作出《关于在全国工商行政管理系统广泛深入开展向胡学勤同志学习活动的决定》；宁夏回族自治区党委决定追任他为中共正式党员；宁夏回族自治区人民政府授予他"革命烈士"称号；宁夏回族自治区党委和人民政府作出向胡学勤学习的决定。

（摘自2002年7月22日《人民日报》）

朱崇跃

朱崇跃，中共党员，山东省临沂市市容办主任，全国"五一"劳动奖章获得者。他以"生命不息、奋斗不止"的精神，留得清洁满城，在平凡的岗位上铸就不平凡的人格和业绩。

1990年，朱崇跃调至市环卫处当主任。他说："环卫工作很重要，我有一分热就要发一分光；干，就要干好，干出一番事业来。"无论春夏秋冬、刮风下雨，朱崇跃坚持每天天不亮就起床，骑上自行车，对全市主要街道、重点部位的垃圾箱和厕所的清洁情况检查一遍。

朱崇跃干环卫，养成了职业习惯，只要见到地上的纸屑、烟头等，他都要捡走。1998年，朱崇跃出任市容管理局局长，当时他因患胃癌，胃已被全部切除。市容管理局的工作难度大，亲朋好友纷纷劝他以身体为由不去任职，朱崇跃说："身体重要，事业更重要。这是组织的需要和信任!"

过去，临沂城绿地少，娱乐场所少。朱崇跃说："老百姓不满意就是我们的失职!"随后，他积极向上级提出绿化建议，在市委、市政府的领导下，一场城市增绿运动和"亮化工程"在市区展开了。不到3年时间，全市新建公共绿地、公园20处，新增绿化面积120万平方米。

朱崇跃常说，我是一名普通职工，没有任何特权，如果有，就是多一些严于律己，多一些吃苦，多一些奉献。他的女儿毕业后分配到环卫处，按理作为一把手，给女儿分个好位置不成问题，但朱崇跃却让女儿当了一名清运工，直到现在。

1998年，朱崇跃多方筹措款物，为环卫职工盖宿舍楼。建筑公司为承揽到工程说情、送礼，那段时间光送的人民币就达7万多元。朱崇跃将这些建筑公司的经理请到单位，义正词严地说："谁送的钱物，谁拿走，不然的话，全部充公!"他经常这样对别人说："损人利己、损公肥私的事，共产党员决不能干，做人要有尊严，名声是多少钱也换不来的。"

朱崇跃想方设法增加环卫职工的福利待遇。他曾3次主持建职工宿舍楼，他首先让最困难的职工搬进新楼，而朱崇跃一家是在环卫处里的干部职工大都解决了住房困难后才搬的家。

环卫单位临时工较多，他们生活不便。朱崇跃领着大家先后建起了食堂、澡堂、卫生所、理发室。朱崇跃对扫马路的临时工和对待机关干部一样，都称呼"工友"。平日谁病了，他必去探望；哪个结婚，他都送个匾；谁家的老人去世了，他也一定送花圈去。1998 年，上级奖励朱崇跃一级工资，他却上下做工作，硬是让给了清扫街道 20 年的老职工。

（摘自 2002 年 7 月 23 日《人民日报》）

胡 可 心

胡可心，中共党员，生前为中国科学院研究员、博士生导师、国家重大基础研究项目首席科学家助理。

1963 年出生于山东的胡可心，20 岁时就考取了中科院声学所的研究生，1986 年获硕士学位后留所工作，1998 年被特聘为研究员，1999 年任国家重大基础研究项目首席科学家助理，2000 年任声学所数字与系统集成技术部代理主任、博士生导师。

然而，胡可心的成长道路并非一帆风顺，其中也充满着种种诱惑与选择。

1996 年一家外资高技术公司向胡可心抛出“绣球”：以 60 万元的年薪聘请他任公司总系统师。但胡可心却平静地回绝了对方，理由非常简单：“所里还有需要我做的工作。”

了解胡可心的人都知道，他所看中的不是金钱，而是为国家和人民干一番事业。事业，在他心中无疑是最重要的，也是他的目标与乐趣所在。

承担着国家重大基础研究项目信息领域的核心关键技术研究任务，还有其他重大研究课题，以及平时的管理工作，胡可心的科研任务和管理任务非常繁重，他的敬业奉献精神同其突出的科研能力一样，也是人们有目共睹和由衷敬佩的。

在申请国家重大基础研究项目的日日夜夜，作为此项目的关键人员，胡可心和大家一起紧张工作。在 1999 年 10 月项目正式立项，胡可心作为首席科学家助理，协助首席科学家负责项目的全面工作，责任重大。

2000 年装修办公室时，胡可心让人把工人叫来：“你给我的窗帘上加一层不透光的红绒布，并把靠楼道的窗户封上。”他还买了一个台灯，让人晚上从楼外面看窗户透不透光。这一切的目的都是为了晚上偷着加班而不受干扰。如果没有人催，胡可心时常是一个通宵接一个通宵地工作。“满脑子想的是工作。”这是胡可心的妻子朱晓红对丈夫的评价。

“如果再给我 3 年时间，我就能和同志们一起把项目做完，那将死而无憾。眼下正是需要人的时候，我还不该走，不能走。”病危中的胡可心仍然惦记着他所负责的国家重大科研项目。

2001 年 9 月 1 日，感到身体不适的胡可心独自去医院体检，“肝癌”！这无疑是晴天霹雳，但胡可心首先想到的不是个人的安危，而是想着如何把重大科研任务安排好，唯恐因自己住院影响科研进展。他没有回家而是直接来到办公室，毅然决定把诊断书锁进保险柜。

在接下来的几天里，胡可心夜以继日，把科研任务分配到组，落实到人。“那段时间，胡可心在办公室从早忙到晚，给大家布置工作，仔细交代需要注意的问题。在与大家谈话时，他经常靠在沙发上，满头是汗，我们还以为是天气太热，谁想到他竟得了这种病。”回忆起胡可心病后的日子，同事们痛心不已。

经历了 10 多个小时手术的胡可心一苏醒就提出要三样东西：手机、收音机、抗癌药。一直在身边陪伴他的妻子知道，他十分挂念自己的科研项目，他最需要的是手机，因为有了手机他就可以和同事们联系，了解项目进展情况。

尽管尽了最大努力，但由于错过了最佳治疗时机，医生最终没能挽回他的生命。声学所失去了一位科研项目的优秀带头人，国家失去了一位很有才华的优秀青年科学家。

胡可心生前担心的只是科研事业，在生活上从没有向组织提出过任何要求。在病重住院期间，胡可心提出弄点野菜和上面糊蒸着吃，还特别请求从家乡赶来照顾自己的父亲一定要亲自动手，胡可心吃完一碗后，剩下的让父亲全吃了。当时父亲并没有在意，后来才明白了儿子的良苦用心：常年在外，异常思念家乡；孩儿即将离去，以后老人家不能指望儿子尽孝了，千万不能给组织提要求，添麻烦……孩子是用这种独特方式来表达自己的“大忠”和“大孝”啊。

（摘自 2002 年 7 月 24 日《人民日报》）

黎昌和

黎昌和，中共党员，生前为重庆市石柱土家族自治县国土房管局副局长。2002年5月22日，黎昌和为抢救一名落水女学生而牺牲。了解黎昌和的人都说，他的英雄壮举绝非偶然，而是源于他的为人准则，更是他曾经作为一名优秀军人、作为一名优秀共产党员所具有的高贵品质和高尚情操使然。

5月19日，倾盆大雨引发了山洪，石柱县境内的龙河水位陡涨。

一大早，为查看重庆市重点土地开发整理项目——龙河宇城坝土地开发整理工程的泄洪情况，石柱县委、县政府主要负责同志冒雨来到工地现场，黎昌和随同前往。上午10时许，黎昌和陪同一位县委领导准备过桥查看水情。趟水试行十余米，因水流湍急，折回岸边。

正在这时，远处传来一阵急促的喊声："落水了！落水了！"黎昌和扭头一看，见桥对面一女学生不慎跌入河中，正在洪水中挣扎。黎昌和大叫一声"救人！"旋即把伞一扔，紧跑几步跳进滔滔洪水中，奋力向落水女学生游去。10米，5米……当他伸出右手去拉女孩的一瞬间，一个恶浪把他卷入了乱石险滩中，黎昌和被洪水无情地吞噬。

当地群众闻讯后，立即沿河而下追寻英雄。两小时后，人们在下游的回水沱找到了满脸是血、浑身是伤的黎昌和。此时，他的心脏已停止了跳动。

据黎昌和的战友、同事和亲朋回忆，39岁的黎昌和曾六度在危难关头挺身而出，舍己救人，见义勇为。把生的希望留给别人，把死的危险留给自己，关键时刻站得出来，生死关头豁得出去，这就是黎昌和。

1998年9月，黎昌和转业到地方。组织上安排他先去县建委工作，由于班子职位有限，暂不安排职务。从副团职干部一下子变成一名机关普通职员，黎昌和毫无怨言。

2000年8月，黎昌和提任县国土房管局党组成员、副局长。局领导成员分工时，征求他的意见，他只说了4个字："服从安排。"无论在部队还是地方，黎昌和都是出了名的实在人、热心人。1986年，黎昌和在部队时认识了驻地附近的抗美援朝老战士，从那时起他就主动照顾起老人的生活，一干就是12年。1990年，担任连长的黎昌和得知一名安徽籍战士家里受灾，便从自己省吃俭用攒下的积蓄中拿出500元，寄往该战士家中。

一心为他人着想的黎昌和，自己一直过着清廉俭朴的生活。黎昌和回地方工作后，一直是租房住，为了买一套房子，他家尚负债2万多元。黎昌和1年多来有130个公休节假日在加班，按规定可领取近万元的加班补助，但他分文未领。

黎昌和平凡而壮丽的一生，在全社会引起了强烈反响。中共石柱县委、县政府授予黎昌和新时期干部楷模称号，重庆市政府批准黎昌和为革命烈士，市委决定追授黎昌和实践"三个代表"好干部称号。6月29日，国土资源部与重庆市委、市政府联合召开大会，号召全国国土资源系统干部职工和3000万重庆人民向黎昌和烈士学习。

（摘自2002年7月25日《人民日报》）

韩雅琴

韩雅琴，女，山西省太原市杏花岭区英辉建安公司经理。

全国刑释解教人员安置帮教经验交流会上"全国刑释解教人员安置帮教工作先进个人"韩雅琴的事迹深深感动了每一个人。

韩雅琴曾是第十三冶建总公司的普通职工，1983年，单位人员分流，韩雅琴带领43名女工"另起炉灶"。她们扫街道、掏粪坑、伺候病人，用赚来的钱买下了一间活动板房，新辟了卖饭的生意。

那是一个寒风凛冽的早晨。韩雅琴与3个姐妹在街上卖早点，收摊时，4个灰头污脸的小伙子围了上来，齐刷刷跪在地下，抱住她的腿边哭边说："阿姨，你就收留了我们吧！"韩雅琴一问方知，这4个人是刚从少管所出来的，有的父母去世，有的家庭离异，无家可归，晚上就住在水泥管子里。为首的二虎撂出一句话："你要是不要我们，那我就只有拿砖头砸银行的玻璃，再让抓一次，里面总得管饭吃。"

一句话引起了韩雅琴的思索：这都是些任性撒娇的孩子呀，有人出来拉一把，就可能走上正路。当晚，韩雅琴拿来自家的被褥，正式"收留"了他们。

第二天，二虎又给她带回了5个小兄弟，又是齐刷刷地跪下了一片，侠骨柔肠的韩雅琴又一次心软了。

从此，19年的悠悠岁月里，韩雅琴与刑释解教人员结下了不解之缘。

韩东诚是第10个来投奔"韩妈妈"的。韩雅琴安排他在饭店打工，并给他垫了2000元学费送他上驾校，学成后，他又执意想跑出租，韩雅琴又东凑西借给他包了一辆新夏利车，韩东诚凭着优质服务，靠着开出租车，成了家，买了新房，月月还给父母送去孝敬钱，日子过得和和美美。

田文全曾被判刑20年，减刑8年出来后，找到了韩雅琴，讲的第一句就是："我是重新做人来了。"韩雅琴给他拿出被褥、安顿好住处，让他到下属的家政服务中心学修自行车，田文全格外珍惜这个机会，虚心好学，服务周到，现在已成为方圆五里颇有名气的"田师傅"。

赵爱生刑满释放后，冒昧地给韩雅琴写了一封求救信，但韩雅琴能否如约见他，他心里还是没有底。没想到，韩雅琴准时赴约并把他带了回去。中午，韩雅琴特意炒了菜为他接风，晚上又拿出给他新买的洗漱用具，面对如此细心的"大妈"，赵爱生号啕大哭……

韩雅琴以慈母般的胸怀接纳、安置了106名刑释解教的年轻人，又以严父般的关怀帮助他们跃上人生的新路。

"好多人都说做好事是不要回报的，我不这样看，回报是我长久的期待，他们能重新做人、自食其力、走上正路，就是对我最大的回报。"这是韩雅琴最爱讲的一句话。

令人欣慰的是，韩雅琴"长久的期待"正在得到一个又一个的"回报"。

原先屡次给韩雅琴找"麻烦"的那个二虎，虽有前科，但富有同情心，为人也仗义，韩雅琴对他的缺点毫不留情，而对他的优点却充分肯定。如今，他把英辉大排档经营得红红火火，各种文明牌匾挂满了墙，他还在太原市举办的烹饪大赛中获得了"服务明星"的光荣称号。

10年前曾流落街头的高绍军，现在是太原市第十二届杰出青年企业家称号的获得者。

19年来，被韩雅琴安置的106名刑释解教人员，全部自食其力，过上了正常人的生活，没有一个走回头路的。

"但愿这种回报是长久的。"韩雅琴这样期待着。

（摘自2002年9月9日《人民日报》）

黄玉奎

黄玉奎，中共党员，辽宁省阜新市细河区碱巴拉荒村党总支书记。

黄玉奎是土生土长的碱巴拉荒人。15年前他组建建筑公司，凭着心眼儿好、脑瓜灵、能吃苦，工程越做越大。个人的买卖正红火的时候，组织上动员他回家乡带着大伙共同致富。黄玉奎说："我靠党的政策先富了，一定要为老少爷们办点事儿！"

碱巴拉荒村是近郊区，靠着城市大市场。黄玉奎提出背靠城市搞农业结构调整的思路，决心发展大棚蔬菜生产。

听说要建大棚，很多村民不理解。黄玉奎说服了村民。仅两个月的时间，全村打井15眼，建起了30栋、150亩高标准保护地大棚。承包户当年收益都在1万元以上。2001年，黄玉奎又筹措资金500万元，建成高标准日光温室100栋、打机井50眼。村集体收入增加30万元，村民收入增加了100万元。

与此同时，碱巴拉荒村还成立了建筑工程队、房产构件厂等村办企业。到2001年底，碱巴拉荒村还清了全部外债，集体经济累计收入200多万元，村民人均收入达到3500元。

黄玉奎常挂在嘴边的一句话是："当干部，要上对得起党，下对得起老百姓，心里没有老百姓，你那个干部还当个啥劲儿!”碱巴拉荒村共有630户，每一家的情况，黄玉奎都了如指掌。他把村里18个面临辍学的孩子上学的事全包了下来。

碱巴拉荒村有一条横贯东西的土路，交通部门规划设计，预算资金85万元，村里多方筹集还差20万元。黄玉奎自己掏腰包凑够了钱。笔直的柏油马路竣工了，村民们自发地在路的两头竖起了路碑，上书“利民路”。

有人粗略地算了一笔账，任碱巴拉荒村党支部书记3年多时间，黄玉奎个人出资为村里和村民办事就搭进了100多万元。村民们越来越明白了，黄玉奎回村当书记，不为名不为利，为的就是全村的老少爷们儿。

2001年，村委会换届选举，1200多位选民齐刷刷地把选票投给了黄玉奎和他领导的班子。望着乡亲们，黄玉奎流下了两行热泪。他说：“群众的信任千金难买，为了碱巴拉荒，我要一直干下去!”

（摘自2002年9月10日《人民日报》）

苗素娥

苗素娥，女，中共党员，安徽省合肥钢铁集团公司医院分院中医师。

苗素娥1950年出生在安徽泗县农村的一个中医世家，她16岁开始随父学医，1972年，苗素娥进入合钢医院分院，成为一名中医师。她采用传统中医的针刺、灸疗、拔罐、耳压、中药“五术”综合疗法，为就诊的病人治病，更是用自己的一颗爱心，给病人和他们的家人以细致入微的关爱。

苗素娥待病人如亲人的信息，在人群中迅速地传递着。合肥市，以至全省各地的求医者纷至沓来，每天在病房就要诊治60个左右的病人，每天工作都在15个小时左右。她没有节假日，没有星期天。同事们说：“苗医生的事迹忒平凡，但她三十年如一日，常人难以做到。”

1984年，苗素娥开设了“家庭病床”。为了便于联络，她把病人的住址记在小本子上，从市区一直延伸到郊县。路太远，就由丈夫骑摩托车接送。不管刮风下雨，酷暑严寒，从不间断。18年来，苗素娥的“家庭病床”收治病人3万多人次，耗费时间4万多个小时，行程达5万多公里。

1994年，苗素娥萌生了搞“义务诊所”的想法。患者家属知道她的想法后，很快凑了2万多元，她自己又拿出1万多元。建房时，200多人次参加义务劳动。凡到这里就诊的病人，只收2元就诊费，住院等一切费用免收。近些年来，苗素娥自掏腰包，加上市政府奖励给她的1万元，逐渐将大家凑份子的钱还清了。

病人需要苗素娥，苗素娥更离不开病人。为了给病人治病，她无私地奉献着爱心，很少时间照顾家人。

1992年10月的一天，苗素娥的丈夫老丁骑车出外办事，不幸被汽车撞伤，被送进省立医院抢救。苗素娥接到电话时，就诊的病人正多，直到诊治完最后一个病人，苗素娥才急匆匆赶到省立医院。

说起这些，苗素娥说：“为了病人的康复和微笑，我做点牺牲没什么，只是觉得自己是一个不称职的母亲，不称职的妻子。我只有加倍努力工作，来回报他们对我的理解和支持。”

（摘自2002年9月11日《人民日报》）

石　屏

石屏，中共党员，洪都集团K8系列飞机总设计师。

由石屏任总设计师的K8系列飞机已经出口到多个国家，并与埃及签订了合作生产80架飞机的合同，成为中国第一个出口整机生产线和输出飞机制造技术的机种。2001年，K8飞机研制成果获得了国家科技进步一等奖。

1956年，从南京航空航天学院毕业后，石屏来到新中国第一架飞机诞生的地方——南昌飞机制造厂（现洪都集团），一干就是46年。在近半个世纪的工作中，石屏参与和主持了安2、东风

103、初教六、强五系列改型机等多种型号飞机的仿制和研制。1986年，52岁的石屏被任命为K8飞机总设计师。

“K8飞机必须全面覆盖和模拟战斗机的各项飞行特性，要想在国际市场上占有一席之地，没有创新是无法实现的。”石屏的创新设计方案在当时“令人拍案叫绝”。但光有创新方案还不行，一架飞机的上天，更多的工作是一个接一个的试验。在完成了90多项重大试验后，由中国人设计研制的K8飞机终于翱翔在祖国蓝天。有20多个国家的飞行员在飞过K8飞机后，都为它的性能所折服。

1992年，石屏又担任了JL8飞机的总设计师。苦战三年，新机的研制取得成功。它继承了K8飞机的特点，全部成品按要求选用了国产件，性能全面达到并超过了战技指标，创造了航空史上当年发图、当年制造、当年上天的奇迹。石屏说，看到国产飞机飞上蓝天，心中总是有一种强烈的民族自豪感，而这种民族自豪感总在推动着自己向新的更高的目标迈进。

“虽然教练机取得了突破，但还要不断巩固，不然马上要落后。”害怕“落后”的石屏有一种强烈的紧迫感：“祖国的航空事业太需要年轻的优秀科技人才了！”为使教练机研制永远站在世界的前沿，在飞机研制过程中，“培养年轻科技人才，使他们尽快成长起来”成了石屏的一个重要使命。K8飞机的上天，带动了一个具有奉献精神、敢于攀登世界航空科技高峰的人才团队的形成。在这个团队里，先后培养出副总设计师、室主任、学科带头人20多位。

“我最为骄傲的还不全是K8，而是我身后这些‘初生牛犊不怕虎’的后生们，他们才是中国航空事业的未来所在。”年过七旬的石屏高兴地对记者说：“我们后继有人了。”

（摘自2002年9月12日《人民日报》）

吴　明

吴明，中共党员，生前为武警湖北总队鄂州支队党委书记、政治委员。

2001年12月4日，忙碌了一天的吴明猝然倒下。医生诊断的结论是：劳累过度，导致隐性冠心病发作。

6年前，吴明从武汉调到条件较差的鄂州支队任支队长，后改任政委。吴明刚到鄂州支队时，支队的建设正处于低谷。他来到战士们中间，很快找到了部队涣散的原因：问题在基层，原因在机关，根子在“班子”。翔实的调查报告连同13项整改措施摆在了党委会上。

从那时起，吴明总是第一个出现在大操场上，机关干部“压床板”的现象从此绝迹。紧接着，他又推出干部军事素质考核制度，内容包括擒拿格斗、精确射击、负重越野等所有军事训练科目。半年的磨砺，换来的是干部队伍军事素质的全面提升。

在吴明担任支队主官的6年间，这支历史上与荣誉无缘的部队，分别受到武警总部和湖北总队的表彰，两次荣立集体三等功，支队党委5次被评为先进党委。

1998年夏季长江抗洪抢险，就是在鄂州境内这段最危险的大堤上，吴明坚守了82个昼夜。他两次晕倒，又挣扎着爬起来继续指挥抢险；扑到江中堵管涌，冲来的木头把他撞得头破血流，都未能让他停下来；他曾经赤手空拳将3个滋事歹徒打翻在地……

1998年4月16日，杜沟村渔民从长江里捞起一个大罐子模样的金属物体，经专家鉴定，是日本侵华战争时投下的水雷，这水雷足足500公斤，四周还有6个触角，随时都有爆炸的危险。吴明带领15名官兵跳入江中排险。捆绑水雷时，吴明让战士们全部退到安全线以外。巨大的水雷紧紧地固定在了4根长竿上，吴明第一个将竿子放在了肩头，用整整5个小时将水雷拖至870米以外的安全区引爆。

吴明病逝后的第16天，他的妻子张津燕搀扶着婆婆来到战士们中间，把用全家攒下的钱买来的4台电脑分送给4个中队。张津燕泣不成声地说：“吴明生前有个愿望，要让他的每个战士都学会操作电脑……今天，我和妈妈替他还愿来了……”

清理吴明的遗物，人们发现，在那只跟随他多年的旧牛皮箱里，与7枚军功章、24本奖励证书摆放在一起的，是一帧他与父母、妻女合影的大幅彩照。作为现代军人，吴明深爱着自己的父母，深爱着自己的妻子女儿。然而，吴明更爱他的警营、他的士兵。吴明身边的人粗粗给他算了一笔账，这几年，他用于资助家庭有困难的官兵的钱就有两万多元……

官兵们不会忘记，政委让自己的朋友贴钱开办“老战士汽车驾驶员培训班”，使许多退伍战士拿到了交管部门核发的驾驶证；政委四处奔走，与市供销中等专业学校联合开办“武警支队法律中专函授分校”，使近10%的退伍战士获得国家承认的法律中专文凭。在战士们的眼中，外表粗犷的政委，心比慈母还要细。

吴明的女儿吴岳12岁那年的春节，细心的女儿发现，春节晚会刚开始，爸爸就坐不住了。果然，他拍拍女儿的头说：“叔叔们比你大不了多少，可他们一年到头站岗放哨。你看，在这除夕之夜，是不是也让他们看看节目，给家中打打电话?”女儿懂事地点了点头。那一夜，吴明从这个营区走到那个营区，从这个哨位替换到另一个哨位。回到家中，已是东方既白。

吴明同志病故后，湖北省委、省政府号召全省开展向吴明同志学习的活动。

（摘自2002年9月15日《人民日报》）

第十三届中国十大杰出青年

由中华全国青年联合会、中国青少年发展基金、中央电视台、中央人民广播电台、人民日报、中国青年报、光明日报、解放军报、经济日报、科技日报、工人日报、农民日报联合组织评选

万 明 坚

万明坚，中共党员，TCL移动通信有限公司总经理，高级工程师，享受国务院政府特殊津贴。曾获中国杰出青年科技创新奖、广东省劳动模范称号。

万明坚是中国自己培养的第一代通信学博士。

1999年，在国外品牌一统天下，国产手机步履维艰的时候，万明坚受命组建TCL移动通信有限公司，出任总经理。他选择了一条高端切入，自主研发的艰难道路。万明坚的这一决定，使刚诞生的TCL从一开始就要与世界移动通信巨人一拼高下。于是TCL这一国产手机品牌开始了它的国际化：研发国际化、生产国际化、销售国际化、资本运作和财务决策国际化、公司内部决策支持系统和信息管理国际化……

万明坚的国际化经营思路给企业创造了广阔舞台，爱立信、英特尔、高通、微软等世界级企业先后与TCL建立战略合作关系，TCL迅速驶上加快发展的快车道。2001年，TCL手机销量达到130万部，以10.2%的市场占有率将西门子、三星、爱立信等企业甩在后面，销量居国产手机品牌第一，列国内手机市场第三，销售额21.8亿元，实现利税5.6亿元。

早在1994年万明坚就加盟了TCL集团，先当技术员，后任研发部部长。他整天和他的团队在实验室里设计、集成、测试、研究……先后攻克技术难题56个，发明新产品30项，20项科技成果获奖，在国内外多家权威刊物发表学术论文16篇。2000年10月，万明坚主持开发的第一款国产高档手机TCL999D问世，结束了外国品牌独霸高端市场的格局。

1999年，万明坚开始从一位技术专家转型为科研、生产、销售一条龙的管理者。3年下来，万明坚逐步探索出一套独特的管理理念，制定出“定位追赶、重点突破、局部创新”的研发策略、“不打价格战，要打价值战”的市场策略和“以速度冲击规模，以智慧创造差异，以全球化整合资源”的竞争策略，与国外品牌展开了全方位竞争。

现在，TCL手机平均每月推出一款新机型，这种速度，连世界一流的企业都感到惊讶。这种开发能力来源于人才的高效聚合，3年来公司员工从4人发展到5000多人，受过高等教育的占87%，博士、硕士上百名。TCL的人才大军成为媒体关注的焦点，形成企业发展战略一道亮丽的风景线。

（共青团中央宣传部）

王少华

王少华，中共党员，空军航空兵某团飞行二大队大队长，特级飞行员，先后被评为空军十大杰出青年、全军十大学习成才标兵，荣立二等功2次、三等功4次。

王少华作为新一代飞行员，时刻牢记守卫祖国蓝天的特殊使命，刻苦学习军事高科技，努力探索新型战机的训练特点和规律，以优异成绩攻下了理论关和操纵关，又从每个飞行环节求质量，练就了过硬的驾驶技术，并且与战友一起攻克20多个重大课题和技术难点，填补了新型战机作战使用的7项空白。

为提高夜间升空作战能力，他率先进行“24小时滚动式训练”，为我军航空兵组训方法改革走出了新路。2000年11月，他担任长机，实施下半夜编队跨区机动，横跨6个省区，创下了新型战机大机群夜间远程奔袭纪录。2002年2月，他单独驾机连续飞行近4个小时，创造了新型战机单人单机最大航程飞行纪录。

为练就全天候作战的真功夫，王少华坚持把好天当做复杂气象，练习暗舱仪表着陆。他和战友一道反复研究论证，精心准备，从毛毛细雨开始试飞，逐步加大难度，直到大雨也能紧急升空。这一突破，结束了我军航空兵训练“靠天吃饭”的历史。

王少华把目光瞄准军事斗争准备的重点难点，带领大队飞行人员刻苦研练新战法。他在大队成立战法攻关小组，仔细研究敌我战机性能特点，对新型战机超视距、近距空战的优势性能进行深入挖掘和科学组合，研练出8套新战法，其中6套在全空军推广普训。在此基础上，他又对敌主战飞机的雷达性能进行全面分析，研究出多种突袭战法，为未来空战大机群隐蔽接敌、出奇制胜探索了新经验。

为充分发挥第二代战机良好的机动性能和近距格斗能力，他大胆提出二三代战机混编作战设想，并在兄弟部队的积极配合下，研究出4套混编战法，有效提高了部队的整体作战能力，为我军多机种联合作战开辟了新领域。

用超音速战斗机打低空高速小目标，在世界空军史上尚无先例。他带领大家收集资料，钻研理论，判读飞行参数，计算数据，摸索总结新型战机机载雷达在不同高度的性能特点，演练出5套战法，并在实弹打靶中，先后两次击落靶弹5枚，命中率100%，成为世界上驾歼击机击落低空高速小目标“第一人”。

王少华所在的大队，是一个有着辉煌战绩的英雄集体。组建51年来，经历了多次战火的洗礼，涌现出一批战斗英雄和模范人物，成长了7名共和国将军。王少华用老一辈飞行员“闻战则喜，有我无敌”的团队精神激励大家，着力培养“甘愿奉献的敬业精神、敢为人先的创新精神、勇争第一的拼搏精神、英勇顽强的无畏精神”，大队官兵始终保持着昂扬的精神状态，先后涌现出十多名先进典型，有18人（次）荣立二等功，53人（次）受到军以上机关的表彰奖励。大队先后被评为全军基层建设先进单位、科技练兵先进单位，3次荣立集体二等功、1次荣立集体三等功。2001年被中央军委授予科技练兵先锋飞行大队荣誉称号。

（共青团中央宣传部）

孙丕恕

孙丕恕，中共党员，浪潮集团有限公司总裁，研究员，享受国务院政府特殊津贴，先后获国家科技进步二等奖，被评为全国杰出专业技术人才、“863计划”有突出贡献先进个人等。

10年前，时年28岁并任浪潮集团工程师的孙丕恕敏锐地意识到：计算机网络的核心就是服务器，它将是21世纪网络信息技术的关键所在。于是在开发完中国第一代微型计算机0520系列等项目之后，孙丕恕立刻投身到了国产服务器的开发研究中，成为这个领域国内第一批研制者。1993年孙丕恕领导的课题组，研发出我国第一台拥有自主知识产权的IA架构（10CPU）SMP2000小型机服务器，打破了美国等国家在这一技术领域的绝对垄断。

随着网络时代的到来，网络安全越来越成为事关国家利益和安全的关键问题，因而安全服务器不能从国外引进。孙丕恕将技术创新的眼光瞄准了这一领域。2000年4月，成功研制和开发了中国第一台网络安全服务器。2001年2月，推出亚太地区第一台IA64架构服务器。3月，在世界上紧跟美国康柏、惠普、IBM之后，迅速推出了中国第一套基于IDC（互联网数据计算中心）技术的功能服务器。这些高科技创新成果，缩小了我国与国外的差距，为企业和社会创造了巨大的经济社会效益。

1997年，国家“863计划”专家组经过考察论证，把浪潮服务器的开发与推广应用，确立为国家863计划重大项目和产业化基地。2000年浪潮建造起中国首条年产10万台服务器的生产线。2001年，投入20个亿，用于服务器研发和生产。同年浪潮的销售收入超过50亿元，连续6年国有品牌销量第一，与世界著名跨国企业IBM、惠普并列前三强。

孙丕恕把国家的信息安全事业视做自己义不容辞的责任。在他的领导下，浪潮集团公司研制开发了一系列具有高度安全性能的计算机产品。1999年6月，在军用信息产品推介会上，浪潮军用信息技术产品受到数十位部队高级将领的高度评价。2000年，在国内率先推出了浪潮网泰信息安全服务器、浪潮金盾信息安全电脑等产品，这些产品填补了国内空白，在“金税工程”、“金卡工程”、电子政务等领域发挥着重要作用。2001年7月，信息产业部把“服务器安全模块”项目交给浪潮承担，孙丕恕再次肩负起捍卫国家网络安全的崇高使命。

（共青团中央宣传部）

杨　扬

杨扬，女，中共党员，国家短道速滑队运动员，国家级运动健将，党的十六大代表，先后荣获全国三八红旗手、全国十佳运动员等称号，是全国“五一”劳动奖章获得者。

北京时间2002年2月17日，中国短道速滑运动员杨扬在第19届冬奥会为中国夺得了女子500米金牌，实现了中国冬奥会金牌“零”的突破。

1995年，杨扬以总成绩第5的身份入选国家队。进入国家队以后，杨扬一切都从“零”开始。训练中，高速尾随很容易出危险，尤其是弯道，离挡板只有二三米，一旦摔出去后果不堪设想。杨扬没有惧怕，摔倒了，爬起来，休息片刻又重新上场训练。自从杨扬1988年改短道速滑以来，在周长只有111.12米的冰面上滑行总长度超过了地球赤道的一圈。

1998年在日本长野，第一次参加冬奥会的杨扬仅获得1枚接力银牌。比赛结束后，由于年龄较大，杨扬一直对自己是否能坚持到下一届奥运会心存疑问。但是为国争光的信念，使杨扬又一次选择留下，又投入了备战第19届冬奥会的艰苦训练中。

2001年，杨扬突然在训练和比赛中莫名其妙地摔跟头，专家诊断为大腿外侧肌肉过度疲劳所致，经过训练调整，恢复了训练。但17年的运动生涯，杨扬的右脚跟腱及左膝半月板损伤严重，每天训练后都要进行治疗，杨扬就是这样咬牙坚持到胜利。

1996年第三届亚冬会上，杨扬凭着自己的实力为中国体育代表团赢得了亚冬会上的第一块金牌。1997年世锦赛，中国短道速滑队凭着杨扬的出色表现夺得三枚金牌，杨扬也第一次登上全能冠军领奖台，并且在以后连续五年登上这一领奖台。1998年至2002年，她先后获得24项世界冠军，成为短道项目的皇后。

在2002年盐湖城冬奥会上，杨扬在第一项1500米比赛失利后，调整心态，并在后面的500米、1000米的比赛中发挥出色，实现了她的梦想，没有辜负祖国和人民的希望。

（共青团中央宣传部）

肖颖彬

肖颖彬，中共党员，中国人民解放军第三军医大学新桥医院心血管外科主任、博士生导师、主任医师、教授，曾被评为重庆市十大杰出青年。

1996年，32岁的肖颖彬出任新桥医院心血管外科主任。他放眼世界，大胆创新，带领医务人员紧跟世界心脏外科前沿，大力拓展心脏医疗新技术。他将攻读博士时研究的冷血心肌保护方法替换多年沿用的冷晶体液心肌保护方法，使手术死亡率由7%－9%降至0.45%；他带领医务人员反复研究，创造出一套综合序贯排气技术，开展了侧开胸微创小切口心脏跳动下心内直视手术，代替了30多年来国际上一直沿用的心脏停止跳动、心脏内无血手术，并在世界上首次将此用于1岁以内婴儿，解决了困扰心脏外科手术的心脏损害严重和术后脑损伤等难题。肖颖彬与其他专家一道，先后开展了巨大心脏瓣膜替换、再次瓣膜替换等重症瓣膜疾病外科治疗、主动脉瘤破裂紧急修补术；完成了对出生仅47天的胸腹相连，肝、心等多器官融合的连体男婴的心脏分离手术；在海拔3700米的高原上实施了世界首例心脏不停跳心内直视手术，一举轰动了世界。

他注重加速学科高素质人才培养，选派业务骨干到欧美学习交流，促使他们跟进心血管外科发展前沿，一改科室医务人员学历层次偏低和人才青黄不接的面貌。

在当今医疗行业屡遭质疑，医院形象备受关注的情况下，新桥医院心外科被视为行风建设的一片净土，他们的好作风在患者中广为流传。肖颖彬“红包”不收，请吃不去，回扣不要，深受病人的信赖和爱戴。在他的带领下，全科人员都养成了“泡”病房的习惯，成了一群晨出夜归的“不爱家的人”，平均每天工作时间超过12小时，遇到危重病人，一守就是几天几夜。他们的辛劳得到了患者及其家属的认可，每年“八一”和春节，他都要收到来自祖国各地的几十张贺卡，患者用一张张贺卡，表达着对这位德高艺精的年轻医生的深情厚谊。

（共青团中央宣传部）

林圣雄

林圣雄，浙江圣雄集团有限公司董事长、总经理，曾获浙江省青年五四奖章、浙江省十大杰出青年称号。

20世纪80年代中期，林圣雄带起一支20多人的工程队，凭着坚韧顽强的性格和艰苦创业的精神，到1989年，他已经从一个小工头发展成为一个拥有员工200多人、注册资金1个多亿、专门承建大中型水利工程、矿山井巷工程项目的企业老总。也就是在这一年，他带领员工千里迢迢来到西藏，在海拔5000多米的高原苦干了5年，出色完成了羊湖电站、满拉电站和沃卡电站等工程项目的施工任务，并先后参与承建“西气东输”等大型工程，所有施工项目均达到了省部级优良工程标准，多次受到嘉奖。

在创业、发展、成功的过程中，他深切地感受到企业的每一步发展，都离不开党的富民政策和社会的支持。回报社会、倾心公益就成了他生命的一部分。由于经历过贫困失学的痛苦和无奈，所以每当他看到经济落后地区的孩子因为经济困难而不能上学时，就会触动那份童年无可挽回的遗憾，从而产生一种强烈的愿望——在知识决定命运的今天，不能让孩子再因贫困而远离校园。

从1998年起，他先后捐资1727万元助教兴学，目前，他已在浙江、西藏、内蒙古、山西、陕西、四川等地援建了71所希望小学。除积极支持希望工程之外，林圣雄还热心参与资助贫困大学生的工作。2001年，在浙江大学设立圣雄奖学助学基金，今年又出资1000万元参与设立“浙江省大学生助学基金”创始基金。同时，林圣雄还为抗洪救灾、扶贫帮困、老区建设、拥军优属等社会公益事业捐资230多万元。到目前为止，他已经为希望工程等社会公益事业捐款3645万元。

对于林圣雄来说，成功不是为了个人名利，而是为奉献社会打下基础。这就是他致富思源的朴素理由，是他富而思进的不竭动力。

（共青团中央宣传部）

迪丽娜尔·阿布都拉

迪丽娜尔·阿布都拉，女，维吾尔族，新疆歌舞团国家一级演员。曾获全国舞蹈比赛一等奖、文化部“文华表演奖”、日本大阪国际艺术节“最高表演奖”、朝鲜“四月之春”国际艺术节金奖，中国文联和艺术家协会“德艺双馨”奖，被评为全国少数民族团结进步先进个人、新疆十大杰出青年。

迪丽娜尔凭着一个艺术家的聪慧和灵性，以高度敬业的精神和顽强的毅力辛勤耕耘，塑造出了一个个光彩夺目的舞台形象。她善于运用高超的技巧，创造明朗欢快的艺术形象，在多变的舞蹈节奏中，展现各民族舞蹈的独有韵味。她的舞蹈作品风格多样，有维吾尔族的，还有朝鲜族、哈萨克族、傣族、蒙古族等民族的。

1985年，19岁的迪丽娜尔在新疆举办了第一场独舞专场晚会，获得观众一致好评。1986年独舞《心愿》获全国舞蹈比赛一等奖。1991年，《冰山之火》获全国少数民族舞蹈比赛表演一等奖。1994年在大型民族舞蹈《天山彩虹》中担任领舞，获文化部颁发的最高奖“文华表演奖”。同年，其作品《摘葡萄》、《盘子舞》被评为“二十世纪华人舞蹈经典作品”。1995年独舞晚会《天山雪莲》在北京的成功举办，标志着迪丽娜尔舞蹈事业又迈上了新的高峰。1997年在日本大阪举行的国际艺术节中，获得“最高表演奖”。2001年在朝鲜“四月之春”国际艺术节上，她的独舞《达坂城的姑娘》获最高奖金奖。迪丽娜尔多才多艺，她主持的电视片《西域巴扎》曾获全国主持二等奖。1998年在澳门第六届亚太区青年歌唱大赛中夺得最佳歌手奖。

作为一名年轻的舞蹈表演艺术家，她常年坚持参加三下乡活动，热心参与公益活动，注重吸收兄弟民族的艺术传统并予以艺术创新，兼收并蓄，博采众长，不断丰富自己的表演风格。

2000年，迪丽娜尔以自己突出的艺术成就以及对新疆舞蹈艺术事业的贡献，成为中国舞蹈家协会成立以来最年轻的副主席。她还兼任中央民族大学客座教授，享受国务院特殊津贴，是自治区先进工作者和劳动模范、三八红旗手。1997年获中国文联和艺术家协会“德艺双馨”奖。1999年被评为全国民族团结、进步模范先进个人，2002年被评为新疆十大杰出青年和自治区优秀专家。

（共青团中央宣传部）

郭　为

郭为，中共党员，神州数码（中国）有限公司总裁兼首席执行官，高级工程师，享受国务院政府特殊津贴。

郭为从联想集团到神州数码13年间，他换了11个岗位。从公关部、财务部到集团办，从整顿分公司、接手大亚湾工业园区到领军联想科技，一次次地涉足全然陌生的领域，一次次地创造奇迹，再一次次地功成身退……郭为一直在创业。

2000年，郭为迎来了他有生以来最大的挑战——必须放弃自己为之倾注了十多年心血的联想品牌，去打造一个全新的品牌——神州数码。郭为又一次战胜了挑战——2001年神州数码集团营业额达112亿人民币，根据国际权威调查机构IDC当年的统计报告，神州数码已稳居国内IT产品分销商之首；而在系统集成领域，神州数码则以23亿元人民币的销售总额位居第一位，而此时神州数码公司成立仅一年。

执掌神州数码之后，最大限度地实现科技成果的产业化、推进国家“信息化带动工业化”的进程被郭为视为高科技企业存在的价值所在。

郭为带领神州数码积极承担起国家知识创新工程——中国税收征管系统（简称CTA/S）的研

发和推广工作。截止到2002年4月，CTA/S已经成功开发并推广到全国69个试点城市，覆盖18个省市，所涉及的税收收入占全国国税总收入的1/4。仅以山东省烟台市国税局为例，从2001年1月—2001年7月，烟台国税局税款入库率比去年同期增长32.3%。

在联想的发展过程中，郭为不断将先进的管理理念和企业的发展状况相结合，先后系统地总结出联想集团著名的“大船结构”和“舰队模式”等企业管理模式。

2001年，正当神州数码扬帆起航的时候，全球信息产业却进入了寒冬。郭为从企业家的角度总结了传统产业与信息技术结合的发展规律，提出了著名的“电子商务四段论”。他认为：释放互联网能量的最佳方式是电子商务，而他理解的电子商务，是包含了社会单元经营管理和运作的全部环节进而改造传统经济的电子商务。

郭为的观点为中国电子商务和电子政务的发展提供了可借鉴的理论依据。在该理论的指导下，神州数码的电子商务交易平台在一年半的时间里，实现网上销售收入超过25亿元人民币，成为国内第一的信息产品网上销售系统。

（共青团中央宣传部）

梁建增

梁建增，中共党员，中央电视台新闻评论部主任，高级记者。

1994年4月1日晚19时38分，中央电视台《焦点访谈》第一次出现在观众面前，全新的形式和鲜明的舆论监督特色让人们眼前为之一亮。8年来，《焦点访谈》引起了中央领导的高度重视，赢得了广大观众的喜爱和信赖，同时也成为中国新闻改革的一个样板，作为当时的创始人和现在的负责人，梁建增成为中国舆论监督报道的领军人物。

他提出的“用事实说话”的节目理念，已经成为长期指导《焦点访谈》制作与发展的指针，也成为了《焦点访谈》记者的行为准则。正因为如此，《焦点访谈》才能够使“10年积案13分钟解决”，才能够“帮哑巴说话、扶瞎子过河”，才能够成为推动社会进步的正义力量。

他开创的“主题事件化、事件故事化、故事人物化”的报道方法，被业界誉为“把住了电视报道表现规律的脉搏”，成为带动中国新闻深度报道进步和发展的理论成果。作为总制片人和业务带头人，他拓展了深度报道的电视表现手法，提升了舆论监督报道的品质与境界。

创新是梁建增持之以恒的事业追求，在他的带领下，《焦点访谈》在创新中不断成熟，《新闻调查》、《实话实说》在创新中不断拓宽报道内容、引入新的报道方式、不断挺进难度最大的新闻地带。身为这些精品栏目的带头人，梁建增始终坚持“用作品说话、靠业务立人”，始终倡导“节目精益求精、栏目高点突破”的创新进取精神。

2001年，梁建增再次主持《东方时空》改版。他根据新闻传播规律进行了大胆的革新，对各子栏目的定位、题材、形式都进行了大规模调整，并且推出了一个全新的栏目“时空连线”。梁建增在这个栏目的策划阶段引入了“新闻内核”的全新理念，创造了新闻事件当事人在同一时间、不同空间共同讲述、分析、评论新闻事实的报道模式，解决了深度报道无法抢新闻第一落点这一重大实践课题。

梁建增不仅有敢挑重担的勇气和信心，也具备承担重任的才能与智慧。他参与了中央电视台“香港回归”、“澳门回归”、“’98抗洪”、“建党80周年”、“中国加入世贸”、“相逢2000年”、“迎接新世纪”等许多重大报道，每一次他都圆满完成任务。

（共青团中央宣传部）

雷凡培

雷凡培，中共党员，中国航天科技集团公司第六研究院院长，研究员，享受国务院政府特殊津贴，被授予国防科技工业有突出贡献的中青年专家称号，获陕西省青年五四奖章。

火箭是运载导弹、卫星和飞船的工具，而火箭发动机则是运载火箭的心脏。多年来，雷凡培和同事们在这个特殊的领域默默奋斗，精心打造火箭的“中国心”。其主持研制的一些项目，先后荣获省部级科技进步一等奖，甚至跻身世界先进之列，他本人也被破格评为高级工程师和研究员，成长为一名年轻的液体火箭发动机专家。

“在科学的道路上没有任何捷径可走，尖端技术的明珠总是属于勤学不辍、善于创新的人。”雷凡培对此笃信不疑。一次，雷凡培在研制某重点新型号火箭将首次使用的发动机时，在关键组件出现了重大的技术难关。他和同事们采用了十多种设计方案，一次次地尝试、分析，终于攻克了难关，并提高了发动机性能。该发动机参加发射试验一举成功，获得中国航天工业总公司科技进步一等奖。

“发展航天，动力先行”，雷凡培认为我国的液体火箭发动机技术与航天强国还有较大差距，必须迎头赶上。经过充分论证，他将目光锁定在某新型尖端火箭发动机上，它可大大提高火箭的性能，实现无毒化。在他的激励下，研制人员抱定必胜的信念，屡败屡战，毫不气馁，技术难关一个接一个地被攻克，提前两年完成了研制工作，获得国防科工委科技进步一等奖，成为继俄罗斯之后第二个掌握这种尖端技术的国家。这表示我国已初步掌握高性能、无毒害、无污染和廉价的航天动力技术，大大推动了新技术、新材料、新工艺研究，为我国运载火箭更新换代、实现跨越式发展奠定了基础。

1992年，中央决定实施载人航天工程。用于发射“神舟”飞船的长征2F火箭，其一级火箭芯级、助推级和二级火箭的发动机全部由雷凡培所在单位研制。雷凡培全力以赴，与同事一起对火箭发动机进行适应性改进，进行了20余次地面可靠性热试车，摸清了发动机的稳定性裕度，确保了发动机的可靠性，为“神舟”号的飞天奠定了坚实的动力基础。1999年以来，长征2F火箭先后4次将“神舟”飞船送上太空。

作为中国航天集团第六研究院院长、我国液体火箭发动机研制领域的领军人物，他从现代质量与可靠性管理角度出发，在如何巩固和提高火箭发动机质量与可靠性水平方面提出了其独特的理念。他倡导建立了较完备的质量管理制度，组建了研究院质量与可靠性专家组，对长征系列火箭发动机进行了全面的设计确认；进一步完善了质量与可靠性信息管理系统；在院内组织出版了《型号研制集萃》，对新型号研制工作起到了很好的启迪作用。他精心打造品牌质量，全面提升质量管理水平，使发动机质量与可靠性水平进一步巩固与提高。

（共青团中央宣传部）

中国青年五四奖章获得者

由共青团中央、全国青联授予

李 金 城

李金城，中共党员，铁道第一勘察设计院青藏指挥部副指挥长、青藏线项目设计总工程师，曾多次被评为先进生产者、优秀共产党员，荣获铁路青年五四奖章、全国铁路优秀共产党员称号。

李金城在铁道第一勘察设计院兰州分院从一名普通的外业勘测队员干起，从事铁路选线工作。铁路选线责任重大，李金城对每一个方案都一丝不苟。在三峡对外交通公路建设中，西陵峡段地形复杂，李金城身系绳索深入悬崖进行测量，掌握了精确数据，为国家节省1000多万元的投资。在广西龙滩水电站专用公路水峡谷区的勘测工作中，为选取最佳方案，李金城吊着铁链深入峡谷详细了解第一手资料，进行精确测量和比选，确定最终方案，为国家节省了大量资金。

1995年，李金城担任铁一院兰州分院副分院长，先后承担了一系列重大项目的建设和组织工作。尼日利亚920公里的铁路技术改造项目是铁一院第一个涉外项目，为保证按时顺利完成任务，李金城几乎付出了生命代价。一次，李金城在完成勘察后发现时间较早，独自又勘察了一段，返回时迷路，队友找到李金城时他已经气息奄奄。

青藏铁路是国家重点项目。2000年青藏铁路初测工作全面展开，李金城作为兰州分院现场指挥长夜以继日地奔波于各队伍间。为论证青藏铁路翻越唐古拉山方案的可行性，他带领队伍深入唐古拉山区，在零下20多度的气温下、泥泞的沼泽地里，背负几十斤重的设备，连续两天一夜徒步行走，测量线路，论证方案。由于长期劳累，晕倒在泥沼中，多亏队员们及时把他抬出沼泽，才又一次战胜了死神。

2002年12月，李金城调任青藏铁路项目总工程师，同时兼任铁一院青藏铁路副总指挥长。在设计工作中，他认真贯彻了“安全可靠，以人为本，爱护环境，技术创新”的设计理念。通过一次次地优化方案，完善论证，确保了青藏铁路选线的科学性、安全性。李金城组织有关人员编写的《青藏线多年冻土地区勘测设计统一规定》、《青藏线勘测设计细则》、《青藏线设计细则》等资料为青藏线勘测设计提供了技术指导，他参与制定的《青藏线测绘质量评比办法》、《青藏线勘测阶段质量监督办法》对确保青藏线勘测设计过程的质量、力争把青藏线建成世界一流的高原冻土铁路提供了制度保证。

李金城还参加或主持过侯月线、兰武电气化改造、孝柳线、宝中线、灵武线、昆玉线、包兰线、宝兰二线、兰新线等国家重点铁路工程项目，都出色地完成了任务，并通过科学合理选线为国家节约工程投资8亿多元。

（共青团中央宣传部）

袁家军

袁家军，中共党员，中国航天科技集团公司第五研究院副院长，“神舟”号飞船系统总指挥，研究员，享受国务院政府特殊津贴，曾获第十一届中国十大杰出青年、2001年度全国先进科技工作者、总装备部载人航天工程第一次飞行试验突出贡献奖、中央国家机关优秀青年等荣誉。

袁家军参加过我国多种空间飞行器的研制与管理工作，为我国空间飞行器技术再上新台阶做出了突出贡献。在我国与巴西合作的资源一号卫星研制中，他作为结构主管设计师、系统代主任设计师，率技术组在技术合作中发挥了重要作用，圆满完成任务。在担任实践四号卫星结构与总装技术负责人期间，完成了结构研制与卫星总装，采用单一结构进行环境试验和发射，该卫星于1994年发射成功。他还曾担任航天某重点型号结构分系统主任设计师，组织带领技术人员解决了方案阶段结构布局优化等重大技术问题，完成了超大型铸镁底板的设计与分析，攻克了CCD相机与舱体结构刚度优化及星箭分离面连接刚度等重大技术难关，按计划实施了空间飞行器转阶段的工作。

1992年，我国以“神舟”号载人飞船为核心的载人航天工程正式启动。1996年，袁家军被任命为“神舟”号飞船系统第一副总指挥。为适应飞船以及大型卫星总装、试验、测试一体化的需求，国家决定专项投资建设重大工程——北京空间技术研制试验中心。年轻的袁家军全面负责北京空间技术研制试验中心的建设，为飞船和大型卫星提供总装、试验、测试一体化支持。在他的组织指挥下，仅用3年时间就成功建成了国家级现代化大型航天器试验中心，有力地保障了飞船研制的顺利进行。他还负责了飞船系统的研制工作，制定出了一套适合飞船研制特点的项目控制与工程管理办法，及时组织解决了飞船研制中的2000多个问题，保证了第一次飞行试验按计划完成。

2000年4月，袁家军被任命为“神舟”号飞船系统总指挥，全身心地投入我国载人飞船系统的研制工作中。总指挥的一个重要职能是要了解到哪些人是型号研制中的主要角色，同时用现代的知识管理方式“经营”大家的情绪，袁家军深谙“上下同欲则胜”的要领，并从中总结出一套理论——工作效率等于人的智力乘以情绪。他组成“特别任务组”，坚持召开调度会，以载人航天为最终目标，打破行政界线，使工作效率大大提高。在袁家军及其伙伴们的忘我工作下，“神舟”三号试验飞船于2002年3月25日在酒泉卫星发射中心发射成功。

（共青团中央宣传部）

贺福初

贺福初，中共党员，中国科学院院士、中国军事医学科学院放射医学研究所所长，研究员，博士生导师，曾获第三届中国青年科学家奖、中国青年科技奖、全国求是杰出青年实用工程奖、第三届中国生理学会张锡钧奖最高奖、国家首届中青年医学科技之星、中国首届青年科技标兵、国家有突出贡献的中青年专家、总后科技金星、十大杰出青年和首届学习成才标兵、国家科技进步奖二等奖2项、军队科技进步奖一等奖1项、二等奖7项等奖励和称号，荣立二等功两次、三等功一次。

贺福初是我国培养的新一代院士的代表。他一直立足细胞活性因子的分子生物学与基因工程研究。他在国际上首先发现分子水平上发育与进化相互关系与统一的“发育相关进化”规律，其论文《细胞活性因子与受体分子进化》在国际实验血液学杂志上发表。1992年，他又分别观察到细胞因子与受体的“协同进化”和“协调进化”两种规律性现象，在国际学术研讨会上引起了反响。1993年，贺福初再次揭示分子“减速进化”规律性现象。

这4种规律性现象的发现，首次从分子水平上发现最基本的生命活动——发育与进化统一的重要证据，从而填补了该理论领域的部分国际空白。运用这些规律，他首次预测并验证了早期细胞分化因子序列在东西方人群间存在的差异，并从理论上推测，长期在东方人身上使用西方人来源此类细胞因子的基因工程药品会产生抗体并带来较大副作用。他据此提出了“只有作用于发育晚期的生长因子，才能发展为基因工程药物”的论断，并为后期的国内外正反两方面新药研发事例证实。

1994年以后，他带领课题组发现、克隆、命名了肝细胞生成素（HPO），证明其为特异刺激肝细胞增殖和肝脏再生的新型细胞因子，建立了目前国际上有关肝脏和胎肝规模最大、最系统的基因表达谱。他通过与分析科学家合作，在国内较早引进并建立了蛋白质组学的支撑技术平台，进行了细胞分化、比较蛋白质组研究。

2002年初，他又作为首席科学家，领衔了在未来5年内资助额达3500万元的“973”重大研究项目——“人类重大疾病的蛋白质组学研究”。他和课题组还发现并克隆1000余种新基因序列，大部分已被国际权威数据库确认与登录。

十几年来，贺福初先后主持承担了“863”、“973”和国家杰出青年科学基金、国家自然科学基金等10余项重大、重点课题，其中2项研究成果以4500万元转让。他主编参编专著5部，在国内外学术刊物发表各类论文250余篇。担当了7名博士后、19名博士生、15名硕士生的导师。兼任国家科技奖励委员会医药卫生专业组成员、国家新药评审组成员、中国遗传协会常务理事、全军医学科学技术委员会常委、军事医学科学院学术委员会副主任等10余个学术职务。目前他和他的科研小组正在开发一种促进肝细胞修复和增殖的生物新药，将为我国1.2亿肝疾病患者带来福音。

（共青团中央宣传部）

寒　星

寒星，女，中共党员，内蒙古呼和浩特市“心灵之旅”热线创办人，曾荣获全国思想政治工作先进个人、中国十大杰出青年志愿者、内蒙古自治区精神文明建设标兵、内蒙古自治区五四杰出青年、内蒙古自治区优秀共产党员等称号。

寒星被誉为“新时期的张海迪”。因双腿患有先天性骨骼异化症，终生残疾，但她身残志坚，靠长期的艰苦自学，用知识改变了命运，自谋职业自主创业。她自觉奉献社会，自费开办“心灵之旅”热线电话和信箱，义务为他人排忧解难，用炽热的爱心抚慰了上万颗遭受挫折的心灵。以她的经历写成的自传《我是寒星》出版后在社会上引起强烈反响。

寒星从11岁起，就躺在病床上，打着齐胸高的石膏，顶着总也不退的高烧，用4年时间自学完了从小学到高中的全部课程。1993年，寒星报名参加了全国成人高等教育自学考试，4年后以优异成绩取得经济管理专业大专文凭。1994年，在父母的支持下，她利用自家不足10平方米的小凉房开起了小卖部，解决了日常生活问题并为以后开办心理热线积攒了费用。

走入社会，她看到不少人因为生活上的挫折和困难而丧失信心，随即产生了开办一条公益性热线的想法。从1995年初，她开始大量阅读心理学、社会学、伦理、道德、医疗等方面的书籍，并收听全国各大电视台的直播谈心节目，请教有丰富生活经验的长者与教师。1996年12月，父母借钱为她安装的那部公用电话成为"心灵之旅"咨询热线，免费为他人分忧解难。1997年7月，她又自费到邮局租了信箱，开办"心灵之旅"信箱，为偏远地区的咨询者提供服务。5年里，寒星通过"心灵之旅"热线救助过有自杀企图的人多达171人。她常说的一句话就是："请把'心灵之旅'当作又一个家吧。"

从1996年至今，通过这条热线和信箱，使寒星成为全国各地许许多多失意失足者和迷惘困惑者的知心朋友。截至2001年12月，据不完全统计，她已接待了来自全国以及美国、蒙古的华人和留学日本的中国学生热线来访12000余人次，信件6000多封，回信40多万字。

同时，寒星还担任了内蒙古呼和浩特地区15所大中专学校和小学的思想政治工作辅导员。仅2001年，她就在全市作报告60多场，受到群众和青少年的热烈欢迎。

（共青团中央宣传部）

张树源

张树源，广东省珠海格力电器股份有限公司筛选分厂机修班班长，曾获广东省十大杰出进城务工青年、珠海市十大杰出进城务工青年等荣誉称号。

张树源1995年7月来到珠海，进入格力电器，一直在格力电器筛选厂从事维修工作，他工作积极认真，勤奋好学，吃苦耐劳，在设备维护和技术革新方面做出了突出成绩。

张树源作为筛选分厂机修厂机修班长，埋头钻研技术，虚心向有经验的师傅请教，常常去参加各种相关的培训班，查找大量书籍资料自学，提升技术水平。

张树源除了做好本职工作外，还积极投身到分厂各项技术革新活动中。他成功地制作了继电器保险管、灯管、压力开头、电流发生器、负离子发生器等器件的寿命试验装置，填补了国内递增物料寿命试验项目的空白。他设计并制作的电器产品跌落试验装置、步进电机扭力试验装置、逆相保护器检验装置、遥控器接收板试验装置、灯箱组件检验装置、单向阀检验工装等，大大提高了检验的工作效率。他参与的《空调用截止阀工艺的建立和完善》项目，改善了工作环境，降低了劳动强度，为公司节约了大量资金，该项目获得了1998年度格力电器科技进步奖。他担任的可编程多芯电缆线芯排序、通断质量测试仪，替代了人工用万用表对多芯电缆线排列顺序、通断质量的检验，检验速度比原来提高9倍，准确率达100%。

张树源了解到总装分厂以及售后运回空调的返修过程中，每年需自行放空的氟里昂量相当大，既浪费了氟里昂又影响生产检验环境。于是，几年来他一直锲而不舍地钻研，经反复实践终于在2000年底研制成功了两台小巧精美的氟里昂回收机，该机功能齐备，操作简单，且制作成本低(进口设备需要20多万，该机制作只要3000元)，填补了公司一项空白。

张树源还经常带领班组成员钻研学习各种维修技术。他耐心细致地向大家讲述各种设备的操作使用、工作原理和维修要点，鼓励他们好学上进，他带出来的多名员工也都成为生产中的骨干。

张树源常常帮助有困难的员工，哪位员工家中有急难事，他都尽自己最大的力量，解囊相助，还把自己获得的奖金拿出5000元，捐献给边远贫困地区的农村学校。

（共青团中央宣传部）

使一些企业重新振兴起来。

（共青团中央宣传部）

顾双彦

顾双彦，女，中共党员，黑龙江省大庆市让胡路区人民法院经济审判庭庭长，曾荣获全国青年法官标兵、中国优秀青年卫士、全国优秀女法官、黑龙江省青年五四奖章、黑龙江省人民满意的好法官标兵、黑龙江省新时期的好法官等奖励和称号，荣立一等功1次、二等功1次、三等功2次。

顾双彦善于把所学的知识用于实践中去，她积极进行审判方式改革，改主动纠问式为诉辩式，大大缩短了审限，提高了工作效率。由此创出了日结案8起，月结案62起，年结案328起的好成绩。

在保证快捷审理的基础上，顾双彦把公正审理每一起案件放在首位，让胜诉方赢得理直气壮，败诉方输得心服口服。1997年，她在审理大庆市某食品公司与天津某包装公司产品质量纠纷一案中，双方争执很大。在开庭时她有理有据地说理讲法，从而使双方当事人在两个小时内调解结案。

近10年来，顾双彦先后审结各类案件2000余件，调解结案的当事人没有反悔的，判决上诉案件无一起发回重审。大庆电视台先后播出《女法官的风采》、《办案女状元》等5部专题片，报刊上也陆续刊登过她的事迹，她用实际行动在百姓心中树立了人民法官的良好形象。任庭长职务后，她率先垂范，严于管理，并带头审理重大疑难案件，带头进行审判方式改革、裁判文书改革。她在审理一起争议很大的仓储保管合同时，原、被告都分别找到省、市某部门的领导，而且市、区两级法院对这起案件也很关注，顾双彦面对重重压力。庭审中，她把自己置于居中裁判的位置，没有受人情因素的影响，运用证据认定规则，查清了事实，仅3个多小时，将讼争5年之久的案件当庭调解结案，使双方当事人对审理结果都很满意。

多年来，顾双彦通过走访企业，建立和完善“经济司法联络点”20处，多次为企业讲法制课，并带领全庭人员深入企业，全心全意为他们服务，

刘光基

刘光基，四川蔬菜研究所所长，曾荣获全国劳动模范、中国十大杰出青年农民、全国农村优秀人才一等功、全国农业广播电视教育科教兴农创业标兵、全国农村科普先进工作者、四川省青年五四奖章、四川省劳动模范、四川省十大杰出青年、四川省农村科普先进工作者等奖励和称号。

1992年春，刘光基获悉中国蔬菜种子新品种技术发布及交易会将在武汉举行。于是，只身一人赶赴武汉，获得一条令他兴奋不已的信息——四川常见的莴笋种植在国内其他地方几乎是空白。他回到广汉，在附近几个县的50多户农民家里，收集了180多份莴笋品种资源，回到家中进行提纯、复壮，精选出优质高产的“特耐热二白皮”、“特耐寒二白皮”等20多个莴笋品种，在全国一炮打响。

刘光基以坚强的毅力，完成了种菜——育苗——育种创业的三部曲。1994年7月，他在原有的广汉繁星蔬菜种植场、广汉市蔬菜良种技术推广站的基础上创建了集科研、生产、推广、服务于一体的四川省广汉市蔬菜研究所。从此，他以研究所为中心，将刘氏蔬菜良种和技术向全国农民辐射。

刘光基率先在国内创立顶级域名网站，在沈阳、昆明、西安、乌鲁木齐等10多个大城市建立了完善的市场销售体系。目前，拥有3200个经销商，28000余个直接邮购农户组成的销售网络。

刘光基独特的经营理念和方式给他及他的企业开辟了高速发展的局面。“种都”牌系列蔬菜种子辣椒、西瓜、番茄、白菜等20个大类的150余个名优品种，已畅销全国31个省、市自治区，销量逐年大幅度提高，从1994年的250公斤到2001年的32万公斤。全国有3000多万个农户使用“种都”牌种子，可种面积800万亩。

他从农民的实际需求出发，通过“公司带农户”，科技扶贫。1999年至今，刘光基率领他的员工连续3年协助承办了团省委主办的“农村文化节”、“科技万里行”、“科技赶场”等活动，遍及全省75个县市216个乡镇，培训及现场咨询的农民达4万余人次。据近年的初步统计，开展科技下乡活动26次，举办蔬菜、中药材栽培技术讲座23场（次），技术培训1500余人（次），赠送科技资料145000余份，赠送蔬菜种子（苗）630000份，通过科技下乡等活动，带动41000余户农民走上了种菜致富奔小康的大道。

1996年，刘光基捐款1万元帮助家乡兴隆镇建立了蔬菜协会，还投资5000元帮助协会建立了第一个科技示范户。如今，兴隆镇的蔬菜种植从几年前的几亩地发展到目前的3.8万亩，人均收入达2963元。

刘光基创办的“种都”牌被接纳为国内为数不多的亚太种子贸易协会（APSA）成员，目前，“种都”牌已在俄罗斯、英国、法国等48个马德里协定议定国家注册了国际商标。

（共青团中央宣传部）

刘旭清

刘旭清，中共党员，天津市宁河县潘庄镇团委书记，曾荣获全国青年星火带头人、天津市青年五四奖章、天津市青年星火带头人标兵、天津市优秀青年志愿者、天津市新长征突击手等奖励和称号。

刘旭清从1995年起就担任潘庄镇团委书记，他创造性地找准了“党建带团建”的工作思路和有效载体，使潘庄镇共青团工作富有生机和活力，并在全市率先推行农村“三位一体”的团干部用人模式和乡镇企业“三骨干一体”（生产、技术、思想骨干）的团干部管理机制，有效地解决基层团干部待遇问题，大胆地尝试了非公有制企业建团工作和实行外来务工团员流动管理证的做法，使农村基层工作富有生机和活力。

作为青年“星火”带头人，他和同伴们研究的水稻小苗抛秧密植法和水稻旱育稀植节水法，在本地区得到推广和应用，尤其是双膜西瓜早熟法比当地西瓜提前上市两个星期，促进了农民增产增收。

多年来，他坚持“以人为本”，积极探索着群众文化工作的载体和途径。他组建了百余名爱好读书的青年参加的“读书之友俱乐部”。他扩建了书店，又新建了两个租书读书亭，创办了《七里海》报和《七里海少年周报》。通过他的努力，新建两家青年科技图书站，从无到有的潘庄镇图书馆藏书达9000多册，并实现微机化管理，被评为国家三级图书馆。恢复了两个评剧社，新建3个民乐队，恢复了濒临失传的民间花会。

他创建了天津七里海文化传播有限公司，利用经营方式改革的途径，投资56万元建成一座功能齐全设施完备的青少年活动中心，新建电影放映队1个，图书馆1座，复印社1家，新建、扩建照相馆、书店、文具用品商店等“以文养文”实体13家，固定资产达156万元，安排再就业人员69人，计划中的“乡村文化信息馆”正在运作之中。

生活中他不是一名“合格”的丈夫和父亲，可他却是一名体察下情的好站长。老安淀村重建剧社，他给送去音响设备；潘庄村筹建民乐队他亲自给解决了活动场所；杨庄村花会演出水平不高，他给派出文化骨干去做义务指导；孙庄村表演队道具和服装不全，他又无偿给他们配齐……几年来在他的帮助下有15名文化骨干办起了民营企业、大酒店，有21名青年办起了个体商店、照相馆，有36人兴办了4个科技小庄园，为农业种植结构的调整做出了示范，并安排132名青年就业。

（共青团中央宣传部）

赵 彪

赵彪，中共党员，中国人民解放军68312部队63分队班长。

赵彪军事素质过硬，长期担任连队示范教练

班长，先后10余次担负团以上组织的示范教学任务，结合承担的训练课题，编写了80多份训练教案。他摸索总结出的适应高寒地区训练作战的“低驻高训”方法，被军区编写的《陆军军事训练与考核纲目》吸收。

赵彪爱岗敬业，结合工作实践研究带兵方法。经过不断的摸索，他总结出的新时期带兵六法——“目标引导法、情感沟通法、知识启迪法、品德感召法、法规约束法、身教示范法”，被所在部队广为流传。

作为一名带兵班长，赵彪始终对战士倾注真情、奉献爱心，热心帮助他们解决遇到的各种矛盾和困难，与战士建立了深厚的同志爱、兄弟情，赢得了战士们的充分信赖。在带好兵、管好兵的同时，赵彪刻苦钻研，在科技练兵中当好“兵教头”。他自费参加西安陆军学院指挥专业在职函授，系统学习了有关课程，成为团里有名的“四会”教练员。

2000年初，连队担负了“摸索在低海拔地区进行高原缺氧条件下体能训练路子”的课题。赵彪主动请缨担任先行示范任务。为了准确掌握高原缺氧对呼吸、心率、血压影响的数据，赵彪找来防毒面具，用海绵制作成“阻氧嘴”，在全副武装和负重15公斤沙袋的情况下，进行5公里奔袭试验。经过亲身体验和探索，赵彪逐渐掌握了增加海绵相当于海拔增高减少氧气供应量的原理，编写出了有关教案。经过一个多月的训练论证，终于摸索出水中闭气、抓耳旋转、戴阻氧嘴跑等多种训练方法，解决了“低驻高训”的难题。他收集军内外组织心理训练的资料，结合实践对战士在不同环境中的心理变化规律进行研究分析，提出了克服战士心理障碍的方法，编写的步兵班排心理素质训练教案，已在全团普及推广。他利用课余时间和节假日，认真学习射击知识，查找有关资料，研制出了夜间射击辅助器，极大地提高了训练的质量和效益。几年来，赵彪研制的“手榴弹实弹投掷模拟弹”、“抵近射击检查镜”、“发烟手榴弹”等5项训练革新器材被师团推广运用。

在处理“小家”与“大家”的关系上，赵彪表现出了高度的大局意识和责任感。5年来，在两位亲人相继过世、两次错过考学机会的情况下，他始终以连队建设为重，顾大局、讲奉献，参加了扑灭华山森林大火、光缆施工和抢险救灾等十多项急难险重任务，以自身的模范行动为党旗增添了光彩。

（共青团中央宣传部）

王　智

王智，中共党员，甘肃省金川集团公司第一冶炼厂闪速炉车间主任，曾荣获甘肃省青年五四奖章、有色金属工业总公司科技进步一等奖、甘肃省科技功臣奖、甘肃省金昌市科技功臣奖等奖励和称号。

闪速炉技术是当今世界火法冶炼最先进的技术之一。王智全身心投入到闪速炉技术的学习和使用中，并致力于技术改造。他探索科学合理的闪速炉炉况控制技术，王智通过大量的理论测算和论证，运用控制理论，提出对风、氧、油调节方式进行改造，大幅降低氧耗、电耗、油耗的方案。这一方案经生产实践不断完善，从根本上解决了闪速炉下生料的问题，各项技术和经济效益优势得到发挥。

王智进行反复研究探索，得出通过调节炉渣铁硅和温度比，可以在一定程度上改善炉渣流动性的结论，找到了较高氧化镁条件下闪速炉控制的“夹缝”，减少了炉内粘结和炉结的生成，改进了炉后放渣操作，保证了闪速炉的正常生产。这项技术革新多回收镍量282吨，年创经济效益600多万元。

王智在仔细研究世界现有的闪速炉不同喷嘴的结构和工作原理的基础上，大胆借鉴航空技术理论，提出了将空气动力学原理、涡混原理及沙丘驻涡原理引入闪速炉精矿喷嘴的设计，并通过数值分析和理论计算，设计出中央混合型反忘记调节式精矿喷嘴。这项发明可提高闪速炉生产能力30%以上，年创直接经济效益1400多万元。该项目被列为2000年金川集团公司十大科技成果之首。

他提出采用耐火砖吊挂和新型刚玉质浇注耐火材料相结合的炉顶结构改造方案，克服了原炉顶存在的问题，使闪速炉贫化区炉顶寿命得到大幅度提高。

作为车间主任，他制定完善了生产管理规程，严格生产管理，把降低成本，增加效益作为各项工作的中心任务和根本归宿，他提出并实施的“一降二提三合理”的管理思路，使车间的管理水平和生产经营有了质的飞跃。

2001年王智所在的闪速炉车间又在金川集团公司范围内率先搞起了以建立现代企业制度为核心的全面改制工作，全车间所有岗位人员全部实行公开竞争上岗，加大岗位责任、技术水平、工作难度等要素在工资分配中的比重，初步建立了具有现代化特点的生产组织体系，使闪速炉车间成为第一冶炼厂乃至金川集团公司改制改革中的一面旗帜。

（共青团中央宣传部）

朱　敏

朱敏，中共党员，中国科学院古脊椎动物与古人类研究所所长，研究员，博士生导师，曾荣获国家杰出青年科学基金奖、国家自然科学奖二等奖、中国科学院自然科学奖一等奖、中国高校自然科学一等奖、中国科学院青年科学家奖二等奖、中国科学院优秀青年、中央国家机关杰出青年等奖励和称号。

朱敏在不断发现新化石的基础上，对古生代鱼类各主要门类都作了深入研究，在古生物学这一基础研究领域取得了一系列为国内外专家所公认的创新性成果，在国际上也赢得了较高知名度。他在《自然》等国内外刊物上，发表了30多篇学术论文，引起国内外学术界的广泛关注，美国广播公司、英国《每日电讯报》、新华社、中央电视台等众多媒体给予了重点报道。

朱敏不仅学风严谨、求实，富有创新精神，在科研中取得一系列具有国际前沿水平的创新性成果，为国家赢得了荣誉，而且具有极强的社会责任感。1999年12月，朱敏被推选为中国科学院古脊椎动物与古人类研究所所长，成为中科院最年轻的所长之一。他团结全所职工进一步凝练科学目标，以一流的创新成果不断增强研究所在国际上的竞争实力；他转变研究所职工滞后的思想观念，深化机制、体制的改革，将研究所办成一个开放、流动、具有国际水准的国立研究所。

朱敏全身心地投入于研究所的结构性调整，以年轻人的朝气和敏锐的思路为研究所的发展勤奋工作，以改革促创新，研究所的科技创新能力得到不断提高，2000年以来全所在世界上有影响的《自然》和《科学》等刊物上共发表了11篇论文，在国际学术界产生了重要影响，显示了研究所作为国立研究机构的综合实力。2001年初，《科学》杂志长篇介绍中国古生物学近年的发展，对研究所取得的科研成果和改革进程给予了高度评价。

（共青团中央宣传部）

第七届中国杰出青年农民

共青团中央、水利部、农业部、财政部、
国家林业局、全国青联共同评选

才层玛

才层玛，女，蒙古族，中共预备党员，青海省海西州宗务隆乡青年农民。

1990年，才层玛经过冷静分析，看准了贩牛贩羊的买卖，她靠四处借贷来的本钱，让丈夫进深山收购牛羊，然后再赶到城里出售，一次能赚上千元。同时，她着手准备养猪。对养猪一窍不通的才层玛虚心请教、认真学习，很快掌握了一些养猪技术，并且养了30多头成猪。三年后，才层玛买了一台手扶拖拉机，开起了“手扶流动商店”。牧民们需要什么，她就经营什么，经营范围越来越大。1999年初，经过多次协商，她顺利地承包了占地30多亩、有两排猪舍、两个温棚设施的猪场，走上了科学养猪、规模养猪的路子，养猪规模增加到600多头。

随着养猪规模的扩大，才层玛又尝试着种菜。在获得了大棚蔬菜种植成功的经验后，她扩大种菜规模，并把精细菜全部销售到市场，剩余部分晒干存储，在保证一年四季饲养青饲料不断后，她又盖起了羊圈，贷款育羊，构建了一个良性循环的“养殖链”。2002年7月，她的养猪场被团州委命名为共青团领办科技推广项目示范基地。

富裕了的她不忘乡亲，帮助养殖户精心选购仔猪，传授技术，免费注射疫苗，无偿送仔猪给最困难的村民养殖；给种菜的农户传授种菜技术，无偿提供肥料，带领群众走致富路。

（共青团中央宣传部）

尹为民

尹为民，辽宁省大石桥市官屯镇青年农民，主要从事养殖及加工业。

1990年尹为民选择向农业产业化发展的道路，成立了大正工贸实业公司，现在企业发展到占地面积33.1万平方米，建筑面积6.6万平方米，员工1200人，总资产达2.83亿元，2001年出口创汇1100万美元，创利润800万元，上交税金150万元，形成了一个集产供销科工贸于一体的国家级大型集团公司。

企业管理步入了现代化、标准化的道路，集团公司通过了ISO9002国际质量管理体系认证，同时取得了自营进出口权。公司被评为国家级农业产业化龙头企业，农业部全国质量管理达标单位，连续4年被评为辽宁省重合同守信用单位，辽宁省银行系统信誉AAA级单位，营口市出口创汇先进单位，营口市企业管理先进单位及扶贫帮困先进单位等荣誉称号。

自企业建立开始，尹为民就坚定诚信为民、为民造福的宗旨，采取“公司加农户”的产业化模式，即通过合同的方式确定集团与农户的产销和利益关系，保证农户每养一只鸡纯收入2元左右的利润。2001年，公司带动农户3200户，为农民增加收入4000万元，平均每户增收12500元，每户按两个劳动力计算，人均年收入达到6250元。

他热心奉献社会，近3年来为扶贫帮困、献爱心、资助慈善事业等共计捐款300万元。

（共青团中央宣传部）

王洪伟

王洪伟，河南省濮阳县徐镇青年农民，主要从事农业、种植及加工业。

王洪伟创办的精米加工厂拥有固定资产达800多万元，年产值8600万元，利税300多万元。带动濮阳市发展水稻种植面积45万亩，发展运输专业户560多户，以稻糠作原料的养猪户发展到1万多户，年出栏生猪20多万头，水稻种植使濮阳市黄河滩区30多万群众甩掉了贫困的帽子，走上小康之路。加工厂也被濮阳市委、市政府命名为农业产业化龙头企业、被济南军区定为优质军粮供应基地。

为带动群众脱贫致富，王洪伟将稻种无偿地分给乡邻们种植，义务传授技术，帮助乡亲们育苗、管理，1996年10月，在镇政府的大力支持下，王洪伟筹资200万元，建起了豫北地区第一家精米加工厂，当年加工优质米600万公斤，实现产值800万元，利税40万元，打出了“力神”品牌，还直接使稻农增收40多万元。1997年，王洪伟从省农科院引进优质稻种8万公斤，在濮阳市率先实施“订单农业”，初步形成了以精米加工厂为龙头，以1.5万亩黄河滩稻田为基地的“公司+基地+农户”农业产业化新格局。2000年初，为了提高产品质量，引进自动化精米生产设备，并按照ISO9002的标准全面加强管理，引入了以人为本的管理理念，确立了诚信经营的发展战略。2001年7月，王洪伟在国家工商局注册了“家家宜”牌精米商标。

致富后的王洪伟用爱心奉献社会，1999年，王洪伟投资30多万元在镇上建起了一所高标准的敬老院，一次安排了全镇75位孤寡老人，让他们幸福安度晚年。1998年以来，他除了捐资修建学校外，还先后救助了50名失学儿童。

（共青团中央宣传部）

王 家 仲

王家仲，中共党员，天津市武清区陈咀乡青年农民，主要从事无公害蔬菜种植、销售。

1997年，王家仲以发展鲜糯玉米为创业的起点，将撂荒的2400亩土地开发利用，每亩纯收入达1500元。

王家仲又带领其他团干部，以村集体原有的食品厂为基础，成立了泽润新农业工贸公司。尝试“公司＋基地＋农户”的模式，以企业为中介，以全区农产品生产基地为依托，以各大超市为主攻方向，生产无公害蔬菜。

2001年4月，“泽润”第一个在全区取得了“无公害蔬菜”经营权，注册了“泽润”商标，取得了“无公害蔬菜”标识的使用权。到2002年7月，“泽润”已在北京、天津建立起232个销售专点，日销各种蔬菜达3万公斤。

王家仲坚持农产品标准化生产，抓住种植和检验两个关键环节，以确保产品质量和高质量的销售服务。为了保证货源，王家仲创建了占地200亩的农业高新科技示范园，率先在园区内进行新产品的试种和科技示范，在村里大面积推广，并提出了百天农业种植计划，即种植“泽润”提供的种子，从种到收最长不能超过100天时间。在大量调研的基础上，他又推出了两种加盟制：农产品种植计划加盟和农产品销售加盟。目前，在全区建立了1.1万亩加盟基地，并在河北省的保定、唐山等地设立了分基地。

（共青团中央宣传部）

刘 卫 明

刘卫明，共青团员，山西省晋中市祁县城赵镇青年农民，主要从事鸡蛋运销业。

10年前，初中毕业回家务农的刘卫明组织起全村的养鸡户，对鸡蛋进行“统一收购、统一包装、统一发运、统一销售”，逐渐树立了品牌，塑造了形象，养鸡已成为村里的支柱产业，全村农民人均纯收入从8年前的1000元上升到2001年的2800元，步入了小康村的行列。

刘卫明在山西长治、忻州等地设立了收购分点，本着“顾客至上、信誉第一、薄利多销”的宗旨，逐步扩展市场，与全国20多个省市的大农贸市场建起了业务关系，并且与全国最大的肉类加工基地——河南双汇集团签有年供鲜蛋600万斤的合同。

他在销售上，最大限度地保障养鸡户的利益，总是主动承担着经营风险；他采取“引进来，走出去”的办法，把福建、广东、安徽、江西等地的客户招回来，帮助他们把货安全稳妥地运回去。他以优质的服务赢得了市场，2001年，鸡蛋销售量突破1200万斤，营销额2300多万元。

8年来，刘卫明共扶持近百名青年从事鸡蛋营销业，累计让利500万元，他扶持的300多名青年从事养鸡，大多数走上了脱贫致富道路。

（共青团中央宣传部）

邹 怀 斌

邹怀斌，中共党员，安徽省六安市城南镇青年农民，主要从事林业。

邹怀斌创建的淮滨园艺公司是一家拥有基地1868亩、固定资产1600多万元、员工188人的民营公司，被省鉴定为园林企业二级资质单位，到2002年上半年，淮滨园艺公司已累计向国家和地方交纳税金近千万元。

邹怀斌以薄利多销，“包栽包活一条龙服务”为宗旨，以及布局合理、经济美观的规划赢得了市场。他加大投资、扩大基地，增加苗木品种与数量，1996年，他在家乡和皖西联大建了两处基地，1998年春，他筹资120万元和160亩土地，作为六安市科技开发示范工程，建成了淮滨园艺园，开展蔬菜、苗木、花卉、盆景、草坪系列生产。2000年他在城南镇承包280亩岗地，扩大基地，2002年，他又投入500多万元，在叶集改革试验区成立苗木生产经营股份公司，新增苗木基地506亩。

邹怀斌在发展的同时，积极引导群众，更新观念，主动从资金和技术上鼓励、支持、带领身边的群众脱贫致富。

富裕的他仍保留着艰苦朴素、乐于助人的优良传统。赡养无依无靠的“老五保户”，善待孤儿寡母，为他们安置工作解决实际生活困难。

邹怀斌心系家乡，回报社会。他共为100多所中小学绿化校园，为学校捐建绿化工程16万多元，为家乡道路建设捐款12万元。十多年来，他捐款捐物累计达80余万元。

（共青团中央宣传部）

吴松青

吴松青，福建省晋江市安海镇青年农民，主要从事农副产品深加工。

1996年，吴松青投资组建福源食品股份有限公司。他积极借助科研单位的科研水平和成果，1998年至2002年先后研究开发出了膨化食品、果冻、饮品、干果干菜、泡菜酱菜等数十种国内市场领先的系列产品，培育出“盼盼”、“真食惠”、“福源”等三个著名品牌，并从国外引进了具有国际先进技术水平的薯片生产线，其产品也打入了国际市场，保持了在全国膨化食品行业中的领先势头。在不到6年的时间里，年销售额就从248万元跃升到3亿多元，年上缴国家税收超过1000万元。公司培育的“盼盼”牌系列食品被确认为“中国知名食品”信誉品牌，是全国膨化食品行业公认的三大品牌之一，被评为国家级“农业产业化龙头企业”。

公司自创立之初，吴松青就将公司的利益和广大农民的利益紧紧联系起来，制定了“公司+基地+农户”的长期发展战略，带领农村群众脱贫致富奔小康。总公司所在地前蔡村村民2001年的人均纯收入突破了万元大关，成了远近闻名的富裕村。他还积极支持中西部地区的农民群众发展，每年都在中西部地区建立一家子公司，先后建立各种农副产品基地15万多亩，累计为农民增加了5000多万元的收入。

近几年来，他和其他的公司股东，先后一起为村里和各级政府的基础设施建设、教育事业、见义勇为基金会、敬老福利等社会公益慈善事业捐资共达500多万元。

（共青团中央宣传部）

侯正宇

侯正宇，江苏省洪泽县岔河镇青年农民，主要从事农业劳动力转移。

自1995年来，侯正宇创办的劳务中介，已从苏北、苏中地区向上海外资企业组织输送青年农民近2万人，每年收入可达3亿元，帮助近2万个家庭实现了从温饱到小康的转变。

侯正宇顺应市场需求、自主创新，推出了一整套独到的劳务中介全程服务的新模式，独创了劳务输出的服务项目。他把加强就业培训、提高输出人员技能作为重要环节来抓，严格按照“先培训、后就业，重质量、求素质”的原则，通过培训教育把更多的苏北青年农民输送到经济发达地区。1998年，侯正宇把办公地点开设到了浦东新区，先后与30多家外企建立了紧密的劳务合作关系，同时保持松散型合作关系的外企也超过70多家，其中包括世界500强企业中的15家分公司。他输送的青年农民占浦东新区外企使用外劳力总人数的1/4，被许多上海公司誉为“蓝领保姆”。

为加强在输入地的劳务管理，他在外资企业相对集中的地区先后选定7个居住小区，租赁620多套住房，仿照上海社区管理和高校学生宿舍管理的办法，成立由20多人组成的管理科，建立规范的管理制度。每年他还拿出6万元，建立员工工伤、安全保障基金。通过努力，达到了“用工单位满意、员工满意、输出输入地政府满意、员工家长满意”5个满意，受到浦东新区劳动和社会保障局的高度赞扬和广大用人单位和输出人员的好评。

为创新业务，他与洪泽县政府达成联合经营县职业技术教育中心7年的合作协议；与县政府计划共同投资2000万元改善办学条件；50多家职校与他签订了长期的劳务供求合作协议，使劳务输出向“订单培养”方向转型；探索出“民营职校”的新路径，开创了职业中介组织与职业技术教育联合办学的先河；形成了以劳动力输出为龙头、以职业培训为纽带的特色服务。

（共青团中央宣传部）

胡昌月

胡昌月，海南省保亭县毛感乡青年农民，主要从事林业。

胡昌月18年来人工造林4万亩，人工栽培水果、笋材两用竹、咖啡、中药、白藤共1800多亩，他种下的4万亩树的经济价值达到了2亿元人民币。同时也优化了海南的生态环境。

1980年，他与堂哥胡昌雄承包了500亩荒山种植橡胶。1984年至1992年，将近4万亩的荒山荒地全部种上加勒比松、油杉和马占相思树。1994年，胡昌月率先在千龙山等地种上从广东高州等地引进的荔枝、龙眼和当地农科部门培育出来的良种良苗——玉兰笋和南药——益智。他在加强种植管理的同时，又创办松脂加工厂，年加工400吨，实现产值120万元。2002年初，他又在昌江县王下乡承包土地3万亩，目前已备耕6000亩，种植了4000亩。

胡昌月扶持、帮助群众开发林果、种苗生产，兴办公益事业，引领群众奔富裕。18年来，他共免费向黎苗同胞提供马占相思树、松树、杉树、桉树等幼苗450万株，种树面积2.5万亩，树苗价格80多万元。

胡昌月十几年来一直爱心奉献社会，长期救助一名孤儿和两位残疾人，资助3000元制作了28套桌椅送给五指山市畅好乡什哈小学，捐赠3万多元建起了千龙小学。2002年向当地残联捐款18000多元；从2002年开始，胡昌月为贫困山区的20名小学生每年捐资两万元，直到小学毕业。

（共青团中央宣传部）

魏新菊

魏新菊，女，中共党员，河北省衡水市邓庄乡青年农民，主要从事大棚蔬菜生产。

10年前，魏新菊在衡水市邓庄农业高新技术园区承包了两栋冀优Ⅱ型日光温室，成为第一批入园发展的新农民。

她边学习、边实践，第一次试种樱桃西红柿新品种就获得成功，亩产6000公斤，两棚樱桃西红柿一年纯收入就达到4.3万元。通过刻苦钻研和对比试验，她得出单蔓西红柿比多蔓西红柿产量高3倍的科学结论，引起了专家的广泛关注。魏新菊适应市场的变化，积极引进新品种，成功引种的美引长茄、五彩椒、球茎茴香、紫甘蓝等十几种新菜、特菜，每年收入十多万元。为了顺应发展生态农业的大趋势，在有关部门的协助下，她又投资9万元建起一个60立方米的沼气池和存栏100头规模的养猪场，利用猪粪发酵生成的沼气液代替农药和化肥，搞无公害蔬菜试验，目前她生产的蔬菜已通过了农药残留鉴定，正在申请无公害绿色蔬菜标志。在钻研种植技术的同时，她努力学习市场经济知识，学习经营管理，合理安排生产，组织销售，经济效益逐年提高。

魏新菊致富不忘老乡亲，在她的示范带动下，以北苏闸村为基地，全乡共发展温室大棚2400栋，种植樱桃西红柿600多栋，蔬菜面积超过15000亩，成为我国北方最大的樱桃西红柿生产基地，全乡仅此一项就收入3000多万元。

（共青团中央宣传部）

先进单位

广东省广州市

羊城变化始于4年前。

走文明发展之路——发展道路的选择

1998年，广州搞了一次“增创新优势”大调研，城市脏乱差、交通堵塞、环境污染、社会治安，成为群众反映最强烈的四大热点问题。

城市面貌不改，群众难受，文明难求。适应经济社会持续健康发展的客观要求，顺应人民群众创造美好生活的强烈愿望，广州市委、市政府郑重承诺：建设适宜人创业发展、适宜人生活居住的城市，即两个适宜之城，推动两个文明协调发展。

从此，珠江水告别黑臭污浊，代之以宽阔的休闲步道、别致的亲水平台。1100万平方米违章建筑如期清拆，8114处卫生死角彻底扫除，899家污染企业关停转迁，2306公顷新增绿地棋布街头，34座森林公园凝蓝拱翠……广州绿了，净了，靓了。

内环路、广园东路、北二环高速公路、新机场高速公路等相继建成；地铁一号线顺利运营、二号线加紧建设、三号线开始动工、四号线着手规划，快捷畅达的城市道路交通网络呼之欲出，市区机动车时速从18公里提高到33公里，羊城出行不再难。

奥林匹克体育场、新体育馆、艺术博物院、星海音乐厅、广州美术馆，一批典雅恢弘的标志性建筑接连耸立，城市品位大大提升……变化，来自超常规发展、大力度整治。15项城市环境综合整治顺利完成，170项城市建设重大工程全面告捷。1998年至2001年，广州城市基础设施建设投入609亿元，是解放以来几十年总和的3倍！

文明创建的实践——创出生产力和凝聚力

一个中心城市的积聚、辐射作用，绝不仅仅在经济。陈家书院、锦纶会馆、南越国宫署、沙面建筑群……一批文物古迹在创建中得到挖掘、保护，与城市发展、旅游资源、文化产业巧妙整合，风姿凸显。独特的历史文化、良好的城市环境，吸引着每年30亿美元的外商投资。

城市建设也是生产力。4年创建，广州功能完善、后劲夯实，作为华南地区中心城市的辐射、积聚作用进一步增强。

“绿色学校”、“绿色社区”争相涌现，科学文明蔚然成风。“西关风情游”、“珠江夜游”、“九运场馆游”……展示广州人文历史和现代化建设成就的“广州一日游”高潮迭起。

精神文明说到底，就是积极性与凝聚力。城市面貌的巨大变化，就是对群众最直观的教育。广州社情民意中心对万户居民的调查表明，广州市民对城市建设的满意率，创建前的1997年为27%，2001年则达97.4%！

实事求是，开拓进取——思路决定出路

思路决定出路。在城市巨变的背后，是广州人走过的一条实事求是、开拓进取的辩证发展之路。

作为中国改革开放前沿的广州，市场意识深入人心。另一方面，对市场经济的认识误区也带来一系列新问题。

最为典型的就是广州的“大排档”，与此呼应的是“马路经济”盛行。其结果之一是城市环境

“脏乱差”。广州市委、市政府透过现象看本质：广州经济已经发展到一个新的水平，人民生活质量不断提高，对环境的要求也越来越高；与此同时，广州作为区域性中心城市，只有拥有一个高效舒适的环境，才能更具竞争力。

思路一明，出路也就有了。4年时间，“拆违建绿”、“拆墙建绿”、“规划建绿”，广州城市环境大大好转。与此同时，引导“马路经济”入室经营，向规范化发展。

不知内情的人以为，广州这几年变化这么大，是因为广州财大气粗。其实不然。广州的“诀窍”是，打破过去城建投资政府“包干”的局面，通过“政府主导”让社会资金参与进来。

今天的广州，用地找市场不找市长，取消商品房用地的行政划拨，全市土地收益2001年达45亿元，以土地收益为资本金、城建资金为抵押、城建项目收费权为条件的“三位一体”城建投融资体系初步建立。广州的城市建设实现了超常规发展。

城市建设难，管理更难。过去是城市多头管理，工商、税务、环卫十几个部门谁都管，结果谁都管不了。经过多方探讨、外出取经，广州终于找到了一套行之有效的城市管理模式。即按照“两级政府、三级管理、四级网络”的总体目标，形成“统一领导，块块为主，条条保证，社会监督，依法管理”的综合管理体系。城市面貌焕然一新。

以人为本——建设让老百姓满意的城市

广州市以文明城市创建为载体的“一年一小变”、“三年一中变”是一项庞大的基础建设工程。有人说，广州市今天的新貌是“拆”出来的。近4年，广州几乎拆了一个中小城市的建设面积。令人感慨的是，如此庞大复杂的工程，全都按进度完成，没有一户上访！

广州有着2200年历史，建设城市交通网络是全市700万市民的利益所在。相对而言，被拆迁的4万多人算少数。但少数人的事若是办不好，他们的利益不能被充分照顾，大多数人利益也会受到损害。在以往的拆迁中，广州也出现过令建设者头痛的“钉子户”。4年创建，在处理这些和群众密切相关的事情时，以拆迁户能够安居乐业为目标，制定出缜密可行的清拆办法。随着从“安置”到“安居”，所有被拆迁户的居住条件和生活环境都得到了有效改善。

充分照顾群众利益，也就最大限度地获得了群众拥护。工作的阻力被有效化解，越来越多的广州市民自觉投身到创建中。

在经济迅速发展的大城市，或多或少都有不少历史遗留的“城建债”要还，广州曾经是比较严重的一个。在“小变”、“中变”过程中，这个“债”还得很出色。城市面貌有了根本性好转，为今后发展留下了空间，同时替老百姓解决了困扰多年的难题。

为人着想，推动人的全面发展，广州的吸引力日增。创业机制、户口制度、用工制度改革，使越来越多的海外学子、各地大学毕业生到羊城创业。广州真正成了令市民安心工作、愉快生活的城市，成了让市民感到骄傲、愿意为它奉献的城市，成了一座充满希望的城市。

（摘自2002年2月4—6日《人民日报》）

评论：与民同心 以民为本

广州创建文明城市实现了“一年一小变”，“三年一中变”的目标，城市面貌和市民的精神面貌焕然一新。今日的广州，环境优美，交通发达，生活便利，治安良好，市民的生活质量进一步提高，广大市民普遍满意，国内外宾客多有好评。

广州创建文明城市取得显著成绩，主要经验是，坚持解放思想，实事求是，与时俱进，开拓创新，顺应经济和社会发展对提高城市整体文明程度的客观需要，顺应人民群众创造美好生活的强烈愿望，把文明城市创建与维护和体现广大市民的根本利益结合起来。按照人民的意愿，建好人民的城市。

抓住市民普遍关注的“热点”、“难点”问题不放，是广州创建文明城市的一个特点。他们以解决交通堵塞问题为突破口，加快交通基础设施建设；以解决城市脏乱问题为抓手，加大环境整治力度；以解决环境污染为前提，推进各项环境保护工程；以解决社会治安问题为重点，加强社会治安综合治理。所有这些工作贯穿一个精神，就是想群众所想，急群众所急，解群众所忧，干群众所盼。

建设适宜人创业发展和生活居住的环境，是创建文明城市的基本思路。他们的指导思想是，城市建设要以人为本。无论是制定城市发展规划，还是推进自然生态、园林绿化、人文建筑三大城市环境景观体系建设，都紧紧围绕使市民生活更美好这个主题。更为难得的是，他们舍得在文明设施建设上花大钱，甚至把一些黄金地段拿出来修建休闲公园和标志性文体设施。这些充分表明，他们对城市建设和人的全面发展之间关系的理解，是具有远见的。

把群众身边的服务做具体做扎实，是创建文明城市工作的一个着力点。发展社区服务，加强社区管理，活跃社区文化，为市民创造安居乐业的生活环境，需要做大量艰苦细致的工作。广州市各级政府部门，把创建文明社区作为创建文明城市的基础，推进社区服务的规范化、系统化、信息化。增强服务意识，落实服务任务，责任到人，一抓到底。使这种服务看得见、摸得到，不流于形式，不流于空话。

发挥人民群众在创建文明城市中的主体作用，依靠市民，群策群力，是一条成功经验。城市建设是一项庞大的系统工程，涉及到方方面面的利益、各种各样的矛盾，没有市民群众的理解、支持和参与，取得成功是不可能的。广州市先后举行了9次群众性“告别脏乱、创建文明”的统一行动，数十万人参加。以“迎九运”为契机，开展了“当好九运东道主，创建广州文明城”系列活动。在市民参与下，不少老大难问题迎刃而解。广大市民在参与城市建设中得到实惠，也受到了教育，提高了素质。人民城市人民建，建好城市为人民，成为很多广州人的共识。

广州文明城市创建可以概括为四句话：与民同心，以民为本，为民谋利，依靠民力。这是江泽民同志“三个代表”重要思想在创建文明城市中的成功实践。各地城市建设特点不同，文明创建活动也各有特色，但归根结底，还是像广州实践所昭示的那样，只要一切为了人民，一切依靠人民，扎扎实实，埋头苦干，文明城市创建就会有声有色，卓有成效。

(2002年2月4日《人民日报》)

河北省唐山市

铸造唐山魂

唐山有什么？唐山有魂——精神之魂。

何谓唐山魂？那就是抗震精神。1996年，为纪念唐山抗震20周年，江泽民同志题词：“弘扬公而忘私、患难与共、百折不挠、勇往直前的抗震精神，把新唐山建设得更繁荣、更美好。”

经过大地震生死考验的唐山人，对雷锋精神有着特殊的感情。从1989年起，唐山开展了历时13年、至今仍不断的颇具特色的“月评学雷锋十佳”活动。13年，“十佳”诞生了1000余名，生动事迹感人肺腑。

唐山月月选“雷锋”，影响很大。中央领导同志充分肯定，在瑞士召开的、有62个国家和地区参加的“世界道德重整组织年会”也给予好评。如今，学雷锋活动的内容，已经由当初的单纯做好事，发展到爱岗敬业、诚实守信。唐山市文明办规定，凡在改革开放、经济建设和社会进步中做出贡献的先进人物，都可以入选“学雷锋十佳”。

“月评学雷锋十佳”只是唐山建设文明城市的一个亮点。《公民道德建设实施纲要》公布后，唐山结合抗震精神的宣传教育，动员全市人民进一步投身道德实践。“奉献者高尚，为奉献者奉献光荣”成为一句人人皆知的响亮口号。

现代社会，社区就是城市的细胞。唐山的文明，很大一部分体现在社区里、家庭中。几年来，唐山市以开展创建文明城市为契机，制定了一批社区管理办法和标准，在市内五区兴建了社区服务中心。建立起各类社区服务点4000多个，初步形成了以区为中心、以街道为依托、以居委会为基础、以个体为补充的社会化服务网络。

社区不仅是人们温馨的家园，也是不可取代的教育基地。各个社区办起了各具特色的青少年特长学校、老年大学、家政学校，举办了法制讲座、道德讲座、健康知识讲座、再就业培训等，既满足了居民学习知识、掌握技能、陶冶身心的实际需要，也使他们受到了正确的世界观、人生观和价值观的教育。

在唐山全市五星级文明家庭达到了85%。让居民楼道“净起来、白起来、亮起来”，让小区“绿起来、美起来、齐起来”的目标，如今基本达到。

唐山建设文明城市，很大一部分精力就放在如何帮助和照顾残疾人上，让他们感受到党和政府的温暖，体味到人道主义的力量。

1991年，为满足截瘫公民组建家庭的愿望，唐山市建起了可供26户家庭居住的康复村。为方便残疾人生活起居，康复村住房全部采取了无障碍设计。

从1998年起，政府还陆续给没有稳定经济来源的家庭提供了最低生活保障。

唐山市的人道主义行动，每每少不了青年志愿者。9年来，全市已建成青年志愿者服务站329个，服务基地873个。

唐山魂养育了唐山人。唐山遭遇大地震，全国伸出援助之手。如今，建起一个新城市的唐山人，同样把爱心献给全国人民。唐山市已经4次荣获全国无偿献血先进城市称号。几年来，唐山市向各地灾区捐款达7000多万元。

唐山，第一个在全国荣获联合国颁发的“人居荣誉奖”，还获得过全国园林绿化城市、全国城市环境综合治理优秀市、全国社会综合治理优秀市、全国双拥模范城、全国创建文明城市先进城市等20多项国家荣誉称号。

服务意识篇：服务谱新篇

唐山市创建文明城市，突出了一个“服务”，“优质服务也是一种文明”，成为干部和群众的共识。

“12345”，市长公开电话于1999年11月1日开通。两年来，共接听群众电话10万余次，群众反映的问题95%以上得到了解决。市文明办的“2802759”直拨电话，群众的许多困难、问题通过这个电话得到圆满解决。“96116”是市城管局的电话，2001年开通以来，共受理群众反映1851件，及时处理完结1788件，办结率为96.6%。“有困难找领导，有问题打电话”，这已成为唐山市的公众意识。“官气”少了，“民”的意识自然上升，文明，在干部和群众的血肉联系中找到了支点。

在唐山，有一种具有自身特色的“精神服务”。唐山6000多个窗口单位举行的“千家窗口创文明，争创全国文明城”的竞赛活动已开展多年。如今，唐山以窗口行业为切入点，在各行各业全面铺开“百千万”示范工程，100个文明示范单位、1000个文明示范岗台、1万个文明示范标兵，竞相争辉。

政府真心实意为职工服务、为企业服务、为经济建设服务，使大批企业在唐山大地蓬勃发展，不少境外企业也纷纷加入其中。唐山的文明创建活动转化成滚滚而来的物质财富。

在唐山高新技术开发区管委会的办公楼里，咨询服务中心、外商投资企业合法权益维护中心、企业服务中心，为投资者提供快捷、完善的服务，受到企业经营者的交口称赞。

位于唐山市中心区北部的开发区，分为科技、工业、服务贸易、生活居住、保税仓储等5个功能区。外商到这里有一种“回家”的感觉。

环境建设篇：“人”写天地间

唐山的建设围绕着“人”字做文章，脚踏实地地为群众创造一个方便、舒适和优美的环境。

26年前的唐山大地震，重创了这座城市，留下了一批伤残者。唐山市在创建文明城市中，首先想到的就是这个需要全社会关注和帮助的群体，公用设施的建设充分考虑这些公民的需要。现在，唐山市的53个大型公共建筑和36条主次干道均采用国际无障碍通行方式，为伤残人士提供了极大的方便。

下大力气治理环境污染，是唐山历届决策者的共识。20多年来，唐山累计投入环保资金100亿元，利用外资近4亿美元。到2001年底，全市

3881家工业污染源治理工作全部完成，城市重现丽日蓝天。

唐山市民的居住条件有了明显改善，人均居住面积比1990年提高了一倍多。到2001年，唐山燃气普及率达到96%，供热普及率为81.55%，均处于国内同类城市先进水平。

群众出行难，在唐山已经成为过去。目前，以“一港四路一场”为重点的现代化城市交通体系日趋完善。高速公路密度达到了每百平方公里2.12公里，达到了国际先进水平。去年，京唐港运营达到1102万吨，跨入国家大港行列。

一个城市的文明程度，除了看它的外貌，还要看它的内心。唐山市在创建文明城市活动中，一直没有忘记挖掘城市的文化底蕴和提高它的文化品位。

唐山是一座受到过地震重创的城市。为了科学研究和启迪后人，唐山在市中心建立了抗震纪念馆。纪念馆设计新颖，展品丰富，成为唐山重要的爱国主义教育基地和城市标志性建筑之一。

冀东秧歌、彩色周末、广场文化、企业文化、校园文化、社区文化，让唐山生动起来、活跃起来。唐山人不仅呼吸到了经过治理后的清新的大自然的空气，而且也呼吸到了经过净化的有益身心的精神的空气。

（摘自2002年4月1—3日《人民日报》）

评论：高处着眼　实处着手

唐山市是我国的工业重镇。26年前的一场大地震，几乎摧毁了这座城市。不屈的唐山人民在党的领导下，在全国各族人民和子弟兵的支持下，发扬江泽民总书记高度概括的“公而忘私、患难与共、百折不挠、勇往直前”的抗震精神，在不长的时间里，建设起一座新唐山，谱写了一曲荡气回肠的志气歌、拼搏歌、胜利歌。

江泽民同志最近指出：“为了凝聚全国各族人民的力量，共同推进建设有中国特色社会主义的伟大事业，必须在全社会牢固树立共同的理想信念和精神支柱。”唐山在抓经济建设的同时，始终不忘抓精神文明建设，始终不忘凝聚人心、营造氛围，走出了一条重工业城市两个文明一起抓、一起进步的新路子。

唐山在创建文明城市工作中，积累了许多丰富的经验，概括起来有两点，即：“高”处着眼，“实”处着手。

高处着眼，就是起点高，目光远，方向明确。唐山建设文明城市，也种花种草、建广场修公园。但是，他们不仅仅满足于此。多年来，他们坚持以人为本，服务群众，着眼于城市长远发展和可持续发展，立足于让群众得到切实的利益。他们把培育文明市民作为首要任务，把提升城市的文明程度作为主要目标，不断强化道德教育，广泛开展道德实践活动，依法规范管理，循循善诱地引导市民做讲文明、有道德的唐山人。坚持不懈，良好的社会风气逐渐形成，公民的素质逐步提高，城市的文明建立在一个牢固的基础上，并且经得起考验。

实处着手，就是抓得实、管得细、措施有力。唐山建设文明城市，也有些必要的形式，但不搞形式主义；也有些必要的宣传，但不搞花架子。他们不以小为小，不以细为细，春雨如丝，润物无声。小从居委会建设、残疾人便道的铺设，大到高速公路的修建、采煤下沉区的改造，唐山市都是一件件抓，一个个建设，规章制度齐全，检查监督严格，并且因地制宜、循序渐进。日积月累、呵护养成，唐山不仅改变了城市的外貌，而且提高了公民的素质。唐山的文明城市创建工作，体现了实事求是的精神和一丝不苟的作风，这为当前正在开展的转变干部作风工作，提供了有益的启示。

创建文明城市，不是做样子，不是应付上级的检查，更不是“政绩工程”。这项活动的出发点和最终目的，就是为了改变城市的环境，促进社会发展，提高群众的生活质量，保证改革开放和社会主义现代化建设顺利进行。因此，这项有益于社会、有益于人民群众的活动，必然受到群众的热烈支持和广泛参与。

不久前，党中央公布了《公民道德建设实施纲要》，大力倡导“爱国守法、明礼诚信、团结友善、勤俭自强、敬业奉献”的基本道德规范。唐山市通过不间断地开展创建文明城市活动，转变社会风气，提高公民素质，提升城市的文明程度，为我们认真实践江泽民同志“三个代表”重要思想，扎扎实实贯彻落实《公民道德建设实施纲要》，提供了宝贵的经验，值得各地学习、借鉴。

（2002 年 4 月 1 日《人民日报》）

山东省青岛市

青岛融山、海、城为一体。创建文明城市正使青岛发生着日新月异的变化。

建环境，育意识，创品牌

青岛在创建文明城市中注重构建“软”、“硬”两个环境。

青岛的环境美得益于保护，也得益于建设。1992 年，青岛现代化新城区迅速崛起，成为新兴的金融、商贸、办公、旅游核心功能区。同时，青岛着力抓青岛港和高速路、通讯、市政、工业园区等基础设施建设。青岛实施了“蓝天碧水工程”，综合整治城市环境，先后对卫生垃圾死角、违章建筑、占路市场、大气污染、非法广告等开展专项治理。截至 2001 年底，全市环境空气优良天数比例达到 88.8%，连续两年在全国 46 个重点城市环境综合整治定量考核中名列第二；城市污水处理率达到 55%，位居全国同类城市前列。

为营造良好的软环境，青岛推行“阳光政务”，从 2001 年起，青岛从改革政府管理体制入手，大力转变政府职能。各市、区政府职能部门“一个窗口”对外，“一个大厅”办公，办事效率大幅提高。目前，在青岛投资注册的外资企业有上万家，已开工生产的有 5000 多家。

青岛在创建文明城市中注重培养市民的文明意识和创新意识。

为提高市民素质，青岛建立了市、区、街、居四级教育网络，拥有 240 多所市民文明学校。创建学习型机关、学习型社区、学习型城市活动，成为青岛创建文明城市的主要内容。

无偿献血是青岛人的骄傲。1999 年，青岛在全国率先实现临床用血全部来自无偿献血，全市无偿献血的市民已达 40 余万人次，献血人数占城市人口比例居全国首位。青岛市在册的青年志愿者有 11 万多人，居全国同类城市前列。他们开展的“假日志愿向导”、“周日志愿行动”、“朝霞重晚晴”活动，成为青岛市一道道亮丽的文明风景线。

青岛被誉为创新之城：在全国率先实行医务人员聘用制；率先进行副局级干部公开招聘和待岗制、干部公示制；率先实施居委会直选；建立第一个社区事务受理中心；在全国最早注册了服务品牌；建立全国最早的医疗救助“绿色通道”；建立全国首家有形建筑市场……还有长途汽车站首创的“托运老人”、“邮寄儿童”服务等。这一连串的首创正是青岛人文明新观念的体现。

青岛是座出名牌的城市。企业名牌战略实施 10 年来，青岛陆续造就了海尔、青啤、海信、双星、澳柯玛等海内外驰名的品牌。

企业名牌的成功给了青岛人启示，他们从中看到了文明城市建设的突破口，着手在不同领域实行品牌带动战略，开创行政和服务行业品牌。

1999 年，青岛市委提出“学海尔”、“创服务名牌、树青岛形象”，激励各行各业为市民提供文明、真诚、优质、周到的服务。

在窗口行业，青岛交运集团率先发起“情满旅途”车站服务、客运服务，这也是全国公路客运业的第一个注册商标。名牌效应产生了极大的市场号召力。不仅“情满旅途”的长途车、公交车很受欢迎，服务品牌用到集团的其他产业，也获得了极大成功。

青岛还有公用服务呼叫中心“98111”热线、海慈医院“温馨服务站”、“海之情”青京列车、青岛电信“情传万家”、青岛热电“暖到家”以及“海滨小金”、“公交张锋”等服务品牌，城市服务文明的大厦就是由这些品牌一砖一瓦砌成的。

名牌是物质的，也是精神的，是两个文明建设结合的载体和结晶。城市在创立名牌的同时，名牌也提升着城市的文明水平。近几年，青岛市赢得了全国创建文明城市工作先进城市、国家卫生城市、全国双拥模范城市、中国优秀旅游城市、全国社会治安综合治理先进市、国家园林城市、国家环境保护模范城市等众多荣誉。

文明服务暖人心

海尔“真诚到永远”的服务理念在全国很有影响。青岛市政府组织各职能部门、区、市主要领导到海尔学习创新精神、服务意识。海尔的服务理念在青岛起到了巨大的示范作用。青岛市政府部门普遍实行“敞开式办公、一个窗口对外、一个大厅办理、一条龙服务”，推行服务承诺制和首问负责制，将窗口的服务内容、办事程序、申报材料、办理时限和收费标准等公布于众。

百姓需要文化活动。青岛市文化部门连续4年推出文化活动“四季歌”：“樱之春”音乐舞蹈周、“青岛之夏”艺术节、“金秋十月”合唱周和“个十百千万”迎新春系列文化活动。青岛城乡文化“月月有活动，季季有高潮”。

百姓呼唤健康生活、安全消费。青岛市有关部门全面实施了以“放心菜”、“放心肉”、“放心豆腐”、“放心面食”、“放心食油”为重点，以绿色消费、绿色市场促绿色生产为特征的五大“放心工程”，切实提高了“菜篮子”商品质量，受到老百姓的普遍欢迎。

百姓反映供水、供热、燃气方面有问题，市政府及时推出了“解水忧工程”、“供热解忧工程”、“顺气工程”，进千家门、排千家忧、解千家难、暖千家心。

可以说，青岛的精神文明建设都是围绕着服务老百姓开展的，群众在哪些方面呼声高、要求强烈，政府就在哪些方面找一个载体，进行文明创建活动。

社区居委会以承诺服务的形式，倡导辖区居民有什么困难和要求及时向社区居委会求助。而今，“有事您就说”已成为青岛社区服务的共同承诺，青岛各个区都已形成了区域化服务网络。各街道办事处也都办起了社区事务受理中心、社区综合服务中心，直接为老百姓提供各种服务。

“朝霞重晚晴——青岛市志愿者爱心敬老人行动”是共青团青岛市委和青岛市志愿者协会推出的公益服务。他们定期上门为老人提供家务、心理慰藉、医疗保健等方面的服务。在青岛，爱老敬老已成为青少年的共同行为，全社会掀起了一股爱老助老的热潮。

创建文明城市，促进人文企业发展

青岛市把创建文明城市作为市民接受教育的课堂，通过创建活动促进人的全面发展，在人的进步中推动文明城市创建。

“人人参与，携手共建”，让居民参与管理社区事务，在青岛很普遍，市民们都以参加社区建设为己任。“我为创建文明城市献一计——金点子征集”活动开展不到半年，广大市民投书献计4780条，半数以上的建议被有关部门采纳实施，如“人民群众旁听人大工作会议”、“在高科技工业园建立海外学子创业园”等“金点子”，如今已变为现实。每年向市民征集“金点子”，已成为青岛市动员全民参与文明城市创建的一项制度。

被中央领导同志誉为“布衣钦差”的青岛市市民文明巡访团，对市容环境卫生状况、旅游秩序、商家经营情况和服务态度等进行明察暗访，对不文明行为和现象当场进行劝诫和阻止。

团市委组织青年志愿者开展了“周日志愿行动”，围绕社会生活中市民普遍关心的热点、难点问题，每周确定一个服务主题。5年来，先后开展了“让社区楼道亮起来”、“我做一夜治安巡逻员”、“擦亮岛城雕塑”、“抢救黑松林”、“义务写春联”、“清除非法小广告”、“集中清理铁路沿线垃圾”、“爱鸟护鸟”等公益活动。

青岛建立的市、区、街、居四级教育网络，依托240多所市民文明学校，对市民进行经常性、系统性的教育。结合市民实际，青岛以《青岛市市民文明公约》和“八不”（不随地吐痰、不乱扔杂物、不乱倒垃圾、不乱贴乱画、不损害公物、不打架骂人、不酗酒滋事、不在公共场所吸烟）为市民行为规范的基本内容，组织市民自觉学习。

青岛市开展的精神文明教育讲座“每周一讲”，已达800多期，听众有7万余人次。2001年10月，四方区开展了创建“学习型城区”活动，引起社会的极大关注。这项活动已在青岛市各城区普遍开展起来。

创建“学习型城区”，是着眼于社会文明程度和人的终身发展的需要，在继续搞好社区青少年教育和老年人教育的基础上，将教育的覆盖面扩大到社区全体居民，旨在基本形成以婴幼儿教育、青少年教育、成人教育和老年人教育四大系列为主体的终身教育体系。

（摘自2002年6月4—6日《人民日报》）

评论：为了群众 依靠群众

青岛在现代化建设中充满生机与活力，经济和社会协调发展，两个文明建设相互促进，令人刮目相看。人们在青岛不仅能看到“红瓦绿树、碧海蓝天”，还能感受到文明和谐的社会风气和蓬勃向上的城市风貌。青岛的成功实践，对于各地创建文明城市具有重要的借鉴意义。

把创建文明城市作为推动两个文明建设协调发展的总抓手，坚持创建为了群众，创建依靠群众，创建提高群众，在创建中不断创新，在创新中推进创建，是青岛文明城市建设的重要经验。

一切为了群众，就是不断满足人民群众日益增长的精神和物质需求。在创建文明城市过程中，青岛的指导思想很明确，这就是紧紧围绕怎样为市民搞好服务，让市民享受最大方便，全面推进文明建设。他们一方面着力解决关乎群众生活的棚户区改造、交通顺畅等问题，一方面把自然环境、广场文化、基础设施建设、城市功能完善与经济社会发展有机结合起来，既保持了老城区“山、海、城”特色和建筑艺术风格，又展现新区人与自然和谐一体的现代化气息。“以人为本”始终是他们创建文明城市的出发点和着力点。

一切依靠群众，就是发挥群众的主人翁作用。文明城市的创建，离不开广大市民的参与。要让广大市民真正体会到创建文明城市是自己的切身利益所在，才能做到“人人参与，携手共建”。凡属城市建设的重大决策，青岛市委、市政府都要事前听取市民的意见。市、区各部门把任务交给群众，把决策交给市民，请他们出主意、想办法，因而他们开展的“金点子征集活动”成为人们生活的一个内容。被中央领导誉为“布衣钦差”的市民文明巡访团，形成全市性的巡访网络，反馈群众的意见愿望呼声，监督政府工作的落实。正是由于群众的支持和参与，很多看似难办的事情才迎刃而解。

提高市民素质，促进文明城市创建，两者相辅相成。优美的环境、优良的秩序、优质的服务要靠人来创造，也要靠人来维护。青岛把创建文明城市当作一种示范，把培育和提高市民的思想观念、文明素质、创新能力，贯穿于创建文明城市的全过程，积极组织开展多种形式的文明素质教育，引导群众自我学习、自我教育、自我提高。通过市民素质的提高，促进和巩固文明城市的创建，形成一个文明、和谐、优美的社会风气和城市风貌。

以“三个代表”重要思想为指导，统筹规划，因地制宜，突出重点，狠抓落实，是青岛创建文明城市最重要的经验。创建文明城市并非一朝一夕之功，不是走走形式就能奏效的，不能满足于搞几个标志性建筑。和其他工作一样，需要创新意识，与时俱进，不断丰富文明城市创建的新形式新内容；更需要务实精神，真抓实干，把文明城市创建活动量化、细化、制度化。各地特点不同，情况各异，但只要像青岛那样，把“三个代表”的要求贯穿在创建文明城市的全过程，就能够不断开创新局面，取得新成绩。

（2002年6月4日《人民日报》）

新疆维吾尔自治区石河子市

这是一座年轻的城；这是一座英雄的城；这是一座现代的城；这是一座文明的城。它，就是戈壁明珠、美丽的边陲城市——新疆维吾尔自治区石河子市。

绿色的魅力

第一次踏上石河子这片土地的人，都会为它大片大片的绿色感到惊讶。石河子的绿色，让它不是江南却胜似江南。

石河子宽阔笔直的街道,绿树成行,浓荫蔽天；路边草坪齐整，翠绿欲滴；公园里百花齐放，争奇斗妍……街边拐角，楼边空地，无不充盈着绿色。

是石河子一代又一代军垦人用辛勤的双手披荆斩棘，拓荒植绿，引水灌溉，造就了今天的绿色家园。石河子三次被国家建设部授予全国园林绿化先进城市称号。

绿色，改变了人们对戈壁的看法，改变了人们对大西部的印象；绿色，为西部引来人气，为石河子带来商机。

绿色使石河子充满诗意。而石河子人的生活，更充满诗意。石河子有“诗城”之称。为纪念艾青而建造的艾青诗歌馆，成为该市一道耀眼的文化景观。石河子市文联主办的《绿风》诗刊是国内三大诗刊之一。文学为这座城市注入了艺术灵气，增添了文化底蕴。

城市优美的环境，每天都吸引着成千上万的男女老少市民，城市的文化广场、社区活动场所，就成了民间音乐、舞蹈、体育活动的盛会。石河子人为自己营造了丰富充实的文化精神空间。群众文化活动丰富多彩，也成为石河子文明创建的一大亮点。

石河子还拥有全国双拥模范城、全国卫生城市、国家园林城市等称号,获得中国人居环境奖，并被联合国授予“人居环境改善良好范例城市”奖。

现代的风度

从石河子经济与社会发展的节奏中，能感受到现代世界的脉搏和律动。2001 年 8 月，中亚五国经济论坛在这里举行，石河子吸引了半个世界的目光。

石河子是联系内地与中亚五国的最佳纽带，同时又是亚欧大陆桥的“桥头堡”，是各路商家东联西出的理想根据地。石河子经济技术开发区，是西部地区惟一设在非省会城市的国家经济技术开发区。成立 10 年来，从建区之初的 10 家企业，已发展到 324 家企业；从建区之初 8921 万元工业总产值，发展到 2001 年实现国内生产总值 4.54 亿元；从建区之初实现税收 209.7 万元，发展到 2001 年完成税收 5597 万元。

在石河子开发区，“官员就是服务员”、“人人都是投资环境，人人都是开发区形象”的横幅随处可见。开发区“亲商、惠商、富商”的服务理念已经化为招商的实际行动。以美国普尔斯马特、日本三菱重工、中国台湾顶新集团为代表的 45 家企业相继在开发区落户。仅 17 个月的时间石河子就引进外资 15 亿元！

石河子是一座典型的移民城市。50 年军垦三代人，形成了以军旅文化为底色，融入中国传统文化、当地民族文化以及现代文化，具有开放性和多元性。加之思想政治工作的优良传统和群众文化活动的优势代代相传，造就了石河子人较高的综合素质。他们为人亲切、乐观、热情，工作上拼搏、进取、向上。

素质依靠教育。石河子市教育事业蓬勃兴旺，每年向社会输送大量人才。石河子第二小学设施齐备、质量上乘，图书馆、阅览室、电子教育等一应俱全，它是石河子基础教育的写照。石河子大学在校生已达到 1.4 万人，近年来学生就业率在全疆连居榜首。重教育，爱学习，全市市民形成了一种进取、向上的氛围。

不竭的精神动力

石河子是一座特殊的城市。这是一座用军垦

精神建造的城市，在这里，昂扬、奋发的精神萦绕在城市的每个角落，自信、乐观的神情挂在人们的笑脸上。军垦精神成为石河子人创建文明城市的不竭精神动力。

历史没有给石河子丰厚的馈赠。但是，半个世纪的发展，石河子却拥有了一笔宝贵的精神财富。“艰苦创业、开拓奋进、团结奉献、争创一流”的石河子精神正是三代军垦人建设实践经验的总结，是兵团精神和军垦精神的缩影。它激励着石河子人不断奋进、拼搏、开拓和创新。

如果说城市基础设施是一座城市的“筋”和“骨”，那么精神文明就是城市的“气”和“神”。

石河子市始终把继承和发扬石河子精神作为提高市民思想道德素质和城市文明程度的一项重要内容，常抓不懈。

1998年兵团农八师和市党委作出决定，每年6月作为“石河子精神”宣传月，并先后组织了“石河子在我心中”的知识竞赛和有奖征文活动，“弘扬石河子精神”先进事迹报告会和“党在我心中，爱我石河子”等系列宣传活动，使石河子精神家喻户晓，深入人心。石河子市还注重选树实践“石河子精神”的先进典型，用身边人、身边事教育激励群众。

作为移民城市，石河子人有两个家，一个是故乡，另一个是热土。故乡难忘，热土石河子更难离。石河子人来自全国各地，多元文化的交流、融会，让石河子人身处偏远而不封闭，眼界开阔而不守旧。多年来，书记、市长坚持共同对文明城市创建工作负总责，共同研究重大问题，制定长远规划，以确保创建工作的科学性、连续性。石河子创建文明城市的做法是突出特色，用特色增效，做好过去、现在、未来三结合的文章。如今，石河子创建文明城市工作的模式已经在兵团乃至全疆产生了示范效应。

石河子地处沙漠边缘，自然条件可谓恶劣，经济算不上很发达，没有得天独厚的地理条件，也没有悠久的历史，但经过几代军垦人的不懈努力，石河子两个文明建设搞得有声有色，走出了一条物质、精神、生态三者相互促进的文明发展之路。

（摘自2002年8月12—15日《人民日报》）

评论：以军垦精神促现代化建设

经过三代军垦人50年的奋斗，石河子市已经由一片戈壁荒滩变成中国西部的一颗璀璨的明珠。近年来石河子市大力开展创建文明城市活动，先后获得全国绿化先进城市、全国双拥模范城市、全国卫生城市、国家园林城市等称号，以及联合国授予的“人居环境改善良好范例城市”奖、中国人居环境奖等，成为新疆生产建设兵团和自治区文明创建的一个窗口。石河子市两个文明协调发展、共同进步，是自觉实践“三个代表”重要思想的生动写照，为西部城市的现代化建设提供了有益的启示。

石河子市创建文明城市的主要经验，可以概括为几个结合。

坚持软件和硬件相结合。城市基础设施建设是一个城市的骨架，是创建文明城市不可缺少的要素。石河子市投资数亿元，绿化美化城区，建设文化设施，完善道路网络，为群众创造了一个舒适方便的生活环境。同时，石河子市更注重提高市民整体素质，用当地干部的话说，就是城市的“精”、“气”、“神”。他们充分发挥思想政治工作的优势和群众文化活动的优势，坚持不懈地抓思想道德建设和科学文化建设，为城市各项事业注入了巨大活力。

坚持领导与群众相结合。石河子市的领导清醒地认识到，抓文明创建，仅有领导班子的决心和决策是不够的，必须把广大群众发动起来，使文明创建与广大群众的切身利益紧密结合起来，才能获得不竭的动力。他们发动群众为文明创建工作提建议，鼓舞群众积极参与，充分体现了人民城市人民建的原则。实践证明，一切为了群众，一切依靠群众，是党的工作路线，也是石河子文明创建取得成功的重要经验。

坚持继承与创新相结合。军垦精神是兵团在半个多世纪屯垦戍边的奋斗中形成的，石河子人结合城市开发建设的实践，把它概括为石河子精神，即“艰苦创业，开拓奋进，团结奉献，争创一流”。这是军垦人用血汗凝成的宝贵财富，是军垦精神在新的历史时期的发扬光大。他们注重把石河子精神融入和贯彻到文明创建的各项工作中，把每年6月作为“石河子精神”宣传月，还在全市开展“石河子精神如何与时俱进”的大讨论，从转变观念入手，积极营造开放、发展的良好氛围，激励石河子人不断奋进、开拓、拼搏和创新。

奋斗就会有艰辛，艰辛孕育新的发展。一代又一代军垦人以他们的奉献和牺牲建设了一座逐步走向现代化的城市，也铸就了、升华了伟大的军垦精神。这是一笔宝贵的精神财富，不仅体现在文明城市创建之中，也体现在各项事业的发展之中。弘扬军垦精神，石河子的改革开放和现代化建设必将更快更好。

（2002年8月12日《人民日报》）

内蒙古自治区包头市

包头，蒙语即“包克图”，意思是有鹿的地方。今天的包头，满城花树摇曳，碧水喷泉激荡，高楼鳞次栉比，街道整洁有序，政通人和，社区文明，文化繁荣，经济发展强劲有力。

建绿色生态城，育文明包头人

绿色使包头成为塞上江南。包头地处祖国北部，针对自然条件较差和生态环境较为恶劣的实际，包头市坚持垂直绿化与平面绿化相结合，改善生态环境与增强观赏性相结合的原则，集中实施了大青山南麓生态治理工程、万棵大树进包头工程和草坪绿化工程。目前全市草坪面积达到400万平方米，城区绿化覆盖率达31%，人均公共绿地面积8平方米。

生态环境的改善使包头近年来气候转好，空气质量也明显改善，大风和沙尘暴天气明显减少。2002年，包头市获得联合国改善人居环境范例奖。

社区是精神文明建设的窗口。在包头，这样明快清新、温馨暖人的窗口很多很多，为群众营造了一个服务周到、方便舒心、安居乐业、健康向上的居住环境。

社区是创建文明城市的“细胞”工程。在这些“细胞”工程里，居民们从一点一滴抓起，从一人一事抓起，先搞绿化、美化，成立义务巡逻队，开展社区教育。昔日垃圾遍地、治安混乱的小区，如今变成了环境优美、邻里和睦、生气勃勃的文明社区。

社区党建在包头市也同样红红火火，充分发挥基层组织在社区工作中的领导核心作用。

社区是个大家庭，从2001年开始，包头市举办“社区之光”文艺汇演和社区家庭文化展示活动，使社区充满生机和活力。

市民素质是城市文明的灵魂，提升市民素质是创建文明城市的根本所在。包头是一个移民城，产业工人较多。包头市开展素质教育从学校抓起，从娃娃抓起，数十年坚持不懈开展道德教育。

《公民道德建设实施纲要》颁布后，包头市制订了全市公民思想道德建设实施方案，组织17万人参加了由中宣部、中央文明办等单位举办的公民道德建设知识竞赛，包头市是参加这项活动人数最多的城市之一。这项活动对于包头市道德建设，提升市民素质，起到了重要的作用。在包头，爱护花草树木的人多了，关心公益事业的人多了，乐于助人热心服务的人多了。

可贵的艰苦创业精神

包头地处边疆，经济基础相对薄弱，自然条件较差。包头人以非凡的勇气和魄力，用短短六七年时间，便将一个全新的初具现代化规模的都市展现在世人面前，取得了两个文明建设的丰硕成果。

直到上世纪80年代初期，行路难、上厕难、污水排放难等脏乱差现象，仍然是包头老百姓强烈呼吁解决的焦点和难点问题。1996年5月3日，6.4级的地震使包头城市基础设施雪上加霜。灾后究竟如何重建家园？包头市的决策者毅然决然提出：把灾后重建与塑造城市新形象结合起来，发展经济和精神文明建设并重。

在实际创建工作中，包头提出了“四个一”的创建思路：抓住一个根本，以提高市民素质为目标，用丰富的载体吸引人；夯实一个基础，以打造北方园林城市为目标，用优美的环境陶冶人；突出一个重点，以让人民群众安居乐业为目标，用文明的新风凝聚人；实现一个突破，以营造高效、公正、文明的服务环境为目标，用良好的行风服务人。

包头人通过辛勤的劳作让城市环境变亮了，优美的环境更让包头人变美了，蓬勃发展的经济态势更让人振奋不已。包头作为北方重工业基地，中央、内蒙古驻包的大企业多，在文明城市创建工作中，得到众多企业积极参与，鼎力支持。

包钢在资金紧张的情况下，从1999年到2001年，仅新建项目环保投资就达2.45亿元，占项目总投资的4%。

内蒙古一机集团经过辛勤劳动，为鹿城平添了两个湖泊，一个是西湖，另一个是东湖。两大湖改善了生态环境，给广大职工提供了休闲的场所，成为包头市文明创建工作的又一亮点。

包头市在文明城市创建工作中，始终发扬创业精神，本着“花一分钱，办两分钱的事，出三分钱的效果”的原则，硬件不足软件补，先天不足后天补，因地制宜，因时制宜，拿出超常干劲，强力推进，加快发展。

经济强市是文明兴市的基础

经济强市与文明兴市，是一个问题的两个方面。包头的文明创建工作围绕建设经济强市这一中心工作展开。

近年来，包头市加大国有企业改革和各项工作的改革力度，积极扩大对外开放，保持了国民经济的快速发展，经济总量一直位居自治区首位。

在“十五”发展战略中，包头发挥好“三个优势”：一是特色经济优势。二是充分发挥西部与东部地区的互补优势。三是要注重发挥在区域经济中的整体优势、综合优势。尽力打造“六大基地”，即稀土科研生产基地，重型汽车和工程机械制造基础，冶金新材料生产基地，农畜产品和绿色产业开发基地，军工产品生产基地，天然气化工基地。

从100年前的水旱码头变成今天的繁华都市，从50年前连根钉子都要从外地运的小镇到今天的现代化钢城，从20年前人均居住面积不足7平方米到今天联合国“改善人居环境良好范例奖”的获得，从六七年前绿色贵如油到今天的半城绿树半城楼……沧桑巨变，令人欣喜不已。

包头地处边疆地区，创建文明城市的条件同沿海及内陆发达地区差距大，但是，包头凭着那么一股精神，硬是在塞北建起了一座美丽的文明城市。包头创建文明城市的经验充分说明：在西部经济欠发达地区，在少数民族地区，在边疆地区，通过各族人民的艰苦努力，同样能创造两个文明协调发展的良好局面。

（摘自2002年9月20日《人民日报》）

评论：在艰苦创业中建设文明城市

在一些人的印象中，包头市是一座烟囱林立的工业城市。但走进包头市就会发现，这是一座美丽的、富有现代化气息的城市。如今的包头，天蓝水清，满眼葱绿，经济发展充满活力，精神文明建设硕果累累。近年来，包头市先后荣获联合国“改善人居环境良好范例奖”、全国创建文明城市工作先进城市、全国卫生城、全国园林绿化先进市、中国优秀旅游城市、中国明星公益城市等多项荣誉称号。南来北往的客人由衷称赞包头是“塞上江南”。

包头是我国北方的重工业基地。新中国成立以来，特别是改革开放20多年来，包头人民在艰苦的条件下，创造了经济发展和社会进步的出色业绩，也铸就了包头干部群众的艰苦创业精神。这是包头人民宝贵的精神财富，是激励包头人民开拓创新的强大力量。这种艰苦创业精神是包头创建文明城市的最大优势。他们明确提出，不坐等，不依赖，硬件不足软件补，先天不足后天补，因地制宜，因时制宜，靠广大市民积极参与，凭干部群众辛勤劳动，建设一座美丽的城市。6年来，从市领导到普通市民，自强不息，扎实苦干，仅参加义务劳动的就达120多万人次。可以说，包头的一草一木都凝聚着干部群众的心血和汗水。

包头市文明创建的经验是丰富的，最主要的是：抓住一个根本，以提高市民素质为目标，注重载体创新，抓住理论教育、道德教育、思想教育三个关键环节，不断提升市民文明素质。夯实一个基础，以建设北方园林城市为目标，从改善群众工作和生活环境入手，坚持市容与繁荣相结合，用优美的环境陶冶人。突出一个重点，以让人民安居乐业为目标，完善同创共建机制，形成资源共享格局，坚持企地共建、军民共建、干群共建，用文明团结奉献的新风凝聚人。实现一个突破，以营造高效、公正、文明的服务环境为目标，努力改善和提高社会服务水平，用良好的行风服务人。这“四个一”，体现了与时俱进的精神，体现了以人为本的原则，体现了重在建设的思想，体现了地方特色，是“三个代表”重要思想在城市文明建设中的生动实践。

包头市创建文明城市的经验给予我们深刻的启示，这就是：在西部经济欠发达地区，在少数民族地区，在边疆地区，只要艰苦奋斗，苦干实干，同样能创建文明的现代化城市。

（2002年9月18日《人民日报》）

甘肃省泾川县

仲夏时节的泾川大地，麦子黄了，桃子红了，柿子绿了……泾川的沟沟洼洼、坡坡坎坎，一派迷人的景色。昔日荒凉的黄土高坡上，绿色托起一个全国林业生态建设先进县。

泾川县没有一片天然林，解放前，森林覆盖率不到1%，水土流失面积占全县土地总面积的98.6%，每年有1250多万吨泥沙随雨水狂风流失，相当于泾川1486平方公里的大地上每年要被剥掉6毫米的土层。

泾川的历届县委、县政府班子带领33万泾川人，在4条残塬、4道川谷、2480多个沟壑里展开了一场植树造林的接力赛，终于在1992年使泾川成为甘肃省实现绿化第一县。

20世纪80年代中期以来，泾川县抓住“三北”防护林和“天保”工程建设的有利时机，每年春秋两季，都要组织几万人的大会战，整条沟、整面坡、整流域地实施规模绿化。经过十几年的奋战，泾川县探索出了“山顶梁峁和陡坡地防护林戴帽，缓坡地经济林缠腰，地埂地缘林草锁边，沟底水保林穿靴”的造林模式。

而今全县人工造林保存面积69.6万亩，森林覆盖率达到了34.9%，累计治理水土流失面积1136.98平方公里，每年土壤流失总量减少了810万吨。联合国教科文组织的专家认为，泾川的流域治理达到了国内领先、国际先进水平。泾川县的小气候发生了可喜的变化。年均蒸发量减少了171毫米，湿润度提高了16.5%，气温年较差缩小了1.1摄氏度，空气相对湿度增加了1.6%。泾川的森林在黄土高原上竖起了一道绿色屏障。

泾川没有矿产资源，从20世纪80年代中期开始，县里就把发展林果业作为调整产业结构和种植结构、帮助农民脱贫致富的出路。2001年，全县果品总产量达到10万吨，人均果品纯收入386元，占当年农民人均纯收入的25.7%。果品年收入万元以上的农户有227户，户均收入5000元以上的村28个。全县已有3.4万户农民依靠果业走上致富之路，47个果树专业村率先步入小康。

林果业的发展也推动了生产经营方式的更新。泾川县面向市场，以果为媒，开放开发。近年来，县里在果品基地引进了短枝富士、黄金梨、秦王桃、贵妃杏等新优水果品种，建成了一批示范园区；连续几年举办了优质苹果展示鉴评会；建立了泾川苹果网页；在深圳、武汉、重庆等大中城市设立了苹果直销窗口。

果品产业的规模发展，还带动了运输、销售、服务等相关行业，转移、吸纳了农村和乡镇的6

万多剩余劳动力。全县兴办果品经销公司、果行80多家，拥有经销人员2800多人，年收入360多万元。兴建果库、果窖3000多个，贮量5.8万吨，保鲜增值年收入300多万元。泾川人动情地说，是党的富民政策让山窝窝里长出了“绿色银行”。

退耕还林以来，泾川县积极探索发展非公有制林场的路子，如今全县涌现出规模治理荒山的大户26户，植树1.88万亩，建起了一批民营林场。这些林场栽一片成一片、活一片，不再是“人人种树不见树、年年造林不成林”了。

近4年来，全县新增人工林16.3万亩，完成道路绿化134条计341公里，开发地埂资源近3000亩，绿化大小村屯900多个，全县的粮经比例也由1998年的6.7:3.3调整为5.2:4.8。结合退耕还林，全县还新修山区道路117条、集雨水窖2300多眼，让山区群众能用上水、走出山。

在绿树绿草的簇拥中，泾川县自豪地描绘着未来——坚持林草兴县、果畜富县，到“十五”末，全县将完成退耕还林、还草28万亩，人工造林24.5万亩，森林覆盖率达到41.6%；建成30万亩优质果品基地，其中5万亩是绿色果品出口创汇基地；到2005年，农民人均增收1000元。一个绿满山川、鲜果飘香、秀美富庶的新泾川正从黄土高原上大步走来。

（摘自2002年7月13日《人民日报》）

评论：山川秀美大有希望

地处黄土高原的甘肃省泾川县坚持植树造林几十年，使森林覆盖率由不足1%提高到34.9%。这是一个了不起的成绩，也是一个了不起的变化。

泾川人民值得自豪。他们在长期不懈的奋斗中，不仅改变了自己的生存环境，而且磨炼出了“与时俱进，敢为人先，持之以恒，团结奋战”的“泾川精神”。我国古代有个神话，叫做夸父追日。泾川人民就像舍弃生命追逐太阳的巨人夸父一样，用自己的汗水和生命与荒漠化较量，追求生机勃勃的绿色，改变了荒原的命运，也改变了自己的命运。泾川人民就是我们时代的巨人，泾川绿化的业绩就是我们时代的杰作，泾川精神就是我们民族精神和时代精神的瑰宝。

泾川人民值得自豪。在泾川精神的鼓舞下，他们穷则思变，经历了从农业林业到市场林业，再到生态林业的艰苦长征，不断改善生态环境、生产环境和生活环境，形成了自然、社会、人的和谐统一。绿化也在不断地推动着泾川人解放思想，转变观念，使他们由“脸朝黄土背朝天”的传统农民变成了果农、农民技术员，在黄土高坡上红红火火地闹起了产业农业、市场经济，不断地融入先进生产力的行列。

泾川人民值得自豪。他们有一个值得信赖和尊敬的县委、县政府领导班子。这个县的13届领导班子，坚持了全心全意为人民服务的宗旨，把自己的精力专注到绿化荒山、造福人民的千秋事业中。特别是近几年来，泾川县的党员、干部勇于吃苦，善于动脑，敢于创新，在西部大开发和退耕还林（草）的进程中，又带领群众摆脱旧思想、旧观念、旧机制的束缚，走上了脱贫致富奔小康的新路，在人民群众中树立了党的光辉形象，在泾川大地上树立了实践“三个代表”重要思想的丰碑。

泾川人民的做法不仅造福当代，而且造福后人；不仅惠及当地，而且也为下游的人们挡住了扬尘和泥沙。泾川人的业绩无可辩驳地说明，退耕还林、还草的政策不仅得到了人民群众的拥护，还为西部人民找到了一条摆脱贫困的出路。泾川的变化向人们昭示，那些至今还在遭受荒漠化困扰的地方，只要干部群众具有了泾川人那样的精神和干劲，经过三五十年的努力，就一定会让荒山秃岭舞起绿色，再造山川秀美的西北地区大有希望。

（2002年7月13日《人民日报》）

铁道部T21/22次列车

往返京沪的T21/22次列车连续20年保持铁道部“红旗列车”称号，连续4年被铁道部命名为文明服务示范列车，2000年被铁道部树为全路“第一品牌列车”，2001年获全国职工职业道德建设十佳单位殊荣。

“第一品牌”的魅力

一脸温馨灿烂的笑容，一声简短体贴的问候，一个15度的鞠躬礼，是等候在门口的列车员献给旅客的第一份礼物。进入硬卧车厢，国际流行的高灰色墙板给人以宁静、安详的感觉，每6个铺位形成一个半封闭的相对独立的空间，卧具洁净，果盘、暖瓶摆放有序。在高级软卧和软卧车厢，每个铺位有一台挂壁式液晶电视机，可选择12个频道的节目。包房里设有风量调节器，车内IP网络电话，免费提供牙具。两人间高级软卧配备沙发和可以拉伸的小桌，独立卫生间全程提供热水。走道里的垃圾箱全部为暗箱，各车厢装有三相和两相电源插座。列车上备有洗脚盆，柔软、保暖的丝棉被取代了易污的毛毯，棉被两头印有“小脚丫”和“段徽”。硬卧车厢厕所半小时清扫一次，软卧车厢的厕所被人使用后乘务员马上打扫。

餐车同时容纳50人用餐，不愿到餐车就餐的旅客，可以品尝送上门的20元一份的营养配餐。餐车一隅另辟一个风格独特的酒吧，用餐高峰过后旅客可以到此小憩。

独具匠心的服务

T21/22次列车的服务工作贯穿着“以人为本，旅客至上”的理念。针对多数旅客把夕发朝至列车当作“流动旅馆”的实际，本着“静悄悄”和“无干扰”的作业原则，改进夜间作业程序，减少对旅客的打扰，给旅客创造安静、舒适的旅行环境。根据列车运行特点，把始发后3个半小时作为体现T21/22次列车服务特点的作业关键，实行“五定点、一定位、一开口、一不准”服务标准，即乘务员定点站门、定点换票、定点供水、定点自我介绍、定点去向登记和备品清扫工具定位、开口服务、开车一小时内不准进乘务室，让旅客遇到的问题在第一时间得到解决。

T21/22次列车有一个特殊的奖项——委屈奖，奖励那些受了委屈仍不改服务宗旨的乘务员。去年一年，全车队先后有3人获得这项奖励。

走近旅客需求，必须走近科学管理。T21/22次列车大胆引入国际公认的ISO9000标准，对服务过程实行有效控制，2001年9月17日成为全路第一个通过ISO9001:2000版质量体系认证的单位。

一个党员一面旗

北京列车段非常重视车队的支部建设，段领导和有关部门经常跟车调查研究，检查、指导工作，还精心选配素质高、责任心强的列车长担任党支部书记，挑选党员骨干担负重要岗位的工作。车厢里的党支部通过开展一系列活动，增强职工的责任意识、服务意识、岗位意识。

“有困难找党员”活动，使党员成为旅客的“主心骨”。车队党总支在列车上开展“创党员红旗岗”、“建党员责任区”活动，以党员为单位，一个党员就是一个“责任区”，起先锋模范作用的党员即为“红旗岗”。车队先后有18名党员被评为分局“党员先锋岗”，5名党员被评为路局、分局“创岗建区”模范党员，第一、第三乘务组12号车厢被命名为分局“党员先锋号车厢”。

（摘自2002年3月17日《人民日报》）

北京市朝阳区

朝阳区2002年3月，荣获首都文明区称号；10月，被评为全国创建文明城市工作先进城区。

营造文明高尚的育人环境，市民精神风貌健康向上。以贯彻《公民道德建设实施纲要》为主线，深入开展公民道德宣传教育进社区、进乡村等活动，举办公民道德建设研讨会、报告会500多场次，自编自演公民道德歌曲演唱会百余场，全区740余所市民文明学校开展了公民道德意识教育，编写“三礼”道德规范丛书，受到联合国官员的首肯。深入开展公民道德从我做起、从小事做起等“十个做起”实践活动，万名文明监督员和13万志愿者活跃在大街小巷，赢得了广大群众的称赞。深入开展公民道德标兵评选活动，涌现出市、区级见义勇为好市民100余名，公民道德标兵100名和先进个人1万名。

营造持续发展的经济环境，区域经济实力不断增强。以“保护投资者，服务纳税人”为主线，全面加强经济发展软环境建设。实施“绿色通道”制度，规范招商引资工作，加大政务公开力度，通过服务，使得税源建设明显加强，投资吸引力明显提高。与此同时，抢抓机遇，加快发展，成功打造了“北京朝阳国际商务节”这一知名品牌，充分展示了朝阳区的发展新形象。区域发展环境日益宽松，投资与消费日趋活跃，对外开放度日趋扩大，促进经济快速发展，人民生活水平明显提高。2002年前三季度，全区实现国内生产总值327亿元，同比增长12.1%。区级地方财政收入完成37.46亿元，同比增长11.67%。城镇居民人均可支配收入9608元，同比增长16.9%，农民人均现金收入7123元，同比增长21.4%。

营造整洁优美的城市环境，提升现代化城市形象。以推进城市现代化为主线，全面提升城市建设与管理水平。按照环境整洁、绿化达标、生态良好的要求，认真落实环境综合整治千分考核和“门前三包”责任制，集中力量对影响市容市貌的固症顽疾进行大规模整治。全力以赴加快绿化隔离带建设，连续两年被评为北京市绿化隔离地区建设先进区，成为首都绿化建设的排头兵。实施“现代城市风采工程”，投资3.9亿元建成亮丽精品街101条、精品小区39个、绿色广场185个，做到了“一街一景区、一村一公园”，城市面貌迅速改变。

营造健康繁荣的文化环境，人民生活品质稳步提高。以建设文化教育发达区为主线，全面加快社会各项事业发展。科教兴区实现新跨越，构建了终身教育新体系，实施了“名师、名校长、名校工程”，全面启动示范校建设，开创了朝阳社区学院为代表的社区教育新模式，建成了以八十中学新校为代表的现代化教育精品校。多渠道、多层次、多形式的系列科普活动大大增强了群众科普意识。牢固树立大文化观念，文化产业与文化事业齐头并进。“五月的鲜花”、国际风情节、金秋艺术节等群众文化活动蓬勃开展，12个万册图书馆进入社区，231个全民健身“居家工程”投入使用。实现了社会事业发展与广大群众不断增长的精神需求相同步。

营造规范有序的法治环境，社会生活秩序显著改善。以依法治区为主线，全面推进民主法治建设进程。法制宣传教育深入人心，民主渠道日益畅通。坚持保稳定，促发展，大力加强社会治安综合治理，收到了明显的效果，连续5年被评为北京市社会治安综合治理先进单位。全区治安秩序不断好转、发案率不断降低、群众满意度不断提高，“黄赌毒”等社会丑恶现象得到遏制。努力建立安全稳定的长效机制，有效防止了重大安全事故的发生。

营造全民参与的共建环境，群众创建热情蓬勃高涨。以“百万市民齐参与，共建文明朝阳区”为主线，全面开展宣传发动工作。结合群众性创建活动，实施了10个方面的示范工程，推出了51

个区级示范点，从中涌现出香河园街道、来广营乡、蓝岛大厦、建外大街等一批全国先进典型，创建首都文明街乡、文明单位149个，区级文明街乡、文明单位1390个。创建活动凝聚了民心，鼓舞了士气，为赢得全国社区建设先进区、全国双拥模范区两连冠和首都双拥模范区四连冠等荣誉打下了坚实基础。

（首都文明办）

北京市东城区和平里街道

和平里街道围绕“建首善，创一流”的总目标，把创建文明社区活动作为载体，把提高居民的整体素质，作为创建活动的着力点和落脚点，坚持以社区党建为龙头，以居委会为创建活动阵地，凝聚社区各方面的力量，有力地推动了社区各项工作的开展。1999年和平里被命名为首批首都文明社区，2002年被命名为全国创建文明社区示范点。

认识到位，组织落实，全面规划文明社区创建工作。多年来，工委、办事处把两个文明作为统一的奋斗目标，一起部署，一起检查，一起考核，一起落实。成立和平里地区精神文明建设委员会，制定了《关于加强地区精神文明建设的五年规划》，号召驻地各单位“树立和平里社区形象，增强和平里社区意识，共建和平里，发展和平里”。

教育为本，树立形象，营造良好的社会氛围。几年来，坚持每年一个主题，对干部进行强化教育。自1997年开始，每年在“五所两办一机关”开展争当好公仆活动。提出：所有工作都要有利于发挥人的积极性，发挥群众的创造力，有利于居委会自治；市民文明学校、群众艺术团、文化室、文化广场，以及“五好家庭”、“五好楼门院”和“大众读书会”等活动，都要坚持社会主义的文化方向；公务员必须以人民群众拥护不拥护，赞成不赞成，满意不满意作为衡量工作的惟一标准。2002年开展了利益观教育，机关面貌有了较大变化，政务公开、“微笑服务”得到了很好的落实，群众的满意程度有了大幅度提高。

居委会以社区建设为主题，以文明市民学校为阵地，努力创造和平里特色。1991年成立军（警）民共建精神文明业余学校以来，到2001年覆盖面已达100%。

突出重点，齐抓共管，创造安定的治安环境。把社区治安问题列为和平里首届社区会议的主要议题，进行重点研究。采取一系列措施，“人防、物防、技防”齐头并进。以派出所为主的治安防范体系坚持群众路线，打防并举，建成一支群众信赖、罪犯惧怕的过硬队伍。在发案多的重点地段，加强技术防范，安装电视监控系统；实行警务联合，全面提高警力资源的效率和效益，使社区治安状况得到明显好转。

以人为本，突出特色，搞好社区为老服务。社区60岁以上老人占总人口的16.4%，社区把服务的重点转向了老年人。围绕老年人需求，重点抓好6个方面服务：一是便民热线电话服务，对来电做到件件有落实；二是开展志愿者服务，常年坚持多种为老服务活动；三是对特困老人实行包户服务，社会孤老由社区包养，发动驻地单位与困难家庭结对子，开展“一助一”扶贫济困活动；四是抓好老年维权服务，调解涉老纠纷，维护老年人合法权益；五是开展老年医疗保健服务，为行动不便的老年人送医送药；六是精神生活服务，使老年人得到精神慰藉。

经过努力，社区为老服务实现了三个转变：一是从单纯生活照料为主向老年健康、精神慰藉等全方位服务的转变。二是从老年人自娱自乐的文娱活动向培育老年人联谊组织，走进文化体育场馆、公园、文体活动中心、老年活动室、街巷文体活动区的转变。三是从老年人再教育有需求无设施向设施不断完善的转变。

综合治理，共驻共建，创造优美的社区环境。绿化美化工作坚持年年有规划，岁岁添新绿，相继建成了独具特色的“月季一条街”和“银杏一条街”，做到了四季常青，三季有花。解放军总政治部黄寺大院的绿化布局合理，建设有序，绿树成阴，被评为全国绿化先进单位。

对安外大街沿街的照明设施进行了系列改造。组成安外大街管理委员会，强化城市管理。2002年，安外大街被首都文明办命名为首都文明示范街。

对38个准居住小区进行了整顿治理，为社区居民创造了一个整洁、优美、安全、文明的生活环境。

因势利导，寓教于乐，大力开展社区文体活动。社区文体中心是一所集服务、健身、娱乐为一体的多功能服务中心。另外还建有大型文化广场4个，每年演出活动不断。群众性文体活动蓬勃发展，逐步形成了科学健康文明的生活方式。目前社区有晨晚练点100多个，各居委会组织的文体团队152支，每天参加锻炼的居民达2万余人。

（首都文明办）

北京市宣武区白纸坊街道

白纸坊街道近年来在抓好经济建设的同时，实施创建文明社区工程，先后荣获市、区级各类荣誉176项。1999年被评为首都文明社区，2002年被评为全国文明社区示范点。

加强领导，组织有力，全面推进文明社区创建活动。2001年，街道成立创建文明社区领导机构，设立专门办公室，建立了社区党的组织和自治组织。社区党建协调委员会定期研究社区党建工作，定期召开社区代表大会，研究协调、解决辖区建设、发展和管理中的重大问题，强化街道综合管理职能。此外，街道还健全了社区治安防范体系、市场秩序管理体系、社区服务领导体系和社区各类人群广泛参与的保障体系。

坚持社区精神文明从办实事抓起，着力解决居民的实际困难。近3年来，共投资300余万元，为社区居民办实事百余件。

积极营造社区健康向上的社会风尚，设立了社区见义勇为专项基金，连续多年坚持开展“创文明单位、做文明市民”和评选“社区文明百颗星”、“社区好公仆”和“社区五好文明家庭”活动。长年坚持开展“学雷锋为民服务日”活动，社区内形成了居民团结互助、平等友爱的良好氛围。

重视社区宣传教育阵地建设，先后投资150多万元，建成了社区科普画廊、宣传栏、阅报栏。组织开展社会公德系列教育、健康教育、环保教育等多种形式宣传教育活动，举办了崇尚科学、破除迷信的科普知识竞赛和科普知识系列讲座。开展了高雅艺术进社区、迎奥运学英语、健康生活、烹调比赛等丰富多彩、贴近居民生活的活动。社区连续两年被评为北京市科普示范点，市民文明学校被评为首都市民文明学校标兵。

综合治理，社会参与，确保社区政治稳定和社会安定，建立社区服务新格局。以“发案少、秩序好、群众满意”为社区建设的目标，以民警进社区，实行“一区一警”为基点，以争创安全文明社区、居（家）委会、社会单位活动为载体，以加大综合执法检查力度为手段，实行社区综合治理，确保社区政治稳定和社会安定。

街道建立了社区综治培训学校、青少年法制教育基地和青少年家长法制学校、青少年模拟法庭等普法宣传教育阵地，积极开展法制宣传教育活动，加强对外来人口的管理。充分发挥社区巡逻队的作用，有效地预防了社区重大刑事案件的发生。

将科技手段融入社区建设和社区治安防范工

作中，采取“以点带面、滚动发展、先易后难”的工作方法，本着“产权单位投一点、政府出一点、居民个人拿一点”的融资方式，在居民小区安装技防设施，探索出了一条人防、物防和技防相结合的创建安全文明社区的新途径。

建立了社区服务中心、社区敬老院、街道职业介绍所、计划生育宣传服务中心和培训中心等服务场所，为居民提供20余项服务。形成了老有所养、残有所助、幼有所托、困有所帮的社区服务网络。

强化整治，培育精品，改善社区环境质量。街道在综合整治系列工程中，采取拆、建、管相结合的方法，拆除违章建筑3万多平方米。充分发挥执法部门、社区单位、居委会、居民群众的作用，加强对重点大街、地区的监控管理，落实“门前三包”责任制，坚决取缔了各类违法行为，保证了社区良好秩序。

广泛发动群众参与社区环境建设，在居民区开展了专项环境整治活动。实施绿化美化工程，硬化路面1.2万平方米，粉刷喷涂墙壁1.26万平方米，粉饰楼房外立面105栋25万多平方米。在白广路大街实施了亮美工程。将右安门内大街建成了市级全优大街，将白广路大街、白纸坊东、西街建成了精品大街。

挖掘资源，创建阵地，丰富社区居民文化生活。白纸坊社区内建有多处大中型文体场所，有文艺团体48支（包括合唱队、舞蹈队、秧歌队、时装表演队）和多个群众社区文体活动室。每年举办社区文化艺术节，“五月鲜花”、“走进新时代”、“放歌新世纪”等文艺汇演，还组织了“高雅艺术进社区”活动，定期举办京剧艺术节、京味文化讲座等。先后举办了社区健身秧歌大赛、太极拳表演，连续举办了四届全民健身体育节、“金蓝鲨”杯篮球联赛、“社区杯”保龄球赛、家庭趣味乒乓球赛、新春家庭趣味运动会、职工足球赛和登山等活动。社区青少年的校外教育活动丰富多彩，与宣武区法院共同创立了北京市首家社区青少年法制教育基地和青少年家长法制教育学校，开展了旁听审判、少年模拟法庭等活动，开展儿童消防活动等。在社区定期举办中小学生科技手工艺展等。

（首都文明办）

北京市朝阳区香河园街道

香河园街道所辖的7个居民区全部建成区级以上文明居民区；街道连续6年被评为首都文明单位标兵；2001年被首都文明委命名为首都文明社区；2002年5月被中央文明办、民政部命名为全国创建文明社区示范点。

紧密围绕大局制定工作思路，加强队伍建设。全区的创建精神文明的总体思路是坚持一个主题、建立两个机制、进行三个探索。即坚持建设新朝阳、新社区的主题；建立全方位、各层面、多角度共同参与的工作机制和为创建工作提供综合保障的运行机制；探索党政联动、齐抓共管，精神文明与物质文明相互促进，城市管理与社区服务协调发展，全面提升街道工作水平，为朝阳区争创全国文明城区目标的实现做出贡献。

以“三抓三带动”为切入点加强队伍建设，即：抓领导干部自身建设带动领导班子整体建设；抓党员队伍建设带动机关干部队伍建设；抓社区党委建设带动社区居委会干部队伍建设。

完善监督机制，强化监督措施，为实现工作作风的根本性转变提供保证。在监督制约方面大胆实践，提出了新举措：一是坚持党内监督。制定了《关于加强党风廉政建设责任制，完善机关内部监督制约机制的意见》，率先在全区建立社区党风廉政监督站，初步实现了党风廉政监督工作向基层、向社区的延伸。二是坚持行政效能监察，避免违纪行为。三是坚持依法监督。建立了《合同、协议依法审核制度》，《行政执法监察检查制度》、《司法工作者列席主任办公会制度》，对减少行政纠纷和行政诉讼，保证行政行为的合法性起到了积极作用。四是坚持民主监督。积极推进人大代表、政协委员进社区活动，充分发挥其参与协调的作用。五是坚持群众监督。继续开展“一表一箱”活动，鼓励群众积极参与对领导干部的测评活动。

以创建全国文明城区为目标实施五大工程，实现五个突破。一是实施社区党建龙头工程。坚持社区党建工作定期研究制度，充分发挥社区党委在社区组织中的领导核心作用。通过深入开展“一个党员一面旗，党的宗旨进社区”和党员“五包一评”活动，为社区党员发挥作用提供舞台。

二是实施社区稳定安居工程。建立警务管理新模式，制定《社区民警工作职责及考核标准》，加大社区治安防范力度。加大推广科技创安，在一些公共场所安装监控设备，有效搞好预防犯罪和安全防范工作。辖区内广泛开展安全社区、安全单位创建活动，充实调整基层治保队伍，加强对社区保安的培训和管理，形成了以公安民警、社区保安、城管分队、社区治保组织四位一体的群防群治体系，辖区治安状况有了明显改善。

三是实施社区环境美化工程。2002 年获得北京市无违法建设街道称号。同时加大投入，注重对居民区的改造，提高小区环境档次。强化管理，突出“门前三包”责任制落实工作。集中整治与基础管理相结合，机动巡查与管片巡查相结合，真正实现了管理规范、手续齐全、秩序井然、环境优美的工作目标。

四是实施社区服务民心工程。对已建成的街道社区服务中心和社区文体中心，进行项目调整，进一步完善服务功能。办事处“一站式”办公大厅投入使用，为辖区单位、居民提供了高效优质的服务。整合社区资源，增设早餐供应点，建立社区蔬菜配送站，解决广大居民的生活实际问题。

五是实施社区文明育人工程。以《公民道德建设实施纲要》为主线，充分利用文明市民学校中心校和各分校开展一系列教育活动。在贯彻《纲要》活动中，注重发挥基层组织和社区居委会干部的作用，宣传报导的舆论导向作用，广大群众的主体作用。从群众最关心的问题抓起，从群众最欢迎的事情做起，开展公民道德实践活动，促进了全民道德建设的稳步发展，对提高公民素质起到了有力的推动作用。

（首都文明办）

北京市顺义区南法信镇

顺义区南法信镇党委、镇政府以发展经济为中心，以环境整治为重点，以强镇富民为目标，大力开展创建文明村镇活动，相继获得首都文明乡镇、思想政治工作先进单位、市级环境综合整治优秀镇、全国群众体育工作先进单位等荣誉称号，2002 年被评为全国创建文明村镇工作先进镇。

加强领导班子建设，提高素质，转变作风，塑造团结战斗的坚强集体。近年来，在领导班子和领导干部中，先后开展了“三讲”、“三讲回头看”、“三个代表”、“立党为公，执政为民”、“我与奥运同行，人人都是环境”等一系列主题教育活动。采取多种形式，认真学习邓小平理论和“三个代表”重要思想，学习法律法规和文化科学知识。建立健全各项规章制度，如集体领导下的分工负责制度，党委班子议事规则和决策程序，定期召开书记、镇长办公会和领导班子民主生活会制度，领导干部廉洁自律的有关规定，领导干部下基层制度，镇务公开制度等，狠抓制度的落实，并加大监督力度，实行责任追究。全镇各级干部多年来未出现一例违法违纪行为。

招商引资，调整结构，努力发展镇域特色经济，提高集体增收、农民致富的水平。加强晨光工业区的基础设施建设，不断提高对投资者“一站式”服务的水平，使地区的投资环境更加优越。充分利用北京国际周、燕京啤酒节等商机，全方位、多渠道招商引资，有效增加了镇域经济总量，经济结构不断优化和升级。建立起一批高效农业园区，形成了以绿色、精品种植为主导的农业格局，粮食和经济作物比例达到了1.5∶8.5，农业亩效益也增长到300多元，增加了农民收入。引进知名企业，三资企业继续发展壮大，一些企业的闲置资产逐步盘活，总量明显增长，质量继续提高，高新技术产业成为经济发展的主力军，二次创业取得明显成效。

以环境整治为重点，全面深化精神文明建设，不断提高镇域文明程度和群众文明素质。一是大力进行环境综合整治。近年，投入3000多万元，加强全镇公路网、通讯网建设，全面改造低压供电线路，健全村级卫生社区服务站，落实“一村一景”工程，完善文化体育设施。在此基础上，又投入1800万元深化环境建设。新建公路3000多米，种植花木20万株，并建起一批街心花园，实现了一村一景、一村多景，绿化、美化、硬化、亮化、净化的水平有了新提高，加快了农村都市化进程。二是努力提高群众文明素质。在全镇范围内深入宣传《公民道德建设实施纲要》，广泛开展“争当百颗星，点缀花园城”活动，推出一批精神文明先进典型。充分发挥镇同心文化广场等文体阵地的功能，积极开展丰富多彩的群众性活动，同时，针对群众需求，积极组织“农民实用技术培训班”，开展科普活动。三是不断加强民主法制建设。推行政务公开，深化村民自治，群众的民主权利得到保障；建立起村镇两级调处组，坚持领导干部接待日制度，信访渠道更加畅通，做到“小事不出村，大事不出镇”；坚持社会治安综合治理，发挥村级“两会”、“两队”的作用，加强对外来人口的管理，提高科技创安的水平，严厉打击违法犯罪活动，使各类案件发案率逐年下降，社会风气明显好转，群众安居乐业。

（首都文明办）

北京同仁堂(集团)有限责任公司

北京同仁堂是中药行业闻名遐迩的老字号，创建于清康熙八年（1669年）。清雍正元年（1723年）同仁堂开始供奉清皇宫御药房用药，历经8代皇帝，长达188年。

1992年，中国北京同仁堂集团公司组建成立。1997年组建成立北京同仁堂股份有限公司，同年6月同仁堂股票在上海证券交易所上市；2000年组建成立北京同仁堂科技发展股份有限公司，同年12月，科技公司在香港创业板上市。2001年北京同仁堂（集团）有限责任公司成立，拥有境内外两家上市公司、国内商业公司、国际公司、药材公司、研究院、中医医院，以及海内外60多家分店，7个药材种植基地，十几条符合GMP生产标准生产线，成为能够生产24种剂型、上千个品种的大型企业集团。

2001年提前一个半月完成全年任务，实现销售收入32.9亿元，实现产值6.96亿元，利润1.2亿元，出口创汇1100万美元。被中宣部树立为公民道德建设先进典型、被评为全国医药系统企业文化建设先进集体、北京市文明标兵单位五连冠，2002年被评为全国精神文明建设先进单位。

集团公司党委深化“学习、创新、发展”主题教育，使领导干部思想政治素质有了明显提高，班子成员团结进取，开拓创新，确立了新的企业发展目标。

开展“面向新世纪，树立新观念，实施三步走，十五当先锋”党员主题教育活动，提高党员素质，发挥先锋模范作用。拍摄了专题片《古树枝繁花更红》、《我是同仁堂人》，举办《跨进二十一世纪的北京同仁堂——回顾与展望》大型展览。

把党员的政治思想教育同提高知识技能有机地结合起来，提倡党员一专多能，岗位奉献，不断增强适应市场的竞争能力。

落实《公民道德建设实施纲要》，树立同仁堂良好形象。对具有300多年历史的同仁堂以德兴企的观念，特别是德、诚、信的优良传统，诚实守信的经营观、以义取利的义利观、以质取胜的质量观、童叟无欺的信誉观、继承创新的发展观、以人为本的人本观进行总结，在新时期赋予传统美德以新的内涵。2001年，同仁堂被中宣部树立为公民道德建设先进典型后，新华社发布了《诚信为本，药德为魂》新闻通稿，先后有《人民日报》、中央电视台新闻联播等30余家中央和地方媒体对同仁堂进行了宣传报道。同仁堂以“讲诚信药德为本，重实践与时俱进”良好形象，得到社会广泛好评。创名牌，争一流已逐步成为全体职工的共同目标。

在建立现代企业制度时，注重工作创新，加强党在企业中的政治核心作用。党的工作与经济工作同步安排、同步建立、同步到位，组建了股份公司党委、科技公司党委以及改制、合资企业的党组织。以规范法人治理结构为重点，深化干部人事制度改革，初步完成了集团公司本部的机构改革。按照党管干部的原则，重点抓好“一把手工程”，对企业一把手进行动态管理，为企业的生产经营提供组织保证和思想政治保证。

以同仁堂优秀企业文化为依托，推进企业整体上水平。在市企业文化建设协会和有关专家的具体帮助下，完成了CIS企业形象设计，通过对视觉识别、理念识别、行为识别进行规范，树立了同仁堂面向21世纪的新形象。2001年同仁堂和北京音像文化艺术出版社共同投资拍摄电视连续剧《大清药王》。企业文化建设对提高职工素质，增强凝聚力、向心力，扩大企业的社会影响起到了非常好的作用。

（首都文明办）

天津市河西区

河西区2002年被中央文明委命名为全国创建文明城市工作先进城区。

建立健全工作机制。河西区委、区政府把创建文明城区工作纳入城区发展总体规划，摆上重要议事日程，做到了常抓不懈。从区委、区政府到基层单位普遍建立了党委统一领导、党政一把手亲自抓、各职能部门分工负责的领导体制。建立了目标责任制，做到任务到岗、责任到人。建立了督导检查制度，实行文明委例会制度，协调工作，强化管理，加强督察。建立了多渠道的资金投入机制，形成了区财政投入为主，街局公司统筹，驻区单位自愿贡献，机关干部捐助和群众义务劳动制度。

着力提高市民素质。围绕提高市民素质，深入贯彻落实党中央印发的《公民道德建设实施纲要》，他们开展丰富多彩、特色鲜明的道德实践活动，先后组织了“公民义务奉献日”、“邻居节”、“道德示范户评选”，启动了市民教育工程和青年文明信用建设示范行动，大力倡导“人人为困难群众做贡献”，形成了全社会扶贫帮困的风气。为社会困难群体和下岗职工解决实际困难，全区低保对象基本做到了应保尽保，安置下岗职工万余人次，建成52个星光老年之家。

创建整洁优美环境。河西区从改善人民生活入手，建成了一大批新型居民住宅小区，形成了新型现代化城区框架。新建和拓宽了15条道路，实施了28条道路的灯光建设工程。全面实施蓝天、碧水、安静等环保工程，新建津河纪念广场等绿化广场10个，全区绿化总面积达520万平方米，人均公共绿地5.5平方米，绿化覆盖率33%，超过国家园林城区标准。

推进社会事业发展。河西区巩固、发展义务

教育成果，实现高中教育普及率达99.9%；推进社区卫生服务，形成了区、街、居、户四级社区卫生服务网络，社区卫生服务覆盖率达100%；巩固发展社区文化优势，建立了社区、企业、家庭、校园、军营10条文化线，成立了120多个文化社团，实现了春有广场舞蹈大赛、夏有消暑纳凉文艺演出、秋有街道艺术节、冬有彩灯庙会，群众文体活动丰富多彩。

（天津市文明办）

天津市西青区

天津市西青区2002年被中央文明委命名为全国创建文明村镇先进单位。

把为民办好事、办实事作为文明村镇创建工作的出发点和落脚点。他们以每年3亿元的投入搞基础设施建设，先后拓宽改造道路12条，绿化面积80万平方米，植树10万余株；总投资3.6亿元实施杨柳青镇“三路一河”工程；完成了杨柳青、张家窝、大寺等6个街镇滦河水入户工程；全区8个街镇铺设了天然气管道，入户率达60%；设立4个电话支局，装机容量20万门；建设开发了一批居民小区，总建筑面积达157万平方米；投资1.2亿元新建了两所学校；投资1亿元修建了占地2万平方米高标准、现代化的杨柳青广场；投资2亿多元建成建筑面积10万平方米的杨柳青商贸街。

把提高公民道德素质作为创建文明村镇工作的核心内容。他们充分发挥本区“一报两台”媒体优势，宣传基层在思想道德建设方面涌现出来的先进典型；制定印发贯彻《纲要》的实施意见；编印《公民道德手册》；广泛开展“小手牵大手，文明一起走”道德系列教育活动；在“窗口”行业、执法部门分别开展规范服务达标和文明执法活动；开展“世纪父母读书活动”和文明新事评选活动。这些活动的开展，有效地提高了群众思想道德素质。

把创建“五个一”活动作为创建文明村镇工作的有效载体。他们先后编印完成了全区9个街镇总体建设规划、创建文明城镇“五个一”规划。并把杨柳青、张家窝、大寺和中北4个小镇作为文明村镇创建工作的重点。张家窝镇投资5亿多元建成了40多万平方米的生活小区，绿化面积达到35%；投资3000多万元改造并新建3所中小学校；先后建成了高标准的老年公寓、幼儿园和占地1.5万平方米的张家窝镇人民广场。目前，全镇60%的农户已经迁入镇区居住。大寺镇投资3亿元建成了龙居花园小区；投资2200万元建造了占地4.1万平方米的“龙居生态公园”，镇区绿化覆盖率达到40%以上，完善了小区内基础设施的配套。

把文化广场、文化中心、城镇公园、村级活动室作为活跃群众文化生活的重要阵地。他们积极开展各种有益的文体活动。连续举办了三届“颂祖国、赞西青”为主题的文艺大舞台汇演活动，每次观众达20多万人；开展了“读百万册图书活动”、“全民健身工程”和“亿万农民健身活动”。狠抓了5个街镇文化中心、5个村级样板文化活动室、样板图书室和5支文艺演出团体建设，为进一步丰富群众业余文化生活增添了后劲。

（天津市文明办）

天津市武清区

天津市武清区2002年被中央文明委命名为全国创建文明村镇工作先进单位。

加强基础设施建设，提高群众生活质量。近年来，武清区累计投资20多亿元，完成了道路、通信、供电、供热、供气、供水、排水等一系列重点建设项目。投资1.8亿元，建成了英华幼儿园、英华小学、英华中学三所中英文双语学校。投资2000万元，兴建了6000平方米的综合游泳馆和体育馆。投资3400万元启动6000平方米的青少年活动中心工程。还实施城区绿化和外围林网、津西北防护林带等建设工程，城区绿化覆盖率提高21.5%，人均公用绿地达到22.2平方米。建成了10.8平方公里的噪声达标区，有效控制了城镇噪声污染。连续3年在高速公路、国道等主干道沿线的284个村（街）中开展了村庄环境整治，乡镇环境面貌发生了明显变化。

精心设计活动载体，深化文明村镇创建。他们先后开展了文明城镇、文明村（街）、文明单位、文明机关、文明市民和“十星级文明户”等系列创建活动。深入开展普法、“移风易俗树新风”和“崇尚科学，反对迷信”教育活动。每季度坚持组织开展一次文化、科技、卫生、法律“四下乡”活动。被市委、市政府授予“天津市社区文化先进区县”称号。他们贯彻《公民道德建设实施纲要》，在全区印发《武清区公民道德手册》22万份、建立了300多个《纲要》宣传岗。开展了贯彻落实《纲要》万名市民签名承诺活动，举办了公民道德知识竞赛和公民道德文艺演唱会。

抓好典型示范引导，营造良好社会氛围。武清区在创建文明村镇活动中，近两年先后推出了百余名先进典型，通过召开表彰大会、事迹报告会、现场观摩会、经验交流会等多种形式进行宣传，在全区上下形成了崇尚先进、学习先进、争做先进的良好氛围，有力地推进了全区两个文明建设。

（天津市文明办）

河北省石家庄市神威药业股份有限公司

石家庄市神威药业股份有限公司荣获全国中药先进集体、全国中成药工业五十强、河北省文明单位、全国五一劳动奖状、中国驰名商标等荣誉称号。

诚实守信：神威药业的经营之道。神威药业用诚实守信铸造企业灵魂，确定了“以质求存、以信为本、以德经商”的经营宗旨，把诚实守信的道德规范落实到产品质量上。他们把“追求卓越品质、造就国药精品”作为神威药业的经营目标。为了保证成药质量，中药原、辅料到产地采购，从原料进厂到生产每一道工序，严把质量关，做到出厂药品合格率100%，让群众吃放心药。

神威药业生产的药品定位在四个面向：面向城市工薪阶层，面向农村，面向老年人，面向儿童。做到货真价实，取信于民，让利于民。神威药业于2000年9月办起了神威大药房，在城市和农村县城建起直属药店连锁经营，减少中间环节，让消费者用有限的药费买到物有所值的放心药品。

为了让全国各地的用户都能用上优质低价的药品，神威药业做到送货上门，并承担运费。优质低价赢得了市场，神威药业销售网络遍及全国。

神威药业用诚实守信的职业道德规范全体员工的言行，大药房还开展了24小时免费送药上门服务等一系列便民措施，利用节假日开展义诊活动，常年为老病号煎药送药。企业重合同守信誉，与用户签订供货合同后款到两天内发货。用户邮购，一盒、两盒也及时邮出，大户小户一样看待。多年来，用信誉树立形象，靠信誉赢得客户，为产品销售和企业发展提供了可靠保证。

“四有”职工：神威药业发展的力量源泉。神威药业把全面提高员工素质，培养有理想、有道德、有文化、有纪律的“四有”职工队伍作为第一要务。神威药业公司党委要求共产党员树立坚定的理想信念，引导职工爱国、爱厂、爱岗，做主人讲奉献。2001年开展了员工合理化建议活动和每人为公司献一计活动，职工以主人翁姿态纷纷提出合理化建议。近3年中，员工提合理化建议3000多条，采用2400多条，创经济效益200多万元。神威药业公司引导职工讲社会公德，在社会上见义勇为，助人为乐，做文明公民，在社会上树起了神威人的文明形象。神威药业十分重视员工文化技术素质的提高，对新员工进行封闭式军事化岗前综合知识技能培训。职工思想道德素质和科学文化素质的提高，为企业注入了生机活力，有力地推动了神威药业的发展。

科学管理：神威药业成功的可靠保证。现代化的企业管理是以人为中心的管理。公司在制定科学而又严格的规章制度的同时，制定出261条体现现代文明的行为规范，营造出了浓厚的氛围，最大限度地调动每个人的自觉性和积极性。

无情的制度，有情的管理，是神威药业科学管理的内涵。公司出台严格的管理制度的同时，把尊重人、关心人融入企业管理。职工的劳动热情越高，领导越关心职工的生活；领导越是关心职工生活，职工的劳动积极性越高，形成了“领导关心职工、职工关心生产”的良性循环。

随着企业对外交往的扩大，管理也随之延伸。1997年1月公司作出了“关于对外经济交往中廉政的规定”，公司建立起收受礼品台账，建立了奖惩机制，对违规人员严肃处理，对廉洁奉公职工给予奖励。

诚实守信的经营之道，高素质的职工队伍，以人为中心的科学管理，为神威药业的崛起提供了强有力的精神动力、智力支持、思想保证。

（河北省文明办）

山西省太原市热力公司

太原市热力公司先后荣获山西省精神文明建设先进单位、山西省模范企业、山西省五一劳动奖章等荣誉，2002年被中央文明委授予全国精神文明建设工作先进单位称号。

不断创新活动形式，保持精神文明创建工作的活力。在精神文明建设工作中，全公司形成党委统一领导，党政工团齐抓共管，各级各部门各负其责，全员发动，全员参与，全员创建的工作格局。在公司下属各基层单位中，坚持开展创建文明处室、文明班组活动，结合本公司实际，制定了详细的考核细则和奖励办法。在党员队伍中，坚持开展“争三高，创一流”（党员觉悟高于群众、党员技能高于群众、党员业绩高于群众、人人争创一流业绩）活动，并设置了党员责任区，实行目标管理，月检查、季讲评、年考核。在职工群众中，坚持开展“三比三看”（比技能看服务、比作风看素质、比业绩看贡献）活动，同时与优秀党员、先进生产工作者、青年文明号、岗位能手、诚信服务明显的评选活动相结合，落实全员创建成果。公司每年都拿出近百万元作为精神文明建设的专项基金，既用于建设精神文明硬件设施，又奖励在两个文明建设中做出突出贡献的单位和个人。

依靠职工群众，在企业营造“心齐、气顺、劲足”的局面。热力公司在两个文明建设的实践中，尊重职工群众的主人翁地位，发挥他们的创造精神。经过干部职工关于企业精神和理念的大讨论，确定了“务实、奉献、开拓、进取”的热力精神和“辛苦我一个，温暖千万家”、“冬日蓝天下，共享热力情”的服务宗旨和服务理念。平时十分注意听取群众意见，开通了“建议热线”，在各单位都设置了“职工信箱”。广大职工感受到主人翁的责任，先后对企业发展提出数万条意见，许多有价值的建议被公司采用。公司还结合岗位需要，和山西财经大学联合开办职工大专班，先后有109名职工取得大专学历。公司还选拔5名优秀技术人员送到清华大学硕士研究生班深造。公司结合工程建设的需要，举办岗位技能培训，开办知识讲座，使广大职工在工作实践中充分享受到了学习和运用知识的乐趣。公司把关心职工生活当作队伍建设的大事来抓，近年来，先后投入大量资金，建成八幢家属楼、安排职工400余人；开办了职工食堂、澡堂、图书阅览室、健身房等。

紧紧围绕经济建设中心，推动公司各项工作全面发展。为尽快实现太原市民“天蓝水清”的环境愿望，公司干部职工在较短时期内走出了一条超常规发展的道路。1992年，开始实施一电集中供热。1994年创造了集中供热一次成功投运300万平方米的全国纪录，受益居民达30万户。1998年，引进国债建设资金和贷款11亿元，实施二电集中供热项目，仅用11个月就建成投运200万平方米，开创了我国集中供热史上大口径保温管直接距离最长，建设周期最短的纪录。2000年为了使二电国债项目尽快产生效益，自加压力，果断调整供热规划，实施“南移西进”战略，自筹资金1.1亿元建设东山热源厂，扩容600万、扩网400万平方米，使公司集中供热热电联产规模跃居全国第二位。截止到2002年底，形成2300万平方米供热能力，极大地改善了大气污染状况，使太原市在2001年提前实现了大气质量150天以上二级天气的环境目标，为太原市荣获全国创建文明城市工作先进城市的称号做出了突出贡献。

（山西省文明办）

内蒙古自治区满洲里市

近年来，满洲里市委、市政府围绕“全党抓经济、重点抓项目、突出抓口岸”的工作方针，以建设国际贸易旅游城市、创建边境口岸文明城市为目标，转变观念，与时俱进，不断调整和完善文明城市创建工作的思路，闯新路、干实事、求实效、谋发展，使精神文明建设成为推动经济社会发展的力量源泉，并不断迈上新的台阶。满洲里市先后获得全国创建文明城市先进城市、自治区五星级文明城市和十佳星级文明城市等荣誉称号。

突出特色，建管并重，搭建口岸发展平台。城市建设是精神文明建设的重要内容。他们按照经营城市的理念，高起点规划，高标准建设，高效能管理，改变了城市面貌，提升了城市品位。一是突出特点，完善城市总体规划。赋予城市以丰富的文化内涵，努力把满洲里建设成为“高品位、有特点”的口岸城市。二是多元投入，加快城市建设步伐。为解决建设资金不足问题，他们采取了盘活存量资产、用好土地资源、开发城市无形资产、用好财政资金和争取社会投入的办法，收到了明显的成效。三是建章立制，加大城市管理力度。实行“两级政府、三级管理、四级网络、大企业参与”的管理体制，先后制定出台了《市区交通管理条例》等一系列有关城市建设和管理的规章制度，加大了对马路市场、广告牌匾、乱贴乱画行为的治理整顿力度。他们还大力进行市政、园林、环卫等公用事业单位管理体制改革，初步实现了城市管理工作的社会化。三年来，全市共新增绿地13.7万平方米，新建“三项卫生设施”541处。主要街道的电讯线路实现了降线撤埋，硬化了人行道，粉刷亮化了临街建筑物，使城市环境得到明显改观。

改善环境，提高素质，塑造口岸文明形象。他们以改善口岸环境和提高市民素质为重点，在治理通关环境、整治社会秩序、强化市民教育上下功夫。一是软硬结合，改善通关环境。先后建成了新公路口岸、铁路新客站、国际候车室、满铁联检报关办公大楼、铁路立交桥；在公路、铁路口岸分别建成了H986—钴60检查系统；由铁道部投资4亿元的铁路站场扩能改造工程正在实施。实施联检联运单位行政执法公示制、社会监督投诉制、口岸收费公开制，大力推行服务承诺制，提高了通关服务水平和工作质量。二是突出重点，整治社会秩序。建立公安巡警24小时巡查制度，在全市104个居委会中普遍建立了综治组织机构，群防群治覆盖面达到100%。根据外来务工、经商人员等重点人群的从业特点，坚持组织化管理、制度化管理和凝聚化管理相结合，切实加大管理力度。三是强化教育，提高市民素质。切实加大“三个主义”、“三德”教育力度，先后编印了《满洲里市文明市民通俗读本》、《满洲里市文明市民礼仪读本》、《文明市民三字歌》、《市民健康教育手册》，制作了电视系列片《十要十不准》；发挥夕阳红演出队、秧歌队、威风锣鼓队、小小乌兰牧骑的作用，寓教于乐。

活化载体，全民参与，弘扬口岸文明风尚。近几年，他们坚持“城市抓社区、行业抓窗口、共建抓双拥”原则，积极开展创建文明社区、文明单位和军警民共建活动。一是从社区抓起，提高文明城区水平。社区文化、广场文化、家庭文化蓬勃开展，加强卫生服务站建设，开通148法律热线，为市民提供精神食粮、医疗服务和法律援助。着力改善社区的硬件环境，强化小区物业管理，以创建安全小区为载体，落实社区综合治理责任制。以创建“五星级文明家庭”为重点，将星级文明家庭创建同居民参与社区建设管理和社区活动结合起来，促进家庭文明和社区文明的共同发展。二是从“窗口”抓起，提高文明行业水平。广泛开展十佳文明执法单位、十佳文明窗口单位、青年文明号和巾帼文明示范岗等系列创建活动，在口岸相关部门中开展了社会监督测评活动。三是从双拥抓起，提高文明共建水平。大力开展科技拥军、文化拥军和百件好事进军营、“千里边防送光明”活动，2000年以来，全市共投入600多万元资金，帮助驻军加强基础设施和文化设施建设，在八百里边防11个哨所实现了哨哨通电，极大地改善了官兵生活、学习、训练等条件。驻军充分发挥自身优势，全力支持满洲里的建设与发展。满洲里三次荣获全国双拥模范城光荣称号；边防某团八连荣获内蒙古军区标兵连队称号，满洲里边防检查站先后荣获公安部授予的边防检查先进集体和为人民服务、树边检新风先进集体等称号；边防大队车站派出所荣获公安部表彰的全国100个人民满意派出所称号；市人力车民兵应急连受到总参谋部、总政治部的表彰，成为全国200个基层民兵预备役工作先进单位之一。

（内蒙古自治区文明办）

上海市普陀区曹杨新村街道

曹杨街道2002年初被中央文明办、国家民政部定为全国文明社区示范点。

提升社区环境管理质量。紧紧围绕“花园式”文明社区的创建目标，努力实践“精心规划、重点突破，建管并举、整体互动”的总体思路，通过“六个化”全面提升社区生态环境质量，推进“花园式”文明社区的创建步伐。一是因地制宜，体现现代美感。二是以人为本，体现自然景点。

三是总体筹划，形成独特风格。整治商业和广告招牌，调整与补种绿地，体现“冬有青、春有花、夏有荫、秋有果”的特色，以“绿化、围墙、道板、景观、灯光”等五大工程为主体，全面构筑“以环浜为亮点，兰溪路为轴线，三环重叠、纵横8条景观道路的网络格局”。

加强市容协管队伍建设，强化对违章设摊的取缔力度，推进沿街商业单位“三包责任制”，进一步采取措施，清除黑色广告，使社区内主要干道优美、整洁。

全面实施“生活垃圾第二次革命”，做到“三个结合”，即：与科普教育结合、与道德教育结合、与创建活动结合。通过更新居民群众的环保理念，实现各居民小区的生活垃圾分类处理全覆盖。

提升社区文化建设质量。提高社区文化内涵，做到“三个渗透”。一是渗透到学习氛围的营造之中，努力构筑起“素质教育双通道、终身教育在社区”的桥梁。二是渗透到思想道德建设之中。制订《曹杨社区公民道德建设实施方案》，结合“三德”、“五爱”教育，创建文明小区、文明楼和五好家庭，形成“知我曹杨、爱我曹杨、建我曹杨”的社会新风。三是渗透到文明小区创建之中。以文明小区创建为载体，使两级文明小区的覆盖率达到90%。

创造社区文化特色，着重“三个培育”。培育特色载体，形成企业文化、校园文化、家庭文化、小区文化等互为一体的曹杨文化品牌。培育文化团队，扩大和完善群众性的学习团队，并从单纯的娱乐型提高到专业技能型。培育科普特色，通过科普“三个进”、科普大家谈、创建科普小区等活动，在全社区宣传科学思想、弘扬科学精神，传授科学技能。

建设社区文化设施，着重“三个体现”。体现超前性。街道将投资500万，建成具有一定规模且有综合功能的社区活动中心，作为广大居民全新的文化、学习交往场所。体现系统性。将完善一批文化设施，融教育性、知识性、娱乐性为一体，以满足各种不同人群对文化品位和文化特色的需求。体现基础性。在各个居民小区配备新民茶室、老年活动室和健身苑（点），营造浓郁的文化氛围。

提升社会保障运行体系质量。切实提高街道作为一级准政府为民办实事的能力，采取措施、妥善处理各种利益关系，确保一方稳定和老百姓安居乐业。

落实“承诺托底”制度，强化劳动技能培训、再就业咨询及指导、求职登记及推荐、开业指导及服务，确保弱势群体岗位开发取得新成效。

拓展居家养老、拥军优属、敬老助残等服务领域，通过便利服务网络，形成与广大居民群众“安居乐业”的城区功能相适应的服务体系；实现社区服务从建档立卡到电脑管理的信息化和现代化。逐步走出“市场运作、服务规范、管理有序”的社区服务新路子。

确立一方政府保一方平安的综合治理体系，抓“五个率”：发案率；社区纠纷调解率；刑释解教人员的重犯率和青少年犯罪率；“四五”普法的普及率；社会稳定各项工作网络的覆盖率。注重社区公共场所安全网络、社区安全工作网络、居民房屋出租和外来人口管理网络的进一步深化。继续进行“三个探索”（人民调解委员会、人民调解协议公证制，人民调解庭），加强司法行政综合服务“窗口”的建设，推行来信来访处置责任制，切实解决居民群众急、难、愁的问题，消除各种不稳定因素。

（上海市文明办）

江苏省南通海关

南通海关以强化整体素质为核心，塑造文明形象为载体，提高工作水平为重点，把文明创建贯穿于海关建设全过程，取得显著成效。海关先后荣获江苏省文明单位、南京关区先进集体、江苏省创建文明行业先进单位称号；该关查验科先后被评为市、省和全国“青年文明号”集体，被国家人事部、海关总署评为全国海关先进集体。2002年5月南通海关被中央文明办、国务院纠风办联合表彰为全国创建文明行业示范点。

围绕中心，全员参与，文明创建活动声势大，效果好。确立“服务只有起点，满意没有终点”的创建工作思路，将海关及两个办事处的报关厅定为文明服务重点窗口，设立15个文明服务示范岗。重点推出“四个三”服务措施，即“三化”，服务环境的净化、规范化和便民化；“三声”，主动招呼声、交接提醒声和耐心解答声；“三无”，对工作对象无责难、无推诿和无顶撞；“三有”，有咨询服务、科长值班服务和特需服务。每年都组织开展“当主人翁，提好建议”的活动，并设立“金点子奖”，奖励活动中表现突出的同志。同时，充分发挥查验科作为全国“青年文明号”的典型示范作用，开展科室联创活动，在业务组之间开展创建活动竞赛，形成了比学赶帮超的良好态势。

服务经济，与时俱进，文明创建有实招，见成效。他们把文明创建的目标定位于让上级海关满意，让地方党政满意，让企业满意。通过提高通关效率来提升创建工作水平，主动与外经贸局建立联络协调机制，与国税局共同签署《退税监管合作备忘录》，推行接单、打印税费一体化，实行舱单预申报，上马H986集装箱检查系统。开展了以支持外贸扩大出口为主题的“优质服务百日竞赛”活动，被企业誉为“通关110”，获得江苏省委宣传部、文明委联合颁发的“组织奖”。深入企业调查研究，现场办公，被企业誉为“专家门诊”。调研中，一方面注重分析本市与苏南邻近城市在发展速度上的差异及原因，主动向地方党政领导提建议，当参谋；另一方面及时了解南通开放型经济发展中存在的焦点、难点问题，并采取积极措施加以改进。如：与北京海关开辟南通——北京——世界的货运“空中走廊”；支持供船企业建立以南通为中心、向周边口岸辐射的燃料油供应网络，改变过去中外籍船舶绕道去国外加油的状况；支持数十家化工企业开展国内中转和国际转口贸易，使南通成为华东地区最大的液化品集散基地；支持百十家大中型国有企业改制后开展加工贸易业务等，受到地方行政主管部门和企业的一致称赞。

开门创建，兼收并蓄，文明创建多样化，影响广。他们积极争取地方党政对海关文明创建工作的指导和支持。经常向市委、市政府及机关工委、宣传部、文明办等汇报创建工作情况，了解区域精神文明建设形势，听取地方党政领导对海关创建工作的要求。同时，注重学众家之长，坚持走“开门共建”之路，与南通口岸检查检验部门联合开展共建文明口岸活动，连续20年被评为先进涉外单位；与崇川区政府、公安局、街道办及居委会联合开展社会综合治理、共建文明社区等活动，将文明创建延伸到8小时之外；开发区办事处与重点企业就树立行业新风、优化投资环境等6项内容签订合作备忘录；与协助监管的武警五连结对共建，开展了“思想共建、勤务共管，国门共把”的“三共”活动。这些活动经验在全国海关系统得到推广。

（海关总署政工办）

江苏省张家港出入境检验检疫局

张家港出入境检验检疫局以实施“建一流队伍，创一流业绩，让人民满意”为目标，开展了以“文明公正创一流，服务满意在国检”为主题的创建文明行业活动，取得丰硕成果。先后荣获全国创建文明行业工作先进单位、江苏省文明行业等荣誉称号。

抓队伍，树形象，持续提升职工队伍素质水平。广泛开展“创一流业绩、树文明新风”、“新世纪、新起点、新贡献”、“塑造国检新形象、争当国门好卫士”、“铸造诚信国检、展示文明形象”等主题教育活动和“新世纪张家港国检人新形象”大讨论，引导职工争当社会好公民，家庭好成员，企业好帮手，国门好卫士。

在思想、业务和管理工作中，牢固树立“我荣局荣、我耻局耻、我为我局添光彩”的理念，把自身价值体现在把关服务、出色完成检验检疫工作上，形成团队整体合力，推进检验检疫事业发展。

树立工作学习化、学习工作化和终身学习的理念，建立职工学校，组织职工学习政治理论和最新的专业知识、检验检疫法律法规、外贸英语、世贸组织及计算机知识，职工队伍素质明显提高。

抓中心、促服务，持续提升服务水平。成立了证单中心，实行“一站式”服务；设立加急窗口和绿色通道，实行24小时预约服务，坚持急事急办，特事特办，难事帮办，简化手续，方便和加快货物进出。3年多来，共为地方举办各类培训班17期，帮助外经贸企业培训业务骨干1700多人次，通过把关服务，为外贸企业挽回直接经济损失1亿多元，赢得效益2.6亿元。

全体干部职工围绕“铸造诚信国检，展示文明形象”主题，喊响“诚信在窗口，您我零距离”、“诚信服务、放心您我”和“外贸有困难找国检”等口号。完善服务设施，改善服务环境，使窗口干净、整洁、明亮、优美。检务人员开展了“一张笑脸映诚信，一句话语表诚信，一杯茶水送诚信，一张椅子交诚信，一副热心显诚信”的“五个一”活动。2002年，在苏州市组织的行风测评中，获得苏州地区检验检疫系统第一名。

抓班子，做表率，持续提升创建工作领导水平。利用党组中心组学习和民主生活会等形式，引导党组成员正确认识和使用手中的权力。制定《党组议事规则》、《党风廉政责任制》和《党组抓创建文明行业工作责任制》，规范班子成员的公务行为。

推行党组（总支）、支部两级管理模式，将创建工作与党建工作、行政管理、业务工作、思想教育和廉政建设融为一体，整体落实，全面推进。改革考核方法，重点考核工作质量、廉政建设、文明服务、完成任务等情况，考核结果与奖惩挂钩，严格实行连带责任追究制度。

抓制度，促养成，持续提升创建工作的管理水平。每年确定一个目标、一个主题、一个重点，设置了文明科室和文明职工考核评比一票否决项，使创建活动有目标，工作有标准、考核有依据。

构筑“阳光工程”，设立意见簿、举报箱、举报电话，形成社会监督体系；聘请30余名行风监督员，形成政府部门和外贸企业监督检查体系；在局内部建立“工作质量稽查小组”，形成内部监督体系。委托市纪委党风廉政室发放意见函，与全市260家企业签订了依法施检、优化服务、廉政监督双向承诺书，促进了服务质量和廉政建设水平的提高。

制定创建规划、措施，建立健全创建台账，确保创建计划、目标的落实。将创建工作纳入ISO9000质量体系，与业务工作同部署、同落实、同考核、同总结。制定和完善了严格的考核考评制度，行风廉政建设责任制度、责任追究制度等48个创建制度，并严格抓落实。对创建经费给予了重点保证和解决，有力地保证了创建文明行业活动的正常有序开展。

（江苏省文明办）

江苏省徐州电信局

江苏省徐州电信局坚持以“创建一流的电信企业和文明行业”为目标，加快通信发展，广泛开展以“电信连着你我他，文明服务千万家”为主题的创建文明行业活动，取得了显著成绩，1985—2001年连续16年被评为江苏省文明单位，2001年被江苏省委、省政府命名为江苏省首批文明行业。

徐州电信局坚持以人为本，把尊重人、培养人、激励人、凝聚人作为精神文明创建工作的首要任务，最大限度调动职工的积极性、创造性。围绕改革、发展、稳定的大局，深入开展“四职”教育（职业理想、职业道德、职业纪律、职业技能）和“四珍惜”（珍惜工作岗位、珍惜个人前程、珍惜集体荣誉、珍惜家庭幸福）等主题教育活动，号召和引导全体员工按照党委确定的工作目标，积极投身到通信的发展、改革、管理和服务中去。他们注意把解决思想问题与解决实际问题结合起来，把宣传教育群众同服务群众结合起来，在办实事中贯穿思想教育，通过解决实际问题引导干部职工提高精神境界，收到了很好的效果。

徐州电信局坚持“用心服务，用户至上”八字方针，大力开展诚信服务、优质服务、规范服务。认真执行“首问负责制”、“一次申告下岗制”、《电信服务标准》等规章制度，在窗口单位推行“三声服务、四个一样、五个统一”的规范化服务，相继推出“绿色通道服务”、“特需服务”、“上门服务”、“分外服务”等多种服务形式。与此同时，徐州电信局从完善管理制度入手，先后制定了50多项规章制度，并把落实各项规章制度，强化监督机制作为管理工作的重中之重。他们坚持局务公开制度，充分调动和发挥职工参与企业民主管理的积极性、主动性、创造性，为企业各项工作的开展创造有利的环境和氛围。

在创建工作中，该局以“树起一面旗帜，带动整体提高，塑造徐州电信品牌”为思路，使创建工作整体水平不断提高。近年来，该局积极培养和树立徐州电信营业处这一体现时代精神和行业风尚的先进典型，得到了社会各界和各级领导的充分肯定。2000年9月11日，中国电信集团公司召开电视电话会议，号召全国电信系统学习徐州电信营业处的先进事迹，并授予他们“基层思想政治工作先进单位”光荣。电信营业处先后获得全国青年文明号、全国巾帼文明示范岗、省五一劳动奖状等荣誉。在实践中，该局帮助电信营业处总结出做好思想政治工作的“三论”（小鱼论、木桶论、微笑论）和搞好优质服务的“六字真经”（固本、务实、律己）、“三心”（上心、知心、倾心）等成功经验，通过各种宣传方式在全系统大力宣传推广。

（江苏省文明办）

安徽省商之都商场

商之都商场为开展诚信经营、优质服务竞赛活动，推出知识化、情感化的“明星柜组”特色服务，它们分别以商场里的全国劳模、优质服务标兵的名字命名，以诚信服务吸引了广大顾客。

商之都自开业以来，就始终坚持“以文促商、以节兴店、以人为本、以德为魂”的经营宗旨，引导员工爱岗敬业、诚信待客、优质服务。他们请北京的劳模进店传经授道，示范服务，支持许多公益性的社会活动，培养员工的商业道德，提高诚信服务的意识。6年来，商之都累计总营业额达46亿元，仅2001年一年的营业额就达14.5亿元，居全国商业零售企业“五十强”的第24位。

商之都继承古徽商“诚信礼仁”的经营理念，制定了20多条服务承诺和商品质量承诺。

“团结、务实、诚信、开拓”是商之都的座右铭，每天早上8点20分，商之都所有员工都会站在商场前的广场上，集体朗诵两遍，然后才进店上班，这已成了商之都员工们多年来必修的早课。升国旗、上早课、开辟“明星柜组”，商之都的企业文化和员工教育方式，成为安徽商界一道亮丽的风景线。

营业员素质的高低是商场服务质量好坏的一面镜子，营业员是否诚信经营，服务热不热情、对顾客有没有耐心，都关系到商场信誉。2002年，一位顾客打电话来要买一条跳舞毯，在两个月内，营业员先后5次上门服务，包括送货、维修、调换等，卖了一条148元的跳舞毯，营业员仅打的费就花了20多元，但他们没有一句怨言，最后这位顾客专门给商场送来一面锦旗。

诚信经营和优质服务，使商之都声誉日隆，成为安徽商界跃出的一匹黑马。商之都先后荣获全国购物放心店和全国质量最佳企业等荣誉称号。

（安徽省文明办）

江西省赣州市市政养护处下水道班

近年来，江西省赣州市市政工程管理养护处下水道班先后荣获了2000年度省级青年文明号、全国巾帼文明示范岗、市十佳青年文明号等称号，并获得2001年度全国五一劳动奖状，涌现出全国劳模郭荣英、建设部劳模宋治干等一批先进人物。

冲破旧世俗，汗水写春秋。下水道班共有25名职工，担负着市区160多条大街小巷约90公里长的下水道和近600座窨井的疏浚、养护以及城市防汛排涝任务。下水道疏浚是一个最脏、最苦、最累、最险的差事，是一个常年“不见天日”的工种。他们要用钩子拉开近300公斤重的窨井盖，站在臭气扑鼻的井口用耙子掏污泥，一个工作日要掏10多座窨井，掏出污泥达3000多公斤。夏季，井内、沟内的毒气、强腐蚀性污水、毒蛇、毒蚊令人生畏，加上沟道中段含氧量低和阴沟本身发出的难闻气味，使人感到气闷、不适，那种恶劣的工作环境不是一般人能承受得了的。可他们却次次主动爬到作业面，连续作业几个小时，直到完成任务。

平凡的岗位，崇高的精神。赣州城的下水道系统是以宋朝所建的福寿沟为主体的排水系统，是城区排水系统主干道，最狭小处直径不足60厘米，距地面最深处有七八米深。疏浚这样的下水道难度相当大，全凭手工作业。他们要穿着沉重的水裤下到阴沟里，用铁锹把污泥铲到簸箕里，再传到井口，用绳子拉到井上。有时还要用竹节捅，甚至用手掏。遇上沟道窄小，下水道班的工人们只能跪着作业，阴沟里的石头、瓦片、碎碴子刺得膝盖钻心痛。2000年5月，金井巷段老福寿沟发生塌陷，堵塞了沟道，造成大片居民生活区下水道污水外溢。宋治干、郭荣英钻进直径仅60厘米的沟道，轮流卧、躺在腥臭的沟底，挖一段，清一段，跪着往前挪动着疏浚，又一块砖、一刀泥地修补着塌陷的下水道。下雨天，人们往屋里躲，下水道班的职工们却披上雨衣往外冲，在全市各路段巡查，清除路面积水，为民排忧解难。可以说，一年365天，他们难得清闲一天。十几年里，下水道班的工人没有几个春节是在与家人团聚中度过的。

辛苦我一人，幸福千万家。下水道班的职工永远是工作第一。他们的工作早已突破时间、区域、行业的界限，没有分内分外之分。只要社会需要，市民需要，他们就毫不犹豫地献出真诚的心。市荷包塘居民小区开发时，小区内下水道未能与城区下水道接通，化粪池经常堵塞。2000年9月的一天晚上正遇大雨，下水道污水、粪便四溢，水淹了一米多高，他们向下水道班求援。班里郭荣英、宋治干等迅速赶到，呈现在他们眼前的是齐腰深的污水，下边污泥没及大腿，臭气熏天。可他们没有后退，而是埋头苦干，一直到第二天清早7时多，才全部疏浚完毕，地面积水排尽，居民们一片欢呼。下水道班的工人长年累月工作在这种恶劣的环境中，这样兢兢业业地工作，为的又是什么呢？一位在下水道班工作不到两年的青春少女赖训惠道出了他们的心声：“干这项工作，既苦、又脏，还时时充满危险。可每当我们清完一条沟、掏完一口井，看到污泥、污水排走，街上干干净净时，心里就有一种说不出的高兴。”据粗略统计：他们每年要在下水道摸爬滚打上万公里，从窨井里掏出的污泥能堆成一座山。严冬酷夏，沼气、毒气的熏蚀，90%以上的职工患有不同程度的皮肤病，可是，他们依旧恪尽职守、兢兢业业地疏通着赣州城的“地下血脉”。

（江西省文明办）

江西省定南县检察院

2002年3月25日，定南县人民检察院再度被中共江西省委、省人民政府授予省文明单位荣誉称号。至此，定南县人民检察院已连续16年获此殊荣。

扎扎实实抓教育。定南县检察院历届党组认为，文明大计，教育为本。他们注重用马列主义、毛泽东思想、邓小平理论和“三个代表”重要思想武装干警的头脑，使干警们树立正确的世界观、人生观、价值观。为调动干警的学习热情，加深干警对政治理论的理解，他们采取不定期抽查学习笔记、组织干警考试、参加有关部门组织的理论知识竞赛等形式，增强学习效果。为培养既晓政治、又懂法律的人才，院党组每年都选派骨干赴市、省院参加专业知识培训。同时，不断加大教育投入，积极鼓励干警参加学历教育。自1986年以来，定南县检察院培训出了一批政治坚定、业务精通、作风过硬、纪律严明的检察队伍。定南县委、县人大对检察机关和检察干警的评价是：靠得住、素质高。

立足本职抓创建。定南县检察院历届党组认为，检察机关的文明创建必须立足本职并突出检察机关的特色。首先是能监督。即检察人员能够辨别哪些是司法实践中超越法律界线的行为，以此展现公正执法形象。其次是敢监督。敢监督需要勇气，需要公而忘私，需要一身正气。再次是善监督。即监督中要讲究方式方法，文明得体，使受监督对象心服口服。十几年来，定南县检察院果敢查处了一批震动全市的大案要案，体现了检察机关整治腐败的决心，赢得了人民群众的信任和支持。

围绕中心抓共建。为充分发挥检察机关在经济建设中的作用，定南县检察院注重以下两个方面的工作。一是抓打击。16年来经检察机关查处的各类经济案件151件，维护了县域经济的良好运行。对坑骗外商的案件一经发现坚决予以查处，维护外商合法权益。二是抓预防。2000年定南县检察院向县委报送了《关于预防职务犯罪的工作意见》，县委成立了“定南县预防职务犯罪工作领导小组”，下发《定南县预防职务犯罪工作方案》，较好地防止和减少了经济案件的发生。

规范有序抓养成。文明单位创建中，定南县检察院十分重视制度建设，将精神文明创建纳入制度化、规范化轨道，已形成了一套较完善的《制度汇编》，机关内部事务管理已纳入40项制度之中。为增强干警的文明执法意识，编制了《定南县检察院精神文明建设手册》，其内容基本涵盖了日常工作、生活的方方面面。2002年，又根据最高检察院公布的《检察人员职业道德规范》，编写了《检察职业道德三字歌》，收到了较好的教育效果。

与时俱进争先锋。从1986年创建第一届省级文明单位到2002年的16年来，定南县检察院坚持与时俱进，不断开拓创建工作新局面。从第一届文明创建工作起，他们对县文明办组织的每一项活动，都满腔热情积极参与，并发挥排头兵作用，并结合工作特点，开展文明共建活动。近年来，针对低龄化犯罪有所上升的情况，主动向县委提出与县职业中学、逸夫小学建立文明共建联系点，定期派出检察官给学生上法制教育课。两所学校校风明显好转，无一名学生受到刑事处罚。

（江西省文明办）

湖南省常德市

2002年，常德市获得了全国创建文明城市工作先进市的殊荣。

把创建文明城市与实施“以德治市”方略结合起来。常德市把深入宣传、贯彻《公民道德建设实施纲要》作为创文明城市的一项重要内容，使“以德治市”的要求深入人心。他们把公民道德规范具体到每一个单位、每一个社会成员，倡导为官要讲官德，为商要讲商德，为师要讲师德，为医要讲医德。大力提倡从我做起，从现在做起，从一言一行做起，从小事琐事做起，形成“人人维护常德形象、个个体现常德文明”的良好氛围。

把创建文明城市与建设学习型城市结合起来。常德市委、市政府认为，一个文明城市，首先应该是一个学习型的城市，为此，常德市大力开展领导班子读书、单位读书、家庭读书活动，大力建设学习型机关、学习型社区、学习型家庭。经常组织各类学习班，经常开展读书报告活动，大力表彰学习模范，努力形成热爱学习、崇尚知识的良好风气。

把创建文明城市与优化经济环境结合起来。常德市通过抓环境治理，进一步丰富创建内涵；通过抓城市创建，有效地促进环境的优化。积极开展文明行业创建活动，各窗口行业结合实际，制定《行业道德规范》，大力推行承诺服务，提高办事效率和服务水平，塑造服务品牌，树立常德形象。增强全体市民的环境意识，认真落实优化环境的责任制。市里出台了关于领导干部引咎辞职的暂行规定、国家公务员违反优化经济环境有关规定给予辞退的暂行办法，并接受广大市民的监督。

把创建文明城市与转变干部作风结合起来。常德市委、市政府提出，必须大力加强干部作风建设，塑造人民公仆的良好形象。要求各级干部特别是领导干部以身作则，率先垂范，把转变作风的落脚点放在为民办实事上，从多数市民最关心的事情做起，从方便市民生活的事情做起，从市民反映强烈的具体事情做起，使人民群众在创建活动中得到实实在在的好处。

（湖南省文明办）

海南省邮政运输局

海南省邮政运输局连续4年被评为全省邮政系统双文明建设先进单位，先后被评为全国总工会安康杯竞赛优胜企业、海南省文明单位、海南省委省政府2000年防风抢险先进集体、海南省总工会模范职工之家、海南省思想政治工作先进企业、省直机关工委文明单位，2002年被评为全国精神文明建设工作先进单位。

深化改革，强化管理，不断发展壮大企业实力。深化内部改革，将企业引向现代企业制度之路。在人事制度改革方面，认真落实干部聘任制、试用期制和任前公示制。在机构改革方面，将原来管理部门和管理人员分别减少20%。在劳动用工方面，抓好定员定编，成功分流职工105名。四是分配制度改革，实行岗位工资制、计件工资制。

强化管理，不断提高全网运行质量和效率效

益。建立健全各项规章制度，先后制定了“通信生产指挥调度管理办法”、“内部经营责任制考核实施办法”、“绩效考核实施办法”、“职工代表大会条例实施细则”等70多个规章制度，做到有章可循、有据可依、依章办事。理顺各种关系，不断优化网路结构和内部作业组织，在国内率先在干线邮路上使用集装箱和信盒运邮，效益明显，5年共节约成本1058万元。

加强领导，健全机制，完善创建组织。按照“谁主管谁负责”的原则，建立健全精神文明创建工作机制，形成了齐抓共管局面。健全组织体系。《生产经营责任制》中明确规定各科室的精神文明创建要求，召开精神文明建设联席会议，明确任务，确定重点，落实责任。两个文明齐抓。把精神文明创建工作与生产经营工作同步布置安排，同步检查落实，同步考核评比。强化责任体系。把精神文明创建工作作为科室负责人的任期目标。

结合形势，与时俱进，加强思想政治工作。抓好党组织的建设。坚持解放思想，与时俱进。要求党员干部做到四个“树立”：树立不断进取的创业精神；树立敢为人先，在困难中抓机遇的意识；树立艰苦奋斗，无私奉献的精神；树立依靠科技兴邮，注重质量、安全和效益的发展观。保持与职工的血肉联系，取信于民。局领导常带领部门负责人深入班组，倾听职工呼声，关心职工疾苦，解决职工关心的焦点热点难点问题，极大增强了企业的凝聚力。

加强职工思想教育。结合时事形势、邮政发展形势和本单位实际，通过宣传板报、形势报告、知识竞赛、“三五”普法、女工维权活动等多种形式，开展生动实际的思想教育。召开各种类型的座谈会，与职工沟通思想，征求意见，谋求共识。建立健全思想政治工作联系点制度，广大职工树立正确的“三观”，较好地处理了企业发展与个人的关系，爱岗敬业、拼搏进取的精神在海南省邮政运输局蔚然成风。

围绕目标，循序渐进，深入开展形式多样的创建活动。积极推进社会道德教育，在职工中倡导诚实可信、遵纪守法、奉献爱心的品质。5年来有40多名职工家庭被评为市级、省级五好文明家庭，有170人次职工被评为文明职工。

每年都组织开展“质量月”、“安全周”、“安康杯”劳动竞赛，举办各种专业技能培训班，鼓励职工接受在职学历再教育，现在全局大专以上学历占职工人数的25.1%，高于全国邮政系统平均水平。

5年来，先后举办了“双依靠”杯职工演讲比赛、“五一”职工卡拉OK比赛以及各种球类比赛，组织党员和入党积极分子参观临高角渡海纪念碑，组织一线职工、先进个人和内退职工到岛内外旅游度假。经常走访慰问产妇、病休及困难职工，发放困难补助费及慰问品。建立职工图书室，为职工提供丰富的精神粮食。征集提炼了“团结协作，改革创新，优质高效，争创一流”的企业精神，建立了企业文化发展室，制作了名人名言、文明用语警示牌，营造积极向上的文化氛围。

（海南省文明办）

海南省海口市邮政局

海口市邮政局把“用户需要是我们的工作范围，用户满意是我们的工作标准，用户感动是我们服务的追求”作为全局的服务准则，致力于为社会提供高质量的服务。

增强服务功能，提升邮政通信服务综合优势。2002年，海口市邮政局新建5处邮政服务中心，先后改造了一批营业厅，树立服务示范窗口，实行规范建设，统一标识，统一设施安放，统一服务标准。至2002年底，海口市邮政营业电子化网点已达38个，信报箱群32处，单体信报箱8000多个，邮储通存通兑网点61处，另外，22台ATM自动取款机投入使用。理顺在海口出版以及分印报纸的生产作业时间，优化了速递代办网点收取邮件的作业组织。在技术支撑上，顺利实施了电子汇兑新增网点以及业务的切换，使全局网点开办电子汇兑业务覆盖面达100%，为客户提供了良好方便快捷的用邮环境。

恪守用户至上原则，推行便民服务措施。该局不断拓展为客户服务的绿色通道，推行了一系列便民服务措施。一是实施“四进工程”，推行邮政服务进社区、进校园、进军营、进商厦，开办收寄函件、包裹、汇款、特快专递、报刊收订，以及邮件代投。同时，还实行特色服务，服务方式、服务时间以满足用户需求为原则，根据用户工作生活作息时间（尤其是上班族）实行分时段作业，延时服务，预约服务，上门投递实物、办理邮政业务。二是建立“无形窗口”，加大服务窗口的延伸，该局充分运用邮政“185”服务平台，为用户提供多层次、多样化的服务。“只要您拨打185，剩下的事由我们来做”。自2001年以来，该局已成功开展多种便民配送业务。三是推行细化服务，开展“多说一句话”和“每天熟记一位用户”活动以及优质服务月活动。

提高企业信用知名度，塑造诚信企业形象。为建立和完善信用制度，该局近年设立了邮政行业管理专门机构，配备专职执法队伍，按市场法规和企业信条严格规范企业行为。一是重合同、守信用。未发生因合同签订或履行失约而引起的经济纠纷，合同履行率达100%。二是依法经营，有序竞争。企业以及所属二级单位每年按时年检，办理《营业执照》，执行“两证亮证”经营。三是加强企业内部经营行为的监管，开展代办网点的检查和清理。四是坚决杜绝报刊和音像制品从非法渠道进入，确保消费者的权益。五是加强市场检查执法力度，维护邮政企业合法经营权。对非邮政速递公司非法经营信函业务的行为进行严肃查处；还依法查处了三家个体商擅自设置信箱收寄信件的违法经营行为。规范了邮政经营市场秩序，保护了公民的通信权力和通信秘密。

深化服务理念，提高队伍素质，是夯实诚信品牌的基础。围绕省市委“以德治省，诚实守信”的战略方针，开展一系列教育实践活动。一是开展公民道德诚实守法教育、理想信念和党风廉政建设教育。二是组织开展“双依靠”活动，树立“我是省会邮政人”精神，深化“海口省会邮政人”的服务理念和勇于拼搏的精神。三是启动“职工素质三个工程”，实行职工职业道德教育，新职工上岗前教育培训、岗位技能培训、礼仪培训等，培训率达84%。四是开展“优质服务月”活动，推行“星级服务”，涌现出一批全国邮政服务“双十佳、双百优”先进集体和先进个人。五是推行“客户代表制”，为大客户配备专职客户代表，不断满足客户的服务需求。六是建立“用户首问负责制度”，设立“局长接待日”，建立三级监督检查网络，增加邮政管理和服务工作的透明度。七是将违诺责任按经营承包责任制落实到单位、个人，强调“谁砸邮政的牌子，邮局就砸谁的饭碗”，一旦违诺按章从严处理。诚信为本、承诺服务、用户至上的理念已牢牢地根植于广大干部职工心中。2002年，该局被海南省委宣传部等八部门联合授予文明诚信企业称号，荣获海口市精神文明单位标兵、海南省精神文明建设标兵单位称号。

（海南省文明办）

海南省琼海市交通运输管理总站

琼海市交通运输管理总站坚持交通执法管理与“建诚信窗口、创文明行业”活动紧密结合，不断提高精神文明建设水平，连续多年被海南省委省政府、交通部评为精神文明建设先进单位，2002年被中央文明委授予全国精神文明建设工作先进单位称号。

领导带头抓创建，保证创建活动落到实处。局领导把创建文明行业活动作为实践“三个代表”重要思想的重要举措，按照市创建活动领导小组部署，成立了由“一把手”为主任的活动办公室，派一名副局长专门负责这项工作。同时，制订活动方案，做到创建活动与交管业务工作一起部署，同步落实，相应考核。局领导班子成员发挥示范作用。局长身先士卒，交管总站站长以站为家，以苦为荣，奔波于交管第一线。领导的模范作用带动了全站人员，讲职业道德，建诚信窗口，创文明行业成为该站上下的自觉行动。这些年来，交管总站先后30次荣获交通部及省、市有关部门的表彰奖励；有5人被省有关部门评为先进工作者。

软件硬件双管齐下，营造一流服务窗口。投资32万元建设运政服务大厅，购置先进办公设备并建立网络管理系统，实现运政服务“一条龙”管理。在服务大厅张挂“道路运输政务公开栏”、“违章处理罚款标准”、“窗口办理道路运输业务程序”、“行政事业性收费标准”等文字图表，让每个进门办事的人一目了然。同时，对交管队伍实行制度化管理，建立健全“交通运政执法职业道德基本规范”、“工作守则”、“依法行政八不准、八公开”等制度，建立监督岗、投诉箱，人员的升迁、奖惩都与群众的反映、评价相联系。设立“绿色通道”专台，实行优先服务，促使运政服务向更深层次拓展。该站文明高效的服务水准不但受到市内运输业主的称赞，而且还吸引了外地业主宁愿舍近求远，到该市入户从事运营。到目前为止，已有130多辆外市县车辆在琼海办理入户手续。

探索“三结合”的管理方法，不断提高运政管理水平。教育与处罚相结合，该站在严格执法的同时，大力宣传交通法规，增强人们的交通法制观念。繁荣与有序相结合，在严格整顿治理的同时，妥善地做好分流疏导工作。“防病”和“治病”相结合，坚持安全生产第一，把运政管理推向源头，加强安全教育与防范，促进安全生产和文明运营。通过文明执法和优化服务，新开辟了5条市内旅游公交专线，投入公交车40多辆，标准规范出租车256余辆，使全市公交车发展到198辆，线路35条，覆盖城乡墟镇村落；货运车辆发展到1520辆，网络遍及全国各地，有力地促进了当地经济发展和社会进步。

加强职业道德建设，树立廉洁清新的行风。加强对运政人员思想政治教育，在运政队伍中开展“争当人民满意的运政员”活动。加强队伍的职业道德教育和业务培训，组织学习《交通职业道德规范》和交通部颁发的32句文明服务用语，积极参加省市“交通法规培训班”、“岗位技能培训班”等，培养员工爱岗敬业的精神，从而使运政人员政治和业务素质大大提高，讲文明、倡廉洁、守诚信成为运政队伍的新风尚。积极参与社会公益事业建设，捐资赠物支持水利、道路、学校建设和扶贫助残等，树立起良好的运政队伍形象。

（海南省文明办）

四川省乐山市民政局

多年来，乐山市民政局紧密结合民政系统实际，发扬“孺子牛”精神，广泛深入地开展文明行业创建活动，取得丰硕成果。1998年建成市级文明单位，2000年建成省级文明单位，2001年全市民政系统建成市级文明行业，2002年被评为全国创建文明行业工作先进单位，受到中央文明委的表彰。

在履行工作职能的过程中，市民政局始终坚持服务人民、奉献社会这个宗旨，把创建文明单位、文明行业工作摆在了民政工作的重要位置，列入了行政和党建工作目标管理。1997年率先在全市开展以“政务公开、优质服务、树文明新风”

为主要内容的创建文明行业活动，在全市民政系统建立健全了各类服务规范标准，实行“政务公开”，制定下发全市民政系统行风评议标准，广泛开展社会服务承诺制度。如市精神病院承诺对下岗职工和退伍军人就医免挂号费、减医疗费；市殡仪馆实行24小时值班等。市精神病院、市社会福利院建成了全省一级城市社会福利事业单位、市级文明单位。

1998年以来，市民政系统每年至少有一项工作列入市委、市政府为民办的10件实事之中。1998年开展实施城市居民最低生活保障工作，闯出了一条新路子，走在全省的前列。1999年实施“安身工程”，多方筹集资金5130万元，为1万2千多户特困户、优抚对象建房4万4千多间，总面积达85万平方米，在全省再次名列前茅。2000年，提出争创省级双拥模范城，得到市委、市政府的重视和支持。通过创建，军政军民更加团结，老复员军人住房难、生活难、治病难的“三难”问题得到了较好解决，乐山市被省委、省政府、省军区命名为省级双拥模范城。2001年，市民政局为3000户灾民重建“安身房”，农村村民最低生活保障面扩大了2000户。2002年，城市居民最低生活保障在6月份就全面完成全覆盖，发放低保金3018.9万元，77745人享受到低保待遇，创建全国双拥模范城已全面完成迎检工作，各项硬指标全部落实。

文明行业的建设，有力促进了全市民政事业的发展。全市民政宣传、教育、优抚安置、救灾救济、勘界、基层政权建设、有奖募捐、殡葬改革等十多项工作都进入了全省先进行列。市民政局连续5年被市委、市政府评为综合目标管理先进单位；连续5年被省民政厅评为全省民政工作先进单位，局直属机关党委连续6年被评为市直机关党建工作先进单位。全市民政系统在民族团结、计划生育、绿化、安全、保密、档案、统计等工作中，多次被评为先进。市民政局被国家民政部评为法制宣传教育工作先进集体。

（四川省文明办）

四川石油管理局南充炼油厂

南充炼油厂坚持“以质量求生存、以品种求发展、靠科技找出路”的18字方针，一手抓物质文明建设，一手抓群众性的精神文明创建活动，取得显著成效。1985年荣获四川省文明单位后，至2002年，已获得5届四川省最佳文明单位称号，并先后获全国用户满意企业、全国环境保护先进企业、全国职工合理化建议和技术改进活动先进集体、四川省职工思想政治工作先进集体等100多个国家、省、部、市、局级表彰和荣誉称号。

来之不易的成绩，其重要的动力之源是具有鲜明“南炼”特色的群众性精神文明建设活动。

建立精神文明建设责任区。厂党委书记、各总支、支部书记均为本单位、本部门精神文明建设第一责任人。注重发挥党团员的示范带动作用，在各基层支部设立了党员示范岗、党员示范班组和青年安全示范岗。培育“求实、服务、团结、奋进”的“南炼精神”，把领导示范、政策引导、舆论灌注和群众自励四要素有机结合在一起，形成求实的良好局面。把“南炼光荣我光荣，我为南炼增光荣”的强烈实践性和鲜明的职业特性转化为职工的坚定信念和行为规范。使“为用户服务就是为人民服务”的经营理念深入人心，在全厂形成了团结拼搏的局面。

开展以“争当文明职工，争创文明岗位，争建文明工厂”为主题的文明单位细胞建设活动。坚持每两年开展一次文明职工评比工作，激励大家敬业爱岗，多做奉献。加强制度建设，使年初有规划，月底有检查，年终有总结的精神文明建设目标管理落到职工生产、生活的每个环节。加强文明小区建设，制定了《文明小区公约》、《卫生行为规范》等规章制度。坚持不定期地开展“五好家庭”、“文明家庭”的评比、复查、命名工作，形成了“不重金钱重名誉，流着眼泪争荣誉”的氛围。“五好家庭”和“文明家庭”总户数达到社区总户数的60%以上。四川省文明办曾用简报的形式，在全省推广了工厂的经验和做法。

认真做好深化改革过程中的思想政治工作，确保重组改制工作顺利进行。1999年下半年，南充炼油厂全面进行重组改制工作。将原来的炼油生产、产品营销等4大块从母体中分离后，重新组成了中油股份公司西南油气田分公司南充炼油化工总厂。存续部分即现在的四川石油管理局南充炼油厂从主业中分离后，主要业务是为南充炼油化工总厂提供炼油生产服务、工程技术服务，并从事多种经营。由于工厂注重做好深化改革过程中的政策解释和一人一事的思想工作，重组改制工作在两个月内顺利完成。从2000年1月1日两厂分开运行至今，物质文明和精神文明建设均得到持续发展，原油加工量和上缴利税保持了8%的增长势头。

（四川省文明办）

陕西省宝鸡市

宝鸡市是我国西部一座发展中的新兴工贸城市。从1986年以来连续16年受到陕西省委、省政府表彰奖励，先后荣获全国双拥模范城市、全国优秀旅游城市、全国园林城市、全国公益明星城市称号，2002年被中央文明委表彰为全国创建文明城市工作先进城市。

思想道德教育突出特色，市民的道德素质得到全面提升。围绕贯彻《公民道德建设实施纲要》，通过多种形式开展爱国主义教育“五颂”系列活动。以全市2000多所文明市民学校为阵地，以《宝鸡市文明市民读本》为基本教材，有计划、有组织、按阶段、分层次对全体市民进行社会公德培训，增强市民的公德意识。印制了《宝鸡市市民文明公约》宣传挂图，在各单位广为张贴。广泛开展“怎样做一个文明市民大讨论”以及“塑造宝鸡形象、从我做起”、“宝鸡是我家、建设靠大家”、“人人都是投资环境、个个都是宝鸡形象”等主题教育活动。举办了全市道德知识竞赛、学习《纲要》演讲比赛、“道德之光”大型文艺晚会。统一印制20字公民基本道德规范挂图，在各窗口单位制作了永久性标语牌，制定了各行各业行为准则15类。开展“学纲要、讲道德、树新风”、“爱护美好家园，争做文明市民”道德实践主题活动，道德规范逐渐变成人们的自觉行动。

群众性创建活动注重实效，全市文明程度不断提高。坚持不懈地开展文明大院、文明单位、文明校园、文明行业、文明村镇、文明家庭、文明楼院和文明小区等系列群众性精神文明创建活动。以市区东、南、西、北进出口和居民聚居区为重点，加大投入力度，加快小区基础设施硬件建设步伐，创造优美环境。在全市商务、卫生、公安、交通、邮电、供电、工商、税务、金融等33个窗口行业开展了以优质规范服务、端正行业风气、树立文明行业形象为主要内容的“创佳评差”竞赛活动。在商务、卫生、粮食、电信、金融等行业确定了28个示范点。开展百城万店无假货活动，狠抓行风建设和规范服务，实行服务承诺制。全市自下而上广泛开展“讲职业道德、树行业新风”演讲活动。组织新闻媒体开展“走近窗口看服务”明察暗访活动。开通“市长热线”直播节目，现场解决问题，被称为“架在政府和百姓间的连心桥”。

城市建设和管理力度加大，“最佳人居环境”正在形成。按照“外向型、多功能、现代化、生态化、有特色”的城市总体规划要求，围绕市委、市政府提出的创造“最佳人居环境”的目标，相继建成了40多项商贸、金融、服务、文化娱乐等大型重点工程。率先在西北地区推行城市管理执法改革，组建了城市管理行政执法局。先后制定颁布了20多个城市管理的法规、办法，把城市市容管理工作纳入法制化轨道。不断探索和完善了“两级政府，三级管理，四级网络”的城市管理模式。按照“分阶段、抓重点、打战役、掀高潮”的思路，扎实开展了城市环境综合整治活动，市区人均绿地达8平方米，呈现出碧水、蓝天、绿地的美好景象，得到了广大市民的普遍称赞。

建起了功能齐全、设施先进的文化、体育设施，完善了县、乡、村三级文化馆、站、室文化网络，群众性文化活动蓬勃开展。教育改革和教育质量在全省居领先地位。卫生事业不断发展，医疗卫生条件逐步改善。全市基本形成了预防、保健、医疗、康复、教育等结构合理的卫生服务网络体系，为广大人民群众提供了基本医疗卫生保健服务。

（陕西省文明办）

陕 西 省 文 物 局

陕西是中华民族的重要发祥地，先后有14个王朝在此建都。地上地下文物遗存十分丰厚。多年来，陕西省文物局结合文物工作实际，广泛深入地开展以“优良秩序、优质服务、优美环境、优秀陈列”为内容的精神文明创建活动，在陕西省开展的窗口行业“创佳评差”竞赛活动中，连续数年被评为全省“最佳厅局”，受到陕西省委、省政府的表彰奖励。

加强教育，建设高素质职工队伍。陕西省文物局以提高干部职工的素质为目标，开展思想道德教育。一是认真组织学习邓小平理论和“三个代表”重要思想，深入进行基本理论、基本纲领、基本路线和基本经验教育，坚定干部职工的理想、信念。二是认真贯彻《公民道德建设实施纲要》。制定《文物工作者职业道德规范和博物馆工作规划》，修订博物馆、纪念馆《服务规范》、《岗位守则》，狠抓职工道德规范的落实和热点、难点问题的解决，以良好的道德行为塑造行业形象。三是加强对博物馆、纪念馆和文管所讲解员的培训。举办讲解员培训班，建立专职、兼职和志愿者相结合的宣教讲解队伍。举办讲解大赛，交流评比讲解业务，选拔优秀讲解员。组成爱国主义教育宣讲小分队到各大专院校和党政机关巡回宣讲，场场座无虚席，广泛好评。

开展活动，把博物馆、纪念馆建成传播先进文化的阵地。陕西省文物局坚持以文物为独特教材，组织开展生动活泼的活动，把博物馆、纪念馆建成宣传先进文化、传播社会主义精神文明的重要阵地。各博物馆对学校有组织的学生参观实行免票，省内外各院校纷纷组织学生参观，收到良好的社会效益。各博物馆、纪念馆结合形势，发挥优势，开展各种活动，扩大宣传教育效果。秦始皇兵马俑博物馆举行“三秦学子爱国情”征文仪式，产生强烈反响；汉阳陵考古陈列馆举办庆祝十六大文艺晚会；陕西历史博物馆举办《反对邪教、崇尚科学》展览和《台湾问题展》；西安事变纪念馆推出《一个中国——台湾历史与现实图片展》等等。各博物馆还组织一批精美文物，先后在成都、贵阳、杭州、苏州、哈尔滨、长春展出，引起轰动。延安革命纪念馆组织了“延安精神”巡回展览和延安精神流动宣传队，采取小专题和讲、唱、跳结合的形式，在省内以及河北、北京、山东、上海、云南等地巡回展览和宣传。几年来，宣讲近百场，听众达10万人，陕西历史博物馆与高校学生志愿者开展“寻找周人故里”冬令营活动，进行生动的历史文化和爱国主义教育，产生了广泛而深远的社会影响。

强化管理，把文物旅游景点建成传播精神文明的窗口。多年来，该局以创建优秀文物景区景点为重点，加强管理，加大投入，使文物旅游景区景点面貌焕然一新。首先对景区内存在的建筑质量低劣、风格混杂、卫生脏乱、当地居民和商家沿街叫卖、误导游客、严重破坏陕西文物旅游大省形象的问题，加强治理整顿，加大投资进行改造，净化环境。其次，突出重点，进一步加强节假日期间的旅游秩序和文物安全工作。坚持做到“安全、秩序、质量、效益”，实现“零事故”，确保了文物和游客安全。第三，下工夫抓示范单位的软件和硬件建设。一方面完善管理办法，提高管理水平；另一方面加大投入，改善硬件条件。各馆都投入了大量资金，对环境进行整治和绿化，拓宽门前道路，换土栽树、种植草皮。健全完善服务承诺制和监督制约制度，改进管理机制，提高窗口单位的服务质量和服务水平。实施目标管理，制定和完善接待、门票管理、考勤、奖惩等制度，使管理走上有序规范的轨道。加强对馆藏文物的管理，做到了制度健全、账目清楚、鉴定准确、编目详细、保管妥善、查阅方便。目前，全省已有70余所博物馆、纪念馆被市县（区）确定为社会教育基地单位、校外德育基地单位，与500余所各类大、中、小学校，30多个厂矿、部队签订了教育基地协议书和共建协议书，每年接待国内外观众千余万人次，产生了良好的社会效益和经济效益。

（陕西省文明办）

陕西省延安市供电局

陕西省延安市供电局先后被省委、省政府授予省级文明单位、省级文明单位标兵，被国家电力公司授予双文明单位、一流供电企业、电力市场整顿和优质服务年活动先进集体等称号，被中央文明委表彰为全国创建文明行业工作先进单位。

加强人才建设。认真贯彻科教兴企战略，以思想道德建设和科学文化建设为主线，从理想信念教育入手，不断进行爱国主义、社会主义、集体主义教育，引导干部职工树立正确的世界观、人生观、价值观。重视人才的储备和开发，选送业务尖子到各类院校进修培训。2000—2002年，共举办各类培训班55期，培训人员1516人次。开展各种形式的技术比武和岗位练兵活动，鼓励职工岗位成才，每年拿出10万元重奖科技人才，鼓励职工开展科技创新，参与科技运用。通过教育培训，建设了一支政治合格、业务精通、纪律严明、作风过硬的职工队伍。职工上报的科研项目、改革成果达230多项，申报科技进步项目150多项。

加强形象建设。多年来，坚持开展“为人民服务、树行业新风”、“塑造行业新形象”、“创佳评差”、“民主评议行风”等活动，实行局领导带队走访客户制度，组建客户服务中心和配备客户代表。实行24小时值班制度，随时受理客户的咨询、报装、维修、投诉等业务。开展业务宣传，帮助客户选择经济、合理、可行的用电方案。与相关部门协同配合推行“综合检修”、“零点检修”业务，努力做到“服务始于客户要求，终于客户满意”。先后建成国家电力公司授予的“为人民服务树行业新风”示范窗口3个，市级文明示范窗口6个。延安市文明办、纠风办联合授予该局“塑造行业新形象、创建文明示范窗口先进单位”、行风建设先进系统称号，民主评议行风连续3年获第一名。

开展多种形式创建活动。坚持开展创建文明单位、文明科室、文明班组、文明院落、文明楼群活动；开展创建“青年文明号”、“岗位能手”活动。加强检查监督，加强评比，已建成的“青年文明号”有国家级一个、省级一个、市级两个、省电力系统一个。全局90%以上的基层单位建成各级文明单位，刑事案件、黄赌毒已被杜绝，职工精神面貌焕然一新。

加强企业文化建设。建设具有延安供电局特色的企业文化，逐步形成了企业宗旨、企业精神、企业形象、企业风尚、经营理念、经营战略、行为取向、价值观念、员工行为标准及企业文体活动模式等企业文化规范。组织丰富多彩的职工文化体育活动，活跃职工生活，激发职工团结、向上、奋发进取的精神。

加强安居乐业工程建设。关心职工生活，切实为职工解决生活困难，营造安居乐业的环境。经多年努力，凡已婚职工，都可分配到成套单位住宅。不断改善生活居住条件，净化、绿化、美化生产、生活环境，植树种草，凡可绿化面积已全部绿化。各科室生产办公环境标准化，整齐、整洁、优美。

（陕西省文明办）

甘肃省嘉峪关市

甘肃省嘉峪关市按照“依托酒钢、发展特色，立足区域、扩大开放，依靠科技、超常发展，努力把嘉峪关市建设成为区域中心城市”的总体思路，以“四城”建设为着力点，坚持“高起点、高标准、高质量，争创一流”，两个文明建设共同促进，各项事业取得了长足发展。先后获得全国卫生城市、全国双拥模范、中国优秀旅游城市、4A级旅游景区、全国环境综合整治优秀城市、中国摄影创作基地等荣誉，并于2002年跨入了全国文明城市行列。

紧扣发展主题开展创建。嘉峪关市委、市政府实施了超常发展的战略。地方工业采取“一退二保三发展”的战略，全市地方工业企业的国有资产全部退出工业领域，地方工业企业实现户户赢利。在商贸流通领域实施“名品名店经销、有规模有个性的连锁经销、专业化高品位的批发经销”三大发展战略。在发展旅游业方面突出了景区开发与基础设施建设、精品线路与精品景点培育、全民旅游全民办三个发展重点，实现旅游及相关产业收入9450万元，创历史最高水平。与此同时，通过开展“四城”创建，使城市形象得到了提升，建设环境、投资环境、干事创业环境明显改善，全市现有一批私营企业形成规模，成为地方经济发展中最活跃的部分。

坚持以人为本规划一切。在“四城”建设中，嘉峪关市把以人为本的原则贯穿于“四城”建设的始终，一方面，坚持不懈地开展了社会公德、职业道德和家庭美德教育，大力宣传中央颁布的《公民道德建设实施纲要》、《嘉峪关市市民文明公约》和《嘉峪关市“三从八不”道德规范》，引导市民在社会做好公民、在单位做好职工、在家庭做好成员，并大力宣传了“三德”教育活动中涌现出来的先进典型和模范人物，促进了市民公德意识和良好社会风尚的形成；另一方面，通过“四城”创建活动，促进市民素质的不断提高，使过去破坏路灯等公物的情况得到改变，市电信局安装在道路两侧的700多部无人值守电话完好率也达到99%，人为破坏率几乎为零。地面草坪的灯、行道树下的灯和马路旁的垃圾桶被偷和破坏的现象已消失。自觉维护城市形象，创建美好家园，敢于同文明城市不相符的行为做斗争，已成为广大市民的自觉行动。

自强不息争创一流。嘉峪关地处戈壁深处，“一年一场风，从春刮到冬，风吹石头跑，遍地不长草”，是嘉峪关历史的真实写照。在这样一种环境中搞绿化、美化，难度相当大，每种活一棵树，需要投入360元。面对这样一种严酷的自然环境，全市人民自强不息，发扬“艰苦创业、坚忍不拔、勇于献身、开拓前进”的精神，他们以建设区域中心城市、花园城市、生态城市为目标，坚持高起点、高标准、高质量、创一流，并把“高一流”贯穿于创建“四城”的全过程。嘉峪关市近三年来的城市建设日新月异，高楼林立，绿树成阴，霓虹耀眼，迎宾湖旅游园区、雄关广场、酒钢水上欢乐园、科技馆、体育场、高层住宅小区、风格各异的建筑、街道灯饰、观赏树等，为嘉峪关营造出了浓厚的现代气息，成为戈壁深处的明珠。

全民共建形成强大合力。嘉峪关市积极倡导

"人民城市人民建，建好城市为人民"的观念，把组织群众、发动群众作为创建工作成败的关键来抓，形成了政府倡导、企业和单位支持、市民自发参与的创建格局。全市各基层单位除搞好本单位内部的环境建设外，还承担了全市的环境治理。驻嘉部队在训练紧张的条件下，先后出动兵力6900多人（次），车辆240台（次），参加了迎宾湖旅游园区、关城文化旅游景区、城区电网改造等建设。正是这种齐心协力的劲头，确保了"四城"创建任务的全面完成。

（甘肃省文明办）

甘肃省金昌市

甘肃省金昌市以夯实城市基础，打造城市品牌，营造温馨家园，服务人民群众为目标，从社区教育、建设、管理、服务等多方面入手，创建文明社区，全市共建成文明社区22个。2002年，甘肃省社区建设暨"星光计划"现场会在金昌市召开，金川区建成全国社区建设示范区，金昌市建成全国创建文明城市工作先进城市。

坚持以人为本，造福人民群众。全市以文明市民学校为阵地，常年对广大社区居民开展思想道德、环境保护、崇尚科学等教育和实践活动。全市36个社区普遍制定了自治章程、居民公约和公共道德规范等各项管理制度，使社区工作逐步迈向规范化。狠抓环境综合整治，注重环境育人。严格落实"门前四包、门内达标"责任制。把防治白色污染、清理死角垃圾、绿化美化街道、净化亮化楼道等列入争创全国文明城市"八个战役"。因地制宜开展以"四化"（绿化、美化、净化、硬化）、"三自"（自我教育、自我管理、自我服务）、"三无"（无刑事案件、无治安案件、无重大灾害事故）等为主要内容的创建活动。全市绿地面积由建市初的22.7公顷增加到529公顷，市区绿化覆盖率由建市初的2.4%增加到15.15%。建立健全安全防范机制，构建了群防群治的安全网络，使社区刑事案件逐年下降。

完善工作机制，积极开拓创新。按照有利于社区管理、社区资源共享和提高工作效率的原则，注重体制创新，对社区组成结构进行了优化。注重组织创新，在各社区建立了以党总支（支部）、群团组织、群众自治组织为主的社区建设组织体系，率先在全省实现了"一居一支"。加强社区党建工作，将社区内退休和下岗的党员纳入组织生活。注重机制创新，着力在社区建立和完善"社区为主、政府协调、部门配合、全民参与、各方支持"的社区建设格局，形成了横向衔接、部门联动，纵向成网、上下齐抓的社区建设运行机制。

加大投入力度，强化基础设施。全市投入2500万元建成了面积达12万平方米、可一次性容纳上万人开展文化体育活动的高标准人民文化广场，为市民晨练晚憩提供了方便。26个社区居委会全部建成了"六室一场"，配备了电话、电视机、电脑等现代化办公服务设施和各种文体活动器材，建成了社区局域网。实施让生活小区"亮起来、绿起来、净起来、治安好起来"工程，先后种植草坪10万平方米，修建花坛130多个，铺设彩砖4万平方米，使小区更加清洁美观。

弘扬先进文化，深化"四进社区"活动。各社区都设立了综合性的文化活动室、健身娱乐室和图书阅览室，组建文体队伍，每天活跃在社区、街道，并经常参加市、县（区）组织的文艺汇演和比赛。科教、文体、法律、卫生"四进社区"活动内容丰富，形式多样，活动经常。全市共成立各类社区服务站125个，成立法律咨询服务队、治安巡逻队、文艺服务队、卫生服务队等社区服务志愿者队伍132支，方便了群众生活，推动了居民生活质量的进一步提高。

突出共建特色，强化服务功能。在社区建设用地、项目建设、设施投资等方面，实行单位、个人等资源的有效整合，采取"设施共建、资源共享、事务共管、实事共办”的措施，完善文化娱乐室、医疗保健室、图书阅览室、日间照料室、室外活动场所等“四室一场”和警务室、服务管理室等，为社区居民就近从事各种活动提供了便利条件。注重服务机制和活动内容的丰富创新，积极推行便民服务和承诺规范服务，开展了扶贫济困、帮助就业、健康义诊、志愿者行动等便民活动和为老年人、残疾人服务活动，使全市 5332 户、14084 人享受到了最低生活保障，“社区是我家，建设靠大家”的社区理念日渐深入人心。

（甘肃省文明办）

甘肃省平凉市华亭县

素有“陇上明珠”之称的华亭县是甘肃省最大的煤炭工业基地。近年来，华亭县以建成中国西部绿色煤都为目标，深入开展精神文明建设系列创建活动，2002 年 10 月被中央文明委授予全国创建文明村镇工作先进县称号。

健全机制，全面落实精神文明建设工作任务。华亭县坚持把精神文明建设与经济建设同安排部署、同考核奖罚，做到了两个文明一起抓，两项成果一起要。一是健全组织领导机制。全县上下落实了“一把手”负责制，组建了精神文明建设领导机构，形成了上下一体、齐抓共管的组织领导体系。二是健全目标管理机制。按照《华亭县创建全国文明村镇工作先进县实施方案》要求，从 1997 年开始制定《精神文明建设目标管理责任书》，逐年完善《考核奖罚办法》，全面落实工作责任。三是健全督察考核机制。县文明委每年分年初、年中、年底进行 3 次以上工作督察，保证了精神文明建设工作的顺利进行。四是健全奖惩激励机制。表彰精神文明建设工作先进单位和个人，5 年来共兑现奖金 68.6 万元。五是健全资金投入机制。县财政每年按人均 0.25 元的标准预算思想政治工作经费、国防教育经费和精神文明建设基金，1997 年以来全县累计列支教科文卫、基础设施建设等经费 3484 万元。

以人为本，全方位营造奋发有为的发展氛围。围绕经济建设，狠抓集中性的以营造发展环境氛围为主题的思想教育活动。狠抓各级党委中心组的理论学习，每月开展一次集中学习。先后邀请 18 位领导、专家学者专题辅导。先后开展了“抓学习、鼓干劲、促发展”为主题的学习宣传活动、“西部大开发、华亭大发展”讨论活动和营造“三个环境”等全县集中性学习活动。安丰村“村民记笔记、富了脑袋富口袋”，被团中央树立为学习典型，西华乡编写的《乡规民约三字经》、山寨乡编写的《普法诗》、教育局编写的《师德三字经》和《学生一日常规三字歌》获得好评。坚持以社会公德、职业道德、学生品德、家庭美德“四个教育”为核心，强化《华亭人行为规范》教育。通过开展“弘扬华亭精神，争创一流工作”学习教育活动，开创了乡镇之间、单位之间、个人之间学先进、比贡献、快发展、求进步的工作新局面。加强全民国防教育。实现了连续 33 年征兵无退兵，荣获全省“双拥模范县”五连冠殊荣。

加大投入，进一步加强精神文明基础工程建设。加强文化阵地建设，开展丰富多彩的文体活动。电视入户率和华亭新闻节目覆盖率分别达到 96%、85% 以上。全县 80% 以上的单位建起了“二队”、“二室”、“一场”，基本实现了县有场馆、乡有站、村有室的目标。文化搭台，举办了两届“甘肃华亭矿区煤炭交易会”和“中国西部·华亭煤业经济技术交易会”，组织了有省内外 40 多位著名摄影家聚集华亭的甘肃省“华煤杯”摄影采风活动。在华亭成立了甘肃省陇山（莲花台）历史文化暨旅游开发研究会。组队参加了全国第二届秦腔大赛，两名演员分获一、二等奖。以县城改扩建为契机，实施绿化、美化、净化、亮化工程。完善了公交、通讯、给排水、灯景、绿化等配套建设。加大了安口等 6 个乡镇的建设力度，现代化新矿区已具雏形。实施科教兴县战略，社会事业全面发展。80%的学校实施了改扩建，“三园式”学校达到95%以上；所有乡镇和91%的村推行乡村卫生组织一体化管理，实行了药品集中采购；工农业生产新技术覆盖率达到92.5%。

城乡联动，不断提高精神文明建设整体水平。在全体公民中开展“做文明公民，建文明华亭”、争当百名“十佳”先进个人、十星级文明农户等评选活动；以塑造华亭新形象为主题开展了20多种创建活动。全县十星级文明农户、文明乡镇、文明村、文明单位已分别占到总数的12.5%、58%、13.6%和52%以上。县公安局、检察院、法院分别受到公安部、最高人民检察院、最高人民法院的表彰，县国税局被中央文明委授予全国创建文明行业工作先进单位称号。

（甘肃省文明办）

中国电信集团甘肃省电信公司

近年来，中国电信集团甘肃省电信公司把创建文明行业工作与企业改革发展目标贯穿融合，企业精神文明建设取得了丰硕成果。全省有85%以上的电信企业被评为各级文明单位，省级以上文明单位（行业）达到7个。其中，省电信公司被评为第三批全国创建文明行业示范点和全国精神文明建设工作先进单位，陇南地区电信局被评为全国创建文明行业工作先进单位。

把发展作为兴企立业的第一要务，服从和服务于地方经济发展。甘肃电信积极采用国内外先进信息通信技术，采取超常规发展战略，投资近百亿元，建成了一个覆盖范围广、技术层次高、服务手段先进的基础通信网和信息网。可向社会提供多种新业务，为甘肃经济社会的发展进步创造了优良的投资创业环境。作为甘肃省内的主要通信企业，甘肃电信不仅是省内最大的基础网络运营商，还是最大的接入商、电子商务应用开发商和系统集成商。被中国电信集团公司确定为推广电子商务的四个先进省份之一，网上报税、缴税系统、宽带互联网计费系统等等都具有国内领先水平。

在电信改革发展过程中，他们始终服从和服务于地方经济发展，积极配合农村“三通工程”建设，负债经营，为占全省80%以上的广大农民脱贫致富奔小康、建设文明乡村提供了良好的通信信息交流条件，产生了巨大的社会效益。2002年，全省电信电话用户总数从公司成立前的118万户增加到了300多万户，其中农村电话用户达到88万户，比公司成立前增长了9倍多。目前，全省电话普及率达到每百人12部，城市电话普及率达到每百人36部，已通电话的乡镇占全部乡镇的99%，已通电话的行政村比例达到70%。

以人为本，强化职业道德教育，培育电信企业文化。近几年，全省电信企业进一步完善企业主要领导对精神文明建设总负责的领导机制，党政工团齐抓共管的监督管理机制，两个文明建设同步考核奖惩的激励机制，部门分工负责、广大员工广泛参与的创建机制，形成工作合力，增强整体效应。狠抓员工的思想政治教育，本着育人先育德的原则，开展了企业发展形势教育、现代企业制度、市场经济理论、法律法规、思想道德、通信新业务新技术新知识等方面的培训教育，提高了企业全员的政治素质和道德素质。

在认真贯彻党风廉政建设责任制的同时，积极推行局务公开制度、领导干部诫勉制度，定期召开民主生活会，教育企业各级领导干部树立正确的世界观、人生观、价值观和权力观，提高了领导干部思想政治素质和自律意识。

全省电信企业坚持培育以人为本，以效益、效率和服务为导向的企业文化，培养团队精神、拼搏精神、奉献精神和创新精神，提出了“企业＝军队＋学校＋家庭”的管理理念，教育引导企业员工用实际言行铸企业品牌，塑企业形象，弘扬“团结、求实、敬业、图强”的企业精神，营造了良好的企业文化氛围，进一步增强了企业的凝聚力和向心力。

坚持典型引路，增强辐射带动作用。充分发挥先进典型的示范、带头作用，以先进典型教育员工，鼓舞员工，在全公司形成了学有方向，赶有目标，争先创优，奋发向上的风尚。

热心公益，扶贫帮困。积极响应省委、省政府的号召，参加了地方组织的“希望工程”、“对口帮扶贫困县工程”等活动。在全省“爱心助残”募捐活动中，一次性捐款88万元，被省委、省政府授予“全省爱心助残先进集体”称号。

面向市场，文明服务，标本兼治，丰富“窗口”行业塑形象创优质内涵。从1994年开展“树邮电新风，创优质服务”活动以来，开展了全省电信营业窗口和人员“达标、争先、创优”、“上等级、争明星”的目标管理活动，大力推行规范化服务，制定下发了一系列服务工作制度。提出了“学习海尔、追求卓越、提升服务、不争善胜”的服务指导思想，大力实施“态度、技能、环境”三个服务形象工程，要求员工从自身做起，时刻牢记“工作不要在我这里中断，差错不要在我这里出现，用户不要在我这里失望，企业形象不要在我这里受损”的服务警示。下大力气解决电话装移修、交费难，资费查询、话费争议等问题，向社会公布了服务标准，推行承诺服务。在处理用户投诉的过程中坚持做到“五不放过”：原因不明确不放过，问题不解决不放过，服务不改善不放过，责任不查清不放过，处罚不落实不放过，便捷了与用户沟通的渠道，拉近了与用户的距离。

针对甘肃各地经济发展不平衡，少数民族习惯各异，客户分散等情况，甘肃电信大力推行特色化、亲情化、个性化电信服务。开展了电信服务到寺院、IC卡电话到节会活动；和农村信用社合作，为农民提供贷款装电话；员工主动跑粮站，为农民联系卖余粮，妥善解决电话欠费收缴问题；在发展大客户的过程中，尽力为困难企业安置下岗员工等。这些看似平常的举措，使甘肃电信在激烈的通信市场竞争中赢得了广大客户的信赖，增加了企业的竞争力。

（甘肃省文明办）

中国移动通信集团甘肃省移动通信公司

甘肃省移动通信公司2002年被甘肃省委、省政府授予省级文明单位称号。

统一思想，加强领导，将精神文明建设纳入企业整体发展规划。甘肃省移动通信公司独立运营之初，就在下属各级企业成立精神文明建设指导委员会，制定了《全省移动通信企业精神文明建设指导意见》和《精神文明建设三年规划》，明确了指导思想和建设目标，将企业精神文明建设纳入企业发展的总体规划。

结合企业特点，大力开展思想教育工作。公司紧紧围绕发展这一主题，着重对员工进行邓小平理论和“三个代表”重要思想的理论学习教育、形势任务教育和职业道德教育。把抓好领导干部的思想作风建设和党风廉政建设作为党建工作的重要内容。省公司党组与各分公司主要领导签订了《党风廉政建设责任书》，在党员干部中开展了一系列思想政治教育活动，开展了以反面典型案例为内容的警示教育活动，开展了以讲革命传统为内容的主题教育活动，开展了“权力”与“责任”、“权力”与“义务”问题的讨论，进一步提高了各级领导干部率先垂范和“自重、自省、自警、自励”的自觉性。

加强企业文化建设，积极培育和弘扬企业精神。公司明确提出企业文化建设的目标和标准，确立“以人为本、尊重个性、集体奋斗、服务社会”的核心价值观。广泛开展“改革创新、只争朝夕、艰苦创业、团队合作”的企业精神教育。进一步树立“沟通从心开始”的企业服务理念。因地制宜组织开展全省性的员工书画摄影展和各种球类、棋牌类比赛、征文、文艺调演等一系列活动。培养了一支具有爱岗敬业精神、关心企业发展、素质高、能力强的员工队伍。

突出重点，大力开展精神文明创建活动。重点开展了文明单位（行业）、文明企业、“青年文明号”和“实践‘三个代表’，争创一流业绩”、争当“文明班组”、“星级营业员”“示范营业厅”等精神文明创建活动。通过扎实有效的创建工作，省公司和两个地市分公司被授予省级文明单位（行业）称号，5个分公司被授予地级文明单位（行业）称号，26个县公司被评为县级文明单位；兰州分公司交换维护中心和省客户服务中心被团中央、信息产业部命名为全国青年文明号先进集体；天水分公司秦城区营业班被团省委、省经贸委、省劳动厅联合命名为甘肃省青年文明号先进集团。有4个集体被授予青工创新创效先进集体。涌现出了一大批先进模范单位。

积极参与公益事业，树立良好的企业形象。公司秉承“持续为社会、为企业创造更大价值”的经营宗旨，广泛参与社会公益事业，动员广大员工集资近800万元，在兰州市平凉路十字路口建起了“移动天桥”。组织开展“扶贫济困送温暖”、“捐资助学”等爱心捐助活动，共计捐助金额31.7万元。

打造精品，提升服务，努力推进服务与业务双领先战略。公司成立以来，认真实施服务与业务领先战略，坚持“始终追求客户满意服务”的企业宗旨。

加快网络建设，为广大用户提供优质、可靠、快捷的通信服务。网络覆盖了全省县以上城市、主要乡镇、交通干线、旅游景点和人流密集区，在兰州地区实现了无缝隙覆盖。在大力发展“全球通”、“神州行”两大主导品牌的同时，开发出了“陇原通”等业务品牌，适时推出了短消息、“IP电话”、移动梦网、GPRS等多种增值业务，适应了西部大开发和社会信息化的需要。

进一步规范服务，努力改善窗口服务质量。在服务窗口推出“首问责任制”和“窗口人员授权制”、推行差异化、个性化服务，建立大客户服务体系，推行大客户经理制。

切实采取措施，加大服务工作监督检查和考核力度。推行“末位淘汰制”和“用户一次有理由申告下岗制度”，建客户回访和服务质量第三方检查制度，聘请社会监督员对服务工作进行随机检查。

加大服务硬件建设，完善服务支撑网络。建成开通了客户服务系统和1860/1861客户服务热线，为客户提供24小时话费查询、业务咨询、投诉申诉、业务受理等服务。在营业厅全部安装了多媒体触摸屏话费查询系统，自动打印话单系统。增加收费网点600多个，为广大客户提供了方便、快捷的服务。

开展岗位培训、岗位练兵、劳动竞赛，提高窗口服务人员的业务技术素质和服务水平。几年来，参加各类岗位培训的员工达到1600多人次，占员工总数的82.5%。

（甘肃省文明办）

青海省格尔木市

格尔木市委把创建文明城市工作摆上重要议程，市文明办制定了《格尔木市创建文明城市规划》，以提高市民素质和城市文明程度为目标，提出了六个方面的创建任务，即：全面提高市民素质，形成良好的社会风尚，加强民主法制建设，提高城市建设管理水平，繁荣和发展科教文卫事业，大力推进群众性精神文明创建活动。2002年，格尔木市被评为全国创建文明城市工作先进城市。

努力提高市民素质。在群众广泛参与的基础上，着力抓了以下几项工作：一是抓思想教育。积极开展爱国主义、集体主义、社会主义和形势政策、省情市情以及柴达木精神教育。举办座谈会、报告会、知识竞赛、文艺演出等活动，努力营造生动活泼的教育氛围。二是加强道德建设。坚持不懈地开展遵守《格尔木市市民文明公约》、《格尔木市市民守则》，“创建文明城市，争做文明市民”的社会公德教育。市委宣传部、文明办联合下发了《关于学习宣传贯彻〈公民道德建设实施纲要〉的安排意见》，开展“讲公民道德、做文明市民”万人承诺签名活动，在全市形成了学习《纲要》、做文明市民的热潮。

扎实开展群众性创建活动。重点开展了“倡导文明新风，共建美好家园”为主题的系列活动，在净化美化居住环境，维护治安秩序，丰富文体生活，普及科学知识，密切人际关系等方面做了大量工作。涌现出“花园式庭院”25个，安全文明小区78个，五好文明家庭501户，文明市民97人，城市文明程度不断提高。市政府出台了《关于加强社区建设的意见》、《格尔木市社区建设工作实施方案》，科教、文体、法律、卫生“四进社区”活动形成高潮。开展创建文明行业活动。以“窗口”行业和行政执法部门为重点，积极推行规范化服务，服务质量和行业风气有了明显好转。全市已建成省级文明窗口3个，州级文明行业示范点28个，市级文明窗口27个。开展军民共建活动。持续开展的“热爱格尔木，共建格尔木”、军民共建“文明青藏公路运输线”和“高原千里文明线”活动，取得显著成效。格尔木市荣获全国双拥模范城四连冠、全省双拥模范城五连冠，全国军民共建社会主义精神文明建设先进单位，全省军民共建高原千里文明线先进单位。

文化事业建设取得积极进展。文化基础设施建设不断加强。广播电视新闻中心和体育中心建设之中，广电宽带网络建设正在加紧施工，这些项目建成后，城市广播电视覆盖率100%，能同时收看291套节目。文体活动丰富多彩。常年开展球类、棋牌类等活动以及形式多样的文化活动，在6—8月期间每个周末组织广场文艺演出。

加大基础设施建设，完善城市功能。加强城市基础设施建设，集中整治城市环境卫生，强化城市服务功能，成效显著。在城市基础设施建设中，统一规划部署，统一质量标准，统一督促检查，加大投入，实现了一街一景，一路一灯。全市的亮化、美化、净化、硬化取得了明显进步，提升了城市品位，完善了城市功能。

提高城市管理水平。市政府成立了城市建设委员会，为城市优化管理奠定了基础。加快立法步伐。制定、颁布和实施《格尔木市容市貌和环境卫生管理办法》、《格尔木市城市规划管理办法》、《格尔木市外来人口管理试行办法》等。鼓励发展、正确引导、规范管理、繁荣文化市场。同时，坚持不懈地抓好“扫黄打非”，清除文化垃圾。加强社会治安综合治理，创造良好的治安环境。坚持“人民城市人民建、人民城市人民管”的原则，加强监督，对一些不文明、不道德行为进行曝光，收到良好效果，为西部大开发战略在格尔木的顺利实施营造了良好的环境。

（青海省文明办）

新疆生产建设兵团农六师一一一团

一一一团从团场实际出发，赋予精神文明建设新内涵，使团场经济稳步发展，先后被授予弘扬兵团精神模范集体、自治区十年丰收奖、农业标准化示范团场。2000年，被国家农业部授予全国农垦系统扭亏增盈先进集体，被兵团评为经济建设十大红旗团场之一、科技示范先进团场。1998年—2001年，连续4年被评为兵团级文明单位。2002年被中央文明办授予全国文明村镇先进单位。

加强基层党组织建设，领导班子坚强有力。团党委以“致富一方百姓”为己任，以创建“五好”党支部为核心，以加强阵地建设为基础。长年在广大党员干部中开展理论知识学习教育活动，同时，鼓励全体党员干部学法律、学科学、学市场经济学，提高综合管理水平。为切实转变干部作风，开展“两好”（即：争当为职工群众办实事的好干部和让职工群众满意的好党员）、“四个一”（即要求每个党员干部要联系一个贫困户，帮扶一个青年，写好一本笔记，管好一片责任区）、“四学四带四送”（即要求全体党员要学理论，学党章，学知识，学法律，带头勤劳致富，带动职工共同致富，带头遵纪守法，带头贯彻落实兵团“1+3”文件，送政策、送技术、送信息、送温暖）和记民情日记活动。党员干部每年人均联系1—2个贫困户，每人拿出200—400元，帮助贫困职工走上富裕之路。

深化改革、加快发展，团场经济不断壮大。为尽早实现“发展壮大团场、致富职工群众”这一目标，团场以市场为主导，不断优化产业结构；推行两费自理、土地固定等承包政策，扩大职工自主经营权；大力发展自营经济；坚持科技兴农战略；加大基础设施投资力度；改组改制，减员增效。团场经济连续多年稳步增长，国民生产总值年均增长率为10.6%，人均收入平均增长9.8%，团场实现利润平均增长17.7%。

抓住载体、重点突破，精神文明建设水平不断提高。团党委以创建“两小”（小城镇建设、小康连队建设）为突破口，进一步加强精神文明创建力度。建立精神文明建设领导小组，制定实施了一系列管理制度，并坚持年初一个专题会，年中一个现场会，年终一次考核，考核成绩与各单位领导的效益工资挂钩，进一步促进了精神文明建设的长足发展。

坚持以思想道德建设为主线，广泛开展“三基”、“三观”、“三德”、“三义”、“五种精神”等教育活动。围绕学习贯彻《公民道德建设实施纲要》，着力抓了七项创建活动：一是以提高职工素质和促进单位两个文明共同发展为目标的创建文明单位活动；二是以加强连队建设，增强连队凝聚力为目标的创建小康连队活动；三是以促进居民住宅文明、安全为目标的创建安全文明小区活动；四是以吸引群众广泛参与、优化社会细胞为目标的“十星级文明户”评选活动；五是以加强职业道德建设为重点，以服务达标，优质上岗为目标的创建文明行业、文明窗口活动；六是以优化社会风气，提高社会文明程度为目标的“讲文明树新风”活动；七是以净化、亮化、硬化、优化达标、绿化达标和花园式达标为主要目标的“六化”达标评选活动。同时，各政工部门、各单位还结合实际，并开展多种形式的创建评比活动。

——一团社会政治环境已连续多年实现“十个无”，即：无非法宗教、非法社团活动，无民族分裂主义分子，无重大刑事治安案件，无毒社区，无集体上访，无超计划生育现象，无学生辍学，无重大安全生产事故，无违法婚姻，无拖欠离退休、文教卫生、社会救济人员工资现象。

科学规划，加大投入，环境面貌日益改观。团场先后投资3700余万元，办好10件大事：铺设地下管道，使全团100%的职工吃上了自来水；光缆电视、调频广播及程控电话覆盖全团，实现了连连通、户户通；柏油路贯通全团，连队道路100%实现硬质化，全团17个单位建起了职工综合文化站；在团部中心建成了防疫中心、托幼中心和综合性教学楼，校园实现了绿化、美化、净化；以兵团“危改”工程为契机，采取“自建公助”方式，使96%以上的职工住进砖混结构新房，人均住房面积为22平方米；建起敬老院、老年活动中心、老年俱乐部，使离退休职工老有所养、老有所乐；团部中心400余户职工实现了集中供暖；扩建中心农贸市场，方便职工生活；完成了团场小城镇建设规划蓝图，使团场的小城镇建设有了科学合理的远期目标。

（新疆生产建设兵团文明办）

新疆生产建设兵团农十师一八五团一连

新疆生产建设兵团农十师一八五团位于阿尔泰山西南边缘的国境线上，被称为“西北边境第一连”。多年来，该连坚持围绕经济促发展，积极开展创建小康连队、十星级文明户、文明职工、文明班组、五好家庭活动，促进了连队经济和社会各项事业全面发展，先后获师、团小康文明连队和文明单位，2001 年，被兵团文明委授予小康连队光荣称号，2002 年，获全国创建文明村镇先进单位荣誉称号。

经济发展壮边陲。前些年，传统的耕作模式制约了农业生产，连队陷入了“低产值、低效益、低收入”的怪圈。近年来，连队党支部积极寻求摆脱贫困的有效途径，确定了适合自身发展的思路，即：立足实际，看准优势，调整结构，农牧并举。第一，选准一个致富项目，改变种植结构，多种经营。第二，制定一个发展目标，做到奔有目标，干有章法，提高了经济效益。第三，投上一道致富保险，疏通销售渠道，形成生产、销售一条龙。第四，树立了一批先进典型。连队每年都要组织“能人传经”活动，为大家传授发家致富的“金点子”，多轮驱动的发展模式，使连队经济效益年年提高。

文明花开秀边陲。连队实施危旧住房改造工程，拆除了破旧土坯房，按照统一规划，统一设计，统一建设砖混结构、贴有瓷砖、琉璃瓦的新住房，安装了暖气和自来水，通上了有线电视和调频广播。实施“三绿”工程，使连队绿化率达到 60% 以上。同时连队大力开展群众性文明创建活动，把精神文明创建和经济利益挂钩，收到较好的效果。

重视家庭伦理教育，注重社会文明细胞建设，印发了《家庭伦理道德规划》、《家庭文明公约》、《治家格言》、《文明职工守则》等宣传手册，认真评选文明职工、五好家庭、十星级文明户。

近年来，连队在提高新职工素质方面做了大量的工作。在司法办、驻团民警、计生办等部门的配合下，以社会公德、职业道德、遵纪守法等教育为主要内容，引导新职工做服务群众、奉献社会、诚实守信和遵纪守法的团场职工。同时，组织开展“爱边境、爱团场、争当优秀务工人员”活动，坚定了职工扎根边疆的决心。

爱国主义教育是该连的一个光荣传统。每天清晨，升国旗已成了一八五团一连军垦战士的自觉行动。针对连队地处中哈边境一线，连队在职工群众中广泛开展了以“爱护边疆植被和标志设施，不辱人格、国格”为主题的爱国主义教育，禁止在界河一线从事捕捞、狩猎、砍伐、采集、开荒，维护了边境社会安宁。连队还成立了青年民兵排，组织复转军人和团员青年在边防线进行巡逻，设立了民兵信息员，及时把巡边信息报送到边防部队，受到边防部队的好评。

该连还注重拥军工作。每逢“八一”或春节期间，连队都要到相邻的边防站慰问，送去猪肉、羊肉。连队多次出动机车为边防站推渠道、翻菜地，无论水资源多么紧张，一连总是千方百计挤出一些水来满足连队菜地的灌溉。逢年过节举办军民联欢活动，气氛热烈的座谈会，丰富多彩的文化节目，化解了边防官兵们的乡愁。

科教之光照边陲。一连大力实施“科教兴连”战略，一方面引进粮油作物新品种，另一方面积极从大专院校聘请专家教授来团指导生产，为职工办培训班，宣讲科技知识，把科技转化为生产力。重视教育工作，建立了贫困学生救助机制，一是连队垫付，二是适当补贴，三是发动职工群众捐赠，几年来连队没有一个学生因贫困失学。注重开展多种形式的群众性文化活动。为职工订阅了 20 多种报纸杂志，购买了 VCD、录像机、组合音响，彩电，成立了秧歌队、老年健身队，开展经常性的业余文化活动。2003 年一连被兵团列入全国“百县乡镇宣传文化工程”建设项目中，资助修建了一座建筑面积380.22平方米的职工文化站，中央及兵团给一连赠送了价值达4万元的图书和VCD光碟，使边境职工的文化生活更加丰富多彩。

"献了青春献终身，献了终身献子孙，屯垦戍边两相宜"。中央电视台、中央人民广播电台和《人民日报》等媒体先后宣传报道了一八五团一连的先进事迹。

（新疆生产建设兵团文明办）

新疆生产建设兵团奎屯旅客运输公司

新疆兵团奎屯旅客运输公司连续17年盈利无亏损，先后被兵团工会授予屯垦戍边劳动奖状；被兵团交通局和自治区交通厅评为模范单位、先进企业、道路运输质量年先进集体、自治区道路运输行业创文明窗口示范单位，被农垦部评为经济效益百佳企业；两次被交通部评为文明客运汽车队；被交通部和人事部评为先进集体；2002年被授予全国精神文明建设先进单位称号。

加快企业改革，优化产权结构，实现多元化投资经营。公司于1999年采用股份制融资购车，在改制上取得突破性进展。改革产权制度和投资结构，实现车辆投资多元化。一是把现有营运车辆作价，由职工买断产权自主经营，二是吸纳社会个人出资购车实行联合经营。形成了国有、职工个人、社会个体联营的多元化经营格局。

建立健全以客运服务质量为核心的企业管理制度体系，夯实公司基础管理。公司始终坚持把建立健全各项管理制度体系作为首要工作来抓，不断建立和完善了一系列较为完备的内部管理制度，形成了全方位的综合管理网络体系。

培养造就"四有"职工队伍，为企业提供思想保证和精神动力。"职工素质工程"努力提高职工思想道德和科学文化素质。开展"三德"、"三义"、"三观"教育，树立良好道德风尚，提高职工思想素质。并把每年"三月"定为教育月，开展主题教育活动。与此同时，公司编印了《职工道德标准》、《优质服务公约》，公司于1996年以来，年年被农七师、奎屯市评为文明单位。坚持每年利用节日举办多种内容和不同形式的文化娱乐和岗位技术练兵活动。对职工多层次、分批、分期进行岗位技术培训。

通过教育和培养，职工队伍的思想道德、职业道德、科学文化技术素质不断得到提高，形成了"爱岗敬业"、"争先创优"、"诚实守信"、"奉献社会"的良好风尚。涌现出了一大批先进个人，成为两个文明建设的骨干力量。

坚持开展文明优质服务竞赛活动，打造企业信誉和形象。公司常年坚持开展"文明优质服务标兵"、"旅客在我心中"、"旅客是亲人"、"优质服务文明车"、"青年文明号"、"百日安全无事故"等多种形式的优质服务竞赛活动。在公路沿线和工作现场进行服务质量跟踪检查考核，对考核评选出的先进个人和先进班（车）组给予表彰奖励。

以开展优质竞赛活动为载体，有力地促进了服务质量的改善和提高，职工的职业道德和服务意识得到加强，有关服务质量的检举和投诉大为减少，而文明礼貌、热情周到的服务，为旅客排忧解难、大办好事蔚然成风。

（新疆生产建设兵团文明办）

经验交流

EXPERIENCES

中 直 机 关
把《公民道德建设实施纲要》落到实处

中直工委、中直文明委认真贯彻落实《纲要》，专门召开会议，研究部署。中直文明委提出了《关于贯彻落实〈纲要〉的意见》。

中直机关各单位结合工作实际，着眼于新的实践和发展，面向基层、重在建设、以人为本，切实解决本单位在道德建设方面存在的突出问题。如：中央纪委把转变作风、文明办案、岗位建功作为道德建设的重点，塑造纪检监察机关干部职工的良好形象。中组部把贯彻《纲要》与“迎十六大争先创优”活动相结合，开展了一系列活动。中宣部把提高干部职工对道德建设重要性的认识与积极组织道德实践活动结合起来，把机关精神文明建设提高到新水平，更好地为宣传思想工作大局服务，迎接党的十六大胜利召开。中联部结合实际制定具体贯彻措施，对一般干部职工，重点抓好职业道德教育，爱部、爱岗，做好本职工作；对领导干部，重点抓好从政道德教育。中央外宣办开展《纲要》学习月活动，争创文明局(处)、“文明窗口”，争当“文明职工”，促进了机关业务工作的开展。中央文献研究室引导干部职工遵守20字基本道德规范，弘扬“奉献、严谨、求是、创新”的室风。新华社把贯彻《纲要》与“当新华人、强新华牌”护牌行动结合起来，开展了以“建文明新华、树道德新风”为主题，以讲实话、报实情、办实事为突破口的改进作风、改进文风系列活动。人民日报社把落实《纲要》与抓好“党中央机关记者形象工程建设”、马克思主义新闻观教育相结合，促进道德教育的深入开展。经济日报报业集团围绕集团中心工作，实施道德建设工程。编辑出版了集团道德建设手册，举办集团道德建设理论征文。全国妇联把贯彻落实《纲要》同妇联的改革和发展紧密结合起来，深入开展“创建文明机关，做妇女群众满意的娘家人”活动，促进机关作风的转变。

为进一步推动《纲要》的深入贯彻落实，中直文明办按照中央文明办等8部委的要求，多次召开各机关文明办主任会议，对在中直机关开展科教、文体、法律、卫生“四进社区”活动进行部署，提出具体要求。各部委在相对集中的本机关宿舍区内开展了“四进社区”活动。各个小区普遍举办各类科普讲座、科普展览、展板展出、优惠售书、科技期刊展卖以及义务修车、电话维修、健康食疗讲座等便民服务，组织了医疗保健、网络、法律、花卉养护、家庭装修等十几个项目的现场咨询，受到社区居民的欢迎。

（中直机关文明办）

中央国家机关

发挥宣教团作用　搞好思想政治工作

中央国家机关宣传教育工作团于2001年2月成立。两年多来，宣教团在工委领导下，围绕党和国家工作的全局以及工委的中心任务，结合机关党员干部的理论需求和思想、工作实际，对新时期宣传思想工作进行了积极实践和探索。

一、成立宣教团的目的和任务

近几年来，社会主义市场经济的建立和改革开放不断深化，给中央国家机关党员干部的思想、工作和生活带来了新的影响和冲击，使机关党员干部队伍思想活动呈现出选择性、多样性、差异性和复杂性等新情况，对树立正确的执政意识、廉政意识、宗旨意识、敬业精神和奉献精神都提出了新的挑战。

为正确应对挑战，中央国家机关贯彻江泽民同志关于思想政治工作要加强针对性、实效性、主动性的讲话精神，决定在依靠专职的宣传思想工作干部队伍的同时，建立一支包括具有较高理论水平和丰富实践经验的领导干部和专家学者在内的兼职宣传思想工作干部队伍，即成立中央国家机关宣教团。其主要任务是围绕党的中心工作，加强理论辅导和时事报告，宣传党的路线、方针、政策，进行形势任务教育；结合党员干部队伍，特别是司局级以上领导干部的理论需求和知识需求，承担有关政治理论和专业知识的学习辅导和讲座；为中央国家机关各部门党组学习中心组、领导干部理论学习论坛提供服务，定期向基层党组织和党员干部推荐有关学习书目；结合改革和建设中出现的新情况、新问题，围绕广大党员干部和职工群众关心的热点、难点问题，撰写有关文章，编写有关学习资料，做好引导和释疑解惑工作。

在广泛推荐的基础上，经过认真遴选，确定92名领导干部和专家学者作为中央国家机关宣教团成员。宣教团成员实行聘任制，聘期为两年。对宣教员实行动态管理，根据需要，及时补充和调整。宣教团按专业门类分为党建党史、经济、政法民族、科教文卫、外交军事、综合6个组。

二、宣教团活动的主要形式和成效

结合中心工作，开展专题宣教活动。江泽民同志“七一”重要讲话发表后，工委挑选17名宣教团成员组成学习“七一”讲话宣教团，举办报告会49场，历时一个多月，直接听众达1.2万余人，受到干部群众的欢迎。

2002年12月，工委确定24名同志组成中央国家机关学习党的十六大精神宣教团，分赴各部门和基层单位，对3万余名干部群众进行宣讲。

结合形势任务，举办系列辅导讲座。宣教团根据不同阶段的不同中心任务，结合党员干部需求和特点，分别举办了“两委”书记、司局级以上党员领导干部辅导讲座。举办“十五”计划纲要辅导报告会6场；建党80周年党史党建讲座5场；我国加入世贸组织报告会7场。

结合基层党组织的需求，适时提供宣讲人员和宣教选题。根据某一阶段的宣教重点，确定一批选题，采用提供宣教人员名单、选题和联系电话的办法，由供需双方直接进行联系确定宣讲内容。

三、宣教团工作的几点体会

必须在选题上下功夫。确定宣讲选题必须是带有全局性的、党员干部普遍关心的问题。要紧密结合国内外形势的变化，结合我国经济社会发展现状和改革开放带来的深刻变革，结合党员干部的思想实际、工作实际，努力对当前亟须进行理论引导或说明的突出问题，对党员干部关心的热点问题，作出科学的、有说服力的、符合实际的说明。

必须在提高服务意识、服务水平上下功夫。宣教团定期深入基层，了解党员干部在理论认识上的疑点、难点，在工作和生活中的热点、焦点，了解对宣教员宣讲的意见和反映。在此基础上，结合实际研究改进措施，有针对性地主动搞好服务。

必须在提高宣教效果上下功夫。理论宣讲应力求生动活泼，力戒照本宣科；力求实话实说，力戒空话套话；力求通俗易懂，力戒高深莫测。

必须在加强宣教员队伍建设上下功夫。适时进行宣教员队伍的结构调整，形成既有专家学者，又有实践经验丰富、政治理论素质较高的司局级领导干部的合理结构；同时充分挖掘人才资源，不断扩大宣教队伍，努力把宣教员队伍建设成政治强、水平高、作风正的队伍。

（中央国家机关文明办）

中央国家机关

建立思想教育基地　探索加强和改进思想政治工作新途径

中央国家机关工委宣传部和精神文明建设办公室从2001年以来，先后建立20个思想教育基地，加强和改进思想政治工作，在中央国家机关公务员队伍建设上发挥了重要作用。

开展调查研究，确立思想教育基地。先后对京内及周边的一些具有代表性的纪念馆、博物馆、名人故居及改革开放的先进典型单位进行考察，本着传统与现代、科技与文化、成就与未来、京内与京外相结合的原则，先后确定西柏坡纪念馆、鲁迅博物馆、中国科技馆、首钢集团公司等20个单位为思想教育基地，并分两批举行了命名授牌仪式。

组织特色活动，增强教育的针对性和实效性。围绕党和国家的重大战略部署以及中央国家机关党建工作的中心，组织机关人员到不同的基地参观学习。到西柏坡纪念馆、抗日战争纪念馆听参加过抗日战争、解放战争的老同志和有关研究人员宣讲革命历史，弘扬伟大的民族精神；到周恩来邓颖超纪念馆学习勤政、廉政的高尚品格和顾全大局、无私奉献的精神；在门头沟史志档案馆区内特有的人文、地理、历史资源环境中，举行战地参观、战地调查等活动；多次参加鲁迅博物馆、中华航天博物馆、中国科技馆、中国现代文学馆、国家气象中心、中科院北京植物园、北京天文馆等单位举办的各种科技、文化讲座和科普活动。

思想教育基地为加强理论武装工作搭建了平台。江泽民同志“七一”重要讲话发表后，为了帮助老同志正确理解讲话提出的新观点、新论述，各部门组织离退休老同志到北京经济技术开发区、首钢集团公司参观学习，使老同志们亲眼看到现代化生产状况和新兴科技企业的特点，亲身感受改革开放的成果，加深了对“三个代表”重要思想实践基础的理解。

思想教育基地为各级党组织自主开展活动提供了载体。全国人大常委会、国家经贸委、劳动和社会保障部、审计署、国家气象局、中科院、社科院等30多个部门组织党员和入党积极分子到西柏坡纪念馆参观学习，进行“两个务必”教育，举行新党员入党宣誓活动。国土资源部耕地司的同志参观学习后，自发地为西柏坡希望小学捐款。

思想教育基地为提高广大干部职工的素质开设了课堂。系列科技文化讲座和科普活动，为广大干部职工开设了培养科学健康的生活方式、全面提高自身素质的大课堂。中华民族博物馆举办的“民族团结·国运昌盛”中央国家机关老干部游园笔会，有近200名离退休老同志参加。交通部、建设部、海关总署等部门的干部职工参加门头沟史志档案馆组织的“京西抗战行”活动，学习京郊抗战英雄事迹，既受革命传统教育，又长历史文化知识。许多部门的同志把参加中国科技馆、中国现代文学馆举办的双休日科技文化讲座作为“充电”、继续教育的途径。

思想教育基地建设虽然取得了明显效果，但也存在一些不足。要继续提高基地教育水平。要逐步形成系统教育与主题教育相结合、思想教育与科技文化教育相结合、传统教育与改革开放教育相结合、组织活动与休闲相结合、京内与京外相结合的思想教育网络。

（中央国家机关文明办）

公　安　部

加强作风建设　推动队伍发展

2002年，各级公安机关按照公安部党委的部署，坚持政治建警、从严治警、依法治警，下大力气解决队伍中存在的突出问题，认真转变机关作风，建立健全队伍管理长效机制，不断巩固和深化“三项教育”成果，作风建设取得了良好成效，保证了公安队伍建设3年奋斗目标的基本实现。

一、各级公安机关切实加强组织领导，提高思想认识，牢牢把握队伍建设的主动权

一是切实加强领导，为作风建设提供坚实的组织保障。公安部成立专门的领导机构，各地公安机关也普遍建立了“一把手”挂帅的作风建设领导小组和具体办事机构，结合实际制定了切实可行的实施方案，逐级建立领导责任制。二是深入动员，广泛发动。部党委向全国公安机关发出《关于认真学习贯彻党的十五届六中全会精神的通知》，特别是党的十六大以后，在全国公安机关和全体民警中部署学习贯彻“三个代表”重要思想和十六大精神，深入进行思想动员，切实打牢转变公安机关作风的思想基础。各地通过召开党委会、动员会、举办专题讲座、座谈讨论和进行换位思考等方式，统一广大公安民警的思想。三是强化督促检查，确保作风建设各项措施的落实。部党委成员分别联系一个基层派出所，并确定部机关局级单位分别联系指导一两个省级公安机关。部“作风办”、警务督察局组成多个暗访组，部有关局级单位组成31个检查组分赴全国各地，全面检查、暗访，各级公安机关切实加强对作风建设的指导，共确定领导联系点4万多个。

二、以领导机关、领导班子和领导干部为重点，切实转变公安机关的领导作风

各级领导班子、领导干部对照“八个坚持、八个反对”，深入查找和解决自身存在的突出问题，以领导作风的转变带动整个公安机关作风的转变。一是领导班子和领导干部身体力行，转变作风。部党委为贯彻中央关于把2002年作为转变作风年、调查研究年的批示精神，在全国公安机关大力开展调查研究活动。公安部确定5个重点调研课题，由部领导带队，深入开展调研。经过近一年的努力，5个调研课题基本完成，并向国务院提交了总体报告。各地公安机关领导班子、领导干部深入基层，共撰写2.8万余篇有分析、有对策的调研报告，各地厅局级领导干部下基层暗访8万多次，接待群众100多万人次，为基层办实事20余万件。二是抓住“龙头”，大力转变各级领导机关作风。公安部党委集中3个月在部机关开展集中整治工作。部党委组织在全国公安机关开展“公安领导机关作风建设评议”活动。通过“下评上”活动，各级领导机关找准了自身存在的突出问题和基层单位、基层民警对领导机关最迫切的要求，增强了作风建设的针对性和有效性。各地还采取多种措施，下大力气“削文山、填会海”，规范检查、评比、表彰活动，切实为基层减轻负担，搞好服务。

三、实践“三个代表”重要思想，强化服务意识，坚持执法为民

部党委和各地围绕贯彻实践“三个代表”重要思想的要求，着眼于“党和人民满意”的根本目标，将作风建设具体化为忠实履行职责、密切警民关系的实际行动。一是强化服务意识，改革和加强公安工作。公安部积极推进户籍制度改革，积极贯彻落实出入境管理改革措施。二是深入体察群众疾苦，积极主动地改进服务。全国各级公安机关共走访群众近千万人次，各级人民代表、政协委员26.7万人，特邀监督员19.8万人，征求各类意见、建议68.4万条；共处理积案10.8万件，清理公安机关暂扣款、偿还所欠人民群众及外单位款项共2.73亿元。三是促进严格公正文明执法。公安部颁布实施《公安机关执法质量考核评议规定》后，在全国公安机关狠抓了执法质量检查。许多基层公安机关大力开展专项整治，赢得了党委、政府和人民群众的好评。

四、抓住队伍中存在的突出问题，深入开展专项整治

公安部分别以公务用枪和留置室管理使用中的问题为重点，进一步强化对刑讯逼供、滥用枪支警械和强制措施问题的“三项治理”。一是建立工作运行机制，强化对重点单位的整治。各地采取派出工作组、实行挂牌整治、限期整改等多种办法，加大治理力度。二是以公务用枪和留置室管理使用中的问题为重点，集中治理。三是着眼于从源头上遏制问题的发生，加强制度建设。通过专项整治，公安队伍中的违法违纪问题得到有效遏制。

五、着眼长远，积极推进公安队伍管理长效机制建设

部党委把建立队伍管理长效机制作为推进作风建设的重要保障，确定23个试点单位，成立课题研究组。各地还确定255个省级长效机制建设试点单位，6684个各级试点单位，切实加大对试点单位的指导力度。一是以“三大规范”建设为依托，奠定公安队伍管理长效机制建设的基础。公安部把制定公安民警的行为规范、工作规范和公安机关的装备规范作为队伍管理长效机制建设的基础工作，先后出台了71个工作规范，9个警种的装备标准。二是以人事制度改革为动力，健全公安机关的选人用人机制。各地公安机关严把进口，畅通出口，全面推行统一招警、干部聘任、民警聘用和竞争上岗等制度，努力建设能上能下、能进能出、充满活力的选人用人机制。各级公安机关还认真落实任职资格考试、任前公示、交流、岗位轮换、回避等制度，积极健全和完善干部聘任、民警聘用、领导干部职务任期制、引咎辞职制等制度，严格执行《公安机关人民警察辞退办法》，完善辞退制度。三是以单位考评和民警考核为突破口，建立完善公安队伍的考核激励机制。公安部专门成立两个课题组，对县级公安机关年度工作综合考评和公安民警考核激励机制开展调查研究，形成了《县级公安机关年度工作综合考评暂行规定》和《公安机关民警考核暂行规定》。

通过全国公安机关的共同努力，公安队伍建设取得了良好成效。

（公安部宣传局）

中央电视台

精神文明建设求实效

近年来，中央电视台坚持精神文明建设宣传要“求精”，思想道德教育要“求深”，文明创建活动要“求实”的要求，一手抓党的路线、方针、政策和改革开放、精神文明建设的宣传，一手抓自身的精神文明建设，取得了优秀的成绩。到2002年，连续9年荣获首都文明单位标兵和广电总局精神文明标兵单位称号，先后荣获全国新闻界精神文明示范单位、首都创建文明单位活动示范点和全国精神文明建设先进单位称号。

以“三个代表”重要思想为指针，不断加强党组织建设，形成了具有中央电视台特色的党建工作新路子。台机关党委通过举办各种类型的形势报告会和学习辅导、召开座谈会、组织参观以及开展党史知识答题竞赛活动、党建理论征文和电视专题片拍摄评选等一系列活动，对全台党员干部进行爱党爱国爱社会主义教育和党性教育。

在重大宣传活动中成立临时党组织，发挥党组织领导作用和共产党员的模范带头作用，以确保宣传活动的顺利进行，同时大力培养要求入党的积极分子，并在条件成熟时及时发展党员。共青团也在临时工作人员比较集中的部门建立团组织，积极发展临时工作人员加入团组织。

利用多种教育形式，不断提高职工的业务和道德素养。首先，在职工中深入开展马克思主义新闻观教育活动。其次，严肃政治纪律、宣传纪律，将职业道德的各项规定落实到工作之中，制定了《禁止有偿新闻十项规定》，明确采访纪律和惩处办法，公布举报电话。结合党风廉政建设，制定下发开展《共产党员率先垂范〈新闻工作者职业道德准则〉活动的决定》，闭路电视播放《胡长清案件警示录》、《反贪大案要案纪实》、《枕边钟》等有关反腐倡廉题材的电视专题片，教育广大党员干部身体力行“三个代表”，自觉遵守职业道德，做到自重、自省、自警、自律、自励，坚决同消极腐败现象作斗争。

利用三级培训网络，经常举办岗位业务和技能培训班，为各个岗位输送业务骨干；鼓励职工参加各类学历教育，提高自身文化素质；开展新职工入台教育，增强爱台敬业意识；组织处以上干部培训班和科组长岗位培训。利用闭路电视、《电视生活报》、《工作日报》、《党内通讯》和宣传橱窗等载体，对职工进行思想道德教育。

近两年，全台职工为“幸福工程”等捐款46万元。《健康之路》和《公益行动》栏目共同发起“无偿捐献造血干细胞大型公益活动”，有280多名职工填写了捐献登记表。

制定了《中央电视台思想政治工作实施办法》，多为职工办实事、办好事。台专门筹资设立了帮困基金。每年寒暑假举办职工子女“夏令营”、“冬令营”和“少儿之家”暑期班、寒假班，组织中考辅导讲座和有关高考事项的现场咨询活动，帮助职工解除后顾之忧。组织职工的各项文体活动，活跃文化生活，营造健康向上的文化氛围。

（中直机关文明办）

中国青年政治学院

坚持“育人为本”的办学理念 推进校园精神文明建设

中国青年政治学院坚持“育人为本”的办学理念，推进校园精神文明建设的发展。1992年被首批命名为文明校园，1994年被评为首都文明单位，1995年以后连续6年被评为首都文明单位标兵。

一、以加强党建和思想政治工作为龙头，带动学院精神文明建设

认真学习“三个代表”重要思想，加强思想理论建设。院党委在带头学习的同时，组织基层党组织和全院党员、教职工通过培训班、研讨会、组织生活等方式进行学习，把“三个代表”重要思想作为人才培养的重要内容，抓好“两课”教师的学习，把“三个代表”重要思想融入教学之中。

开展作风建设年主题活动，以党风建设带动和促进校风建设。学院召开“党的作风建设工作会议”，探讨学院作风建设的任务和措施。开展以“推动良好校风，改善育人环境”为主题的作风建设年活动，抓好基层党总支、党支部的建设。

加强组织建设，完善工作制度，推进党建研究。在学院机构改革和推进全员聘任制过程中，增设了部分专职党总支书记，做到全院党组织机构健全、干部到位、活动正常开展。制定并完善了一系列党建与思想政治工作的规章制度，成立了党建与思想政治工作研究会，以课题立项的方式组织探索新形势下高校党的思想建设、组织建设、作风建设和制度建设的规律，推动理论创新。

完善民主管理、民主监督机制，提高依法办学水平。学院发挥教代会、工会作用，积极推进校务公开制度。通过领导述职、院情通报会、院长接待日、网上意见箱以及工会干部一对一的交谈、走访等方式加强与教职工的直接沟通，使教职工的利益和要求得到充分体现，促进了民主决策、民主管理和民主监督制度的落实。深入开展普法教育，把道德建设和法制建设结合起来，增强教职工的法制观念，提高学院依法办学、依法治校的水平。

二、以深化教育教学改革和管理体制改革为动力，促进学院精神文明建设

深化教学改革，加强师德建设，真正做到教书育人。在教师管理上，实行评估处、专家督导组、学生评选三维立体的评价体系，进一步加强师资队伍建设。重视上岗培训，鼓励现任教师读高学位。重视教师的师德教育，开展“为人师表，树教师形象”和评选“最喜欢的教师”活动，激励教师真正做到教书育人。

在加强学生全面素质方面，通过德育课、业余党校、军事训练和社会实践活动等途径加强对学生的思想品德教育。通过“大学生发展辅导”课，促进学生各方面综合素质的提高。通过排队买饭、课前为老师倒杯水、为老师擦黑板、下课请老师先走等日常生活小事，培养学生的美德。经过党校教育和实际考察，每年都吸收学生中的先进分子入党。青年志愿者深入社区、农村、学校，参加帮困、助残、助学等义务工作，建立北京、上海、宁夏等地实习基地，推荐学生担任居委会助理、到贫困地区进行调研等，提高学生适应社会的能力。

转变服务机制和服务观念，努力做到服务育人。建立“按需设岗、择优聘任、合约管理”的用人制度和“以岗定薪、按劳取酬、优劳优酬”的分配制度，干部、教师、工人全部实行应聘上岗。学院后勤成立后勤集团，实行企业化管理和运作，形成了“小机关、多实体、大服务”的格局。

三、以群众性文明创建活动为载体，提高学院精神文明建设水平

组织开展丰富多彩的校园文化活动。学生工作部、团委连续14年组织金秋文化艺术节和社团文化节、寝室文化节活动，连续3年举办“智慧星火”中青学子学术支持计划活动；社会工作系组织学生对北京打工子弟学校状况作调查，举办打工子弟学校校长培训班；法律系在西单广场举行“3·15”维权和法律咨询活动。各系都利用专业特长开展活动，丰富校园文化生活。

开展“五个一工程”评选表彰活动，广泛推广优秀精神产品。学院每年组织“五个一工程”入选作品评选表彰活动，促进多出人才、多出好的精神产品。学院理论教员出版了《中国青少年政策报告》、《当代世界的思想政治教育》等著作，发表了《论物质文明是物化的精神文明》、《浅谈面向21世纪的青少年品德教育》、《走向21世纪的中国青少年政策》等大量论文，这些论著起到了服务青少年工作和服务社会的作用。几年来，共评出学院入选作品30多部，其中有15部优秀作品先后获得共青团“五个一工程”入选作品奖，学院也获得一次“组织工作奖”。

通过各类协会的活动，丰富教职工业余生活。工会以自愿组合的原则帮助教职工组建了舞蹈、合唱、登山、钓鱼、足球、棋牌、健身等十几个文体协会，开展各类健康向上的文体活动。

加强综合治理，保证校园的整洁、安全、有序。教职工宿舍小区积极推进创文明住户、文明单元、文明单元标兵的“三创”活动。学院综合治理领导小组每年围绕消防、交通等主题，开展宣传和环境治理，使学院在刑事案件、火灾隐患和重大交通事故等方面保持了“零”的记录。学院连续多年被评为海淀区社会治安综合治理先进单位。

（中直机关文明办）

长　江　航　道　局

让文明之花开遍长江航道

长江航道局常年维护四川宜宾至江苏浏河口2687.6公里的长江干线航道，同时维护海轮航道、缓流航道、小轮航道及部分支流航道，维护总里程达4158.9公里。航道局两个文明建设取得显著成效。从1996年至2002年底，已有62个单位、集体、个人获得省（部）级以上荣誉称号。

一、建立机制，制定规划，将文明行业创建工作作为系统工程来抓

局党委建立健全了“三学一创”活动领导小组，并设立办公室，具体负责日常工作，初步形成党政工团齐抓共管的工作机制。

局党委制定了“三学一创”活动实施规划和创建文明行业的奋斗目标，在“九五”期间提出了“1123488”工程，即要使1个局属单位、1个绞滩站、2个信号台、3艘挖泥船、4个航道处、8个航道站和8名个人成为省部级以上的先进典型，在2000年底已全部超额完成计划指标。2001年是“十五”计划的第一年，年初局党委专门制定下发了“十五”精神文明建设规划，提出了实施“新世纪文明工程”的构想。

局制定9个工种行业的文明标准，并将创建活动量化成考核指标，分解下达给各下属单位。

每年年初局与各单位签订双文明建设责任书，把创建工作和经济工作指标一同布置，年中一同检查，年底一同考核验收，一同奖罚，逐步形成了一级抓一级，分片负责，层层落实的工作机制，并做到一年做好一个新重点，一年制定一个新举措，推动文明创建活动的开展。

二、抓住根本，突出重点，把文明行业创建工作落到实处

抓学习，促进领导班子和各级党组织的建设。坚持各级党委中心组学习制度，加强领导干部的理论修养；连续4年被湖北省委宣传部评为“理论学习先进集体”。利用党校和办培训班等形式分别对处级以上干部和科级以下干部进行理论轮训，平均每年轮训800多人次，提高了干部的理论水平和业务技术素质。

抓基层“窗口”，打好文明行业创建的基础。重点抓航道站、信号台、征稽站、绞滩站等直接面向社会的基层“窗口”单位，改善外部环境，强化内部管理，规范行业行为，推进承诺服务，纠正行业不正之风，使窗口单位的各项管理进一步加强，服务质量和执法水平得到提高，行业风气进一步好转。

抓检查，切实保证文明创建工作落到实处。局每年坚持对基层的文明创建工作加强督促和指导。在每年4月开展的“创文明窗口月”活动期间组织召开现场观摩会，总结创建工作典型经验，促进文明行业创建扎实有效地深入开展。

抓典型，树样板，开展评比表彰活动。局每年组织评选表彰“三学一创”活动及文明创建活动的先进单位、先进集体，弘扬“团结、敬业、服务、畅通”的航道精神，推动各项工作向前发展。

抓活动，造氛围，使职工成为文明创建的主力。局精心设计和组织学习、竞赛、文体活动，把职工群众的积极性、创造性引导到文明创建上来。各级党政工团组织开展了“创文明窗口月”和劳动生产竞赛等活动。摄制了反映50年来长江航道英模人物先进事迹的专题片《长江撷浪》、电视片《群星璀璨耀长江》，编辑发行了《长江航道礼赞》，宣传职工两个文明建设的主力军作用。

三、围绕中心，学创结合，促进全局各项工作上台阶、上水平

加强单位内在素质及企业文化建设。从环境建设和整顿办公（生产）秩序入手，开展“形象工程”建设，力争使长江航道局达到“三优”，即优美环境、优良秩序、优质服务；达到“三化”，即服务质量标准化、服务管理规范化、服务过程程序化。

加强航道维护和管理工作。在遇到1998年特大洪水、1999年长江特枯水位和近两年长江水情复杂的情况下，保证航道维护质量和管理水平不受影响并超额完成年航道计划指标，确保长江航道的畅通。

强化各项管理。促使安全管理、机务管理、财务管理、质量管理、档案管理等走上规范化、制度化的轨道。特别是档案管理工作顺利通过交通部专家验收，被评为全国交通系统档案管理先进单位。

提高对外工程的效益。几年来，圆满完成四川内宜高速公路建设等一批国内外有影响的工程，工程质量受到了建设单位的一致好评，经济效益也连年上升。

（交通部体改法规司）

青岛交运集团

比顾客的需求做得更好

青岛交运集团是集交通综合运输、海陆空运代理、地产物业开发、综合进出口贸易、基础工程建设、宾馆旅游娱乐等多元经营于一体的大型企业集团，其核心企业是青岛交运集团公司。

青岛交运集团以创建“情满旅途”服务品牌为企业文化建设的切入点，进行以“情”为核心的服务创新，构建了以“情”字为核心的交运文化体系，促进了企业两个文明建设的发展。

一、全员参与，以文化力启动经济力

1995年以来，集团开展企业文化建设，发动全体员工根据企业实际提炼本企业的文化理念，参与集团广告语、企业歌曲征集，开展企业文化理论研讨活动，逐步形成了“勇于创新，诚于真情”的企业精神，“严细实恒”的管理理念，“比顾客的需求做得更好”的服务理念，“情满旅途”成为交运文化的核心价值观和文化标志。集团企业形象策划小组相继编发了《青岛交运集团CIS手册》和《交运文化手册》，制作了《情满旅途》、《交运之歌》、《交运进行曲》等，从企业旗帜到企业品牌，从车体颜色到员工着装，从企业宣传到员工日常工作都进行了统一规范，加强了文化与经济的渗透性。交运集团以企业文化和品牌的影响力成为海尔、青啤和香格里拉等名牌企业的合作伙伴。

二、以德治企，以道德力增强凝聚力

集团将《公民道德建设实施纲要》融入交运文化之中，形成了交运的“三情理念”，即：“情满家庭”的家庭美德，“情满企业”的职业道德，“情满社会”的社会公德。以情为纽带，以“德”为准则，使“三情”理念构成交运文化的灵魂。在企业内部，职工真诚相待，领导关心员工爱护员工。在工作中对顾客真诚服务，青岛长途汽车站30年如一日学雷锋，以“托运老人”、“邮寄儿童”等特色服务，成为传播精神文明的亮丽窗口；交运陆海货柜公司实行“真情24小时”全天候服务，使“情满旅途”在货运业延伸；交运银通出租公司以“源于家、连着家、胜于家”的服务精神使“情满旅途”在出租业延伸；交运各出租公司开出了“拥军车”、“敬老车”、“尊师车”、“高考的士”等公益的士。这种“比顾客的需求做得更好”的服务理念，提高了顾客对企业的满意度，增强了职工的岗位荣誉感和凝聚力。

三、以人为本，以向心力提高竞争力

集团坚持“严、细、实、恒”的管理理念，公布企业文化建设的15个系列标准、《“情满旅途”服务品牌发展战略》、《“情满旅途”服务品牌服务体系》、《“情满旅途”服务品牌保证体系》、《服务质量和管理责任追究制》、《安全管理责任追究的若干规定》和《品牌管理责任追究暂行规定》等一系列制度和承诺；实施“情满旅途”配套5大工程，即：管理创新工程、星级服务工程、技术改造工程、形象塑造工程和凝聚力工程。推行ISO9000质量认证体系，集团客运业、货运业、修理业、出租业中有5家企业通过认证。

坚持公开、公正、公平的原则，对管理岗位进行公开招聘，竞争上岗；每年对各级领导干部进行民主评议和组织考察，坚持干部能上能下；在员工中开展“合理化建议奖”；创办了《情满旅途》专刊，对优秀企业和个人的好经验进行表扬，对不良现象设立交运“啄木鸟”专栏进行批评。

企业文化建设使集团综合竞争力和品牌号召力不断增强。集团客运经营网络四通八达，货运市场占有率进一步提高，与海尔、青啤、香格里拉等名牌企业强强联合，实现了共赢；汽车维修向高档化、专业化迈进，并与世界名牌汽车制造商福特、克莱斯勒等建立了长期经济合作伙伴关系；建立了国内最大的国际物流园区，与海丰船运、巴拿马航运集团合资，吸引了马士基、伊藤忠、韩进等世界著名公司进驻物流园。

（交通部体改法规司）

北京市朝阳区
奏响现代文明新乐章

进入新世纪以来，北京市朝阳区乘申奥成功的大好形势，不断开拓创新，演绎出一曲以建设美丽花园、舒适家园、文明乐园为主题的现代文明新乐章。

一、发挥资源优势迎接新机遇

要发展，首先要看到机遇，才能抓住机遇。未来5年，构成北京城市三大功能区的奥林匹克公园、北京商务中心（CBD）在朝阳，中关村科技园区的电子城在朝阳，这不仅有利于迅速提升朝阳区的国际化程度，也将促进朝阳区城市功能不断完善，提高城市的现代化水平。朝阳区决心抓住这千载难逢的机遇。

朝阳区不仅有机遇，还有丰富的资源。首要的当数涉外资源，区域内云集了绝大多数国家驻华使馆；聚集了设在北京的60%以上外国商社和3000多家外国公司、落户京城的世界500强企业的70%、167家外国驻华新闻机构、北京市一半以上的五星级宾馆饭店。其次是土地资源，朝阳区拥有北京城市一半以上的可开发建设用地。再次朝阳区域内交通及水、电、气、热、通信等城市基础设施条件明显优于北京总体水平，公路、铁路、航空港等构成的交通网络，四通八达。独特的资源优势意味着巨大的发展潜力。

2001年，朝阳区GDP实现451亿元，居全市各区县第一；区域税收实现189亿元，占全国的1.2%；社会消费品零售总额240亿元，在全市名列前茅。

面向新世纪，朝阳区给自己提出了更高的奋斗目标：加快“三化”进程，实现“四区”目标。“三化”就是农村城市化、城市现代化、区域国际化；“四区”就是把朝阳区建成国际商务中心区、高新技术转化区、文化教育发达区、富裕文明新城区。

二、由经济强区向文明区跨越

着眼于区域国际化和现代化的背景，朝阳区不仅要建设成为经济强区，更要建设成为文明大区。

针对群众关心的难点、热点问题，朝阳区正下大力气做好6项关系群众切身利益的基础工作：一是便民，完善街道社区服务功能；二是兴水，下大力气治理区内7条河流；三是绿化，加快农村绿化隔离带建设，使全区绿化率由目前的38%提高到50%；四是治污，基本实现垃圾无害化处理；五是危改，今年拆迁2万户，2至3年内全部完成危旧房改造；六是修路，投巨资加快全区路网建设改造。

近两年，朝阳区已向市政建设和教科文卫体投资210多亿元，新建、改建、扩建道路69条。全区各街道先后建成小关“申奥一条街”、六里屯“科普一条街”、和平街“浮雕一条街”等74条靓丽示范街，以及54个精品小区和街头公园、185个文体广场，大大提升了朝阳的城市品位。

“拆违建绿、退耕还绿”，全区24个乡迎来绿色产业大发展时代。南磨房乡的农民新村“紫南家园”一期工程已经竣工，建筑面积23万平方米，新村内有中心花园和1.58公顷公共绿地，

2484户农民住进了宽敞明亮的楼房。常营、豆各庄、三间房等6个乡90万平方米的新村建设项目相继开工，将有8万余户农民搬进楼房，融入现代都市生活。

三、塑造文明朝阳人

朝阳区居住人口229万，是北京第一人口大区。朝职区在打造文明环境的同时，着力塑造文明人。投资34.93亿元，改善基础教育设施，其中在望京新建成的陈经纶中学、80中学，硬件设施国内一流。地处农村的楼梓庄中学、东坝乡16中，以宽敞明亮的教学楼和先进的教学设备，吸引农家子弟前来就读。教育改革不断推进，教学质量明显提高。同时，按照《公民道德建设实施纲要》的要求，创编了《北京市朝阳区中小学生礼仪礼节礼貌规范丛书》，使“三礼”教育走进课堂。

740所“文明市民学校”遍布全区的街道、社区和乡村，成为传播文明和提高市民素质的好课堂。

创建文明区，社区党建为龙头，党员甘当排头兵。183个社区里活跃着4.6万名共产党员的身影，他们带头宣传和实践着《公民道德建设实施纲要》。社区活动站发出捐书倡议，老干部、老党员及其他居民，很快捐献各类书籍1000多册。91岁的金德厚老人参加中国儿童少年基金会举办的安康义工一小时活动，成为中国岁数最大的志愿者。外地来京青年黄文国，主动捐款500元，支持社区绿化美化，许多家庭积极出钱认养绿地。

为建设良好的社会治安环境，朝阳区运用打击、防范、建设、改造、教育、管理等手段对社会治安进行全面治理。全区治安状况朝着秩序好、发案少、群众满意的目标前进了一大步。

（摘自2002年8月5日《人民日报》）

北 京 市 顺 义 区

打造绿色国际港　争创全国文明区

顺义区是北京市城市总体规划的卫星城之一。几年来，按照“围绕一个主题、抓好两个载体、实现三个目标、突出四个重点、采取五项措施”的工作思路，扎实有效地开展了文明区创建活动。

围绕一个主题，即全区广大干部群众和各行各业都围绕“迎接新世纪，创建文明区”这个主题，开展文明区创建活动，力争用3—5年的时间，达到文明区的标准。

抓好两个载体，即重点在全区农村普遍开展文明小康村创建活动，加快农村两个文明建设发展步伐；在城区广泛开展文明社区创建活动，提升区域文明程度。

实现三个目标，即实现全区人民思想道德素质和科学文化素质的显著提高；实现区域文明程度的显著提高；实现全区两个文明建设协调发展。

突出四个重点，即抓好全区人民的思想道德建设、科学文化建设和各类精神文明创建活动；抓好经济发展增强全区综合实力；抓好市政基础设施建设和环境综合整治，展示大都市郊区农村的新形象；推进社会治安综合治理，为人民群众创建安定的生活、工作环境。

采取五项措施，即建立文明区创建活动的领导机制、检查评比机制、奖励竞争机制、物质投入机制和宣传引导机制。

一、掀起宣传实践《公民道德建设实施纲要》高潮，促进公民道德素质不断提高

为把20字基本道德规范变为全区人民的自觉行动，全区各界采取多种形式，广泛深入开展《纲要》宣传活动。一是举办讲座。区委理论中心组举办了《纲要》报告会。基层单位普遍开展了上好“公民道德教育一课堂”活动。区文明市民学校总校、中心校、分校也都安排了《纲要》讲座。二是开展《纲要》“宣传日”活动。发放宣传材料2万余份，全区受教育面达90%以上。三是参与市“庄胜杯”知识竞赛活动。共收到答卷15790份，其中18人获奖，区荣获优秀组织奖。四是开展“公民道德建设公益广告大赛”活动。评出一等奖2名、二等奖6名、三等奖12名，51件入围作品参加市里评选。五是在显要位置设置以宣传《纲要》和“顺义精神”为内容的广告宣传牌22块。六是开展“扶贫济困送春风行动”。共收到156个单位、34856人捐款122万元。七是在全区广泛开展公民道德建设先进人物评选活动。评选出28名见义勇为、扶贫济困、助人为乐、爱岗敬业先进个人，召开了隆重的表彰大会。八是广泛开展“争做文明顺义人，创建全国文明区”专题教育活动。内容有“争做文明顺义人”一堂课教育、公民道德建设知识答题、月末清洁日、“我为环境建设献良策”等。九是在外来人口中开展“建北京有我一份，办奥运有我一功”系列教育活动。在街道、市政、建委、商委等系统外来人口集中的地方，评选“外来人员文明百星”。以“在首都做贡献，为家乡增光彩”为主题，开展演讲和征文活动。

二、开展大规模的宣传教育和环境综合整治

顺义区获得“首都文明区”称号后，全区上下备受鼓舞。区委、区政府于7月份召开大会，把有关创建全国文明区的6项宣传任务和9项环境综合整治任务进行了分解。录制《绿色国际港、盛开文明花》专题录像片，开展“创建全国文明区宣传日”活动。金街、步行街路面重新进行铺装，拆除违章建筑，进一步规范经营秩序；进行大规模的交通运营秩序整顿，使城区和干线公路交通运营秩序得到明显改善；各旅游景区环境面貌焕然一新；规范废品回收业工作初见成效，各镇村和居民区环境明显改观。

三、深入开展文明富裕村创建活动，提高文明村镇创建水平

为了推进全区农村两个文明建设高度协调发展，实现全区率先在2010年基本实现现代化的战略目标，区委、区政府从2001年到2005年在全区广泛开展文明富裕村创建活动，力争创建区级文明富裕村200个。实行以奖代补政策，对获得文明富裕村称号的村各奖10万元，每年将列入财政预算专款400万元。一年来，文明富裕村、文明村镇创建活动在各镇扎实有效地开展。一是完善了文明富裕村考核内容及办法。二是深入基层检查指导工作。三是抓好典型，推广经验。先后推广了大孙各庄镇、南法信镇创建文明富裕村镇、整治环境的经验。四是对申报的文明富裕村进行了年中和年底检查，促进全区文明富裕村创建工作扎实开展。

四、以道德建设、环境建设、文化建设为重点，深入扎实地开展了各类创建活动

重点在党政机关、行政执法单位、供电、商业、旅游、卫生、工商、电信、邮政、银行等“窗口”单位，开展创建文明行业活动。完善组织机构、制定创建计划，抓点带面，深入开展创建活动。基本完成农村老龄社区试点。完成社区卫生服务站、健身路径、文化活动室、浴室等基础设施建设。为全面落实文明社区创建任务，区文明办组织有关单位对城区、地区办事处文明社区创建工作进行了全面检查，从中推荐出席2002年度首都文明居民区14个，区文明居民区9个。军（警）民共建活动健康发展。全区62个共建对子深入开展共建文明村、文明社区等活动。召开了少年军校命名大会，各分校普遍开展了军训活动，4800余名中小学生进行了军姿、分列式、军体拳和国防知识等军事培训。

（首都文明办）

北京市西城区月坛街道

建设“四优”社区 提高居民素质

2002年2月，月坛街道被中央文明办、民政部授予“全国文明社区示范点”称号。月坛街道乘势而上，按照“建首善、创一流”的工作要求，广泛深入开展“讲文明、树新风、争做文明北京人”活动，努力建设优良秩序、优美环境、优化教育、优质生活的现代城市社区，全面提升地区的精神文明建设水平。

一、从营造优良秩序入手，创新社区管理体制

月坛街道办事处为强化对社区的服务，加大对社区建设的指导、协调力度，成立了由办事处牵头、地区有关部门参加的“社区建设管理委员会”。完善《社区会议制度》和《社区大事民主协商制度》。定期邀请地区部分人大代表、政协委员及社会知名人士参加社区管理工作联席会，共商大计，对社区工作进行监督和检查。为辖区职能部门的工作重心下移，促进职能转变，实现“条专块统”打下基础。

发挥社区群众性自治组织在社区建设中的作用，在组建居民会议和居民议事协商委员会的基础上，制定了《社区自治章程》、《社区居民公约》、《社区居民代表大会制度》，健全了居委会学习、会议、考勤、评议等制度；明确了社区居委会的八项工作任务，在社区实现了居民办事程序、居委会干部职责、居委会财务管理、社区服务等内容的政务公平。在居民议事协商委员会中吸纳地区行政、事业、企业单位、物业管理部门和社区内知名人士参加，共同商议解决社区问题，发挥了社区成员积极参与社区建设的积极性、创造性，提高了社区依法自治的能力和水平。

为改善居委会办公条件，近年来，街道投资近200万元为居委会配备现代化办公设备，开发居委会办公软件系统，建立有200余项的居民管理信息数据库，提高办事效率。在每个居委会建成了面积不少于20平方米的活动站和图书阅览室。坚持对社区干部和居委会主任进行业务培训，提高他们的工作能力和水平。

二、从创造优美环境入手，不断提高城市管理水平

为全面实施地区“绿色奥运”行动计划，街道在全面分解工作任务的同时，发动社会单位积极参与，建成新绿地面积6000平方米。配合市重点工程永定河引水渠两侧的拆迁，街道从自身做起，拆除河边的加工车间和生产重地，保证了工程的顺利进行。上半年拆除违章建筑638间、9000多平方米，协调地区相关单位清洗粉饰楼房29栋。

在执法科室中落实公示制度，将执法内容和承诺公开，城管队员服务进入社区，了解社区的城市管理情况和群众对城管工作的建议、要求，自觉接受群众的评议和监督。

严格落实社会治安综合治理责任制，与地区101个单位和32个社区居委会签订了目标责任书。加大对“法轮功”邪教组织人员的教育转化监控防范工作力度。加强外来人口的管理，建立地下空间管理三级网络，消除安全隐患。开展“警务进社区”活动，实现了“一区一警一保安”的目标，保障了居民的安全。

三、从优化教育入手，提高社区居民的文明素质

以文明市民学校和宣传栏、宣传橱窗为阵

地，大力宣传《公民道德建设实施纲要》，使20字基本道德规范入眼、入脑，转化为群众的自觉行动。组织1万名居民参加“‘庄胜杯’首都公民道德知识竞赛”活动和地区公民道德建设知识竞赛活动，各社区居委会组织开展形式多样的宣传教育活动，吸引群众广泛参与，引导他们在活动中受教育。

广泛开展文明街道、文明社区、文明单位、文明机关和争当文明市民群众性精神文明创建活动，并做好文明社区由点向面延伸、文明机关向科室延伸、文明单位向新建企业延伸，推进精神文明创建活动深入开展。开展民族团结、五好文明家庭、争当文明市民标兵、荣誉市民等创建活动。

在“明月”文化广场、“月坛之春”艺术节等群众性文化活动带动下，开展各种群众文化活动。开展以“我身边的事”为主题的楼道文化活动，以“大家乐舞台”为主题的文化广场活动，以“雷锋精神进社区”为主题的志愿服务活动，以“申奥有我一个”为主题的市民讲英语活动，以“奉献杯——做好社区工作”为主题的社区事业干部演讲比赛活动。

在社区居委会成立“社区道德评议会”，动员离退休老干部、积极分子参加，对社区内发生的不文明行为、居民之间产生的各类矛盾、群众急需解决的问题等，通过采取“评、帮、督”三种方法，以社会公德、家庭美德为标准，表扬好人好事，评议不文明行为，让群众当主角实现自我教育。在全地区评选精神文明10件新事和“热心公益、见义勇为、邻里和睦、保护环境、诚实自信、助人为乐、尊老爱幼、勤俭节约、敬业奉献、自强不息”的“十佳好公民”，倡导文明新风，弘扬社会美德。

四、从优质生活入手，为社区群众办实事，增强精神文明建设的实效性

街道广泛开展“五访四查三落实”（即走访驻地区中央、市属单位、走访驻地区部队、走访社区居委会、走访地区有代表性的各界人士、走访街道特困群体；查机关党员、干部党风廉政建设的情况、查机关及工作人员的“四个服务”意识、查文明执法，依法行政的情况、查职能、职责的履行情况；落实各项政策、法规、落实相关制度、措施、落实为民办实事）的主题活动，通过座谈会、走访、慰问，上门送温暖，为民办实事，涉及8000多人，支出折合人民币近27万元。

启动“扶贫济困春风行动”。动员广大市民参与社会公益活动，营造全社会向特困家庭送温暖、献爱心的浓厚氛围。工委号召全体党员、共青团员带头参加，开展党员多交1个月党费、团员多交1个月团费活动，将多交的一个月组织费捐给特困家庭。

抓好失业人员再就业工作，为6500余名失业人员按户口所在地进行核实、登记，建立了台账。举办“成功求职策略”培训班，推荐工作岗位334个、求职成功96人；为32个社区居委会建立职业指导员队伍。

完善“月坛社区建设协会”和6个联片的社区建设协调委员会的服务功能，建立集呼叫服务、家政服务及信息咨询为一体的服务网络，满足了居民多层次、多方面的需求；以汽南社区为试点引入顺义、大兴的无害农副产品，使社区居民享受到从地头到社区的快捷服务。

（首都文明办）

中共北京市教工委

推进"三个代表"重要思想"三进"工作

近一年来，北京地区各高校大力推进“三个代表”重要思想的“三进”工作，取得了显著的效果。

一、高度重视，精心部署，为推进“三个代表”重要思想的“三进”工作做好充分准备

北京市教工委对“三个代表”重要思想的“三进”工作高度重视。一是组织研讨，统一思想。8月中旬，教工委召开“三个代表”重要思想“三进”工作研讨会。二是具体部署，推进工作。8月下旬，在北京高校暑期领导干部会议上对“三个代表”重要思想“三进”工作进行部署，组织力量制定“三进”工作方案和教学计划，进行集体备课和研讨，为开课做好充分准备。三是加强教师培训。9月初，教工委举办了培训班，对各校近400名“两课”负责同志和骨干教师进行了培训，请中央党校、教育部、北京大学等专家进行讲解和辅导。

二、坚持“多门渗透，整体优化”的原则，将“三个代表”重要思想在教学中切实加以落实

根据教育部有关要求和高校“两课”教学的实际，教工委确立了“多门渗透、整体优化”的原则，各门课程做到分工协作，各有侧重，既不重复讲授，又突出重点，保证学生在总体上对“三个代表”重要思想有一个基本了解。同时鼓励学校根据各门课程实际，积极探索“三个代表”重要思想的教学方式与方法。北方交通大学确立了“一个中心四辅助”的形式：“一个中心”，即以“邓小平理论概论”课为中心，拿出部分课时，集中以专题的形式说明“三个代表”重要思想的科学内涵、精神实质及其对邓小平理论的继承和发展，重点引导学生学习和理解江泽民同志“七一”重要讲话和“三个代表”重要思想所体现出的解放思想、实事求是、与时俱进、开拓创新的理论品质以及它提出的新思想、新观点、新论断；“四辅助”，即“马克思主义哲学原理”、“毛泽东思想概论”、“马克思主义政治经济学原理”、“思想道德修养”4门课程辅助讲授相关内容。北京工商大学在教学中注意选好切入点，使学生体会“三个代表”重要思想的强烈时代感，增强感染力。北京大学、北京工业大学等学校还结合教学内容组织学生观看《伟大的旗帜》、《西部大开发》、《孙中山》等辅助音像资料，增强教学的针对性和对学生的吸引力。清华大学等学校采取了互动式教学方法，调动了学生学习的积极性。

三、针对学生特点，探索用“三个代表”重要思想武装大学生头脑的多种途径与形式

各校采取的形式主要有：一是发挥好学生理论社团的示范作用。二是注意发挥实践课程的引导作用。三是注意发挥人文社会科学课程的作用。四是开展理论宣讲。中国人民大学组织理论专业研究生成立“三个代表”重要思想宣讲团，用学生自己的语言在校园内外向学生、市民宣讲“三个代表”重要思想，听众达4000余人，起到了很好的宣传和教育效果。五是利用校园网开展学习，不少学校都在校园网上设立了“三个代表”重要思想学习专栏，方便学生浏览理论文章，下载有关资料，受到学生欢迎。

四、发挥高校理论优势，加强对热点、难点问题的研究，不断提升“三个代表”重要思想“三进”工作的水平

教工委在调研的基础上，组织“两课”教师结合“三个代表”重要思想教学中的热点、难点问题开展理论研究，组织编写《北京高校“三个代表”重要思想“三进”研究文集》，总结各校教学中好的经验和做法，为教师教学提供指导和参考。高校充分发挥理论人才多、水平高的优势，组织哲学社会科学有关专家和“两课”教师坚持理论联系实际，从改革开放和现代化建设的实践中获取理论创新的源泉和动力，加强对“三个代表”重要思想有关重大理论问题的研究。

五、引导学生把“三个代表”重要思想的学习与实践结合起来，推动理论武装工作不断深化

北京市教工委注意引导学生把“三个代表”重要思想的学习与实践结合起来。各高校都成立了大学生“三个代表”重要思想实践服务团，组织学生到社区、农村、企业以及革命老区、边远地区开展科技、文化志愿服务活动。教工委和市教委积极推进“高雅艺术进社区”活动，组织高校大学生艺术团体定期到社区演出。北京林业大学等校学生以“弘扬奥运精神，实践‘三个代表’”为主题，大力开展“人文奥运、绿色奥运、科技奥运”宣传活动；首都师范大学等学校把实践“三个代表”重要思想要求与学习、贯彻《公民道德建设实施纲要》结合起来，引导学生不断提高自身思想道德修养。北京师范大学组织30多名研究生赴贵州开展支教活动，为当地教育发展献策献力；清华大学开展“我的事业在中国”主题教育活动，大力弘扬“两弹一星”精神，教育学生到国家最需要的地方建功立业。

（教育部社政司）

建设银行北京市分行电子银行服务中心

科技兴行创先进

建行北京市分行电子银行服务中心坚持“思想先进、技术先进、管理先进”的办行方针，加强金融创新，打造金融品牌。2002年被评为全国金融系统文明建设先进单位，被中央金融工委确定为“十字”行风建设联系点。

一、创新观念，开辟银行发展新领域

面对在全社会网络化发展步伐日益加快和电子商务方兴未艾的形势，北京分行党委树起“科技兴行”旗帜，建立以网上银行、电话银行、手机银行和网站为主要产品的电子银行，开拓银行业务新领域。

1999年4月，分行从各部门抽调精干力量成立了分行电子银行筹备组。他们发扬艰苦奋斗精神，啃书本，查网络，搜集与电子银行有关的最新科技资料，克服难以想像的困难，用4个月时间建成建行系统第一个上线的网上银行。

二、创新技术，打造银行经营新品牌

“中国建设银行一小步，中国电子商务一大步”。为解决网上结算、身份认证、安全这三大中国电子商务的“瓶颈”问题，他们采用国内外最先进技术确保安全，推出一套成熟的网上支付结算体系，使组成电子商务的信息流、物流和资金流自由畅通，真正解决了商户、客户所关心的资金占用问题，使中国的银行业在电子商务实践中迈出具有历史意义的一步。

建行北京分行的个人外汇买卖，依靠高科技，实现高效率。他们采取电话银行、网上银行与柜台交易同步进行，并率先推出24小时服务，使外汇交易量剧增，同时极大地带动了外汇储蓄业务。

2001年8月推出的网上企业客户服务系统，作为金融服务的新品种，可以为企业客户提供网上签约账户或授权账户查询、转账和其他服务，使企业资金在系统内同城实现了实时到账，异地两小时到账，目前在国内同类产品中，北京分行电子银行的企业客户服务系统最具竞争优势。

三、创新服务，树立银行服务新形象

“聆听我们声音，享受建行服务”是客户服务部的服务理念。客户服务部通过95533热线直接“面”对客户，解答客户咨询，受理客户投诉，搜集整理各种市场信息，改变了过去分行咨询投诉由各业务部门分散管理的模式，使此项工作更加规范化、专业化、集约化。2002年2月，北京分行电子银行推出了“首问负责制”，客户只需拨打一次95533电话，就可以了解到所要咨询的内容，使问题得到妥善解决。

为推销网上企业客户服务系统这一新产品，电子银行的外勤人员针对企业客户举办了四五百场次产品推介会，外勤人员往往数日蹲点在企业，手把手地教企业的会计使用网上客户服务系统，向企业解释系统相关的技术问题，消除客户对系统安全性的顾虑。在为企业提供规范化服务的同时，他们还为企业提供个性化服务，如为某唱片集团公司下属的中国音乐网站提供一种收费系统设计。

为了更好地服务于全行业务发展，电子银行先后为分行所有24个支行外勤、计算机、会计等不同岗位人员进行业务培训。电子银行的业务技术人员还经常配合传统业务外勤，进行专业化的营销、示范和模拟测试。

四、创新管理，塑造以人为本的企业文化

北京分行电子银行坚持以人为本，努力创造“激励其志、发挥其才，温馨其心、培育其德”的人才辈出的文化环境。

教育为先，让员工与企业共成长。北京分行电子银行制定了《电子银行教育培训三年发展纲要（2001—2003年）》。教育培训强调分层次，全方位，突出针对性。对高级管理人员着重加强对网络时代银行经营模式的驾驭能力的培训。

电子银行客户服务部从建立现代管理制度出发，经过对原有管理资源进行规范化整理，实现了与国际管理标准的对接，于2001年10月通过了国际质量认证。在实际工作中，他们把ISO9001标准从客户服务部扩大到整个电子银行。

电子银行十分重视加强思想政治教育，突出发挥党支部的战斗堡垒作用和党员的先锋模范作用。把政治理论学习与业务知识学习结合起来，以党风带动业务发展，以党的队伍建设带动职工队伍建设，以党员先锋模范作用带动全体员工爱岗敬业。开展“党员身边无事故”活动，促进党员与非党员之间开诚布公的交流，融合了党群关系。结合电子银行的情况，对22个管理岗位从“严格、规范、谨慎、诚信、创新”5个方面制定了岗位执行标准和具体实施方案，从而把“十字”行风建设与业务工作、精神文明建设有机地结合起来。

（中央金融工委文明办）

中国民生银行北京管理部

推行规范服务　创建文明行业

民生银行北京管理部积极响应中央文明委“深入开展优质规范化服务，大力倡导文明行业新风”的号召，在所辖营业网点深入开展创建文明行业规范化服务达标活动，取得明显成效。2002年被首都文明委授予首都创建文明行业活动规范化服务行业称号。

一、坚持高起点，增强对文明行业创建工作的认识

把推行规范化服务看作迎接发展机遇和挑战的现实需要。抓住北京申奥成功和北京地区10%以上的年经济增长速度提供的发展空间和商机，北京管理部力求从服务内容、服务方式、服务项目等方面进行整合，形成系统的、规范的、具有民生银行特色的金融服务体系，从而迅速提升整体竞争力。

把推行规范化服务看作上市企业规范化管理的内在要求。民生银行A股于2000年12月上市成功后，其北京管理部自觉地推行规范化服务上市企业实施规范化管理。

把推行规范化服务看作坚持“客户为上”经营理念的具体体现。北京管理部以客户满意为标准，提供优质规范服务，使人民群众得到实实在在的金融服务。

二、坚持树形象，扎扎实实开展创建文明行业活动

抓宣传，造氛围。为引导全行员工参与到创建文明行业规范化服务达标活动中来，管理部几位总经理深入营业网点，组织开展“以德治行”宣传教育活动，到各支行召开座谈会，并通过问卷调查，广泛征求员工对改善服务的建议。

抓规范，树形象。借鉴国外商业银行的服务经验，制定《中国民生银行北方管理部支行CI优质服务标准》。如设置格调高雅、温馨舒适的客户休息区，推行标准化服务用语，推出具有春、夏、秋、冬季节特点的背景环境，充分体现以人为本、客户为上的经营理念。

抓制度，定职责。管理部与各支行签订了《规范化服务责任书》和《党风廉政建设责任书》，规定对达标工作造成负面影响的，支行行长要负连带责任。制定《北京管理部规范化服务监督考核办法》，纳入年度综合业绩考核范围。管理部定期召开工作例会，研究活动中的重要事项，组织开展现场检查和指导，解决具体问题，加快达标进度。聘请两位服务督导员定期明察暗访，每月通报检查情况，督促规范服务。各营业网点建立行长信箱，设立公示牌，公布服务监督投诉电话、北京市消费者协会投诉电话，欢迎社会各界监督。

抓行风，创新风。深入开展“严格、规范、谨慎、诚信、创新”的十字行风创建活动，分阶段提出创建措施和目标，分岗位提出不同的创建要求。结合工作实际，制作图文并茂的《“十字”行风在民生》学习手册，员工人手一本，严格要求自己。

三、坚持两手抓，推动文明行业创建工作深入开展

在精神文明方面，整体服务水平有了显著的提高，行业作风建设取得了新的进展。民生银行北京管理部先后被授予首都创建文明行业活动规范化服务行业、首都文明单位、首都创建文明行业先进单位等称号；方庄支行被中央文明委评为全国创建文明行业先进单位。同时，涌现出肖瑞彦等一批先进个人，全行先后有20多人次获得总行级以上荣誉。

在物质文明方面，以服务带动业务，截至2002年底，各项存款余额为561亿元，比上年增长85.82%；各项贷款余额（不含贴现）为309亿元，增长155%；全年存、贷款新增量在北京地区股份制商业银行中均排名第一。不良贷款比率首次控制在1%，成为北京地区银行业中风险控制卓有成效、不良贷款率最低的商业银行。

（中央金融工委文明办）

北京市地铁运营有限责任公司

把北京地铁建设成为首都文明长廊

北京地铁运营有限责任公司实施以巩固规范化服务达标成果，创建文明行业为主体的精神文明建设活动，推动了北京地铁事业的全面进步。

一、站在新高度、适应新变化、按照新要求

认真开展创建文明行业活动

提高认识水平，增强创建自觉性。一是站在新高度，从全局和大局入手，抓宣传、抓学习、抓认识、抓思想。二是适应新变化，从提高员工素质入手，抓教育、抓培训。三是按照新要求，从两手都要硬入手，抓合力、抓协调、抓格局。领导干部和全体员工，创建文明行业的认识水平不断提高，为开展创建活动奠定了坚实的思想基础。

提高工作标准，确立创建新目标。北京申奥成功，为加快地铁发展和建设带来了机遇。公司确定了行业发展的总体战略、经营理念、精神文明建设的总体思路和创建文明行业的要求。精神文明建设的总体思路是：巩固规范化服务达标成果，落实各项整改措施，与时俱进，创建文明行业，努力把北京地铁建设成为首都文明长廊。

提高责任意识，明确创建职责。公司借鉴规范化服务达标成功的经验和做法，在提高思想认识的同时，大力提高各级领导干部和广大员工的责任意识，确保企业中心任务的全面完成。强化安全意识，牢固树立“安全第一，预防为主”和“抓小防大，安全关前移”的思想，增强贯彻“安全靠基础取胜”和“安全工作领导是关键”的自觉性，使地铁安全运营形势始终保持优良态势。强化服务意识，牢固树立“以人为本、以乘客为中心”的思想，采取有力措施，增装电动扶梯、实施向导标志改造，开展“文明乘车、文明乘梯”活动，使地铁服务水平得到明显提高。强化效益意识，努力降低经营成本，减少支出，增加收入，提高经济效益。强化保稳定意识，针对地铁改制，认真做好思想政治工作，保持队伍的思想稳定。

二、确立新起点、追求高标准、创造高水平，精心实施创建文明行业活动

北京地铁公司按照举办奥运会的标准完善地铁服务设施、功能，努力塑造符合现代化国际大都市的服务标准。

明确主线、突出特色、把握原则，创建活动扎实推进。北京地铁行业创建活动的思路和做法，概括起来是：围绕一条主线、突出三个特色、坚持三个原则、巩固达标成果、积极扎实推进。围绕塑造北京地铁员工文明形象，提高行业的社会信誉，建设安全、高效、服务的地铁线，创造一流的环境、一流的秩序、一流的服务的主线，结合地铁实际，突出地铁动力大、速度快、时间准、安全可靠的现代化交通特色，培养具有较高专业技术素质的员工队伍；突出地铁高度集中、统一指挥、协调动作、密切关联的大联动机特色，培养有全局、大局意识和有过硬政治素质的员工队伍；突出地铁社会性、服务性和公众性强的窗口特色，培养有强烈荣誉感和自豪感，有高文明素质的员工队伍。坚持两个文明协调发展、把握共性突出个性和边巩固、边提高、边创建的三项基本工作原则。按照这一创建工作思路，北京地铁行业于2000年实现规范化服务达标，2001年在达标的基础上采取有效措施，落实整改，巩固达标成果，2002年北京地铁行业正式申报创建文明行业。

健全体系、完善制度、明确责任、推动创建活动的开展。北京地铁运营有限责任公司始终将创建文明行业与企业的中心工作相结合，完善相应制度，明确职责范围。公司结合改制后出现的体制、机制和机构的变化进一步健全三大体系。一是思想保障体系更加突出以人为本的服务思想，更加注重强调员工的职业道德，更加注重强化员工的责任意识，更加重视在精简机构人员过程中，保证创建工作的连续性。二是标准规范体系更加突出现代管理理念，更加突出严格管理。三是监督考核体系更加重视社会各界、各种媒体对地铁的关注，更加及时处理来自各方的议案、来信、来访。

培养典型、示范导向、提高创建质量。公司先后大力宣传了检票能手张会兰，行车60万公里无事故的孙文新、张晓雨及首都精神文明建设先进单位客运公司阜成门站等先进典型。运营公司下属7个分公司经考核全部被评为公司级文明单位，其中，客运公司荣获全国城建系统文明服务示范窗口称号；车辆一公司、车辆二公司荣获首都文明单位称号；客运公司阜成门站荣获首都文明单位标兵称号；2000年北京地铁荣获北京市创文明行业、规范化服务达标单位称号。

三、安全创纪录、服务大改善、新线快发展，努力实现创建文明行业目标

地铁运营公司以安全运营、优质服务、新线建设为中心，努力创建文明行业。

实现安全运营2000天，创历史新纪录。2001年7月6日，经过5年5个月零21天的努力，北京地铁实现了连续安全运营无大事故2000天的奋斗目标，创造了北京地铁安全运营历史的最新纪录。

更新服务理念，提高服务水平。公司确立了“以乘客为中心”和“建设为运营、运营为乘客”的服务思想，按照社会公众对地铁服务的合理要求，为乘客提供以安全、快捷、准时、方便、舒适的服务。加强服务硬件建设，改善服务设施，创造便民条件。公司投资1947万元，新增装电动扶梯20部，使地铁扶梯总数达到95部。投资1000万元，对向导标志进行全面更新改造，方便群众认知。投资50万元，在“复八线”新增16座环保型卫生间，为乘客提供方便。投资500万元，安装了电视车门监视系统，提高了安全运营可靠性。从2001年开始大力开展了“文明乘车从我做起”宣传教育活动，通过狠抓行车、安全和乘车秩序，使地铁乘车秩序得到明显改善。

（首都文明办）

天　津　市

全面实施文明社区“五个一”工程

为推进文明城市的创建工作，天津市把实施文明社区“五个一”活动作为重点工程来抓。其主要内容包括：在每个建制街建设一所社区市民总校、一个社区服务中心、一个社区文体活动中心、一个社区规范化集贸市场和一个社区广场花园。全面建设文明社区“五个一”工程旨在以“三个代表”重要思想为指导，按照市委“一切为了人民、一切依靠人民”的工作思路，把群众关注的热点、难点问题作为创建活动的重点和着力点，以群众是否满意作为检验标准，一手抓阵地，一手抓教育，努力提高创建水平。

一是提高认识，加强领导，把实施文明社区“五个一”活动作为重点工程来抓。全市各级党委、政府和文明委对创建文明社区“五个一”工程给予高度重视。市委领导出席创建文明社区“五个一”活动研讨会，创建活动紧密联系天津实际，紧密围绕当前中心工作，选准工作着力点，充实内容，拓宽领域，创新载体，全面提高创建工作水平。各级领导实现对精神文明创建活动的“四到位”：认识到位，组织到位，指导到位，检查到位。

二是完善标准，搞好规划，引导实施文明社区“五个一”活动健康发展。明确提出了“高、新、实、好”的实施文明社区“五个一”工程四字原则。高，就是创建活动起步要高、标准要高，体现全面上水平的工作要求；新，就是要有新项目、新内容，体现与时俱进、开拓创新的时代精神；实，就是内容实、措施实，符合虚功实做的工作要求；好，就是“五个一”阵地建设得好、发挥作用好，群众能够得到实惠，干部能够受到教育，把“三个代表”的要求落到基层。各街道从实际出发，制定创建文明社区“五个一”工程规划和实施方案，全市形成了市、区、街三级规划体系。

三是抓点带面，现场推动，不断提高创建文明社区“五个一”工程水平。几年来，天津先后召开了4次全市性现场推动会、两次总结表彰会，推广了10多个类型不同、特色各异的先进典型，形成了相互学习、相互促进、你追我赶、争创一流的浓厚社会氛围，涌现出一批高档次的示范社区、精品社区，推动全市实施文明社区“五个一”工程跃上新水平。

四是齐抓共管，全力共建，确保创建文明社区“五个一”活动各项任务落到实处。根据实施文明社区“五个一”工程任务实、涉及部门多的特点，充分发挥各主管部门职能作用，调动各方面积极性，形成了“党委统一领导，党政主要领导亲自抓，文明委协调指导，文明办组织推动，街道党工委和办事处负总责，主管部门密切配合、齐抓共建，驻社区党政军机关、群众团体、企事业单位群策群力，积极参与和支持”的领导体制和工作机制。

五是以奖促投，形成机制，激励创建文明社区“五个一”活动深入发展。为加大实施文明社区“五个一”工程的力度，市委、市政府坚持每年拨专款发放“以奖投资”资金，带动全市形成了“五个一点”的融资渠道。即市财政奖一点，区财政拨一点，街道社区拿一点，有关责任部门筹一点，驻社区单位支持一点，为创建“五个一”阵地、发挥阵地作用提供了资金保障。

六是依托阵地，开展活动，充分发挥“五个一”阵地功能作用。做到发挥阵地教育功能，进一步加强社区思想政治工作；发挥阵地服务功能，为社区群众办好事办实事；发挥阵地娱乐功能，满足群众精神文化需求。

2002年文明社区“五个一”活动的进一步开展，完善了一大批社区阵地，促进了社区建设事业的发展；增强了社区凝聚力，密切了社区党群、干群关系；深化了规律性认识，探索出一条加强社区精神文明建设的新途径；实现了两个文明建设协调发展，促进了市民素质、群众生活质量和城市整体文明程度的提高；提高了全市干部群众对加强社区精神文明建设的认识，调动了广大干部群众创建文明社区的积极性。

（天津市文明办）

天　津　市

“六进社区”特色鲜明

按照中央文明办关于深入开展“四进社区”活动的部署，天津对业已在全市开展的科教、文化、体育、卫生、环保、法律“六进社区”活动重新进行了调整部署，加强组织领导，健全活动机制，调动了方方面面的积极性，使“六进社区”活动出现了良好发展态势。

一、建立高效运作的工作机制

天津市先在红桥区进行了科教、文化、体育、卫生、环保、法律“六进社区”活动试点，使群众收益，为群众欢迎，得到了市委、市政府的高度重视。“六进社区”活动陆续在全市铺开。一是建立领导责任制度。各区成立了由区委主要领导任组长，区委、区人大、区政府、政协和各职能部门领导参加的“六进社区”领导小组，区文明委坚持每季度组织召开一次协调推动会。各街道党工委、办事处都建立一把手负责的领导责任制。二是制定规划落实制度。各区文明委制定了“六进社区”活动规划，并根据规划和每年实际情况，坚持年年制定年度方案。各责任单位和街道社区根据规划和年度方案开展和正在开展的“六进社区”系列活动达几百项，丰富了社区居民的文化生活。三是实现网络工作制度。各区普遍形成了区、街、居三级创建网络，在区文明办统一协调下，充分发挥各责任部门作用，把工作直接融入到提高社区居民群众文化品位和生活质量之中；充分发挥街道党工委、办事处作用，把社区管理、社区建设、百姓安居乐业融为一体；充分发挥社区居委会作用，把串百家门、知百家情、解百家难的居民自治组织的作用发挥出来，不断满足百姓的需求。四是坚持督促检查制度。各区文明办等各责任部门和单位，制定了推进“六进社区”创建活动工作职责和标准，使“六进社区”活动形成了创建工作有职责、创建任务有标准、活动效果有讲评的工作格局，切实保证活动的高起点、高质量、高水平。

二、建设专兼职结合的工作队伍

“六进社区”活动是一项涉及面广、群众性强的活动。为了保证顺利进行，逐步培养和建设了一支专兼职结合的工作队伍。一是理论骨干队伍。充分发挥邓小平理论讲师团、公民道德讲师团和思想政治工作报告员作用。利用市民学校等阵地进行“三个代表”重要思想、《公民道德建设实施纲要》等培训教育，并在街道社区举办专题讲座。二是宣传员指导员辅导员队伍。充分发挥科普知识、“四五”普法以及环保知识宣传员作用，文艺演出、书法绘画、图书借阅等文化指导员和体育健身辅导员作用，使专业人员与业余骨干队伍相结合，发挥各自优势，为提高市民整体素质服务。三是志愿者队伍。各区中老年社区志愿者和青年志愿者，经常服务在社区居民当中；社区治安义务巡逻志愿者为社区居民增添了安全感。四是以居民委员会主任为主要成员的社区管理队伍。社区居委会的干部是“六进社区”活动的组织管理协调者，在整合社区资源、推动创建活动健康发展等方面，发挥了重要作用。

三、开展丰富多彩的群众创建活动

“六进社区”活动范围广、内容多，在开展活动时根据不同时期的工作重点和群众要求，从不同角度出发，做到了因时制宜、因地制宜。一是围绕党的中心工作开展活动。结合反对“法轮功”邪教，各区开展了弘扬唯物论、无神论的教育，举办了崇尚科学文明、反对迷信愚昧的讲座和图片展；结合市委提出的改善人民生活的新三件事的要求，广泛开展群众歌咏比赛、科学健身等文体活动。二是围绕居民群众关心的热点问题开展活动。把群众关心的问题作为“六进社区”活动的重点。社区居民希望美化居住环境，各区普遍开展了“蓝天、碧水、绿家园”创建活动。一些居民生活有困难需要帮助，各区直机关党委每个支部联系一个社区居委会，帮助一户社区困难群众。三是围绕节日、纪念日开展内容丰富、形式多样、群众喜闻乐见的活动。在全市各区，每逢节假日，都有群众性大型文艺活动。四是围绕社区特点有的放矢地开展活动。基层工作人员从各社区的居民职业分布情况、年龄特点、心理需求等方面入手，有步骤、分层次落实“六进社区”活动，如在居民文化素质较高的社区、公寓开展法律、文化特色小区创建活动，在外来务工人员多、老年人多的小区开展科普、卫生特色小区创建活动，以此带动各小区的创建活动向高水平、高层次发展。

四、保证多渠道资金投入

“六进社区”创建活动在开展经常性活动的同时，也需要载体建设和完善，必须保证有一定数量资金的投入。各区采取政府投入一点、街道办事处拿一点、驻街单位支持一点、物业公司赞助一点的办法，使各小区的设施、场地建设逐步完善，有效解决了“六进社区”活动的硬件问题，也为社区的建设和发展增添了后劲。

（天津市文明办）

天津市大港区迎宾街

以“六心工程”为载体　创建文明社区

大港区迎宾街辖15个居委会，5万多居民，几年来，在文明社区创建活动中，以“六心工程”为载体，推动了社区各项事业的健康发展。

一、实施“净心工程”，建设学习型社区

以社区教育为根本，全面提高居民文明素质，努力建设学习型社区。一是常规教育抓基础。充分发挥市民学校主阵地作用，以形势任务、法律法规、行为规范、科普健康为主要内容，每月至少安排两次市民教育活动，做到常抓不懈。二是重点教育抓实效。以公民道德建设为重点，印发规范市民行为的《“六心工程”服务卡》，送到千家万户，做到家喻户晓。三是特色教育抓典型。通过形式多样的创建活动，培养各类先进典型，以婆媳互夸会、先进事迹报告会、文明楼院现场观摩等形式，弘扬先进事迹，推广先进经验，提高社区居民的思想境界和文明素质。

二、实施“舒心工程”，建设绿色社区

以“建绿色小区，创优美环境”为主题，开展“小区楼院是我家，绿化美化靠大家”活动，努力实现人与自然和谐统一。一是长期治理与阶段性清整相结合。在12个小区推行企业代管的物业化管理，实现了管理责任、工作制度、相关人员、治理效果四个到位。二是专业队伍与志愿者队伍相结合。以社区保洁队伍为主，实行楼栋保洁和区域保洁责任制；以社区党员、楼栋长、学生为主组成社区环境志愿者队伍，落实社区护绿保洁责任区。三是推进创建和全民参与相结合。以创建“绿色小区、绿色楼院、绿色家庭”活动为形式，举办家庭环保知识大赛和中小学生环保知识问卷调查，广泛开展“美化绿化家园”环保实践活动，形成“社区环境大家管，社区环境大家建”的良好氛围。

三、实施“安心工程”，建设安宁社区

坚持“预防为主、打防结合”的方针，加强社区治安环境综合治理，确保社区居民生活安定、秩序稳定。一是开展法制教育。先后举办了保护妇女儿童权益法制讲座，组织青少年参观《法与人生》为主题的法制教育图片展，对外来人口开展专题法制教育，增强了居民法治意识和遵纪守法的自觉性。二是建立治安组织网络。在社区居委会设立警务办公室，组建专兼职小区治安组织和义务治安巡逻队，使社区形成专兼结合、专群结合的昼夜巡逻治安防范组织体系。三是加强对不安定因素的排查力度。加强对“法轮功”人员的教化工作，使重点人员得到明显转化和有效控制，及时排查和调解各类矛盾纠纷，把不安定因素控制在最低限度。四是大力推进法律进社区工作。成立街道法律服务所，在居委会设立检察官法律服务站，为居民群众提供法律咨询、法律援助等服务。

四、实施“爱心工程”，建设服务型社区

以为民办实事为出发点，以“群众满意为第一标准”，切实解决群众普遍关心的热点和难点问题。一是阵地建设日益完善。增强社区服务中心和劳动保障中心载体功能，形成了统一管理、开放服务的新格局。二是便民服务日益扩大。各生活小区都配建了商业网点，开展了家政、医疗、就业等服务。三是特殊群众服务日益加强。开展了双拥优抚、扶贫助残活动。四是就业服务日益显著。对下岗失业统计做到“三清”（择业意向清、个人技能清、家庭情况清），以针对性的服务提高就业的成功率。五是志愿者服务日益规范。开展“进百家门，知百家情，解百家忧”活动，组织党政干部与困难户结帮扶对子；组织志愿者对百户孤寡老人、优抚对象进行帮助，使社区服务工作得到加强。

五、实施“开心工程”，建设幸福社区

丰富文化生活，广泛开展群众喜闻乐见、参与性强的广场、小区文娱体育活动，营造出健康向上、欢乐开心的社区生活环境。一是建立社区体育组织。成立了由辖区82个单位组成的社区体育协会，使自发的群众文体活动融入社区整体文化建设之中。二是规范社区体育队伍。在各小区组建了4支队伍（晨练队、秧歌队、文艺队、书画队），培养和选配20多名文体骨干于各队指导，实行文化生活的有序管理。三是丰富社区文体活动。以群众性文化活动为主体，举办广场消夏纳凉、社区文艺、小区文艺、家庭文艺汇演等系列活动。特别是首届社区运动会规模空前，带动了全民健身热潮。

六、实施“同心工程”，建设一体化社区

充分发挥社区单位的资源优势，采取多种形式，形成了社区共建的新格局，一是以社区党建带动社区共建，发挥社区党组织和党员在社区共建中的表率作用。二是发挥职能优势联手共建。与司法部门共建，开辟社区法制园地；与学校共建，壮大志愿者服务队伍；与驻区部队共建，开辟军地两用培训人才基地。三是探索共建新格局。召开社区共建共管专题研讨会，探讨社区教育、社区管理、社区服务、社区环境以及物业管理的新思路、新方法，制定了共建制度，明确了共建形式，实现了同心共建美好社区的新格局。

（天津市文明办）

中共天津市委教育卫生工作委员会

构建网上思想政治教育新平台

近年来，在教育部党组和天津市委的领导下，市委教卫工委积极探索新形势下学校思想政治教育和德育工作的规律、特点、途径和方法，确立了“坚持德育创新”的工作思路，形成了德育学科化建设、主体化实践和网络化运用的德育工作创新机制和方法。

一、充分认识网络发展的革命性意义，以先进思想文化占领网络阵地

市教卫工委成立了天津市学校思想政治工作网络化运用领导小组。把思想政治教育进网络纳入校园网络建设的总体规划，将网络文化纳入校园文化建设的总体格局。规定各级教育部门实验设备经费中必须有相当部分用于网络建设，没有思想政治教育进网络内容的计划不予批准。各高校要专门设岗并配备专职思想政治教育进网络工作人员；要利用网络开展形式多样的理论学习与教育活动，增强新形势下高校思想政治教育的针对性和实效性；要建立健全网络管理的规章制度，对网络高度关注，一定要做到了解、知情、监控；要加强对思想政治教育进网络工作的领导与研究，不断创新，赋予其以强大的生命力。

2001 年 10 月市教卫工委颁布《关于进一步加强学校思想政治教育网站建设的意见》，启动“天津市学校思想政治教育网站建设工程”，投入专项资金 300 万元，资助全市 22 所普通高校的思想政治教育网站建设。以“十五”高等教育信息化专家组为依托，成立思想政治教育进网络技术支持小组，为思想政治教育进网络工作提供完备的技术支持。

二、坚持主动性、主导性、主体性原则，以创新精神推进思想政治工作网络化运用

坚持主动性原则，主动引导，主动出击。电子公告栏是一个信息庞杂的地方，各种网上信息汇集一起，既是了解师生真实思想的重要渠道，也是极易影响学校稳定的信息源。对此采取“堵”与“导”相结合的办法，以导为主，牢牢把握制网权。首先是堵，即堵住不良信息，同时要做好引导工作，即充分利用网络优势，使正确的有利于稳定的舆论在网上形成主流声音。

主动占领，主动作为，用正确、积极、健康的思想文化占领网络阵地。一是利用网络加强理想信念教育。使思想政治教育网站成为理想信念教育的第二课堂。二是利用网络加强集体主义教育。三是利用网络加强爱国主义教育。利用网络把爱国主义教育与校史教育结合起来，与校园文化建设结合起来，使师生感受到爱国主义就在身边。南开大学的“觉悟”网站，以校友周恩来创立的“觉悟社”命名。开通仅两个月，点击量已超过 4 万人次。四是利用网络，加强和改进“两课”教学。一位讲授思想品德课的年轻教师在讲台上讲课的同时，还在网络上开设“道德与人生”专栏，在短短几个月的时间里就发表了 400 多篇正面教育的文章，与学生们交流思想，加深理解。五是利用网络推动中心组理论学习。市教卫工委在“北方教育网”开辟了“三个代表”重要思想学习专栏，成为教卫系统处级以上干部理论学习园地。六是注重加强网络道德建设。在实施大中小学《德育规程》中，明确规定有条件的学校要建立网站（或主页）并积极向学生开放，引导学生做文明网民，倡导大学生正确利用网络，抵制不健康的网上活动。

坚持主导性原则。一是健全科学管理机制。市委教卫工委明确规定，各学校思想政治教育进网络工作，由党委主管思想政治工作的领导亲自抓，由党委办公室、宣传部或学工部牵头落实，避免出现扯皮和互相推诿现象，保证了思想政治教育进网络工作的健康发展。二是规范科学运行机制。每季度由教卫工委思想政治工作网络化运用领导小组对各单位工作进行抽查，并及时通报，作为推动工作的手段和评价各单位工作的重要指标。三是信息交流机制。建立教卫工委系统网络信息员队伍，每月召开一次全市高校网络思想政治教育通讯员例会，交流情况，总结经验，提出问题，明确下一阶段工作任务和要求；编印《天津市思想政治工作网络化运用专刊》，强化阵地意识。

坚持主体性原则，充分发挥学生在思想政治教育进网络工作中的主体作用。

采用培养“理智网民”的做法，在各院系组织一部分政治思想好、学习成绩优秀的学生，组成网上骨干小组，在突发事件和重大政治事件中，发挥骨干作用。南开大学充分利用校园电子公告栏，专门建立了研究生会版、博士生会版，分别由“两会”骨干担任负责人（版主），“两会”干部均已申请用户标识符，以较强的群体优势把正确、合理的思想通过“两会”版块，传播到广大研究生中。许多高校的网站建立了校长信箱，在全校各部门的配合下，听取学生意见和建议，解决学生提出的各种问题，受到了广大学生的好评，起到了维护学校稳定、凝聚人心的作用。

（教育部社政局）

河北省邯郸市

抓实诚信教育　铸造诚信品牌

为贯彻落实《公民道德建设实施纲要》，河北省邯郸市按照“诚信为本，重在建设，突出重点，广泛参与”的总体思路，狠抓诚信教育，培育信用道德，规范信用行为，发展信用服务，全市初步形成了“诚信光荣、失信可耻”的良好社会风尚。

一、找准关键，把诚信作为立市之本

为振兴邯郸经济，市委、市政府始终把营造良好的经济发展环境作为重要任务来抓。经过多年的努力，城市硬件建设得到了改善，但是国家机关执法不公、企业和个人失信时有发生，致使有些项目、资金和人才流失，影响了经济的发展。

市委、市政府从经济发展的实践中认识到：诚信是最大的发展资本，是最佳的经济发展环境和投资环境，不解决诚信问题，不创造良好的诚信环境，社会经济的健康持续发展就无从谈起。市委、市政府召开常委会、党政联席会，研究如何加强诚信环境建设；多次深入基层进行专题调研，认真听取社会各界意见。市政府决心把建设“诚信政府”作为建设“诚信邯郸”的核心工程，要求机关在加强教育和引导的前提下，积极改革施政模式，以“诚信政府”来带动“诚信邯郸”活动向纵深发展。市文明委按照市委、市政府的工作部署，从内容到形式进一步拓宽深化“诚信邯郸”主题教育活动的内容，加大教育力度，培养信用文化。

二、深化教育，营造浓厚的社会诚信氛围

以宣传为主导，营造舆论强势。召开了百万

人参加的广播电视动员大会，对“诚信邯郸”主题教育活动进行周密安排、全面部署、广泛发动，使“诚信邯郸”的观念深入人心。结合创建文明社区活动，建设了10多条思想道德宣传一条街，以《纲要》和《公民诚信公约》为主要内容，营造浓厚的文明诚信氛围。举办历时3个月的社区文艺展演，讴歌先进典型，鞭挞不诚信行为。建立社区道德论坛，成立道德评议会，对居民的行为进行评议。举办“诚信邯郸”知识竞赛，进行“诚信邯郸”演讲比赛。新闻媒体开辟专题、专栏，全方位、多层次地对“诚信邯郸”活动进行宣传报道。

以履约践诺为载体，强化诚信意识。全市从200个重点部门和重点单位抓起，行政、执法部门围绕真心实意为基层服务、为群众服务、为投资者服务和办事有章、言而有信、政务公开、司法公正等，向社会公开承诺。服务“窗口”单位，围绕无态度粗暴、无以次充好、无价格欺诈、无恶性竞争、无假冒伪劣商品、无侵犯客户和消费者权益行为等，向社会公开承诺。厂矿企业围绕重合同、守信用、提高产品质量、履约践诺、不盗用他人商标、不侵犯他人知识产权等，向社会公开承诺。中介组织围绕解决信息误导、违规收费等，向社会公开承诺。科教文化单位围绕解决抄袭剽窃、侵权盗版、有偿新闻、艺风不正等，向社会公开承诺。各级单位制定和完善了奖惩措施，从解决群众反映强烈的热点、难点问题做起，切实做到履约践诺。

以行风评议为手段，树立诚信观念。严肃处理不诚信行为，针对执法机关、经济管理部门和社会服务单位行风建设、诚信服务中存在的突出问题，进行行风评议，强化诚信意识，克服自身不足，制定整改措施，加大处罚力度。截至年底已处理各类典型案件50余起，对30余名违纪人员给予党纪、政纪处分，收效明显，群众上访和投诉率明显下降。

以先进典型为导向，光大诚信形象。开展评选“十佳诚信企业”、“十佳诚信村”、“十佳诚信户”、“十佳诚信标兵”活动。同时，对反面典型组织舆论批评，让丑恶行径曝光。

三、虚功实做，注重加强监督约束机制建设

制定公约，规范公民诚信行为。制定以“十提倡十反对”为主要内容的《邯郸市公民诚信公约》。金融系统建立全市个人信用服务系统，通过收集个人的信用信息，评定个人的信用等级，方便诚信客户，使个人信用成为第二身份证、经济通行证。

强化措施，着眼建设诚信政府。把建立诚信政府作为“诚信邯郸”活动的核心工程，把社会管理公平、公正作为诚信政府建设的中心内容，对政府诚信行为进行系统规范。一是推行政务公开。先后建立了邯郸市项目投资审批中心和收费中心，实施集中办公、一站式服务，提高工作效率和透明度。各行政机关公开办事程序、服务内容、服务热线及有关工作要求和标准，让群众对工作程序进行监督。二是加大督查力度。市委、市政府责成市文明办、市委督查室、市政府督查室、市行风评议办公室和市转变作风办公室等有关部门，对行政、执法机关的诚信情况定期进行检查，每月召开一次联席会议，交流督查情况，确定工作重点，及时处理存在的失信问题。三是严格实行奖惩。市优化经济发展环境办公室专门制定建设诚信政府、优化经济发展环境的有关制度，出台了严格的奖惩措施，规定凡是存在严重失信问题的单位，年终不得评为实绩突出单位，主要领导不得评先、提级。市文明委把诚信政府建设情况列入精神文明考核的一项重要内容，对不诚信行为实行一票否决，为建立诚信政府起到了较好的促进作用。

健全制度，注重培育诚信企业。一是建立企业诚信评估档案。市文明办协商工商、税务、物价、技术监督、金融、环保、商检等监管部门，按照各自的职责和业务范围，对企业基本情况、经营范围、财务状况、纳税情况、资质认定、企业的信用评级情况、各项荣誉和信用缺失现象，进行认真统计，建立企业诚信光荣榜，让失信企业上黑名单。二是建立网络查询系统。在“中国·邯郸”新闻外宣网制作了“诚信邯郸”网页，就有关内容上网，为社会提供查询服务。三是建立信用缺失警示制度。根据各监管部门、新闻媒体、群众反映的企业失信情况，由市文明办、工商局经过相关程序核实后，下达失信行为警示卡，督促失信单位制定整改措施，限期改正，经验收合格后收回警示卡。

搞好监督，努力构建诚信环境。市行风办和各部门向社会公开热线电话77部，并设立行风评议网站；市委宣传部、市文明办和邯郸晚报、广播电视台设立“行风热线”，组织各部门“一把手”接受群众的咨询和投诉；定期开展下评上、上评下、同级互评等活动；设立市热线电话，组织专门班子接受群众投诉。市属新闻媒体设立“记者观察”等栏目，对机关、企事业单位和个人的“背信弃诺行为”进行曝光，并引导市民参与讨论。在行业和单位内部建立健全民主监督制度，定期听取群众意见和评议；在外部聘请社会监督员，设立投诉信箱和投诉电话，广泛听取社会各界的意见。各级各单位实行责任追究制度，把诚信活动开展情况与经济利益、评优、晋级紧密挂钩，保证“诚信邯郸”活动的广泛深入开展。

（河北省文明办）

河北省保定市新市区

在普及中提高　在巩固中深化 推进创建文明社区活动

一、抓普及，全面推进创建文明社区活动

河北保定市新市区创建文明社区扎扎实实地办了三件事：一是全面改善社区基础设施。根据市里的统一要求，采取“政府财政挤一点，帮扶单位拿一点，共驻共建单位投一点，社区居委会筹一点”的办法，发动全区34个区直部门与社区结对子进行帮扶，共筹集上千万资金，为每个社区建起了50平方米以上的办公用房，20平方米以上的警务室，配齐办公设施，建起居民娱乐室和户外文体活动场所，使70个社区的居委会办公有场所、居民活动有场地。二是全面建立社区组织体系。从下岗职工、大中专毕业生、离退休干部中公开选聘了100多名政治素质好、文化程度高、工作能力强、热心社区工作的优秀人才，充实到社区居委会中，在所有社区都建立健全了党支部、居委会和社区成员代表大会，全部落实了社区干部生活补贴和社区居委会办公经费。三是全面完成了“八个一”建设。每个社区都建起了一所文明市民学校，一个图书阅览室，一个宣传橱窗，一支文艺演出队，一个不少于300平方米的健身场所，一个社区服务站，一支义务巡逻队，一个志愿者服务队，为创建文明社区活动的全面开展奠定了坚实的基础。

二、抓实事，让社区居民普遍受益

在全面普及社区基础设施和健全组织机构的基础上，新市区为社区居民做了大量得人心、暖人心、顺人心的好事、实事。

千方百计健全社区服务网络，使居民享有更加便捷的服务。通过共驻共建、资源共享的方式，增强社区服务功能，使一批驻区单位的文化、体育、娱乐、卫生设施向社区开放，极大地方便了居民。5个街道办事处均建有服务中心，各社区都有社区服务站，便民网点达610个，为居民提供购物、送物、疏通下水管道、电器维修等多项服务。全区还建立了11个二级社区卫生服务中心，59个社区卫生服务站，解决了群众看病难的问题。近一年来，帮助安置下岗职工、待业人员3000多名，解决了40多名“两劳”人员的就业。

广泛推动社区文体活动，使居民享有健康丰富的文化生活。近年来，各社区普遍建立了舞蹈队、秧歌队、腰鼓队、合唱队、乐队、书画社等多种文体组织，群众性文体活动空前活跃。2001

年4月以来，举办全区规模的社区文艺汇演4次，体育比赛2次，有10万社区群众参与各种文体活动，有效地遏制了不良文化的传播。

大搞社区净化、美化、绿化，使居民享有更加舒适的生活环境。采取集中行动彻底清除生活区的垃圾、污水、杂草，彻底清除各类“野广告”，引导社区居民清理楼道乱堆乱放的杂物，使居住环境整洁有序。发动社区居民积极参与全市统一组织的“营造城市森林”大型公益活动，全区共植树30多万棵，美化了社区，增强社区居民关心生态、保护环境的公德意识。采取政府投入与群众义务劳动相结合的方法，在70个社区中新建了160处人文景观，新增10万平方米林地、绿地，修建近百个休闲广场和近万平方米健身长廊，使居民生活环境大为改善。

三、抓活动，建立和谐的人际关系和良好的社区秩序

通过社区党支部、居委会，运用各种活动载体，引导居民广泛参与思想道德建设，进行自我教育、自我管理。一是组织开展争做“五星级”文明家庭活动。以居民家庭认星、居民小组评议等方式，倡导孝敬长辈等传统美德，增进邻里之间的团结和睦。二是组织开展争做文明市民活动。利用文明市民学校，针对居民日常生活中经常遇到的问题，开展法律、科技、卫生等常识的宣传教育，组织人们对违反《市民行为规范》的现象开展评议，促进遵纪守法、讲究卫生、爱护公物、助人为乐等社会新风在各个社区中逐步形成。三是组织开展群治群防活动。普遍组织由居民组成的义务巡逻队、以楼院长为主的治安防范包片小组，配合社区干警和保安人员开展治安管理，有效地防止了入室偷盗、丢失自行车等现象的发生，促进了全区的社会治安工作。

（河北省文明办）

河 北 省 新 河 县

银户合作为农村道德建设注入新活力

2002年以来，新河县文明委在全县农村开展了创建“信用户、信用村”活动，促进了农村经济发展和农民道德素质的提高，为农村两个文明建设协调发展提供了新的经验。

一、主要做法

新河县与人民银行新河县分行和县信用联社共同开展创建“信用户、信用村”活动。他们坚持把创建活动同推广农户小额信用贷款结合起来，同促进农业结构调整、增加农民收入结合起来，同改进作风改善服务结合起来，促进农村生产力的发展和公民道德素质的提高。

建立组织，强化领导。县里专门成立了“信用村”创建活动领导小组，在人力、物力、财力上给予必要保障。各村同时成立了“信用户”评定领导小组。

制定标准，规范运作。先后制定了《农户信用等级评定办法》和《创建信用村评定办法》。信用户评定分为优良、较好、一般3个信用等级，信用村条件定为5条：（1）村两委班子战斗力强；（2）参与面广，全村信用户达80%以上，村民在信用社入股率达60%以上；（3）有一定的资金实力，村集体在辖内信用社有一定的存款余额，村民人均储蓄存款300元以上；（4）村委班子成员和村民代表组成“贷款评议小组”，协助信用社审查、落实并清收贷款，村民贷款达到“无逾期、无呆账”；（5）无拖欠贷款农户占全村农户总数的95%以上。

填卡建档，评定等级。各信用社信贷人员开

展了大规模的农户资信情况摸底调查，对近80%的农户建立了资信状况动态档案。根据农户的个人信誉、生产经营能力、年度收支和还款来源等，对农户进行信用等级评定，签发农户信用贷款证占信用户总数的30%。推广小额农贷业务占全县农村总数的60%、占全县农户总数的20%。

优惠条件，政策激励。信用村的农户可以享受以下优惠政策：一是信用村的贷款采取“自主申请、集体审批、一次核定、随用随贷、余额控制、周转使用”的管理办法；二是信用村村民贷款在同等条件下，贷款优先、利率优惠、手续从简、额度放宽；三是信用村村民贷款按评定的信用等级和授信额度，持信用贷款证、身份证及印章，随时到当地信用社办理贷款；四是对超过信用贷款限额、借款者本人又无法提供有效抵押、担保的农户贷款，可采取3—5户农民联保的办法，最大限度地满足农户对大额资金的需求。

强化内控，完善管理。一是实行责任追究。严格执行贷款“三查”制度、“审贷分离”制度和“贷款第一责任人”制度，对严重失职的当事人严肃追究其责任，切实兑现各种行之有效的奖惩制度。二是以资产结构的多样化分散并降低风险，保证信贷资金的流动性、安全性。三是层层落实资产管理责任制和经营目标责任制。定人员、定任务、定考核、定奖惩，真正使支农贷款贷得出、收得回、效益好。

广泛宣传，舆论引导。通过电视台、报纸、会议、标语等不同形式大力宣传创建信用村的重要意义和评定程序、评定标准，同时，组织创建活动宣传小分队，深入到全县169个村，利用小喇叭广播、群众大会、个别座谈、发放明白信、典型现身说法等形式进行宣传，让农民群众真正感受到开展创建活动带来的好处，激发了广大农民群众参与的积极性。

二、基本成效

为农村经济发展注入强大活力。新河是个较贫困的农业县，金融单位与农民之间由于缺乏相互信任，金融单位有钱不敢贷，农民需钱贷不到，严重制约着经济发展。“信用户、信用村”创建活动的开展，为农村经济发展注入了强大活力。评上信用村、信用户，信用联社发给一张贷款证，贷款如同有了一张“通行证”，及时满足了农民生产、生活所需。2002年3月，西流马庄村庄文敏建西瓜大棚需要一笔资金。他从信用社贷款12万元，种了24个大棚的西瓜，每棚收入达4000元。董夏村被评为“信用村”，该村共有农民408户，2002年有321户信用户获贷款95万元，购买肉牛，带动了信用户走上养牛致富的道路。西杨村也是一个信用村，获贷款90万元，一次购进优良奶牛130余头，现在发展到800余头，全村年创收入可达400多万元，年人均增加收入1000元。截至2002年底，县联社共为全县2万余户信用户发放农贷7030余万元，拉动和吸引农民自身投入资金300余万元，带动农民增收达1600万元。

“信用户、信用村”创建活动，让信用社找到了一把解决投贷难、收贷难的“金钥匙”，有力地提高了信贷运行质量，使信用社步入了快速健康发展的轨道。原来信贷员怕收不回贷款不敢放贷，现在信贷员深入信用户，主动为其提供致富信息，谋划致富项目，贷款额迅速增加，信用联社理事长马文全到信用村搞调研，不仅给农户讲解诚信的重要性，还讲解养殖实用技术。在西场村，他讲养殖奶牛怎样防疫、配药等，吸引了大批农户前来听讲，激发了农民积极贷款发展养牛的积极性。截至2002年底，累计发放各项贷款8873万元，贷款利息回收率均为100%。

“信用户，信用村”创建活动，提高了农民群众的文明素质，形成了良好的社会风气，推动农村两个文明协调发展。广大信用户靠诚信从信用社那里获取贷款，又以诚信的态度从事各项经济活动，获得了丰厚回报。董家村村民张忠福在联社资金的支持下，成立了新河县益农食品有限公司，投资百万元新建蘑菇真空包装生产线，生产的“堂阳”牌淡水菇畅销日本市场。信用意识潜移默化地影响着每个农民群众的思想，在处理家庭、邻里、朋友之间、个人与集体等关系上，以诚信规范约束言行，互守诚信，和睦相处，建立了良好的人际关系，维护了农村的社会稳定。

（河北省文明办）

河北西柏坡发电有限责任公司

着力提高职工队伍素质
为企业改革发展注入强大的精神动力

河北西柏坡发电有限责任公司在创建文明单位活动中着力提高职工的思想道德和科学文化素质，促进了企业效益的逐年攀升，先后荣获了省级文明单位、省先进基层党组织、省思想政治工作优秀企业和省模范职工之家，国家电力公司一流火力发电企业和双文明单位等称号。

一、加强思想建设，与时俱进，转变观念，努力提高管理人员素质，全面推进企业现代化管理

面对"厂网分开，竞价上网"的挑战，西柏坡发电有限公司以"三个代表"重要思想为指导，站在未来市场求生存、图发展的高度，制定了《五年发展规划》。从转变管理人员的思想观念入手，抓企业管理水平提高。强化理论学习，进一步增强管理人员的市场竞争意识。学习先进的管理知识和方法，提高管理人员的业务水平。2001年成功地导入了CIS策划，确立了科学的经营理念；完善计算机网络，实现了管理流程和闭环控制。实施与国际接轨的质量管理体系、环境管理体系和职业健康安全管理体系"三位一体"模式。

二、加强道德建设，"三定三抓"、"三创一争"，努力造就高素质的职工队伍

三定是职工、班组、车间层层制定职业道德规范。三抓是公司抓车间，车间抓班组，班组抓个人，逐级抓规范落实。"三创一争"是深化创建文明车间、文明班组、文明家庭，争做文明职工活动。创建活动对年度评先具有一票否决权。

每年进行两次全员岗位技能和上岗考试。一次不及格者下浮一级岗级，全年平均不及格者待岗一年。同时，建立配套的业绩考核、岗位竞争和突出职工奖励等一系列管理机制，进一步调动了职工学习技能的积极性。2001年，3名职工在全国电力行业技能竞赛中获奖。公司有7项科研成果分别获得河北省、国家电力公司和国家级优秀成果奖。

三、弘扬社会新风，文明一方、造福一方、稳定一方，发挥文明单位的带头示范作用

文明一方，带头开展"三德三做"活动。在强化职工职业道德建设的同时，大力加强社会公德和家庭美德建设。在社会公德上从打电话时讲粗话、乘车抢座位等小事抓起；在家庭美德上从夫妻间互不谦让、不孝敬老人等家庭琐事抓起，引导职工在社会做好公民、在单位做好职工、在家庭做好成员。积极参与省、市组织的扶助下岗职工、帮助困难群众、支教助学等社会公益活动。近年来，广大职工主动捐款、捐物约40多万元，扶助平山县两个贫困村建希望小学两所，帮助贫困村修复农田水利设施建设，植树造林绿化荒山，向社会奉献西电职工的爱心。

造福一方，保护生态环境。教育广大职工树立关心生态、保护环境的公德意识。主动投资6350万元，在全国火电企业首家实现了废水"零排放"。受到国家经贸委、环保总局、国电公司高度评价，并在全国火电企业推广。

安定一方，维护社会稳定。建立思想政治工作机制，教育职工在企业内外都要带头遵纪守法，讲社会公德。建立党风廉政责任制，公司纪检、监察、审计部门对招投标等经营活动实施全过程监督，从源头上防止腐败问题的发生。经过企业全体职工的共同努力，公司实现连续安全生产791天，连续4年党员干部无违纪，职工及家属无一人参与"法轮功"修炼。

（河北省文明办）

山西省壶关县

创办农村文化大院 促进两个文明建设

近年来，山西省壶关县站在促进农村两个文明协调发展、全面建设小康社会的高度，狠抓农村文化大院建设，取得显著的成效。全县发展书画大院、剪纸大院、电影和录像大院、图书大院、八音会和说唱大院、科技示范大院和医疗大院等较规范的文化大院共7类，约720余户。文化大院创造直接经济效益1500万元，每户平均年收入2万元。

一、整合资源，扩大规模

通过联营、合资、股份、家庭承包等形式，桥上乡凭借太行山大峡谷资源优势，引导景区内原有家庭旅舍向集说唱、鼓书、图书、住宿等为一体的综合性文化大院转变。常平村是全县的首富村，村党委采取集体投资，集体布局、设点、列项和个人经营管理的方式，共发展图书、电影、医疗、录像等方面的文化大院20余户，为广大村民和外来打工人员提供了学习、娱乐场所。店上镇石会村村民侯天文以自办小型猪场的经验为基础，把大院发展为集传授科学养殖技术、供应种猪、饲料、负责防疫、销售等为一体的长治市规模最大的一个科技养猪示范基地，年销售商品种猪3000余头，收入100余万元。店上村李建创办图书阅览大院，在县新华书店的帮助下，建成了一年拥有6000余册图书，年销售收入3万元的中型图书超市。

二、政府推动，促进发展

1998年开始，全县范围内启动“二斤玉米电影工程”，即每村每人每年出玉米一斤，村里补助一斤，由各乡镇电影大院分片包村公演电影，既活跃了农村文化生活，又使电影大院经营户走上产业化经营道路，取得了可观的收入。2002年，壶关县成立说唱文化大院协会，协会每年组织一次消夏艺术节，通过比赛和培训促进文化大院向规范化方向发展。

三、加强管理，规范服务

为进一步推动文化大院的发展，壶关县文明委对初步形成产业化经营的文化大院实行分类指导。一是协调各有关职能单位分片包点深入文化大院指导工作。县文化馆辅导人员，定期不定期地对说唱大院、吹奏大院、歌舞大院进行专业辅导，增强其吸引力和服务功能；县图书馆、新华书店帮助图书大院建档立制，并拿出部分优秀图书进行流动服务。二是加强对文化大院经营者的业务培训。从2000年以来，县委宣传部、县文明办对全县文化大院进行分类培训达20余次。三是对所有文化大院进行全面整顿。帮助文化大院建立健全规章制度，如《文化大院管理守则》、《文化大院职责制度》以及活动档案等。

四、健康发展，成效显著

壶关县创办农村文化大院，对促进本地两个文明建设协调发展发挥了显著作用。

丰富了农民文化生活。随着文化大院的蓬勃兴起，文化设施进村入户，文化网点星罗棋布，农村文化活动日趋频繁。全县有从事文化大院的专兼职人员2160余人，文化大院涉及全县80%的行政村，活动人口覆盖率达85.2%以上，县、乡两级共举办文艺汇演及书法、美术、根雕、剪纸、石雕等民间艺术展28次，举办民间音乐会35场，组织文娱、体育活动1000余场次。

改善了农村社会风气。文化大院的创办，使社会主义的先进文化在农村占领了阵地，促进了农村社会秩序、社会风气的根本好转。据2002年10月的一份调查资料表明，在文化大院活动开展既早又好的8个乡镇268个行政村中，没有一人参加“法轮功”修炼；82个行政村中3年间没有发生一起治安和刑事案件。

推动了农村产业结构的调整。文化大院作为一种新兴的文化产业，在繁荣农村文化的同时，也为家庭致富开辟了门路，为农村经济开拓了新的增长点。据调查，全县95%的文化大院收回了投资，80%的文化大院取得了可观的经济效益。全县从事文化大院产业工作的专兼职人员占到全县总人口的0.9%，全县农民收入由1997年的1100元增加到2002年的近2000元。龙泉镇西川底村刘雄伟创办了石雕大院，生产出售石雕艺术品，培养了石雕艺术人才。晋庄镇晋庄村利用科技大院对农民进行科技培训，把谷子有机旱作高产经验推广到玉米、马铃薯等农作物上，使单产达到双千斤，成为国家有机旱作农业示范基地。

（山西省文明办）

山西省太原市公共交通总公司

诚信为本　文明服务

山西省太原市公共交通总公司是太原市惟一的国有大型公交企业。几年来，他们深入开展创建文明行业活动，认真落实《公民道德建设实施纲要》，诚信为本，文明服务，职工整体素质和运营服务质量全面提高，先后荣获“山西省创建文明行业示范点”、“全国建设系统精神文明建设先进单位和思想政治工作先进企业”等荣誉称号，并荣获“全国五一劳动奖状”。

该公司现有职工8000余人，各种营运车辆近4000台，公共汽车营运线路57条。1996年8月1日，太原市公共交通总公司率先在全省公交行业向社会作出了服务承诺。为使社会各界详细了解承诺内容，及时监督他们的工作，在各公司调度站和每个车厢司机座背后，制作精致的公示牌，公开承诺内容。

如何把承诺的内容落到实处是关键。他们首先是规范服务标准。提出了“提倡优质服务，坚持规范服务，克服劣质服务，杜绝恶性服务”的不同层次的要求，通过对劣质服务项目实行否决来达到规范服务。其次是规范检查。提出了“检查查到最下层，责任追到上一层”的管理方法。一是要求所有的检查必须到一线，到最容易发生问题的路段，选择最容易发生问题的时间去检查。二是实行人包线检查制，以明确责任。三是实行抽查制，每月总公司分管运营的副总经理组织机关处室进行不少于3次的抽查突查，提高检查人员的责任心和检查的真实性。再次，规范奖罚制度。一是实行月终汇总考核制，对10项考核指标完成的予以奖励，达不到标准的予以罚款。二是实行奖罚公开曝光制，把每月考核的结果在公交报公开，单位的经理、书记同奖同罚。三是实行月终汇总末位罚款制。

5年来，该公司始终坚持严肃认真处理违诺行为，真正做到有诺必践。截至2001年底，他们共收到乘客投诉634件，表扬信件2251件。对于投诉经过认真核实，全部给予答复和处理。同时，公司把内部管理与社会各界监督有机结合起来，纳入检查考核之列。这些措施的实施，有效地促进了司乘人员提高服务质量，提高服务水平。

（摘自2002年5月2日《人民日报》）

山西省晋中市邮政局

围绕服务抓创建　抓好创建促发展

晋中市邮政局辖10个县（区、市）局、11个职能部（室）科和12个专业化生产单位。多年来，市局始终把文明单位创建作为推动企业进步发展的不竭动力，持之以恒，常抓不懈，促进企业两个文明建设的健康协调发展，先后被山西省委、省政府命名为模范单位，被山西省精神文明建设指导委员会命名为省级文明单位。2002年，再次获得全国精神文明创建工作先进单位称号。

一、走科技兴邮之路，进一步强化服务功能

晋中邮局先后投资1.33亿元，建成集邮政信息传递、物品运送、资金流通“三流合一”的通信服务网络，使综合计算机网覆盖的电子化营业局达到了70%以上。开通晋中邮政“183”电子商务网站、“185”客户服务中心，给全市人民网上购物、集邮、订阅报刊提供了安全快捷的电子邮局服务。

邮政金融服务有了长足进步和发展，ATM柜员机、POS业务先后投入服务运行。绿卡网点从无到有发展到43处，网络覆盖大部分乡镇，实现与全国2000多个县（市）、16630多个绿卡网点联结，使用户真正享受到“绿卡在手，走遍神州”的满意服务。

邮政生产、经营和管理按照办公自动化、生产信息化、作业机械化的要求，建成邮政计算机系统300余套，电子化局（所）22处、全功能局（所）36处，实现了邮政指挥管理、生产作业、窗口服务的电子化。全方位强化了服务功能，树立了晋中邮政的崭新形象。

二、提高职工队伍素质，进一步夯实服务基础

晋中邮政局始终把职工队伍建设当作头等大事来抓，坚持以人为本，着力加强企业领导、专业技术、市场营销三支队伍建设。首先，打破旧的用人机制，实行公开、公平、公正竞争上岗、公开选拔中层干部的用人机制。其次，在职工中大力开展学历教育、脱产进修和函授培训。再次是每年都组织开展经济效益杯、先进企业、先进集体、先进职工的“一杯三先”竞赛活动和经常性的练功比武活动。全公司先后共有7个单位获全市邮政系统先进企业、20个集体获全市邮政系统先进集体称号，46名职工被评为全市邮政系统先进工作者。

在提高职工业务素质的同时，公司十分重视职工思想道德素质的提高。2002年，在全公司组织开展了“贯彻公民道德建设实施纲要百日教育活动”，以县（市）局和部（室）为单位组织研讨会、主题讲座、演讲赛、知识竞赛64次，收到干部职工学习心得体会文章400余篇，强化了爱岗敬业的精神和服务至上的从业理念。

三、拓展服务领域，不断提高服务质量

晋中邮政局围绕优质服务这条主线，开展“创星”活动，转变服务观念，拓展新的服务领域，深化邮政服务内涵，树立晋中邮政的良好社会形象。在不断提升投递、储蓄、速递、寻呼等传统邮政业务质量的同时，还积极拓展新的服务领域，如发行和投递公司推出电话服务、延时服务、上门服务、承诺服务、限时服务等措施。还筹集资金在居民楼新建信报箱4万户，解决高层楼房客户通邮难、缺报短刊等问题。对函件、包裹等项业务不怕赔本、不计得失，实行各类邮件全面提速和包裹免费直投到户。发行公司在全市新建统一标准、美观大方的报刊零售亭150余处，将服务延伸到每条街道、每个社区。储汇公司建成绿卡网点、开通电话银行、实行上门服务。商函广告公司拓展经营业务，服务地方经济，帮助全市60家企业开发金卡70万枚，与晋中10多个旅游名胜景点联手，发行100万枚邮资片，宣传地方产品，促进地方经济的发展。

市局建立了完善的服务监督网络和机制。全市共聘请监督员150名，定期召开座谈会征求意见。市局每季度发放一次征求意见函，每个窗口、网点每月发放一次征求意见卡。几年来，共发放征求意见函（卡）10万张，及时准确地了解客户需求和邮政服务存在问题，开展用户有奖投诉活动，严格执行服务状况警示制度，有力地促进了服务质量的提高。

（山西省文明办）

山西省晋中供电分公司

创造“双文明一体化工作法”
推动企业持续健康发展

晋中供电分公司是山西省电力公司直属大型二类供电企业，担负着晋中市11个县（市、区）的电网经营管理和建设任务。近年来，分公司党委始终坚持“两手抓、两手都要硬”的方针，创造和发展“双文明一体化工作法”，2002年，荣立山西省精神文明建设集体一等功。

一、工作机制上保障

晋中供电分公司在精神文明建设工作机制上实施了“同岗同责”、“全员创优”和“双千分考核”三项主要措施。“同岗同责”是指分公司及所属各单位的行政“一把手”与党委（党支部）书记同岗同级、同岗同责、同奖同罚，将党政“一把手”肩负两个文明建设双重责任制度化。“全员创优”是指通过开展创建文明单位、文明科室、文明班组、文明家庭、文明职工的“五争创”活动，形成全员参与、全员创建文明单位、文明行业的格局。“双千分考核”是指将两个文明建设的目标和任务按双千分分解量化，物质文明1000分，分为安全、质量、经济效益等8大条56项指标；精神文明1000分，分为组织建设、职工队伍建设、行业作风建设等7大条62项指标，并将其作为一个开放的系统，根据每年的工作重点对考核项目及时进行调整。由党委统一领导，设立以文明办为主的考评办公室，逐月考核，年终总评。对总评不合格的单位，视情况分别给予扣除奖金，取消评先资格，党政主要领导调离、降职或免职等处分，从工作机制上保障了两个文明建设的协调发展。

二、队伍建设上保证

在领导干部中，严格执行领导班子民主生活会制度和民主评议、民主监督制度，每年对所属各单位领导班子和中层干部进行一次民主评议和考评，对没有凝聚力和战斗力的班子及时进行调整，对信任度排名在后10位的中层干部以及职代会民主评议机关工作作风中排名后10位的机关科室负责人进行诫勉谈话，提出整改要求。对每年新任的中层以下干部，都要开展一次教育活动。在公司全体职工中，每月开展一次“我们身边的闪光点”评选活动，每年进行一次“十佳文明职工”、“十佳青年”评选，每年“七一”进行一次“双先、双优”表彰和文明单位、文明科室、文明班组、文明职工、文明家庭评选活动，形成崇尚先进、学习先进、争当先进的良好风气。

三、服务水平上求精

针对电业工作面对社会、面对广大群众服务的特点，2002年在全公司开展了“抓民心工程，创文明行业”活动，出台《行业行为规范准则》，向社会公开9项供电服务承诺，聘请了164名行风监督员，建立全方位的信息处理系统，开通95598热线电话和8008061230免费服务电话，实现了营业柜台、电话、因特网多渠道及24小时全天候报装、报修、咨询、投诉和举报服务，做到电力故障报修“三快速”（快速受理、快速处理、快速反馈），业务报装“三保证”（保证报装时间、保证工程质量、保证售后服务），投诉举报“三及时”（及时调查处理、及时答复客户、及时处罚奖励），居民抄表通知客户方式多样化（抄表通知单通知、语音通知、发电子邮件和传真），交费方式便捷化（储蓄代扣交费、柜台现金交费、对行动不便者提供上门收费）。在两网建设与改造中，先后投资7.76亿元，为农民减轻负担1000多万元，66万农户得到了实惠。所属31个供电所被省公司评为规范化服务供电所，44个供电所被当地政府授予人民满意供电所称号，分公司被山西省质量管理协会评为用户满意企业。

（山西省文明办）

内蒙古自治区呼伦贝尔市

一城带多城　全面创建文明城镇

呼伦贝尔市在实施“以会促创、典型示范”重点推进战略中，坚持“一城带多城”的思路创建文明城镇。即以抓满洲里等市的城市建设，推动各旗市区的城镇建设；以抓文明城创建，带动双拥模范城、治安模范城、优秀旅游城、卫生城的创建，改变城镇面貌，提高人的素质，优化综合发展环境，促进经济社会均衡、协调、全面发展。2002年，呼伦贝尔市被自治区评为创建文明城市工作先进市。

一、抓建设，努力树立文明城镇形象

领导重视，措施到位。健全党委统一领导、党政领导亲自抓，各部门、各方面分工负责的文明城创建工作机制，建立健全目标责任制，检查考核制等管理体制，使文明城创建工作基本走上了规范化、制度化轨道。出台了《呼盟关于加快城市和小城镇建设实施意见》，每年召开2—3次城镇建设和管理现场会；每个旗市都确立一批重点项目，每个班子成员都有责任、有项目，保证各项重点工程高效、优质、按期推进。

加大投入，多建快建。满洲里市实施了第二水源、疏港公路、铁路立交桥等工程，进行了市区道路、广场、房屋大规模综合改造建设；中心城区海拉尔紧紧抓住撤盟设市的有利时机，市区联手，投资6.9亿元，进行了规模宏大的城市建设改造。阿荣旗、扎兰屯市、牙克石市、额尔古纳市等市镇也持续不断地进行了一系列扩建、改建工程。

依法治市，强化管理。全市紧紧抓住基础设施建设、专业队伍建设、社会卫生管理、居民卫生意识4个重点，先后印发了一系列关于市容、环境卫生、流动人口、旅游市场等规范性文件，使城市建设、管理走上法制化轨道。各旗市区也出台了一系列实施措施和办法，形成了城市管理的长效机制。组建城管监察队伍，开展以整顿环境、交通、治安、公共、市场“五项秩序”为重点的综合治理工程，加强管理力度。

二、抓教育，全面提高市民文明素质

在思想道德教育上下功夫。以邓小平理论和“三个代表”重要思想为指导，以培育“四有新人”为目标，广泛深入开展“三德”教育和“三个主义”教育，贯彻落实《公民道德建设实施纲要》。

在载体和阵地建设上下功夫。根据各行业的实际，在行业中开展示范杯、文明杯、明星杯、青年文明号、青年志愿者行动、百城万店无假货、巾帼文明示范岗等活动；在中小学中开展18岁成人仪式、春蕾计划、争做合格小公民、小手拉大手共建美好家园活动；在广大市民中开展文明市民知识竞赛和“践行道德规范、争做文明市民”大型社会公益日等活动。在社会开展十佳文明窗口、十佳示范执法单位、十佳文明示范小区等13项专项评选和百佳呼伦贝尔人评选活动。

在推进文化建设上下功夫。以建设文化大市为目标，在全社会倡导学习风尚，推进社区文化、企业文化、军营文化、校园文化、广场文化、民族文化建设，形成了覆盖全市的群众文化活动网络。挖掘民族优秀文化资源，每年举办几次民族节庆活动，对民族文学、歌舞、服饰、生活习俗等文化资源进行系列整理、挖掘、创新；树立精品意识，创作出一批水平较高的文艺作品和具有民族特色的优秀歌舞影视作品。

三、抓共建，整体提升综合文明水平

以军警民同守共建千里边疆为主题，创建全区、全国双拥模范城。市财政用于支持驻军文化建设462万元，为78名军属、162名军转干部、220名军人子女解决了工作和入学入托问题，城镇退役兵一次性安置率达95%。军地结成共建对子500多个，涌现了“拥军十三姐妹”、“子弟兵妈妈”、“军营后勤部长”、“国门好八连”等一批双拥优秀群体和先进个人。

以优化投资环境、百姓安居乐业为主题，创建全区治安模范城。市里制定了《呼伦贝尔市关于全面建立社会治安打防控体系的实施意见》，建立了“军警民联防、多警种联动”的治安防范机制。在社区以居委会为单位，开展安全小区创建，实行联防联治，群防群治。

以挖掘绿色生态文化资源为主题，创建中国优秀旅游城。制定了旅游发展规划、生态建设规划，启动8大生态治理工程，建设了自然生态、历史人文、民族风情等旅游景点景区20多个，其中2A级以上精品景区9个。

以改善人居环境、提高市民生活质量为题，争创国家卫生城。充分运用法律、行政、经济、教育、宣传等手段，注重城市卫生管理和机制建设，先后制定了《呼伦贝尔市市容和环境管理纲要》等6个规范性文件；动员10万人次，投资1628万元，清理垃圾5万立方米，修整巷道1200条。

（内蒙古自治区文明办）

内蒙古自治区呼和浩特市新城区

发挥中心城区优势　建设首府文明之区

新城区依托中心城区优势，充分发挥自治区各厅局的积极性，以创建文明城区为抓手，全面加强精神文明建设，推动了“两个文明”建设协调发展。2002年，新城区被中央文明委命名为全国创建文明城市（区）先进城区。

一、强化宗旨意识，把服务群众的着力点放在文明社会创建上

以“两级政府、三级管理、四级网络”为架构，条块结合，齐抓共管，为社区建设提供体制保障。将原有的居委会整合成59个新型的社区居委会，建立了适应社区工作发展要求的社区管理体制；建立了区委领导、人大监督、政府落实、政协参与的社区建设领导体制，成立了由区委书记、区长牵头的社区建设指导委员会；转变居委会的职能，方便群众和社会单位办事。

走多元化投资路子，搞好社区基础设施建

设。市、区两级政府共同投资200多万元，建成了1个新城区社区服务中心和5个街道办事处社区服务中心，社区服务覆盖全区7个街道办事处，59个社区居委会，拥有先进的办公设备，集低保服务、呼叫中心、下岗再就业服务、法律科普服务、市民学校、家政服务为一体，满足了百姓的需求。

以提高居民生活质量为根本，不断开拓社区服务的新领域。80%以上的社区推行了物业管理，先后推出26项便民措施，在服务内容上，逐步走向规范化轨道，社区服务覆盖面达90%以上，形成了便民服务、残疾服务、优抚服务等配套体系。同时先后办起家政、邮政、职业介绍、医疗保健服务等，提高了服务居民生活的效率和水平。

二、强化城建意识，把服务群众的落脚点放在改善人居环境上

搞好重点工程建设，改善城区基础。以首府城市建设年为契机，重点抓好道路、广场、绿地建设。两年间，新城区共整治、拓宽63条街巷，拆除临时建筑、违章建筑19万平方米，拆除危旧平房、凉房40万平方米，对鼓楼立交桥四大区域内146个楼院进行庭院绿化和社区配套设施建设。

从群众日常需要出发，改善居民生活环境。按照城市环卫设施设置标准和要求，全区主要街巷公共场所配置果皮箱、设置垃圾转运站、水冲式公厕等环卫设施，布局合理、整洁美观。实现垃圾不落地，日产日清，垃圾的收集、清运、清倒处理率均达到100%。突出解决了街巷泥泞、小区脏乱、道路不净、环境不美等问题。

绿化美化环境，建设生态城市，提高环境质量。大力开展园林绿化，搞好“拆平建绿”、“拆墙透绿”工程，建设优美环境。新建居住小区绿化面积占总用地面积的42%，改造旧居住区绿化面积占改造用地面积的25%。

三、强化精品意识，把服务群众的切入点放在提高城区品位上

加大科教兴区力度。加快了技术创新、科技创新和成果转化步伐，两年来推广先进实用技术23项，获科技进步奖9项，从而巩固了全国科技工作先进区的成果；已建成自治区示范校14所，自治区实验学校4所，城区80%学校达到一类办学标准，荣获全国“两基”达标先进区称号。

加大文化兴区力度。区委、区政府每年与各街道办事处、乡镇和行业系统签订文化工作责任状，列入干部实绩考核之中，着力提高城区的文化品位，以举办文化节、艺术节、大型文化体育活动为载体，结合社区特点和居民需求，开展群众文化活动。

四、强化共建意识，把服务群众的结合点放在实事共办上

积极组织自治区机关参与首府建设年活动。中央、自治区各大单位从大局出发，响应区委号召，拆墙透绿。自治区人大、内蒙古大学艺术学院等积极投资进行绿化、美化。

积极组织自治区机关参与社区建设。自治区各大单位积极参与新城区的社区建设。自治区博物馆是全国爱国主义教育基地，他们开展资源共享工作，为新城区的居民接受爱国主义教育提供便利条件；内蒙古党委机关小区改善社区环境，建成了供市民休闲娱乐的绿色广场；内蒙古芳汀社区是自治区建设厅投资建设的住宅示范小区，在物业管理、资金投入、环境建设上都走在前面。

积极组织城乡共建活动。2000年以来动员组织城区30多家自治区级文明单位与10多个文明村，实现强强联合，城区文明单位共投入30多万元，用于文明村的校舍建设和村容村貌的改善。城区文明单位主动为农民提供致富信息，受到农民欢迎。

（内蒙古自治区文明办）

内蒙古自治区包头市昆都仑区

发挥优势突出特点 努力建设文明城区

昆都仑区（简称昆区）是包头市的中心城区。在文明城区创建中，努力构建“学习型、文化型、园林型、服务型”文明城区，2001 年以优异成绩率先进入自治区首批（甲组）六星级文明城区和十佳文明城区行列，荣获全国科技工作先进、全国绿化造林百强县称号。

一、建设“学习型”城区，提升群众素质和城区形象

从公民道德基本规范抓起。围绕“一基三德”（即公民道德基本规范，社会公德、家庭美德、职业道德）开展一系列活动。在科技、文化、卫生、法律进社区的基础上，开展道德规范进社区。组织《公民道德建设实施纲要》知识竞赛，有 5 万余名群众踊跃参加。

社区教育丰富多彩。各社区的党校、文化站、图书室、市民文明学校、人口学校、老年活动室、社区科普画廊等成为市民没有围墙的学校。

抓干部队伍教育注重创新。以“昆都仑论坛”为阵地，每月不定期邀请北京、上海、温州及自治区、包头市专家、学者来讲学，内容涉及国际国内形势、经济运行态势、世贸组织知识、法律、科技等方面。

二、创建“文化型”城区，丰富群众的精神生活

丰富群众性文化活动。经过几年的努力，建立起图书馆、博物馆、体育场馆、文化活动中心等公共设施。同时，本着资源共享的原则，驻区单位向社区居民开放文体、娱乐设施，使群众性的文体活动空间得到扩展。

打造群众性文化品牌。已形成四项有特色的群众文化活动品牌：鹿原消夏文化节，形式多样，内容不断推陈出新，已举办了 17 届；家庭文化节，每年用 2—3 个月的时间，各社区居委会把居民家庭创作的书画、雕刻等艺术作品在社区内展出，自编自演节目，已举办两年；“社区之光”文艺演出，面向群众社区单位，有组织、分层次开展活动，已组织三届；独生子女节，每年在区属中小学校、幼儿园的独生子女中开展“人口、资源、环境”为内容的征文、书法、绘画、演讲等系列活动。

三、打造“园林型”城区，为群众创建良好的生活环境

实施“五化”工程，提升城市品位。全面实施绿化、美化、硬化、净化、亮化“五化”工程，新建、改建、拓建道路 34 条（段），治理小街巷 70 条，形成四通八达环城环网络；加强水、气、环境卫生整治；沿街所有的公益广告和商业广告牌改为计算机彩绘柔性广告和不锈钢灯箱广告。

加强管理，提高城市整体文明程度。按照“抓好示范区，突破难点带整体，源头治理搞治本，机制创新提效率”的总体思路，从机制创新入手，推进管理模式和队伍执法形象两个转变。从源头治理入手，坚持疏堵结合，有效地解决了沿街市容环境的日常性管理难题，提高了长效管理水平。

四、构筑“服务型”城区，为群众提供优质的服务

一抓社区服务投入。区街两级财政每年按辖区人口每千人 500 元的标准投入发展社区服务业，几年来建成了老年公寓 1 个、残疾康复站（点）17 个，社区服务中心 14 个和社区服务网点 600 个，社区服务设施总面积达 1.5 万平方米。

二抓社区服务队伍建设。专门为每个办事处配备 1 名社区服务专职副主任、3 名专职社区服务工作人员，组织全区志愿者1.4万余人。充分发挥社区离退休干部、教师、医生、新闻工作者的作用，义务为居民进行专项服务。每年从区属部门和单位抽调100名年轻干部组成13个社区工作队，着力解决群众的难点问题。

三抓社区服务落实。围绕民政对象、下岗职工、社区居民三个层面开展养老、助残、青少年教育、信息咨询、移风易俗等系列服务，维护了社会稳定，密切了党群关系。

（内蒙古自治区文明办）

内蒙古自治区乌海市海勃湾区

以环境创新为理念　打造文明城区新形象

乌海市海勃湾区地处宁蒙金三角的中心地带，是全市经济、政治、文化中心。海勃湾区始终把精神文明建设摆在重要位置，连续12年保持自治区文明区称号，并进入全自治区“十佳文明城区”行列。

一、以改善大气环境质量为突破口，全面实施“蓝天工程”

乌海市是以煤炭为主的资源型城市，污染比较严重。为了从根本上改善居民的生存环境，市区两级党政领导在海勃湾城区率先实施“跨世纪蓝天计划”，即用3年时间彻底治理煤烟型大气污染，还蓝天白云于市民。一是从源头上将烟煤堵在城外，在城区6个主要入口处设置禁止烟煤入城监督检查站，控制非指定煤种流入城区。二是确保指定煤种的有效供给，通过公开竞争和招投标，筹建5个指定煤种供应市场。三是彻底清理城区居民存放的烟煤，确立各单位的一把手是治理工作的第一责任人，对治理工作负总责；各单位职工是各自家庭的第一责任人，上包父母，下包子女。建立起上下联动，齐抓共管的责任机制。四是深入持久地开展监督检查工作，设置“环境污染举报中心”，“环保110”，对城区采暖锅炉、单位茶浴炉、商业网点、居民住房的燃料使用情况进行监督检查，形成全民总动员，上下齐治理的工作局面。

二、以营造优美的人居环境为着力点，全力推进“五化工程”

以“净”为基础，对各类污染源进行治理、改造、关停、搬迁，使城市废气、粉尘、噪声污染得到有效防治。不断加强环卫设施建设和管理，改革环卫管理体制，对马路和公厕的清扫权进行了拍卖。

以“绿”为特色，不断扩大城市绿化面积。采取拆墙透绿、拆围清障、见缝插绿等措施，使城区街道新增绿地5.2万平方米。

以“美”为标准，建成花园式单位78个，修建花池5000个，城区所有学校全部建成了花园式学校。树立“经营城市”的理念，按照“造房子、造景点、造人气、造商机”的思路，采取招商引资等多种渠道，投入5亿多元对旧城区实行大规模拆迁改造。

以“硬”为措施，对城区内裸露地面进行硬化，动员全区各行各业都参战，体现“人民城市人民建，建好城市为人民”。

以“亮”为景点，带头实施亮化工程，沿街单位、灯箱广告全部实现了亮化。

三、以建造绿色屏障为目标，全力实施生态工程

海勃湾区与浩瀚的乌兰布和沙漠仅一河之隔，多年来肆虐的流沙在城区北郊形成了约12万亩的大沙区。1999年，海勃湾区从可持续发展和彻底改善生态环境的战略角度出发，决定在城区北部建设绿色屏障来锁住这条肆虐的“黄龙”。专门邀请生态专家进行科学规划，动员全区先后投入资金800多万元，累计投入劳力8万人次，植乔木23万株，灌木700多万株，种草1万亩，开发良田5.5万亩。投资1000多万元，建成了13.6公里贯通南北的穿沙公路，积极发展沙漠旅游观光等产业。不仅使沙区成为阻挡风沙的绿色屏障，而且逐步发展成为海勃湾区新的经济增长带。

四、以提高群众生活质量为落脚点，全方位推进社区工程

区委区政府将2000年定为“社区建设年”，首先，在充分调查摸底的基础上，对社区进行了重新的合理划分，将全区106个居委会调整为58个新社区；其次，注重基层党组织的阵地建设，改设街道办事处党委为党工委，在办事处成立文明委、文明办；再次，努力构建社区服务体系，增强服务功能，实现社区联动、资源共享，建成了7个社区服务中心，成立了青年志愿者服务队，形成了婚、生、幼、教、孤、残、扶、贫、难、老、病的社区全程服务链；最后，注重开发社区文化功能，满足居民精神文化需求，全区共组织了26个各具特色的业余文化团队，实现了群众文化、全民健身向社区、向家庭延伸，形成了思想道德联抓、环境卫生联搞、社会治安联防、社区服务联做、文体活动联办的工作局面。

五、以提高市民整体素质为出发点，全面实施教育工程

区委区政府明确提出“以人为本、狠抓教育、突出重点、普及提高”的指导思想，制定了《市民文明素质教育纲要》和3年培训规划。首先重点抓党政机关干部和企事业单位职工的教育。由区委成立宣讲团，深入基层各行业各系统，巡回宣讲《公民道德建设实施纲要》及其他市民文明知识。其次抓好农民、个体工商户、出租车司机的教育。再次，对“乱收费、乱摊派、乱罚款”等影响经济发展和城市形象的突出问题进行深挖严打快治，重点治理“窗口”服务行业，相继在供电、医疗、银行、电信等13个与群众生活密切相关的“窗口”单位推行了社会服务承诺制。

六、以创造良好的育人环境为宗旨，不断深化文明行业创建工程

几年来，海勃湾区以服务人民、奉献社会为宗旨，以推动行业服务承诺制和政务公开制为切入点，重点抓好公安、建设、交通、卫生、邮政、工商、气象等13个窗口服务行业，努力塑造一批文明“窗口”；为彻底摒弃“门难进、脸难看、话难听、事难办”的衙门作风，继续在党政机关开展良好形象工程建设活动；努力创建一批高标准的文明单位。

（内蒙古自治区文明办）

内蒙古自治区赤峰市红山区

实施星级文明系统工程 提升文明城区创建水平

红山区是赤峰市的中心城区。多年来，红山区以创建高标准星级文明区为目标，组织实施星级文明区系统工程建设，有力地提升了城区精神文明建设的整体水平。在自治区星级文明城市竞赛中，被授予十佳文明区称号。

一、优化创建目标，完善运行机制

构建目标体系。红山区把争创高标准星级文明区作为城市精神文明建设的目标，围绕提高公民道德素质、提高城市文明程度、提高群众生活质量“三大目标”和创优美环境、优良秩序、优质服务、优化管理四项工作内容，组织主题活动，实施系统工程建设。做到各项重点工程建设和主题系列活动既相对独立、自成体系，又综合容纳创建高标准星级文明区的全部工作，实现了对全区精神文明建设的整体覆盖，构建了星级文明区创建的整体目标体系。

狠抓责任落实。红山区将创建整体目标进行综合归类，细化分解，按照工作归口和职能分工，明确了专项推进的工作目标和完成期限。几年来，共组织城市建设与管理、绿色行动、亮美工程、社区建设、再就业工程、创安工程、铸魂塑型工程等十几个专项工作推进，强化了创建目标的落实。

加强组织协调。在全区形成了党政一把手总负责，责任部门和单位具体实施的创建领导体制和工作运行机制；在全区形成了两个文明建设一岗双责、双向考核、双向奖惩的精神文明建设工作保障机制和以两个文明建设的实绩来建班子、用干部的激励制约机制。

二、实施重点突破，提升创建水平

树立经营城市理念，探索城市建设新路。在市政府的支持下，红山区集中有限财力办大事，筑桥修路，拉大城市框架；发掘黄金地段商业价值，盘活城市存量资产，引导民间资金投入旧城改造，以规模开发带街路建设，走出了一条政府主导、贷款融资、土地拍卖、建设项目招标、运用民间和外来资金搞开发的城市建设新路子；在加快城市基础设施建设的同时，市区两级政府确定建设园林城、文化城、旅游城的目标，组织实施了绿色行动和亮美工程建设。

改革城市管理体制，强化城市综合管理。以“两级政府、三级管理、四级网络”的城市管理体制为目标，积极探索适合本区实际的城市综合管理体制。一是对城市管理执法主体进行改革，组建城市综合管理执法大队，强化城市管理；二是按照“责、权、利”相统一的原则，把城市管理的任务和权限下放各乡镇街道办事处；三是完善和健全城市管理制度，制定城市管理规范性文件9个，对城市管理的责任、义务、权利作出了明确规定；四是坚持规范疏导与清理整顿相结合的原则，先后建起了火花路综合市场、通联市场、京香食品市场等几个大的市场。为配合城市管理体制改革，对城区秩序进行集中整治，彻底清除了城乡结合部、背街小巷、居民楼院内的卫生死角，实现了城区秩序的基本好转。

三、育人铸魂为本，培育文明市民

加强市民教育的阵地建设。全区共创办各级各类文明市民学校621所，街道办事处建立文明市民总校，居委会、小区、驻区单位建立文明市民分校；制定《红山区文明市民守则》和《红山区市民文明公约》，把文明行为养成教育具体化。

开展一系列主题教育活动。举办爱国主义教育知识答卷和知识竞赛、纪念中国抗日战争和世界反法西斯战争胜利50周年文艺调演，组织文明新风进万家和送健康、送科学、送医疗、送法律，援助服务进社区、入农村、进家庭等活动，开展公民道德建设活动月和第一届社区文化艺术节等系列主题活动，推动公民道德建设。

突出抓好中小学生和进城务工农民文明意识教育。建立了学生德育教育基地和社会实践基地，经常组织学生开展社会实践活动；各开发公司和建筑队在每年春季开工前对进城务工的农民进行城市意识、公德意识教育，开展文明职工评选等活动。发挥新闻舆论的引导作用，引导广大市民爱护生活环境、遵守社会公德、争做文明市民。

强化市民的自我教育。把市民教育这条主线，贯穿到创建文明城市、文明行业、文明村镇等各种群众性创建活动的始终，广泛吸引群众参与，使他们在活动中受到教育，得到提高。同时，发挥典型的示范作用，在不同领域、不同人群中组织开展先进人物评选表彰活动，用身边的人和事教育广大市民，带动市民整体素质不断提高。

（内蒙古自治区文明办）

辽宁省抚顺市

实施“道德信贷”工程 促进《纲要》落实

2002年抚顺市在全市农村实施“以文明作担保，以诚信作抵押”为主要内容的“道德信贷”工程。旨在充分调动农民群众投身道德实践的积极性，用经济手段促进《公民道德建设实施纲要》的落实。

一、调整思路，找准结合点

年初，抚顺市文明委在对全市《公民道德建设实施纲要》落实情况进行专题调研时，发现广大农村普遍开展的“十星级文明户”评选活动在提高农民思想道德素质方面发挥了积极作用。但随着形势变化，活动的兴奋点和吸引力有所减弱。其中一个突出问题就是一些文明户想扩大生产急需资金，却因自身经济条件有限，在银行贷不到款；银行有款因担心放贷难收而不敢贸然相贷，所以出现了“银行有款不敢放，农户缺钱贷不来”的状况。针对这种情况，在与市人民银行多次协商后，双方坚持加强道德建设与有效防范信贷风险并举的方针，把“十星级文明户”评选活动与提高金融部门信贷资产的运行质量结合起来，决定在全市实施“道德信贷”工程，探索一条以经济手段激励农村精神文明创建工作，以精神文明建设成果助推农村物质文明建设的新路子。

二、出台政策，调动积极性

依据金融行业管理的基本要求及“十星级文明户”评选标准制定下发了《为星级文明户办理优惠信用贷款的指导意见》。明确规定，凡居住在农村信用合作社营业区域内的农户（不含空挂户、长年外出打工户、丧失劳动能力户），按照市文明委确定的精神文明建设十星级（爱国守法星、科技致富星、诚实守信星、勤俭自强星、计划生育星、环境整洁星、文化教育星、团结友善星、养老教子星、敬业奉献星）文明户标准评选取得八星（其中必须取得诚实守信星）以上的文明户为信誉贷款对象，由有关部门向其发放《文明户优惠贷款证》，给予优惠待遇：文明户可持《文明户优惠贷款证》，优先办理贷款；八星级文明户在农户信用等级优级贷款最高额度的基础上上浮10%，九星级文明户上浮20%，十星级文明户上浮30%，并可在授信额度内随用随贷，周转使用，信用贷款利率可按现行农户贷款利率下浮10%。

三、狠抓落实，扩大影响面

为将“道德信贷”工程系统化、规范化、长期化，并在全市广泛推开，抚顺市先以农村“十星级文明户”评选活动为突破口，抓好落实，梯次推进，逐步扩大影响面。在组织保障上，成立“道德信贷”工程协调领导小组，明确任务，落实责任。在运作程序上，突出3个主要环节：一是由市人民银行、市文明办联合发文，对实施“道德信贷”工程做出全面安排。二是由基层信用社工作人员、村双委会成员、村民代表共同组成农村星级文明户评定工作领导小组，具体负责星级文明户评比事项。三是改进文明户评比方式，实行动态跟踪管理，每年对星级文明户进行一次评定，每半年对评定结果进行一次复议；对农户星级发生变化的，及时变更相应的贷款限额，对潜在风险贷款及时采取有效措施，保证信贷资金安全。

（辽宁省文明办）

辽宁省丹东市

探索公民道德建设新途径

丹东市自1997年以来开展每年一度“爱心奖”评选表彰活动，为改革开放和市场经济新形势下抓好公民道德建设探索了一种新的手段和机制。到2002年，“爱心奖”共表彰55名长年学雷锋、献爱心、助人为乐、敬业奉献的优秀人物，对培育全社会良好的道德风尚产生了导向和促进作用。

一、设立奖项——创建公民道德建设有效载体

“爱心奖”由市委宣传部、市文明办、市总工会、市政协经济委和民间社团组织市爱心协会联合主办。每届联系一家关爱民众、回报社会的民营企业出资协办，以其企业名称命名设杯，5年来共设立了“海华杯”、“洁尔美杯”、“克隆杯”、“福成杯”、“当代杯”5个“爱心奖”。

每届活动分5个阶段进行：一是主办单位确定本届活动方案，通过媒体向社会征求表彰对象；二是社会公众、机关单位按评奖条件推荐优秀人物；三是主办单位优中选优、公正评选；四是筹备颁奖大会，将表彰对象的先进事迹编写成演讲稿或文艺节目，同时在全市媒体展开宣传；五是于翌年3月学雷锋纪念日之前隆重召开“爱心奖”表彰大会，新闻媒体进一步宣传。

二、评选典型——树立公民道德建设身边榜样

“爱心奖”获得者都有一个共同特点：多年学雷锋、献爱心、做好事，扶贫帮困、尊老助残，爱岗敬业、共同致富，体现了中华民族的传统美德和当今社会的时代精神的完美结合，实践了基本道德规范、社会公德、职业道德、家庭美德。

“爱心奖”由于是评选群众之中的先进人物，又是由广大群众积极参与推荐、评选，所以得到社会公众的热情关注，积极拥护。如2002年“爱心奖”推荐消息见报当天上午，就有7个被直接受助者、社会公众、单位领导、上级部门通过电话推荐或报送优秀事迹材料。一位街道社区主任多年来全心全意为居民服务赢得好评，有22名居民联名推荐。

三、合力宣传——营造公民道德建设社会氛围

每届“爱心奖”表彰大会都经过精心设计，突出宣传获奖者的感人事迹。大会地点选择在全市最好的场所市文化宫或电视台。请获奖者披红戴花到主席台就座。请市委、市人大、市政府、市政协领导当众向获奖者颁发荣誉证书和丰厚的奖金。安排市电视台最佳主持人主持大会，通过专门编写、编排的演讲或文艺演出生动地宣传获奖者的献爱心事迹。中间穿插对获奖者、获助者的现场采访，表现他们的真情实感。大会听众、观众是来自全市各界的代表。获奖者的优秀事迹，在表彰会前后都陆续进行宣传，在全市营造公民道德建设的浓厚氛围。

四、优化机制——打造公民道德建设名优品牌

丹东市“爱心奖”表彰活动的组织机制是市委宣传部等四个职能部门搭台、把关，对设奖、评选、宣传、表彰大会等从不同角度发挥指导、组织作用。以丹东海华公司为依托的市爱心协会和每届的协办企业这两个民间组织分别具体运作，承担了表彰活动及日常爱心活动具体工作，为五届表彰活动的资金和会务经费共出资14.2万元。形成“官”与“民”两个方面各尽职责，相辅相成，共同为“爱心奖”表彰活动建立了具有内在生机和活力的组织机制。

（辽宁省文明办）

辽宁省东港市

发挥四支队伍作用 弘扬文明道德新风

一、发挥文艺、秧歌表演队伍作用，传播文明新风

人们生活水平逐渐提高、闲暇时间增多，而一些人用聊天、打牌消磨时间。东港市妇联以娄艳家庭文艺队为样板，发动妇女群众组建具有亲和力和民间特色的文艺、秧歌表演队，开展丰富多彩的文化艺术活动。市及镇、街两级妇联通过检查、评比、表彰和举办各种比赛等多种形式，引导这些文艺、秧歌队上水平、上层次，由单一求乐向求美、求知、求雅的多功能方向发展。全市已成立200多支以妇女为主的文艺、秧歌队伍，参加活动的妇女达3万多人。

二、发挥新闻、文学写作队伍作用，弘扬社会正气

市妇联致力于培养一支得力的妇女宣传员队伍，并积极发挥她们在引导、教育群众方面的作用。通过层层选拔，将那些有一定知识水平和一定写作能力的妇女骨干组织起来，进行培训，在全市建立了一支拥有200多人组成的妇女通讯报道、文学创作队伍，以演讲、征文等形式，向妇女宣传社会，向社会宣传妇女，弘扬社会正气。市妇联先后举办了“爱东港，爱家乡”、“我家的故事”、“我的好母亲”、“敬老百颗星”等征文和家庭美德格言、家庭美德歌曲征集活动。

三、发挥剪纸、绘画创作队伍作用，提高群众的审美情趣

民间剪纸、绘画等艺术的流行使东港市素有民间艺术之乡的美称。针对这一地域特点，市妇联积极引导妇女提高审美情趣，追求高雅的精神文化生活，积极参加民间艺术创作，弘扬传统文化，讴歌美好的生活。市妇联多次组织培训、讲座和多种形式的展览会，为她们创造展示成果的空间，提高妇女审美、创作美的能力，在全社会营造一种推崇民间艺术、热爱美好生活的社会风尚。市妇联利用新闻媒体宣传在艺术创作方面表现突出的妇女的事迹，多次走访绘画、剪纸骨干，组织她们传授技艺，为发扬光大传统文化、加强妇女的修养而作出自己的贡献。东港市民间艺术创作队伍中妇女占很大的比例。她们结合现实生活和民俗风情，创作出一大批表现农家丰收、动物花草、戏剧人物、民俗民风、安居乐业、治家格言等社会生活的剪纸绘画作品，在创作形式和技法上形成独特的风格。

四、发挥读书、藏书爱好者队伍作用，提升群众的精神境界

以培养读书型家庭为目标，市妇联组织开展读书活动，引导广大妇女和家庭多读书、读好书，提高综合素质，提升精神境界，带动越来越多的家庭撤掉麻将桌，换上小书桌，摆脱愚昧落后，追求文明进步，实现科技致富。

本着因地制宜、因势利导的原则，市妇联在全市广泛开展“家庭读书”、“世纪父母读书”和家庭藏书活动，同时，每年还确定一个重点，在全市开展“科技知识进家庭”、“法律知识进家庭”、“文明道德知识进家庭”等系列活动，引导广大妇女和家庭多买书、多藏书、多读书、读好书，充实精神世界，提高自身修养，提高劳动技能，跟上时代步伐。市妇联树立表彰了一批读书状元、藏书之家和读书社。读书状元赵洪霞通过读书学科技用科技，培育食用菌品种10多个，带动全市区3000多名妇女发展食用菌生产，被评为全国“双学双比女能手”。现在藏书百册以上的家庭有1万多户，藏书千册以上的有300多户，全市形成了人人崇尚知识、家家热爱读书的良好氛围。

在全市各级妇联组织的培养和引导下，四支队伍不断发展壮大，成为妇联组织延长的工作手臂，充分发挥了联系妇女、凝聚妇女、教育妇女的辐射作用，对群众的精神风貌、价值取向和道德水准产生了积极的影响；带动广大妇女在创造幸福生活、奉献社会、奉献他人的实践中增强自我教育、自我管理、自我约束的能力，实现自我价值，在家庭美德和社会公德建设中发挥了重要作用。全市自发组成的妇女拥军、学雷锋小组200多支，涌现出五好文明家庭和十星级文明户3.7万多户，文明女性和“四自”标兵6300多人，敬老好儿女2300多人。

（辽宁省文明办）

吉林省四平市

围绕“四优”“两满意” 推进文明城市创建

吉林省四平市围绕“四优”（优良秩序、优美环境、优质服务、优化管理）、“两满意”（领导满意、人民群众满意）的创建目标，积极推进创建文明城市活动。2002年，荣获全国社区建设示范市荣誉称号，并被中央文明委命名为创建文明城市工作先进单位。

一、加强思想道德建设，提高市民素质

一是大力开展公民基本道德规范宣传教育活动。在机关、学校、企事业单位及各公共场所、公交车上张贴、悬挂20字公民基本道德规范宣传标语、挂图2万多份（幅），市直新闻媒体刊发有关道德建设方面的稿件1200余篇，营造出浓厚的舆论氛围。二是开展道德实践活动。在青少年和机关干部、全市党员中开展“争做城市管理小卫士，争当城市文明小使者”和“我为社区添光彩”等活动；在街道、社区组织社区居民志愿者服务，开展街坊节、文明家庭、文明楼院创建、帮贫扶困献爱心以及社区文化、企业文化、校园文化、军营文化建设，广泛吸引群众参与，使人们在活动中受到教育，得到熏陶。

二、加强城市建设，提升城市品位

加强社区办公用房建设。社区都成立了“三室四站一网一校一家”的组织机构（党支部办公室、居委会办公室、警务室、社区服务站、卫生服务站、文化活动站、劳动保障工作站、信息服务网络、居民学校、星光老年之家），实现了社区建设覆盖全城的目标。加快城市基础设施建设。全年在建房屋105万平方米，开工建设封闭市场8个，大型开放式广场1个，新建扩建桥梁6座，改造打通主次干路15条，城市道路网络体系进一步完善，供水、供热、供电、燃气等公用服务功能不断加强。城区植树16万株，建成区绿化覆盖率达到35.24%，人均公共绿地面积6平方米。

三、严格依法治理，规范城市秩序

健全完善以《四平市城市管理办法》为主体的各项城市管理法规，做到有法可依。建立以市容监察、交警巡警、工商管理为主体的城市管理队伍，赋予公安巡警对市区主要街路治安、交通、工商、卫生、城管执法权。同时，组织以离退休老工人、老干部、老党员为主体的交通协管员、卫生监督员、义务护绿队、巡逻队等民间组织积极参与城市管理。建立路长、区长负责制，实行任务包保，责任追究，严管重罚制度。对违反城市管理规定、损坏公物、破坏花草树木者给予经济、行政、法律处罚，在新闻媒体上曝光，并追究所在单位领导的责任。强化舆论监督。报纸、广播、电视等新闻媒体常年开设“共同的家园”、“文明视点”、“记者视线”等专题、专栏，既正面宣传报道，又进行有效监督。实行门前“五包”责任制，垃圾袋装化、定点定时清运，城市主次街路、居民区全天候保洁制度在全市推广施行，收效明显。清理整治乱泼乱倒、乱贴乱画、占道经营等群众反映强烈、影响城市形象的热点、难点问题，使城市管理步入制度化、规范化轨道。

四、组织集中整治，改善城市环境

拆除违章建筑。两年间拆除各种违章建筑1.2万多处，20多万平方米。集中解决饭店油烟污染、自行车棚不规范等问题。坐落在小区的240家饭店全部修建了排烟管道，规范治理自行车棚75个。治理居民区烟尘污染。拔掉了分布在市区的146座污染严重的锅炉烟囱，整顿、取缔分布于社区、影响居民生活的违章洗浴场所70多家。集中整顿交通秩序。实施“畅通工程”，增设严管街16条，市区交通状况明显好转。

五、开展创建活动，打造文明城市

一是设计实施创建文明城市“四大战役”，集中解决影响城市文明程度的环境、秩序问题，全面启动实施以道德规范、科教、文体、法律、环保、卫生“六进”社区活动为重点任务的创建文明社区示范工程。2002年评选表彰文明示范社区10个、社区文明服务示范点20个、社区文明示范户1008户。初步形成社区便民服务、救助保障、医疗保健、社区安全、居民教育、普法维权、文化娱乐、体育健身、环境保护、评议监督等10项功能。二是以加强诚信建设，推行规范化文明优质服务为重点，在全市56个窗口行业、行政管理、执法部门中开展了创建文明行业“承诺年”、“星级服务竞赛”活动，积极推行上门服务、跟踪服务、首问负责制、无障碍办事通道等措施，满足了群众的需要，促进了城市发展软环境的改善。三是宣传培养树立精神文明建设典型，发挥典型的示范引导作用。全市有国家、省、市、县四级文明单位1200余家，覆盖了全市各行各业，形成了文明单位先进典型的梯次结构，带动了创建文明城市整体水平的提高。

（吉林省文明办）

吉林省吉林市出租车行业

着意“散沙淘金” 铸就的士文明

吉林市出租车管理办公室狠抓规范化管理和职业道德教育，行业精神文明建设取得了显著成绩。全行业共涌现出全国先进典型17个，省级青年文明号3个，市级青年文明号20个，市劳动模范等市以上先进典型128个，行业星级“文明的士”300余台。

一、以德治业，精神文明常抓不懈

增强社会责任意识。针对火车站前一度出现的出租车时常发生乱停、乱放、拒载、宰客等现象，吉林市出租车管理办公室以城市形象大局为重，投资30多万元，在出站口处建起了5000多平方米、4条通道、全封闭的站前出租车停车场，并设立站前文明岗，24小时设专人值班管理，使站前出租车运营井然有序。

与时俱进，精心策划创建活动。吉林市出租车行业以“做文明使者、创文明行业”为主题，开展精神文明创建活动。在雾凇冰雪节期间，他们先后开展了“雾凇迎嘉宾、满意在的士”、“扮靓流动窗口、展现的士风采”等主题鲜明的活动；在城市形象建设年和评选万名文明市民活动中，出租车行业设计开展了“江城的士形象工程”建设、“万名的士司机争做文明市民”、“播文明火种、献的士爱心”等活动。1998年以来，每逢高考，吉林市出租车行业都组织“江城的士服务高考”活动，共出动高考直通车、应急车和志愿服务车3000多台次，免费接送考生及家长6000多人次，在考生和家中引起强烈反响。

启发自觉，因势利导。吉林市出租车管理办公室抓积极因素，捕捉闪光点，启发出租车司机的自觉文明行为，提升行业文明形象。他们从出租车司机拾到一串钥匙、送还一部手机开始，凡有好事出现，便大力宣传，使出租车司机体会到受赞扬的荣誉感，让社会感觉到出租车行业文明的存在，进而通过各种渠道激发全体出租车司机融入文明行列的自觉性。2002年11月19日，一辆吉普车坠入江中，车内一女子身陷寒江，出租车司机宫元鹏第一时间报警救助，上千台出租车奔赴现场，在电台的哥主持人程光等人的协调指挥下，展开了一场午夜大营救，多名出租车司机奋不顾身跳入江中，将坠江女营救上岸。这一义举，使出租车行业在全社会树立起良好的社会公德形象。

二、依法治业，行业管理坚强有力

建立一支作风过硬的执法队伍。吉林市出租车管理办公室牢固树立了“管理就是服务”的思想，在落实“文明执法、亲情服务”上下功夫。为方便出租车司机和经营者，他们明确部门职能，简化工作程序，在自然条件十分有限的情况下开设了综合业务服务大厅，实行“一站式”办公；为解决出租车无法在严管街路停靠的矛盾，他们积极协调交警部门在全市开辟了300余处出租车停车点，被出租车司机誉为“绿色通道”；国内成品油价一度上涨，他们及时进行市场调研，最终促成政策的调整，为每辆车每月减负30至55元；为坚持公正执法，他们严格要求全体干部做到对客户、司机“不吃、不喝、不拿、不卡、不要、不白坐车”，并定为一条铁的纪律，谁触及这条“红线”，谁就下岗。近两年，他们先后开除了6名执法不廉的执法人员。

制定一套行之有效的规章制度。吉林市出租车管理办公室先后建立和完善了《吉林市出租车驾驶员服务规范》、《吉林市出租汽车车辆达标标准》、《吉林市出租车行业规范化服务实施细则》等一系列法规、制度。与此同时，通过人大立法，颁布施行了《吉林市城市客运出租汽车管理条例》，使规范化管理真正由虚变实、由软变硬，看得见、摸得着。

树立管好出租车市场的坚定信念。几年来，他们始终扭住加强市场管理这条主线不放松，积极优化出租车经营环境，把打击非法营运、保护经营者合法权益不受侵害作为一项重要任务，切实抓紧抓好。他们充实稽查力量，把年富力强的工作人员扩充到稽查大队，将最好的车辆配备给稽查大队，同时，进行稽查工作改革，将原来的大队统一行动变为多个中队分头行动，而且在时间上采取弹性工作制，保证出租车市场24小时随时有稽查力量，为行业健康发展创造了良好的软环境。

三、以人为本，不断创新培训教育手段

吉林市出租车管理办公室以正面教育为主，探索总结出“岗前培训”、“在岗轮训”、“违章再训”和“专题培训”等一整套培训教育手段；做到“两个坚持”，即坚持不经培训或培训不合格者不上岗，坚持把业务知识与职业道德建设内容有机融合在一起，不予偏废。他们以确立服务理念、提高从业人员素质为突破口，强化职业道德建设，其主要内容是在从业人员中引导和树立“我是中国人，我是吉林人，我是出租车司机”的形象意识，强化“建文明窗口，做文明使者”的争光意识。

他们在教育手段上创新，一方面在行业内办起了《的士月报》，另一方面借助社会力量，会同电台、报纸等媒体，开设《的士知音》、《欢乐TAXI》等专栏，使职业道德教育坚持经常、内外互补、上下互动。2002年，在市政法委的统一领导下，建立了的士治安防控网络，与市经济广播电台联合开办《空中的士安全网》专题节目，开通24小时热线电话。既有效防止了出租车司机被抢、被害的不法行为，又调动了出租车司机参与社会治安综合治理工作的自觉性。

四、培树典型，精雕细刻的士品牌

注重典型的广泛性与精品性。全行业拥有以“文明的士”为主体的近300人的典型队伍，同时培养树立了全国职工职业道德十佳标兵、被收录《中国杰出青年大典》的全国青年文明号司机孟庆春，全国学雷锋先进个人、全国文明驾驶员雷锋车司机吴景贵，全国出租车行业见义勇为标兵杨春祥等典型，以及由王锡义、孙天军等典型组成的“志愿者服务车”、“共产党员车”和雷锋车队等饮誉省内外的“的士品牌”。他们实行了“星级文明的士”挂标制度，将行业典型分为五个星级，从一星到五星，在典型之间营造了比学赶超的争先氛围。

重视关爱典型。吉林市出租车管理办公室坚持做到“好人要有好报，不让典型吃亏”。无论是孟庆春购车、吴景贵修车遇到困难，还是与劫车歹徒搏斗的司机身受重伤，他们都热情伸出援助之手，帮助他们购车、修车申请扶持基金，并予以重奖，最高时多达上万元。2000 年，他们积极争取社会力量，依托华仁医院建立了全国第一家出租车驾驶员康复中心。在这里，雷锋车、学雷锋车、共产党员车司机可享受免费治疗的待遇，其他司机也可享受优惠 50% 到 30% 的医疗服务，使为社会作出奉献的的士司机受到应有的社会关爱。

（建设部文明办）

吉林省长春市中心医院

以诚信打造“百姓满意医院”的品牌

长春市中心医院是长春市一所较大的综合性三级甲等医院。1998 年以来，医院先后被评为全国百佳医院、全国卫生系统先进集体，连续三届被吉林省评为精神文明建设标兵，2002 年荣获创建全国文明行业先进单位荣誉称号。

一、用高尚道德教育人，培育诚信意识

开展思想树“三观”、服务达“五心”教育。“三观”，即责任观、服务观、行为观。“五心”，即爱心、细心、耐心、诚心、虚心。通过“三观”、“五心”，让病人有亲切感、文明感、舒适感、安全感。

开展各种形式的教育活动。举办海尔集团“海尔精神”主题报告会，开展“诚信”大讨论、“如何保持共产党员先进性、白衣天使纯洁性”大讨论、先进人物事迹报告会、演讲会等多种活动，进行理想信念教育。邀请北航的空中小姐、市礼仪学校的教师讲课示范，对全院职工进行行为规范培训。

发挥典型的示范带动作用。开展诚信服务典型的评选活动。在窗口单位中评选“十佳文明示范窗口”，在医疗、医技队伍中评选“双十佳医生”，在护理队伍中评选“十佳护理岗位标兵”，在机关后勤队伍中评选“十佳为临床服务标兵”，在中层干部队伍中评选“十佳管理标兵”，努力塑造和宣传医德高尚、技术精湛的名医、名科、名院的形象。

二、用医院改革激励人，培育诚信动力

在大力倡导“诚信服务”推动精神文明建设的同时，院党委不断深化医院改革，以改革为动力，促进精神文明建设的发展。

改革人事制度。精简机构，中层干部竞聘上岗，实行全员聘任制，专业技术职务评聘分开，岗位动态管理，建立起以聘用制度为核心的新型用人制度，调动了职工的积极性。

改革分配制度。实行科主任目标管理责任制，签订目标责任书，科室人员的行风建设情况与业绩挂钩、与奖金挂钩。

改革服务模式。在为病人提供质优、价廉、方便、快捷的医疗服务上，让百姓看病看得顺，治病治得起。实行“百姓医疗”，成立“知名专家门诊”，建立长春地区医疗集团，拓宽延伸服务领域。

三、用医院文化熏陶人，培育诚信环境

注重加强医院文化建设，形成“尊重生命，医术为本，勤奋执业，不为利驱”的医院文化精髓。在全院征集院歌、院徽、院旗，激发职工参与医院文化建设、打造医院诚信形象的热情。院报《天使之声》及时宣传医院内好人好事，为职工展示文采提供舞台。此外，医院还为各岗位人员设计制定了各具职业特点的服饰，方便群众辨认。

每逢干部职工的生日，院党委、工会都会送上精美礼品和温馨祝福。每年进行“创先争优”奖励，院领导在表彰职工的同时也为家属带去奖品，让职工和家属时刻都感到医院的温暖。

四、用科学管理约束人，培育诚信机制

多年来，院领导班子认真执行党风廉政建设责任制，要求职工做到的，自己首先做到。班子成员坚持“两手抓、两手都要硬”的方针，贯彻“谁主管、谁负责”和“主管领导必须管行风”的原则，把加强业务管理工作与行风建设工作紧密结合起来。

建立承诺制度。每年年初，由主管院长和科室负责人签订“行风建设承诺书”，要求各科室负责人在无医疗责任事故、无医患纠纷、无乱收费、无灰色收入等4个方面履行承诺。对违反承诺者要进行批评、罚款、扣发奖金、下岗培训以及根据党风、行风责任制有关规定追究责任。

纪委、党办定期向患者发放调查问卷、召开病友恳谈会，听取患者意见；聘请社会监督员，定期搜集意见，让患者和家属以及社会各界人士帮助医院进行监督和管理。聘请具有丰富临床经验和协调能力，爱业敬业的老护士长担任文明办督导员。文明办在院党委的直接领导下，检查监督各科室服务情况，奖罚分明，措施得当，使精神文明建设形成良好的反馈落实体系。

（吉林省文明办）

吉林省延边朝鲜族自治州环保局

开展“双百”竞赛活动　争创环保文明系统

延边州环保局在抓精神文明建设中，分别在环保系统和州局机关开展环境工作百分竞赛，加强了局机关建设，促进了全系统两个文明建设。2000年被国家环保局评为全国环保系统精神文明建设先进单位，2001年州及8个县（市）环保局全部进入州、县（市）级文明单位，实现了全州环保系统进入文明行业的目标。

一、改进深化，加强对“双百”活动的组织领导

延边州环保局下辖8个县（市）环保局，由于各局成立的时间先后不一，业务工作良莠不齐。局党组本着在环保系统“建设一支思想好、作风正、懂业务、会管理的环保干部队伍”的目标和全面推进环保系统两个文明建设要求，从1997年开始，在州环保局机关和州环保系统分别实施百分竞赛。5年来，“双百”竞赛活动有计划、有组织、有领导地开展起来。

二、完善规则，抓实科学考评和奖惩机制

制定“双百”竞赛方案。坚持三个原则：一是把精神文明建设作为主线渗透贯穿在竞赛方案之中；二是发扬民主，在充分听取基层意见的基础上，以文件形式下发竞赛方案；三是细化、量化竞赛内容。各处室根据总的方案制定详细的单项竞赛方案。

实行科学有效的考评方法。一是建立日常考核机制。由州局各处室负责考核，实施平时工作的全过程监督。二是综合与单项考核相结合。每年竞赛领导小组都要到各县（市）环保局听取汇报，对各项具体工作进行量化考评。三是积极鼓励创新。由竞赛领导小组认定，在各单项竞赛中，对有创新和有突出成绩的适当加分。

建立健全奖惩机制。凡被评为前两名的单位

由州局发奖牌，给予一定的物质奖励，并在全州环保系统内通报表彰。州局机关在年底评出3个处室受物质奖励，集体上光荣榜。还建立了“州环保局行政管理过错责任追究规定”和“政务公开创合格单位”达标活动实施办法。这些奖惩机制，有效地调动了州及县（市）局干部、职工参与活动的积极性。

三、“双百”竞赛推动了两个文明建设的协调发展

完善了规章制度，创建工作走向正规化。在“双百”竞赛中，建立和完善各项学习制度、廉政制度、考勤制度等规章制度，制定了《机关职工行为规范》、《文明处室标准》、《日常文明用语》等工作言行规范。

提高了综合素质，树立了环保“三个形象”。即在为民服务中树立公仆形象，在环境执法中树立法官形象，在业务工作中树立专家形象。有效地培养和提高了环保干部职工的综合素质。

改变了行业作风，提高了环保服务意识。全系统把行风建设、政务公开、执法等环节作为精神文明建设的重点来抓，实施门厅展示、重点告知、现场示文、挂牌办公、首问负责制，方便了群众，得到了州政府的肯定，并在全州政务公开工作经验交流会上介绍了经验。

调动了职工的积极性，形成了竞争局面。摆脱了“干好干坏一个样，干和不干一个样”的弊端，调动了广大干部、职工的工作积极性，形成了比、学、赶、超力争上游的局面。近年来，全州开展了图们江流域治理和重点污染行业的治理，每年削减COD排放量4万多吨；全州各县（市）建成36个烟尘控制小区，削减了大量烟囱；各县（市）均建成了垃圾处理场和粪便无害化处理场，基本解决了垃圾围城问题；在8个县（市）建成了34个噪声达标区，对248家重点污染企业实施治理；生态保护得到进一步加强，全州建成8个自然保护区，面积达39万公顷，占全州国土面积的9.2%，建成了一批“国家级生态示范区试点”；环保目标责任制连续6次被评为第一档次；环境信访多次被政府评为先进集体；环境宣传教育被省局评为先进。

（国家环保总局文明办）

吉林省长春市第二热电有限责任公司

创建工作着眼实处重实效

长春第二热电有限责任公司以创建全国精神文明建设先进单位为目标，认真贯彻落实“深化改革，完善机制，强化管理，加快发展”的工作思路，企业经济效益不断提高，综合实力稳步增强，荣获国家电力公司双文明单位标兵，吉林省精神文明建设先进单位等荣誉称号。

一、加强班子建设，形成创建工作的整体合力

完善创建领导小组，明确职能部门责任，实行“一岗双责”制，做到同规划、同部署、同检查、同考核、同奖惩。每年投入近60万元作为教育培训经费，投入10万元作为精神文明建设专项基金，给党群部门配备现代化办公设备，为精神文明建设创造了必备的物质条件。设立副总政工师岗位，协助党政领导抓精神文明建设日常管理。落实政工干部待遇，工资、奖金、职称评聘等与行政干部一视同仁。

二、加强员工队伍建设，在创建工作中培塑一流员工队伍

强化思想道德教育。连续多年在员工中深入开展“三讲四爱三观四德”教育和“讲文明、树新风”活动。通过办班轮训、集中辅导、发放材料、理论答题等形式对员工进行“三个代表”重要思想、电力改革形势任务教育。组织学习《公民道德建设实施纲要》，举办答题竞赛，推广文明用语，实施“送温暖”工程，提高了员工的思想政治素质。

强化业务培训。制定《员工职业生涯规划管理办法》，实施“人才综合培养工程”，对员工分期、分批进行脱产、半脱产培训。举办人力资源管理、工商管理、计算机程序设计、企业战略等各类培训班。开展技术培训、技术表演、技术比武和岗位练兵，培养各类业务尖子和排头兵137名。

举办座谈会、大讨论、征文竞赛、演唱会、朗诵会、运动会等文体活动，激发了员工的主人翁责任感、荣誉感和奉献精神。

三、加强制度建设，完善创建工作的运行机制

制定《精神文明建设五年规划》，修订创建活动规章制度、管理办法和《考评细则》，实施《员工文明规范》，落实“三级”责任制，实行总经理联络员、党风监督员制度，设立总经理信箱，开通总经理专线电话，形成了科学化、网络化的制度体系。全面推行“目标责任书”考核机制，年初，总经理同各分公司经理签订《资产经营目标责任书》，实施干部年度风险抵押金制度；党委书记同各基层党支部书记签订《目标责任书》，实行精神文明建设“一票否决”、效绩考核、双向检查。重奖在精神文明建设中涌现出来的先进典型。对文明员工标兵、岗位能手、运行状元、安全生产立功集体和个人进行奖励，对民主测评出的优秀中层干部分别给予重奖。

四、加强环境建设，营造创建工作的良好氛围

建设健康向上的文化环境。制定《企业文化建设五年规划》，实施《岗位标准》、《人事管理规定》等制度，规范员工行为。组织升国旗、读厂史、唱厂歌、戴厂徽等活动，教育员工爱企业、爱岗位。创建业余党校、企业管理协会、钓鱼协会、集邮协会等，丰富员工的文化生活。

建设催人奋进的舆论环境。以电视台为主渠道，以简报、信息、调研为载体，以基层板报为辅助，以公司互联网为依托，建立宣传网络，形成多种宣传载体唱主调、多种教育渠道话主题的宣传舆论氛围。

建设清新整洁的工作环境。每年投入一定资金净化、美化、绿化生产生活区环境，被市委、市政府授予花园式工厂。

建设文明便利的社区环境。组织争创文明社区、文明楼院、文明家庭活动，营造文明的社区生活氛围。开展治安联防活动，规范物业管理，保证了生活区秩序井然。有效利用电业体育馆、员工文化活动中心开展文化娱乐活动，陶冶员工情操。实现了员工住宅社区化、独身宿舍公寓化、办公管理现代化、生活环境优美化。

（吉林省文明办）

黑龙江省牡丹江市交通局

围绕中心　注重实效　创建文明行业

牡丹江市交通系统多年来广泛开展创建文明行业活动，有力地推动了全市交通行业两个文明建设的协调发展。1997年以来，道路运输管理工作、干线公路养护管理工作在全省综合评比中连续荣获第一名，市交通局被省政府命名为省公路建设先进单位、省级文明单位，被省交通厅授予文明行业，市交通局党委被市委授予全市先进党委和党风廉政建设先进集体称号。

一、抓认识，统筹规划，强化目标落实

组织广大干部职工学习邓小平理论和“三个代表”重要思想，充分认识创建文明行业的重大意义，增强了创建工作的紧迫感和责任感。同时制定了交通系统精神文明建设“九五”规划和2010年远景目标及创建文明行业规划。在实际工作中，将创建文明行业目标纳入年度一级目标管理，并层层分解，落实到每个单位、班组和个人，形成完整的目标管理保证体系，并将创建目标落实情况与奖罚挂钩，确保创建活动目标的实现。

二、抓重点，突出教育，强化队伍建设

加强思想理论建设。组织职工学习党的路线、方针、政策，使广大干部职工把握建设中国特色社会主义理论观点，澄清思想上的模糊认识。

加强职业道德教育。根据《公民道德建设实施纲要》编写了《交通职业道德》、《交通行业文明公约》、《交通行政执法人员职业道德基本规范》等教材，广泛开展诚实守信教育，大力倡导爱岗敬业、廉洁奉公、办事公道、服务群众、奉献社会的职业道德。

加强廉政和法制教育。组织广大干部职工学习中央、省、市关于反腐倡廉的指示精神，用正反典型案例教育干部职工，做到警钟长鸣。全局科以上干部签订了《廉洁自律向我看齐承诺书》。深入开展普法教育，加强对全系统行政执法人员基本法律知识和交通专业法规的培训考核，提高法律意识和依法行政水平。

加强科学文化教育。坚持“适应、协调、服务、指导”的方针，不断加大岗位培训、成人学历教育、技术工人等级培训和专业技术干部继续教育的力度，职工队伍的文化科学技术水平有了明显提高。

三、抓活动，虚功实做，强化创建氛围

一是广泛开展“三文明”、“三学一创”和“珍惜环境，爱我交通”等活动，使广大干部群众进一步强化了文明执法、遵章守纪的意识，严格规范自我行为。二是开展贴近行业特点的载体活动。在运管系统开展“文明在出租车”、“文明在长途客运”、“文明在汽修业”创建活动；在公路系统开展“文明样板路”、“文明道班”创建活动；在收费系统开展“文明站所”创建活动；在各机关开展“转变职能，服务基层”、“满意在基层，争做好公仆”活动；在执法队伍中开展“内强素质，外塑形象”活动；在团员青年中开展“青年文明号”活动。全系统共创建文明样板路5条，文明道班15个，文明客运站7个，文明客运线路216条，文明长途客运班车542台，文明出租车1558台，文明征费所9个，文明示范征费站11个，文明汽修企业53户，行业文明建设取得了新的进展。三是开展“新世纪黑龙江人新形象”和“树立牡丹江人新形象”大讨论活动。广大干部职工自觉内强素质，外树形象，不断强化“我就是牡丹江，我就是投资环境”的意识。四是开展职工文艺汇演、职工书画展、演讲会、篮球赛等活动，激发干部职工“爱我中华，奉献交通”的热情和力量。

四、抓典型，以点带面，强化示范效应

确立了“抓典型，树‘窗口’、带行业”的工作思路，把“加强示范‘窗口’建设、以点带面、共同提高”作为创建交通文明行业的重要措施，推动了创建文明行业工作的深入开展。

从1997年开始在各示范窗口单位实行公开办事制、行政执法公示制和社会服务承诺制，向社会公布服务标准、服务项目、服务质量、服务规范，实行公开办事程序、办事制度、办事标准，向社会做出承诺保证，并设立投诉电话和举报箱，建立监督机制和奖惩措施，聘请84名社会特邀监督员。示范窗口单位的服务态度、服务意识、服务质量、服务标准有了明显的提高和改善，涌现出一大批先进集体和先进个人。

五、抓领导，明确责任，强化创建措施

在创建活动中实行两个文明建设同规划、同实施、同考核、同表彰，在全系统形成了两个文明一起抓，两个目标一起下，两个成果一起要的可喜局面。局党委和各县（市）交通局、局直各单位也都成立由主要领导负责的领导小组，形成了主要领导亲自抓，一级抓一级，一级对一级负责的齐抓共管的工作体制。在每年年初交通工作会议上，局党政一把手与各县（市）交通局和局直各单位的党政一把手签订目标管理责任状，把创建文明行业和文明单位以及各项指标量化，实行两个文明一体化管理，同奖同罚，收到良好的效果。

（交通部体改法规司）

上　海　市

认真实践“三个代表” 努力实施“希望工程”

上海市认真实践“三个代表”重要思想，努力实施希望工程，几年来，为全国30个省、市援建了1000余所希望小学，救助5000余名失学儿童，捐款达3亿元人民币，其中为西部14个省、市援建希望小学714所，捐赠物资和各类报刊1373万元，捐款捐物累计1.74亿元。

一、从实践“三个代表”要求的高度实施希望工程

上海市以江泽民同志关于“支持希望工程，关心孩子成长”的题词为指针，认真实施希望工程。

希望工程就是在社会主义初级阶段，适应中西部经济相对贫困落后的国情，发动东南沿海和经济发达地区在对其进行经济支援的同时助学扶贫。这是贯彻邓小平关于“先富起来的地区要带动落后地区一起，走共同致富的道路”思想的有力措施，符合中国先进生产力的发展要求，是中国特色社会主义的生动体现。

希望工程，反映了中西部地区人民渴求先进文化，渴求教育、渴求科学兴省的心声与愿望。希望工程的主要项目——“经济助学，知识帮困”，是代表中国先进文化的前进方向的壮举与创造。

希望工程有助于实施西部大开发战略，改善西部地区群众的生活、生产条件，提高城乡人民的生活水平和质量；加快贫困和边远地区的发展，逐步缩小地区差距，最终实现全国人民共同富裕；促进各民族共同发展，共同繁荣，增强民族团结，保持边疆长治久安。希望工程的实施，符合中西部地区广大人民群众的根本利益，符合全国最广大人民的根本利益。

二、不断提高实施希望工程的自觉性，做到与时俱进

上海市实施希望工程以来，走过三个阶段，日趋成熟与完善。

希望工程之火，开始是由个人资助贫困地区学生点燃的。上海市希望办接待过一位“乐者”，大伙儿认识他，却又不知其名。这位“乐者”9年来，为希望工程捐款11次共达9.7万元，资助近100名贫困地区失学儿童。正是这样一批克勤克俭和乐于奉献的乐者、老共产党员的添薪助燃，使“希望”之火燃成遍及全国的希望工程。

希望工程第二阶段，由个人小额捐款发展至集体大众捐赠，从资助个人到筹办希望小学，希望工程的实施力度大大加强，社会影响迅速扩大。不少工商企业和民营企业省下“开张庆典”费用，或用商业利润回报社会，在井冈山、延安、大别山、广西百色等革命老区创建希望小学。

第三阶段，由单一“输血”转为“造血”与“输血”相结合。上海市投资3800万元在松江区创建了“希望工程教师上海培训基地”，实施上海市希望工程挺进西部战略。同时，以市政府有关部委办参与开发的白玉兰远程网为平台，建设白玉兰希望网校，使教育信息资源得到开发、传输、运用，推动了西部地区、革命老区和农村边远贫困地区基础教育事业发展。

三、不断推进，把希望工程发展为民心工程、文明工程

上海希望工程的不断拓展，除了直接使希望工程在全国各地生根、发芽、开花、结果外，还对上海人民起到了激励文明建设，砥砺道德素质，提高城市文明程度的巨大作用。

为希望工程献爱心，成为上海市民过节新时尚。2002年国庆期间，上海市收到各界人民捐款

265万元。捐款的人有企业家、青年职员、中学生、社区居民，他们说："希望工程有关国家前途、人民福祉，理应有钱出钱，有力出力，有技出技，有智出智。"

把支援希望工程当作本单位、本部门社会主义文明建设的大事来抓。不少单位和个人资助希望工程，都经过集体或家庭的精心筹划，希望做到资助地区、项目、人员三落实。他们选择江西、延安、大别山等革命老区，选择革命领袖、老一代无产阶级革命家、英雄先烈、英模人物的家乡建造希望小学，并组织团员青年参加奠基或竣工、开学典礼，与当地党组织建立"共建文明"关系。实践证明，希望工程不仅是资助对象提高文化、培养人才、发展经济的希望所在，也是参与者自身加强文明建设，提高综合素质，造就一代新人的希望所在。

（上海市文明办）

上 海 市

市民巡访团守护文明家园

上海市精神文明建设巡访团共有100多名巡访员，由不同行业的人大代表、政协委员、离退休老同志、民主党派人士和社区工作者组成。巡访团对本市群众精神文明创建情况进行巡访、检查和监督，参与有关职能部门的明察暗访和测评、考核，倾听和反映市民群众的意见、提出建议，发挥了文明家园守护人的作用。

一、时时关心　事事关心

上海市精神文明建设市民巡访团于2002年2月成立，它起源于1998年、1999年的"上海市市民卫生巡访团"。从卫生巡访团到精神文明建设巡访团，巡访工作出现许多新特点。一是巡访工作更经常化，并及时反馈给有关部门。二是由"明"转"暗"，不打招呼不亮证、随到随检。三是工作由"简"变"繁"，对卫生状况、居民文化生活、思想道德、社会保障等工作"事事关心"。

二、严格监督　文明监督

巡访团的任务不是评功摆好，而是查缺补漏，发现不足。他们生活在群众之中，能及时发现问题，反映市民呼声，适时对创建活动进行民主监督。敢于"挑刺"、善于"挑刺"，是巡访团的特点之一。在2002年的文明社区考核检查工作中，巡访团成员坚持对申报创建文明社区的32个街道逐一深入巡访。他们采取一"看"二"听"三"拍照"的方法，严格按照创建标准，找出这些街道存在的不足之处和群众不满意的地方，及时反馈给市文明办以及区县、街道的干部，并负责督促整改。

"挑刺"的同时建言献策，帮助有关单位搞好创建，这是巡访团工作又一大特色。对挑出来的"刺"、找出来的"茬"，市民巡访团成员并不是反映完了就了事，而是积极建言献策，帮助有关部门一块解决问题。

不仅严格监督，还要文明监督。巡访团的成员都意识到，作为精神文明建设巡访团的一员，一举一动都要讲文明，做文明公民的表率。除了在巡访中注意文明礼貌、遵守"七不"等规章制度外，对于一些单位的礼品和吃请也一概拒绝，受到了广大干部和群众的称赞。

三、甘于奉献　乐于奉献

精神文明建设巡访团成员年龄最大的已经74岁，最小的也有54岁，大多数已离、退休，完全可以在家颐养晚年、安享天伦之乐，但强烈的社会责任感，促使他们自觉地履行起让城市更文明、更美好的神圣职责。他们冒酷暑、顶严寒，整日东奔西走，足迹踏遍申城，为城市文明建设查不足、提建议，没有任何报酬。

在巡访过程中，老人们记录违章建筑，拍摄垃圾堆，走访居民群众，难免会引起一些人的不理解甚至误会。有人怀疑老人们是否“收了什么好处”。面对困难，刚从社科院退休的陶秋贞说得好：“退休后不断有单位想请我去做顾问，我都拒绝了。如果为了钱，谁愿意分文不取在马路上东奔西走？巡访团给了我们一个为社会做点贡献的机会，我们都非常珍惜这个机会。”

（上海市文明办）

上海市卢湾区

发掘社区人文资源 开展公民道德教育

卢湾区是上海市中心城区之一,历史人文底蕴丰厚。随着近年来城市建设和社区建设的深入推进,辖区内的文化遗迹被广泛开掘利用,在提高公民道德水准和市民文明素质中发挥了重要的作用。

一、坚持开发历史人文资源和开展公民思想教育相结合

中国近现代历史许多政治风云人物和文化名人都曾在卢湾留下他们的活动足迹。把这些活动片断连接起来就是一部浓缩的中国近代史，这些历史人物的活动轨迹就是一部部生动的人生教材。淮海中路街道的中共一大会址、共青团中央旧址、大韩民国临时旧址，瑞金二路街道的孙中山、陈独秀、周恩来、张学良、杨虎城、冯友兰、梅兰芳、林风眠、钱君匋等名人故居，打浦桥街道的田汉、秦鸿君故居、法电七烈士墓等，都被系统开发出来，街道和社区居委会不定期组织居民参观学习，使之成为开展历史文化和思想道德教育新的生动教材，成为社区爱国主义教育基地。

二、坚持发掘历史人文资源和开展社区自治工作相结合

在发掘历史人文资源的过程中，发动广大社区居民积极参加，使居民参与的过程成为增强社区意识和凝聚力的自我教育过程。瑞金街道香山社区居民自发将社区内的名人故居资料制作成精美的图片在社区中巡回展览，并汇编成册供居民阅览，在居民中兴起了一股“知我社区、爱我社区、建我社区”的热潮。五里桥街道社区文化活动中心开辟社情展室，展出社区光荣的历史。广大社区居民在参观展览以后纷纷说，未曾想到如此多的历史人物曾活动在五里桥，应该用我们的双手继续谱写社区家园的新篇章。

三、坚持利用历史人文资源和开展志愿者活动相结合

在开发利用历史人文资源的过程中，积极组织社区志愿者参加环境维护、解说宣传等工作。如中共一大会址吸收志愿讲解员已经收到良好的社会反响。瑞金二路街道社区志愿者除对社区居民广泛宣传社区内的文化旧址外，还担任义务讲解员，为外来的游客担任导游。

（上海市文明办）

上 海 市 静 安 区

建立“诚信档案” 提高文明单位质量

在南京西路商业街道创建文明单位试行的“诚信档案”，是静安区推进公民道德建设的一项新举措。诚信档案涉及到银行信誉、纳税信用、物价计量、质量监督、劳动用工、工商管理、消费者投诉等诸多方面内容，是由公共管理部门和社会群众组织提供的涉及到企业商家经济交往信用的信誉资料总汇，能比较公正、客观地反映企业商家在经营活动中是否诚实守信、依法办事、认真履约、规范经营的真实情况，也是作为文明单位考核和行使“一票否决制”的重要依据。

为积极落实《公民道德建设实施纲要》，区文明办与区总工会联手开展了以“诚信”为重点的职业道德建设教育。在“诚信”活动不断推广中，逐步建立起覆盖全区、涵盖商家企业经济活动整个过程的诚信评价体系，建立“诚信档案”是先决条件。

在“诚信档案”信息采集上，相关部门各负其责，如区工商分局为企业建立经济户口，记录不售假、不制假，不搞非法合同、虚假广告等情况以及相关信息，汇编企业信誉情况采集表，实行企业分类管理制度，便于上网查询；区质检局从计量、标准、质量监察、行政执法等方面加强对“诚信档案”的支持；在“诚信档案”试行后，区财政局提供“诚信档案”中的会计信用。

静安区制定了《静安区关于文明单位建立“诚信档案”的试行规定》。规定凡申报创建文明单位的企业，都要根据各自的职业道德实际，结合“百城万店无假货”活动和购物放心店活动，建立“诚信档案”，综合反映经营管理过程中市场行为的可信度、法人行为的公信度、诚实信用的道德观念和法律意识。区文明办会同商委、旅游局、工商分局、物价局、税务局、劳动局、消费者协会等有关部门，建立日常监督电话和长效管理测评机制，对创建文明单位进行鉴定测评，在静安网、静安有线电视等公众媒体上公示。以考评抽查、市民巡访团暗查、市民问卷调查等方式，对申报文明单位的诚信档案进行考核验收。区文明委对文明单位的评比进行最终审核。

许多商家企业很快相继对“诚信档案”作出了呼应。静安置业集团下发了《关于在“三创一做”活动中加强“诚信”教育的试行意见》，积极探索诚信档案的考核方法，总结推广“诚信档案”典型示范。

在建章立制的同时，不少单位开展了诚信教育活动。更多的商业单位还紧扣诚信档案，倡导诚信服务，促进企业管理和员工职业道德建设。

静安区“诚信档案”经过一段时间的探索与实践，取得了初步成效。促使企业把诚信作为经济活动的自觉行为，从而提升了企业职业道德，提高了文明单位质量。

（上海市文明办）

上海市闸北区大宁社区

道德之光在楼组闪耀

近几年，大宁路街道公民思想道德建设逐渐形成了以星级文明楼组为载体，逐步向学习型家庭渗透和向文明社区延伸的新格局，走出了一条学习型家庭、星级文明楼组、文明社区“三网合一”的公民思想道德建设的新路子。

一、以星级文明楼组为载体，增强公民思想道德建设的鲜明性和辐射作用

位于闸北区中部地区的大宁社区，辖区面积6.18平方公里，居民3.9万人，楼组总数620个，星级文明楼组达524个，占楼组总数85%，其中四星、五星级文明楼组占星级文明楼组总数的22%。

大二小区是大宁社区星级文明楼组发源地，是大宁和全区群众性精神文明创建活动的“品牌。”其中10号楼最引人注目，其底层墙壁上有一块黑板报，被居民们称之为“党报”。10多年前，楼组居民张有彩从中学校长职位上退休后，谢绝了一些单位的高薪聘请，一头扎进了楼组的文明建设中。他在楼组里挂出了自己精心设计的黑板报，介绍科学、文明、健康的生活方式，表扬身边的好人好事，批评不良社会倾向。10多年来坚持一周一期，至今已700多期。这块黑板报连同报刊交流箱一起，成为楼组居民学知识、学文化、学科学的重要阵地，更成为居民思想道德建设的一面“镜子”。

如今，“关了门是小家，开了门是大家”、“关心自己的楼组”已成为居民们自觉自愿的行动。住在顶层的在职居民，每天上班前不忘带一块抹布将楼梯扶手擦干净；住在底层的居民，主动注意进出楼道的陌生面孔；小辈为长辈举行楼组祝寿会；“有困难请告诉我”联系信箱等一件件新人新事层出不穷，春光楼、常青楼、安全楼、白衣红心楼、计生健康楼、红十字楼、巾帼自强楼等一大批特色楼组不断涌现。这些楼组举办“历史不可忘却”、“爱我中华”等各种主题的读书交流会及图片展等活动，使社区公民思想道德建设呈现出鲜明的时代特色。

二、以学习型家庭为突破口，强化公民道德建设的典型性和榜样作用

结合学习型家庭建设，街道深入挖掘社区公民道德典范，弘扬典范的榜样作用，推动社区公民思想道德建设深入家庭，从而将公民思想道德建设深化细化到每个居民家中。延铁小区的修锁师傅杜少凡便是家喻户晓的一个典范。杜少凡是一位残疾人，多年来，他凭着修锁配钥匙的精湛技艺，不仅自食其力，还无数次地义务为居民排忧解难，定期为部队、学校、孤老和军烈属免费服务。大宁路540弄小区退休党员张玲喜，5年如一日地照顾76岁的重残孤寡老人陆福娜，在社区里传为美谈。

三、以文明社区建设为抓手，形成公民思想道德建设的全民性和网络化格局

大宁路街道把以星级文明楼组为载体的公民道德建设不断深化，使之不断向社区延伸，从而形成了公民道德建设的全民性，形成了“家庭、楼组、社区”三网合一的格局。

“小事不出楼、温馨在楼组”已在全街道形成良好氛围。“有困难找党支部，有问题找居委会”，广延居民区党支部和居委会解民忧、安民心的做法，已成为大宁社区基层党组织思想政治工作和社区公民道德建设的典范。党员在各党支部和党员联络站的组织指导下，建立了调解小组、帮困小组、保安小组、绿化小组和保洁小组等，帮助群众解决困难，及时把党和政府的温暖送到千家万户。在社区里常年活跃着的法律志愿队、教育讲师团、医疗保健志愿者、红盾维权、政法工作者等各种各样的志愿者队伍，放弃休息时间，热情为居民服务，使“我为人人、人人为我”的精神在社区蔚然成风。大宁路538弄1—5号楼，住户大多是上海铁路中心医院的医务工作者，他们经常放弃休息时间义务为居民提供医疗保健服务，被居民亲切地称为“我们身边的保健医生”。

街道社区学校和小区“读书沙龙”、“晚晴”学习小组等，成为人人都能参与的学习课堂和接受道德熏陶的精神园地。社区周末学校开办了烹饪、电脑、手工编织、医疗保健等10多个课程班，丰富了群众生活，陶冶了群众情操。由八方小区居民首创的自己认购、自己栽种、自己养护的“三自树”活动，已在全街道乃至全区推广，并且成为大宁社区思想道德建设的一个“品牌”。“三自树”活动开展6年来，社区居民共捐款37.3万元购置树苗，并养护“三自林”，改善了地区环境面貌，有力地促进了社区公民思想道德建设的逐步深入。

（上海市文明办）

上 海 市 教 委
指导大学生实践“三个代表”重要思想

上海市教委引导大学生结合实际，以“‘三个代表’实践团”为载体，把学习和实践“三个代表”重要思想的活动作为人生实践的必修课，取得了一定效果。

一、“三个代表”实践团的活动，深化了思想认识，拓展了实践内容，提高了实践效果

上海交大、华东师大、复旦大学的学生在学校党委的支持和指导下，先后成立了“‘三个代表’实践团”。分别深入社会各领域，边学习、边宣传、边实践“三个代表”。

“‘三个代表’实践团”的活动，拓展了大学生社会实践的内容。主要体现在两方面：一是在平时的各类社团活动、社会考察、志愿者、假期“三下乡”等活动中，坚持以“三个代表”重要思想为指导。二是大学生通过各类社会实践活动，更深刻地理解了“三个代表”的内涵、意义和中央提出的方针政策。

如复旦大学学生对政府机构改革、上海大学对社会公德建设、外贸学院对知识产权保护、上海第二医科大学对医疗制度改革、同济大学对环保产业和城市的可持续发展、上海交通大学对农产品的标准化等当前改革与发展中的热点问题，进行广泛调研并撰写调研报告和对策建议，从而真正在思想理论上有了明显提高。

“‘三个代表’实践团”的活动，提高了大学生社会实践的效果。通过社会实践，大家亲眼看到上海市两个文明建设取得的成绩，市民的生活水平和精神面貌发生的变化，从而对大学生世界观、人生观、价值观产生了正面影响。

二、大学生实践“三个代表”重要思想，对上海高校“两课”教学和德育工作提出了新的要求

“两课”教学，在内容上处理好理论体系与教学体系的关系，在教学过程中处理好课堂教学与社会实践的关系，在考试评价时处理好知识与能力的关系，提高大学生实践“三个代表”重要思想的主动性、针对性和有效性。在马克思主义理论课中，华东师大、海运等院校学生结合学习“三个代表”、“人的全面发展”等观点，懂得了必须不断克服自己认识和实践的片面性，才能真正实践“三个代表”重要思想。上海交大在教学过程中，让大学生以某一理论观点为指导，通过社会实践写出考察报告，然后再回到课堂深化对理论的理解；之后，再进入下一个教学过程。通过认识、实践、再认识、再实践的多次循环，不断提高理论认识和实践能力。

德育工作一是依靠载体，二是与“两课”教学相结合，使教学与管理做到资源优化配置。第一，以大学生的党课、团课、志愿者、邓研会、社团、校园德育工作等为载体开展符合大学生的思想心理现状，为他们喜闻乐见的活动，起到潜移默化的效果。第二，为大学生在重大社会活动中实践“三个代表”重要思想创造机会。如APEC会议，约万余名大学生参与环境氛围的营造，1800余名大学生直接为21个成员体的高峰会议做志愿者服务，受到外交部、外经贸部和上海APEC会议办公室的表扬。第三，把政治辅导员和“两课”教师两支队伍组合起来，使教学与管理做到资源优化配置。如华东理工大学，19名政治辅导员参与“两课”教学工作；上海理工大学和上海财经大学，政治辅导员和“两课”教师互相渗透，在指导大学生实践“三个代表”重要思想的工作中，都取得较好效果。

三、组织和指导大学生开展实践“三个代表”重要思想工作的若干体会

各高校党委应对大学生实践“三个代表”重要思想进行指导和加强管理。政治理论课教学部门和学生工作部门应及时把握和分析大学生的思想热点，组织指导好实践“三个代表”重要思想的工作，党员学生应带头学习并带动面上的学生学习、宣传和实践。

上海的高等教育必须全面推进素质教育，为大学生实践“三个代表”重要思想提供良好的氛围和环境。必须依法管理和监督办学，完善教学质量评价和监控的体系与标准，加强政治理论课和校园文化建设，开展学生素质教育展示工作，继续提高后勤服务水平，为大学生创造一个优良的环境，使他们在实践“三个代表”重要思想的过程中，提升各种素质、提高各种能力。

（教育部社政司）

中国银行上海市分行资金计划处

积极创建“青年文明号” 大力培养青年主力军

中国银行上海市分行资金计划处是一个由平均年龄不到30岁的青年组成的单位。这个处开展创建“青年文明号”活动，成效明显。4年来各项业务累计盈利5000多万美元，连续3年荣获共青团中央和中国人民银行授予的全国青年文明号称号，并有多人获本系统、上海市乃至全国性多种荣誉称号。

一、创新理念

近年来，中国银行上海市分行资金计划处各项业务的飞速发展，首先是由于经营理念的创新。在中外银行竞争日益白热化的形势下，他们树立起眼睛向外，面向社会的市场观念；信誉第一，客户至上的服务观念；敢为人先，争创一流的创新观念；居安思危，如履薄冰的风险观念。

创新经营理念，不断开发出适合市场与客户需求的金融新产品，赢得更加广阔的市场空间。1998年，他们成立了国内第一个“外汇宝”交易中心，开辟了供个人进行外汇买卖的“外汇宝”业务。1999年3月，经过缜密的市场调查，资金计划处推出了“外汇宝电话模拟交易大赛”，同时与东方电视台联手，在电视台黄金时段进行汇市评论和赛况分析；同年10月，资金计划处抓住全球500强聚首申城“财富论坛”的有利时机，推出全国首家“网上外汇宝模拟交易大赛”；策划编纂了国际金融知识普及型丛书——《金融八仙智慧术》。

二、强化管理

资金业务是高风险性企业。为了有效地规避可能发生的风险，几年来，资金计划处不断强化和完善内部管理机制。相继出台了一系列适合自身特点的规章制度，如处务会制度、业务督办制度、科室评级制度、重大事项通报制度、差错分析制度等等。同时，注重发挥先进人物的榜样带动作用，经常请先进同志讲职业道德，提高全体员工的职业道德水准。

资金计划处把信息化引入管理，在局域网上开辟精神文明园地，设立《我在党旗下》、《政务公开》、《五彩池》、《红星闪闪》，《业务杂谈》、《休闲娱乐》等党、政、工、团栏目，员工们在网上可以自由地对处内各项工作发表评论，献计献策。在管理中引入竞争机制，为每一位员工创造均等的竞争机会。充分发挥党员和干部的榜样作用，他们规定：党员必须是业务尖子，必须能独立授课，开展培训；凡公益性任务，党员必须带头响应。干部每个季度都要结合工作提交一篇有业务指导意义的调研报告，通过处内局域网公布，让大家评判。

资金计划处实行的刚性、激励性、主动性三位一体的管理模式，形成了自己的特色，走出了一条以管理促发展的新路。

三、凝聚人心

资金计划处以强化管理管住人，又以加强教育凝聚人心。处领导主动给青年干部创造展示才能的机会，给员工以无形的教育和激励。

员工过生日，领导会送去一份特殊的节日礼物：一句真诚的祝愿，一句鼓励的话语，一句警示的箴言。正是这种人文的关怀，促使全处形成了一个温馨、友善、团结、和睦而又有战斗力的集体。

他们组织员工学习马列主义、毛泽东思想、邓小平理论和“三个代表”重要思想，学习党的路线、方针、政策，进行爱党、爱国、爱社会主义、爱集体、爱行敬业的教育，用科学的理论武装人。在香港做了3年外汇交易员的杨晓回来后的第一件事就是向党支部郑重地递交了入党申请书。

正是教育的力量，凝聚起资金计划处干部员工的人心，为业务发展提供了源源不断的动力和活力。

（中央金融工委文明办）

上海市文广新闻传媒集团

开展先进文化进社区活动

在上海市群众性精神文明创建活动中，上海市文广新闻传媒集团党委坚持“两手抓、两手都要硬”的方针，组织集团所属各单位积极开展文化进社区活动，推动了社会的文明创建活动。

一、荧屏呼唤爱心，齐倡文明新风

文广新闻传媒集团各电视专业频道始终围绕以宣传为中心、以节目为依托的原则展开精神文明创建工作。在“蓝天下的至爱”2002新年慈善系列活动中，新闻综合频道、新闻娱乐频道记者跟随“爱心”直通车奔走在街头，用镜头捕捉市民踊跃捐款、奉献爱心的动人场面。文广新闻传媒集团的几十位员工还加入到无偿献血的行列。

新闻娱乐频道《热线传呼》开播不久，特别推出“爱心365工程”，每天为生活有难的群众办一件好事、实事。东广792《为您解忧》在为人民群众排忧解难方面做了大量工作，不仅唤起了更多听众加入到“为民解忧”行列中，也使台里的干部、职工从中受到生动教育，增强了为人民服务的观念。

《天天精“彩”真情版》是财经频道与市慈善基金会、市福利彩票发行中心合作开办的一个新栏目。这个栏目所采访拍摄的对象大都是一些曾经为社会作出过贡献、现在生活十分困难、需要社会救助的弱势群体。栏目开办以来，引起了广泛的社会反响。栏目组成员在采制节目过程中主动为拍摄对象捐款捐物，使现场群众无不感动。

二、联手创新载体，共谱文明新篇

文广新闻传媒集团各电视专业频道广泛与社会各界同创共建，使内外创建融为一体，互相促进，努力做到提高社会文明程度与提高职工素质并驾齐驱。新闻娱乐频道、文艺频道将市文明单位、原东方电视台的品牌“走到一起来”进行创新，以更开阔的视野打出“月月演”的口号。每月下旬的周末，联合中共一大会址纪念馆和一些医院，组织文艺界著名演员和频道节目主持人，共同深入精神文明建设成绩良好的社区、工地、军营、学校等基层，以文艺节目演出、医疗卫生咨询、党史知识普及、电视节目介绍等多种形式展开创建活动。在毛泽东《在延安文艺座谈会上的讲话》发表60周年之际，新闻娱乐频道、文艺频道联合组织送文艺、送医疗、送科技“三下乡”活动，赴延安子长县慰问老红军老八路，为延安宝塔的泛光照明送去了补充灯具以及一批介绍延安的音像制品。新闻综合频道与崇明电视台结成共建对子，签订“手拉手共建文明单位”协议书，分期分批地将主持人、青年记者送到崇明进行实践、锻炼，切实感受崇明电视人的艰苦创业精神，同时为崇明电视台的事业发展提供支持和帮助。财经频道继承市文明单位、原有线电视台的好传统，为云南省罗平县希望小学培训教师；与本市新华街道结对共建。卫视中心徐志浩同志在去年作为上海宣传系统惟一的一名援藏干部赴西藏日喀则地区工作，返沪休假期间，卫视中心全体员工自发捐款1.5万余元，委托他带给西藏失学儿童及贫困藏民。

三、基层搭建舞台，同唱文明新歌

文广新闻传媒集团托管院团的精神文明创建活动同样有声有色。他们坚持“以演出为中心、以演出促进创作”的工作思路，把先进文化、高雅艺术送到基层，送到广大人民群众中间，取得了两个效益双丰收。

上海话剧艺术中心《非常责任》剧组演职人员顶着酷暑赴郊县，完成演出25场，推动了全市郊县的安全生产。话剧中心根据肖玉泉先进事迹创作的话剧《11朵玫瑰》至7月底演满60场，场场爆满。上海歌剧院与东广音乐频道、上海市绿化管理局联合在中山、长风、静安、和平、淮海、复兴等10家公园举办“合唱艺术巡回示范”演出，吸引了数千名游客，台上台下相互呼应，场面热烈。在参加“青春的节日”上海青年文艺巡演活动中，上海歌剧院合唱团、舞剧团的演员们冒着酷暑赴松江方松街道为群众演出“走进新时代”音乐会，赴崇明堡镇露天体育场、莘庄社区广场演出“青春的旋律”歌舞专场，受到观众们的热烈欢迎。上海歌剧院在南京东路步行街世纪广场举行大型广场音乐会《黄河大合唱》；上海淮剧团《大路朝天》剧组赴城建集团市政二公司复兴东路双层越江隧道工地进行慰问演出；上海民族乐团在中远两湾城社区举行“与民同乐”广场音乐会；上海歌舞团赴宝钢演出《闪闪的红星》；上海滑稽剧团为市轨道交通明珠线二期工程——大木桥路车站工地现场送上生动活泼的曲艺节目；上海昆剧团坚持为学校师生演出“昆剧走进青年——普及版”；东方青春舞蹈团演员冒着高温和暴雨为淞江同三国道上海段建设工地演出；上广戏剧频率与东视戏剧频道等单位在豫园中心广场联合举办“豫园戏曲周汇演”活动，吸引一批戏曲名家、新秀和来自本市及安徽、浙江、山东的票友纷纷登台助兴。8月12日，上海京剧院在新疆哈密市举行了“2002上海京剧万里行——走进大西北”的首场演出。8月13日，演出团到西北地区最大的石油基地——吐哈石油基地进行慰问演出，出现了台上台下同唱《沙家浜》的热烈场面。

在给广大人民群众送去先进文化的同时，演职人员也经受了艰苦环境的熏陶、意志品质的考验、思想作风的磨炼。

（上海市文明办）

上海市新世界股份有限公司
构筑诚信新体系

上海新世界股份有限公司联系实际贯彻《公民道德建设实施纲要》，提出新世界诚信新体系建设“一、二、三、四、五”的目标。即“一个口号”：十里南京路，诚信新世界。“二个先”：讲诚信力争在全市“百城万店无假货”活动中有先发效应，力争在全区“诚信在黄浦”活动中先行一步。“三个不”：不做假账，向股东负责；不卖假货，向顾客负责；不说假话，向社会负责。“四个化”：诚信体系建设做到全员化、全面化、全年化、全程化。“五个诚信”：质量诚信、服务诚信、价格诚信、合同诚信、法人诚信。经过全员动员、总结梳理、构建体系、实践展示四个阶段，新世界诚信新体系已初步形成，并在实践中不断探索完善。

一、新世界诚信新体系建设的内容与做法

严守质量诚信，制止假冒伪劣。一是严格质量把关。通过产供销的整体诚信联动，做到生产方不产假货，供应商不供假货，业务员不进假货，营业员不售假货。坚持“三审三验”，即对生产厂家进行资格审查、样品审查、质量审查；对进口商品验关税单，对原料成分验检测单，生产工艺验成本单。将真实产地、原料成分如实标上价目卡。为了从源头上防假，公司到厂家实地进行考察，做到“五不进”，即人情货不进、无样品不进、有回扣不进、价格不合理不进、假冒伪劣不进，并实行质量一票否决。二是强化质量管理。构置三层网络实行建制堵假、悬赏捉假、张网查假、从严打假。第一张网是由公司总经理挂帅的商品质量管理组、管理部门负责的质管分组和商场的质检小组。第二张网是党委、工会、团委分别组成的三支内部质量检查队。第三张网是社会监督网：与市电子产品质检站等10家专业机构签约专业查假；邀请劳动模范、离退休干部对商场质量明察暗访，实地查假；特邀“王海式”打假顾客作为质量监督员。与此同时，总经理与商场经理、商场经理与部主任、柜长层层签订“无假货责任书”，并与1000多家厂商签订“信誉责任书”。为了确保防假治假落到实处，商城建立了200万元退货基金，100万元质量保证基金，50万元商品送检基金，10万元送货误期赔偿基金。并规定凡查出经营假冒伪劣商品，实行经济重罚，内部行政处罚，取消厂商经销资格。三是兑现质量承诺。对消费者反映的问题，有专人处理，做到事事有交代，件件有着落。每月15日在新世界门口设立消费咨询投诉站，开展“安全健康消费日”、“绿色消费日”、“明明白白消费日”等专题活动。每季召开顾客座谈会，听取消费者意见。每年开设各种商品知识讲座。

创新服务诚信，享受购物舒心。服务诚信，首先从一线营业员抓起。从1998年起开展“职业道德规范”冠名活动，从员工中提出的上千条语言中提炼出17个岗位的17条冠名语。新世界营业员都自觉地遵循“四不”准则，即商品性能不夸大、当好参谋不误导、买卖随客不强求、商品复检不马虎。实行一门式售后服务，配备有责任心、有较强业务能力的人员任专职售后服务员，认真处理顾客投诉。凡发生服务不诚信行为，总经理亲自带队上门道歉。

笃信价格诚信，杜绝价格欺诈。慎重、合理地制定价格实施细则，做到价格管理电脑化，三色标价专人化，新品新款不削价，促销商品标实价，凡降价商品必须保留降价前资料以备查询。因存在瑕疵需要降价的，应由经营管理员同意，方可销售。为了做到同质商品价不高、同价商品质更优，坚持在全市范围进行价格调查，确保标价真实性。

恪守合同诚信，体现公平、公正。一是加强《合同法》培训。每年定期邀请市、区工商局领导、学者专家举办专题讲座，普及《合同法》基本知识，掌握商业合同专业技能。二是完善合同规范。三是确保合同履行。公司要求营业执照、税务登记、商标注册、进口报关等各种证书和材料齐全，确保资质过硬。对经销商因高利润诱惑超范围经营，一经发现清退出场。

坚持法人诚信，树立良好社会形象。作为上市公司，一方面，修改、完善公司章程和各项治理细则，切实提升公司治理水准和治理实效，明确法人诚信责任和公司高级管理人员的诚信要求，严格按照法律规定和《公司章程》规定，真实、准确、完整、及时地披露信息，使广大股东有平等机会同享公司信息。另一方面，制定一系列财务管理制度和岗位责任制，确保财务核算正确、及时。公司被中国人民银行评为AA级信用单位，被工商银行评为受理信用卡最佳商户。

二、新世界诚信新体系建设的推进途径

从制度建设着手，加强诚信体系管理。坚持十项行之有效诚信管理制度，即四审一批制、上柜验收制、质量跟踪制、售后服务制、三色标价制、便民服务制、违章清退制、员工星级制、合同管理制、内外监督制。针对诚信管理上的薄弱环节，推出了三项管理措施：（1）开展质量管理体系认证工作。贯彻ISO9001标准、建立质量管理体系。（2）建立诚信档案。将诚信工作作为干部考察、培养和提拔的重要依据。各管理层缴纳一定量的诚信风险抵押金，逐级签约，并实行一次警告，二次罚款，三次免职的风险承包考核办法。分层次、有重点地建立商场、部、柜和客户以及各级经营者的诚信档案、营业员服务档案。凡有不诚信劣迹的列入黑名单，逐出新世界。建立经济往来诚信系统，将信用记录登入诚信档案。（3）全面推行电脑化管理。实行商城电脑联网，将合同、商品价格和服务管理纳入计算机系统，强化监控管理。

坚持以人为本，优化诚信环境。（1）提升诚信理念。通过编印诚信小故事，开展诚信主题演讲等形式多样的学习活动，深化员工对诚信理念的思考。把新世界诚信理念归纳为三句话，即诚信是新世界人永恒的追求；诚信是新世界人开拓市场的最大资本；诚信是新世界人安身立命最重要的社会资源。（2）夯实诚信基础。公司每年设立50万元专项教育基金，建立营业员上岗教育培训制度，严格执行“先培训，后考试，再上岗”的商场准入制度；定期组织厂商和员工开展《合同法》、《质量法》等专题知识培训；采用“送出去，请进来”办法对相关专业人员进行专业知识强化培训，努力使他们成为行家里手。（3）培育诚信文化。在总结诚信经验，树立诚信典型，弘扬诚信风范，塑造诚信形象的基础上，形成有新世界特点、时代精神与市场经济相结合的诚信文化，为打造新世界诚信品牌夯实思想和文化基础。坚持做到公司公开承诺，商场公示承诺，行政管理人员带头承诺，星级员工率先承诺，一线员工自觉承诺。这些承诺成为企业的诚信文化建设的基础，也便利社会的监督。

（上海市文明办）

江 苏 省 常 州 市

建设学习型城市　锻造发展新“支点”

6月1日，常州市建设学习型城市的第二个“学习日”里，市委理论学习中心组认真听取我国科技发展战略报告；市冶金机械厂的许多青工瞪大眼睛，观摩专家对疑难工件的找正、测量演示；天宁区160多名小学教师来到83个社区当起“学习辅导员”，教英语，教电脑，讲法律；农民失罗孝向乡亲们传授自己从事生态农业、精品农业、标准化农业生产的好办法，他说：“要想市场上闯，先到课堂里学。”

一、把学习作为发展的重要支点

2001年5月，江泽民在亚太经合组织人力资源能力建设高峰会议上提出，“构筑终身教育体系，创建学习型社会”。同年8月中共常州市第九次党代会明确提出“建设学习型城市，全面提高市民素质”。常州市所以作出这样的决策，是因为市委市政府对本市的发展有一种战略性思考：在市第九次党代会上明确了富民强市、率先基本实现现代化的战略目标，提出要把常州建成长江三角洲地区重要的现代制造业基地和区域中心城市。要实现这个目标，关键是人，关键是全面提高人的素质。为此，必须建设学习型城市，逐步从根本上提高全体市民的综合素质，并把它作为一项长期的战略性举措，作为实现跨越式发展的重要支点。

2002年以来，市委、市政府学习中心组认真学习“三个代表”重要思想、世贸组织系列知识等，举办创建学习型组织、最新科技知识等专题报告会。市领导理论联系实际，围绕城市发展的战略目标，带着课题深入基层搞调研。有关部门还专门为市级领导开设了商务英语和电脑培训班。

学习型企业试点之一的金太阳家电公司把建设学习型企业作为应对世贸组织、二次创业的迫切需要，通过自我学习、团队学习和互动学习，赢得了市场竞争力，在常州市区的家电市场占有率增至60%。

二、变要我学为我要学

为使学习真正成为人们的内在需要和自觉行动，常州市委组织部和市人事局等出台有关政策，在干部选拔、人才使用等方面充分体现量才录用、择优选拔；劳动和社会保障局等制定相关政策，实行职业资格证书制度、劳动预备制度、就业准入制度和技师、高级技师社会化考评制度，增强人们学习的紧迫感。

市政府办公室为每个工作人员建立学习考核卡，作为年终考核的一项重要依据。同时明确规定，所有职务晋升必须通过综合素质的考试与考核。

梅特勒—托利多（常州）称重设备系统公司瞄准世界级公司的目标，不断更新管理、技术和设备，促使员工在面临的新挑战中自觉学习。公司近几年每年投入百万元培训费。为了适应世贸组织规则，投资30多万元从国外引进先进的管理系统对员工进行培训，这一管理创新项目实施后将获得100万元左右的收益。

适应从要我学到我要学的转变，常州推出了10个学习载体：建立学习日制度，确定每年双月第一个星期六为全市的学习日；开展学电脑、学外语、学科技知识的“新三学”活动；引导广大干部群众制定个人学习计划；建立农村科技超市；建设远程教育平台；组织高层论坛；建立教育培训网络；鼓励社会力量办学；开展群众性读书活动；培养专门人才队伍。同时，和有关高校联合建设学习型城市研究基地。

为了调动企业经营管理者的学习积极性，常州探索建立高级经营人才评价中心，同时积极开展跨国培训，加快经营管理人才与国际接轨。为了形成科技人才高地，常州与东南大学等联合开办制造业信息化培训。建立研究生社会实践科技创业基地，在产、学、研之间搭起桥梁。为给现代制造业的建设提供更多具有较高文化素质和操作水平的技能人才，以多种方式培养岗位技能带头人，不断总结并推广多工种的先进操作法；利用社会资本建设“大学城”，培养具有大专学历以上的职业技能人才。

三、变重学历为重能力

常州人对学习的认识有了升华：学习不仅是为了文凭，而是信息加工和再创造的学习，是应对变化、增强素质和能力的自我调整和创新。

市冶金机械厂为了适应企业技改的需要，每年职工培训时间，工人不少于50学时，干部不少于100学时，并建立职工培训业绩档案。

根据农村经济发展的实际需要和农村不同人群的不同需要，组织专家讲座、专门技术培训、致富农户“现身说法”、科技致富家庭结对、科技超市等活动，引导农民在学习中走上致富之路。金坛儒林镇叶兴村党支部书记、养蟹专业户金红梅，热诚传授养殖技术和营销知识，带领结对村民共同致富。

在常州，“生活学习化，学习生活化”已成为一种趋势。有的社区设立小巷讲坛，每周定期开办科普、法律等讲座。常州人均购书金额名列全省第一。

（摘自2002年6月16日《人民日报》）

江苏省苏州市

努力创建全国文明城市群

苏州是国务院首批命名的国家历史文化名城，也是我国沿海经济比较发达的地区之一。苏州市在文明城市创建活动收到明显成效的基础上，结合自身实际，提出了创建全国文明城市群的目标，城乡结合，全面展开创建文明城市活动。

一、提出争创文明城市群的依据

苏州市争创全国文明城市群的主要含义是：经过若干年的努力，使市域范围内的各创建单元（包括苏州市区和各县级市）全面建成全国文明城市或全国创建文明城市工作先进市，主要行业达到国内先进水平，城乡文明程度和市民文明素质与率先基本实现现代化相适应，环境更美、秩序更好、服务更优、文化更繁荣，建成具有时代特征、中国特色和苏州特点的全国文明城市群体。

提出这一目标的依据，首先是基于苏州市经济社会发展的整体态势和发展水平。改革开放以来，苏州经济总量以年均14%以上的速度持续快速增长，经济总量在全国地级市中名列第一，人均GDP超过3600美元，按照国际通行标准，苏州已率先进入世界同期中等收入国家水平。而且苏州市及其所辖的张家港、昆山、常熟、太仓、吴江5个县级市，都已被中央文明委命名为全国创建文明城市工作先进城市，都是全国百强县和江苏省十强县，在全国享有较高的知名度。其次是基于苏州城市化战略的实施以及城市化发展出现的新特点。苏州城市化水平已接近50%，区域范围内形成了1个中心城市、5个副中心城市和27个中心镇整体联动的格局。第三是基于苏州区域范围内文明城市创建已形成的良好基础。

二、争创文明城市群的主要措施

一是经济社会发展区域一体规划。坚持以经济建设为中心，全市国内生产总值增长努力保持11%到12%的速度，争取到2010年人均国内生产总值超过8000美元，达到世界同期中上等收入国家水平，区域整体率先基本实现现代化。与此同时，以文明城市创建为龙头，努力建设与之相适应的国际新兴科技城市、社会主义法治城市、社会主义文化强市、最适宜人民居住和创业的城市、国家园林城市和健康城市等。

二是居民素质区域一体提高。以加强道德实践为中心，以诚信为重点，认真贯彻落实《公民道德建设实施纲要》，率先建立符合苏州实际的思想道德体系。大力开展学习型城市创建，加快构建具有国内领先水平的终身教育体系。高标准普及九年制义务教育，所有乡镇均达到教育基本现代化标准。基本普及高等教育。

三是生态环境区域一体建设。按照“水更清、地更绿、天更蓝、城更美、居更佳”的目标，大力加强城乡生态环境建设。全面完成城乡水环境治理工程，使所有河水变清、变活。严格控制各类废气排放，确保城乡空气质量保持在国家二级标准以上。加大固体废弃物的治理力度，实现城市生活垃圾处理减量化、无害化、资源化。广泛开展城乡绿化造林活动，市区和各县市都要建成国家园林城市。切实加强市容市貌建设和古城、古镇保护力度，充分展示21世纪“人间天堂”新形象。

四是基础设施区域一体完善。引入国际先进的规划理念，编制完成具有国际先进水平的城乡规划体系。推广中新合作苏州工业园区高标准建设基础设施的经验，加快建立覆盖全市城乡的系统化、网络化、现代化的基础设施主体框架。人均基础设施拥有量达到或接近国内外发达城市先进水平。加强国土整治和空间布局结构调整，形成城镇繁荣、乡村清幽、城乡互补的生态型布局结构。

五是服务网络区域一体构建。切实转变政府职能，推进审批制度改革，提高服务水平，加快建立与国际惯例接轨的政务运行机制。主要窗口行业全部实现规范达标，并建成一批硬件设施、经济效益、社会效益和行业管理在全国同行业中领先、接近发达国家城市行业水平的文明行业。各类社区公共设施健全，建立完善的社区服务网络。建立健全城乡社会保障体系，各项指标均达到国内领先水平。

六是文化发展区域一体繁荣。认真实施《苏州市2001—2010年文化强市建设规划纲要》，努力建设历史文化与现代文明交相辉映的社会主义文化强市，进一步增强文明城市创建的文化内涵。基本形成以优秀民族传统文化与苏州地方特色文化为主体，融合世界先进文化成果的文化体系；与现代化中心城市相匹配、独具特色、布局合理、装备先进、功能完善的文化设施体系；优势明显、结构合理、技术先进、竞争力强、接轨国内外市场的文化产业体系；以苏州市区为文化中心，县级市为纽带，特色文化乡镇为基础，覆盖城乡的文化格局。

（江苏省文明办）

江苏省张家港市

建设城乡一体文明　再造文明新绿洲

江苏省张家港市在成为全国两个文明建设典型的基础上，近年来创建城乡一体文明，再造文明新绿洲，出现一系列新变化。

一、着力美化农村环境，缩小城乡人居环境落差

张家港建设文明城市是从环境卫生着手的。20世纪90年代初，他们从树木、灯光、厕所等不起眼的地方抓起，10年功夫不枉费，城市亮起来了、绿起来了、美起来了。张家港相继获得“国家卫生城市”、“全国城市环境综合整治优秀城市”和首家“全国环境保护模范城市”等40多项荣誉称号，成为全国两个文明建设的典型。

面对成绩，张家港市委、市政府一班人没有故步自封，对自己提出更高的要求，把市区的文明创建延伸到广大农村，构筑城乡一体文明。

在巩固城区环境质量的同时，开始全面对农村环境推行城市化管理。通过连续多年开展以“洁美家园”为主题的环境整治活动，使环卫工作基本上达到农村与城区一样，一年四季保洁程度一样。许多村镇通过落实专（兼）职保洁队伍，完善卫生基础设施，环境管理做到制度化、长效化。

走进港区镇长江村的幸福小区，收入眼底的是萋萋芳草、成阴绿树，统一规划的两层小楼。在村民家里，厨房整洁，客厅宽敞，现代化的家电一应俱全。港区镇近年投入4亿多元进行道路硬化、绿化、亮化等环境基建。村民也自觉地改变以往的生活习惯，开始注重个人卫生、家庭卫生，积极参与公共环境的美化，把环境建设看成了自己义不容辞的责任。

农民改造了环境，环境也正改造着农民。都市环境卫生的观念正浸润着每个张家港市农民的心田。

二、加大农村教育投资，缩小城乡居民素质落差

张家港市重视农村环境美化的“硬件”工程，同时重视强化当代农民素质教育“软件”的开发。近年来，张家港市开始把对市民的教育要求全面引入农村，每年拿出1亿多元资金用于农村教育设施建设，并且形成了高等教育、基础教育、职业教育、成人教育等较为完备的教育体系，20个乡镇全部建成省级教育现代化先进镇。科技、文化、卫生“三下乡”，在这里深化为“三入户”。他们的宗旨是要通过不断的定期培训，增强农民致富的本领，让农民富而知礼。

现在，全市适龄青年高等教育的入学率超过30%；乡镇企业在职职工年接受岗位技能培训、务农劳动力年接受实用技术培训的人数超过总数的50%；全市有4000多名农民获得绿色证书。每年举办各类农村实用技术培训班500多期；近3年来，邀请国内著名专家学者作90多场专题讲座。许多镇每年向群众印发各类资料，开展藏书、读书活动，积极倡导崇尚科学、崇尚知识、向往文明的社会新风尚。

政府重视农民教育，农民自己的教育理念也有了变化。全国先进基层党组织——南丰镇永联村党委带领村民建起了一批龙头企业，实现共同致富之后，村集体自筹1900多万元建起九年制义务教育学校，让村里孩子免费上到初中毕业。

通过建设城乡一体文明，张家港的广大农民已经初步实现了由农民向市民、再向文明市民的转变。

三、完善农村社区服务，缩小城乡社区功能落差

张家港按照“用城市的标准建农村，用市民的理念育农民”的要求，大力建设农村社区，完善社区管理网络，加快城市文明向农村延伸辐射，促进农村文明与城市文明的对接。

在农村社区建设中，他们重点强化社区服务中心建设，提出要达到“五个有”，即有固定的服务基地，有一部热线电话，有一支专职社区服务队伍，有一批便民服务网点，有一支社区志愿服务队。在全面引入城市社区服务模式的同时，他们还根据农民生产生活的需要，专门增加了“农”字头的特色服务，如农业咨询、种养指导、良种推广、化肥供应等。

社区化构架，使得张家港各乡镇已初具城市化雏形。农民与市民，农村与城市，在张家港已经越来越接近、越来越紧密地结合在一起了。

（摘自2002年7月18日《人民日报》）

江 苏 省 东 台 市

提高进城农民素质　让农民融入城市文明

近年来，江苏省东台市坚持用硬环境影响进城农民，用软环境改造进城农民，倾力建设文明城，引导他们争做文明人，为农民向市民的角色转换提供坚实的物质条件和精神准备，促进了城市化进程。在全市21万人口中，有一半是近几年进城的农民。

10万农民进城，原有城市设施和功能出现超载。东台市委、市政府向全市人民承诺：全面实施旧城改造，不让老百姓端着马桶进入新世纪。经过7年的努力，该市投资15亿元，顺利实施了四期城改，累计拆迁面积131万平方米，新建商住楼、住宅楼284幢，除了着意保存的青砖黛瓦、小桥流水外，满目矗立的都是高楼大厦，五分之四的旧城区焕然一新。90%的老居民和42%的进城农民住进交通方便、环境优美的东亭二村、金墩新村等住宅小区，不少进城农民还在台城四周的小区内建起了新潮别墅。2002年，又大力度实施绿化工程，新增城市公共绿地面积13.6公顷，建成区绿化覆盖率达35.1%。新建的鼓楼路商业步行街，充分显现人与自然和谐统一的风格。城市功能的日趋完善，使进城农民悄然融进了城市生活。

进城农民融入城市文明，不仅是物质生活上的融合，更是精神生活的融合。东台市着力强化教育与管理，以“美在街道、乐在小区、亮在窗口、爱在社会”为载体，普及文明知识，规范市民言行，引导和激励进城农民提升精神追求和道德层次。

江苏省创建文明社区示范点——点平街道在开展“党员示范户”、“创五好家庭”等活动的基础上，推出评选“六星级”文明楼栋的活动，把每幢楼、每个单元的居民包括进城农民聚合在一起，形成创“星”、争“星”的热潮。

东台市以制度来规范进城农民，引导他们在城市化活动中入轨。先后制定《东台市市民守则》、《东台市民“十不”规范》，编印《东台市文明市民教育读本》，进行广泛宣传，让文明规范入耳、入眼、入脑，成为市民的自觉行动。

在城市管理上，坚持城市综合管理、专业管理与群众管理相结合，吸引进城农民参与城市管理，逐步摸索出一套科学、规范、有序的长效运行机制。

逐步融入城市文明的10万农民，日渐成为文明城市创建的生力军。东台市先后获得“中国明星县（市）”、“全国体育先进市”、“全国造林绿化百佳市”、“国家级生态示范市”、“江苏省卫生城市”等荣誉称号。

（摘自2002年8月31日《人民日报》）

江 苏 省 昆 山 市

在非公经济领域加强精神文明建设

近年来，江苏省昆山市的非公有制经济发展较快，外资投资项目达2000余家，其中已投产的近1300家；私营企业达7000余家。非公有制经济总量已占全市经济总量的80%以上，非公有经济中的就业人口不断增长。面对非公有制经济的发展，昆山市结合创建文明城市工作的深入开展，大力加强非公经济领域精神文明建设，初步形成了一整套切合实际、行之有效的工作机制，取得了一定的成绩。

一、以构筑网络为基准点，努力扩大工作覆盖面

昆山市在非公领域坚持以党建为核心，以工会为阵地，积极构筑工作网络，不断扩大精神文明建设覆盖面，坚持做到“三有”：有群众的地方，就有党的领导；有党员的地方，就有健全的党组织；有党组织的地方就坚持开展精神文明建设活动。做到“四同步”：审批项目与党组织设置同步提出；筹建行政领导班子与选配党支部书记同步考虑；招收职工与调配党员骨干同步进行；党支部建设和企业生产经营同步发展。特别是根据外资企业的特点，利用工会这一合法载体融入党建工作，使党组织成为工会的核心，形成党群一体化。在以外资和私营企业为主的昆山市经济技术开发区，已建有1个外资企业党委，5个党总支，46个独立或联合支部，党组织覆盖率达90%。这些企业中的党员绝大多数已置身于党组织的管理之中，为在这些企业的精神文明建设活动奠定了牢固基础。在私营企业中，昆山市坚持严格按党章要求，凡有3名党员以上的私营企业必须建立党支部或联合党支部，并坚持以党建促工建。全市应建工会的私营企业的建会率已达到80%。

二、以企业文化为切入点，努力寻求共鸣点

在昆山市投资的外资企业经营理念有一个共同点，就是都注重以人为管理主体、以企业精神为核心、以群体行为为基础、以最佳效益为目标的企业文化建设。昆山市把加强企业文化建设作为切入点，努力寻求共同点，引起外资和私营企业的共鸣。在外资和私营企业中积极开展“共处一地、共创繁荣、共保平安、共树新风”的主题活动，以文化为媒，增强对外企老板和外来建设者的亲和力；在外企中开展“双爱双评”活动，即老板爱护职工、职工热爱企业和评选优秀外企老板和优秀外企员工活动。教育引导外资企业的经营管理者一方面要想方设法赢取最大的经济效益，另一方面也要遵纪守法，爱护员工。同时也教育广大的中方员工认识到，身在外资企业工作，仍是中国工人阶级的一员，仍是国家的主人翁，在为外资企业赢得效益的同时，也在为祖国的现代化建设作贡献。由于这些做法完全符合企业的经营理念、企业文化，容易为外资企业劳资双方所接受。在私营企业和个体工商户中，该市还以爱党爱国、遵纪守法、创新发展、奉献社会为主要标准，开展评比十佳文明私营企业和十佳个体工商户的活动，在大力发展私营、个体经济的同时，不断提高私营、个体业主的自身素质，建立和维护规范的社会主义市场经济秩序，保持私营、个体经济健康快速发展。

三、以阵地建设为着手点，精心设计活动载体

一是企业宣传阵地建设。要求凡建有工会组织的企业，都必须办好职工阅报栏、宣传画廊、宣传橱窗。有条件的企业还要办好自己的企业宣传刊物。同时，市经济技术开发区、市总工会、市私营企业协会等群团组织也积极办好自己的刊物，定期发放到外资和私营企业，以加强党的方针政策和国家法律法令的宣传。二是职工学习阵地建设。为适应外资、私营企业中广大青年职工求知求学的迫切要求，丰富他们的业余文化生活，要求企业办好自己的图书阅览室，为职工求知求学提供条件。同时，市图书馆、市总工会职工图书室也经常送书到企业，经常组织开展形式多样的读书活动，深受外资、私营企业的职工欢迎。三是娱乐阵地建设。为不断提高职工素质，在全社会塑造企业良好形象，该市经常组织外资、私营企业开展丰富多彩的文化体育活动，让企业老板、员工在浓厚的企业文化氛围中陶冶情操，凝聚力量。四是思想教育阵地建设。该市组织开展了“昆山是我家，我该做点啥”的大讨论和演讲比赛，在全市开展了评比“十佳外来建设者”活动。一系列有利于塑造企业形象，增强企业凝聚力，丰富职工业余文化生活的创建活动的开展，不仅为企业营造了浓厚的文化氛围，使职工有了强烈的归属感、使命感，也使企业的党组织、工会组织加强了与企业和职工的联系与沟通，进一步树立了自己的威信，增强了自己的工作能力。

（江苏省文明办）

江苏省海门市

实施十大工程　实践道德规范

为贯彻落实《公民道德建设实施纲要》，江苏省海门市组织开展“实践道德规范，共塑海门文明”主题活动，重点实施十大道德教育和道德实践工程，推进了本市的公民道德建设。

一是弘扬时代新风，实施百万市民文明礼仪工程。组织开展“市民道德规范教育月”活动，新闻媒体开设公民道德教育专题、专栏，反复宣讲20字公民基本道德规范。广泛开展读书活动，通过学习座谈、心得交流、读书征文等方式，深化教育效果。在全市团员青年和少年儿童中，组织开展“我做合格小公民”征文竞赛、“实践道德规范，共塑海门文明”歌咏比赛、“小手牵大手，文明一起走”主题宣传、“公民基本道德规范在我心中”演讲比赛等，促进公民道德行为规范在全市青少年群体中的普及。

二是共建美好家园，实施千名志愿者服务社区工程。全市各个街道社区和居民小区普遍拥有一支稳定的志愿者服务队伍，总数达1200多人。2002年集中组织了4次大型社区志愿者服务活动，深入各个社区搞环境卫生、开展义诊、家电维修、法律咨询、扶助孤寡老人，受到社区居民欢迎。

三是奉献一片爱心，实施千名特困生帮扶工程。以海门市助学中心为龙头，形成了市、乡、校三级助学网络，吸纳团体和个人会员120多个，通过举办义演、义卖等大型募捐活动，在市区窗口单位设立32只助学募捐箱，广泛筹措助学资金，总金额达158万元，帮助特困生近2000名。

四是丰富群众文化，实施百场文艺演出工程。全年开展各类群众文艺演出100多场，参与群众达8万多人次。以农村田头、场头为阵地，举办农民文化联谊会，建设56个文化示范村，培育通东号子、麒麟镇威风锣鼓、余东镇京剧票友、货隆镇农民书画等特色文化品牌，起到了活跃和丰富广大群众的文化生活，陶冶性情，净化心灵的积极作用。

五是整顿市场秩序，实施道德风气整治工程。结合深化“百城万店无假货”一条街创建活动，组织开展“五星窗口（企业）”争创评比活动，明确创建标准，定期组织考核，在全市主要街道窗口、企业中评比“爱国星”、“遵纪守法星”、“诚信服务星”、“优良秩序星”、“亮化美化星”。加强执法力度，规范市场行为，整顿市场秩序，集中解决扰乱市场秩序、败坏道德风气的突出问题，打造窗口（企业）新形象。

六是增强全民体质，实施万人健身竞赛工程。全面加强体育健身设施建设与体育竞技活动的组织。市区建设完善50个全民健身点，组织开展乒乓、拔河、游泳等全市性体育健身运动比赛，发动参加人数达10万人次以上，营造了团结进取、健康向上的浓厚氛围。

七是树立行业新风，实施万人道德评议工程。在全市机关干部中组织开展“锤炼过硬作风，树立公仆形象”主题活动，同时在33个文明行业部门及其所属服务窗口开展争创文明行业、文明窗口“十个一”工程活动。

八是激发劳动热情，实施万人劳动竞赛工程。全市组织开展万人劳动竞赛活动，发动企事业单位职工和行业窗口服务人员，分期、分批、分系列进行业务工作技能操作比赛，推动职工劳动操作技术和业务服务技能的大提高，增强全市各行各业职工爱岗敬业、立足岗位、奉献在岗的责任意识。

九是推进依法治市，实施法律教育工程。把各级领导干部、司法和行政执法人员、青少年、企业经营管理人员作为重点对象，认真组织法律教育培训，同时在城市和农村群众中开展普法宣传，以图片展览、知识竞赛、专家讲座等形式，促进法律法规知识的普及，增强群众的民主法制意识，做到学法、守法、用法、护法。

十是普及科学知识，实施科技下乡进社区工程。在全市社区开展“讲精神文明，比科学生活，创建科普文明社区”活动，在全市农村开展科技扶贫活动。组建科普志愿者队伍，以科普大型图片巡回展、科普艺术团文艺演出、科普小分队深入田头科技帮扶等形式，广泛开展各类科普活动，大力普及科学知识，提高广大群众的科学文化知识水平。

（江苏省文明办）

江苏省南京市鼓楼区

探索城市社区建设新路子

南京市鼓楼区把社区建设作为城区工作的突破口和立足点，积极探索具有中国特色、时代特征、本地特点的社区建设之路。鼓楼区先后获得全国社区建设实验区等国家级荣誉称号5个、江苏省党建先进区等省级荣誉称号30多个，取得经济社会协调发展的显著业绩。

一、顺应社会变革，实现城区工作从区街向社区的转变

城市经济和社会生活的很多方面正在发生着重大而深刻的变化，城区工作面临一系列新情况、新问题。比较突出的，一是大量“社会人”的产生和社会职能的转移需要有效的承接主体。二是区街政府原先的“两种职能”相互矛盾，权限责任互不对称。区街政府履行管理职能就要整治市容环境，清理摊点，拆除“违建”；而区街政府同时又要履行“经营创收”的微观经济组织职能，这就必然会有悖城市管理，形成以布摊点、搭“违建”为特征的“棚亭经济”。三是严重的条块分割制约着城区管理和服务水平的提高。造成“看到的管不到，能管到的看不到”的现象。

鼓楼区委、区政府重新审视传统城区工作，提出“税源经济是全区事业的生命线，社区建设是城区工作永恒的主题”，明确把社区建设作为新时期城区工作的突破口和立足点。总的思路是：政府主导、单位支持、群众参与，将社区内的各种社会力量整合成为一个有机的整体，使各种社区资源得到充分开发利用，以满足居民日益增长的各种需求，在促进社区政治、经济、文化、环境协调发展的同时，促进城区工作从区街走向社区。

二、发动“居委会革命”，形成社区从他治走向自治的运行机制

鼓楼区委、区政府从改革居委会体制和机制入手，使之成为全新的体现城市居民自治的社区组织，进而真正成为社区建设的主导力量。

一是合理划定社区范围。遵循便于自治、管理和资源共享的原则，以地域、人口、区位、社会心理、资源分布状况等为基本依据，将全区原有的173个居委会调整为87个社区，每个社区的居民家庭为1000—3000户。

二是组建社区成员代表大会。每个社区按照“3个1/3”（1/3为居民代表，1/3为驻区单位代表，1/3为社会贤达、名人名士代表）的比例选出50—60名代表，组成社区成员代表大会。

三是民主产生社区居委会干部。通过公开招聘产生社区居委会正、副主任候选人，召开社区成员代表大会，采取竞职演说、差额选举等方式民主选举产生社区居委会成员，同步建立社区党组织。

全区依法选举产生的250名社区居委会正、副主任，平均年龄39岁，大专以上文化程度占53.5%，基本实现了社区居委会干部的知识化、年轻化、职业化。

鼓楼区委、区政府积极创造条件，促使社区组织从依赖政府管理走向依靠居民自治，逐步形成推进社区建设的运行机制。在政府职能上，由过去的直接抓经济转变为重点抓服务、环境；在政府与社区组织的关系上，由过去的领导关系转变为指导关系；在工作方式方法上，由过去的行政命令、直接管理转变为指导协调、间接管理；在社区资产财务管理上，由过去的街道统一掌握财务支配管理权转变为建立社区一级财务；在社区工作评价标准上，由过去的以街道满意为标准转变为以居民满意为最高标准。贯彻扩大基层民主的要求，体现城市社区居民自治的基本思路。

三、拓宽工作领域，实现社区工作内容从服务走向全面建设的转变

鼓楼区在抓好社区服务这个龙头的同时，不断赋予社区建设以新的内涵：

发展社区经济。鼓楼区委、区政府确立“税源经济”理念，由直接干预微观经济活动转变为重点抓税源建设，实现了从区街经济到社区经济的转变。他们积极推进区属企业改制，帮助街道、居委会与所办企业彻底脱钩，扶持私营个体经济快速发展，兴办各类专业市场等，为城区发展带来滚滚税源。

繁荣社区文化。依托社区丰富的文化资源，建设了一批功能齐全、设备先进的社区文体娱乐中心，逐步形成了具有社区特色的广场文化、企业文化、校园文化和小区文化，健康向上、文明和谐的社区文化氛围正在形成。

美化社区环境。鼓楼区将管理重心下移，明确将市容管理的职能主要赋予街道，由市容、公安、城建、卫生、工商等8个执法部门向每个街道分派人员，与街道城管干部、市容协管员共同组成40—50人规模的综合执法队。“两级政府、三级管理”的体制开始真正落到实处。还通过“破墙透绿”等方式美化小区环境。对50多条主要交通干道进行了拓建。

开展社区救助。鼓楼各街道办和社区居委会建立了再就业服务站和劳动保障再就业信息系统。2002年全区有7300多名下岗人员重新找到工作。为了推动“低保”工作，鼓楼区采取了一系列有力措施使社区内的下岗职工和困难群体普遍得到了党和政府的温暖，增强了社区的凝聚力。

维护社区稳定。每个社区都建立了信访接待室和接待制度，广大居民的意见和建议通过居委会得到解决或及时反映给有关部门。几年来，社区居委会调解民事纠纷1070多起，帮教各类违法人员1400多名。实行民警社区工作制，按照每1000户配1名民警、社区民警每周在社区工作时间不少于30个小时的要求，在每个社区设立警务室。为确保社区治安秩序，区财政出资200万元招聘400个下岗职工组建社区保安，为社区居民创造了一个放心的生活环境。

四、整合社区建设力量，共建美好家园

资源共享、共驻共建，是城市社区建设的一条重要原则。为了充分调动社区力量，整合社区资源，鼓楼区坚持做到：

不因“级低”而不为，主动争取各方力量的支持与参与。从1995年开始，鼓楼区邀请200多家驻区省级机关、大专院校、大中型企业、部队主要领导莅临鼓楼区，成立鼓楼社区建设发展委员会，加强驻区单位的凝聚力和亲和力，形成推进鼓楼社区建设的合力。

不因“人少”而不为，善于挖掘和利用各种社区资源。鼓楼区以“社区建设靠大家”为凝聚全体驻区单位和居民的口号，动员社区成员了解进而参与和支持社区建设。全区利用社区力量共办起10所大学生公寓，与省人民医院等联合建立14个社区医疗服务点，与一些企业合办了老年公寓等。

不因“财小”而不为，聚社区单位之“沙”成社区建设之“塔”。鼓楼区把所有驻区单位都视作社区建设的创业者和得益者，依靠社区单位建成了一批社会服务设施。

不因“事微”而不为，不断增强社区成员的认同感和亲和力。社区居委会很重视做好看似不起眼但却十分重要的“小事情”。如居委会主任主动参加一些院校为资深老教授开的祝寿会，尽最大努力帮助一些居民解决上学小孩的接送等问题。注重主动解决在局外人看来是小事、在局内人看来是大事的“麻烦事”。如一些建筑工地周边的居民常会因“阳光权”或“休息权”与建设单位发生纠纷，当地社区居委会及时出面找双方代表会商，以寻得妥善解决的办法。

五、探索社区党建新路，加强社区建设的组织保障

鼓楼区紧紧围绕社区建设这个中心，将党建工作不断向社区延伸拓展，初步形成了以“思想共育、资源共享、责任共担、机制共筑、活动共办、实事共做”的社区党建新思路。

健全组织网络。建立社区党建联席会这一崭新的城市社区党建模式，有200多家驻区单位加入10个街道党建联席会。此外还分地区、行业、性质建立党建联席会分会。区街党建联席会坚持每年举行2—4次例会，共商社区党建大计。

创新活动载体。鼓楼区围绕“在精神文明建设上有所作为，共创文明社区；在社区建设上有所作为，共创社区特色；在社区环境上有所作为，共创美好家园；在实践党的宗旨上有所作为，共建民心工程；在互帮互助上有所作为，共促党建工作；在加强党员教育管理上有所作为，共塑党员形象”这6项内容，开展了一系列丰富多彩的党建活动，进一步密切了党和群众的血肉联系。

发挥榜样作用。鼓楼区广泛发动在职党员参与社区工作，充分发挥8小时以外的先锋模范作用。他们建立了“社区居民在职党员名册”，根据不同情况，建立在职党员挂牌、党员联系特困户、党员楼幢联络组、党员志愿者等项制度，努力使参与社区建设成为在职党员的自觉行动。

（摘自2002年6月29日《人民日报》）

江苏省射阳县

实施现代农民教育工程

地处苏北的射阳县把现代农民教育当作是一项挖掘典型、宣传典型、培育典型的系统工程，在全县范围内开展“百个精神文明标兵户”、“致富十颗星”、“三创十标兵”、“公民道德星”以及“新世纪射阳人新形象系列典型”的评选宣传等活动，展示先进典型艰苦创业、锐意创新、奋力创优、诚实守信的精神风貌，对全县经济社会协调快速发展起到了推动作用。

射阳县现代农民教育工程概括起来主要有以下四个方面的特点：

第一，现代农民教育工程成为各级党委政府的一项日常工作。年初，县委书记与县直20多个责任单位和19个乡镇党委签订责任状；年中，县委宣传部牵头负责农民教育工作的组织、协调、指导与督查；年底，县委、县政府采用两个文明建设双百分的方法进行综合考评，现代农民教育未达到85分的乡镇，不得评为综合奖。在两个文明建设表彰大会上，与经济工作奖项一样上光荣册，一样披红挂花，一起登台领奖。

第二，现代农民教育阵地建设日臻完善。全县每年累计投入500多万元，用于改善县、乡、村、组的农民教育阵地建设。使乡镇一馆两站三校（图书馆、文化站、广电站、农民中心校、基层学校、企业职工学校）和村一校二室三会（农民学校、党员活动室、文化活动室、村民议事会、禁赌协会、红白理事会）形成系统。文艺宣传队、电影放映队、民间艺术协会等县乡文艺活动组织在改革中不断发展壮大。已建成的14个乡镇万册图书馆、258个村级千册图书室、2000多个阅报栏及2200多个“文化中心户”和“科技示范户”，成为农民获取科学文化知识和致富信息的有效渠道。

第三，特色活动百花齐放，呈现出一镇一品的喜人局面。几年来，各乡镇做了许多探索，培植了许多各具特色的农民教育的新载体。如农村党支部书记工作研究会、农民教育日制度、农民广播学校、农民道德评议会等教育载体。海通镇在全县率先推行农民教育工作“一卡通”活动，一户一卡、一月一议、一季一评、一年一通，使农民教育工作常年不断；海河镇在全镇推出农民教育“三面墙”，即村组干部家刷上“公仆墙”、农村党员家刷上“先锋墙”、普通农民家刷上“文明墙”，以上口易记、内涵丰富、教育启迪性强的格言警句进行有针对性的教育；临海镇利用民资民力兴办近百个“文化中心户”。这些特色活动的开展，构成了全县多层次、多侧面的现代农民教育网络。

第四，现代农民教育已成为广大农民自我教育、自我完善的一种内在要求，出现了由“要我学”向“我要学”的转变。从种粮大王杨定海自筹资金10多万元保送子女到南大深造，到养蟹大王张子义出年薪16万元聘请河北水产研究所的教授，从普通农民到农林部门登门索要科技资料，到种养大户自费组团到山东寿光、连云港赣榆等地参观，无不反映人才意识、科技意识、市场意识的增强。随着社会主义市场经济的发展，农民群众自发成立了45个行业协会，4万多人的农民经纪人队伍和10万多个特色经济种植养殖户，15万农户加入不同形式的产、加、销一体化组织，5万名劳动力跨入了龙头企业的大门，为全县的农业产业化发展铺开了一条阳光大道。

（江苏省文明办）

浙 江 省

增强公民诚信意识 规范市场经济秩序

浙江省认真贯彻《公民道德建设实施纲要》，在全省范围内广泛开展“诚实立身、信誉兴业”主题教育活动，以增强公民诚信意识为着力点，以信用建设为突破口，努力形成“诚信为本、操守为重”的社会风尚，有力地推动了市场经济秩序整顿规范工作，为打造“信用浙江”奠定了良好基础。

一、创新载体，增强教育吸引力

开展“百城万店无假货”活动，强化商贸流通领域诚信意识。通过开展“百城万店无假货”示范点群众评议公示和“百城万店无假货千里行”等活动，充分发挥新闻媒体的监督作用，宣传报道在创建活动中涌现的诚信典型，查处和暴露群众不满意的问题，维护流通领域公平竞争的市场秩序，营造“人人讲道德、个个守信用”的消费购物环境。

开展“信用浙江千里行”采访活动，形成打造“信用浙江”浓厚氛围。由省委宣传部、省技监局、工商局、文明办和省物价局等职能部门组成采访团，针对当地的信用建设、市场经济秩序整顿和规范情况，到各地进行广泛深入的宣传报道。对信用先进典型进行表扬，对失信者形成强大的舆论压力，营造“守信光荣、失信可耻”的社会氛围。

开展“信用浙江·大家谈”活动，推动信用文化的理论研究。通过组织开展征文、演讲比赛、企业形象展示、报告会、座谈会等活动，总结弘扬信用先进典型的经验，推动浙江特色信用文化理论体系的形成和发展，为建设“文化大省”提供理论基础。

开展“百名专家学者话诚信”活动，宣传诚信理论与诚信实践。由省委宣传部和省社科院发起组织，联合江苏、上海开展江浙沪3省、市“百名专家学者话诚信”活动，围绕“世贸组织与诚信”开展名家讲座等系列活动，从理论和实践的角度阐述世贸组织与诚信的相互关系、建立“信用”体系在现代生活中的重要性等问题，从理性上提高广大干部群众对诚信的认识。

二、分层施教，提高教育针对性

一是抓重点人群。以企业主、企业领导班子及管理人员为重点，通过组织宣传队、开设培训班、召开座谈会、举办报告会等形式，深入社区、企业和学校，大力宣传“失信可耻、守信光荣”、“诚实立身、信誉兴业”的思想，牢固树立合法经营和诚实劳动的观念，使“诚信”真正成为广大公民的自觉行动。如湖州市专门成立了个体私营业主学校，开设“诚信教育”培训班，加强对企业经营者的道德教育，引导他们牢固树立正确的信用观。二是抓重点行业。以窗口行业、重点领域为重点，强化全体员工的信用意识和服务意识，引导各类经济主体依法经营，公平竞争，维护正常的经济秩序，确保社会主义市场经济的健康发展。

三、齐抓共管，形成教育合力

党委宣传部门协调组织主题教育活动；工会抓好职工的职业道德建设；工商部门实施“百万信用企业工程”，加大流通领域假冒伪劣商品的整治，优化市场环境；质量技术监督部门围绕打造“信用浙江”，组织6大战役，集中力量堵住生产领域制假源头；药品监管部门抓好药品质量监管；共青团开展“百城万店青年文明促销创效”和“青年文明号信用建设示范行动”等活动；新闻单位配合教育，加大宣传力度，营造诚实守信的社会舆论氛围等，使整个教育真正形成分工协作、相互配合、齐抓共管的教育组织机制。

四、教管并举，建立完善教育长效机制

各地在教育过程中，始终把“诚实立身、信誉兴业”主题教育活动和市场经济秩序整顿规范工作相结合，积极发挥社会监督约束作用，建立健全教育的长效机制。一是发挥新闻媒体优势，建立健全社会舆论的监督机制。全省主要报纸、电视台、电台相继开设“诚信”专栏专版专题，确定专人与教育活动组织单位联系，集中宣传报道教育活动。大力宣传社会主义道德规范和诚实守信、重视信誉的典型，抨击自私自利、惟利是图等不道德行为，把公民诚信置于“阳光地带”，使失信失范现象成为人人喊打的“过街老鼠”。二是发动和依靠群众，建立健全群众监督机制。通过开展“百城万店无假货”示范点群众评议和媒体公示制度，开展顾客投票等活动，把人民群众的呼声作为第一信号，把人民满意不满意作为评判示范点是否合格的惟一标准，使教育活动得到了社会的共鸣和群众的响应。三是加大整治规范力度，建立健全打击假冒伪劣的工作机制。各级工商、质监部门精心组织，加大对区域性制售假冒伪劣产品以及食品、医药、建材、汽配等重点领域的监管力度，端窝挖点，狠抓大案要案的查处，并及时向社会公布整顿结果。据省经贸委整顿办统计，2002年共查获案件58起，捣毁制假窝点6565个，立案11万多起，涉案金额65.8亿元，有效改善了社会信用环境。

（浙江省文明办）

浙 江 省 宁 波 市

创文明城市　建现代港城

宁波市围绕2020年提前基本实现现代化的战略目标，以提高市民文明素质、提高群众生活质量、提高城市文明程度为目标，开展群众性创建文明城市活动，促进两个文明的协调发展，经济社会发展上了一个新台阶，被中央文明委命名为全国创建文明城市工作先进城市。

一、坚持把强化组织领导作为创建工作的第一保证

在创建文明城市工作中，建立健全了一整套运行高效的组织领导体系。市里成立了由市委副书记、市长任主任的创建领导小组，建立了8个副市级领导任组长的文明城市创建活动专业组和创建工作3个体系（执行体系、监督体系、宣传体系），统一指导全市精神文明建设。同时，建立健全了目标考核机制、监督检查机制、依法管理机制、投入保障机制等一整套工作机制，使创建工作逐步走上了规范化、制度化的轨道。

二、坚持把提高市民素质作为创建工作的第一要务

以先进文化为灵魂，牢牢把握以人为本的方

针，注重德治与法治结合，教育、管理、建设并举，把提高市民整体素质贯穿于文明城市创建全过程。围绕解放思想、转变观念这个重点，从2000年开始，用3年时间，组织全市广大党员群众开展“港城市民新形象”、“创新精神”等3次大学习大讨论；以“共建美好家园，争做文明市民”为主题，组织实施市民道德教育工程，相继开展了“社会公德年”、“职业道德年”和“家庭美德年”系列教育。在全市组织评选精神文明建设10件新事，提高了市民群众的文明素质。

三、坚持把群众满意作为创建工作的第一标准

市委、市政府始终把服务群众、造福人民作为创建工作的出发点和落脚点，坚持做到“群众有要求我们做，群众有意见我们改，群众有困难我们帮”，使人民群众获得更加广泛的经济、政治和文化利益。从1994年开始，大规模地开展了“整治城市环境，建设美好家园”工作，城市中心人均公共绿地面积达到10.6平方米，绿地覆盖率达到35.66%。投入7亿多元，对城区14条主要河道、77条河网实行整治。通过实施“安居工程”，加快了旧城改造和城市住宅建设的步伐。同时，以服务性、互助性、福利性、经营性等多种形式，着力构建城市便民利民服务体系，全市形成了以市级经济服务中心为龙头，区级服务中心为指导，街道服务中心为主体，社区服务站为基础的四级服务网络。海曙区81890（拨一拨就灵）热线和服务网站，有400多家企业加盟，拥有一支1000多名志愿者的队伍，帮助群众解决经济、生活等方面问题。不断健全和完善齐抓共管的社会治安综合治理工作机制，建立了义务巡逻队等群防群治队伍，构建了专职与义务相结合的群防群治网络，开展平安社区、治安安全村和治安安全单位创建活动，维护了社会安全稳定。

四、坚持把文明社区建设作为创建工作的第一载体

在创建实践中，始终围绕以党建为龙头，以教育为重点，以服务为核心，以文化为载体，以共建为途径，致力于把社区建设成为文明的乐园、美丽的花园、舒适的家园，逐步形成了多层次拓展、全方位覆盖的创建格局，走出了一条从文明社区到文明街区、文明城区的创建文明城市新路子。文明社区建设作为创建文明城市的基础工程，市委、市政府通过调查研究，确定了“全面覆盖，三档五星，滚动推进”的工作思路，制定了“两步走”的10年规划，按照系统工程的要求全方位开展创建活动，全市进入了全面推进和提高创建水平的新阶段。

（浙江省文明办）

浙江省温州市

丰富城市文化内涵　提高居民生活质量

浙江省温州市努力提升城市品位，丰富城市文化内涵，提高人民群众的生活质量，向着人与人、人与社会、人与自然和谐相处的现代化城市迈进。

一、“活力温州”，改革精神和创新思维

全新的温州城市中心区由行政文化中心区、中央商务区和高科技与休闲中心区组成，实现生态型、网络状、多中心的大都市区域。

市青少年活动中心，依山而建，投资近亿元，拥有一个中心广场和4个功能区。博物馆，封闭的花岗岩结构，突出凝重感和雕塑感，表达厚重积淀的瓯越文化。科技馆，钢架和玻璃结构，通透轻盈，象征着对未来和科学的向往。图书馆，借鉴温州传统民居的建筑手法，时代性与地域性相融。大剧院，轮廓简洁，色彩明快，倾斜的侧墙创造出动态的视觉效果。

温州市在创建文明城市工作中，以个性体现特色，以特色增创优势，积极探索与温州经济格局相适应、与温州自然环境相吻合、与温州商业文化相协调的新路子，运用市场机制，依靠社会力量，搞好城市的基础设施建设。

温州市的本级财政每年可用资金不过10亿元左右。进行大规模城市建设，资金从何而来？温州市的做法是概念性资源货币化、政府性资源市场化、非产业性资源产业化。像“城开天桥”、“三维桥”、“康奈路”、“法派路”等这些以企业名称命名的城市基础设施，都是采用概念性资源货币化的筹资方式的结果，而这些企业在帮助政府承担部分建设资金的同时，也很好地宣传了自身。收取土地出让金，拍卖出租车经营权，把政府性资源市场化，汇聚民间资金，投入城市基础设施，取之于民，用之于民。温州体育场馆座位拍卖，城市公园、江心西园、温州乐园3大公园10亿余元建设资金基本由社会筹集，还有民办教育等等，都是非产业性资源变成了产业化的硕果。

利用这些办法，温州2000年完成投资额23亿元，2001年完成投资额80多亿元，2002年再投资50亿元，城市建成区面积从20世纪80年代初的20多平方公里提高到了去年的100多平方公里。温州被联合国工业发展组织称为全球最具活力的城市之一。

二、“信用温州”，可持续发展的保证

在温州数码城大厦“中国温州信用中心”，凡信用调查、信用等级说明、复合信用评价等，在温州信用网上一目了然。这是全国首个记录、评估企业信用的信用系统工程。

温州的经济起步于家庭工业，提速于个体私营经济。在发展初始阶段，“假冒骗”问题曾使温州吃过不少苦头。温州市委、市政府这几年在建设“质量温州”、“品牌温州”，现在又开始打造“信用温州”，并得到市民普遍认可。

“信用温州”的目标是通过3至8年的努力，实现整个温州信用的体系、制度和管理手段比较完备，企业和个人的信用度较高，从而形成富有竞争力、经济和社会可持续发展、文明健康的现代化新温州。近期，“信用温州”建设的切入点是企业。2002年4月，温州市政府出台了《温州市企业信用工程建设管理暂行办法》，温州信用中心应运而生。该中心以“政府推动、企业运作”的模式，根据市政府有关征信管理办法，按照国际通行的评价原理和评价手段对企业信用进行评析，通过智能评价软件对企业进行信用评级，并自动生成信用报告。

温州正泰集团于2001年和2002年分别进入全国100家“重合同、守信用”企业和中国私营企业纳税百强排行榜。温州市设立了包括税务信用、工商信用、金融信用、质监信用等在内的企业诚信网，评选产生了首批193个守信用企业。近年来，温州先后获得了“中国鞋都”、“中国电器之都”、“中国金属外壳打火机生产基地”、“中国剃须刀生产基地”的称号。全国评出来的28个皮鞋免检产品，温州拿到了14个。

三、“山水温州”，历史的文脉和人居的环境

温州濒临东海，依山傍水，市区9座山错落有致，河网纵横交错，是一个典型的江南水乡和山水城市，又是一座文化深厚的历史古城。山上有东晋名士郭璞造城的印迹，有唐代高僧玄觉大师的遗说，有仙人井、妙果寺、三牌坊、来福门、净光寺旧址。温州市把“显山露水”、“治山理水”作为创建文明城市的一个重头戏，近年来先后完成了9座山的山体修整和山景重塑，依山兴建了一批城市广场和城市公园，整治了河流，新增了绿地。《温州历史文化名城保护规划》中，以“江、屿、山、城”的城市开放空间为背景，以古城区和各历史文化保护区的地域空间为内容，以具备一定特色的道路空间为骨架，充分尊重旧城的历史真实性、风貌完整性。

（摘自2002年5月20日《人民日报》）

浙江省绍兴市

发挥文化优势 展示古城新貌

绍兴市是国务院首批命名的历史文化名城。近年来，绍兴市确立“水为城市之源、绿为城市之美、文为城市之魂、人为城市之本”的城市发展理念，以建设一个融历史文化与现代文明于一体的新绍兴为目标，大力开展文明城市创建工作。2002年10月，被中央文明委命名为全国创建文明城市工作先进市。

一、着眼教育引导，提高市民素质

充分发挥文化底蕴深厚，历代名人众多的优势，精心设计载体，大力开展思想道德教育。加强理论学习，组织“纪念周恩来”、“纪念鲁迅”等主题教育活动，开展“公德卡”进万家，组织《绍兴市民行为公约》的学议活动。进行绍兴精神大讨论，提炼绍兴精神。组建夕阳红公德宣传队、大学生公德宣讲队等近千支宣传队伍，建立各级市民学校，结合具体事、日常事、身边事，开展具有绍兴地方特色的道德教育和实践。组织市民帮扶弱势群体，参与公益活动，营造“我为人人、人人为我”的道德氛围。进行“十佳”好人好事评选，树立一批可信、可敬、可学的典型，形成人人讲道德、个个创文明的社会氛围。

二、加大建设投入，提升城市形象

坚持“高起点规划、高水平设计、高质量建设、高效能管理”的原则，进一步构筑城市建设管理的市场运作机制。投资180亿元，实施以交通工程、亮化工程、美化工程、绿化工程、“显山露水”、街景立面改造等工程为重点的城市基础设施和社会实事工程建设，努力把绍兴建设成为历史文化与现代文明相互融合、自然风貌与城市景观交相辉映的特色城市。大力治理水环境，建设污水处理厂、生活污水收集系统、小舜江工程和环城河整治工程，实现河道清障、清淤、清草。把城市作为一个整体景观，进行积极的规划、保护、建设，修复名人名居和文物古迹，发挥历史文化名城和江南水乡特色。实施一系列生态绿化工程，营造整体连贯、自然开放、与历史文化名城人文环境相协调的绿地系统。建立市级有关领导联系社区、市级机关部门与社区结对共建、机关在职党员到社区报到等共建制度，推进文明社区建设。

三、强化城市管理，着力优化发展环境

大力推进政府审批制度改革，实行政务公开，建立便民服务中心、建设工程招投标管理中心、政府采购中心和财务结算中心，开通“12345”市长热线电话，方便市民向政府反映问题、意见和要求。深入开展文明行业、文明单位、文明机关创建活动，命名两批市级文明行业，绍兴电力局还被中央文明办确定为全国创建文明行业示范点。大力整治市容、环境、交通、河道、大气等，城市管理更趋规范化、制度化。积极推广新形势下的“枫桥经验”，着重构建基层综合治理工作责任制、维护社会稳定领导责任制和基层政法队伍、基层群防群治队伍，巩固综合治理基础，做好预防化解工作，维护基层基础的稳定。

四、坚持继承与创新，推进文化发展

把促进文化事业发展作为创建文明城市工作的重要内容，加大投入，新建、改建绍兴图书馆、绍剧艺术中心、绍兴图书发行大楼、绍兴大剧院、绍兴体育馆二期工程等文化体育教育设施，凸显绍兴文化名城形象。发挥戏曲之乡优势，活跃群众文化。建立绍剧、越剧发展基金和鲁迅故乡文学发展基金。组织创作了一批集思想性、艺术性、观赏性为一体的文化作品。广泛开展群众性文化活动，依托新建的城市广场，组织社会各界参与广场文化，丰富群众文化生活，促进文化产业的发展，推动了绍兴文化名市的建设。

（浙江省文明办）

浙江省杭州市萧山区

努力探索深化职业道德建设新路

杭州市萧山区努力探索新形势下加强职业道德建设的新路子，相继在教育、卫生、公安、税务系统开展职业道德建设活动，特别是加强领导干部从政道德建设，取得了较好的成效。

一、把握形势，认清职业道德建设的重要性和迫切性

杭州市萧山区两个文明建设一直呈现良好态势，但是在新的条件下，思想道德领域也出现一些问题，利己主义、拜金主义及各种行业不正之风都不同程度有所滋长，少数领导干部陷入违法犯罪的泥潭，严重损害了党和政府的形象，他们强烈意识到：职业道德建设刻不容缓，势在必行。从2000年起，萧山区把职业道德建设作为建设精神文明的突出任务来抓，首先在教育、卫生两大系统进行。2001—2002年，又将职业道德建设的重点延伸到公安、税务两大部门，同时将领导干部从政道德教育提上议事日程，力求以线带面、以领导干部带普通职工群众，不断把职业道德建设引向深入。

二、加强教育，切实解决存在的实际问题

在摸清全区行风建设存在的突出问题的基础上，区委、区政府组织各部门、各行业的从业人员结合工作实际，学习《中共中央关于加强和改进党的作风建设的决定》、《公民道德建设实施纲要》，对照“人民公仆”、“人类灵魂工程师”、“白衣天使”、“忠诚卫士”、“人民税官”的标准，查找不足，从人民满意的地方做起，从人民不满意的地方改起。萧山区的行业之风出现显著变化：在校学生课业负担减轻了，以教谋私、体罚和变相体罚学生的不良现象消失了。卫生系统的医疗模式开始从“以疾病为中心”向着“以病人为中心”转变，各家医院都结合以“总量控制、结构调整”为内容的医疗卫生改革，通过推行药品公开采购、后勤服务社会化等制度，降低医疗成本，走上了一条高效、优质、低耗的健康发展之路。公安部门针对新形势下的治安状况和萧山外来人口众多的实际，建立了一整套警务管理机制。税务部门结合创建百佳文明窗口活动，努力优化税收环境，成为全省首家以ISO标准涵盖税务工作全过程的先进单位。

三、齐抓共管，建立健全道德督查机制

区镇两级人大组织，结合整顿和规范市场经济秩序，多次开展专项检查，对教育、卫生、公安、税务等部门实行监督。教育、卫生、公安、税务四个部门在建立健全规章制度以后，不断组织工作组明察暗访，同时设立行风监督员，邀请他们上门挑刺。电视台、电台、报社等新闻媒体发挥舆论监督作用，对不文明行为及时曝光。在督查过程中，对违规行为及时处罚，起到了很好的警示作用。

四、抓住关键，发挥领导干部的表率作用

在职业道德建设中，萧山区始终把“官德”建设放在首要位置来抓。区委邀请范匡夫同志给全体党员干部作报告，鼓励大家以范匡夫为榜样，树立“从政为民、清正廉洁、秉公执法、务实高效、乐于奉献”的从政道德观念。针对少数领导干部热衷于搞“形象工程”和“数字工程”的不良倾向，区委要求各级领导干部正确处理开拓进取与按经济规律办事，对上负责与对下负责、近期效益与长远效益、局部利益与整体利益的关系，不得弄虚作假，不准搞形式主义的花架子。区委组织党政机关开展创建人民满意机关的活动。各部门相继开设便民服务窗口，建立领导干部联系村、厂和农户的制度，通过为民办实事，切实把人民群众的利益实现好、维护好、发展好。为给职业道德建设提供坚实的政治保证，区委狠抓以领导干部廉洁自律、查处大案要案、纠正部门和行业不正之风为主要内容的反腐败工作，严肃处理了一些违犯党的纪律、道德规范和国家法律的领导干部。官德建设带来了各级领导干部精神面貌的变化，从而带动了行风、民风和社会风气的好转，推动了经济社会的全面进步。

（浙江省文明办）

农业银行浙江省湖州市南浔区支行

创建两个文明建设的全新载体

农行浙江省湖州市南浔区支行以文明学校为载体抓好精神文明建设，促进企业两个文明建设双丰收。支行党委荣获全国先进基层党组织称号，支行荣获全国思想政治工作先进企业、全国金融系统精神文明建设先进单位、全国创建文明行业示范点称号。

一、以创新的要求创办文明学校

南浔支行文明学校创建于1997年9月28日。支行党委设立由党委书记任主任、两名党委委员任副主任的校务管理委员会，并确定一名党办专职副主任处理日常工作，由分理处党支部书记分任3个教学班班长。同时建立7项管理制度。一是设立“教育活动卡”。每次教育活动，详细记录，顺序编号，并把主讲人的讲稿或讲课提纲作为活动卡附件。二是严格考勤。三是遵守“学员守则”。四是必须有听课笔记。五是定期总结汇报。半年小结、全年总结。六是对档案资料妥善保管。七是严格考评。每门课完结进行考试。考试成绩连同到课率和笔记同员工的星级管理挂钩，作为奖励的依据。

文明学校教学内容丰富多彩、紧贴实际需要又合员工“口味”。几年来在政治教育上先后开设了邓小平理论、“三个代表”重要思想、“十字”行风、“致富思源，富而思进”等课程；在法律和道德教育上先后安排了宪法、经济金融系列法规和职业道德等课程；在业务教育上安排了电脑、综合柜员制、新业务知识、业务技能和公共关系、金融写作、服务礼仪、卫生保健、生态环保等课程。教学方式方法灵活多样，有领导、专家和专业技术人员、企业家讲课，也有员工现身说法，还有知识竞赛、演讲会、经验交流、联欢活动、参观学习等。

二、把思想政治工作贯穿于文明学校教育教学始终

南浔支行文明学校的一个显著特点，就是把思想政治工作贯穿于两个文明建设之中。

他们以文明学校为集中学习、教学、教育基地，解决员工带普遍性、倾向性的思想问题。同时把集中教育和校外个别思想教育结合起来，坚持领导做工作与群众间互相帮助结合起来，坚持把解决思想问题和解决实际问题结合起来，使思想政治工作不断深化。南浔支行坚持多办实事，关心体贴温暖员工，以凝聚人心。在近几年农行经费十分紧张的情况下，想方设法，使员工住房基本得到解决，尤其是多年未决的离休老同志的住房问题得到了妥善解决。

南浔支行坚持以文明学校为载体，加强党的建设。他们坚持中心组理论学习制度。做到每月有学习重点，每季有学习计划，每年有考核总结。每年不定期开办党务知识培训班，按照“坚持标准、保证质量、改善结构、慎重发展”的方针，积极慎重发展新党员。加强对党员和干部的经常性教育，制定《基层党组织建设目标管理试行办法》，半年自评、年度考核，民主评议，教育党员自觉发挥先锋模范作用。

三、以文明学校为载体，加强经营与管理

文明学校活动中50%安排的是与业务经营相关的内容，如请专家分析经济形势，请企业老总谈经营之道、公关艺术、服务窍门，进行新知识学习、业务培训、技术比武等等。文明学校多次举办金融法规培训和讲座，加强对《金融违规行为处罚办法》的学习和教育。外请社会各界10位行风监督员进行监督，对内由市分行审计部不定期进行综合和专项稽核。制定并落实相关办法，建立健全内控机制，层层签订社会综合治理责任书，强化责任制。以防范化解信贷风险为重点，改革运作机制，实现稳健经营。

（中央金融工委文明办）

安徽省淮北市

创建文明城市　建设锦绣家园

淮北市开展创建文明城市，建设锦绣家园活动。如今，宽阔的街道干干净净，路边的花坛和绿化带花红草绿，赏心悦目，气势恢弘的城市雕塑装点着街道和广场。

一、坚持素质第一，治城先育人

市领导意识到治城要先育人，提出“感悟文明、理解文明、实践文明”的口号。在这个口号的推动下，各种形式的读书会、帮教小组遍布机关、矿山、农村；300多个市民学校覆盖全市；各种文明条约深入社区和家庭，市民的素质逐步得到提高。

现在的淮北，市区路灯被随意打碎、窨井盖被偷走的事已经没有了。大街上的公共设施如IC卡电话、自动柜员机、邮箱、垃圾箱等常年无一例人为损坏。节假日摆在广场上的鲜花、纸伞、吉祥物等等装饰品，虽无专人看管，却无一遗失。

二、坚持以人为本，安居在淮北

淮北市坚持把爱护市容与保持繁荣有机结合起来，按照“百米服务圈”的标准，把主次干道上的流动摊点引导到居民区，在全市53个社区重新规划设立了110个早餐摊点群，又加大投资，在马路经济较为集中的地方兴建超市、小商品市场、步行街和菜市场，既保证了城市的干净整洁，又方便了市民生活。

针对市区街道拥挤、缺少绿地和广场的状况，市委、市政府投资和多方筹措资金近10亿元，于2002年6月，开始实施扩建和改造城市设施的系列工程：新建和改造14条道路，兴建城市广场和濉河公园、雕塑园、体育中心、会展中心，开拓唐宋一条街、商业步行街等。

三、坚持诚实守信，建设兴业好环境

在招商引资过程中，淮北市各级部门承诺：不让一个客商在淮北“感到遗憾”。烈山区1998年制定了面向所有客商的规范、公平、双赢的招商引资优惠政策，同时许诺“围墙以外的事由政府包办”。北京中博陶瓷入驻烈山区之前，该区曾许诺协调500万元启动资金，实行每千瓦小时0.35元的电价。进驻工业园后，情况发生了变化，资金紧张，电价上涨。但区委、区政府信守诺言，多次召开协调会，一分不少地解决了启动资金，还自己贴钱协调供电局提供了内供电。优良的诚信度、优惠的政策和扎实的工作作风，相继引来了台湾伯鸿、浙江横店东磁、温州金泰尔等规模企业。

（摘自2002年8月23日《人民日报》）

福建省南平市
文明新风满山村

福建省南平市针对农村发展的迫切需要，下派数千名干部到农村，帮助进行两个文明建设，出现了文明新风满山村的可喜景象。

一、转观念，激发农民创业热情

南平农村有句俗话，“农民不要多，斗米会唱歌”。这种“小富即安”的思想，制约着南平农村经济发展。下派干部将新思想、新观念带到农村，帮助农民发展生产，搞活流通，建立信用，促使农民思维方式发生了根本性转变。

邵武市盖竹村是一个偏远的穷村，下派村支书程一森到任后，发挥本村满目青山翠竹优势，从科技兴竹抓起，多方筹集资金，建立500亩高效毛竹示范基地和竹器加工厂，为农户增收15万元。

在须昌县白石村，下派村支书刘赛亮把诚信作为精神文明和物质文明的结合点来抓，把创建诚信户与信用社的小额贷款挂起钩来，促进了人人讲诚信，户户争信用。

二、送科技，帮助农民脱贫致富

南平市走科教兴农的发展路子，创造性地建立了科技特派员下乡服务的制度。不到3年时间，科技特派员就为闽北农村引进新品种2000多个，新技术1000多项，举办各类技术培训班3300多期，参训农民达30多万人次，提高了农民的科学文化素质，促进了南平农业向优质、高效方向稳步发展。

科技特派员詹夷生下派的两年多时间里，足迹踏遍了闽北36个乡镇近80个行政村的数十万亩果园，不遗余力地向榛农传授“真经”。村民们都亲切地称他为“榛仙”。

南平市还鼓励科技特派员以资金入股、技术参股等形式开展有偿服务，与农民结成经济利益共同体，创造了一种新型的科技服务运行机制。

南平市通过构筑信息平台，建立农产品流通网络等形式，引导农产品流通，提升信息服务水平，已建立粮食、蔬菜、竹笋等农产品流通协会210个，发展乡级专业推销员8.5万人，农民经纪人11.5万人，基本形成了县、乡、村三级联动的流通中介组织结构。

三、办实事，密切党群干群关系

下派干部把解决群众反映强烈、多年悬而未决的热点难点问题，当作改善党群、干群关系的一项根本性工作来抓，赢得了村民的信任和支持。顺昌县洋口镇白沙村曾因村干部作风粗暴，村务不公开，引发越级上访、不交公粮等群体性事件。下派村支书余名辉团结村两委班子，认真学习邓小平理论和“三个代表”重要思想，增强执政为民的意识，坚持公开财务收支，取消村级接待，对重大事务召开村民代表大会，进行协商。干群矛盾化解了，那些原先拒交闭路电视月租费和公粮的村民，都主动补交了欠款、欠粮。村民对干部的态度发生了根本性变化，去年全市村级支部换届选举中，下派干部全部以高票当选，82%的人得了全票。

四、树新风，倡导文明生活方式

武夷山枫林村有座风雨飘摇200多年历史的村庙，平时香火不断。下派支书张庚生带领村干部逐家逐户做工作，改庙堂建书堂。他们拆走菩萨，搬进书柜桌椅，挂上科学家画像。农闲时，村里的男女老少都喜欢到书堂里读书看报，娱乐交流。在下派干部的积极倡导、扶持下，近两年，闽北农村已有10万户农家厅堂里搬走了菩萨、神像，挂起了伟人、名人和科学家画像。

“文化中心户”是邵武市率先在闽北农村建立的以农户为单位，传播先进文化、倡导文明新风的家庭宣传文化阵地。南平市委、市政府在全市农村进行了推广，使南平市4000多家“文化中心户”成为乡村干部联系农户、沟通信息、传播知识、服务农民的网络。

（摘自2002年9月26日《人民日报》）

福建省交通厅

以效能建设为抓手　深化文明行业创建

福建省交通厅以机关效能建设为载体深入开展文明行业创建活动，取得明显成效，先后获得省直机关文明单位、省党建工作先进单位等荣誉称号。

一、党组重视，精心组织

建立领导体系，健全工作机制。厅党组把机关效能建设作为“一把手”工程来抓，成立了机关效能建设领导小组，厅属效能建设单位根据党组的要求也都相应建立了领导工作机构。同时，党组制定了机关效能建设工作实施方案，为效能建设工作提供了强有力的组织领导保证。

广泛宣传发动，营造良好氛围。厅党组召开了效能建设动员大会，厅属交通建设单位也都召开各种会议进行思想发动，利用各种形式开展效能建设宣传活动。《中国交通报》、福建省电视台先后报道了省交通系统开展机关效能建设工作情况，推进了效能建设。

组织现场考察，开展效能调研。省厅在漳州召开全省交通系统效能建设工作现场会，对厅机关处室领导及厅直属单位领导进行现场培训，研究部署全省交通系统机关效能工作。开展调研，认真研究机关在工作作风、工作效率方面存在的问题，为本省交通系统开展效能建设工作提供依据。

加强活动指导，抓好检查落实。厅党组多次召开会议听取效能建设工作汇报，研究部署各个阶段的工作任务。建立了工作例会制度，每周召开一次办公室会议，检查工作落实情况，协调解决工作中的问题。保证了省厅效能建设工作的扎实推进。

二、完善制度，加强管理

狠抓制度建设，规范机关管理。先后制定了关于加强机关效能建设的暂行规定，建立了服务承诺制、首问责任制、失职责任追究制、绩效考评办法等效能建设制度，完善机关各部门工作职责、机关工作人员岗位职责，同时，还建立了相应的实施办法和配套措施。

实施公示制度，推进政务公开。在厅机关及厅属单位全面推行政务公示。机关工作人员上班佩戴工作身份牌，办公桌上置放岗位牌，机关各楼层设置人员去向牌。对一些涉及群众利益，干部、职工关心的“热点问题”，实行公开办理。贯彻落实《党政领导干部选拔任用工作暂行条例》，推行干部考察预告制、任前公示制。在机构改革“三定”方案实施过程中，事前将方案公布、事后将结果公布，并设立意见箱，接受干部、职工监督。建立服务承诺制度，公开承诺内容，实行一次性告知、首问责任制和限时办结制，提高办事效率。

结合机构改革，优化机关职能。将机关原来的16个处室精简为13个处室，工作人员由原来的134人精简为73人，对机关各部门的职能进行重新调整和配置，实行绩效考核管理，建立竞争激励机制，选择2个正处、3个副处职位试行竞争上岗，引起很大的反响。

改革审批制度，清理规范文件。原有省厅审批、审核的项目65项取消21项。同时清理省厅1980年至1999年规范性文件225件，其中保留106

件，修订14件，废止44件，自动失效61件。

建立投诉机构，实施效能监督。成立机关效能投诉中心，设立投诉举报箱，公布投诉电话，聘请28名效能监督员，做到机构、人员、场所、经费、装备五落实。投诉中心挂牌后，认真履行职责，积极受理对机关效能问题投诉。

三、结合实际，抓好重点

抓好“窗口”建设，提高服务效能。把省属的21个公路通行费征管所（站）列为效能建设的重点。加强政治思想教育，增强职工的服务意识，加强业务教育培训，提高职工服务技能。积极创造条件，对服务环境进行改造、整治、美化，增加和更新服务设施，努力为服务对象提供一个整洁、舒适、方便的办事环境。省公路管理局及各公路稽征处和省高速公路公司共投入资金160多万元，更新设施，为效能建设提供了物质保证。各征管所普遍建立了岗位责任制、服务承诺制、限时办结制等制度，方便车主、群众办事。改革收费管理办法，简化收费管理程序，提高办事效率。同时加强效能监督，实行绩效考核管理，设立监督台，公布投诉举报电话，聘请社会监督员，接受社会监督。

开展行风评议，推进依法行政。全省运管系统开展行风整顿工作，把行风评议与机关效能建设有机地结合起来，按照效能建设的要求加强行风建设，通过行风建设规范运输管理行为，提高运输管理服务质量，推进交通运输管理依法行政。各级运输管理部门，针对群众反映的热点、难点问题，认真查摆，对照检查，切实整改，严肃处理违纪行为，制定新的整改举措。行风建设从原来着重“刹风纠纪”向“服务效能”转变发展。2002年底，省行风评议代表对被评议对象进行了面对面评议，对运管行风整顿成效给予了较高评价。

（交通部体改法规司）

福建省电力有限公司

突出诚信建设　塑造企业文化

福建省电力有限公司把企业文化建设作为精神文明建设的主线，深化以诚信为核心的企业文化建设，取得明显成效。

一、把企业文化建设作为企业精神文明建设的主线

以文化凝心，在改革之年保一方稳定。公司组建了政工信息员队伍，每月定期报告职工队伍思想政治状况，形成职工思想动态反馈机制；坚持每季度召开三大安全分析例会，研究制定稳定工作对策，做到心中有数，防微杜渐；建立危机管理团队，提高突发事件的快速反应能力。

以文化聚力，促党建工作取得新成效。各单位以二级联创活动为载体，重点抓好党支部建设，完善基础管理，使党建工作更富有活力。公司党组制定了《关于加强和改进作风建设的实施意见》，把作风建设作为党建工作的重点来抓，实行公司领导、机关部室与单位挂钩制度，每月公布各单位一把手深入第一线情况。公司领导经常深入生产第一线调研，掌握职工思想动态，帮助解决实际问题。基层各单位领导班子坚持做到关口前移，重心下沉，努力把矛盾化解在萌芽状态，把问题解决在基层一线。

以文化育人，使职工素质获得提升。公司以公民道德20字基本规范为重点，以本企业模范人物郑聪明先进事迹为榜样，组织开展“敬业奉献教育月”活动。积极探索新形势下加强和改进思想政治工作的新途径、新办法，广泛建立了党建、政工网页，切实加强“连心桥”网上教育和引导工作，用优秀的文化产品占领思想阵地。

以文化塑形，不断展示公司新形象。公司按照“瞄准主方向，建好主阵地，盯住大媒体，把握主脉搏”的宣传工作思路，开展宣传工作，在贯彻公司党组工作部署、推进“双满意”工程中发挥鼓动作用，树立福建电力的良好形象。

以文化导航，带精神文明建设迈上新台阶。公司组织力量对基层单位精神文明建设情况进行深入调研，修订完善《双文明单位建设管理办法》，提出创建工作新思路。

二、突出“诚信福建电力”建设

以信用意识为核心，强化员工思想道德建设。努力把“诚信福建电力”建设规划和计划，把省委省政府关于实施“诚信福建”工程建设的意见落到实处；大力开展职业道德建设，特别是职业理想、职业责任、职业技能和职业纪律教育，强化员工信用意识，树立诚实守信、奉献社会的良好职业道德和职业风尚。

以诚信服务为核心，深化“双满意”工程。坚持以诚信为本、取信于民，搞好优质服务。在服务中讲真诚，在工作中讲信用，做到承诺践诺不食言。坚持从客户最不满意、政府最不放心的问题入手，真诚改进，用心服务，塑造福建电力的诚信形象。

以诚信管理为核心，建立“双满意”档案。坚持依法治企同以德育人相结合的方针，以公司信用制度建设为基础，以零违章、零违纪为最低行动纲领，全员建立“双满意”档案。在宏观上构筑企业信用体系，在微观上强化员工绩效管理，全面提高员工的服务意识、诚信意识。深入开展创文明单位、文明部室、文明窗口、文明家庭、文明职工等群众性文明创建活动，引导广大职工在社会做好公民、在企业做好员工、在家庭做好成员，形成诚信为本、操守为重，诚信光荣、欺诈可耻的氛围。

（国家电力公司文明办）

江西省吉安市

开展创评“井冈之星”活动

吉安市从1997年开始，在全市组织开展了一年一度有标准、有检查、有评比、有表彰的“井冈之星”双文明乡镇、双文明村组、双文明家庭、双文明企业、双文明机关、双文明窗口单位的创评活动，将精神文明建设落实到各个层面。

一、创评“井冈之星”的基本做法

制定创评标准。在创评范围上，以乡镇、村组、家庭、企业、机关、窗口单位为主，进而向所有层面辐射；在创评内容上，根据乡镇、村组、家庭、企业、机关、窗口单位各自的实际，制定不同标准。按照以上思路，制定《吉安市“井冈之星”双文明家庭和单位的考评标准及实施细则》，对考评内容进行细化，逐项规定考核评分标准及要求。分类进行指导，分组进行考评。按市、县（市、区）、乡镇三级划分指导范围，明确管理职责，确保创评活动落到实处。

做好创评规划。首先市制定出总体规划，然后逐年抓好实施，逐年安排创评计划，并要求各县（市、区）每年向市里上报一次各自的创评计划。

加强创评领导。市、县（市、区）、乡镇三级都成立“井冈之星”双文明创建活动领导小组，充实加强各级文明办机构，负责创评活动的组织、协调和具体实施工作。

搞好创评管理。一是根据各类创评标准和考评细则，确定每个细节要求达到的目标、分数和不达标的减分办法。二是坚持年初部署，长年督促、指导，年终各级组织检查考评组分类按创评目标要求逐项逐目进行考核、评定分数，确定各类的名次。

实施有效激励。市、县两级每年从财政拨出一定的专项创评经费用于创评活动的奖励。

二、创评“井冈之星”的效果

拓展了创评活动的层面。一是开展创评“井冈之星”城市双文明家庭活动，使创评活动渗透于居民生活和管理的各个层面。二是创评“井冈之星”双文明乡镇、双文明村组、双文明企业、农村双文明家庭活动，进一步把精神文明建设工作落实到农村的不同层面。三是创评“井冈之星”双文明窗口单位和双文明机关，拓展了基层单位精神文明建设的覆盖面。

提高了创评工作的整体水平。全市开展“井冈之星”创评活动以来，各类典型脱颖而出。在城镇，形成了文明市民、文明家庭、文明楼院、文明单位、文明小区、文明社区、文明城市由点到面的创评体系。在农村，文明家庭、文明村组、文明乡镇的逐级创建，分层发展，构成了井冈大地农村文明化进程的重要内容。全市被评选出来的149户双文明家庭带领群众勤劳致富、带头发展社会主义市场经济、带头搞好精神文明建设，在兴农富民奔小康，推动全市两个文明建设中起到了积极的作用。

（江西省文明办）

江西省宁都县

依托“五老” 推进农村精神文明建设

宁都县从当前农村实际出发，依托“五老”（即老党员、老劳模、老军人、老教师、老干部），巧借“外力”推进农村精神文明建设。

一、依托“五老”，充分发挥他们在农村思想政治工作中的特殊作用

实施三项措施，健全“五老”新网络。一是把作风正、能力强、懂政治、守法纪的“五老”充实到乡村计生协会，并以此为依托作为农村思想政治工作的中坚力量。二是建章立制，加强学习培训。在例会制度、学习制度、联系群众制度中，充实思想政治工作的内容。三是解决“五老”政治和生活待遇问题。有的乡镇邀请“五老”参与党委、政府的决策；有的乡镇财政还拨出专款，确保“五老”的活动经费。

创新三种方法，增强农村思想政治工作的针对性。一是寓教于乐。“五老”通过组织文宣队、小剧团编排采茶戏方式，宣传党的农村政策，对群众进行道德教育。二是联系实际。“五老”结合自己的生活、工作经历和当前实际情况，运用群众语言进行国情、乡情和爱国主义教育。三是典型教育。选择发生在群众身边活生生的例子，“以案说法”，产生“点亮一盏灯，照亮一大片”的效果。

二、巧借“外力”，在为群众干实事、办好事中做好思想政治工作

确立三项制度，拓展工作队伍。一是在外人员登记制度。将在外人员登记造册，建立个人档案，将每人的简历、联系电话、通信地址及家庭状况等内容做好详细登记，然后以村为单位按不同行业进行分类。二是定期联系制度。每半年在外人员都要向家乡通报自己在外的有关情况或传递致富信息，并通过“五老”向家乡父老宣传。三是重大事项汇报制度。乡、村两级在重大事项决策（如圩镇改造、架桥铺路等公益性事业）之前，都要通过电话或信函形式向这些在外人员进行通报，并征求意见。一则为决策提供科学依据，二则为决策执行争取更多的支持者。让他们这些“身在异乡，心在故里”的人员以主人翁的姿态时刻关注家乡的发展，参与到家乡的两个文明建设中来。

巧借两种“外力”，增强农村思想政治工作的实效性。一是巧借“智力”，在办实事过程中渗透教育内容。巧借在外就读的政法学院的大学生及农大学生的“智力”，以解决实际问题入手，结合实际给农民群众上法制课和实用技术课。二是巧借“财力”，在服务经济建设中增强教育的感召力。宁都县用3年时间把县通乡公路改建成水泥路，实现了乡村通等级公路目标。各乡镇领导将这一重大事项向在外人员通报，并发出募捐信，以此填补县乡公路建设资金的缺口。宁都县不仅实现了乡乡通水泥路、乡村通等级路的目标，还成为全省公路建设的示范县。

（江西省文明办）

江西省靖安县
全面开展道德公评公议活动

靖安县贯彻落实《公民道德建设实施纲要》精神，提出了“优化人文生态环境，共建美好道德家园”的目标，在农村全面开展了道德公评公议活动，取得了明显成效。

一、基本做法

1. 群众民主推选，成立公评公议会。道德公评公议由村道德公评公议会组织进行，村道德公评公议会由群众选出他们最信服的党员、干部、劳模、教师、人大代表、政协委员、经济能人、科技专业户组成，具有很强的群众认同感。具体操作上，一是由村民代表举荐、村民自荐或村级组织推荐，经村民户主会或村民代表推选。确定5—11名道德公评公议会成员。会评公议会会长由村党支部推荐或户主会提名，由评议会成员选举产生。二是村党支部书记担任名誉会长，体现道德公评公议活动在党支部领导下进行的村民自我教育自我管理。

2. 根据20字基本道德规范，结合农村具体情况，制定百条公约。《百条公约》按20字基本道德规范的5句话分为5个方面，共100条，涉及农村道德建设的方方面面，详实具体，易知可行。《百条公约》分别以小册子和张贴式印刷，分发到每家每户。为增强宣传效果，还绘制了《画说百条公约》，图文并茂，加深印象，入脑入心。

3. 通过“四评”，产生“三家庭”。以《百条公约》为标准通过“四评”，确定三种家庭类型，即道德高尚家庭、道德良好家庭、遵守道德家庭。“四评”一是自评，自我评价、评说。各家各户召开家庭会，对照《百条公约》进行自查，这是一个自我学习、自我教育的过程。明确自身存在的问题和差距，以便更好地规范个人行为和家庭行为。二是初评，公评公议会对各家各户自查情况进行评点、评判，肯定好的方面，查找存在的问题和不足。三是互评，村（组）召开户主会对他人的道德表现进行评判，使被评家庭和在场群众对比自己的道德行为扪心自问，这是一个体现舆论力量，宣传基本道德的过程。四是总评，公评公议会成员对每个家庭评定档次，把住“两头”关，对道德高尚家庭和道德欠佳家庭要以事实为依据，经得起群众的评议，以树立正气。在此基础上，通过公评公议栏，宣传道德高尚家庭的先进事迹，并由县文明委予以表彰。

4. 严格动态管理，实行长效运作。将评议结果张榜公布。首先是将初步评定结果张榜公示，接受群众的监督和比较，收集群众意见。公示一周以后，根据村民改正、改进情况和村民反馈意见，经公评公议会集体研究确定档次，公布最终结果，对典型人和事进行表扬或批评，同时指出普遍存在的问题，并发出倡议。每次集中评议结束是道德公评公议的一个新的起点，持之以恒坚持下去，实行动态管理，不以一评定终身。注重开展经常性的监督、检查和耐心说服、上门帮教工作。经公评公议成员集体研究，有优良表现的可以提升档次，有不良行为的及时降低档次，保证道德建设的经常性和持久性。

二、主要成效

农村道德公评公议，在村党支部的领导下，适应农村情况，顺应农民要求，集中群众智慧，采取民主方式，体现村民自治，是建立适应发展社会主义市场经济要求的思想道德体系的探索和尝试，促进了农村思想道德建设的发展。

1. 增强了农民集体意识、公益意识。靖安县的农民负担一贯比国家标准低，但有的村组经济条件相对落后，不少农民拖欠合理规费。道德公评公议的进行，让广大农民逐步明确了自己承担的社会责任，主动交纳合理规费。罗湾乡楼前村往年收缴规费，村干部要走破脚板，磨破嘴皮，几个月也收不齐。道德公评公议过程中，群众自觉交纳。

全县实施的“猪沼工程”，是一项造福千家万户的“民心工程”。通过道德公评公议，广大农民进一步从社会道德角度认识维护生态平衡，爱护生产生活环境，保持经济可持续发展的重要性，积极建沼气池。

通过公评公议，村民十分关注集体声誉，互相竞争，不甘落后，不愿给村集体抹黑。全县98%以上农民积极参与“文明卫生家庭”、“五好文明家庭”、“美在农家”等精神文明创建活动，有385户被评为“五好文明家庭”，30多个村被评为“文明村”。

2. 促进了农民勤劳致富。针对山区部分农民懒散习气，道德公评公议突出“勤劳致富”，把“勤俭自强、敬业奉献”等道德规范具体化、通俗化，很多人思想受到触动，并付诸行动。过去一入冬，许多村民往往是夹着火笼晒太阳，打发冬闲，安于“薯丝饭，木炭火，神仙不如我”的清贫生活。农村道德公评公议激发了农民勤劳致富的积极性，出外打工、勤劳务农、用心过日子的多了。宝峰镇农民不断调整农业结构，创新种养模式，发展多种经营。去冬今春共改造笋竹两用林1000多亩，新增药材2200多亩，扩大山羊养殖规模700多头，引进杨梅、美国薄壳山核桃等增收项目，为来年的好收成奠定了扎实基础。

3. 促进了尊老爱幼家庭美德建设。香田乡石马村村民涂源根原来对生病在床的母亲不闻不问，公评公议后，他像是换了一个人，每天给老人端茶送饭，问寒问暖。老人逢人便说公评公议好，帮她找回了孝顺的儿子。这次公评公议过程中，全县85个赡养老人不够的家庭，问题全部得到解决。

4. 促进了优化发展环境、维护了农村稳定。全县以自然生态和人文生态环境吸引外商投资，发展靖安经济的良好局面形成，靖安人热情好客，注重修养的形象得到投资者的称赞。公评公议《百条公约》上的“游人客商，热情对待，不坑蒙拐骗，不宰客诈客”的精神，激发了农民的开放意识，规范了对待客商的文明行为，吸引了更多的外来投资者。

道德公评公议，把村民的主要精力和注意力引导到发展经济上，把矛盾和纠纷化解在萌芽状态。同时，维护社会稳定的责任感明显增强，对违法违纪和不道德行为敢于批评和制止的人增多了；学法、懂法、守法的人多了，讲道德的人多了。全县有106个“安全村”，全县刑事案件和治安案件分别比去年同期下降6.2%和23.1%。

（江西省文明办）

江西省九江市气象部门

抓好文明创建　提高服务水平

九江市气象部门从内强素质、外树形象入手，提高气象服务的能力和水平，创造了明显的社会经济效益。

一、领导重视，机制健全

成立由“一把手”为组长的精神文明建设领导小组，确立了领导亲自抓、各职能部门分工负责齐抓共管的领导机制和工作机制；将精神文明创建纳入气象工作总体目标，与业务工作一样，实行统一目标任务、统一布置检查、统一考核评比、统一奖惩；明确规定精神文明创建活动的经费，并逐年增加；将创建工作情况列入领导班子和领导干部年度和任期业绩考核的重要内容。

积极参加地方开展的“文明系统”、“文明单位”、“文明楼院”创建活动。结合本部门实际，开展“文明科室”、“文明职工”评比活动。发动干部职工自己动手改善工作、生活环境，建设花园式单位。

二、以人为本，带好队伍

深入开展思想教育,强化开放意识、市场意识、机遇意识、创新意识。市局党组一班人破除“等、靠、要”思想,敢想、敢干、敢于破解各种难题。

大力弘扬“艰苦奋斗、勤奋爱岗、严谨求实、团结共事、大公无私”的气象精神和“坚定信念、艰苦奋斗、实事求是、敢闯新路、依靠群众、勇于胜利”的井冈山精神，增强全体干部职工在经济欠发达地区建设先进气象事业的信心。

开展“准确及时、优质服务、严谨求实、科学高效”的气象职业道德教育。新职工必须上职业道德规范必修课，请老职工讲优良传统和作风，并把每年4—6月的汛期服务期间，定为职业道德教育和业务质量竞赛活动月。

开展岗位培训和继续教育。深入开展党风廉政教育和政策法规教育。

三、围绕中心，搞好服务

坚持将防汛气象服务作为重中之重，当好党政领导指挥防汛抗洪工作的参谋。由于九江市特殊地理位置，防汛抗洪是年年必抓的大事，县气象部门必须努力超常规提供及时准确的气象服务。1998年九江遭受百年未遇的洪涝灾害，全市两个气象台站被淹，6个台站被洪水围困。干部职工发扬伟大抗洪精神，日夜坚守在工作岗位上。瑞昌市气象局被洪水淹没40多天，但没有漏掉一次气象观测和天气预报，被誉为“汪洋中永不沉没的测天哨兵”。

紧紧围绕九江市经济工作目标，坚持将决策服务放在首位，全力提供领导决策所需的气象参数。办好《气象呈阅件》和《气象情况反映》，供市领导参阅；做好春播、重大灾害性天气的气象预报工作，开展多种专项气象服务；围绕市领导提出的发展特色农业和农业结构调整的目标，完成省、市级气象科技开发项目20余项，推广气象适用技术10余个，每年产生经济效益2000余万元。与市农办、市农业局合作依托气象卫星综合业务系统（9210工程），在全省率先建立市县农村经济信息网。

积极开展文明规范化服务活动，努力做到“公众服务让社会满意”。市局推出8项服务承诺和20条规范化服务标准，把文明示范服务扩大到全市气象台站，落实到具体岗位和具体人员。全市开通气象专家服务热线、“121”气象服务电话咨询系统和电视天气预报系统，为各行业和农民提供多种气象服务，受到广泛好评。

（中国气象局文明办）

山东省威海市

创建文明行业 打造诚信城市

近年来，威海市从各行业文明创建的整体提升入手，打造城市“诚信品牌”，创造先进城市文化。

一、工作创新提升诚信建设

作为威海市创建文明行业排头兵的威海市国税局，率先提出了以科技进步促文明建设的创新思路。威海市国税局给全市所有一般纳税户都安装了防伪税控系统，不仅避免了国家税收的流失，而且使威海的经济信誉大大提高。威海东泰绣品有限公司在北京开拓市场，安装了防伪税控系统后，信誉度大大提高，2001 年在京年销售额达 860 多万元。

威海市各行业也都十分注重现代科技设施和手段的改善，向科技要文明、用科技保诚信。威海市金融、电信、电力、医院、商检等部门的对外服务窗口全都安装了“业务一点通”触摸显示屏、电子限时服务器。电力行业成立了电力客户服务指挥中心，安装了先进的卫星定位系统，与“110”联动，可以保证做到 24 小时抢修不间断。威海市行业文明创建工作已从“礼貌用语、微笑服务”阶段向“诚信”这一层次提升。

二、全民参与促进诚信建设

威海市管理部门与广大市民一起，共同管理好城市，共同提升整个城市的文明水平。

“行风万人评”是威海市吸引全民参与创建文明行业、参与城市管理的一项重要措施，每一个行业的主管部门，对本行业创建活动的情况进行一次全面自查和总结，形成书面材料通过媒体向社会公布，让市民投票评议。还在媒体上建立“行风热线”，各个管理部门都实行“服务规范、举报热线、舆论曝光三公开”，为市民参与本行业文明建设和管理提供便利。威海市正在建设的 12 处城市公园的设计与建设，都吸收了市民们的许多好的建议。

曾经“衙门”气十足的管理部门，得到了市民信任，又充分信任广大市民。这种互为诚信的关系在威海市的文明行业创建活动中产生了一种“互动效应”：市民的积极参与促进了行业整体文明水平的提高，而在参与过程中市民自身的文明素质也得到提高，进而带动了整个社会文明程度的显著提升。

三、机制完善保障诚信建设

威海市委、市政府先后出台了《关于加强行政机关优政建设的意见》、《政府 14 部门优政措施和承诺服务标准》等多项制度，建立起文明创建的激励机制与约束机制体系，有效地保障了威海市整体文明创建的健康发展。

威海市出租车行业树文明新风，有近 30% 的出租车辆挂上“雷锋车”、“敬老助残车”、“爱心车”、“拥军车”的标志，免费或半费为老弱病残市民和军人提供服务。

威海市出租车行业崭新的文明风尚，背后有符合市场经济规律的机制提供支撑和有效保障。确保出租车司机的基本收入是保障本行业文明创建的基础。交通局首先对城市规模和客流量进行科学分析，严格控制出租车总量；严厉打击黑车；对出租车司机的收入情况进行动态调查，交通局根据油价上涨的情况，及时调整政策和车价，以保证出租车司机收入的基本稳定。

在这一基础上，威海市交通部门出台了出租车文明记分考核制度，对于文明程度高的出租车，管理部门在车灯上安装星级标志，让市民和乘客有选择质量服务的空间，使文明车的效益明显提高。其他各行业也都像出租车业一样，分别建立了各具特色的保障机制。

近年来，威海市先后获得国家卫生城市、国家园林城市、国家环境保护模范城市、中国优秀旅游城市、全国双拥模范城市、全国创建文明城市工作先进城市等称号，并先后两次被联合国人居中心评为国际改善居住环境最佳范例城市。

（摘自2002年5月11日《人民日报》）

山东省莱芜市

道德建设进村入户

山东省莱芜市深化以道德进家为主要内容的“六进家”活动，着力解决道德教育的“断层”、“梗阻”问题，收到良好效果。

一、以德理家，净化道德建设细胞

道德知识送到家。精心编写道德教育教材。市里编印了《文明公民读本》、《农民基本道德手册》、《社会公德十不准》、《三德60字规范》宣传画和《农村道德教育五字歌》等，下发到村镇和农户家中。在中小学校安排专门课时，以《公民文明读本》和《农民基本道德知识手册》为教材，对中小学生进行系统的道德教育。着力抓好骨干培训。利用乡镇党校和农民夜校，分期分批轮训农村家庭道德教育骨干，保证家庭道德知识学习的经常性。

道德规范定到家。把农民生产、生活、交往等各方面的道德基本要求规范化，从规范一言一行入手，引导家庭成员维护社会公德，弘扬家庭美德，正确处理家庭邻里关系。

道德教育抓到家。全市逐步开辟疏通了4条渠道。一是群众大会，每村每年至少召开4次群众大会，进行面对面宣讲教育。二是广播电视，通过广播电视进村入户和村村建立图书室，传播道德教育。三是报刊宣传，以黑板报、宣传栏和家庭订报刊的形式进行道德教育。四是党员联户，乡镇党校定期组织党员轮训，再由党员通过联户形式帮教群众，保证道德教育进村入户到人。同时，在全市广泛开展道德、政策、法律、科技、文化、卫生“六进家”活动，通过组织政策集中宣讲、“法律宣传月”、经常性的科普宣传等活动，形成强大宣传声势，真正实现教育内容进村入户。

致富信息传到家。莱芜市始终坚持把以科技知识为主的致富信息进家活动，作为道德教育的重要内容认真抓好。通过编写家庭科技致富材料、举办培训班等办法，对家庭成员进行科技培训，传授致富本领。2002年全市共举办果树管理、畜牧养殖等各种类型的培训班2500多期，参加培训的达20万人次；举办科技广播讲座80次，听众10万人次。全市有1/3的家庭掌握了1—2门先进实用技术。

二、以德治村，强化道德建设的主体

道德评议制度化。各村普遍成立由老党员、老干部、村民代表组成的道德评议委员会，对弘扬或违反道德准则的人和事定期进行评议。各村普遍制定了《村民道德公约》、《村干部道德守则》、《十佳文明户考核标准》、《移风易俗规定》等各项制度，作为道德评议活动的依据。各村设立表扬栏、曝光台，对平时出现的好人好事和不道德的行为，由村委会进行表扬或批评。

经济交往契约化。他们把商德作为道德建设的重点，在各村广泛推行经济交往契约化。村委会成立专门的领导小组，教育和引导农民在民间借贷、创办企业、雇工和外出务工等经济活动中，依法签订协议或合同，由公证处进行公证，从而把家庭经济交往纳入法制化管理轨道，减少和避免了经济活动中的失德和违法现象。

家政管理档案化。各家建立两套家政档案，

分别由村委会和家庭保管使用。主要是对家庭各类经济合同协议、遵纪守法、邻里团结、家庭和睦、移风易俗、社会公德、统筹提留、计划生育、赡养老人、好人好事等情况如实记录，一人一张表、一户一个盒，一事一记录、一年一归档，统一整理，由村委会和家庭分别保管，为评先树优和村级组织实施管理提供依据。

村情村务公开化。市委出台了《村务公开制度》，各村也普遍落实了两会（党员议事会、村民议事会）、一组（民主理财小组）和财务双代管等制度。为保证村务公开不漏项，各村普遍设立了村民代表监督员，由村民选出的代表轮流在村委上班，对村干部进行考勤，对村干部和村里各项工作实行全天候、全方位、全过程、全内容的监督。

三、加强干部道德建设，优化道德建设的环境

强化公仆意识，树立公正爱民的形象。市里每年制定《农村干部培训计划》，定期组织干部进行思想作风集中整顿。近两年来，认真总结大王庄镇提高农村党员干部素质的基本经验，在全市农村党员干部中集中开展了“学宗旨、学政策、学法律、学科技、学先进”和“看谁的成绩突出、看谁的自觉性高、看谁的责任心强、看谁遵守规章制度好、看谁的模范带头作用好”为主要内容的教育活动，引导广大基层干部牢固树立人民群众是主人、干部是人民公仆的观点。干部深入到群众中去，了解他们的疾苦，倾听他们的呼声，积极帮助他们排忧解难。2002年，驻村干部为群众办实事1158件，完善各类承包合同7106份，提供致富技术200多项，解决宅基地纠纷271起，密切了党群干群关系。

强化廉洁意识，树立勤政为民的形象。莱芜市把干部廉政建设作为道德建设的突破口，制定了“支持、规范、激励、提高”的基层干部队伍建设八字方针，各乡镇普遍制定了《农村干部行为规范》、《村级招待费为零制度》、《财务双代管制度》、《农村干部通讯工具使用管理制度》等，加强了农村基层干部的廉政建设。

强化求实意识，树立实干富民的形象。全市推广了茶业口镇干部实话实说、实事实办、实心实意、实症实治的经验，引导乡镇机关干部按照“一年打基础，两年有变化，三年见成效”的要求，落实富民强村工程，积极带领农民致富。莱城区为发展“三辣一麻”特色农业，投资800多万元建立5处农业高科技示范园区，鼓励606名乡镇干部领办、创办各类示范服务基地81处。2002年全市带动农村经济作物发展到60万亩，各类大棚1万多个，促进了农民收入的增长。

莱芜市群众道德素质提高和良好道德风尚的形成，成为莱芜对外招商的一块金字招牌，吸引了大批外来投资者，促进了莱芜社会经济全面发展。

（山东省文明办）

山东省诸城市

联动服务谱新篇

山东省诸城市实施的为民服务联动，被誉为新形势下的精神文明“大合唱”。这一经验被中央各大媒体报道后，诸城市又在巩固、拓展、深化上做文章，写出联动服务的新篇章。

一、服务延伸到农家

2002年春天，诸城市桃园乡插旗崖村养鸡户王金明突患急症昏迷，家人迅速拨打了本乡镇的联动服务电话，医护人员很快赶到，及时抢救，使王金明转危为安。为确保王金明的3000多只肉鸡按时出栏，桃园医院还把病房搬到了鸡场，每天派人上门治疗，使他治病、养鸡两不误。王金明感激地说："要不是联动服务到了农村，我这次的损失可就大了。"

诸城的为民服务联动，最初是市直行业部门之间的联动，但随着联动服务的深入实施，他们发现，一些群众的求助或投诉，仅靠行政部门很难解决，尤其是生活在边远乡镇的群众，遇到急事难事难以得到及时快捷的服务，造成了许多不应有的损失。于是，诸城市开展了"十、百、千"活动，将20个联动服务龙头部门扩大到30个，将57个联动单位扩大到100个，将830个基层服务站、点、所扩展到1000个。还把为民服务联动推广到了全市23处乡镇（街道）及所有镇直部门，各乡镇（街道）全部设立联动服务指挥中心，配备联动服务专车，专设联动服务电话，并通过新闻媒体向社会公布。全市真正形成了城区连乡镇、乡镇连农户、上下连万家的联动服务大格局。

二、服务被动变主动

市委市政府结合农村"三个代表"重要思想学习活动，把转变作风、扶村帮户作为深化为民服务联动的重要内容，组织大批机关干部进村入户，与村庄和农户结成帮扶对子，帮助农村发展经济，帮助农民发家致富。自2001年以来，诸城各级领导干部深入到基层，共帮助群众新上致富项目1000多个，为群众解决实际问题500多项，使100多个过去的落后村理顺了关系，摘掉了"穷帽子"。

三、联动监管动真格

为保证每次服务的实效性，诸城在服务监管上动真的，来实的。市委联动服务督查中心投诉电话24小时有人值班，对接到的每个投诉及时督办有关部门查处，并把处理结果向投诉人反馈。市里还组织新闻记者成立了联动服务暗访小组，不定期对各联动部门进行明察暗访，查出问题及时通报或曝光，并严肃处理。

市里每年组织开展"行风万人评"活动。2002年1月份，诸城市组织开展"行风万人评"，通过各界群众现场无记名投票和发放征求意见信及评议票的办法，对所有的联动服务部门、单位及基层站、所、点进行评议，评议结果向社会公开，激发了各联动部门奋力争先创优的积极性。各部门、单位纷纷采取聘请社会监督员、设立监督电话及意见箱、内部组织明察暗访、末位淘汰等措施，奋力争先创优。市交通局专门成立督查工作小组，对基层站所不定期明察暗访，发现问题严肃处理，2001年局党委对5名违规违纪人员进行了处理或处罚；每年两次对全体执法人员进行民主评议，对连续两次评议倒数第一的，实行"末位淘汰"。

联动服务的深入实施，为诸城的经济发展创造了良好的环境，全市两个文明建设呈现出同步协调发展的良好局面。诸城市连续三届荣获山东省精神文明建设先进市。

（摘自2002年8月9日《人民日报》）

山东省青岛市市北区延安路街道

建立"市民议事庭" 探索社区自治新路

2000年10月，山东青岛市市北区延安路街道建立了社区"市民议事庭"。一年多来，居民选举出的社区代表，认真履行"协商议事、协调监督、自我管理、相互服务、共建社区"的职责，调动和带动市民参与社区管理和建设，探索出城市基层民主政治建设新途径。

一、从“首问制”到“布衣钦差”

2000年初，青岛市市北区延安路街道建立全区首家社区事务受理中心，将计生、行政、税务、城管和服务中心等“窗口”合署办公，推行“首问制”承办和“一门式”服务。服务范围内的30多项日常事务，随便找到哪位工作人员，均可得到满意服务。然而群众却反映，社区事务受理中心功能再全，毕竟是“衙门”，老百姓还是觉得“门楼子”高。于是，街道办事处产生了进一步加强民主建设、吸纳群众成员参与管理社区的设想。

2000年秋天，辖区1.4万多户居民选举产生了37名社区代表。这些来自党政机关、企事业单位、居民委员会以及私营企业的代表，通过“市民议事庭”直接参与街道社区的管理。10月17日召开的第一届社区代表会议上，社区代表们讨论通过了《社区代表会议章程》，选出了会议执行委员会。社区代表上任时间不长，就围绕困扰群众多年的“三大难题”提交了建议。一是“垃圾山”。标山路60号大楼院，居民500多户，每天倒出的垃圾4—5吨。长年恶臭熏人，蚊蝇满天飞，垃圾车每晚往返多趟搞清运，噪音扰得居民无法入睡。二是“滴水洞”。明霞路有4幢60年代的“筒子楼”，280多户居民共有28个厕所，地面、墙壁、管道到处渗水，低层住户如厕必须穿雨衣、打雨伞。三是“上甘岭”。标山路53、55号楼院，自1994年入住那天起，自来水管流的一直是铁锈水。每到做饭时，216户居民拎着水桶满街找水，大家苦笑是在“上甘岭”上过日子。以上问题，好几个单位长期扯皮不解决。代表议案递呈后，市、区两级人大派来巡视员，分管市长现场办公，当场拍板，使三大难题一一得到解决。

二、从“救火队”到“调节器”

过去职能部门对街道事务大包大揽，但往往“想管管不了，不管又不行”。辖区一家大型商厦破土动工，因牵扯到周围居民的利益，十几位老头老太坐在地基上不许开工；管区生活设施不规范，居民把垃圾堆到办事处门口；几名“告状专业户”整天奔波在上访的路上。市民代表参与管理社区事务，“市民议事庭”一方面站在百姓利益的立场上说话办事，一方面在参与管理中了解和理解政府的苦衷，成为政府和百姓之间的“调节器”，改变了社区工作面貌。

社区代表们提出从开展教育、文体活动催动社区文明新风的建议。他们组织劳动模范、民间艺人、离退休老干部、老红军组成宣讲团，深入社区宣传，发动市民参与“爱心献社会，真情暖人心”，“创建文明城区、文明楼院、五好家庭”等活动。“市民议事庭”把群众的利益摆在第一位，百姓有了“说话的地方”，社区变得洁净文明。图书阅览室、培训室、宣传栏等社区文化活动设施办起来了，业余文体骨干队伍表演团组织起来了，社区文化“四季歌”唱得红红火火……

三、从“建设靠大家”到“社区是我家”

“市民议事庭”提高了普通市民当家作主的政治地位，调动了市民参与社区建设的积极性。在延安路街道，有一支由16位居民自发组成的治安巡逻队；有320多人自愿参加社区服务志愿者队伍；各居民委员会实行事务公开、财务公开，涉及居民切身利益的事都由大伙讨论解决；各楼院卫生，没谁安排，总有人抢着清理；居民们相互谦让，两年多来几乎没有听到有关邻里纠纷的反映。社区里有35处总面积1800余平方米的空地，办事处筹措资金买来草种、树苗，发动市民们义务劳动开展绿化。延安二路小花园改造，要替换六角水泥板，300多名社区志愿者利用上班前和下班后的时间，在一个月内协助完成了改造任务。

（摘自2002年4月10日《人民日报》）

工商银行青岛市胶南支行

力创“作风硬、业务精、管理严、效益好”的文明单位

工商银行胶南支行坚持两个文明一起抓，强化管理，稳健经营，走出一条卓有成效的全面快速发展之路。支行先后被工商银行总行、中央金融工委评为文明建设先进单位，被中央文明委和国务院纠风办命名为全国创建文明行业活动示范点。

一、加强班子建设，增强班子战斗力

一是讲学习。建立领导班子读书学习制度，利用工作之余，深入学习先进的金融管理经验，及时了解现代经济及金融发展的最新动态，努力增长知识，开阔眼界，增强决策的科学化水平。二是讲政治。支行领导班子深入实践“三个代表”重要思想，把讲政治体现在认真贯彻落实国家的路线、方针、政策上，体现在依法经营上，保持敏锐的政治觉悟和正确的政治方向。三是讲正气。在决策上，实行集体领导，坚持民主集中制，凡事顾大局，以集体利益为重；在生活上，班子成员严于律己，不搞特殊，吃请不到，送礼不要，办事公正；工作上，班子成员以身作则，身先士卒，面对困难冲锋在前，甘为表率。班子团结、坚强、务实、有力，在群众中享有很高的威信。

二、加强队伍建设，提高职工队伍整体素质

在经营管理过程中，坚持以人为本，尊重人、关心人、帮助人、培养人、用好人，充分调动员工的工作热情和积极性，发挥员工的智慧和创造力，增强员工的归属感和价值认同感，全面提高员工的政治素质和业务素质。加强思想政治教育，通过政治学习、座谈会、先进典型事迹报告会、演讲会等丰富多彩的活动，陶冶员工的情操，帮助员工树立正确的世界观、人生观、价值观。深化人事制度改革，建立科学的分配制度。引入竞争机制，坚持“能者上、平者让、庸者下”的用人理念，通过公开、公平、公正的方式选拔各类有用人才，保证了用人的科学性。加强企业文化建设，增强员工凝聚力。开展行情教育、职业道德教育以及文娱活动，提高员工遵纪守法、爱岗敬业、文明服务的主动性和自觉性，营造“扬我精神，献我才智，尽我职责，兴我工行”的良好企业氛围。发挥党团组织的先锋模范作用。不断健全完善党团员教育制度、帮促带制度，发挥党团组织的模范作用，带动员工队伍整体素质的提高。

三、强化服务质量，树立良好社会形象

支行把服务工作作为两个文明建设的突破口，不断创新服务手段，提高服务质量，为广大客户提供全方位、多功能的金融服务。按照《中国工商银行员工行为守则》和《工商银行规范化服务标准》的要求，在全行范围内实行统一着装、挂牌服务、文明用语。通过上门服务、建立大户台账、建立营销员制度等措施，丰富服务工作的内涵，满足客户深层次的服务需求。积极开展中间业务，扩大服务范围。大力发展代发工资、代收电话费、代收行政事业收费等中间业务，为群众提供极大的方便。美化环境，改善行容行貌。对办公楼及各营业网点进行全面的美化，环境卫生实行包干责任制，使行容行貌得到了全面改善。

四、加强内部管理，提高经营管理水平

完善内控制度，切实加强内控制度建设。建立内控管理案件事故责任制，明确各级管理人员及工作人员的责任，增加了全行管理意识和防范

意识。强化监督检查，充分发挥信贷、账款、纪检、保卫四个监督体系的作用，按月、季对各项管理工作进行全方位、多层面的监督检查，及时发现问题，研究整改措施。严肃工作纪律，对违规违章行为进行严肃处理，决不姑息迁就。通过严格的管理，创造了“管理严、效益好”的良好局面。

（中央金融工委文明办）

山东省青岛市交通局

坚持创新促创建

青岛市交通局坚持以活动创新和机制创新推动文明行业创建工作的发展，取得了明显成效。

一、坚持“五个倡导”

一是倡导首问负责制。为切实解决群众到交通部门办理证件审批、规费缴纳等事项时遇到的推诿、扯皮等问题，倡导推行首问负责制，缩短了办事时间，提高了办事效率，受到群众和业户的好评。

二是倡导创服务品牌活动。自1995年起，青岛长途汽车站开展了“情满旅途联手大行动”，在全省乃至全国引起强烈反响，交通部和省交通厅先后做出在全国、全省公路客运行业开展“情满旅途”活动的规定。“情满旅途”被青岛市文明委命名为市级服务名牌。2002年，在全市出租客运企业中组织开展“争创名牌企业”活动，促使全市出租客运企业进一步提高了服务质量。

三是倡导开展读书活动。2001年以来，大力倡导单位购书、增设图书室，方便职工借阅。有的单位还向职工推荐优秀书目引导阅读，并提倡写读书笔记，营造了一个“比学习”的良好氛围。

四是倡导基层站所和窗口单位交通职工的“星级达标”活动。城阳区交通局今年在所属窗口单位全部实行了“星级达标”竞赛活动，在队伍建设、作风纪律、业务管理、优质服务、创新工作等5项内容上分别提出具体要求和考核分值。竞赛结果与分配挂钩，奖优罚劣，有效地调动了职工的积极性。

五是倡导建立交通服务热线。在出租客运行业，为乘客提供延伸服务。如建立出租车失物查询热线电话，将全市出租客运企业、出租车牌号、出租车票号码全部输入电脑，乘客只要依据车票的编号，就有可能尽快查找到所丢失物品。

青岛市城市公交和城市客运管理整建制划归交通局后，全局统一建立交通服务热线21369，统一受理群众投诉、举报、咨询，并设有多部线同时接听，24小时不间断服务，使人民群众对交通的满意率不断提高。

二、实现“四个机制的创新”

一是目标考核机制的创新。层层签订创建目标责任书，年度定期考核。从市局到县级局，再到基层所、站、队、班组，分解目标，落实责任。为保证目标责任的实现，市局对所属县级局和直属单位，每年定期考核两次，基层站、所、队则实行月评制，每个人的德、能、勤、绩都实行百分制考核，与奖惩挂钩。

二是督查机制的创新。市局到二级单位和县级局都实行经常性的督查制，由各级文明办负责，发现问题通报批评限期整改。

三是动态管理机制的创新。对已经创建成为文明行为、文明示范窗口和文明单位的，改变“终身制”的做法，实行动态管理，每年定期组织复查，复查不合格者，取消文明称号，并给予警告、限期整改。

四是激励约束机制的创新。从1998年起，市局每年拨出60万元创建文明行业奖励基金，规定对单位领导班子成员的奖金分配比例，以激励创建的积极性。对完不成当年创建目标的单位负责人，不给奖励。自建立激励约束机制后，市交通系统创建文明行业的工作得到了有效保证。服务人民、奉献社会已成为全行业风气的主流，干部职工的精神面貌发生了较大变化，交通职工队伍素质明显提高，连续4年保持了青岛地区公路基本无“三乱”现象。

（交通部体政法规司）

山东省东营市建委

改进机关作风　提高办事效率　方便人民群众

山东省东营市建委结合建设系统实际，积极改善机关作风、提高办事效率、方便人民群众，取得了明显成效。

一、正视问题，选准载体

过去，东营市建设系统在行政管理、对外服务方面存在着“三多”现象。门户多：规划、城建、房产、建管等部门基本上是独立开展工作，协调难度很大；职能审批多：仅行政审批类事项就达50多项；办事环节多：建设单位每申办一个项目，需要跑6个地方、十几个部门、办理30多项手续。办完一个工程项目，少则一个月，多则半年以上。同时，还存在“三无”现象，服务态度无法监督、服务质量无法考核、办事者的满意程度无法了解。东营市建委认真分析、深入研究，决定以实行集中办公为切入点，在提高办事效率和服务水平上狠下功夫，最大限度地给人民群众提供方便。2002年筹资400多万元，建设便民服务大厅。大厅将市建委所属的11个机关科室、8个委属单位的职能部门集中于15个窗口，9项行政收费集中于一个窗口，实行集中办公。大厅集管理、服务、监督、信息、行政收费功能于一体，实行“一站式”服务，为全面实施政府提速和建立规范高效机制奠定了基础。

二、创新机制，配套联动

机构改革中，撤销了建管局、勘测局、房改办、开发处，其行政职能划归市建委；同时对规划、房产、市政行政职能也由市建委统揽，主要领导由一人兼任。将原来26个科室合并为15个，将100多人减少为73人，基本理顺了行政管理体制。在此基础上，先后对行政审批做3次大清理。一是精简行政审批事项，将54项减为28项。二是全面清理剔除重复性资料和“有关资料”40多份，减少办事环节。三是参照省建设厅的做法，进一步精简审批类事项，共减少70%以上。同时，对工程项目办理时限大幅度压缩，将过去时限30天的改为15天，半个月的改为7天，3至5天的一律随到随办，总体办事时限缩短了2/3以上。

结合建设服务大厅的建成投入使用，全面推行政务公开，接受社会和群众的监督。在内容上，主要公开各类行政审批所提供的资料、办理程序、办理时限和法律依据，公开城市规划、重点工程项目的设计和建设等与人民群众切身利益相关的重大决策事项。在形式上，一是通过会议、文件、简报等形式公开；二是通过新闻媒体公开；三是通过政务公开栏公开；四是通过建设信息网站公开；五是通过“96111”服务热线，公开接受群众的咨询和投诉。

按照“领导为窗口服务，窗口为群众服务，工作围着大厅转，事情围着群众干”的思路，大胆创新运行管理方式，健全长效管理机制，确保做到“四个到位”：一是一把手负责到位；二是公章集中使用到位；三是权力下放到位；四是“AB”

角服务到位。

为了让群众在服务大厅内得到热情周到的服务，健全完善6项制度。一是首问负责制。二是一次告知制。外来办事者咨询或办理业务，工作人员必须按规定一次性清楚地告知其相关事项，使服务对象清楚明白。三是限时办结制。四是超时默认制。接到外来办事者办理业务的申请，如材料齐全，必须按规定给予办理。若在服务时限内没有回复或尚未办结，超过服务时则限时视为同意办理。五是监督评议制。六是责任追究制。对督查、投诉中发现的问题，发现一个，处理一个；对负有领导责任的负责人，予以责任追究，并给予相应处分。

（建设部文明办）

山东黄台发电厂

构建“三维立体”企业文化体系

在深入开展文明行业创建活动中，山东黄台发电厂提出了“以管理为核心的厂区文化、以和谐为核心的社区文化、以美学为核心的家庭文化”的“三维立体”企业文化体系构架。2001年11月，黄台电厂荣获中国企业文化建设实践创新奖和理论创新奖。

一、建立黄电文化体系

为了加强企业文化的理论研究和工作协调，黄电成立了企业文化学会、家庭文化研究会，成立了企业文化工作部，分别制定了企业文化、社区文化、家庭文化建设3个5年规划。

在体系上把握企业文化建设的主要矛盾。黄台电厂的企业文化建设有比较长的历史，但成效并不明显。在文化反思中他们认识到，尽管企业文化内涵丰富，但所要解决的核心问题只有一个，那就是企业共同价值观问题。不管是形象文化、制度文化、精神文化，还是与企业文化体系相对应的管理规定或文化制度等，都必须以企业共同价值观为核心，抓住企业共同价值观这一主要矛盾，就可以纲举目张。在建设中，他们紧紧围绕“拼搏、奉献、一流”的企业核心价值观进行建设，收到了事半功倍的效果。

遵循文化建设与管理相结合的规律。在实际操作中，他们将“优胜劣汰”的自然法则和“公开、公平、公正”的市场规则等融入文化建设，实施人性化管理，让优秀的企业文化在先进的企业管理中生长和展现。

寻找切入点。以管理为核心，对厂区文化建设的建设意识、建设思路和建设程序“三定位”。在建设意识上，把企业文化建设变为以日常工作为主线；在建设程序上，以管理为核心，以文化建设提升管理素质，以管理创新推动文化创新；在建设思路上，主攻制度文化，规范形象文化，推进精神文化。在社区文化建设中，以和谐为核心，把建设思路定位在“社区关系和谐、社区环境和谐、社区活动和谐”上。在家庭文化建设中，以尚美为核心，把建设思路定位在“道德行为美、生活方式美、学习创新美”上。厂区文化、社区文化、家庭文化从不同侧面丰富、完善着企业文化，共同构筑起“三维立体”的黄电企业文化体系。

二、以文化管理推进企业管理

厂区文化建设。构建制度文化体系。确立“以人为本”的制度理念，陆续出台新的符合企业文化要求的管理标准、工作标准、考核标准，并将全厂的程序文件以及制度性规定统一纳入标准化管理体系，使企业的质量管理体系逐步按国际标准运作。管理标准与文化的结合，就是管理与文化的融合，在企业管理中表现出三大优势：提高了效率、效益；实现了内容和形式的统一；突出了“以人为本”的管理思想。

结合建设国际一流，构建形象文化体系。黄电根据国际一流发电企业的标准，采用现代企业形象战略手段，重新定位企业形象，导入了CI战略，形成了企业视觉识别系统（VI）。在重建形象文化体系过程中，确立了三项原则：即企业发展达到与自然环境、社会发展规律的和谐、人与自然的和谐统一原则；厂区环境、文明生产、对外公关宣传和产品形象、服务形象、经营形象等建设的系统性原则；形式简练、语言质朴、内容简洁、易懂易记的实用性原则。

结合文化审计，构建精神文化体系。引入文化审计概念，贯彻全员性、教育性和建设性原则，发动全厂干部职工挖掘典型案例，提炼企业文化理念，用自我总结、自我教育的方式构建精神文化体系。职工成为审计者和受教育者双重角色，企业文化理念的形成过程真正实现了从群众中来、到群众中去的过程。

结合管理创新，塑造企业共同价值观。在企业文化构建工作中加大了体制、机制以及管理的创新力度。将市场竞争法则引入企业管理，特别是在企业核心管理内容——用人和分配机制上，加大了“公开、公平、公正”原则实施力度，探索并形成了管理岗位的“双考竞聘”、中层干部的“动态管理”以及工时计奖、年薪制改革等更合理的管理办法，为企业的改革与发展注入了生机和活力。在战略管理上，确立发电、供热、多产三大支柱协调发展的企业发展战略。在制度建设上，对厂务公开、职工培训、系列文明创建、防范“嫌疑腐败”、合理化建议等工作进行有机整合，形成了民主管理、教育培训、考核激励、监督约束等系统规范的管理机制，成为塑造企业共同价值观的坚强基石。

社区文化建设。以“社区关系和谐、社区环境和谐、社区活动和谐”为核心内容，开展安全文明小区创建活动，制定社区居民文明公约，规范社区环境管理，加大对社区环境的美化绿化力度。成立社区民事调解委员会，及时调解邻里纠纷。大力开展文明楼、文明单元竞赛评比活动，形成家家争创先进的良好氛围。成立由职工及家属参加的10余个业余活动协会及职工业余艺术团体，经常开展文体活动。开设“110”物业服务热线，为解决职工居民的日常生活难题提供24小时服务。

家庭文化建设。以尚美为核心，通过“文明卫生进家庭”，推进家庭“生活方式美”；通过“法制道德进家庭”，推进家庭“道德行为美”；通过“科学文化进家庭”，推进家庭“学习创新美”。每年在全厂评选文明家庭标兵和家庭文化建设典型，提高了全厂家庭文化建设的水平。

（国家电力公司文明办）

河 南 省 郑 州 市

以城带乡推进都市村庄精神文明建设

近年来，郑州市紧紧围绕建设全国区域性中心城市和社会主义现代化商贸城市的目标，把全面改造都市村庄作为创建文明城市的重要内容，有力地促进了农村精神文明建设。

一、积极探索创新，加强都市村庄社区建设

随着经济社会的发展和城市化进程的不断加快，都市村庄商业、服务业和房屋租赁业等第三产业迅猛发展，城市特征越来越明显，而长期实行的农村管理模式，明显落后于城市现代化建设

和管理的要求，影响整个文明城市创建工作的进程。对此，市委、市政府经过同多方商讨研究，提出了把乡改为城市社区办事处的管理体制改革决定。都市村庄社区按照“经济蓬勃发展，服务优质高效，功能齐全完善，治安安定有序，环境整洁优美，文化生活健康活跃，居民文明和睦”的总要求，积极探索，大胆实践，走出了一条具有城市、农村双重特点的建设新路子。中原区小岗刘社区建成面积240平方米的社区服务中心大厅，对外来人口实行登记、办证、房屋租赁、就业安置“一站式”服务。同时建立社区警务区，开通“148”法律求助服务热线，成立经济发展总公司，坚持以发展集体经济为主，以发展第三产业为主，经营方式以自主经营与承包租赁为主，实现了集体经济与非公有制经济齐头并进，共同发展。

二、加强综合整治，优化都市村庄整体形象

针对城市化进程的加快，都市村庄与城市社区建设交叉发展而又不平衡的状况，郑州市在创建文明城市工作中，把整治都市村庄作为重点，高起点规划，高标准建设，初步实现了村容村貌整洁有序。邙山区全面启动了花园式新村建设工程。区里依据区域规划和土地利用总体规划，坚持新村建设与基本农田保护规划、河道排水规划相结合，努力实行花园式新村建设。工程实施近一年，毛庄镇的青寨村、花园口镇的西黄流村等就统一规划新建了130套新房，为全区的新村建设起到了良好的示范作用。二七区小李庄村从解决违章占道经营、乱搭乱建及乱倒建筑垃圾等问题入手，加大村容村貌整治力度。

三、开展全民教育，着力提高村民素质

都市村庄地处城乡结合部，居民结构复杂，特别是大量流动人口在此租房居住，他们普遍缺乏城市意识，在一定程度上制约着城市文明程度的提高。为此，郑州市加大资金投入、抓好基础设施建设，采取多种形式开展全民教育，有效地提高了村民的综合素质。一是狠抓文化阵地和队伍建设。市内各区分别组织了锣鼓队、秧歌队、舞蹈队、戏迷演唱队等民间艺术团体，在方向上加以引导，使文化活动成为活跃都市村庄群众生活的有效载体。二是实施“万村书架”工程。以都市村庄作为重点，建起农民读书社，组织农民学知识、学理论、学技能。三是有针对性地开展两级培训。结合农村“三个代表”重要思想学习教育活动的开展，从提高都市村庄村级干部素质、强化广大党员党性入手，广泛开展了“两级培训”活动。一方面，充分发挥乡党校教育主阵地作用，对村级领导干部进行培训，强化他们的服务意识；另一方面以农民夜校为依托，分别对广大党员和广大群众进行培训，引导他们提高思想觉悟，强化现代文明意识。

（河南省文明办）

河南省巩义市竹林镇
探索农民思想道德教育新途径

河南郑州与古都洛阳之间的浅山丘陵区，有一座充满生机与活力的现代化文明城镇——巩义市竹林镇。

2001年，1万余人口的竹林镇实现利税9800万元，固定资产达到14亿元。多年来，竹林镇党组织被评为全国先进基层党组织，镇被评为全国精神文明建设先进单位。

竹林镇巨变的根本原因，在于这些年始终坚持对农民进行社会主义思想道德教育，为经济发展和社会进步提供了强大的精神动力和智力支持。

一、抓思想道德教育，党员干部是带头人

1980年到1983年，看着一些能人急于致富，一些干部也只顾忙乎自己的事，5个支委有3个离开党支部，13个生产队长有8个不理事。

1983年“七一”前夕，当时的竹林村党支部党员干部和群众代表大会，统一思想。会议决定：“干部必须是想着群众、带领群众致富的当家人。如果哪个干部只想自己发财，必须辞去公职。”此后，竹林选干部，首先要看他是否肯为群众服务。光为个人发家致富，办事不公，手脚不廉，作风不实，对父母不孝，沾上一条，都不合格，总之，竹林的干部首先应是个道德境界高尚的人。

二、以经济发展为中心，不能忘了思想道德教育

这些年来，在竹林镇干部的带领下，竹林的社会经济状况发生了翻天覆地的变化。经济总量从285万元增加到了14亿元。投资3.2亿元打井、建水厂后，基本解决了吃水难。村里兴建了中小学、幼儿园，实行免费义务教育。修建了34公里的镇区道路和旅游大道，开发了近万平方米居民住宅楼。

在艰苦创业的过程中，竹林涌现出了一批贡献卓越的先进人物。开始时，他们奖钱奖物，但到了1995年，有人提出：只有汽车没奖过，等奖了汽车再奖什么？问题直逼奖励的终极目的——引导人追求什么。竹林人达成了共识：奖励要奖出方向，奖出精神。经济发展是中心，但无论什么时候，都不能忘了思想道德教育。

林人由此确定了自己的16字奋斗纲领：经济发展，生活富裕，道德高尚，文化先进。

现在，竹林的最高奖赏不是房子和汽车，而是一块镌有“率民致富”或“建设竹林功臣”的金字牌匾。匾的得主视之为千金难买，上面铭刻着的是一代人的奋斗精神，是留给后代的精神财富。

三、抓思想道德教育，以规范化的制度为依托

1983年以来，竹林有一个坚持了19年的制度：每年开展两次“群众评党员、党员评支部、支部评党委”活动。经过评议，先后有5名中层干部因不公、不廉和能力不强被免职。

竹林的“三评”当面锣对面鼓，将党员干部实实在在地置于群众的监督之下。1994年，镇里想盖新办公大楼，遭到群众反对。后来，经过4年奋斗，经济上了新台阶，群众主动在评议中提出，必须建设能与竹林经济发展形象相称的办公楼。群众要求精兵简政，镇党委、政府机关就进行改革，将原来的47人减少到22人，实行党、政、经一体化管理。

四、抓思想道德教育，常年不松懈

10年前，竹林人根据村情，开展了年评“十好典型”和月评“好人好事”活动，之后年年坚持。对每年评出的“好党员、好团员、好干部、好民兵、好职工、好媳妇、好妯娌、好公婆、好夫妻、好少年”典型，全镇开大会表彰，让他们带家属免费到外地参观旅游。对评出来的“好媳妇”，还组织乐队，扎上彩车，到娘家送喜报。

竹林镇坚持以先进理论和科学知识武装干部群众，党员干部每月逢“9”、职工居民每月逢“10”学习，各级党组织坚持做到每季度集中进行一次思想道德教育、一次科学知识学习、一次市场经济知识培训。镇党委每年选送优秀党员和企业骨干到大学进行为期两年的脱产培训，让干部群众开阔视野，提高整体素质。

竹林镇还通过开展戏曲、电影、文艺汇演、演讲比赛、书画展等群众喜闻乐见的文化活动，潜移默化地陶冶群众的道德情操。

五、竹林精神孕育时代新风

“爱竹林、比贡献、创大业、求效益、讲文明、共富裕”这18个字，概括竹林精神。党员和干部始终是竹林精神的风范。村里修路，平整土地，建公厕，是干部和党员的义务劳动。第一个捐资办学的，煤矿抢险时推开群众冒死排险的，在工作中兢兢业业、吃大苦流大汗的，常年奔波在外拉业务的，也都是干部和党员。

在群众眼里，集体就是大家自己。镇里建学校时，村民踊跃捐款，一下拿出18万元，比集体的投资还多。当煤矿塌方时，老百姓把盖房用的钢筋木材主动送到矿上救急。打井修路，不用动员，群众自己就会来。矿上出煤，煤石俱下，群众把石头全部挑出来，对外宣告：竹林只卖煤，不卖石头。

18年来，竹林没有发生一例刑事案件，没有一例违反计划生育政策的情况，没有一个人练“法轮功”，成了一个远近闻名的社会主义农村新社区。

（摘自2002年2月25日《人民日报》）

河南省新乡市公交总公司

职业道德建设重坚持 贵养成

河南省新乡市公交总公司坚持“以人为本”原则和“抓基础、拓新路、重养成、贵坚持”的工作思路，狠抓职业道德建设取得了明显成效。

一、以人为本，夯实基础

强化理论教育。通过以会代课的形式长期开展全员教育，开辟职业道德建设园地，举办《公民道德建设实施纲要》知识竞赛，组织“道德·服务·人生”大讨论，举行诚实守信、爱岗敬业演讲，开展如何提高服务质量辩论赛，使员工逐步加深对“职业道德建设重在坚持，贵在养成”的理解，提高对职业道德建设意义的认识。

完善素质教育。把提高员工文化素质作为加强职业道德建设的重要方面，在开展全员业务培训、定期轮训基础上，通过鼓励自学、选派上学以及和洛阳工学院汽车工程系、市内高校联合举办“公交经营管理大专班”形式培养了一批企业需要的人才。

推动示范教育。运用正反两方面的典型，启迪教育员工辨明是非。邀请全国劳模、北京公交优秀乘务员李素丽和本公司省“五一劳动奖章”获得者马丽君作先进事迹报告，引导职工学先进，找差距，增强道德意识。

二、建章立制，规范运作

建立职业道德规范。公司制定了规范员工职业行为的《职工职业道德三字经》，重新修订完善了职工职业道德标准，制定了《工作（服务）质量标准》，让员工按照标准自我评估、自我定位、自行校正。

完善激励、监督、约束机制。一是物质与精神激励并举，制度与考核并重，引导员工拼搏进取，团结奋进，培养正确的服务意识和竞争意识。二是在尊重人、理解人、关心人的基础上，制定考核标准、处罚细则，实施“奖优惩劣，末位淘汰”、“有为有位、竞争上岗”管理办法。三是通过开通公交服务热线、组建社会宣传队、聘请社会监督员、万民评议公交等措施，健全舆论、乘客、社会和内部监督网络。

实施5项工程。一是一盘棋思想。要求全体干部职工围绕优质服务，树立“领导为群众，机关为基层，二线为一线，全员为乘客”的服务思想。二是坚持一手抓制度落实，一手抓道德养成，一手抓经营生产，一手抓精神文明建设的“两手抓”原则。三是对员工进行岗前的职业道德、岗位技能和专业知识培训。四是教育职工做好班前、班中、班间、班后的基础、规范、补充和延伸“四种服务”。五是搞好思想、生活、后勤、文化和动力保证。

各项制度和措施，兼顾了职业道德建设的渐进性、复杂性特点，增强了道德建设活力，取得可喜成绩。新乡公交总公司被国家建设部确定为全国职业道德建设试点单位。

三、建养结合，优势互补

与运营生产相结合。将生产任务、服务指标、专业技术、社会效益等与职业道德建设要求同步下达和考核。结合运营生产新形势、新任务，开展劳动竞赛、技术比武、为企业献良策活动，引导职工以主人翁精神参与各项管理工作，促进企业经济效益上台阶。

与深化企业改革相结合。在推行无人售票、开通IC卡收费系统、试行运修分离模式、延长线路运营时间等改革措施过程中，加强职业道德教育，鼓励职工以高度的职业责任感积极支持改革，主动参与改革，保证各项改革措施的顺利实施。

与提升服务水平相结合。以公交服务、日日

进步为理念，以乘客第一、服务第一、信誉第一为宗旨，公开向社会承诺，自我加压，负重前进；开展“人人是公交形象，人人维护公交形象”的文明创建活动，将服务人情化，把爱根植车厢，为乘客创造一个温馨、文明、亲切、友好的乘车环境。

职业道德建设与生产活动的有机结合，使员工在活动中潜移默化，促进了公司经济效益，近两年来，年客运总量平均增加500万人次，运营收入增加，全员劳动生产率居全省同行前列。

（建设部文明办）

湖北省恩施市

坚持“五改三建两提高” 推进文明新村建设

湖北省恩施市在农村开展“五改三建两提高”文明新村建设活动，对促进社会主义物质文明、政治文明和精神文明的协调发展进行了初步探索和实践，也为欠发达地区农村建设小康社会提供了可资借鉴的新思路。

一、文明新村建设思路的形成

恩施市地处鄂西南，是典型的欠发达地区。全市76万人口，其中农村人口占77.13%。全市农村虽然实现了整体脱贫，但传统的生产与生活方式和落后的习俗成为阻碍建设现代文明新农村的瓶颈，因此，恩施市把发展重点放在了农村。恩施市委、市政府从当地历史文化条件和经济社会发展现实出发，开展了“五改三建两提高”文明新村建设活动。

“五改”，即改水，安装自来水或饮用过滤水，解决人畜饮水与农用水的困难；改路，把公路修通到村组，把水泥路或石板路联通到农户；改厨，修建节能灶与卫生碗柜；改厕，修建卫生厕所，配套建好浴室；改圈，改建新式猪圈，使之通风、卫生。

“三建”，即建沼气池，用于打火做饭和照明；建好农家房舍，既实用又美观；建好致富园，一品为主、多种经营，发展庭园经济。

“两提高”，一是以“三个代表”重要思想为指导，加强村党支部建设，实行村务公开，依法治村，提高村级党组织的战斗力；二是通过改善农民的生产生活条件，整治村容户貌，培养农民现代健康生活习惯，丰富农民精神文化生活。

这种发展思路适应西部大开发战略的实施。恩施市属于国家实施西部大开发战略的行政区域范围。恩施市在国家对该市通信、电网等基础设施建设加大投入并取得明显成效的条件下，配合国家农村小型公益设施建设、国家重点县（市）生态环境综合治理、国家生态家园富民计划等项目在该市的实施，结合当地实际，实施“五改三建两提高”，实现了基础设施建设与生态家园文明新村建设的有机结合。

二、文明新村建设的主要特点

由传统文明向现代文明转型。恩施市的一座座土家族苗族山寨，传统文明留存较多，而且惯性很强。实现由传统文明向现代文明的转型，是全面建设小康社会不容回避的问题。恩施市实施的文明新村建设，就是推动这一转型的主动抉择。

由传统农业向现代农业转型。一是农业基础设施发生了变化。村组道路和通信手段的改善、新能源的开发利用及改水、改电等，既促进了生产，又方便了生活。二是农业生产方式与经济结构发生了变化。在文明新村建设中，恩施市大力发展庭园经济，改善农业生产方式，优化农村经济结构，促进农民增收。据统计，106个文明新村示范点的耕地经营结构调整面达60%以上，庭园经济对农民人均纯收入的贡献率达70%以上，农民人均纯收入年均增长10%以上。三是农业产业化经营有了突破性进展。搞多种经营，不断提高产业化水平，特色种植业、畜牧业、农产品深加工业快速发展，初步形成“一乡一品”的特色经济格局和生产、加工、销售有机结合与相互促进的机制，不少产品占据当地市场的主要份额，有些产品畅销山外、国外，经济效益大幅度提升。四是农村生态状况有了显著改善。实行封山育林，每年8万至10万亩中幼林免遭砍伐，水土开始得到保护；以建沼气池为突破口，由沼气池肥料构建起农业生产的良性循环圈，实现猪—沼—粮、猪—沼—菜、猪—沼—茶、羊—沼—草等多种生态农业样式；庭园经济利用硒分布广、含量丰富的优势，把绿色富硒与无公害结合起来，很多产品以“硒”为贵而在市场畅销，实现了生态效益和经济效益的结合。

由传统生活方式向现代文明生活方式转型。“住吊脚楼，睡板板床，烧堆堆火”，是土家族苗族世代沿袭的生活起居方式，不少农民过着烟熏火燎、人畜共厕、蓬头垢面、衣着不洁的日子。文明新村建设活动，使农民“吃、穿、住、行、用”条件有了根本改观。与此同时，农民的精神生活和思想观念也有了根本改变。多层次的科技、文化、卫生“三下乡”活动，图书室、电教设施建设，广播、电视、电话的普及等，丰富了农民的精神文化生活，提高了农民的思想道德素质。

（摘自2002年12月17日《人民日报》）

湖北省仙桃市

积极开展民营企业的精神文明建设工作

近年来，湖北省仙桃市以理想教育立魂、人文感化立德、法纪规范立行、科技创新立业的思路，在民营企业中加强社会主义精神文明建设和思想政治工作，使民营企业成为两个文明建设的有生力量。

一、理想教育立魂

仙桃市要求民营企业用邓小平理论坚定员工社会主义道路的信念，引导员工树立正确的世界观、人生观和价值观，使广大民营企业主和员工认识到民营企业的命运同建设中国特色社会主义伟大事业的命运是联系在一起的，企业主和员工的利益是联系在一起的，员工和企业的前途命运是联系在一起的，从而通过为企业的发展贡献聪明才智和诚实劳动，在企业的发展中实现自己的人生理想和价值。

裕波纺织有限公司坚持向员工开展国家前途教育的同时，确立企业“五年内建成全国最大的牛仔布基地”的宏伟规划，通过车间会、轮班会和黑板报等形式大力加强宣传动员。经过全体员工的努力，公司实现了当年注册登记、当年投入生产、当年创造利润。现在裕波纺织有限公司不仅拥有了一批稳定的对企业和个人前途充满信心的骨干员工，而且还吸引来一些外地的大中专毕业生和业务能手。企业的两个文明建设蓬勃发展。

二、人文感化立德

仙桃市针对社会上一些领域道德失范、拜金主义、享乐主义滋长的现象，要求民营企业帮助员工抵制社会上的不良风气，树立起良好的社会公德、职业道德、家庭美德。

仙桃市三伏潭镇仙光日化有限公司是坚持用先进文化丰富职工生活、以人文感化立德做得较好的企业。企业文化建设所需的各项基本建设费和日常活动经费都列入财务计划。厂内张贴着“创新优美，求诚信实”、“滴滴保优，支支求精，件件完美，代代创新”等诠释“仙光理念”的标语，有线广播牵到职工宿舍、食堂和车间，定时向员工们广播。联亮公司形成了企业主爱员工、员工爱企业的良好风尚。公司花费10多万元为生产车间安装了空调，改善劳动条件；出资20万元，为职工办理合作医疗；逢年过节，公司老总都对困难职工进行慰问；对职工子女考上重点中学、考上大学的，公司给予3000—4000元的赞助。

三、法纪规范立行

仙桃市把法制教育作为加强民营企业精神文明创建活动的重要内容，有计划地在民营企业中开展了《民法》、《公司法》、《合同法》、《反不正当竞争法》、《广告法》、《商标法》、《劳动法》、《消费者权益保护法》等法律法规的宣传教育工作，引导企业合法经营、公平竞争、照章纳税、依法管理；引导员工遵纪守法，勇于同违法乱纪行为作斗争，善于运用法律手段保护自己的合法权益。在全市民营企业中基本没有克扣工资、虐待员工的现象发生，绝大多数民营企业都按时照章纳税。

四、科技创新立业

仙桃市民营企业员工除少数有大中专毕业生和高中毕业生外，绝大多数人都是初中和小学文化程度。面对这样的局面，他们兴起了“科技创新立业”之风。

1999年5至8月，裕波公司耗资60多万元，对第一批员工集中进行了4个月的强化培训，全面实行考核定级上岗，使他们的技术操作水平达到了国家三级以上。2000年，公司以开发运用新型面料、新型染整、新型织机技术为重点，高起点投入，引进国际名牌设备300多台（套），建成年产纱3600吨，牛仔布1200万米，年销售额近2亿元的棉纱棉布生产基地。2000年底，刚刚改制的天轮机械有限公司便分期分批地对公司员工实行全员培训，使公司90%以上员工都达到初级以上水平。2002年9月，天轮公司又投资30万元与中国地质大学联合开办了机电一体化本科班，输送21名青年骨干进本科班学习深造，输送3名本科生读工程硕士学位。公司对通过自修、函授等方式取得专业对口的大专或本科学历的员工，奖励1500元或2000元。

同时，仙桃市的许多民营企业还通过经常性的技能比武、生产竞赛和技术革新竞赛活动，促进员工提高技术水平，给企业带来可观的经济效益。2002年全市民营企业新上技改项目211个，累计完成投入12.1亿元，全市通过省级认定的民营科技企业有4家。

全市70%的民营企业建立了工会组织；民营企业中涌现出全国精神文明创建工作先进单位1个，市级最佳文明单位7个，市级文明单位28个。

（湖北省文明办）

湖 北 省 武 汉 市

常青花园社区齐心建设温馨家园

武汉市常青花园社区是全国最大的城市安居工程之一，几年来，社区齐心建设温馨家园，连续获得国家级城市住宅试点优秀小区、国家级物业管理示范小区等荣誉称号。

一、精心描绘温馨家园

抓环境建设，打牢社区精神文明的基础。社区管委会投入巨资为居民营造优美的生活、学习、娱乐环境。建起了高标准道路、水电、广场等公益设施；覆盖社区的绿化层次分明、错落有致；名牌学校到社区办分校，居民子女从幼儿园读到大学，不用出社区。到2001年底，常青花园在硬件设施上的投资已超过5亿元，为居民营造了一个温馨惬意的社区环境。

为了给居民营造良好的生活环境，常青花园下大力气进行安全建设，不断更新、升级硬件设施，建起现代化的电子监控管理系统，建立起保安队、居委会立体防护网络。几年来，常青花园社区保安队处理类似安全隐患800余起，协助居民扑灭火灾23起，为民做好事1万余件。

抓紧社区党的建设，成立了4个党支部，每栋居民楼都成立了党小组，1000多名党员在社区发挥着模范带头作用。三小区28栋居民胡丽萍不慎在家摔倒，共产党员、保安员彭德强闻讯迅速将她送到附近医院。由党员组成的“吴天祥小组”发现汽车轧过窨井盖时的“哐哐”声扰民，连续奋战一个月，将每个井盖都垫上了厚厚的橡皮圈。

二、齐心共建精神乐园

常青花园的建设者、管理者积极推行扰民追究制、谁接待询问谁负责到底的首问负责制等一系列管理制度，推动小区精神文明建设年年都上新台阶。2001年夏天，武汉遭遇百年不遇的大旱，花园上百万平方米的绿化面积需要浇水。为了不影响居民生活用水，物业公司每天派出数十台次洒水车到几公里外的小河拉水抗旱。

在常青花园，居民主动配合管委会工作已成为自觉行动。2001年，管委会认养树木的号召一发布，社区居民踊跃报名认养，第一批400棵3米以上的贵重树木两天内被认养一空。在广大居民的精心培育下，花园树木的成活率达98%，没排上队的居民强烈要求管委会尽快公布第二批认养树木名单。

邻里之间互帮互助、居民积极参与社区文明建设在常青花园蔚然成风。2001年9月，居民周航为丢失出差款和支票焦急万分，刚要出门寻找，邻居李会琴已把失物送来。常青花园社区阅览室里的图书，绝大部分都是社区居民自发捐献的。社区文化中心接受居民捐献的乐器和体育器材总数已超过200台（套）。居民余小惠将自家的一架钢琴捐给社区作为演出之用。社区居民成立了艺术团、腰鼓队、乒乓球队、老年门球队等，有的楼栋还自己成立了艺术队。

三、悉心打磨楚天名园

精神文明建设没有止境，常青花园的管理者把眼光放得更高、更远。他们要把常青花园打磨成为楚天名园。

社区的人均绿地达到3.97平方米。社区中心黄金地带兴建了占地200多亩的社区中心花园。

常青花园社区力求使工作更加贴近群众，服务居民。管委会设立了1600多个针对性较强的岗位，使愿意在社区就业的下岗职工个个找到了工作。为方便残疾人士出入，他们特意在一楼设计了18套无障碍通道住房。3年多来，常青花园管理处接到群众居民求助3100多人次。社区居民也积极参与社区管理。社区听取居民建议成立了老年大学，吸收100多名居民参加舞蹈、绘画、书法、电脑班学习。

常青花园的精神文明创建已形成系列活动：“婚育新风进万家”、“五好家庭”、“文明门栋”等活动居民踊跃参加。

（摘自2002年4月25日《人民日报》）

湖北省宜昌市三峡地税分局

以创建促征管　以创新促服务

湖北省宜昌市地方税务局三峡分局成立7年来，始终以“服务人民，奉献社会”为宗旨，积极投身创建文明行业活动，坚持税收征管与文明创建两手抓，把诚实守信的道德规范贯穿于各项业务工作的始终，不断提高税收征管水平。7 年中，该局共组织税收收入 10 多亿元，有力地支持了地方经济发展。

以创建促征管，以创新促服务。三峡工程共有 300 多家施工单位和管理部门参与建设，有 2 万多人交纳个人所得税。三峡分局全体干部职工事事处处为三峡工程建设者着想，把诚信服务融于征管工作的全过程，满足了不同建设群体的服务要求。

一是推行“个性化”服务。全面推行“无假日”和“一事无两趟”的“两无”服务。在法定的休息日和节假日安排双人值班，按时开门办税。据不完全统计，该局近几年来在节假日共接待纳税人 1800 多人次，征税 300 多万元。针对三峡工程建设单位多、结算环节多、结算审批手续复杂等特点，他们专门研制了“三峡工程结算专用发票”，提高了办事效率。他们还推出了代理结算服务，义务为那些在三峡的工程已完工、企业已回国的外国企业和个人办理工程余款和工程质保金的结算，并在结算完成后 3 天内按纳税人提供的账户汇入款项。

二是开展“贴近式”服务。一方面开展一年两次的“企业教我学财务，我教企业学税法”活动，经常举办纳税人专题业务培训、法人代表培训、财会人员纳税申报培训等。另一方面，启动“流动服务车”，根据外国纳税单位和个人大量结算业务在宜昌城区的情况，除在城区设立办税处外，还专门配备了税务流动服务车，巡回办税。

三是实行“零距离”服务。在办税服务厅设立“税企零距离”办税服务受理台，每天由两名人员值班，专门受理纳税人申请办税项目。开通涉外税收宣传“直通车”。针对外国纳税人对我国税法了解不够的情况，他们将新出台的税收政策翻译成英文，传真给其外国公司总部。

几年来，三峡地税分局坚持“服务中外纳税人，服务三峡工程建设”的宗旨，以诚实守信为主线，改进工作作风，提高工作效率和服务质量，取得了两个文明建设的双丰收，先后荣获省级文明单位、全国税务系统文明单位称号。

（摘自 2002 年 5 月 14 日《人民日报》）

湖北省十堰市环保局

上下联动　整体推进　创建环保文明系统

近几年来，湖北省十堰市环保局，采取健全机制、上下联动、整体推进的方法，深入持久地开展精神文明创建活动，取得了明显的效果。先后被评为全国环保系统精神文明建设先进集体、省环保系统精神文明建设先进集体。

一、明确目标，上下联动，建立文明创建的工作运行机制

建立文明创建的领导机制。市局成立了以党组书记、局长为主任，局党组成员、副局长为副主任的十堰市环保系统精神文明建设指导委员会。局党组坚持每年专题研究精神文明创建工作，局领导分工、分片建立文明创建联系点，形成一把手一班人两手抓、上下齐创文明的工作格局。

建立文明创建的目标管理机制。签订责任状，形成层层有目标、级级有责任、人人有担子的目标管理体系。

建立文明创建的激励机制。制定《十堰市环保系统精神文明建设考核与奖励办法》，每年对各单位的创建工作进行一次考核评比，对成绩突出的单位和个人给予通报表彰和物质奖励，激发干部职工的创建热情。

二、紧扣主题，与时俱进，不断提高环保队伍的整体素质

抓好思想政治教育，用科学的理论武装人。坚持党组中心组学习和每周四上午政治理论学习日制度，采取计划指导学、党组带机关学、集中辅导与个人自学、检查考核促学等方式，使干部职工始终保持政治上的清醒，在“法轮功”猖獗时，全市环保系统干部职工包括家属无一人受骗。

抓好职业道德教育，用良好的职业道德陶冶人。开展“四倡四比”活动，倡导高尚的职业理想，比爱岗敬业精神；倡导主人翁工作态度，比文明服务水平；倡导精湛的职业技能，比工作服务质量；倡导职业道德，比遵纪守法。

抓好法纪教育，用正确的行为规范人。针对环保部门是执法部门的特点，突出抓好干部职工的法纪教育。同时，建立健全各项规章制度，坚持用制度管理人和事，使干部职工的法纪意识普遍得到提高。近几年，全系统没有任何违法违纪的现象发生。

抓好业务技能教育，用各种培训提高人的素质。全系统大专以上学历占81%，监测、科研人员持证率达96%。

三、创新载体，提升层次，增强文明创建工作的活力

一是文明细胞创建活动。组织开展文明科（股）室、文明职工、青年文明岗位、文明家庭、文明楼栋和五好领导班子的评选活动，把文明创建活动延伸到日常工作，延伸到家庭，延伸到8小时以外的业余活动。

二是塑造形象活动。提出“团结、向上、奋进、发展”的十堰环保精神，开展“为党旗增光辉、为环保添光彩”的主题活动，在全系统大兴学习、团结、务实、节俭之风。

三是健康向上的文化活动。发挥工会、妇联、共青团组织的作用，利用重要纪念日举行座谈会、报告会、演讲会、歌咏会和文艺晚会等，成立篮球队、乒乓球队、网球队和桥牌队，全系统每年举行一次运动会。

四是扶贫“献爱心”活动。各环保局都建有扶贫联系点，经常组织知识、文化、资金、物资下乡，并将干部职工与贫困户结成对子，重点帮扶；积极参加“献爱心”活动，为贫困户、下岗职工、失学儿童捐款捐物。

四、以创带建，整体推进，促进环保工作与文明创建“双赢”

围绕西部大开发和保护南水北调水源，重点实施了“六大工程”。一是实施“碧水工程”。编制《南水北调中线工程水污染防治规划》，在全市47家重点企业和117个车间开展“清洁无害工厂”、“清洁生产车间”活动，有39家获得省级“清洁无害工厂”称号。

二是实施“蓝天”工程。推行集中供热供暖，全市关闭100多家小锅炉，加大工业废气和汽车尾气的治理力度，工业废气治理率达到84.2%。建立大气自动监测站，实行空气质量日报，促使十堰城区环境空气质量常年控制在国家二级标准以内。

三是推进生态工程。策应西部大开发，主动向市委、市政府提出建设秦巴生态屏障，创建生态城的战略构想，编制《十堰市国家生态示范区建设规划》和《鄂西北山地特殊生态功能保护区建设规划》，经国家评审，十堰市被列为第二批国家级生态功能保护区。

四是开展安静工程。划分噪声功能区，查排扰民点源，控制夜间施工，对人民群众反映强烈的噪声污染源进行专项整治，全市环境噪声达标区覆盖率达85%。

五是实施民心工程。坚持为人民群众办实事、办好事，重视人民群众来信来访和人大、政协意见建议及提案办理工作，及时处理人民群众投诉的环境污染问题。

六是开展环保宣教工程。围绕“西部大开发”、“保护母亲河”和“一江清水送北京”等主题，坚持每年组织“环保世纪行”和结合“6·5”世界环境日开展大型环保宣教活动，开展创建“绿色学校”、“环保小区”、“环保乡镇”和争当“环保小卫士”活动，使“保护环境、美化环境”逐渐成为全社会的自觉行为。

（国家环保总局文明办）

湖　南　省

以诚实守信为着力点　深化创建文明行业活动

近几年来，湖南省认真贯彻党中央关于精神文明建设的一系列指示精神，按照中央文明委的工作部署，围绕“服务人民，奉献社会”的宗旨，以诚信为着力点，深化创建文明行业活动，为推进湖南省改革开放和现代化建设营造了良好的社会环境。

一、抓教育，强化诚信意识

认真组织主题教育活动。湖南省立足形势发展，几年来不断调整充实教育内容，先后组织了几次大的主题教育活动。一是“四治兴三风”教育。“四治”即治奢、治浮、治懒、治假，“兴三风”即兴勤奋学习之风、调查研究之风、勤俭节约之风。教育活动针对和较好地解决了某些党政机关存在的“吃、拿、卡、要”和“冷、硬、拖、顶”等问题，在党政机关树立起以信为政的形象。二是“服务宗旨”教育。省文明委下发《关于加强窗口行业文明优质规范服务的意见》，全面推行文明、优质、规范服务，树立行业文明新风。三是“诚实守信”教育。省文明委围绕整顿和规范市场经济秩序，在全社会开展了“诚实守信”的专题教育，使一些危害人民身心健康、损害人民切身利益、群众反映强烈的问题得以较好解决，公民的信用意识得以强化。四是“信用经济”教育。结合宣传、贯彻《公民道德建设实施纲要》和我国加入世贸组织的新形势，在各行业开展“信用经济”教育，增强广大干部职工诚信立业的紧迫感，积极推动社会信用制度的建立。

广泛推行养成教育。一是制定诚信规范，引导诚信行为的养成。各行业各单位都根据自身特点，制定了职业道德的具体规范，把诚信要求落实到业务工作的各个方面、各个环节，引导广大干部职工自觉遵守和践行。全国“百城万店无假货”活动示范店（街）长沙友谊阿波罗集团公司、通程控股公司、长沙市五一路、常德市商业步行街等都制定了《文明经营管理制度》，签订了《诚信服务承诺书》，努力按规范办事，养成讲信用、守承诺的好习惯。二是从细微之处着手，培养良好的道德行为。全省各地普遍开展了“党员示范岗”、“青年文明示范店、柜”、“个体经商文明户”等活动。各服务行业从工作程序到职工服务的言行举止，都有具体的规定。三是严格职业纪律，严惩不道德的行为。各行业在开展诚信教育的同时，注意加强管理，严格职业纪律，严肃处理违规行为，严厉打击假冒伪劣、坑蒙拐骗等行为，为诚信的倡立提供强有力的保证。

精心策划典型教育。一是树立一批创建文明行业活动的示范点。二是推出和宣传一批诚信典型。2000年以来，突出宣传了长岭炼油厂、长沙房地产交易公司、长沙煤气公司蓝焰服务队、衡阳香江百货有限公司等近10个单位，在全省引起了较大反响。

二、抓制度，规范诚信服务

大力推行办事公开制度。省文明委组织直接面向社会、面向群众，与人民群众日常工作、生活和切身利益紧密相关的社会服务部门、行政执法部门、经济执法部门和部分党政机关先后推行了办事公开制度，将办事程序、服务内容、收费标准、办事结果、监督电话等通过办事大厅、公开栏、专线电话以及上报、上屏、上网等方式向社会公布。国税、地税、工商、电信等许多行业将对外办事服务的内设机构从楼上搬到一楼集中办公，简化办事程序，实行一站式服务，让群众不出办事大厅，就能将所要办的事情办好。一些带全局性和与老百姓切身利益密切相关的重大问题，如医疗服务价格、自来水价格和中巴、出租车营运价格调整等，采取听证会、咨询会等形式，广泛听取各方面意见。对经营性土地使用权、户外广告位置使用权、城市环卫绿化归属权、建设工程等容易滋生腐败的领域，采用公开招投标、拍卖等方式运作，有效地杜绝了“暗箱操作”现象。

普遍实行社会服务承诺制。1997 年，省文明委就在 19 个窗口行业推出了 103 个示范窗口和 319 项文明优质服务承诺。1998 年，省文明委向社会推出了公安系统的 110 接警、交警车管所，信息产业系统的市内电话装移机、邮政营业厅，建设系统的自来水维护、房屋水电维修和国税、地税系统的办税服务厅等 8 个行业和部门的行业规范化服务标准，有力地推动了承诺制在各行业的普遍开展。这些部门根据形势发展和实践体验，不断拓宽承诺领域，完善承诺机制，从礼貌服务、文明环境、服务咨询、受理投诉等方面制定严格具体的规定。

积极倡导首问责任制。株洲、岳阳、永州等地相继开展“推行首问责任制，创建文明机关”活动，实行首问登记制、首问承诺制和首问责任追究制，各级机关按规定能办的事必须马上办，不能延误、推托、刁难、索要；对需要按程序办的事，要指导和帮助对方按要求做好准备，承诺具体时限，帮助把事情办好。省电力公司在全系统推行“内转外不转”和“首问责任制”，客户只需到营业站办理一次申报交费手续，即可在承诺的时间内用上电，其他需要转办的手续都由供电部门内部传送或客户代表催办。

健全诚信激励机制。省文明委通过调查和综合考评，将诚实守信群众满意、实行规范化服务处于领先水平的单位确定为文明示范窗口单位，各系统和行业主管部门也推出了一批本系统的文明示范窗口。省委、省政府给予表彰奖励。激励了各行业、各单位不断提高诚信服务的水平。

三、抓监管，落实诚信要求

开展行风测评。行风测评的形式有 4 种：一是商请省人大、省政协有关部门组成行风测评小组，对窗口行业、窗口单位进行重点测评。二是协调各行业主管部门聘请行风监督员，设立举报电话和投诉电话，强化行业自我测评。三是指导、督促各市、州开展面上的行风测评。常德、湘潭等市已连续 12 年开展行风测评不间断。四是省文明办组织群众测评。印制发放《窗口行业行风测评表》，测评结果视具体情况或内部通报，或公开通报。省文明办会同省人大、省政协以及省直有关行业主管部门召开行风测评讲评会，对群众反映出来的问题进行分析研究，并责成有关主管行业对能够及时解决的问题就及时解决，不能及时解决的问题也要给群众作出一个满意的答复。

进行明察暗访。1998 年以来，省文明办每年会同省纠风办、湖南日报社对全省窗口行业、执法部门和文明示范窗口单位进行明察暗访，实地调查。并在《湖南日报》设专栏，对明察暗访后所了解到的情况进行系列报道，实话实说，好的表扬，差的批评。在社会上、特别是在被暗访的行业中产生了强烈反响。许多读者来信来电，或者表示赞扬，或者提供采访暗查线索。

实施专项整治。针对坑蒙拐骗、制假售假等问题，省文明委会同省人大、省政协、省综治办积极协调有关行业主管部门开展专项整治行动。几年来，主要开展了与人民群众生产、生活密切相关的食品、医疗、药品、建筑材料、农资、黑心棉、音像制品、汽配等近 10 项整治。2002 年开展医药购销不正之风整治，全面推行药品集中招标采购，规范住院费用一日清单、医疗服务价格公示制；对全省零售药店重新核发证照，削减 1000 多家不符合条件的零售药店，在新闻媒体公布降价药品的价格；对省属 10 家报纸和 6 家电视频道的药品广告进行全面检查，对违法违规的药品广告进行了查处。

（湖南省文明办）

湖南省长沙市

以人为本育文明

湖南省长沙市坚持以人为本抓好城市文明建设，促使长沙市变美了，市民的思想境界更高了。

一、坚持教育

长沙市委、市政府以20字公民基本道德规范、《长沙市市民公约》、《市民文明手册》为教材，坚持不懈地分层次对市民开展道德教育。

市委、市人大、市政府、市政协机关率先垂范，遇有基层同志来办事，首先应对的是一声请坐、一杯热茶、一张笑脸。

办起社区市民学校568所。《公民道德建设实施纲要》公布后，47名市级领导到市民学校授课。岳麓区咸嘉新村社区自1998年以来，市民学校每月上课两次，开展公民道德教育，使居民思想道德水准明显提高，居民自觉改变了乱搭乱建、打牌赌博、争吵等行为。该社区有一支由360户家庭组成的义务巡逻队，天天义务巡逻；秧歌队、腰鼓队等10多支居民文艺队活跃在社区。2001年，该社区被评为全国文明社区示范点。市中小学生学习《礼仪教育读本》，各学校成立礼仪宣传队、红领巾礼仪岗，培育学生的良好品德。

全市各行业普遍开展职业道德教育。市自来水公司员工学习职业道德后，主动向社会作出申请给水、管道抢修、水费抄收服务时限的承诺。一天深夜，芙蓉路与人民路交叉口西北角的水管爆裂，南区一站一班的5名员工立即抢修，连续奋战两天两晚把管道修好。

二、实践培养

近年来，长沙市开展了一系列文明创建活动，如“五个做起”（从我做起、从家庭做起、从身边做起、从点滴做起、从今天做起）、争当“三个好”（好市民、好职工、好成员）、志愿者服务、做文明市民、窗口服务行业承诺服务以及小学生“小手牵大手，共走文明路”等活动。

社区广泛开展多种形式的创建活动，如加快建设市民学校、社区服务中心、图书阅览室、文艺宣传队、志愿者服务队、全民健身场、高标准宣传橱窗以及推进科教、文体、法律、卫生“四进社区”等活动。岳麓区望月湖街道办事处10个社区的近900名党员开展“六个一”活动，即每个党员负责一个楼门的文明建设、一个楼道的卫生、带好一个团员、负责一片绿地养护、帮助一户困难户、帮教一名失足者。近年来，全街道10个社区党员主动扶助社区特困居民85人，帮助安置下岗职工385名。

三、解民之难

长沙市开展城市文明创建活动，注重从群众关心的热点、难点入手。

针对城区“脏乱差”问题，市投资300多亿元用于基础设施建设，初步建成“六桥三环”的城市格局，城区新增绿地200万平方米，绿化率达到26%。两年来，拆除违章建筑250多万平方米，完成棚户区改造100万平方米，拆除户外广告牌650块，促使3000多家餐饮店改用清洁燃料。对全市道路实行保洁清扫，使垃圾清运率达到100%，取缔马路摊点8.3万多处，在主次干道基本实现了行商归市、坐商归屋、摊点归内。

（摘自2002年5月26日《人民日报》）

湖 南 省 株 洲 市

以“四进市场”促个体私营经济组织文明创建

湖南株洲市从芦淞区商贸市场多，个体、私营经济发展迅速的实际出发，在该区开展“四进市场”活动，有效地促进了精神文明创建工作在个体私营经济组织中广泛开展。

一、党建工作进市场

按照“经济建设推进到哪里，党的建设就延伸到哪里”的工作思路，株洲市芦淞区1995年率先成立全国首家个体私营经济工委，建立了26个市场党支部，为800多名个体工商户中的中共党员接转了组织关系，举办了7期入党积极分子培训班，在个体工商户中发展了233名新党员，并在非公有制经济中实施“先锋工程”，在市场中实行党员挂牌经营制度，自觉接受群众的监督，发挥党员的先锋模范作用。同时还成立了28个市场工会，负责抓市场的两个文明建设，履行对个体私营经济的管理、协调和服务职能，为个体劳动者排忧解难。每次基层换届选举时，都专门设有个体劳动者选区和席位。几年来，先后有100名个体户当选为各级人大代表、政协委员、妇代会代表和团代会代表，提高了个体工商户的政治地位。

二、政府服务进市场

成立市场服务中心，做好新建市场的指导协调工作，兴建个体户住宅区，创办个体劳动者子弟学校、幼儿园等。同时在市场设立公安派出所、警务区，成立保卫科、治保会、消防监督队等，形成专业联防队伍和个体工商户自愿参加的群防群治市场治安网络，使市场各类案件发生率逐年下降，营造了良好的安居乐业环境。

三、宣传教育进市场

一是实施“先导工程”，开展“理论学习入柜台”活动，重点组织个体工商户学习毛泽东的《愚公移山》、《纪念白求恩》、《为人民服务》，学习邓小平的《建设有中国特色的社会主义》、《社会主义必须摆脱贫困》、《南方谈话》等著作，教育广大个体工商户富而思进。二是实施法制教育“老板工程”，为每位个私企业和工商户业主发放普法资料，并在市场有线广播中每天播出15分钟的法制园地节目，对广大业主进行明礼诚信、守法经营的教育。利用晚上时间广泛组织个体工商户进行普法轮训，使全市近万名个体工商户通过了普法考试。

四、创建活动进市场

全市每年精神文明建设“五创一争”活动总结评比，以及双文明建设先进的命名表彰都把个体私营企业和工商户业主纳入范围。芦淞区还在全区范围内组织开展了“五星个体经营户”和“五星私营企业”评选活动，对评选出的先进个人和先进单位进行授牌奖励。

（湖南省文明办）

湖南省交通征稽系统

完善管理 促进两个文明建设

湖南省交通征稽系统以“服务人民、奉献社会”为宗旨，紧紧围绕征费中心，完善管理，从严治队，从严治费，深入开展创建文明行业活动，促进了交通征稽系统两个文明建设的协调发展。2002年全省交通规费征稽系统被省委省政府授予全省文明建设先进行业（系统）的光荣称号。

加强执法管理。省交通规费征稽系统积极配合参与交通征稽的立法工作，配合协助省人大、省政府先后制定颁布了《湖南省交通规费征收管理条例》、《湖南省公路养路费征收管理条例》、《湖南省公路养路费征收管理办法》、《湖南省人民政府关于加强公路养路费等交通规费征稽工作的通知》等一系列法规、规章和规范性文件。在此基础上，建立和完善交通征稽执法制度、执法程序和监督机制与措施，各级层层签订行政执法责任状，确保征稽工作有法可依、有章可循。广大征稽人员自觉依法行政、依法征稽，坚持“只认事，不认人；只认车，不认车属单位；只认政策，不认关系”，做到“对官对民一个样，对上对下一个样，对内对外一个样，生人熟人一个样，亲与非亲一样”，秉公执法，照章征费，取信于民。

优化服务管理。省交通规费征稽系统坚持以优质服务促管理，以科学管理促服务，着力拓展服务范围，努力实践服务人民、奉献社会的宗旨。推行首问责任和过错责任追究制度，保障车主能及时办理缴费手续；广泛开展“假如我是车主”的换位思考大讨论，千方百计为车主提供便利，全方位为车主提供货源信息服务、垫资服务、车辆维修服务、意外伤害服务等等。科学调整作息时间，规定每月25日至次月3日为征稽部门的连续工作日，所有征费“窗口”都须有人值班，确保车主在节假日和休息时间也能及时缴费，减少车主奔波劳顿之苦。着力改善征费“窗口”服务环境和执法人员服务态度，在各征费窗口增配计算机对外显示器，使车主能够明明白白缴费。

夯实基础管理。针对车辆流动性大、转籍、过户频繁，征稽工作点多、线长、面广的特点，加强费源管理，对在籍车辆进行清理分类，车辆档案资料同时录入手工台账和微机数据库，“双档”管理。加大科技投入，先后配置、更新计算机设施700余套，研制、开发和全面推广运用计算机征费，所有交通规费均实现计算机征管。在此基础上，严格按照交通部、国家计委《征费车辆计量手册》规定，核准车辆征费吨、座数，确保征收公正公平。采用便携式计算机有针对性地加强对逃欠费车辆的催缴稽查力度，确保应免不征，应征不漏。严格“收支两条线”管理制度，与银行签订协议，各项规费收入只能垂直上缴，不准横向列支；各地征费微机数据盘和规费收入票据按月上报省局集中审核，确保规费收入及时足额上缴省财政专户，从源头上对征收政策的执行进行了有效监控。

细化目标管理。全省交通规费征收实行“全年计划、按月考核、收用挂钩、奖罚兑现”的目标责任管理考核办法，明确工作指标、职责权限和利益分配，单位及职工的责、权、利紧密挂钩，完成月征收计划的单位，拨付人员经费和工资；超月计划的给予奖励；未完成月计划的，扣拨经费10%，征稽人员只发400元基本生活费。奖优罚劣，奖罚兑现，切实增强了各征稽单位和每个职工的风险意识、竞争意识和工作责任心，确保了征收任务的超额完成。

（湖南省文明办）

湖南长沙交通学院

推进“三个代表”重要思想“三进”工作

为深化“三个代表”重要思想的教育，长沙交通学院按照教育部和省委高校工委、省教育厅的要求，从实际出发，坚持以课堂教学为主渠道，以第二课堂活动为补充，努力做好“三个代表”重要思想“三进”工作，取得了初步成效。

一、以课堂教学为主渠道，促进“三个代表”重要思想进课堂、进教材

抓紧培训，提高“两课”教师的教学水平。教育者先受教育。为让“两课”教师先走一步，潜心学习、认真研究、深刻领会“三个代表”重要思想，于2001年8月对“两课”教师进行了“三个代表”重要思想的学习培训。“两课”教师还积极开展科研活动，参加湖南省哲学、科学社会主义等学会组织的学术研讨会，提高自身对“三个代表”重要思想的理解，为教学做好准备。

深入调研，增强课堂教学的针对性。2001年秋季开学的第一周，在各系不同年级的学生中做对江泽民同志“七一”重要讲话和“三个代表”重要思想认知程度的抽样调查。通过调查，学校进一步认清了引导学生学习“三个代表”重要思想的紧迫性，了解到学生思想中的一些模糊认识和疑难问题，使教师心中有数，教学更加有的放矢。

集中备课，精心设计教学方案。各教研室集体备课，各门课程都制定了“三个代表”重要思想渗透的方案，从各自的特点出发贯彻“三个代表”重要思想，做到多门课程、不同角度、同时渗透、有机结合。

深化教学改革，提高教学效果。坚持教学方法改革，将单由教师讲授变为师生互动的教学，教师在课堂上提出某些热点问题，让学生在课堂上分组讨论；采用多媒体教学，利用有关音像资料，丰富教学内容，提高教学效果；改革考试方法，着重检查学生对“三个代表”重要思想的领会和掌握程度，如“形势与政策”课着重对学生的论文水平、演讲或辩论赛中的表现等进行评定，“马克思主义哲学原理”等课程要求学生用本课程中的某些理论和“三个代表”重要思想分析现实问题，其考分分别占总分的10%—20%。同时，开展“三进”教学竞赛活动，在学院督导组、系专家组和学生代表评估的基础上，举行“三进”教学观摩公开课。对优秀教师进行表彰奖励。召开“三进”教学工作座谈会，及时总结交流经验，推动“三进”工作的深入。

二、以第二课堂活动为补充，促进“三个代表”重要思想进学生头脑

学院采取抓骨干，抓社团，抓实践等措施，将课堂教学与课外活动有机结合起来。

层层举办培训班，训练骨干队伍。2001年9月初举办了有50多人参加的学生思想政治工作干部培训班。接着，对团总支、院系学生会、学生社团干部进行了学习“三个代表”重要思想的专题培训。10月初，院团委举办了第五期业余团校，对全院各班团支部书记进行了为期一个半月的学习培训，各系团总支也分别举办了学生骨干培训班。这些培训活动，为学生开展学习“三个代表”重要思想的第二课堂活动准备了骨干队伍。

组建学习研究会，带动面上的学习。院团委在全院学生中挑选了35名思想政治素质好和有一定理论研究能力的学生骨干，组成了院学生“三个代表”重要思想学习研究会。研究会每周学习一个晚上，院党委领导和组织部、宣传统战部的负责人给他们进行多场专题辅导。这批成员回到本系，在系团总支的具体指导下又带头组建了系级学生“三个代表”重要思想学习研究会。院系两级研究会开展了大量的学习、调研、竞赛、实践等活动。

重视实践环节，增强教育实效性。2001年11月中旬，院团委又组织院系两级学习研究会部分成员，到浏阳永安镇进行学习考察，请村干部介绍农村基层党员干部学习“三个代表”重要思想，提高对为人民服务宗旨的认识，转变工作作风，为群众办实事、做好事的情况。考察活动使研究会成员亲身感受到了“三个代表”重要思想的理论和实践意义，进一步提高了学习的自觉性。

组建社团临时团支部，为学习提供组织保证。院团委在全院24个社团中成立了临时团支部，以支部工作制度的形式，规定临时支部的主要职责为规范引导社团活动方向，弘扬校园文化主旋律，为“三个代表”重要思想进头脑提供了组织保证。

三、营造一个良好的学习氛围，确保“三个代表”重要思想“三进”工作深入持久地开展

抓好干部的学习，发挥干部的表率作用。院党委十分重视干部在学习“三个代表”重要思想上的带头作用，强调要做到“三个结合、三个推进”，即与思想理论教育相结合，积极推进“三个代表”重要思想进课堂、进教材、进学生头脑；与基层组织建设相结合，不断推进学院党的建设；与学院改革、发展、稳定工作相结合，努力推进学院建设上水平、上台阶。

借助现代媒体，营造浓厚的舆论氛围。充分利用宣传媒体，营造浓厚的学习氛围。院学生德育网站——阳光在线，在“理论园地”栏目中，刊登江泽民同志“七一”重要讲话全文，刊载有关专家、学者许多重要的学术论文；在“青年论坛”栏目中，发表学生学习体会280多篇；不少学生在网上就学习难点进行了交流。在院报开辟“学习访谈录”专栏，院领导积极支持，亲自参与，撰写和组织了十几篇学习体会文章；院广播电视台组织学习专访，制作了学习专题。宣传橱窗布置了专题图片展。

抓好独立开课试点，为深化“三进”探路。作为“三个代表”重要思想单独开课的试点单位，院里成立了以党委书记为组长、分管教学的副院长为副组长的“三个代表”重要思想试点工作领导小组，并由书记挂帅，挑选5名教授、副教授组成试点小组。同时，聘请中南大学、湖南大学等高校的“两课”教学部主任及专家组成顾问组。编写出了《“三个代表”思想概论》课教学大纲，确定了试点班级，制定了独立开课计划。“三个代表”重要思想“三进”是一项长期的任务，也体现党委对深化“三进”工作的重视和决心。

通过半年多的教育实践，学生对“三个代表”重要思想的认知程度明显提高。据对上学期期末5门课考试1500份卷子抽样调查，其中“三个代表”内容考得好和比较好的学生平均达86%。学生思想上的一些模糊认识得到了澄清。大多数学生认同了“三个代表”重要思想是中国化的马克思主义，是对马克思主义的重大理论创新。

（教育部社政司）

广东省汕头市

开展信用教育　建设信用社会

近年来，汕头市深入开展以“诚实守信铸文明”为主题的全民信用教育，有效地促进了信用体系建设，初步形成了诚信为本、操守为重的良好社会风尚。

一、抓策划，因势利导，以信用教育促进信用建设

汕头市集中力量整治和规范市场秩序和社会秩序，积极推动信用建设。针对一些干部群众对整治工作不理解，存在怨气和不服气的情况，宣传部门开展声势浩大的宣传发动。市委召开常委扩大会议，提出“重建信用，重塑形象”是新世纪汕头的生命工程，《汕头日报》连续刊发11篇评论员文章，摆事实、讲道路、查危害、挖根源，对各种不理解、不支持甚至阻碍信用建设的思想认识进行分析，努力为信用建设扫清思想障碍，奠定思想基础。

借助中央《公民道德建设实施纲要》颁布的有利契机，把信用教育的内容和要求落实到思想道德建设的各项工作中。围绕建设“信用汕头”，努力构建廉洁高效的政务环境、开放有序的市场环境、文明法治的社会环境、舒适优美的生活环境，并把信用教育的任务分解落实到各项精神文明建设活动中，使信用教育的目标更加明确，载体更加落实，措施更加具体，使信用教育在全社会展开。

抓住信用网正式开通的有利时机，引导全社会确立走正道发展经济的观念。2002年5月13日，汕头信用网正式开通运行，在全市特别是企业界引起强烈的思想震动，使诚实守信者扬眉吐气，信用缺失者备感压力，更多的企业因为信用建设进入了法制化、信息化、社会化管理的轨道而信心倍增。宣传部门集中力量开展信用宣传教育，引导企业增强信用意识和社会责任感，建立起“诚实守信、公平竞争、合法谋利、以人为本”的经济新伦理，保证信用体系建设顺利推进。

二、抓舆论，形成强势，营造信用教育的良好社会氛围

广泛开展社会大讨论，引导群众围绕信用缺失的问题剖根析源，寻找对策。以“整治市场秩序”、“整治社会秩序”和“重建信用，重塑形象，从我做起”为主题，举办三次“整治年论坛”；举办电视台“诚信就在我身边”、“信用就是财富”、“我就是汕头人”等为主题的系列信用论坛活动，报纸刊发“实话汕头”系列访谈和信用征文，广泛征集社情民意，积极开展理论探讨。通过讨论，人们的信用意识不断增强，效果十分明显。

积极宣传信用体系建设的重大成果，营造信用建设的浓烈氛围。对市委、市政府推进信用建设的一系列重大决策和取信于民的重大行动，对信用体系建设的进展和成效，对干部群众积极参与信用建设的实践活动，市委宣传部统筹协调各家新闻单位进行深度报道，使全市上下置身于信用建设的浓烈氛围之中，人人受到信用教育。积极争取海内外媒体的支持，形成宣传教育的立体效应。在省委宣传部的支持和指导下，汕头主动与省内外和海外各新闻媒体加强沟通联系，争取他们加强对汕头信用建设的宣传报道。

三、抓典型，双向结合，不断增强信用教育的说服力

既大力弘扬潮汕文化中诚信的传统典型，又积极宣传当前群众身边的现实典型。诚信立业是潮汕文化的重要内涵。历史上，许多潮人出洋谋生正是凭借吃苦耐劳和诚实守信的品质创下了一番大事业。现实生活中也有大量助人为乐、诚实守信的典型事例。汕头注意开发历史和现实的两种资源，以增大信用教育的力度。

既充分发挥正面典型的示范引导作用，又积极运用反面教材进行警示教育。通过召开全市先进民营企业表彰大会，对“雅倩”、“大印象”等86家守法经营、依法纳税、创立名牌的企业进行表彰，使企业经营者学有榜样、见贤思齐。

既对部分企业、部分地区的失信行为进行曝光，又实事求是地宣传他们在信用建设过程中的新变化。如因销售假药上信用网黑名单的大阳光药店在媒体上披露后，立即召开全体员工大会，严格药品的进仓、上架制度，并连续半个月在媒体上向消费者承诺不销售假药、劣药、过期药。结果，不仅没有出现一宗消费者索赔事件，而且因为企业敢于自揭家丑，亮出诚信招牌，失去的顾客回来了，在黑名单上销了号，销售量又重新回升。

四、抓载体，创新手段，增强信用教育的影响力

着力发动群众，扩大信用教育的参与度。如组织“信用宣言”万人签名活动，听取机关干部、医生、教师、工人、农民、离退休老同志等各方面意见，制定《汕头市市民信用公约》，做到公约大家定、大家守，真正成为群众的公约。

寓“教化”于“文化”，增强信用教育的感染力。组织诚信教育的专场小品晚会，到各地巡回演出。春节前夕组织开展道德春联进万家活动；开展诚信小故事的收集编创，出版诚信教育通俗读物；开展“情系弱势群体献爱心”活动，举办“春风化雨，情系人民”慈善晚会，募得社会资金2700多万元，“教化”与“文化”有机结合取得了明显实效。

开发网络资源，拓展信用教育的空间。充分发挥网络媒体互动性、实时性的优势，更快捷、更广泛地开展网上信用教育，并在全省率先开通理论宣传网站——“鮀岛新坛论”，刊载信用理论学习文章，推出信用建设专题讨论，开展网上信用调查，大大拓展了信用教育的空间。

五、抓基层，延伸辐射，不断扩大全民信用教育的覆盖面

在城镇乡村以“创建文明区县（市）”的主题活动促进干部群众信用道德水平提高。潮阳市围绕打造“信用潮阳”，通过有线电视、座谈会、学习讨论等形式对公务员、企业主和广大群众进行宣传教育；编印《潮阳市公共道德规范知识读本》，发送到农村；举办“讲法诚信”系列知识讲座；组织“诚实守信”演讲比赛等，使诚信观念深入人心。澄海市狠抓“信用村”的建设，让广大农民群众在经营活动中尝到“诚实守信”的甜头。龙湖区通过开展群众评党员、企业评机关、百姓评官员的“三评”活动，增强领导干部的信用观念。

在机关行业以“创建最佳文明示范窗口”竞赛活动促进诚实守信职业规范的形成。各机关行业、经济管理部门、工商企业界和中介机构纷纷把诚信列为创建活动的重要内容，郑重向社会作出诚实守信的承诺，制定规范，实行信用承诺制度。全市已有44个市级机关、窗口单位重新修订职业道德规范、服务标准，初步树立了信用形象。

在社区家庭以“公约进万家”活动促进文明守信生活环境的形成。《汕头市市民信用公约》正式颁布后，及时加大对社区居民和家庭的信用道德教育力度，各街道、村镇、社区在公共场所广泛张贴“信用公约”，同时开展科教、文体、法律、卫生“四进社区”、“美德在我家”等活动，教育社区居民诚实守信从我做起，从小事做起，自觉遵守“信用公约”，使社区生活环境中洋溢着人人讲信用的气氛。

（广东省文明办）

广东省阳江市

真抓实干　创建文明城市

阳江市加强对精神文明建设工作的领导，自加压力，制定切实可行的措施，加大创建工作的力度，促进了市民素质和城市整体文明水平的提高。2002年，被授予省卫生城市称号。

一、加强领导，完善机制

成立创建领导机构。阳江市成立了创建广东省文明城市指挥部和创建广东省卫生城市领导小组。

调查摸底，掌握情况。市文明办组织有关单位有关人员开展城市基本情况的调查，摸清城市建设、管理、市民素质、职业道德、文化设施等方面的基本情况。把调查结果与广东省文明城市考核细则进行逐项对照，自行打分，分清难点和重点，找出薄弱环节，为制定切实可行的创建方案提供依据。

确定创建思路，制定创建方案。确定以为群众办好事、办实事为落脚点，以解决群众反映的热点、难点为突破口，力求实效，力戒空谈的创建思路，并根据《广东省文明城市评选考核细则》，印制了阳江市《创建广东省文明城市的实施方案和创建任务分解表》，对创建任务细化、量化到相关单位和责任人。召开了全市创建文明城市、卫生城市签订责任书大会。

坚持领导挂钩办点，创建活动扎实开展。继续实行市领导成员和市直部门挂钩创建东风路、漠江路、石湾路等10条文明路、文明小区、文明社区和整治城市卫生死角的制度，做到每位市领导都有自己创建文明活动的联系点。对市区24个需要清理整治的卫生死角明确责任单位，把市直单位分成7个组，分别挂点到街道办事处，参加各办事处的创建工作。同时，把市区卫生死角、臭水沟（塘）整治的有关内容、要求、责任单位及进展情况等在《阳江日报》公布，接受群众督促，保证创建卫生城市工作顺利展开。

二、广泛宣传动员，开展丰富多彩的创建活动

广泛宣传创建省文明城市、卫生城市的目的意义，推广典型。市创建办公室，编印创建文明城市的《创建简报》和创建省卫生城市的《创建动态》，及时传递上级有关的方针政策和领导指示、创建工作的部署以及各单位创建活动的经验和做法。广播、电视、报纸等新闻媒介进行跟踪报道，同时在一些重要街区设置一批创建内容的大型电脑喷画广告，营造良好的舆论氛围。

全市组织开展“万人治脏”、“爱心之旅”、“家庭美德进万家”、“创建省文明城市、卫生城市”大家谈、“读万卷书，做文明人”、“景湖杯”文明市民形象大赛，阳江市旅游使者大赛、军民共建卫生城市、创建全国“双拥”模范城等多项群众性活动。积极开展科技、卫生、文体、法律四进社区和创建绿色社区活动。

三、贯彻《公民道德建设实施纲要》，提高市民的思想道德和文明素质

大力宣传实践《纲要》。制定《在全市积极贯彻落实〈公民道德建设实施纲要〉的工作方案》，搞好7、8、9三个月为全市公民道德建设月。深化社会公德、职业道德、家庭美德、学生品德的教育。市委宣传部、市文明办编印了《阳江市公民道德建设宣传手册》，发至全市城乡家庭学习。制作一批以公民道德规范和“三德”建设为内容的户外宣传公益广告，制定《阳江市民守则》等乡规民约，用明信片的形式在22万多名青少年中宣传《阳江市民守则》，效果良好。

实施“五认工程”，即：认养公共绿地；认助农村困难学龄儿童；认帮穷“亲戚”；认建10条文明路；认知公民道德规范。“五认工程”推动了社会公德教育的深化。

四、加强硬件建设，打牢基础设施

狠抓文明路、市政设施、文明小区等重点项目建设，努力提高城市品位，不断增加城市的亮点和兴奋点。建成市体育馆、太傅风貌街、新华北路商业步行街、鸳鸯湖广场、中国刀具城以及新江路、石湾路、西平路，完成中心广场城雕建设和风筝场美化、亮化改造工程等。认真按照《城市规划法》，进一步完善构建现代化海滨旅游城市基本构架的规划，坚持每年为市民办成12件好事实事，逐步使城市建设布局合理、设施配套、功能齐全、环境优美，体现海滨旅游城市的风格。投入1亿多元建设新的市公共图书馆、科技馆、博物馆和群众艺术馆，开设阳江文化名人展馆和刀剪、风筝、漆艺展馆，弘扬先进文化。

（广东省文明办）

广东省东莞市长安镇

推进“四大”转变　建设文明城镇

东莞市长安镇改革开放以来，以“四大转变”推进现代文明中心城镇的建设，实现了城乡一体化的变革与两个文明的协调发展。先后获得全国先进基层党组织、全国人民满意的公务员集体、国家卫生镇、全国村镇建设先进镇、全国精神文明创建活动示范点等33项国家级荣誉。

一、推进农业为主向工业为主转变

大力发展外向型工业，全镇拥有外资企业1640多家，利用外资总额达到16.83亿美元。1998和2001年，连续两次被评为“全国乡镇企业出口创汇十强乡镇（第一名）”。坚持镇、村、组、民营“四个轮子”同转机制，促进经济的全面发展。

二、推进农村向城市转变

高起点规划。1998年完成了《长安镇总体规划》，实行“审批一支笔”制度，坚持“无论领导换几届，规划不随领导改”，保证规划的实施。高标准建设了一批样板工程。先后修建了200多公里高等级水泥公路，1座22万伏变电站、3座11万伏变电站，7家三星级以上酒店，5家医疗设施齐备先进的医院，7家高档影剧院以及大型文化广场、文化中心、体育中心等一批文化体育设施。

高效能管理。建立健全了环卫、水管、电管、市场管理、城监分队等专业城镇管理队伍，制定了规范的管理规定，大力整治脏乱差，全面推进镇容村貌的绿化、美化、净化。全镇林业用地绿化率达到97%，地面绿化覆盖率达到39.7%，道路绿化率达到100%，被评为首届全国造林绿化百佳乡（镇）和广东省创建生态示范镇先进单位。

三、推进农民向市民转变

以提高人的综合素质为目标，促进农民向现代市民转变。提高干部队伍的整体素质。定期举办党员、干部培训班，开办各类讲座；鼓励在职干部通过各种渠道就读大专、本科和研究生班；对外资企业中方厂长（经理）进行岗位培训。努力建设教育强镇，投入巨资高标准建设了3所中学、13所小学、10所幼儿园，普及义务教育；开展成人教育，举办农村大专班，镇成人教育中心每年培训人数达3000多人。长年开展“文明村”、“文明户”、“文明单位”、“安全文明小区”、“无毒社区”、“员工满意企业”等创建活动，全镇有10个村、组被评为东莞市文明村标兵或东莞市文明村。镇党委每年突出一个主题，推动精神文明建设，先后开展“为外来员工营造温暖的第二故乡”、“共建和睦社会”、“现代人、现代生活、现代城市”等主题活动。以群众文体协会为龙头组织开展各类活动。

四、推进村组向社区转变

建立群众社会福利保障体系，全面完成农民养老保险制度的建立，村民参加养老保险个人出资部分，全部由集体支付。推进村、组社区化硬件设施的建设。各村都兴建了一批有社区特色的商业网点和文化设施，如农贸综合市场、大型超级市场、小学和幼儿园、医院或卫生站、老人活动中心或村民文化活动中心，休闲场所及体育设施等。健全村、组社区化专业服务队伍。建立治安队、环卫队、绿化队、出租屋协管员队伍等各类专业管理和服务队伍；建立14个警务责任区和64个治安联防责任区；各村设立外来员工投诉站，专职调解辖区内的社会矛盾。加强村、组社区文化建设。各村都有固定支出用于村组文化建设，多数村成立了醒狮队，有的村还成立了妇女文娱会和女子舞龙队。

（广东省文明办）

广州铁路（集团）公司

开展“三新”教育　创建文明行业

为了全面提升铁路站车文明服务水准，努力增强企业市场竞争实力，广州铁路（集团）公司从2001年起，开展了为期3年的以“树立新理念、提供新服务、塑造新形象”为主题内容的全员

“三新”教育，取得了阶段性成效。

一、周密部署，增强“三新”教育针对性和时效性

坚持把“三新”教育作为创建文明行业的重要工作来抓。2001年年初，组织有关人员调查了23个窗口单位3000名员工和1万名旅客货主，比较全面把握员工思想与业务状况、客货服务中存在的问题及市场需求，增强了“三新”教育的针对性。下发了《关于在全集团开展“三新”教育的实施意见》，明确了指导思想、主要内容、教育对象，详细制定了教育步骤、阶段目标和具体要求。从集团到总公司和站段单位都成立相应的领导小组和教育机构，做到专人负责，层层把关。对培训方案、教材内容、阶段目标、学习效果、课堂纪律、出勤率以及作业与考试等方面都进行严格考核，并把“三新”教育作为班子建设和评选先进的重要条件。

二、精心组织，积极将“三新”教育向纵深方向推进

按照代表性、指导性和客货兼顾的原则，选择羊城总公司、广州站、衡阳站T1/2、T15/16次列车等16个单位为试点，加强对试点单位的指导，促进“三新”教育扎实开展。突出抓好骨干培训，集中力量抓好全员轮训，做到窗口单位员工受教育20课时以上，非窗口单位员工受教育10课时以上，受教育率为100%。多次召开“三新”教育工作推进会、现场经验交流会、专题座谈会，总结成绩，交流经验，分析问题，部署整改措施。成立两级督促指导组，加大推进工作力度。利用会议推介、工作简报、局域网和对外宣传等形式，广泛宣传各类典型事迹和先进经验，以点促面。

三、注重实效，及时把教育成果转化为企业生产力

开展以“争创服务明星、争创文明标杆”为主题的创建文明行业活动，细化教育内涵。各单位围绕这一主题开展一系列群众性争先进、做明星、创佳绩、比贡献的大竞赛，涌现出一批文明示范“窗口”和服务明星。广东铁青旅等3个单位被推报为“全国创建文明行业先进单位”，海南总公司、张家界车站等单位被评选为省级文明先进单位。开展贯穿全年的“广铁春风伴你行”活动，转化教育成果。根据不同阶段重点工作要求，开展打击炒票行动，维护旅客合法权益；开展“青年志愿者行动”，“文化、科技、卫生、服务到车厢”，提供便民服务；开展“形象大设计”，修订岗位标准，设计员工与企业形象，规范职业行为；开展“告别职业陋习”活动，引导员工消除不文明行为，养成良好职业习惯，展示行业新风；开展“客运服务质量年”活动，全面实践“三个代表”重要思想。公布“广铁职业道德规范”、“八项服务承诺”和旅客货主投诉方式，实行首诉、首接、首问责任制；发放服务质量监督卡、旅客乘车回音卡和征求旅客货主意见书，把握旅客货主需求动态；大力整改客货服务中存在的突出问题，提供让旅客货主满意的优质服务。

两年来，“三新”教育实现了变“管理旅客”为“服务旅客”、变“被动服务”为“主动服务”、变“用力服务”为“用心服务”、变“常规服务”为“多元服务”。树立了适应市场经济发展要求和体现社会文明进步规律的新理念，体现一种尊重人、理解人、关爱人的“以人为本、诚信经营、优质服务”的现代服务理念。提供了满足旅客货主多元化、个性化、优质化需求的新服务，推出了“五字心态服务”、“零距离贴身服务”、“六字少数民族服务”、“售票多元化服务”以及“快乐之旅”、“列车超市、文化套餐、出租书屋”等系列优质服务。展示了一个开拓进取、勇于创新、追求卓越的现代企业的良好形象。

（广东省文明办）

广东省邮政局

创建文明行业　塑造邮政新形象

广东省邮政局党组贯彻“两手抓、两手都要硬”的方针，坚持以发展为第一要务，以创建文明行业为目标，实施观念、经营、管理、科技创新，使两个文明建设都取得了可喜成绩。

一、培养全员服务意识

把对服务的认识提升到企业核心产品的战略高度，使企业围绕客户需求创新服务，实现服务工作从要我服务向我要服务转变，从刚性服务向柔性服务转变，从前台服务向全员服务转变，从标准服务向超值服务转变。开展职业道德教育，倡导爱岗敬业的精神，先后开展“树邮政形象、创优质服务”、争创邮政服务“双十佳、双百优”、争当“优秀青年乡邮员”等活动，增强员工提升服务质量的责任感、自豪感、使命感；以“热情贴心、诚信守法、方便快捷、规范准确、安全可靠”5句话要求规范员工服务行为，对社会和用户实行公开承诺，以赢得客户。重视提升邮政服务的社会效益，把代发养老金工作和“村村通邮”当作政府“民心工程”狠抓落实，有效地促进企业社会效益和经济效益的提高。

二、丰富邮政服务内涵

应用现代信息电子技术，不仅开发多个业务应用平台，推出连锁经营、物流配送、电话银行、虚拟通信、电子商务等8类新业务，还大力改造、提升传统邮政的服务方式，使邮政拥有固定网点服务、互联网络服务、电话语音服务、预约上门服务、流动邮车服务等多种服务手段。抓好固定营业网点建设。对所有传统手工操作的营业环节进行计算机化改造，实行“一台清”操作，建成了2600个电子化支局，新增局、所600多处，2002年投入近2亿元，整治860多个营业局、所，统一局、所和邮政用品用具的邮政标识，规范一线营业员工的服务用语和服务标准，增加邮政服务的科技含量。建设广东邮政网站作为广东邮政网上服务窗口，受理网上汇款、网上订报、网上集邮、网上绿卡等邮政业务，还提供飞机票、演唱会门票、火车票、鲜花礼品、旅游、订房、保险、特色商品销售、网上缴费等各类电子商务服务。建设覆盖全省22个地市的185个客户服务中心作为广东邮政的电话语音服务窗口，将邮政服务延伸到家门口和办公室门口。整合邮政联系千家万户的投递资源，统一以YCC为服务品牌，为客户提供上门预约服务。

设立专门的大客户服务中心，建立大客户用邮档案，推进邮政大客户由单一的业务客户向综合业务客户的转变。以商业函件、速递、物流配送、集邮四大业务为重点，在“优先、优质、优价”的原则下，根据客户需求，为其提供全方位、多形式、一站式服务。

三、提升后台支撑水平

以现代电子信息技术整合邮政信息传递、物品运送、资金流通的“三网”资源，不断提升后台对前台服务的基础支撑能力。逐步完善了邮区中心局体制，形成以广州一级中心局为中心、11个二三级中心局为节点，以“一纵三横三环”干线邮路为动脉、珠三角快速邮路为补充的邮政生产运输体系。新建广州、深圳、珠海等地的海关快件监管中心，发挥邮政第三方物流的功能优势；通过固定组网、临时组网、动态组网等多种方式，构筑物流运输平台；以广州、深圳为枢纽，打造物流的仓储平台；以省电子商务示范工程——“物流动态管理与调配系统”为依托，实现商品、物资、运能、仓储的网上信息发布，构筑公用物流撮合平台，依托省、市两级账务中心以及广东银联通知全国绿卡网，建设物流支付清分结算平台。建成覆盖全省的邮政通信骨干网，开通8000门电话交换局、2.5G光传输网，以及覆盖全省22个地市局的电视电话系统，建立广州、深圳、珠海等11个信息中心，开通速递、报刊、集邮、机要、电子汇兑、物流管理、“一台清”等7个业务应用子系统。金融网建成省际间绿卡网清算中心主机，在全省重点城市配置12套城市中心主机，在99个市县配置了125套前置机等设备。三网基础能力的提高，使邮件准时率达到95%，支撑了为戴尔、联想、TCL、海尔、美的等100多家企业量身订做的物流服务；邮政金融网实现了支付、结算、汇兑的电子化，与中国银联通、中国邮政绿卡网等联网，实现了“通信、通商、通兑”三通目标，方便了客户持卡消费。

（广东省文明办）

广 东 省 旅 游 局

乘“创优”东风　推进行业文明建设

广东省旅游局以开展创建中国优秀旅游城市活动为载体，推动旅游行业的精神文明建设，取得了明显效果。

一、坚持以“创优”为载体，以政府为主导，开创精神文明建设的新路子

把争创“中国优秀旅游城市”和创建文明城市、文明行业有机结合起来，形成了以政府为主导的旅游工作机制，推动城市综合软硬件建设和职业道德建设取得了可喜成绩。

提高旅游行业的产业地位和素质，促进精神文明建设的发展。政府加大了对旅游业的统一领导和管理的力度。绝大多数旅游局从事业编制改为行政编制，深圳市在取消贸发局后新成立了旅游局。各市旅游局加大了狠抓旅游行业精神文明建设的力度，认真结合本地实际，有计划、有步骤、有措施地开展了“树行业新风，创优质服务”等一系列活动。各旅游企业普遍开展了“三爱一德”教育（爱祖国、爱城市、爱旅游，讲职业道德）和“三优一满意”活动（优美环境、优良秩序、优质服务，游客满意），员工职业道德和业务素质得到了提高。

抓好岗位培训，把职业道德教育作为员工入职的重要考核条件。加大旅游质监所的建设，建立了咨询和投诉电话网络，开展便民服务，改善了服务质量。争取宣传等相关部门的支持，开辟旅游宣传专栏，制作旅游公益宣传广告，营造良好的旅游意识和舆论氛围。

二、坚持以“创优”为基础，从服务质量入手，加强道德风尚建设，树立精神文明新形象

坚持“以人为本”，按照“巩固、发展、创新、拓展、求实”的工作思路，突出重点，全面拓展，使全省旅游行业精神文明建设跨上了新台阶。

适应建立社会主义市场经济秩序的要求，树立诚信经营典型。广东旅游局结合旅游市场整顿工作，对旅游经营单位广泛开展“诚信为本，信誉第一”的宣传教育。一方面对不守诚信、掺假使杂等恶劣行为公开曝光，净化旅游市场；另一方面对好人好事进行表彰，树立典型，广泛宣传。韶关市民营企业东明商贸有限公司金沙商场在旅游管理部门和团委指导下做到信守诺言，合法经营，热情为群众和游客服务，深受赞誉。旅游局及时总结经验，推荐该商场成为全国青年文明号先进集体，取得了很好的示范作用。在全省旅游饭店、旅行社、旅游景区中推出了一批创建文明行业示范点和文明窗口单位，形成了多层次的示范网络，使创建文明行业工作向纵深推进。

在“创优”过程中，紧紧抓住群众满意不满意，是否为群众办实事、办好事作为“创优”的落脚点和衡量创建成效的标准，坚持全方位、全范围、全社会开展“创优”，调动了人民群众参与的积极性。

三、坚持以“创优”为动力，提高员工素质

《公民道德建设实施纲要》的宣传深入人心，“爱国守法、明礼诚信、团结友善、勤俭自强、敬业奉献”的道德风尚教育生动活泼，员工的公民道德觉悟有了较大提高。

以人为本，推进职业道德、优质规范服务建设，努力促进全行业两个文明建设的协调发展。坚持对导游人员开展职业道德教育培训，明确要求导游人员在讲解中自觉传播科学思想、科学文化和精神文明，自觉抵制愚昧迷信和“法轮功”等邪教活动，倡导文明新风尚。经评选和推荐，树立了一批全国文明导游员和广东省文明导游员典型，在省导游队伍中产生了深远影响。

（广东省文明办）

广西壮族自治区桂林市

狠抓“厕所革命” 清洁如画山水

以山水风光闻名天下的桂林，增添了一个热门话题——“厕所革命”。

一、市长发令：我们要来一场“厕所革命”！

游客如厕在桂林，曾是一个难堪甚至痛苦的事情。桂林景区原先只有61座公厕，基本合格的23座，数量少、位置偏，游人如厕极为不便。

到过桂林的游客，这样描述如厕的情景：到桂林游玩，得为上厕所预备好雨伞和扇子两件物品，雨伞用于如厕时室内漏雨遮雨或厕所无门遮羞，扇子用于驱赶蚊蝇，驱散臭气。

厕所事小，却成门面之羞！市民对此则以“小处随便”来应对。

市领导早专门召开了厕所建设管理工作会议。会议作出了关于要来一场“厕所革命”的决定。会后，成立了“桂林市厕所建设管理工作领导小组”，市长任组长，宣传部长和副市长任副组长，24名各部门和各城区主要负责人为成员。工作目标是：当年国庆前建成并免费开放500个高档次公厕，决不把厕所的臭名声带入21世纪！

二、市场运作：以新观念新思路赢得“破难为易”新效果

众多的公厕如何尽快建起来？建起来后如何管得好并确保用得好？传统的办法是，政府出资修建，政府财政养起来。事实表明，这条老办法已走不下去了，出路只有改革。几经调查、分析、研讨，桂林出台了16字指导方针：“市府指导，城区主导，部门配合，市场运作。”在市政府统一部署下，根据规划，将任务落实到各城区去，建设管理面向市场，各城区各显其能。这里的“能”，主要表现在政府几乎“一毛不拔”，就可以建成公厕和管好公厕，而且是长效的星级公厕。

象山区的成功运作很有代表性。象山区首期要新建、改建和开放内部厕所108个。厕所的建设和管理，采用“商厕结合、以商养厕”的办法，即一层为商，二层为厕；可以是一商养一厕，也可以是一商养多厕；可以商、厕同地，也可以商、厕异地。通过公开招标择优选取业主，建厕投资和商铺收入都属业主，业主享有50年的经营权利和管理责任，自负盈亏。城区对管理状况定期检查，不合格者，酌扣1—2年经营权；改正而优秀者，酌补1—2年经营权。扣补相冲，总的经营年限不超过50年。象山区就是靠着这样的市场经济新思路，使看似不可能的事情办成了。其他城区和旅游县也用类似的办法完成了“厕所革命”任务。

三、桂林的厕所变革，引发推进“厕所革命”的桂林宣言

桂林的公厕，外观造型很精美而富有个性，绝无雷同；厕内臭味全无，飘荡其间的是优美的轻音乐；男式便池是感应式自动冲水装置，大便冲水是脚踏式；墙上有艺术挂图，也有幽默词句；入口处有整容化妆镜和洗手盆。管理人员笑容可掬，不停地拖扫，厕所内外，一尘不染；部分公厕设有残疾人专用厕位。翻看墙上的意见簿，竟是清一色的赞美语——中外游客纷纷抒发由衷感叹。一次市长率队检查，竟在一个公厕内开了40多分钟的总结会。

桂林的“厕所革命”，还引发了一个高层次会议：国家旅游局前不久在桂林召开了“新世纪旅游厕所建设与管理研讨会”，会上产生了关于旅游厕所建设与管理的《桂林共识》，成为中国第一份关于推进“厕所革命”的共同宣言！

“厕所革命”在桂林，并未画上休止符。“厕所革命”的第三期建设即将开始，这场“革命”还将扩大到市属12个县的广大农村。

（摘自2002年4月22日《人民日报》）

广西壮族自治区柳州市

突出重点　狠抓实效　提升文明城市创建水平

柳州市围绕提高公民文明素质和城市文明程度的目标，全方位开展文明城市创建活动，取得了明显成效。2002年10月，柳州市首次荣获全国创建文明城市工作先进城市称号。

一、以经济建设为中心，在创建活动中坚持物质文明与精神文明建设相结合

抓好科学理论学习，理清发展思路。市委领导班子加强学习，深入调研，2002年确立了“企业改制与技改、城市建设与管理、建设桂中新商埠、农民增收、创建全国文明城”5个主攻方向。

培育企业文化，加快工业化进程。柳州市作为广西工业重镇和全国6个企业文化试点城市之一，在培育企业文化建设，加快工业化进程中，加大国有企业改革力度，加强工业结构调整，使30家企业实现多种形式的改制，企业资本结构进一步优化，企业产品创新能力明显增强，信息化带动工业化进程加快，第三次被评为全国科技进步先进城市，进入全国制造业信息化工程重点城市行列。

提升城市管理水平，推进城市化进程。将2002年定为柳州市“城市建设与管理年”，投资25亿多元，按照“高起点规划、高强度投入、高标准建设、高效能管理”的原则，进行规模空前的城市建设，完善城市功能，加强城市环境综合整治，提升城市管理水平，打造“创业在柳州、发展在柳州、安居在柳州”的城市品牌。

坚持文化工作创新，发挥柳州文化资源优势。积极探索文化产业化道路，不断挖掘民族历史文化资源，把自身文化资源优势变为经济发展的重要增长点。充分发挥柳州特有的奇石文化和文艺品牌的作用，举办柳州市第二届国际奇石节、首届广西企业文化节、广西戏剧优秀剧目展演等大型文化活动，寻求国内外商机，取得社会效益和经济效益双丰收。

二、以道德建设年为契机，把创建活动与加强作风建设、道德建设相结合

以会议制度改革为突破口，树立良好的党风和政风。形成了会议审批制、限人限时制、无会日制以及“网上开会”、“报上开会”等一套会议新制度、新形式，使全市性会议的数量比改革前减少2/3。

以行政审批制度改革为切入点，提高办事效率，改善投资软环境。把41个有审批事项的部门集中行政审批办证大厅统一办公，使审批规范运作，公开透明，便捷高效，效率比以前提高2—3倍。在行政审批系统中推行ISO9000标准，从技术上保障依法行政，实现政府行为与国际接轨。在市内设立5处公共场所触摸屏查询系统，市民通过触摸屏系统可查阅4300多份从中央到地方的各种非保密文件。

建立人大代表和政协委员“绿色通道”、全市经济和社会发展重大决策咨询委员会“绿色通道”、机关作风与行风建设热线“绿色通道”，畅通干部和群众的言路，加强对党委和政府的监督。

三、以建设安全、稳定、有序的社会为目标，把创建活动与搞好社会治安综合治理相结合

柳州市率先在广西构建“打防控”一体化社会治安综合治理新机制，基本形成了覆盖全市的多层次、全方位的治安防范网络，增强对社会治安的整体防控能力。全市刑事案件和重特大案件总量持续下降，社会治安稳定，2002年被自治区评为“全区社会治安优秀地市”。

建立以群防群治为先导的治安工作社会化长效机制。在全市142个社区设立社区警务室和法律服务站，推广责任区民警和治保、调解、流动人口协管员、律师“五位一体”的社区警务室模式，完善治安工作社会化长效机制。设立见义勇为基金会，有基金200多万元，用于奖励先进典型。

建立以发展保安服务业为核心的治安工作市场化长效机制。做大做强保安服务业，规范保安行业管理，保安服务纳入法制化、规范化管理轨道。在全市重点单位约2500个要害部位安装电子技防设备。建成全市道路交通监控系统和GPS卫星定位移动目标联网报警系统。

建立以警务建设为中心的治安工作专业化长效机制。大力推行“打防新机制”，构建点、线、面结合的警务防控责任网络。将市区6个交通要道全部设置交巡刑三警执勤的治安哨卡；将30个110备勤点摆上路面，把110警车开上街头和治安复杂地段，变静态备勤为动态执勤；进一步完善了110报警服务台社会联动机制。

建立综治工作法制化机制。建立以市、县区调处、信访、司法和乡镇、村（居）委会为责任单位的三级调处网络，形成民政、工商、劳动、公安部门联动的治安帮教体系，全市刑满解教人员重新犯罪率始终控制在3%以内。

四、以培育“四有”新人为根本，把创建活动与提高市民综合素质相结合

加强理想信念教育。深入学习贯彻《公民道德建设实施纲要》，组织开展公民道德知识竞赛、演讲比赛、征文比赛、文明单位文艺汇演、道德建设理论研讨等教育活动，组织广大干部群众积极参加“希望工程”、“送温暖”、“志愿者”、“手拉手”、“幸福工程”、“春蕾计划”、“扶贫助困”等公民道德实践活动。

大力发展和繁荣先进文化。13部优秀作品获得国家或省部级奖励，其中电视剧《红蜻蜓》、电视音乐片《最美的牵挂》获第二十届中国电视金鹰奖。民族音乐剧《白莲》参加文化部第十二届“孔雀奖”少数民族题材戏剧剧本评奖荣获最高奖——特别奖。修建了胡志明旧居、东门城楼等一批历史文化遗址，建立了30个爱国主义教育基地，着手建设新华书店购书中心、市博物馆。加强乡镇宣传文化站建设。实施标准化书报亭建设工程，新建书报亭400个，实行统一经营、统一进货、统一配送、统一规章、统一标识的连锁经营管理，从源头上控制非法出版物流入市场。

深入开展精神文明创建活动。以“精品、名牌、特色”为主题，充分利用柳州市独特的自然资源和文化资源，坚持开展创建文明单位、文明行业、文明村镇、文明社区和军警民共建活动，不断夯实创建文明城市的根基。广泛开展“六六文明工程”、“百村百戏工程”和“基层服务号”下乡、进厂、到社区活动。

五、以实现群众根本利益为出发点，把创建活动与为群众解决实际问题相结合

为社会弱势群体谋好利益。市委、市政府郑重作出“三个承诺”：尽最大努力，使每个下岗职工以及特困家庭有饭吃，每个市民有房住，每个适龄儿童以及考上大学的学生都能上大学。构建“下岗职工基本生活保障、社会养老保险、城镇最低生活保障、职工援助中心”4条保障线，使全市再就业率达58.6%，城镇登记失业率控制在3.5%以内，下岗职工的基本生活费得到保障，离退休人员按时足额领到基本养老金。同时，市政府拨款50万元建立援助资金，解决特别困难的适龄儿童和大学新生入学问题。

坚持开展“基层服务号”活动。以服务基层、服务群众为目标，市委宣传部、市委文明办牵头组织文化、卫生、科技等20多个党委政府部门及电信、图书馆20多个企事业单位，定期将理论教育、科学普及、法律咨询、文化宣传、卫生服务送到工厂、农村、社区，为基层群众提供多方位、多层次的服务。

（广西壮族自治区文明办）

广西壮族自治区兴安县大凸新村

以精神文明创建工作带动新农村建设

大凸村以精神文明创建工作带动新农村建设，取得了两个文明建设双丰收。大凸村被誉为“广西第一村”，2002年获“全国创建文明村镇工作先进单位”荣誉。

一、抓基层组织建设，发挥党支部的战斗堡垒作用

大凸村党支部按照“三个代表”的要求，切实加强自身建设。带领党员群众认真学习宣传贯彻“三个代表”重要思想和“十六大”精神，使全体党员进一步解放思想，增强党性。村里分层次对村民进行种植技术培训，先由村干部和党员代表参加县、镇培训，其他村民参加由村干部举办的形式多样、内容丰富的培训班。在发展经济过程中，党员干部主动当领头雁，带领群众，选准适合发展本村经济的好路子，因地制宜，发家致富，一年来共改良受冻柑橘50亩，扩种早、晚熟葡萄50亩，其他水果15亩，使大凸村成为全镇有名的“名优水果示范村”，走上了以巨峰葡萄为龙头，早、中、晚熟葡萄搭配合理，产、供、销一条龙的名、特、优水果生产的集约化道路。

二、抓村民思想道德教育，全面提高群众素质

加强宣传阵地建设，在村中心修建了宣传橱窗，大力宣传政策法规、科学技术、公民道德知识等，使村民及时了解时事动态，开阔视野，学习实用种养技术。充分利用村党校、党员电教中心室、广播电视等文化阵地，坚持对党员、群众进行邓小平理论、党的基本路线、方针、政策和公民道德、法律法规教育，使村民转变了小富即安的思想，增强了社会主义市场经济意识，力求做到“人无我有，人有我优，人优我多，人优我转”的良性种植格局。开展经常性的政治思想教育和文明意识教育，请县镇和有关部门的同志为群众讲课，开展讨论。

三、抓载体建设，积极开展各种文明创建活动

村党支部和村精神文明协会在切实加强对党员和群众思想道德教育的同时，广泛开展创建文明示范村和其他各种形式的创建活动。在保持自治区级文明村的基础上，保持和新创“小康文明示范户”、“小康文明户”、“小康户”、“守法光荣户”、“共产党员先富光荣户”、“十星级文明户”，村里的老党员唐世贵还被评为“桂林市劳动模范”。结合创建安全文明区活动，坚持对党员、群众进行法制教育，请上级领导和有关部门的专家上课，制定了村规民约，严格遵守和执行，从而使村民团结互助，文明礼貌，遵纪守法，尊老爱幼蔚然成风。治安形势平稳，群众有安全感，无

"黄赌毒"等社会丑恶现象，无"法轮功"练习人员，无家庭派系，无愚昧迷信活动，无乱砍滥伐现象，到处呈现出家庭团结、民风淳正、群众精神状态昂扬向上的良好局面。

四、抓村容环境卫生整治，树立文明村新形象

经过全村村民研讨制定了《大凸村环境卫生管理规定》，将全村的主要路道分段划区，全体村民齐心协力负责绿化、美化、净化工作。每段由一个区长负责，路道每天清扫，垃圾不随地乱扔，公共场所干净清洁，养成良好的卫生习惯。在新村规划的同时，积极开展改水、改厕、改路、布设程控电话等基础设施建设，全村使用太阳能的有8户，建沼气池34座，达到家家户户有沼气、卫生厕所、卫生猪栏，并严格按新的土地法节约和保护耕地。积极参加卫生村等级的创建，持续保持"自治区卫生村"和"国家级生态农业示范村"等荣誉。

五、抓文体科普活动，丰富群众的精神文化生活

大凸村积极开展文明健康的科学文化活动和揭批"法轮功"活动。加大投入，新建了功能齐全的文化活动室、图书室、灯光球场，并做到有管理人员、管理制度。每年多次组织形式多样、内容丰富的文体活动，每到节庆日还集中开展一些健康有益的综合性文体活动。有针对性地编排一些专题文艺节目，寓教于乐。

六、抓农村经济壮大，确保全村经济的可持续发展

大凸村积极适应社会主义市场经济的发展，不断深化改革，加大科技投入，调整农业产业结构，确保村域经济快速稳定增长。同时，还成立招商引资企业办，吸引外商投资开发"农家乐"生态休闲旅游项目，形成"以农业带动旅游业，旅游业促进农业，农业与旅游业互补"的格局，为农民增收创造新的经济增长点。以精神文明创建工作为动力，狠抓新村建设，大大促进了大凸村两个文明的协调发展，走出了社会主义新农村建设的新路子。

（广西壮族自治区文明办）

广西壮族自治区南宁市环保局

环保行动进家庭

近年来，南宁市环保局把环境宣传教育与精神文明建设有机地结合起来，开展遍及全市的"环保行动进家庭"活动，促进了精神文明建设和环保工作的开展。这一活动的经验受到自治区文明委的肯定，在全国环保系统得到了推广。

一、"环保行动进家庭"活动的主要内容和成效

南宁市为争创"联合国人居环境奖"、中国绿城和国家生态城市，几年来市环保局在全市开展了"环保行动进家庭"活动，把这一活动纳入精神文明创建活动之中，主要开展以下活动：

回收家庭中的废旧电池活动；家庭节水竞赛活动；无摩托车噪声、尾气污染和无燃煤生活小区活动；规范家庭空调外排水活动；不捕不买（卖）野生动物，管好一张"嘴"活动；读一本"环保书"活动；纪念世界环境日、"6·2"停驶摩托车日活动。

二、开展"环保行动进家庭"活动的措施和保障

"环保行动进家庭"活动得以顺利开展，其关键措施和保障归纳起来主要有以下三点：

一是强化领导机制，保证对"环保行动进家

庭”活动实施强有力领导。成立了以市委常委、宣传部部长为组长，市文明办和环保局领导为副组长，市林业局、城管办、团市委、建设局、妇联、五城区等单位领导为成员的环保行动进家庭协调领导小组，制定了《南宁市环保行动进家庭活动方案》，下发各单位执行。各城区、小区及居委会也成立了相应的组织领导机构并制定行动方案，做到了有组织机构保障、有领导专门抓、有专人负责落实，形成了上下一条线的工作网络。

二是落实资金投入，保证“环保行动进家庭”活动的顺利开展。环保局对这项活动共投入80多万元，其中包括建成广西第一个较规范的180立方米的废旧电池回收库和一批废旧电池回收箱，编印《南宁市民环保行为规范》、《南宁市少年儿童行为规范》和《环保科普知识读本》30多万册，编制“绿色承诺卡”3万张发给市民签名承诺，编印家庭环保知识竞赛答卷5万份。各城区、县和生活小区也根据创建情况，积极筹措活动资金，有力地促进了活动的持久、深入开展。

三是定期检查评比，保证“环保行动进家庭”活动落到实处。抓好定期和不定期的检查工作，每年至少检查两次，年终由协调领导小组进行综合考评，总结经验，树立典型，确保各项活动能够相对平衡地发展。

（国家环保总局文明办）

柳州五菱汽车有限责任公司

狠抓企业文化建设 实现企业两个文明协调发展

柳州五菱汽车有限责任公司是国家500家最大机械工业企业之一。近年来公司坚持“两手抓、两手都要硬”的方针，实现了物质文明和精神文明的协调发展。2002年荣获全国精神文明建设先进单位称号。

一、围绕企业改革和发展，充分发挥党组织的保证和监督作用

通过党政联席会制度、董事会及党委会等，公司党委积极参与公司的长远发展规划和年度生产经营方针、资金计划、重大技改、引进项目、工资分配、干部任免等重大决策，做到决策前做好调查研究，决策中主动提出建议，决策后保证共同实施。

认真落实正常的党组织生活制度，年度党员的培训率达到95%以上。深入开展支部建设“创星级”活动，细化党建目标要求，完善考核机制，使党建工作制度化、规范化、程序化，各党支部成为改革和生产经营中坚强的战斗堡垒，党组织的吸引力和凝聚力不断加强。5年来全公司共发展新党员520人，壮大了党员队伍，提高了队伍的素质。

二、锻造五菱企业文化，寻求思想政治工作与企业管理工作的最佳结合点

五菱集团在继承“艰苦创业、自强不息”的企业精神的基础上，形成了新的五菱企业文化，确立了“造人、造车、造企业”的企业宗旨，及“以五菱发展为重”、“继承、学习、创新”、“客户至上”、“以人为本、团队合作”的核心价值观。公司出台了五菱集团企业文化实施纲要，明确了公司未来几年文化建设方向和目标。在公司范围内深入推进“用户满意工程”，从“找客户、找缺陷、找抱怨”入手，建立清晰的客户链，使广大员工树立强烈的危机意识和竞争意识。

五菱员工的业余文化生活丰富多彩，文化活

动设施齐全，文体活动蓬勃开展。五菱艺术团和五菱足球队在市、自治区及全国的比赛多次获得表彰。在2002年9月举办的广西首届企业文化节系列评比中，五菱集团获得最高荣誉——“企业文化之星”金奖，同时还获得“企业之声”合唱金奖，《五菱，我们的辉煌》获创作一等奖；“企业形象综合评比”二等奖，“企业精神用语”一等奖。

三、加强社区文化阵地建设，丰富广大员工的物质文化生活

社区坚持开展形式多样的群众文化生活，用丰富多彩的文化生活吸引社区居民投身到社区建设中来，融洽社区单位的居民关系。各生活小区都设有宣传橱窗，宣传党的路线、方针、政策，进行科学知识教育，倡导崇尚科学、反对迷信的新风尚。在重大节日开展爱国主义教育影片展，并利用社区有线电视网开展党员廉洁自律教育、爱国主义电视片展播等。

开展“文明小区”、“文明楼院”、“文明户”、“五好家庭”、“文明市民”评选等活动，宣传新时代的家庭伦理道德观念，培育扶弱助老、文明互助的良好风气。加强社会治安综合治理，组建以社区治安联防队、驻区单位的治保栋长（居民）与辖区派出所管段民警为主体的社会治安群防群治网络，实现“人人治理社区、社区人人治理”，使社区治安秩序平稳，基本上杜绝“黄赌毒”事件和刑事案件的发生。社区成立关心下一代委员会，加强青少年的培养教育。

社区成立老年体协、青年影协、书画协会等17个，拥有业余老中青足球队5支，还成立有五菱艺术团、合唱队、夕阳红艺术团、武术辅导站等群众性文体组织。社区内设有乒乓球厅、门球场、卡拉OK厅、健身房、相逢俱乐部等文体娱乐设施，社区文化体育活动红红火火。

2002年，五菱社区被中央文明委命名为全国创建文明社区示范点，还荣获全国旅游先进集体称号。

（广西壮族自治区文明办）

海南省琼海市

大力推动文明生态村建设

琼海市以强化跟进服务为主要举措，大力推进文明生态村建设，使农村村容村貌和农民的生活质量、精神面貌都发生了新的变化。

一、奋起直追，把文明生态村建设摆上重要日程

把文明生态村建设作为创建生态环境的重要举措。琼海市从亚洲论坛落户本地博鳌一事认识到，良好的生态环境是至关重要的因素。要继续扩大琼海博鳌国际会议中心区的规模和影响力，必须有与之相匹配的生态环境。2002年，琼海市投资总额近5亿元的85个开发建设项目中，保护生态、改善生态的项目有10多个，如垃圾处理厂、万泉河绿色长廊、滨海景观大道、花卉基地等。

把文明生态村建设作为重视“三农”工作的重要举措。琼海市将小城镇建设、文明生态村建设纳入城市化战略。2002年，该市村镇水、电、道路、通信、广播电视等“五网”建设取得显著成效，1/4的村庄用上了自来水，村镇电话达4.6万户，村村通电、通路、通广播电视，农村建设步伐加快。

把文明生态村建设作为改善人居环境的重要举措。该市农村经济基础好，农民经济收入较高，家用电器、煤气、摩托进入普通家庭，有些农民还购买了小汽车，建设了几十万元的别墅。但是由于对环境建设重视不够，有的地方存在着“家庭进入现代化，出了门口脏乱差”的现象。为改变这种不协调状况，他们发动群众全面打扫卫生、整治环境，在每个村委会中，重点抓一至两个自然村创建文明生态村，使人居环境大为改观。

二、强化跟进服务，使文明生态村建设深得民心

该市以“跟进服务”为主要举措，大力推进文明生态村建设。

市领导带领市直机关和镇干部下到创建村，走进农民家，做深入细致的宣传发动工作。组织群众到文昌实地参观感受文明生态村的美好环境。2002年创建第一批50个示范村，群众投入义务工达5.7万人次，出现了男女老少齐参与的可喜局面。

创建的标准和要求坚持因村制宜、各显特色，不搞“一刀切”。鼓励群众多种有经济收入的果树；有条件、有经济能力的村庄道路、村巷实行硬板化，环境绿化美化；经济能力有限的村庄，做到一次规划、分步实施；旅游景区周边的村庄发展旅游经济；城郊村庄发展服务业；平原村庄发展瓜果菜种植；山区村庄发展热带作物经济。全市农村形成了“山坡椒胶果、水田稻菜瓜、池塘鱼鳖虾、林阴养鸡鹅、城郊搞服务、河海成旅游”的经济模式。

坚持“出点子、解难题，帮而不包”的工作方法，凡是群众能动手做的事情都交给群众去完成，凡是基层干部能解决的问题都由他们去处理。对于一村一家解决不了的事情，及时跟进做好服务：组织一支由建设、林业、交通、卫生、文体、广电等部门技术人员组成的创建指导组，深入各个创建村庄，为群众出谋划策，做好规划。各镇也建有一支解决诸如涉及土地、拆除等“难点”问题的队伍，及时解决问题。在动员群众投劳投资的同时，采取多种方法帮助群众解决创建投入。市、镇两级财政拿出必要的启动经费，调动群众筹资积极性；市直机关事业单位对口支持包点村庄；吸引海外华侨捐助；动员村中外出人员、企业家支持。动员市直机关企事业的工作人员为家乡创建出钱出力；有条件的村庄引进公司资金共建。

在创建工作中，注意做好培育带头人、提高农民致富本领、培育农村的“造血”机制。2002年，结合村委会换届，调整一批村支部书记、村委会主任以及村民小组长，并将村中的能人、积极分子吸收到创建文明生态村工作小组中来，发挥这些人的积极作用。采取“请进来、走出去”培训、参观的办法，帮助农民掌握科技，提高致富本领。“科技110”，设立热线、配备专车、落实专人为农民服务。帮助农民成立协会、寻找市场；引导发展优质高效农业；引导农民对农产品进行深加工，提高附加值；帮助农民建沼气池，多养猪，利用沼气液作肥发展瓜菜等热带作物种植业。

三、建立长效机制，确保文明生态村建设长盛不衰

目标考核机制。主要解决创建工作领导责任问题。组建由市委书记担任组长的文明生态村建设工作领导小组，负责组织领导全市文明生态村创建工作；乡镇由书记挂帅，成立文明生态村建设工作领导小组，配备专人抓创建。自然村成立创建工作小组，具体组织群众开展创建。全市规划每年创建200个村庄，将文明生态村建设列入市镇两级政府为民办好事实事工作和年度考核目标，与经济工作一起检查、表彰、奖罚。

齐抓共建机制。主要解决凝聚力量、整合资源问题。明确市直机关各单位联系点，明确市直机关各单位的共建责任，明确农村专项资金的使用方法。在联系点方面，将市直机关各单位按系统安排到12个镇，支持联系点的文明生态村创建工作。在共建责任方面，市直机关各单位在人力、财力、物力方面给予支持，及时帮助解决存在问题，落实创建任务。在专项资金使用方面，将改水改厕、沼气池、民房改造、乡村道路、农网改造等建设资金的使用和文明生态村建设资金进行整合，形成合力，发挥最大最好的效能。

建管结合机制。主要解决建成后巩固提高问题。抓好文明生态村的巩固提高，努力克服“小富即安”和“大功告成”的思想，起到示范辐射作用。制定各种管理制度，落实管理措施，大事有人管，小事有人抓，促使文明生态村管理规范化。组织开展丰富多彩的文体活动，丰富了农村的文化生活，满足了农民的文化需要。

（海南省文明办）

海南省电信公司

以诚信打造企业形象

海南省电信公司把“文明经营、诚信服务、取信于民”作为创建活动的重要内容来抓，以用户满意为目标，以员工职业道德教育为基础，以强化制度和约束机制为保证，全面实施“文明诚信工程”，整体服务水平有了进一步提高。2002年，海南省电信公司进入了海南省首批文明诚信企业的行列，荣获海南省维护消费者权益先进单位称号。

一、加强教育，形成共识

为提高全体员工对“文明经营，诚信服务”重要性的认识，公司采取多种形式强化对员工的教育。

加强奉献社会、服务人民的思想教育，使广大员工真正树立起“用户至上，用心服务”、使服务质量的“普遍责任”落实到每个岗位和每个员工。

利用《海南电信报》、《阳光地带》等宣传载体开展以“诚实守信，取信于民”和“企业以诚信经营获得合法利益，员工以诚实劳动赢得客户信任”为主要内容的社会公德和职业道德教育。

编印《服务案例分析》、《用户至上，用心服务》教材，以典型案例的剖析和点评，增强员工的服务意识。

组织“为博鳌添彩，为电信争光”报告团到全省电信部门进行巡回演讲，广泛宣传为博鳌论坛提供一流保障和优质服务的典型事迹，深化“用户至上，用心服务”宗旨教育。

二、诚实守信，规范服务

公司规范和改进服务工作，在管理体制和工作机制上采取了一系列措施。如广泛推进电信服务首问负责制和服务质量领导责任制，理顺和完善首问负责制的工作流程，制定省公司《电信服务支撑标准及考核办法》和《112电话报障查修质量考核办法》，保证客户在咨询、办理业务和投诉中得到满意的服务，在企业内部真正建立起上道工序对下道工序负责，企业对用户负责，人人关心服务质量的服务体系。完善服务手段和服务功能，在全省范围内向用户免费邮寄话费清单，延长服务时间。全面提高数据专线业务的服务质量，对专线业务的业务处理流程进行优化，对互联网业务的计费、账务工作进行专项整治，初步形成了科学合理的网络维护质量评价指标。开展“创优质服务”竞赛活动，推动电信服务水平和服务质量的提高。强化服务工作监督检查力度，做到定时、定量、定标准进行检查考核，并把服务工作纳入生产经营绩效考核和精神文明建设考核的内容，实行与经济利益挂钩。2002年海南省电信公司的电话装移机平均时限和及时率均达到集团公司服务标准或提升标准，全年网路早晚忙时接通率分别达到96.88%和96.41%，较2001年提高了2.49%和3.05%。

三、抓住热点，为民排忧

开通总经理投诉热线和1000服务热线，规范用户投诉处理程序，加快处理时限。全年共编发22期《热线热报》，及时通报全省电信服务中存在的突出问题，以通报考核相结合的方式加速了工单处理的速度，缩短了工单处理时限。

发展并规范特许营业厅。2002年新发展523家特许营业厅和代办点，并制定了特许营业厅的CI规范、装修规范、服务规范及管理规范。

根据集团公司的安排，在全省范围内开展服务质量达标活动，从2002年7月1日起全面提升全省电信服务质量标准，如全省装、移机时限从28天缩短到9天（海口、三亚6天）、业务变更时限由24小时缩短到6小时等。

结合本地网计费账务系统的改造，清理不合理的计费点，实现本地网集中账务管理。每年定期对各市县局计费系统的准确性进行检测，最大限度地减少计费差错，杜绝重大计费错误发生。

为提高“小灵通”的来话接通率和通话质量，专门成立“无线市话建设维护中心”，不分昼夜对“小灵通”业务进行及时、有效的排障补点和网络优化工作，受到用户好评。

在新计费系统的基础上，相继推出全省异地缴费业务、一点付费业务、网上缴费业务、17960电子缴费业务、电话委托缴费业务及信用卡缴费业务等，客户排队等待办理时限不超过10分钟，忙时不超过12分钟。

为做好公用电话、服务监督检查和用户投诉处理工作，先后出台了《公用电话监督检查及考核办法》、《电信窗口单位监督检查及考核办法》、《电信服务支撑及考核办法》、《电话装机超时考核办法》。

（海南省文明办）

海南三叶药业集团有限公司

抓好“五个三” 推进文明创建工作

海南三叶药业集团有限公司坚持以人为本，用“五个三”大力推进精神文明建设，取得了显著的成绩，先后荣获全国医药系统先进集体、全国“五一”劳动奖状等国家级、省级、厅级荣誉近100项，跨入中国百强制药企业、海南省工业企业50强之列。2002年被评为全国精神文明建设工作先进单位。

一、抓好“三个教育”引导人

抓好理想信念教育。举办学习班、理论研讨会及知识竞赛，组织员工学习马列主义、毛泽东思想、邓小平理论和“三个代表”重要思想，武装员工的头脑，引导和帮助员工树立起为振兴中华，建设中国特色社会主义共同理想。每年组织员工到革命老区和爱国主义教育基地参观学习。以专题讲座、参观访问等形式，引导和帮助员工树立正确的世界观、人生观、价值观。公司成立以来，有100余人向党组织递交了入党申请书，有50人被吸收为中国共产党党员，有50多名青年被吸收为中国共产主义青年团团员。

抓好思想道德教育。公司按照《公民道德建设实施纲要》的要求，编写了《企业思想道德教育提纲》，采取集中上课、典型引路、检查整改、建章立制等形式，开展思想道德教育活动，使员工逐步树立起敬业爱岗、关心他人、奉献社会的道德观念。几年来，员工义务献血3万毫升，被评为学雷锋积极分子的有120人，被评为诚信单位的有28个。

抓好法律法规教育。制定《“四五”普法教育规划》和《预防犯罪工作方案》，成立了法纪教育机构，构建了法制建设的长效工作机制和运行机制，举办有关法律知识讲座，外请专家教授进行法律知识辅导及案例分析；举办法制宣传教育图片展及播放警示电教片；利用舆论工具宣传相关的法律知识，提高了员工执法守法、依法办事的能力。近年来，公司利用法律正确处理经济和民事纠纷案件几十宗，追回货款和补偿金200万元，维护了企业的利益。

二、建好“三个阵地”培育人

建好舆论阵地。1995年公司创办《三叶人》报，每期发行量3000份以上。《三叶人》报连续4年荣获“中国企业内部报刊一等奖”荣誉称号。加强广播、宣传栏等舆论阵地建设，设立广播站2

个，宣传栏5处，每月和每逢重大节日及公司的重大活动出版，帮助员工了解改革、增长知识、转变观念。

建好文化阵地。公司建立了4个图书馆(室)，藏书1万多册。几年来，公司技术培训3000多人次，外送深造近百人次，一大批员工取得了高等学历证书，提高了员工素质。

建好娱乐阵地。先后创作了《三叶之歌》、《三叶，我美丽的家园》、《赞美你，三叶销售员》等企业歌曲，在职工中普及传唱。《三叶，我美丽的家园》荣获“'99世纪之声”全国企业歌曲大赛金奖。办好业余文艺队，抓好文体活动。公司投入100万元建起3个篮球场，2个娱乐厅，坚持节假日举行各种体育比赛和文艺活动。2002年，公司举办首届职工运动会，参加人数600多人，比赛项目52个。

三、强化“三个活动”激励人

抓好升旗演讲活动。公司坚持每月第一个周一和重大节日举行一次升国旗、升企业旗和“我站在国旗下”演讲活动，增强员工的民族自豪感和为祖国强盛而奋斗的信心。

抓好群众性的主题创建活动。开展“文明单位”、“文明员工”、“文明家庭”、“文明小区”、“文明楼院”、“文明路段”创建活动；在党支部和党员中开展“创先争优”活动；在团员青年中开展“青年文明号”、“青年志愿者”活动；在女工中开展“巾帼英雄”、“三八红旗手”活动；在生产经营中开展“生产销售标兵”活动；在全体员工中开展“优秀员工”、“十佳员工”、“杰出贡献奖章”、“功勋建设者”等活动。

开展立功受奖活动。每年召开“劳模会”、“职代会”，庆功授奖，使广大员工学有榜样，赶有目标，向先进典型学习。

四、创建“三个环境”陶冶人

创建催人奋进的工作环境。按照GMP标准投入3000多万元新建一幢制药厂房，并建设了喷水池、绿化带等与厂容、厂貌相配套的设施，形成花园式厂区；在办公大厅摆设鲜花、盆景，形成愉悦心情的办公场所；在高大建筑物的显眼处竖起企业精神的巨幅牌匾；在车间、厂房张贴警句格言。

创建舒适安逸的生活环境。抓好住宅工程建设。按照统一规划、统一设计、统一外观、统一绿化的建筑规范新建起了4栋建筑面积为2万多平方米的“三叶花园”小区，安置176户员工。做到建筑到那里，绿化就到那里。抓好道路建设。

创建安居乐业的治安环境。建立防范制度，实行厂区、小区出入登记制、办公区24小时巡逻制，确保企业安全。运用法律、行政、经济等手段清除精神污染，净化社会环境。建立综合治理机制，做到“六有”(有领导、有实施方案、有健全的责任制、有治安防范力量、有严格的奖惩办法、有明显的效果)、“五自”(管好自己的人、看好自己的门、守好自己的物、矛盾自己化解、漏洞自己堵塞)、“四无”(无重大刑事案件、无重大治安案件、无重大治安灾害、无违法犯罪人员)。

五、突出“三个制度”规范人

制定精神文明建设工作制度。制定了《精神文明建设“十五”计划实施纲要》和创建制度、检查制度、考核制度、评比表彰制度、员工职业道德规范等，做到精神文明建设工作长期有规划、近期有目标、年度有计划、季度有安排、每月有活动。每年进行精神文明建设考核，把结果作为年度单位及主要领导先进评选及主要领导职务升降、行政奖罚的重要依据，促进了精神文明建设工作的制度化、经常化和各项工作任务的落实。

制定行政管理制度。以财经制度规范财务管理，以廉政制度规范党员干部行为，以员工守则规范员工言行举止，以环境卫生管理制度保证环境整洁，以销售制度规范市场管理，以企务公开制和职工代表大会制规范民主管理，形成了自我约束、相互监督、行为规范的文明环境。

建立齐抓共管机制。成立了由党政主要领导人组长的精神文明建设领导小组，做到了在布置检查生产经济工作的同时布置检查精神文明建设工作，总结表彰生产经济工作的同时总结表彰精神文明建设工作，财务预算的同时预算精神文明建设资金投入。形成了党委统一领导、行政大力支持、职能部门各司其责，目标上同向、思想上同心、行动上同步的齐抓共管的局面。

(海南省文明办)

海南创新书店

文明诚信 依法经营

海南创新书店是海南省最大的民营文化企业。创新书店以“传播先进理念，创造全新生活，提高国民素质，促进社会进步”为宗旨，坚持诚信经营，组织海口、琼山、琼海等市县11家连锁店积极参加全省开展的创建文明诚信企业活动，取得了经济和社会效益双丰收。创新书店被省文明诚信建设领导小组评为文明诚信企业。

一、把企业理念与弘扬社会主义文化相结合

创新书店把企业理念和传播先进文化、热爱社会主义、拥护中国共产党的领导相结合，组织员工落实到工作实践中。通过开展“创建文明诚信企业”活动，加强员工思想道德教育，使大家认识到，只有“诚实守信”坚持按市场法则办事，才能在市场竞争中立于不败之地；经营图书不仅仅是为盈利、生存，更重要的是为传播先进文化，为科教兴国服务。

二、以市场法则为导向，诚信经营

“假一赔十”，积极维护消费者利益。在把好商品进货关的同时，杜绝不正规商品流入市场，坚持做到所有采购商品的工作人员均经过对口专业技能培训，并明文规定：责任心不强者不上岗；质量意识薄弱者不上岗；对商品质量把关不严者不上岗；对商品信息分析不明朗者不上岗；采购商品出现质量问题者承担经济损失责任，情节严重者下岗；职业道德有问题者调岗，全面保证商品购货渠道的诚信。在同行业中，率先在省主要媒体向社会公开承诺自卖商品“假一赔十”，积极维护消费者权益，被省供应商联合会评为2002年度（五星）诚信单位。

狠抓售后服务质量。创新书店坚持对社会作出的承诺和诚信条件作自我检查，成立专门的客户服务中心，在各连锁店开设投诉电话，并安排专人认真对顾客购买后的商品质量问题进行跟踪处理，只要有投诉事件发生，必有处理结果。

诚信宣传，不弄虚作假。公司成立以来，凡有创新广告的内容均做到表里如一，求真求实，从未有过投诉事件，被省消费者委员会评为2002年信誉广告单位。

协助政府打击“不文明行为”。公司针对解放西路软件黑市盗版淫秽光盘泛滥的状况，配合政府开展“抵制黑软，保护孩子”的活动，对市小书友会成员单位的学生指导光盘上机操作。为抵制制假售假，公司迅速发展音像加盟店600多家，规范所有的加盟商达到统一规范的诚信标准，建立相关严格管理制度。

三、热爱公益事业，为弱势群体公益事业做贡献

积极参加读书节活动。为让人民多读书、读好书，创新书店倡议发起联合百名作家举行大型读书节活动。书店把价值50万元的图书无偿捐赠给读者，引起社会强烈反响。

2002年六一儿童节，创新书店将价值16万多元的2万多册中小学学习辅导资料捐赠给少年儿童。7月31日，创新书店和省越野运动协会将几千册图书捐赠给海南军区培训大队。11月20日，向省教育厅赠送了价值150万元的文学、法律、经济、哲学各类图书，用于支持教育事业的发展。还为灾区捐赠；向希望小学赠书、送报、添加教学设备；为青年学生的成长首创“图书银行”；为渴望读书的聋儿送书；为残疾家庭安排工作；为西沙驻岛官兵赠送图书等等。创新员工用自己的实际行动努力实践“人活着不仅仅为面包，更要肩负起为社会创造价值的责任”的诺言。

（海南省文明办）

重　庆　市

构建长江三峡文明长廊 推动库区经济社会全面发展

长江三峡文明长廊建设是重庆市精神文明建设的重要内容，是加强三峡库区精神文明创建促进库区经济社会全面发展的有力抓手。自1998年底提出建设目标，2002年全面展开形成热潮，长江三峡文明长廊建设为加快移民开发、库区经济发展和三峡工程建设步伐，引导库区移民建设美好移民新区和社会主义新农村而奋斗起到了积极的推动作用。

一、围绕中心，服务大局，建设具有新时代特征的长江三峡文明长廊

长江三峡文明长廊建设，主要以长江主流沿线17个区县为重点，以点联线，以线带面，逐步辐射重庆全境。整个长廊建设由八大工程组成：以《公民道德建设实施纲要》为主要内容的育人工程；以宣传文化阵地为依托的宣传服务工程；以革命文化建设为核心的优秀文化工程；以“绿色三峡”为主题的生态工程；以整治治安秩序为重点的平安工程；以创造优美环境为目的的形象工程；以“三大创建”为主题的精神文明创建工程；服务西部开发重点工程和库区建设重点项目的“动力工程”。从1999年初启动，力争在“十五”期间使长江沿线各县（自治县、市）以至重庆全境的精神文明建设有明显突破：公民思想道德、科学教育水平、民主法制素质有明显提高，党政部门尤其是窗口行业的服务意识与服务能力有明显增强，社会风气、公共秩序、城镇景观有明显改善，各级宣传文化阵地高效运转，并延伸辐射到各个社区村组，有力推进中央赋予重庆的移民迁建、扶贫脱困、老工业基地改造、库区生态环境建设四大任务，为建设繁荣富裕、文明进步的新重庆打下良好的基础。

二、采取行之有效的措施，集合一切力量，深入扎实开展创建工作，稳健推进长江三峡文明长廊建设

在文明长廊建设中，坚持以移民开发为中心，以发展库区经济为主题，以提高市民的思想道德素质和科学文化素质为根本，以群众性精神文明创建活动为重要载体，以联片创建、整体推进为主要手段，扎实推进各项创建工作。

广泛宣传发动，加强组织领导，健全创建机制，落实工作责任。市委、市政府把文明长廊建设纳入工作目标，市委与各区县（自治县、市）和相关窗口行业签订目标责任书，把文明长廊建设摆在突出的位置，进行统筹规划和安排，推动库区以及重庆经济社会的全面进步。加强新闻媒体宣传力度，各乡镇利用广播、阅报栏、宣传栏牌等宣传阵地，广泛宣传，营造创建浓厚氛围。健全机制，落实责任。成立了市、区县、乡镇、示范点四级长江三峡文明长廊建设领导小组，层层签订了目标责任书。

联合各类各项创建活动，联动城乡同创共建，形成合力，整体推进。加强“条”与“块”的协调和结合，跨地区、跨行业联片创建，根据文明村镇、文明社区、文明单位、文明行业、文明城区（县）等各类创建活动的特点，坚持各单位优势互补、资源共享和因地制宜的原则，形成齐抓共建，多层次、全方位的创建格局。城乡联动，同创共建，开展结对子活动。以城区的文明单位与村镇结对子，发挥文明单位在信息技术、物资、资金等方面的优势，进行对口帮扶。

加强区县、乡镇、村社三级文化阵地的建设，以此为依托，建立各种形式的市民、村民学校，加强对农民的思想教育和农技知识的培训，向农民传输道德、文明、科技、文化、法律、致富信息等；搜集整理民间文化艺术遗产，做好库区文物保护；开展丰富多彩、健康向上的文化体育活动，满足农民群众精神文化需求。

各地紧扣建设文明长廊的主题，根据自身优势和特点，确定工作重点。巫山县在移民新城开展创建国家级文明、卫生、优秀旅游城市为主要内容的“三创”活动，在农村开展以“移民、脱贫、发展、稳定”为主题的“巾帼绿三峡”活动，成为文明长廊建设活动中的一个亮点。

树立典型，以点带面，全面提高。市里确定包括宣传文化站、文明单位、小区、村镇、景区(景点)、服务窗口等近200个长江三峡文明长廊建设示范点，各具特色，起到示范带动作用。

三、发挥载体作用，将长江三峡文明长廊的建设作为促进三峡库区经济社会全面发展的重要动力

促进重庆农村和移民地区各项群众性精神文明创建活动的深入发展。各地以文明长廊建设为龙头，大力开展移民文明村镇、文明卫生集镇、文明村镇、“三村”（卫生村、安全村、小康村)、“十星级”农户、文明邻里、“好婆媳”等创建评选活动，使农村群众性精神文明创建活动呈现出生机和活力。

提高农民和库区移民的综合素质。在文明长廊的建设中，通过开展各种宣传教育活动、读书活动、文化娱乐活动，编印理论知识、文明礼仪、道德纲要等读本，深入宣传党的路线、方针、政策，开展理想信念和道德规范教育，让理论学习、道德风尚、法律知识、卫生体育、婚育新风、交通安全、文明礼仪等进入千家万户，满足农民的文化需求，提高农民群众的文明素质，增强抵御封建迷信、黄赌毒和腐朽、没落文化侵袭的能力，形成崇尚文明、健康向上、移风易俗的良好精神风貌。

促进移民开发和三峡工程的顺利进行。一方面，注重利用各种创建工作和活动，宣传党的移民政策，使移民群众理解、认同、支持移民政策和三峡工程建设。另一方面，把各项创建工作同解决移民群众迫切需要解决的问题结合起来，同为移民办实事、办好事结合起来，加强移民新村建设和农村基础设施建设，帮助移民掌握更多的先进生产技术和劳动技能，开辟更多的致富渠道，使移民尝到改善生产和生活环境的甜头，从而打消顾虑，顺利外迁。

引导农民和库区移民积极参与经济建设，促进先进生产力的发展。通过各级宣传文化阵地和市民、村民学校，广泛开展科普宣传、市场经济、实用技术咨询和培训，送科技下乡，有效地保证农民群众及时掌握国内外市场经济、科学技术等方面信息，了解市场经济发展的规律，引导农民转变思想观念，努力提高致富本领，根据市场需求主动调整农业产业结构与市场对接，参与市场竞争，摒弃传统的农耕模式，逐步走上现代农业发展之路。既让农民实现了致富，又为农村和库区产业结构的调整、三峡库区生态经济区的建设奠定了广泛的群众基础，推动先进生产力的发展。

（重庆市文明办）

重 庆 市

坚持先进文化方向 丰富社区文化生活

重庆市在开展精神文明创建工作中，围绕“活跃社区文化，倡导文明生活”的主题，积极推动文化进社区，坚持传播先进文化，开展丰富多彩的群众文化活动，营造欢乐、健康、文明、喜庆的氛围，满足了社区群众文化需求，受到群众热烈欢迎。

一、积极行动　开展社区文化活动

重庆市把经常性活动与集中性活动相结合，以丰富多彩的活动为载体，把文化进社区工作不断引向深入。

经常性活动主要以发展广场文化活动为主。群众歌舞活动著名的人民广场，沙坪坝区的广场故事会，九龙坡区广场集声、光、电等高科技为一体的“水幕电影”，黔江区摆手舞广场表演活动，江津市的“滨江之夜”周末广场文化活动等，形成了一道道独特的风景，使重庆市的物质文明建设和精神文明建设交相辉映。

集中性活动则体现了一定广度、深度和影响力。如市委宣传部、市文明办、市社区文化建设协会联合举办“社区腰鼓邀请赛”；市文明办、市文化局、市民政局联合开展“社区文化活动周”系列活动；市文明办举办以“迎接十六大的召开，展示社区文明风采”为主题的全市“四进社区”文艺展演等，突出了传播先进文化的主题，推动了邻里团结、和谐相处、健康向上的社会风尚的形成。

突出传播先进文化的主题。在开展社区文化活动中，大力宣扬体现时代精神的道德行为和高尚品质，激励人们积极向上，追求真善美；批评各种不道德行为和错误观念，帮助人们辨别是非，抵制假恶丑，为推进社会主义精神文明建设创造良好的舆论文化氛围。

开展群众喜闻乐见的活动。社区文化活动注重结合地方特色、社区特点，大力开展群众喜闻乐见而又便于参与的文化活动，通常以广场表演、社区文艺演出和消暑纳凉晚会等形式进行。节目形式多样，包括歌舞、声乐、曲艺、相声、小品、器乐等艺术形式，内容贴近生活，群众自编自演。

整个社区文化活动体现了群众积极参与，自娱自乐的特色。既有专业的文艺队伍，如文化馆、喜剧艺术团，又有社区的文艺队伍，如中老年群星艺术团、街道文艺小分队，还有各社区临时组织的群众以及单个家庭。演员主要来自社区群众，演出队伍有以街道、社区为单位的，也有以家庭为单位。每场演出演员通常有200多名，观众达数千人，多的近万人。

二、夯实基础　加强社区文化建设

狠抓社区文化设施建设。广场是群众文化活动的主要阵地，市委、市政府在全市建成各类广场46个。同时，把图书室、文化站、文化室、俱乐部等作为重点纳入社区建设的规划之中，加强居民小区配套文化设施建设，并开设老年大学、老年文化活动中心等文化场所，满足社区文化建设的需要。

狠抓社区文化队伍建设。逐步形成了专职文化工作者和社区文化活动积极分子相结合的社区文化活动骨干队伍。通过培训提高其文化素质和工作技能。同时，大力发展壮大群众性的文化艺术团体。

狠抓社区文化制度建设。各级群艺馆、文化馆、图书馆、文化站重心下移，把各种文化活动办到社区，为社区居民服务。各地形成定期开展广场文化、企业文化、校园文化、军营文化、家庭文化、老年文化和少儿文化活动的制度，丰富广大市民的文化生活。近郊区县有70%的街道和居委会有文体活动队伍和活动场地。

三、采取措施，促进社区文化发展

抓群众文化工作机制的转轨。把以企业从事群众文化工作为主转变为以社区承担群众文化工作为主，发挥社区在文化活动中的组织能力和活动能力，增强工作积极性。在工作机制、制度建设、人员配备、文艺骨干培养以及开展群众文化活动的方式方法上继承企业的传统，使社区文化活动逐步走上规范化、制度化的轨道。

扩大群众文化活动的基础。过去社区文化活动以中老年人员为主，现在，注意开展年轻人欢迎的活动，让广大的青少年从中愉悦身心，陶冶情趣，提高素养，进一步扩大活动的群众性。

抓群众文化队伍的转变。以前，群众文化队伍的主力军来自机关、厂矿、企事业单位的退休人员，年轻人参与的相对较少。为保证社区文化活动的持续、健康发展，积极吸纳更多的年轻人加入社区文化队伍，在思想意识及活动技能上对他们有意识地进行培养，从而达到优化队伍，提高素质，促进发展的目的。

（重庆市文明办）

重 庆 市

用红岩精神育西部英才

重庆市把实施“西部开发助学工程”与“育人工程”相结合，利用重庆独特的革命传统文化资源，开展红岩精神系列教育活动，引导学生树立正确的世界观、人生观和价值观，着力培养他们服务人民、奉献社会的思想品德。

一、发挥重庆独特的文化资源的教育作用，找准教育与资助的结合点

首先，在指导思想上明确“助学工程”就是“育人工程”。帮助这些来自特困家庭的受助学生放下物质和思想上的沉重包袱，全力投入学习，融入社会，健康成长，使他们真正成为社会主义现代化建设所需要的德才兼备人才，是“助学工程”的根本所在。

同时，结合重庆独特的革命文化资源，确定以红岩精神来感染学生、教育学生、激励学生。通过形式多样的主题教育活动，让受助学生在缅怀革命先烈、重温红岩精神，感受今天幸福生活的来之不易，珍惜学习机会，激发“热爱祖国、热爱家乡、投身西部”的热情，自觉把个人理想融入到祖国和人民的共同理想之中。

二、突出红岩精神的主题，积极开展形式多样的教育活动

为了使教育效果明显，每年的资助款发放仪式都在歌乐山烈士纪念馆、红岩革命纪念馆隆重举行。从第一批受助学生开始，每年组织的社会实践活动，都在周公馆曾家岩广场举行启动仪式，并安排一场“红岩魂”报告。利用每年“七一”建党纪念日，对在重庆市就读的受助学生进行以“红岩魂”为主题的革命传统教育和时事政治教育。

在对受助学生进行红岩精神教育的过程中，不断增添富有时代特色的新内容，把全市当代优秀共产党人的事迹纳入其中，让受助学生从身边的英模身上，体会新时期“发扬光大红岩精神”的真正内涵。2001 年，按照中央三部委的要求，在暑期学生社会实践活动中请移民先锋冉绍之与同学们就人生、理想、信念等问题进行座谈；2002 年的暑期活动，受助学生聆听了“红岩精神”报告，请“黎昌和事迹报告团”作专场报告，学习革命先烈和当代共产党人的无私奉献精神；请重庆大学雷享顺教授作关于西部大开发与重庆大发展的形势报告，激发同学们服务西部、报效祖国的热情；组织参观高新技术产业开发区和重庆新貌，目睹新重庆的巨大变化；深入社区和农村参加社会实践活动，等等。这些活动，使“红岩精神”在学子们心中产生了深刻的影响。

三、抓住育人根本，培养学生为人民服务、对社会作奉献的思想品德

两年多来，“红岩精神”教育如及时春雨，滋润着山城受助学子的心，使他们对红岩精神有了更深刻的理解，踏踏实实服务人民的思想品德正深入灵魂。在红岩精神的激励下，重庆市 2000 年和 2001 年的 200 名受助学生入校后学习刻苦，成绩良好，80%的同学递交了入党申请书，一半以上的同学担任了学生干部。

（重庆市文明办）

贵州省毕节地区

坚持实施精神文明“十创一评工程”

毕节地区规范精神文明创建活动，实施了精神文明“十创一评工程”，形成了争文明、创文明、讲文明的良好氛围，为促进经济社会的健康发展起到积极作用。

一、精心策划，深入研究，规范精神文明创建内容

毕节地区文明委把精神文明活动归结为“十个创建”和“一个评选”，即“十创一评工程”。“十创”即创建文明县（镇）、文明单位（机关）、文明村寨、文明行业（窗口）、文明学校、文明小区、文明大道、文明街道、文明院落、文明市场。“一评”即在农村评选“十星级”文明户和在城市评选“文明户”。地区文明委为此制定下发了《关于在全区开展“十创一评工程”的实施意见》，规范了“十创”的标准。

二、认真组织，周密部署，深入开展“十创一评工程”系列活动

抓组织领导，重制度建设。为把“十创一评工程”落到实处，地区成立了专门领导小组，各县（市）、镇（乡）和职能部门成立了相应的领导小组。各级各部门把“十创一评工程”纳入精神文明建设的重要内容。地区文明委先后制定了《毕节地区精神文明“十创一评工程”评选标准》、《毕节地区精神文明“十创一评工程”创建评选条例》、《毕节地区精神文明“十创一评工程”管理办法》，建立健全创建管理制度。

抓业务培训，重队伍建设。主要体现在“三抓”上。一抓培训：地区文明办对各县（市）分管精神文明的宣传部副部长、文明办主任、镇（乡）宣传委员、地直部门分管政工的负责人或办公室主任进行了“十创一评工程”创建工作专题培训。二抓研讨。地、县（市）分别开展“十创一评工程”创建工作研讨会，分析形势，归纳特点，交流经验，部署工作。几年来，全区共撰写“十创一评工程”专题研究文章600多篇，地区文明办和各县（市）文明办分别向报纸、电台推荐和以简报形式播发110多篇。共组织理论研讨会、现场参观学习会60余场（次），参加人数逾1万人（次）。三抓评比。严格按照评选标准和程序，按个人（户）或单位申请，主管部门初评、张榜公示征求社会意见，上级主管部门同意，报文明办考核验收，并登报向社会公示，合格后表彰挂牌的方式进行。

抓宣传教育，重思想建设。一是利用报纸、电视、广播等宣传媒体对“十创一评工程”内容及标准进行宣传，并开辟专题专栏进行长期报道。二是印发资料，张贴到城市居民院落、农村村民组和大型农村寨子，做到人人皆知。三是利用赶场天上街进行专题宣传，开展咨询活动。四是利用墙报、板报、标语进行宣传，全区仅固定性大型标语就逾5000余条（幅）。五是在广大农村利用宣传车进行专题宣传，并利用市民学校、精神文明活动中心开展专题讲座。注重对干部群众进行思想道德教育和文明行为的引导。

抓延伸辐射，重整体推进。在抓典型示范带动的同时，地县文明办注重把活动向纵深推进，通过文化发达区域带动文化滞后区域，中心地区带动周边地区，文化先进镇乡带动文化滞后镇乡，先进村带动落后村，高星级文明户带动低星级文明户，低星级文明户刺激一般农户，相互促进。农户之间比星级，单位与单位、镇村与镇村比文明，你追我赶。

抓督促检查，重巩固提高。无论是那一级表彰的文明示范典型，还是正在创建中的文明示范点，地县文明办都组织力量以查、看、听、访、问的方式，定期不定期进行检查，认真做好记载，并按照分级负责，统一管理的办法，实行跟踪管理。农村星级文明户分星级、星名实行建档立卡管理，城市文明户按“六个好”标准建档立卡。星级文明户和文明户一年评选挂牌一次，对已挂牌的实行一年一度的复核评审制。地委、行署和各县（市）两年一次分级专题命名表彰“十创一评工程”先进单位和个人。全区各级各部门既注重创建的物质基础的投入，又注重干部群众素质的提高，成效明显。

三、加强管理，注重实效，充分发挥精神文明建设在经济社会发展中的作用

毕节地区精神文明“十创一评工程”创建已形成制度，形成了主要领导亲自抓，分管领导具体抓，具体事务专人抓，一级抓一级，分级抓创建，层层抓落实，齐抓共管的格局。创建工作目标内容具体，责任措施落实，督查管理到位，活动扎实有力，成绩效果明显。通过几年的创建，全区上下精神文明创建活动生机勃勃，争创文明蔚然成风。文明单位毕节市水泥厂几年来共捐资近150余万元用于公益事业；文明镇乡朱昌镇每年春节或逢重大节日都无偿组织农民艺术队进城或到周边镇乡进行义演；文明院落文峰路地委宿舍区28户居民定期分楼层、分单元、分性别、分年龄开展文体活动，一家有事家家帮，亲如一家；文明村寨毕节市阿市乡六里村严家寨村民组20户农民自发筹资修建公房，购买电视机，每晚集中在一起看新闻收信息，开展讨论，共商致富门路。

（贵州省文明办）

贵州省铜仁市川硐镇
“六进农家六连心”活动

铜仁市川硐镇，在精神文明建设中结合川硐镇实际，深入开展“六进农家六连心”活动，使干部经常受到教育，群众长期得到实惠，取得了良好的社会效果。

一、调查研究进农家，同群众交心

川硐镇实行领导干部包村和一般干部包组制度，10名领导班子成员每人联系一个村，74名一般干部每人联系一个组，规定每月必须驻村入户15天以上，开展调查研究，同群众促膝谈心，帮助群众解决实际问题。两年来，全镇干部经常深入到各村组，深入到各家各户，深入到田间地头，写调研报告130多篇，为镇经济发展出谋划策，提出建议。

二、增收创收进农家，树群众信心

川硐镇以往种植结构单一，农业产业化水平低下，群众增产不增收的问题比较突出。镇党委、政府立足实际，围绕“通道经济”做文章，多渠道争取各种项目，大力调整农业结构。共争取资金600多万元，在铜仁至大兴公路沿线相继建立了石榴基地、枣子基地、豇豆生产基地、水稻制种基地、葡萄基地、大棚蔬菜基地、桃子基地等，有些基地已见成效，使公路沿线的4个村8000多群众得到了实惠。

三、政策法律进农家，让群众放心

包村包组干部下到基层后，大力宣传党的方针、政策，宣传各种法律、法规，解决各种民事纠纷，维护社会治安。利用赶集日，在集镇进行法律咨询，发放宣传资料。在全镇实行社会治安“村为主”，从镇直各单位抽调年富力强、富有农村工作经验的干部下到各村挂职，协助村里解决各类纠纷，消除了各种隐患。

四、科技文化进农家，使群众欢心

为帮助群众掌握农业实用技术，提高文化水平，选派9名年轻科技干部到各村挂任科技副主任，帮助村里明确发展目标，制定发展规划，选定各种项目。投入3000元帮助9个村建立图书室，购买“千乡万村”书库图书供群众阅读。每年开办4期科技培训班，先后培训150多名科技骨干，创办科技示范基地12个，使90%以上的村民掌握了1—2门实用技术。

五、结对帮扶进农家，让群众暖心

对相对落后贫困的5个小农村进行帮扶，全镇干部捐款2万多元，购买150头仔母猪，送给这5个村，发展仔猪生产基地，使150多户农户摆脱贫困。通过民政途径，共投入15万多元对特困户和受灾户进行重点帮扶。建立党员扶贫制度，将全镇有能力的200多名党员划分成9个组，每个党员联系一个贫困户，帮助改进农业生产，解决实际困难。对两女结扎户进行帮扶，投入5万多元为两女结扎户进行养老保险，解决了他们的后顾之忧。

六、文明新风进农家，使群众开心

投资50万元建成建筑面积1200平方米的文明活动中心，设立电教室、党员活动室、科技培训中心等，使广大群众有了娱乐场所。利用各种节日开展健康有益的娱乐活动和“三下乡”活动。在农村大力倡导破除封建迷信，进行移风易俗活动，提倡少生优生，建设美好家园。加强公益事业建设，投入100多万元，硬化5个村民组的寨内公路，修建480多口沼气池，创建5个安全文明村寨，使群众生活水平得到了提高。

川硐镇开展“六进农家六连心”活动，在党群、干群之间架起了一座“连心桥”，密切了党群、干群关系，使村容村貌大为改观，文明健康的生活方式正逐步形成。2001年该镇被省政府列为全省7个“农村政策法规科普教育”示范镇；2002年镇精神文明活动中心被省文明办评为“四好”文明中心，川硐希望小学被评为省级精神文明“先进单位”。

（贵州省文明办）

云南省昆明市官渡区福海乡

文明创建制度化

昆明市官渡区福海乡在抓精神文明建设中搞好制度化、规范化管理，使全乡的文明创建活动逐年有发展，从而实现“两个成果一起要”的目的。

福海乡制定了《福海乡精神文明创建活动一览表》，对各社区居（村）委会创建工作做了规划，对全乡文明单位的设置、创建做了明细，一看这个表就可以一目了然地掌握全乡各个社区精神文明创建情况。福海乡还建立了10本精神文明创建台账，第一本台账：精神文明创建及文明单位统计台账，对每年创建的单位，届满换届的时间、文明单位的基本情况均有记录。第二本台账：学雷锋、树新风、助人为乐、见义勇为事迹统计台账，对福海乡多年来的先进人和事做好记录。第三本台账：创建活动情况台账，就全乡每年开展的学习、培训及其他活动做好统计，确保创建活动有始有终，常抓不懈。第四本台账：精神文明专干定期会议签到及会议记录，定期安排学习，明确任务。第五本台账：“十星级文明户”创建统计台账，对全乡“十星级文明户”评选情况做好详细记录，便于进行滚动管理。第六本台账：培训学习记录台账，各社区（村）、各单位每年进行普法培训、干部培训、党（团）员培训的情况，明确规定不参加培训的单位不得申报文明单位。

第七本台账：奖惩兑现台账，对全乡每年用于精神文明建设的奖惩金额进行统计，并在定期会上向专干公布，仅去年一年乡奖励各社区（村）居委会的兑现奖就达到6万余元。第八本台账：科教文卫台账，记录乡科协、教办、文化站、卫生院各部门工作情况，每半年邀请以上部门负责人参加专干培训，共商全乡精神文明创建工作。第九本台账：学习台账，对全乡近几年来为促进精神文明建设工作，组织干部外出参观学习情况作了记录。几年来，福海乡先后多次组织到保山有关县参观学习“十星级文明户”的创评经验，到上海、成都进行小城镇建设考察，到“华东五市”进行集体经济管理改制的考察等。第十本台账：经验交流台账，主要是记录外地到福海乡考察、交流的情况。

（云南省文明办）

云南电力集团公司

创建学习型企业　推进文明行业建设

云电集团公司努力创建学习型企业，推进文明行业建设。

创建学习型企业是企业管理模式的根本变革。云电集团力求经过不懈努力，在公司内建立起“学习化生存”的理念，营造“追求卓越与创新”氛围，形成“激励与引导”机制，培养一批学习创新型团队和学习型员工群体，推进公司管理模式的变革，建成具有更强学习力、竞争力、创造力和生命力的学习型企业。

创建学习型企业，领导是关键。公司党组提出，要形成一种新的学习模式、系统思考模式和新的管理模式；建立健全自学、交流、反思、述学考评等制度，完善领导机制、责任机制和考核机制。

创建学习型企业，机关是重点。公司各级机关建立学习、人力资源开发、市场营销、安全生产、信息管理、企业伦理道德、管理服务等理念，构筑起具有云电特色的理念；营造浓厚的学习氛围，促进管理模式的变革；建立灵敏高效的学习团队，建立完善各种制度和机制。发挥机关的表率和导向作用，推动集团公司学习型企业创建工作的深入开展。

创建学习型企业，学习型团队是基础，通过反思、反馈和共享学习提高团队的学习力、创新力，增强团队的凝聚力。涌现出如电力技校“大船结构式校园文化”、昆明供电局稽查大队的“大雁团队”等一大批各具特点的创建典型。

管理方式实现新的变革。公司初步建立了文化管理和理念管理。各单位在遵循公司“二次创业”战略为基础的共同的理想信念和核心价值观的基础上，确立了具有自身特色的企业精神、经营理念和经营哲学，把以人为本的理念贯穿在公司的各项工作中，公司的工作效率和工作质量水平得到了提高，文明行业的创建得到了深化。

学习力得到了明显提升。公司员工建立了终身学习、永远学习的理念。员工坚持每天一小时、每月一本书的学习，并把学习和工作结合起来，做到了工作学习化、学习工作化。学习力的提高，使公司业绩得到提升。在2002年云南省举办的公民道德建设实施纲要知识竞赛中夺得第一名；公司企业文化建设获全国政研成果二等奖。

创新成为电力行业的主流。体制、机制、管理、科技、文化创新得到有力推进，充分发挥了电力主导产业的地位和作用，推动了云南省电力支柱产业的发展和“西电东送”战略的实施。2002年“西电东送”取得历史性突破，向广东送电32亿千瓦时，实现了省政府提出的翻两番的目标。

（云南省文明办）

西藏自治区拉萨市当巴居委会

突出“四个环节” 创建文明社区

拉萨市当巴居委会地处拉萨著名的哲蚌寺附近。这一社区过去是全市最穷的社区之一。通过开展创建文明社区活动，彻底改变了当巴的落后面貌，一跃成为全市最富的社区之一，成为全国创建文明社区示范点。

一、突出党支部的战斗堡垒作用和党员的先锋模范作用

当巴居委会党支部加强邓小平理论和“三个代表”重要思想的学习，增强党性观念，增强政治意识、大局意识和责任意识，带头解放思想，更新观念，带领社区群众发展经济，加强精神文明建设，为创建文明社区提供了强有力的组织、领导保证。支部一班人和社区党员积极参加创建活动，为群众排忧解难，为社区发展出谋划策，发挥人民群众的主体作用；加强基础设施建设，千方百计增加投入，为创建工作提供物质保证。

二、加强思想道德建设和科学文化建设，不断提高居民群众素质

居委会采取召开群众大会、收听广播、收看电视、集体讨论、党员组织生活会等多种形式，对党员和居民群众进行爱国主义、集体主义、社会主义、民主法制和反分裂斗争教育。投资60万元提高教师待遇，投资138万元兴建社区幼儿园，定期举办一系列培训班和英语、汉语补习班，加强社区文化教育。设立科普宣传栏，普及农业、卫生、计划生育等科学知识。居民法律普及率100%，儿童入学率100%，成人脱盲率100%。社区涌现出“五好文明家庭”30户，文明家庭10户，文明街4条。

三、突出优良秩序和优美环境建设，保障安居乐业

针对“脏、乱、差”现象突出的问题，成立治安服务站，24小时在社区巡逻；对社区民情进行自动化管理，杜绝治安隐患，几年来没有发生任何重大刑事案件和重大安全事故。根据居民需要，狠抓社区服务，建立了家政服务站、就业服务站、合作医疗站等社区服务网络，居民小病不出社区，3年内解决398人就业，“低保”人员得到了社区补助。治理社区环境，建设了一条社区中心街道，铺种草坪1000多平方米，种花120多平方米，种树41500多棵。设立义务保洁员，保持社区卫生。

四、突出抓好增加居民收入，让群众得实惠

居委会以市场为导向，依托城郊优势，在抓好农牧业基础的同时，开展多种经营，大力发展运输、服务、建筑、民族手工业，建立11个经济实体，为贫困户提供资金，安排就业。社区总收入达到6300多万元，人均收入3134元。居民全部盖了新房，购置了高档家电，家家有余粮，户户有存款，个别居民存款额达百万元以上，43%的居民购买了桑塔纳、丰田等汽车，60%的居民购买了摩托车，提前实现了小康。

（西藏自治区文明办）

陕西省渭南市

以点带面 建立机制 “三下乡”不走过场

渭南市以“关心农村、支持农业、服务农民”为宗旨，坚持“集中行动造声势，常年活动不断线，求真务实取实效”的原则，强化认识，扎实工作，开拓创新，使全市的“三下乡”活动年年呈现新特色，岁岁都有新变化，有力地推动了全市广大农村两个文明建设。

渭南市成立了文化科技卫生“三下乡”活动领导小组，统一组织协调全市“三下乡”活动。明确各成员单位在“三下乡”活动中的职责和要求，增强责任意识，提高工作的积极性和主动性，全市上下形成了齐抓共管的良好局面。

他们坚持市、县两级每年至少开展一次“三下乡”集中示范活动，以推动面上工作的开展。每次示范活动，都在深入实地考察调研、了解示范点群众需求的基础上，精心策划，周密安排，积极开展，不断丰富活动的内容和形式。实现了由单一的灌输形式到采用群众参与、寓教于乐等多种形式的转变，实现了由“送什么农民接什么”到“农民要什么我们送什么”的转变，受到了广大农民群众的欢迎。通过影企联姻、科技示范基地、市县卫生医疗部门单位和基层卫生所结对子等示范活动，起到了典型引路、提高活动水平的作用。

为了把“三下乡”活动引向深入，使其不走过场，不流于形式，他们注重抓机制建设：一是建立工作运行机制。明确各相关部门、单位在“三下乡”活动中的职责，层层分解，逐项落实，齐抓共管，形成合力，力求使活动真正落到实处。形成了以制度为保证、以民意为标准，条块结合、上下联动、协调协作、合力推进的工作机制。二是建立信息反馈机制。成立了县、乡、村三级信息动态网络，及时反馈群众需求，做到群众要什么送什么，什么时候要什么时候送到，不断增强活动的针对性、实效性。三是建立监督激励机制。采取定期与不定期检查相结合的办法，不间断、有重点地检查督促各部门阶段性任务的完成，并把“三下乡”活动纳入县（市、区)、部门宣传思想工作的目标任务考核之中，在年底进行检查评比表彰，激励先进，鞭策后进。四是建立蹲点机制。从市县两级部门抽调农技、水、牧、渔等方面的专业技术人才，组成了160多支科技下乡队伍，从市县两级医疗卫生部门抽调各类医疗卫生骨干组成127支下乡队伍，到农村蹲点，长期服务基层，扎根农村。对这些人员，在晋职、评优树模方面给予政策上的倾斜。五是建立工作创新机制。一方面对每年的工作都要进行认真总结，对好的工作思路，工作方法加以确定和推广。另一方面，根据新的形势，新的发展，对“三下乡”活动提出新的要求，结合农村的实际和农民群众的需要确定工作重点，寻找工作结合点，以求工作有新的突破和提高。2002年，他们把“三下乡”活动与农村经济结构的战略性调整结合起来，与贯彻《公民道德建设实施纲要》结合起来，与西部大开发和扶贫帮困结合起来，与加强农村思想文化阵地建设结合起来，既提高了“三下乡”活动的效果，又深化了“三下乡”活动的开展。

（陕西省文明办）

陕西省公路局

围绕中心 抓好创建 稳步发展

陕西省公路局按照交通部创建文明行业的要求，以创建文明行业为目标，紧紧围绕中心工作，认真组织开展一系列行之有效的群众性创建活动，促进公路系统两个文明建设健康、协调发展。

一、提高认识，建立有效运行机制，确保创建文明行业工作健康持续发展

省公路系统制定创建文明行业规划，提出用5—7年时间把陕西公路系统建成文明行业。成立创建文明行业领导小组，省局、各地市公路局成立了以党委书记任组长的创建文明行业领导小组，形成了一级抓一级、一级对一级负责，党政工团齐抓共管的格局。对全省公路行业实行目标管理，每年年初省局党政领导与各地市公路局党政领导签订年度《目标任务书》，年终对两个文明建设情况一同检查、一同考核、一同表彰，使两个文明建设的任务层层落实，确保两个文明建设任务的按时完成。

二、围绕中心工作，抓好创建活动，确保创建文明行业工作沿着正确的方向前进

加强职业道德建设。各基层单位认真组织职工学习《公民道德建设实施纲要》，大力弘扬“艰苦奋斗、无私奉献、勇于开拓、顽强拼搏”的“铺路石”精神，开展争创“双十佳”活动，涌现出一批爱岗敬业无私奉献的先进典型。2000年全省遇到多年未遇的洪涝灾害，共有9条国道、20余条地方道路和54座桥梁247道涵洞被冲毁。广大公路职工昼夜奋战，及时抢修，保证了公路的畅通。

坚持开展岗位学雷锋、行业树新风活动。广大养路职工不但以自己的辛勤劳动确保了4万余公里公路的畅通，同时为过往司机、旅客提供各种方便，抢修事故车辆、抢救遇难乘客、照顾孤寡老人等。安康宁陕新路道班徐良成同志带领全班人员近年来抢救事故车辆80多次，被过往司机称为“平河梁上一盆火”；合阳金水沟大桥收费处协助当地公安机关侦破了两起刑事案件，受到了当地政府的表扬，被交通部、共青团中央授予青年文明号；宝鸡太平庄收费站职工勇斗持刀歹徒，安全解救人质，受到省交通厅表彰。据不完全统计，全省公路系统近年来先后向希望工程、贫困灾区捐款捐物达800余万元，每年做好人好事近万件。

在大中修工程和建设中，坚持和倡导开展“文明养路”、“文明施工”活动。对发现在施工中有阻碍交通、路边乱堆乱放、野蛮施工的行为及时给予通报批评，促其限期改正；在重点工程管理中，坚持做到五抓，即抓工程质量、抓进度、抓投资控制、抓廉政、抓安全生产。近年来，所管重点工程全部做到了畅、洁、绿、美的要求，工程合格率达到了100%，优良率达到90%以上，公路里程每年以1000公里的速度递增。

三、坚持以人为本，抓思想教育，确保创建文明行业建立在扎实的基础上

在干部职工中深入开展邓小平理论和“三个代表”重要思想的学习。采取专家辅导、座谈会、知识竞赛、自学等形式，教育干部职工紧跟形势，明辨是非，在政治上同党中央保持高度一致。

在广大党员中深入开展为人民服务的宗旨教育，在领导干部中开展以“讲学习、讲政治、讲正气”为主要内容的党性、党风、党纪教育活动，开展“重温入党誓词”、“我是一名共产党员”等活动，充分发挥共产党员的先锋模范作用。

进行西部大开发的动员教育，组织职工学习江泽民同志开发西部的讲话，学习中央的有关西部开发政策，组织干部职工开展“西部大开发，我们怎么办?”的大讨论，开展西部大开发与创建文明行业演讲赛、知识竞赛等活动，使干部职工看到了公路事业发展的前景，增强了凝聚力和战斗力。

采取送出去、请进来的办法加强职工的业务素质培训，鼓励职工自我成才。全局现有在职研究生、在职脱产学习人员达到了300余名，使职工整体素质不断提高，为完成文明建设任务奠定了良好的思想和业务知识基础。

四、从实际出发，做好各项保障工作，使创建文明行业活动稳步发展

抓制度建设。认真贯彻省交通厅规章制度，对文明道班、文明路政执法单位、文明办公室窗口单位坚持按标准从严考核验收，每年进行复查，以保持其先进性。在抓制度建设的同时，注意抓“条”与“块”的结合，及时把行业管理的有关规定制度向当地党组织通报，求得地方组织的支持配合，同时，注意了解地方党组织的工作部署和要求，督促公路系统认真贯彻落实，避免脱节现象。

做好新闻报道工作，积极宣传两个文明建设的成果。积极组织职工向全社会宣传《公路法》，使人民群众自觉形成爱路护路的良好风气；对“双十佳”、“双百”等典型的先进事迹，充分利用新闻媒体进行宣传，加深全社会对公路重点工程的了解，引起各级政府对公路建设的重视和支持。

抓资金投入，为群众办好事、办实事。在经费比较紧张的情况下，省局每年投入200多万元抓精神文明建设。公路局每年按期召开政研会，针对干部职工关心的热点难点问题进行研讨，积极为道工解决吃水、用电、住房、子女上学、就业等问题，调动了广大干部职工投身公路建设的自觉性和坚定性。

抓行风的整顿治理。公路局将治理公路“三乱”作为公路行业文明建设的重点内容，对公路“三乱”进行明察暗访，发现问题及时纠正。同时深入开展公路工程项目执法监督检查，预防和减少公路工程建设中的违规现象。近年来，全省公路系统未有大的“三乱”现象发生，实现了国省道基本无“三乱”。

精神文明建设的深入开展，为公路养建管营工作提供了强有力思想保证，促进了公路养建管营的全面发展。陕西省公路局连续4年被省委、省政府授予“创佳评差”竞赛活动的“最佳单位”荣誉称号，连续3次受到省政府通令嘉奖。

（交通部体政法规司）

陕西省总工会

打造具有特色职工文化品牌

陕西省总工会大力加强职工文化建设，不断充实壮大职工文化队伍，打造一批具有陕西特色的职工文化品牌，形成了积极、健康、向上的文化氛围。

一、命名职工艺术基地，以典型引路，推动职工文化健康发展

为了发扬企业特色文化的示范、引导和辐射作用，陕西省总工会在调查研究的基础上，把原来评选职工文化先进单位改为评选命名职工艺术基地；把原来只是工会一家命名表彰，改变为由省委宣传部、省文化厅、省总工会三家共同命名表彰。三家组成的联合考评小组，通过申报、考察、联评等程序，先后命名了陕西省职工书画、小品、摄影、版面、音乐和舞台等6个职工艺术基地。这些艺术基地在职工文艺创作和繁荣职工文化活动方面发挥了重要作用。

对于职工艺术基地的创建，陕西省总工会一是因势利导做好艺术辅导工作，举办相关的学习班、研讨会和讲座，请专家讲课，提高职工的创作水平。二是为艺术基地提供展示的平台，举办艺术节和相关的展览会，充分展示艺术基地的作品和表演成果。三是举荐艺术基地的作品和节目，参加全国性文化活动的展示和比赛，提高艺术水平，扩大社会影响。四是通过命名表彰和新闻媒体宣传，推广他们的经验。职工艺术基地的创建和命名，在全省引起了较大反响，促进了全省职工文化健康向上、蓬勃发展。

二、命名职工艺术家，为职工艺术人才的成长创造条件，加快职工文化队伍的建设

基层职工文化骨干队伍有着丰厚的生活基础，他们的作品贴近生活、贴近职工，鲜活并富有生命力。陕西省总工会通过评选命名职工艺术家的工作，积极为这支队伍成长壮大创造条件。职工艺术家的评选标准除政治和综合素质条件外，最重要的是所取得的艺术成果，在参评者创作的作品中，必须有 3 个获国家级奖、5 个获省部级奖。截至 2002 年，被陕西省委宣传部、省文化厅、省总工会命名表彰的职工艺术家已有 36 位，涉及文学创作、美术书法、摄影、音乐、舞蹈、戏剧、曲艺、小品和艺术表演等各个门类。他们创作的作品和取得的艺术成就得到了社会的普遍认可，对丰富职工精神文化生活、陶冶职工情操，起到了积极作用。

三、组建职工艺术团，活跃职工文化生活，扩大职工文化的影响力

陕西省总工会组建的“陕西省职工艺术团”的演职员工，大都来自生产第一线，他们中间有工人、基层工会工作者、学校教师和机关干部。职工艺术团经常深入厂矿、企业单位进行慰问演出。特别是近年来，多次为困难企业、困难职工举办送温暖演出，不辞辛苦，不计报酬，克服各种困难，坚持把节目演好。同时，职工艺术团坚持在职工生活的沃土中汲取养料，创作出一批具有时代特色、贴近职工、反映工人阶级精神风貌的歌曲、舞蹈、歌舞和小品等优秀文艺作品和节目，不断满足职工精神文化需求，深受企业和广大职工的欢迎和好评。

陕西省总工会以职工艺术团为主体，多次举办大型文艺晚会，已创编节目 100 多个，演出 200 多场，成为陕西省文化战线上的一支轻骑兵，为丰富职工文化生活，推动企业职工文化活动蓬勃开展，促进两个文明建设作出了贡献。

（全国总工会宣传教育部）

陕西省公路勘察设计院

围绕工作中心　创建文明单位

陕西省公路勘察设计院以勘察设计为中心，坚持“两手抓、两手都要硬”的方针，“两个文明”一起抓，艰苦创业，顺利完成了全省公路的勘察设计任务，经济效益逐年提高。1998 年被国家建设部评为全国 100 强工程勘察设计单位，2002 年被陕西省委、省政府授予陕西省先进集体和省文明单位荣誉称号。

一、围绕中心，狠抓根本，培养高素质的勘察设计队伍

坚持以人为本，不断加强思想道德教育。以培养“四有”职工为目标，结合职工思想实际，坚持进行“五项教育”：邓小平理论和“三个代表”重要思想教育，强化理想信念，提高职工思想政治素质；解放思想、更新观念教育，增强职工的改革开放意识；以职业道德为主的“三德”教育，培养良好的职业道德；爱国主义教育，激发职工的爱国热情；普法教育，提高职工遵纪守法的自觉性。为全院的改革和勘察设计等各项工作奠定了坚实的思想基础。

大力加强思想政治工作。为保证勘察设计任

务的顺利完成，院党委坚持把思想政治工作放在加强职工队伍建设的首位，实行思想政治工作责任制，建立和完善思想政治工作的领导体制、协调制度及规范科学的工作机制。根据勘察设计工作的实际，有针对性地开展思想教育，把思想政治工作做到室、组，把解决思想问题与实际问题结合起来，为生产设计部门提供良好的工作、生活环境，充分调动自觉搞好勘察设计工作的积极性和创造性。

积极开展业务培训，培养高科技人才。他们以科技创新为先导，开展“科技兴院”活动。投资1000多万元购置全球卫星定位系统（GPS）、遥感图像处理与制图系统、地震勘探仪、雅马哈无人操作直升飞机等先进的勘察设计仪器和试验设备，测试人员人手一台电脑，实现了勘察现代化、设计电脑化，缩短了设计周期，提高了设计质量。

注重科技创新。结合陕西省及我国公路交通建设的需要，勇于创新、积极攻关，完成了陕西省“九五”科技攻关项目《西安—汉中高等级公路遥感航测技术应用研究及3S系统研制》、《高等级公路黄土高边坡稳定性研究》等20多项科研项目，并在全省公路勘察设计中推广应用。

在全院职工中，广泛开展了ISO9000国际标准知识的学习教育，按照ISO9001国际标准的要求，建立并完善了勘察、设计、开发、生产、培训、服务等专业和环节的质量体系，把质量工作贯穿到勘察设计的全过程。

二、深入开展群众性的创建活动，提高全院的文明水平

深入开展科技创新劳动竞赛活动。2002年在全院开展了以“创新、高效”为主题的百日劳动竞赛活动，要求在技术手段、工作方法上注重创新，在生产管理、工作进度上讲求高效，掀起加快公路勘察设计的新高潮，使全院勘察设计的进度和质量都有突破性的进展。

在全院各部门开展“两创一争”（创建文明设计室、文明办公室和争当文明职工）评比活动。在职工中开展争当劳模、先进工作者等先进个人评比活动。在党内开展“两优一先”（优秀党员、优秀党务工作者和先进党组织）评比活动。在青年团员中开展青年文明号、青年技术岗位能手和“两优一先”（优秀团员、优秀团干部和先进团组织）评比活动。积极开展交通部提出的“三学四建一创”活动，即学习包起凡、华铜海轮、青岛港等先进典型，建设“交通基础设施优质廉政工程”，“交通行政执法素质形象工程”、“交通运输通道文明畅通工程”、“交通运输企业安全效益工程”，努力创建文明行业。开展“倡导文明新风，共建美化家园”活动，抓好办公区和住宅区的绿化、美化、净化，为全院职工创造整洁、优美、有序的环境。

深入开展扶贫帮困献爱心活动。多年来，该院职工积极为灾区捐款捐物，定点包扶贫困地区，帮助修建石拱桥和乡村道路，捐款修建村小学，资助失学儿童。派出技术人员赴西藏援建公路并捐款等。先后两次被陕西省扶贫领导小组授予“两联一包”扶贫工作先进单位称号。

深入开展积极健康、丰富多彩、寓教于乐的文化体育活动。成立业余乒乓球队、羽毛球队、象棋队和书画协会，利用节假日开展各种文体比赛活动和书画展览。坚持办好文明市民学校，建立图书室、阅览室、荣誉室、娱乐活动室，健身房、健身广场，引导职工积极参与活动，培养职工高尚的道德情操。

积极参与文明社区建设。为社区解决部分办公设备，提供学习活动场所。积极参与办事处、社区开展的公民道德知识竞赛活动、“红五月”演唱活动、社区单位在职党员8小时以外的管理教育评议等活动，为社区建设做出贡献。

三、加强领导班子建设，实行民主、科学管理

党政领导一班人认真学习邓小平理论和“三个代表”重要思想，经常进行党的基本理论、基本路线、基本纲领、根本宗旨、党风廉政建设及民主集中制教育，不断提高对加强精神文明建设的认识，增强“一把手抓两手”、“一班人两手抓”的自觉性，努力把领导班子建设成为坚决执行党的基本路线，全心全意为人民服务，善经营，会管理，团结协作、廉洁公正、开拓创新的坚强领导集体。按照中央有关规定，制定了《院党委议事规则》、《党政领导干部党风廉政建设责任制》等制度。

为提高民主决策水平和管理水平，按照现代企业要求，建立科学的管理机构。发挥职代会作用，凡院内的大政方针，年度目标及涉及职工切身利益的重大问题，均经职代会审议通过后执行。由党政领导组成的院务会作为决策机构，定期或不定期讨论决定全院生产经营、投资安排、计划目标、福利等重大问题。专家组成的工程技术委员会，收集有关技术信息，研究论证有关技术方案，提出可行性报告，供院务会决策参考。生产部门、管理部门、行政部门、后勤部门分工明确，各司其责，协调配合。

全院两个文明建设取得丰硕成果：经济效益连年攀升；先后有70多人次获得厅、省部级以上授予的各种荣誉称号；该院被陕西省交通厅党组评为精神文明建设先进单位。

（陕西省文明办）

陕西省西安市长途电信线务局

完善机制　抓好结合　创建文明单位

陕西省西安市长途电信线务局把精神文明建设摆在企业建设与发展的突出位置，不断拓宽创建思路，促进了企业两个文明建设的协调发展。2002年度被命名为省级文明单位。

一、突出互动效应，完善创建机制

建立目标责任制，形成“两手抓”的责任体系。该局把文明单位创建工作看作是促进企业两个文明建设协调发展的有效途径，在全局建立包括业绩指标、班子建设、队伍建设、企业管理、综合治理等内容的目标责任体系，全面实行效绩考核，确保创建工作落到实处。

加强班子和队伍建设，形成创建工作领导核心和骨干队伍。狠抓班子成员的理论学习和作风建设，发挥党员干部的模范激励作用。狠抓党风廉政建设，制定廉政制度，强化廉政监督。开展青年文明号、五四红旗团支部等创建活动，调动了青年、团员的工作积极性和创造性，出色地完成了各项任务。

注重制度建设，制定创建规划、计划，完善创建制度，制定落实措施，积极探索创建新思路，使创建工作规范化、制度化。制定了思想道德教育、党风廉政建设、工团工作、综合治理、企务公开等制度和规范。定期组织对基层展开调研，有针对性地提出各项整改措施，促进了文明单位创建工作的顺利开展。

二、抓好三个结合，拓宽创建思路

把创建活动与思想道德建设相结合。利用“职工学校”这一阵地，积极组织员工参加思想政治学习。组织员工开展《公民道德建设实施纲要》知识问答、知识竞赛；举办邓小平理论、“三个代表”重要思想、十六大精神培训班。全面推行竞争上岗制度，形成能者上、庸者下的用人机制。

把创建活动与加强企业管理相结合。定期举办光缆测试、《工会法》、安全知识和“一岗多能”等专业培训，实行周三岗位练兵制度，挑选精兵强将参加每年全省长线系统的技术比武活动，取得了较好的成绩；选送业务骨干到北京邮电大学等参加业务培训。每年召开一次工作会议暨职工代表大会，公布局各项工作的运行情况；在局企务公开宣传栏内定期通报局各项费用指标完成状况以及员工各项费用的缴纳情况，公布员工关心的热点、难点问题，广泛听取员工意见和建议。每年底，召开民主评议领导干部的会议，通过民主测评，考核局领导班子。

把创建活动与企业文化建设相结合。先后投资改善局办公环境，建立家庭式员工厨房、休息室、乒乓球室、台球室、阅览室、健身房、宣传栏、文化橱窗等文化阵地。组织员工参加文艺演出、服装表演、体育比赛、知识竞赛等丰富多彩的业余文化活动。每年表彰“先进工作者”，“无障碍优胜个人”等，定期评选“文明科室”、“文明分局”、“文明家庭”、“文明职工”，激励全局形成奋发向上的良好氛围。

三、组织开展活动，深化创建内容

围绕中心任务，积极开展形式多样的劳动竞赛。局工会组织开展以“保畅通”为主题的劳动竞赛。先后开展“百日安全”“大干八十天，向十一献礼”、“大干四季度，确保干线无全阻”等活动，并在活动中树立“共产党员段”、“共青团员段”、“一星级驻段员段”、“二星级驻段员段”等榜样示范线路。

开展丰富多彩的文化活动，活跃员工文化生活。局工会结合线路维护的实际工作特点，组织员工参加省线务局举办的篮球赛、足球赛、乒乓球赛以及趣味运动会等。先后组织了保龄球、象棋、台球、跳绳、歌咏、演讲等比赛，为员工提供展示能力、满足兴趣爱好的舞台，促进员工的全面发展。

关心员工生活，积极为员工办好事，办实事。投资改善了局机关和4个分局的办公环境，为基层分局配置空调、凉席，为山区巡房添置了家庭式土暖气，架设电视卫星接收器，为摩托车驾驶员配发头盔、保暖皮鞋、护膝、护手等劳保防护用品等，筹措资金为员工进行全面的健康普查活动。局工会积极开展“五必访”活动，对遇有婚丧嫁娶病等事的员工给予关心和问候。

2002年6月，陕西省部分地区遭受百年不遇的洪灾。该局全体员工冒着瘟疫等传染病的威胁，踏着泥泞崎岖的山路，扛着沉重的抢修仪表工具，在山间、峭壁边奋力抢修，以最快的速度接通了全部通信线路，恢复了灾区人民的通信联络。

（陕西省文明办）

陕西省咸阳市邮政局

开展“双创”、“达标”活动 打造企业品牌

咸阳市邮政局多年来坚持把精神文明建设工作放在突出位置，加强管理，深化内部改革，狠抓优质规范服务，取得了两个文明建设的双丰收。该局连续3年在陕西省“创佳评差”竞赛活动中被评为“最佳单位”，被中央文明委命名为全国精神文明建设工作先进单位。

一、以“双创”为载体，大力推进规范化服务

咸阳市邮政系统在行业内部深入开展“树邮政新风，创优质服务”和“创佳评差”竞赛活动，坚持常抓不懈。

从加强邮政网点建设入手，建成邮政精品网点20个，优化、美化了用邮环境。

狠抓“四个统一规范”，即：邮政局所标识、局名牌、信筒、信箱和邮政车辆统一规范；邮政局台席设置和作业流程统一规范；邮政营业、投递等对外服务人员的着装、服务用语统一规范；邮政包装用品的外观设计、规格、价格统一规范。落实标准化工作，在储汇临柜人员中开展评选最满意储汇营业员活动，促进规范化服务的落实。

组织实施邮政进社区、进校园、进商厦的“三进”工程。建成社区邮政服务网点22处，校园邮政服务网点13处、旅游景点服务网点3处。开办了物品递送、商品邮购、图书销售、音像租赁等服务项目。

实现特快专递和畅销报刊全面提速。咸阳同全国省会特快专递邮件（拉萨、哈尔滨、长春、呼和浩特、贵州、合肥、南昌除外）基本实现36—48小时送达。

促进业务受理方式便捷化。健全185客户服务中心功能，实现其咨询、查询和业务受理功能

等，积极采取预约服务、流动服务、上门服务等多种方式受理邮政业务，使客户用邮更方便、更快捷。

做好重点用户的个性化服务。在保证普遍服务的同时，实施分层次服务管理，对大客户实行综合性、全方位、一站式服务。

二、开展承诺服务，让用户满意

以营销网、投递网的改造为突破口，强化内部管理，认真兑现服务承诺，解决服务中的热点、难点问题，让用户用邮在邮政、满意在邮政。

全市各局在营业窗口向社会全面公布邮政服务承诺和服务监督电话，自觉接受广大用户监督。凡服务承诺未兑现者，在“双创”活动综合评比中实行一票否决制。

提高邮件传递速度。各县（市）局增加投递班次，保证每日投递两个频次。

不断扩大包裹直投到户的范围。为确保一次妥投到户，大力推行预约投递，努力做到“日日清，无积压”。

认真治理缺报短刊和邮件的查询、赔偿这一用户反映的热点、难点问题。在治理缺报短刊上，对内抓补送、补偿办法的落实，抓监督检查工作的到位；对外公开承诺报刊、杂志短少在3日内补送，无法补送的15日内对用户进行补偿。在邮件查询和赔偿上，及时催查、严格考核，实行用户查询首问责任制办法，保证有查必复。

三、开展“达标”活动，打造企业品牌

在全市8个新建局组织开展“达标”整治活动。各新建局实行目标管理，健全岗位职责，创造规范、文明的工作环境，发挥新建局的带头作用，为用户创造优良的用邮环境，全部通过省局验收。

深化内部改革，增强企业发展活力。深入落实“三项制度”改革。在管理部门全面实施竞聘上岗，生产单位职工推行持证上岗和末位淘汰制。清理整顿临时用工，加强劳务用工管理，全面推行效益工资制。稳步推进财务体制改革，加强对资金和成本的管理，实行收支两条线管理，确保企业资金良性运转。按照适应市场，强化决策，精简高效的原则，推进企业内部经营机制的改革，理顺专业营销体系和部门分工。

加强日常管理，提高企业竞争能力。从企业的实际出发加强管理，在市场中拓展属于自身的生存空间。修订和完善企业的各项规章制度，确保有章可循。推行目标管理责任制，加强绩效考核管理，使企业达到规范化运作。加强企业安全生产管理，健全规章制度，完善防范设施，确保安全无事故。加强企业财务管理，加强资金和收入管理，做好企业现金流量分析，强化成本管理，确保管理费下降。完善建立信息技术管理体制，依靠技术创新为业务发展提供有力支撑。

强化监督机制，为企业发展保驾护航。强化监督机制，确保企业在市场经济中持续、稳定发展。加强基础管理和业务管理，进行质量分析，强化监督检查。完善督办制度，注重提高工作效率。加强行业管理，治理整顿邮政市场秩序和提高依法执法的水平，维护邮政专营权。完善生产成本和财务审计监督，严格控制变动成本，杜绝跑、冒、滴、漏问题发生。强化内部审计管理，有针对性、有重点地开展专项审计调研活动，加强工程审计和领导干部的经济责任审计。

“双创”、“达标”活动推动文明行业建设取得了丰硕成果。全市建成一星级营业厅4个，二星级营业厅4个；各县（市）局建成省级青年文明号2个，全国青年文明号1个。市局和11个县局全部建成省级文明单位，形成省级文明单位系统。

（陕西省文明办）

陕西省宝鸡市地方税务局

从严治队 强化管理 创建文明行业

宝鸡市地方税务局按照“道德立局、素质建局、治税强局、乐业兴局”的工作思路，努力实施“树人、治税、乐业”三大工程，促进了两个文明建设的协调发展。在陕西省开展的“创佳评差”竞赛活动中，连续7年被省局评为“最佳单位”和“示范单位”，被陕西省委、省政府评为陕西省行政机关先进集体、省级文明单位、省级文明单位标兵。精神文明建设活动促进了税收业务工作，税收年平均增长率为15.9%，7年累计完成地方税收31.4亿元。

一、提高认识，加强领导，全面实施“一把手工程”

抓认识。局领导充分认识行业精神文明建设的重要性、必要性和紧迫性，要求全系统各级领导班子和全体税务干部从实践“三个代表”重要思想的高度，深刻理解加强精神文明建设的重要意义。

抓组织机构建设。市局及各基层局都成立了由“一把手”任组长、有关领导参加的创建工作领导小组，全系统形成了“一把手”亲自抓，主管领导具体抓，班子其他成员配合抓，党政工团共同抓的组织领导格局。

抓规划。制定《宝鸡市地税系统创建文明行业规划》和《创建文明行业实施意见》，把“政治思想坚定、干部素质高”作为文明行业的首要标准。同干部职工签订了创建责任书，增强责任意识，形成人人关心、个个参与的良好局面。

抓宣传动员。召开创建文明行业动员大会，采取多种形式深入宣传发动，通过媒体向社会公开承诺，争取社会各界的支持与监督。

二、以人为本，深化教育，努力提高干部职工的政治业务素质

狠抓“班子”建设。按照“学习务实，团结严明，开拓创新，高效廉洁”的要求，局领导班子，结合新机构、新形势，坚持不懈地开展邓小平理论研读、“三个代表”重要思想的学习宣传实践，班子成员做到理论联系实际，努力做爱岗敬业、政治合格、勤奋实干、永攀高峰、维护团结、廉洁奉公的带头人。

坚持从严治队，强化职工的思想道德教育。局党组成立学习教育领导小组及办公室，制定学习教育计划，形成由人事教育部门牵头，纪检监察和办公室协作，齐抓共管的学习教育机制。先后在全系统职工中开展“三讲”教育、“警示”教育、“三个代表”重要思想教育、“延安精神”教育、“五种精神”教育、《公民道德建设实施纲要》教育、廉洁自律教育等活动。干部职工结合自身和工作实际查找问题，分析根源，梳理归类，制订方案，逐步整改。

加强业务培训。市局结合实际，制定培训规划，以“三懂四会”（懂市场经济知识、懂税收政策法规、懂财会知识；会查账、会计算税额、会写专业文书、会操作现代化办公设备）为目标，采取一周一题，一月一税，一季一考等形式，分级分类地开展各类培训。局里还创造条件，鼓励职工参加学历教育。

三、深化创建，规范服务，树立行业新形象

按照“提高质量、滚动发展”的思路，坚持不懈地开展创建文明单位、青年文明号、最佳办税服务厅、最佳办税服务员、标准化税务所、人民满意公务员等活动，全面提高各单位的文明水平，推动中心工作。

狠抓优质规范服务。几年来共投入建设资金9500万元，建设标准化基层税务所。制定《宝鸡市地税系统文明办税行为规范》、《文明办税八公开》、《文明办税服务承诺》等规章制度。实行首问责任制，提倡文明用语，杜绝服务忌语，实行银税一体化办税，使税收征管更加科学、规范。

加强廉政建设。将廉政制度汇编成册、发给每个干部，相继制定了《廉政保证金制度》、《提拔任用干部廉政鉴定制度》等，用制度管人。坚持每月一次的“党风廉政教育日”活动，通过学习文件、看录像片、看展览、剖析各种案例，不断敲响警钟。与宝鸡市检察院合作成立预防犯罪领导小组，聘请社会监督员，健全监督网络。实行分权管理，离任干部审计等制度，形成较为完善的内外监督体系。开展“地税行风万人评”活动，公布举报电话，邀请人大代表、政协委员进行行风评议，对评议中提出的意见和建议及时进行整改。

在征管和管理上不断创新。按照“稳定基础税源，支持重点税源，开发潜在税源，培植后备税源”的思路，创造“集中征收，重点稽查”的征管模式。针对不同情况加强征管资料规范化管理，探索增收堵漏的新办法。整顿税收秩序，加大防范和打击偷税抗税行为，强化对所得税的征管，加强和规范税收稽查，确保每年税收任务的顺利完成。2002 年在全国地税行业率先实行 ISO9001 国际质量体系认证，全面创新管理体制和管理模式。

（陕西省文明办）

甘肃省张掖市临泽县

贴近农村实际　推进“四村”建设

近年来，甘肃省张掖市临泽县在实现村村“四通”（村村通车、通电、通水、通邮电）、“四化”（村村道路硬化、“四旁”绿化、村容美化、净化）、“四有”（村村有广播电视室、文化图书室、体育场地、农民夜校）、“四改”（村村农户改院、改厨、改水、改厕）上狠抓落实，推进全县农村精神文明建设深入持久发展。

一、贴近农民思想道德实际，突出重点、强化教育，着力提高农民思想道德素质

抓教育引导人。发挥农村乡镇党校和乡（镇）村精神文明建设学校主阵地作用，开展主题教育活动，引导农民树立正确的人生观、价值观；采取多种形式，加强对农民群众文明意识、科学文化知识、市场经济等方面知识的培训，引导农民解放思想，更新观念，增强市场意识和致富技能。既抓经常性教育，又结合党的中心工作、重大政策的出台以及重大节庆日和农闲时节开展专题性教育，做到深入浅出，灵活多样。在教育形式上，采取宜说则说，宜唱则唱，宜观则观，增强了教育效果。

抓环境影响人。注重抓好“三结合、三改变”。一是将环境建设与农民文明意识的树立和文明素质的提高相结合，改变农民封闭保守、陈旧落后的思想观念。二是将环境建设与加快农业产业化进程相结合，改变农民墨守田园、小富即安等传统意识，通过优化发展环境，组建专业技术协会，把广大农民拉进产业链条，增强农民参与市场竞争的能力。三是将环境建设与改院、改厨、改厕、改圈、改水相结合，改善农民不良生活习惯，让农民住上整洁舒适的住宅，饮用符合标准的卫生水，用上卫生厕所，养成文明行为。

抓活动陶冶人。一是围绕创建文明村镇，组织开展最佳十星级文明农户和十星级文明农户创评、美在家庭、五好文明家庭、婚育新风进万家等一系列主题鲜明、各具特色的创建活动。二是坚持村镇、居民点形象建设，开展绿化、美化等环境综合整治系列活动。三是贯彻落实《公民道德建设实施纲要》，在普及公民道德基本规范的同时，以村社为单位成立道德评议会，聘请道德评议员，设立道德评议台，围绕农村一些热点难点问题适时开展评议活动，促使群众自我教育、自我管理、自我提高。四是落实小康文化和丝绸之路文化长廊建设任务，实施村村通广播电视和农村电影放映“2131”工程，坚持开展家庭文化建设、文化卫生科技“三下乡”、全民读书、社火表演、文艺汇演等富有乡土气息的文化娱乐活动，陶冶农民情操。

抓管理规范人。通过健全完善乡规民约、村规民约、文明公约、卫生检查评比制度等管理制度，把公民道德建设的基本要求渗透在农村管理的各项制度中，融入到农民的日常生产、生活中，规范村民行为，增强村民社会公德、家庭美德意识。

二、贴近农村生产生活需要，拓宽渠道，加大投入，切实改善基础设施建设

逐步建设以财政投入为主，多渠道、多层次、多方面、全社会共同对精神文明建设投入的新机制，加强了各类设施建设。一是把精神文明建设纳入全县经济、社会发展的总体规划，列入财政年度预算，随着经济的发展逐年增加对精神文明建设的投入。二是争取项目投入，在安排基本建设项目时，按照精神文明建设的总体规划，精心筛选一批基础设施建设项目，列入全县项目建设库，积极争取立项，逐年新建和改造一批直接为群众服务、大多数群众受益的基础设施。三是政策倾斜投入，县和乡（镇）村均制定优惠政策，对进行居民点街道绿化的合作社和“四改”的农户，补助一定数量的树苗、砖、水泥、瓷砖和坐便器等，3年来补助金额达500多万元。四是动员部门投入，一方面动员文化、卫生、交通、农业、林业、水电、广播电视等职能部门每年投入一定数量的经费或设施用于农村“四村”建设；另一方面开展“城乡结对共建”活动，县直每个单位确定一个挂靠帮办村，要求各单位每年为挂靠村办一二件精神文明建设方面的实事。五是引导农户投入。积极引导农户调整家庭消费结构，拿出一部分收入用于子女教育，订阅报刊、学习科技、安装电话、架设有线电视、进行“四改”等，自己动手创造良好的生活环境。

三、贴近农村精神文明建设实际，实施“点、线、面”战略，整体推进“四村”建设上水平

从点抓起。坚持每年确定10个村、100个社、1000户农户作为“四村”建设的示范点，列为年度农村精神文明建设的重点项目，制定具体的创建方案和建设标准，协调各方面的力量全力以赴抓落实，为全县“四村”建设起到了较好的示范、带动作用。同时，各乡镇在巩固原有示范点的基础上，每年新建一个综合示范点，从阵地建设、住宅建设、道路建设、绿化美化、文化建设、环境建设等方面综合抓、配套抓，每年召开一次观摩评比会议，提高示范水平。

从线上拉开。在312国道和县乡公路等主干公路两侧，实施沿路开发带动战略。结合312国道创建部级文明样板路活动的开展，在张罗公路、张肃公路临泽段和临平路段、临板路、鸭小路等县乡主干道路全面开展创建市、县级文明样板路活动，大力整治沿路环境，同时把沿路、沿线村社作为全县“四村”建设区域示范带，两年内全面完成创建任务，不仅构筑了区域文明，也辐射、带动了全县“四村”建设。

从面上拓展。将“四村”建设的各项任务融入到各类群众性精神文明创建活动中，深入开展以家庭环境建设、文化建设、语言建设、行为建设、经济建设为主要内容的“美在家庭”活动和十星级文明乡镇、村社、农户等星级系列创评活动，有力地促进了“四村”建设的深入开展。

到2002年底，全县100%的村全部实现通车、通电、通邮、通水、通电话的目标。村村实现了四旁绿化；89.3%的村道路硬化；92.2%的村环境净化、村容美化。村村建起了体育场地和精神文明建设学校；91.3%的村建起了广播电视室；90%的村建起了文化图书室。农村生活环境明显改善。

（甘肃省文明办）

甘肃省国家税务局

创一流行业 建诚信国税

近年来，甘肃省国家税务局下大力做好依法治税、从严治队、科技加管理“三篇文章”，使两个文明建设不断取得新成果。全省国税系统被甘肃省委、省政府命名为省级文明行业，被省文明委确定为全省精神文明建设“双十典型”。

一、明确目标，转变作风，带头实践“三个代表”重要思想

局党组一班人把文明创建作为贯彻落实“三个代表”重要思想的具体实践内容，制定下发《中共甘肃省国家税务局党组关于创建省级文明行业的决定》，明确“六个一流”的创建目标，即一流的创建意识、一流的国税班子、一流的国税队伍、一流的管理质量、一流的行业风尚、一流的工作业绩。同时要求全系统树立爱岗敬业、公正执法、文明服务“三个形象”。成立了由党组书记、局长为组长、纪检组长为副组长、机关有关处长参加的文明创建领导小组，实行“一把手”负责制，将文明创建任务分解到各单位，实行目标管理和责任考核制度，与税收征管同部署、同落实、同检查、同奖惩，确保文明创建活动有声有色、扎实有效。为夯实基层精神文明建设基础，局党组确立工作重点和经费向征管、向基层“两个转移”的方针，加大对基层的经费投入，确定基层最低经费标准和机关最高标准。全系统县、市级国税局和基层分局除少数城市单位外，都建有小食堂、小菜地、小澡堂、小图书室、小娱乐室，达到了绿化、美化，环境优雅、面貌清新的要求。

二、依法治税，优化服务，树立文明执法的国税新形象

突出行业特点，做好执法服务。一是精神文明建设与严格执法相结合，促进公正执法。建立严格的行政执法责任制、执法责任制考核、过错责任追究办法及其配套制度，强化对税收执法事前、事中、事后的监督，建立健全涉税案件的复查、协查、审理、处理及业务公开制度，结合实际收缩稽查机构，开展税收专项检查，整顿税收秩序，加大稽查工作力度。近几年共查补税款11.33亿元，维护了税法尊严。二是精神文明建设与规范税收执法相结合，促进依法行政。广泛进行“诚信纳税、利国利民”为主要内容的税法宣传和“三五”、“四五”普法工作，组织税收执法资格考试，严格执法检查证、行政处罚证、执法监督证年审制度，依法确定行政处罚主体资格，在税收执法全过程实行持证上岗，亮证执法，有效规范了执法行为。三是精神文明建设与优化服务相结合，促进文明执法。广泛深入地开展争创先进领导班子、最佳办税服务厅、青年文明号、巾帼建功示范岗、人民的好税官等活动，实行“一站式”服务，大力推行网上、电话和银行网点申报纳税，使纳税人足不出户即可完成纳税申报，降低了纳税成本，提高了办事效率。同时，以基层窗口为重点，开展社会承诺服务和办税服务厅规范化服务活动，统一规范税务人员文明用语和服务忌语，推行税收执法公开，建立个体户纳税额集体审定制度，设立公告栏和咨询栏，实行首问责任制，受到纳税人的广泛好评。近年来，全系统涌现出全国劳模3名，省部级先进工作者43名、三八红旗手和巾帼英雄10名，基层单位各类先进覆盖率在50%以上。

三、以人为本，从严治队，锻造一支人民满意的税收执法队伍

该局把提高干部政治素质、业务能力和优化队伍结构作为从严治队的主要内容，以各级党组班子建设为重点，大力加强思想政治建设，坚持每两年召开思想政治工作和队伍建设会议，明确思想政治工作的阶段性目标和要求，使政治学习经常化；广泛开展“三爱一树立”活动，引导干部树立正确的世界观、人生观和价值观。同时，按照不培训不上岗、不培训不使用、不培训不提拔的原则，多渠道、多层次、多形式地进行计算机应用、财税、现代管理、法律等专业知识的培训和学历教育，并不断扩大培训范围，拓展培训内容，提高培训层次。结合税收工作实际广泛开展争创计算机、征管、稽查“三能手”活动，近5年内，系统举办各类培训班1218期，培训人员5.38万人。全系统大专以上学历由1998年的34.1%提高为2002年的71%。在此基础上，把竞争激励机制引入人事管理体系，大力推行竞争上岗、双向选择、末尾淘汰等措施；精简机关行政编制17.6%，优化了结构，增强了活力。

围绕行风建设，建立完善了廉政档案、预防职务犯罪、人事、财务、接待、基建、大宗物品采购、离任审计等制度和措施，加大责任追究和违法违纪案件的查处，先后对6名违纪人员给予党纪处分，对2人移交司法部门审判后给予刑事处罚。公开举报电话，开展明察暗访，聘请义务监察员、特邀监察员等，最大限度地拓宽社会监督渠道，有效遏制了腐败现象和利用职务犯罪的发生，举报案件大幅下降。

四、与时俱进，科技先行，努力提高税收管理工作水平

近3年来，投资2500余万元实施金税工程，开通了上联国家税务总局，覆盖省、地、县和部分税务所的五级广域网络和省、市、县局办公局域网络，实现了税收征管、稽查、退税、公文等信息资料的传输和共享。将全省3690户企业纳入防伪税控，并通过协查系统直接发现虚开、接受虚开发票案423起，涉及发票2094份，查补税款及罚款1069.76万元。充分发挥了金税工程打击偷逃骗税的“杀手锏”作用，多次受到国家税务总局的表扬。以推广网上申报、电话申报和银行网点申报为重点，推动全系统征管改革，全省用三种申报方式纳税户已达72.1%。2002年，该局又在兰州、金昌、嘉峪关推广CTAIS中国征管软件，使税收征收管理逐步实现专业化、集约化和现代化。税收征管改革的不断深化，促进了征管质量的提高和税收收入持续稳定增长。

五、服务人民，奉献社会，积极为地方经济发展做贡献

该局积极支持地方经济发展。认真落实各项税收优惠政策。利用多种形式广泛宣传税收优惠政策，积极开展纳税宣传辅导，及时让企业了解和掌握国家税收扶持和照顾政策。规范管理，简化程序，提高效率。近几年，先后办理出口退税17.1亿元；按政策规定办理减、退、免、返税额7.89亿元；审核批准企业所得税税前扣除项目金额29.64亿元，有力地支持了甘肃经济的发展。积极参与社会公益事业。近几年，全省国税系统共投入资金251.37万元，单位和个人捐助现金217.38万元，积极参与扶贫、雨水集流工程、救助失学儿童、为残疾人献爱心等活动。在新闻媒体、机场、市区繁华地段设立公益广告，送电影送税法下乡，弘扬正气，营造积极向上的精神氛围，受到社会各界的广泛好评。

（甘肃省文明办）

甘肃省华亭煤业集团有限责任公司

坚持六个突出　争创文明矿区

华亭煤业集团公司立足于改革发展的实际，全面提高精神文明创建工作水平，使两个文明建设取得了丰硕成果。2002年，集团公司实现了国家增税、企业增效、职工增收、矿区稳定“三增一稳”的可喜成绩。集团公司被省委、省政府授予省级文明单位，被中国资信中心评为中国煤炭系统信誉十佳品牌。

一、突出安全生产，牢筑坚实安全防线

集团公司学习外单位经验并结合本单位实际，制定下发了《关于加强安全教育工作的通知》，明确了党委、工会和团委、安监部门安全教育的职责和工作内容，提出了安全教育的方法，制定了《考核标准》，使精神文明创建工作贯穿于安全生产、经营管理的全过程。在创建内容和创建标准上，集团公司把是否完成生产经营任务，是否完成年度生产经营指标，安全教育的措施是否落实，有没有安全事故都作为创建的主要内容进行严格考核。在布置、检查、评比总结安全生产、经营管理工作的同时，布置、检查、评比总结创建活动，使创建活动看得见，抓得住，真正落到实处。

二、突出科技进步，经济效益稳步提高

在两个文明建设中，集团公司以科技创新为动力，大力实施科技兴矿的发展战略。2002年，确定22项科技项目，投资5.8亿元的华砚煤矿改扩建工程已经全面铺开，一个年产1000万吨的特大型矿井将在两年后建成。年产120万吨的山寨煤矿、新窑煤矿、新柏煤矿技改工程已破土动工，经过3年努力，生产能力可达到1500万吨。年产300万吨以上的砚北煤矿、华亭煤矿，年产120万吨的陈家沟煤矿都实现了调度指挥网络化、安全监测电视化、皮带运输自动化，大大提高了安全生产效益，为集团公司的大发展提供了强劲的动力。2002年集团公司拨出40多万元重奖在科技兴矿方面成果显著的单位和个人，使技术创新成为精神文明创建的有力支撑。

三、突出以人为本，塑造“四有”职工队伍

狠抓职工的职业道德教育，制定下发贯彻《公民道德建设实施纲要》的《实施办法》、《集团公司精神文明建设十五规划》，把《职工文明公约》、《职工道德标准》、《机关工作人员岗位行为规范》、《采、掘、机、运、通职工岗位行为规范》、《服务行业职工岗位行为规范》、《青少年学生思想道德行为规范》等。广泛开展了“四五”普法教育活动，教育职工遵纪守法，树立职业道德，强化职业责任，遵守职业纪律，提高职业技能，使“爱国守法、明礼诚信、团结友善、勤俭自强、敬业奉献”的道德规范逐渐成为职工的自觉行为。

狠抓员工的思想道德教育。开展讲团结、保稳定、促发展的学习教育活动。对副处级以上干部分期进行轮训。在领导干部中开展“当官干什么？用权干什么？”的专题讨论，树立正确的权力观；在党员干部中开展“入党为什么？为党干什么？”的学习大讨论，对照自己的思想和工作开展批评与自我批评，促进党员先锋模范作用的发挥；在职工中，重点开展学习现代企业制度理论，开展企业精神教育，激发职工爱岗敬业的奉献精神。

加强企业文化建设。总结提炼出“敬业奉献，创新发展”的企业精神。投资300万元，承办“2002·中国·西部华亭煤业经济技术交易会”，全面宣传企业文化，扩大对外经济、技术和文化交流。利用节假日举办“永远跟党走”演讲比赛、“安康杯”安全知识竞赛、卡拉OK比赛、职工健身操比赛、篮球排球比赛、文艺调演等活动，丰富职工精神文化生活。

矿区违法犯罪率逐年下降，治安案件控制在7‰以下，职工犯罪率控制在总人口的0.9‰，民事纠纷调解率达到了98%，单位无吸毒、无赌博人员，实现矿区稳定，为改革发展创造了良好的环境。

四、突出“十创建”活动，提高矿区文明程度

加强领导。集团公司成立了精神文明建设委员会，设立了办公室。各基层单位都相应成立了精神文明建设委员会或领导小组，党政工团各级负责人为成员，党委书记为第一责任人，班子成员按照分工，分别抓好分管范围内的创建活动，从人、财、物方面给予全力支持和保证，形成了党政主要领导亲自抓的领导体制和工作机制，确保了创建任务的落实。

明确责任。集团公司党委书记与各单位党委书记分别签订《精神文明建设目标管理责任书》，明确了各单位创建指标和任务，制定了重奖重罚的具体措施。所属单位也层层签订《精神文明建设责任书》。每个创建单位都制定《创建责任牌》，建立创建台账和记录，明确责任人、考核人、创建人的职责，形成党委统一领导，精神文明建设委员会全面负责，党政工团齐抓共管，职工广泛参与的组织领导格局。

广泛开展创建活动。组织开展“文明单位、文明机关、文明选煤楼（煤场）、文明区队（车间）、文明机房（硐室）、文明窗口、文明浴池、文明住宅小区、文明宿舍、文明家庭”等10个方面的创建活动。矿区环境明显改善，企业管理明显加强，职工生活质量明显提高，企业文明程度明显升华。集团公司对2002年创建达标的111个主体进行命名和授牌，推动了创建活动的深入开展。

抓典型，以点带面，推动全局。总结华亭煤矿省级文明单位的先进经验，发挥示范引导作用。狠抓制度建设，制定出台了《精神文明建设“十创建”活动分项标准》、《考核办法》。集团公司党委每月召开政工例会，定期研究解决创建活动中存在的问题，及时通报创建活动的好经验、好做法，监督和规范创建行为，使创建工作逐步规范化、制度化。

五、突出环境治理，创建美好生活家园

集团公司以绿化、美化、亮化工程为突破口，狠抓“脏乱差”治理，在治理矿容矿貌上下功夫，在创建美好生活家园方面做文章，在提高企业文明程度上抓落实，狠抓硬件建设。在工业场区的环境治理上，将华亭煤矿等几个大矿建成“台阁式”、“花园式”、“长廊式”、“园林式”的工业场区，将梅苑等3个小区创建成文明社区。矿容矿貌大为改观，职工的生活工作环境发生了巨大变化。

六、突出实事实办，全力解决职工困难

集团公司党政领导和机关部室都建立了扶贫帮困联系户、联系点，并经常深入基层慰问特困老党员、职工军属、离退休职工。先后发放困难补助40多万元，慰问困难户1000多户。投资50多万元解决了马井职工的吃水难问题。及时为地处偏僻地带的山寨煤矿购置了通勤车，解决了长期以来困扰职工上下班和交通不便的问题。加快住房建设，使354户职工在2002年喜迁新居。

（甘肃省文明办）

宁夏回族自治区

“三创”结合 四线同进 推动千里文明长廊建设深入发展

宁夏回族自治区在以纵横宁夏南北的109国道和包兰铁路为主线的“千里文明长廊”建设工程将创建文明城市、文明村镇和文明行业结合起来，初步形成了纵向连线、横向成片的宁夏千里文明风景线。

一、以“三创”结合为形式，着力营造良好的人文环境与服务环境

在“千里文明长廊”建设中，把创建文明城市、文明村镇、文明行业活动作为一个系统工程，统一规划，同步实施，相互配合，齐头并进，有效地发挥整体效应。文明城市创建活动以创建文明社区为基础，推出一些示范带动力强的先进城市，为城乡一体化发展起到了较好的辐射作用；文明村镇创建活动围绕“小城镇”发展战略，继续推进“十星级文明户”等多种形式的创建活动，开展了以城带乡、城乡共建活动；文明行业创建活动以诚信建设为重点，通过开展优质规范服务、文明窗口评选等活动，纠正不正之风，提高服务质量，为创新宁夏经济发展环境提供了有力支持。

二、以“双治”教育为重点，着力营造促进人的全面发展的德治环境与法治环境

“千里文明长廊”建设始终坚持以人为本，把提高群众思想道德和科学文化素质、普及法制观念作为重点，组织开展“双治”教育。一是抓好德治教育。制定完善《城乡文明公约》、《行业道德规范》等，文明市民学校、村民学校坚持常年开课。广泛开展评选“职业道德十佳标兵”、“文明市民”、“十佳青年”、“五好家庭”、“人民满意公务员”和创建“文明示范窗口”、“巾帼示范窗口”、“青年文明号”等活动，使群众在活动中受到教育。二是抓好法治教育。通过开展规范化服务、普法宣传等多种手段，增强干部群众的法律意识、法制观念，不断提高行政执法部门的执法水平，加快了依法治区的进程，在全区形成了学法、知法、用法、守法的法制环境。

三、以“四线”建设为内容，着力营造良好经济社会可持续发展环境和生态环境

以整顿交通秩序、营造安全畅通的交通干线为重点，组织实施“平安大道”工程。区交通、公安、铁路等系统，根据各自的工作特点和管理职能，采取多种措施，组织开展各项工作。一是以人为本，加强队伍建设；二是依法治路，开展集中整治活动，实施畅通工程；三是加强基础建设，创造良好的交通环境；四是加强交通法规宣传，普及交通法规知识，建立城乡交通管理法制宣传教育网络；五是开展优质规范化服务和“四优一满意”活动，提高服务质量。

以开展植树造林、保护生态环境为重点，实施“绿色走廊”工程。一是绿色通道建设。在交通沿线上，以林业生态工程为骨架，以城镇、村庄为依托，以公路主体绿化为轴线，植树造林、绿化美化，建设绿色通道。二是黄河防护林建设，积极开展“保护母亲河”行动。三是城乡绿化美化建设，实施绿色居住工程。四是退耕还林建设，落实退耕还林任务，取得明显成效。五是开展绿色教育。组织开展保护生态环境、大力种草种树活动，动员千里长廊沿线干部职工、部队官兵积极参加义务植树、认养绿地活动。

以健全和完善文化网络、开展丰富多彩的文化活动为重点，实施“文化长廊”工程。一是加强基础文化设施建设。多方筹资，在千里沿线上建设城市、乡镇宣传文化中心和文化活动室。二是开展群众性文化活动。组织开展广场文艺演出、“大篷车”送戏下乡和“心连心”演出等多种文化活动。三是加强基层文化队伍建设，组织培养社区、乡镇宣传文化专干。四是进行文化遗产的保护工作。

以“普及科学知识、倡导文明生活”为主题，实施“科普走廊”工程。一是组织科普阵地建设。整合科普资源，加强科普设施、科普网络、科普队伍、科普基地的建设。二是开展科普活动。把“三下乡”与开展科技承包、技术服务结合起来，把“四进社区”同加强公众科学素质、健康素质教育结合起来，积极组织开展科普周、科普咨询、社区科普画廊、农业新技术讲座、卫生健康学校等活动。

“千里文明长廊”从2000年启动以来，已取得明显的社会和经济效益，为宁夏的经济与社会可持续发展创造了良好的人文环境与自然环境。

（宁夏回族自治区文明办）

宁夏回族自治区银川市西夏区

以社区教育学院为载体　全面提高市民文明素质

银川市西夏区围绕建设现代化城市辖区的奋斗目标，以社区教育学院为阵地，广泛开展一系列社区市民教育活动，促进了西夏区两个文明建设全面发展。

一、适应形势发展需要，建立社区教育基地

为建设“学习型”城区，提高市民文明素质，西夏区党委发挥辖区大中专院校、医疗机构和科研单位较多的优势，在5个街道成立5所社区教育学院，成为思想道德教育基地。区委宣传部对5个社区教育学院的课程、教务、师资和管理干部的配备进行精心安排，做到学前有计划，学中有检查，期末有考核，同时将一些群众迫切需求的科目下放到居委会，利用市民学校组织开展教育，便于群众就近学习。

二、突出教育学院服务功能，不断满足群众需求

社区教育学院以服务居民为宗旨，以满足群众对生活质量的追求、对实用科技的需求、对文化生活的要求为切入点，开展形式新颖、内容丰富的教育活动。

积极顺应居民提高生活质量的追求。根据社区不同年龄、不同行业人员的需要，设置娱乐、技术、知识、培训等四大类项目，20多个课目，基本上满足了广大市民群众的需求。

着力解决下岗、待岗人员“充电”要求。针对下岗人员心理压力大，生活困难的状况，各街道组织下岗人员在社区教育学院，学习党的方针、政策，学习计算机、家用电器、摩托车修理等十几个实用技术，使社区不少下岗职工再次就业。

不断满足群众对文化生活的需求。社区教育学院为帮助社区开展文明高雅的群众性文化活动，开办时装表演与欣赏、声乐、戏曲、秧歌、太极拳等培训班，吸引众多社区退休人员参加。在此基础上西夏区49个社区先后成立50多支由3000多人组成的各种文化活动队，经常深入到社区演出，丰富了社区市民的文化生活，陶冶了人们的情操。

三、增加学院辐射力，社会各界积极参与

实行社区资源共享。各街道党工委深入社区单位，多方协调，5所教育学院场地全部由教育部门和辖区单位无偿提供，社区单位的文化娱乐场所、教育场所教学器材等也全部无偿提供给社区居民使用。社区单位为社区教育学院提供场地达1万多平方米，教学设施上百种，提供教员300多人。

建立“开放式”学院。为了使5所社区教育学院的作用辐射到各个社区，各街道党工委广泛动员社区单位参与建设“共同的学院”，努力把社区教育学院办成一所深受居民喜爱、没有围墙的市民学校。办学过程体现了社区成员人人参与的开放性，组织形式和办学形式的多样性，学员自由选择学科的灵活性，增强了教育的实效性。

（宁夏回族自治区文明办）

宁夏回族自治区石嘴山发电有限责任公司

以网络政工平台构筑企业精神

宁夏石嘴山发电有限责任公司针对新形势带来企业干部职工思想的新变化，紧密结合信息技术的发展趋势，搭建网络政工平台，探索思想政治工作和精神文明建设的新方法，推动了公司两个文明建设的发展。

搭建网络办公平台。建立OA自动化办公系统，将大量繁杂的党务管理和政工日常工作、公文管理在网上实施，实现无纸化办公，提高办公效率。

搭建信息交流平台。建立公司内部网站和部门网页，开设新闻速递、电子论坛、电子杂志、一线传真等栏目，每天将公司发生的重大新闻、生产建设情况、班组动态、员工普遍关心的问题等内容及时上网，使员工及时了解公司的情况，增强思想政治工作的时效性。

搭建资源共享平台。建立党群MIS管理系统和公共电子信箱系统，将公司所有党建、精神文明建设、思想政治工作、共青团工作等有关内容和政策法规、工作标准、规章制度、文件资料、工作安排、会议纪要、组织管理等基础数据全部置于其中，实现资源的交流共享，减少浪费，方便查询，规范管理。

搭建基础管理平台。制作统一规范、统一标准、统一形式的电子台账，各党支部将支部工作情况及时填报共享，党委职能部门可以随时查阅，及时掌握各支部工作情况，各支部也可以互相查阅学习和借鉴，减轻基层党支部工作人力物力投入，实现了基层工作的规范化管理要求。

搭建公务公开平台。利用公共电子信箱，设立电子公开栏，将公司、部室和班组需要公开的事项一一在网上公开，供员工们随时调阅查看，保证公务公开的及时性、真实性、合法性和规范性，实现公务公开全员、全过程、全内容的监督管理。

搭建学习教育平台。按照创建“学习型企业”要求，建立“网上党校”、“网上团校”、“网上员工业余学校”和“普法园地”，有计划、有目的、有重点地通过网上安排政治学习、业务学习、党课、团课内容，开展多媒体政治学习教育活动。同时还建立“电子书库”，将各类名著、重大会议资料以及可读性强的文章随时上网，供广大员工学习，并及时公布员工学习心得体会和理论研讨论文，交流学习成果。

搭建思想交流平台。公司利用计算机网络开辟“书记信箱”、“经理信箱”、“主席信箱”和BBS论坛栏目。员工任何时间都可以向公司领导提出任何问题。对员工提出的问题，公司领导及时予以答复和解决，并将结果在网上进行公开。

搭建典型示范平台。建立网络光荣榜，把公司各类先进集体和先进个人的照片、事迹扫描上网，以榜样的力量引导员工为工程建设做贡献。同时开展“三多一大”（看谁获得的荣誉多，看谁取得的成果多，看谁的先进人物多，看谁为公司做的贡献大）的评比竞赛活动，通过互比、互学，增强员工的集体荣誉感和主人翁责任感。

（宁夏回族自治区文明办）

新疆维吾尔自治区

文明单位带头做好稳定工作

2002年，新疆区、地（州）、县（市）三级文明单位，发挥带头示范作用，开展扶贫帮困活动，为党和国家分忧，发展了团结稳定的局面，为新疆的两个文明建设做出贡献。

一、深入特困企业，抓好稳定工作

为了创造安定团结的政治环境，新疆维吾尔自治区从区直三级文明单位的102个党政机关和单位抽调343人组成31个帮助工作组，进驻区属31家国有困难企业，各地州市派出86个工作组进驻本地重点企业，开展扶贫帮困工作，帮助困难企业解决好生产和职工生活中遇到的困难和问题，维护企业和社会稳定，取得了显著的社会效果。

二、广泛开展扶贫帮困活动

自治区党委宣传部、文明办发文要求文明单位与非文明单位、文明单位与乡镇、村结对子，开展扶贫帮困活动，以实际行动，实践“三个代表”重要思想，带头维护民族团结和社会稳定。新疆实施的军兵、警民共建南疆千里铁道文明线工程，铁路、部队、武警、兵团与地方结对子400多个，为沿线群众解决生产和生活上遇到的困难，结下了深情厚谊，维护了铁路的安全畅通，带动了地方经济的发展。阿勒泰地区，以扶贫帮困为己任，切实解决好城镇困难、群众生活、就业、就医、子女入学等方面的问题。截至2002年底，培训下岗职工841人，安置543人，再就业率为72.3%。调查核定困难和特困户1410户，其中对240户给予免费就医。对81户特困户进行现金资助，对203户缺粮缺油的家庭，实施实物救助。对127个困难户成员进行免费技能培训。帮助4家企业的132名党员恢复了组织生活。哈密地区筹资37.5万元，资助41名贫困学子念大学，在群众中引起很大反响，受助家庭带头维护来之不易的安定团结的局面。塔城地区额敏县开展“零头工程”，动员机关干部每月拿出工资的零头，捐助一名失学儿童，已使23名儿童重返校园。

三、开展民情活动，密切党群、干群关系

各地设立民情接待室，安排专职人员，实行全天候、节假日不休息，为群众提供服务，受理群众来信来访。发放“党员干部民情卡”，县乡的机关党员干部人手一册，重要记载本人深入基层，为群众排忧解难，带领群众致富的实绩，年底作为考核干部的依据。开展“乡村民情夜访”活动。根据农牧民晚上在家的实际，机关干部利用晚上夜访，与群众座谈交心，了解民情心意。夜访做到“四上门、五必访、六到户”。“四上门”即乡村干部对疾病的困难要上门看望，有违法乱纪的要上门帮教，有天灾人祸的要上门安慰，有立功受奖的要上门祝贺。“五必访”即机关干部对种养大户必访，老党员老干部必访，贫困户、五保户必访，军烈属必访，计划生育重点户必访。“六到户”即党的政策宣传到户，县、乡的决定、决议传达到户，征求意见到户，解决和调解民事纠纷到户，计划生育落实到户，科技信息送达到户。通过系列民情活动，改变了工作作风，密切了党和人民的鱼水关系，发展了农村的大好形势。

（新疆维吾尔自治区文明办）

新疆八一钢铁集团公司

以创新精神推动企业两个文明建设

新疆八一钢铁集团有限责任公司认真贯彻《公民道德建设实施纲要》，以创新精神，推动企业两个文明建设工作整体上台阶。

一、围绕机制抓创新

革新领导机制。领导干部既成为抓生产经营的专家，也成为抓精神文明建设工作的能手。单位年度精神文明建设考核总成绩与领导业绩挂钩，与领导干部年度分配制度挂钩。

搞活运行机制。根据每年精神文明建设工作的侧重点修订精神文明年度《考核细则》，强调整体推进与体现特点、个性相结合。在考核的操作上，纪委、组织部门、团委、工会、计划生育办公室、综合治理办公室都参与，扩大考核的参与面，力求客观公正地评价创建实效。

强化管理机制。为扭转创建过程中突击验收，"荣誉到手、创建到头"的现象，制定了《八钢集团公司文明单位管理暂行办法》，实施动态管理，不定期抽查、年度考核与平时考核相结合，成绩不埋没，问题不袒护。

落实激励机制。集团公司在把各单位精神文明建设工作的绩效与专项奖金的分配、领导干部的年终奖励（按照精神文明建设工作责任不同，所占比例不同）挂钩，由文明办根据年度考核，决定分配办法和扣奖比例，发挥专项奖的激励作用。集团公司的考核兑现，带动了各子、分公司的考核，精神文明建设工作与企业生产、经营、成本、效益同考核、同布置、同检查、同落实，成为经常性的基础工作。

二、围绕企业中心工作抓创新

"八钢"的精神文明创新活动围绕企业的中心工作来开展，特别注重把精神文明建设工作与企业日常生产、经营管理、现场管理和职工当家做主的民主权利的发挥等统筹规划，通盘考虑，追求实际效果。

围绕企业生产经营、安全、效益、优质服务抓创新，做到上道工序为下道工序服务。如炼铁分公司严把质量关，为炼钢生产创造条件，质控中心"为一线服务"、铁运分公司"铁水保畅通"，使钢铁生产链井然有序。

窗口行业打造服务品牌。如"八钢"股份公司开展"销售服务创一流"活动，打造"TGM（铁哥们）钢材发运品牌"；能源中心"1159"全国青年文明号建立服务卡与用户回访制度，24小时热线电话承诺服务；板簧公司提供"互力"牌产品诚信服务，机关开展"部室创五好、满意在机关"活动等。

围绕企业中心工作加强党建和思想政治工作。股份公司每月评选"十佳"职工，博业公司建立"文明督查岗"，从加强教育、提高素质的角度出发，带出一流职工队伍，提高了企业的凝聚力。

三、围绕企业文化建设抓创新

"艰苦奋斗、创建八钢"的企业精神激励着几代人为之奋斗。集团公司提出"发扬老八钢精神、二次创业、再造辉煌"的理念，不断塑造八钢独特的企业文化。

投入巨资治理和改造生产环境。引进自动化程度高的先进设备，改造和淘汰劳动强度大的老设备。使装备达到了国际领先水平。实施工业、民用煤气工程和废渣、废水改造工程，改善了人居环境，节约了能源，降低了成本。2002年，生活服务分公司实施"绿化荒山"创新项目，营造防护林带1000多亩，并采用先进的滴灌技术保证当年树木成活率在99%以上。厂区绿化覆盖率达32.79%，生活区达42.17%。

大力修建文化娱乐场所。先后建成保龄球馆、职工室内文体中心、草坪足球场、卡丁车场，为职工休闲、健身创造了条件。

发挥文明职工（市民）学校的作用，造就和培养“四有”职工队伍。每月文明学校组织讲师团授课，开设专题讲座，帮助职工树立正确的世界观、人生观、价值观。提倡职工读好书、看好剧，在重大纪念日以爱国、爱党、爱厂、爱岗为主题召开演讲会、知识竞赛、征文比赛。

大力扶持和鼓励健康的群众文化团体的活动。各类专业技术协会、青年科技协会的科技活动推进了企业的技术创新，职工书画协会、钓鱼协会、诗词协会、摄影小组、舞蹈队等积极开展活动，丰富了职工群众的业余文化生活，陶冶了情操。

截至 2002 年底，八钢集团公司获自治区级“文明单位”已经达到 74%，自治区级文明单位职工占职工总数的 78%。

（新疆维吾尔自治区文明办）

理论成果

THEORY WORKS

理 论 文 章

刘云山：高扬先进文化的旗帜　推动中国特色社会主义文化的发展繁荣

十六大报告在规划我国全面建设小康社会宏伟蓝图的同时，突出强调了文化建设的极端重要性，再一次在党的纲领性文件中确立了文化建设的战略地位，明确了文化建设和文化体制改革的目标任务和政策措施，为发展社会主义文化指明了方向。我们要从党和国家事业发展全局的高度，充分认识文化建设的战略意义，采取切实有效的措施，推动中国特色社会主义文化的发展繁荣。

深刻认识文化建设的战略意义

当今世界，文化与经济、政治相互交融、相互渗透。文化的力量，不仅深深熔铸在民族的生命力、创造力和凝聚力之中，而且越来越成为综合国力和国际竞争力的重要组成部分。国家的发展和强盛，民族的独立和振兴，人民的尊严和幸福，都离不开强大文化的支撑。

文化是民族的灵魂，是维系国家统一和民族团结的精神纽带。世界上每个成熟的民族都有属于自己的特有文化形态和文化个性，而这种特有的文化就成为民族亲和力和凝聚力的重要源泉。渊源于中华五千年文明、植根于当代伟大实践的中国特色社会主义文化，是中华民族身份的象征，是最广泛团结全国人民乃至全球华人的旗帜，是激励各族人民建设伟大祖国、实现民族复兴的强大精神支柱。在当代中国人民的伟大奋斗中，要不断增强中华民族的凝聚力、创造力，造就一代又一代有理想、有道德、有文化、有纪律的公民，必须结合新的实践和时代发展要求，大力发展社会主义文化，建设社会主义精神文明，把亿万人民紧紧吸引在中国特色社会主义文化的伟大旗帜下。

文化是综合国力的重要组成部分，也是增强综合国力的重要力量。当今世界激烈的综合国力竞争，不仅包括经济实力、科技实力、国防实力等方面的竞争，也包括文化实力和民族精神的竞争。经济全球化的迅速发展，不仅带来货物、服务、资本、人员等在各国之间的频繁流动，而且带来思想意识、价值观念、行为方式在世界范围的激烈碰撞。总体上处于弱势地位的广大发展中国家，不仅在经济上面临巨大压力，在文化发展上也面临严峻挑战。我国加入世界贸易组织后，对外开放进入新的发展阶段。如果不能迅速建立自己的文化优势，就难以在激烈的国际竞争中捍卫自己的战略利益，就会处于被动守势。作为世界上最大的发展中国家，我们必须高扬自己的文化理想，高举自己的文化旗帜，在世界文化交流和竞争中把我国建设成为文化强国，使中国特色社会主义文化不仅在中国人民中间，乃至在全世界人民中间都具有强大的吸引力和感召力。

全面建设小康社会，不仅应当有繁荣的经济，也应当有繁荣的文化。丰富健康的文化生活是衡量人们生活质量的重要标志，也是实现人的全面发展的决定性因素。改革开放以来，我国经济社会长足发展，人民生活总体上达到小康水平，人们对精神文化生活提出了新的更高要求。这不仅给文化建设注入了新的动力，也使得精神文化产品的生产与人民群众日益增长的精神文化需求之间的矛盾更加突出。坚持以人为本，加快文化建设，不断满足人民群众日益增长的多层次精神文化需求，推动人的全面发展，已经成为我国现代化建设的一项重大而紧迫的任务。我们建设中国特色社会主义，既要着眼于满足人们的物质生活需要，又要着眼于满足人们精神文化生活的需要和人的素质的提高，实现人的全面发展。

牢牢把握先进文化的前进方向

先进文化是人类文明进步的结晶，又是推动人类社会前进的巨大动力，它顺应历史潮流，反映时代精神，代表社会发展方向，体现人民群众的根本利益。在当代中国，发展先进文化，就是发展面向现代化、面向世界、面向未来的，民族的科学的大众的社会主义文化，以不断丰富人们的精神世界，不断增强人们的精神力量，不断满足人们的精神文化需求。

牢牢把握先进文化的前进方向，必须坚持和巩固马克思列宁主义、毛泽东思想、邓小平理论在意识形态领域的指导地位。马克思主义深刻地揭示了人类社会历史发展的客观规律，是当代最科学、最先进、最革命的理论，它既以先进文化为基础，又是一切先进文化的旗帜。毛泽东思想和邓小平理论是当代中国的马克思主义，是中国人民进行社会主义革命和建设的指导思想，也是当代中国先进文化的宝贵结晶和伟大代表。如果动摇或放弃马克思主义的指导地位，全党和全国人民就会失去共同的思想准则；如果在意识形态领域搞指导思想上的多元化，就会导致思想混乱和社会动荡。坚持马克思主义指导地位不动摇，是我们党在21世纪继续代表中国先进文化的前进方向，创造性地进行社会主义文化建设的根本政治保证。

牢牢把握先进文化的前进方向，必须全面贯彻党的文化发展方针。坚持重在建设，正确处理文化领域的矛盾和问题，保护和发挥广大文化工作者的积极性、创造性。坚持为人民服务、为社会主义服务的方向和百花齐放、百家争鸣的方针，弘扬主旋律、提倡多样化。坚持以科学的理论武装人，以正确的舆论引导人，以高尚的精神塑造人，以优秀的作品鼓舞人。在坚持四项基本原则的前提下，鼓励不同学术观点、艺术流派的争鸣和切磋，提倡同志式的批评与反批评，努力创造勇于探索、勇于创新的良好氛围。坚持用科学态度对待民族传统文化和外来文化，既继承发扬民族优秀文化传统又充分体现时代精神，既立足本国又大胆吸收世界一切优秀文化成果，反对民族虚无主义和全盘西化。一切思想文化阵地、一切精神文化产品，都要坚持正确导向，宣传科学真理，传播先进文化，塑造美好心灵，弘扬社会正气，倡导科学精神。

坚持先进文化的前进方向，必须在大力发展先进文化、支持健康有益文化的同时，努力改造落后文化，坚决抵制腐朽文化。现阶段我国文化发展呈现出多样化的趋势，各种文化形态复杂纷纭，不同文化观念相互交织、相互影响。从总体上说，中国特色社会主义文化已经成为当代中国文化的主体，引领和整合着其他各种文化。但是，由于历史和现实的原因，社会上还存在一些带有迷信、愚昧、颓废、庸俗等色彩的落后文化，甚至还存在一些腐蚀人们的精神世界、危害社会主义事业的腐朽文化。必须坚持用先进文化占领思想阵地，不断提高文化产品品位和群众的文化鉴赏水平，绝不允许毒害人民、污染社会和反社会主义的东西泛滥。要通过完善政策和制度，加强教育和管理，努力改造落后文化，坚决抵制腐朽文化对人们的侵蚀，逐步缩小和剔除它们借以滋生的土壤。

用“三个代表”重要思想统领社会主义文化建设

“三个代表”重要思想是对马克思列宁主义、毛泽东思想和邓小平理论的继承和发展，反映了当代世界和中国的发展变化对党和国家工作的新要求，是加强和改进党的建设、推进我国社会主义自我完善和发展的强大理论武器，是全党集体智慧的结晶，是党必须长期坚持的指导思想。始终做到“三个代表”，是我们党的立党之本、执政之基、力量之源。在新的历史条件下，坚持先进文化的前进方向、推动中国特色社会主义文化的发展繁荣，最根本的就是要用“三个代表”重要思想统领社会主义文化建设。

用“三个代表”重要思想统领社会主义文化建设，就要牢牢把握“关键在坚持与时俱进，核心在坚持党的先进性，本质在坚持执政为民”这一根本要求，在文化领域的各项工作中全面贯彻“三个代表”重要思想。

首先，要用“三个代表”重要思想指导整个文化工作。“三个代表”重要思想同马克思列宁主义、毛泽东思想和邓小平理论一脉相承。在当代中国，坚持“三个代表”，就是坚持马克思列宁主义、毛泽东思想、邓小平理论；高举“三个代表”的旗帜，就是高举马克思列宁主义、毛泽东思想、邓小平理论的旗帜。“三个代表”重要思想把代表先进文化的前进方向，同代表先进生产力的发展要求和最广大人民的根本利益统一起来，进一步明确了先进文化在中国特色社会主义事业中的重要地位和作用，为文化发展开拓了广阔天地。只有以“三个代表”重要思想为指导，才能有效抵制和消除各种落后的、腐朽的思想文化的影响，保证文化建设沿着正确方向健康发展；才能创造性地推进社会主义文化建设，不断满足人民群众日益增长的精神文化需求，为改革开放和现代化建设提供有力的思想保证、精神动力和智力支持。无论推进文化建设，还是深化文化体制改革；无论发展文化事业，还是发展文化产业，都要贯彻“三个代表”重要思想，制定和实施符合发展先进文化要求的方针政策。思想文化领域的各级党组织和全体党员干部尤其是各级领导干部，要带头学习“三个代表”重要思想，深刻认识这一思想的历史地位和重大意义，努力把握其精神实质和科学内涵，不断增强贯彻落实的自觉性和坚定性。

其次，要用“三个代表”重要思想来衡量和检验文化工作的成果。在当代中国，是不是坚持了先进文化的前进方向，归根到底要看是否体现先进生产力的发展要求和社会的前进方向，是否为先进生产力的发展和社会的全面进步提供了强大精神动力和智力支持；要看是否反映最广大人民的根本利益，提高人民群众的科学文化素质和思想道德素质，满足人民群众日益增长的精神文化需求。要坚持用“三个代表”重要思想审视文化领域各项工作，符合的就毫不动摇地坚持，不完全符合的就积极调整补充，不符合的就实事求是地加以纠正。

第三，要发扬与时俱进的精神，积极推动文化创新。坚持解放思想，实事求是，与时俱进，开拓创新，是贯彻“三个代表”重要思想的必然要求，也是促进文化繁荣发展的不竭动力。世界在变化，我国改革开放和现代化建设在推进，人民群众的伟大实践在发展，迫切要求我们在文化上不断打开新视野、开拓新境界。要立足改革开放和现代化建设伟大实践，着眼世界文化发展前沿，继承和发扬民族文化的优秀传统，不断从博大精深的传统文化中、从激昂向上的革命文化中、从健康有益的外来文化中、从与时俱进的最新实践中，汲取营养和力量，在内容和形式上积极创新，不断开拓能够极大促进我国先进文化发展的新途径，使中华文化历久弥新、充满生机。

大力弘扬和培育民族精神

发展中国特色社会主义文化，建设社会主义精神文明，归根到底就是建设民族精神。民族精神是一个民族赖以生存和发展的精神动力和精神支撑，是民族文化的最本质、最深刻的体现。历史和现实都告诉我们，一个民族没有振奋的精神和高尚的品格，不可能自立于世界民族之林。面对世界范围各种思想文化的相互激荡，必须把弘扬和培育民族精神作为文化建设的一项极为重要的任务，纳入国民教育的全过程，纳入精神文明建设的全过程，体现在改革开放和现代化建设的全部实践中，使全体人民始终保持昂扬向上的精神状态。

在五千多年的历史长河中，中华民族形成了以爱国主义为核心的团结统一、爱好和平、勤劳勇敢、自强不息的伟大民族精神。我们党领导人民在长期实践中，不断结合时代和社会的发展要求，丰富和发展着这个民族精神。热爱祖国，是中华儿女的一种自然而朴素的精神追求，它激励着亿万群众和无数英雄豪杰为祖国和民族的生存发展前赴后继、奋斗不息。勤劳勇敢，是中华民族的优良品格，依靠这种精神中国人民创造了一个又一个人间奇迹，缔造了为世人惊叹的灿烂文明。团结统一，是中华民族的立身之本，它已深深地印在中国人的民族意识中，成为维护祖国统一和民族团结的牢固纽带。爱好和平，是中华民族的固有天性，自古以来中国人民就希望天下太平、同各国人民友好相处。自强不息，是中华民族永无止境的精神追求，是激励中国人民变革创新、不懈奋斗，战胜各种风险、经受各种考验的制胜法宝。这些民族精神，是中华民族五千年生生不息、发展壮大的强大精神动力，也是在未来岁月里薪火相传、继往开来的强大精神动力，必须结合时代和社会的发展要求，世世代代加以继承和发扬。

民族精神是随着时代的发展而发展的。弘扬和培育民族精神，必须把中华民族的历史传统和新时期形成的时代精神结合起来。当前要着重增强全国人民的爱国意识、团结意识和自强意识。要高举爱国主义旗帜，强化公民对国家的认同感、归属感，牢固树立国家利益高于一切的观念，自觉将个人的荣辱得失与国家的盛衰强弱紧密联系在一起。要倡导各民族、各阶层团结和睦、平等互助、共同发展，反对任何形式的危害祖国统一、危害社会稳定、危害人民团结的行为。弘扬独立自主、自强不息的奋斗精神，敢于迎接各种挑战，经受任何风浪考验，艰苦创业，奋发图强，用勤劳的双手和不懈的奋斗创造自己的幸福生活和祖国的美好未来。

弘扬民族精神重在加强教育，贵在坚持不懈。要从青少年抓起，把培育民族精神贯穿于从幼儿园到大学的教学和育人的全过程。要积极探索适合青少年特点的教育形式，选择各种节日、重大历史事件和历史人物的纪念日，开展丰富多彩的教育活动。进一步加强爱国主义教育基地的建设，发挥革命纪念地和历史文化遗址、博物馆、纪念馆等在培育民族精神中的重要作用。要加强历史教育，使全体人民了解祖国的悠久历史和灿烂文化，尤其是近代以来中国人民为争取独立解放、实现民族振兴的奋斗业绩，从民族英雄、仁人志士、革命先烈的高尚品格和感人事迹中汲取力量，陶冶情操。要深入开展基本国情、时事政策、改革开放和现代化建设辉煌成就的宣传教育，坚定信心，振奋精神，增强为中华民族伟大复兴而奋斗的责任感、使命感。

积极建立社会主义思想道德体系

继党的十四大提出建立社会主义市场经济体制的目标、党的十五大提出建立社会主义法律体系的目标后，党的十六大又提出了建立社会主义思想道德体系的目标。这是新世纪、新阶段全面推进中国特色社会主义伟大事业，建设富强、民主、文明社会主义国家的必然要求。

改革开放以来，我国公民道德建设取得了显著成绩，思想道德领域的主流积极、健康、向上。但是，必须看到，随着社会主义市场经济体制的逐步建立，人们的道德观念和行为方式发生了深刻变化，一些原有的道德规范不能适应新的实际，而新的道德规范还没有形成。因而一些领域和地方是非、善恶、美丑界限混淆，拜金主义、享乐主义、极端个人主义滋长蔓延。经济活动中，掺假制假、以次充好、欺行霸市、偷税漏税、不讲信用等现象时有发生。这些都严重腐蚀人们的灵魂，污染社会空气，阻碍市场经济的健康发展。适应新的形势，积极建立社会主义思想道德体系，确立全体社会成员共同遵循的价值取向和行为准则，已经成为当前加强社会主义文化建设的一项紧迫任务。

建立社会主义思想道德体系，必须以为人民服务为核心、以集体主义为原则、以诚实守信为重点。为人民服务，是社会主义道德区别和优越于其他道德的显著标志。要把为人民服务的思想贯穿于各种具体道德规范之中，引导人们正确处理个人与社会、竞争与协作、先富与共富的关系，提倡尊重人、理解人、关心人，为人民为社会多做好事。集体主义，是社会主义政治、经济和文化建设的必然要求。要把集体主义精神渗入社会生活的各个层面，提倡个人利益服从集体利益、局部利益服从整体利益、当前利益服从长远利益，反对个人主义、本位主义和损公肥私、损人利己。现代市场经济可以说是信用经济，没有信用，就没有秩序，市场经济就不可能健康发展。要加强社会信用体系建设，广泛开展公民诚实守信的道德教育，在全社会强化信用意识。

建立社会主义思想道德体系，必须做到与社会主义市场经济相适应、与社会主义法律规范相协调、与中华民族传统美德相承接。要深入研究社会主义市场经济对道德建设提出的新要求，坚持公民承担社会责任与社会尊重个人合法权益相一致，效率优先与兼顾公平相统一，先进性要求与广泛性要求相结合，着力培养与市场经济相适应的道德观念。要把法制建设与道德建设结合起来，把依法治国与以德治国结合起来，使法律和道德在内容上相互衔接、相互协调，在作用上相辅相成、相互促进。要加强对传统文化的研究，继承中华民族几千年形成的传统美德，发扬党领导人民在革命、建设和改革实践中形成的优良道德，使社会主义思想道德体系既体现时代特点又具有鲜明的民族特色。

要把建立社会主义思想道德体系与广泛开展道德教育和道德实践活动结合起来。认真贯彻《公民道德建设实施纲要》，大力倡导“爱国守法、明礼诚信、团结友善、勤俭自强、敬业奉献”的基本道德规范，加强社会公德、职业道德和家庭美德教育，特别要加强青少年的思想道德建设，引导人们在遵守基本行为准则的基础上，追求更高的思想道德目标。深入扎实地开展群众性精神文明创建活动，突出思想内涵，强化道德要求，使群众在参与中得到提高，得到净化。综合运用道德教育、法规制度、行政管理和社会舆论等方式，实现个人自律与社会监督相结合，营造扶正祛邪、扬善惩恶的社会风气。

努力繁荣哲学社会科学

哲学社会科学是人类认识世界、改造世界的重要工具，是建设社会主义物质文明、政治文明、精神文明的重要理论武器。在人类发展中，哲学社会科学和自然科学犹如车之两轮、鸟之两翼，共同推动着社会的发展。中国特色社会主义是一项前无古人的伟大事业，需要在实践和理论上进行不懈的探索。在这个双重探索中，哲学社会科学发挥着不可替代的重要作用，哲学社会科学工作者是一支不可替代的重要力量。

繁荣哲学社会科学，必须以马克思主义为指导，深入研究和回答重大理论和实际问题。我国正处在改革和发展的关键时期，社会关系和社会面貌正在发生深刻变化，许多重大理论和实际问题需要我们去研究和回答，许多社会热点难点需要我们去引导和化解。马克思认为，每个时代总有属于它自己的问题，准确地把握和解决这些问题，就能够把人类社会推向前进。哲学社会科学工作者要坚持解放思想、实事求是的思想路线，敢于和善于迎接实践的挑战，努力研究回答全局性、战略性、前瞻性的重大理论和实际问题，研究回答现实生活提出的、干部群众关心的深层次思想认识问题，努力形成有深度、有分量、有说服力的成果，丰富和发展马克思主义，更好地为党和政府决策服务，为两个文明建设服务。

繁荣哲学社会科学，必须克服社会上存在的对哲学社会科学的忽视和偏见，形成像重视自然科学一样重视社会科学的良好氛围。要加强和改善对哲学社会科学工作的领导，加大对哲学社会科学研究和教育的投入，充分发挥哲学社会科学在治党治国和建设中国特色社会主义事业中的巨大作用。推动哲学社会科学领域高等教育的发展，改革文科教学与教材，把素质教育与人文社会科学教育结合起来，加强文理科的交叉与渗透，完善学生的知识结构。努力改善哲学社会科学研究和人才培养的条件，全面落实党的知识分子政策，尊重知识，尊重人才，从制度上、体制上、机制上建立起人才健康成长和优秀人才脱颖而出的良好环境。加强和改进哲学社会科学的管理工作，有计划地组织和引导有关人员进行重大项目或课题攻关。建立和完善科学的评价和奖励机制，对为哲学社会科学发展作出杰出贡献的学者进行奖励，为他们提供成果转化的渠道和条件。

繁荣哲学社会科学，必须充分发挥广大哲学社会科学工作者的积极性、创造性。新世纪、新阶段、新目标呼唤哲学社会科学的发展繁荣，也为哲学社会科学工作者提供了施展聪明才智的广阔舞台。广大哲学社会科学工作者要努力掌握马克思主义的精髓，不断提高自己的思想理论水平和专业研究能力，掌握现代化的研究方法和技术手段，瞄准学术发展前沿，创作学术精品，推动理论创新。要大力发扬理论联系实际的马克思主义学风，在科学研究中，严谨而不保守，活跃而不轻浮，锐意创新而不哗众取宠，追求真理而不追名逐利，努力做对祖国和人民有贡献的学问家。

积极发展文化事业和文化产业

文化事业和文化产业是文化建设中既相互联系又相互区别的两个重要组成部分。在社会主义市场经济条件下，发展各类文化事业和文化产业都要贯彻发展先进文化的要求，始终把社会效益放在首位。

发展文化公益事业，保护和实现人民群众的基本文化利益，是社会主义制度优越性的重要体现。文化公益事业面向社会为公众提供文化产品和服务，不能完全采取市场化、商业化的经营管理方式，国家必须在投入上给予保障，在政策上给予扶持。同时鼓励他们面向市场，努力降低其产品和服务的成本，不断增强自身发展活力。要加大对文化公益事业的投入力度，不断扩大人民群众的文化生活空间，提高全社会的文化生活质量。要完善和落实支持文化公益事业发展的政策法规，扶持党和国家重要的新闻媒体、社会科学研究机构，扶持体现民族特色和国家水准的重大文化项目和艺术院团，扶持对优秀民族文化遗产和民间艺术的保护工作，扶持老少边穷地区和中西部地区的文化发展。

发展文化产业，是市场经济条件下繁荣社会主义文化、满足人民群众精神文化需求的重要途径。当今世界，文化产业在社会生活和国民经济中的地位正在迅速上升，在许多国家已经成为重要的支柱产业和新的经济增长点。我国进入小康社会后，群众的文化消费进入旺盛期。据有关部门估算，到2005年，我国潜在的文化消费能力将达到5500亿元。现在，世界许多国家已盯上我国的巨大文化市场，急于抢滩登陆。如果不抓紧发展和壮大我国的文化产业，提高总体实力，很难适应加入世界贸易组织后文化领域的进一步开放和竞争，就会给国外文化产品进入我国留下巨大空间。必须抓紧制定和完善文化产业政策，运用财税、金融等手段支持文化产业发展。以资产为纽带，按照专业分工和规模经营的要求，组建大型文化产业集团，实现跨地区发展和多媒体经营，提高产业集中度，形成我国文化产业走向世界和参与国际竞争的主体力量。运用高新技术推动文化产业升级，提高文化产品和服务的科技含量。促进文化产业与教育、科技、体育、旅游、信息等相关行业联动发展，形成新的文化产业发展格局。

继续推进文化体制改革

文化体制改革是解放和发展文化生产力，增强文化发展活力，推动文化创新的根本出路。改革开放以来我国文化体制改革逐步深化，对外开放不断扩大，文化发展的体制环境发生了深刻变化。随着社会主义市场经济体制的逐步建立和我国正式加入世界贸易组织，文化工作面临许多新情况、新问题，迫切要求加快改革步伐，进一步革除制约文化发展的体制性障碍，建立科学合理、灵活高效的文化管理体制和文化产品生产经营机制。

文化体制改革要突出重点、整体推进。要加强和改善党对文化工作的领导，理顺政府与文化企事业单位的关系，健全和规范文化行业组织，探索建立新形势下党委领导、政府管理、行业自律、企事业单位依法运营的宏观管理体制。深化文化企事业单位内部人事制度、劳动制度、分配制度改革，转变经营和管理方式，健全激励机制，探索建立保证正确导向、富有经营活力的微观运行机制。加强文化法制建设，健全监督机制，提高执法水平，探索建立体现文化特点、适应法制建设总体要求的政策法规体系。按照一手抓繁荣、一手抓管理的方针，健全文化市场体系，完善管理机制，整顿市场秩序，探索建立传播健康精神文化产品、促进资源优化配置、竞争有序的市场环境。坚持以我为主、为我所用，有步骤、有选择地扩大对外开放，加强对外文化交流，探索建立吸收国外优秀文化和先进技术，抵制腐朽文化，用好两个市场、两种资源的开放格局。

文化既具有一般行业的特点，又具有意识形态属性，事关国家安全和社会稳定。文化体制改革必须充分考虑我国国情，充分考虑文化领域的意识形态特点，充分考虑社会主义精神文明建设的需要。各级党委和政府要加强对文化体制改革的领导，制定切实可行的工作方案，积极稳妥地推进。改革要适应社会主义市场经济的要求，借鉴经济领域改革的成功经验和国外的有益做法，逐步建立有利于调动文化工作者积极性，推动文化创新，多出精品、多出人才的文化管理体制和文化产品生产经营机制。

我们正处在一个伟大变革的时代，正从事着一项前无古人的开创性事业，孕育和发展与这个伟大事业相称的先进文化，是时代的要求和人民的呼唤。纵观我国改革开放20多年来的不平凡历程，可以清楚地看到，我们每前进一步，都离不开先进文化的作用和影响，离不开思想的解放、价值观的更新和科学文化的推动。大力发展中国特色社会主义文化，过去、现在、将来都是我们党的神圣使命和历史责任。我们要以“三个代表”重要思想为指导，按照党的十六大的要求，坚定不移地发展中国特色社会主义文化，建设社会主义精神文明，让中华民族文化以深厚的东方底蕴、鲜明的民族风格、绚丽多彩的中国气派展现在世界舞台。

作者：中共中央政治局委员、书记处书记、
中央宣传部部长

原文出处：2002年12月11日《人民日报》

胡振民:以“三个代表”为指导 努力开创精神文明建设新局面

江泽民同志的“5·31”讲话站在党和国家发展全局的高度，科学分析了我们面临的新形势、新任务和新挑战，全面阐述了贯彻“三个代表”重要思想的根本要求，深刻回答了党和国家未来发展的一系列重大理论和实践问题，为党的十六大作了重要的政治、思想和理论准备。讲话对于更好地团结和动员全党为实现历史和时代赋予我们党的庄严使命而奋斗，具有重大而深远的意义。我们一定要认真学习，深刻领会，用以统一思想，指导工作，努力开创精神文明建设的新局面，以实际行动迎接党的十六大的胜利召开。

进一步认识搞好精神文明建设的重大责任

建设有中国特色社会主义事业，是经济、政治、文化协调发展，物质文明、政治文明、精神文明相辅相成、全面提高的事业。始终坚持经济、政治、文化协调发展，三大文明全面提高，是我们党一贯坚持实行的战略方针，是我们党领导全国各族人民进行改革开放和现代化建设过程中得出的规律性认识。

党的十三届四中全会特别是十四大以来，以江泽民同志为核心的党的第三代中央领导集体，认真总结国际国内正反两个方面的历史经验，紧密结合国内外形势的新变化，对建设有中国特色社会主义经济、政治、文化之间的辩证统一关系，对精神文明建设在整个现代化建设中的重要地位和作用，作出了更加全面、系统、深刻的论述。在“七一”讲话中，江泽民同志围绕在新的历史条件下“建设一个什么样的党和怎样建设党”这个基本问题，对我们党必须始终代表中国先进生产力的发展要求，始终代表中国先进文化的前进方向，始终代表中国最广大人民的根本利益，作了全面系统的阐述。同时强调指出：“在当代中国，发展先进文化，就是发展有中国特色社会主义的文化，就是建设社会主义精神文明。”在“5·31”重要讲话中，江泽民同志又从如何贯彻“三个代表”的高度，鲜明地提出，必须紧紧抓住发展这个执政兴国的第一要务，必须发展社会主义民主政治，建设社会主义政治文明，必须在发展社会主义经济政治的同时，加强社会主义精神文明建设，大力发展面向现代化、面向世界、面向未来的，民族的科学的大众的社会主义文化。我们要站在实现历史和时代赋予党的庄严使命的高度，进一步增强使命感和责任感，在把物质文明搞得更好的同时，把精神文明建设提到更加突出的地位，大力发展面向现代化、面向世界、面向未来的，民族的科学的大众的社会主义文化，不断丰富人们的精神世界，不断增强人们的精神力量。

用“三个代表”统领精神文明建设各项工作

党的十三届四中全会以来，以江泽民同志为核心的第三代中央领导集体，认真吸取过去一段时间由于“一手硬、一手软”，资产阶级自由化思潮泛滥的教训，始终坚持两手抓、两手都要硬的方针，采取一系列重大举措，从多方面加强精神文明建设，取得了显著成效。特别是十四届六中全会以来，从中央到地方，都把精神文明建设摆在更加突出的位置，各项工作取得了长足发展和进步，出现了前所未有的可喜局面，呈现出两个文明建设相互促进、协调发展的良好态势。爱国主义、集体主义、社会主义思想日益深入人心，为人民服务的精神不断发扬光大，崇尚先进、学习先进、争当先进蔚然成风，追求科学、文明、健康生活方式已成为人民群众的自觉行动，社会道德风尚发生了可喜变化，中华民族传统美德与体现时代要求的新的道德观念相融合，成为我国社会主义精神文明建设的主流。可以说，近10多年是我国社会主义精神文明建设发展最快最好的时期。

同时，必须清醒地看到，我国已进入全面建设小康社会、加快推进社会主义现代化的新的发展阶段。当今的世界和当今的中国，正在发生历史性的深刻变化，精神文明建设面临着新的历史机遇，又面临着许多新情况、新问题、新挑战。一是和平与发展成为当今时代主题的形势，为我们集中力量加快经济发展，加强精神文明建设，增强综合国力，提供了新的机遇。同时西方发达国家在经济、科技和军事领域占据明显的优势，我们将长期面临西方敌对势力对我进行意识形态渗透的压力，抵御“西化”、“分化”和“和平演变”的任务十分艰巨。二是我国加入世贸组织后，同世界各国间的科技文化交流更加广泛，这一方面为我们学习和借鉴外国先进科技和优秀文化成果提供了有利条件，另一方面也有利于中国文化走向世界。三是随着高新科技特别是信息领域的高新科技迅猛发展，互联网已经成为传播思想文化的新阵地和开展舆论斗争的新舞台。西方发达国家利用互联网对我进行精神、文化渗透。四是随着改革开放的进一步深化和社会主义市场经济的发展，人民群众的自主意识、竞争意识、效率意识、民主法制意识和开拓创新精神将进一步增强，社会的管理和经济活动将进一步规范，这都为精神文明建设提供了更加有利的条件。同时，经济成分、组织形式、就业方式、利益关系和分配方式日益多样化，必然反映到人们思想领域之中，给人们的思想观念、价值取向带来许多新变化，给精神文明建设提出了更高的要求。五是随着我国进入全面建设小康社会阶段，人民群众对精神文化的需求快速增长，为精神文明建设提供了强大动力，同时精神文化产品的生产与人民群众日益增长的精神文化需求不相适应的矛盾将更加突出。如何始终坚持先进文化的前进方向，满足人民群众日益增长的多方面的精神文化需求，成为精神文明建设必须着力解决的重大课题。

总之，我们一定要按照江泽民同志“5·31”重要讲话的要求，看到《共产党宣言》发表150多年来世界政治、经济、文化、科技等发生的重大变化，看到我国社会主义建设发生的重大变化，看到广大党员干部和人民群众工作、生活条件和社会环境发生的重大变化，充分估计这些变化对我们党执政提出的严峻挑战和崭新课题，始终保持清醒的政治头脑，从事关社会主义前途命运的高度，从事关全面贯彻“三个代表”要求的高度，从事关党和国家长治久安的高度，深刻认识社会主义精神文明建设的重要性、紧迫性、长期性和复杂性，认真总结经验，深刻分析挑战，自觉用“三个代表”要求统领全局，努力把精神文明建设提高到一个新的水平。

努力开创精神文明建设的新局面

在新的历史条件下，我们要高举邓小平理论伟大旗帜，不断增强贯彻“三个代表”要求的自觉性和坚定性，努力开创社会主义精神文明建设的新局面。

第一，要坚持党的基本路线一百年不动摇，突出发展这个主题，在围绕中心、服务大局上下功夫。江泽民同志在“5·31”重要讲话中强调：“我们党要承担起推动中国社会发展的历史使命，必须始终紧紧抓住发展这个执政兴国的第一要务，把保持党的先进性和发挥社会主义制度的优越性，落实到发展先进生产力、发展先进文化、维护和实现最广大人民的根本利益上来。把握住这一点，就从根本上把握了人民的愿望，把握了社会主义现代化建设的本质。”抓住机遇、加快发展，在政治上、经济上、文化上对我们都很要紧。解决中国的所有问题，关键在发展；解决人们的思想认识问题，坚定社会主义信念，最终也要靠发展。不断解放和发展生产力，是我们长期的中心任务。发展离不开改革，改革是动力；发展离不开稳定，稳定压倒一切。改革、发展、稳定是我们党和国家的根本大局。十四届六中全会《决议》明确指出：“我们进行的精神文明建设，是以经济建设为中心，坚持四项基本原则和坚持改革开放的精神文明建设。”始终不渝地坚持党的基本路线，是精神文明建设不可动摇的政治原则。贯彻这项原则，要牢牢扭住经济建设这个中心，聚精会神地做好经济和社会发展这篇大文章，不断促进社会主义社会生产力的发展。要自觉为全党全国工作大局服务，一切着眼于大局，一切在大局下思考，一切在大局下行动。无论开展思想道德教育，还是开展群众性精神文明创建活动，都要同完成改革发展任务相结合，同维护社会稳定相结合，为改革开放和现代化建设提供强大的精神动力、智力支持和思想保证。要坚持与经济工作和业务工作相结合，思想道德建设也好，精神文明建设也好，决不能脱离中心工作和业务工作另搞一套。否则，不仅搞不好工作，甚至会干扰中心，损害大局。

第二，要着眼于精神文明建设的根本任务，抓住精神文明建设的中心环节，认真贯彻落实依法治国和以德治国相结合的基本方略，在大力加强思想道德建设上下功夫。江泽民同志在“七一”讲话中指出：“发展社会主义文化的根本任务，是培养一代又一代有理想、有道德、有文化、有纪律的公民。”“加强社会主义思想道德建设，是发展先进文化的重要内容和中心环节。”加强精神文明建设，必须在这个根本任务和中心环节上下功夫。这需要全党和全社会共同努力，需要整个宣传思想战线从理论、舆论、文艺、出版等一切工作方面作出努力。当前，要以认真学习宣传贯彻落实党中央印发的《公民道德建设实施纲要》为契机，在全社会大力倡导“爱国守法、明礼诚信、团结友善、勤俭自强、敬业奉献”的20字基本道德规范，使之家喻户晓、人人皆知、人人皆懂、人人皆信、人人皆行。要按照《纲要》总的精神和要求，制定具体行为准则，企业、农村、学校、社区等基层单位要结合实际，进一步完善已有的规章制度、乡规民约、学生守则和市民公约。要广泛深入地开展群众性道德实践活动，把道德实践活动与各种精神文明创建活动紧密结合起来，与各项业务工作紧密结合起来，与解决群众关心的热点难点问题紧密结合起来，为广大群众提供实践道德规范的广阔舞台。要大力宣传推广先进典型，营造舆论氛围、弘扬社会正气、引导价值观念，带动社会风气进一步好转。要建立健全道德监督机制，充分发挥舆论监督、社会监督、群众监督的积极作用，促使人们提高道德素质，养成道德习惯。

第三，要坚持以人为本，充分发挥群众性精神文明创建活动的载体作用，在加强和改进思想政治工作上下功夫。精神文明创建工作要始终坚持把教育群众与服务群众结合起来，把解决思想问题与解决实际问题结合起来，努力在帮助广大干部群众不断提高思想道德素质和科学文化素质，树立正确的世界观、人生观和价值观方面，在坚定马克思主义信仰、坚定社会主义信念、增强对改革开放和现代化建设的信心、增强对党和政府的信任方面，在增强自立意识、竞争意识、效率意识、民主法制意识和开拓创新精神方面，在深入揭批“法轮功”，抵制各种歪理邪说，树立文明、健康、科学的生活方式方面，在把解决群众的思想和实际问题紧密结合、密切党和政府与人民群众的关系等方面发挥更大更好的作用。

第四，要牢记党的宗旨，始终把握精神文明建设的根本出发点和落脚点，坚持把好事办实、实事办好，在进一步满足人民群众日益增长的多方面的精神文化需求上下功夫。全心全意为人民服务，是我们党的根本宗旨。党的三代中央领导集体历来强调，党的一切工作，必须以最广大人民的根本利益为最高标准。在任何时候任何情况下，都必须坚持党的群众路线，把实现人民群众的利益作为我们一切工作的出发点和归宿。在“5·31”讲话中，江泽民同志再次强调：“加强和改进新形势下党的群众工作，对于巩固党的执政基础具有决定性的意义。我们党的最大政治优势是善于组织群众、宣传群众、联系群众，党执政后的最大危险是脱离群众。在任何时候任何情况下，都必须坚持党的群众工作路线，把实现人民群众的利益作为我们一切工作的出发点和归宿。共产党员首先是党的干部都要学习和掌握新形势下做好群众工作的本领和方法，团结和带领群众不断前进。”我们应该坚持以人为本，牢记党的宗旨，全心全意为人民服务，为群众特别是困难群众多办实事好事，把实事办好、好事办实，让最广大群众从中得到实实在在的利益。要紧紧围绕满足群众的物质文化需要、提高人民生活质量和综合素质，开展思想道德教育和精神文明建设工作。集中力量办好作用大影响大的实事，多给群众带来实实在在的好处。既要着眼于满足人民群众日益增长的多方面的物质文化需求，又要着眼于使群众在参与中受到教育，得到提高，把两方面要求统一于精神文明建设的具体实践。

第五，要紧密结合精神文明建设的工作实际，在进一步解放思想，实事求是，与时俱进，开拓创新上下功夫。要处理好精神文明建设实践中继承优良传统与坚持与时俱进的辩证关系，以改革的精神研究和解决新问题、新矛盾。我们党长期从事思想政治工作、思想道德建设和精神文明建设、群众文化建设过程中形成的行之有效的好传统、好经验、好做法，必须坚持继承，并结合新的实际加以发扬光大。同时，要立足于改革开放和现代化建设实践全局，着眼于世界科学文化发展前沿，积极进行文化创新，不断增强有中国特色社会主义文化的吸引力和感召力。要科学认识新形势下精神文明建设的特点和规律，研究新情况，解决新问题，在内容、形式、方法、手段和机制等方面不断改进和创新，以适应形势发展变化的要求。要深入实际，深入基层，调查总结城乡基层在这方面创造的成功经验和做法，并给予理论概括和阐述，形成规律性认识，更好地指导和推动精神文明建设的深入发展。

作者：中共中央宣传部副部长、中央文明办主任

原文出处：2002年9月17日《光明日报》

胡振民：认真实践“三个代表”大力加强诚信建设

良好的社会信用是建立规范社会主义市场经济秩序的重要保证，也是形成社会主义道德风尚的重要基础。江泽民同志指出：“全党全社会必须从改革发展稳定的大局出发，增强信用观念，建立和维护良好的社会信用。”认真贯彻江泽民总书记的重要指示精神，坚持以“三个代表”重要思想为指导，紧密结合各行各业的实际，大力加强诚信建设，既是促进社会主义市场经济健康发展的迫切需要，也是社会主义精神文明建设的重大课题。

一、充分认识加强诚信建设的重要意义

加强诚信建设是整顿和规范市场经济秩序，促进先进生产力发展的根本要求。信用制度是现代市场经济的基石。诚实守信是发展社会主义市场经济的信用基础。信用缺失，就会破坏正常的市场经济秩序，影响社会主义市场经济体制的建立和完善。如果任凭经济秩序混乱的状况发展蔓延，社会主义经济基础就会变质，实现社会主义现代化就没有希望。创建工作要紧密配合党中央决定开展的整顿和规范市场经济秩序的部署，充分发挥在倡导诚信、弘扬正气、动员群众参与、形成社会氛围等方面的重要载体作用，为整顿和规范市场经济秩序，建立和完善社会主义市场经济体制夯实社会基础。

加强诚信建设是适应进一步扩大对外开放的新形势，提高国民经济整体素质和竞争力的迫切需要。诚信程度是衡量一个国家投资环境优劣的重要指标，也是国际形象的重要组成部分。去年我国正式加入了世贸组织，这标志着我国的对外开放进入了一个新的阶段。加入世贸组织，有利于我国社会主义市场经济体制的建立和完善，有利于我国国际地位的提高，有利于我国对外经济贸易环境的改善，同时也对加强信用建设，完善我国市场机制，提出了更高的标准和更严的要求。如果整个国家的信用环境建设存在较大问题，就会增加吸引外资、技术和人才的困难，加大我国参与国际竞争的成本。如果一个企业没有良好的信用，就会削弱企业竞争力，制约企业走向国际市场。种种失信行为，不仅直接影响消费者的利益，造成经济关系的混乱，而且直接影响整个中华民族在世界上的形象，影响整个国家在国际竞争中的利益。因此，在加入世贸组织的新形势下，信用问题已经不仅是局部问题，而且是全局问题；不仅是经济问题，而且是政治问题。加强诚信建设，不仅是促进企业提高产品和服务质量，获得进入国际市场的通行证的迫切需要，而且是形成

符合国际规范的良好市场环境，使我国在应对加入世贸组织带来的挑战中赢得主动的迫切需要。

加强诚信建设是维护人民群众根本利益，为群众多办好事实事的具体体现。江泽民同志指出："精神文明建设工作的着眼点，一定要放在与群众利益密切相关、为群众所欢迎的事情上。每年要办几件作用大、影响大的实事。这样才能动员广大人民群众积极参与，也会有利于密切党和政府同人民群众的关系，增强人民群众对党和政府的信任和拥护。"各行各业的工作直接面向群众，直接关系到群众的衣食住行和安居乐业，直接影响到社会的人际关系和安定团结。能不能把群众的切身利益保护好，把群众关心的问题解决好，更直接影响到党和政府在人民群众中的威信。在精神文明创建活动中，紧紧围绕加强诚信建设，集中力量办几件作用大影响大的好事实事，切实解决群众关心的热点难点问题，使群众不断获得切实的利益，不仅是更好地满足人民群众日益增长的物质文化需求，提高群众生活水平、改善生活质量的迫切需要，而且是密切党和政府同人民群众的血肉联系，提高党和政府在群众中威信的迫切需要。

加强诚信建设是提高公民文明素质和社会文明程度，把用先进思想武装和提高人民群众的任务落到实处的重要内容。2001 年 9 月中央印发的《公民道德建设实施纲要》，是党中央在新形势下加强思想道德建设的重大战略举措。全面深入地贯彻落实《纲要》精神，需要全党全社会相互配合，共同参与。一切行业部门和基层单位，尤其是与广大群众关系密切的窗口行业和执法部门，都要把道德建设与业务工作紧密结合起来；一切精神文明创建活动，社会公益活动，学习先进典型活动，重要节日和纪念日庆祝纪念活动，必要的礼仪、礼节、礼貌活动，都要突出思想内涵，强化道德要求；一切共产党员、党政领导机关和党员领导干部，都要带头在实践社会主义道德方面做出表率；一切大众传媒、文化场所、精神文化产品，都要为推进公民道德建设创造良好的舆论文化氛围。以全面贯彻《纲要》为契机，加强诚信建设，普遍推广"爱国守法、明礼诚信、团结友善、勤俭自强、敬业奉献"的公民基本道德规范，大力倡导爱岗敬业、诚实守信、办事公道、服务群众、奉献社会的良好职业道德，不仅可以推动行业新风的形成，提高行业的文明程度，而且可以通过各行各业加强职业道德建设的广泛影响带动社会公德和家庭美德建设，促进全社会文明程度的提高和社会全面进步。

二、紧紧抓住加强诚信建设的工作重点

加强诚信建设涉及社会生活的方方面面，当前应把工作重点放在提高职业道德水平，集中解决那些直接关系群众切身利益、社会反映强烈的突出问题，带动各行各业的精神文明创建工作深入发展上，服务于改革发展稳定的大局，服务于维护最广大人民群众的根本利益，为党的十六大营造良好的社会环境和舆论氛围。

一是继续推进生产和流通领域的诚信建设，从根本上遏制假冒伪劣商品的泛滥。加强诚信建设，打击制售假冒伪劣商品等违法犯罪行为，是整顿和规范市场经济秩序的重要内容。要加大生产和流通领域的创建工作力度，引导生产企业把创建工作的着力点放在严格生产标准，确保产品质量上；引导流通行业在继续改进服务态度、完善售后服务的基础上，着力解决好杜绝假冒伪劣商品的问题。要继续深入开展"百城万店无假货"活动，不断增加示范街、示范店的数量，同时把活动向批发市场、私营企业和个体劳动者延伸，进一步扩大活动覆盖面。

二是不断深化服务行业的诚信建设，努力做到规范服务、优质服务。要在服务行业全面推开规范服务工作。各行业各部门都要根据诚信建设的要求，制定出适合自身工作特点、简明具体、易于操作、便于考核的规范化服务标准和保证措施，落实到每个服务企业、每个服务人员，真正做到诚信经营、文明服务。对群众意见比较大的餐饮卫生、医疗卫生、物业管理、家政服务等方面的问题，有关部门要认真对待群众投诉，作好调查处理、调解纠纷、化解矛盾的工作；同时要从提高从业人员素质、完善管理制度入手，增加服务透明度，减少问题的产生。

三是认真抓好中介组织的诚信建设，促进守法经营和公平竞争。律师事务所、会计师事务所、证券交易所、职业中介、租赁中介、出国中介、婚姻中介等中介组织，与市场经济发展和群众工作生活密切相关。在诚信建设中，要把发挥政府部门的管理作用同发挥行业协会、职业联合会等行业组织的自律作用结合起来，积极探索有效形式，加强对从业人员的思想政治教育和职业道德教育，引导他们自觉按照国家有关法律法规开展经营和服务活动。要逐步推进执业公示制度，将中介收费、职业道德、执业规程、纠纷处置等内容，向社会公开，堵住信息误导、合同违约、价格欺诈、伪造凭证等不正当竞争行为和不法行为产生的漏洞，保证中介行业健康有序地发展。

四是高度重视科教文化战线的诚信建设，为促进科技创新、教育发展、文化繁荣营造良好环境。目前，抄袭剽窃、弄虚作假、侵权盗版等现象的存在，不仅玷污了科教文化工作者的社会形象，而且对整个国家的科技创新、文化创新和整个民族创新能力的培养都产生了严重危害。加强科学界、教育界、学术界的诚信建设，要以加强学术道德建设为基础，大力倡导实事求是的科学精神和严谨的治学态度，加强学界自律。要针对存在的问题，采取切实措施，健全学术规范，强化学术监管，坚决反对和严肃处理各种沽名钓誉、投机取巧的学术道德失范行为，为形成良好的学术风气提供保障。加强文化行业的诚信建设，要重点加大尊重知识产权、保护知识产权的宣传教育力度，加大打击盗版侵权、制假售假的综合整治力度，维护文化市场的正常秩序，维护我国文化产业在国际竞争中的信誉。

五是切实加强行政管理和执法部门的诚信建设，以树立行业新风的实际行动取信于民。目前广大群众对一些部门一些人员存在的言而无信、朝令夕改、有法不依、执法不严、以权谋私等问题，反映仍很强烈。大力加强行政管理和执法部门的诚信建设，进一步转变行政管理和执法部门的工作作风，加强廉政建设、密切党群关系，仍是这些部门创建工作的当务之急。要坚持不懈地加强管理队伍和执法队伍的理想信念和宗旨教育，加强纪律作风和职业道德建设，继续深入开展创文明机关、做人民满意公务员等活动，不断提高国家公务员和执法人员的政治水平和业务能力，以良好的作风为全社会加强诚信建设作出表率。直接面向社会、服务群众的行政管理部门和执法部门，凡工作性质允许的，都应当推广公示制、首问负责制等工作制度，增加工作透明度。在容易产生不正之风和违法乱纪行为的工作岗位和工作环节，要把明确权限、强化监督作为诚信建设的重点，认真解决以权谋私、徇私枉法、执法不严等群众反映强烈的问题，以实际行动取信于民。各级行政管理部门和执法部门都应当通过设立热线电话等方式，建立畅通的渠道，认真受理群众和企业的举报投诉，广泛听取群众的意见建议，自觉接受社会监督，更好地为人民服务。

三、务求取得加强诚信建设的实际效果

在新形势下加强诚信建设，必须坚持解放思想、实事求是的思想路线和思想作风，坚持与时俱进，创造性地开展工作，在实践中不断探索和创新，在发展中逐步改进和完善，把工作做深、做细、做实，务求取得实际效果。

深入进行以诚信为本的宣传教育，努力做到家喻户晓、人人皆知。要把加强思想道德教育贯穿始终，结合行业实际和干部群众的思想实际，广泛深入地开展“诚信为本、操守为重”，“诚信兴业、文明服务”的宣传教育。通过电视、广播、报刊、网络等大众媒体的正确引导，形成倡导诚实守信、有序竞争、守法经营、优质服务的良好社会氛围。同时要充分利用行业系统内的职工学校、党校团校等各类教育阵地，板报、内部刊物、闭路电视、有线广播等各种宣传工具，职工活动中心、图书室、俱乐部等各类文化活动场所，大力开展深入浅出、生动形象的信用道德和职业道德教育，做好解惑释疑、提高认识的工作，使信用观念真正深入每个干部职工心中，引导干部群众自觉遵守经济社会生活规范，抵制各种不讲信用、不符合职业道德的做法，以实际行动维护行业和单位的良好信誉。

大力开展以诚信建设为主题的多种实践活动，切实解决群众反映强烈的突出问题。要引导各行各业从与业务工作关系密切的具体事情抓起，从人民群众普遍关心的事情做起，多为群众办实事好事，使诚实守信的思想道德风尚在实践中不断发扬光大，使广大群众切实感受到行业作风的转变和服务质量的提高。要按照主题不变、充实内容、一抓到底、务求实效的要求，继续在各行各业的基层单位中广泛开展争创文明单位、文明窗口、文明班组、文明柜台、文明科室，争当文明职工、文明标兵、先进工作者等系列活动，使争

先创优蔚然成风。要大力支持和积极引导各地各部门各人民团体认真抓好深受群众欢迎、具有广泛社会影响的“名牌项目”，并纳入创建文明行业的统一部署。要围绕加强诚信建设，把创建文明行业与创建文明社区、文明城市、文明村镇结合起来，积极探索区域性精神文明共建的新路子，更广泛地调动群众参与精神文明建设的积极性主动性创造性，大面积提高城乡文明程度。

认真抓好行业创建活动示范点建设，努力形成以点带面的工作格局。近几年来，全国已涌现出了一大批创建文明行业活动示范点、百城万店无假货活动示范街、示范店，创建文明风景旅游区示范点和一批全国创建文明行业、文明单位工作先进单位，已经基本形成了一个覆盖广泛的示范网络。要抓好这些示范点的巩固提高，帮助他们不断总结经验，奋发进取，在诚信建设方面做出新成绩、新贡献。要按照分级管理的原则，对示范点组织经常性的检查和年度集中检查。根据检查情况，符合条件的继续认定，不符合条件的取消称号。要把典型示范与普遍提高结合起来，认真宣传和推广示范点的工作经验，带动更多的单位、行业进入先进行列。要特别注意建设和宣传一批信用道德优良、信用行为过硬、信用制度健全、信用效果显著的示范点。要把诚信建设的成效作为推选先进集体的一项重要标准，进一步扩大加强诚信建设的社会影响。

切实加强建章立制和监督检查工作，努力推动诚信建设的规范化和公开化。要坚持德治与法治紧密结合，积极探索综合运用教育、经济、行政、法制等多种手段，从制度上、体制上、机制上，解决问题，堵塞漏洞，加强薄弱环节，切实做到使守信用的人和单位得到好处和便利，让不守信用的人和单位受到不便和处罚。要标本兼治，把提高职工队伍的文明素质与完善行业管理的规章制度结合起来，把集中整治与长效管理结合起来，使教育和管理在内容上相互衔接，在效应上相互补充。要把建立健全创建文明行业的工作机制，与深化行业改革、完善行业管理制度结合起来，把诚信建设的目标要求融入科学有效的日常管理工作中去。要把行业主管部门的检查考核与社会各界的监督检查结合起来，把加强行业自律与完善社会监督机制结合起来。通过人大代表、政协委员定期视察、聘请专门的监督员、群众评议行风、企业评议管理部门、基层单位评议上级机关、消费者投诉举报等途径和方式，广泛动员社会力量，反映群众呼声，保护人民利益。要充分发挥新闻单位的舆论监督作用，把群众反映强烈的问题公之于众，公开批评，使不法分子无处藏身，使不讲诚信的单位名誉扫地，使人们引以为戒。

始终坚持与时俱进、开拓创新，不断增强工作的实效性。要在继承党的思想政治工作的优良传统，认真总结成功经验的基础上，深入调查研究，认真思考新形势带来的新情况、新问题，深入分析产生不诚信行为的社会根源和思想根源，找准本地本行业存在的突出问题和薄弱环节，明确创新工作方式方法的努力方向。要不断更新工作手段，积极运用计算机和网络技术建立单位行为档案和个人信用纪录，使有违法违规和严重违约纪录的单位和个人受到有效监督。要善于运用多媒体和电讯等科技手段，提高规范管理和规范服务的水平。要面向世界，博采众长，大胆吸收和借鉴一切体现现代化发展要求的管理方法，增强工作的科学性和时代感。要发扬脚踏实地、埋头苦干的工作作风，坚持虚功实做，力戒虚饰漂浮。凡是实践证明给群众带来实际利益的，就毫不动摇地坚持；凡是关系群众切身利益而又有条件做到的，就要抓紧去做；凡是不能给群众带来实际利益的，不管表面上多么热闹、多么好看，都必须坚决废止。

作者：中共中央宣传部副部长、中央文明办主任
原文出处：《精神文明导刊》2002年第9期

钟 轩:伟大的创造

——党的十三届四中全会以来精神文明建设的成就

1979年，叶剑英同志在《庆祝中华人民共和国成立三十周年大会上的讲话》中，首次提出了“社会主义精神文明”这一概念。他指出：“我们所说的四个现代化，是实现现代化的四个主要方面，并不是说实现现代化事业只以这四个方面为限。我们要在改革和完善社会主义经济制度的同时，改革和完善社会主义政治制度，发展高度的社会主义民主和完备的社会主义法制。我们要在建设高度物质文明的同时，提高全民族的教育科学文化水平和健康水平，树立崇高的革命理想和革命道德风尚，发展高尚的丰富多彩的文化生活，建设高度的社会主义精神文明。这些都是我们社会主义现代化的重要目标，也是实现四个现代化的必要条件。”1986年9月，党的十二届六中全会专门作出决议，从社会主义现代化建设总体布局的高度，规定了社会主义精神文明建设的战略地位、指导方针和根本任务。

1989年，党的十三届四中全会以来，以江泽民同志为核心的党中央认真吸取过去“一手硬、一手软”，导致资产阶级自由化思潮泛滥、酿成大祸的教训，始终坚持“两手抓、两手都要硬”的方针，采取了一系列重大措施，从多方面加强精神文明建设，取得了有目共睹的成绩。1996年10月，党的十四届六中全会在北京召开，会上通过了《中共中央关于加强社会主义精神文明建设若干重要问题的决议》。这是共和国成立以来一次极为重要的会议，从它的隆重和规格，可以看出精神文明建设在党和国家领导人心目中的重要位置。这是精神文明建设史上一次里程碑意义的会议。会后，中央专门成立了精神文明建设指导委员会，加强对这方面工作的指导。各地各部门认真贯彻《决议》精神，按照中央文明委的部署，普遍加大了这方面的工作力度，社会主义精神文明建设进入了一个新阶段。以“讲文明树新风”为主要内容，以创建文明城市、文明村镇、文明行业为重点的群众性精神文明创建活动高潮迭起，方兴未艾，年年都有新举措，年年都有新进展。在促进改革发展、维护社会稳定中的作用日益突出，在提高城乡文明程度和公民素质中的作用日益突出，在服务人民群众、密切党群关系中的作用日益突出，呈现出整体推进、全面拓展的喜人局面。

以树立正确的理想信念为核心的思想教育大大加强，中国人民的精神风貌大为改观

多年来，从中央到地方，各级党委、政府以引导人们树立建设有中国特色社会主义共同理想和坚定信念为目标，紧紧围绕党的基本理论、基本路线、基本纲领，围绕党和政府的重大决策和中心任务，采取多种措施，加大思想教育的力度，广泛、深入、持久地开展了一系列大规模的爱国主义、集体主义、社会主义教育活动，取得了显著成果。

1992年，小平同志视察南方发表重要谈话后，在全国开展的学习宣传讲话精神的活动；党的十四大以后在全国开展的用邓小平理论武装全党、教育干部和人民的活动；1998年到2000年，在县级以上领导干部中开展的“三讲”教育活动；2001年到2002年在广大农村开展的“三个代表”重要思想学习教育活动；围绕贯彻落实中央印发的《爱国主义教育实施纲要》，在全国广泛开展的各种爱国主义教育活动；围绕重大庆典、重大事件，在全国开展的迎接香港、澳门回归，迎接新世纪，庆祝建国50周年和申奥成功等活动；围绕同美国袭击我驻南使馆野蛮暴行的政治斗争，在全国广泛开展的抵御外侮、强我中华的教育活动；围绕揭批“法轮功”邪教本质，在全国广泛开展的马克思主义唯物论、弘扬科学精神、反对封建迷信的教育活动；围绕贯彻落实江泽民同志的重要指示，在全国广泛开展的“致富思源、富而思进”教育活动；围绕迎接、宣传、贯彻十五大、纪念新中国成立50周年和中国共产党成立80周年，举办“辉煌的五年——党的十四大到十五大成就展”、“伟大的历程——建国50周年成就展”、“肩负人民的希望——纪念中国共产党成立80周年成就展”等大型展览，广泛开展的共产党好、社会主义好、改革开放好的各项教育活动等等。

多年来广泛、深入、持久的爱国主义、集体主义、社会主义思想教育，结出了丰硕的果实，中国人民的政治觉悟和精神面貌已经和正在发生深刻的变化。这种深刻的变化，不仅在日常生活中大量表现出来，而且在面对严峻考验的时候则更加突出地表现出来。比如面对1997年亚洲金融危机的考验，1998年三江流域特大洪水的考验，1999年美国袭击我驻南使馆的考验，2001年中美撞机事件的考验，以及国际国内一系列重大事件的考验，都鲜明地表现出来。

在中国人民的民族自尊心、自信心和自豪感空前高涨，中华民族的开拓奋进、勇于创新的精神前所未有，广大干部群众建设有中国特色社会主义的信心和决心更加坚定。江泽民同志在对法国进行国事访问前接受《费加罗报》采访时，十分自豪地指出：“改革开放使中国人民的精神面貌发生了新的重大的变化。爱国主义、集体主义、社会主义思想，科学文明、开拓进取、健康向上以及其他与改革开放和现代化建设相适应的思想观念、道德风尚，是当代中国人民精神世界的主流。中国人民的精神世界是充实的、丰富的、积极的。这为我们推进物质文明建设提供了强大的精神动力。”

以为人民服务为核心、集体主义为原则的公民道德建设大大加强，中国人民的基本道德素质明显提高

党的十四届六中全会指出，社会主义道德建设要以为人民服务为核心，以集体主义为原则，以爱祖国、爱人民、爱劳动、爱科学、爱社会主义为基本要求。多年来，各地各部门围绕贯彻落实十四届六中全会精神，普遍加大了社会主义道德建设的力度。特别是2001年初，江泽民同志在全国宣传部长会议上指出，我们要把法制建设与道德建设紧密结合起来，把依法治国与以德治国紧密结合起来。宣传思想战线的同志在宣传教育工作中也要把两者紧密结合起来都宣传好。此后，全国掀起了深入学习宣传贯彻江泽民总书记依法治国与以德治国相结合重要思想的热潮。

2001年9月，党中央印发了《公民道德建设实施纲要》，这是全党和全国人民集体智慧的结晶，也是我国思想道德建设、宣传思想工作和精神文明建设的一件大事。

《纲要》印发一年来，中宣部、中央文明办先后两次召开会议，研究部署贯彻落实工作。各地各部门按照统一部署，采取有效措施，认真贯彻落实《纲要》，扎实推进公民道德建设。通过新闻媒体、公益广告牌、流动宣传车等多种方式的宣传，使“爱国守法、明礼诚信、团结友善、勤俭自强、敬业奉献”20字基本道德规范逐渐深入人心。各地各部门按照《纲要》总的精神和要求，纷纷制定和完善各种行业规范、乡规民约、学生守则、市民公约。“诚实守信”、“爱岗敬业”、“小公民道德建设计划”、“人民满意好公仆”等形式多样的道德实践活动在全国蓬勃兴起，广大干部群众踊跃参与，仅公民道德建设知识竞赛这项活动就有1478万人参加。社会主义道德建设正以前所未有的规模和力度，在全国蓬勃展开。

各级领导重视道德建设的程度大大提高，社会各界关注道德建设的热情大大提高，广大人民群众努力提高道德素质的积极性和自觉性大大提高。

以弘扬时代精神为主要内容的先进典型宣传工作大大加强，崇尚先进、学习先进的良好社会风气正在形成

近年来，中宣部组织推出了孔繁森、李国安、吴金印、徐虎、王启民、李素丽等49个重大个人典型，推出了乌鲁木齐铁路局、济南交警、第四军医大学学员二大队等10多个先进典型，推出了李淑敏等六批24个思想政治工作的先进典型，北京同仁堂集团等四批16个道德建设的先进典型。共约50个集体先进典型。

各地各部门也都推出了一大批艰苦奋斗、无私奉献的先进典型，一大批积极进取、开拓创新的先进典型，一大批助人为乐、扶危济困的先进典型。广大基层单位也推出了一大批群众身边的、富有教育意义的先进典型。

同时，通过新闻宣传、组织报告会、召开座谈会、创作文艺作品等方式，把先进典型的模范事迹、高尚情操和优秀品质，形象直观、生动具体地展现在人们面前。同时，把宣传典型与学习典型结合起来，积极开展学习典型活动，运用典型引导群众见贤思齐。

先进典型的事迹和思想在工厂，在农村，在机关，在学校，在军营，在社会各方面广为传播，一批又一批先进典型不断涌现。一个学先进、赶先进、做先进的热潮正在全国兴起，崇尚先进、学习先进的良好风尚，扶正祛邪、扬善惩恶的社会环境正在逐渐形成。

以创建文明城市、文明村镇、文明行业三大创建为重点的群众性精神文明创建活动大大加强，整个社会文明程度明显提高

三大创建活动，开始于80年代，但真正成气候是党的十四届六中全会以后。党的十四届六中全会《决议》对三大创建活动提出明确要求，此后以前所未有的规模和力度在全国展开。

党的十四届六中全会《决议》指出："要以提高市民素质和城市文明程度为目标，开展创建文明城市活动。每个单位都要围绕实现优美环境、优良秩序、优质服务，推进城市的精神文明建设。直辖市、省会城市、自治区首府和沿海沿交通干线的大城市，要率先搞好创建活动。"

许多地方把创建文明城市作为加强城市两个文明建设的龙头工程和民心工程，制定规划，明确目标，落实责任，加大力度，形成了党政一把手负总责、领导班子齐抓共管、各部门协调配合、群众广泛参与的生动局面。

1999年，中央文明委在全国表彰了58个创建工作的先进城市和城区，既是对创建成果的一次大检阅、大展示，也是对创建工作的一个大促进、大推动。

2000年，中央文明委印发《关于在城市深入开展创建文明社区工作的若干意见》，召开了创建文明社区工作座谈会，创建文明社区工作在全国迅速展开。

可以说，党的十四大以来特别是十四届六中全会以来，是我国城市面貌变化最大的时期，有些地方的变化超过过去几十年。

党的十四届六中全会《决议》指出："要以提高农民素质、奔小康和建设社会主义新农村为目标，开展创建文明村镇活动。要以集镇为重点，以镇带村，制定规划，逐步推进。"

据此，中宣部、中央文明办采取措施，推进文明村镇创建工作，6年走了四步：1996年推出湖北省竹山县创建"十星级文明农户"的经验；1998年推出山东省文登市立足为民服务、建设精神文明的经验；2000年推出辽宁省开原市以城带乡、城乡共建的经验；2001年围绕落实中央发出的《关于促进小城镇健康发展的若干意见》，推出河北省三河市燕郊镇创建文明小城镇的经验。

与此同时，各地都从自己的情况出发，努力探索农村精神文明建设的有效方式。有的着力提高县城文明水平，进而向农村延伸；有的着力开展创建文明农户活动，推动精神文明建设进村、入户、到人；有的着力完善激励机制，推动创建文明村镇活动步步深入。

党的十四届六中全会《决议》指出："要以服务人民、奉献社会为宗旨，开展创建文明行业活动。各行各业特别是与群众生活关系密切的'窗口行业'，都要根据自身特点，对职工普遍进行职业责任、职业道德、职业纪律的教育，加强岗位培训，规范行业行为，树立行业新风。"

几年来，各级党委、政府和行业系统主管部门，对创建文明行业工作越来越重视，创建活动从部分行业发展到各行各业，从窗口单位延伸到整个行业系统。涌现出石家庄出租汽车公司、青岛公用事业98111服务热线、148全国法律服务热线、诸城市为民服务联动等一批文明创建先进典型。中宣部、中央文明办、国务院纠风办等有关部门联合开展的"开展优质规范服务，倡导文明行业新风"活动、"配合整顿规范市场经济秩序，大力开展创建文明行业"活动、"创建文明风景旅游区"等活动，已经成为创建文明行业活动的名牌项目。2002年5月，中央文明办和国务院纠风办又召开以诚信建设为重点、深入开展创建文明行业座谈会。

通过开展创建活动，过去一些行业冷、硬、拖、卡，"门难进、脸难看、话难听、事难办"的状况有所改变，一些行业假冒伪劣严重、欺诈活动盛行的状况有所改变，人民群众正越来越多地享受到文明服务、满意服务、示范服务、优质服务，日益感受到文明行业的新气象。

还有一些地方实施综合推进三大创建活动的重大举措，大面积整体提高城乡文明程度的前景初见端倪。如甘肃开展创建“河西文明走廊”活动、宁夏开展创建“千里文明交通线”活动、河南开展创建“郑州、开封、洛阳文明风景旅游线”活动、福建开展创建“海峡西岸繁荣文明带”活动、山东开展创建“千里海疆文化长廊”活动、青海和西藏开展“军民共建千里文明运输线”活动、广西开展创建“百色地区百里文明河谷”活动、海南开展创建“千里生态长廊”活动、重庆市开展创建“长江三峡文明长廊”活动等。这些活动把创建文明城市、文明村镇、文明行业等各种创建活动融为一体，使之相互配合、相互促进，有效地发挥了各种创建活动的整体效应。与单项创建活动相比，这些创建活动更具综合性、系统性，范围更广、影响更大、辐射面更宽。它们不仅为当地群众创建活动的进一步发展奠定了良好基础，而且为全国群众性创建活动的进一步发展提供了有益的借鉴。

以“讲文明树新风”为主要内容的多种创建活动大大加强，社会各界共建精神文明的积极性进一步高涨

“讲文明树新风”活动是1997年中央文明委成立后，根据江泽民总书记的指示精神抓的第一项重大活动。

几年来，按照“主题不变，充实内容，一抓到底，抓出成效”的要求扎实推进，在重点解决文明言行、环境卫生、服务质量、交通秩序等方面存在的突出问题的基础上，又开展了“讲文明、送温暖、献爱心”、“保护生态环境，倡导文明新风”、“倡导文明新风，共建美好家园”等主题活动，范围不断扩大，内容不断丰富，成效越来越明显。此外，做人民满意公务员、创建平安大道、婚育新风进万家、不让黄赌毒进我家、青年文明号、军民共建、警民共建、手拉手、心连心等活动蓬勃发展，取得了良好效果，引起社会各方面的重视。

特别是“百城万店无假货”活动，从不卖假货这个最基本的问题入手，教育职工遵纪守法、诚实守信，正确处理社会主义市场经济条件下道德和利益的关系，在社会上产生了广泛的影响。近7年来，全国推出66条示范街、250家示范店、2家示范市场。

文化科技卫生“三下乡”活动，把工作重点放在老、少、边、穷地区，着力解决贫困地区农民生产生活难题，活跃农民文化生活，普及农业实用技术，改善农村医疗卫生条件，努力满足贫困地区农民脱贫致富奔小康的需求。截止到2001年底，共送图书下乡4亿5000万册，送戏800多万场，送电影2000多万场；下乡科技人员800多万人次，举办科技培训班220多万次，3亿人次农民参加了培训；下乡医疗队16万多支，培训乡村医务人员530万人次，给1亿2000万农民看了病。

以支持西部开发为目标的西部精神文明建设工程全面启动，受到西部人民的热烈欢迎

西部精神文明建设工程主要有三项：

一是“西部开发助学工程”。这项工程由中宣部、中央文明办、教育部组织实施。每年在西部12个省（区、市）和新疆生产建设兵团考入全国和地方重点高校的大学生中，选择1100名特困生(2001年又增加到1200名)，每人每年资助5000元，同时由所在学校免去学费的一半。这项工作2002年已由西部12省区扩大到20个省（区、市）和兵团，资助大学生总数增加到2080人；同时在这20个省和新疆生产建设兵团各确定两所重点高中资助开办“宏志班”。每省2个班，每班50人，共2000人，每人每年资助2000元，3年6000元。实施“西部开放助学工程”，不仅为西部一批贫困学子铺设了一条成才之路，更重要的是，弘扬了一种重视教育、尊重知识、鼓励成才的社会风气，发挥了带动全社会都来关心西部、支持西部的示范作用，调动了各部门和社会各界关心、支持和参与经济欠发达地区教育事业发展的积极性。各方面关心、支持和参与经济欠发达地区教育事业发展和精神文明建设的热潮正在形成。

二是“百县千乡宣传文化工程”。这是中宣部、中央文明办和文化部为改变贫困地区农村基层文化设施严重缺乏的状况，从1998年底开始组织实施的。首先在中西部省（区、市）的国定贫困县中选择1000个左右的乡，资助建设乡镇宣传文化站，每站25万元，中央地方各一半。到2000年底已资助建设903个，这项工作已基本完成。

2001年以来，又组织实施了“百县宣传文化中心”工程，在西部12个省（区、市）的366个贫困县中，选择100个县，资助建设宣传文化中心。每个200万元，中央地方各一半。这项工作在一定程度上改善了中西部文化设施落后状况，丰富了农牧民的精神文化生活。

三是“三送”工程。即由中央文明办、广电总局、新闻出版总署分别负责，向西部366个贫困县每个县赠送一套电影放映设备、一套《新中国舞台影视艺术精品选》系列光盘、一套万村书库，2002年中央文明办又赠送一套《纪念中国共产党成立80周年优秀舞台影视作品选》。同时，县乡宣传文化中心和文化站建成后，各送一套。这套光盘深受西部群众欢迎。

充分看到已经取得的成绩，认真总结实践得来的经验，对我们做好今后的工作具有重要意义

13年来，精神文明创建工作取得了显著成效，积累了宝贵经验，得到了中央的充分肯定和社会各方面的广泛认同。

精神文明建设是经济社会发展的内在要求。精神文明建设要以经济建设为中心，以一定的物质条件为基础。经济发展到一定程度，要求把精神文明建设摆上更加突出位置。投资环境的改善能够赢得经济回报，更重要的是，人民群众文明素质的提高，精神状态的改变，自信心自豪感的增强，将为经济和社会发展提供巨大而长远的动力。精神文明建设效益无穷，千金难买。

精神文明建设要全心全意为人民服务。精神文明建设只有切实服务群众，才能广泛吸引群众，才有强大生命力。要一切从群众出发，一切为群众着想，把群众的呼声作为第一信号，多为群众办实事办好事，让群众得到实实在在的利益。现在，人民群众拥护创建活动，积极参与创建活动，就在于创建活动改善社会环境，提高生活质量，解决实际问题，群众受教育、见实惠，得民心、顺民意。

精神文明建设要以思想道德教育为核心。要宣传科学理论，传播先进文化，弘扬社会正气，塑造美好心灵，倡导科学精神，巩固发展全国人民团结奋斗的共同思想基础。要把先进性要求与广泛性要求结合起来，把解决思想问题与解决实际问题结合起来，把宣传教育群众与切实服务群众结合来，把加强教育与加强管理结合起来，不断提高公民思想道德水平。

精神文明建设要齐抓共管。精神文明建设涉及经济和社会生活的各个方面，需要全社会共同努力。要充分发挥社会各方面的积极性、创造性，把精神文明建设要求融入各部门和各行各业的工作中，各展所长，优势互补，相映成辉，形成合力。

精神文明建设要重在建设，持之以恒，务求实效。精神文明建设抓与不抓大不一样，认真抓与一般抓大不一样。要狠狠地抓，一天不放松地抓，从具体事情抓起。一个城市、一个地区在具备了一定的经济基础后，只要党委重视，群众参与，思想统一，有规划、有目标，投入到位、措施到位、管理到位，自加压力，真抓实干，两三年内面貌就会有相当改观，持续抓五年就会有根本变化。一定要从人民群众的需要出发，从当地的经济实力出发，尽力而行，不图虚名，务求实效，坚决反对形式主义，坚决反对借精神文明建设之名，搞华而不实、劳民伤财、脱离实际、不得人心的“形象工程”。

原文出处：《党建》2002年第10期

郑宏范　袁建达：精神文明为现代化建设提供强大精神动力

十六大报告中深刻总结了中国共产党领导人民建设中国特色社会主义必须坚持的10条基本经验，其中一条是："坚持物质文明和精神文明两手抓，实行依法治国和以德治国相结合。"

建设社会主义精神文明是共产党人和中国人民的历史使命

党的十三届四中全会后，以江泽民同志为核心的党中央反复强调：在抓好社会主义物质文明的同时，必须抓紧社会主义精神文明建设，坚决纠正"一手硬、一手软"的状况。

"精神文明重在建设"。1992年，党的十四大制定了两个文明一起抓、在本世纪实现小康的战略目标，并把这一方针写进了党章。

1995年，党的十四届五中全会对社会主义精神文明建设提出了新的要求。再次强调：任何情况下，都不能以牺牲精神文明为代价去换取经济的一时发展。要积极探索在社会主义市场经济条件下搞好精神文明建设的新思路、新办法。

1996年，党的十四届六中全会作出《中共中央关于加强社会主义精神文明建设若干重要问题的决议》，成为建设精神文明的跨世纪行动纲领，它明确提出了精神文明建设指导思想、目标任务、基本方针和重要措施。我国精神文明建设开始进入一个令人鼓舞的时期。

1997年党的十五大特别指出："有中国特色社会主义的文化，就其主要内容来说，同改革开放以来我们一贯倡导的社会主义精神文明是一致的。""只有经济、政治、文化协调发展，只有两个文明都搞好，才是有中国特色社会主义。"同年，中央精神文明建设指导委员会成立，从领导力量、组织工作和制度机制上保证了精神文明建设的蓬勃展开。

2000年2月，江泽民同志在广东考察工作时的讲话中，提出了"三个代表"重要思想。这为精神文明建设进一步指明了前进方向和思想指导。

2001年，江泽民同志在"七一"重要讲话中强调："加强社会主义思想道德建设，是发展先进文化的重要内容和中心环节。"9月，中共中央印发了《公民道德建设实施纲要》，把精神文明建设推向一个新的高潮。

以江泽民同志为核心的党中央，把精神文明建设提到更加突出的位置，放在建设中国特色社会主义整个事业的大局中来考虑，放到整个世界的大局中来考察，总结出的一系列符合实际的科学理论，是中国共产党一笔极其宝贵的精神财富。

精神文明建设内容蕴藏着深刻思想和政治智慧

"精神文明"，是中国共产党人实现宏伟目标的不懈追求。

发展社会主义精神文明，关系党和国家的前途命运，关系中华民族自尊、自信、自强地屹立于世界民族之林，这是精神文明建设的重大意义。经济越发展，物质文明水平越提高，越要加强精神文明建设。

提高全民族的素质，培养有理想、有道德、有文化、有纪律的新人，这是精神文明建设的根本目标。只有培养一代又一代"四有"新人，才能保证中国特色社会主义的兴旺发达。

社会主义精神文明建设要以马列主义、毛泽东思想、邓小平理论和"三个代表"重要思想为指导，这是精神文明建设的根本指导方针。要在全党普遍深入持久地进行党的基本理论、基本路线、基本纲领的教育，用邓小平理论和"三个代表"重要思想武装全党，教育干部和人民。

精神文明重在建设，重在管理，这是精神文明建设取得实效的有力保证。建设包括管理，管理促进建设。思想文化教育部门和所有从事精神产品的生产或传播的企事业单位，都必须把社会效益摆在首位，实现社会效益和经济效益的统一。

弘扬中华民族优良道德传统和革命传统，建设中国特色社会主义文化，这是精神文明建设的重要任务。要以高尚的精神塑造人，积极倡导现代化建设所要求的“64字创业精神”。要发展面向现代化、面向世界、面向未来的，民族的科学的大众的社会主义文化，建设立足中国现实、继承历史文化优秀传统、吸收外国文化有益成果的社会主义精神文明。

重视并发展教育和科技，尊重知识、尊重人才，这是精神文明建设的基础工程。教育是发展科学技术和培养人才的基础，必须把教育放在优先发展的战略地位。科学技术的发展，是生产力发展的重要推动力量，是综合国力的重要构成因素，也是人类文明和社会进步的重要标志。

深入持久地开展群众性精神文明创建活动，这是精神文明建设的一项伟大创举。通过开展文明家庭、文明单位和军民共建、警民共建等群众性活动，搞好社区文化、村镇文化、企业文化、校园文化的建设，把精神文明建设落实到城乡基层。

全党重视，全民动手，这是搞好精神文明建设的关键。建设物质文明关键在党，建设精神文明关键也在党。领导干部务必牢固树立“两手抓，两手都要硬”的思想，“一把手，抓两手”，各级党委特别是主要领导必须亲自抓。

精神文明建设的伟大实践结出了丰硕的成果

人民群众中蕴藏着无限的创造力。精神文明建设得人心、暖人心、稳人心。

城市，是现代文明的缩影。文明城市创建活动，进一步提高了市民的素质，提升了城市的文明程度。城市变亮了，环境变美了，社会秩序有了明显好转，群众精神文化生活日益丰富。

中国12亿多人口，8亿多在农村。广泛开展的文明村镇创建活动，在不断解放和发展农村生产力的同时，推动了农村社会的全面进步。“文化、科技、卫生”三下乡活动开展已有7年；“科技扶贫、青年志愿者扶贫接力”活动持续不断；文明新风进村入户活动引导农民改变陈规陋习；“百县千乡宣传文化工程”、“西部开发助学工程”、中西部“扶残助学”工程等把温暖和文明送到了贫困地区和困难群众身边。

行业特别是“窗口行业”与群众生活关系密切。创建文明行业活动，对于提高行业职工素质，纠正行业不正之风，实现行业两个文明的协调发展，起到了极为重要的作用。全国12个行业的规范化服务标准，使“窗口”单位更规范；先进集体、先进个人的宣传，为人们树立了榜样；“百城万店无假货”、文明风景旅游区、零投诉等活动的推行，让公民充分感受到消费者应该受到的尊重。

全面建设小康社会，必须大力发展社会主义文化，建设社会主义精神文明——党的十六大向全党全国人民提出了新的奋斗目标。

民族精神是一个民族赖以生存和发展的精神支撑。在5000多年的发展中，中华民族形成了以爱国主义为核心的团结统一、爱好和平、勤劳勇敢、自强不息的伟大民族精神。我们党在领导人民长期实践中不断结合时代和社会的发展要求，丰富着这个民族精神。面对世界范围各种思想文化的相互激荡，我们必须把弘扬和培育民族精神作为文化建设极为重要的任务，纳入国民教育全过程，纳入精神文明建设全过程，使全体人民始终保持昂扬向上的精神状态。

作者单位：人民日报社

原文出处：2002年11月11日《人民日报》

罗国杰：社会主义精神文明建设理论的新发展

在建设社会主义现代化的过程中，在建设物质文明和精神文明的关系上，邓小平同志强调了两手抓、两手都要硬，强调培育“有理想、有道德、有文化、有纪律”的“四有”公民，提出了如果风气坏下去，我们就有走到“邪路”上去的危险等一系列重要论断。随着改革开放的深入和社会主义市场经济的发展，我们在两个文明建设上又遇到了许多新的问题。江泽民同志根据改革开放和市场经济中不断出现的新情况和新矛盾，继承和发展毛泽东、邓小平关于精神文明建设的思想，坚持与时俱进，开拓创新，对精神文明与物质文明建设的关系，有针对性地提出一系列新的论断，作出新的阐发，这集中体现在《江泽民论有中国特色社会主义》（专题摘编）一书中。

首先，“建设社会主义的先进文化就是建设社会主义的精神文明”，把精神文明建设提高到“三个代表”的高度，使精神文明建设同发展先进生产力、同广大人民的根本利益更加紧密地联系在一起。江泽民同志指出，社会主义精神文明和先进文化的核心，就是“思想道德建设”，并突出强调了提高全民族的思想道德素质和人的全面发展在先进文化建设和思想道德建设中的重要地位，认为人的全面发展，是“建设社会主义新社会的本质要求”，只有人民的物质生活得到改善、政治民主得以增强、文化生活不断充实和道德素质日益提升，才能更有利于人的潜能的进一步发挥。而人的潜能的充分发挥，又能够更快地促进经济、文化的发展和人民的物质文化生活的改善。

其次，我们应当建设一个全面发展的社会，决不能建设一个“畸形的”社会。《江泽民论有中国特色社会主义》（专题摘编）把社会主义精神文明同有中国特色社会主义的本质联系起来，强调如果没有社会主义精神文明建设，就不可能建成有中国特色社会主义社会。江泽民同志说：只有“两个文明都搞好，才是有中国特色社会主义”；物质文明和精神文明缺少任何一个方面，“社会就是畸形的”。他有针对性地指出，“任何时候都不能以牺牲精神文明为代价换取经济的一时发展”，社会主义的优越性不仅体现在能够创造出高度的物质文明，而且表现在能够创造出高度的精神文明。发挥社会主义的优越性决不能只体现在物质文明方面，而且一定要使人民的精神生活不断地丰富和发展。

第三，越是发展经济，越要加强思想道德建设；越是实行市场经济，越要重视精神文明，这是我们要始终遵循的一个“重要指导思想”。在发展社会主义市场经济的条件下，我们不但不能削弱思想道德建设，相反，“必须把社会主义精神文明建设提到更加突出的地位”，要把物质文明建设和精神文明建设作为统一的奋斗目标，防止这样那样忽视精神文明建设的倾向。那种认为物质文明发展了精神文明就可以自然而然地随着发展的思想，是极其有害的。我们既要看到市场经济的积极方面，“同时要看到，市场的缺陷和消极因素也会反映到人们的思想意识和人与人的关系上来，容易诱发拜金主义、享乐主义和极端个人主义”，要把加强精神文明建设同反对一切腐朽思想的斗争结合起来。

第四，为了提高人民的思想道德素质，必须加强“三观”教育，强调世界观、人生观和价值观在人的思想道德素质中的核心作用。《江泽民论有中国特色社会主义》（专题摘编）特别突出了树立正确的人生观和价值观在新时期的重要性，认为树立正确的世界观、人生观和价值观是一个革命者的“根本问题”。社会科学之所以重要，是因为它的一个重要的功能，就在于有利于人们树立正确的世界观、人生观和价值观。

第五，丰富精神生活、增强精神力量，是提高人的素质的一个不可忽视的方面，它同民族和国家的兴旺发达有着密切的关系。改革开放和发展经济，其根本目的是要提高人民的生活水平，使人民能够切实地享受到改革开放所带来的实际利益，同时，还必须使人民的精神生活不断丰富、精神境界不断提高、精神力量不断增强。邓小平同志曾提出“贫穷不是社会主义”，必须大力发展生产力的思想。这对我国的社会主义建设，有着重要的指导意义。随着社会主义市场经济的不断发展，在一些人中出现了理想、信念淡薄和精神生活空虚的情况。江泽民同志根据新形势下的新要求，进一步提出，“贫穷不是社会主义；精神生活空虚，社会风气败坏，也不是社会主义”。也就是说，物质贫乏不是社会主义，精神空虚也不是社会主义，一个民族，物质上不能贫困，精神上也不能贫困，只有物质和精神都富有，才能成为一个有强大生命力和凝聚力的民族。我们是历史唯物主义者，我们承认，在社会生活中，经济有着最终的决定的作用，但我们反对庸俗的唯物主义，承认精神的巨大的能动作用。精神的力量是不可低估的，它能够使“人心凝聚，精神振奋”，使一个民族成为“有强大生命力和凝聚力的民族”，中华民族之所以能够“自尊、自信、自立、自强”于世界民族之林，是同这种精神力量密不可分的。

第六，在市场经济和现代化建设的过程中，要把弘扬爱国主义、集体主义和社会主义，作为思想道德建设和提高人的素质的一项重要工作。爱国主义是中华民族的优良道德传统，具有强大的感召力和凝聚力。在当代中国，爱国主义和社会主义是统一的，爱国主义最有利于形成新时代的民族精神，应成为文明时代的最强音；集体主义体现了在国家利益高于个人利益的前提下更好地实现个人的价值和尊严。社会主义教育关系着广大人民群众的理想和信念，关系到共同理想和共产主义理想的实践，关系到对共产主义光明前途的坚定信心。

第七，要把依法治国同以德治国结合起来，在加强依法治国的同时，加强道德教育，充分运用道德的感召力、说服力、劝导力和诱导力，以正确的是非观念、善恶观念、荣辱观念和美丑观念来形成强大的舆论力量，以辅助、补充、加强法律的力量，从根本上提高人的素质，使广大人民群众自觉地遵纪守法。法律可以使人们在违犯法律后受到必要的惩处，而道德主要是从思想上、情感上、观念上和意识上，使人们认识到犯罪是一种可耻的、卑下的行为，在潜移默化中使人们不知不觉地远离犯罪。

第八，在反腐倡廉的问题上，强调要从源头上“预防和治理腐败现象”，即只有从思想道德方面树立了正确的世界观、人生观和价值观，明确了人活着的真正意义，才能从根源上解决这一问题。当腐败现象呈现发展蔓延的趋势时，我们需要在治标的同时，更多地采取一些治本的措施。但从根本上来看，我们应当逐步加大治本的力度，即在提高党政人员的思想道德素质上狠下功夫。应当看到，只有加强思想政治修养，提高精神境界，锻炼意志品质，坚定理想信念，才能自觉抵制一切腐朽思想。“治标”是主要运用强制的制裁、法律的惩罚、纪律的约束来保持国家的稳定和政治的廉洁。它虽然是必要的和有效的，但总是不能从根源上解决问题。“治本”则是从根本上、源头上、人的思想深处、人的道德品质和思想素质上来解决问题，是把精神文明建设、思想道德建设提到更加突出的地位。

作者：中国人民大学教授

原文出处：2002年10月8日《光明日报》

张英伟:在精神文明建设工作中努力实践“三个代表”重要思想

一、代表先进社会生产力的发展要求，精神文明建设工作要选准切入点

人是生产力中第一位和最活跃的因素，是促进生产力发展的重要力量。代表先进社会生产力的发展要求，精神文明建设工作必须坚持围绕中心，在提高、升华人的思想觉悟和精神境界，调动、发挥人的积极性和创造力，凝聚、整合群体思想和社会行为上狠下功夫，为解放和发展生产力提供强大的精神动力、有力的思想保证。

围绕农村牧区经济发展和农牧民增收抓好精神文明建设。对农牧业和农村牧区经济结构进行战略性调整，提高农牧业、农村牧区经济的整体素质和效益，增加农牧民收入，是农村牧区现代化建设的首要任务。为了完成这一任务，精神文明建设工作要着力解决基层干部思想观念不适应、带领群众致富能力不适应、工作作风和方法不适应等问题；着力引导农牧民破除束缚生产力发展的各种思想障碍，特别是与发展社会主义市场经济不相适应的思想观念，加快农牧民致富达小康的步伐。

围绕企业改革和发展抓好精神文明建设。紧密联系企业深化改革、建立现代企业制度和提高经济效益的实际，把握好党的路线方针政策的贯彻与职工群众思想活动的特点，有的放矢地开展工作，把对职工群众进行思想教育的过程同解决职工群众实际问题的过程统一起来，通过为职工群众排忧解难，升华职工群众的思想，提高职工群众的觉悟，激发他们的积极性和创造性，推进企业改革的深入发展。

围绕西部大开发抓好精神文明建设。要大力营造实施西部大开发的良好舆论氛围，宣传政策，鼓舞人心，让更多的人了解大开发、关心大开发、积极支持和参与大开发；积极创作热情讴歌西部大开发伟大实践的优秀作品，充分展示各族干部群众艰苦创业、开拓创新的精神风貌；大力宣传西部大开发中涌现的先进典型，用榜样的力量影响和带动人们积极投身西部大开发，在大开发中建功立业；深入开展“热爱祖国、建设家乡”主题活动，把各族干部群众实施大开发的热情和干劲，引导和凝聚到爱岗敬业、立足岗位，为西部大开发做贡献上来。

二、代表先进文化的前进方向，精神文明建设工作要选准着力点

代表先进文化的前进方向，就是要在精神文明建设工作中，坚持马克思主义的指导地位，着力解决人们的理想信念和精神动力问题，就是要把马克思主义的立场、观点和方法，先进的思想文化，科学、文明、进步的思想观念和生活方式，通过切实有效的思想教育，喜闻乐见的形式和群众易于接受的途径、手段融入到精神文明建设工作中，切实提高广大干部群众的思想道德素质和科学文化素质。

加强理想信念教育。突出党的基本理论、基本路线和方针政策的宣传教育，引导干部群众进一步解放思想、转变观念，树立与建立社会主义市场经济体制相适应的观念；突出爱国主义、集体主义、社会主义和法律知识等基本行为规范的宣传教育，引导干部群众正确处理国家、集体、个人三者的利益关系，自觉履行公民的各项义务，遵纪守法；突出唯物论、无神论和科学精神的宣传教育，引导干部群众崇尚科学，破除迷信，积极开展揭批“法轮功”的斗争，提高抵制封建迷信和歪理邪说的能力；突出马克思主义民族观、党的民族政策和民族团结进步教育，使各族干部群众牢固树立“各民族谁也离不开谁”的思想，自觉维护我国经济发展、社会稳定、民族团结的大好局面。积极引导干部群众正确认识社会发展规律和历史趋势，正确认识资本主义和社会主义的发展进程，坚定不移地走有中国特色的社会主义道路。

加强道德规范建设。紧密结合《公民道德建设实施纲要》的颁布实施，做好大众传媒宣传和组织各界群众学习活动，制定并完善实施细则，积极推进与社会主义市场经济发展相适应的社会主义道德建设。

加强基层文化阵地建设。通过政策支持，加大投入和多种途径建立完善文化设施。在城市各单位、各团体建立文明市民学校，在农村牧区村镇加强文化阵地建设，发挥基层业余党校、科技文化学校等阵地的作用。特别注重发挥爱国主义教育基地、各类文化场馆的教育功能。做好“百县千乡宣传文化工程”建设。积极推进社区文化、村镇文化、企业文化、校园文化、军营文化和万里边疆文化长廊建设，组织开展健康有益、丰富多彩的群众文化活动。

三、代表最广大人民的根本利益，精神文明建设工作要选准落脚点

群众性精神文明创建活动是精神文明建设工作发挥自身优势，实践党的根本宗旨，维护最广大人民根本利益的重要载体和有效抓手。在新形势下，精神文明创建工作要从群众普遍关心的具体事情入手，抓住文明言行、服务质量、环境卫生、交通秩序四个方面的突出问题，加大创建文明城市、文明村镇、文明行业的工作力度。

创建文明城市要以创建文明社区为重点，以提高城市文明程度、市民整体素质和群众生活质量为基本目标，把宣传与服务、教育与管理、解决思想问题与解决实际问题有机地结合起来，从人民群众最为关心的环境卫生、社会治安、绿化美化、便民服务、文体生活等入手，实行专项治理，最大限度地动员和组织群众投入到创建活动中，增强城市创建工作的活力。

创建文明村镇要以提高农牧民素质和建设小康为目标，以农牧户为基础，以小城镇特别是旗（县）所在地为重点，以城带乡、城乡共建。

创建文明行业要以“服务人民、奉献社会”为宗旨，着重抓好与群众工作、生活密切相关的窗口行业和执法部门并逐步向其他行业扩展。

作者：内蒙古自治区党委宣传部副部长、
文明办副主任

原文出处：《精神文明导刊》2002 年第 1 期

上海市邓小平理论研究中心课题组：
先进文化——人类社会发展的引导力量

充分认识文化在人类社会发展中的作用

人类社会是一个有机整体，经济、政治、文化是这个有机整体的三个组成部分。其中经济是基础，三者相互作用，相互制约，共同推动着社会的发展。

文化是人类的精神活动及其产品的总称。文化在本质上属于社会意识的范畴，是对社会存在的反映，而社会存在最根本的就是人们的经济、政治活动及其社会关系，因此，文化又是经济和政治的产物。任何文化产品都是人类对外部客观世界进行思维加工的结果，一方面体现着人类自身的利益和要求，在阶级社会里具有鲜明的阶级性；另一方面又反映着人们认识和改造客观世界的程度和精神成果，因而又具有普遍性，如科技文化等。同时，任何文化都是由处于共同地域、具有共同语言和共同心理的群体创造的，因而文化又具有民族性。文化观念的核心是世界观和价值观。

文化在社会发展中的地位和作用是通过它对生产力发展的反作用而显现出来的。马克思主义认为，生产力是社会发展的根本动力，也是文化发展的根本力量。但是生产力的形成离不开社会各要素的共同作用，文化在受生产力决定的同时，又能够给生产力发展以能动的反作用。文化发展对生产力的促进作用主要体现在通过科学技术的创新和转化形成新的生产力；通过思想道德建设和科学文化建设提高人的素质，为社会的发展提供思想动力和智力支持；通过对社会制度建构的指导作用，实现社会经济制度和政治制度的优化，从而产生新的生产力。

文化是一个民族和国家赖以生存发展的重要根基，也是区别于其他民族和国家的重要标志。人们在创造文化时，归根结底是在创造自身。任何一种文化创造都是人的自我创造。每一个民族和国家都在创造自己的文化。这种文化与历史发展的一定阶段和具体的社会经济形态相联系，渗透于社会生活的各个方面，影响着人们的精神世界和行为方式。在一定意义上讲，文化发展水平反映了一个民族和国家的发展程度。文化不仅是综合国力的重要标志，而且是综合国力的重要组成部分，是经济发展和社会进步的强大精神动力。在当代，经济的发展，社会的进步，综合国力的增强，都有赖于科学技术的发展，有赖于文化发展水平及其影响力。文化在人类社会发展中的作用正日益突出。

先进文化代表着社会发展的方向，体现着最广大人民的意愿和要求

文化并不都是先进的，既有先进的文化，又有落后的文化，还有腐朽反动的文化。它们的社会本质和社会作用，有着根本的区别。坚持什么样的文化方向，推动建设什么样的文化，是一个政党在思想上精神上的一面旗帜，关系着一个政党、一个国家的兴衰成败。先进文化是人类文明进步的结晶，是推动人类社会前进的精神动力，它在本质上是一定社会先进的经济和政治在观念形态上的反映，又对先进的经济和政治的发展起着巨大的促进作用。先进文化代表着社会发展方向，体现着最广大人民的意愿和要求。

中国共产党历来十分重视文化建设。80多年来，中国共产党始终高举中国先进文化的旗帜，努力建设和弘扬反映革命、建设和改革要求的新文化，荡涤旧社会遗留下来的和国外渗透进来的腐朽没落的旧文化，从思想上精神上极大地解放和激励了广大人民群众，在全党和全国人民中形成了凝聚人心、统一意志的正确指导思想和共同理想。

用“三个代表”重要思想统领社会主义文化建设

立足改革开放和现代化建设实践，正确把握社会主义文化建设中的重要关系。一是正确处理实现人民群众经济利益与实现人民群众文化利益的关系。当代科学技术越向前发展，人们的经济利益与文化利益的关系越密切。人们经济利益的实现是人们文化利益实现的基础；而人们文化利益的实现，又是人们经济利益实现的前提。因此，必须坚持经济利益与文化利益相统一的原则，把实现经济利益和实现文化利益结合起来，在致力于不断满足人民群众物质生活需求的同时，大力发展教育、科学、文化事业，不断满足人民群众精神文化生活的需要。二是正确把握扩大文化交流与保障社会主义文化安全的关系。扩大文化交流和保障社会主义文化安全，都是党在新的历史条件下代表人民群众根本利益的要求，二者缺一不可。要在积极开展文化交流的同时，对西方的“文化霸权主义”和意识形态渗透保持高度警惕，把文化交流提高到一个新的水平。三是正确把握不同文化层面的关系。文化既是一个有机整体，又是分层面的。不同文化层面互相联系、互相渗透、互相促进。人民群众是文化建设的主力军，群众性的文化建设活动是发展社会主义文化、满足人民群众文化利益要求的主体性文化活动。正确认识和把握这一关系，对于促进先进文化的发展、实现最广大人民的根本利益具有重要意义。

积极进行文化创新，努力繁荣先进文化。首先，继承和弘扬优秀传统文化。文化发展的继承性，决定了文化创新必须在已有的文化成果的基础上进行。我国的优秀传统文化是中华民族五千年精华的积淀，博大精深，源远流长，是我们进行文化创新的深厚基础。结合建设有中国特色社会主义的实践，弘扬祖国传统文化精华，是文化创新的必要条件和重要任务。其次，大胆吸收和借鉴世界优秀文化成果。吸收和借鉴人类社会创造的一切优秀文化成果，必须着眼于世界科学文化发展的前沿。一方面学习和借鉴世界科学技术发展的最新成果，大力推动科技创新；另一方面要敏锐把握当今文化发展的趋势，学习和借鉴世界各国的优秀文化成果。第三，文化创新的源泉是建设有中国特色社会主义的伟大实践。文化创新的目的是增强社会主义文化的吸引力和感召力，形成凝聚亿万人民的强大精神力量，实现民族振兴、人民幸福。因此，文化创新必须以“三个代表”重要思想为指导，立足于建设有中国特色社会主义的实践，不断用改革开放和社会主义现代化建设的成果来发展先进文化。

大力培育和弘扬民族精神。中华民族在五千年历史发展中创造了灿烂文化，形成了自己的伟大民族精神，这就是团结统一、独立自主、爱好和平、自强不息的精神。正是这种民族精神，使中华民族始终具有强大的凝聚力；始终激励中华儿女前赴后继，自强不息；始终使中华民族高举爱国主义旗帜，为民族振兴不懈奋斗。在当代中国，爱国主义、集体主义和社会主义精神是中华民族精神的集中体现，是中华民族的宝贵精神财富。培育和弘扬民族精神，使人民群众始终保持奋发有为、昂扬向上的精神状态，是社会主义文化建设的一个重要任务，对于实现中华民族的伟大复兴具有特殊的重要意义。

原文出处：2002 年 8 月 1 日《人民日报》

柳斌杰：先进文化是民族复兴的伟大力量

21 世纪前半叶，是中国人民在中国共产党的领导下实现中华民族伟大复兴的关键时期。完成这一宏图大业，我们不仅需要发展先进生产力，而且需要建设先进文化。

先进文化是社会主义物质文明建设的强大动力

文化不仅反映着一定时期的经济、政治状况，而且以巨大的反作用推动或阻碍经济发展和社会进步。人类文明越发展，文化的地位和作用就越突出。当今，文化已经成为社会经济发展不可或缺的重要资源，是国家综合国力的重要内容。一个国家或民族强大与否，不仅取决于经济实力、科技实力，同时也取决于文化的影响力、凝聚力、号召力。随着科学技术的发展和知识经济的来临，世界各国特别是正在向现代化目标迈进的发展中国家，对文化的价值、地位的认识越来越明晰、越来越提高。

有中国特色社会主义的文化，是面向现代化、面向世界、面向未来的，民族的科学的大众的文化。它为社会主义物质文明建设提供着强大的精神动力和智力支持，它在满足人民群众的精神文化需求、引导广大人民群众从思想上精神上正确武装和不断提高起来的同时，对经济发展还具有直接而巨大的支持作用。

文化对经济发展的巨大支持作用，主要表现在理论指导、智力支持和产业支撑等方面。改革开放 20 多年来，我国经济持续快速健康发展的一个重要原因，就在于体制改革、理论创新，如社会主义市场经济体制的确立、股份制的推行、科教兴国战略和可持续发展战略的实施等，大大解放和发展了我国的社会生产力。

在微观经济领域，文化的经济意义十分明显。从较高层面上看，企业也是一种文化的载体。文化以科学、知识、信息的形式，直接物化到劳动过程和物质产品中去，渗透于从设计、生产到流通、消费等经济活动的各个环节，促进经济效益和劳动生产率的提高。我国一些地方在发展特色经济时纷纷打出“文化”牌，正是文化作用的生动写照。

在当今时代，以知识、技术、智能为特征的智力密集型的文化产业，已经成为现代经济的重要组成部分，其产业规模、经济效益与日俱增，在国民经济中所占比重越来越大。因此，我们在重视文化的意识形态性质的同时，对其产业性质、经济价值也必须给予重视，转变观念、改革体制、增加投入，推动文化产业快速成长。

先进文化是社会主义政治文明建设的重要依托

政治受经济的制约，也受文化的制约；政治影响文化，促进文化，又以相应的文化为其生存的条件。先进文化及其结晶对人类社会的政治文明发展起着启蒙、引导的作用。马克思主义认为，社会科学中的重大发现，比自然科学更能影响社会进步和变革。

文化的作用稳定、持久，对政治的影响不可低估。从特定意义上说，文化是一定政治结构、政治组织运作的基本条件，政治的运作要以一定的文化作为思想基础。我国是社会主义国家，人民群众是国家的主人，是先进生产力和先进文化的创造主体。推进我国的民主政治建设，依法治国，建设社会主义法治国家，必须以不断发展的先进文化为依托。其中需要广大人民群众提高当家作主的意识，学会正确行使民主权利，培育参政议政的能力，并认识到高度民主是我国社会主义现代化建设的一个重要目标。没有现代的文化观念，没有充分的民主法制意识，就不可能有真正的民主政治，也就谈不上建设有中国特色的社会主义政治文明。

推进我国政治文明建设，必须用先进文化武装广大人民群众，坚持以科学的理论武装人，以正确的舆论引导人，以高尚的精神塑造人，以优秀的作品鼓舞人，坚定对马克思主义的信仰，坚定对社会主义的信念，增强对改革开放和现代化建设的信心，增强对党和政府的信任，培育一代又一代有理想、有道德、有文化、有纪律的社会主义公民，构建我国社会主义政治文明的深厚文化基础。

先进文化对提升国民素质和增强民族凝聚力具有重要作用

人的体力、智力、创造力以及凝聚力、向心力构成的合力，作为综合国力的重要组成部分，它的内核是国民的综合素质，包括体力素质、智力素质、文化素质、科技素质、政治素质、道德素质等。在各种社会资源中，人力资源具有能动性，对其他资源具有整合功能。综合国力持续增长的决定性因素是人的创造潜力的充分开发，人力资源的充分利用，以及对青少年德智体美素质的培养与开发。知识经济对国民素质提出了更高的要求，只有培育出高素质的人才，并充分发挥他们的积极性和创造力，知识经济才能获得发展的动力。人的全面发展必须靠先进文化来引导，人的素质的提升要靠文化教育的力量才能实现。

文化还是一种强力的粘合剂，能够增强民族的凝聚力。它不仅将共同地域、共同历史背景、共同社会心理和共同语言的人群联结在一个民族共同体中，而且可以超越地域、风俗、语言的界限，将国内各个民族联结成团结和睦的民族大家庭。在当代中国，面向现代化、面向世界、面向未来的，民族的科学的大众的社会主义文化，成为凝聚和鼓舞全国各族人民和海外炎黄子孙抵御外侮、发愤图强，实现中华民族伟大复兴的强大力量。

进入新世纪，我国进入了全面建设小康社会、加快推进社会主义现代化的新的发展阶段。这就更加需要发挥先进文化的巨大功能，为各民族的团结统一提供强大的凝聚力和向心力，为社会主义现代化建设和中华民族的伟大复兴提供强大的精神动力和智力支持。

作者：新闻出版总署副署长

原文出处：2002 年 10 月 10 日《人民日报》

龙新民：弘扬民族精神　建设先进文化

民族精神是一个国家、一个民族兴旺发达的精神支柱

在人类社会历史上，有多少民族衰败破落，有多少民族崛起复兴。是什么在主宰和支配？归根结底，是这个民族所特有的包括素质、思想、道德、文化在内的民族精神。民族精神是一个国家、一个民族兴旺发达的精神支柱，是维系本国、本民族人民生存发展的根基。任何一个民族，如果没有昂扬奋进的民族精神，没有坚忍不拔的民族品格，没有万众一心的民族志向，就不可能在世界民族之林中拥有自己的地位和影响。

世界上许许多多国家和民族，无不重视民族精神的培育。可以说，培育民族精神，增强民族凝聚力，是当今世界各国、各民族的共同目标和追求。

弘扬民族精神是中华民族的优秀文化传统

在我国漫长的历史中，在中国人民抵御外国侵略、维护国家主权、建设美好家园的征途上，不断培育和弘扬了爱国统一、热爱和平、勤劳勇敢、团结友善、艰苦奋斗、自强不息的民族精神。这种民族精神，成为中华民族世世代代生生不息的力量源泉，也成为中华民族悠久历史文化的灵魂与传统。同时，这种民族精神正是通过文化的载体，不断弘扬光大，传之后世。

20世纪初叶，马克思主义传入中国，中国共产党应运而生。中国共产党作为中国先进文化前进方向的代表，在继承中国优秀文化传统的基础上，创立了新民主主义的革命文化和社会主义文化。特别是新中国成立以后和改革开放以来，党和政府高度重视文化在培育和弘扬民族精神中的重要作用，毛泽东、邓小平、江泽民三代领导核心在这方面都有过许多十分精辟的论断。在党的领导下，在“二为”方向和“双百”方针的指引下，我国社会主义文学艺术创作日益繁荣。这几十年中，文化园地出现的一批又一批文学、戏剧、影视、音乐、舞蹈、曲艺等优秀文艺作品，高扬爱国主义、集体主义、社会主义主旋律，为增强全民族的精神力量，丰富全民族的精神世界，发挥了重要作用。历史证明，弘扬伟大的民族精神，是中华民族优秀文化传统的精华。在新的历史时期，推进社会主义文化建设，必须继承祖国的优秀文化传统，并随着时代的发展与时俱进，不断发扬光大。

社会主义文化建设必须着力培育和弘扬民族精神

江泽民同志指出：“有没有高昂的民族精神，是衡量一个国家综合国力强弱的一个重要尺度”。可见，民族精神的培育与弘扬，具有极端的重要性，她直接关系着我们党和国家的前途命运，关系着我国社会主义事业的兴衰成败，关系着中国在国际日趋激烈的竞争中能否永远立于不败之地。

培育和弘扬民族精神，同党和国家各个方面的工作都有密切关系，但文化建设必须责无旁贷地首先肩负起这一历史使命。文艺在培育和弘扬民族精神中之所以具有独特的重要作用，是由文艺的属性决定的。文艺作为观念形态，作为精神产品，在团结人民、教育人民中具有潜移默化的巨大作用。文艺还具有广泛的人民性，人人都要读书、看电视、看电影、看演出、听音乐。文艺贴近人民的生活，对人们的思想意识、价值观念、道德情操的形成产生着重大的影响。因此，我们发展社会主义文化，必须旗帜鲜明地把培育和弘扬民族精神作为极为重要的任务。

把培育和弘扬民族精神作为文化建设的重要任务，还有着强烈的现实紧迫性和针对性。改革开放以来，文化建设取得了巨大的成就和进步。宣传思想工作、文学艺术工作、精神文明建设工作等等，都保持了昂扬向上、团结奋进、健康有序的良好态势，在弘扬民族精神，促进社会主义现代化建设方面发挥了不可替代的重要作用。但我们必须清醒地看到，在文化建设的进程中，也不时地出现一些“噪声”和“杂音”。有的否定中国共产党的历史和在党领导下所取得的辉煌成就；有的歪曲中华民族的历史，甚至否认中华民族抵御外侮的正义斗争；有的丑化中华民族和中国人民的形象；至于宣扬与中华民族精神相悖的“拜金主义”、“享乐主义”、“极端个人主义”的奇谈怪论，以及传播封建迷信、渲染色情暴力的东西更是屡见不鲜。面对国际上各种思想文化相互激荡的形势和西方敌对势力对我“西化”、“分化”的图谋，面对国内意识形态领域社会主义思想和各种错误思潮的斗争，我们必须毫不动摇地坚持在文化建设中，大力培育和弘扬民族精神。以中华民族崇高的精神，把亿万人民凝聚在建设有中国特色社会主义的伟大旗帜下，推动改革开放和现代化建设的伟大事业不断向前发展。

培育和弘扬民族精神应注意把握的几个问题

一是高举爱国主义旗帜，切实搞好理想信念教育。

崇高的爱国主义精神，是中华民族精神的核心和灵魂，是中华民族灿烂文化传统中最宝贵的精神财富。培育和弘扬民族精神，最根本的是要在全体干部群众特别是广大青少年中，大力培养爱国主义精神。爱国主义和理想信念教育，要体现在学校的教学中，体现在公民的社会生活中，从娃娃抓起，从建立一整套行之有效的教育方法和行为规范中得到落实。通过各种生动活泼的形式，通过各类丰富多彩的精神产品，将爱国主义的情感渗透到人们的心灵，激发人们热爱祖国、为祖国繁荣富强、为中华民族伟大复兴而团结奋斗的责任感和光荣感。

二是要努力创作一大批弘扬民族精神的精品力作。

精神产品要承担起培育和弘扬民族精神的任务，必须高扬主旋律，大力倡导一切有利于发扬爱国主义、集体主义、社会主义的思想和精神，大力倡导一切有利于改革开放和现代化建设的思想和精神，大力倡导一切有利于民族团结、社会进步、人民幸福的思想和精神，大力倡导一切用诚实劳动争取美好生活的思想和精神。要特别注重作品思想性和艺术性的高度统一。要正确处理本国、本民族文化同外来文化的关系，把发展具有中国特色、中国风格、中国气派的民族文化作为最突出的任务。在这个基础上，我们要以世界的眼光，认真学习和借鉴世界各国的优秀文化成果，从各国、各民族的文化中吸取营养。

三是要大力开展振奋民族精神、有益身心健康的文化活动。

要着眼于人民群众的实际需要，积极开展面向人民大众的各类文化活动。企业文化、乡村文化、军营文化、校园文化、广场文化等等，都是文化建设的有机组成部分，人民群众通过参与这些喜闻乐见的文化活动，提高思想道德素质和科学文化素质，陶冶情操，愉悦身心，这是弘扬民族精神的极其重要的内容。

要十分重视思想文化阵地和文化市场的建设。党和政府要切实加强对各类思想文化阵地的管理，牢牢把握正确的导向，紧紧抓住文化阵地的领导权，坚决抵御资本主义腐朽思想文化的侵蚀和影响。文化市场中的制黄贩黄、假冒伪劣和文化娱乐场所中的色情服务等非法活动，毒害人们的心灵，腐蚀我们的社会，瓦解我们的民族精神，因此必须采取坚决措施予以打击，坚持不懈地开展“扫黄”“打非”斗争，使各类文化活动场所健康、繁荣、有序，真正成为培育社会主义道德情操，振奋民族精神的坚强阵地。

四是要建设一支宏大的以培育和弘扬民族精神为己任的文化工作者队伍。

所有从事文化建设的党员、干部和工作人员，都应当胸怀民族大义，保持民族气节，增强民族情感，树立民族自豪感、自信心。要始终坚持以马列主义、毛泽东思想、邓小平理论和江泽民同志“三个代表”重要思想为指导。要有强烈的对民族负责、对人民负责的政治意识和责任意识，带头在从事文化工作的实践中，传播爱国主义、集体主义、社会主义思想；自觉地在自己创作的精神产品中，弘扬民族正气，促进民族团结，振奋民族精神。要努力结合新的实践和时代要求，坚持与时俱进，积极进行文化创新。有了一支浩浩荡荡的热爱祖国、热爱人民的文化大军，就一定能在文化建设中不断培育和弘扬民族精神，进而鼓舞和激励广大人民群众，为实现中华民族的伟大复兴而努力奋斗。

作者：中共北京市委副书记

原文出处：《求是》2002 年第 17 期

董耀鹏:坚持用共同的理想信念和精神支柱凝聚全党和人民

建设中国特色社会主义，是我国各族人民在党的领导下为实现自己利益、创造美好生活的共同事业，是一项充满艰辛、充满创造的壮丽事业。为实现我国新世纪的新发展，实现伟大民族的伟大复兴，尤其需要在全社会牢固树立共同的理想信念和精神支柱，激励全党全国各族人民奋力推进建设有中国特色社会主义的伟大事业。

一

中华民族是一个富有理想、矢志不渝、注重道德、崇尚自由的民族，具有优秀的文化传统和伟大的民族精神。无人不饱暖、无人不公平的社会理想，“天下兴亡，匹夫有责”的社会责任感，“位卑未敢忘忧国”的爱国情怀，“先天下之忧而忧，后天下之乐而乐”的忧乐观，“己所不欲，勿施于人”的律己信条，“三军可夺帅也，匹夫不可夺其志”的精神品格，“人无信则不立”的道德自觉，“富贵不淫、贫贱不移、威武不屈”的刚直气节，自强不息、酷爱自由、追求进步、维护民族尊严和国家主权的光荣传统，对外来侵略者无比痛恨、对卖国求荣者无比鄙视、对爱国志士无比崇敬的民族性格等等，集中体现了中华民族的价值观念和精神追求，体现了中华民族生生不息、奋发图强的民族精神。这个民族精神，积千年之精华，博大精深，根深蒂固，已经成为中华民族生命机体中不可分割的重要成分。正是依靠这个伟大的民族精神，中华民族才能够在5000年的发展中，历经磨难而信念愈坚，饱尝艰辛而斗志更强，开发建设了祖国的大好河山，创造了灿烂的中华文明，为人类文明进步做出了不可磨灭的贡献。

中国共产党是非常重视理论指导的党，是非常重视用科学坚定的理想信念和精神支柱团结、吸引、鼓舞、激励全体人民为民族复兴、国家富强、人民幸福而不懈奋斗的党。在革命、建设和改革的各个历史时期，正是由于中国共产党高举马克思主义的伟大旗帜，高扬爱国主义、集体主义、社会主义这一时代和民族精神的主旋律，用共同的理想信念和精神支柱赢得了党心民心，所以才能克服种种艰难险阻，创造一个又一个人间奇迹，实现政治、经济、文化协调发展，物质文明和精神文明共同进步。

二

树立理想信念和精神支柱，对一个人、对一个集体、对一个政党、对一个国家、对一个民族的生存发展和前途命运，都具有至关重要的影响和作用。在当代中国，我们的共同理想就是建设有中国特色的社会主义，实现社会主义的现代化。我们的共同信念就是坚定不移地走社会主义道路，满怀信心地推进改革开放和现代化建设，实现中华民族的伟大复兴。

没有共同的理想信念和精神支柱，就不是社会主义，也建设不成中国特色的社会主义。在国际国内发生深刻变化的新形势下，在全面建设小康社会、加快社会主义现代化建设的新的征程上，在全社会牢固树立共同的理想信念和精神支柱，为促进改革发展、维护社会稳定，为建设有中国特色社会主义提供有力的思想保证和强大的精神动力，就显得十分重要而又迫切。

三

历史和现实充分证明，在全社会牢固树立共同的理想信念和精神支柱，使正确思想和科学理论在社会生活中发挥主导作用，关系着社会主义事业的兴衰成败和中华民族的生死存亡。我们必须唱响主旋律，打好主动仗，在全社会牢固树立共同的理想信念和精神支柱，使广大干部群众始终保持良好的精神状态、精神风貌、精神境界，不断巩固和发展全国各族人民团结奋斗的共同思想基础。

坚持以“三个代表”重要思想为指导，增强贯彻“两手抓、两手都要硬”战略方针的自觉性和坚定性。做好用邓小平理论武装全党教育人民的工作，增强马克思主义的说服力和战斗力。深入开展理想信念教育，切实增强“四信”。加强和改进思想政治工作，进一步增强针对性和实效性。

作者单位：中央文明办调研组

原文出处：《精神文明导刊》2002年第2期

李文海：爱国主义——实现中华民族伟大复兴的精神动力

爱国主义是民族精神的集中体现

一个民族，一个国家，如果没有自己的精神支柱，就等于没有灵魂，就会失去凝聚力和生命力。有没有高昂的民族精神，是衡量一个国家综合国力强弱的重要尺度。在长期历史发展中形成的爱国主义，是民族精神的一种集中体现。纵观历史，可以说，没有一个对社会进步作出了重大贡献的历史事件和历史人物，不是在爱国主义的旗帜下展开自己的历史活动的。

正是出于对生于斯、长于斯的祖国的深切热爱，使得人们以自己的勤劳和智慧，创造着光辉灿烂的物质文明和精神文明。博大精深的中华文明，使我们的祖国成为世界上的四大文明古国之一，对东方以至全世界的文化产生了深刻的影响。中华民族在自己的发展历程中，曾经历过许多大风大浪，遇到过无数艰难险阻。正是凭着对国家和民族的深厚感情，依靠在爱国主义旗帜下熔铸而成的凝聚力和向心力，中国人民和中华民族才得以经受住了各种难以想象的困难和风险的考验，一直保持坚强的团结和旺盛的生机。

进入近代以后，中国逐步沦为半殖民地半封建社会。殖民主义、帝国主义通过军事的、政治的、经济的和文化的侵略手段，肆意践踏中国的主权，横行霸道，巧取豪夺，操纵着中国的经济和政治，把中国拖到了亡国灭种的边缘。封建统治者则昏庸腐朽，丧权辱国，勾结帝国主义残酷压榨中国人民。在这样的形势下，中国人民为了挽救国家的危亡，争取民族的振兴，在爱国主义精神的鼓舞和推动下，与阻碍中国社会发展的帝国主义、封建主义反动势力进行了前赴后继、可歌可泣的斗争，经过百余年艰苦卓绝、英勇不屈的顽强拼搏，终于取得新民主主义革命的伟大胜利，实现了民族独立和人民解放，并为实现国家繁荣富强和人民共同富裕创造了必要的前提。

应该指出，爱国主义的表现形式是多种多样的。拿近代社会来说，革命是近代历史发展的主旋律。这是因为，在近代历史上，民族独立地位的丧失，国家主权的备受凌辱，是阻碍中国发展和进步的最大障碍。要想挽救中华民族的危亡，打开社会前进的通道，就必须首先推翻帝国主义、封建主义、官僚资本主义的反动统治。但是，也有一些人，如近代那些主张“教育救国”、“实业救国”的人们，虽然并未参加甚至并不赞同革命运动，却同样抱着一腔爱国热情，兢兢业业、埋头苦干地振兴教育事业，发展民族经济，为中国社会的进步作出了自己的历史贡献。对于他们，同样应该给予积极的历史评价。

经过长期的历史积累，中国人民逐步形成了这样的信念：对外来侵略者无比痛恨，对卖国求荣的民族败类无比鄙视，对爱国志士无比崇敬。这不仅已成为中国人民判断是非的政治原则，成为分清善恶的道德标准，而且已经成为我们宝贵的民族性格的一部分。

新时期爱国主义的历史主题

爱国主义是一个历史范畴。在不同的历史时期，爱国主义有着不同的内容和不同的主题。

中国经历过漫长的封建时代，封建社会是一个充满尖锐阶级对抗的社会，所以，那时的爱国主义又总是同反对民族压迫、反对分裂、反对统治阶级内部昏庸腐败和封建专制的斗争相联系的。当然，封建统治阶级内部也有一批坚决抵御外侮、维护祖国安全统一的有识之士和主张改革弊政的变法志士，他们也是当之无愧的爱国主义者。

在近代社会，爱国主义主要表现为：对外反对帝国主义列强的侵略，捍卫祖国的独立和领土完整；对内反对依附于帝国主义并出卖国家主权的反动统治阶级，要求改变亡国灭种的悲惨命运，推翻造成祖国贫弱、阻碍祖国振兴的封建专制制度。

新中国建立以后，帝国主义、封建主义、官僚资本主义三座大山被推翻，实现了民族独立和人民解放，中国人民站了起来，成为掌握国家命运的主人。社会主义制度的初步确立，为发展社会生产力提供了广阔的空间和可靠的保证。经过半个多世纪的艰难探索和艰苦奋斗，特别是改革开放20多年来，在总结我国社会主义建设的历史经验并借鉴其他社会主义国家兴衰成败的历史经验的基础上，中国人民找到了一条建设有中国特色社会主义的道路。正是在这个基础上，江泽民同志在党的十五大上正式宣布，到21世纪的中叶，也就是建国100周年的时候，我们要基本实现社会主义现代化，实现中华民族的伟大复兴，把我们的国家建成富强民主文明的社会主义国家。

实现中华民族的伟大复兴，既是这个历史阶段的宏伟奋斗目标，也是这个阶段爱国主义的历史主题。它包含着许多具体的内容，并且渗透到社会生活的各个方面。

新中国建立后，我们虽然取得了民族的独立，但捍卫国家主权、维护民族尊严的斗争，并未有须臾的止息。邓小平特别强调，国家的主权和安全要始终放在第一位。这不仅是维护民族独立的需要，而且也是为中国发展经济，摆脱贫困，实现社会主义现代化创造必要的条件和环境。因此，不断增强民族自豪感，提高民族自信心，倡导和弘扬民族气节，具有十分重要的现实意义。

自古以来，爱国主义的一个重要内容，就是维护祖国统一和民族团结。邓小平说，大陆同胞，台湾、香港、澳门的同胞，还有海外华侨，大家都是中华民族的子孙。我们要共同奋斗，实现祖国统一和民族振兴。上个世纪末，香港、澳门按照邓小平“一国两制”的基本方针顺利回归祖国的怀抱，这是祖国和平统一大业的伟大胜利。但是，台湾问题还没有解决，海峡两岸仍然被人为地分割着。这种状况严重违背具有光荣爱国主义传统的包括台湾同胞在内的中国各族人民的愿望。中国人民懂得，只有祖国的完全统一才有民族的全面振兴。发扬爱国主义精神，就要在促进祖国完全统一方面作出更多的努力。

人们对于祖国的挚爱，最根本的还是体现在对国家的繁荣富强和人民的普遍幸福及共同富裕的殷切期望上。爱国主义精神最基本、最本质、最重要的表现，就在于对自己国家经济发展和社会全面进步的追求和贡献，在于真正献身于社会主义现代化的宏图大业。这是因为，经济不发展，国家的富强、社会的进步、文明的提高、人民的幸福，都是不可能实现的，民族的独立也是不巩固的。中国共产党集中全国人民的智慧，确立了建设有中国特色社会主义的经济、政治、文化的基本目标和基本政策，制订了完整的社会主义初级阶段的基本纲领。实现这个基本纲领，也就基本实现了中华民族的伟大复兴。当然，这是一项伟大的事业，也是一项极其艰巨、需要面对各种困难和挑战的事业。这就更加需要全国人民高举爱国主义的旗帜，锐意进取，自强不息，艰苦奋斗，顽强拼搏，真正把爱国之志变成报国之行，在投身社会主义现代化建设的实践中实现自己的爱国抱负。

在当代中国，爱国主义与社会主义本质上是一致的

我们坚持的爱国主义，同狭隘的民族主义有着本质的区别。改革开放不仅同爱国主义不相矛盾，恰恰相反，坚持对外开放，认真学习世界各民族的长处，积极引进发达国家先进的科学技术和经营管理经验，增强我们自力更生的能力，加快祖国的发展，这本身正是爱国主义的重要内容。对于当代爱国主义者来说，必须把弘扬爱国主义同坚持改革开放辩证地统一起来。

在经济全球化加速发展的情况下，必须强调爱国主义。我们一方面要紧紧抓住这个难得的机遇，通过参与经济全球化进程，努力分享经济增长的利益，吸收发达国家的先进技术和先进经验，优化我国的资源配置，最大限度地提高自己的经济效益。另一方面，也要保持清醒的头脑，防止某些国家凭借他们的优势，在经济全球化进程中实行经济霸权主义，危及我们的国家利益、国家主权和国家安全。因此，爱国主义教育决不能削弱，而应该大大加强。

社会主义是我国人民的共同理想，爱国主义是我们民族的优良传统。从根本上来讲，在当代中国，爱国主义与社会主义本质上是一致的，对于绝大多数的中国人来说，爱国主义、社会主义有机地统一在建设有中国特色社会主义的伟大实践之中。这是因为，历史已经充分证明，只有社会主义才能救中国，只有社会主义才能发展中国。对于生活在社会主义制度下的广大中国人民来说，爱祖国，也就必然爱社会主义。邓小平曾经说过这样一句话："难道祖国是抽象的吗？不爱共产党领导的社会主义的新中国，爱什么呢？港澳、台湾、海外的爱国同胞，不能要求他们都拥护社会主义，但是至少也不能反对社会主义的新中国，否则怎么叫爱祖国呢？"这句话深刻揭示出爱祖国与爱社会主义的关系。

作者单位：中国人民大学

原文出处：2002年3月28日《人民日报》

袁贵仁：创新人文社会科学　培育中华民族精神

一

民族精神是民族传统的历史积淀，民族文化的深层内涵。它是一个民族所认同的世界观、人生观和价值观，所遵循的思维方式和行为方式，所体现的理想信念和性格特征。民族精神可以激发民族自豪感，提高民族自信心，增强民族凝聚力。它是民族维系的精神纽带，民族发展的精神动力，自立于世界民族之林的精神支柱。人类社会发展的历史证明，没有强大的物质力量，一个民族不可能自尊自立自强；没有强大的精神力量，一个民族同样不可能自尊自立自强。特别是在当今世界，国际竞争日趋激烈，有没有高昂的民族精神，已成为衡量一个国家国力强弱的重要尺度；有没有民族创新精神，已成为决定国家竞争力大小的基本因素。

民族精神是一个有着丰富内涵的历史性概念，不仅不同民族的民族精神是不同的，同一民族在不同的历史时代，其民族精神也有所不同。任何一个民族，要始终走在时代前列，保持其民族精神的先进性，就不仅要弘扬其民族精神，而且要培育其民族精神，也就是根据时代的进步、世界的发展和社会的需求，不断丰富发展民族精神。

培育民族精神和弘扬民族精神，二者相辅相成，缺一不可。党的十六大报告把"弘扬和培育"民族精神作为文化建设中一个问题的两个方面，是对民族精神内涵的发展，对文化建设理论的深化。在民族精神的培育和弘扬中，相比较而言，培育更根本。民族精神不是民族内部自发形成的，不是由民族外部简单移植的，而是民族共同体自觉、长期地培育的结果。从逻辑上讲，只有培育出民族精神，才能弘扬民族精神，民族精神要在培育的基础上弘扬；同时，民族精神又要在弘扬中培育，它永远在培育之中，是一个不断丰富、发展的过程。因此，我们所弘扬的民族精神始终是一个与时俱进、随着社会历史发展而不断培育的过程。特别是在经济体制转型时期、历史发展的关键时刻，就更是如此。

在当前，研究民族精神培育的规律和特点、方法和途径，通过创造性的劳动，推进中华民族精神的发展，是人文社会科学工作者庄严的使命和“极为重要的任务”。

二

培育民族精神，人文社会科学始终发挥着独特的作用，肩负着重要的历史使命。人文社会科学的内容和民族精神的内涵在根本上是一致的。人文社会科学是民族精神的载体，民族精神是人文社会科学的灵魂。人文社会科学的作者和作品，因其对民族精神的贡献而不朽；民族精神因人文社会科学作者和作品的创作而发展。

人文社会科学工作者的职责有许多，包括“认识世界，传承文明，创新理论，咨政育人，服务社会”等不同方面。但这些职能中，最为根本的是“育人”。通过认识世界，传承文明，创新理论达到咨政育人的目的，通过咨政育人而服务于社会，发挥“在经济和社会发展中的作用”。“育人”是其中的关键环节。江泽民同志在中国共产党建党80周年重要讲话中指出：发展社会主义文化的根本任务，是培育一代又一代有理想、有道德、有文化、有纪律的公民。要坚持以科学的理论武装人，以正确的舆论引导人，以高尚的精神塑造人，以优秀的作品鼓舞人。这里，既强调了“培育”公民是文化建设的根本任务，又提出了文化培育公民包含多种形式，“武装人”、“引导人”、“塑造人”、“鼓舞人”，说到底都是培育人。培育先进文化、培育人和培育民族精神，三位一体，不可分割。人类就是通过培育文化而提高人的思想道德素质和科学文化素质，达到培育民族精神目的的。作为先进文化建设重要力量的人文社会科学工作者，应该为不断丰富人们的精神世界，增强人们的精神力量，培育新世纪中华民族精神而努力。这是党和人民的期待，也是中国发展的要求。

三

培育新世纪中华民族精神，人文社会科学要加强中华民族传统文化研究，继承和发扬中华民族优秀文化传统。这是我们民族精神的根基和源泉。

中国文化传统包括党和人民从“五四”运动以来形成的革命文化传统。井冈山精神、长征精神、红岩精神、延安精神、抗美援朝精神等，都为中华民族精神增添了新的内容。这些都需要人文社会科学工作者去研究、提炼和传播。

培育新世纪中华民族精神，人文社会科学要加强对西方文化的研究，吸收和借鉴世界上一切民族的优秀文化成果。随着经济全球化的推进，各民族间的交流日益频繁和深入，我们应该以一种开放、积极、进取的心态，善于从其他国家和民族的文化中吸取营养。特别是要加强比较研究和系统对照，不断地丰富和发展自己。和而不同，有容乃大，创造性地将其他民族文化优秀成果转化为自身发展的营养，这是中华民族几千年生生不息、发展壮大的一个重要原因。

培育新世纪中华民族精神，人文社会科学要加强对中国特色社会主义伟大实践的研究。中国传统文化精神，各民族文化精神，其中的精与粗、真与伪、优与劣，都要放到中国特色社会主义实践中加以评判和检验。古为今用，洋为中用，这里的“用”，在当代中国，就是对建设有中国特色社会主义实践“有用”，为中国特色社会主义事业“所用”。

新世纪的中华民族精神，不仅反映在人文社会科学的成果中，更主要地体现在人民群众的奋斗历程和业绩中。广大人民群众是实践的主体，也是民族精神的创造主体。大庆精神、抗洪精神、“两弹一星”精神等，都是中华民族精神在新的历史时期的生动体现和发扬光大。培育民族精神，人文社会科学工作者要深入群众、深入实践、深入生活，努力从人民群众广阔而丰富的改革开放和现代化建设的伟大实践中提炼研究题材，汲取思想养分。江泽民同志提出为实现社会主义现代化而不懈奋斗的精神，即解放思想、实事求是的精神，紧跟时代、勇于创新的精神，知难而进、一往无前的精神，艰苦奋斗、务求实效的精神，淡泊名利、无私奉献的精神，就是新世纪中华民族应当具有的精神风貌。这些精神，本身就是新世纪中华民族的时代精神。

培育民族精神，必须立足中国现实，紧紧围绕我们要成为什么样的民族这个中心，立足于中华民族伟大复兴这个目标，反映中华民族的根本抱负和理想这个主题。从世界文明的角度，反观中国文化精神，探讨中西文化冲突和交融的特点和规律，解决好民族精神和人类文明的关系，使其他民族文化精神“中国化”；从当代中国的角度，反思中国文化精神，探讨传统与现实的冲突和交融的特点和规律，解决好民族精神和时代精神的关系，使中国传统文化精神“现代化”。因此，培育民族精神需要人文社会科学工作者深入研究，加工提炼，在马克思主义的指导下，经过民族的、大众的、科学的话语转换，像江泽民同志所讲的那样，在党领导人民推动社会进步的实践中把它们“有机地结合在一起，并在新的实践基础上不断创新”，由此对中华民族精神作出当代的整体表述。这是培育民族精神的基本环节，也是我国当代人文社会科学工作者的重要任务。

作者：教育部副部长

原文出处：2002年11月19日《光明日报》

肖怀远：繁荣当代文艺　弘扬民族精神

文艺必须弘扬和培育民族精神

从中外文学艺术的发展史来看，举凡杰出的文学艺术家及其作品，都是那个时代生活的忠实记录者，闪烁着那个时代民族精神的光辉。正是因为无数艺术大师对国家前途、民族理想和人生真谛的执著探索，才产生了古今中外经世久远的不朽之作，才使得人类艺术的长河奔涌着民族精神的波澜。

翻开中国共产党诞生、发展、壮大的史册，鲜明地记录着中国共产党领导人民不断结合时代和社会的发展要求，丰富和弘扬民族精神的光辉篇章。当鸦片战争的硝烟使中国一步步沦为半殖民地半封建社会时，无数仁人志士开始了救国救民的艰难探索。直到“五四”时期，一大批具有共产主义思想的知识分子，高举起爱国、民主、科学的旗帜，用文学革命宣传马列主义、传播进步思想、唤起民众觉悟，把民众的思想从几千年封建桎梏中解放出来，极大地推动了社会的进步和文明的进程，丰富和提升了我们的民族精神。抗日战争爆发后，中国共产党以民族大义为重，团结一切可以团结的力量，结成最广泛的爱国统一战线，共御外侮，保家卫国，表现出中华民族强大的凝聚力和向心力。许多进步的作家艺术家，用血泪创作了大量鼓舞斗志、反抗侵略的优秀作品，激励四万万同胞“把我们的血肉筑成我们新的长城”，为民族独立和人民解放发挥了巨大作用。新中国成立后，特别是改革开放以来，中国共产党致力于先进文化的建设，解放思想、实事求是、坚持真理、与时俱进，大力加强思想道德建设和科学文化建设，积极弘扬和培育富有时代特征的民族精神。大量优秀作品“通过有血有肉、生动感人的艺术形象，真实地反映丰富的社会生活，反映人们在各种社会关系中的本质，表现时代前进的要求和历史发展的趋势，并且努力用社会主义思想教育人民，给他们以积极进取、奋发图强的精神”，谱写出了弘扬和培育民族精神的新篇章，为推动建设中国特色社会主义的伟大事业，为培养有理想、有道德、有文化、有纪律的新人发挥了独特作用。

总之，民族精神是优秀文艺作品的灵魂，弘扬和培育民族精神是文艺繁荣发展内在规律的要求。

弘扬和培育民族精神是实现全面建设小康社会奋斗目标的迫切需要

当今世界文化与经济和政治相互交融，在综合国力的竞争中有着越来越突出的地位和作用。文化的力量，深深地熔铸在我们民族的生命力、创造力和凝聚力之中。只有把人民团结起来、凝聚起来，把人民群众的生命力、创造力极大地发挥出来，形成万众一心、坚忍不拔、克服困难、夺取胜利的强大民族意志，才能胜利完成全面建设小康社会，开创中国特色社会主义事业新局面，进而实现中华民族的伟大复兴的历史重任。

发展先进文化是全面建设小康社会的必然要

求，是实现中华民族伟大复兴的重要组成部分。文化建设对于小康社会的建设具有先导作用，如果没有先进文化的指引，没有人的文明程度和道德水准的提高，没有良好的社会风气和文明风尚，小康社会发展就不够全面。

广大文艺工作者一定要按照党的十六大的要求，在“三个代表”重要思想的指导下，牢牢把握先进文化前进方向，坚持党的文艺方针和政策，坚持以科学的理论武装人，以正确的舆论引导人，以高尚的精神塑造人，以优秀的作品鼓舞人；大力发展先进文化，支持健康有益文化，努力改造落后文化，坚决抵制腐朽文化；坚持科学，反对愚昧；引导人们树立中国特色社会主义共同理想，树立正确的世界观、人生观和价值观，铸造起强大的精神支柱，作发展先进文化的排头兵，作弘扬民族精神的带头人，保持我们党的文艺工作者的蓬勃朝气、昂扬锐气和浩然正气，用优秀作品凝聚民族力量，振奋民族精神，鼓舞民族斗志，激发民族活力，使全体人民为实现党的十六大确定的宏伟目标而努力奋斗。

弘扬和培育民族精神是文艺繁荣发展的极为重要的任务

首先，要大力表现改革开放和现代化建设的现实生活，弘扬时代精神，唱响主旋律。

第二，要生动表现人民大众丰富的精神世界，真实记录亿万人民的伟大创造。

第三，要尊重艺术规律。文艺是以审美的方式来实现传播进步思想、歌颂真善美、鞭挞假丑恶的。我们在繁荣文艺的实践中，一是要时刻牢记人民是文艺工作者的母亲、生活是文艺创作的源泉这个真理，深入生活，深入群众，从人民群众建设小康社会的伟大实践中汲取养分、启迪心智、激发才情，书写时代进步的辉煌篇章。二是要尊重作家艺术家的个性化劳动。三是寓教于乐，寓理于情。文艺要用优秀的作品鼓舞人，用高品位的艺术感染人，用完整的故事、典型的形象、生动的情节去演绎、阐发进步的思想和高尚的精神。

第四，要积极进行文化创新。繁荣当代文艺，弘扬民族精神就是一个与时俱进、锐意创新的过程。文艺的繁荣需要创新，民族精神的弘扬也需要创新。当代文艺要按照发展面向现代化、面向世界、面向未来的，民族的科学的大众的社会主义文化的要求，在思想内容、表现形式、艺术品位等方面，都应体现先进文化的本质，站在时代前沿，追踪现实生活，创新艺术范式，开辟审美境界，在人民的历史创造中进行艺术的创造，在人民的进步中造就艺术的进步。要继承和发扬民族优秀文化和革命文化传统，传承和滋养当代的文化艺术；吸收和借鉴世界一切先进的文化，特别是随着科技的发展而产生的新的文明成果，拓展我们的民族文化内涵，丰富艺术表现手段，真正把时代的精神、民族的远大理想和美好情操，通过艺术的形式，生动形象、真切感人地表现出来，使民族精神的弘扬和培育成为广大人民群众的自觉行动，成为鼓舞人民昂扬向上的力量源泉。

原文出处：2002 年 12 月 1 日《人民日报》

扬清：马克思主义精神文明观与语言文明建设

语言文明建设是精神文明建设的重要组成部分。语言文明不仅从属于精神文明，而且还会作用于精神文明，推动精神文明健康发展。未来社会发展的关键是加速科技进步和提高劳动者的素质，这是两个紧密相连的方面。科技进步需要高素质的劳动者，高素质的劳动者又会推动科技进步。就加速科技进步而言，语言文字的规范化、标准化和相应的应用研究水平，是提高中文信息处理技术的先决条件。从提高劳动者素质来看，主要在于提高思想道德和科学文化素质，而语言能力又是文化素质中最基本的因素。

摆正精神文明与语言文明的关系，是加强精

神文明建设的要求。

解放后我国的语言建设取得了长足的发展，国家及其语言文字工作部门和其他有关主管部门，先后制定、颁布了一系列语言文字规范标准。《人民日报》发表了《正确使用祖国的语言，为祖国语言的纯洁健康而奋斗》的社论，形成了语言文明的初步繁荣。国家大力推广普通话，简化汉字，整理了一批异体字，规范了一些异读字的读音。整个社会掀起了学说普通话、正确使用祖国的语言文字的热潮。但是“文化大革命”却把祖国优秀的文化传统当作“封、资、修”加以扫荡，文化事业受到严重的摧残，语言运用呈现出了野蛮和粗俗。改革开放以后，西方国家的生活方式及思想价值观大量涌入中国，许多人不加分辨地盲目学习，语言生活中出现了一些令人担忧的现象：粗话、脏话堂而皇之地出现在人们的口头甚至于文学作品中，赤裸裸地宣扬封建迷信、宣扬奢华腐朽的生活方式，出现了诸如“共荣共存公司”、“二房佳酿”等有损民族尊严或格调低下的名称。出版界受拜金主义的冲击，忽视编校质量，“急就篇”泛滥，几乎无错不成书。广播影视节目中媚洋、媚痞的倾向突出，某些电视台、电台语文应用失范现象相当普遍。这些现象产生的原因是多方面的，譬如语文教育问题，社会用语、用字规范检查落实问题等，但究其根本还是人们的价值观在起主导作用。营造什么样的社会氛围，就有什么样的语文运用；从来就不存在脱离社会的语言真空。语言污染不清除，势必会对精神文明建设产生消极的影响，甚至阻碍精神文明建设的进程。

热爱祖国的语言，是爱国主义精神在语言运用中的具体体现。推广规范的、全国通用的语言，是经济和社会发展的需要，任何一个现代化国家，都必须完成这一社会历史任务。规范化是语言文明建设的重要任务，也是强化民族自尊意识和民族自强观念的现实需要。我们要从维护祖国语言纯洁、健康的高度，加强语言规范化，自觉抵制有损民族尊严和国家形象，违背国家语言文字政策的不良倾向。

人的素质的高低，关乎国家的兴旺和民族的兴衰，因此，对公民进行素质教育，就成为精神文明建设的重要内容。素质包括语言修养。前一阶段，语言文明建设的重点是对行业用语、社会用语进行规范，取得了较明显的成效。下一阶段，关注的焦点应转移到个人的言语运用上，提倡每一个人在任何时间、任何场合都使用文明语言，礼貌待人，形成一个良好的语言氛围。党政机关领导、公务员应以身作则，讲普通话，写规范字，不传播趣味低级的黄色笑话和所谓的“语言幽默”。应该关注学生的语言文明教育，使之成为语文教育、思想品德教育的重要内容。尤其应注重对婴幼儿的教育，从学习语言起即对他们进行规范用语、礼貌用语的教育，从小培养良好的言语习惯。家长需重视这个问题，把它作为培养人才的大事来对待，自己带头不说脏话、尽量少使用方言，为创造良好的语言环境而努力。

正确使用祖国的语言文字，加强语言文明建设，是精神文明建设的重要任务，也是推动精神文明建设的重要因素。我们要在马克思主义精神文明观的指导下，下大力气抓好语言文明建设，使我国城乡的社会风气和语言面貌有一个根本的改观。

作者：内蒙古大学人文学院副教授
原文出处：《内蒙古社会科学》2002 年第 5 期

柳昌清：中国传统文化的利用与改造

怎样对待中国传统文化？笔者认为，针对中国传统文化中不同的遗产，需要分别采用继承性弘扬、融合性创新、剔除性转换、矫正性纠偏、批判性重构等不同的“利用——改造”方式。

一、继承性弘扬

中国文化在16世纪以前，一直居于世界文化的前列。16世纪以后，虽然落后了，但是近代以来能够急起直追，奋发图强，证明中华民族具有努力前进的积极精神。对于这些能够推动文化前进的积极精神，如自强不息、勤劳苦干的人生态度，兼容并蓄、吸收融合的文化胸襟，追求理想社会和理想人格的执著精神，重视群体、热爱祖国的集体主义观念，尊老爱幼、博施济众、见义勇为等传统美德等等，都必须继承，并发扬光大，从而为现代化建设提供精神动力。

二、融合性创新

在中国传统文化中，有大量具有民族特征、可以作为世界多元文化的组成部分的遗产，例如，中国传统的文学、美术、音乐、舞蹈、戏剧、曲艺、建筑、服饰、饮食、器物制造工艺，等等。对于这部分文化遗产，我们要在保持民族传统的基础上，通过吸收其他文化的合理成分，利用现代科学技术，融会贯通，创造出仍具有民族特征的文化新成果。另外，对于中国传统思想中那些在当代仍然有应用价值的思想，如传统的美学思想、军事辩证法思想、管理思想等，也可以采用吸收、融合、创新的途径，使其达到现代科学技术的高度。

三、剔除性转换

在中国传统文化中，有些遗产具有合理的内核，但同时却包裹着因受旧的制度、过时的生产生活方式、狭隘的眼界等限制而形成的错误或过时的观念。对于这一类文化遗产，我们要从中剔除掉错误、陈旧的成分，保留其合理的内核，并加进新的时代内容，将其改造成适合现代社会需要的文化成果。

例如，我们需要从仁、义、礼、智、信、忠、孝等传统伦理范畴中，剔除宗法、封建性的糟粕，保留人道主义的精华，并加进现代社会伦理要求的内容，使其能很好地为社会主义道德文明建设服务。

再例如，辩证思维是中国传统文化的一大长处。在中国古代形成了一些辩证思维的模式，如《易经》模式、阴阳五行模式，等等。这些模式在体现了辩证思维特征的同时，却夹杂着神秘性、随意性、模糊性、意向性等非科学的成分。我们要保留传统辩证思维中合理的内核，剔除其非科学的成分，并吸收现代思维科学技术的成果，使中国的辩证思维在方法上、工具上达到现代科学的高度和水平。

四、矫正性纠偏

中国传统文化是在长期的自然经济、专制政治的环境中形成的，它在总体上适应这样的社会条件，而不适应今天的市场经济和民主政治。从社会主义市场经济和民主政治的要求分析传统文化中形成的观念，我们会发现，传统观念对许多重大关系问题的处理，实际上是主次颠倒或轻重倒置的。对于这些重大失误和偏向，我们要毫不迁就地加以矫正，以保证中华文化前进的正确方向。

例如，在社会历史观方面，要纠正由儒家思想形成的重视社会稳定和人际关系的协调、轻视经济发展和人民生活水平提高（“不患寡而患不均，不患贫而患不安”）的偏向，牢固树立“发展才是硬道理”和“三个有利于”的思想，同时保持传统文化的优点，努力做到人与自然和谐相处，人与人之间和蔼相处，国家与国家之间和平共处。

再例如，在认识论方面，要纠正传统思维方式中重综合轻分析、重历史的方法轻逻辑的方法、重定性研究轻定量研究和以形象思维代替逻辑思维等偏向，使思维尽可能清晰、明确和严密，从而提升全民族的认识水平。

五、批判性重构

在怎样对待传统文化的争论中，有一种观点认为传统文化是与现代化冲突的，因此，中国要实现现代化，就必须摒弃传统文化。这种观点有些偏激。但是，另一方面，我们也应当清醒地看到，中国传统文化确实有与现代化相冲突的地方。例如，“五四”运动提出“科学”和“民主”的口号，就是发现了中国传统文化中缺少的最重要、最基本的两种现代化要素。

作者：中共河南省委党校研究员

原文出处：《中国党政干部论坛》2002年第3期

赵新朝：弘扬“西柏坡精神”　实践“三个代表”

西柏坡精神产生于中国共产党的西柏坡时期，西柏坡精神是我党的宝贵精神财富。继承和发扬西柏坡精神，对于我们党保持先进性、纯洁性，密切与人民群众的血肉联系，经受改革开放和执政考验，实践“三个代表”重要思想，改善和加强自身建设，解决面临的一系列重大问题，实现新世纪的宏伟目标，都有重要的现实意义。

一、西柏坡精神的核心内容和丰富内涵

第一，实事求是，勇于探索的精神。西柏坡时期，中国共产党肩负着“破坏一个旧世界，建设一个新世界”的双重历史使命。毛泽东等老一辈无产阶级革命家，坚持把马列主义的普遍真理与中国革命的具体实践相结合，创造性地提出了半封建半殖民地的旧中国，从新民主主义向社会主义转变的科学理论，作出了党的工作重心，从乡村转移到城市，从革命战争转移到经济建设等一系列重大决策，为新中国的建立，做好了充分的政治思想准备。

第二，敢于斗争，敢于胜利的精神。西柏坡时期，无论军事力量，还是经济实力，国民党仍然处于优势。党中央、毛泽东以大无畏的英雄气概，抓住机遇，大胆决策，胜利组织了“三大战役”，同国民党进行战略决战，敢于打从来没打过的正规战、攻坚战，创造了世界战争史上的奇迹，奠定了全国胜利的基础。

第三，谦虚谨慎，艰苦奋斗的精神。中国共产党取得全国胜利，走上执政地位之后，能不能经受住胜利与执政的考验？为解决这个重大历史课题，毛泽东同志提出“两个务必”，并把执政喻为进京“赶考”，要求全党同志保持革命本色，不要在“糖弹”面前打败仗。这种不以功臣自居、不为暂时的成绩陶醉、不受权力侵蚀的精神，成为党执政后抵制腐朽思想，克服官僚主义，保持与人民群众血肉联系的有力思想武器。

第四，严守纪律，团结一致的精神。西柏坡时期，全党全军和全国人民，同心同德，步调一致，形成了所向披靡、无坚不摧的强大合力。

第五，顾全大局，无私奉献的精神。毛泽东、党中央在西柏坡的日子里，平山人民舍小家、为大家，踊跃参战支前，为全中国的解放做出了极大的牺牲和贡献。解放后修建岗南、黄壁庄水库，平山人民又无私地做出了新的贡献。

二、弘扬“西柏坡精神”，实践“三个代表”

第一，弘扬西柏坡精神，实践“三个代表”，就要不断增强创新能力。西柏坡时期，中国共产党创新的结果，是推翻了一个旧政权，创建了新中国，并形成了一套系统完善的理论和政策。实践“三个代表”，也必须不断增强创新能力。没有创新就没有发展，没有创新就没有前进。广大党员干部，要解放思想，更新观念，增强创新意识和发展意识，用思想观念的大解放，推动经济社会的大发展。

第二，弘扬西柏坡精神，实践“三个代表”，就要坚持“以民为本”。人民群众是立国之本、立党之本、立业之本和立身之本。毛泽东同志提出的“两个务必”，对于执政后容易出现的偏离宗旨、骄傲自满、脱离群众、当官做老爷等问题敲响了警钟。广大党员干部，要牢记党的根本宗旨，自觉把人民群众视作衣食父母和鉴身之镜，时常不忘宣民之口，惩民之害，解民之忧，减民之负，富民之家。不论做任何事情，都不得损害群众利益，更不得与民争利。以民为本，勤政为民，走群众路线，改善党的形象，始终保持党与人民群众的血肉联系，提高党的号召力、凝聚力和战斗力。只有这样，才能经得起各种风浪的考验，不断把建设有中国特色社会主义的伟大事业推向前进。

第三，弘扬西柏坡精神，实践“三个代表”，就要强化大局意识和党性观念。大局意识是党性观念的体现。党的政策和国家法律，是群众利益的保障。维护群众利益，就必须坚持党的基本理论、基本纲领不动摇，坚定不移地贯彻执行党的路线方针政策，严格依法办事，对任何伤害群众感情和利益的行为，不能迁就和放纵。要不断深化改革，扩大开放，加快发展，尽快使人民群众富裕起来。要严肃党的纪律，令行禁止，步调一致，个人利益服从群众利益，局部利益服从全局利益。

第四，弘扬西柏坡精神，实践“三个代表”，就要克服形式主义。创新发展是“三个代表”重要思想的客观要求。大干大发展，小干小发展，不干不发展。因此，抓工作必须抓落实。要少说空话，多干实事，做实干家，不能只当评论家。要切实改进作风，调查研究，指导工作，解决问题。要严格干部考核奖惩，对搞形式，玩数字，跑关系，做表面文章的干部，不仅不予重用，还要严肃处理。要重用提拔埋头实干、干出成绩的干部，努力创造落实的浓厚氛围，为党的事业锻炼培养更多的实干家。

作者：河北省平山县委书记

原文出处：2002年5月22日《河北日报》

黄兴国：发展生态文明　建设生态城市

江泽民同志在“七一”重要讲话中提出了“促进人和自然的协调与和谐，使人们在优美的生态环境中工作和生活”以及“努力开创生产发展、生活富裕和生态良好的文明发展道路”的生态文明观，体现了以人为本的思想，是对马克思主义关于促进人的全面发展理论的重大创新。

18世纪以来的工业文明像一把双刃剑，一方面是科学技术迅猛发展，物质财富空前增加，极大地推动了人类社会的进步；另一方面，也引发了一系列全球性生态环境问题，严重威胁人类的生存与发展。人们逐渐认识到粗放型利用自然资源是造成环境污染与生态破坏的根本原因，追求经济、社会、环境协调发展的生态文明必将取代工业文明。生态文明反对人类中心论，也反对自然中心主义，它强调人与自然的整体和谐，致力实现人与自然的双赢式发展。在开发模式上，它主张以知识、信息生产为主的知识经济取代以消耗自然资源为主的工业经济，在资源的开发对象上，主张由自然资源转向人力资源。生态文明理念的出现是人类在认识、利用自然过程中的一次质的飞跃，必将促进人类社会以更快的速度持续、健康地向前发展。

人类文明进步与城市发展是相互联系、相互促进的，两者关系十分密切。可以说，城市的产生、成长和壮大，离不开文明的进步。同样，城市的发展也极大地促进了文明的进步。最早的城市产生于农业文明时期。在工业文明时期，城市的数量、规模剧增，城市成为社会的政治、经济、文化活动中心。但是，工业文明与自然的矛盾也突出地集中在城市发展之中，人口急剧膨胀、环境严重污染、居民生活质量下降、犯罪率居高不下等“城市病”制约了城市功能的发挥，阻碍了城市的进一步健康发展。事实证明，今天的城市发展再走工业文明时期的老路已经难以为继，必须寻求新的发展道路，因而生态文明理念的应运而生为城市发展指明了新的方向。

生态城市的“生态”，包括人与自然环境的协调关系以及人与社会环境的协调关系两层含义；生态城市的“城市”指的是一个自组织、自调节的共生系统，是自然、城、人形成的共生共荣的有机整体。借鉴近年来国内外的探索和实践结果，生态城市的基本内涵可从以下几个方面来理解：从生态哲学角度看，生态城市的价值取向是实现人与人、人与自然的和谐；从生态经济学角度看，生态城市的经济不仅仅是量的增长，而且是质的发展，要积极采用生态技术，发展生态产业，实现物质生产和社会生产的生态化；从生态社会学角度看，生态城市倡导生态价值观、生态伦理以及自觉的生态意识，建立自觉保护环境、促进人类自身发展的机制，创造公正、平等、安全、舒适的社会环境；从城市生态学角度看，生态城市的社会——经济——自然复合生态系统结构合理、功能稳定、动态平衡，物流、能流、信息流、生物流高效利用、自然演化的过程得到保护和发展；从城市规划学角度看，生态城市的空间结构布局合理、基础设施完善、生态建设广泛应用，成为人工环境与自然环境融合、城与乡融合成统一的城市化区域；从国内外先进城市的发展来看，建设生态城市是城市获得新生的必由之路。近几年来，宁波致力于发挥得天独厚的深水良港优势和灵活的机制优势，大力推进经济社会发展，城市综合实力明显增强，国内生产总值、财政收入和居民人均收入均居全国15个副省级城市前列。在加快经济发展的同时，宁波坚持环境保护不放松。从1997年起，相继投入环保资金54.8亿元，开展了全面的环境整治工作，极大地改善了城市环境，并于2001年被命名为全国环保模范城市和首批省级文明城市。“十五”以来，一批事关宁波长远发展的石化、造纸、钢铁、机械大项目陆续立项开工建设，将极大地推进宁波市建设现代化国际港口城市，但也给宁波的生态环境带来新的压力，提出了更高的要求。面对新的形势，我们按照江泽民同志关于建设生态文明的科学论断，进一步解放思想，转变观念，树立全新的生态文明发展观，坚持环境立市的战略，把生态发展和环境保护融入城市整体发展之中，实现经济社会发展和生态发展的“双赢”。根据建设现代化国际港口城市、提前基本实现现代化的跨世纪宏伟目标以及当前发展的实际，宁波生态城市建设以生态环境建设和社会经济发展为核心，坚持生态文明的发展理念，通过统一规划、综合建设，发展科技发达、经济高效、环境和谐并与港口城市发展相适应的生态产业，经济竞争力进入全国先进城市前列；建设人与自然和谐共处的富裕、健康、文明向上的生态社区；培育天蓝、水清、地绿、景美的生态景观，争取使环境质量达到国际领先水平，最终实现区域性经济、社会、生态的可持续发展，建成生态型的社会主义现代化国际港口城市。

建设生态城市是一个涉及全社会各个方面的系统工程，需要一个长期的过程。我们要从以下几方面作出不懈的努力。

第一，坚持以人为本，提高居民的环境舒适度。按照可持续发展的原则，进一步加强城市发展的规划工作。切实把环境保护和生态建设放到城市化发展更加突出的位置，走城市建设与环境保护相统一、城市发展与生态容量相协调的城市化道路。

第二，以保护和发展先进生产力为目标，建设生态经济。生态经济是生态城市发展的重要载体。要抓住知识经济方兴未艾和我国加入WTO的大好时机，把经济发展的动力转移到依靠人力资源开发和科技进步上来。在工业领域，制定产业政策，大力支持发展高科技、无污染的新兴产业，不断提高它们在经济发展中的比重，结合产业结构调整，运用科技创新，改造那些高度消耗能源、对环境造成严重压力的产业，使之转化成资源得到充分利用的循环型或清洁型产业，坚决淘汰落后的工艺和设备，关停环境污染严重的企业。在农业领域，改变落后的生产方式，积极推行生态农业、有机农业等可持续发展的农业生产模式，加快新农村规划建设，合理利用农业资源，实行贸工农一体化、产供销一条龙，促进农业产业化，提高生态型农业在现代农业发展中的贡献率，使农业经济与农村生态环境体系和谐、稳定、健康发展。同时，积极发展以金融、旅游、物流等为重点的第三产业。

第三，遵循可持续发展原则，构建生态文化。进一步强化公众生态意识。全社会特别是领导干部要认识到走可持续发展道路的重大意义，认识到发展生态文明，建设生态城市是城市现代化发展的必由之路，是功在当代，利在千秋的大事，逐步树立全新的人与人、人与社会、人与自然和谐的生态城市价值观，确立起“破坏生态环境就是破坏生产力，改善生态环境就是发展生产力”的思想。要提高全民生态素质，把生态文化建设作为精神文明建设的重要组成部分，结合公德教育，多形式、多层次地开展以增强生态环境保护意识为目标的教育活动。

作者：宁波市委书记

原文出处：2002年4月20日《光明日报》

蔡贤武:环境保护——强国富民安天下的大事

保护环境就是保护生产力

先进生产力的发展应该是可持续的发展。以不惜牺牲环境为代价的经济发展模式，正在被时代所淘汰，以高科技含量、低资源能源消耗和清洁生产为特征的可持续发展模式，是先进生产力的重要标志。因此，保护环境就是保护生产力，破坏环境就是破坏生产力，改善环境就是促进生产力。环境保护工作要坚持发展是硬道理，围绕经济建设这个中心，贯彻环境与经济“双赢”的方针。

生态环境保护是指人类为解决现实的或潜在的生态环境问题，协调人类与自然的关系，促进经济社会可持续发展而遵循自然规律的基本原则。要坚持污染防治与生态保护并重，生态保护与生态建设并举，城乡生态环境并抓。从宏观性看环境保护的系统性，站在全球的高度和大环境、大系统的视角，来把握环境保护工作；从长期性看环保工作的复杂性，深刻认清环境保护工作任重而道远，既面临着难得的发展机遇，又面临着严峻的挑战，树立坚忍不拔的毅力，增强战胜困难的信心；从社会性看环保事业公众参与度，进一步增强全民的环境意识，形成全社会都来关心、支持、实践环境保护事业的氛围，从而努力改善环境质量，促进生态平衡，实现人与自然的和谐统一，开创生产发展、生活富裕、生态良好的文明发展道路。

保护生态环境　共建美好家园

环境保护是人类社会绿色文明的重要体现，本身就具有精神文明的属性，是先进文化的重要组成部分。一个国家、一个地区的环境意识、环境质量、环境文化，是这个国家和地区精神风貌、文明程度、文化品位的重要标志。要深刻认识环境保护工作既有物质文明的属性，又有精神文明的属性，体现了先进文化在社会主义现代化建设中的重要地位。随着人类文明的进步，经济社会的发展，环境保护事业将进一步显现出蓬勃的发展生机和美好的发展前景。我们要把依法治国与以德治国结合起来，坚持“两个文明”一起抓的战略方针。要发展环境文化，提升绿色文明在社会发展中的地位。用环境文化教育公众，推动环境保护事业，实现环境保护与建设的目标。

要积极开展具有环保特色的以“四个一”为内容的群众性精神文明创建活动。结合环保“十五”计划纲要，积极开展“保护生态环境，共建美好家园”和创建环保模范城市、生态示范区、环境优美城镇的活动。要以“内强素质，外树形象”为主题，推行政务公开，抓好行风建设，提高队伍素质，树立文明形象，使群众性精神文明创建活动向深度和广度进军。

环境保护近期目标和工作重点

环境保护工作近期的目标是：让人民群众呼吸上新鲜空气，喝上干净的水，吃上安全的食品，让人民群众生活上放心。

一是要突出重点。继续抓好群众关心的、反映强烈的环境污染治理，以及西部大开发中青藏铁路、西气东输、西电东送、三峡工程、南水北调等重点工程的环境保护工作，努力解决重点区域和流域的严重污染等问题，遏制生态恶化的趋势。

二是文明执法。各级环保部门要推行政务公开，实行“窗口”服务，开展行风评议，自觉接受社会、群众的监督。环保工作者要文明执法、廉洁执法，树立文明形象。在环境影响评价和排污收费等活动中，要按章办事，把党和人民赋予的权力作为为人民服务的责任和义务，而绝不允许牟取私利。

三是改进作风。党的十五届六中全会作出了《中共中央关于加强和改进党的作风建设的决定》，各级环保部门按照“八个坚持、八个反对”的要求，以整风精神抓好作风建设，切实解决作风建设中存在的突出问题。各级领导干部要讲实话、办实事、求实效，深入实际，深入群众，想群众之所想，急群众之所急，在群众中树立良好的形象。

作者：国家环保总局机关党委副书记

原文出处：《人民论坛》2002 年第 10 期

彭岚嘉 陈占彪:西部文化建设论略

在西部大开发中应当重视文化建设方略的确立，这是现代化建设所必需的精神储备，也是避免开发时重经济轻文化而走弯路，以使西部社会发展走向全面振兴。

一、西部：文化的高地

中国西部地区是中华民族的发祥地之一，在历史上曾经是经济和文化相对发达的区域。西部文化乃是中华民族文化的主要源头，原始文化、游牧文化和农耕文化在这块古老的土地上生成胚胎，并对中华民族文化的形成有着决定性的影响。延续千年之久横贯亚欧腹地的丝绸之路、麝香之路、博南古道和草原之路，犹若四通八达的网络，沟通中国与外界的经济文化交流，使辽阔的中国西部地区成为东西方经济文化的过渡交融地带，希腊文化、阿拉伯文化、印度文化、中国文化 4 大文明的交汇，使这块自然高地又成为文化高地。只是从 12 世纪上半叶开始，由于政治、经济和文化诸多因素共同作用所致，我国经济文化才逐渐转变为东移南迁的态势。在 20 世纪末 21 世纪初，中国西部再次面临着经济、文化共同发展的千载难逢的机遇，在西部大开发中如何通过文化复兴来促进西部经济振兴和通过经济开发来促进文化发展，是西部大开发战略中不可偏废的两个方面，片面强调经济振兴而忽视文化复兴，必将会导致西部开发的畸形发展。

二、西部文化资源与经济增长

西部大开发中如果没有文化建设的真正参与，中国西部的经济开发就有可能事倍功半。西部地区不仅是自然资源富集的地区，而且是文化资源广博的地区，在西部大开发中，西部文化的开发是一个稳固的平台。大力发展旅游等第三产业已明确列入西部开发 5 大重点工作之中，这预示着中国旅游业的发展即将进入一个新时期。西部广袤的大地上，无论是秀美奇丽的自然风景旅游资源，还是独特别致的人文旅游资源，都是得天独厚的文化资源。众多珍贵的历史遗迹、人文景观和雄奇的名山大川以及奇特的风俗民情，为旅游业的发展提供了美好的前景。旅游业不过是文化产业的一角，在科技高速发展的现代社会，文化产业还包括出版业、电影业、广播电视业、音像业、演出业、文化娱乐业、艺术品经营业和其他生产文化产品或提供文化服务的行业，文化产业的最终目的是满足人们的精神文化需求，作为产业它们又有不可小视的经济价值，这些带有明显工业化、商品化特质的产业，在西部开发中都是效益显著的经济增长点。在知识经济的浪潮汹涌澎湃之际，已经落后的西部应当奋起直追，文化开发也要有新思维、新方法、新机制和新举措，在保护西部文化生态的前提下，充分利用文化资源创造经济效益和社会效益。

西部地区幅员辽阔，各地经济文化具有不同特色，经济文化发展要依靠中心城市，确立“经济与文化综合开发模式”，注重以黄河——陇海线经济文化轴和长江流域经济文化轴做轴心，分别以西安、重庆为中心，以兰州、西宁、银川、乌鲁木齐和成都、昆明、南宁、贵阳、拉萨为板块中点，建设富有西部特色和多民族色彩的符合现代化高要求的文化模式，从中心城市辐射和扩散到广大的农牧区。所以，重视文化资源的经济价值，通过发展旅游和文化产业，在西部大开发中主动重塑和更新中国现代西部文化，推进文化复兴运动，这本是西部大开发的应有之义。

三、西部文化建设与社会稳定

西部大开发中重视文化建设战略是落实民族政策、巩固民族团结的需要。我国55个少数民族有50个居住在西部地区，占少数民族总人口的80%。我国80%以上的陆地边境线在西部地区。实施西部大开发，加快边疆民族地区经济和文化发展，提高少数民族的文化生活水平，就是为了从根本上增强中华民族的凝聚力和向心力，挫败国内外敌对势力的分裂破坏阴谋，确保民族团结和边疆巩固，保持国家的长治久安。

经济是社会发展的推动力，但经济不是万能的，社会生活中作为自由个体的人不只是“经济”的人，而且也是“文化”的人。物质文明建设不能包打天下，精神文明建设也须有相应的振兴方略。要满足西部人民群众日益增长的物质文化和精神文化的双重需要，在大开发中必须注重文化建设，重视文化多样性的保护，加强各民族文化的交流与认同，充分利用丰厚的历史文化和丰富的民族文化积累，调动各民族的文化积极性，从而建立起整体上具有一致性而层面上又有特殊性的文化板块。

西部地区的民族、政治和文化问题三者紧密相连。经济上以新亚欧大陆桥和长江沿江流域分别为连接东西部的主干线和经济中心，促成向沿边国家和地区的开放；文化上则以汉文化圈为主，促成藏传佛教文化圈和伊斯兰教文化圈的融合。前者是辐射开放，后者是凝聚复兴，使经济开发振兴和文化建设复兴相得益彰。

四、西部现代化与文化发展

西部大开发的长远目标，当然是西部现代化。西部现代化是全国现代化的重要组成部分，只有实现了西部现代化，才有真正意义上的全国现代化。西部现代化作为全国现代化建设的一个重要战略步骤，文化建设战略是至关重要的，因为现代化首先是人的现代化，而人的现代化，又首先是观念和意识的现代化，这显然是经济开发不能完全解决的精神文化问题。

从经济、社会、文化一体化发展的现代视角来看，东西部经济实力的差距，也是一种文化观念上的差距。我国东部经济发展是与其社会的开放、文化的发展与经济的国际化、市场化同步进行的，也就是说，东部的发展有着明显而深厚的文化背景，这就是文化上的开放性、变动性、灵活性、适应性、进取性、现代性。而西部文化则因其地域和历史的原因，具有一定的稳定性、封闭性、凝固性、保守性。这种文化上的差异反映的是两种质态的文化的差异，是以现代工业文明为基础的市场经济文化，与传统农业文明为基础的传统农业文化的差异。由于两种文化的基础不同，性质不同，从而对东西部经济发展产生促进或阻碍作用，这是东西部差距拉大的文化原因。

由于历史原因而形成的文化高峰，是西部地区可恃骄傲和可资弘扬的文化源泉，但同样也是由于历史地理原因造成的落后局面，又衍生成不良的文化生态环境。先进的文化也是生产力，一个社会只有具有良好的文化环境才能促进社会生产力长期有效的发展。人的文化世界就是人的生活世界，与人的文化生命共同构成人的文化存在，时空不断，文化不息。回顾过去，展望未来，我们除了满怀信心和豪情之外，更应多一些自省与冷静，人类只有一个共同世界，信息和科技已将地球连成一个村落，每一个“村民”没有理由不为地球的未来着想。未来的文化世界将是多元视野下的文化整合的世界，文化整合应包括4方面目标：东西方文化的沟通、科学与人文的融合、个体与人类的统一、人与自然关系的协调。因此，面对未来，西部现代化进程必须调整自己的文化方向，调整人们对于社会生活的态度，这种态度应该是：解放思想，更新观念，开拓创新，开放竞争。只有精神世界的完善与物质世界的建设并重，西部才有希望重新获得诗意的文化生存空间。

作者单位：西北师范大学文学院
原文出处：《西北师范大学学报》(社会科学版) 2002年第5期

任仲平：论 服 务

——写在《公民道德建设实施纲要》印发一周年之际

（一）清晨，太阳从东方升起，新的一天开始了。洗漱，用餐，乘车……人们无时无刻不在享受他人提供的服务；而每个人的工作，也在为他人提供服务。服务，就这样和人们的生活密切相关，每个人都生活在各种服务之中。

（二）人是社会的人，社会是人的社会。“人”字的结构是相互支撑。人的社会性要求人与人之间相互依赖、互帮互助。服务，就是满足社会或他人需求的活动。

服务与社会分工密切相连。最初的服务是简单的。随着社会分工越来越细，人们之间的交流与合作日益频繁，服务的重要性越来越突出，服务的内容越来越丰富，服务的领域也越来越广泛。

（三）在我们的社会中，服务多种多样，有直接的、间接的，有简单的、复杂的，有自觉的、不自觉的，有无偿的、有偿的。就一般意义而言，服务具有这样一些基本特征：

服务是平等的。各行各业的服务者，只是社会分工不同，没有高低贵贱之分。

服务是相互的。每个人既是服务者，又是被服务者。此时的服务者，彼时可能是被服务者；此地的被服务者，彼地可能是服务者。

服务包含着市场行为，也包含着道德追求。作为市场行为，服务者通过为社会、为他人提供服务获得合理报酬；作为道德追求，服务者通过无偿服务，感受助人之乐，提升精神境界。

服务既是一种实践活动，又反映着人们的精神风貌。良好的服务是社会发展的推进器，是社会凝聚的粘合剂，是社会文明进步的重要标志。

（四）纵观我们的社会生活，人们欣喜地看到，新中国成立以来，特别是改革开放20多年来，随着生产力的解放和发展，随着社会主义市场经济体制的建立和完善，随着社会进步和公民思想道德素质的提高，服务观念在增强，服务领域在拓宽，服务设施在改进，服务行业在壮大，服务质量在提高，人们享受着越来越广泛便捷、丰富多样的服务。

当然，也应当看到，我们社会的服务还存在一些问题。这里有产业结构的制约，第三产业在国民经济中的比重还相当低；有体制上的缺陷，不少管理部门的职能转变没有到位，“门难进、脸难看、事难办”；有观念上的障碍，一些人仍然把服务看成低人一等；也有素质上的差距，职业技能还远不能适应人民群众日益增长的多方面的服务需求，同时道德素养也有待进一步提高。在一些场合，人们常常感到不舒心、不周到、不实在，缺乏尊重、缺乏关爱、缺乏公正。

（五）人们关注服务，不仅因为服务同人们息息相关，不仅因为现实生活中还存在某些不尽如人意之处，更重要的是，改善服务，是社会主义市场经济的强烈呼唤，是经济全球化的发展和我国加入世贸组织新形势的迫切需要，是促进人的全面发展、建设社会主义精神文明的内在要求。

市场经济连接着广泛的服务，需要服务体系的支撑；市场经济的发展创造着巨大的服务需求，提供着大量的服务岗位和服务产品；市场经济推动着服务质量不断提高，只有优质的服务才能赢得市场。我们建设的是社会主义市场经济，这种市场经济与社会主义基本制度，与社会主义精神文明紧密结合在一起。只有实现服务社会与发展个人、完善社会与完善自身相统一，只有把个人价值的实现融入到社会价值的实现之中，只有更加自觉地、充分地做好服务，社会才能形成良好的风尚，社会主义市场经济才能健康有序地发展。

经济全球化的加速发展和我国加入世贸组织的新形势，使我们面对着更加激烈的竞争，要求我们进行更大范围的合作。谁赢得了市场，谁就在竞争与合作中掌握了主动。市场的赢得和服务的质量有着越来越密切的关系。我们不能局限于自己跟自己比，而应当以更广阔的视野，与世界的先进水平比，看到现实的差距，找到努力的方向。

建立社会主义社会新型的人际关系，既要着眼于人们物质文化生活的需要，又要着眼于人民整体素质的提高，也就是要努力促进人的全面发展。人们物质生活水平的提高，需要高质量的服务；服务质量提高的本身，就蕴涵着人的整体素质的提高。在发展社会主义物质文明和精神文明的基础上，促进人的全面发展，要求人们具有高尚的道德情操，能够正确处理个人与社会、与他人的关系，树立正确的服务观。

（六）鲜明提出“为人民服务”，这是中国共产党的一个伟大创造。

把全心全意为人民服务确立为党的根本宗旨，集中体现了马克思主义的历史观、价值观。在共产党人看来，人民是天，没有比人民更高的；人民是地，没有比人民更深厚的。人民，只有人民，才是创造历史的动力，才是社会的主人。党把自己的根深深植于人民群众这片沃土，把服务人民作为自己的责任和使命，为人民利益敢于坚持真理，为人民利益勇于纠正错误。除了最广大人民的利益，党没有自己的特殊利益。人民的利益、人民的幸福，是党一切行动的出发点和归宿。

一部中国共产党奋斗的历史，就是一部为中国人民服务的历史。我们党为人民服务，有理论、路线、方针和政策为指导，在执政以后又有国家政权、社会制度和相关体制作保证。一代又一代共产党人前仆后继，英勇奋斗，与时俱进，开拓创新，谱写了为人民服务的壮丽篇章。

在当代中国，我们党实践全心全意为人民服务的宗旨，就要全面贯彻“三个代表”重要思想。贯彻“三个代表”要求，关键在坚持与时俱进，核心在保持党的先进性，本质在坚持执政为民。发展先进生产力和建设先进文化，都是为了满足人民群众日益增长的物质文化生活需求，都是为了实现最广大人民的根本利益，归根到底都是为人民服务。

（七）把为人民服务确定为我国公民道德建设的核心，这是中国共产党的又一个伟大创造。

党的十四届六中全会《决议》明确提出把“为人民服务”作为社会主义道德建设的核心。新世纪的第一年，中共中央印发的《公民道德建设实施纲要》规定：“社会主义道德建设要坚持以为人民服务为核心”。这标志着我国公民道德建设进入了一个新境界。中国共产党人的为人民服务，辐射、影响、推动着全民族道德素质的普遍提高，成为我国公民道德建设的灵魂和引导力量。

（八）有一种观点认为，把为人民服务作为党的宗旨，作为对全体党员的要求是毫无疑义的，但作为我国公民道德建设的核心，向广大公民提出这样的要求，是不是太高了，有些脱离实际了？

应当看到，为人民服务不是空洞抽象的，而是具体实在的，体现了主人翁与劳动者的统一。在社会主义社会中，人与人之间的关系是多方面的，从公民道德建设的角度看，主要的、普遍的就是相互服务的关系。每一位公民既是国家和社会的主人，又是劳动者和服务者；既享受他人的服务和劳动成果，又为他人提供服务和劳动成果。全体人民通过分工和相互服务来实现共同幸福。主人翁地位并非只意味着拥有享受的权利，同时也意味着必须承担服务他人与社会的义务和责任。

还应当看到，为人民服务不是高不可攀的，而是人人可为的，既伟大又平凡，既高尚又普通。以为人民服务为核心的社会主义道德建设是一个过程，不同的历史阶段实现的程度不同。作为公民道德建设核心的为人民服务，也蕴涵着不同境界、不同层次和不同要求的丰富内容。我们正在进行的建设有中国特色社会主义事业，就是为人民服务的事业。每位公民不论社会分工如何、能力大小，都能够在本职岗位通过不同形式为人民服务，他们所从事的工作都是这个伟大事业的一部分。共产党员和先进分子毫不利己、专门利人、无私奉献，是为人民服务；人与人之间互相关心、互相爱护、互相帮助，是为人民服务；爱岗敬业、做好本职工作，是为人民服务；诚实劳动、合法经营，也是为人民服务。

社会主义道德建设以为人民服务为核心，体现了先进性要求与广泛性要求的有机结合，符合我国公民道德建设的实际，指明了我国公民道德建设的方向，为全体公民提供了奋斗目标，规范着人们的道德行为，提升着人们的道德素质。

（九）把为人民服务作为社会主义道德建设的核心，我们还可以做多方面的认识和理解。

为什么人服务的问题，是一个根本问题。它是世界观、人生观、价值观的根本问题，也是思想道德建设的根本问题。我们党的宗旨是为人民服务，我们的社会是人民当家作主的社会，我们的国家政权是人民的政权，这就决定了我国公民道德建设必须也只能以为人民服务为核心。这是思想的逻辑，也是生活的逻辑。

从道德建设的内在规律来看，我国公民道德建设必须也只能以为人民服务为核心。

作为公民道德建设的核心，为人民服务统摄着“爱国守法、明礼诚信、团结友善、勤俭自强、敬业奉献”的公民基本道德规范，贯穿于公民道德建设的全过程。在社会公德的建设中，体现为文明礼貌、助人为乐、爱护公物、保护环境、遵纪守法；在职业道德的建设中，体现为爱岗敬业、诚实守信、办事公道、服务群众、奉献社会；在家庭美德的建设中，体现为尊老爱幼、男女平等、夫妻和睦、勤俭持家、邻里团结。

作为公民道德建设的核心，为人民服务决定了以最广大人民的根本利益为道德评判的标准。是善还是恶，是高尚还是低俗，是伟大还是渺小，评判的标准只有一条，就是看是不是符合最广大人民的根本利益。从人民的利益出发，社会主义道德要求人们正确处理个人与社会、竞争与协作、先富与共富、经济效益与社会效益等关系，提倡尊重人、理解人、关心人，发扬社会主义人道主义精神，为人民为社会多做好事，反对拜金主义、享乐主义和极端个人主义。

作为公民道德建设的核心，为人民服务规定了社会主义道德建设的方向，反映了社会主义制度下团结互助、平等友爱、共同前进的社会主义人际关系的实质，是社会主义道德区别和优越于其他社会形态道德的显著标志。以为人民服务为核心的社会主义道德，继承中华民族几千年形成的传统美德，发扬中国共产党领导人民在长期革命斗争与建设实践中形成的优良道德，积极借鉴世界各国道德建设的成功经验和先进文明成果，使公民道德建设既体现优良传统，又反映时代特点，既着眼多数，又鼓励先进，始终充满生机和活力。

（十）道德建设重在实践。领导机关和领导干部的表率作用，具有决定性的意义。

“领导就是服务”，这句话深刻地揭示了社会主义国家权力的本质，集中体现了正确的权力观、地位观、利益观的根本要求。党员干部想问题、办事情、做工作，都应当自觉地把掌握权力看成为人民服务的机会，把行使权力当作为人民服务的方式。在任何时候任何情况下，与人民群众同呼吸共命运的立场不能变，全心全意为人民服务的宗旨不能忘，坚信人民群众是真正英雄的历史观不能丢。那种高高在上，对人民群众的冷暖疾苦漠不关心的官僚主义，那种脱离实际、好大喜功、摆花架子、劳民伤财的形式主义，同我们党为人民服务的宗旨格格不入，必须坚决反对。至于少数国家工作人员以“我是为人民服务而不是为你个人服务”为借口来为自己霸气十足、粗暴生硬的行为作辩解，是根本站不住脚的。

为人民服务，不能只挂在嘴边，也不能光贴在墙上，而应该化为每一位党和政府的工作人员具体而实在的行动。特别是行政和执法部门，直接体现我们党和政府的形象，热情服务，公正执法，尤为重要，一定要深怀爱民之心，恪守为民之责，善谋富民之策，多办利民之事，诚心诚意为人民谋利益。

（十一）服务行业特别是窗口行业的服务水平如何，展示着国家、民族和地区的形象。在全社会倡导为人民服务，窗口行业要发挥示范作用。从一句热情的话语、一个友善的举动入手，从应该做、能够做的一件件小事做起，营造一个个热情服务的窗口行业的小气候，坚持下去，推广开来，就可以形成整个社会良好道德风貌的大环境。

（十二）在全社会倡导为人民服务，要求每一位公民做好本职工作。社会分工不同，社会角度各异，干一行、爱一行、钻一行，就是在为人民服务。生活和工作并不总是轰轰烈烈的，平凡不是平庸，踏实不是无能。那种在本职工作中心浮气躁、浅尝辄止、得过且过、敷衍塞责的态度和做法，实质上都是缺乏为人民服务精神的表现。只要我们爱岗敬业，在平凡的岗位上照样可以做出有益于人民的业绩。

（十三）道德教育、道德实践和道德监督“三位一体”，相互促进，缺一不可。在全社会倡导为人民服务，需要综合运用教育、法律、行政、舆论等方式，更有效地引导人们的思想，规范人们的行为。

道德品质是教育和养成的结果，也是监督和管理的结果。要广泛普及道德知识和道德规范，帮助人们提高道德修养，把为人民服务的观念化为广大公民的自觉行动。要建立健全有关法律法规和制度，加强道德监督，把公民道德建设融于科学有效的社会管理之中，逐步完善道德教育与社会管理、自律与他律相互补充、相互促进的运行机制。要大力宣传为人民服务的先进典型，营造健康向上的道德氛围，引导广大公民见贤思齐，在遵守基本行为准则的基础上追求更高的思想道德目标。

（十四）为人民服务是一种高尚的道德追求，也是一种实实在在的能力，一种实实在在的本领。紧跟时代，努力学习，丰富知识，提高本领，这是个人的进取，更是事业的需要。既有高尚道德情操又有真才实学的人越多，人民的事业就越蓬勃、越兴旺。

（十五）为人民服务，是有理想者的理想，是有道德者的道德，是有为者的作为。人生的价值在为人民服务中实现，生命的意义在为人民服务中升华。个人因为人民服务而高尚，社会因为人民服务而温暖。

让我们共同努力，把有限的生命投入到无限的为人民服务之中。

原文出处：2002年9月23日《人民日报》

《公民道德建设实施纲要》发表一周年笔谈

罗国杰：提高道德素质　增强精神力量

在建设有中国特色社会主义的道路上实现中华民族的伟大复兴，既需要发展先进生产力，又需要发展先进文化，提高人们的思想素质和道德水平，提升人们的精神境界，增强人们的精神力量。两者相互促进、相辅相成，都是实现和维护最广大人民的根本利益所不可缺少的。发展先进文化的重要内容和中心环节是加强社会主义思想道德建设，而社会主义思想道德建设的主要目的就是提高广大人民群众的思想道德素质，促进人的全面发展。正如江泽民同志在“5·31”重要讲话中指出的，我们必须在发展社会主义经济、政治的同时，加强社会主义精神文明建设，大力发展面向现代化、面向世界、面向未来的，民族的科学的大众的社会主义文化，不断丰富人们的精神世界，不断增强人们的精神力量。要把培育和弘扬民族精神作为文化建设的一个极为重要的任务，使广大人民在建设有中国特色社会主义的征途上，始终保持奋发有为、昂扬向上的精神状态。

越是发展经济，越要加强思想道德建设；越是实行社会主义市场经济，越要重视精神文明建设，这是我们在建设有中国特色社会主义中应该始终遵循的一个基本原则。我们既要看到市场经济的积极方面，充分发挥市场经济的作用，努力促进社会生产力的发展，同时也要看到市场的缺陷和消极因素会反映到人们的思想意识以及人与人之间的关系上来，造成一些人理想信念淡漠和精神生活空虚。因此，随着社会主义市场经济的发展，我们不但不应当削弱思想道德建设，相反，“必须把社会主义精神文明建设提到更加突出的地位”，坚持把物质文明建设和精神文明建设作为统一的奋斗目标，在加强物质文明建设的同时加强精神文明建设，防止和克服这样或那样忽视思想道德建设的倾向。

共产党人是辩证唯物主义者，既重视物质生产在社会发展中的最终决定作用，也充分肯定精神力量和思想道德在改造客观世界中的能动作用。高尚的道德来自正确的世界观、人生观和价值观。毛泽东同志曾指出："人是要有一点精神的，无产阶级的革命精神就是由这里头出来的。"他强调要充分发挥人的主观能动作用，认为物质可以变成精神，精神可以变成物质。邓小平同志把革命精神看成是我们战胜千难万险的根本原因。他指出，改革开放的目的，一方面是要提高人民的生活水平，同时还必须使人民的精神生活不断丰富、精神境界不断提高、精神力量不断增强。江泽民同志根据新形势下出现的新情况，提出"物质贫乏不是社会主义，精神空虚也不是社会主义"。一个民族，物质上不能贫困，精神上也不能贫困，只有物质和精神都富有，才能成为一个具有强大生命力和凝聚力的民族。

精神力量和思想道德的能动作用，是绝不可以低估和小视的。在特定的情况下，精神和道德能够变成一种"至大至刚"、"无坚不摧"的浩然之气，成为战胜一切艰难困苦、克服一切危险处境的重要精神动力，它能够使人心凝聚、精神振奋，能够使一个民族成为具有强大生命力和凝聚力的民族，使一个国家成为昂扬向上、团结奋进的国家。伟大的事业需要并产生伟大的精神，伟大的精神支撑和推动着伟大的事业。中华民族之所以能够"自尊、自信、自立、自强"于世界民族之林，之所以能够不断发展和繁荣，是同这种精神力量、道德力量紧密联系在一起的。传统的民族精神，对中华民族的形成、发展和繁荣发挥过不可代替的作用；中国共产党成立以来形成的井冈山精神、延安精神、铁人精神、雷锋精神、焦裕禄精神、"两弹一星"精神、九八抗洪精神等等，在中国革命、建设和改革中的巨大作用更是人所共知的，没有这些精神，就不可能有社会主义革命和建设的巨大成就。这些精神都是需要在社会主义思想道德建设中发扬光大的。

在《公民道德建设实施纲要》印发一周年和迎接党的十六大召开之际，我们更要自觉地把培育和弘扬民族精神作为文化建设的一个极为重要的任务，通过加强社会主义精神文明建设，大力发展先进文化，不断丰富人们的精神世界，不断增强人们的精神力量，培育一代又一代有理想、有道德、有文化、有纪律的社会主义公民。

作者：中国人民大学教授

阎志民：发展先进文化的重要内容和中心环节

江泽民同志在"七一"重要讲话中指出："加强社会主义思想道德建设，是发展先进文化的重要内容和中心环节。"去年中共中央在印发《公民道德建设实施纲要》的通知中重申了这一重要论断，要求各地区、各部门从全面贯彻落实江泽民同志"七一"重要讲话和"三个代表"重要思想的战略高度，充分认识加强公民道德建设的重要性、艰巨性、长期性和紧迫性，把公民道德建设放在突出位置来抓。把加强社会主义思想道德建设作为发展先进文化的重要内容和中心环节，主要有三个方面的原因。

思想道德建设体现了先进文化的性质和方向。有中国特色社会主义的文化，是面向现代化、面向世界、面向未来的，民族的科学的大众的先进文化。它由两个重要部分组成，一是思想和道德，一是教育科学文化。建设有中国特色社会主义的文化，以马克思主义、毛泽东思想、邓小平理论为指导，全面贯彻"三个代表"要求，实行弘扬主旋律、提倡多样化的方针，既坚持爱国主义、集体主义、社会主义思想在文化中的主旋律作用，又提倡文化内容和形式的多样化发展；既坚持为人民服务、为社会主义服务的方向，又贯彻"百花齐放、百家争鸣”的方针。社会主义和共产主义的理想信念，要求我们在全社会大力提倡社会主义的思想和道德，把先进性要求同广泛性要求结合起来，鼓励、支持一切有利于解放和发展社会生产力的思想道德，一切有利于国家统一、民族团结、社会进步的思想道德，一切有利于追求真善美、抵制假恶丑、弘扬正气的思想道德，一切有利于履行公民权利与义务、用诚实劳动争取美好生活的思想道德。

思想道德建设的加强有助于人们树立正确的世界观、人生观和价值观。这对于发展先进文化具有根本性意义。因为，只有树立正确的世界观、人生观和价值观，我们才能真正继承民族的优秀文化传统，更好地吸收和借鉴全人类创造的有益文明成果，善于总结人民群众的新鲜经验，遵循和探索文化发展的内在规律，体察人民群众日益增长的文化和精神需要，不断创造出面向现代化、面向世界、面向未来的，民族的科学的大众的新的文化成果，把有中国特色社会主义的文化建设推向前进；只有树立正确的世界观、人生观和价值观，我们才能有效地抵制带有迷信、愚昧、颓废、庸俗等色彩的落后文化和腐蚀人们精神世界、危害社会主义事业的腐朽文化，正确地应对世界范围各种思想文化的相互激荡和影响，保证社会主义先进文化的健康发展。正因为如此，江泽民同志在党的十五大报告中高度评价了思想道德建设的重要作用，指出在全社会形成共同理想和精神支柱，是有中国特色社会主义文化建设的根本。

思想道德直接支配和规范着人们的思想和行动，是推动社会发展的精神动力和我们党执政兴国的有力武器。人民群众是先进生产力和先进文化的创造主体，也是实现自身利益的根本力量，在人民群众中蕴藏着巨大的积极性和创造力。建设有中国特色社会主义文化，就是要通过加强思想道德建设，坚持以科学的理论武装人，以正确的舆论引导人，以高尚的精神塑造人，以优秀的作品鼓舞人，不断坚定人们对马克思主义和社会主义的信念，增强对改革开放和社会主义现代化建设的信心，培养与社会主义市场经济相适应的自立意识、竞争意识、效率意识、民主法制意识和开拓创新精神，形成强大的精神动力，推动人们努力为建设有中国特色社会主义而奋斗。在改革开放和社会主义现代化建设中，从我国的历史和现实出发，不断深化和拓展以为人民服务为核心，以集体主义为原则，以爱祖国、爱人民、爱劳动、爱科学、爱社会主义为基本要求，以爱国守法、明礼诚信、团结友善、勤俭自强、敬业奉献为基本规范，以社会公德、职业道德、家庭美德为着力点的社会主义道德体系，是提高全民族素质的一项基础性工程。这对弘扬民族精神和时代精神，形成良好的社会道德风尚，促进物质文明与精神文明协调发展，全面推进建设有中国特色社会主义的伟大事业，具有十分重要的意义。我们要在新世纪全面建设小康社会，加快推进社会主义现代化，顺利实现第三步战略目标，必须充分发挥社会主义道德的这种积极而重要的作用，把法制建设与道德建设、依法治国与以德治国紧密地结合起来，使之成为党执政兴国的有力武器。

作者：北京大学教授

杨新力：提高全民族素质的一项基础性工程

加强公民道德建设，是提高全民族素质的一项基础性工程。中共中央印发的《公民道德建设实施纲要》，是我们党新时期指导社会主义道德建设的纲领性文件。随着《纲要》的深入贯彻，人们越来越深刻地认识到这一基础性工程的重要意义。

提高全民族素质需要加强公民道德建设。进入新世纪，我国进入了全面建设小康社会、加快推进社会主义现代化的新的发展阶段。世界多极化和经济全球化趋势在曲折中发展，科技进步日新月异，各种思想文化相互激荡，综合国力竞争日趋激烈。在这样的背景下，我们要肩负起实现中华民族伟大复兴的历史使命，必须不断提高全民族的整体素质。民族素质是一个民族改造自然、改造社会能动力量的综合反映，表现在思想道德、科学文化等诸多方面。道德作为民族素质的有机组成部分，对人们的思想行为有着十分直接的影响。在改革开放、发展社会主义市场经济的新形势下加强公民道德建设，对于调节社会关系，提高社会文明程度，形成健康文明的经济和社会生活秩序，具有不可替代的重要作用。因此，应当从国家长远发展、民族全面振兴的战略高度，充分认识加强公民道德建设的特殊重要性和现实紧迫性，把它作为发展先进文化的重要内容和中心环节摆上重要位置，抓紧抓实抓好，努力培育一代又一代有理想、有道德、有文化、有纪律的社会主义公民。

促进社会主义市场经济健康发展需要加强公民道德建设。把市场经济与社会主义基本制度结合起来，是中国共产党的一个伟大创举。社会主义市场经济的发展，不仅有利于增强人们的自立意识、竞争意识、效率意识、民主法制意识和开拓创新精神，有利于解放生产力、发展生产力，也为道德建设注入了新的内容，增添了新的活力，有利于道德建设。但是，我们也要看到，从计划经济向社会主义市场经济的转变，是一场深刻的社会变革。在这一变革过程中，市场经济活动的一些消极影响，反映到人们的思想中来，反映到人与人的关系上来，容易诱发拜金主义、享乐主义、极端个人主义和消极腐败现象。这就要求我们高度重视道德建设，善于运用道德的力量来克服和减少消极影响，维护正常的经济秩序，保持良好的信用环境，推动与发展社会主义市场经济相适应的社会主义道德体系的建立与完善，为社会主义市场经济的发展提供强大的精神动力。

保证社会长治久安需要加强公民道德建设。社会稳定是社会发展的重要前提。保证社会长治久安，需要坚持不懈地加强社会主义法制建设，依法治国；也需要坚持不懈地加强社会主义道德建设，以德治国，做到依法治国与以德治国相结合。道德作为调节社会关系的行为规范，在社会公德方面涵盖了人与人、人与社会、人与自然之间的关系，在职业道德方面涵盖了从业人员与服务对象、职业与职工、职业与职业之间的关系，在家庭美德方面涵盖了夫妻、长幼、邻里之间的关系。道德规范的约束力具有极强的自律性、内在性、基础性和广泛性，它不仅适用于修身、养性、齐家等方面的个人行为，也适用于经济、政治、文化等方面的社会行为，与公民个人、与社会、与国家都有着十分密切的关系。可以说，道德是保持社会稳定的调节器。我们要大张旗鼓地倡导有利于经济发展、民族团结、社会进步的道德观念和道德规范，凝聚精神力量，平衡社会心理，在全社会形成团结互助、平等友爱、共同前进的人际关系，为社会保持良好的秩序和风尚营造高尚的思想道德基础。

推进基础性工程需要从基础性工作做起。加强公民道德建设是一项复杂的社会系统工程，涉及社会的方方面面。贯彻落实《纲要》，推动公民道德建设，需要做的事情很多。最重要的是，以“三个代表”重要思想为指导，遵循道德建设的内在规律，处理好“知”与“行”的关系。所谓“知”，就是让人们了解道德建设的重要性，了解中央关于加强道德建设的一系列重要指示精神，了解“爱国守法、明礼诚信、团结友善、勤俭自强、敬业奉献”20字公民基本道德规范。所谓“行”，就是让人们看到每个公民既是道德建设成果的享受者，又是道德建设的参与者、建设者。应针对现实生活中的热点、难点问题，广泛深入地开展形式多样的道德实践活动，为广大群众提供实践道德规范的广阔舞台和参与机会，引导人们从我做起，从小事做起，在日常工作、学习和生活中自觉加强道德修养，陶冶道德情操，完善道德人格，培养文明行为。在“行”的方面，既要强调自律，又要重视他律。应综合运用法律法规、行政规章、具体政策，通过制定乡规民约、学生守则、市民公约以及发挥新闻舆论、社会管理和群众自我监督作用等多种手段，扶正祛邪，扬善惩恶，实现自律与他律的有机结合，促进良好社会道德风尚的形成、巩固和发展。

作者：中央宣传部宣教局局长

陈瑛:为人民谋幸福的重大举措

人类的幸福从来就是和道德联系在一起的。从个人的角度来说是如此，从整个民族、整个国家来说也是如此。因此，一个以全心全意为人民服务为根本宗旨、一心为人民谋幸福的执政党，必然关注人们的思想道德状况，必然努力带领广大人民群众搞好公民道德建设。《公民道德建设实施纲要》的印发，就是在我国改革开放和社会主义现代化建设进入新世纪新阶段，代表最广大人民根本利益的中国共产党为人民谋幸福而采取的一项重大举措。

幸福，是人们在各种需要得到满足时产生的一种精神愉悦。为人民谋幸福，是指创造物质条件和精神条件，不断满足广大人民群众日益增长的物质和精神生活需要。千百年来，大多数中国人所追求的幸福是和平安定、丰衣足食，这些在中国共产党的正确领导之下，经过全国人民多年的共同努力，特别是改革开放20多年来的共同奋斗，已经达到或基本达到。对于现在的广大人民群众来说，幸福又有了新的要求和内涵：从物质生活方面来说，幸福意味着不但要求实现小康，而且要生活得更加富足，以满足不断增长的物质生活需要；从政治生活方面来说，幸福意味着人民群众当家作主，在党的领导下建立健全社会主义民主和法制，实现廉洁高效的政治管理，确立稳定的社会秩序；从精神生活方面来说，幸福意味着保持和谐友爱的人际关系和积极向上的精神状态。而以上这三个方面的实现，无不需要良好的伦理道德的支持。《纲要》中关于公民道德建设的一系列规定，包括公民道德建设的指导思想和方针原则、主要内容、实践方法与步骤等等，就是这样处处从道德建设出发，以人民的幸福为归宿的。特别是“爱国守法、明礼诚信、团结友善、勤俭自强、敬业奉献”20字公民基本道德规范，不但表现了中国共产党对于人民生活幸福的深切关怀，而且表现了中国共产党正在努力地为人民的生活幸福寻求道德保障。

也许有人难以理解，为什么说加强公民道德建设就会增进人民的幸福？特别是关于公民基本道德规范，明明是规范我们个人的思想和行为的，是我们应该恪守的义务，怎么又会成了我们享受的权利，成了我们幸福生活的保障呢？其实，只要懂得了人的本质，知道人的本质“在其现实性上，它是一切社会关系的总和”这一唯物史观的基本原理就能明白，在一个平等的社会里，任何道德准则对于社会上的每个人都是平等有效的，都有规范作用。以诚信为例，虽然它要求个人对所有的人必须讲诚信，这是个人对社会，对他人应尽的义务，但是它同样要求所有的人都遵守，他人甚至全社会的人也应该对个人讲诚信。于是，个人在讲诚信的同时，也就有权利去要求他人甚至全社会的人都对自己讲诚信。这样一来，个人的义务自然也就转变成了个人的权利，规范个人的道德准则自然也就能够成为大家相互信任的保障，而相互信任正是人们精神生活幸福的必备条件之一。在实践中，我们已经或者将要看到，通过坚持不懈的公民道德建设，做到勤俭自强、敬业奉献，必然会使广大人民群众焕发出积极向上的精神；做到明礼诚信、团结友善，必然会在全社会形成和谐友爱的人际关系；做到爱国守法，必然会使我们周围出现稳定的社会秩序，而这一切都将有助于社会主义市场经济体制的完善和各项建设事业的发展与繁荣。一个社会道德文明的发展，必将推动其政治文明的进步，进而推动其物质文明建设。实践将会证明，认真贯彻执行《纲要》，大力加强公民道德建设，必将带来我国社会的全面发展，带来人民生活的更大幸福。

公民道德建设必将促进人类的幸福，这个道理容易说清楚，但要真正做起来却并不容易，它不但需要全体人民付出艰苦的努力，花费无数的心血，而且需要改变自己及周围人的观念和习惯，有的甚至是千百年来形成的观念和习惯。尤其困难的是，养成良好的道德习惯、形成良好的道德风气，有时甚至需要牺牲许多局部的利益和暂时的快乐。然而我们相信，在中国共产党的正确领导下，中国人民将继续发扬不怕艰难险阻、不怕任何牺牲的精神，克服前进道路上的一切困难，为谋求自身的更大幸福而不懈努力。

作者：中国社会科学院研究员

（以上四篇原载2002年9月19日《人民日报》）

公民道德建设新论

刘占锋：立志与立行

人贵有志。“志不立，天下无可成之事，虽百工技艺，未有不本于志者”。对于一个人而言，立志堪为百事之首。如无坚定正确的志向，非但难以担当历史赋予的使命，亦难掌握安身立命的本领。

志，成就事业之起点。古往今来，“立大事者，不惟有超世之才，亦必有坚忍不拔之志”。正是高远之志，造就了许许多多的千古风流人物；也正是壮丽的共产主义事业，激励着共产党人、革命先烈们前赴后继，抛头颅、洒热血。然而，随着改革开放的不断深入和社会主义市场经济的蓬勃发展，人们好像愈来愈“实际”了。志，在一些人的心目中已经变得无足轻重，甚至成了迂腐的代名词。更有甚者，把我们通常所说的“志”严重扭曲为无法填满的“欲”，如“官”欲、物欲等。因此，如何理解志，怎样立志，再一次成为人们加强道德修养不能不面对的问题。

志，是一个严肃的概念，随着社会的不断发展，它的内涵也在不断变化。在漫长的封建社会，志的最高境界是“修身齐家治国平天下”。但在那个时代，它实现的途径只能是入仕为官，其结果只能是为巩固封建地主阶级的统治服务。而我们所要立的志，则必须剔除封建糟粕，符合社会主义道德规范，而且应当立足实际，讲究科学。概而言之，就是要以社会发展需要为目标，以兴趣、爱好为动力，以所处环境为参照，尽可能使之建立在科学基础之上，做到“名须立而戒浮，志欲高而无妄”。

志向的高远是以崇高的道德情操为基础的。没有高尚的道德情操，也就不可能有高远之志。以国家利益为重，以人民利益为重，即使所立之志是在最平凡的岗位上争创一流，但不懈追求仍然可以称得上志存高远；若所立之志只是为了获得一己私利，那么，即使拥有吞吐天地之量也仍不脱小人得志之嫌。伟大时代赋予的历史使命，决定着我们每一个人不论具体的志向是什么，都必须坚持人民利益第一，党的事业第一。有了这个境界，才能使自己的才华施展得更有意义。

志可以说是一种追求，能否到达胜利的彼岸，关键是立行。立了志，不去立行，那就等于没有立志，“志”再好也是水中月、镜中花。立行的关键在于有坚忍不拔的毅力。既立高远之志，就必须面对来自各个方面、各种各样的严峻考验，有时甚至是生死考验。但只要信念坚定，百折不挠，就能够经受住任何考验，使思想境界不断得到净化与升华，胜利到达光辉的顶点。爱迪生出身贫寒，但他凭着浓厚的兴趣和坚强的毅力，一生完成了2000多项发明。他发明的电灯，给整个人类带来了光明。著名科学家富兰克林原先是一个印刷所的徒工，却在19个科技领域留下了自己的探索与发明。我国也有“文王拘而演《周易》；仲尼厄而作《春秋》；屈原放逐，乃赋《离骚》；左丘失明，厥有《国语》”等千古流传之佳话。

立行还必须有科学实践的精神。不论所立之志多么高远，都必须从现实出发，在火热的现实生活中经受磨炼，增长才干，朝着既定的目标，一步一步地去登攀。现在，人们有了较多的择业自由，但尽管如此，社会的需求仍然不可能与每一个人的爱好、志向都一致。志，作为人生的一个奋斗目标，具有相对的稳定性。常立志等于常废志，不如不立。但志也并非一成不变，而应该根据社会的发展变化和自己认识的深入进行必要的调整，舍弃与社会发展相悖的部分，完善自己的人生追求。鲁迅先生赴日留学，意在攻读现代医学以解同胞病痛。但他后来痛感医学难以救国，毅然弃医从文，终生以他犀利的笔锋抨击黑暗，唤醒国人，终成一位伟大的思想家、文学家和革命家。总之，志当存高远，行则靠科学。只要矢志不渝，努力奋斗，理想就一定能够实现。

原文出处：2002年4月9日《人民日报》

邵景均：成人与责任

长大成人，是每个人都要经历的过程。“长大”，一般是指自然人的成长发育；而“成人”，则主要是指作为社会人的成熟，包括具有较好的道德修养。人的成熟与责任意识、责任能力的形成有着密切的内在联系。真正认清责任，正确对待责任，是加强道德修养的核心内容之一。

具有责任意识和责任能力，是成人的基本标志。民间有两句话，一句是“穷人的孩子早当家”，是说穷人家的孩子尚未长大，但已有“管家”的责任意识，具备了一定的操持家务的责任能力；另一句是“长大不成人”，是说有的人虽然长得高高大大，外表像一个大人了，但缺乏责任意识，不论对家庭、对自己还是对社会，都缺少履行起码责任的能力，仍旧是一个少不更事的孩子。这说明，成人是与责任直接相连的，只要没有养成责任意识和责任能力，那么不管长到多大年纪，都算不上是成熟的人。我国法律规定，人到18岁就具有了各种公民权，必须承担完全的法律责任。如果不能履行应尽的社会责任，违背了法律和道德规范，就要受到相应的惩罚和谴责。可见，对一个正常人来说，责任是随着成长“自然”而来的，无可逃避的。正是从这一意义上说，把责任与加强道德修养联系起来是再自然不过的了。

当然，责任并不总是那么沉重。从另一方面讲，讲责任是成人的动力。“成长”是一个过程，始终需要责任意识的推动。实践一再证明，一个从小受到良好责任教育并有责任意识的人，比没有责任意识的人成长要快些，而且长大后在人生道路上也比较容易有所作为。19世纪意大利资产阶级革命家马志尼6岁时随母亲外出散步，见到一个老乞丐，便请求母亲“给他点儿什么吧!”这种同情心的背后，是一种纯真的责任意识。当时那位老人对马志尼的母亲说：“他将是个热爱人民的人。”果然，马志尼后来成为争取民族独立和统一的一面旗帜，也是一位“讲责任”的资产阶级思想家，他的名著《论人的责任》强调，任何人都应该履行对人类、对国家、对家庭和对自己的责任。从古到今，一切有所作为的仁人志士，在其成长的道路上都不乏责任的动力。是“天下兴亡，匹夫有责”，造就了无数民族英雄；是“为中华之崛起而读书”，使周恩来等一大批无产阶级革命家迅速成长起来。对国家与社会的高度责任感，既能给人以战胜困难的勇气和智慧，又能帮助人不断修正前进的方向，有效地抗拒金钱与美色的诱惑。

履行责任是实现人生价值和赢得荣誉的阶梯。任何人都有追求荣誉的天性，都希望实现人生的最大价值。要把这种意愿变成现实，履行责任是惟一的途径。歌德说：“你要欣赏自己的价值，就得给世界增加价值。”“尽力履行你的职责，那你就会立刻知道你的价值。”一个人，只有尽到对父母的责任，才能是好子女；尽到对国家的责任，才能是好公民；尽到对下属的责任，才能是好领导。履行责任的标准越高，其人生价值就可能越大。

一个人道德修养的核心就是讲责任，但对于这一点，目前还有一些人缺乏足够的认识。他们对自己的权利背得滚瓜烂熟，可就是不大愿意对他人、对家庭、对社会尽自己应尽的义务，负自己应负的责任。这种状况不论对自己还是对家庭、对社会，都是有百害而无一利的。因此，加强道德修养，必须从“责任”二字做起。对自己应尽的责任认识得越早，越能健康快速地成长；而一个真正成熟的人，也会在履行责任中实现自己的人生价值。

原文出处：2002 年 4 月 11 日《人民日报》

津江：享 乐 与 忧 患

如何对待享乐与忧患？这是当前人们加强道德修养需要正确解决的一个重要问题。也许有人会问：现在时代不同了，中国人民早已站立起来，并且正在富裕起来，多讲点享受也未尝不可，何必老是忧于危难呢？

当然，我们的奋斗是为了使广大人民过上越来越富裕美好的物质和文化生活，自然许可人们得到应有的享受。在发展生产的基础上，随着生活水平的提高，人们根据自己的条件逐步提高消费水平，也无可厚非。但作为追求进步、志在事业的人，应当看到我国人口多、底子薄、生产力不发达的状况还没有根本改变，应当懂得推动社会全面发展进步的长期性、艰巨性，应当提倡吃苦在前、享受在后，以人民的苦乐、国家的安危和发展前途为念，任何时候都不能丢掉艰苦奋斗精神，不能缺少忧患意识。

回顾国歌的确定过程，可以给我们有益的启示。新中国成立前夕，当新政协筹委会讨论是否把《义勇军进行曲》定为代国歌时，毛泽东、周恩来针对一些人提出的修改歌词的意见，深谋远虑地指出，“中华民族到了最危险的时候”这句歌词没有过时，我们面前还有帝国主义敌人，我们要争取中国完全独立解放，还要进行艰苦卓绝的斗争。与会同志一致表示，歌词不宜修改。代国歌就是这样定下来的。进入改革开放的新时期后，五届全国人大第五次会议正式确定《义勇军进行曲》为中华人民共和国国歌。国歌体现了社会主义中国居安思危的忧患意识，表达了中华民族一往无前的英雄气概，几十年来一直激励着我们战胜各种艰难险阻，去夺取一个又一个胜利。

近些年来，面对风云激荡的世界形势，江泽民同志一再强调，要有忧患意识。这种忧患意识，蕴涵着不忘过去的告诫、不满现状的警示和面向未来的思考。“要懂得些中国历史，这是中国发展的一个精神动力。”我国从近代以来，一部受辱挨打、不屈抗争、顽强拼搏的历史，铭刻着多少仁人救亡图存、慷慨捐躯的业绩，又谱写了多少志士发愤图强、激流勇进的壮歌！其间闪耀出的因忧患而奋起、历磨难而愈坚的民族之光，自当成为激励我们继续前进的巨大精神力量。而今，我们既面临难得的机遇，又面临严峻的挑战，前面的路并不平坦。在实现祖国完全统一和民族全面振兴的进程中，在需要几代人、十几代人甚至几十代人接力奋斗的建设社会主义的宏伟事业中，我们还将迎接各种困难和风险的考验，岂能有丝毫的懈怠？忧患意识反映了历史发展总趋势中包含的曲折性和复杂性，说明我们的理想必须经过长期的、需要克服无数艰难险阻的奋斗才能最终实现。

乐与忧，是对立统一的两个方面，依一定条件而相互联结，又依一定条件而相互转化。在胜利的时候，在成功的面前，在相对和平的环境里，如果让骄傲自满、贪图安逸、沉湎享乐的思想滋长起来，神经就会麻木不仁，头脑就会解除武装，从而导致颓废丧志乃至走向灭亡，这正是“始作骄奢本，终为祸乱根”。对一个人来说是这样，对一个国家、一个民族来说，也是这样。而乐不忘忧，居安思危，为国家共分忧，与群众同甘苦，就能够戒骄戒躁，磨砺意志，自强不息。这是成才之所需，更是兴国之所望。

时代发展已将“大任”降于当代中国人的肩上。但能不能担起这个“大任”，还取决于自身的本领和素质。耽于享乐、盲目乐观，显然难以成为担当重任的栋梁之材。而只有常怀忧患，不懈奋斗，在社会实践中进行刻苦的锻炼，不断提高修养，才能成为柱石中坚，不辱使命，在承前启后、继往开来的奋斗中谱写新的壮丽篇章。

原文出处：2002年4月16日《人民日报》

王平权：修身与立身

修身与立身是因果关系，修身为因，立身是果。人生一世，若想立身，实现自己的人生价值，修身是一个必不可少的重要环节。

其实，修身与立身是一个古老话题。曾参的“吾日三省吾身”；孟子的“天将降大任于斯人也，必先苦其心志，劳其筋骨，饿其体肤，空乏其身，行弗乱其所为”；欧阳修的“不修其身，虽君子而为小人；能修其身，虽小人而为君子”等等，讲的都是修身与立身的关系。现在再来谈论这个话题，是因为随着我国改革开放的深入和社会主义市场经济的发展，人与人之间、人与社会之间的各种关系在调整，修身和立身的内涵与外延都发生了很大变化，每个人都面临着选择什么样的道德价值取向、如何立身处世的问题。另一方面，从目前的社会风气和人们的精神面貌来看，各式各样的诱惑与利益驱动，诱发了社会的浮躁情绪，使一些人产生了只求目的、忽视过程，只求急功近利、不讲道德修养的错误认识。因此，今天人们加强道德修养，同样离不开对修身与立身二者关系的正确把握。

一个人立身的重要标志，就是其人生价值得以实现，但人的这种价值不是孤立的个体行为效应，而是个人价值与社会价值的统一，既表现在人的行为及其后果中，更表现在对社会、对他人的贡献上，具有利他、利社会的鲜明特点。爱因斯坦曾说过这样一段话：“一个人的真正价值，首先决定于他在什么程度上和什么意义上从自我解放出来。一个人对社会的价值首先取决于他的感情、思想和行为对增进人类利益有多大作用。”也就是说，衡量一个人立身与否，不能用狭隘、片面、功利的标准，有了钱、成了名仍不能算是立身，还要看他是否注意了修身养德，是否具有高尚的道德情操和人格，因为这些看似抽象的东西，不但支配着人们对社会、对他人的态度，也影响着人们社会活动的进展与效果。正确认识和处理修身与立身的关系，把建功立业与加强道德修养统一起来，才是完善健全的人生，立身才能立得住，立得久。否则，一个人如果只立功不立德，或者靠地位、关系、金钱达到成名的目的，即使事业有成，在某一方面做出了一点成绩，也会因道德上的缺陷和人格上的污点而为世人所蔑视，谈不上是真正的立身。

修身，是人的道德情操、意志品质不断充实和完善的过程，是人格力量不断积聚的过程，是内心世界不断升华的过程。它不是一时一地的短期行为，而是相伴人的一生；它需要点点滴滴的积累，千锤百炼，不可能一蹴而就。但这并不是说修身就成了可望而不可即的事情。修身虽无捷径可走，但有规律可循。首要的一条，就是应该树立正确的世界观、人生观、价值观，打好修身的基础。修身的目的是立身，是通过道德修养和自我完善，来正确处理人与社会的关系。而“三观”则正是帮助我们分析社会、观察世界、充实人生、创造财富的金钥匙。没有正确的世界观、人生观、价值观作基础，修身就会落空，就成了无本之木，无源之水，甚至会步入相反的方向。

其次，应该从我做起、从现在做起、从小事做起。人的道德品质的养成固然要受到外来因素的影响，但修身毕竟是强调自我教育、自我改造、自我完善的一种精神活动。光看社会上的消极现象，只能使自己变得消极，放松修身的要求；不注意从一点一滴的平常小事做起，“大善”难成而“大恶”将至。一句话，修身需要的是主动性、自觉性，是“见贤思齐”的强烈的内心驱动。

原文出处：2002年4月18日《人民日报》

马汉文：助 人 与 助 己

“为人民服务作为公民道德建设的核心，是社会主义道德区别和优越于其他社会形态道德的显著标志。”《公民道德建设实施纲要》的这一论述，指明了公民道德建设的目的和方向，也提出了加强道德修养的要求。实践这个要求，必须正确处理助人与助己的关系。

助人与助己，体现了个人与他人、个人与社会之间的利益关系。发展人与人之间的互助互利关系，不仅关系着个人的生存和发展，而且维系着社会生存并促进社会的发展与进步。在处理个人与他人、个人与社会之间的关系上，是将它们统一起来，还是对立起来，反映了两种不同的价值观。共产党人并不否认个人利益，但也从不孤立地谈个人利益，而是把个人利益的实现建立在为人民服务和社会发展的基础之上，以帮助他人为自己的快乐和幸福，视人民群众的利益高于一切。

助人从来就是一种美德。人是社会的人，社会是人的社会。人的本质在其现实性上是一切社会关系的总和。从这个意义上讲，助人是起码的道德要求，它体现着个人幸福与共同幸福之间的辩证关系。马克思说过，如果一个人只为自己活着，那么他的生命是黯淡的；人们只有为同时代人的完美、为他们的幸福而生活，才能使自己的生活具有意义。也就是说，助人是一个人的生活具有意义的外在表现，只有具备了乐于助人的品质，才能成为一个有道德的人、一个有价值的人、一个值得人们尊敬的人。中华民族是礼仪之邦，历来提倡社会成员之间互相尊重、互相关心、互相帮助。社会主义制度的建立和发展，使社会互助的价值观念在全社会得到了进一步发扬。在我们的社会里，先进人物、好人好事不断涌现，助人为乐、克己奉公成为为人称道的道德行为。

助人与助己具有内在的统一性，帮助他人就是帮助自己。利益是社会发展的基本动因。在现代社会，公共生活领域不断扩大，社会分工越来越细，人们之间的交流与合作日益频繁，整个社会结成相互依存的有机整体。在这种条件下，个人利益与他人利益、社会利益被紧紧地联系在一起。个人利益的实现要以服从、服务于社会利益，以不损害他人利益为前提和基础；社会利益的实现要以满足大多数人的利益为目的和手段。离开了个人利益，社会利益就会变得虚无缥缈，整个社会也会因缺乏个体的能动性与创造性而失去前进的动力。反之，离开了社会利益、他人利益，个人利益就无法得到保证，甚至也没有了价值。这使得助人与助己这样一对矛盾依一定条件而获得统一，即：没有社会和他人的帮助，自己就会陷入孤立的困境；而要得到社会和他人的帮助，首先要帮助别人。人人都做到互相帮助，就能促进社会的发展与进步，这也是助人作为道德要求的意义所在。

认识到助人与助己的辩证关系并不难，难的是身体力行。一个人在一时一地做到帮助他人并不难，难的是能够经常地帮助他人。社会主义市场经济承认并肯定个体之间的差异性，鼓励竞争，强化个体的自我意识；但它同时也强调个人、群体和社会之间的互助互利、协调发展，坚决反对极端个人主义和利己主义。因此，形成乐于助人的社会风气，坚持全心全意为人民服务，这既是对共产党员和领导干部的要求，也是对广大群众的要求。好的社会风气，要靠每一个人的努力来维护。有一首歌唱得好：只要人人都献出一点爱，世界将变成美好的人间。帮助别人，必将拓展自己的生存和发展空间，最终获益的也是自己。

原文出处：2002年4月23日《人民日报》

许启贤：《公民道德建设实施纲要》中的八个新亮点

第一，《纲要》是以中国共产党的名义第一次公布的关于公民道德建设的一个全面、系统、完整的纲领性文献。道德问题，新中国三代领导核心都是十分重视的。这次，《纲要》从“三个代表”重要思想的战略高度，把依法治国和以德治国紧密结合起来，全面、系统、完整地论述了公民道德建设的重要性、艰巨性、长期性和紧迫性；全面、系统、完整地论述了公民道德建设的指导思想和方针原则、公民道德建设的主要内容，以及公民道德教育和公民道德建设的领导等一系列重要问题。这在党的历史上是从来没有过的。

第二，第一次提出了“公民道德建设”这个新概念。“公民”一词，早在西方古希腊罗马思想家的著作中就出现过。“公民道德”这个概念，资本主义社会早就有了。目前，在世界很多国家如法国、英国、美国、日本、韩国等都在学校中开设有公民道德方面的课程。但是，“公民道德建设”的提法还未见过。新中国成立50多年来，我们在道德建设方面，做了大量的工作，开展了社会主义道德和共产主义道德教育，然而也未提及“公民道德建设”。所以，“公民道德建设”的提出是对我国道德建设理论的新发展，因为公民道德更具有普遍性。提出“公民道德”，把道德和每个公民直接联系起来，有利于公民道德的具体实践和落实。

第三，第一次提出了20字公民“基本道德规范”，即“爱国守法、明礼诚信、团结友善、勤俭自强、敬业奉献”。这20个字的基本道德规范集中反映了千百年来中华民族的传统美德和革命道德，是每一个公民进德、修业、立人之本。作为一个公民，高层次的共产主义道德、社会主义道德一下子达不到，最起码的、基本的道德规范总应该达到。《纲要》提出公民基本道德规范，充分体现了从实际出发、区分层次，着眼多数，鼓励先进，循序渐进的道德建设规律。

第四，对“为人民服务”的思想作了新的阐述和发展。过去讲为人民服务时，忽视了“为人民服务”要求层次上的区别，而且也很少讲为人民服务之低层次上的要求。同时，我们过去讲为人民服务，主要是针对共产党员和领导干部讲的，《纲要》在讲为人民服务作为公民道德建设的核心时，指出：“它不仅是对共产党员和领导干部的要求，也是对广大群众的要求。每个公民不论社会分工如何、能力大小，都能够在本职岗位，通过不同形式做到为人民服务。”在我们的社会里，人人都是服务对象，人人又都为他人服务。

第五，更加明确地提出了要“逐步形成与发展社会主义市场经济相适应的社会主义道德体系”。由于市场经济刚刚起步，各项规章制度还不完善。加之，极端个人主义、拜金主义、享乐主义有所滋长，社会的一些领域和一些地方道德失范，是非、善恶、美丑界限混淆。在这种情况下，逐步形成与发展社会主义市场经济相适应的社会主义道德体系的任务就迫在眉睫。

第六，第一次提出了家庭、学校、单位、社会“四结合”的道德教育模式。在过去国内外的道德教育模式中，只提“家庭、学校、社会”“三结合”的教育模式。《纲要》指出：“必须把家庭教育、学校教育、单位教育和社会教育紧密结合起来，相互配合，相互促进。”这不仅是对道德教育模式的新发展，而且很有现实性。因为公民除了在家庭、学校、社会以外，成人公民主要在机关、企事业单位工作。强调“单位教育”有利于公民道德教育的具体落实和深化。

第七，第一次提出了“深入开展群众性的公民道德实践活动”。道德教育必须和实践相结合，否则就是一句空话。过去50多年来，我们在进行文化建设和精神文明建设过程中，一般地也讲过要吸引群众广泛参与。但从“道德”特别是从“公民道德”的角度还未讲过。这次，《纲要》指出，要“深入开展群众性的公民道德实践活动”，并说：“公民道德建设的过程，是教育和实践相结合的过程。以活动为载体，吸引群众普遍参与，是新形势下加强公民道德建设的重要途径。”每个公民既是道德建设过程的参与者，也是道德建设成果的受益者。

第八，第一次更加明确地提出了把公民道德教育与社会管理、目标管理结合起来。过去，党和政府对道德教育管理也是很重视的，比如，1995年《中国普通高等学校德育大纲（试行）》中曾明确提出：“在党委统一部署下，建立和完善校长及行政系统为主实施的德育管理体制。”这次，《纲要》提出：“坚持道德教育与社会管理相配合。……建立健全有关法律法规和制度，把公民道德建设融于科学有效的社会管理之中。”不仅如此，社会各方面、各部门、各社会团体，“都应当在党委的统一领导下，各尽其责，相互配合，把道德建设与业务工作紧密结合起来，纳入目标管理责任制，制定规划，完善措施，扎实推进”。只有这样，道德建设才能真正落在实处。

作者：中国人民大学哲学系博士生导师
原文出处：《道德与文明》2002年第4期

张培锋：论公民基本道德规范的逻辑结构与社会主义道德范畴体系的结构

中共中央颁发的《公民道德建设实施纲要》把公民基本道德规范集中概括为20字。这20个字是有着科学、严密的内在逻辑结构和层次的，完全可以视为一组系统的社会主义道德范畴体系。

一、道德原则、道德规范与范畴体系

伦理学界通常将道德规范体系分为道德原则和道德规范两大类，共同组成道德规范体系。《纲要》中的为人民服务、集体主义及“五爱”构成了社会主义道德规范体系的核心、原则和基本要求。20字基本道德规范则属于“具体化、规范化，使之成为全体公民普遍认同和自觉遵守的行为准则”，即“道德规范”层次。

我国道德规范体系除了道德原则和具体规范之外，还有一系列的道德范畴作为支撑。公民基本道德规范这20字既全面体现了社会主义道德建设的核心、原则和要求，贯穿了“五爱”的全部内容，包容了“三德”的基本内容，同时其自身构成一个有机联系的整体，形成5组、10个富有层次的范畴体系。

二、基本规范的具体内涵与逻辑结构

第一，20字范畴体系对为人民服务这一核心和集体主义原则作了全新的也是最好的诠释。为人民服务的具体内涵可以说就包含在5组范畴之内，而以最后一个范畴“奉献”为最高目标。集体主义原则也不仅仅具有以最广大的人民群众的根本利益为出发点、个人利益服从集体利益等内涵，同时理应包含团结、友善等新的伦理内容。

第二，20字范畴体系贯穿了“五爱”的全部内容。如爱祖国的具体要求应当包括：遵守国家的法律，团结一心，为国家安全和祖国建设做出贡献等，直接对应于20字规范的就有：爱国、守法、团结、友善4个范畴。爱人民则对应着明礼、诚信、团结、友善4个范畴。爱劳动、爱科学对应的范畴包括：守法、诚信、勤俭、自强、敬业、奉献等。

第三，20字范畴体系包容了“三德”60字规范的基本内容。20字规范与60字规范的具体关系是：（1）爱国。20字规范将爱国作为第一项要求。爱国具有统领所有道德规范的作用。爱国像一根红线，将各个道德规范有机地联系在一起，使道德建设有了明确的方向。（2）守法。法律素质是公民素质的重要组成部分，它与道德素质是密切相关的。守法对应于60字规范的有：遵纪守法、办事公道等。（3）明礼。礼是人类文明和道德规范的集中体现，它指的是社会生活和交往中应该遵循的行为准则。对应于60字规范包括：文明礼貌、尊老爱幼、夫妻和睦、男女平等。（4）诚信。诚实守信是中华民族自古以来就提倡的为人处世的道德规范。对应于60字规范的有：诚实守信、办事公道等。（5）团结。团结是指集中集体的力量为实现共同理想、完成共同任务而努力。对应于60字规范的有：助人为乐、邻里团结等。（6）友善。它体现的是社会主义人道主义精神。对应于60字规范的有：助人为乐、奉献社会等。（7）勤俭。它包括两方面的含义，一是与浪费相对的节约、节俭；二是与懒惰相对的勤劳、勤奋。对应于60字规范的有：爱护公物、勤俭持家等。（8）自强。自强精神就是奋斗精神，特别是面对困难、挫折、磨难、屈辱等等，向困难挑战，向自己挑战的精神。（9）敬业。敬业就是对事业、对工作的执著追求精神。对应于60字规范的有：爱岗敬业等。（10）奉献。它指的是无私地把自己的一切献给祖国、社会和他人的行为。对应于60字规范的有：服务群众、奉献社会等。

20字规范完全可以作为社会主义道德建设的10大范畴来看待。而“三德”规范则应是属于其下一层次的、依据不同社会生活领域的更具体的道德规范。

三、基本规范的层次特点和体系特性

爱国与守法作为一组，突出的是公民最基本的道德要求或称为底线伦理。明礼与诚信作为一组，突出体现了道德规范在现代社会生活中的重要作用。团结与友善作为一组，体现的是在道德建设中贯穿社会主义、集体主义、人道主义精神。勤俭与自强作为一组，突出体现的是社会主义劳动精神和奋斗精神。敬业与奉献作为最后一组，它更揭示了公民道德建设的目标所在。从而使20字公民基本道德规范形成以爱国为灵魂，以守法为基础，以明礼诚信、团结友善为公共伦理准则，以勤俭自强、敬业奉献为工作伦理准则，最后以奉献作为公民道德建设的最高境界和目标，体现了道德建设和道德培养由浅入深、循序渐进的原则。

作者单位：天津社会科学院
原文出处：《道德与文明》2002年第4期

邓泽球　郑永廷：富国利民与新道德价值观的确立

必须充分重视人们的道德价值观对人们利益关系的能动调节作用，并通过对传统的和现实的各种道德价值观的分析、扬弃，确立与我们的事业相适应的全新的道德价值观。

一、中国传统道德价值观的根本缺陷

其一，在传统的道德价值内涵中，利与善多被理解为水火难容、非此即彼的两个对立的极端，言善不言利，图利即无善。这就造成两种结果：一方面，实际上人们根本不可能放弃对利的追求，但为了不至于为社会所否认又不得不表现出那种超越利益的善，由此而产生人的虚假和伪善；另一方面，对利益的否定，必然导致客观和主观的对利益追求的限制，而限制人们的利益需要，这就堵塞了人们活动的真正动力源泉，社会就会成为没有活力和生机的一潭死水，个人就会成为缺乏积极性、主动性和创造性的消极个体。

其二，在传统的道德价值天平上，个体是微不足道、无足轻重的匆匆过客，而社会却始终是至高无上、不可触动的灵位。由此反映到利益问题上，便是公利的神圣化、绝对化，不管其合理与不合理；而私利遭到的却是一味的贬低和漠视，无论其正当与不正当。显然，传统的封建社会所代表的只能是少数人的利益，其合理性是可想而知的，其结果是：一方面，大多数人的个人正当利益被否定，与贫穷困苦为伴，而少数人却大获其利，享花天酒地之乐；另一方面，多数人的利益得不到满足，但统治者却要用专制手段强迫人们服从所谓的社会利益，或通过教化使百姓相信其为公求善的理论，用安贫乐道的心理聊以自慰。于是，产生出一个虽贫却安贫、无道却乐道的社会心态，一个缺乏个性和没有社会批判意识的社会。

其三，中国传统的道德价值观中，具有浓烈的理想主义色彩，它的价值目标多设置在用想象勾画出来的遥远的未来。人们把过多过重的希望寄托于未来，由此而导致了现实与理想在价值天平上的失衡。一方面，只讲理想目标的利益，压抑人们对现实利益的追求，追求理想的便是善，讲究实际的便是恶；另一方面，理想的利益，由于没有现实的利益作基础，就永远变不成现实，人们所追求的善就永远是空洞的善。

二、社会生活中的某些道德失衡现象

从反对传统的伦理中心主义，走向了非道德主义，由反对传统的禁欲主义对人们实际利益的压抑和伪善，走向了享乐主义、纵欲主义和对善的嘲弄、漠视。利益，尤其是个人利益，成了人们津津乐道或实际追求的对象，而道德善恶却仿佛成了遥远的话题，很少为人们关心，有的人甚至见利忘义、为所欲为。

由反对传统的社会本位主义、整体主义，走向了极端个人主义和极端利己主义。一些人以“我”为中心，以个人利益的满足为目的和标准，有利就干，没利不干，而不管它是否正当，是否损害国家的利益和集体的利益。

由反对传统的理想主义，走向了非理想主义。一些人对理想麻木了，对一切理想都漠然。人口危机、环境危机、国土危机、资源危机等警钟时时向人们敲打，但一些人却不关心这些问题。人口超生、破坏环境、乱占土地、浪费资源等急功近利、以求暂时效益和利益满足的短期行为，有愈演愈烈之势。

三、走出困境与新道德价值观的确立

我们究竟应当怎样认识利益与善恶的关系，从而树立正确可行的价值目标，使人们在同一追求过程中把利与善的实现有机地统一起来？

目前道德生活中的失衡，并不是改革开放和社会主义市场经济所应有的产物，更不是我们中华民族应当为之付出的代价。一定程度上，它是传统的“矫枉过正”的思维模式和解决问题的方式所产生的恶果。长期受着传统义理束缚和极“左”观念压抑的人们，在思想解放过程中，急于冲破这种束缚和压抑的牢笼，似乎来不及思考冲出牢笼之后自己走向的方位。我们应对价值观念的更新及其过程进行反思，建立一种适当的价值目标，既不复归传统，又要走出困境。

这种新的道德价值观念，至少应当确立这样三个基本点。

第一，视富强之国与礼仪之邦为同一追求目标。中国素有“礼仪之邦”的美名。传统道德中，尤其是劳动人民的道德传统中有许多优秀的成分，如勤劳、善良、节俭、刻苦耐劳精神等等。利与善，富裕与文明，并不是截然对立、非此即彼的东西。我们要富强，也要文明；我们要让“东亚病夫”成为强健之民，也要为“礼仪之邦”增添新的光彩。

第二，正确处理个人利益与社会利益的关系。在道德价值的天平上，以个人利益损害社会利益，或以社会利益否定个人利益，都必然导致这种天平的失衡。如此来理解个人利益与社会利益、个人道德价值与社会道德价值的关系，就可能形成一种“我为社会，社会为我”、“我为人人，人人为我”的良性循环的社会秩序。

第三，视现实基础与理想目标为同归复兴之途。要达理想目标，必须以现实为基础，如果没有这种现实的基础和联结，理想就不会变为现实。为了理想目标的实现 ，必须重视现实利益，只有在现实利益有充分保障的情况下，才能使人们坚定地走向未来。同样，没有理想，就会安于现状，耽于享乐，就会失去前进的动力，其直接的危害，便是对现实基础的瓦解。现实要重视，理想不可无。

我们有理由坚信：一个富裕繁荣的社会，也能是一个道德善良的社会；一个社会利益发达的社会，也能是一个个人利益丰盈的社会；一个充满理想的社会，也能是一个现实充足的社会。这就是我们应当追寻的价值目标。

作者单位：中山大学马克思主义哲学与中国现代化研究所

原文出处：《理论前沿》2002 年 13 期

范永胜:关于道德关系的特殊矛盾问题的思考

近年来一些学者在论述中，把道德关系作为一种利益关系来看待，把道德关系的特殊矛盾规定为个人利益与社会利益的矛盾。笔者对此不敢苟同，认为这样去理解有失偏颇。

道德关系是建立在物质的社会关系基础之上的，通过人们的意识形态而形成的一种社会关系，在人类社会系统中具有特殊重要的意义，它不能等同于利益关系。把道德关系作为一种利益关系来看待，不但抹杀了道德的功能和作用，而且在理论上也是行不通的。不可否认，道德关系与利益关系紧密相连，任何社会的道德关系都以一定的利益关系为基础，反过来，道德关系又积极地影响和作用于一定的利益关系，不承认这一点，就势必导致唯心史观。但是，承认这种联系必须以区别二者为前提，绝不是将二者直接等同起来。社会利益关系都是经济关系的具体表现，当然包括个人利益与社会利益的关系，它的性质和状况从根本上取决于生产力水平和生产资料所有制的性质，作为彼此分工的个人之间的相互依存关系存在于现实之中，属于不通过人的意识而形成的物质的社会关系。道德关系则是在物质的社会关系的基础之上，通过人们的意识形态而形成的关系，既包括人们在长期生活实践过程中自发形成的“应当”或“不应当”的道德关系，也包括一定社会或阶级、阶层的戒律、格言等形式自觉概括和表达的善恶标准和规则。在现实生活当中，各种道德现象是错综复杂的，若不把它们联系起来去研究，就很难把握道德关系，就容易把道德关系与利益关系等同起来。道德关系应属于社会意识形态及与社会各方面都有紧密相关复杂的社会系统，它与利益关系有着原则的界限。

既然道德关系不等同于经济关系，把道德关系的特殊矛盾规定为个人利益与社会利益的矛盾是不准确的，那么，道德关系的特殊矛盾又是什么呢？如果用伦理学范畴来表述，也就是真善美与假恶丑的矛盾。

把道德关系的特殊矛盾规定为真善美与假恶丑的矛盾至少有 4 个根据：第一，真善美与假恶丑的矛盾问题是道德关系活动和思考的主题。道德关系作为人类社会关系的重要组成部分，既与社会物质生活条件密切相连，也与其他社会意识形态有着千丝万缕的联系。道德关系渗透于人类社会关系中的方方面面，不存在于社会关系之外。然而，道德又有与其他意识形态相区别的特征，道德关系并不是一个静态的精神组合体。它不仅包括道德实践活动，而且还包括道德意识活动，是人们在这些活动中，对待各种社会关系的态度及由此产生的行为。无论是在道德实践中，还是在道德意识中，真善美与假恶丑的矛盾问题是其活动和思考的主题，也是道德关系同其他社会关系相区别的内在依据。第二，把道德关系的特殊矛盾规定为真善美与假恶丑的矛盾，是客观实际在人们头脑中的反映。马克思主义伦理学与旧伦理学在真善美与假恶丑矛盾问题认识上的重要区别，就在于它始终坚持把现实生活中的真善美与假恶丑的矛盾及其历史发展作为认识和研究的基础。马克思主义伦理学注重并解决这对矛盾，因为它是道德关系中最基本的社会现象。第三，在道德关系的领域中，真善美与假恶丑的矛盾具有非常的普遍性。自从道德关系形成之日起，真与假、善与恶、美与丑的对立也就同时产生了。在历史发展的长河中，道德关系虽然不断演变，真善美与假恶丑的客观内容以及人们的道德观念也不断更新，但二者的对立始终存在。道德实践不仅表现为真善美与假恶丑的矛盾和运动，而且真善美与假恶丑的矛盾反过来又成为道德实践的主要标志。从这个意义上来看，真善美与假恶丑矛盾不仅是道德关系中的特殊矛盾，而且还贯穿于人类社会道德实践活动的始终。可以说，人类社会的道德实践史，主要表现为真善美与假恶丑矛盾运动和发展的历史。因此，在道德关系中，不研究真善美与假恶丑的问题，不抓住这个特殊矛盾，就无法说明道德实践，也无法揭示道德本质。第四，真善美与假恶丑的问题也是道德意识的主题。在伦理学史上，不论是唯物主义还是唯心主义，不论是经验主义还是先验主义，都在不同程度地肯定真善美与假恶丑问题是道德研究的核心内容。真善美与假恶丑作为道德关系中的特殊矛盾，必然要反映在人们的道德意识中。因此，对真善美与假恶丑问题的关注，就构成了道德意识不同于其他意识的特殊性质，而对该问题的分析研究也就相应成为道德理论的主体。在道德关系中，从道德情感、道德心理到道理观念，从具有理性特征的道德规范、道德原则到富有系统性的道德学说和伦理体系，都必然要涉及到真善美与假恶丑的矛盾问题。该问题的特殊内涵就在于它具有价值内容，构成道德关系的特殊矛盾。

原文出处：《河北学刊》2002 年第 5 期

田建国：加入 WTO 与道德教育

面对加入 WTO 的新情况、新问题，面对世界范围内各种思想文化的相互激荡，我们要深入研究 WTO 对道德教育的影响。

经济全球化把社会公德教育扩展到国际范围。经济全球化是一把双刃剑，一方面它通过跨国界的资金流动、人才流动、技术流动，实现资源最优配置，促进世界经济发展。另一方面它又拉大了贫富之间的差距，造成一些国家社会经济的动荡。经济全球化往往使一些人淡忘国家意识，消解民族身份，失去对传统的认同感。因此，越是全球化，越是要加强爱国主义、集体主义、社会主义教育，增强国家主权观、国家利益观和国家安全观，这应是道德教育强调的时代内容。在全球化的背景下，使青少年既要有强烈的民族自尊心、自信心，又要具有世界眼光和国际意识；既能够保持本民族价值规范体系，又能够融入世界优秀文化之中。

科技全球化需要道德约束。科学技术本身的发展实际上也是一把双刃剑，它既给人类带来进步，也会给人类造成损失。法国思想家卢梭曾经担忧地讲，随着科学和艺术光芒在我们天边的升起，德性也就消失了。可见科学技术的发展未必能带来人的思想道德水平的提高，信息横流搞不好可能会带来物欲横流和人欲横流。因此，社会道德水平必须与现代科技发展水平同步提高，必须塑造对人类有更高道德责任感、集体主义观念、协作精神和自律意识的青少年一代。

WTO 的基本规则本身就是道德人格的要求。WTO 的基本原则包括公平交易的原则、透明度原则和非歧视性原则。这些原则在更深层次上蕴含着道德人格的要求。全球化规则本质是建立在信用基础上的。在国际竞争中，没有信用就没有竞争的资格。世界贸易是诚实信用的经济，是道德的经济，而不是投机和假冒伪劣的经济。世界上一些著名跨国公司的总裁认为，道德行为规范是企业竞争力的源泉，时代不同了，遵守道德规范已经从一种美德变成了必需。他们认为，没有道德观念，就等于同灾难打交道；有了道德观念，才可能在国际市场上立足。人格是人的社会自我的外在表现，是个人在社会化过程中成熟起来的思考方式和行为方式。市场经济要求将人格教育纳入道德教育的内容，既要提倡我国优秀文化传统中的人格行为，即同情、友谊、责任和勇气等，又应该加强诚信、独立、创新、敬业和自律等现代人格行为的培养，这是青年学生安身立命，待人处世，适应经济全球化挑战的重要方面。

21世纪呼唤合作精神。农业社会、工业社会人们崇尚的是单打式的发展策略，知识经济则鼓励人们交流与合作网络式的发展策略。在现代社会，竞争与合作共生共存。2001年初世界权威杂志《科学》、《自然》分别刊载了关于人类基因组图谱的测定的两篇论文，论文作者竟达200多人。今天的生命科学研究越来越体现出一种团队的合作方式，需要不同学科科学家的联合，需要不同部门科学家的联合，甚至跨国科学家的联合。现代社会发展的趋势愈来愈表明，有沟通意愿的人，才是心智健康的人，有合作能力的人，才是有前途、能成功的人。

跨国生产的人文因素增加，要求提高人的道德和情感素养。人文素质体现了一个人的思想道德素养。一定的思想道德观念总是以一定的文化底蕴为基础，一定的人文意识又总是蕴涵着一定的价值观念。中西文化的碰撞和古今文化的传承与发展，要求有新的中国文化精神和理念来推动人的现代化。人文教育的目的可归结为实现对人的尊重，对人文力量的肯定，对人格完善的追求，也就是要实现人性的解放。思想道德素质固然是根本，人文素质却是提高道德感、责任感的基础。人文素质是一切素质的基础素质，人文文化决定一个民族的生死存亡，而人文教育决定了从根本上解决、发展与培养健康的个性。

加入WTO后，我们必须加强和改进德育，推进德育创新。

人才培养要高度重视道德教育的作用。经济全球化，需要具有高度文化素养和高尚道德品质全面发展的人。良好的道德观念和品质是合格的青年一代的重要标志。塑造青年一代道德就是塑造国家或民族在21世纪的综合国力，这正成为越来越多国家的共识。经济全球化实际上是人的活动方式、存在方式的社会化发展，也是人的自身需要的品德、能力、社会交往关系的全面和谐发展。在经济全球化的条件下，我们应当重新审视和选择教育的价值。教育本是改造人的本能和开发人的潜能的统一，知识的传授和能力的培训代替不了人格的塑造。教育的本质说到底是“人力资源的品位与质量的转换与提升”。“人的全面发展、全面人的发展”是社会发展的主题，是时代发展的要求和必然。塑造品学兼优的未来一代，必须把道德教育作为教育的崇高目的。从总体上看，教育的概念，首先应当是一个道德的概念，教育首先应该是一项杰出的道德养成事业。如果我们只注重智育的开发，忽视品德塑造，不着眼于人的全面发展，我们培养出来的人，将可能是有智商而没有智慧，有知识没有文化，有文化没有教养，有目标没有信仰，有欲望没有理想，有青春没有热血，这将是十分危险的。

青少年是德育的主体，不是灌输的客体。德育不仅是社会的要求，也是青少年自我发展、自我生存的需要。只有充分发挥青年学生的主体作用，激励他们主动接受社会道德的要求，产生内在的道德认知，才能转化成自觉的道德行为。因为任何教育只有转化成自我教育才能真正达到教育的效果。德育的出发点，不是去禁锢人、约束人、束缚人，而是以人为本，创造条件发展人。德育的根本目的是构筑精神支柱，发掘学生的创造潜能。特别是在以创新为标志的21世纪，在继续加强理想信念教育的同时，德育应当在开发学生的创造力方面发挥重要作用。德育也应当着力于培养青少年的创造力、意志力、判断力、亲和力及独立人格。德育要从基本品德、基本价值观抓起，为人才发展打下良好的心理品质和行为规范基础。青年学生的基本品德、基本价值观应该包括八个方面：诚实、尊重、负责、同情、合作、自律、坚韧和奉献。要从学会做人做起，从身边的事做起，从日常的行为规范做起，树立起对善与恶、正义与非正义、公正与偏私、诚实与虚伪、光荣与耻辱等基本的价值判断。

构筑新型德育模式，增强德育实效性，要实施情感型的德育模式。学生思想品德的形成，很大程度上取决于情感的投入。德育是做人的工作的，人是有感情的，也是有理性的。感情决定思考的方向，理性决定思考的结果，只有从情感入手，才能达到以理服人的目的。通过德育，真正让青少年感受到成长成才是幸福的，而自我超越，实现目标，也是幸福愉快的。要实施渗透型的德育模式，挖掘科学在影响人的素质方面的特殊作用。现在不少人认为，只有人文知识，才能影响人性的养成，而习惯于把科学纳入实用知识的范畴。实际上，作为科学规范的实证标准、逻辑论证、求真态度，既是技术的又是道德的，它所昭示的追求真理的精神正是人性最为珍视、最为基础的方向。因此，要注意发挥科学精神在人的思想意识方面的渗透，塑造人的美好心灵。要实施氛围型的德育模式。青少年思想品德不能光靠说理教育就能形成，还要依靠环境的熏陶，潜移默化的感染。环境和氛围是一个群体中相互影响，可以导致同化的力量。一个人置身于这个群体，日久天长，耳濡目染，就会熏陶形成共同的风尚和气质。我国有位教育家提出了“泡菜水的理论”，泡菜水的味道，决定了泡出来的萝卜和白菜的味道。我们学校的全部工作就是调整这个泡菜水，营造高品位的文化氛围，让青少年在这个氛围中，去感悟、去理解、去思考；在这种氛围中，净化灵魂，升华人格，完善自己。

作者单位：中共山东省委高校工委
原文出处：2002 年 2 月 7 日《光明日报》

俞树彪:社会信用道德的建构

信用经济是市场经济发展的高级形态。我国虽然已初步具备了与市场经济相适应的法制环境与竞争机制，但是，尚未形成符合市场经济要求的信用制度、信用体系，特别是企业、公民乃至全社会的信用观念还远远不能适应市场经济发展的要求。

一、社会信用是市场经济的基础

实现公平与有序竞争是市场经济体制的本质要求，其外在的规制是法律体系，其内在的约束机制则是社会信用。社会如果没有信用，企业如果不加强自身的信用管理，市场经济就会失去存在的基础并“自毁长城”。社会信用的基本内涵是指诚实不欺，遵守诺言。社会信用包括国家信用、政府信用、经济信用和个人信用等。经济信用是社会信用中最基本、最重要的部分，它属于纯粹的经济范畴，表示一种经济关系，是定期以偿还为条件的单方面价值转让运动，这种价值转让运动必须以诚实守信为基础。中国是礼仪之邦，诚实守信是我们传统文化的精华，本来发展市场经济应该可以从传统文化中，获取这种宝贵的人文财富作为市场经济的内涵，可为什么在实践中，出现了如此众多与现代市场经济规律背道而驰的经济现象和社会现象？造成社会信用恶化的原因是多方面的，主要有：

1. 在由计划经济向市场经济转轨过程中，政企不分，产权不清，客观上给市场主体失信提供了体制和政策“合理性空间”。这种体制的因素是最根本的原因。

2. 市场经济条件下的利益取向对过去传统的“义”、“利”观提出了挑战，导致了人们传统思想观念、价值观念和道德观念的迷失，削弱了信用的基础。

3. 长期以来，我们没有重视信用制度和信用体系的建设，信用立法滞后，信用管理手段单一，信用管理中介服务机构不成熟。特别是没有有效的失信约束后惩罚机制，以致市场主体失信的“成本”太低，失信得不到应有的惩罚。这是我国当前信用缺失最直接的原因。

现代市场经济是建立在法制基础上的信用经济，高度发达的信用体系在提高市场资源配置效率等方面发挥着积极作用。市场经济必然走向信用经济，讲求信用观念，不仅带来良好的信誉，可以增强竞争实力，而且能够带来丰厚的回报。

二、企业信用是社会信用的核心

市场经济最主要的主体是企业，企业信用的好坏直接影响到交易成本和社会信用。企业作为经济活动的主体，自然更应该是信用经济的主体，企业领导人在其中更是扮演着重要的角色。因此，讲信用，守合同，诚实经营与维护市场公平竞争的环境，对一个企业家来说尤为重要。由于企业的个人出资者与经营者的信用也直接或间接地影响企业信用，所以企业信用往往也包含个人信用。一个企业既是信用的提供者，也是信用的获得者。因此，在推动我国社会主义市场经济由市场经济向信用经济发展过程中，必须首先提高企业的信用观念，加强企业自身的信用管理。在日常经营中必须时时刻刻树立信用意识，牢牢把握住诚实守信这一商业道德底线，一旦失信将面临市场出局的风险。

经济全球化的一个重要标识，是企业信誉和社会责任。注重信誉是企业参与经济全球化的必需素质，增强社会责任，也是现代企业持续发展和成功的核心战略。

三、社会信用道德的建构

加大市场改革力度，提高国民经济的市场化程度，发挥市场在培育信用过程中的基础性作用。当前信用缺失严重的现象是我国在市场化取向改革中出现的，要重塑信用，最根本的还要依靠市场化改革。加快国有企业改革步伐，使企业真正成为产权清晰，职责明确，政企分开，管理科学的市场主体；改革国有上市公司的股权结构，使股权分散化、多样化，增强国有股和法人股的流通性；改善企业经营管理，健全法人治理结构，优化财务状况，增强企业的偿贷能力，从而夯实信用制度的微观基础。打破地区封锁和行业垄断，建立一个统一、开放、公平、有序的市场体系，使企业根据产品的质量和效益实行优胜劣汰，发挥市场在建设信用方面的内驱力作用，从而创造一个良好社会信用环境。

转变政府职能，充分发挥商会、行业协会等在信用管理和监督方面的作用。

加紧建立适应现代市场经济体制要求的信用体系和信用结构。信用体系是现代市场经济的基石。广义的信用体系包括信用记录、信用征集、信用调查、信用评估、信用保证以及信用制度、信用管理在内的信用系统；狭义的信用体系指以独立中介机构为主体，在法律允许的范围内通过收集和分析个人及企业的信用资料，为客户提供当事人信用状况等证明资料的社会化的信用系统。

建立信息披露制度，确保信息的双向流动和多向流动。建立有效的交易者行为的信息传递对建立信用制度非常重要。健康的市场秩序客观上要求建立信用机制。假冒伪劣横行、欠债不还等不良现象都是社会缺乏信用观念的表现。缺乏信用已经成为了一种社会通病。在当今市场经济的环境中，交易往往发生在互不相识的人群中间，这就要求建立起有效的信息传输手段。市场经济在使信誉复杂化的同时，也造就了很好的信息传输手段和组织，人们要利用这些技术，建立起专业化的信息机构和系统，为提供交易的企业和个人提供信息服务。

加大社会信用的宣传力度，提高居民的信用意识。要在全社会形成“守信得尊，悖信遭耻”的舆论环境。

原文出处：《经济师》2002 年第 2 期

何继龄:试论行政道德建设在以德治国中的地位与作用

一、对行政道德的涵义及其功能的界定

在贯彻实施以德治国的重大方略时，强调加强行政道德建设，有着极为重要的现实意义，也是以德治国能否收到实效的关键所在。

行政道德的核心问题是权力观。在构建适应社会主义市场经济体制的新的行政道德时，要引导广大党政干部增强责任意识，处理好权力与责任、权利与义务的关系。

行政道德建设的另一个重要内容是群众观。各级党政干部要真正确立为人民服务、方便人民群众、为人民群众办实事的群众观念。

行政道德建设所面临的一个重大课题是利益观。随着结构调整和社会转型力度的加大，如何处理利益分配中的各种关系，显得十分重要。党政干部应处处以公共利益的代言人和维护者身份出现，不能陷入个人利益和部门利益的小圈子。每一位党政干部都必须正确处理个人利益、部门地方利益和国家利益三者的关系。

行政道德有三个明显的特点：一是鲜明的政治性。二是一定程度的强制性。由于行政职业是关系到一个部门、一个单位、一个国家的发展方向、前途和命运的职业，党政干部在社会中担负的责任极其重大，社会公众对党政干部的职业素养也赋予极高的期望值。因此，党政干部的职业道德也来源于国家和行政的效力。同时，由于道德与法一致性的存在，许多国家和政府都有将行政道德法制化的倾向。行政道德较其他行业的职业道德相比，具有强制性与非强制性并举的特点。三是高度的示范性。行政道德在社会道德体系中，处于示范引导的地位。

行政道德对行政管理来说，作为保证行政管理有序健康发展的一种重要的精神手段，有其特殊的功能。首先是导向功能。即通过对行政道德行为的规范，为党政干部提供行为选择的指南，使党政干部对将要发生的行为有规可循，方向明确。其次是激励功能。即行政道德具有理想性，它要求党政干部自觉地从个人对社会的权利与义务出发，坚持不懈地奉献进取，全面提高素质。再次是调节功能。行政管理中出现涉及巩固政权和国家管理等社会秩序和纠纷，理所当然的要运用国家的政治法律手段实行强制调节，但也离不开行政道德调节与之配合。最后是监控功能。即在现实行政工作中，有些党政干部出现行为偏离和越轨倾向，但又尚未严重到触犯法律的程度，在这种情况下，行政道德可对偏离行为加以批评教育制裁，或者称为“软约束”。

从行政道德的特殊功能中，可以很清楚地看到，行政道德修养的社会意义主要表现在两个方面：一方面，对社会经济生活的发展起促进或阻碍作用。另一方面，对社会精神生活的能动作用。道德这一社会意识形态与其他社会意识形态之间有相互渗透和相互补充的关系，它必然作用于整个社会精神生活。正是基于此，党的十二届六中全会所做的《中共中央关于社会主义精神文明建设指导方针的决议》中指出：“在我们社会的各行各业，都要大力加强职业道德建设。首先是党和国家机关干部，要公正廉洁，忠诚积极，全心全意为人民服务，反对官僚主义、弄虚作假、利用职权谋取私利。”十分明确地将行政道德建设提到职业道德建设的首位。

二、行政道德建设在以德治国中的地位及作用

行政道德作为社会主义道德建设的主导工程，它在以德治国中的地位和作用主要表现在三个方面：

第一，各级党政干部作为公共权力的行使者

和社会公众活动的组织者，他们的思想道德素质，在以德治国中发挥着关键性、决定性的作用。

第二，各级党政干部作为社会生活秩序的维护者，他们行政道德水平的高低，还直接影响到公共行政管理效率的高低，并最终影响到以德治国战略能否收到实效。

第三，在建立社会主义市场经济体制的特定历史阶段，各级党政干部将承担起社会正义捍卫者的职责，这又决定了行政道德在以德治国中的基础性地位和作用。

三、当前加强行政道德建设的主要途径

第一，作为执政党的中国共产党必须加强对各级领导干部的行政道德教育，各级党政干部也必须加强自身的道德修养，努力做到自重、自省、自警、自励，依靠道德自律的强大力量来维系社会主义行政道德的纯洁性。

第二，加强行政监督和制约机制是新时期进行行政道德建设的重要组成部分，也是防止社会主义行政道德发生蜕变的必要条件。

第三，按照“三个代表”重要思想的要求加强和改进党的作风建设是新时期进行行政道德建设的核心与关键。

第四，正视和加强各级党政干部正当的物质利益补偿是加强行政道德建设的一个重要环节。既要保证党政干部清正廉洁，又要使党政干部队伍始终集中社会的精英人才，更好更有效地为社会为人民谋利益，就必须提高各级党政干部，尤其是中下层党政干部和一般党政管理干部的收入，改善他们的福利待遇和住房以及子女入学就业等条件，同时，还要尽可能地缩小因地区不同而带来的党政干部的收入差距，使他们在没有任何后顾之忧的前提下行使公共权力，组织社会公众活动，捍卫社会的正义行为，实践“三个代表”重要思想，做一名真正的人民公仆。

作者单位：西北师范大学政治学院

原文出处：《甘肃社会科学》2002 年第 3 期

叶祖淼：官员道德与公民道德的关系

官员道德与公民道德是不同道德主体的不同道德水平要求，两者在性质、内容、形式和手段方面有很大的差别。当前，我们既不能以官员道德替代公民道德，也不能以公民道德取换官员道德，公民道德是官员道德的基础，官员道德是公民道德的延伸和发展。

所谓官员道德，即指官员的职业道德，既是官员在工作实践中应当遵守的道德准则和行为标准，也是他们应当具备的道德品质和职业修养。官员道德表现出行业性的群体特点，是一种群体性道德。把官员道德定于职业道德在理论和实践上都有利于加强官德建设，有利于强化官德的社会地位和客观要求，真正体现“官”这一职业的特殊性，使官员道德与一般公民道德严格区分开来。

所谓公民道德，是指公民个人在社会生活中的道德，它是构成公民品行不可缺少的道德准则。公民道德是公民作为个体社会成员必须具备的普遍的共同的道德，它既是公民基本道德素质的体现，又是社会公德的基础。公民道德作为个体性道德体现了它的普遍性，不论男女老少，还是工农兵学商，都要自觉地用公民道德约束自己的言行，正确处理个人与国家的关系，使自己成为一个有道德的公民。同时，公民道德作为个体性道德也具有多层次性，由于年龄、生理、心理、职业等的不同，公民道德在每个公民意识和行为上是有区别的。

由于社会经济生活呈现的多层次利益关系，人们的道德关系必然具有复杂性和层次性。从社会的总体性道德要求来看，官员道德的要求与一般公民的道德要求是不可同日而语、平行而论的。官员的职业地位和职业特点，使官员的道德表现往往关系到党风和社会风气的好坏。因此，官员道德应当是代表着社会较高层次、体现道德发展较高要求的规范。例如：大公无私、公而忘私，毫不利己、专门利人，全心全意为人民服务等，这些道德规范对一般公民而言只属于提倡性、鼓励性、理想性道德，而对官员来说则是现实的道德要求。公民道德体现的是个人与国家的关系。因此，在公民道德中，一方面公民享有国家法律所赋予的道德权利的内容，另一方面公民履行法律所规定的道德义务的内容。为了保证国家社会生活的正常运行，促进社会经济的迅速发展，协调人与人之间的良好关系，国家提出了一系列每个公民都必须遵守的道德规范，例如《公民道德建设实施纲要》中，要求每个公民必须做到“爱国守法，明礼诚信，团结友善，勤俭自强，敬业奉献”的基本道德规范。

官员道德的先进性与公民道德的广泛性的区别主要表现在对待利益问题上。不管是官员道德还是公民道德，都要求维护个人正常合理的利益，在保证个人利益的同时，实现社会公共利益，但个人利益必须服从整体利益。对官员，首先要求他们大公无私，全心全意为人民服务。他们的一切言行，都要以是否有利于集体利益为准则，一事当前，应该先为集体利益着想，把维护集体利益当作自己的天职。“毫不利己，专门利人”，为了集体利益，可以放弃甚至牺牲个人利益。其次，要求“先公后己”或“舍己为人”，一事当前，先考虑别人的利益和群体的利益，再考虑自己的利益，甚至会自愿牺牲自己的某些利益而维护别人或群体的利益。对于广大公民的道德要求，则首先要把集体主义精神渗入每个公民的社会生活中，使他们正确认识和处理国家、集体、个人的利益关系，提倡个人利益服从集体利益、局部利益服从整体利益、当前利益服从长远利益。其次，要求他们在通过诚实劳动、合法经营获得正常合理个人利益的同时能兼利他人或集体，在利己的同时不损害他人和社会的利益，绝不允许为了满足个人私利而不择手段。

道德属于上层建筑的范畴，为维护政治统治服务，反映统治阶级的意志和利益。因此，不论是官员道德还是公民道德，都具有政治性这一基本特征。但总的看来，官员道德比公民道德表现出更强烈的政治色彩，即官员道德的好坏，直接关系到国家的长治久安。从官员在社会生活的地位来看，他们处于领导地位，地位突出，角色特殊。他们代表人民掌握和行使各种权力，代表党和国家管理政治、经济、文化等各种事务，制定和贯彻执行各项方针、政策，他们的道德素质关系着党和国家的前途和命运，对国家的稳定和现代化事业的发展具有十分重要的作用。所以说，官员道德具有很强的政治性，它体现着党和国家政治上的价值追求，体现着人民的利益。“德才兼备”是我们选拔任用官员的基本原则，这个“德”，就是政治素质与道德素质的有机结合与统一。

公民道德也体现了政治性的特征。公民享有国家法律规定的道德，同时也必须履行相应的道德义务，例如：“有维护国家统一和国家各民族团结的义务”；“有维护祖国的安全、荣誉和利益的义务，不得有危害祖国的安全、荣誉和利益的行为”等等，可见，广大公民的道德思想和行为同样关系到国家的稳定，经济的发展和社会的前进。在具体实践中，公民道德的政治性要求比起官员道德较为宽松。因为大多数普通个体公民，在市场经济条件下更多关注的是个人的成长和个人利益的追求。如果过多用政治色彩来渲染公民道德建设，甚至直接用政治手段干涉公民的道德权利和自由，往往会适得其反，很难形成公民的自律意识。

一般而言，道德是人们应当自觉遵守的，不具有强制性，但作为官员道德又具有自己的特殊性，即表现出较为明显和突出的强制性。因为官员在社会生活中担负的职责重大，党、国家和广大人民群众对他们的道德要求很高。官员道德行为往往受到严格的法制程序的约束，以确保官员公开、公平、公正地对待每个公民。同时，在官员的价值谱系中，政绩、功绩占据着极其重要的地位。官员努力实现某种结果，完成某些职能目标，既是职业道德的要求，也是法律责任。再者，官员道德本身很多来源于国家有关法律、政策、规章、制度等，从而使官员道德行为带有一定法规的效力，官员道德的实践和维护带有一定程度的国家强制力的特点。

当今世界许多国家都很重视官员道德立法，

就是为了发挥官员道德的强制作用，防止官员违法违德行为发生。我国也一贯重视官员道德建设，也制定颁布了一系列法律法规。例如1997年中共中央制定《中国共产党干部廉洁从政若干准则》、《中国共产党纪律处分条例》等等。实践证明，这些法规对规范官员的道德行为起到了很好的作用，维护了党的纪律和官员道德的严肃性和强制性。

原文出处：《党政干部论坛》2002年第6期

李炳毅：网络道德建设——新时期大学生道德建设的重要内容

一、重视网络道德建设是以德治国方略的要求

网络道德是大学生道德的重要内容。在建立社会主义市场经济体制中，如何搞好大学生道德建设，在信息技术发展的条件下，如何形成有利于社会主义现代化建设的网络道德规范，是一个重大课题。尤其是西方敌对势力利用科技实力优势，通过网络加紧对我国进行文化渗透和文化侵略。我们与西方敌对势力在渗透与反渗透、颠覆与反颠覆方面的斗争将是长期的复杂的，有时甚至是十分尖锐的。在国内，我国正处在社会主义初级阶段，面临着国民经济信息化的新任务，社会经济成分、经济利益、组织形式、就业方式、利益关系、分配方式和生活方式日益多样化，新问题新矛盾层出不穷。所有这些，无一不在网络上反映出来。加上一些网民不遵守网络道德规范，有违网德的言行时有发生。有的在网络上制作传播淫秽、色情、暴力等内容的文章、字句、图像和视频；有的在网络上用侮辱性的语言、文字等对他人进行讽刺、谩骂甚至人身攻击；有的在网络上有意传播、公开属于党和国家秘密的各种文件资料，或泄露处于保密阶段的有关内容；有的对网络系统功能或储存、处理、传输的数据和应用程序进行删除、修改、增加、干扰，甚至故意制作、传播计算机病毒等破坏程序，影响网络系统的正常运行，造成严重后果。如果没有必要的教育和防范措施，网络上的消极东西对我国大学生的思想道德建设将带来严重的负面影响。因此，积极主动地搞好网络道德建设，提高大学生的网络道德水平，促使网络健康发展，是落实以德治国方略的要求。

二、加强网络道德建设是新形势发展的客观需要

随着网络的发展与普及，人们的生产方式、生活方式、教育方式、思维方式、道德准则、价值取向等不可避免地会发生一场重大变革。在我国改革开放和现代化建设事业深入发展的今天，社会主义精神文明建设呈现出积极向上的良好态势，公民道德建设迈出了新的步伐，但社会的一些领域和一些地方道德失范，是非、善恶、美丑界限混淆，拜金主义、享乐主义、极端个人主义有所滋长，见利忘义、损公肥私行为时有发生，不讲信用、欺骗欺诈成为社会公害，以权谋私、腐化堕落现象严重存在。这些问题如果得不到及时有效的解决，必然通过网络影响大学生的身心健康，损害正常的经济秩序、社会秩序和教学秩序，损害改革开放的大局。

从学校实际情况来看，网络在我国各级各类学校发展很快，所有高等学校普遍建立了校园网，一些高校的计算机已进入学生宿舍，加之高校周边的网吧越来越多，大学生上网的机会增加了，采取简单的“堵”、“防”方式以消除网络的负面影响显然是不行的，我们只能“疏、导、禁”并举，让大学生自律与他律结合起来，尽量把他们的兴趣和行动吸引到学习、工作上来，为他们的发展提供广阔的空间，让他们充分利用网络从事学习、科研等工作，并创造全新的网上生活方式。

高等学校应重视网络技术发展与思想道德教育研究，不断加强和改进对大学生的网络道德教育，提高大学生的整体素质，引导他们自觉抵制不健康不文明内容和行为的侵蚀，及时消除各种负面影响，成为一名具有正义感、责任感、上进心的合格网民，促进健康文明的网络道德规范的形成，这不仅关系到我们培养人才的质量，而且也关系到党和国家的伟大事业以及中华民族的未来，必须引起高度重视。

三、网络道德建设是一项长期而紧迫的任务

自2000年教育部下发《关于加强高等学校思想政治教育进网络工作的若干意见》以来，大部分高校建立了专门的领导管理体制，加强领导，增加投入，大力建设，一批内容丰富、形式新颖、富有实效的思想政治工作网站建立起来了。有的高校适应网络环境的要求，扎扎实实地开展对大学生进行网络道德、网络法制教育工作，进一步拓展了思想政治工作的范围，开辟了思想政治工作的新领域；有的高校在计算机基础课中加入讲授网络道德和相关的网络规章制度的内容，让学生在学习专业技能的同时，增强网络法制道德观念，提高自律意识；有的高校把网络道德教育纳入思想政治教育范畴，在“思想品德课”中增设了网络道德、网络法规专题，保证一定的学时，全面加强对学生的网络道德规范、法规常识的教育，收到了良好的效果。2001年11月，团中央、教育部等单位联合向社会发布的《全国青少年网络文明公约》明确提出“五要五不”：要善于网上学习，不浏览不良信息；要诚实友好交流，不侮辱欺诈他人；要增强自护意识，不随意约会网友；要维护网络安全，不破坏网络秩序；要有益身心健康，不沉溺虚拟时空。对于推动网络道德建设，引导网络机构和大学生增强网络道德意识、共同建设网络文明，促进社会主义精神文明建设具有广泛而深远的影响。但是，如何引导大学生严格自律，自尊自爱，文明上网，规范操作，自觉遵守网络道德规范，正确把握网上的信息，维护网络安全，营造健康向上的网络环境；如何规范网络秩序，占领网络思想教育这块阵地，提高大学生的思想道德水平和分辨、选择能力，使之成为社会主义精神文明建设新的重要阵地，还有大量繁重而艰巨的工作要做。广大教育工作者必须适应信息技术发展的要求，主动参与网络活动，抓住有利时机，巩固已有成果，加强薄弱环节，在内容、形式、方法、手段、机制等方面努力改进和创新，积极探索新形势下网络道德建设的特点和规律，制定相应的行为准则和道德规范，深入研究网络对大学生道德的负面影响及产生影响的原因和过程，结合实际工作提出应对措施，保证网络的有序、健康发展。

作者：兰州大学物理科学与技术学院副教授
原文出处：《兰州大学学报》（社会科学版）
2002年第4期

启东明：试论民族地区公民道德建设的特殊性

贯彻好《公民道德建设实施纲要》，必须深入研究和把握好民族地区公民道德建设的环境、规律和途径的特殊性问题。

一、民族地区公民道德建设的特殊环境

民族地区的特殊社会历史环境，使公民道德建设呈现出不平衡性的特点。由于各少数民族不同社会母体的差异性很大，历史变革的跨越程度不同，因而“时代差”效应极为明显，表现出社会经济文化发展的不平衡状态，在这个基础上，人们的思想道德水平也必然呈现明显的不平衡性特点。

民族地区的特殊社会政治环境，使公民道德

建设呈现出多维性和多层次性的特点。由于各民族所处的经济文化发展状况和历史境遇不同，各民族之间语言文字、生活方式、风俗习惯、心理状态、宗教信仰不同，因而各民族之间存在着不同的差异和复杂的关系。人们不但在思想觉悟、组织程度等方面呈现出层次性特点，而且在结合方式、活动方式、道德规范等方面还呈现出多样性的特点。

民族地区的特殊社会经济环境，使公民道德建设呈现出艰巨性的特点。我国民族地区经济发展相对落后，生产的社会化、市场化、现代化程度低。与此相伴随，精神文明程度也相对比较低，迷信思想还较为普遍地存在，一些旧伦理道德和陈规陋俗对人们还有一定影响，这种落后的经济社会状况，不能不影响人们对先进思想的接受和现代文明成果的吸收。

民族地区的特殊社会文化环境，使公民道德建设呈现出复杂性特点。科学、教育、文化比较落后，陈旧落后的思想观念影响广泛，同时，民族地区一般又是多宗教地区，因此，在公民道德建设中必须全面贯彻党的民族政策和宗教政策，慎重对待，不能简单从事。

民族地区的特殊民族风俗环境，使公民道德建设呈现出民族性和区域性的特点。任何一个民族都有其反映本民族的政治、经济、文化、传统和心理特征的风俗习惯，形成本民族的传统伦理道德规范。在实际工作中，必须始终注重民族性，尊重民族特点和民族风俗习惯，发扬各民族优秀道德传统，这是民族地区公民道德建设必须严格掌握的一个重要原则。同时，各民族之间不仅在经济发展上具有互补性，而且在风俗习惯和思想道德方面也具有互补性。有些原本属于某一民族的风俗习惯和行为规范，逐渐被同居一地的其他一些民族所接受和吸纳，成为这个地区各民族人们所共同恪守的准则，进而变成地区的特点。

二、民族地区公民道德建设的特殊规律

民族地区思想道德建设和人们思想道德素质的提高，是同民族和民族问题密切相联系着的。在实际工作中，正确地对待和处理了民族问题时，就为公民道德建设创造了良好的环境和条件，公民道德建设和人们思想道德素质就能得到健康发展和提高，而如果忽视了这些基本特点，在实际工作中不能正确对待和处理民族问题时，就会成为公民道德建设的制约因素，公民道德建设就不能正常地进行，人们思想道德素质不仅不能得到提高，甚至还会受到损害，这就是民族地区公民道德建设的特殊规律。

根据这一特殊规律，民族地区公民道德建设，在实际工作中必须正确处理好以下几个方面的关系：（1）统一性与民族性的关系。（2）不同民族的差异性与融合性的关系。（3）先进性和广泛性的关系。（4）地域性与开放性的关系。

三、民族地区公民道德建设的特殊途径

民族地区公民道德建设必须坚持紧密围绕发展民族地区经济来进行的原则。社会经济基础的发展变化决定思想道德的发展变化。民族地区公民道德建设首先要处理好与经济建设的关系。发展民族经济是民族地区发展的中心任务，公民道德建设必须紧紧围绕发展民族地区经济，为实现各民族的共同繁荣这个目标来进行。

民族地区公民道德建设必须坚持治德与治愚相结合的原则。民族地区公民道德建设应坚持治德先治愚的思路，坚持公民道德建设与教育科学文化协调发展的原则。从民族地区的实际出发，在发展教育科学文化事业中，要着重突出发展民族教育，这是迅速提高民族地区各族人民思想道德素质的迫切需要。教育发达，科学才能昌明，文化才能繁荣，思想道德素质的提高才能有坚实的基础。在发展民族教育中又要把重点放在发展民族基础教育上，注重各民族青少年文化素质的培养，使他们成为有理想、有道德、有文化、有纪律的社会主义新人。

民族地区公民道德建设必须坚持德治与法治并举的原则。要按照建设社会主义法治国家的要求，把道德建设与法制建设紧密结合起来，做到德法并举，标本兼治，为公民道德建设提供强有力的法律支持和保障。

作者：内蒙古党校教授

原文出处：《实践》2002 年第 6 期

图书简介

《社会主义精神文明建设论》

吴爱英主编　山东人民出版社　210 千字

该书以邓小平理论和“三个代表”重要思想为指导，立足于国内外形势的新变化，立足于改革开放和现代化建设的新要求，立足于精神文明建设理论和实践的新成果，坚持政治性、思想性、理论性、科学性、知识性、创新性相统一，揭示了精神文明的科学内涵，中外精神文明的特色与共性，精神文明与物质文明、政治文明，与人的全面发展以及市场经济的辩证统一关系，剖析了新世纪精神文明建设面临着的新形势、新机遇、新挑战以及许多亟须探索和创新的新课题，论述了精神文明中的思想道德建设、科学文化建设，精神文明建设的主体和新世纪的精神文明建设等一系列理论和实践问题。

该书构建了社会主义精神文明建设理论研究体系，确立了社会主义精神文明建设理论研究的学科地位，是一部系统研究社会主义精神文明建设的理论专著。社会主义精神文明建设理论体系是一个内容丰富、结构完整的科学理论体系，它涉及政治理论、教育科学文化、思想道德、民主法制、价值观念等多方面的理论问题和实践问题。该书按照精神文明建设自身发展的逻辑要求设计安排章节结构，在理论和实践双重探索的结合上，从对文化、文明和精神文明，社会主义精神文明，中国先进文化的历史演进的探究、梳理中，从对中国精神文明与外国精神文明的科学类比、分析中，从对社会主义精神文明建设在中国特色社会主义现代化建设中所占有的重要位置、所起到的重要作用以及新世纪、新形势下我国社会主义精神文明建设所面临的机遇、挑战和亟待解决的理论、实践问题的研究中，全面而系统地阐述了社会主义精神文明建设理论研究的目的、意义、指导思想、研究对象、丰富内容和科学方法。

该书结合山东近年来对精神文明建设中的理论和实践问题所进行的研究和探索，在总结精神文明建设经验的同时，展示了改革开放以来，特别是党的十三届四中全会以来精神文明建设所取得的历史性成就。

（刘海涛　姜华民）

《以德治国思想学习概要》

本书编写组编写　学习出版社　162千字

为帮助广大干部群众学习理解江泽民同志提出的以德治国的思想，贯彻落实《公民道德建设实施纲要》，中宣部的同志编写了这本通俗读物，比较全面地阐述了以德治国思想。

全书共九章，第一章介绍以德治国思想形成的历史背景和过程；第二章介绍以德治国思想的主要内容、理论来源和提出的意义；第三章论述以德治国与依法治国的关系，阐发依法治国与以德治国紧密结合的治国方略；第四章阐述建设中国特色社会主义思想道德体系；第五章阐述加强公民道德建设；第六章阐述贯彻以德治国要加强和改进思想政治工作；第七章阐述党员干部要成为贯彻以德治国思想，加强道德风尚建设的楷模；第八章阐述加强青少年思想道德教育；第九章阐述全面贯彻《公民道德建设实施纲要》，把以德治国思想落到实处。全书九章可以分为两大部分，第一至第三章为第一部分，重点阐述什么是以德治国和为什么要以德治国；第四至第九章为第二部分，重点阐述怎样贯彻以德治国。

（杨庆文）

《公民道德规范读本》

陈光林　张国民　宝音德力格尔主编　内蒙古人民出版社　200千字

该书坚持历史与现实相统一，理论与实践相结合的原则，紧紧围绕《公民道德建设实施纲要》的基本精神，从“公民道德的基本规范”，“社会公德基本规范”，“职业道德具体规范”和“家庭美德具体规范”4个方面，用通俗易懂的语言作了简明扼要的诠释。《读本》突出以人为本的理念，融思想性、哲理性、时代性、通俗性于一体，又照顾到各个不同层面干部群众的需要，把《纲要》的8个部分、40条的内容，分为5编11讲，每编加注了内容导读，将道德规范要求归纳为20句话、80个字，既突出重点，又有条理化。《读本》把为人民服务的道德建设核心，集体主义的道德建设原则和爱祖国、爱人民、爱劳动、爱社会主义的道德建设基本要求，用生动形象的语言概括。本书有如下4个特点：

一是注重论证问题理论的严肃性，避免了随意性和实用主义倾向。书中对公民道德建设的基本规范等问题，摒弃“套话”、“空话”和抽象说教，作出了完整、准确、系统的概括。

二是探讨问题的立足点比较高，把公民道德建设问题放在国家新形势和国内新环境的大格局中去考察。本书从时代特征出发，注重运用道德建设的基本理论，总结历史经验，探讨当代新问题，对改革开放和发展社会主义市场经济中道德建设遇到的新情况、新问题，从深层次上进行了探讨，作了科学解答。

三是正确处理历史性与现实性、统一性与层次性、先进性与广泛性的辩证关系。本书运用马克思主义辩证唯物主义和历史唯物主义观点，对公民道德的历史传统和时代变化，对公民道德基本规范的统一要求与道德领域多种层次的不同要求，对公民道德建设对先进分子的要求与广大群众的要求，都做了辩证的思考。坚持实事求是，从实际出发的原则，把理论分析、历史分析与具体分析结合起来，作出客观的具有说服力的解释和回答。

四是坚持理论联系实际的原则，对公民道德建设面临的客观环境，人们的思想道德现状等方面作了深入研究。本书探索和总结了思想道德建设的历史经验和现实新经验，探寻了加强公民道德建设的新途径和对策，具有很强的现实性和针对性。

（娜拉　李杰）

《道 德 宝 典》

本书编委会编著　学习出版社　644千字

该书编委会顾问为罗国杰、杨新力，编委会主任宋林。

该书为配合学习宣传贯彻《公民道德建设实施纲要》，推进道德理论研究和道德建设实践而编著。全书内容比较系统地反映了中华民族传统美德，我们党领导人民在革命斗争和建设时期形成的优良传统道德、改革开放新时代的道德建设成果，也涉及世界各国道德建设的成功经验和先进文明成果。

全书分“言论篇”、“典籍篇”、“典范篇”、“警示篇”4个部分。“言论篇”收集古今中外名家大师有关道德的代表性论述，其中，中国上篇为古代道德论述，分设论德治、论善恶、论义利、论礼仪、论仁爱、论修身、论人生、论理欲8个专题；中国下篇为当代道德论述，分设论道德的地位和作用、论继承优良传统弘扬时代精神、论树立共同理想、论为人民服务、论集体主义、论爱祖国爱人民爱劳动爱科学爱社会主义、论社会公德职业道德家庭美德、论学习先进模范、论党员干部的表率作用等9个专题；外国论述分设论道德、论道德法则、论道德与自由、论善、论美德、论正义、论爱、论幸福、论诚实、论良心、论友谊、论荣誉、论婚姻与家庭等13个专题。“典籍篇”评价了中外著名的道德经典论著53篇，包括马克思、恩格斯和列宁有关道德的论著。“典范篇”讲述了古今中外83位人物高尚的道德情操。“警示篇”抨击了古今中外27个道德沦丧的反面典型。

该书所选言论、典籍、人物涉及古今中外的各个历史时期，充分反映了人类道德文明的代表性成果。为我们古为今用、洋为中用，继承创新提供了丰富的资料。

（边　极）

《公民道德歌》

汪石满等主编　安徽教育出版社　80千字

该书紧扣《公民道德建设实施纲要》的精神，以五言歌体、一韵到底的形式，集中宣扬“爱国守法、明礼诚信、团结友善、勤俭自强、敬业奉献”等公民基本道德规范。全书由热爱祖国篇、社会公德篇、职业道德篇、家庭美德篇、个人修养篇组成，以生动形象的载体表现和倡导社会主义市场经济体制下新的道德理念，图文并茂、语言流畅、琅琅上口、老少咸宜。中央电视台“焦点访谈”栏目为此专门制作了一期节目——《雅俗共赏道德歌》。

（苗　键　盛大文）

《公民道德歌》

崔光祖著　学习出版社　55千字

该书把公民道德20字基本规范具体化、歌谣化、韵律化。全书分永恒命题、基本规范、从我做起三部分。第一部分“永恒命题”主要阐明用道德规范自身行为，是历史发展、社会进步、人的成长的永恒命题，也是与时俱进、继承创新的重要课题。第二部分“基本规范”分设爱国、守法、明礼、诚信、团结、友善、勤俭、自强、敬业、奉献10个标题，分别阐述20字公民基本道德规范。主要阐明每个主题对道德建设的重要意义、主要内容和实践方式等。第三部分“从我做起”主要阐明道德建设重在实践，只有人人奋勇争先，才能提高全民族的思想道德素质，从而推进全面建设小康，实现民族振兴的伟大目标。

作者结合《公民道德建设实施纲要》和人民群众的实际生活，用通俗易懂的文字，琅琅上口的诗歌形式，宣传了20字公民基本道德规范，并在书后附了基本道德规范10首歌曲，可朗读也可传唱。

（边　极）

《中华道德楷模》

陈德辉主编　安徽教育出版社　350千字

该书选取自古至今中国历史上202位名人道德典范，分为爱国、律己、待人、处世、为政5篇，以通俗生动的文字加以表述，着重反映主人公高尚的道德情操以及他们的思想、言论、行动及其深远影响。其中包括民族英雄岳飞、抗倭名将戚继光、抗日英雄杨靖宇、严于律己的周恩来、正气浩然的方志敏、说真话的王稼祥、生不畏死的闻一多等等。他们以高风亮节和高贵品质在中华历史上矗立起一座座道德丰碑。该书对广大群众特别是青少年树立高尚道德情操，弘扬民族精神有深刻启迪作用。

（苗 键 盛大文）

《领导干部从政道德建设探索》

申维辰主编 希望出版社 240千字

该书强调领导干部的从政道德，是一个常讲常新、意义重大的话题，又是一个需要探索，说易做难的课题。特别在社会主义市场经济改革不断深化的条件下，市场经济在促进人们思想道德观念进步的同时，也伴生出不少道德沦丧、惟利是图、权钱交易的问题，败坏了党风和社会风气。党风成为党和广大人民群众特别关注的突出问题。

在中央颁布《公民道德建设实施纲要》后，如何加强从政道德建设，使各级领导干部的道德建设走在全社会的前列，是贯彻落实《纲要》的重要一环。该书围绕这一问题对加强从政道德建设的意义、面临的问题及对策、途径与方法、制度约束等几个方面进行了深入探讨。作者认为，加强领导干部从政道德建设是推动社会发展，巩固党的执政地位的客观要求，是做好各项工作，维护最广大人民根本利益的必备条件，是反腐倡廉的迫切要求，是社会主义市场经济发展的客观要求。作者分析，领导干部从政道德建设面临的主要问题，一是在新的形势下，一些领导干部从政道德滑坡；二是一些领导干部忽视马克思主义学习，忽视世界观的改造；三是有关从政道德建设的理论研究滞后，教育功能弱化。在加强领导干部从政道德建设的途径上，作者提出，一要注重领导干部从政道德的舆论引导；二要加强领导干部从政道德的理论教育；三要建立领导干部从政道德的管理机构；四要加强相关的立法工作；五要严格执纪执法，保障道德建设依法进行。

（山西省文明办）

《从政以德 执政为民》

——与领导干部谈从政道德

沈立江 万斌主编 浙江人民出版社 240千字

该书联系党员领导干部的思想道德实际，对新形势下干部从政道德建设的基本内涵、重要性、必要性和紧迫性作了比较系统的探索和研究。全书由绪论、正文和附录三部分组成。绪论围绕人类文明的呼唤、以德治国的关键、政治文明的体现等内容，着重阐明了践行“三个代表”重要思想，加强从政道德建设问题。正文分10章：第一章，加强学习教育以明德。比较系统地阐述了知理明德、固本强基、学以致用等观点，强调要真信真学、立言立行、有规有矩。第二章，坚定理想信念以立德。重点阐述了理想信念是立身之始、立德之道、立志之源等观点，指出理想信念的动摇是最危险的动摇。第三章，牢记根本宗旨以守德。分析了人民群众是根是本，只有得民心者才能得天下，强调了党员领导干部要经受改革开放和党的执政的新考验，把人民利益实现、维护、发展好，真正做到深怀爱民之心、善谋富民之策、多办利民之事。第四章，正确运用权力以行德。主要阐述了道德是权力天平的砝码，只有以德从政才能行得正，要树立规范用权意识，强化为民用权思想，确立阳光用权观念。第五章，注重克己自律以养德。阐述了自律是美德之基石的观点，强调要从点滴做起，养浩然正气。第六章，完善法制规范以律德。分析了道德与法律的关系，强调要把基本道德观念的要求融于法律法规和各项具体政策中，通过法律法规和政策制度带强制性的导向作用，促进良好从政道德观念和行为的形成。第七章，强化管理监督以严德。从拒腐防变、从严治党和爱护干部等问题入手，阐述了监督对规范领导干部道德行为的重要性，强调要突出重点抓龙头、扩大范围抓苗头、健全网络抓源头，实现管理监督的全程化、制度化和层级化。第八章，把握用人导向以崇德。主要阐述了把好用人导向的问题，提出要以德识人、察德督人、评德励人。第九章，营造舆论氛围以扬德。分析了影响领导干部道德培养的新情况、新问题及优化道德环境的紧迫性，强调要扶正祛邪善用典型，激浊扬清加强引导。第十章，坚持常抓不懈以重德，重点阐述了从政道德建设要与时俱进常抓不懈的问题。附录分两方面的内容：一是分析了党员领导干部思想道德建设面临的新情况，呈现的新特点，提出了加强党员领导干部思想道德建设的对策建议；二是列举了中国古今从政范例及古代“官德”规范。

(浙江省文明办)

《民族地区思想道德建设概论》

佟野黎　启东明　张英伟　韩毅顺主编　内蒙古人民出版社　206千字

该书由内蒙古自治区文明办、总工会、思想政治工作研究会、党建研究会组织编写，是一本从理论和实践的结合上，研究民族地区思想道德建设问题的论著。主要有3个特点：

1. 普遍性与特殊性相结合，在共性中突出个性、特色，在个性中探求共性规律。作者认为，由于我国经济文化发展的不平衡性和民族地区历史传统、风俗习惯以及社会经济文化状况的特殊性，决定了民族地区思想道德建设既有同于其他地区的共性，又有别于其他地区的个性。认真研究和掌握这些个性，正确处理好共性与个性的关系，对于搞好民族地区思想道德建设具有重要意义。本书在各个专题中都注意在《中共中央关于加强社会主义精神文明建设若干重要问题的决议》的统一要求与民族地区的特点相结合上下功夫，以《决议》为指导来探索和研究民族地区思想道德建设的实际问题。同时在民族地区共性与各民族个性相结合的基础上，又探求民族地区思想道德建设的共性。因此，本书所论及的问题，对各个民族地区具有普遍的使用价值。

2. 从理论与实践的结合上，揭示民族地区思想道德建设的规律。作者分析，民族地区的社会变革、经济状况、历史境遇、文化传统、风俗习惯等独特的宏观条件，使其思想道德建设处在一种特殊的环境之中，因而具有自身特点和发展规律。本书按照实事求是、一切从实际出发、具体问题具体分析的原则，从理论与实践的结合上，对民族地区思想道德建设面临的特殊的自然条件，特殊的社会变革历史，特殊的制约因素，特殊的民族风俗习惯，以及思想道德建设呈现出的基本特点，都作了深入发掘和探讨，提炼和归纳，从中探寻了民族地区思想道德建设的特殊规律。

3. 总结历史经验，探索新形势下民族地区思想道德建设的对策。长期以来，民族地区思想道德建设积累了丰富的经验，促进了各族人民思想道德水平的提高和良好社会风尚的形成。本书坚持历史性与现实性相统一的原则，对多年来民族地区思想道德建设的实践经验进行客观具体的分析、提炼和总结，并给以理论性的升华和概括，使这些基本经验成为一笔宝贵的财富继承下来。同时本书又着重对在改革开放和发展社会主义市场经济条件下，民族地区思想道德建设出现的新情况、新问题及其解决的对策和途径进行了深入研究，作出了比较科学的解释和回答，对进一步加强民族地区思想道德建设提供了颇有价值的思路和建议。

（启东明）

《苏浙沪百名专家话诚信》

沈立江　万　斌主编　浙江人民出版社　545 千字

该书是由来自江苏、浙江、上海 3 省市的百余名社会科学专家、学者和有关方面领导，围绕“WTO 与信用”这一主题，在学术研讨的基础上编写的一部理论专著。全书共分 7 个部分：第一部分，信用是现代市场经济的重要资源，重点阐述市场经济与诚信的关系，诚信的内涵及其体系，我国建立社会诚信的必要性及途径。第二部分，现代诚信的时代特征，着重阐述诚信的道德价值、现代诚信的构筑，分析诚信缺失现象及其原因，并提出相应对策。第三部分，信用社会的推动者，论述了社会信用建设与政府信用职能的关系，政府在诚信建设中的重要作用。第四部分，诚信也是生产力，从诚信是竞争力入手，着重阐述信用是企业立足市场的基石，以及如何打造“诚信长三角”等问题。第五部分，诚信是立身处世之本，强调“不诚无物”、“无信不行”，诚信是每个人开创事业、获得成功必备的基本的科学精神和道德品质。第六部分，法制是诚信的守护神，重点阐述法与信用的依存关系及建立和完善我国信用制度等问题。第七部分，诚信是通向世界的通行证，阐述 WTO 规则下的诚信理念以及我国信用体系构建等。

（浙江省文明办）

《创建文明城市系列丛书》

中央文明办协调组编　学习出版社　3 本共 718 千字

这是一套宣传创建文明城市典型经验的丛书，从 1997 年开始出版，至今已出版了 16 种。2002 年中央文明办协调组组织中央新闻单位集中宣传了广州市、唐山市和青岛市开展创建文明城市的先进经验，并将这些经验材料编入《创建文明城市丛书》中，书名分别为《锦绣羊城——广州市创建文明城市纪实》、《抗震精神铸文明——唐山市创建文明城市纪实》和《扬起文明的风帆——青岛市创建文明城市纪实》。每本书的构局为 3 部分：第一部分介绍该市创建文明城市工作的基本情况；第二部分收录了中央新闻单位集中宣传、采访该市创建文明城市活动的新闻稿件；第三部分为该市所属文明行业、文明单位的创建经验材料。书中配有彩色图片，全面反映该市的精神面貌。

《锦绣羊城》介绍了广州市以“按照人民的意愿，建好人民的城市”为宗旨，结合大规模的城市改造建设和综合治理，立足以人为本、为民谋利，大力推进文明城市创建工作，积极建设适宜人们创业发展和生活居住的现代文明城市，实现了“一年一小变”，“三年一大变”目标的先进经验。

《抗震精神铸文明》介绍了唐山市发扬“公而忘私、患难与共、百折不挠、勇往直前”的抗震精神，紧紧围绕建设“经济发达、社会安定、人民富裕、环境优美的现代文明城市”的目标，按照“育新人，建新城，创文明，促发展”的工作思路，高处着眼，实处着手，全面推进创建文明城市工作的先进经验。

《扬起文明的风帆》介绍了青岛文明城市建设以“三个代表”重要思想为指导，统筹规划，因地制宜，突出重点，狠抓落实，精心培育精神文明建设“品牌”，坚持创建为了群众，创建依靠群众，创建提高群众，在创建中不断创新，在创新中推进创建的重要经验。

《创建文明城市丛书》展示了一幅幅群众性创建文明城市活动的精彩画卷，让人们看到了坚持两手抓、两个文明协调发展的成功范例，看到了创建文明城市活动在提高城市文明水平和市民文明素质方面起到的巨大作用。

（冰　冰）

《小城镇　大战略》

——创建文明小城镇经验汇编

中宣部宣教局　中央文明办协调组等编　学习出版社　327 千字

2001 年 10 月，中宣部、中央文明办、建设部、农业部和国家环保总局在河北省联合召开了创建文明小城镇工作座谈会。座谈会的主要任务是：认真贯彻江泽民同志“七一”重要讲话精神和党的十五届六中全会精神，以“三个代表”重要思想为指导，配合国家发展小城镇战略的实施，分析形势，交流经验，推出示范点，研究部署创建文明小城镇工作，以推动农村精神文明建设深入发展。创建文明小城镇的先进单位介绍交流了经验。会议进一步明确了创建文明小城镇的意义，提出了创建文明小城镇新的目标和任务，即围绕提高文明程度、居民素质和生活质量“三位一体”的目标，加强思想道德教育，促进城镇居民思想道德素质的提高；加强城镇文化建设，促进城镇居民文化生活的活跃；加强城镇环境建设，促进城镇容貌的美化；加强依法综合治理，促进城镇社会秩序的好转；加强优质规范服务，促进城镇居民生活质量的改善。

该书为创建文明小城镇工作提供了具体生动的参考资料。

（杨庆文）

《加强诚信建设　创建文明行业》

——创建文明行业工作座谈会资料汇编

中央文明办协调组编　学习出版社　207 千字

党的十四届六中全会以来，以“服务人民、奉献社会”为宗旨，以树立行业新风，倡导优质规范服务为主要内容，以“窗口”单位和行政执法部门为重点的创建文明行业活动在全国各地普遍开展，至 2002 年中央文明办、国务院纠风办先后确定了三批全国创建文明行业活动示范点。活动开展以来涌现出一批先进典型，促进了行业风气的改善和服务质量的提高，受到广大人民群众欢迎。第三批示范点单位在“三个代表”重要思想指引下，紧紧围绕“诚信经营、文明服务”的主题，在新的起点上继续开拓创新，发挥着辐射带动作用。

为总结交流近年来创建文明行业工作的经验，把创建文明行业活动进一步引向深入，中央文明办、国务院纠风办于 2002 年 5 月 11 日—13 日在山东省威海市召开了全国创建文明行业工作座谈会。中央文明办协调组将会议资料汇集成册，是为本书。

（杨庆文）

《喜看美景沐新风》

中央文明办协调组编　学习出版社　115 千字

1998 年中央文明办会同建设部、国家旅游局联合开展了以倡导“文明开发、文明经营、文明服务、文明管理”为基本要求的创建全国文明风景旅游区活动。该书是第四批全国文明风景旅游区示范点材料汇编。该书收录了有关领导同志的讲话和《中央文明办、建设部、国家旅游局关于确定第四批全国文明风景旅游区示范点的通知》、《中央文明办、国家旅游局关于表彰首批全国“文明导游员”的决定》；第四批全国文明风景旅游区示范点（普陀山风景名胜区、丽江古城风景旅游区、九华山风景名胜区、武当山风景名胜区、麦积山风景名胜区、嵩山风景名胜区、衡山风景名胜区、喀纳斯风景旅游区、镜泊湖风景名胜区、阿尔山风景旅游区）的经验交流材料并配有彩色照片；中央新闻单位对以上景区采访、报道的新闻稿件等。

（冰　冰）

《春风化雨润沃土》

——文化科技卫生“三下乡”经验资料汇编

中宣部宣教局编　学习出版社　223千字

为满足广大农民日益增长的精神文化需求，推动精神文明建设登上新台阶，中央宣传部、农业部、文化部、广播电影电视总局、新闻出版总署、共青团中央、全国妇联、中国科协于1995年11月发起并组织开展了文化科技卫生“三下乡”活动。“三下乡”活动开展以来，取得了丰富的经验，收到了显著的效果，既促进了农村两个文明建设的发展，也提高了参加活动的科技、文化、卫生工作者和大中专学生的素质，产生了“春风化雨润沃土”的作用。全书分为三部分，第一部分收入1995年至2001年间，中宣部、农业部、文化部、科技部、卫生部、国家教委等部委联合下发的关于开展“三下乡”活动的有关文件，记录着“三下乡”活动的缘起、宗旨、任务、要求、方法步骤等方面情况。第二部分收入历年领导同志的讲话。第三部分收入组织“三下乡”活动的经验和人民日报、新华社有关“三下乡”的评论与新闻综述，展示了各地“三下乡”活动丰富多彩的内容、鲜活生动的经验和显著成果。

（杨庆文）

《面向贫困学子　服务西部开发》

——“西部开发助学工程”资料汇编

中央文明办秘书组编　学习出版社　185千字

该书收入了中央领导同志关于西部开发问题的讲话和“西部开发助学工程”有关部门领导同志的讲话，实施这一工程的有关文件以及实施情况的报告和新闻媒体的相关报道。

“西部开发助学工程”是中央文明委为贯彻落实西部大开发战略，帮助西部地区培养人才，经中央有关领导同志批准同意，决定由中宣部、中央文明办、教育部组织实施的。工程从2000年开始，每年从西部12省（区、市）和新疆生产建设兵团考入重点高等院校的本科生中，选择1100名品学兼优的特困生，每人资助2万元，分4个学年陆续拨付，每年5000元，帮助他们完成大学学业。同时，受资助学生在校期间的学费由所在学校减免。这一工程的实施在社会上引起了强烈反响，尤其受到西部地区广大干部群众、受助学和家长的热烈欢迎，激发了受助学生的积极上进和奋斗精神。该书所收集的资料，不仅是“西部开发助学工程”的历史记录，是了解这一工程的主要依据，同时也有助于继续推进这一工程。

（杨庆文）

《高举先进文化的前进旗帜》

——“百县千乡宣传文化工程”纪实

中央文明办秘书组编 学习出版社 280千字

根据党的十四届六中全会关于加强欠发达地区和少数民族地区文化事业建设的精神，为加快改变贫困地区农村基层宣传文化设施严重不足的状况，促进人民群众文化生活条件的改善和自身素质的提高，中宣部、中央文明办、文化部从1998年开始，在中西部21个省（区、市）和新疆生产建设兵团组织实施“百县千乡宣传文化工程”。经过3年的努力，已资助建设100多个县级“宣传文化中心”和1000多个乡镇“宣传文化站”。实施这一工程，对改善中西部地区基层宣传文化设施严重不足的状况，满足农牧民群众日益增长的精神文化需求，提高农牧民的思想道德素质和科学文化素质，促进农村经济发展等，起到了积极作用，产生了良好的社会影响，受到当地农牧民群众的热情欢迎和称赞。

为进一步实施好这项工程，推进农村精神文明建设特别是农村基层文化设施建设，中央文明办秘书组将实施这一工程的有关文件、领导讲话、各地的实施经验以及新闻单位的相关报道汇集成册，即为本书。

（杨庆文）

《河北省精神文明创建工作博览》

白石主编 河北人民出版社 8764千字

该书系统反映了河北省1981—2000年20年间精神文明创建工作的发展历程，全面总结了创建工作的基本经验，展示了创建工作取得的丰硕成果及其不可或缺的社会历史作用，融创建工作的实践经验、历史资料、理论启迪等为一体，是为各级领导和有关部门进行精神文明建设提供的一部工作资鉴，并为社会科学研究提供了较为系统的历史资料，是河北省20年来精神文明建设的一部详实的历史博览。

该书共分上、中、下三册13卷。每卷分设发展历程、基本经验、典型事迹、文明单位传略、先进单位名录、文件汇编、机构改革、大事记共8个栏目。

发展历程专栏反映了河北省精神文明创建活动从无到有，从点到面，从探索到成熟，逐步规范化、制度化、系统化的历史进程。基本经验专栏总结了河北省开展三大创建活动中形成的富有自身特点的做法和体会。典型事迹、文明单位传略、先进单位名录、文件汇编、机构改革、大事记等栏目，分别就栏目设置的主旨，就河北省20年来在精神文明创建活动中的相关情况进行了大范围的耙梳和筛选，提供了系统详实的历史档案资料。

（李合堂）

《行业文明在上海》

上海市文明办编写　上海科技文献出版社　609千字

该书汇集了1994年以来，上海市各行各业深入开展精神文明创建活动，积极探索中国特色、时代特征、上海特点的行业精神文明创建之路的经验和成果。全书分为指导篇、调研篇、特色篇、示范篇、制度篇、思考篇等6个篇章。

该书指出，行业精神文明建设是上海市各行各业特别是“窗口”行业广大干部职工服务人民、奉献社会、建设现代化国际大都市的一项伟大实践，是城市社会主义精神文明建设的重要组成部分，也是社会主义精神文明建设与经济建设紧密结合的一个创举。党的十四届六中全会以后，上海市积极探索具有中国特色、时代特征、上海特点的行业精神文明建设新路，实现了物质文明建设和精神文明建设的有机结合，走出了在社会主义市场经济条件下，加强和改进职业道德建设的创新之路；实现了提高城市文明程度和市民素质与加强城市建设和管理的紧密结合，使文明行业创建成为适应社会主义市场经济秩序要求，促进行业发展与改革，规范市场经济秩序，提升行业管理水平的新载体。该书清晰地描述了上海市行业精神文明建设一路走来的轨迹。从上海市委提出行业精神文明建设行业规范服务达标到文明行业创建“两步走”的战略，8年多来，上海行业精神文明创建活动在原先“窗口”单位普遍达标的基础上，逐步发展为全行业的规范服务达标活动。创建活动从规范服务走向优质服务，从“窗口”单位走向“窗口”行业，从“窗口”文明走向行业文明，由点到线、由线及面、由低到高、由浅入深、有序开展、整体推进、全面覆盖、良性发展。

该书记载了上海市委、市文明委对行业精神文明创建的高度重视和精心指导；记载了各行各业围绕经济建设和改革，从抓“窗口”文明到实现行业文明，从行业文明延伸辐射到社会，形成行业联手、条块结合，不断提高行业综合竞争力、努力实现“服务人民、奉献社会”的良好社会氛围和发展态势；总结了33个行业从开展规范服务达标到创建文明行业过程中创新的管理思路、制度建设以及理论思考；推出和颂扬了在创建活动中涌现的一大批具有时代特征和行业特点的服务品牌与服务明星。

（上海市文明办）

《征　程》

——“九五”期间安徽省精神文明建设巡礼

安徽省委党史研究室　安徽省文明办编纂　安徽人民出版社　1500千字

该书记载了中共安徽省委、省人民政府和省文明委遵照党中央、国务院和中央文明委的部署，在“九五”期间领导全省人民深入开展群众性精神文明创建活动的历史，及其对全省经济建设和社会发展所发挥的重要促进作用，比较客观、全面地总结了其成功经验，可为新世纪、新阶段安徽省精神文明建设的进一步开展提供历史借鉴，使之更好地为安徽实现“加快发展、富民强省”和全面建设小康社会提供精神动力、智力支持。本书以大量生动事例展现了安徽人民在精神文明创建活动中锐意进取、敢于争先创优的精神风貌，有助于海内外人士更多地了解安徽、支持安徽。

该书设序言、领导讲话、综述、概述、先进典型、法规文件、附录等专栏，并选载了反映“九五”期间全省各地各有关单位精神文明建设进展和成绩的图片。

该书的编纂，力求史料性、指导性和可读性相统一。

（苗　键　盛大文）

《屯垦戍边与精神文明》

王运华著　新疆人民出版社　180千字

兵团肩负着屯垦戍边的历史使命，与这个历史使命相适应的体制、生产和生活方式也有着与其他社会组织形成不相同的鲜明特点。精神文明建设工作必须从兵团的实际出发，努力探索其独特的发展规律和新形势下的有效途径。《屯垦戍边与精神文明》一书体现了这种要求，是一部具有兵团特色的关于精神文明建设的作品。

全书分5章20节，系统总结了兵团精神文明建设的主要经验，论述了精神文明建设在兵团改革、发展、稳定的大局中所具有的地位和作用，探索了进入新世纪，兵团精神文明建设面对的挑战、机遇以及应采取的方法、途径。该书突出了屯垦戍边进程中精神文明建设的特点，对于深入思考和促进兵团的精神文明建设工作，有着积极的意义。

第一，研究了精神文明建设的新领域。该书把精神文明建设与屯垦戍边事业联系起来，探索屯垦戍边事业中的精神文明建设问题。

第二，探讨了精神文明建设的新视野。作者把精神文明建设放在历史发展的长河中，放在国际国内的大背景下，放在新疆改革发展和稳定的大局中去进行战略性的思考和研究，从历史和时代的大背景下找出精神文明建设必须加强的科学根据。

第三，阐发了具有兵团特点的新见解。该书对兵团特殊性进行了颇有新意的论述。作者认为，创造性是兵团事业发展的最大特点和优势，兵团的组织形式是全国独一无二的，在它的改革模式和经济发展道路上，很难有相同的经验模式可以照搬，因此，必须创造性地开展工作，探索和总结符合兵团实际、富有兵团特色的经济建设、致富职工的快速发展的路子。

第四，提出了“文明戍边”的新理念。作者提出，当代屯垦戍边是一个综合性概念，包含了政治、经济、文化三个方面内容，它们都是屯垦戍边内容的重要组成部分。作者认为文化戍边是要通过精神文明建设，使思想文化阵地也同样构筑起屯垦戍边的屏障。

第五，对思想政治工作给予了新的定位。作者提出宣传和思想政治工作是现代化建设事业的一个有机的重要组成部分，而不是仅仅处在外围的“服务”岗位上。宣传和思想政治工作与精神文明建设在现代化建设中起着不可替代和不可缺少的作用，绝非仅限于“服务”的范围。

（新疆生产建设兵团文明办）

《志愿行动在中国》

——中国青年志愿者行动研究

安国启主编　中央文献出版社　260千字

共青团中央发起并组织实施的中国青年志愿者行动是一项崭新的事业。从1993年底开始实施至今，取得的成绩和社会效果有目共睹。它的影响已经超出共青团工作的领域，成为全社会共同关心的事业，得到了党和国家领导人的高度肯定。青年志愿者这一称呼也逐渐为全社会所熟悉和接受。

该书致力于总结中国青年志愿者行动的经验，探索开展志愿服务的新方法、新机制，为更深入地推动中国青年志愿者行动的健康发展服务。书中回顾了中外慈善活动的历史潮流，深入探讨了传统的慈善观念与现代志愿精神的联系。同时，以大量的数据和事例，介绍了中国青年志愿者行动丰富多彩的活动形式和内容，提出青年志愿者活动是促进精神文明建设、提高公民素质、培养社会新人的有效途径。对于中国青年志愿者行动的内部管理机制及外部环境支持，尤其是法律保障等方面，也提出了一些新的见解。此外，书中还介绍了一些国外开展志愿服务活动的具体经验，比较了中外志愿服务活动的异同，在总结经验、寻找不足、借鉴国外做法的基础上，从组织管理、服务形式和内容以及立法工作等角度分析了中国青年志愿者行动的发展趋势，提出了一些较为新颖的观点和发展思路。

本书为国家社会科学基金项目。我国学术界关于志愿服务活动的理论研究还比较少，从某种意义上说，本书起到了一定的填补空白的作用。

（共青团中央宣传部）

《与高尚同行》

——中国青年志愿者行动纪实

钱念孙　邢军著　安徽教育出版社　250千字

该书以翔实的资料、丰富的事例和大量珍贵图片，回顾了学习雷锋活动40年的风雨历程，生动描绘了10年间中国青年志愿者行动从萌生到发展的历史画卷，讴歌了青年志愿者在扶弱助残、消除贫困、环境保护、抢险救灾等方面的奉献精神，展现了当代中国青年强烈的社会责任感和奋发向上的崭新风貌。该书是我国第一本全方位、深层次、多视角地记述中国青年志愿者行动发展脉络的专著。作者以丰富的事例为基础，对我国志愿服务事业和社会保障事业的发展作了理性思考。全书图文并茂，史论结合，用纪实的手法描述中国志愿者发生、发展的历史过程，思考道德建设在新的历史时期的途径和方法，旨在弘扬时代正气和文明新风。

（苗　键　盛大文）

大 事 记

CHRONICLE

1月8日

李岚清、丁关根考察广电总局

中共中央政治局常委、国务院副总理李岚清考察国家广播电影电视总局工作并讲话，中共中央政治局委员、书记处书记、中宣部部长丁关根参加考察并讲了话。

李岚清在听取中宣部副部长、国家广电总局局长徐光春工作汇报后指出，党中央、国务院对西部省区广播电视覆盖极为重视，加强这项工作关系到边疆地区的经济发展、社会稳定、民族团结，关系到我们党和国家的长治久安，具有十分重大的意义。近年来，各级党委、政府和有关部门做了大量工作，取得了可喜的成果。同时也要看到，落实江泽民同志提出的"让党和国家的声音传入千家万户，让中国的声音传向世界各地"的重要指示，还需要做长期的努力，要在取得成绩的基础上，坚持不懈地抓下去，针对薄弱环节，采取有效措施，全面加强广播影视工作。

丁关根在讲话中说，国家广电总局认真贯彻江泽民同志的重要指示，在加强西部省区广播电视覆盖方面取得很好成绩，要在巩固已有成绩的基础上，坚持不懈地抓下去，在扩大覆盖面的同时，把握正确导向，提高节目质量，把更多更好的精神食粮奉献给人民群众。

近一年来，国家广电总局和各级广电部门把加强对西部省区的广播电视覆盖工作作为一件大事来抓，把党和国家的声音传入了千家万户；同时，在有关地方党委、政府和中央有关部门的支持下，新建扩建了一大批发射台，大大增强了西部省区的广播电视覆盖能力，为西部大开发和边疆的发展稳定、民族团结创造了良好的社会环境，为边疆人民群众提供了数量多、质量好的精神文化食粮。

1月8日

中宣部等7部门发出通知继续深入开展"百城万店无假货"活动

中宣部、中央文明办、国家计委、国家经贸委、国家工商行政管理总局、国家质量监督检验检疫总局、共青团中央等7部门发出通知，要求各级有关部门在2002年内继续按照"巩固成果、加大力度、搞好延伸、稳步推进"的思路，深入开展"百城万店无假货"活动。

通知指出，各地、各部门要结合贯彻党中央印发的《公民道德建设实施纲要》和落实《国务院关于整顿和规范市场经济秩序的决定》的工作，充分认识深入开展"百城万店无假货"活动在加强职业道德建设，整顿和规范市场经济秩序，保护消费者合法权益，扩大内需、开拓城乡市场方面的重要意义。按照"爱国守法、明礼诚信、团结友善、勤俭自强、敬业奉献"基本道德规范的要求，修改和完善商贸企业职业道德规范和相关规章制度，使"以真诚赢得信誉，用信誉保证效益"的口号成为商贸企业干部职工的自觉行动。

通知指出，"2002年百城万店无假货"活动将开展几项集中活动：春节前后，继续以"百城万店无假货"活动示范街和示范店为骨干，组织货源下乡，把货真价实质优的日用消费品和农用物资送到农民手中；春节前夕，开展"百城万店食品打假"专项活动；"3·15"期间，在全国范围组织开展声势浩大的打假宣传咨询活动；春耕春播之际，进行"百城万店农资专项打假"活动；结合"四五"普法教育，以"诚实规范标价，制止价格欺诈"为主题，大力开展百城万店"价格、计量信得过"和"明码标价"宣传活动；组织"百城万店青年文明号信用调查神州行"活动和"百城万店青年文明号促销创效"活动。各地要从实际出发，组织开展各具特色的集中活动。

通知要求，各地要把创建示范街作为繁荣地方经济、改善投资和消费环境的一项具体措施，加大投入，树立形象，创出品牌，使示范街成为精神文明建设的“窗口”。各有关部门要加强协调，把创建“明码标价示范街（市场）”，“打假维权满意街”，“购物放心一条街”以及“百城万店青年文明号信用示范街”，作为“百城万店无假货”活动的重要组成部分抓紧抓好。这些街条件成熟后，可申报全国“百城万店无假货”活动示范街。

通知强调，各有关部门要加强对示范街、示范店（市场）的监督管理，进一步规范经营行为。2002年下半年，有关部门将组织人员对示范街、示范店（市场）进行检查，一旦发现违反创建标准的行为，将取消其称号，并予以曝光。各地要按照有关标准先行自查自纠，切实做好日常监督管理工作。

1月9—11日
全国宣传部长会议在北京召开

中共中央政治局常委、书记处书记胡锦涛1月11日出席会议并发表重要讲话（见本年鉴“文献·讲话”）。中共中央政治局常委、国务院副总理李岚清，中共中央政治局委员、书记处书记张万年，中共中央政治局委员、书记处书记、中宣部部长丁关根，中共中央政治局候补委员、书记处书记曾庆红出席了会议。

胡锦涛强调，2002年是我们党和国家历史上非常重要的一年。宣传思想战线一定要认真贯彻党的十五届五中、六中全会和中央经济工作会议精神，围绕中心，服务大局，高度重视并切实做好统一思想的工作，努力把全党同志和全国人民的思想统一到邓小平理论和“三个代表”重要思想上来，统一到中央应对复杂国际局势作出的重要判断和重大决策上来，统一到中央关于今年工作的总体要求和部署上来，为完成今年改革开放和现代化建设的各项任务，为十六大的胜利召开提供强有力的思想和舆论保证。

会议认真学习了胡锦涛同志在这次会议上的重要讲话，总结了2001年工作，部署了2002年的宣传思想工作。

会议认为，2001年，在以江泽民同志为核心的党中央领导下，宣传思想战线围绕中心，服务大局，团结一致，扎实工作，唱响主旋律，打好主动仗，大力宣传党的基本理论、基本路线，大力宣传江泽民同志“七一”重要讲话和“三个代表”重要思想，大力宣传六中全会精神。特别是庆祝中国共产党成立80周年，主旋律高扬，爱国热情高涨，民族自豪感大大增强。全年工作主题突出、基调鲜明、导向正确，实现了新世纪的良好开局。

会议指出，2002年的宣传思想工作，要遵照中央总的工作精神，高举邓小平理论伟大旗帜，以“三个代表”重要思想为指导，坚持党的基本路线不动摇，以科学理论武装人，以正确舆论引导人，以高尚精神塑造人，以优秀作品鼓舞人，统一思想，凝聚力量，为党的十六大营造良好氛围，为改革发展稳定提供有力的思想保证。

会议提出，理论工作要深入推进“三个代表”重要思想的学习研究宣传，回答人民群众关心和现实生活提出的重大理论和实际问题，进一步增强说服力、战斗力；新闻工作要紧紧围绕党和国家工作大局，坚持团结稳定鼓劲、正面宣传为主，牢牢把握正确导向；文艺出版工作要一手抓繁荣、一手抓管理，多出优秀作品，丰富人民群众精神文化生活；思想政治工作和精神文明创建活动要坚持面向基层、服务群众，充实内容、注意方法，坚持思想教育和解决实际问题紧密结合，进一步增强针对性、实效性；新闻出版广播影视业改革要积极主动、深入创新、加大力度、稳步推进，进一步壮大实力、增强活力、提高竞争力。

中共中央政治局委员、书记处书记、中宣部部长丁关根主持会议并在会议结束时讲话（见本年鉴“文献·讲话”）。

中宣部常务副部长刘云山在会上作了工作报告。中宣部副部长、广电总局局长徐光春，新闻出版总署署长石宗源，中宣部副部长吉炳轩、李从军通报了情况。中央有关部门负责人和全国省、自治区、直辖市党委宣传部长参加了会议。参加全国文明办主任会议的同志列席了会议。

1月9—11日

全国文明办主任会议在北京召开

全国文明办主任会议研究部署2002年精神文明建设工作。会议期间，同全国宣传部长会议一起聆听了胡锦涛同志的重要讲话和丁关根同志的总结讲话，传达学习了丁关根、李铁映同志在中央文明委第十一次全体会议上的讲话精神。

会议认为，2001年精神文明建设工作以“三个代表”重要思想为指导，按照中央部署，围绕中心、围绕大局，服务基层、服务人民，抓教育、抓活动、抓示范，有力度、有创新、有提高，形势是好的。同时又要看到，精神文明建设面临着许多新情况新问题，面临着严峻的挑战，我们工作中还有不少薄弱环节。一定要保持清醒头脑，丝毫不能松懈。

会议强调，2002年是我们党和国家发展进程中十分重要的一年。统一思想的任务很重，改革发展的任务很重，维护稳定的任务很重。我们要按照中央关于“统一思想、坚定信心，沉着应对、趋利避害，转变作风、扎实工作”的要求，高举邓小平理论伟大旗帜，以“三个代表”重要思想为指导，进一步贯彻党的十五大和十五届六中全会精神，围绕中心，服务大局，团结奋斗，扎实工作，唱响主旋律，打好主动仗，大力加强思想道德教育，扎实开展群众性创建活动，全面推进精神文明建设，为改革开放和现代化建设提供强大的思想保证和精神动力。

会议指出，2002年的精神文明建设要以迎接十六大、宣传十六大、贯彻十六大，认真学习“三个代表”、深入宣传“三个代表”、身体力行“三个代表”为主线。各项工作围绕这一主线，分为两个阶段，形成三个热潮。十六大召开前，进一步深入学习宣传贯彻江泽民同志“七一”重要讲话和十五届六中全会精神，充分展示十五大以来我国物质文明建设和精神文明建设的巨大成就，努力为十六大召开营造昂扬向上、团结奋进、开拓创新的良好氛围。十六大召开后，认真按照中央的要求，大力学习宣传贯彻党的十六大精神。在全国兴起学习宣传贯彻“三个代表”重要思想的热潮，兴起宣传改革开放和党的建设辉煌成就的热潮，兴起学习宣传贯彻十六大精神的热潮，努力把广大干部群众的思想统一到邓小平理论和“三个代表”重要思想上来，统一到中央应对复杂国际局势作出的重要判断和重大决策上来，统一到中央关于今年工作的总体要求和部署上来。

会议指出，2002年理论武装工作要深入推进“三个代表”重要思想的学习研究宣传，重点组织力量集体攻关，努力把重大理论和实际问题说充分说清楚。思想道德教育要紧紧抓住贯彻落实《公民道德建设实施纲要》这个中心环节，组织动员社会各方面深入开展多种形式的公民道德实践活动，大力宣传“20个字”的公民基本道德规范。群众性精神文明创建活动要按照拓展领域、充实内容、改进方法、提高水平的要求，以名牌项目为抓手，推动创建文明城市、文明村镇、文明行业连点成片，互相促进，整体发展。要积极配合中央整顿、规范市场经济秩序和应对加入世贸组织挑战的部署，切实加大行业精神文明创建工作力度，着力抓好以诚实守信教育为重点的职业道德建设。西部开发助学工程要进一步扩大大学生的资助范围，选择部分重点高中资助开办宏志班，抓好残疾人助学工程。百县千乡宣传文化工程要整体规划，适当集中，重点支持革命老区改变文化设施落后状况。中央文明委在十六大召开前表彰一批精神文明建设成绩优异的文明单位和先进个人，以推动各地各部门兴起学先进、赶先进、争当先进的新热潮。

会议指出，做好2002年工作，要坚持解放思想、实事求是、与时俱进、开拓创新，把

"三个代表"重要思想贯彻到精神文明建设的各项工作中；坚持一切从群众的需要出发，把解决群众思想问题与解决实际问题结合起来，特别要关心那些最困难最需要帮助的群众，切实把他们的生活、工作安排好；坚持在巩固中提高，在探索中前进，在继承中创新，使精神文明建设持续深入发展；坚持改进作风，真抓实干，在狠抓落实上下功夫，进一步增强工作针对性和实效性。

出席会议的有各省、自治区、直辖市及新疆生产建设兵团文明办主任或专职副主任，中央文明委成员单位有关负责同志，中直工委、中央国家机关工委、中央金融工委、中央企业工委文明办负责同志。

1月18日

全总召开实施送温暖工程10周年座谈会 江泽民为送温暖工程题词

中华全国总工会实施送温暖工程10周年座谈会在京召开。中共中央总书记、国家主席江泽民为送温暖工程题词。中共中央政治局常委、中央书记处书记、中华全国总工会主席尉健行发表重要讲话（见本年鉴"文献·讲话"）。

全国人大常委会原副委员长、中华全国总工会原主席倪志福出席了座谈会。座谈会由中华全国总工会副主席、书记处第一书记张俊九主持。民政部、劳动和社会保障部及黑龙江、湖南、四川、河南等省有关负责同志在座谈会上发了言。

1月30日

中宣部中央政法委等7部委联合部署"扫黄""打非"行动

中央宣传部、中央政法委、全国"扫黄""打非"工作小组、公安部、文化部、广播电影电视总局、新闻出版总署联合部署2002年"扫黄""打非"行动。

7部委认为，围绕迎接十六大、学习十六大、贯彻十六大，营造昂扬向上、团结奋进、开拓创新的良好氛围，是2002年"扫黄""打非"工作第一位的任务。2002年集中行动的重点和工作目标是，通过继续清理整顿市场，打击出版物走私，追溯印刷复制源头，查处大案要案，进一步净化出版物市场，为完成今年改革开放和现代化建设的各项任务和党的十六大胜利召开营造良好的文化环境和舆论氛围。

7部委要求，各级党委和政府一定要切实加强对这次集中行动的领导，主要负责同志要亲自抓。要精心组织，周密部署，动员各有关部门迅速投入到集中行动中来。各地区、各部门要结合各自实际，制定具体实施方案。要把打击政治性非法出版物作为重中之重，坚决清缴政治性非法出版物，下大气力整治游商，巩固印刷企业整顿和历年规范音像复制企业的成果，管好源头。各地在认真搞好集中行动的同时，要精心研究如何强化日常管理工作。政法各部门要按照《2002年"扫黄""打非"行动方案》，通过清市场、打走私、追源头、查大案，充分运用法律武器，积极开展集中行动和专项治理。

2月1日

中共中央国务院隆重举行国家科学技术奖励大会

中共中央、国务院在北京隆重举行国家科学技术奖励大会。中共中央总书记、国家主席、中央军委主席江泽民出席大会并为获奖代表颁奖。

中共中央政治局常委、国务院总理朱镕基代表党中央、国务院在大会上讲话（见本年鉴"文献·讲话"）。中共中央政治局常委、国务院副总理李岚清宣读了《国务院关于2001年度国家科学技术奖励的决定》。

中共中央政治局常委、国家副主席胡锦涛

主持大会。

根据党中央、国务院的决定，从2000年起设立的国家最高科学技术奖，是以国家名义对为科学技术发展作出杰出贡献的科学家给予最高荣誉的奖励。这次大会是我国科学技术发展史上的一次盛会，是对我国科学技术水平的一次检阅。

《决定》要求全国科技工作者要向全体获奖者学习，继续发扬坚持真理、刻苦钻研、求真务实、开拓创新、大力协作、勇攀高峰的精神，不断加强技术创新，加速科技成果转化，为推动我国经济结构战略性调整、提高我国的综合国力、实现我国社会主义现代化建设第三步战略目标提供强大的科技支持，做出更大的贡献。

会上，江泽民首先向获得2001年度国家最高科学技术奖的中国科学院和中国工程院院士、北京大学计算机科学技术研究所王选，中国科学院院士、中国科学院半导体研究所黄昆颁发奖励证书和奖金。在热烈的掌声中，江泽民等党和国家领导人还向获得国家自然科学奖、国家技术发明奖和国家科学技术进步奖的代表颁奖。

会上，颁布了2001年度国家科学技术奖励获奖人选和项目。其中，获国家自然科学奖二等奖18项；获国家技术发明奖二等奖14项；获国家科学技术进步奖一等奖17项，二等奖174项。德国科学家米夏埃尔·佩策特、美国杨又迪博士、瑞典科学家比约昂·艾利克·维尔汉姆·诺登斯强姆、加拿大毛焕宇博士、日本科学家黑田吉益、巴西若则·依斯拉尔·瓦加斯博士获中华人民共和国国际科学技术合作奖。

2月4—6日

中央新闻单位集中宣传广州创建文明城市经验

中宣部、中央文明办组织中央主要新闻单位集中宣传广州市创建文明城市的经验。人民日报、新华社、光明日报、经济日报、中央电台、中央电视台、解放军报、科技日报、工人日报、中国青年报、中国妇女报、法制日报、中国建设报、中国社会报、中国文化报等15家新闻单位参加了这次报道。在集中宣传的3天时间内，各报共发表介绍广州经验的通讯39篇，约13万字；人民日报、新华社各发表1篇评论员文章；中央电台连续3天在新闻报摘节目中播出通讯，并制作播出1期新闻纵横节目；中央电视台连续3天在新闻联播节目中播出报道，并制作播出了1期焦点访谈节目。

各新闻单位发挥自身的优势，以消息、图片、影像、通讯和评论等形式展现了广州市认真贯彻落实“三个代表”重要思想，加强公民道德建设、改善城市管理、发展文化教育科技、开展群众性精神文明创建活动的思路、做法、经验和成效，在全社会引起了强烈反响。

2月4日

16部委团体联合发出通知组织好“全国助残日”活动

国务院残疾人工作协调委员会及中宣部、中央文明办、教育部、公安部、民政部、共青团中央、中国残联等16个部委、团体近日联合发出通知，要求各省、自治区、直辖市有关部门采取措施，组织好“全国助残日”活动。5月19日是我国第十二次法定“全国助残日”。本次“全国助残日”主题为“关注基层残疾人工作，保障残疾人基本生活”。

通知对组织好“全国助残日”活动提出10个方面的要求。

各地要将助残活动纳入贯彻《公民道德建设实施纲要》的总体安排，在创建文明城市、文明社区、文明小城镇等活动中，在各项文明公约的制定过程中，要将扶残助残作为其中的一项重要内容。

2月8日

中央组织部等3部门联合做出决定 开展向张荣锁同志学习活动

中央组织部、中央宣传部、全国农村“三个代表”重要思想学习教育活动联系会议领导小组联合做出决定：开展向张荣锁同志学习活动。

张荣锁任河南省辉县市上八里镇回龙村党支部书记。他所在的回龙村地处太行山深处，自然环境恶劣，交通闭塞，经济发展缓慢，群众生活十分困难。1993年10月，张荣锁担任党支部书记后，带领全村干部群众在悬崖绝壁上修筑了8公里公路，开凿了千米隧道，结束了山区群众行路难的历史；他带领干部群众立足山区，发挥优势，栽果树、种香菇、开采石材、发展旅游业，使农民人均纯收入从1993年的600元增加到2001年的2300元，初步改变了村里的贫穷落后面貌；他公道正派，以身作则带班子，带领干部群众破除歪风邪气，倡导文明村风，使全村社会治安稳定，群众安居乐业；他心里装着集体、装着群众，先后出资98万元捐助公益事业，拿出9万元救助孤寡老人和群众，使群众感受到党的关怀和温暖。张荣锁的先进事迹和崇高品格，得到了农民群众的高度赞扬，受到了当地党组织的表彰。

决定说，张荣锁是自觉实践“三个代表”重要思想的典范，是新时期农村党支部书记的优秀代表，是广大农村基层干部的学习榜样。向张荣锁同志学习，就是要学习他立党为公、一心为民的思想品质，学习他艰苦创业、锐意进取的拼搏意识，学习他舍生忘死、百折不挠的奉献精神，学习他求真务实、扎扎实实的工作作风。

决定指出，广泛开展向张荣锁同志学习活动，对于帮助广大农村基层干部牢固树立党的宗旨意识，增强群众观念，转变作风，提高素质，维护农民群众的根本利益，加强农村基层组织建设，推动农村各项工作，具有重要意义。当前，全国农村“三个代表”重要思想学习教育活动正在扎实进行，各级党组织要广泛宣传张荣锁的先进事迹，把张荣锁的先进事迹作为对基层干部进行“三个代表”重要思想教育的生动教材，推进学习教育活动不断深入。广大农村基层干部要以张荣锁同志为榜样，自觉实践“三个代表”重要思想，为建设富裕、文明的社会主义新农村而努力奋斗。

2月25日

中国“小公民”道德建设计划启动

由中宣部、全国妇联、团中央、教育部、国家环境保护总局、国家广播电影电视总局共同发起的中国“小公民”道德建设计划在北京正式启动。

中国“小公民”道德建设计划的主要内容是：在全国少年儿童中广泛开展“我做合格小公民”的宣传教育、实践创新和评选展示活动。为了使20字公民道德建设方针深入人心、家喻户晓，使儿童从小树立公民道德意识，针对儿童特点，推出“小公民”社会道德行为“五小”行动，作为儿童普遍认同和自觉遵守的行为准则。“五小”的内容是：在家庭做孝顺父母、关心亲人、勤俭节约、热爱劳动的“小帮手”；在社会做热爱祖国、文明礼貌、诚实守信、遵纪守法的“小标兵”；在学校做团结友爱、互相帮助、尊重他人、善于合作的“小伙伴”；在社区和公共场所做爱护公物、讲究卫生、保护环境、遵守秩序的“小卫士”；在独处时做胸怀开阔、心理健康、勤奋自立、勇于创新的“小主人”。

2月27日

龙清秀先进事迹报告会在北京举行

龙清秀先进事迹报告会在北京人民大会堂

举行。会前，中共中央政治局委员、国务院副总理温家宝接见了报告团成员。

温家宝说，龙清秀是党的好女儿，人民的好女儿。她在平凡的岗位上做出了不平凡的业绩，深受人民爱戴。她一身正气，两袖清风，生命不息，奋斗不止，值得国家机关干部认真学习。她对人民有着深厚的感情，所以才能牢记党的宗旨，自觉实践“三个代表”。她把一切，直至生命都献给了贫困山区的人民群众。她爱人民，人民也爱她。学习龙清秀，最根本的是要像她那样热爱人民。各级党委、政府要把这项学习活动组织好，把学习活动同贯彻党的十五届六中全会精神结合起来，同中央正在开展的扶贫济困工作结合起来，同农村“三个代表”重要思想学习教育活动结合起来，让龙清秀的思想、精神永存。

报告团成员、湖南省计委以工代赈办公室副主任李学斌、湖南省桑植县县长何其雄、新华社记者易红、龙清秀的儿子陈云龙从不同角度、不同侧面，介绍了龙清秀的先进事迹（见本年鉴“先进典型”）。

国家计委党组书记、主任曾培炎在报告会上讲话，对学习龙清秀的先进事迹提出了明确要求。

中宣部副部长刘鹏主持了报告会。首都各界群众近千人参加了报告会。报告会由中宣部、国家计委、湖南省委联合举办。

龙清秀同志先进事迹报告团到四川、广西等地进行了巡回报告。2 月 24 日至 3 月 4 日，中央新闻单位对龙清秀同志先进事迹进行了集中宣传报道。

3 月 12 日

全国百城万店“明码标价宣传月”活动启动

由国家计委举办的以“诚实规范标价，禁止价格欺诈”为主题的全国百城万店“明码标价宣传月”活动在黑龙江省哈尔滨市正式启动。全国各地价格主管部门将集中时间、集中力量，在“3·15”前后进行为期一个月的“明码标价宣传月”活动，禁止价格欺诈，开展市场价格监督检查。中国商业联合会副秘书长邓治平代表北京市百货大楼等 31 个省、自治区、直辖市的“价格、计量信得过”商店、“明码标价示范”商店及“百城万店无假货”示范店向全国商界发出“倡导诚实信用，禁止价格欺诈，加强价格自律”的倡议书。

3 月 21 日

中宣部　中央文明办　教育部决定加大“西部开发助学工程”资助力度

中央宣传部、中央文明办、教育部《关于进一步做好“西部开发助学工程”实施工作的通知》指出，“西部开发助学工程”自 2000 年实施以来，得到了西部广大干部群众的热烈欢迎，在全国引起强烈的社会反响。为认真贯彻落实中央领导同志关于“把好事办实，实事办好”的批示精神，进一步做好“西部开发助学工程”实施工作，中央精神文明建设指导委员会决定，自 2002 年起，扩大“西部开发助学工程”资助范围，加大资助力度。

《通知》规定，从 2002 年开始，“西部开发助学工程”资助范围由西部 12 省（区、市）和新疆生产建设兵团扩大到贫困面较大的河北、山西、黑龙江、安徽、江西、河南、湖北、湖南等省。资助大学生名额总数由每年 1200 名增加到 2080 名，每人每年 5000 元的资助标准不变。

《通知》规定，从 2002 年起，在河北、山西、内蒙古、黑龙江、安徽、江西、河南、湖北、湖南、广西、重庆、四川、贵州、云南、西藏、陕西、甘肃、宁夏、新疆、青海省（区、市）和新疆生产建设兵团各确定两所省级示范性普通高中，每所高中在招生计划内开办一个“宏志班”，每班 50 人，每人每学年资助 2000 元。所需经费从中央级文化事业建设费中支出。资助对象必须是达到本地区当年中考录取标准，符合省级示范性普通高中招生条件，品学兼优、家庭贫困、无力完成高中学业的优秀学生。

《通知》强调，确定受资助学生要在学生本人自愿申请的基础上，采取自下而上、逐级审核、学校参与的办法，坚持“公开、公平、公正”的原则，建立有效的社会监督机制，在本地主要新闻媒体和学生所在初中公布资助条件、申报程序及受资助学生候选名单，接受社会监督，严防不正之风。

《通知》要求，对受资助学生要实行动态管理。如受助学生在校期间出现严重违纪违规行为甚至违法犯罪现象，应取消资助；受助学生在校学习两年仍有2门（含2门）必修课不及格，应取消资助；受助学生家庭经济情况发生变化或学生本人情况发生变化，不再符合资助条件，可中止资助。

《通知》强调，各地、各有关部门要从讲政治的高度，从贯彻落实“三个代表”重要思想的高度，从改革开放和现代化建设全局的高度，充分认识实施“西部开发助学工程”包括开办高中“宏志班”的重大意义，以对党和人民高度负责的态度，怀着对人民群众的深厚感情，周密安排，狠抓落实，切实把这件受到广大人民群众特别是贫困群众热烈欢迎的实事办实办好。

3月22日

民政部要求大力宣传殡葬法规倡导殡葬改革

民政部近日发出通知，要求各地民政部门近期集中宣传殡葬法规、倡导殡葬改革，引导群众移风易俗、文明进行祭祀活动。

通知要求，在城市，以“殡葬法规、殡葬服务进社区”为主题，大力宣传国务院《殡葬管理条例》、地方规章以及有关公墓管理的法规政策，宣传殡葬改革对节约土地、保护生态环境、促进社会进步的积极意义，帮助群众了解墓地和骨灰存放使用规定，使相关的管理法规和政策深入人心；在农村，要充分发挥基层红白理事会的作用，引导群众破除旧的丧葬陋俗，自觉进行殡葬习俗改革，倡导和鼓励群众采用不占或少占土地的方式一次性安置骨灰。

通知要求殡葬服务机构要抓住有利时机，在努力为群众提供完善的配置服务的同时，引导文明节俭办丧事，将殡葬服务从街道、社区延伸到农村，逐步缩小殡仪服务与广大群众之间的距离，满足群众的需要。

3月29日

刘清华先进事迹报告会在北京举行

中国铁道建筑总公司第十三局集团公司三处十队党支部书记刘清华先进事迹报告会在北京人民大会堂举行。报告团的同志从不同侧面介绍了刘清华的先进事迹（见本年鉴“先进典型”）。会前，中共中央政治局委员、国务院副总理、中央企业工委书记吴邦国接见了报告团全体成员，对刘清华同志的先进事迹予以高度评价，号召企业广大党员干部向刘清华同志学习。

吴邦国说，刘清华同志始终不忘自己是一名共产党员，在发生大塌方的危急关头能够挺身而出，表现出很强的党性。在日常工作中，他始终与职工群众打成一片，心里装着群众，廉洁自律，处处起模范带头作用；他在数九寒天的工地上多次让铺给工友而自己睡地铺、让自己的爱人下岗而不让工人的家属下岗等实际行动，赢得职工群众的爱戴。刘清华的先进事迹回答了在新时期如何做一名合格共产党员、如何做好党支部工作的问题。吴邦国强调，在深化国有企业改革、加快国有企业发展中，充分发挥党组织政治核心作用、基层党组织战斗堡垒作用和党员先锋模范作用，是搞好国有企业的一大政治优势。

中央企业工委副书记郑斯林讲话。中央企业工委副书记王瑞祥主持报告会。中央宣传部、铁道部、全国总工会等有关部门负责同志和中央企业工委及在京中央企业干部职工3000余人参加了报告会。

4 月

薄一波同志著《领袖元帅与战友》出版

薄一波同志关于老一辈无产阶级革命家回忆文章的汇编本《领袖元帅与战友》一书，近日由人民出版社出版。全书收回忆文章 36 篇，分为三辑。第一辑分别记述了作者与毛泽东、刘少奇、周恩来、朱德、任弼时、陈云等党的主要领导人的来往，以及对一些重大问题的思考和看法；第二、三辑分别记述了作者与共和国的几位元帅以及同时代部分战友的交往。全书从一个侧面生动地反映了党的历史。

薄一波在该书的前言中写道：我今年已经 94 岁，走过了近一个世纪的人生历程。我常对身边的工作人员说：我是幸存者、幸运者。我青年时经常阅读党报《向导》周报，得益匪浅。在中国人民的革命斗争中，涌现了多少中华民族的优秀儿女，可是许多非常杰出的同志却过早地牺牲了，活着的又为新中国的建设事业继续奋斗，如今许多人又先后离开了我们。我在这里记述了他们中一部分优秀者的奋斗和业绩，目的是要告诉我们的后来者，新中国来之不易，成长不易。然而，只要我们继承先驱者们这种为祖国和人民利益不懈奋斗的精神，实践“三个代表”，顺应历史潮流，中华民族就一定能像毛泽东同志当年预言的那样，巍然屹立于世界民族之林，为人类的和平与发展做出自己的贡献。

4 月 6 日

江泽民等参加首都全民义务植树活动

党和国家领导人江泽民、朱镕基、李瑞环、胡锦涛、尉健行、李岚清等来到北京朝来森林公园，参加首都全民义务植树活动。他们挥锨铲土，提水浇灌，栽下一株株树苗，为北京实施“绿色奥运行动计划”再播新绿。江泽民强调：“植树造林，绿化祖国，造福后代，我们要再接再厉，一代一代干下去。”

2002 年 4 月 6 日是首都第十八个全民义务植树日，植树日的主题是“建生态城市，办绿色奥运”。一大早，首都 200 万干部群众奔赴城郊区各植树地点，加入植树造林、绿化首都的行列。

全民义务植树活动开展 21 年来，全国有 70 多亿人次参加义务植树，共植树 370 多亿株。

参加植树活动的中央领导同志还有丁关根、吴邦国、张万年、姜春云、钱其琛、温家宝、曾庆红、吴仪、司马义·艾买提等。中央和国家机关有关部门以及北京市的负责同志也参加了植树活动。

4 月 6—14 日

中宣部　科技部　中国科学院共同组织科技下乡西部行

为配合党中央、国务院西部大开发战略，推动“三下乡”常下乡，促进西部农村经济快速发展，中宣部、科技部和中科院共同组织的第二次“科技下乡西部行”活动在四川、重庆举行。

参加本次活动的有著名生态学家、中国科学院院士张新时、中国工程院院士孙铁珩等 9 位生态、农业、植物、化工科技专家。专家们先后走访了四川省成都市、阿坝藏族羌族自治州茂县和松潘县、重庆市及潼南县等地，行程 3000 余公里。在各地专家们先后作科普报告 6 场，结合西部地区的生态恢复和重建、西部地区产业结构调整以及运用新科技发展生产、提高生活的前景作了启发性讲解。专家们深入基层就农业病虫害防治、名贵花卉栽培、经济果木种植和无公害蔬菜规模发展等提供技术指导和咨询，并向当地农业科技部门和农民赠送了一批最新版的农业现代化实用技术丛书和资料。专家们还同当地有关部门就利用生物防治虫害、城镇污水处理、发展花卉产业和扩大无公害绿色蔬菜规模等支农项目进行合作达成初步协议。

4月16日

中央文明办　国务院纠风办推出第三批全国创建文明行业活动示范点

中央文明办、国务院纠风办联合推出第三批共119个全国创建文明行业活动示范点。

党的十四届六中全会以来，以“服务人民、奉献社会”为宗旨，以树立行业新风、倡导优质规范服务为主要内容，以“窗口”单位和行政执法部门为重点的创建文明行业活动在各地普遍开展，涌现出一批先进典型，促进了行业风气的改善和服务质量的提高，受到了广大人民群众的欢迎。

为密切配合中央整顿和规范市场经济秩序工作的深入开展，推动《公民道德建设实施纲要》的贯彻落实，加强行业作风建设，进一步深化创建文明行业活动，在金融、铁道、邮电、海关、税务、工商、气象、电力等系统和各省、自治区、直辖市认真推荐的基础上，中央文明办、国务院纠风办联合确定了这批示范点。

4月20—21日

中央文明办等9部门联合组织开展科教、文体、法律、卫生“四进社区”活动

中央文明办、中央综治办、文化部、卫生部、司法部、国家体育总局、中国科协、共青团中央、全国妇联等9部门联合发出《关于开展科教、文体、法律、卫生“四进社区”活动的通知》。

《通知》要求，通过开展“四进社区”活动，引导社区居民“关心小家爱大家，共育社区文明花”，相认、相识、相知、相助，身体力行社会主义思想道德，形成平等友爱、良好和谐的社会风尚，邻里互助、团结进步的人际关系，传播健康、文明、科学的生活观念，满足居民增长知识、崇尚文明、学习法律、健身强体、娱乐身心等方面的需要，促进人的全面发展和社会文明进步，为党的十六大创造昂扬向上、团结奋进的良好氛围。

《通知》指出，“四进社区”系列活动要覆盖全年，一个时期突出一两个重点。科教进社区，要组织专家、学者、科普工作者和科普志愿者在社区与居民共同举办科普读书、讲座等各种活动，办好社区科普画廊、宣传栏、制作科普公益广告等；在4、5月份，组织“万种科普书刊”、“万套科普挂图”进社区，举办“万场科普报告会”、“万场科普咨询服务”、“万场科普影视放映”等活动。文体进社区，要努力建设和开辟更多面向广大群众、便于居民参与的公益性文化体育场所，经常组织有社区特色、丰富多彩的群众性文体活动。适当时候举行全国性社区文化汇演和趣味体育赛表演展示活动。法律进社区，要深入社区开展法制宣传教育，普及与社区居民日常生活密切相关的法律常识。同时，引导社区居民增强遵纪守法、安全防范意识，自觉同违法犯罪行为做斗争。落实各项防范和管理措施，建立社区社会治安综合治理网络，及时排查和调处各类矛盾纠纷，严厉打击各种违法犯罪行为，坚决扫除黄、赌、毒等社会丑恶现象。卫生进社区，要结合城镇医药卫生体制改革和发展健全社区卫生服务站，动员各级各类卫生机构、卫生人员和志愿者，为社区居民进行健康检查和常见病治疗，普及医疗卫生知识，为残疾人、孤寡老人、下岗职工和困难家庭等弱势群体送医送药上门。

《通知》强调，各地各有关部门要精心设计，广泛动员，扎扎实实为社区居民解决实际困难和问题；要培养骨干，常抓不懈，逐步形成专业工作者和志愿者结合、有各方面人士组成的社区活动骨干队伍；要协调行动，齐抓共管，形成合力，把“四进社区”活动深入持久地开展下去。

4月21日，在北京举行全国“四进社区”

启动活动，各大城市同时举行启动仪式，“四进社区”活动在全国全面展开。

4月21日

中宣部　共青团中央发出通知开展农村青年道德实践活动

中央宣传部、共青团中央日前发出《关于开展农村青年道德实践活动的通知》，决定在全国农村广泛开展农村青年道德实践活动，深入贯彻落实《公民道德建设实施纲要》，加强农村青年道德教育。活动以县、乡为重点组织开展。

1. 组织万场青年读书演讲会。以乡镇为单位，采取分散学习和集中学习相结合的办法，通过座谈体会、交流心得、辅导培训、演讲比赛等多种形式，定期举办青年读书演讲会，促进农村青年发愤读书、矢志成才。

2. 组建万支青年文明宣传队。以县（市）为单位，把当地具有较高学历和良好道德素质的优秀青年组织起来，建立青年文明宣传队，走村串户宣讲公民基本道德规范。

3. 开展百万农村青年道德规范承诺。在学习宣传20字公民基本道德规范的基础上，围绕社会公德、职业道德、家庭美德，动员组织上百万名农村青年结合生产生活实际进行细化，做出要做什么、不做什么的道德规范承诺。

4. 组建万支农村青年志愿者服务队。以乡镇为单位组建青年志愿者服务队，采取一助一、长期和短期活动相结合的办法，组织农村青年带头讲文明、讲道德，服务奉献社会。

4月24日

中宣部等单位追授周光裕“全国见义勇为先进分子”称号

中共中央宣传部、中央社会治安综合治理委员会、公安部和中华见义勇为基金会在南京联合举行仪式，隆重表彰周光裕的先进事迹（见本年鉴“先进典型”），追授周光裕同志“全国见义勇为先进分子”荣誉称号，并向周光裕的妻子王福琴颁发了荣誉证书、奖章和奖励抚恤金10万元。

4月24日

国家工商总局等7部门联合发出通知　进一步加强集贸市场专项整治

国家工商行政管理总局、国家经济贸易委员会、公安部、卫生部、国家税务总局、国家质量监督检验检疫总局、国家药品监督管理局日前发出通知要求，进一步加强集贸市场专项整治工作。

通知指出，集贸市场专项整治涉及面广，任务繁重，各部门既要深刻认识国务院部署开展集贸市场专项整治工作的重要性、必要性，又要充分认识到这项工作的艰巨性、复杂性，正确处理专项整治工作与促进经济发展的辩证关系，克服畏难、厌战情绪，进一步统一思想，切实把集贸市场专项整治作为继续深入开展整顿和规范市场经济秩序的一项重要工作，抓紧、抓实、抓好。要按照“全国统一领导，地方政府负责，部门指导协调，各方联合行动”的工作要求及确定的部门职责分工，在地方政府的统一领导下，尽快建立健全相应的组织协调和联动机制，既要各司其职、各尽其责，又要密切配合、联合行动。尤其是在组织对本地的重点地区和重点市场整治工作中，要统筹考虑，有计划、有组织地协调行动，保证整治工作的顺利进行。要通过联席会议等形式，加强工作的指导和协调。同时，加强信息的沟通和传递，各部门负责专项整治工作的机构、负责人、联系方式等情况，要相互备案，保持联系。对不属本部门职责管辖范围的案件线索及有关举报、申诉和投诉材料，要及时分流，移交有关部门处理。

4月29—30日

首都集会庆祝“五一”国际劳动节颁发“五一”劳动奖状奖章

庆祝“五一”国际劳动节大会于4月29日在北京人民大会堂隆重召开。中共中央政治局常委、书记处书记、中华全国总工会主席尉健行发表重要讲话，强调要按照“三个代表”的要求，坚持全心全意依靠工人阶级的根本指导方针，越是在改革开放和发展社会主义市场经济的条件下，越要毫不动摇地贯彻落实党的这一根本指导方针，尊重工人阶级的主人翁地位和首创精神，充分发挥他们的主力军作用（见本年鉴“文献·讲话”）。

中共中央政治局委员、国务院副总理吴邦国主持大会。全国人大常委会副委员长成思危、全国政协副主席杨汝岱等出席了大会。

会上，中华全国总工会副主席、书记处第一书记张俊九宣读了中华全国总工会关于颁发2002年全国“五一”劳动奖状、奖章的决定，决定对300个先进集体和997名先进个人予以表彰。大会向他们颁发了全国“五一”劳动奖状和“五一”劳动奖章。获奖代表吉化北方公司工会主席李贺、中铁十七局集团公司高级技师徐春光、胜利油田有限公司胜利采油厂高级技师陈景世等在大会上发言。

全国劳动模范和全国“五一”劳动奖状、奖章获得者代表，中央和国家机关各部门、中国人民解放军总政治部、中华全国总工会、北京市总工会的负责同志，首都各行各业职工等，共800多人参加了庆祝大会。香港特别行政区和澳门特别行政区工会界的朋友也应邀参加了大会。

4月30日中华全国总工会召开庆祝“五一”国际劳动节劳模座谈会。中共中央政治局常委、书记处书记、中华全国总工会主席尉健行在会上发表重要讲话，强调要推动全社会进一步形成关心先进、尊重先进、崇尚先进、学赶先进的良好风尚，使劳动模范的优秀品质和时代精神进一步发扬光大，代代相传。

4月29日

文化部等9部门联合发布《关于加强和改善世界遗产保护管理工作的意见》

国家9部委发出的《关于加强和改善世界遗产保护管理工作的意见》指出：一切开发、利用和管理工作，首先必须把遗产的保护和保存放在第一位，都应以遗产的保护和保存为前提，都要以有利于遗产的保护和保存为根本。

《意见》指出，当前我国的世界遗产保护事业面临着不少问题和困难，主要表现在法制建设有待加强，保护资金不足，专业人才缺乏，重大项目决策程序不够完善以及开发利用过度，忽视保护，甚至出现一些建设性破坏等现象。

《意见》提出，各级行政主管部门要进一步端正和提高对保护世界遗产重要性的认识，这不仅关系到国家文化和自然生态环境建设的可持续发展，关系到国家和社会的长远利益，也关系到国家与民族的国际形象。

《意见》指出，在加紧研究制定中国世界遗产保护管理专项法规的同时，各地应宣传贯彻好现行有关法规，切实检查法规执行情况，对违背法规、损害世界遗产的事件，必须依法查处，坚决予以纠正。

《意见》强调，坚决反对无限度无规划的恶性开发和使用，凡涉及世界遗产的重大建设项目、开发利用计划和管理体制事项，均需符合国家有关法规和有关保护规划要求，严格执行环境影响评价制度，并经依法审批，各地要妥善处理保护和利用的关系，切实保障世界遗产的完整和真实。

《意见》要求各地各部门树立“公约意识”，遵守国际规则，要认真、完全地履行申报世界遗产时的各项承诺，对申报遗产时的原状如有任何变更，均需依照规定，履行报批手续，并通报世界遗产委员会。

《意见》希望各世界遗产地应建立有效的工

作机制，加强综合协调与宏观管理，各部门、各单位要明确责任，各司其职，密切配合，全方位地做好世界遗产的保护管理工作。对各种造成遗产损失的失职、渎职行为，要追究行政乃至法律责任。

4 月 30 日

公安部等 6 部门部署专项清理整治互联网有害信息工作

公安部、教育部、国家安全部、信息产业部、文化部、国家工商行政管理总局、国务院新闻办、国家保密局联合召开电视电话会议，部署集中开展互联网有害信息专项清理整治工作。中共中央政治局委员、国务委员罗干发表讲话，公安部部长贾春旺做了工作部署。

罗干强调，对互联网有害信息进行专项清理整治，是加强社会主义精神文明建设的重要举措。这次清理整治工作要坚持积极发展、加强管理、趋利避害、为我所用的工作方针，大力推进综合治理，开展群防群治，逐步建立互联网信息安全管理的长效工作机制，推进互联网精神文明建设，实现境内互联网信息内容安全状况的明显好转，更好地为社会主义现代化建设服务。

5 月 3 日

第六届“中国青年五四奖章”颁发

第六届“中国青年五四奖章”颁授仪式在北京人民大会堂隆重举行。共青团中央书记处第一书记周强为李金城等 11 名获奖者颁授“中国青年五四奖章”。

本届获此殊荣的 11 名青年是：铁道第一勘察设计院青藏指挥部副总指挥、青藏线项目设计总工程师李金城，中国航天科技集团第五研究院副院长、“神舟”号飞船系统总指挥袁家军，中国科学院院士、中国军事医学科学院放射医学研究所所长贺福初，内蒙古呼和浩特市“心灵之旅”热线创办人寒星，广东省珠海格力电器股份有限公司筛选分厂机修班班长张树源，黑龙江省大庆市让胡路区人民法院经济审判庭庭长顾双彦，四川蔬菜研究所所长刘光基，天津市宁河县潘庄镇团委书记刘旭清，中国人民解放军 68312 部队 63 分队班长赵彪，甘肃省金川集团公司第一冶炼厂闪速炉车间主任王智，中国科学院古脊椎动物与古人类研究所所长朱敏。

5 月 4 日

江泽民为“保护母亲河”行动题词

中共中央总书记、国家主席、中央军委主席江泽民为全国青少年广泛开展的保护母亲河行动题词：“保护母亲河”，对全国广大团员青年寄予了殷切的希望。

1999 年初，共青团中央、全国绿化委员会、全国人大环境资源保护委员会、全国政协人口资源环境委员会、水利部、农业部、国家环境保护总局、国家林业局等单位积极响应江泽民同志“再造秀美山川”的伟大号召，发起了旨在动员广大青少年和社会公众保护和改善生态环境的大型社会公益活动——保护母亲河行动。3 年多来，共建设保护母亲河工程 197 个，植树造林面积达 212 万亩；通过“母亲河，我与你同行”、“清洁江河水，保护母亲河”、“小事做起来，保护母亲河”等载体，动员了 5000 多万青少年和社会公众参与保护母亲河活动；通过“绿色承诺”、“天天环保”、“生态监护”等实践活动对广大青少年进行了生动有效的生态环境道德教育，增强了广大青少年保护母亲河、保护生态环境的意识。

共青团中央号召各级团组织和广大团员青年认真学习贯彻江泽民同志题词精神，以“三个代表”重要思想为指导，大力兴建保护母亲河绿色示范工程，全面参与国家生态重点工程建设，在全面建设小康社会和加快推进现代化进程中做出积极的贡献。

5月
《毛泽东文艺论集》出版发行

在纪念毛泽东《在延安文艺座谈会上的讲话》发表60周年之际，中共中央文献研究室编辑的《毛泽东文艺论集》，近日由中央文献出版社出版发行。

《毛泽东文艺论集》汇集了毛泽东从1936年到1976年的文稿101篇，包括毛泽东在各个时期关于文艺问题的文章、讲话、批示、书信、题词以及阅读古代文学作品的批语等。部分文稿是第一次公开发表。这些文稿比较全面地反映了毛泽东的文艺思想，书中收入的新中国成立后毛泽东有关文艺问题的论述，反映了毛泽东文艺思想在新的历史条件下的发展。

5月14日，中共中央文献研究室、中国文学艺术界联合会、中国作家协会在人民大会堂举行《毛泽东文艺论集》出版座谈会。

与会者认为，《毛泽东文艺论集》较全面地反映了毛泽东文艺思想和各个历史时期党的文艺方针、政策。《毛泽东文艺论集》的出版，对于广大文艺工作者认真回顾总结革命文艺和社会主义文艺事业发展繁荣的历程和经验，深入学习和掌握毛泽东文艺思想，更好地理解和实践“三个代表”重要思想，具有重要的意义。

5月11—13日
中央文明办　国务院纠风办召开创建文明行业工作座谈会

中央文明办和国务院纠风办联合在山东省威海市召开创建文明行业工作座谈会。会议要求各地各部门坚持以“三个代表”的重要思想为指导，认真实践“服务人民、奉献社会”的活动宗旨，以加强诚信建设为重点，提高职业道德水平，集中解决那些直接关系群众切身利益，社会反映强烈的突出问题，推动各行各业的精神文明创建工作深入开展，为改革发展稳定的大局服务，为维护最广大人民群众的根本利益服务，为党的十六大营造良好的社会环境和舆论氛围。

5月12日
首届中国职工艺术节举行

在纪念毛泽东同志《在延安文艺座谈会上的讲话》发表60周年之际，首届中国职工艺术节在人民大会堂隆重开幕。中共中央政治局常委、中央书记处书记、中华全国总工会主席、中国职工艺术节组委会名誉主席尉健行出席开幕式观看演出，并会见了演职人员。

由中华全国总工会、中国文学艺术界联合会、中央电视台联合主办的首届中国职工艺术节，是新世纪首次举行的大型职工文化艺术活动。中国职工艺术节在有关省市和工矿企业相继举办为期8个月的音乐、舞蹈、戏曲、曲艺、小品、书法、美术、摄影等演展活动。12月举办闭幕式暨颁奖晚会。

5月15日
中宣部召开领导干部学习实践“三个代表”重要思想座谈会

为推动“三个代表”重要思想的学习、宣传和贯彻，中宣部在北京召开领导干部学习实践“三个代表”重要思想座谈会。与会同志认为，“三个代表”重要思想，是对我们党的奋斗业绩和历史经验的新概括，是运用马克思主义基本原理解决我国改革开放和现代化建设实际问题的新创造、新成果，是在新世纪加强党的建设、推进建设有中国特色社会主义伟大事业的强大思想武器。“三个代表”重要思想，是我们的行动指南，是各项工作的根本方针。“三个代表”重要思想，是我们党保持先进性的集中体现，是共产党员发挥先锋模范作用的根本要求。“三个代表”重要思想，与马列主义、毛泽东思想、邓小平理论一脉相承、完全统一。在新的历史条件下，坚持“三个代表”重要思想，就是坚持马列主义、毛泽东思想、邓小平理论。大家一致表示，要认真学习“三个代表”，积极宣传“三个代表”，身体力行“三个代表”，做实践“三个代表”的表率。

中宣部常务副部长刘云山主持座谈会。参加座谈的有：洛阳市委书记孙善武、长沙市委书记梅克保、西安市委书记栗战书、北京市延庆县委书记王海平、唐山市委书记白润璋、宜昌市委书记孙志刚、绵阳市委书记杨海清、苏州市委副书记杜国玲、山东省荣成市委书记滕宝玉、辽宁省大石桥市委书记杨枢。

5月15—26日

中央文明办　中国科协　铁道部共同举办“科普列车老区行”活动

“科普列车老区行”活动以“传播科学文明、服务老区人民”为宗旨，组织由106位专家组成的志愿服务团，随列车深入河北、河南、湖北、江西4省15个革命老区县（市）的农村、医院、机关、学校、工厂、军营、科技馆、老红军住地开展科普活动，历时12天，往返行程4000公里，足迹遍及62个乡镇、86个村，老区干部群众30多万人参加了212项科普活动。同时向老区捐赠了价值300万元的科普物资，其中有科普图书15万册，建立科普图书室15个，赠送计算机26台套，散发科普资料16万多册。

这次活动包括科普讲座、农业技术培训、现场技术指导咨询、医疗义诊等各类项目，帮助老区人民解决了许多生产生活中的问题，参与的科技专家也受到了老区革命传统教育，开拓了农业科技研究发展的思路。

5月15日

中宣部等6部门决定“六一”前夕开展“我做合格‘小公民’”活动宣传周

由中宣部、全国妇联、教育部、共青团中央、国家环保总局、国家广播影视总局联合成立的中国“小公民”道德建设计划领导小组召开新闻发布会，决定于5月25日至6月1日在全国各地开展庆“六一”“我做合格‘小公民’”活动宣传周。

“六一”活动宣传周将围绕活动主题“我做合格‘小公民’”——做小帮手、小标兵、小伙伴、小卫士、小主人开展道德建设系列大行动。全国31个省、自治区、直辖市的各部门和校外教育机构把开展“小公民”道德建设活动与“六一”各项活动紧密结合，社区和繁华地点设立宣传点，围绕“小公民”道德建设开展社会宣传动员活动。宣传形式灵活多样，大型活动与基层丰富多彩的小型活动相结合。儿童将作为主体积极参与并争取家长和社会的参与和支持。“六一”期间，将命名和启动一批“小公民”道德建设的实践基地，发挥其引导和典型示范作用，树立儿童道德实践的崭新形象。

5月16日

文化部发出通知进一步加强网络文化市场管理

为进一步加强网络文化市场的管理，规范“网吧”等互联网上网服务营业场所，文化部发出《关于加强网络文化市场管理的通知》。

通知指出，目前一些单位和提供互联网上网服务的营业场所，利用互联网从事违法违规经营活动，主要表现为：通过互联网传播和销售走私、盗版的非法音像制品；拍卖和销售假冒伪劣及侵犯他人著作权的艺术品；网络游戏中充斥色情、赌博、暴力、愚昧迷信等不良内容；“网吧”等互联网上网服务营业场所无证经营、未成年人违规进入和色情、赌博、暴力、愚昧迷信游戏等现象相当严重。

文化部作为对利用互联网经营艺术品、音像制品、网络游戏、演出活动及“网吧”等互联网上网服务营业场所的日常监督和经营许可证管理的主管部门，对这些现象决定进行严厉打击和规范管理。

5月16日

11个部委联合发出通知 开展“小公民”道德建设活动

全国妇联、全国总工会、团中央、中国科协、教育部、文化部、卫生部、国家广电总局等11个部委联合发出通知，要求2002年的“六一”庆祝活动，要把“儿童优先”的原则、《儿童权利公约》、《未成年人保护法》、《中国儿童发展纲要（2001—2010年）》作为宣传重点，通过广播、电视、报刊、网络等媒体，运用各种形式，在全社会形成支持儿童、为儿童的健康成长创造良好环境的社会氛围。

通知指出，要以儿童为主体，深入开展“小公民”道德建设活动。活动要注重实效，面向农村、面向企业、面向基层、面向全体儿童，特别要关注农村和贫困地区的儿童、孤残儿童、特困职工和下岗职工家庭的儿童等，要采取有效措施，对他们的学习和生活给予必要的扶持。

通知说，节日期间，教育、文化、科技部门要向儿童进行破除迷信、反对邪教、倡导科学精神的科普知识宣传；文化、影视部门要依法加强对儿童读物和音像制品市场的管理，集中推出一批健康向上、反映时代特征的优秀儿童读物和影视文化作品；工商、质检、卫生等部门要依法加强《母乳代用品销售管理办法》等相关法律法规的实施和儿童食品、玩具、用品的市场检查及游乐设施的安全检查和宣传教育活动，严厉打击制售假冒伪劣商品的违法活动，确保儿童的健康和安全；妇联、工会、共青团、残联要组织多种形式的融科学性、知识性、趣味性、教育性于一体的活动。

5月16日

文化部发出《关于加强网络文化市场管理的通知》

通知规定，各级文化行政部门是网络文化市场的主管部门，今后对利用互联网经营艺术品、音像制品、网络游戏、演出活动都将实行文化经营许可证制度。

通知中还就“网吧”等互联网上网服务营业场所的计算机设备总数及占地面积标准作了规定。直辖市、省会城市和计划单列市的每一场所的计算机设备总数不得少于60台，且每台占地面积不得少于2平方米。直辖市、省会城市和计划单列市以下的地区，每一场所的计算机设备总数不得少于30台，且每台占地面积不得少于2平方米。

通知规定，不得在中小学周边直线距离200米内开设“网吧”等互联网上网服务营业场所，不得设立集中经营场所或集中经营街区。

通知还规定，“网吧”等互联网上网服务营业场所必须实行消费者入场登记制度和场地巡查制度，允许未成年人在国家法定节假日及寒暑假每日8时—20时进入“网吧”等互联网上网服务营业场所，但在线时间不得超过3小时。16周岁以下的未成年人进入，必须由其监护人陪伴。“网吧”等互联网上网服务营业场所不得容留未成年人夜间上网。

5月16日

中宣部　国家国防动员委员会发出通知要求各地认真组织开展全民国防教育日活动

根据《中华人民共和国国防教育法》的规定，九届全国人大常委会决定，每年9月的第三个星期六为“全民国防教育日”。2002年9月21日是全民国防教育日。各地要以“三个代表”重要思想为指导，深入宣传毛泽东、邓小平、江泽民同志关于加强国防建设和国防教育的一系列重要论述，深入开展以《中华人民共和国国防教育法》为主要内容的宣传教育，安排丰富多彩的宣传活动，着力强化全民国防意识，增强关心支持国防建设的责任感，提高履行国防义务的自觉性。

通知指出，要对广大干部群众进行以爱国主义为主要内容的国防精神教育。通过贯彻落实《爱国主义教育实施纲要》和《公民道德建设实施纲要》，围绕中华民族光荣历史、爱国传统、中国国情、新中国发展成就等内容进行学习、宣传和教育，增强民族自豪感和历史责任感，激励人们的爱国之心、报国之志，并使之转化为建设和保卫祖国的具体行动。要进行国防形势教育，使人们增强忧患意识。要进行国防法制教育，推动国防法律法规的贯彻执行。

通知强调，各地、各部门要安排丰富多彩的国防教育日活动。县级以上城市，要组织集中性的宣传活动。军队要为开展国防教育活动提供便利条件。要注重把国防教育日活动引入家庭、学校、机关、街道、企事业和全社会。要充分发挥大众传媒的作用，利用好基层文化阵地。

通知要求各地要提高认识，加强领导，周密安排，精心组织。各级党政军机关、各部门、各行业、各群众团体要同心协力，各尽其责，相互配合。要注重与各项业务工作紧密结合，着力增强活动的思想性和实效性，充分发挥全民国防教育日活动的综合效益。

5月18—24日

科技部 中宣部 中国科协
联合有关部门组织科技活动周

以“科技创造未来”为主题的2002年科技活动周开幕式5月18日在北京中华世纪坛举行，这标志着本届科技活动周在全国全面展开。中共中央政治局委员、国务院副总理温家宝出席开幕式并讲话。

温家宝首先代表党中央、国务院向科技活动周的开幕表示祝贺。他说，这是我国群众性科技活动的一次盛会，广大科技工作者将与公众一起，共同参与丰富多彩的科技活动，展示科技发展的新成就，在全社会弘扬科学精神，传播科学思想，倡导科学文明的生活方式。他指出，在全社会广泛深入地宣传科学精神，增强公众的科技意识，提高国民的科技素质，引导公众自觉运用先进科学思想和科学方法，是发展科学技术事业的一项重要的基础性工作。

在科技活动周期间，科技部、中宣部、中国科协将联合有关部门在全国各地共同组织实施400多项内容丰富、形式多样的群众性科学技术普及活动，包括“科技创造未来”大型主题展览、科技游园会、科技报告会、科技下乡等。

5月18日

共青团中央 中国残联组织实施
百万青年志愿者助残行动

首都300多名青年志愿者聚集在北京工人体育场北门广场，开展就业咨询、法律援助、康复咨询、修理家电等助残志愿服务，拉开了全国“百万青年志愿者助残行动”的序幕。

“百万青年志愿者助残行动”由共青团中央、中国残联共同组织实施，计划用3年时间招募300万名注册志愿者，组成助残志愿者骨干队伍；同时在全国普遍建立志愿者助残服务基地和助残服务站，通过“一助一”结对服务方式，为全国特困残疾人及其家庭提供长期、稳定的志愿服务。中国志愿服务网（www. zyz. org. cn）志愿者网上注册开通仪式同时举行。

5月20日—6月2日
大型展览《毛泽东与文艺》在北京举行

在纪念毛泽东《在延安文艺座谈会上的讲话》发表60周年之际，由文化部和中共中央文献研究室主办的大型展览《毛泽东与文艺》，在中国革命博物馆举行。

展览分为“创造民族的科学的大众的新文艺”、“为了繁荣社会主义文艺”、“文坛知音”、“诗书合璧”、“阅读、欣赏、品评”、“高举中国先进文化前进的旗帜”6个部分，展出历史图片、文物、艺术作品等800余件，比较全面地反映了毛泽东从五四运动到20世纪70年代重要的文艺活动和毛泽东文艺思想的形成和发展过程。展览还生动地反映了在新的历史时期，以邓小平为核心的第二代中央领导集体和以江泽民为核心的第三代中央领导集体继承和发展毛泽东文艺思想，领导广大文艺工作者坚持文艺的“二为”方向和“双百”方针，弘扬主旋律，提倡多样化，把我国的文艺事业和先进文化建设推向繁荣发展新阶段的重大决策和历程。

5月26日下午，中共中央总书记、国家主席、中央军委主席江泽民观看了展览。

江泽民称赞这个展览办得好，富有深刻的现实教育意义。他指出，60年前，毛泽东发表《在延安文艺座谈会上的讲话》，总结了新文化运动以来革命文艺发展的经验，指明了革命文艺的发展方向。《讲话》发表以来的60年，是党的文艺队伍不断壮大的60年，是党的文艺理论不断发展的60年，是党的文艺事业不断繁荣的60年。

江泽民强调，文艺事业，是我们党和国家事业的重要组成部分。大力推进文艺的发展繁荣，是发展我国先进文化的必然要求。努力建设我国的先进文化，与努力发展我国的先进生产力，都是我们实现社会主义现代化的战略任务。只有建设面向现代化、面向世界、面向未来的，民族的科学的大众的社会主义先进文化，才能满足人民日益增长的精神文化生活的需要，也才能为发展经济、发展先进生产力指引正确的方向，提供强大的思想保证和智力支持。

5月20日
叶景林先进事迹报告会在北京举行

中宣部、文化部、解放军总政治部和中国文联联合举办的叶景林先进事迹报告会在北京人民大会堂举行。沈阳军区政治部话剧团教导员解娟、一级编剧朱光斗、叶景林的妻子孔宇，从不同侧面介绍了德艺双馨文艺战士叶景林切实履行新时期文艺工作者神圣使命、努力传播先进文化、一心为兵为民服务的先进事迹和崇高精神。700多名听众聆听了报告。

5月21日
全国社科院院长联席会在南京召开

中共中央政治局委员、中国社会科学院院长李铁映在开幕式上指出，各级党委政府和哲学社会科学界要认真学习江泽民同志“八·七讲话”和“四·二八讲话”精神，加快哲学社会科学改革与发展。

李铁映说，江泽民同志在不到一年的时间内，两次就哲学社会科学发展发表重要讲话，充分体现了党中央对哲学社会科学发展的高度重视。江泽民同志的讲话是对我国改革开放20年、新中国哲学社会科学发展50多年的经验总结，阐明了哲学社会科学发展的指导思想，开辟了哲学社会科学发展新阶段，对我国哲学社会科学界提出了新要求，也是向各级党组织发出的重视加强对哲学社会科学领导的号召。讲话提出的“四个同样重要”，充分肯定了社会科学、自然科学在认识、改造世界和中国现代化建设中具有同等重要的地位和作用。哲学社会科学的发展，关系到国家兴旺发达、民族前途命运。不重视哲学社会科学，必然会造成认识和改造世界的极大困难。李铁映说，全社会都要高度重视哲学社会科学的发展。各级党政部门要真正把哲学社会科学发展提上议事日程，当作社会主义现代化建设的重大事业来办。要认真研究哲学社会科学问题，配齐领导班子，充实研究力量，改善工作条件，努力培养年轻一代研究人员，促进哲学社会科学的繁荣发展。哲学社会科学战线的全体同志，要加快哲学社会科学界队伍建设和体制改革，努力提高自身素质，改进学风，适应社会发展要求，回答社会提出的重大现实问题。

5月22日

中宣部　文化部等召开纪念《在延安文艺座谈会上的讲话》发表60周年座谈会

中宣部、文化部、广电总局、中国文联、中国作协、解放军总政治部等单位在北京联合召开座谈会，隆重纪念毛泽东《在延安文艺座谈会上的讲话》发表60周年。中共中央政治局委员、书记处书记、中宣部部长丁关根出席会议并讲话（见本年鉴“文献·讲话”）。

座谈会上，大家重温了《讲话》精神，深情回顾了《讲话》发表60年来，革命文艺发展的光辉历程和巨大成就。大家一致认为，在中国抗日战争的艰苦岁月，毛泽东同志发表《在延安文艺座谈会上的讲话》，总结了新文化运动以来的经验，指明了革命文艺的发展方向，要求革命文艺工作者提高认识，统一思想，振奋精神，加强团结，坚持正确的创作思想，为完成民族解放任务做出积极贡献。在《讲话》精神指引下，我国文艺事业紧跟时代步伐，抒发人民心声，造就了一部辉煌壮丽的当代中国文艺发展史，产生了一大批传之久远、激奋人心的优秀作品。《讲话》发表的60年，是党的文艺队伍不断壮大的60年，是当代中国文艺事业不断繁荣发展的60年。

曾亲历延安文艺座谈会和延安时期的老文艺家欧阳山尊、华君武、于敏、曾克、朱寨、雷加、徐肖冰、李琦、于蓝，有关方面负责人周巍峙、徐光春、李树文以及著名的老艺术家和文艺工作者130余人参加了会议。金炳华、陈晓光、秦怀保、王昆、牧兰等在会上发言。座谈会由中宣部常务副部长刘云山主持。

22日晚上，纪念毛泽东《在延安文艺座谈会上的讲话》发表60周年群众歌咏大会在北京工人体育馆隆重举行。中共中央政治局委员、书记处书记、中宣部部长丁关根，全国人大常委会副委员长王光英，全国政协副主席万国权观看了歌咏大会。

5月27—28日

中宣部召开深入贯彻落实《公民道德建设实施纲要》座谈会

中宣部在北京召开深入贯彻落实《公民道德建设实施纲要》座谈会。15个省区市宣传部或文明办，以及全国总工会、团中央、全国妇联的宣传部负责同志参加会议。中宣部常务副部长、中央文明办主任刘云山在会上讲话。中宣部副部长胡振民主持座谈会，中央文明办专职副主任翟卫华出席会议。

会议认为，《纲要》印发半年多来，各地、各部门按照中央要求，认真学习贯彻《纲要》精神，在统一部署的同时，加强分类指导；在整体推进的同时，注意突出重点；在形成声势的同时，力求取得实效。随着《纲要》的学习宣传，群众性公民道德实践活动广泛开展，形成了公民道德建设的热潮。

会议强调，《纲要》的印发和实施，作为贯彻“三个代表”重要思想、发展先进文化的重大举措，不仅是提高民族道德素质的一项基础工作，也是宣传思想战线为党的十六大召开营造良好社会氛围的一项现实任务。各地、各部门要紧紧围绕“迎接十六大、宣传十六大、贯彻十六大，认真学习‘三个代表’、深入宣传‘三个代表’、身体力行‘三个代表’”，按照巩固成果、拓展领域、提高水平的工作思路，大力倡导基本道德规范，深入开展道德实践活动，努力营造团结奋进、昂扬向上、开拓创新的良好氛围，迎接党的十六大胜利召开。

会议提出，当前和今后一段时间要重点抓好五个方面的工作。一是大力倡导20字公民基本道德规范。二是进一步完善具体行为准则。三是广泛深入地开展群众性道德实践活动。四是充分发挥先进典型的示范带动作用。五是努力建立健全道德监督机制。

5月28日

中国科学院第十一次院士大会 中国工程院第六次院士大会召开 江泽民发表重要讲话

中共中央总书记、国家主席、中央军委主席江泽民在会上发表重要讲话（见本年鉴“文献·讲话”），他指出，面对新世纪新发展，我国科技界的使命是：全面贯彻“三个代表”要求，坚持实施科教兴国战略，大力推进科技创新，努力为我国先进生产力和先进文化的发展，为维护和实现我国最广大人民的根本利益不断贡献智慧和力量。

约1200位两院院士出席大会，共商科技发展大计。大会的中心任务是全面动员和组织两院院士，团结全国科技工作者，积极实践“三个代表”重要思想，全力推进科教兴国战略的实施，为我国科技事业和经济发展做出新的更大的贡献。

5月29日

中宣部举行基层干部学习实践“三个代表”重要思想座谈会

为推动“三个代表”重要思想学习实践在基层深入开展，中宣部在北京召开基层干部学习实践“三个代表”重要思想座谈会。来自部分企业、农村、社区的基层干部结合实践，畅谈按照“三个代表”要求，牢记全心全意为人民服务的根本宗旨，努力为群众办实事、办好事，团结带领广大群众做好各项工作的切身体会和真实感受。

与会同志认为，始终代表最广大人民群众的根本利益，是我们党一切工作的出发点和落脚点，也是“三个代表”重要思想的最终归宿。“三个代表”重要思想，全面体现了党的基本理论、基本路线、基本纲领，体现了我们党运用马克思主义基本原理解决我国改革开放和现代化建设实际问题而实现的新创造、新发展，是在新世纪加强党的建设、推进建设有中国特色社会主义伟大事业的强大思想武器，是我们党的立党之本、执政之基、力量之源。“三个代表”是统一的整体，相互联系，相互促进。先进社会生产力，既是发展先进文化的物质条件，又是实现人民利益的物质基础。同时，生产力发展离不开教育、科技、文化的发展，离不开思想道德建设和人们崇高精神的培育。建设先进文化，既满足人们日益增长的文化生活需要，又为生产力的发展提供精神动力和智力支持。我们党致力于发展先进社会生产力和先进文化，归根到底都是为了不断满足人民群众日益增长的物质文化需求，实现和维护最广大人民的根本利益；离开了这个根本目的，先进社会生产力和先进文化的发展就是一句空话。我们学习实践“三个代表”重要思想，必须坚持把人民的根本利益作为出发点和落脚点，通过我们卓有成效的工作，使人民群众不断获得切实的经济、政治和文化利益。

6月11日

中央文明办 中央综治办 司法部 全国普法办印发《全国“法律进社区”活动工作方案》

《方案》要求，认真贯彻落实《公民道德建设实施纲要》、《中央宣传部、司法部关于在公民中开展法制宣传教育的第四个五年规划》、中央文明委《关于在城市深入开展创建文明社区工作的若干意见》和中央办公厅、国务院办公厅转发的《关于加强社区建设的意见》，围绕维护公民权益、“严打”整治斗争及整顿和规范市场经济秩序等工作，加强治安防范，开展内容丰富、形式多样的“法律进社区”活动，使居民的法律知识不断丰富，法律素质不断提高，依法维护自身合法权益的能力不断增强，在社区形成良好的法制氛围，为社区稳定、精神文明建设奠定良好的群众基础，促进城市两个文明建设协调发展。

《方案》指出，“法律进社区”活动的主题是“提高居民法律素质，推进社区依法治理”。“法律进社区”活动应做到四个一：每个街道社区（居委会）设一个法制宣传专栏；每季度在市民学校上一堂法制课；每个街道社区（居委会）配一套法律图书；每个街道社区（居委会）建立一支法制宣传教育志愿者队伍。

按照《方案》部署，“法律进社区”活动分两个阶段展开。2002 年在直辖市和省会城市进行；2003 年在全国逐步推开。

2002 年活动安排是：7 月 10 日前，各地制定活动实施方案，设计活动安排，做好各项准备工作。8 月初，各地“法律进社区”活动全面启动。8 月至 11 月，各地全面开展“法律进社区”活动。12 月，配合“12·4”全国法制宣传日活动，深入开展社区法律咨询、法制讲座、法律援助、普法展览等各种形式的法制宣传教育活动，掀起“法律进社区”活动高潮。要求每周有活动，每个社区有重点。年底前，对“法律进社区”活动进行总结表彰，同时对 2003 年“法律进社区”活动作出部署。

2003 年“法律进社区”活动在全国推开。

6 月 11—12 日

中央宣传部　中央文明办　教育部联合召开“西部开发助学工程”工作座谈会

中央宣传部、中央文明办、教育部在新疆乌鲁木齐市联合召开“西部开发助学工程”工作座谈会。有“西部开发助学工程”工作任务的河北、山西、内蒙古、黑龙江、安徽、江西、河南、湖北、湖南、广西、重庆、四川、贵州、云南、西藏、陕西、甘肃、宁夏、新疆、青海省（区、市）和新疆生产建设兵团党委宣传部、文明办、教育厅（教委）的有关负责同志，承办高中“宏志班”的学校主要负责同志，以及首都文明办、上海市文明办负责同志参加会议。新疆、上海、重庆、内蒙古、河北、贵州等地的同志做了大会发言，北京广渠门中学在会上介绍了开办“宏志班”的经验。中央宣传部副部长胡振民、教育部副部长袁贵仁主持会议并讲话。

会议认真学习江泽民同志 2002 年“5·31”重要讲话，以“三个代表”重要思想为指导，贯彻落实江泽民同志在西部大开发工作座谈会上的讲话精神，根据中央文明委关于加大“西部开发助学工程”资助力度的要求，研究工作，交流经验，通报情况，重点部署 2002 年资助大学生和开办高中“宏志班”的有关工作。

与会同志普遍反映，根据中央领导同志的重要批示精神，按照中央文明委的统一部署，两年来，各级党委宣传部、文明办、教育行政部门，受助学生就读的高等院校，以及其他有关部门相互配合，为“西部开发助学工程”做了大量深入细致的工作，给 2300 名品学兼优的特困本科生解决了读完大学的经济困难。大多数受助学生严格要求自己，思想进取，学习争优，生活节俭，纪律从严，在同学中发挥了表率作用。“西部开发助学工程”在西部乃至全国都引起了强烈的社会反响，带动了社会各界关心、支持和参与经济欠发达地区教育发展的积极性。

会议认为，实施“西部开发助学工程”是一项重要的政治任务，也是一项长期、艰苦的日常工作，任重道远。要进一步提高认识，不断提高“西部开发助学工程”的工作水平。

会议要求，各地、各有关部门要按照中央宣传部、中央文明办、教育部《关于进一步做好“西部开发助学工程”实施工作的通知》（文明办［2002］3号）要求，结合各自实际情况，制定细则，协调一致，切实做好2002年度“西部开发助学工程”实施工作。

6月19日

中宣部　教育部等联合召开电视电话会议要求开展好大中专学生暑期“三下乡”活动

中宣部、教育部、团中央、全国学联共同召开2002年大中专学生志愿者暑期文化科技卫生“三下乡”社会实践活动全国电视电话会议，要求各地充分认识大学生暑期“三下乡”活动的重要意义，以“三个代表”重要思想为指导，认真做好工作，切实加强领导，确保大学生暑期“三下乡”活动的顺利开展，服务农村经济社会发展，为党的十六大召开营造良好的氛围。全国将动员400万大中专学生参加“三下乡”社会实践活动，活动的口号是：同人民紧密结合，为祖国奉献青春。活动的内容包括道德实践、科技支农、企业帮扶、文化宣传、支教扫盲、环境保护、法律宣讲、医疗服务等。

6月19日

学习宣传石光银先进事迹座谈会在北京召开

全国治沙英雄石光银的先进事迹在新闻媒体刊播后（见本年鉴“先进典型”），在社会各界引起强烈反响。为进一步学习石光银的先进事迹和崇高精神，全国绿化委、中宣部和国家林业局在北京联合召开座谈会。来自林业系统和大专院校的代表从不同角度畅谈了学习石光银先进事迹的体会。

与会代表认为，石光银是我国防沙治沙事业的功臣，是生态建设的旗帜，是再造秀美山川的先锋，是“三个代表”重要思想的忠实实践者。林业系统的代表表示，学习石光银绿化荒漠、改善生态的创业精神，不畏艰难、锲而不舍的愚公精神，勤于探索、执著求知的科学精神，敢想敢干、与时俱进的开拓精神。要以石光银为榜样，积极投身防沙治沙、绿化祖国的伟大事业。

6月27日

中宣部召开先进基层党组织优秀共产党员学习实践“三个代表”重要思想座谈会

为认真学习宣传江泽民同志“5·31”重要讲话精神，进一步推动“三个代表”重要思想的贯彻落实，中宣部在北京召开先进基层党组织、优秀共产党员学习实践“三个代表”重要思想座谈会。来自全国的先进基层党组织与优秀共产党员代表一致表示，要认真学习、深刻领会江泽民同志“5·31”重要讲话精神，珍惜荣誉，保持本色，把“三个代表”的要求落实到模范执行党的路线方针政策之中，落实到带领广大群众推进改革发展、维护社会稳定的各项工作之中，努力做学习实践“三个代表”的表率。

与会同志一致认为，学习实践“三个代表”重要思想，必须更加坚定自觉地坚持解放思想、实事求是的思想路线，大力弘扬与时俱进的精神。必须更加坚定自觉地把发展作为党执政兴国的第一要务，始终保持党的先进性。必须更加坚定自觉地把实现人民群众的利益作为我们一切工作的出发点和归宿，时刻不忘执政为民。

中宣部副部长胡振民主持座谈会并讲话。参加座谈会的有：济南军区某红军团一营二连指导员徐洪刚，上海市西部集团物业总监徐虎，北京市公交总公司21路公共汽车售票员、李素丽热线负责人李素丽，湖北省武汉市武昌区副区长吴天祥，天津建工集团三建公司副总工程师范玉恕，内蒙古自治区锡林郭勒盟阿巴嘎旗洪格尔高勒苏木萨如拉图亚嘎查党支部书记廷·巴特尔，北京市西单商场股份有限公司党委书记于学忠，河北农业大学党委副书记程庆会，黑龙江省哈尔滨市道外区东莱派出所党支部书记杨玉国，铁道部乌鲁木齐铁路局局长杨志国，武警上海总队一支队十中队党支部书记夏光荣，山东省济南市公安局交通警察支队党委书记、支队长鲁德和。

6月27日

中宣部　内蒙古自治区党委举行廷·巴特尔先进事迹报告会

中共中央宣传部、内蒙古自治区党委在北京人民大会堂举行廷·巴特尔先进事迹（见本年鉴“先进典型”）报告会。全国人大常委会副委员长布赫在报告会前会见了廷·巴特尔及报告团成员。

内蒙古自治区锡林郭勒盟盟委副书记王中和、阿巴嘎旗洪格尔高勒苏木萨如拉图亚嘎查副嘎查长常胜、青年牧民萨日娜讲述了廷·巴特尔努力实践“三个代表”，一心为公、热诚为民的感人事迹。廷·巴特尔在会上作了《我永远是草原人民的儿子》的报告。

中宣部副部长胡振民在报告会上讲话。他说，廷·巴特尔同志的先进事迹和崇高精神，集中体现了“三个代表”的要求，体现了中国共产党人艰苦奋斗、无私奉献的高尚品格，体现了基层干部全心全意为人民服务的公仆形象。他指出，廷·巴特尔不仅是广大党员干部学习的榜样，也是社会各界学习的榜样。

中宣部常务副部长刘云山参加会议。内蒙古自治区党委副书记陈光林主持报告会。首都各界群众近千人参加了报告会。

6月23日至7月1日，中央主要新闻单位对廷·巴特尔同志的先进事迹进行了集中宣传。

7月

文化部　公安部等4部门联合开展“网吧”专项治理行动

鉴于近来“网吧”等互联网上网服务营业场所过多过滥，经营秩序混乱，安全隐患突出，文化部、公安部、信息产业部、国家工商总局从7月1日到8月31日，联合开展“网吧”专项治理行动。期间要求各地一律停止审批新的“网吧”等互联网上网服务营业场所，也不得审核批准现有“网吧”等增添或更新设备。

这次专项治理工作的重点是坚决取缔非法经营的“网吧”。对无证照或证照不全的“网吧”，将一律予以取缔，没收从事违法经营活动的全部器材和违法所得。对超范围经营、擅自出租或转让营业场所开设“网吧”等互联网上网服务营业场所的，由工商部门依照有关规定从严查处。被吊销经营许可证和吊销营业执照的，不得重新申请开办“网吧”。对擅自接入互联网提供接入服务的，由电信部门依照有关规定从严予以查处。

治理期间，文化部门将会同公安、工商对证照齐全的“网吧”等互联网上网服务营业场所进行重新审核登记。公安机关将认真检查“网吧”的消防安全管理问题。

有关部门重申，“网吧”等互联网上网服务营业场所不得违反国家规定向未成年人开放，不得容留未成年人夜间上网；不得经营含有色情、赌博、暴力、愚昧迷信等不健康内容电脑游戏；不得制作、复制、查阅、传播有害信息，危害网络安全和信息安全。经营者违反规定，或对上网用户实施上述行为疏于监管、不予制止，有关部门将依照有关规定从严予以处罚，直至吊销经营许可证和营业执照。

7月4日

中央文明委召开全体会议要求加大精神文明建设力度为党的十六大营造良好氛围

中央精神文明建设指导委员会在北京召开全体会议，总结2002年上半年工作，部署下半年任务。会议强调，要把思想统一到江泽民同志“5·31”重要讲话精神上来，按照“三个代表”要求，大力加强精神文明建设，大力创造优美环境、优良秩序、优质服务，统一思想、凝聚力量、振奋精神、坚定信心，促进改革发展、维护社会稳定，为党的十六大营造昂扬向上、团结奋进、开拓创新的良好氛围。

中共中央政治局委员、书记处书记、中央文明委主任丁关根主持会议。中共中央政治局委员、中央文明委副主任李铁映出席会议。

中宣部常务副部长、中央文明办主任刘云山对上半年工作情况和下半年任务作了汇报。

7 月 4 日
中宣部　教育部　团中央　全国学联组织大中专学生暑期“三下乡”活动

中宣部、教育部、团中央和全国学联共同在北京师范大学举行 2002 年全国大中专学生志愿者暑期文化科技卫生“三下乡”社会实践活动出征仪式，在出征仪式上，中宣部副部长胡振民、教育部副部长袁贵仁、团中央书记处书记胡伟为党员大学生“三个代表”实践服务团、大学生公民道德实践服务团、博士生农村青年增收成才实践服务团授旗赠书，并共同点击开通了“三下乡”社会实践活动网站。400 万大中专学生开始陆续出发，奔赴农村，开展道德实践、科技支农、企业帮扶、文化宣传、法律宣讲、医疗服务等实践服务活动。

2002 年的“三下乡”活动以学习、实践“三个代表”重要思想为主线，活动口号是“同人民紧密结合，为祖国奉献青春”，重点是党员大学生“三个代表”实践服务、大学生公民道德实践服务、博士生农村青年增收成才实践服务。全国共组建“三个代表”实践服务团近 2000 支、公民道德实践服务团 1700 余支、博士生农村青年增收成才实践服务团 1000 余支，组建其他“三下乡”社会实践服务团 2 万多支。

7 月 15 日
《毛泽东邓小平江泽民论工人阶级和工会工作》出版

由中华全国总工会和中共中央文献研究室合作编辑的《毛泽东邓小平江泽民论工人阶级和工会工作》一书，由中央文献出版社出版。

这本书收入毛泽东、邓小平、江泽民同志有关工人阶级和工会工作的重要论述共 75 篇。这些论述，是从他们的报告、讲话、谈话、文章、书信、批示和题词中选编出来的，有的论述是第一次公开发表。

7 月 15 日在北京人民大会堂举行了该书的出版座谈会。中共中央政治局常委、中央书记处书记、中华全国总工会主席尉健行在讲话中强调，认真学习党的三代领导核心关于工人阶级和工会工作的重要思想，深刻领会其基本观点和精神实质，对于我们进一步认识 20 世纪中国共产党领导的我国工人运动和工会工作的发展历程，更好地把握 21 世纪的前进方向，更好地贯彻落实党的全心全意依靠工人阶级的根本指导方针和履行工会维护职工合法权益的基本职责，更好地保护、调动和发挥广大职工投身改革和建设的积极性、创造性，把建设有中国特色社会主义伟大事业不断推向前进，具有重大的现实意义和深远的历史意义。

中共中央政治局委员、中央书记处书记、中宣部部长丁关根，中共中央政治局候补委员、中央书记处书记、中组部部长曾庆红和倪志福同志等出席座谈会。

7 月 7—8 日
中组部　中宣部　人事部　科技部表彰“杰出专业技术人才”

为贯彻落实江泽民同志“三个代表”重要思想，实施人才强国战略，树立和宣传当代专业技术人员先进典型，引导和激励广大专业技术人员积极投身建设有中国特色社会主义的伟大事业，中组部、中宣部、人事部、科技部决定授予李桓英等50名同志“杰出专业技术人才”荣誉称号。

7月8日，中共中央政治局常委、国家副主席胡锦涛，中共中央政治局常委、国务院副总理李岚清，在人民大会堂会见了全国“杰出专业技术人才”表彰暨专业技术人才队伍建设工作会议代表。胡锦涛代表党中央、国务院，向受到表彰的50位全国“杰出专业技术人才”表示热烈的祝贺，向工作在各条战线的广大专业技术人员，表示崇高的敬意和亲切的问候。

胡锦涛在讲话中充分肯定了全体“杰出专业技术人才”为促进我国科技创新、经济发展和社会进步作出的突出贡献，希望大家再接再厉，不断开拓进取，发挥好表率作用。也希望全国广大专业技术人员以“杰出专业技术人才”为榜样，全面实践“三个代表”的要求，继续弘扬爱国奉献、求实创新、顽强拼搏、勇攀高峰的精神，努力为我国先进生产力和先进文化的发展，为实现中华民族的伟大复兴，贡献自己的智慧和力量。

胡锦涛强调，各级党委和政府一定要深刻认识人才在经济和社会发展中的基础性、战略性、决定性作用，牢固树立“科学技术是第一生产力”、“人才资源是第一资源”的观念，增强做好人才工作的责任感和紧迫感。要坚持解放思想、与时俱进，以改革的精神推进人才队伍建设。既坚持和发扬我国人才工作的优良传统，又吸收和借鉴国外人才资源开发的有益经验。要进一步形成尊重知识、尊重人才，促进优秀人才脱颖而出的社会氛围，加快建立有利于人尽其才的管理和激励机制，努力开创人才队伍建设的新局面。

7月9日

新闻出版总署　信息产业部颁布《互联网出版管理暂行规定》

《规定》指出，从事互联网出版活动，必须经过批准，未经批准，任何单位或个人不得开展互联网出版活动。《规定》指出，从事互联网出版业务，除符合《互联网信息服务管理办法》规定的条件以外，还应有确定的出版范围，有符合法律、法规规定的章程，有必要的编辑出版机构和专业人员以及有适应出版业务需要的资金、设备和场所。

《规定》要求，互联网出版机构出版涉及国家安全、社会安定等方面的重大选题，应当依照重大选题备案的规定，履行备案手续。以未成年人为对象的互联网出版内容不得含有诱发未成年人模仿违反社会公德的行为和违法犯罪的行为的内容，以及恐怖、残酷等妨害未成年人身心健康的内容。此外，还具体规定了互联网出版的禁载内容。《规定》还要求互联网出版机构实行编辑责任制度，要求必须有专门的编辑人员对出版内容进行审查，以保障互联网出版内容的合法性。从事互联网出版活动，应当遵守国家有关著作权的法律、法规，应当标明与所登载或者发送作品相关的著作权记录。

《规定》还对未经批准，擅自从事互联网出版活动的行为制定了详细的罚则。此外，对违反该规定的单位和个人，将根据情节轻重，处以警告，停业整顿，关闭网站，没收从事非法出版活动的主要设备、专用工具及违法所得，以及处相应罚款等。

该《规定》于2002年8月1日起正式实施。

7月11日

中西部“扶残助学”项目正式启动

由中央精神文明建设指导委员会办公室出资2500万元，旨在救助中西部失学残疾儿童少年义务教育的“扶残助学”项目正式启动。该项目由教育部和中国残联共同组织实施，主要内容是：从2002年到2006年，资助内蒙古、安徽、湖北、云南、贵州、重庆、甘肃、宁夏、新疆等16个省、自治区、直辖市的5000名贫困残疾儿童少年接受义务教育，以缩短中西部同东部地区残疾儿童少年义务教育的差距。

7月12—13日

纪念北京申奥成功一周年 江泽民题词:百年奥运 中华圆梦

7月12日上午，由江泽民同志亲笔题词的《百年奥运、中华圆梦》系列出版物首发式和纪念北京申办2008年奥运会成功一周年座谈会在人民大会堂举行。

2002年3月19日，江泽民同志亲笔为纪念申奥成功系列出版物题词：“百年奥运、中华圆梦”。

中共中央政治局委员、北京市委书记贾庆林出席座谈会并讲话说，要用“三个代表”重要思想统领2008年奥运会的筹办工作，以举办一届最出色的奥运会为目标，高标准、高水平、高质量地推进各项筹备工作。

由北京奥申委编辑的《百年奥运、中华圆梦》系列出版物包括大型画册、文件汇编和DVD光盘。

7月13日上午，北京市1万多名长跑爱好者聚集在天安门广场，参加由北京2008年奥运会组织委员会和北京市体育局组织的“庆祝北京申奥成功一周年万人长跑活动”。

有关部门还在朝阳公园举办了以“让爱传递——走向2008”为主题的奥运竞技动作高空表演，被誉为“高空王子”的阿迪力在高空钢丝上打起了羽毛球和乒乓球，为北京申奥成功一周年庆典增添了浓重的喜庆色彩。

7月12—23日

中华文明新纪录电影周在北京举行

我国首届以新纪录电影为展映主体的电影周，在北京举办，连续放映《中华文明》系列影片以及《牧魂》等5部纪录片。

中共中央政治局委员、中国社会科学院院长李铁映为在7月12日举行的电影周首映式发来贺辞，祝贺《中华文明》影片拍摄工作初战告捷。贺辞指出，这是一项重大的文化工程。中华文明源远流长，博大精深，辉煌灿烂，是中华民族为人类做出的伟大贡献。这项工程是落实“三个代表”重要思想的具体体现，功在当代，利在千秋。贺辞希望同志们再接再厉，力争把影片《中华文明》拍摄成不朽之作。

《中华文明》系列电影是由国家文物局和中央电视台共同策划拍摄的，再现了中华民族创造人类文明的辉煌历程。整个系列共分为12部，每部均坚持以考古事实为基础，充分利用考古文化的研究成果，通过对文物、现场的纪录和还原，反映不同历史时期的文明进程，独立成章。已拍摄完成并参加电影周的4部影片《英雄时代》、《青铜的光辉》、《礼乐与争霸》、《始皇帝国》已获得发行放映证，将在全国范围内公映。《大汉雄风》、《漫漫荆棘路》、《盛唐气象》、《智者的天堂》、《成吉思汗和他的子孙们》、《最后的远航》、《跨越长城》、《沉重的大门》等8部影片，正在拍摄及制作中。

7月13日

加大力度 集中整治非法“口袋书”

“拒绝非法口袋书，远离不健康读物，读科学书，过一个健康、快乐的暑假。”7月13日上午，河北廊坊市刚开始暑期生活的700多名少先队员向全国少年儿童发出这一庄重的倡议。由此标志着由中央综治委预防青少年犯罪工作领导小组、团中央等 8 部门联合部署的“整治有害卡通画册和淫秽口袋本图书”专项行动，在暑期开始之际进一步加大了力度。

近年来，有害卡通画册和淫秽口袋本图书在我国青少年中流传，对青少年的健康成长产生了恶劣影响。一些中小学生沉迷于此，严重影响了学业，部分学生模仿非法口袋书中人物的言行，走上了违法犯罪的道路。在团中央等 8 部门的联合部署下，各地的专项整治行动全面展开。

7 月 16 日

江泽民考察中国社会科学院

中共中央总书记、国家主席、中央军委主席江泽民到中国社会科学院考察工作。

江泽民和随行的中共中央政治局委员、中宣部部长丁关根，中共中央政治局委员、国务院副总理温家宝来到中国社会科学院，受到专家学者和职工的热烈欢迎。在中共中央政治局委员、中国社会科学院院长李铁映的陪同下，江泽民首先参观了中国社会科学院建院 25 周年成果展。江泽民一边听取情况介绍，一边详细了解中国社会科学院的建设、科研和教学情况。随后，江泽民参观了该院图书馆馆藏古籍善本和电子阅览室，察看了多媒体计算机的操作演示，还观看了该院老干部合唱团的排练。

随后，江泽民来到第一学术报告厅，与专家学者们座谈。座谈会上，李铁映汇报了中国社会科学院的发展情况和学科建设情况。陈筠泉、李学勤、汪同三、夏勇、袁靖、邢广程、郎樱、卓新平、马大正、沈家煊、张卓元等同志，先后就按照“三个代表”要求进行理论创新，全面贯彻“双百”方针繁荣历史科学，加强宏观经济预测为经济发展服务，加强法学研究为建设社会主义法治国家服务，文理结合加强重点学科和重点研究室建设，在研究重大问题中锻炼成长，献身哲学社会科学研究事业，处理好基础研究、应用研究和对策研究，组织跨学科力量加强边疆问题研究，端正学风促进社会科学健康发展，紧密联系实际研究经济发展与改革等问题发言。

在认真听取大家的发言后，江泽民发表了重要讲话（见本年鉴“文献·讲话”），阐明了哲学社会科学和哲学社会科学工作者在建设有中国特色社会主义中的地位与作用，提出了对哲学社会科学建设的要求。

成立于 1977 年的中国社会科学院，前身是中国科学院哲学社会科学部。建院以来，社科院培养了一大批高水平的研究人才和优秀管理人才，全院共完成学术著作 6600 余部、论文 77000 余篇、研究报告 11000 余份，为改革开放和社会主义现代化建设、为繁荣我国的哲学社会科学发挥了重要作用。

7 月 18 日

史诗《格萨尔》千年纪念大会在北京举行

被誉为“世界史诗之王”的藏族英雄史诗《格萨尔》，已经在古老的青藏高原传诵千年，并日益为全人类所认识和珍视。中国社科院、国家民委、文化部、国家广电总局、中国文联等联合举行《格萨尔》千年纪念大会，中共中央政治局委员、中国社科院院长李铁映将此称为当代中国文化事业的一件盛事，也是各民族团结共进、万方乐奏的喜庆节日。

李铁映在纪念大会上做了《文化的创新与创新的文化》主题发言。他说，我们纪念这一伟大诗篇，不仅要重温她深刻博大的思想内涵，分享她历久弥新的艺术魅力，更重要的是要思考一下如何看待中华民族传统文化，思考中华民族传统文化如何与时俱进，开拓创新。李铁映对于这个在建设中国特色社会主义文化中面临的重要课题，从“文化的民族性和开放性”、“文化的人民性和先进性”、“文化的继承性和创新性”三方面阐述了自己的看法。他指出，历史上的一切文明成就，都应得到充分承认和尊重。不同文化之间的和平共存、相互渗透乃至交融互变，才是文明发展的常态现象和主流。他重申大众是文化的创造者，同时他强调，文化的人民性必须和文化的先进性相结合，才能把社会主义现代化建设和文化建设不断推向前进。他说，我们当前最主要的任务，是在继承文化遗产的基础上，立足于改革开放和现代化建设的实践和时代要求，结合人民群众精神生活需求，积极推进文化创新，发展和创造出新的精神产品。

《格萨尔》是目前世界上最长的史诗，约有百余部50万行，记录了藏族英雄格萨尔一生的业绩和功勋。首都各民族格萨尔研究者和学术界、文化界人士以及部分外国驻华使节等参加了今天的纪念大会。联合国教科文组织驻京代表青岛泰之、国家民委副主任李晋有、文化部副部长潘震宙、西藏社科院院长次旺俊美等也在会上发了言。

7月23日

中宣部召开理论界学习江泽民两个重要讲话座谈会

中宣部在北京召开理论界学习江泽民同志“5·31”重要讲话和7月16日在中国社会科学院重要讲话座谈会，强调哲学社会科学界要把思想统一到“5·31”讲话精神上来，用“三个代表”重要思想统领哲学社会科学工作，坚持“二为”方向，贯彻“双百”方针，多出优秀人才，多出优秀成果，推动理论研究的深化和活跃，推动哲学社会科学的繁荣和发展，为党的十六大营造昂扬向上、团结奋进、开拓创新的良好氛围。

中宣部常务副部长刘云山在讲话中指出，要坚持马列主义、毛泽东思想、邓小平理论在意识形态领域的指导地位，用“三个代表”重要思想统领哲学社会科学。要把“三个代表”重要思想贯穿于全部哲学社会科学工作中去，把是否体现“三个代表”要求作为衡量哲学社会科学工作的根本尺度。要按照“三个代表”要求，观察新的形势，分析新的情况，研究新的问题。

7月27日

国务院办公厅发出通知开展旅游市场打假打非专项整治

通知要求，用半年左右的时间，在全国范围内开展旅游市场打假打非专项整治工作。

通知指出，这次旅游市场专项整治的主要内容是，坚决打击非法经营旅行社业务，重点查处挂靠承包变相转让旅行社经营权，超范围经营旅行社业务等违法违规行为；依法查处境外驻华机构非法从事旅游经济活动，对未经国家旅游行政部门批准设立的机构，必须坚决予以关闭；整治旅游客运行为，重点查处未经当地主管部门核发营运证的车辆非法从事旅游客运等行为；大力净化旅游景区（点）的游览环境，打击强买强卖、尾追兜售以及骗财骗钱等危害景区治安秩序的违法行为；严厉打击旅游购物欺诈行为，重点查处购物点与导游人员相互串通私收回扣的非法行为；依法打击非法从事导游活动，重点查处无合法证件和无正当手续从事导游活动的行为；规范旅行社经营和导游服务行为，重点查处旅行社低于成本经营，以虚假广告招徕游客等违法违规行为。

通知要求，这次整治要以旅游城市为依托，按照标本兼治的方针，强化监督执法与建章立制相结合。通过专项整治，有效遏制违法违规活动，规范旅游市场秩序，提高旅游服务质量和旅游者满意程度，树立我国安全有序的世界旅游胜地的形象。

7月31日

孙凤阳先进事迹报告会在北京举行

北京军区某集团军直升机团团长、特级飞

行员孙凤阳的先进事迹（见本年鉴“先进典型”）报告会在北京举行。

孙凤阳刻苦钻研现代军事科学技术，献身国防事业，先后荣立一等功1次、二等功1次、三等功4次。他个人和以他为主的集体探索出34项新技能、新战法，填补了我陆军航空兵训练的空白；他多次出生入死执行急难险重任务，为抢救人民生命财产和新型战机的试验做出了贡献；他所领导的团队多次立功，连续4年被评为军事训练一级单位和甲类战斗团。

报告会上，孙凤阳作了《在迎接挑战中忠实履行当代军人打赢使命》的报告。某集团军副参谋长董鸿钊、直升机团飞行大队长李魁元、孙凤阳的妻子王爱华、哈尔滨飞机工业集团试飞站站长于洪亮，分别从不同侧面介绍了孙凤阳模范践行“三个代表”重要思想，献身国防，肩负当代军人使命，刻苦钻研现代军事科学技术的先进事迹。

报告会上宣读了北京军区党委《关于开展向孙凤阳同志学习活动的决定》，号召广大官兵向孙凤阳学习，努力成为高素质的新型军事人才，开创部队现代化建设的新局面。

中宣部、解放军总政治部有关部门的领导参加了报告会。孙凤阳先进事迹报告团还到天津、河北、山西、内蒙古等地作报告19场，直接听众近4万人。

中央新闻单位对孙凤阳“钻研现代化，献身国防事业”的先进事迹，进行了集中宣传。

8月

《江泽民论有中国特色社会主义》（专题摘编）出版

由中共中央文献研究室编辑的《江泽民论有中国特色社会主义》（专题摘编）一书，近日已由中央文献出版社出版，在全国发行。

《江泽民论有中国特色社会主义》（专题摘编）一书分为25个专题、119个小题，计1300多段论述，约56万字，内容涉及经济、政治、文化、军事、外交和党的建设等各个方面。这些内容是从1989年6月党的十三届四中全会到2002年6月期间，江泽民同志所作的报告、讲话、文章、书信、批示等370多篇重要文献中摘录的。其中不少论述是第一次公开发表。

本书汇集了江泽民同志运用马克思主义基本原理，科学分析国际国内形势发生的重大变化，深刻总结我们党和人民在推进改革开放和现代化建设的实践中取得的丰富经验，集中全党全国人民的智慧，正确回答建设有中国特色社会主义实践中迫切需要解决的重大问题，提出并阐明的新思想、新观点、新论断，反映了我们党在建设有中国特色社会主义的新的实践中所形成的新的理论成果。这些新的理论成果，特别是“三个代表”重要思想，同马克思列宁主义、毛泽东思想、邓小平理论一脉相承，是对建设有中国特色社会主义理论的丰富和发展，对于我国在新世纪全面建设小康社会、加快推进社会主义现代化，在建设有中国特色社会主义道路上实现中华民族的伟大复兴，具有十分重要的指导意义。

8月19日

黎昌和先进事迹报告会在北京举行

中共中央宣传部、国土资源部、重庆市委、中国人民解放军第二炮兵部队在北京人民大会堂联合举行黎昌和同志先进事迹（见本年鉴“先进典型”）报告会。中共中央政治局委员、书记处书记、国务院副总理温家宝亲切会见了黎昌和同志的亲属和报告团成员，高度赞扬黎昌和同志的先进事迹和崇高精神，号召广大党员干部向黎昌和同志学习。

黎昌和同志1980年应征入伍，1998年转业到地方工作，生前是重庆市石柱土家族自治县国土资源和房屋管理局党组成员、副局长。2002年5月19日，在察看本县龙河流域宇城坝土地开发整理工程新修河道的泄洪情况时，为抢救一名落水学生英勇牺牲，年仅39岁。中共重庆市委、重庆市人民政府追授黎昌和同志

"实践'三个代表'好干部"荣誉称号。重庆市人民政府批准黎昌和同志为革命烈士。中共国土资源部党组决定在全国国土资源系统深入持久地开展向黎昌和同志学习活动。

报告会上，黎昌和的女儿黎珊和群众代表，黎昌和的战友代表，重庆市国土房管系统代表从不同侧面追述了黎昌和的事迹。来自国土资源系统在京单位和二炮总部的5000多人聆听了报告会。黎昌和同志先进事迹报告团已在重庆市和国土资源系统巡回报告22场，直接听众2万多人。

8月24日

国家体育总局颁发最高体育荣誉奖

为表彰刘淇等7位同志为北京申办奥运会成功做出的特殊贡献，国家体育总局决定授予刘淇、刘敬民、魏纪中、楼大鹏、屠铭德、王伟、吕圣荣7位同志"体育工作荣誉奖章"。

国家体育总局为表彰徐寅生等同志近年来为发展我国的体育事业做出的重大贡献，决定授予徐寅生、刘吉、吴寿章、朱章苓、吴重远、郝克强、刘秀政、鲁光、朱德禄、龚立人、杨天乐、陆绍中、王汝英、杨福鹿、王世安、易厚高、万进庆、马贵田、何玉成、刘海云、金永昌、林祥国、金霖俊、迟美林、李茂勋、于文海26位同志"体育工作荣誉奖章"。

2001年我国运动员共取得90个世界冠军，8人2队12次创10项世界纪录。为了鼓励2001年为我国体育事业做出突出贡献的单位，国家体育总局决定对吉林省体育局、上海市体育局、黑龙江省体育局、辽宁省体育局、广东省体育局、中国人民解放军、江苏省体育局、北京市体育局、陕西省体育局、浙江省体育局10个单位予以表彰。

为表彰在2001年取得优异成绩的运动员和教练员，国家体育总局决定授予杨阳等94名运动员、辛庆山等69名教练员体育运动荣誉奖章。

8月25日

中宣部 司法部联合发出通知开展2002年"12·4"全国法制宣传日宣传活动

《通知》说，中共中央、国务院转发的"四五"普法规划确定每年12月4日为全国法制宣传日。2002年的"12·4"全国法制宣传日正值我国现行宪法颁布实施二十周年，组织好2002年的"12·4"全国法制宣传日宣传活动很有必要。

《通知》指出，2002年"12·4"全国法制宣传日宣传活动的主题是"学习宣传宪法，推进民主法制建设"。通过宣传活动，使广大干部群众牢固树立宪法是国家根本大法的观念，党的领导、人民当家作主和依法治国相统一的观念，诚实守信的观念。活动从11月中旬开始到12月中旬结束。

《通知》要求，各地、各部门要围绕"学习宣传宪法，推进民主法制建设"的主题，在总结去年"12·4"全国法制宣传日宣传活动成功经验的基础上，开拓创新，开展内容丰富、形式多样的法制宣传教育活动。综合运用多种传媒手段，形成宣传声势。活动期间，要发挥报刊、广播、电视、网络等大众传媒的优势，通过开办法制专栏、专题、讲座、征文、知识竞赛等方式，在全社会广泛开展宪法等法律法规知识的学习宣传活动。注重宣传教育针对性，增强宣传教育的效果。要围绕宣传主题，结合本地实际，做好宣传内容的选定工作；要针对不同对象，运用不同宣传手段和方式；采取座谈会、党委中心组学习、法制讲座、模拟法庭、法律咨询、法制展览、以案说法等方式，广泛深入地开展法制宣传教育。点面结合，深入基层，深入群众。要结合法律援助、"法律进社区"、"法律下乡"、"法律进农家"等活动，利用宣传栏、黑板报等形式，把法制宣传教育工作做到工厂、农村、机关、学校、社区、街道。充分发挥法制宣传员、法律文艺队伍和各级普法讲师团的作用，精心组织制作法制新闻、法制影视、法制文艺节目，开展生动活泼的法制宣传工作。

8 月 26 日

第五届范长江新闻奖 韬奋新闻奖 全国百佳新闻工作者评选揭晓

第五届范长江新闻奖、韬奋新闻奖、全国百佳新闻工作者评选今天揭晓，本届共评出9名范长江新闻奖获得者，8名韬奋新闻奖获得者，100名全国百佳新闻工作者（获奖者名单见本年鉴“附录”）。

范长江新闻奖是我国中青年记者的最高荣誉奖；韬奋新闻奖是我国新闻编辑的最高荣誉奖；全国百佳新闻工作者是对我国优秀新闻工作者的奖励。

这些优秀的新闻工作者忠诚党的新闻事业，坚持正确舆论导向，服务全党全国工作大局；爱岗敬业，深入群众，作风扎实，精通业务，在各自的工作领域成绩斐然；具有强烈的社会责任感和良好的职业道德，出色地履行了“以科学的理论武装人，以正确的舆论引导人，以高尚的精神塑造人，以优秀的作品鼓舞人”的光荣使命，他们是全国75万新闻从业人员的优秀代表和先进楷模。

8 月 26—28 日

中宣部召开全国宣传部长会议

会议研究部署迎接党的十六大的宣传工作。8月28日上午，江泽民、胡锦涛、尉健行、李岚清和丁关根、曾庆红等中央领导同志会见与会同志，江泽民同志发表重要讲话（见本年鉴“文献·讲话”）。

会议认真学习讨论了江泽民同志的重要讲话。一致认为，讲话深刻阐明了宣传思想工作的重要地位，充分肯定了宣传思想工作的成绩，强调为党的十六大营造良好氛围，是宣传思想工作的头等大事。大家表示，一定要认真学习、认真贯彻。

会议指出，当前，宣传思想战线要全力做好迎接党的十六大的宣传工作。兴起学习宣传贯彻“三个代表”重要思想的热潮，兴起宣传改革开放和党的建设辉煌成就的热潮，唱响共产党好、社会主义好、改革开放好，把精神振奋起来，把力量凝聚起来，满怀深情迎接十六大，以优异成绩迎接十六大。

中宣部常务副部长刘云山主持会议并部署工作。

8 月 27 日

新一轮青年志愿者扶贫接力计划启动

共青团中央在北京召开座谈会，为来自全国50所高校的257名研究生支教团成员送行，启动了新一轮中国青年志愿者扶贫接力计划。近期，全国3500名青年志愿者将奔赴中西部的17个省区市，进行为期半年至两年的农村基础教育、医疗卫生、农业科技等志愿服务。

中国青年志愿者扶贫接力计划由团中央、中央文明办、教育部、卫生部、科技部、国务院西部办等共同发起组织。1996年实施以来，服务领域不断拓宽，志愿者队伍日益壮大，先后有10015名志愿者经选拔培训，深入新疆、西藏等17个省区市的207个贫困县，帮助发展教育、科技、文化。

9 月 3 日

教育部印发《中小学心理健康教育指导纲要》

这一《纲要》是继1999年教育部印发《关于加强中小学心理健康教育的若干意见》以后又一个进一步指导全国中小学心理健康教育工作的重要文件。

《纲要》共20条，对中小学心理健康教育的指导思想、原则、任务与目标，不同年龄阶段的教育内容，开展心理健康教育的途径和方法，以及组织实施和实施过程中应注意的问题等，都作了明确的规定。

《纲要》指出，中小学心理健康教育的总目标是：提高全体学生的心理素质，充分开发他们的潜能，培养学生乐观、向上的心理品质，促进学生人格的健全发展。心理健康教育的具体目标是：使学生不断正确认识自我，增强调控自我、承受挫折、适应环境的能力；培养学生健全的人格和良好的个性心理品质；对少数有心理困扰或心理障碍的学生，给予科学有效的心理咨询和辅导，使他们尽快摆脱障碍，调节自我，提高心理健康水平，增强自我教育能力。

《纲要》提出，要按照“积极推进、实事求是、分区规划、分类指导”的工作原则，不同地区应根据本地实际，积极做好心理健康教育的工作。《纲要》还根据小学低年级、中高年级、初中阶段和高中阶段等不同的阶段，确定了各自侧重的心理健康教育的内容。并就开展心理健康教育的主要途径和方法作了解释和规定。

9月5日

京剧音配像工程总结会在北京举行

由文化部、中央电视台、全国政协京昆室、天津市中华民族文化促进会联合主办的《中国京剧音配像精粹》工程总结会在全国政协礼堂举行，中共中央政治局常委、全国政协主席李瑞环和中共中央政治局委员、中宣部部长丁关根，全国人大常委会副委员长许嘉璐，全国政协副主席孙孚凌、朱光亚等出席，全国政协副主席万国权主持。

《中国京剧音配像精粹》从1985年提出、研究、试录，1994年7月开始成批录制，到2002年8月胜利完成任务，历经17个年头，先后有40多个单位、两万多人次参与其中，共录制京剧355部，制作光盘总计582张，时间总长度达500多个小时。中央文明办在制作经费上给予大力支持。

李瑞环在会上发表讲话（见本年鉴“文献·讲话”）。他指出，录制京剧音配像，主要目的就是为了京剧艺术的抢救、传留和振兴。他希望有关图书馆、博物馆等单位，对这套音配像高度重视，为后世子孙精心保管好这份珍贵的历史遗产。特别希望各京剧院团、戏校以音配像为范本，认真学习，开阔眼界，取长补短，不断提高，对已会的戏要对照找差距，对不会的戏要抓紧排练演出，力争多排戏、多演戏、多出人才，使京剧焕发新的生机，真正振兴起来。

9月6日

全国家庭美德建设工作研讨会在南京举行

由全国妇联主办的全国家庭美德建设工作研讨会在南京举行。会议以邓小平理论和“三个代表”重要思想为指导，总结家庭美德建设工作的成绩与经验，分析当代中国家庭出现的各种新情况、新问题，探讨家庭道德建设的新途径、新方法，贯彻落实党中央颁布的《公民道德建设实施纲要》。

全国人大常委会副委员长、全国妇联主席彭珮云出席会议并讲话。她指出，妇联组织要把家庭美德建设作为一项重要的工作，下决心抓好抓实。要把家庭美德建设纳入各地区、各部门精神文明建设总体规划，与创建文明城市、文明社区、文明村镇的活动结合起来，坚持党政领导、文明委牵头、妇联主管、多方配合、齐抓共管。

全国妇联副主席、书记处第一书记顾秀莲作工作报告。

9月8—13日

全国第三届特奥运动会在西安举行

为期6天的中华人民共和国第三届特殊奥林匹克运动会在古城西安举行。

中共中央政治局常委、全国政协主席、本届特奥会组委会名誉主任李瑞环出席开幕式。

本届运动会参赛运动员达1000多人，比前两届总数还多，是我国特奥运动史上规模最大、项目最多的一次盛会。本届特奥会举行了田径、游泳、举重、篮球、足球、乒乓球等6大项目的比赛，还增加了表演项目保龄球的比赛。

9月10日—10月31日

党的十三届四中全会以来改革开放和现代化建设成就系列报告会在北京举行

为集中宣传党的十三届四中全会以来，在以江泽民同志为核心的党中央领导下，我国改革开放和现代化建设取得的巨大成就，中央宣传部、中直机关工委、中央国家机关工委、解放军总政治部、北京市委在人民大会堂连续举办了15场报告会。

国家计委主任曾培炎，中国人民银行行长戴相龙，农业部部长杜青林，国家经贸委主任李荣融，财政部部长项怀诚，教育部部长陈至立，劳动和社会保障部部长张左己，外交部部长唐家璇，科技部部长徐冠华，对外贸易经济合作部部长石广生，信息产业部部长吴基传，全国人大法工委主任顾昂然，中纪委副书记、监察部部长何勇，中组部常务副部长张柏林，中宣部副部长吉炳轩，先后做了报告。介绍13年来我国经济社会、财政金融、科技教育、外交外贸、法制建设、党的建设和宣传思想工作等各方面的成就和经验。在京党政军机关司局级以上干部和中央金融、企业系统各部门及首都各主要新闻单位、高校负责人，共12000多人次听取了报告。

中央主要新闻单位对系列报告作了及时充分报道，学习出版社将各报告录像制成VCD光盘，将文字稿编辑成书，公开出版，供基层干部群众学习。

9月15日

中宣部 中央文明办 教育部举行“西部开发助学工程”座谈会

中宣部、中央文明办、教育部在京联合召开座谈会和新闻发布会，提出以“三个代表”重要思想为指导，办好“西部开发助学工程”，努力为西部大开发培养优秀人才、为我国现代化建设培养合格建设者、为有中国特色社会主义事业培养可靠接班人。

会议公布，中央文明委决定2002年扩大“西部开发助学工程”资助范围，加大资助力度。一是对贫困大学生的资助范围由原定的西部12省（区、市）和新疆生产建设兵团扩大到中部地区贫困面较大的河北、山西、黑龙江、安徽、江西、河南、湖北、湖南等省。资助大学生数额从每年1100人增加到2080人。二是把“西部开发助学工程”向高中阶段延伸，在以上20个省（区、市）和新疆生产建设兵团开办42个面向品学兼优贫困生的高中“宏志班”，每班50人，每人每学年资助2000元。三是有关高校、中学免掉“西部开发助学工程”受助学生全部学费。2002年受助大学生已全部确定，首届42个“宏志班”已全部开学。

会议强调，“西部开发助学工程”要把着眼点和落脚点放到为国家培养品学兼优、德智体美全面发展的优秀人才上。要确保“公开、公平、公正”原则的贯彻落实，办成名副其实的“精品工程”。要把物质资助与教育培养结合起来，加强对受助学生的思想教育，帮助他们树立正确的世界观、人生观、价值观，帮助他们掌握科学方法和现代科学文化知识，使他们成为社会主义事业合格建设者。

会议要求，要宣传“西部开发助学工程”取得积极进展和明显成效，宣传工程的重要作用和良好反响，宣传各地各学校的各具特色的做法和成功经验，进一步动员社会各界都来关心和支持这项工作，进一步形成扶贫济困的良好社会风气；使广大群众感受到党的关怀、社会的温暖，从而增强对党和政府的信任，对有中国特色社会主义道路的信心，努力为党的十六大营造良好氛围。

9月15日

中国残联启动扶残助学“春雨行动”

为让广大残疾儿童、尤其是贫困地区的残疾儿童获得受教育的机会，为他们的未来打下一个良好的基础，中国残疾人联合会决定正式启动扶残助学“春雨行动”，为广大因为贫困失学的残疾儿童送去福音。

这项活动是响应中共中央宣传部、中央文明办、教育部《关于进一步做好“西部开发助学工程”实施工作的通知》号召，在知名人士倡导下，在中央文明办、教育部支持和参与下开展的。

调查表明，全国未入学适龄残疾儿童有40万，其中中西部地区多达32万，占总数的82%，贫穷是造成残疾儿童失学的一个重要原因。

扶残助学“春雨行动”的资助对象是农村贫困线以下，城市家庭人均收入低于生活保障线的义务教育年龄段的残疾儿童，其资助标准是每个贫困残疾儿童每人每年1500元人民币，主要用于购买教材、学习用品，缴纳住宿费、伙食费和杂费等。

9月16日

新修订的《双拥模范城(县)创建命名管理办法》颁发

《办法》强调，创建双拥模范城（县）活动是拥军优属、拥政爱民传统的继承与发展，是新时期双拥工作的重要载体，是加强军政军民团结的有效途径。开展这项活动要以马列主义、毛泽东思想、邓小平理论和“三个代表”重要思想为指导，着眼于巩固和发展同呼吸、共命运、心连心的新型军政军民关系，把拥军优属与拥政爱民结合起来，把发展社会生产力与提高部队战斗力结合起来，把物质文明建设与精神文明建设结合起来，促进双拥工作整体水平的提高，促进国家改革发展稳定和军队全面建设。

9月20日

石屏同志先进事迹报告会在北京举行

中央企业工委在北京举行石屏同志先进事迹（见本年鉴“先进典型”）报告会。中共中央政治局委员、国务院副总理、中央企业工委书记吴邦国会见报告团全体成员，对石屏同志的先进事迹予以高度评价，号召企业广大党员干部向石屏同志学习。

石屏是中国航空工业第二集团公司所属洪都航空工业集团公司K8飞机总设计师。他从事飞机设计46年来，兢兢业业，呕心沥血，求实创新，勇攀高峰，由他主持设计研制的K8飞机是我国与国外合作研制的第一种具有世界一流水平的新型教练机，现已出口多个国家，成为我国第一个出口整机生产线和输出飞机制造技术的机种，获得了2001年国家科学技术进步一等奖。石屏曾先后荣获全国劳动模范、全国优秀科技工作者、航空工业最高荣誉“航空金奖”、全国“杰出专业技术人才”等荣誉称号。报告团从不同侧面介绍了石屏的先进事迹。中央企业工委副书记王瑞祥讲话指出，中央企业广大干部职工要学习他爱岗敬业、无私奉献的高尚品德；百折不挠、顽强拼搏的坚强斗志；严谨务实、精益求精的科学态度；敢于创新、勇攀高峰的进取精神；不计名利、忘我工作的献身精神，为企业的改革发展稳定注入强大的精神动力。

中组部、中宣部、中央文明办、国防科工委、解放军总装备部有关部门负责同志和中央企业工委及在京中央企业干部职工 1300 余人听取了报告。

9 月 20—21 日

全国创建文明风景旅游区示范点经验交流会召开

中央文明办、建设部、国家旅游局在四川峨眉山市召开全国创建文明风景旅游区示范点经验交流会。会议总结开展创建文明风景旅游区活动 5 年来的情况和经验，推出第五批全国文明风景旅游区示范点，对下一步工作做出部署。会议要求，开展创建文明风景旅游区活动，要以“三个代表”重要思想为指导，认真贯彻落实《公民道德建设实施纲要》，抓好文明开发，不断丰富景区景点的文化内涵；做到文明经营，努力建立诚信为本的良好旅游市场秩序；着力文明服务，坚持“服务人民、奉献社会”的创建宗旨；加强文明管理，切实提高景区景点自身建设水平。要把创建文明风景旅游区活动深入扎实地开展下去，以两个文明建设的优异成绩迎接党的十六大胜利召开。

9 月 26 日

国家高技能人才培训工程开始实施

劳动和社会保障部近日推出国家高技能人才培训工程。这项工程包括若干高级技工培训项目，力争通过 3—5 年的努力，实现我国技术工人特别是高级工、技师和高级技师的数量和比重有明显增加和提高，缓解高技能人才的短缺状况。

这项培训工程将致力于推广新技术、新技能在职业培训领域的研究应用，并利用国家级和省级示范性职业培训教师培训基地，培养具备高级职业资格的专业理论和生产实习指导“一体化”的教师，还将组织各级各类职业技能竞赛，开展群众性岗位练兵活动，建立高技能人才库，定期组织同业技能交流活动。

10 月 12 日

全国老年文艺调演举行汇报演出

全国老年文艺调演活动 12 日晚在北京举行汇报演出。中共中央政治局常委、国家副主席胡锦涛观看了演出。

来自全国各地的老年演员用他们自己创作的歌舞、戏剧、曲艺等节目，通过声情并茂的表演，讴歌了祖国的巨大变化，歌颂了中国人民在以毛泽东、邓小平、江泽民同志为核心的党的三代中央领导集体的领导下，在革命、建设和改革中取得的举世瞩目的伟大成就。来自北京、新疆、内蒙古、黑龙江、上海等 10 多个省、自治区、直辖市和军队的老同志进行了服饰表演。

全国老年文艺调演活动由全国老龄工作委员会办公室、中共中央组织部、文化部、广播电影电视总局、北京市人民政府和解放军总政治部联合举办。这次调演活动自 4 月开展以来，有数百万老年人参加了调演活动的初选和复选，很多节目都是由老年人自创、自编、自演的。

10 月 14—23 日

中央文明办　中国科协　铁道部开展科普列车西部行活动

中央文明办、中国科协、铁道部联合开展以“传播科学文明，促进西部开发”为主题的科普列车西部行活动。由 87 名专家组成的志愿服务团深入内蒙古、宁夏、甘肃省（区）的 9 个县（市、区、旗），下农村、进医院、到学校、去工厂、入军营，往返行程 3300 多公里，共开展各类活动 255 项。其中，举办报告会 73 场次，各类培训 87 场次，现场指导与咨询 57 场次，科普展览以及互动式科普展品展示 6 次，放映科普和故事片 15 次，举行科普图书室的挂牌仪式和小型科技馆捐赠仪式 12 次，其他科普活动 5 场，捐赠科普物资价值 300 余万元。直接参与这次活动的各界群众达 11．5 万人。

10 月 15 日

江泽民为《中华人民共和国法库》作序

一套反映我国法制建设成就的法律全书《中华人民共和国法库》出版。中共中央总书记、国家主席江泽民为这部法库作序。

江泽民在序言中指出，实现国家经济、政治、文化生活的法治化，是我国社会主义现代化建设的必然要求，我们一定要为实现这一目标而不懈努力。

法律既是社会发展的产物，又对社会发展产生作用。只有严格依照宪法和法律规范国家权力的运行，才能保证全体人民依法行使国家权力和享有广泛的公民权利；只有完善的法律和制度作保障，才能保证社会主义市场经济的有序发展；只有正确运用法律手段，有效调节和解决各种社会矛盾，才能保证国家和社会长治久安、人民安居乐业。

江泽民强调，形成完备的法律体系，是依法治国的基础。建设有中国特色社会主义法律体系，必须坚持以马克思列宁主义、毛泽东思想、邓小平理论为指导，贯彻“三个代表”要求，坚持我国法律体系的社会主义性质和方向。要从国情出发，制定和实施体现人民意志和利益、符合社会发展规律的法律，在我国宪法的基础上，形成体系统一、结构逻辑严谨、法律部门齐全、体例安排科学的社会主义法律体系，使国家的各项工作和社会的各方面生活都有法可依。

江泽民指出，《中华人民共和国法库》是一套反映我国法制建设成就的法律全书。编辑出版这套大型的法律全书，是一件很有意义的基础工作。本书的出版将有助于促进我国社会主义民主政治的建设，有助于完善有中国特色社会主义法律体系，特别是有助于推动实施依法治国、建设社会主义法治国家的进程。

由最高人民法院院长肖扬任总主编的《中华人民共和国法库》是根据中央领导提议，由最高人民法院负责编辑，是国家“十五”重点图书出版规划项目。本书的编辑，历时 3 年，集中了中国法学界著名专家学者和诸多大法官的智慧和心血，是对新中国成立以来的法律、法规所进行的一次全面汇总，由全国人大常委会法制工作委员会最终审定，是迄今为止我国最权威、全面、系统、实用的大型法律、行政法规、司法解释汇编类工具书。

10 月 15 日

中宣部　教育部　团中央全国学联召开大中专学生“三下乡”活动汇报会

中宣部、教育部、团中央和全国学联在北京召开全国大中专学生志愿者暑期“三下乡”社会实践活动成果汇报会，汇报成果，交流经验，以“三下乡”社会实践活动的优异成绩迎接党的十六大胜利召开。

2002 年是连续第六年组织开展大中专学生

“三下乡”社会实践活动，共有400多万大中专学生以多种方式参与活动，规模空前，全国组织重点团队300支，各地共有实践小分队10万余支；广大青年学生在活动中学习、宣传和实践“三个代表”重要思想，唱响了“同人民紧密结合，为祖国奉献青春”的旋律；活动围绕农村两个文明建设实际需要，重点组织了“三个代表”实践服务团、公民道德建设实践服务团、博士生农村青年增收成才实践服务团；广大青年学生积极发挥知识技能优势，在为农村两个文明建设做出贡献的同时，增长了才干，受到了教育和锻炼。

中宣部副部长胡振民，教育部党组成员、部长助理李连宁，团中央书记处书记赵勇在会上讲话。

10月18—28日

郑培民先进事迹报告会在北京举行

中组部、中宣部、中共湖南省委联合在北京人民大会堂举行郑培民先进事迹（见本年鉴“先进典型”）报告会。近千人聆听了这场报告。

郑培民同志生前曾任湖南省委副书记、省人大常委副主任，2002年3月11日在参加十六大“两委”人选考察工作中因心脏病突发不幸去世，年仅59岁。他担任领导工作以来，坚持立党为公，执政为民，廉洁奉公，为人民群众做了大量的好事实事，受到人民群众的爱戴。

报告会由中宣部副部长胡振民主持。中组部副部长赵洪祝在讲话中强调，向郑培民同志学习，要学习他坚持理想信念，时刻不忘以共产党员的党性要求规范自己行为的政治品格；学习他心系人民群众，把全心全意为人民服务作为人生最高追求的公仆本色；学习他奋发进取、忘我工作、艰苦奋斗的革命精神；学习他始终保持共产党人的一身正气、两袖清风、谦虚谨慎、克己奉公的高尚情操；学习他模范地坚持党的干部工作原则，以坚强的党性、优良的作风为党和人民把好选人用人关。广大共产党员，每一名党员领导干部，都要用郑培民同志的精神激励和鞭策自己，自觉加强党性修养，始终保持共产党人的蓬勃朝气、昂扬锐气、浩然正气，自觉实践“三个代表”重要思想。

10月21日，中组部、中宣部、中央党校举行了学习郑培民先进事迹座谈会。10月25日、28日报告团先后到广东、重庆等地进行巡回报告。中央主要新闻单位对郑培民同志的先进事迹进行了集中宣传。

10月19—20日

全国“四进社区”文艺展演活动在上海举行

由中央文明办、文化部和中央电视台联合举办的“歌唱新生活、迎接十六大——全国‘四进社区’文艺展演”活动在上海举行。

来自全国31个省、市、自治区的500多名文艺战线的演员表演了精彩节目。数千观众观看了主会场的演出。主会场之外，各地代表团分5路深入上海各社区，为居民们演出，上海一些著名演员也以社区居民身份登台献艺。

此次展演活动，是为进一步扩大科教、文体、法律、卫生“四进社区”的社会影响和展示其成果，为党的十六大召开营造良好氛围而举行的，展演的节目是由中央有关部门从全国优秀社区文艺节目中选调出来的。

10月22日

国家经贸委　中华全国总工会联合发布《关于进一步加强商业职业道德建设的意见》

《意见》要求商贸流通业以规范市场经济秩序和建立良好商业信用体系为目标，大力倡导“守法、诚信、公平、敬业、服务”的商业职业道德准则，努力建立与社会主义市场经济发展要求相适应的商业信用体系。

《意见》指出，加强商业职业道德建设，是实践“三个代表”重要思想的具体行动，是贯彻落实《公民道德建设实施纲要》的重要措施，是整顿和规范市场经济秩序，促进市场秩序根本好转的治本之策和必由之路。“守法、诚信、公平、敬业、服务”是商业职业道德建设的主要内容。各地经贸流通主管部门和工会要制订切实可行的商业职业道德建设实施意见，建立商业职业道德建设的目标管理机制，建立健全严格的检查、考核和奖励制度，使商业职业道德建设的各项任务能够得到有效的贯彻落实。流通行业协会要结合本行业自身的特点，积极参与商业职业道德建设，用行规行约来约束会员企业的经营行为。工会组织要发挥自身的优势和特点，推动商业职业道德建设深入持久地开展。

在新闻通气会上，国家经贸委还推出了中国百货商业协会、中国连锁经营协会、中国饭店协会、中国烹饪协会、中国家电维修协会和中国旧货协会等6个行业协会制定的职业道德规范。

10月23日

方工先进事迹报告会在北京举行

由中共中央宣传部、最高人民检察院、中共北京市委联合举办的方工同志先进事迹（见本年鉴“先进典型”）报告会在北京人民大会堂举行。

中共中央政治局常委、书记处书记尉健行，中共中央政治局委员、书记处书记、国务委员罗干，最高人民检察院检察长韩杼滨，在报告会前接见了方工同志和方工先进事迹报告团全体成员。

报告会上，北京市人民检察院党组成员、政治部主任雍战胜，北京市人民检察院第一分院公诉二处处长王伟，北京市人民检察院第一分院政治部干部韩冰，生动具体地介绍了方工的先进事迹；方工的妻子牛凤琴和方工同志本人，分别作了题为“党和人民的信任就是我们全家的光荣”、“公正执法是我不懈的追求”的报告。

最高人民检察院检察长韩杼滨讲话中指出，方工同志是公正执法的楷模，是自觉实践“三个代表”重要思想的典范，是新时期人民检察官的优秀代表，是司法战线领导干部学习的榜样。

10月29日

中央文明委表彰全国精神文明创建工作先进单位

中央精神文明建设指导委员会在北京人民大会堂隆重表彰一批在全国精神文明创建工作中取得突出成绩的先进单位。中共中央政治局委员、书记处书记、中央文明委主任丁关根出席会议并讲话（见本年鉴“文献·讲话”）。中共中央政治局委员、中央文明委副主任李铁映主持会议。中宣部部长、中央文明办主任刘云山宣读了《中央精神文明建设指导委员会关于表彰全国精神文明创建工作先进单位的决定》。

这次受到表彰的有63个创建文明城市先进城市（城区）和500个创建文明村镇先进单位。这些先进单位集中体现了两个文明一起抓、全心全意为人民服务的责任意识，开拓创新、奋发向上的进取精神，常抓不懈、务求实效的良好作风。

10月30日

中国记协表彰优秀新闻工作者

中华全国新闻工作者协会在北京召开第十二届中国新闻奖、第五届范长江新闻奖、韬奋新闻奖和全国百佳新闻工作者颁奖会暨优秀新闻工作者先进事迹报告会。中共中央政治局委员、书记处书记丁关根出席会议并讲话。他指出，新闻工作战线的同志，坚持以党和人民的利益为重，兢兢业业，辛勤工作，是一支靠得住、有战斗力、能打硬仗的队伍。

丁关根强调，舆论导向至关重要。新闻宣传工作要高举邓小平理论伟大旗帜，坚决同以江泽民同志为核心的党中央保持一致，全面贯彻“三个代表”重要思想，坚持党的基本路线不动摇。要唱响主旋律、打好主动仗，坚持团结稳定鼓劲、正面宣传为主，牢牢把握正确导向，牢牢掌握宣传舆论的主导权。积极稳妥地推进新闻出版广播影视业改革，进一步壮大实力，增强活力，提高竞争力。要以大局为重、以事业为重，解放思想、实事求是、与时俱进、开拓创新，贴近生活、贴近群众，出以公心、廉洁自律，全面客观公正、准确鲜明生动，把我们要说的和老百姓要听的很好结合起来。多实干少空谈，多奉献少计较，把自己的一切献给党的新闻事业。

中宣部部长刘云山也在会上讲话。

获奖者代表新华社记者慎海雄、北京电视台记者徐滔在会上作了先进事迹报告。

11 月 30 日—12 月 10 日

中宣部等 6 部门联合组成中央宣讲团宣讲十六大精神

为全面、准确、深入学习贯彻党的十六大精神，推动全党兴起学习贯彻十六大精神的热潮，中央宣传部会同中央组织部、中央政策研究室、中央党校、中央文献研究室、中央党史研究室、中国社会科学院，共同组织中央宣讲团。在认真学习领会十六大精神的基础上，精心准备，深入研讨，集中备课，从 11 月 30 日起分赴各地开展宣讲活动。

中央宣讲团由 11 位同志组成，他们是中纪委原副书记傅杰、国务院发展研究中心主任王梦奎、中国记协主席邵华泽、中央党校原副校长龚育之、中组部副部长李景田、中宣部副部长雒树刚、中央文献研究室常务副主任金冲及、全国政协副秘书长张国祥、农业部副部长韩长赋、国防大学政治理论教研室主任许志功、国家计委宏观经济研究院原常务副院长林兆木。他们在全国各地共宣讲 75 场，直接听众达 50 多万人。

11 月 29 日，中共中央政治局常委李长春在北京会见中央宣讲团成员并同他们进行座谈。中共中央政治局委员、书记处书记、中宣部部长刘云山，中共中央政治局委员、书记处书记、中组部部长贺国强出席座谈会。

12 月 5—6 日

胡锦涛和中央书记处同志到西柏坡学习考察

中共中央总书记胡锦涛和曾庆红等中央书记处的同志来到革命圣地河北省平山县西柏坡学习考察，回顾党带领人民进行伟大革命斗争的光辉历史，重温毛泽东同志在党的七届二中全会上的重要讲话，特别是其中关于“两个务必”的重要论述，号召全党同志特别是领导干部大力发扬艰苦奋斗的作风，为深入贯彻“三个代表”重要思想、全面落实党的十六大确定的目标和任务，开拓进取、团结奋斗。

胡锦涛和中共中央政治局常委、中央书记处书记曾庆红，中共中央政治局委员、中央书记处书记刘云山、贺国强，中共中央政治局候补委员、中央书记处书记王刚，中央书记处书记徐才厚、何勇，在中共河北省委书记白克明、省长钮茂生等陪同下，来到位于太行山东麓、滹沱河北岸的西柏坡，参观了西柏坡纪念馆、中共中央和解放军总部旧址，考察了西柏坡的生产、建设情况，看望了老区群众，并同当地干部群众进行了座谈。

在听取几位基层干部群众代表的发言后，胡锦涛发表了重要讲话（见本年鉴“文献·讲话”）。

12 月 5 日

中宣部等 12 部门发出通知 要求认真贯彻十六大精神 深入扎实开展“三下乡”活动

中宣部、中央文明办、科技部、农业部、文化部、卫生部、国家计生委、国家广电总局、新闻出版总署、共青团中央、全国妇联和中国科协联合发出通知，要求从贯彻党的十六大精神的高度，从实践“三个代表”重要思想的高度，从全党全国工作大局的高度，充分认识文化科技卫生“三下乡”的重要意义，更加深入、更加扎实地开展“三下乡”活动。

通知强调，在全面建设小康社会、加快推进社会主义现代化的新时期，推进文化科技卫生“三下乡”，必须以“三个代表”重要思想为指导，认真学习宣传贯彻党的十六大精神，进一步落实《公民道德建设实施纲要》、《关于进一步加强基层文化建设的意见》、《中华人民共和国科学技术普及法》、《中华人民共和国人口与计划生育法》和《关于进一步加强农村卫生工作的决定》，积极传播先进文化，普及科学技术知识，宣传科学文明健康的生活方式和科学文明进步的婚育观念，提高农民素质和生活质量，满足农民日益增长的精神文化需求；要以西部地区、贫困地区和革命老区为重点，着力为农民多办好事实事，切实解决农民特别是贫困地区农民生产生活中的实际困难，进一步密切党与人民群众的血肉联系；要大力倡导“爱国守法、明礼诚信、团结友善、勤俭自强、敬业奉献”20 字基本道德规范，推动与社会主义市场经济相适应、与社会主义法律规范相协调、与中华民族传统美德相承接的社会主义思想道德体系的建立和形成；要引导全社会进一步关心农村、支持农业、帮助农民，为完成十六大提出的统筹城乡经济社会发展、建设现代农业，发展农村经济、增加农民收入和加快城镇化进程的任务而努力奋斗。

通知指出，文化科技卫生“三下乡”活动要贯穿全年，做到经常化、制度化。既要有重点地开展一些集中示范活动，扩大影响，形成声势；又要在常下乡、常在乡上下功夫，让先进的文化、科技、卫生在农村扎下根来。通知分别对文化下乡、科技下乡、卫生下乡和大学生“三下乡”的主要内容进行了部署。

12 月 5 日

中宣部等 12 部委召开文化科技卫生“三下乡”电视电话会议

会议认真学习贯彻党的十六大精神和“三个代表”重要思想，交流“三下乡”活动的情况和经验，安排部署下一步的工作，推动文化科技卫生“三下乡”活动深入开展。

2002 年初以来，各地各部门积极推进“三下乡”活动，为农民办了大量好事实事。据不完全统计，送图书 7500 万册，送戏 43 万多场，电影近 186 万多场；下派科技人员 218 万多人次，举办科技培训班 52 万场次，近 9000 万农民参加培训；下派医疗队近 4 万多支，培训乡村医务人员 235 万多人次，给农民看病近 2500 万人。

会议强调，当前和今后一个时期的“三下乡”工作，要紧紧围绕全面建设小康社会的奋斗目标，把十六大精神送到广大农民群众的心坎上。深入学习宣传贯彻党的十六大精神，是全党当前和今后一个时期的首要政治任务，也是“三下乡”活动的首要政治任务。要通过组织宣讲团下乡宣讲、赠送有关宣传资料、开展文艺演出等多种有效形式，向农民宣传十六大精神和“三个代表”重要思想，把广大农民群众的思想统一到十六大精神上来，把力量凝聚到实现全面小康社会的目标上来。

中宣部副部长胡振民作总结讲话。会议由中央文明办副主任翟卫华主持。科技部副部长李学勇、农业部副部长刘坚、文化部副部长周和平、卫生部副部长朱庆生在会上讲话。广西壮族自治区党委宣传部常务副部长陈梧生，四川省委常委、宣传部长王少雄，福建省南平市委书记李川，吉林省卫生厅厅长李殿富先后介绍了当地深入扎实开展“三下乡”活动的做法和经验。

12 月 13—14 日

中宣部　中央文明办召开全国农村精神文明建设工作座谈会

中宣部、中央文明办在广西百色市召开全国农村精神文明建设工作座谈会。

会议总结、交流了全国各地开展精神文明区域性连片创建工作的经验，部署了深入扎实开展区域性连片创建工作的任务。与会代表认真考察了百色市农村精神文明创建工作。

会议强调，要以邓小平理论和“三个代表”重要思想为指导，认真学习贯彻党的十六大精神，按照全面建设小康社会的要求，深入扎实地开展精神文明区域性连片创建工作，推动农村精神文明建设有一个更大的发展。会议强调，各地要深入扎实开展精神文明区域性连片创建工作，要以坚定理想信念和弘扬民族精神为重点，大力加强思想道德建设，提高广大群众思想道德素质；以文化体育设施建设为依托，大力发展各类群众文化，满足人民群众日益增长的精神文化需求；以服务人民为宗旨，大力加强规范服务和优质服务，提高人民群众生活水平和生活质量；以增强可持续发展能力为目标，大力加强生态环境建设，促进人与自然和谐发展；以保障人民群众安居乐业为核心，依法大力加强综合治理，维护良好的社会秩序。

中宣部副部长胡振民、中央文明办专职副主任翟卫华在座谈会上就开展精神文明区域性连片创建工作发表了意见。广西、河北、山西、辽宁、黑龙江、山东、河南、广东、海南、重庆、甘肃、宁夏等地的有关负责人介绍了创建工作经验。出席会议的有全国各地党委宣传部、文明办和广西壮族自治区的负责同志，以及一些基层单位的代表。

12 月 15 日

胡锦涛同中央宣讲团成员座谈

中共中央总书记胡锦涛在中南海会见学习贯彻十六大精神中央宣讲团成员并座谈。胡锦涛在听取大家的发言后发表了重要讲话（见本年鉴“文献·讲话”）。他强调，当前，全党和全国学习贯彻十六大精神的热潮已经兴起，各级党委要进一步加强组织引导，按照中央的部署，围绕主题，把握灵魂，狠抓落实，不断把学习贯彻十六大精神的工作引向深入。

中共中央政治局常委、中央书记处书记曾庆红，中共中央政治局常委李长春，中共中央政治局委员、中央书记处书记刘云山、贺国强，中共中央政治局候补委员、中央书记处书记王刚参加会见并座谈。李长春主持座谈会。

座谈开始时，刘云山介绍了学习贯彻十六大精神中央宣讲团的工作情况。宣讲团的几位同志谈了自己的体会。

12 月 19 日

文化部　财政部组织实施中华再造善本工程

中华再造善本编纂出版座谈会在北京举行。国务院副总理李岚清在座谈会上讲话强调，中国古代文化典籍中的善本，是中华民族优秀文化的集中体现，是前人为我们留下的宝贵精神财富。对这些古籍善本进行妥善保护、开发和利用，保证中华文化薪火相传、生生不息、不断发扬光大，是我们党和政府以及文化工作者义不容辞的责任。

我国五千年的文明史，曾创造了辉煌浩瀚的文化典籍，成为中华民族历史的见证。据调查，全国现在仅公共图书馆系统收藏的古籍就达2750万册，其中善本250万册，传世稀少。但是，在这些珍善本古籍中，有许多因收藏年代久远亟须抢救。为此，文化部、财政部最近决定实施旨在“继绝存真、传本扬学”的中华再造善本工程。由一些著名专家学者组成的编纂出版委员会，已经对再造善本的目录进行了初选，并出版了首批书籍。这项工程最终将主要选出唐宋以来1300余种兼具文物价值和学术研究价值的古籍善本仿真影印，以满足国内外图书馆补充入藏善本的需要，并为学术界提供丰富的宝贵文献资料。

座谈会上，中华再造善本编纂出版委员会主任委员李致忠、国家图书馆馆长任继愈、中国艺术研究院研究员冯其庸、文化部部长孙家正、财政部副部长金立群分别介绍了中华再造善本工程的情况或对编纂出版工作发表了意见。全国政协副主席罗豪才以及有关部门的负责同志和启功等各界专家学者出席了会议。

12 月 30 日

我国成功发射“神舟”四号飞船

我国自行研制的“神舟”四号无人飞船在酒泉卫星发射中心发射升空并成功进入预定轨道。这是我国载人航天工程的第四次飞行试验。全国人大常委会委员长李鹏，中共中央政治局常委、国务院副总理吴邦国，中共中央政治局常委贾庆林在发射现场观看飞船发射。

中共中央政治局委员、中央军委副主席曹刚川，全国政协副主席宋健，中央军委委员、总装备部部长李继耐，总装备部政委迟万春等，也在现场观看了发射。

这次发射成功，标志着我国载人航天事业取得了新进展，向实现载人飞行又迈出了重要一步。

飞船发射成功后，李鹏发表了重要讲话。李鹏强调，党的十六大为我们国家的发展确立了新的奋斗目标，描绘了新的宏伟蓝图。载人航天工程是国家的重点工程。大力推进这一重点工程，突破和发展我国的载人航天技术，对于全面建设小康社会、推进中国特色社会主义伟大事业，意义重大，影响深远。

12 月 30 日

中央文明委召开全体会议

会议总结2002年工作，部署2003年工作。中共中央政治局常委、中央文明委主任李长春主持会议并讲话。中共中央政治局委员、书记处书记、中央文明委副主任刘云山出席会议。

会议强调，精神文明建设要坚持以邓小平理论和“三个代表”重要思想为指导，坚持党的基本理论、基本路线、基本纲领和基本经验，解放思想，实事求是，与时俱进，开拓创新，积极全面深入地学习宣传贯彻十六大精神，加强思想道德和文化建设，广泛深入地开展群众性精神文明创建活动，把全党的思想统一到十六大精神上来，把全国各族人民的力量凝聚到实现十六大提出的任务上来，不断提高人们的思想道德和科学文化素质，努力培育“四有”新人，为全面建设小康社会提供强大的精神动力、思想保证和智力支持，营造良好的社会环境。

李长春在讲话中要求，做好2003年精神文明建设工作，要抓好重中之重，把学习宣传贯彻十六大精神和“三个代表”重要思想的热潮引向深入，在深入人心上下功夫，在开拓创新上下功夫，在力求实效上下功夫，使十六大主要精神家喻户晓、人人明白，真正深入党心民心，化为全党全国人民的自觉行动。要以贯彻《公民道德建设实施纲要》为重点，提高人们的思想道德素质，弘扬和培育民族精神，丰富人们的精神世界，增强人们的精神力量。要以诚信建设为重点，认真纠正行业不正之风，找准不同领域的突出问题，采取有效措施进行综合整治。要以帮助困难群众和贫困地区为重点，多办好事实事，多做化解矛盾、维护稳定的工作。要以创建文明城市为重点，提高城乡文明程度，努力创造有利于扩大开放加快发展的政务环境、法治环境、市场环境、人文环境、生活环境、生态环境。

附　录

APPENDIXES

组织机构

中央精神文明建设指导委员会

（12月26日前）

主　任：丁关根　中共中央政治局委员、书记处书记、中央宣传部部长
副主任：李铁映　中共中央政治局委员、中国社科院党组书记、院长
成　员：曹庆泽　中共中央纪委副书记
胡光宝　中共中央办公厅副主任
姜异康　中共中央办公厅副主任、中央文明办副主任
李铁林　中共中央组织部副部长
刘云山　中共中央宣传部常务副部长、中央文明办主任
刘延东　中共中央统战部副部长
陈冀平　中央政法委副秘书长
高　强　国务院副秘书长、中央文明办副主任
姜伟新　国家发展计划委副主任
袁贵仁　教育部副部长
朱丽兰　科学技术部部长
孙明山　公安部政治部主任
李学举　民政部副部长
项怀诚　财政部部长
俞正声　建设部部长（3月前）
汪光焘　建设部部长（3月后）
王宪魁　铁道部党组成员、政治部主任
翁孟勇　交通部副部长
孙家正　文化部部长
张文康　卫生部部长
张维庆　国家计生委主任
钱冠林　海关总署署长
金人庆　税务总局局长
解振华　环保总局局长
高宏峰　民航总局副局长
徐光春　中共中央宣传部副部长、广播影视总局局长
李志坚　体育总局党组书记、副局长
王众孚　国家工商局局长
石宗源　新闻出版总署署长
何光暐　国家旅游局局长
江蓝生　中国社科院副院长
袁守芳　总政治部副主任
张俊九　全国总工会副主席、书记处第一书记
周　强　共青团中央书记处第一书记
顾秀莲　全国妇联副主席、书记处第一书记
张玉台　中国科协副主席、党组书记、书记处第一书记
王新宪　中国残联常务副理事长
胡振民　中共中央宣传部副部长（5月后）、中央文明办专职副主任（5月前）
翟卫华　中央文明办专职副主任（5月后）

中央精神文明建设指导委员会

（12月26日后）

主　任：李长春　中共中央政治局常委
副主任：刘云山　中共中央政治局委员、书记处书记、中央宣传部部长
陈至立　国务委员
委　员：夏赞忠　中共中央纪委副书记

孙晓群　中共中央组织部副部长
胡振民　中共中央宣传部副部长、中央文明办主任
刘延东　中共中央统战部部长
陈冀平　中共中央政法委副秘书长
李东生　中共中央防范和处理邪教问题领导小组办公室副主任、中共中央宣传部副部长
翟卫华　中央文明办专职副主任
高　强　国务院副秘书长、中央文明办副主任
姜伟新　国家发展计划委副主任
袁贵仁　教育部副部长
徐冠华　科学技术部部长
孙明山　公安部政治部主任
李学举　民政部副部长
项怀诚　财政部部长
汪光焘　建设部部长
王宪魁　铁道部党组成员、政治部主任
翁孟勇　交通部副部长
孙家正　文化部部长
张文康　卫生部部长
张维庆　国家计生委主任
牟新生　海关总署署长
金人庆　税务总局局长
解振华　环保总局局长
高宏峰　民航总局副局长
徐光春　中共中央宣传部副部长、广播影视总局局长
李志坚　体育总局党组书记、副局长
王众孚　工商总局局长
石宗源　新闻出版总署署长
何光晫　国家旅游局局长
江蓝生　中国社会科学院副院长
袁守芳　总政治部副主任
张俊九　全国总工会副主席、书记处第一书记
周　强　共青团中央书记处第一书记
顾秀莲　全国妇联副主席、书记处第一书记
张玉台　中国科协副主席、党组书记、书记处第一书记
王新宪　中国残联党组书记

中央文明办

（12月26日前）

主　　任：刘云山（兼）
副 主 任：姜异康　高　强
专职副主任：胡振民（5月前）
　　　　　翟卫华（5月后）
秘书组组长：孔令一
副 组 长：刘　斌
调研组组长：李小满
副 组 长：荆惠民（5月前）
　　　　　左中一（5月后）
协调组组长：李　伟
地址：北京市西长安街5号
邮编：100806
电话：(010) 63095576

中央文明办

（12月26日后）

主　　任：胡振民
副 主 任：高　强
专职副主任：翟卫华
秘书组组长：孔令一
副 组 长：刘　斌
调研组组长：李小满
副 组 长：左中一
协调组组长：李　伟
地址：北京市西长安街5号
邮编：100806
电话：(010) 63095576

中直机关精神文明建设委员会

主　　任：伍绍祖　中直工委常务副书记

副　主　任：姜异康　中央办公厅副主任
赵常谦　中国外文局常务副局长
办公室主任：赵广召　中直工委委员、宣传部部长
张　辉　中直工委宣传部副部长
彭向东　中直工委宣传部副部长
李五一　中直工委宣传部副部长
张书坤　中直管理局局长助理
办 公 室 设：宣传处　教育处　活动协调处
地址：北京市西城区丰盛胡同 21 号
邮编：100032
电话：（010）66172321（传真）

中央金融工委精神文明建设委员会

主　　　任：阎海旺　常务副书记
副　主　任：陈玉杰　副书记
办公室主任：车光明
副　主　任：李玉平
地址：北京市海淀区阜成路 18 号
邮编：100037
电话：（010）68401409　68401983

交通部精神文明建设指导委员会

主　　　任：黄镇东　部长、党组书记（10 月前）
张春贤　部长、党组书记（10 月后）
副　主　任：刘　锷　纪检组组长、党组成员（3 月前）
洪善祥　副部长、党组成员
胡希捷　副部长、党组成员
翁孟勇　副部长、党组成员
金道铭　纪检组组长、党组成员（3 月后）
张士辉　全国海员工会、公路运输工会主席
办公室主任：朱永光　体改法规司司长
副　主　任：付国民　体改法规司副司长
地址：北京市建国门内大街 11 号
邮编：100736
电话：（010）65292608

水利部精神文明建设指导委员会

主　　　任：汪恕诚　部长、党组书记
副　主　任：敬正书　副部长、党组成员
刘光和　纪检组组长、党组成员
办公室主任：（缺）
办公室副主任：陈秀清（主持工作）
地址：北京市宣武区白广路二条二号
邮编：100053
电话：（010）63202815

全国环保系统精神文明建设指导委员会

主　　　任：解振华　局长、党组书记
副　主　任：祝光耀　副局长、党组副书记
王玉庆　副局长、党组成员
曾晓东　纪检组组长、党组成员
办公室主任：蔡贤武　机关党委常务副书记
地址：北京市西直门内南小街 115 号
邮编：100035
电话：（010）66155347

国家广播电影电视总局精神文明建设委员会

主　　　任：赵　实　副局长、党组副书记
第一副主任：朱　虹　办公厅主任、广电集团秘书长
副　主　任：黄　勇　直属机关党委常务副书记、

工会主席
雷元亮　人教司司长
方　源　保卫司司长
王云鹏　办公厅副主任、法规司副司长
潘翔鸣　工会专职副主席
陈　光　物业管理中心主任
刘宝顺　中央人民广播电台副台长
赵铁骑　中国国际广播电台副台长
张长明　中央电视台副台长
窦春起　中国电影集团公司党委副书记
薛大力　中广网络公司副董事长、党委常务副书记
李天德　无线电台管理局局长、党委书记
庞井君　团委书记
办公室主任： 赵子忠　办公厅副主任（兼）
常务副主任： 郭湘娥
地址：北京市西城区复兴门外大街2号
邮编：100866
电话：（010）86093280

新闻出版总署精神文明建设领导小组

组　　长： 石宗源　署长、党组书记
副 组 长： 任泽民　纪检组组长、党组成员
孙寿山　办公厅主任
袁良喜　机关党委常务副书记
成　　员： 李敉力　人教司司长
阎晓宏　图书司司长
余昌祥　报刊司司长
肖时国　音像司司长
姜学忠　印刷复制司司长
刘　波　出版发行司司长
范卫平　出版物市场监管局局长
王自强　版权司副司长
办公室主任： 孙寿山
副 主 任： 段桂鉴　王晓峰
地址：北京市东城区东四南大街85号
邮编：100703
电话：（010）65127816

国家旅游局精神文明建设指导委员会

主　　任： 何光暐　局长、党组书记
副 主 任： 孙　钢　副局长、党组成员
张希钦　副局长、党组成员
顾朝曦　副局长、党组成员
王　军　纪检组组长、党组成员
办公室主任： 刘志江　质量规范与管理司副司长
地址：北京市东城区建国门内大街甲9号
邮编：100740
电话：（010）65201545　65201540（传真）

全国总工会机关精神文明建设领导小组

组　　长： 李奇生　副主席、书记处书记
副 组 长： 倪豪梅　副主席、书记处书记
苏立清　副主席　书记处书记
董　力　书记处书记
办公室主任： 徐政辉　机关党委常务副书记
地址：北京市西城区复兴门外大街10号
邮编：100865
电话：（010）68593105　68593113

首都精神文明建设委员会

主　　任： 贾庆林　中共中央政治局委员、市委书记
第一副主任： 刘　淇　市委副书记、市长
常务副主任： 龙新民　市委副书记
副 主 任： 伍绍祖　中直工委常务副书记
焦焕成　国务院副秘书长
常生荣　解放军总政治部群工局长
孟学农　市委副书记、常务副市长

蔡赴朝　市委常委、宣传部部长
吉　林　市委常委、政法委书记
张　茅　副市长
翟鸿祥　副市长

办公室主任：张慧光
副 主 任：赵津芳　滕　毅
办 公 室 设：综合处　创建活动处　宣传调研处
地址：北京市东城区台基厂3号
邮编：100743
电话：(010) 65193121 (传真)

天津市精神文明建设委员会

主　　任：张立昌　中共中央政治局委员、市委书记
第一副主任：李盛霖　市委副书记、市长
常务副主任：刘峰岩　市委副书记 (10月前)
刘胜玉　市委副书记 (10月后)
副 主 任：邢元敏　市委常委、教委工委书记 (10月后任市委副书记)
夏宝龙　市委常委、常务副市长
王文华　市委常委、秘书长
肖怀远　市委常委、宣传部部长
庄公惠　市人大副主任
王德惠　副市长
俞海潮　副市长
张永根　市政协副主席
陈洪江　市政府秘书长 (4月后任市人大副主任)
叶厚荣　市委统战部部长 (4月后任市政协副主席)
刘书才　天津警备区政委
办公室主任：叶厚荣 (兼) (3月前)
刘凤银 (兼) (3月后)
副 主 任：沈志建
龚建生 (3月后)
办 公 室 设：综合处　创建处　调研处
地址：天津市和平区大沽北路174号
邮编：300040
电话：(022) 23327552 (传真)

河北省精神文明建设委员会

主　　任：王旭东　省委书记
常务副主任：赵世居　省委副书记
副 主 任：张群生　省委常委、宣传部部长
刘健生　副省长
董杏生　省军区副政委
办公室主任：于振华　省委宣传部常务副部长
专职副主任：白　石
副 主 任：夏玉祥　省委副秘书长、办公厅副主任
尹亚力　省政府副秘书长
办 公 室 设：秘书处　协调处　调研处
地址：石家庄市维明南大街46号
电话：(0311) 7907229

山西省精神文明建设指导委员会

主　　任：田成平　省委书记
第一副主任：刘振华　省委副书记、省长
常务副主任：纪馨芳　省委副书记、省人大副主任 (10月前)
侯伍杰　省委副书记 (10月后)
副 主 任：申维辰　省委常委、宣传部部长
徐生岚　省人大副主任
王　昕 (女)　副省长
赵凤翔　省政协副主席
孙连元　省军区副政委
办公室主任：张明亮
地址：太原市迎泽大街369号
邮编：030071
电话：(0351) 4045469 (传真)

内蒙古自治区精神文明建设委员会

主　　任：白志健　自治区党委副书记 (5月

前）
陈光林　自治区党委副书记（5月后）
副　主　任：张国民　自治区党委常委、宣传部部长
伏来旺　自治区党委常委、统战部部长（5月后）
王秀梅　自治区人大常委会副主任
宝音德力格尔　自治区政府副主席
谭博文　自治区政协副主席
孙忠泰　内蒙古军区副政委
办公室主任：张国民（兼）
副　主　任：吴永刚（兼）　自治区党委副秘书长
周廷芳（兼）　自治区政府副秘书长
专职副主任：张英伟　自治区党委宣传部副部长
办 公 室 设：综合处　创建处
地址：呼和浩特市新城区青城巷1号
邮编：010015
电话：（0471）4812639　4812445　4812718
4812718（传真）

辽宁省精神文明建设指导委员会

主　　任：张文岳　省委副书记
副　主　任：夏德仁　省委常委、副省长
焦　利　省委常委、宣传部部长
张锡林　省人大副主任
张成伦　省政协副主席
王积行　省军区副政委
办公室主任：张仁地
办公室副主任：王占山　李裕林
办 公 室 设：指导处　调研处
地址：沈阳市和平区和平南大街45号
邮编：110006
电话：（024）23128464　23128467　23128468

吉林省精神文明建设指导委员会

主　　任：全哲洙　省委副书记
副　主　任：邓　凯　省委常委、宣传部部长
李政文　省人大副主任
李锦斌　副省长
常万海　省政协副主席
张国珍　省军区副政委
办公室主任：马　竞
副　主　任：初秀峰　杨　忆
办 公 室 设：综合处　城市处　农村处
地址：长春市新发路32号
邮编：130051
电话：（0431）8929858　2760682（传真）

黑龙江省精神文明建设指导委员会

主　　任：徐有芳　省委书记、省人大主任
第一副主任：宋法棠　省委副书记、省长
副　主　任：杨光洪　省委副书记、省纪委书记
刘东辉　省委副书记
孙启文　省委常委、宣传部部长
王人生　省人大副主任
马淑洁　副省长
王佐书　副省长
欧阳吟　省政协副主席
王耀光　省军区副政委
李国生　23集团军副政委
办公室主任：王毅人　省委宣传部副部长
副　主　任：陈永芳
办 公 室 设：秘书处　创建协调处　调研处
地址：哈尔滨市南岗区果戈里大街327号
邮编：150001
电话：（0451）53649862　53646999（传真）

上海市精神文明建设委员会

主　　任：黄　菊　中共中央政治局委员、市委书记
第一副主任：徐匡迪　市委副书记、市长（4月前）
陈良宇　市委副书记、市长（4月

后）
常务副主任： 龚学平　市委副书记（后任市人大副主任）
副　主　任： 殷一璀　市委常委、宣传部部长（后任市委副书记）
宋仪侨　市委常委、秘书长（后任市政协副主席）
吴志明　市委常委、市公安局长
胡正昌　市人大副主任
左焕琛　副市长（4月前）
周慕尧　副市长
杨晓渡　副市长（4月后）
陈正兴　市政协副主席
李仰录　上海警备区副政委（4月前）
张　龙　上海警备区副政委（4月后）
秘　书　长： 许德明　市委宣传部副部长
办公室主任： 许德明（兼）
副　主　任： 陈振民
办 公 室 设： 活动指导处　综合处　调研处
地址：上海市高安路19号
邮编：200031
电话：(021) 64338071　64314225（传真）

江苏省精神文明建设指导委员会

主　　　任： 任彦申　省委副书记
副　主　任： 王国生　省委常委、宣传部部长
张桃林　副省长
办公室主任： 谭　跃　省委宣传部副部长
副　主　任： 余竞来
办 公 室 设： 综合联络处　活动管理处
地址：南京市北京西路70号
邮编：210013
电话：(025) 83323637

浙江省精神文明建设委员会

主　　　任： 李金明　省委副书记
梁平波　省委副书记（7月后）
副　主　任： 陈敏尔　省委常委、宣传部部长（1月后）
盛昌黎　副省长
李忠才　省军区副政委
办公室主任： 徐令义　省委宣传部副部长
副　主　任： 张仕英　省委宣传部助理巡视员
罗天明
办 公 室 设： 综合处　城市文明建设指导处
社会文明建设协调处
地址：浙江省杭州市省府大院
邮编：310025
电话：(0571) 87054683（传真）

安徽省精神文明建设指导委员会

主　　　任： 王太华　省委书记
第一副主任： 许仲林　副书记、省长
常务副主任： 方兆祥　副书记、省政协主席
副　主　任： 杨多良　副书记、纪委书记
王明方　省委常委、秘书长
张　平　省委常委、副省长
骆惠宁　省委常委、宣传部部长
苏平凡　省人大副主任
蒋作君　副省长
岳书仓　省政协副主席
杨洪立　省军区副政委
张育瑄　省委宣传部副部长
顾　　　问： 张宏贵　原省军区副政委
办公室主任： 庄保斌
副　主　任： 谢　新　舒德发
地址：安徽省合肥市省委大院内
邮编：230001
电话：(0551) 2607709　2607337　2608392

福建省精神文明建设指导委员会

主　　　任： 宋德福　省委书记、省人大主任

常务副主任：黄瑞霖　省委副书记、省总工会主席
副 主 任：荆福生　省委常委、宣传部部长（6月后）
林　强　省人大副主任
潘心城　副省长
周厚稳　省政协副主席
黄文麟　省人大原副主任
秘 书 长：卓家瑞　省委宣传部副部长
副秘书长：朱　清　省委宣传部部务会成员
办公室主任：朱　清　（兼，5月前）
卓家瑞　（兼，5月后）
副 主 任：陈　朱　（8月后）
张　萍
罗训涌　（12月前）
郑赞松　（12月后）
办 公 室 设：综合处　创建处
地址：福州市华林路80号
邮编：350003
电话：（0591）7843945　7838692（传真）

江西省精神文明建设指导委员会

主　　任：王　君　省委副书记
副 主 任：刘上洋　省委常委、宣传部部长
周愸平　省人大副主任
胡振鹏　副省长
喻长林　省政协副主席
周日扬　省军区副政委
办公室主任：杨　松
办 公 室 设：综合处　协调处
地址：江西省南昌市豫章路50号
邮编：330006
电话：（0791）6242547　6242477

山东省精神文明建设委员会

主　　任：王修智　省委副书记
副 主 任：朱正昌　省委常委、宣传部部长
蔡秋芳　副省长
黄辉道　省军区副政委
办公室主任：李凤梧　省委宣传部副部长
专职副主任：左中一
副 主 任：李　静（兼）　张传亭（兼）
黄泽存　王红勇
办 公 室 设：综合处　调研处　活动协调处
地址：济南市纬一路482号
邮编：250001
电话：（0531）6917009

河南省精神文明建设指导委员会

主　　任：王全书　省委副书记
副 主 任：孔玉芳　省委常委、宣传部部长
张世英　省人大副主任
贾连朝　副省长
杨光喜　省政协副主席
胡庆海　省军区副政委
办公室主任：常有功　省委宣传部常务副部长
副 主 任：王　群　省委副秘书长（兼）
米剑峰　省政府副秘书长（兼）
专职副主任：权红军
办 公 室 设：协调处　创建处
地址：郑州市金水路17号
邮编：450003
电话：（0371）5901413　5904126（传真）

湖北省精神文明建设委员会

主　　任：俞正声　省委书记
副 主 任：王生铁　省委副书记
缪合林　省委常委、宣传部部长
宋育英　省委常委、秘书长
邓道坤　省委常委、常务副省长
王少阶　副省长

湖北省精神文明建设委员会（6月后）

主　　任：俞正声　省委书记
副 主 任：邓道坤　省委副书记
　　　　　周坚卫　省委常委、常务副省长
　　　　　孙志刚　省委常委、秘书长
　　　　　张昌尔　省委常委、宣传部部长
办公室设：协调处　指导处
地址：武汉市武昌区水果湖省委大院5号楼
邮编：430071
电话：(027) 87232373　87811742（传真）

湖南省精神文明建设指导委员会

主　　任：文选德　省委副书记
副 主 任：谢康生　省委常委、秘书长
　　　　　黄建国　省委常委、宣传部部长
　　　　　周本顺　省委常委、政法委书记
　　　　　颜永盛　省人大副主任
　　　　　唐之享　副省长
　　　　　陈彰嘉　省政协副主席
　　　　　孙楚源　省军区政治部主任
办公室主任：邓吉雄
副 主 任：李晓平　周孟霞
地址：湖南省长沙市韶山路1号
邮编：410011
电话：(0731) 2217052　2217445

广东省精神文明建设委员会

主　　任：李长春　中共中央政治局委员、省委书记
副 主 任：卢瑞华　省委副书记、省长
　　　　　黄丽满　省委副书记
　　　　　陈绍基　省委副书记、政法委书记
　　　　　钟阳胜　省委常委、宣传部部长
　　　　　李兰芳　副省长
　　　　　李鸿忠　副省长
办公室主任：石启仁　省委宣传部副部长
副 主 任：张圣钦　劳应勋　顾作义（常务）
　　　　　严建强　江友德
地址：广州市东山区合群三马路省委大院3号楼
邮编：510082
电话：(020) 87185239　87185210（传真）

广西壮族自治区精神文明建设委员会

主　　任：马庆生　自治区党委副书记
副 主 任：潘　琦　自治区党委常委、宣传部部长
　　　　　李振潜　自治区人大副主任
　　　　　袁凤兰　自治区副主席
　　　　　吴　恒　自治区副主席
　　　　　俞曙霞　自治区政协副主席
　　　　　刘代文　广西军区副政委
办公室主任：李　涛　自治区党委、宣传部副部长
办公室设：综合处　活动处
地址：南宁市民族大道东段103号
邮编：530022
电话：(0771) 5898463　5898491（传真）

海南省精神文明建设指导委员会

主　　任：白克明　省委书记、省人大主任（11月前）
　　　　　王岐山　省委书记、省人大主任（11月后）
副 主 任：汪啸风　省委副书记、省长

罗保铭　省委副书记
钟　文　省委常委、政法委书记
周文彰　省委常委、宣传部部长
王琼瑛　副省长
办公室主任：周洪晋
副　主　任：黄宏和　符史霞
地址：海口市海府路49号
邮编：570204
电话：（0898）5371533　5336134（传真）

重庆市精神文明建设委员会

主　　　任：刘志忠　市委副书记（6月前）
邢元敏　市委副书记（6月后）
副　主　任：邢元敏　市委常委、宣传部部长（6月前）
张宗海　市委常委、宣传部部长（6月后）
程贻举　副市长
冯克熙　市人大副主任
窦瑞华　市政协副主席
王玉昆　重庆警备区副政委
办公室主任：翁杰明　市委宣传部副部长
副　主　任：李继才
地址：重庆市渝中区中山四路36号
邮编：400015
电话：（023）63897958　63865804（传真）

四川省精神文明建设委员会

主　　　任：刘　鹏　省委副书记
副　主　任：王少雄　省委常委、宣传部部长
李　进　副省长
柯尊平　副省长
办公室主任：徐有胜　省委宣传部副部长
专职副主任：张亚平
办 公 室 设：综合处　协调处
地址：成都市商业街16号
邮编：610012
电话：（028）86267512　86267515（传真）

贵州省精神文明建设指导委员会

主　　　任：孙　淦　省委副书记
副　主　任：张　健　省委常委、宣传部部长
龙超云　省委常委、副省长
办公室主任：黄汉林　省委宣传部常务副部长（6月前）
姚　远　省委宣传部副部长（6月后）
专职副主任：李从彬
兼职副主任：廖国勋　省委副秘书长
姚亚飞　省政府副秘书长
办 公 室 设：协调处　秘书处　调研处
地址：贵阳市广顺路1号
邮编：550002
电话：5892523　5892547　5892869　5892292

云南省精神文明建设指导委员会

主　　　任：王学仁　省委副书记
副　主　任：晏友琼　省委常委、宣传部部长
邵琪伟　副省长
王义明　省人大副主任
李先猷　省政协副主席
雷本农　省军区副政委
专职副主任：蔡春生
地址：昆明市西昌路249号
邮编：650032
电话：（0871）4146959　4190039
4143761（传真）

西藏自治区精神文明建设指导委员会

主　　任：李立国　自治区党委副书记
副 主 任：苟天林　自治区党委常委、宣传部部长
　　　　　次仁卓嘎　自治区政府副主席
办公室主任：刘盛福　自治区党委宣传部副部长
常务副主任：丁　勇
副 主 任：拉　巴
地址：拉萨市江苏路1号
邮编：850000
电话：（0891）6340602

陕西省精神文明建设指导委员会

主　　任：李建国　省委书记、省人大主任
第一副主任：程安东　省委副书记、省长（5月前）
　　　　　贾治邦　省委副书记、代省长（6月后）
副 主 任：范肖梅　省委副书记、省人大副主任（5月前）
　　　　　张保庆　省委常委、宣传部部长（5月前）
　　　　　　　　　省委副书记（6月后）
　　　　　马中平　省委常委、宣传部部长（6月后）
　　　　　潘连生　副省长
秘 书 长：白智民　省委宣传部常务副部长
办公室主任：白智民（兼）
专职副主任：杨继祖
副 主 任：沈卡利
地址：陕西省西安市雁塔路南段10号
邮编：710054
电话：85582606　85582613　85582612

甘肃省精神文明建设指导委员会

主　　任：马西林　省委副书记
副 主 任：陈宝生　省委常委、宣传部部长
　　　　　陈绮玲　省人大副主任
　　　　　李重庵　副省长
　　　　　邓成城　省政协副主席
办公室主任：周文武
副 主 任：赵延河
办 公 室 设：秘书处　协调处　调研处
地址：甘肃省兰州市南昌路
邮编：730030
电话：（0931）8885670　8828172（传真）

青海省精神文明建设指导委员会

主　　任：宋秀岩　省委副书记
副 主 任：蒋洁敏　省委常委、副省长
　　　　　邓本太　副省长
　　　　　韩忠礼　省军区副司令员
　　　　　曲青山　省委宣传部部长
办公室专职副主任：王致义
副 主 任：高存福　省委副秘书长
　　　　　张　辉　省政府副秘书长
　　　　　邵立存
　　　　　巨积元
办 公 室 设：综合调研组　创建协调组
地址：西宁市七一路346号
邮编：810000
电话：（0971）8482512　8482074

宁夏回族自治区精神文明建设指导委员会

主　　任：任启兴　自治区党委副书记

副　主　任：王正伟　自治区党委常委、宣传部部长
刘　仲　自治区政府副主席
办公室主任：王正伟（兼）
副　主　任：喻　通　自治区党委办公厅副主任
曾庆民　自治区政府副秘书长
专职副主任：张怡安
副　主　任：贾捷频
办 公 室 设：农村处　城市处
地址：银川市新市区朔方路5号
邮编：750021
电话：（0951）2087011　2087347

新疆维吾尔自治区精神文明建设指导委员会

主　　　任：王乐泉　自治区党委书记（11月任中共中央政治局委员）
第一副主任：阿不来提·阿不都热西提　自治区党委副书记、自治区主席
第二副主任：司马义·铁力瓦尔地　自治区党委副书记
副　主　任：吴敦夫　自治区党委常委、宣传部部长
买买提明·扎克尔　自治区副主席
依不拉音·苏来曼　新疆军区副政委
蒋　珊　新疆生产建设兵团党委常委、副政委
李　斌　自治区党委副秘书长
办公室主任：李向军（7月前）
孙新刚（7月后）
副　主　任：阿米娜·马木提
办 公 室 设：综合处　创建处
地址：乌鲁木齐市健康路2号区党委院内
邮编：830002
电话：（0991）2391253　2391910（传真）

新疆生产建设兵团精神文明建设指导委员会

主　　　任：蒋　珊　兵团党委常委、副政委
副　主　任：陈生初　兵团党委委员、兵团副秘书长
潘仁源　兵团党委宣传部部长
办公室主任：王运华　兵团党委宣传部副部长
副　主　任：李晓军
地址：乌鲁木齐市光明路15号
邮编：830002
电话：（0991）2890498　2890591（传真）

表彰与获奖者名单

全国精神文明创建工作先进单位名单

一、创建文明城市工作先进城市、城区（63个）

北京朝阳区、宣武区
天津河西区、大港区
河北廊坊市、保定市
山西太原市、长治市
内蒙古满洲里市、呼和浩特市新城区
辽宁鞍山市、锦州市、沈阳市和平区
吉林四平市、延吉市
黑龙江哈尔滨市南岗区、绥芬河市、伊春市伊春区
上海浦东新区、静安区
江苏常州市、镇江市、南通市、扬州市
浙江宁波市、温州市、绍兴市、嘉兴市
安徽铜陵市、淮北市、芜湖市
福建泉州市、漳州市、邵武市
江西南昌市
山东济南市市中区、淄博市张店区
河南郑州市、开封市、洛阳市
湖北武汉市、仙桃市
湖南长沙市、常德市
广东广州市、茂名市、南海市
广西柳州市
海南海口市新华区
重庆渝北区
四川成都市、峨眉山市
贵州贵阳市
云南安宁市
西藏拉萨市
陕西宝鸡市、咸阳市
甘肃金昌市、嘉峪关市
青海格尔木市
宁夏石嘴山市大武口区
新疆克拉玛依市、石河子市

二、创建文明村镇工作先进县（市）、镇、村（500个）

北京市

顺义区
顺义区南法信镇
怀柔区北房镇
平谷区峪口镇
密云县太师屯镇
丰台区花乡草桥村
房山区史家营乡金鸡台村
通州区梨园镇大稿村
昌平区北七家镇郑各庄村
延庆县八达岭镇里炮村

天津市

西青区
武清区
北辰区宜兴埠镇
津南区咸水沽镇
宁河县芦台镇
蓟县别山镇
东丽区无暇街新五村
津南区辛庄镇白塘口村
宝坻区林亭口镇帐房村
静海县大丰堆镇史家庄村

河北省

涿州市
三河市
石家庄市长安区高营镇南高营村

石家庄市裕华区槐底办事处槐底村
邯郸市丛台区中柳林村
邯郸市峰峰矿区大社镇彦亭村
沙河市白塔镇栾卸村
宁晋县换马店乡北楼下村
内丘县侯家庄乡岗底村
保定市新市区江城乡大汲店村
定州市高蓬镇钮店村
河间市沙河桥镇
沧州市运河区小王庄镇小圈村
献县河城街镇小屯村
饶阳县同岳乡崔口村
冀州市周村镇增家庄村
衡水市桃城区何家庄乡郑里马村
霸州市霸州镇
香河县淑阳镇
丰南市胥各庄镇
唐海县第八农场
滦县响堂镇
秦皇岛市海港区东港镇
滦平县滦平镇
滦平县张百湾镇周台子村
蔚县南留庄镇西寨村
阳原县揣骨疃镇揣骨疃村
石家庄市高邑县高邑镇西南关村

山西省

孝义市
左云县云兴镇
大同市南郊区云冈镇
朔州市朔城区小平易乡
应县金城镇
中阳县张子山乡
灵石县静升镇
和顺县义兴镇
平定县冠山镇
阳泉市郊区下千亩坪村
侯马市乔村
洪洞县赵城镇
河津市龙门村
黎城县黎侯镇
长治市郊区霍家沟村
陵川县杨村
泽州县东常村
五寨县韩家楼乡韩家楼村
原平市大牛店镇阳武一村
太原市尖草坪区新城乡北固碾村
太原市晋源区金胜镇石庄头村

内蒙古自治区

锡林浩特市
宁城县热水镇
阿拉善左旗吉兰泰镇
开鲁县小街基镇
伊金霍洛旗乌兰牧伦镇
突泉县水泉镇
临河市隆胜镇
呼和浩特市赛罕区巧报镇大台什村
赤峰市元宝山区建昌营镇四合村
赤峰市元宝山区山前镇前进村
通辽市科尔沁区河西镇二号村
扎兰屯市哈拉苏镇大兴村

辽宁省

开原市
沈阳市新城子区虎石台镇
瓦房店市炮台镇
大连市甘井子区红旗镇
鞍山市千山区宁远镇
新宾满族自治县榆树乡罗圈村
桓仁满族自治县黑沟乡
东港市孤山镇大鹿岛村
凌海市双羊镇
营口市路南镇太和庄村
阜新市细河区四合镇碱巴拉荒村
辽阳县首山乡
铁岭县凡河镇胜台子村
盘山县太平镇
葫芦岛市连山区红螺岘镇

吉林省

磐石市
榆树市五棵树镇
农安县合隆镇
桦甸市八道河子镇李家村
公主岭市朝阳坡镇
辽源市龙山区山湾乡七一村
通化市东昌区金厂镇
通化市二道江区鸭园镇向阳村
江源县石人镇
扶余县三岔河镇
镇赉县保民乡
安图县万宝镇红旗村

黑龙江省

绥化市北林区西太平村
通河县清河镇
宁安市渤海镇
肇东市昌五镇
哈尔滨市动力区朝阳镇前进村
齐齐哈尔市铁锋区扎龙乡查罕诺村
佳木斯市郊区松江乡模范村
桦川县横头山镇向阳堡村
杜尔伯特蒙古族自治县一心乡民主村
铁力市桃山镇新建村
漠河县漠河乡北极村
农垦总局嫩北农场十三队

上海市：

浦东新区高行镇解放村
闵行区梅陇镇
嘉定区马陆镇
金山区枫泾镇新春村
宝山区大场镇新华村
松江区泗泾镇
青浦区华新镇
南汇区康桥镇营房村
奉贤区奉城镇高桥村
崇明县竖新镇前卫村

江苏省

沛县
江都市
南京市六合区雄州镇
张家港市南丰镇永联村
无锡市新区旺庄镇
常州市新北区魏村镇新华村
句容市茅山镇
丹阳市埤城镇常兴村
扬州市郊区平山乡平山村
启东市和合镇
海安县双楼镇
兴化市张郭镇
泰兴市蒋华镇六圩村
盐城市城区城郊大洋村
东台市头灶村
涟水县高沟镇
淮安市楚州区施河镇
铜山县铜山镇
徐州市贾汪区青山泉镇马庄村
赣榆县青口镇
连云港市连云区墟沟镇院前村

浙江省

绍兴县
余姚市
淳安县千岛湖镇
桐庐县分水镇
余姚市泗门镇
宁波市鄞州区石碶镇
温州市瓯海区新桥镇
诸暨市枫桥镇
嘉善县西塘镇
嘉兴市秀城区余新镇
湖州市南浔区南浔镇
磐安县安文镇
开化县华埠镇
温岭市箬横镇
舟山市普陀区朱家尖镇
庆元县竹口镇
杭州市萧山区瓜沥镇航民村
宁海县城关镇花园村
苍南县宜山镇宜一村
上虞市小越镇新宅村
绍兴县柯岩街道新风村
桐乡市河山镇东浜头村
安吉县天荒坪镇余村村
义乌市廿三里镇葛塘村
龙游县湖镇镇希唐村
天台县洪畴镇市集村
遂昌县妙高镇余家村

安徽省

霍山县
肥西县三河镇
肥东县石塘镇
濉溪县刘桥镇
亳州市谯城区古井镇
灵璧县渔沟镇
颍上县八里河镇
固镇县城关镇
五河县沫河口镇
淮南市田家庵区舜耕镇
全椒县古河镇
当涂县博望镇
芜湖市鸠江区大桥镇
繁昌县三山镇
铜陵县大通镇

桐城市青草镇
太湖县弥陀镇
巢湖市居巢区黄麓镇
宁国市城关镇
池州市贵池区梅村镇肖坑村
黟县碧阳镇

福建省

福清市
永春县
厦门市同安区新民镇禾山村
龙海市港尾镇
莆田市涵江区江口镇
仙游县榜头镇紫泽村
沙县凤岗镇西山村
建瓯市徐墩镇
上杭县临江镇
古田县黄田镇
永定县下洋镇霞村
泰宁县大田乡大田村

江西省

万年县
南昌市青山湖区塘山镇贤湖村
景德镇市昌江区竞成镇
浮梁县湘湖镇北安村
德安县聂桥镇
德兴市花桥镇
新余市渝水区罗坊镇
萍乡市安源区城郊管委会长兴馆村
南康市潭口镇
大余县南安镇新民村
宜黄县二都镇山前村
黎川县日峰镇
高安市八景镇
宜春市袁州区温汤镇
余江县邓埠镇倪桂村委会

山东省

曲阜市
寿光市
章丘市普集镇
青岛市城阳区城阳街道办事处城阳村
即墨市通济街道办事处西北关村
桓台县马桥镇
枣庄市薛城区陶庄镇
枣庄市峄城区榴园镇朱村
东营市东营区辛店街道办事处孙路村
广饶县稻庄镇西水磨村
龙口市北马镇
长岛县南隍城乡南隍城村
潍坊市奎文区廿里堡街道办事处南屯村
邹城市北宿镇
泰安市泰山区财源街道办事处
新泰市新汶街道办事处孙村
乳山市夏村镇
莒县城阳镇岳家村
日照市东港区涛雒镇
莱芜市钢城区艾山街道办事处
临沂市兰山区半程镇
临邑县临盘镇
德州市德城区运河街道办事处五四村
高唐县高唐镇
阳谷县安乐镇刘庙村
博兴县兴福镇
邹平县韩店镇西王村
巨野县大谢集镇
定陶县陈集镇前沙海村
临沂市河东区相公镇刘团村

河南省

中牟县城关镇
郑州市金水区柳林镇马头岗村
开封县城关镇
栾川县城关镇
洛阳市吉利区吉利乡
平顶山市湛河区九里山街道办事处李堂村
林州市姚村镇
滑县万古镇
温县马庄村
沁阳市西万镇
新乡县七里营镇龙泉村
新乡市北站区耿庄村
濮阳县柳屯镇
濮阳县庆祖镇西辛庄村
浚县善堂镇
陕县大营镇温塘村
禹州市方岗乡吕沟村
临颍县龙堂村
临颍县北徐庄村
镇平县石佛寺镇
西峡县双龙镇
虞城县利民镇
项城市城郊乡

固始县方集镇
信阳市浉河区五星乡大拱桥村
西平县宋集乡
驻马店市驿城区老街乡

湖北省
应城市
秭归县城关镇
大冶市灵乡镇
武汉市东西湖区新沟镇
枣阳市吴店镇
谷城县五山镇
宜昌市夷陵区龙泉镇
宜都市陆城街道办事处亮家垴村
石首市小河口镇
洪湖市瞿家湾镇
松滋市刘家场三堰淌村
丹江口市吕家洞村
沙洋县后港镇
鄂州市葛店经济技术开发区葛店镇
汉川市田二河镇
云梦县伍洛镇
蕲春县蕲州镇
黄梅县小池镇
通城县麦市镇
建始县红岩寺镇
仙桃市毛嘴镇

湖南省
靖州苗族侗族自治县
宁乡县花明楼镇
平江县伍市镇
汨罗市大荆镇
醴陵市东富镇
衡阳县西渡镇
衡南县三塘镇
郴州市苏仙区良田镇
江华瑶族自治县沱江镇
安化县平口镇
中方县中方镇
湘潭市岳塘区霞城乡
益阳市赫山区牌口乡
望城县高塘岭镇高塘村
长沙县安沙镇和平村
浏阳市淳口镇南冲村
攸县网岭镇里旺村
湘乡市东山办事处张江村
资兴市东江开放开发区罗围村
桃源县三阳港镇官家洲村
临澧县太平村
桑植县官地坪镇黄家台村
邵东县牛马司镇三槐村
邵阳市双清区高崇山镇东郊渔场
涟源市茅塘镇石门村
娄底市娄星区黄泥塘街道办事处高溪村
永顺县灵溪镇咱竹村

广东省
广州市番禺区沙湾镇
深圳市宝安区沙井镇
深圳市龙岗区横岗镇
惠阳市陈江镇
东莞市长安镇
澄海市莲下镇
梅州市梅江区西郊镇
揭东县炮台镇
罗定市附城镇
深圳市宝安区沙井镇茔岗村
深圳市龙岗区布吉镇南岭村
江门市蓬江区环市镇白石村
顺德市均安镇三华村
南海市桂城街道办事处东二村
吴川市吴阳镇芝蔼村

广西壮族自治区
龙胜各族自治县
田东县
北流市民乐镇
宜州市德胜镇
东兴市东兴镇
武鸣县双桥镇下渌村
武鸣县城厢镇大皇后村
横县附城镇上淇笔木脚村
北海市银海区侨港镇亚平村
兴安县溶江镇一甲大凸村
浦北县北通镇清湖福多堂村
北流市北流镇鸭琅村

海南省
文昌市
万宁市龙滚镇
儋州市那大镇
琼海市阳江镇
琼山市三江镇上云村

文昌市文教镇培龙村

重庆市

九龙坡区含谷镇
九龙坡区九龙镇盘龙村
沙坪坝区覃家岗镇
南岸区黄桷垭镇
荣昌县荣隆镇高田村
万盛区万东镇五里村
渝北区两路镇鹿山村
梁平县七桥镇凤鹤村
巴南区花溪镇民主村
大足县宝顶镇
璧山县青杠镇
忠县汝溪镇
云阳县人和镇
巫溪县凤凰镇双风村
潼南县塘坝镇半街村

四川省

三台县
绵阳市游仙区魏城镇
峨眉山市桂花桥镇
眉山市东坡区思蒙镇
射洪县金华镇
攀枝花市东区银江镇
简阳市贾家镇
宁南县披砂镇
长宁县长宁镇
南部县南隆镇
南江县乐坝镇
成都市锦江区琉璃乡祝国寺村
成都市金牛区洞子口乡踏水村
成都市郫县友爱镇农科村
会理县鹿厂镇铜矿村
汶川县水磨镇白果坪村
泸州市龙马潭区特兴镇魏园村
乐至县童家镇伍家寨村
绵竹市武都镇新开村
广安市广安区协兴镇果山村
苍溪县店子乡鲜家沟村
兴文县仙峰乡大元村
自贡市贡井区长土镇三台村
江油市方水乡白玉村
眉山市东坡区尚义镇太宝村
犍为县寿保乡花金村
南江县南江镇黄金村

贵州省

赤水市
贵阳市乌当区新场乡王坝村
遵义县南白镇
余庆县构皮滩镇
盘县老厂镇色绿村
安顺市西秀区轿子山镇
紫云苗族布依族自治县宗地乡湾塘村
思南县思塘镇但家寨村
江口县太平乡寨抱村
织金县白泥乡
都匀市杨柳街镇
贵定县盘江镇
黄平县旧州镇草芦坪村
兴义市桔山镇
普安县盘水镇

云南省

丽江纳西族自治县
龙陵县
沾益县白水镇
玉溪市红塔区大营街镇
禄丰县金山镇
弥勒县弥阳镇
威信县扎西镇
马关县马白镇
宣威市西泽乡戈平村
丘北县双龙营乡普者黑村委员会仙人洞村
西双版纳傣族自治州勐腊农场五分场一队
弥渡县新街镇新胜村

西藏自治区

洛扎县
日喀则市
芒康县纳西乡纳西村
申扎县巴扎乡七村
波密县扎木镇
堆龙德庆县东嘎镇

陕西省

韩城市
户县余下镇后寨村
西安市长安区郭杜镇
西安市临潼区骊山镇
扶风县法门镇
宝鸡市渭滨区马营镇燃灯寺村
咸阳市秦都区渭滨镇

咸阳市渭城区周陵镇
合阳县坊镇
铜川市耀州区城关镇北街村
志丹县张渠乡
黄陵县阿党镇咀头村
神木县店大柳塔镇
神木县店塔镇
南郑县大河坎镇
城固县董家营乡金星村
汉阴县城关镇太平村
白河县大双乡兴隆村
镇安县铁厂镇西沟口村
丹凤县月日乡保仓村
杨凌农业示范区杨陵区大寨乡梁氏窑村

甘肃省

华亭县
敦煌市沙州镇
定西县内官营镇
甘谷县六峰镇
武威市凉州区高坝镇
永昌县朱王堡镇
徽县江洛镇
嘉峪关市文殊乡
临泽县平川乡
兰州市安宁区刘家堡乡
泾川县王村乡
临夏市南龙乡
碌曲县尕海乡
景泰县草窝滩镇龚家湾村
宁县焦村乡任村村

青海省

互助土族自治县
兴海县
大通回族土族自治县黄家寨镇黄东村
都兰县香日德镇
祁连县默勒镇扎沙村
玛沁县大武乡江前村

宁夏回族自治区

银川市郊区大新乡
平罗县周城乡
平罗县前进乡新利村
灵武市崇兴镇中北村
固原市原州区黑城镇唐堡村
中宁县石空镇

新疆维吾尔自治区

沙湾县
新源县阿热勒托别镇
和静县巴润哈尔莫墩镇
库车县齐满镇
喀什市夏马勒巴格乡
乌鲁木齐县水西沟镇
昌吉市六工镇
哈密市陶家宫乡陶家宫村
富蕴县库额尔齐斯镇
吐鲁番市葡萄乡艾孜米其提村

新疆生产建设兵团

农四师七十一团
农六师一一一团
农十师一八五团一连
农十二师五一农场

第三批全国创建文明行业活动示范点名单（共119个）

金融系统

中国工商银行山东省青岛市胶南支行
中国农业银行浙江省南浔支行
中国建设银行福建省泉州市分行营业部储蓄专柜

铁道系统

郑州铁路局武昌站
昆明铁路局T61/62次（昆明—北京）车队
上海铁路局杭州站

邮电系统

长春市邮政局
广州市电信分公司客户服务中心
贵州省移动通信公司黔南州分公司
中国联合通信有限公司吉林市分公司
上海市移动通信公司
云南省移动通信丽江分公司
甘肃省电信公司

海关系统

南通海关
青岛海关

税务系统

黑龙江省五大连池市国家税务局
山东省威海市国家税务局
河北省藁城市地方税务局
湖南省张家界市国家税务局永定分局
山东省济宁市国家税务局

工商系统

吉林省辉南县工商行政管理局
河北省盐山县工商行政管理局
北京市工商行政管理局石景山分局

气象系统

江西省九江市气象部门
新疆石河子市气象部门
湖北十堰市气象部门
吉林通化市气象局

电力系统

山东电力集团公司临沂电业局
河北省电力公司石家庄电业局
黑龙江省电力有限公司大庆电业局
陕西省电力公司宝鸡供电局
浙江省电力公司绍兴电力局
湖南省长沙电业局
北京供电局

北京

北京市公安出入境管理处
北京市园林局颐和园管理处
全聚德集团有限责任公司

天津

天津市燃气集团有限公司第一销售分公司
天津市社区卫生服务网络
天津市劳动和社会保障局信访处
天津科学技术馆

河北

石家庄市乐仁堂有限责任公司
秦皇岛市交通局
唐山市地方税务局

山西

运城市地方税务局
太原市公共交通总公司
太原煤炭气化集团有限责任公司
忻州市地方税务局

内蒙古

包头市燃气总公司
通辽市交通局

辽宁

沈阳市地方税务局于洪分局
大连市公安局巡警系统
锦州市房产公用事业管理局

吉林

长春市交通系统
吉林市交通警察支队
延边州地方税务系统

黑龙江

哈尔滨市公路系统
牡丹江市环卫处
鸡西矿业集团总医院
哈尔滨排水有限责任公司

上海

上海市地铁运营公司
上海市图书馆
上海市烈士陵园

江苏

南京市公安局交通管理局
无锡市卫生局
沭阳县法院
徐州市市政公用局

浙江

宁波市汽车客运服务中心宁波南站
杭州市自来水总公司
嘉兴市公安局交巡警支队直属三大队

安徽

蚌埠市公安局 110 报警服务台
淮北市交通局运输管理处

福建

南平市公安交警系统
龙岩市公路管理系统
漳州市出入境检验检疫局

江西

江西省公路管理局湘东公路段
庐山公安局
玉山县第一中学

山东

诸城市农村信用合作联合社
威海市地方税务局
临沂市药品监督管理局
潍坊市地方税务局

河南

洛阳市吉利区人民法院
鹤壁市人民检察院
河南出入境检验检疫系统
河南豫东监狱

湖北

宜昌市地方税务局三峡分局
武汉市地方税务局江岸分局
恩施自治州公路总段

湖南

湖南省交通厅邵阳市交通规费征稽所
长沙市房地产交易管理所
攸县人民检察院

广东

广东省中医院
深圳书城
珠海市公共汽车公司

广西

梧州市公安局万秀区公安分局
广西壮族自治区高速公路管理局
北海市自来水公司

海南

海南省人民医院

重庆

重庆市地方税务局
重庆市燃气公司
重庆市自来水公司

四川

达州市地方税务局
广元市建设局
都江堰管理局

贵州

安顺县人民检察院
贵阳市公共交通总公司

云南

云南省新华书店集团有限公司
昆明市第三中学

西藏

拉萨市公安局城关分局

陕西

延安市市政建设养护管理处
陕西省公路局系统
安塞县文化系统

甘肃

兰州市地方税务局

青海

西宁市公安局车辆管理所

宁夏

石嘴山市第一人民医院

新疆

吐哈油田乌鲁木齐办事处（吐哈大厦）
民航乌鲁木齐管理局飞行部
昌吉市市容环境卫生管理处

第五批全国创建文明风景旅游区示范点

北京天坛公园
吉林松花湖风景名胜区
江苏花果山风景名胜区
江西三清山风景名胜区
海南三亚南山文化旅游区
四川九寨沟风景名胜区
云南中国科学院西双版纳热带植物园
山西大同云冈石窟
湖南岳麓山风景名胜区
河南开封市龙亭湖风景旅游区

优秀思想道德电视公益广告片

广告片名	制作单位	选送单位
1. 同升一面旗，共爱一个家	北京盛阳世纪广告有限公司	中央电视台广告部
2. 共同的力量	北京三多堂影视广告公司	中央电视台广告部
3. 爱心传递篇	北京捷先广告公司	中央电视台广告部
4. 拍卖会篇	北京盛阳世纪广告有限公司	中央电视台广告部
5. 集体主义的胜利	大鸟计算机图文制作中心（创意） 北京三多堂影视广告公司（制作）	中央电视台广告部
6. 厚德载物	北京友和广告有限公司	中央电视台广告部
7. 晨跑篇	麦肯·光明广告有限公司（创意） 彩真堂广告公司（制作）	中央电视台广告部
8. 凝聚篇	北京飞驰广告有限公司	中央电视台广告部
9.2001 年的记忆	北京盛阳世纪广告有限公司	中央电视台广告部
10. 公众篇	北京捷先广告公司	中央电视台广告部
11. 都市历险记	江苏雅智广告有限公司	江苏省文明办、江苏省工商局
12. 社会公德之污染篇	北京桑夏广告有限公司	首都文明办、北京市工商局
13. 职业道德之时间篇	北京桑夏广告有限公司	首都文明办、北京市工商局
14. 今天分一分，明天美十分	上海影视广告公司	上海市文明办、上海市工商局
15. 祖国腾飞，我们共同的心愿	上海影视广告公司	上海市文明办、上海市工商局
16. “菜篮子工程”篇	上海博报堂广告有限公司（创意） 上海影视广告公司（制作）	上海市文明办、上海市工商局
17. 叮咛篇	海润国际广告黑龙江分公司	黑龙江省文明办、黑龙江省工商局
18. 吹牛不是生意经	浙江华林广告有限公司	浙江省文明办、浙江省工商局
19. 爱国主义篇	北京正业广告公司	首都文明办、北京市工商局
20. 爱护古迹，从我做起	北京正业广告公司	首都文明办、北京市工商局
21. 敬老爱老	北京广而告之有限公司	首都文明办、北京市工商局
22. 老人需要你关怀	天津北岛广告公司	天津市文明办、天津市工商局

优秀思想道德电视公益广告创意脚本名单

创意篇名	创意单位	选送单位
1. 歌唱篇	北京精信广告公司	首都文明办、北京市工商局
2. 跨栏篇	北京精信广告公司	首都文明办、北京市工商局
3. 请您轻轻打	江苏雅智广告有限公司	江苏省文明办、江苏省工商局
4. 国家利益，同样重要	天津电视台广告部	天津市文明办、天津市工商局
5. 三管好	安徽金鹏国际广告有限公司	安徽省文明办、安徽省工商局

全国防沙治沙标兵单位

内蒙古自治区赤峰市人民政府
内蒙古自治区通辽市林业局
陕西省榆林市人民政府
陕西省榆林市榆阳区补浪河乡英雄女民兵连
宁夏回族自治区中卫县人民政府
青海省共和县沙珠玉乡人民政府
新疆维吾尔自治区和田地区行政公署
新疆生产建设兵团农四师六十三团
中国科学院新疆生态与地理研究所策勒沙漠研究所和中国人民解放军93808部队

全国防沙治沙标兵个人

关君蔚　北京林业大学教授，中国工程院资深院士
自俊杰　河北省张家口市林业局局长
殷玉珍　内蒙古自治区乌审旗河南乡尔林川村农民
唐　臣　内蒙古自治区赤峰市克什克腾旗柳林乡西大营子村村民
牛玉琴　陕西省靖边县东坑镇金鸡沙村农民
万　恒　陕西省神木县县委书记
石述柱　甘肃宋和综合治沙示范区管委会主任
白春兰　宁夏回族自治区盐池县柳杨堡乡沙边子行政村一棵树自然村农民
刘铭庭　中国科学院新疆生态与地理研究所研究员
王中强　内蒙古鄂尔多斯军分区副司令员兼杭锦旗人武部部长

全国金融系统文明建设先进单位

中国人民银行大连市中心支行机关
中国人民银行嘉兴市中心支行机关
中国人民银行浏阳市支行
中国人民银行曲靖市中心支行机关
中国人民银行平凉地区中心支行机关
中国证券监督管理委员会广州证券监管办公室
中国证券监督管理委员会济南证券监管办公室
中国保险监督管理委员会北京办事处稽查处
国家开发银行稽核评价局稽核二处
国家开发银行石家庄分行信贷二处
中国农业发展银行黑龙江省依兰县支行
中国农业发展银行云南省昆明市官渡区支行
中国农业发展银行山东省荣成市支行
中国农业发展银行江西省南城市支行
中国农业发展银行安徽省桐城市支行
中国进出口银行信贷管理部
中国工商银行深圳市分行
中国工商银行上海市分行虹桥开发区支行
中国工商银行北京市分行西客站支行
中国工商银行浙江省分行台州市分行
中国工商银行福建省分行营业部南门支行
中国工商银行广东省分行营业部东风中路储蓄所
中国工商银行青岛市分行胶南支行
中国农业银行浙江省分行湖州南浔区支行
中国农业银行广东省分行南海市支行
中国农业银行福建省分行长乐市支行
中国农业银行山东省分行广饶县支行
中国农业银行河南省分行信阳市新县支行
中国农业银行辽宁省分行沈阳市砂山支行
中国银行天津市塘沽分行
中国银行上海市分行资金计划处
中国银行黑龙江省齐齐哈尔市分行
中国银行山东省淄博市淄川区支行
中国银行江苏省南通市海门支行
中国银行河南省周口市沈丘支行
中国建设银行北京市分行电子银行服务中心
中国建设银行上海市分行静安支行
中国建设银行湖南省分行长沙市华兴支行营业部
中国建设银行厦门市分行湖里支行
中国建设银行江苏省分行南京市汉中路分理处
中国光大银行总行营业部
中国光大银行太原支行
光大证券有限责任公司长沙芙蓉中路营业部
交通银行上海分行金桥支行
交通银行北京分行东单支行
交通银行青岛分行市北三支行
交通银行天津分行南开支行
交通银行昆明分行玉溪支行
中国人民保险公司福建省分公司龙岩市分公司
中国人民保险公司浙江省分公司义乌市支公司
中国人民保险公司湖北省分公司葛洲坝支公司
中国人民保险公司天津市分公司国际业务营业部
中国人民保险公司大连市分公司沙河口区支公司
中国人寿保险公司福建省南安市支公司
中国人寿保险公司广东省南海市支公司
中国人寿保险公司四川省江油市支公司
中国人寿保险公司湖南省郴州分公司营销部
中国人寿保险公司江苏省苏州分公司
中国再保险公司法定业务部
中国华融资产管理公司杭州办事处
中国长城资产管理公司大连办事处
中国东方资产管理公司福州办事处
中国信达资产管理公司哈尔滨办事处
招商银行北京分行营业部
招商银行深圳福田支行
招商银行南京分行湖南路支行
中国民生银行北京管理部上地支行
中国民生银行深圳分行福田支行
中国民生银行武汉分行新华支行
中央国债登记结算有限责任公司市场部
中国民族国际信托投资公司北京和平里证券交易营业部
中国科技国际信托投资有限责任公司嘉兴证券交易营业部
中信实业银行杭州分行
华夏银行昆明分行
华夏银行南京分行
北京市商业银行燕京支行
华夏证券有限公司北京东直门南大街证券交易营业部
上海银行漕河泾支行
申银万国证券股份有限公司上海莘庄证券交易营业部

第五届全国十杰教师

朱兆林　天津市新华中学
王月娥　湖北省阳新县王英乡希望小学
林占春　吉林省永吉县黄榆乡头道川小学
何金娣　上海市卢湾区辅读学校
赵文忠　陕西省铜川市第一中学
吉格勒　青海省玉树藏族自治州民族综合职业学校
吐尔逊·肉孜　新疆乌鲁木齐市第十四中学
郑　捷　福建省福州格致中学
董大方　辽宁省大连市第四十六中学
史定海　浙江省宁波市鄞州中学

全国司法行政系统文明公证处

山东省济南市公证处
北京市公证处
黑龙江省哈尔滨市公证处
吉林省公证处
安徽省公证处
陕西省公证处
天津市公证处
山西省第二公证处
内蒙古自治区公证处
辽宁省大连市公证处
河南省洛阳市公证处
浙江省义乌市公证处
江苏省连云港市公证处
云南省昆明真元公证处
上海市宝山区公证处
湖南省岳阳市公证处
四川省成都市龙泉驿区公证处

全国社区建设示范区

北京市西城区
北京市朝阳区
北京市宣武区
北京市东城区
北京市石景山区
北京市海淀区
天津市和平区
天津市河西区
天津市塘沽区
天津市河东区
河北省石家庄市长安区
河北省唐山市路南区
河北省张家口市桥西区
山西省太原市杏花岭区
山西省长治市城区
山西省阳泉市矿区
山西省临汾市尧都区
内蒙古自治区呼和浩特市新城区
内蒙古自治区包头市昆都仑区
辽宁省沈阳市沈河区
辽宁省沈阳市和平区
辽宁省大连市西岗区
辽宁省大连市中山区
辽宁省鞍山市铁东区

辽宁省本溪市溪湖区
辽宁省锦州市凌河区
辽宁省丹东市振兴区
辽宁省盘锦市兴隆台区
吉林省长春市朝阳区
吉林省吉林市船营区
黑龙江省哈尔滨市道里区
黑龙江省哈尔滨市南岗区
黑龙江省大庆市让胡路区
黑龙江省大庆市萨尔图区
上海市卢湾区
上海市黄浦区
上海市浦东新区
上海市长宁区
上海市徐汇区
上海市静安区
江苏省南京市鼓楼区
江苏省南京市玄武区
江苏省南京市秦淮区
江苏省南京市白下区
江苏省南京市建邺区
江苏省苏州市金阊区
江苏省苏州市沧浪区
江苏省苏州市平江区
江苏省常州市钟楼区
江苏省常州市天宁区
江苏省无锡市崇安区
江苏省镇江市京口区
浙江省杭州市下城区
浙江省杭州市上城区
浙江省杭州市江干区
浙江省杭州市拱墅区
浙江省杭州市西湖区
浙江省宁波市海曙区
浙江省宁波市江东区
浙江省宁波市镇海区
浙江省宁波市江北区
浙江省宁波市北仑区
浙江省温州市鹿城区
安徽省合肥市蜀山区
安徽省合肥市庐阳区
安徽省芜湖市新芜区
安徽省芜湖市镜湖区
安徽省淮北市相山区
安徽省安庆市大观区
安徽省淮南市田家庵区
福建省福州市鼓楼区
福建省福州市台江区
福建省福州市晋安区
福建省福州市马尾区
福建省厦门市开元区
福建省厦门市湖里区
福建省泉州市鲤城区
江西省南昌市东湖区
江西省九江市浔阳区
江西省赣州市章贡区
山东省济南市历下区
山东省济南市槐荫区
山东省济南市市中区
山东省济南市天桥区
山东省青岛市市南区
山东省青岛市市北区
山东省青岛市四方区
山东省东营市东营区
山东省济宁市市中区
山东省潍坊市潍城区
河南省郑州市中原区
河南省郑州市金水区
河南省焦作市解放区
河南省洛阳市涧西区
河南省平顶山市卫东区
河南省濮阳市市区
湖北省武汉市江汉区
湖北省武汉市硚口区
湖北省武汉市江岸区
湖北省武汉市青山区
湖北省武汉市武昌区
湖北省武汉市汉阳区
湖北省黄石市西塞山区
湖北省黄石市黄石港区
湖北省黄石市铁山区
湖北省宜昌市西陵区
湖北省荆门市东宝区
湖南省长沙市岳麓区
湖南省长沙市开福区
湖南省长沙市芙蓉区
湖南省长沙市雨花区
湖南省株洲市石峰区
湖南省株洲市天元区
湖南省湘潭市雨湖区
湖南省岳阳市岳阳楼区
广东省广州市海珠区
广东省广州市荔湾区
广东省广州市东山区

广东省珠海市香洲区
广东省汕头市龙湖区
广东省佛山市城区
广东省佛山市石湾区
广西壮族自治区南宁市新城区
广西壮族自治区柳州市柳南区
海南省海口市振东区
重庆市江北区
重庆市渝中区
四川省成都市金牛区
四川省绵阳市涪城区
四川省乐山市市中区
四川省南充市顺庆区
贵州省贵阳市南明区
贵州省贵阳市云岩区
贵州省遵义市红花岗区
云南省昆明市五华区
云南省昆明市盘龙区
云南省曲靖市麒麟区
西藏自治区拉萨市城关区
陕西省西安市新城区
陕西省西安市碑林区
陕西省宝鸡市渭滨区
陕西省咸阳市秦都区
甘肃省兰州市城关区
甘肃省金昌市金川区
青海省西宁市城西区
宁夏回族自治区银川市城区
新疆维吾尔自治区乌鲁木齐市新市区
新疆维吾尔自治区克拉玛伊市克拉玛伊区

全国社区建设示范市

河北省保定市
山西省太原市
山西省长治市
山西省孝义市
辽宁省沈阳市
辽宁省大连市
吉林省四平市
吉林省珲春市
黑龙江省大庆市
江苏省南京市
江苏省苏州市
江苏省江阴市
浙江省杭州市
浙江省宁波市
浙江省义乌市
浙江省诸暨市
浙江省江山市
福建省福州市
山东省济南市
山东省青岛市
山东省青州市
湖北省武汉市
湖北省黄石市
湖南省长沙市
四川省彭州市
四川省峨眉山市
云南省个旧市

全国水利系统
2000—2001年度文明单位名单

珠江水资源保护科学研究所
广西百色地区澄碧河水库管理局
内蒙古自治区红山水库管理局
海南向阳电站

陕西省宝鸡峡引渭灌溉管理局
四川省武都引水工程建设管理局
黑龙江省水利科学研究院
新疆水利水电科学研究院
山东省济南市水利局
广东省飞来峡水利枢纽管理局
黄河水利委员会（机关）
海河水利委员会（机关）
淮河水利委员会（机关）
北京市城市河湖管理处
天津市塘沽区水务局
河北省水利工程局
山西省水利厅（机关）
辽宁省大伙房水库养殖总场
吉林省水利厅（机关）
江苏省泰州引江河管理处
浙江省水电建筑安装有限公司
江西省水利规划设计院
河南省水利厅（机关）
湖北省水利水电勘测设计院
湖南省水利厅（机关）
重庆市水利电力学校
云南省水利水电勘测设计研究院
陕西省水利电力勘测设计研究院
甘肃省水利水电工程局
青海省水利管理局
宁夏回族自治区汉延渠管理处
新疆水利厅头屯河流域管理处
青岛市城阳区水利局
新疆兵团农七师水利二处
中国水利报社
水利部水文局
中国水利水电科学研究院

首届全国环保系统五好文明家庭

北京市

郑希伟　宋秀杰一家　北京市环境保护局
霍高智　张绍芬一家　延庆县环境监测站

天津市

梁思源　温敏中一家　天津市环境保护局
崔红东　李　珍一家　汉沽区环境监测站

河北省

轩水林　梁蓝云一家　河北省环境保护局
王景德　李玉萍一家　唐海县环境保护局

山西省

夏玉林　谢力稚一家　太原市环境保护局迎泽分局
付光政　宋小燕一家　忻州市环保局

内蒙古自治区

哈　伦　包新辉一家　内蒙古自治区环境保护局
海舰洋　白春艳一家　通辽市环境监测站

辽宁省

戴丽梅　周启星一家　沈阳市环境保护局

吉林省

遇风年　孙英华一家　长春市环境保护局
常　帅　朱文辉一家　松原市环境监理处

黑龙江省

玄莲淑　梁　健一家　大庆市环境监理大队
付淑清　田庆才一家　哈尔滨市香坊区环境保护局

上海市

孙　瑛　杨军民一家　浦东新区环境保护和市容卫生管理局
王　彪　叶妙玲一家　上海市环境科学研究院

江苏省

许纲熙　顾丹提一家　江苏省环境保护厅
张宁红　徐新敏一家　江苏省环境监测中心

浙江省

宋跃进　谭湘萍一家　浙江省环境监测中心站
程晓芳　张贤友一家　衢州市环境保护局柯城分局

安徽省

郑德英　马智敏一家　安徽省环境科学研究所

杨林英　王振中一家　铜陵市环境保护局

福建省

许榕生　张一羽一家　福州市排污收费监理所
郑青峰　罗志丹一家　莆田市城厢区环境保护局

江西省

黄世明　邹　敏一家　九江市环境保护局
程火生　程木英一家　乐平市环境保护局

山东省

刘荣凤　亓玉柏一家　泰安市泰山区环境保护局
陶春梅　于建章一家　烟台市环境监测中心站

河南省

冯建平　王大青一家　河南省环境保护局
赵　璧　李自荣一家　洛阳市环境监测站

湖北省

吴福仁　蔡爱斌一家　湖北省环境保护局
蒋茂贵　蒋立和一家　湖北省环境科学研究院

湖南省

杨理贤　杨喜妹一家　中方县环境保护局
李清纯　张国正一家　洞庭湖环境监测站

广东省

陈尚武　李秀莲一家　广东省环境保护学校

海南省

郑爱娟　崔　政一家　海口市环境监测站
韩保光　李　萍一家　海南省环境监测中心站

重庆市

阎华娅　梁益民一家　重庆市环境保护局
刘　明　李晓宾一家　巫溪县环境保护局

四川县

王治平　曹发秀一家　广元市环境保护局
李永杰　邱　玲一家　达州市环境保护局

贵州省

郭才高　赵秀凤一家　贵州省环境保护局
龙厚云　李杰铭一家　毕节地区环境监测站

云南省

李玉兰　吴玉平一家　玉溪市环境监测站
李宁波　李九英一家　大理州环境监测站

西藏自治区

苏　云　次　多一家　西藏自治区环境保护局
桑嘎拉姆　巴桑多杰一家　拉萨市环境保护局

陕西省

陈孟增　杨丽娟一家　陕西省环境保护局
张晓莉　王解和一家　咸阳市环境保护局

甘肃省

王北苏　崔田群一家　甘肃省环境科学研究所
赵成军　郭秀花一家　榆中县环境保护局

青海省

鸟成祥　马生梅一家　青海省环境监测中心站
王金山　周珊梅一家　西宁市环境保护局

宁夏回族自治区

金国兴　关自华一家　宁夏回族自治区环境保护局
党慧雯　路振东一家　石嘴山市环境监测站

新疆维吾尔自治区

李桂花　何有爱一家　米泉市环境监测站
努丽曼　扎吾提别克一家　尼勒克县环境保护局

大连市

杨声亮　杨　明一家　大连市环境保护局

青岛市

陈继榴　王天伟一家　青岛市环境监测站

宁波市

谢大卫　邵曼君一家　宁波市环境保护局

厦门市

庄世坚　叶丽娜一家　厦门市环境保护局

深圳市

洪　渊　陈晓青一家　深圳市环境监测站

国家环境保护总局

李玉琢　张力军一家　中国环境科学出版社
白艳英　郝英杰一家　中国环境科学研究院

2000—2001年度国家电力公司双文明公司名单

山东电力集团公司
黑龙江省电力有限公司
福建省电力有限公司
四川省电力公司
天津市电力公司
江苏省电力公司
安徽省电力公司
湖北省电力公司
宁夏回族自治区电力公司
华能国际电力股份有限公司

2000—2001年度国家电力公司双文明单位标兵名单

东北通辽发电总厂
西北龙羊峡发电分公司
南方电力调度通信中心
南方公司平果超高压局
华北北京供电公司
华北北京大唐发电股份有限公司陡河发电厂
华能上海石洞口第二电厂
葛洲坝集团电力有限责任公司
葛洲坝集团财务有限责任公司
山东临沂电业局
云南漫湾发电厂
云南鲁布革发电总厂
辽宁大连供电公司
辽宁营口供电公司
黑龙江哈尔滨第三发电有限责任公司
黑龙江大庆电业局
吉林吉林热电厂
吉林延边供电公司
广西电力试验研究院
广西岩滩水力发电厂
福建永安火电厂
福建厦门电业局
四川成都电业局
四川内江发电总厂
重庆发电厂
重庆南岸供电局
重庆南电实业开发总公司
贵州遵义发电总厂
贵州送变电工程公司
天津第一热电厂
天津宝坻供电有限公司
河北邯郸供电公司
河北石家庄电业局
山西太原第二热电厂
山西大同供电分公司
上海市东供电公司
上海电力修造总厂有限公司
上海电力安装第一工程公司
江苏徐州供电公司
江苏谏壁发电厂
安徽芜湖发电厂
安徽合肥发电厂
浙江绍兴电力公司
浙江嘉善县供电局
湖北省超高压输变电局
湖北黄冈供电局
湖南耒阳电厂
湖南电力调度通信中心
河南郑州热电厂
河南平顶山市电业局
江西贵溪火力发电厂
陕西宝鸡供电局

陕西韩城发电厂
甘肃盐锅峡水电厂
甘肃碧口水电厂
青海西宁供电局
宁夏大武口电厂
宁夏银南供电局
中南电力设计院
华东勘测设计研究院
水电二局建筑工程分局
水电八局机电制造安装分局
中电国际安徽淮南平圩发电有限责任公司

2000—2001年度国家电力公司双文明单位名单

东北赤峰热电厂
东北云峰热电厂
东北太平湾发电厂
东北白山发电厂
东北东元电力发展有限公司
东北通辽市科尔沁区农电局
东北赤峰市克什克腾旗农电局

华东望亭发电厂
华东富春江水电厂
华东电力调度通信中心
华东新安江水电厂
华东天荒坪抽水蓄能有限责任公司
华东杭州富春江电力发展有限公司
华东新安江电厂实业总公司

华中三门峡华阳发电有限责任公司
华中湖北襄樊发电有限责任公司
华中公司培训中心
华中公司技术中心
华中电力调度通信中心
华中武汉电力设备厂
武汉华中电力宾馆
华中三门峡大合电力（集团）有限责任公司
中国电力财务有限公司华中分公司

西北李家峡发电分公司
西北宝二发电有限公司

南方公司天生桥水力发电总厂
南方公司贵阳超高压局
南方公司广东能发企业集团

华北电力科学研究院有限责任公司
华北秦皇岛发电有限责任公司
华北十三陵蓄能电厂
华北唐山供电公司
华北北京大唐发电股份有限公司高井发电厂
华北保定电力学校
华北北京电力建设公司
华北北京第二热电厂
北京大唐发电股份有限公司下花园发电厂
华北天津大港发电厂
华北北京供电实业开发总公司
华北唐山华北电力实业总公司
华北秦皇岛热电实业开发有限责任公司
华北北京供电局平谷供电局
华北河北省迁安市电力局
华北张家口供电公司怀来供电分公司

华能珞璜电厂
华能淮阴电厂
华能太仓电厂
华能榆社电厂
华能大连电厂
华能汕头电厂
华能德州电厂
华能上安电厂
华能南通电厂
华能福州电厂
华能辛店电厂
华能长兴电厂
华能深圳汇智有限公司
华能财务公司

葛洲坝集团有限公司三峡工程施工指挥部（三峡建设承包公司）
葛洲坝集团有限公司清江建设承包公司
葛洲坝集团有限公司澜沧江建设承包公司
葛洲坝集团第四工程有限公司
葛洲坝集团第六工程有限公司
葛洲坝集团第七工程有限公司
葛洲坝集团机电建设有限公司
葛洲坝集团基础工程有限公司
葛洲坝易普力化工有限公司
葛洲坝股份有限公司试验中心
葛洲坝集团三峡旅游船有限公司
葛洲坝股份有限公司南河水电开发公司

山东潍坊发电厂
山东十里泉发电厂
山东青岛发电厂
山东日照发电厂
山东莱城发电厂
山东日照电业局
山东德州电业局
山东泰安电业局
山东威海电业局
山东莱芜电业局
山东滨州电业局
山东菏泽电业局
山东东营电业局
山东电力超高压输变电公司
山东电力送变电工程公司
山东电力调度中心
山东电力咨询院
山东电建三公司
山东电力学校
深圳山东核电工程公司
山东英大国际信托投资公司
山东重庆鲁能开发（集团）公司
山东鲁能信谊（集团）公司
山东鲁能英大集团公司
山东鲁能商贸公司
山东文登市电业总公司
山东蓬莱市电业公司
山东阳信县电业总公司

云南昆明发电厂
云南小龙潭发电厂
云南个旧供电局
云南思茅供电局
云南电力线路器材厂
云南送变电工程公司
云南滇西电业局
云南大寨电厂
云南以礼河发电厂
云南西双版纳电业局
云南电力技工学校
云南昆明耀龙供用电有限公司
云南泸西电力（集团）有限责任公司
云南个旧供电局弥勒供电分局

辽宁沈阳热电厂
辽宁铁岭发电厂
辽宁沈阳供电公司
辽宁两锦供电公司
辽宁抚顺供电公司
辽宁丹东供电公司
辽宁辽阳供电公司
辽宁本溪供电公司
辽宁电力送变电工程公司
辽宁电力科学研究院
辽宁丹东供电公司丹东电力建设总公司
辽宁本溪供电公司多种经营总公司
大连供电公司大连电力电器集团有限公司
辽宁朝阳供电公司建平农电局
辽宁营口供电公司老边供电局
辽宁鞍山供电公司海城市农电局

黑龙江齐齐哈尔电业局
黑龙江鹤岗发电有限责任公司
黑龙江佳木斯发电厂
黑龙江佳木斯第二发电厂
黑龙江富拉尔基发电总厂
黑龙江双鸭山第一发电有限责任公司
黑龙江佳木斯电业局
黑龙江牡丹江电业局
黑龙江省送变电工程公司
黑龙江电力职工大学
黑龙江齐齐哈尔恩德电力集团有限责任公司
黑龙江莲花实业集团
黑龙江哈尔滨电力实业集团
黑龙江哈尔滨市郊农电局
黑龙江尚志农电局
黑龙江望奎农电局
黑龙江集贤农电局

吉林白城供电公司

吉林长春第二热电有限责任公司
吉林长山热电厂
吉林四平热电有限责任公司
吉林珲春发电有限责任公司
吉林吉林供电公司
吉林辽源供电公司
吉林省送变电工程总公司
吉林省电力勘测设计院
吉林省电力科技有限公司
吉林长春市热电房地产开发有限公司
吉林四平市巨鹏实业有限公司
吉林辽源供电公司多种经营总公司
吉林长春供电公司德惠市供电公司
吉林通化供电公司辉南县供电公司
吉林四平供电公司梨树县供电公司

广西西津水力发电厂
广西合山火力发电厂
广西南宁供电局
广西梧州供电局
广西玉林供电局
广西桂林供电局
广西电力勘察设计院
广西电网调度中心
广西送变电建设公司
广西南宁建宁供用电工程公司
广西柳州天鹤电力有限责任公司
广西北流市供电公司
广西邕宁县电业公司
广西临桂县供电局

福建三明电业局
福建湄州湾火电运行分公司
福建水口发电有限公司
福建漳平电厂
福建安砂水力发电厂
福建沙溪口水力发电厂
福建泉州电业局
福建漳州电业局
福建福州电业局
福建电力调度通信中心
福建电力勘测设计院
福建第二电力建设公司
福建电力试验研究院
福建亿力电力（集团）股份有限公司
福建亿力电器设备有限公司
福建亿力电力科技股份有限公司
福建永安供电局
福建石狮市电力联营公司
福建仙游县电力总公司

四川宜宾发电总厂
四川广安发电有限责任公司
四川江油发电厂
四川宝珠寺水力发电厂
四川南桠河发电厂
四川成都热电厂
四川乐山电业局
四川绵阳电业局
四川西昌电业局
四川自贡电业局
四川电力调度中心
四川电力职业技术学院
四川电力疗养院
四川攀枝花三维实业有限公司
四川成都供用电工程公司
四川德阳什邡供电局
四川达州万源供电局
四川内江隆昌供电局

重庆杨家坪供电局
重庆沙坪坝供电局
重庆江北供电局
重庆綦南供电局
重庆电力教育培训中心
重庆万州电业局
重庆城区供电局
重庆电力展新有限公司
重庆永能实业有限公司

贵州盘县发电厂
贵州贵阳发电厂
贵州贵阳市北供电局
贵州贵阳市南供电局
贵州遵义供电局
贵州安顺供电局
贵州都匀供电局
贵州电力建设第一工程公司
贵州电力建设第二工程公司
贵州宏电实业股份有限公司
贵州贵阳市乌当供电局
贵州惠水供电局

天津城南供电分公司

天津西青供电分公司
天津城东供电分公司
天津北辰供电分公司
天津滨海供电公司
天津电力高压供电公司
天津电力公司培训中心
天津三源电力集团有限公司
天津津滨电业有限公司
天津静海供电有限公司

河北衡丰发电有限责任公司
河北沧州供电公司
河北衡水供电公司
河北兴泰发电有限责任公司
河北送变电公司
河北西柏坡发电有限责任公司
河北电力试验研究所
河北衡水衡丰实业有限责任公司
河北邢台翔泰实业有限责任公司
河北孟村回族自治县电力局
河北栾城县供电局
河北临城县供电公司

山西神头第二发电厂
山西运城供电分公司
山西太原供电分公司
山西阳泉供电分公司
山西长治供电分公司
山西晋城供电分公司
山西电建四公司
山西大同电力高等技工学校
山西金光铁合金有限公司
山西侯马供电支公司
山西高平供电支公司
山西襄垣供电支公司

上海外高桥发电厂
上海市南供电公司
上海市区供电公司
上海电力表计厂
上海电力设计院有限公司
上海闸北发电厂
上海久隆电力（集团）有限公司
上海电力房地产有限公司
上海市南电力工程有限公司
上海奉贤供电分公司
上海青浦供电分公司
上海电力安装第二工程公司
上海华东送变电工程公司

江苏电力调度通信中心
江苏徐州发电厂
江苏扬州发电有限公司
江苏南京热电厂
江苏苏州供电公司
江苏南京供电公司
江苏无锡供电公司
江苏常州供电公司
江苏泰州供电公司
江苏扬州供电公司
江苏省电力设计院
江苏省电力科学研究有限公司
江苏启东市电力安装公司
江苏扬州苏源电气设备有限公司
江苏镇江苏源华电电力有限责任公司
江苏江阴市供电局
江苏昆山市供电公司
江苏溧水县供电公司
江苏扬中市供电公司

安徽铜陵供电局
安徽田家庵发电厂
安徽马鞍山发电厂
安徽淮北发电厂
安徽合肥供电局
安徽六安供电局
安徽巢湖供电局
安徽滁州供电局
安徽蚌埠供电局
安徽芜湖供电局
安徽送变电工程公司
安徽安庆电力实业总公司
安徽芜湖新环电力实业总公司
安徽淮南天河电力实业总公司
安徽电力繁昌供电有限责任公司
安徽电力庐江供电有限责任公司
安徽电力绩溪供电有限责任公司

浙江杭州市电力局
浙江嘉兴电力局
浙江金华电业局
浙江湖州电力局
浙江北仑第一发电有限责任公司
浙江镇海发电有限责任公司

浙江嘉兴发电有限责任公司
浙江温州发电有限责任公司
浙江乌溪江水力发电厂
浙江紧水滩水力发电厂
浙江台州发电厂
浙江火电建设公司
浙江兰溪市供电局
浙江诸暨市供电局
浙江临安市供电局
浙江江山市供电局
浙江绍兴电力设备成套大明公司
浙江宁波送变电建设公司
浙江湖州电力泰仑实业有限公司
浙江杭州欣美成套电器制造有限公司

湖北青山热电厂
湖北荆门热电厂
湖北黄石发电股份有限公司
湖北汉新发电公司
湖北襄樊供电局
湖北黄石供电局
湖北宜昌供电局
湖北荆门供电局
湖北荆州电力局
湖北电建一公司
湖北输变电工程公司
湖北电力试验研究院
湖北武汉电力学校
湖北荆门市华源电力有限责任公司
湖北黄冈东源电业有限公司
湖北黄石电能集团有限公司
湖北黄冈市蕲春县电力局
湖北武汉市新州区电力局
湖北孝感市孝南区电力局

湖南湘潭电业局
湖南株洲电业局
湖南益阳电业局
湖南长沙电业局
湖南岳阳电业局
湖南娄底电业局
湖南东江水电厂
湖南电力试验研究所
湖南湘潭电厂
湖南常德电业局
湖南怀化电业局
湖南电力安装工程公司
湖南电力勘测设计院
湖南电力线路器材厂
湖南送变电建设公司
湖南五强产业集团股份有限公司
湖南益阳电业局赫山供电局
湖南湘潭电业局韶山电力局
湖南株洲电业局攸县电力局
湖南五凌水电开发有限责任公司

河南平顶山电厂
河南新乡火电厂
河南洛阳首阳山电厂
河南焦作丹河电厂
河南安阳市电业局
河南洛阳供电公司
河南焦作市电业局
河南开封市电业局
河南三门峡市电业局
河南鹤壁市电业局
河南驻马店市电业局
河南送变电建设公司
河南电力试验研究所
河南省电力勘测设计院
河南安阳优创实业有限责任公司
河南电力博大实业有限责任公司
河南平顶山元丰电力实业有限公司
河南荥阳市电业局
河南伊川县电业局
河南林州市电业局
河南永成市供电有限责任公司

江西景德镇发电有限责任公司
江西南昌发电厂
江西九江发电厂
江西电力高级技校
江西拓林水电开发有限责任公司
江西宜春供电局
江西上饶供电局
江西赣东北供电局
江西赣西供电局
江西南昌供电局
江西九江供电局
江西省火电建设公司
江西电力调度中心
江西省多经发展股份公司
江西万安水电厂赣源有限责任公司
江西南康市供电有限责任公司

江西广丰县供电有限责任公司
江西南昌县供电有限责任公司
江西南城县供电有限责任公司

陕西送变电工程公司
陕西西安供电局
陕西西安高压供电局
陕西渭南供电局
陕西商洛供电局
陕西延安供电局
陕西安康供电局
陕西汉中供电局
陕西安康水电厂
陕西灞桥热电有限责任公司
陕西西北电力试验研究院
陕西宝鸡铁塔厂
陕西电力银河集团有限公司
陕西银河电力自动化股份有限责任公司
陕西汉中供电局勉县电力局
陕西咸阳供电局兴平市电力局

甘肃靖远第一发电公司
甘肃永昌电厂
甘肃兰州第二热电厂
甘肃八〇三厂
甘肃八盘峡水电厂
甘肃兰州供电局
甘肃嘉峪关电业局
甘肃天水供电局
甘肃送变电工程公司
甘肃兰州电力学校
甘肃白银银珠集团公司
甘肃白银兴川公司
甘肃凉州区电力局
甘肃华池县电力局
甘肃甘谷县电力局

青海桥头发电有限责任公司
青海黄化供电局
青海海东供电局
青海电力试验研究所
青海送变电工程公司
青海西宁电力实业总公司
青海湟源县电力局
青海平安县电力局

宁夏大坝电厂
宁夏青铜峡水电厂
宁夏石嘴山供电局
宁夏电力试验研究所
宁夏调度中心
宁夏天能（集团）股份有限公司
宁夏中卫县供电局
宁夏惠农县供电局

新疆玛纳斯发电有限责任公司
新疆乌鲁木齐电业局
新疆吐鲁番电业局
新疆奎屯电业局
新疆电力教培中心
新疆电力设计院
新疆电力建设公司
新疆送变电工程公司
新疆巴州电力有限责任公司
新疆苇湖梁发电有限责任公司
新疆电力宾馆
新疆昌吉电业局玛纳斯供电有限责任公司
新疆阿克苏电力有限责任公司阿瓦提供电公司

华东电力设计院
西南电力设计院
东北电力设计院

中南勘测设计研究院
成都勘测设计研究院
昆明勘测设计研究院

水电一局基础处理分局
水电一局口前基地管理处
水电二局
水电三局机电安装公司
水电三局小浪底项目施工局
水电三局交通分局
水电四局
水电四局机电安装分局
水电五局机电安装分局
水电六局一分局
水电七局
水电七局一分局
水电七局基础工程分局
水电七局机电安装分局
水电八局常德机械厂
水电八局三峡下岸溪沙石项目部
水电九局机电安装处

水电十局机电安装分局
水电十局医院
水电十一局
水电十一局二分局
水电十三局
水电十三局三分局
水电十四局机电安装工程总公司
闽江水电工程局南平分局
闽江水电工程局机械工程公司
水电基础局第二工程处
水电九局贵阳新发展混凝土商品公司
水电十一局三岛实业总公司
闽江水电工程局厦门休养院

华电南京电力自动化设备总厂
华电杭州钻探机械制造厂
华电杭州机械设计研究院
华电扬州电讯仪器厂
华电株洲电力机械技术公司

中电国际河南平顶山姚孟发电有限责任公司
中电国际辽宁清河发电有限责任公司

国电电力龙源环保工程有限公司
国电电力大同第二发电厂
国电电力朝阳发电厂
国电电力宁夏石嘴山发电有限责任公司
大渡河流域水电开发有限公司龚嘴山水力发电总厂
国电电力宣威发电有限责任公司

贵州乌江水电开发公司东风发电厂
贵州乌江水电开发公司乌江渡发电厂
华北电力大学
国家电力公司电力自动化研究院
国家电力公司热工研究院
中国电力科学研究院

全国“五一劳动奖状”获得单位和“五一劳动奖章”获得者

北京市

全国五一劳动奖状获得单位
北京兆维电子（集团）有限责任公司
北京巴布科克·威尔科克斯有限公司
北京城市排水集团有限责任公司
北京城建集团亚泰建设工程有限公司
北京建筑材料经贸集团总公司新科建材有限公司国际精品厅
北京房建建筑股份有限公司第二分公司孙志强 QC 小组
北京市百货大楼一卖场糖果组
北京首钢股份有限公司第二炼铁厂三高炉工段值班室
北京房修二古代建筑工程有限公司朱永伟项目经理部
北京水泥厂有限责任公司水泥运输部
北京市地质工程勘察院供水勘察室

全国五一劳动奖章获得者
王玉江　王彬会　于建英　谷永起　王立鹏
黎长新　王立合　张　寅　杨玉珍(女)　刘传喜
黄清华(女)　李玉芝(女)　王　湘(女)　吴晓群
朱新礼　刘崇礼　吴玉林　张凤兰(女)　邱世中
姜伯驹　杨　卫　徐升桥　李义厚　戴建平　董　光
张义云(女)　秦富强　方　工(回族)　高静波　张勇琍

天津市

全国五一劳动奖状获得单位
天津环球磁卡股份有限公司
天津市第三市政公路工程有限公司
天津劝业华联集团有限公司
中港集团第一航务工程局第一工程公司
天津郁美净集团有限公司经销中心业务四部
天津市地方铁路运输处机车运输组
天津市黄瓜研究所遗传育种研究室
南开大学数学人才培养基地

全国五一劳动奖章获得者
董春梅（女）　王桂荣（女）　李庆宏　赵惠川
张　蓉（女）　李洪生　刘永源　王天喜　方耀明
董　震　赵淑珍（女）　董喜宽　董齐平　江永萍
付均和　赵锡铭　许京军　刘志嘉　张　良

河北省

全国五一劳动奖状获得单位
唐山开元企业集团
中国——阿拉伯化肥有限公司
邢台钢铁有限责任公司

保定供电公司
露露集团有限责任公司
廊坊市天都大酒店
邢台方圆纺织印染集团公司
保定天威集团有限责任公司
中国第二十二冶金建设公司
河北省大曹庄农场
石家庄市蔬菜副食品总公司天荟便利店
唐山机车车辆厂转向架制动组
邯峰发电厂检修部
华北铝业有限公司板带分厂冷轧机组
全国五一劳动奖章获得者
武晓峰　权艳霞（女）　耿国强　李玉刚　焦建华（女）
杨胜明　高昌利　梁　虹（女）　赵丛生　刘保相
刘义甫　王和平　刘中华　吕志强　李建国
韩东英（女）　李海明　王鸣方（女）　郝保生
马文全　郭东琴（女）　刘宝庆　张建超　王金铎（满族）
赵素珍（女）　刘金华（女）　徐哲文　王德生
刘宝起（满族）　白艳华（女）　戚长乐　张密松
吕启阳　张春英（女）　王平顺　李九臣　储瑞耕
郭　东　于年生　李艳斌　阎胜科　刘明忠
乔贵祥　薛继连　尹玉新

山西省

全国五一劳动奖状获得单位
大同齿轮集团有限责任公司
阳泉煤业（集团）有限责任公司
山西兰花煤炭实业集团有限公司
太原航空仪表有限公司
山西潞安矿业集团公司王庄煤矿综采二队
山西省祁县公路管理段东观道班
山西建筑工程（集团）总公司第二建筑工程公司李德武劳务队
全国五一劳动奖章获得者
罗恩太　陈发明　王宝平　郭玉兰（女）　薛　亮
潘新建　席俊锁　庞　煜　原贵生　程美丽（女）
冯亮明　沙万里　周运宁　刘　俊　董新品　杨永善
张云升　李宝文　陈进行　宋茂林　甘明英（女）
马建新　丁桂香（女）　薛焕刚　张晓宇（女）
郭金刚

内蒙古自治区

全国五一劳动奖状获得单位
包头钢铁（集团）有限责任公司
丰镇发电厂
内蒙古森林工业集团有限责任公司
呼和浩特卷烟厂动力车间白塔锅炉班
内蒙古一机集团六分公司模修班
乌海电信分公司数据多媒体通信局数据机房
鄂尔多斯市东方路桥有限责任公司第一施工队
全国五一劳动奖章获得者
丁九恩（蒙古族）　周玉双（蒙古族）　陈　向　牟开福
王如升　陈国香　李占文　何银顺　孙志刚（蒙古族）
沙格德尔（蒙古族）　李　艳（女）　薄云杰（女、蒙古族）　刘凤书（女、满族）　吕占江　王存利　李凤莲（女）　李满贵　刘宏忠　李　华（女、蒙古族）　常　佶
尉全恩　赵凤山　王学民

辽宁省

全国五一劳动奖状获得单位
沈阳黎明航空发动机（集团）有限责任公司
大连新船重工有限责任公司
中国石油天然气股份有限公司抚顺石化分公司
本溪市第一纺织厂
营口中板厂
朝阳供电公司
渤海船舶重工有限责任公司
冰山集团大连冷冻机股份有限公司螺杆压缩机事业部辅机一班
鞍山市铁西房产经营管修处“徐虎”服务小分队
锦州凌海供电有限责任公司建业供电营业所
阜新矿务局清河门煤矿801采煤队
辽宁华锦集团乙烯公司乙烯车间裂解工段
辽宁水文地质工程地质勘察院设计研究室
辽宁省农业科学院稻作研究室
全国五一劳动奖章获得者
李金桥　王　洋　赵俊玲（女）　吴晓东　孙忠军
张桂平（女）　李春玲（女）　章功力　门洪升
车向军　杨传业　董大方（女）　杨声亮
祝　捷（女、满族）　邢爱萍（女）　张繁友
周福仁　杨忠杰　朱润海　李龙珍（女）
王素杰（女）　刘振月　王占洲（满族）
耿雅娟（女）　安　烽　佟振华（满族）
王志敏（女）　盛利德　周　刚　李永军
姜政伟（满族）　张连山　赵丽辉（女）
李佩茹（女、回族）　李占柱　孔宪臣
李淑芹（女）　孙　度　王兴哲　佟江华
张春儒　吴志先　张德庆　胡大伟　姚　咏（女）
魏仁田　于　洪　王宝军　谷文涛　李昌绵
张建民　陆国方　尚书志　梁　敏　孙吉龙
李　佳（女）　宋雨桂　沈良论

吉林省

全国五一劳动奖状获得单位

长春市邮政局
吉林镍业集团有限责任公司
中国科学院长春光学精密机械与物理研究所
长春聚德龙铁塔集团科技实业公司研发部
吉林供电公司永吉县供电公司西阳供电所
吉林省电信公司四平电信分公司
吉林省泉阳林业局多种经营公司长白山啤酒厂

全国五一劳动奖章获得者

孙长春　田宝珠　梁文成　赵福玉（满族）　王秀林
崔树森　王怀清　曹　海　魏晓巍　及瑞臣　石国新
田景一　宗占国　徐玉权　朱亚夫　何文君　吴　颖
盖　雁　郭淑芹（女）　李官范（朝鲜族）
金光镇（朝鲜族）　赵凤桐　欧阳甲仁　王铁铭
安凤成　李　贺　王志霞（女）

黑龙江省

全国五一劳动奖状获得单位

中央储备粮哈尔滨直属库
齐齐哈尔电业局
佳木斯合成实业有限责任公司
鹤岗电业局
中国电信集团黑龙江省电信公司
黑龙江省公路桥梁建设集团有限公司
大兴安岭图强林业有限责任公司
大庆油田有限责任公司第一采油厂第三油矿中十六联合站
大庆石油化工总厂工程公司
黑龙江省蓝艺地毯集团有限公司织毯车间
黑龙江省红星林业局清水河经营所
黑龙江省绥阳林业局细鳞河经营所
黑龙江省友谊农场二分场第九生产队
黑龙江省电视台新闻部《新闻夜航》节目组
黑龙江移动通信公司计费业务中心

全国五一劳动奖章获得者

孙锡文　叶继胜　刘建民　王会志　邹继荣（女）
李晶杰　曹书杰（女）　苏永泉　武凤荣（女）
郭　郜（女）　李　奎　陈明亮　孙海军　夏崇生
李乃昌　王守志　柳云虎　张忠庭　王洪木　范玉玺
魏维新　李海林　陈　明　洪　江　张德义　谭瑞松
张彦启　吴玉波　李　生　孙世峰　李永胜
白晓洁（女）　刘玉彬　佟兆启　李金泽　刘丽华（女）
王建民　计秉玉　刘志立　刘艳芬（女）　鲍兴国
邢友江　付军凯　杜永歧　任延禄　宋春和　孙毅志
姜丽霞（女）

上海市

全国五一劳动奖状获得单位

上海上汽大众汽车销售有限公司
上海港务工程公司
上海市建筑科学研究院
上海中远建设总承包有限公司
上海移动通信有限责任公司
上海市建筑构件制品公司
上海海鸥照相机有限公司销售公司上海分公司
上海市电力公司市区供电公司沪北供电分公司
上海市邮政局
上海海事局吴淞海事处水上交通管理系统分中心
上海农工商超市有限公司农工商超市118店
上海人造板机器厂设计科设计二组
中国石化上海石油化工股份有限公司涤纶事业部2#聚酯装置
中远集装箱运输有限公司苏州号轮
复旦大学附属中山医院肝肿瘤科临床医师组

全国五一劳动奖章获得者

胡铉亮　屠原刚　朱国萍（女）　梁林江　张世永
蒋华云　孙海燕（女）　宦惠宝　周礼荣　吴顺弟
高华林　严国祥　郁　葱　岑兆奇（女）
周兆镰（女）　葛文耀　刘德琼（女）　孙海全
劳兆利　郁　竑　孙小根　唐建平　陈国民　陈　虹
季　凡　周杜鑫　苏继荣　张建中　黄勇强　施　羡
尹金龙　陈　涛　史金虎　夏　雷　楼启为　徐海强
钱稚虹（女）　顾功耘　朱大元　叶　冲　谭佳华
张玉荣　陈白桦（女）

江苏省

全国五一劳动奖状获得单位

江苏省电力公司无锡供电公司
常州长江客车集团公司
南通江山农药化工股份有限公司
江苏省电力公司镇江供电公司
扬州发电有限公司
徐州卷烟厂
连云港恒瑞集团有限公司
中国轻工业机械总公司南京轻工业机械厂
江苏索普（集团）有限公司主装置运行班
扬州第二发电有限责任公司生产运行处三值
江苏华能淮阴发电有限公司继电保护班
江苏双蝶集团有限公司包装厂纸板线组
江苏洋河集团有限公司包装班
江苏省省级机关医院干部保健科
宁沪高速公路南京收费站四班
常州四药制药有限公司制剂厂投料班

全国五一劳动奖章获得者

杨瑞清 邱 勤（女） 丁 进（女） 张忠和 汪世德 毛常陆 陈静怡（女） 杜菊明（女） 谭秋斌（女） 祝朝忠 夏建平 马建荣 史晓伟 汪勤生 狄国平 刘国平 张增友 于金莲（女） 郭文山 邢家峰 徐贵宝 杨祖祥 朱连兵 马全章 缪继明 刘为新 王祥英（女） 洪正刚 曹淮娣（女） 叶 萍（女） 简丽娟（女） 吴景洲 刘东升 孙玉忠 许 瑾 黄恭情 范成建 胡贤清 袁建国 于永正 荣良群 蔺宁君（女） 张云才 卞素珍（女） 殷广平 王伟中 蔡裕如 孙建初 何小舟 黄国庆 戴伯春 邵文桂（女） 吉寿如 姚汉中 潘建跃 刘庆年 何达平 赵继东 李旭光

浙江省

全国五一劳动奖状获得单位

万向集团公司

浙江菲达机电集团有限公司

浙江北仑第一发电有限责任公司

普天东方通信集团有限公司

温州自来水集团管网抢修中心

绍兴市公安局交通巡逻警察支队机动车巡逻大队

浙江省省级机关事务管理局车辆管理处

中国石油化工股份有限公司浙江台州白云山加油站

全国五一劳动奖章获得者

章方祥 韩国瑛（女） 郭裕茂 陈 灵 周智勇 吴训威 朱赛飞（女） 邵卫东 周玲娥（女） 叶 朋 吴梦琳 王振滔 张 岚（女） 黄人健 姚庆华 张建新 李金昌 桑连娥（女） 王富更 李明焱 卢雁红（女） 叶小宏 沈建国（女） 邱建英 陈立钻 梁开根 蒋承勇 廖永平 高增梁 李蒙飞（女） 陆优民 吴德兴 李振强 魏克民 韩柏青

安徽省

全国五一劳动奖状获得单位

安徽国风集团有限公司

马钢（集团）控股有限公司

安徽省烟草专卖公司

中国工商银行安徽省分行营业部合肥市雷锋储蓄所

巢湖庐江供电有限责任公司乐桥供电所

安徽铜都铜业股份有限公司金昌冶炼厂电解车间生产一班

安徽省凤台县路桥公司工程技术组

全国五一劳动奖章获得者

丁志忠 万祖培 韦广图 卢雪珍（女） 许久英（女） 孙东兴 孙 芹（女） 刘 杰 朱宜存 刘晓方 许惠萍（女） 汪天平 汪学骞 张云华 张文艳（女） 张立德 张 军 张 勇 张锦涛 沈克圣 吴 起 何新菊（女） 杨 刚 金咸达 洪天柱 徐永涛 韩国珍（女） 韩德明 潘一新 薛智强 戴金祥 檀智忠

福建省

全国五一劳动奖状获得单位

厦门钨业股份有限公司

三明市邮政局

福建南平南孚电池有限公司

福州市台江区苍霞街道苍霞新城社区居委会

福建华侨大学材料科学与工程学院

福建三钢（集团）有限责任公司棒材厂轧辊预装班

中国联合通信有限公司龙岩分公司寻呼话务中心

全国五一劳动奖章获得者

林瑞良 蒋 华 冯诚忠 郭成德 唐海平 张文荣（女） 甘英兰（女） 王成根 刘少章 陈欠水 王 鼎 周志望 谢 娟（女） 巫培云 彭其雨 郑玉瑞 郑宗金 林秀兰（女） 黄建华 黄南山 林晓东 夏 鹏 陈茂祥 杨健民

江西省

全国五一劳动奖状获得单位

江西铜业公司

江西新华印刷厂

江西月兔企业集团有限公司

江西赣西供电局

江西省火电建设公司

江西省高等级公路管理局邹家河管理所

江西江铃齿轮股份有限公司钳磨组

南昌铁路局萍乡机务段东风$_4$3190“劳动号”机车包乘组

全国五一劳动奖章获得者

周 洁（女） 魏祥荣 陈年代 何 亮 张 勇 魏智素 张 敏 古育萍 严桂兰（女） 林 云 谢 瑶（女） 吴钦蔚 熊旭华 刘海生 周荣华 刘吉祥 陈国荣 徐立新 许全金 肖建伟 邓德海 程晓曙 黄日高

山东省

全国五一劳动奖状获得单位

山东黄台火力发电厂

青岛发电厂

山东省国际电源开发股份有限公司十里泉发电厂

万达集团股份有限公司

烟台电业局

日照港务局

齐鲁制药厂
淄博矿业集团有限责任公司
将军集团济南卷烟厂生产管理二部二车间
中国石化集团胜利石油管理局黄河钻井总公司钻井五公司32695钻井队
莱钢股份有限公司炼铁厂第二高炉车间炉前乙班
中铁十四局集团电务工程有限公司蓝烟项日部
山东黄河河务局谢寨闸管理所
全国五一劳动奖章获得者
程玉春（女）　王　伟（女）　王　炜　王健利
李　超　白维营　徐从泰　王炳交　李廷强　李成功
宋延亮　郝贻先　张玉华（女）　姜志光　蒋永行
刘　波　徐其友　傅延华　沈瑞平　苏德勇　于归赫
战　生　栾成智　鞠爱美（女）　潘中军
康凤英（女）　袁荫杰　王立魁　张正海　郑忠广
张振华　邱亚夫　束怀瑞　梁兴泰　吴学忠　胡增章
李桂珍（女）　尹传贵　邱　峰　杨淑芹（女）　鞠立民
袁敬华（女）　王文路　张树忠　周奎齐　徐令军
黄　敏（女）　陈景世　赵彦滨　朱　奎　张宏森
张会群

河南省

全国五一劳动奖状获得单位
舞阳钢铁有限责任公司
安阳市电业局
河南移动通信有限责任公司
河南四五酒厂
驻马店市汽车运输总公司
商丘市公路管理局
河南中原大化集团有限责任公司
开封市公交总公司四公司十三路车组
三门峡邮政局邮政储蓄汇兑科
正阳县公安局雷寨派出所
河南省莲花味精集团有限公司发酵一厂菌种班
全国五一劳动奖章获得者
孙书成　王宝泉（回族）　张　点　赵兰亭（女）
刘克顺　周遂成　李正建　许　光　宋　宝　孙向民
阎光明　沈振银　叶　芳（女）　周先锋　李长杰
冯明亮　霍清廉　晁玉祥　乔建平　薛训杰　程相文
高元乐　宋有申　李瑞生　靳景仲　洪艳萍（女）
李邦勤　曹学强　张贵宏　李松江　王治安　崔晓峰
胡逸云　丁　峰　李运来　秦　俊　刘宗林　倪玉民
白克杰　王法团　李经谋　李建军　李祥芝　陆承吉
陈玉亭

湖北省

全国五一劳动奖状获得单位
中国电信集团湖北省电信公司武汉市分公司
湖北金龙泉集团股份有限公司
中铁十一局集团有限公司
三环集团公司
华中科技大学
河北省电力公司输变电工程公司
武汉广场管理有限公司
湖北移动通信十堰分公司客户服务中心
武汉钢铁集团矿业有限责任公司程潮铁矿
武汉长江轮船公司长江22037轮
湖北省京珠高速公路建设指挥部
全国五一劳动奖章获得者
康永胜　杨若勤（女）　郭爱民　张怀珠　王建军
郑承昌　张庆圭　谢卫国　谢海全　王月娥（女）
李先庆　吕凤玲（女）　黄发强　汪进洲　俞学锋
罗　梅（女）　魏国安　黄本友　罗　萍（女）
戴均彩　祁双喜　陈祖狄　余贵珍（女）　王旺林
彭方全　匡德荣　刘德偕（土家族）　金碧娥（女）
邹康林　苗　圩　毛红兵　张为明　徐文寿　刘华亮
冯志高　罗明久　龚兰枝（女）　刘忠保　黄正坤
陈　杰（女）　张肇淦　马　勇　余少华
蒋　春（女）　侯杰昌　杨惠林

湖南省

全国五一劳动奖状获得单位
长沙中联重工科技发展股份有限公司
岳阳纸业集团有限责任公司
郴州市公路管理局
水口山有色金属有限责任公司
湖南省邮政局
特变电工衡阳变压器有限公司
湖南省电力公司
湘潭电机集团有限公司湘电股份公司特电分公司浸漆班
溆浦县人民医院妇产科
全国五一劳动奖章获得者
杨礼基　许菊云　周鸿翔　陈志红（女）　廖明建
陈立志　李樟兴　朱飞锦　冯德志　邓新辉（女）
李振川　邓　奇　吴小平　刘佳仁　彭　辉　刘华山
徐光荣　胡笑庆　苏仲衡　王志英（女）　全必清
钟子进　秦周武（土家族）　刘习双　李建辉（女）
匡妹仔（女）　朱子雄　李言秀（女）　胡谋超　向延福　赵小林（苗族）　雷正才　李谟良　刘建国
彭继福（土家族）　冯树荣　屈全福　张志坚

广东省

全国五一劳动奖状获得单位

广州市珠江啤酒集团公司
深圳市公共交通（集团）有限公司
东莞诺基亚移动电话有限公司
中国电信集团广东省电信公司
广东省水利水电第二工程局
广东物资集团公司
茂名市实业发展公司
广东省烟草公司南海卷烟厂
广州电力工业局送电管理所线路七班
广东省江门市公安局刑警支队三大队
广东省广电集团有限公司韶关供电分公司配电管理所
广东省顺德市顺峰药业有限公司科研所
广东省公安厅出入境管理处
广东省农业科学院水稻研究所
深圳市施工安全监督站
广州白天鹅宾馆前台部商务楼层组

全国五一劳动奖章获得者

廖　灿（女、壮族）　何焕池　朱志威　黄成造
范超荣　谈绍强　陈桂贞（女）　龙　玄　陈舜长
钱卫平（女）　刘仲健　林善芬（女）　陈长胜
杨静娟（女）　周　力　欧阳娜（女）　林新华
侯练荣（女）　陈雪英（女）　陈桥顿　王志明
杨东娣（女）　熊小东　汤健峰　陈远居
区洁芬（女）　钟　艾（女）　何永儒　孟照锁
黄德明　刘罗寿　曾志华　曾祥虹　楼宝阳（女）
陈超菊（女）　詹向阳　翟和革　傅丽娴（女）
陈坚林　李林楷　赖辉贤　王树林　黄小勇　罗　波
赵资钦　吴创之　吴淑勤（女）　黄灿明　李红明
夏凤群（女）　黄国宝

广西壮族自治区

全国五一劳动奖状获得单位

柳州化学工业集团有限公司
桂林天和药业有限公司
梧州中恒集团股份有限公司
柳州市公共交通有限责任公司第三分公司胜利站
桂林市公安局交警支队秀峰大队李向群岗亭中队
北海市自来水公司徐虎第一小分队
广西区邮政局上林县邮政局

全国五一劳动奖章获得者

滕新源（壮族）　张立萍（女）　陆秀斌（壮族）
黄德柱　覃　彪（壮族）　韦昌珍（壮族）　覃朝归
李绍壮　黄国荣（壮族）　高琳易　黄启翻（壮族）
何明孙　韦育凡（壮族）　甘秀天　严啸华
阮文忠　蓝焕锋（壮族）　吴永生　梁善荣
彭　剑　梁英奇　余桂平（女）　张家骥（壮族）
潘　勇（女）

海南省

全国五一劳动奖状获得单位

海南三叶制药厂有限公司
中海石油化学有限公司
马自达汽车有限公司
海南省汽车运输总公司文昌分公司李向群快车乘务班
海南省邮政运输局干线汽车班

全国五一劳动奖章获得者

林才雄　王和策　董持雨（黎族）　郑云珍（女）
林荣国　卢文科　李昌炎　钟鸣明　彭隆荣

重庆市

全国五一劳动奖状获得单位

重庆烟草工业有限责任公司
中国电信集团重庆市电信公司
重庆钢铁股份有限公司
庆铃汽车（集团）有限公司发动机制造部曲轴组
重庆市九龙坡区地方税务局征收所
重庆川东电力集团有限责任公司李渡供电所

全国五一劳动奖章获得者

喻冬贵　毛涛联　崔锡明（女）　徐孟同　李　忠
李庆生　刘万才　李　敏（女）　马福香（女）
刘建文　张　力　翟渝成（女）　杨和平
张洪塔（土家族）　刘家荣　郭向东　何德沛
董　林　潘　宏　龚天荣　王智彪

四川省

全国五一劳动奖状获得单位

成都卷烟厂
宜宾丝丽雅集团有限公司
中铁养马河工程股份有限公司
四川华西集团有限公司第十二工程公司
成都电业局
四川省玻璃纤维厂织造一车间四工段薄布组
乐山市公安局交通警察支队
四川石油管理局川中油气公司钻井工程公司钻井59队
成都铁路局重庆分局内江车务段自贡车站
中铁二局集团电务工程有限公司电气化四段
中国建设银行四川省分行岷江支行民兴大厦储蓄专柜

全国五一劳动奖章获得者

胡来招　帅　平（女）　侯帮发　李建雄　钟长鸣
漆长发　冯良海　马　宏　王　劲　陈　伐　王敬东
王友用　车　平　卢碧荣　章明书　鲁成林（女）
周晓林（藏族）　向远华　陈富华　杨　耕　肖国华

韩洪应 王世泽 杨佳元（女） 李 亭（女）
杜春雷（女） 苏 毅 王思义 林挺超 程兴德
周志宏 孙载旻 马现良 刘国锋 张宇仙（女）
孟庆国 游志胜 姜伯全 蔡伟素 敬克非

贵州省

全国五一劳动奖状获得单位
贵阳市公共交通总公司
乌江渡发电厂
贵州红星发展股份有限公司
中国贵州航空工业（集团）有限责任公司飞机设计研究所总体室
贵州省铜仁公路管理局德旺道班
贵阳卷烟厂一车间一线乙班
贵州省盘江煤电（集团）有限责任公司火铺矿采煤一区采煤一队
全国五一劳动奖章获得者
廖新颖（女） 王黎明 周家荣 刘恩和（土家族）
钟树林 彭晓萍（女、侗族） 王宪华 弋才智
陈宝明 孙学兵 祝 明 李淑芳（女） 邵惟平

云南省

全国五一劳动奖状获得单位
云南昆明云内动力股份有限公司
云南省漫湾发电厂
云南省第八建筑工程公司
云南省昆明市公共汽车总公司
云南锡业集团有限责任公司卡房采选厂金竹林坑探一队
云天化集团有限责任公司云南红磷化工有限责任公司三方公司金工班
昆明钢铁集团有限责任公司第四轧钢厂轧钢车间加热炉丁班
中国水利水电第一工程局大朝山施工局大朝山水电站厂房支模班
全国五一劳动奖章获得者
谢忠才 吴 艳（女） 张秀珍（女） 艾金明（苗族）
李端秀（女） 杨应旺 李培初 朱 伦 王成荣
陆忠祥（彝族） 钱文华（彝族） 陈云昆 张庆福
李发文（彝族） 张 平 雍歧龙 何云昆 赵旭东
鲁仕泽（白族） 陈竹华（女）

西藏自治区

全国五一劳动奖状获得单位
西藏日喀则地区供电所
西藏地热地质大队马攸木砂金矿普查分队
西藏林芝地区八一电厂线路班
全国五一劳动奖章获得者
赤列多吉（藏族） 陈佰顺 孙桂花（女、藏族）
赵雪梅（女） 吴银云（女） 边 琼（藏族）
永忠达吉（藏族） 小多吉（藏族） 刘晓琴（女）
次旦扎西（藏族）

陕西省

全国五一劳动奖状获得单位
西安利君制药股份公司
宝鸡供电局
秦始皇兵马俑博物馆
中铁一局集团有限公司第二工程有限公司
陕西省第一建筑工程公司安装公司
航天科技集团公司五院第504研究所微波技术研究室
陕西秦岭水泥股份有限公司干法分厂熟料车间中控操作班
陕西天王兴业集团有限公司细纱车间乙班五组
全国五一劳动奖章获得者
王保才 邓菊梅（女） 张吉焕 李玉华（女）
张子付 杨景才 钱建平 庞 勇 樊君莉（女）
乔雪涛 张冠军 纪 斌 杨长林 王大勇 吴质朴
冯博琴 王世民 史小娟（女） 李积伦 张尔茂
王心岗 马金玉（回族）

甘肃省

全国五一劳动奖状获得单位
中国核工业集团公司五〇四厂
甘肃省陇南磨沟铅锌矿
中国石油天然气股份有限公司长庆油田分公司
兰州连城铝厂机修厂大修车间“刘永汉班”
甘肃省平凉公路总段庄浪公路管理段南湖养管站
酒泉钢铁（集团）有限责任公司焦化厂炼焦作业区生产丁班
甘肃省公安厅刑警总队暴力案件侦查科
甘肃政法学院组织人事处
全国五一劳动奖章获得者
詹文龙 方兰新 张志国 冯诗伟 刘世洲
王清香（女） 朱义刚 赵健雄 王鸿彬 任恩恩
周永甘 王永安 穆荣肖（女） 杨建伟 刘久如

青海省

全国五一劳动奖状获得单位
青海送变电工程公司
青海盐湖工业集团有限公司
青海省水利水电工程局宁夏扶贫扬黄固海扩灌六泵站工程施工项目部

全国五一劳动奖章获得者

张德雷　王　平　鹏　热（藏族）　祁秉文（回族）
张有生　李俊青　王建新　姚源涛　王志学　杨章霞

宁夏回族自治区

全国五一劳动奖状获得单位

中国石油长庆油田分公司第三采油厂
宁夏第一建筑公司第一分公司
中国联通宁夏分公司话务中心寻呼一班

全国五一劳动奖章获得者

黄国庆　刘学田　梁毓林　聂明亮　张光海　朱宏魁
朱文伯　田军仑　张金山

新疆维吾尔自治区

全国五一劳动奖状获得单位

新疆油田公司
乌鲁木齐铁路局
中国石油天然气股份有限公司塔里木油田分公司
伊运集团公司伊宁客运站二班
新疆航空公司客舱服务部乘务大队
吐哈油田分公司丘陵采油厂联合站
新疆兵团农七师电力工业公司奎屯供电公司

全国五一劳动奖章获得者

赵　莉(女)　古妮沙·阿皮孜(女、维吾尔族)
刘建玲(女)　王万梅(女)　吐尔逊·吾守(维吾尔族)
艾尔肯肉孜(维吾尔族)　肖国栋
阿迪里·阿不力米提(维吾尔族)　王秀琼(女)
费玉娥(女)　石玉瑚　许敏华　许树谦　范旭华(女)
伊力汗·奥斯曼(维吾尔族)　柳少君　李志新　渠　华(女)

铁路系统

全国五一劳动奖状获得单位

沈阳铁路局通辽分局
广州铁路集团羊城铁路总公司
上海铁路局
中铁第二十工程局第一工程处
北京铁路局北京分局客票管理中心
郑州铁路局西安分局西安东站二班调四调车组
济南铁路局徐州分局徐州工务二段三张茂养路工区
南昌铁路局客运公司南昌—上海 K288/7 次车队

全国五一劳动奖章获得者

沈迪岭　张运刚　宋大悦　杜有山　吕广恒　王立柱
王五星　鲁　超　王玉振　高　林　许　翱　张庆桓
杨小军　赵益宇　李柳生　张宪广　杨利恒　杨　力
王建贞（女）　齐康平　田宝华　忻　力　李　钧
代胜芳　黄合军　王申平　宋彦波　徐春光

民航系统

全国五一劳动奖状获得单位

中国东方航空股份有限公司上海飞行部飞行二大队三中队
中国云南航空公司飞行部乘务队“金孔雀”乘务组
北京首都国际机场股份有限公司要客部国际室

全国五一劳动奖章获得者

李兰英　张世明　孟　栾（女）　翁志光　冯吉喜
韦桂兰（女、壮族）　冯敏强

中国金融工会

全国五一劳动奖状获得单位

中国农业发展银行简阳市支行
交通银行乌鲁木齐分行友好路支行
招商银行北京分行长安街支行
中国人民保险公司福州分公司
中国人寿保险公司南海市支公司

全国五一劳动奖章获得者

刘　雁　甘永强　李秋萍（女）　曹志莺（女）
甄建华（女）　王夫守　闫冬冬　孔潜发　刘金宣
许景荣（女）　郭　玮　李向党　卢海珠　金　伟
王　华　王　倩（女）　胡　英（女）　赵锡满
张含菊（女）　刘圣和

中共中央直属机关

全国五一劳动奖章获得者

李建设

中央国家机关

全国五一劳动奖状获得单位

国家体育总局训练局
中国歌舞团
中国科学院空间科学与应用研究中心载人航天工程应用系统研究集体

全国五一劳动奖章获得者

黄　铨

中央企业工委在京直属单位

全国五一劳动奖状获得单位

中航一集团北京航空材料研究院铸造高温合金及精密铸造研究室

全国五一劳动奖章获得者

魏少军　李瑞亢　范本尧　常广生　李若贵

中国杰出志愿者

于海波　吉林长春残疾青年
刘　江　黑龙江大庆石化总厂青年志愿者协会法律义务咨询所主任
李　强　辽宁抚顺石化二厂团委书记
李玉亭　山东济南商河县展家乡褚集村残疾青年
余淑玲　广东珠海市青年志愿者协会副会长
金晓平　安徽合肥市青年卫生志愿者服务队队长
查文红　上海武宁百货公司退休职工
徐国强　贵州遵义市个体出租车“雷锋司机”
彭海纳　天津英业达集团员工
谭宗俊　成都14中学教师

2002年全国大中专学生志愿者暑期“三下乡”社会实践活动优秀组织工作奖

江　苏	江　西	山　东	湖　北
四　川	吉　林	黑龙江	天　津
北　京	内蒙古	河　南	湖　南
广　东	山　西	重　庆	河　北
浙　江	甘　肃	上　海	宁　夏
福　建	陕　西		

2002年全国大中专学生志愿者暑期“三下乡”社会实践活动先进单位

北京市（15个）

清华大学
中国人民大学
北京科技大学
北京理工大学
北京化工大学
中国农业大学
中国政法大学
石油大学（北京）
北京大学
北京师范大学
北京航空航天大学
北方交通大学
中央民族大学
北京林业大学
中国地质大学（北京）

天津市（11 个）
天津大学
天津师范大学
天津工业大学
天津理工学院
天津中医学院
南开大学
天津医科大学
天津科技大学
天津财经学院
天津外国语学院
天津体育学院

河北省（12 个）
河北大学
河北医科大学
河北师范大学
石家庄经济学院
河北理工学院
河北建筑工程学院
燕山大学
河北农业大学
河北经贸大学
石家庄铁道学院
华北电力大学
中央司法警官学院

山西省（12 个）
山西财经大学
山西农业大学
山西医科大学
长治医学院
临汾团市委
晋中师范高等专科学校
太原理工大学
山西师范大学
华北工学院
太原师范学院
运城学院
山西大学

内蒙古自治区（8 个）
内蒙古农业大学
内蒙古民族大学
内蒙古财经学院
内蒙古大学艺术学院
内蒙古工业大学
内蒙古师范大学
内蒙古医学院
包头师范学院

辽宁省（11 个）
东北大学
中国医科大学
大连海事大学
沈阳电力高等专科学校
大连民族学院
锦州医学院
辽宁大学
沈阳师范大学
辽宁师范大学
大连轻工业学院
鞍山科技大学

吉林省（11 个）
吉林大学
北华大学
长春大学
长春师范学院
吉林艺术学院
吉林师范大学
东北师范大学
长春工业大学
吉林建筑工程学院
吉林工程技术师范学院
吉林体育学院

黑龙江省（11 个）
黑龙江中医药大学
哈尔滨医科大学
黑龙江大学
哈尔滨师范大学
哈尔滨理工大学
牡丹江师范学院
东北农业大学
东北林业大学
哈尔滨工程大学
哈尔滨工业大学
佳木斯大学

上海市（15 个）
复旦大学
同济大学
华东理工大学

东华大学
上海财经大学
上海水产大学
上海师范大学
第二军医大学
上海交通大学
华东师范大学
上海外国语大学
上海大学
华东政法学院
上海第二医科大学
上海工程技术大学

江苏省（17个）
扬州大学
江苏大学
华东船舶工业学院
南通师范学院
南京航空航天大学
南京大学
苏州大学
南京邮电学院
徐州师范大学
南京师范大学
中国矿业大学
南京工业大学
南京农业大学
南京理工大学
东南大学
江南大学
南京审计学院

浙江省（13个）
浙江大学
浙江师范大学
浙江工业大学
宁波大学
杭州商学院
浙江中医学院
温州师范学院
温州大学
浙江树人大学
浙江工程学院
嘉兴学院
浙江林学院
杭州师范学院

安徽省（12个）
中国科学技术大学
安徽大学
安徽建工学院
安徽财贸学院
淮北煤炭师范学院
阜阳师范学院
合肥工业大学
安徽医科大学
安徽师范大学
安徽工业大学
淮南师范学院
安庆师范学院

福建省（10个）
厦门大学
福建师范大学
福建农林大学
福建中医学院
泉州师范学院
福州大学
华侨大学
福建医科大学
福建教育学院
泉州团市委

江西省（10个）
南昌大学
江西农业大学
江西师范大学
华东交通大学
江西财经大学
南昌航空工业学院
景德镇陶瓷学院
江西医学院
江西中医学院
井冈山师范学院

山东省（14个）
山东大学
山东建筑工程学院
济南大学
青岛科技大学
潍坊医学院
聊城大学
临沂师范学院
山东师范大学

山东中医药大学
山东农业大学
曲阜师范大学
泰山医学院
枣庄师范专科学校
中国海洋大学

河南省（12个）
郑州大学
河南农业大学
华北水利水电学院
洛阳师范学院
信阳师范学院
安阳市
河南大学
河南师范大学
河南中医学院
南阳师范学院
商丘师范学院
鹤壁市

湖北省（15个）
武汉大学
中国地质大学（武汉）
华中科技大学
华中农业大学
华中师范大学
湖北大学
武汉工业学院
湖北农学院
武汉化工学院
三峡大学
中南财经政法大学
武汉科技大学
湖北中医学院
武汉理工大学
武汉船舶技术学院

湖南省（13个）
中南大学
湖南师范大学
湖南商学院
南华大学
湘潭大学
湘潭师范学院
株洲团市委
湖南大学
湖南农业大学
长沙电力学院
中南林学院
湖南工程学院
吉首大学

广东省（13个）
华南农业大学
广东工业大学
佛山科学技术学院
东莞理工学院
肇庆学院
清远团市委
华南师范大学
广州大学
韶关学院
深圳大学
深圳职业技术学院
珠海团市委
茂名团市委

广西壮族自治区（9个）
广西大学
广西中医学院
广西师范大学
桂林电子工业学院
广西教育学院
广西师范学院
广西商业高等专科学校
桂林工学院
广西民族学院

海南省（3个）
海南师范学院
海南大学
华南热带农业大学

四川省（11个）
四川大学
西南财经大学
成都中医药大学
川北医学院
四川农业大学
成都电子高等专科学校
电子科技大学
四川师范大学
成都体育学院

乐山师范学院
西南石油学院

重庆市（12个）
重庆大学
西南农业大学
重庆医科大学
西南师范大学
西南政法大学
重庆邮电学院
重庆工学院
重庆师范学院
重庆教育学院
重庆工商学院
渝西学院
四川外语学院

贵州省（8个）
贵阳医学院
遵义医学院
贵州财经学院
贵州广播电视大学
遵义师范学院
贵阳中医学院
贵州教育学院
毕节师范高等专科学校

云南省（9个）
云南农业大学
云南财贸学院
云南广播电视大学
大理学院
红河团州委
云南民族学院
云南中医学院
曲靖师范学院
蒙自师范高等专科学校

西藏自治区（2个）
西藏民族学院
拉萨市师范学校

陕西省（13个）
西安交通大学
西安电子科技大学
陕西师范大学
西安建筑科技大学
西北工业大学
西北农林科技大学
长安大学
西北政法学院
西安理工大学
西安工程科技学院
延安大学
西安科技学院
西安邮电学院

甘肃省（9个）
兰州大学
西北民族学院
兰州医学院
兰州商学院
庆阳师范高等专科学校
西北师范大学
甘肃工业大学
甘肃农业大学
兰州师范高等专科学校

青海省（3个）
青海大学
青海医学院
青海师范大学

宁夏回族自治区（4个）
宁夏大学
固原师范高等专科学校
西北第二民族学院
宁夏医学院

新疆维吾尔自治区（10个）
新疆大学
新疆医科大学
石河子大学
新疆工业高等专科学校
乌鲁木齐职业大学
新疆农业大学
新疆师范大学
新疆职业大学
新疆财经学院
巴音职业技术学院

2002年全国大中专学生志愿者暑期“三下乡”社会实践活动优秀团队

北京市（5个）

北京大学博士生赴冀邢党员大学生“三个代表”实践服务团

清华大学新闻学子“重走长征路”大学生“公民道德”实践服务团

中国人民大学博士生赴新疆“服务农村青年增收成才”实践服务团

北京科技大学“彩虹工程”博士生“服务农村青年增收成才”实践服务团

北京林业大学女大学生北京女子监狱“一帮一”结队帮教“公民道德”实践服务团

天津市（3个）

天津大学博士生“农村青年增收成才”实践服务团

南开大学大学生“公民道德”实践服务团

天津师范大学党员大学生“三个代表”实践服务团

河北省（3个）

湖北大学博士生赴坝上“农村青年增收成才”服务团

河北医科大学赴井陉矿区“公民道德”实践服务团

石家庄经济学院党员大学生赴邯郸市涉县“三个代表”实践服务团

山西省（4个）

山西大学党员大学生“三个代表”实践服务团

太原理工大学博士生“农村青年增收成才”实践服务团

太原师范学院赴大寨“公民道德”实践服务团

山西财经大学女子大学生“公民道德”实践服务团

内蒙古自治区（3个）

内蒙古医学院大学生“三个代表”实践服务团

内蒙古农业大学博士生“农牧区青年增收成才”服务团

内蒙古大学艺术学院“公民道德”实践服务团

辽宁省（3个）

大连医科大学“公民道德建设”社会实践服务团

大连理工大学“三个代表”社会实践服务团

辽宁工程技术大学博士生“三下乡”社会实践服务团

吉林省（3个）

长春理工大学“公民道德”实践服务团

长春工程学院“三个代表”实践服务团

东北电力学院“农村青年增收成才”实践服务团

黑龙江省（4个）

黑龙江中医药大学博士生实践服务团

东北农业大学博士生“农民青年增收成才”实践服务团

哈尔滨医科大学博士生实践服务团

黑龙江省大学生艺术团赴铁力“三个代表”社会实践服务团

上海市（6个）

复旦大学“党的三代领导核心故乡重访”党员大学生“三个代表”实践服务团

上海交通大学赴贵州博士生“农村青年增收成才”实践服务团

同济大学赴青藏线党员大学生“三个代表”实践服务团

华东理工大学博士生赴云南开运“公民道德”实践服务团

第二军医大学赴云南鲁甸博士生“农村青年增收成才”实践服务团

华东师范大学赴安徽青阳博士生“农村青年增收成才”实践服务团

江苏省（5个）

南京医科大学博士生赴洪泽县公民道德实践服务团

盐城师范学院“三峡移民”文化科技服务团

南京林业大学大学生“公民道德”实践服务团

中国药科大学大学生“三个代表”党员服务小分队

南京中医药大学赴大丰市“三个代表”实践服务团

浙江省（5个）

浙江大学农学院赴浦江、诸暨、松阳“农村青年增收成才”实践服务团
浙江工业大学“三个代表”重要思想流动车实践团
浙江科技学院苍南扶贫支教“三个代表”实践团
宁波大学“建文明社区、学百句英语”公民道德实践服务团
浙江师范大学美术学院“农村青年增收成才”实践服务团

安徽省（3个）

中国科技大学赴山东济阳县博士生“农村青年增收成才”实践服务团
安徽农业大学赴肥东县古城镇大学生“三个代表”实践服务团
安徽技术师范学院大学生“公民道德”实践服务团

福建省（4个）

福建中医学院党员大学生“三个代表”实践服务团
华侨大学大学生“公民道德”实践服务团
福建农林大学博士生“农村青年增收成才”实践服务团
福建师范大学博士生“农村青年增收成才”实践服务团

江西省（3个）

东华理工学院“三个代表”实践服务团
南昌水利水电高等专科学校“公民道德”实践服务团
宜春学院“农村青年增收成才”实践服务团

山东省（4个）

石油大学诚信“公民道德”服务团
青岛海洋大学赴荣成科技服务博士团
山东中医药大学博士生赴潍坊市医疗服务团
山东经济学院党员大学生“三个代表”赴荣成市乳山实践服务团

河南省（4个）

河南职业技术师范学院大学生“三个代表”实践服务团
新乡医学院大学生“三个代表”实践服务团
河南财经学院大学生“公民道德”实践服务团
中原工学院大学生“公民道德”实践服务团

湖北省（5个）

武汉大学计算机学院博士生“农村青年增收成才”实践服务团
华中科技大学材料学院大学生“公民道德”实践服务团
华中农业大学博士生“农村青年增收成才”实践服务团
华中师范大学信息技术系星光服务队
湖北大学大学生“三个代表”实践服务团

湖南省（4个）

株洲工学院“三个代表”实践服务团
岳阳师范学院“抗洪救灾”服务团
衡阳师范学院“三个代表”宣讲团
娄底师范高等专科学校“三个代表”服务团

广东省（4个）

中山大学生命科学院博士生赴斗门县“农村青年增收成才”实践服务团
华南理工大学赴阳春市博士生“农村青年增收成才”实践服务团
暨南大学研究生院大学生“公民道德”实践服务团
广东外语外贸大学赴东莞市大学生“三个代表”实践服务团

广西壮族自治区（4个）

广西大学生实践“三个代表”服务“边境建设大会战”志愿服务团
广西大学农学院动物科学技术学院博士、硕士生“农村青年增收成才”服务团
广西师范学院“三个代表”服务团
广西教育学院博士生“三个代表”服务团

海南省（2个）

海南省博士生“农村青年增收成才”实践服务团
海南省大学生公民道德实践服务团

四川省（3个）

成都信息工程学院“三个代表”实践服务团
四川烹饪高等专科学校“公民道德”实践服务团
阿坝师范高等专科学校“公民道德”实践服务团

重庆市（3个）

重庆大学党员大学生“三个代表”实践服务团
重庆交通学院博士生“农村青年增收成才”实践服务团
四川美术学院大学生“公民道德”实践服务团

贵州省（2个）
贵州大学“农村青年增收成才”实践服务团
贵州师范大学党员学生“三个代表”实践服务团

云南省（3个）
云南大学“三个代表”实践服务团
云南师范大学“公民道德”实践服务团
昆明理工大学“农村青年增收成才”实践服务团

西藏自治区（1个）
西藏大学化生地系暑期大学生“三下乡”服务团

陕西省（4个）
西安交通大学党员大学生“三个代表”实践服务团
西安电子科技大学党员博士生“三个代表”实践服务团
西北工业大学大学生“公民道德”实践服务团
西北农林科技大学博士生“农村青年增收成才”实践服务团

甘肃省（3个）
西北民族学院大学生“公民道德”社会实践服务团
西北师范大学政法学院大学生“三个代表”社会实践服务团
兰州商学院大学生“三个代表”社会实践服务团

青海省（2个）
青海民族学院“公民道德”实践服务团
青海建筑职业技术学院“公民道德”实践服务团

宁夏回族自治区（2个）
西北第二民族学院大学生“三个代表”实践服务团
宁夏医学院大学生“公民道德”实践服务团

新疆维吾尔自治区（3个）
新疆大学大学生“三个代表”实践服务团
新疆艺术学院大学生“公民道德”实践服务团
新疆农业大学大学生“农村青年增收成才”实践服务团

第三届中国杰出青年卫士

马卫华　辽宁省武警总队丹东市支队三中队排长
王　伟　北京市人民检察院第一分院起诉二处处长
王　卫　中国工商银行云南省分行营业部大观支行保卫科干部
王红松　河南省第一监狱十二监区三分监区代理区长
邓志祥　江苏省镇江市国税局稽查局二所所长
冯才刚　北京市公安局刑侦总队技术处计算机室高级工程师
刘晓辉　天津海关走私犯罪侦查分局局长
周　丽（女）　天津市宝坻区法院审判员、政工科科长
岳苏霞（女）　河北省邯郸市鸡泽县财政局局长、党支部书记
谈嘉山　江苏省扬州市高邮工商局副局长

第五届中国武警十大忠诚卫士

卢　刚　武警河南总队周口市支队一中队中队长
吴海洋（女）　武警总医院眼科主任
王俊刚　武警天津总队四支队蓟县中队中队长
程显峰　武警辽宁总队抚顺市支队五中队政治指导员
艾合买提·尼亚孜　武警新疆总队阿克苏地区支队库车县中队中队长
马铁军　武警指挥学院政治理论学科部主任
彭俊杰　武警山东总队威海市支队乳山市中队政治指导员
张云波　武警云南总队德宏州支队瑞丽市中队政治指导员
邓　勇　武警广西总队河池地区支队公勤中队一级士官
余春坤　武警安徽总队阜阳市支队副参谋长